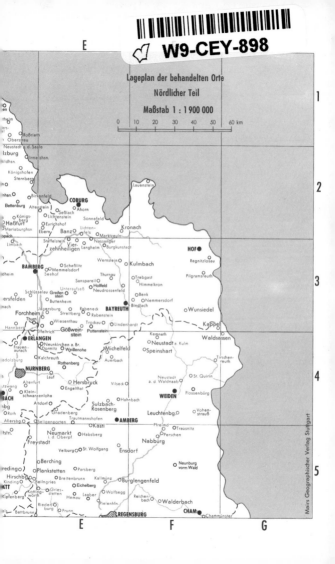

RECLAMS KUNSTFÜHRER
DEUTSCHLAND I

RECLAMS KUNSTFÜHRER

DEUTSCHLAND

BAND I

PHILIPP RECLAM JUN. STUTTGART

BAYERN

BAUDENKMÄLER

VON
ALEXANDER VON REITZENSTEIN
UND HERBERT BRUNNER

MIT 55 ABBILDUNGEN IM TEXT
UND 64 BILDTAFELN
SOWIE 2 ÜBERSICHTSKARTEN

ACHTE AUFLAGE

PHILIPP RECLAM JUN. STUTTGART

Universal-Bibliothek Nr. 8055-72
ISBN 3-15-008055-X

VORWORT ZUR 1. AUFLAGE

Der Kunstführer durch Deutschland ist in mehreren in sich geschlossenen Bänden geplant. – Der Anteil der beiden Bearbeiter am Band Bayern begrenzt sich in dieser Weise: A. v. Reitzenstein bearbeitete die 3 fränkischen Regierungsbezirke und, größtenteils, die Stadt München, H. Brunner die übrigen Regierungsbezirke.

Die Frage, was der Führer beabsichtige, läßt sich so beantworten: Er will dem an den Kunstdenkmälern Deutschlands interessierten Laien ein Handbuch mitgeben, das ihn in lesbarer Darstellung über die wissenswerten geschichtlichen und kunstgeschichtlichen Tatsachen der von ihm aufgesuchten Baudenkmäler unterrichtet.

Die breitere Art der Darstellung schloß die Behandlung *aller* Kunstdenkmäler aus. Es mußte, wohl oder übel, eine Ranggrenze nach »unten« gezogen werden. Daß sie in einzelnen Fällen Beanstandung finden wird, läßt sich voraussagen. Verlag und Bearbeiter mußten sich, ungern genug, im Interesse der Handlichkeit des Werkes zu einer Auswahl aus der Fülle der Denkmäler entschließen.

Das Hauptthema des Führers ist die historische Architektur. Doch wurde auch die neuere und neueste, des 19. und 20. Jahrhunderts, wenigstens in ihren auffälligsten Erscheinungen berücksichtigt. Der Abstand des Beurteilers ist hier freilich noch zu nah, um mehr als Hinweise zuzulassen.

Bei der engen Verbindung der Baukunst mit den bildenden Künsten erschien ein Verzicht auf die Werke der am und im Bau beteiligten Künste untunlich. Die Werke der »Ausstattung« durften nicht beiseite bleiben, war auch die Ausführlichkeit ihrer Behandlung nach dem Grade der Architekturverbundenheit zu bemessen.

Ein Hinweis auf die Literatur, der sich dieser Führer dankbar verpflichtet weiß, beschließe das Vorwort: Die Kunstdenkmäler von Bayern des Bayerischen Landesamtes für Denkmalpflege, das Dehio-Gallsche Handbuch der deutschen Kunstdenkmäler, die Führer zu großen Baudenkmälern des Deutschen Kunstverlages und die Kunstführer des Verlages Schnell & Steiner.

VORWORT ZUR 3. AUFLAGE

Die neue Auflage unterscheidet sich von den beiden ersten durch eine sehr beträchtliche Erweiterung des Umfanges. Viele Texte wurden umgearbeitet und ergänzt, viele auch neu aufgenommen. Das Buch hat nun eine Korpulenz erreicht, die wohl seine letzte sein muß, soll es handlich bleiben. Der Benützer wird immer noch auf Lücken stoßen, die er geschlossen wünscht. Aber dieser Kunstführer will ja nicht sein (und soll auch nie werden) ein Handbuch wie das Dehio-Gallsche, das unser Gebiet, Bayern, in einer Mehrzahl von Bänden möglichst vollständig zu erfassen sucht. Da sich der Kunstführer an einen anderen Leserkreis wendet, schwebt ihm auch ein anderes, eben das im Namen liegende Ziel vor: Führung, nicht Registrierung. Und wenn es auch sein Ehrgeiz ist, möglichst viel zu bringen, so muß er doch auch viel fortlassen, viel von dem jedenfalls, was unterhalb einer mittleren Wertgrenze liegt. Die Bestimmung dieser Grenze ist allerdings problematisch, denn ohne den Zuschuß persönlichen Meinens ist sie nicht zu treffen. Rechte man also mit den Verfassern nicht, wenn die von ihnen gesetzte Wertgrenze nicht immer so verläuft, wie man sie selbst gesetzt hätte.

Die Verantwortlichkeit der beiden Verfasser ist, im großen und ganzen, die im Vorwort zur 1. Auflage angegebene: für die fränkischen Regierungskreise und den Großteil der Stadt München trifft sie A. v. Reitzenstein, für die übrigen Regierungskreise, hauptsächlich, H. Brunner.

Die Verfasser danken allen denen, die sie durch Hinweise oder Kritik (die schärfste war die förderlichste) unterstützt haben. Sie bitten sie, auch diese neue verbesserte, aber natürlich immer noch verbesserungsbedürftige Auflage unter die scharfe Lupe ihrer Sachkenntnis zu nehmen.

Die im Vorwort zur 1. Auflage genannte (inventarisierende) Literatur sei noch um die folgenden Werke ergänzt: H. Mayer, Die Kunst des Bamberger Umlandes, Bamberg 1952; R. Teufel, Bau- und Kunstdenkmäler im Landkreis Coburg, Coburg 1956; P. v. Bomhard, Die Kunstdenkmäler der Stadt und des Landkreises Rosenheim, 1954 (I) und 1957 (II); P. Schneider, Der Steigerwald in der Gesamtschau, Würzburg 1958. Dem großen Inventarisationswerk des Bayer.

Landesamtes für Denkmalpflege traten inzwischen die ersten
der Kurzinventare der noch nicht inventarisierten Gebiete
(Stadt Augsburg, Landkreise Ansbach und Kulmbach) an
die Seite.

VORWORT ZUR 5. AUFLAGE

Die Ankündigung im Vorwort zur 3. Auflage, daß der
Kunstführer im Interesse seiner Handlichkeit nun wohl beim
erreichten Umfang bleiben müsse, war voreilig. Die neue
Auflage ist erneut um einige Bogen stärker geworden. Wieder wurden viele Orte umgearbeitet und ergänzt, wieder
wurde auch eine Anzahl von Orten neu hinzugenommen.
Konkurrenz mit dem Dehio, dessen Prinzip Vollständigkeit
ist oder doch sein sollte, liegt auch dieser erweiterten Auflage fern. Die Verfasser hoffen, daß der Führer dennoch,
trotz der gebotenen Beschränkung des Stoffes, den Zweck
eines Handbuches, Reisehandbuches insonderheit, erfüllt.
Zu der in den Vorworten zur 1. und 3. Auflage angeführten
Literatur sei hinzugefügt, daß die vom B. Landesamt für
Denkmalpflege herausgegebenen Kurzinventare jetzt auch
einschließen: Stadt und Landkreis Bayreuth, Dinkelsbühl,
Erlangen, Forchheim, Fürth, Füssen, Hof, Kaufbeuren,
Kempten, Kronach, Lichtenfels, Memmingen, Münchberg,
Naila, Nürnberg. Von neuester, hier einschlägiger Literatur
sei genannt: Karl Treutwein, Unterfranken, Nürnberg 1961.
Der ortsgeschichtlich Interessierte kann jetzt nach dem Hand-
buch der historischen Stätten Deutschlands greifen, dessen
7. Bd., Stuttgart 1961, Bayern gewidmet ist.

VORWORT ZUR 7. AUFLAGE

Die Verfasser waren bemüht, den Status, fast möchten sie
sagen Fluktus der beschriebenen Denkmäler im Auge zu behalten. Sie haben korrigiert, was ihnen der Korrektur, er-

gänzt, was ihnen der Ergänzung bedürftig erschien. Sie haben, bei allen Vorsätzen, das wägbare Gewicht des Bandes zu respektieren, auch noch eine Anzahl von Orten hinzugenommen. Sie danken allen denen, die ihnen freigebig ihr besseres Wissen zur Verfügung gestellt haben. Ihr Dank gilt auch, und nicht zuletzt, dem Bayerischen Landesamt für Denkmalpflege, insbesondere Herrn Dr. Hans Ramisch, für die stets freundlich gewährte Beratung. Möge eine förderliche Kritik auch dieser neuen Auflage im Interesse einer künftigen zuteil werden.

Zur Ergänzung der in den Vorworten zur 1., 3. und 5. Auflage genannten Literatur sei bemerkt, daß zu den Kurzinventaren des Bayerischen Landesamtes für Denkmalpflege inzwischen die Landkreise Illertissen, Krumbach, Marktoberdorf, Neu-Ulm, Rothenburg o. T., Schwabmünchen, Staffelstein und Uffenheim hinzugekommen sind.

STATT EINES VORWORTS ZUR 8. AUFLAGE

Herbert Brunner ist kurz nach Abschluß der Korrekturen für die vorliegende 8., wieder berichtigte Auflage unerwartet aus dieser Zeitlichkeit abgerufen worden. Dem bei frischer Schaffenskraft und Schaffensfreude viel zu früh Dahingegangenen wissen sich Alexander von Reitzenstein, in dessen alleinige Verantwortung dieser Band nun übergeht, und der Verlag in herzlicher Dankbarkeit verpflichtet.

Das Gebiet der Bundesrepublik Deutschland

behandelt Reclams Kunstführer in folgender Einteilung:
  I. Bayern
 II. Baden-Württemberg; Rheinland-Pfalz (Ober-Reg.-Bez. Pfalz); Saarland
III. Rheinlande u. Westfalen: Nordrhein-Westfalen; Rheinland-Pfalz (Reg.-Bez. Koblenz, Montabaur, Rheinhessen, Trier); Hessen (Rheingaukreis und Wiesbaden; beides auch in Band IV)
 IV. Hessen
  V. Niedersachsen, Hansestädte, Schleswig-Holstein

Die Lage der Orte

zeigen die Übersichtskarten auf den vorderen und hinteren Vorsatzseiten (vorn nördlicher, hinten südlicher Teil). Im Text sind in den Ortsüberschriften die Planquadrate genannt.

Erklärung der wichtigsten Abkürzungen

Es ist das Prinzip des Kunstführers, einen ohne weiteres lesbaren Text zu bieten. Einige immer wiederkehrende Wörter und Begriffe wurden zum Teil abgekürzt. Obwohl diese Abkürzungen auch sonst gebräuchlich und wohl jedermann verständlich sind, werden sie im folgenden erklärt:

ABENBERG (Mfr. – D 4)

Burg

Stammsitz der Grafen des Rangaues, die sich im 11. und 12. Jh. nach ihr nennen, um 1200 erlöschen und ihren Besitz an die Nürnberger Burggrafen vererben. Konrad d. Fromme verkauft aber 1296 Burg und Burgflecken an Eichstätt, das die Siedlung 1299 zur Stadt erhebt und hier bis zur Besitzergreifung durch Preußen, 1796, regiert. Mit Ansbach fällt Abenberg 1806 an Bayern.

Die Burg ist eine einheitliche Anlage der 20er–50er Jahre des 13. Jh. Ganz steht noch die Ringmauer, wenn auch nicht in der alten Höhe. Ein gutes frühgot. Tor läßt südöstl. ein, ein ausgedehnter Hof tut sich auf. Die Wohnbauten sind bis auf einen (spätgot.) dahingegangen. Die beiden die Burg überragenden Türme gehören, der eine (mit dem Fachwerkkopf) ganz, der andere obernteils, dem 19. Jh.

Unterhalb der Burg entwickelte sich der **Burgflecken** und aus ihm die kleine Stadt. Von den um 1300 aufgeführten, um Mitte des 15. Jh. erneuerten Mauern blieb nicht viel übrig, doch stehen die beiden Tortürme. Das Dreieck des Stadtgrundrisses hat seine höher liegende Spitze in der Burg. Eine starke, im östl. Teil steigende, im westl. fallende Achse verbindet die beiden Tore, breite Marktstraße mit Platzschwellung (Rathausplatz) nahe dem Oberen Tor.

Kath. Pfarrkirche St. Jakob. Ein älterer roman. Bau wurde im 15. Jh. weitgehend erneuert, das Schiff 1624–27 um 2 Achsen verlängert. Der alte Turm (14. Jh.), 1468 erhöht, behelmte sich 1769.

Kloster Marienberg

Die sel. Stilla, eine Tochter des Grafenhauses, soll hier im frühen 12. Jh. ein Peterskirchlein gegründet haben. Bei diesem richtete der Eichstätter Bischof 1482 ein Kloster für Augustinerinnen ein. Nach einem schweren Brand 1675 kam es zu einem Neubau der (spätgot.) Kirche, der dem Eichstätter Hofbaumeister Jak. Engel übertragen wurde. Das Klostergebäude, großenteils vom Eichstätter Baudirektor Gabrieli 1720 errichtet, erlag bis auf den N-Flügel und einen Teil des W-Flügels der Säkularisation. Seit 1920 im Besitz der Schwestern von der Schmerzhaften Mutter.

Die Kirche ist nicht groß; eingezogener, halbrund schließender Chor, rechteckiges Schiff, dessen größere westl. Hälfte die Nonnenempore einnimmt; Kreuzgewölbe decken. Die Ausstattung einheitlich, spätes 17. Jh. Vor dem linken Seitenaltar der sehr primitive, um 1250 entstandene Grabstein der sel. Stilla, Deckplatte einer neuroman. Tumba. An der S-Wand des Schiffes in Nische sitzender hl. Augustin, vortreffliche Holzfigur Eichstätter Prägung des späten 15. Jh.

An der N-Wand kleiner (80 cm hoher) Holzkruzifixus in anscheinend urspr. Fassung, frühes 14. Jh. Außen an der N-Wand großer Kalvarienberg, 1926 hierher gestiftet, wohl Arbeit eines niederbayerischen Schnitzers der 1. Hälfte des 18. Jh.

ABENSBERG (Ndb. – E 6)

Die Burg, Sitz der den 1247 erloschenen »Babonen« nachfolgenden Abensberger Grafen, zeigt sich erstmals 1256. Mit dem Ausgang des letzten Abensberg, Nikolaus, 1485, fällt die reichsunmittelbare Herrschaft an Bayern. Die der Burg zugewachsene Siedlung gewinnt 1348 Marktrecht, im frühen 15. Jh. ist sie Stadt. Ihr berühmter Sohn ist der 1477 geborene Joh. Turmair, der sich nach ihr Aventinus nannte, der »Vater der bayerischen Geschichtsschreibung«; sein Denkmal (1861) steht auf dem Schloßplatz. – Der Stadtplan ist durch unregelmäßige Straßenläufe charakterisiert, deren einige sich im langgestreckten Hauptplatz inmitten des fast rechteckigen Berings sammeln. Wenn auch die Burg im SO des Mauergürtels Ausgangspunkt der Siedlung gewesen sein muß, so scheint das Straßengefüge bald seinen Schwerpunkt weiter nach NW, an den Hauptplatz zwischen Pfarrkirche und Karmeliterkloster, verlagert zu haben.

Die **Pfarrkirche St. Barbara** ist eine lichte Hallenkirche des 15. Jh. auf stämmige Rundstützen, mit eingezogenem, 1schiffigem Chor. Das Obergeschoß des Turmes wurde 1762 hinzugefügt, das Innere im 19. Jh. purifiziert. Eine neuerliche Restaurierung hat Teile von Wandmalereien des 15. Jh. freigelegt. Hervorzuheben: ein geschnitztes Vesperbild um 1500 und die Kanzel von 1698.

Ehem. Karmelitenkirche. Die Gründung der Abensberger Grafen datiert 1389 bzw. 1391. Um die Mitte des 15. Jh. war der Bau im wesentlichen vollendet. Die 3schiffige got. Basilika hat im 17. und 18. Jh. einige Änderungen erfahren: Erhöhung des Fußbodens, Einziehung einer Orgelempore (1671–73), Hinzufügung der Josefskapelle (1697) und Ersatz der bisherigen Flachdecken durch Gewölbe 1710/11. Der langgestreckte Chor wird durch den 1717 aufgestellten Hochaltar unterteilt. Zwischen ihm und der polygonalen O-Wand ein Sakristeiraum. Die Barockausstattung geschah zwischen 1710 und 1725, eine lebensvolle Leistung einheimischer Künstler mit Schnitzfiguren von Fz. Anton Neu aus Prüfening.

Der Kreuzgang lehnt sich an die S-Wand des Chores. Nur sein N-Flügel hat als A n t o n i u s k a p e l l e die urspr. Form bewahrt. In ihm

u. a. die Tumba der Abensberger von 1469 (Rotmarmor-Deckplatte auf
erneuertem Unterbau), dem Straubinger Bildhauer Erhart nahestehend.

Die **Burg**, eine ehem. ausgedehnte mittelalterl. Anlage, verfiel seit dem
17. Jh. Das frühe 19. Jh. machte sie endgültig zur Ruine. Erhalten blieb
das spätgot. Kastengebäude an der W-Seite des Schloßplatzes.

Ebenfalls spätgotisch ist das **Rathaus** an der S-Seite des Hauptplatzes.
Ihm gesellen sich einige **Wohnhäuser** spätgot. Zeit, darunter das Geburtshaus des Historikers Aventin. Von der **Befestigung** stehen noch
weite Teile des 14. und 15. Jh., z. T. ruinös, darunter das Regensburger
Tor im O.

AHORN (Ofr. – E 2)

Die Burg zeigt sich schon 1075, das Geschlecht »von Ahorn« 1130.
Nach wiederholtem Herrenwechsel kommt Ahorn 1501 an die reich
gewordenen Coburger Münzmeister-Rosenau, 1615 an die Streit-
berg (deren letzter 1638 stirbt). Seit 1821 ist das Schloß Besitz der
Freiherren v. Erffa.

Die **Schloß**-Prägung, die den Eindruck der ehemals allseitig
von Gräben umfaßten Baumasse bestimmt, ist das Ergebnis
der umwandelnden Tätigkeit des 16. Jh. Das südl. stehende
Hauptgebäude schiebt an den Ecken 2 starke Rundtürme
vor; ein steiles Satteldach, mit Zwerchhaus in der Mitte,
überwächst die zwischen die Türme eingespannte Front.
Ein Treppenturm legt sich der Hofseite an. Ein zweites,
nördl. stehendes Gebäude begrenzt den sonst von Mauern
geschlossenen Hof. Bauherr war ein Münzmeister-Rosenau,
Bauzeit das 6. Jahrzehnt des 16. Jh. (1555). Das reiche Portal und die köstliche Schneckenspindel des Treppenturmes
entstanden in der Streitbergschen Periode, 1621. – Das
Schloß verwahrt noch viel gutes altes Inventar, meist des
17. und 18. Jh., und muß schon dieses schönen und seltenen
Besitzes wegen mit Auszeichnung genannt werden.

Die vielfältige, bewegte Baugruppe erfährt noch eine Bereicherung durch die östl. angrenzende **Kirche**, deren aufsprießende Turmhelmspitze die sonst durch Mauerschwere
niedergehaltene Vertikale ins Recht setzt. Der Bau ist ins
15. Jh. zu stellen. Das Langhaus wurde allerdings erst im
(Streitbergschen) 17. Jh. und noch einmal gegen Ende des
18. zu dem, was es ist – einfacher, an der N-Seite mit Empore besetzter Saalraum. Prachtstück der Ausstattung ist
das große figurenreiche Grabdenkmal des 1631 verstorbenen Wilh. v. Streitberg, das zwischen 1615 und 1623 von

Hans Werner begonnen und nach 1623 von dessen Schwiegersohn Veit Dümpel vollendet wurde. Werk einer bravourösen Steinmetzenkunst, stilgeschichtl. schon auf der
Schwelle des frühen Barock. Beachtlich auch das in Holz
gearbeitete Grabmal des letzten Streitberg, Wilh. Ludwig
(1638), das nach allen Stilindizien erst im späten 17. Jh. gesetzt worden sein dürfte.

Bad AIBLING (Obb. – D 8)

*Nächst Aibling verläuft der Zug der Römerstraße Augsburg –
Salzburg. 804 ist ein (vormals herzoglicher) Königshof bezeugt.
Er kommt im frühen 11. Jh. an Bamberg, als Lehen der Bischöfe
dann an die Sulzbacher Grafen, weiter an die Staufen. Um die
Mitte des 13. Jh. fällt Aibling an die Wittelsbacher. In der Folge
ist es der Verwaltungssitz eines ausgedehnten Landgerichts. – Am
Anfang der Geschichte Aiblings steht jedenfalls das Dorf (Epininga, Eipilinga) westl. der Glonn. Herzogs- und Königshof, an
seiner Stelle später Burg und Kirche, besetzen die Höhe, den
»Hofberg«. Der Markt (erstmals 1224) entwickelt sich in der
Mitte. – 1840 wird die Heilkraft des Moores entdeckt, seit 1895
ist Aibling »Bad«, seit 1933 Stadt.*

Pfarrkirche St. Maria. 1755/56 nach Plänen Joh. Mich. Fischers von Abr.
Millauer völlig umgestaltet unter Einbeziehung mittelalterl. Fundamente. Saalbau mit eingezogenem Chor. Vorzüglicher Stuck von dem
Einheimischen Th. Schwarzenberger: rosa und gelb getönte Rocaillen,
untermischt von Bandwerk und hellgrünen Pflanzen mit farbigen Blüten. Gewölbefresken von M. Heigl (1756) und Jos. Ant. Wunderer. Im
(neuen) Hochaltar eine Muttergottes aus dem frühen 16. Jh. Seitlich im
Chor Kreuzigungsgruppe, gegenüber Hl. Joh. Nepomuk, schöne Arbeiten von Jos. Götsch um 1760–70. Kanzel 1768.

Die **Marktsiedlung**, trotz Aufstieg zum Kurort (seit 1841), noch recht
wohlerhalten. Einzelne Wohnhäuser aus dem 17. und 18. Jh. in der
Bauweise der Innstädte.

AICHA vorm Wald (Ndb. – G 7)

Pfarrkirche St. Peter und Paul

*Die originelle Anlage wurde 1726–35 unter Verwendung mittelalterl. Teile (insbes. im Turm) aufgeführt. Baumeister unbekannt.
Obwohl 1734 von einem »projektierten Überschlag« des »Münchenerischen Pau Meyster Michael Fischer« die Rede ist, mag man
eher an andere denken: Jak. Pawagner aus Passau etwa, der 1730
den Pfarrhof errichtete.*

Das 3jochige Langhaus mit seiner W-Empore wird vor dem
halbkreisförmigen Chor vom kurzen Querschiff durchschnitten. Die querrechteckige Vierung ist flach überkuppelt und
verleiht, im Verein mit abgeschrägten Querhauswänden, dem
Raum Weite. Auch die Meister der Ausstattung sind unbekannt. Die zarten Bandwerkstukkaturen werden Joh. Bapt.
d'Aglio zugeschrieben (Carlone-Kreis). Die Gewölbefresken,
bes. das mittlere mit dem Pfingstwunder in illusionistischer
Kuppelarchitektur, erinnern an W. A. Heindl und dessen
Ausmalung von St. Nikola zu Passau. Altäre und Kanzel
gehören der Erbauungszeit an. Seelenkapelle 1735, mit einem
Altar des 17. Jh.

Ehem. Schloß. Die einstige Wasserburg östl. vom Dorf wechselte häufig
ihren Besitzer. Ein 3geschossiges Herrschaftshaus mit Schopfwalmen
überragt seine Nebengebäude, die sich um einen quadratischen Hof
gruppieren. 1870, nach Einsturz der NO-Ecke, wurde dieser durch eine
provisorische Mauer schräg beschnitten. Er wird von 3geschossigen
Laubengängen umzogen. Die Anlage mag um 1600 entstanden sein.

Der **Pfarrhof** liegt über 1 km weit vom Dorf entfernt, ein stattlicher
Viereckbau mit gestuftem Walmdach, das von einem Zwiebeltürmchen
inmitten von 4 Kaminen bekrönt ist. Über dem Eingang erscheint unter
dem Wappen des Bauherrn, Pfarrer Hormayer, das Datum 1730. Architekt war Jak. Pawagner aus Passau.

AICHACH (Obb. – C 6)

An einer die Paar kreuzenden S-N-Straße (München – Donau-
wörth) gelegen, erstmals im frühen 12. Jh. gen., wenig später
(1153) auch schon Pfarrsitz, gewinnt die Siedlung als Hauptort
des nach 1208 geschaffenen wittelsbachischen Landgerichts Bedeu-
tung und in nächster Folge auch den Rang eines Marktes. Kaiser
Ludwig begabt sie 1347 mit den Privilegien und dem Rechtsbuch
der Stadt München. Schwere Heimsuchungen 1632 und 1704. Das
zerstörte Schloß ersteht nicht wieder. Das Bild der sicher schon
im 13. Jh. abgesteckten Stadt, die sich auf eine dominierende
Straße ausrichtet, ist durch immer noch viele gute Bürgerhäuser
des 17. und 18. Jh. bestimmt.

Stadtpfarrkirche St. Maria. 3schiffige, sehr stattliche Basilika aus der
Frühzeit des 16. Jh. Hochaltar des 18. Jh. mit Gemälden von Ignaz
Baldauf.

Hl. Geist, Spitalkirche. 2schiffiger Hallenbau um 1450–60. Gedenktafel
Herzog Ludwigs im Bart von Bayern-Ingolstadt (ähnlich denen in Wasserburg, Schrobenhausen, Ingolstadt, Rain und Friedberg), um 1430.

Hinter den Resten des Mauergürtels aus der Zeit um 1420 reizvolle
Straßenpartien. 2 Stadttore barock verändert.

Im W der Stadt das »**Grubet**«, ein keltisches Relikt mit über 3000 Trichtergruben zur Erzgewinnung im Tagbau.

In geringer Entfernung nordöstl.: **OBERWITTELSBACH**, seit 1115 bezeugter namengebender Burgsitz des seit 1180 herzoglichen bayerischen Grafenhauses. Auf dem Platze der 1209, nach Ächtung des Königsmörders Pfalzgraf Otto, geschleiften Burg errichtete wenig später der Zerstörer, Herzog Ludwig d. Kelheimer, eine Sühnekapelle, die sich viell. in Mauerteilen der Kapelle an der N-Seite der bestehenden **Kirche St. Maria** erhalten hat. Diese, Anfang des 16. Jh. aufgeführt, ein schlichter Ziegelbau, 1schiffig, mit 3seitig schließendem Chor; beide Raumteile mit Netzrippengewölben gedeckt; Turm an der N-Seite, mit Zinnengiebeln und Satteldach. – Der neugot. *Denkstein* (Entwurf Ohlmüller) auf dem Rasen ist eine der typischen Malsetzungen König Ludwigs I. (1835).

AIGEN am Inn (Ndb. – F 8)

Der Ort, mit erstem Namen Aufhofen, kommt 1010 als Schenkung Heinrichs II. an Kloster Niedernburg. Der Name Aigen – d. i. Eigen des Hochstifts Passau, das 1193 an die Stelle Niedernburgs tritt – führt sich endgültig erst um 1700 ein.

Wallfahrtskirche Mariae Himmelfahrt zu St. Leonhard.
Ein vom Inn an Land gesetztes Gnadenbild des hl. Leonhard läßt im 13. Jh. eine Kapelle entstehen. Auf diesen Gründungsbau gehen wohl Teile des südl. Seitenschiffs zurück. Auch der gedrungene Turm mit Satteldach (im S) ist in das 13. Jh. zu setzen. Alles übrige deutet ins späte 15. oder frühe 16. Jh. Zum älteren südl. Turm gesellt sich der ansehnliche westliche, dessen niedriger, mit Sterngewölbe gedeckter Vorraum die 2schiffige, mit Netzrippengewölbe gedeckte Halle einleitet. Die beiden ersten Joche enthalten eine spätgot., barock erweiterte Musikempore. Achteckstützen scheiden die beiden Schiffe, die sich nach einem querrechteckigen Pfeiler des 4. Joches verengen, um im nächsten Raumabschnitt nach einer weiteren Achteckstütze vom Gewölbe umgangartig vereinigt zu werden. In diesem Raumglied mündet der eingezogene Chor, der wahrscheinl. als eine Erweiterung anzusprechen ist. Die Abfolge der Raumkompartimente ist auch im Wechsel der Wandfiguration abzulesen. 1647 wurden die Fenster barock verändert und die Ausstattung erneuert. Heutige Altareinrichtung im wesentlichen um 1675. Zu rühmen: Figur des hl. Leonhard um 1480 (am östl. Freipfeiler). – Aigen hat, mit Inchenhofen, die älteste Wallfahrt zum bayerischen »Bauernherrgott« St. Leonhard. Die Kirche bewahrt noch eine hohe Zahl volkskundlich bedeu-

tender Weihegaben (Eisenkammer im S-Turm). Dort auch 5 Eisenklötze, roh geschmiedete menschliche Figuren, unter ihnen der als Ritter gekennzeichnete »Würdinger«, der zum Gattungsnamen derartiger Eisenklötze geworden ist.

Pfarrkirche St. Stephan, 1161 auf bischöflich-passauischem Grund entstanden. Die heutige Gestalt geht auf die Zeit 1470–1518 zurück, später jedoch mehrmals verändert.

Ehem. bischöfliches Kastengebäude. In der 2. Hälfte des 15. Jh. für das passauische Pfleggericht erbaut. Der imposante Block mit dem Inntaler Grabendach enthielt in seinen unteren Geschossen Wohn- und Gerichtsräume neben der Taferne. Die oberen Geschosse waren Kornspeicher.

AITERHOFEN (Ndb. – F 6)

774 ist hier die Hofhaltung des Agilolfingerherzogs Tassilo III nachgewiesen.

Die **Pfarrkirche St. Margaretha** steht in der künstlerischen Nachfolge von St. Peter in Straubing: eine spätroman., doppeltürmig und 3schiffig angelegte Pfeilerbasilika ohne Querschiff und mit eingezogenem Chor. Der nördl. W-Turm wurde nicht über das Untergeschoß hinausgeführt. Steinmetzzeichen verweisen auf Mitwirkung Regensburger Kräfte (vgl. dort St. Jakob). Auch die bildhauerische Detailformen bezeugen deren Einfluß. – Das 19. Jh. beseitigte die Rokoko-Ausstattung und zog neue Gewölbe ein. Aus dem 18. Jh. verblieben einzelne Heiligenfiguren an den Arkadenpfeilern und an den Nebenaltären sowie ein Ölgemälde von Chr. Winck 1767: Huldigung der Erdteile. Seltenes Phänomen in der kirchlichen Kunst ist die Jugendstil-Ausstattung von Th. Baierl (München/Partenkirchen, 1913): der Hochaltar mit einem für diese Kunstströmung typischen Altarblatt, die Aufbauten der Seitenaltäre und des Orgelprospekts, die Neubemalung der Wände.

ALBACHING (Obb.) → Haag (E 7)

ALDERSBACH (Ndb. – F 7)

Ein vermutl. im späten 11. Jh. (jedenfalls schon vor 1125) gegründetes Augustiner-Chorherrenstift verjüngt sich 1127 dank Bischof Otto d. Hl. von Bamberg. An die Stelle der Chorherren treten 1146 Ebracher Zisterzienser. Das aufblühende Kloster besiedelt Fürstenfeld, Fürstenzell und Gotteszell. Sein Endjahr ist 1803.

Ehem. Klosterkirche Mariae Himmelfahrt

Spätes Mittelalter sind die Turmfundamente. Die heutige Kirche vereinigt einen Chorbau von 1617 mit dem von Dom. Magzin, Landau, errichteten, 1720 vollendeten Langhaus und einen um die

Mitte des 18. Jh. ausgestalteten Turm. Auch die Sakramentskapelle
am Chorhaupt ist ein Werk des fortgeschrittenen 18. Jh.

Ä u ß e r e s. Der Chor des frühen 17. Jh. trägt Strebepfeiler. Über seinen Umgang hebt sich die Kuppel der Sakramentskapelle heraus. Die Fassade (1746) ist durch den Turm
mit spätbarocker Haube betont und durch reichen Skulpturenschmuck der Portalzone, dessen Sandstein sich vom hellen Mauerverputz gelbgrau abhebt. Das Rahmenwerk zeigt
ausgereiftes Rokoko: Umdeutung von Pilastern in Volutenbänder, Rocailleformen, phantastische Vasenbekrönungen.
Über dem Scheitel des Portals bewahrt eine auffallend gerahmte Nische die Figur der Immaculata. Die beiden Flankenwände haben keine andere Funktion als die des Schmük-
kens. Sie sind Träger von Steinreliefs und bekrönenden Freifiguren: links Begegnung St. Benedikts mit dem Gotenkönig
Totila unter der Figur Benedikts, rechts Begegnung St. Bernhards mit Wilhelm von Aquitanien unter der Figur Bernhards. – Durch eine kleine Turmvorhalle mit Stuck und Malerei um 1760 betreten wir das I n n e r e. Ein Bild über-
wältigender Pracht bietet sich dar – nicht überladen oder
erdrückend, sondern feinsinnig disponiert. Daß die Raumform sich der schlichten Gliederung durch Wandpfeiler bedient (1720), wird erst später bewußt. Der Chor, mit polygonalem Schluß (1617), erinnert an Gotisches. Sein Kapellen-
kranz ist jedoch dem barocken Raumbild entzogen, nicht
zuletzt durch den mächtigen Hochaltar und die kulissenarti-
gen Wangen des Chorgestühls im Psallierchor. Für Stuck
und Fresko hatte Abt Theobald I. die Brüder Asam aus
München verpflichtet. Egid Qu. Asam überzieht das Stichkappengewölbe, dessen Struktur er hervorhebt, mit Akan-
thus- und Bandwerkgeschlinge, während er in Kapitell- und
Gebälkzone mit den prunkenden Formen italienischer Tradition aufwartet. Ein Stück künstlerischer Bravour ist die
elegant kurvende Orgelempore, die auf 2 vorgeschobenen
Pfeilern ruht, getragen von herkulische Engelsfiguren. (Orgel neu.) Um das große Langhausfresko C. D. Asams ordnen
sich Kartuschen mit Evangelistenbildern, ins Relief über-
setzte Wiederholungen derer in Weltenburg. Ihnen entsprechen im Chor die Darstellungen der Kirchenväter. Das
Gloria der Heilsgeschichte begleiten diese wie jene in sinn-
gemäßer Folge. Im W beginnt die Erzählung mit Mariae
Verkündigung. Das folgende Fresko erstreckt sich über

3 Joche: Geburt Christi mit Anbetung der Hirten. Über der Ruinenszenerie öffnet sich der Himmel zum Gloria um Gottvater. *Sic enim Deus dilexit mundum, ut Filium Suum unigenitum daret,* erläutert das begleitende Spruchband, während unterhalb der Krippe ein Engel den Zisterzienserheiligen Bernhard zur Betrachtung des Heilswunders auffordert. Im O folgt die Auferstehung Christi. Die Chorgemälde berichten von der Himmelfahrt und der Ausgießung des Geistes. Die Schilderung von Christi Passion hat der Auftraggeber in die schmalen Quertonnen der Abseiten setzen lassen. Diesem überaus farbenfrohen und bewegten Gewirk der Raumschale kann nur ein Fortissimo der Einrichtung antworten. Der berufene Meister war Jos. Matth. Götz aus Passau. 1723 wurde der Hochaltar aufgerichtet. Gedrehte Säulen tragen das reich verkröpfte und geschwungene Gebälk zu dem mächtigen Auszug, dessen Architektur hinter dem Funkeln und Quirlen der himmlischen Figurenwelt um den Thron der Trinität völlig verschwindet. Petrus und Paulus flankieren das Altarblatt (einer älteren Anlage) Matth. Kagers von 1619: Vision des hl. Bernhard. Aus derselben Zeit stammt das Muttergottesbild auf dem Tabernakel, vermutl. ein Werk Joh. Deglers aus Weilheim, während das Tabernakel selbst in seinen bewegten Formen den Entwurf Götzens verrät und, über und über vergoldet, das Zentrum von Altar und Kirche symbolisiert. Den Psallierchor umfängt ein hervorragend schönes Chorgestühl mit Intarsiaschmuck, vollendet 1762, ein Schnitzwerk des Fraters Kaspar Schreiber. Die Seitenaltäre am Chorbogen gehen auf Entwürfe von Götz zurück, enthalten jedoch Figuren eines anderen, viell. Wenzel Johans (der sich später in Landshut niederläßt). 1728 und 1729 tragen die Altarblätter des Augsburgers Bergmüller als Vollendungsdaten: Heimsuchung und Kreuzabnahme nach Rubens. Schlichter sind die Nebenaltäre in den Seitenkapellen, wohl von Grießmann. Das östl. Paar trägt Gemälde von C. D. Asam. Die Kanzel, 1748 vollendet, hat der Passauer Bildhauer Jos. Deutschmann signiert. Ihre Reliefs paraphrasieren die Bedeutung des Predigens. Die ganze Ausstattung – Türen, Kirchenstühle, Beichtstühle usw. – verbindet sich mit dem Gebauten zu vollendeter Einheit. – Fehlt der Raumanlage auch architektonische Originalität, so steht Aldersbach doch auf dem Niveau der hervorragendsten Schöpfungen des bayerischen Barock.

N e b e n r ä u m e. Die überkuppelte *Sakramentskapelle* im Chorhaupt
hat Joh. Jak. Zeiller um 1745 in illusionistischer Weise ausgemalt. Die
Lorettokapelle, eine Stiftung von 1739, in den üblichen Formen errichtet, imitiert ruinöses Backsteinmauerwerk mit Bemalungsresten. Wertvolles Schrankwerk (um 1730) enthält die *Sakristei*. Ihr Gewölbe trägt
ein Fresko Joh. Jak. Zeillers von 1746.

Klostergebäude. Ende des 17. Jh. begann die Neuerrichtung des ausgedehnten Klosterkomplexes. Erst um 1770 war der Gebäudekranz zum
heutigen Umfang gediehen. Südl. an die Klosterkirche lehnt sich der
Kreuzgang mit seinen stuckierten Gewölben. Gegen O führt er in den
schlicht ausgestatteten Kapitelsaal. Der N-Flügel enthält die Räume der
Abtei mit dem 1746 von Joh. B. Modler aus Kößlarn prächtig stuckierten Saal. Eine Kapelle wurde von Zeiller aufs beste ausgemalt. Andere
Räume wirken durch vorzügliche Stuckdecken aus der Zeit um 1745–50
und 1760. Der Fürstensaal wird nach dem Thema seiner Ausmalung (um
1730) als Salomo-Saal bezeichnet (weitgehend zerst.). Über dem Refektorium im S-Flügel liegt der Bibliothekssaal mit einem vorzüglich erhaltenen Fresko Matthäus Günthers aus Augsburg (1760): Allegorien
der Wissenschaft umgeben in phantastischer Illusionsarchitektur den
Thron der Trinität. – Das **Torhaus** bildet einen Gebäudetrakt mit der
Torkapelle. Ein 3achsiger Risalit über der Einfahrt kennzeichnet seine
Bedeutung, die durch ein Wandfresko (wohl) Matth. Günthers unter
seinem Giebel betont ist: Religio beschützt den Erdkreis. Durch einen
Eingang im W der Toreinfahrt betritt man die Kapelle, die ehem. als
Laienkirche diente. Ein elegant (von Modler?) stuckierter Raum umfing
halbrund den später verschwundenen Altar. Das Deckenfresko von
Matth. Günther ist 1767 datiert. – Im Friedhof der Pfarrei liegt die
ehem. Pfarrkirche St. Peter, die 1781 erneuert wurde.

Nordwestl. von Aldersbach **KRIESTORF,** dessen **Kirche** einen guten
spätgot. Flügelaltar der Zeit um 1500 bewahrt.

ALLERSBERG (Mfr. – D 4)

*Eichstättisches Lehen der Herren v. Wolfstein, kommt der Markt
1475 an den Herzog von Bayern-Landshut, 1505 an die Junge
Pfalz, 1542 an die Nürnberger, die ihn aber nur bis 1578 behaupten. Seither wieder pfalz-neuburgisch. Die 1323 erteilte kaiserliche Bewilligung zu Graben- und Mauerbau läßt auf Marktwerdung
schließen. Zu einer Befestigung kam es allerdings nicht. Nur 2 Tore
entstanden, von denen das »Untere« noch da ist. Hinterer und
Vorderer Markt sind die Achsen. Die ältere (Dorf-)Siedlung lag
um den Hinteren Markt, der auf die westl. (außerhalb) liegende
alte Pfarrkirche zuläuft. Der Markt entwickelte sich um den Vorderen. Nördl. lag das von Weihern eingehegte Wolfstein-Schloß.*

Die **alte kath. Pfarrkirche** – mittelalterl., im Turm noch romanisch –
mußte ihren Rang im 18. Jh. an die **neue** am Vorderen Markt abgeben,
die 1708 ff. vom Obermässinger Maurermeister J. B. Camesino aufgeführt wurde.

Am wohlerhaltenen M a r k t , dessen Bild von den einfachen Giebel-
häusern bestimmt ist, den der Turm der am N-Ende vortretenden

Pfarrkirche beherrscht und den das in der Erscheinung barocke Untere Tor abschließt, steht etwas fremd und doch alles andere als störend das **Gilardihaus**, das sich der Inhaber der 1689 von Hans Gg. Heckel begründeten Leonischen Drahtfabrik, der Italiener Jakob Gilardi, vom Eichstätter Baudirektor Gabrieli 1723–28 bauen ließ. Ein flacher Risalit mit durchgreifenden Pilastern und Giebelschluß hebt die Mitte des 2geschossigen Gebäudes heraus, dem eine Mansarde mit einem offenen Firstdachreiter aufsitzt. Auch das Heckelhaus geht wohl auf Gabrieli zurück.

ALLMANNSHAUSEN (Obb.) → **Starnberg** (C 7)

ALTDORF (Mfr. – E 4)

Der fruchtbare Boden, eine gegen das Waldland des Keuper vorgreifende Terrasse des Schwarzen Jura, ist schon in der Jungsteinzeit besiedelt. Auf frühe germanische (bajuwarische) Landnahme deuten die 1949 und 1950 aufgedeckten merowingerzeitlichen Reihengräber. In Altdorf, das sich schon namentlich als eine älteste Siedlung der Landschaft ausweist, darf ein fränkischer Königshof vermutet werden. Wahrscheinl. Verwaltungsmittelpunkt des umliegenden Reichsgutes, tritt es um die Mitte des 11. Jh. diese Vorzugsstellung an das jetzt aufkommende Nürnberg ab. Die Erstbezeugung liegt allerdings spät: 1281 befreit König Rudolf seine Altdorfer vom Nürnberger Reichszoll. Wenig später, 1299, verpfändet sein Nachfolger, Albrecht I., Altdorf an die Grafen Emicho von Nassau und entfremdet es so dem Reiche. Nach mehrfachem Herrschaftswechsel fällt Altdorf, das 1387 Stadt ist, 1393 an den Pfalzgrafen Rupprecht. Bei Pfalz-Bayern bleibt es bis zum Bayerischen Erbfolgekrieg, der es 1505 an Nürnberg bringt. Nürnberg verpflanzt 1575 in die kleine, wenig bedeutende, 1553 im Markgrafenkrieg niedergebrannte Landstadt sein Gymnasium, das sich 1578 zur Akademie und 1622 zur Universität entwickelt. Und wenn der Name Altdorf einen guten geschichtlichen Klang hat, dann dank dieser Hohen Schule, die 1623–1809 Bestand hatte.

Die tragende Achse des Stadtgrundrisses ist der M a r k t , eine geräumige Marktstraße, östl. und westl. von den beiden **Toren**, dem Oberen und dem Unteren, begrenzt. Hier das freistehende, 1565 errichtete, 1860 weitgehend erneuerte **Rathaus**, ein 2geschossiger Quaderbau ohne Aufwand, und, an der N-Seite, parallel zur Marktachse, die **Pfarrkirche**. Die Häuserzeilen stehen in guter alter Ordnung.

Ehem. Universität

1575 entschließt sich der Nürnberger Rat zur Verlegung des 1526 begründeten Gymnasium Aegidianum an eine stillere, den Musen genehmere Örtlichkeit. Die Wahl fällt auf Altdorf. Das Gymnasium gewinnt 1578 die Rechte einer Akademie und 1622 die einer Universität. Die Altdorfer Hohe Schule ist bis ins 18. Jh. eine hervorragende Pflanzstätte der Wissenschaften. Ihre im Vorder-

grunde des populären Interesses stehende Beziehung zu Wallen-
stein, der hier 1599/1600 studierte und tumultuierte, sei nur bei-
läufig angemerkt. Sie konnte sich auf bessere Nutznießer ihrer
wissenschaftlichen Arbeit berufen, so auf den großen Leibniz, der
hier 1666 seinen juristischen Doktorhut erwarb. Durch die Kon-
kurrenz der neuen markgräflichen Universität in Erlangen er-
drückt, wurde sie vom neuen Landesherrn, Bayern, 1809 liquidiert.

Das 1571–74 aufgeführte, durch eine schmale Gasse mit dem
Markt verbundene Gebäude umgibt in 3 Trakten einen viereckigen Hof. In der nördl. abschließenden Mauer steht das
Tor. Der 3geschossige Hauptbau, südl., öffnet sich im Erdgeschoß in rundbogigen Arkaden. Ein hoher Uhrturm besetzt die südwestl. Ecke; 2 in Nischen gestellte Statuen, ein
Chronos und ein Dignitär der Hohen Schule, flankieren das
Zifferblatt der Uhr. Die seitlichen Trakte sind 2geschossig,
der westl. mit Blendarkaden im Erdgeschoß, der (etwas später, 1581/82 gebaute) östl. mit vortretendem polygonem
Treppenturm. Solide glatte Quaderflächen, Fensterreihungen, wenig Schmuck. Um so wirkungsvoller der in ein Acht-
eckgitter eingeschlossene feine *Bronzebrunnen* inmitten des
Hofes, das 1575 oder 1576 zu datierende Werk des Nürnberger Rotgießers Georg Labenwolf: über der Brunnenschale
ein Dreifuß, Widderköpfe, wasserspeiende Delphine, eine Ba-
lustersäule und auf ihrem Urnenknauf die mit Schild und
Speer gerüstete Minerva.

An der südl. Stadtgrenze, südwestl. der Universität, steht das **ehem.**
Pflegschloß der Reichsstadt (jetzt Landratsamt), ein ansehnlicher Quaderbau d. J. 1585.

Ev. Stadtpfarrkirche. Urspr. Filiale von Rasch, zieht die Altdorfer
Laurentiuskirche zwischen 1308 und 1345 die Pfarrechte an sich. Von
einem spätgot. Bau, wahrscheinl. des frühen 15. Jh., steht noch der
Chor. Das ansehnliche Langhaus wurde 1753–55 aufgeführt. Auch der
Turm, an der N-Seite des Chores, der in den unteren Teilen noch
spätgot. Mauer enthält, gewann damals seine barocke Gestalt. 5 hohe
Rundbogenfenster gliedern die Langseiten des Schiffes, 4 die W-Front,
die ein geschweift konturierter Giebel beschließt. Der robust stämmige,
in (kaum originalen) Spitzbogenfenstern geöffnete Turm steigt in
4 Geschossen auf und schließt mit Oktogon, Kuppelhaube und Laterne.
Im Innern spricht noch der 2 Joche tiefe, mit Kreuzrippengewölben gedeckte, polygon gebrochene Chor die Sprache der Spätgotik. Das protestantisch einfache Langhaus ist ein Saalraum mit umlaufender doppelgeschossiger Freiempore.

Vor dem Oberen Tor der 1527 angelegte **Friedhof** mit 1711/12 errichteter Kapelle. In der gedeckten Gräberhalle der W-Seite (1718) steht, in
der Einhegung reichen schmiedeeisernen Gitterwerks, ein beachtliches
Professorendenkmal: des Theologen Chr. Fr. Tresenreuther von 1746.

ALTDORF (Ndb. – E 7) → **Landshut**

ALTEGLOFSHEIM (Opf. – E 6)

Schloß

Ein sich nach Eglofsheim nennender hochstiftisch-regensburgischer Dienstadel blüht bis ins frühe 14. Jh. Nach häufigem Besitzwechsel fällt Eglofsheim 1659 an die Freiherrn (seit 1685 Grafen) v. Königsfeld, deren dritter, Hans Georg, Inhaber hoher kurfürstlicher Hofämter, Reichsvizekanzler Kaiser Karls VII., der Schöpfer des das übliche Maß ländlicher Herrschaftssitze weit überschreitenden, man darf wohl sagen, fürstlichen Schlosses ist. – Nach Ausgang der Königsfeld folgen 1810 die Freiherrn v. Cetto, dann, 1835, die Fürsten Thurn und Taxis, die sich runde 100 Jahre später (1938) des Besitzes entäußern. »Zweckentfremdungen«, die der 2. Weltkrieg mit sich brachte, schädigten die Ausstattung des Schlosses, das nun dringlichst der konservierenden Hand bedürfte.

Die Unregelmäßigkeit des Ä u ß e r e n verrät, daß wir es mit einem Konglomerat aus verschiedenen Bauepochen zu tun haben. Ein mittelalterl. Bergfried überragt im W den hohen Giebel eines Baukörpers, an den das frühe 17. Jh. 2 runde Flankentürmchen setzte. Südl. an diesen lehnte man um 1680 einen Trakt, der in seinem Untergeschoß die schlichte, 2schiffige Kapelle beherbergt. Um 1730 wurde er nach W verlängert, nachdem man rechtwinklig zu ihm den langen, von S nach N orientierten Flügel begonnen hatte, dessen Festsaal sich halbrund gegen O herausschiebt. Die gesamte Außengliederung ist betont einfach, um so überraschender der Glanz des I n n e r e n. Betreten wir das Stiegenhaus im alten Trakt zu Füßen des Bergfrieds, so umfängt uns die Welt des frühen Rokoko (um 1730). Bandwerkstuck mit Netzkartuschen umrahmt den gemalten Götterhimmel Nikolaus Stubers mit dem Wappen der Königsfeld (zerst.). Das Hauptgeschoß leitet durch die beiden Erkerzimmer, deren eines ein schönen Bandwerkstuck und ein Gemälde Cosmas D. Asams (Endymion und Diana) bewahrt, in einen Saal, in dessen Stukkatur um 1730 ältere Plafondgemälde einbezogen wurden. Das mittlere hat das Paris-Urteil zum Thema. Interessant die im Fußboden eingelassene, durchbrochene Messingplatte für die Beheizung aus dem Erdgeschoß. Die besonders delikate Ausschmückung des gegen W anschließenden Gemachs deutet auf Mitwirkung François Cuvilliés' d. Ä. Durch den folgenden Raum mit

einem Fresko Stubers (Merkur mit dem Haupte des Argus
vor Jupiter und Jo, 1779 übergangen) gelangen wir in das
»Grüne Zimmer« mit flotter Dekorationsmalerei in der Art
Stubers und dann in den »Kaisersaal«. Hier quellende Stuckdekoration italienischer Prägung, wie sie die Stilstufe um
1680 kennzeichnet. Zwischen Akanthus, Laub- und Fruchtgirlanden präsentieren sich die Figuren der 4 Erdteile. Durch
die Hohlkehle zieht sich zarterer Stuck von 1730. Die Rahmungen enthalten Gemälde des späten 17. Jh.: Kaiser Leopold I. mit seinen Vasallen. 4 kleinere Bilder haben mythologische Szenen zum Vorwurf: Geburt der Venus, Venus
und Mars, Boreas und Orithyia, Rinaldo und Armida. Der
prunkende Ofen entstammt gleicher Zeit, um 1680. Weitere,
fein dekorierte Räume reihen sich gegen W an, deren gedie-
gene Ausgestaltung eine bedeutende Künstlerhand verrät,
wie sie eben nur der kurfürstliche Hof vermitteln konnte.
Der vornehmste Repräsentationsraum ist der Ovalsaal im
Querflügel. Aus einer gewölbten, offenen Halle im Erdgeschoß führt das breite, festliche Stiegenhaus mit doppelläufiger Treppe unter dem breiten Fresko des Parnaß zu ihm
empor. Die Gliederung ist 2geschossig. Hermenpilaster tragen die untere Kehle. Darüber verläuft eine Brüstungszone
mit anmutigen Puttenreliefs oder vollplastischen Trophäen
über den Seitentüren. Locker kurvendes Rahmenwerk umschlingt die Fenster und Gemälde des Obergeschosses (Still-
leben von Snyders und Jagdstücke von Weenix). Vergleiche
mit Schleißheim lassen an den Dekorationskünstler Ch. Dubut denken. Als Krönung des Ensembles leuchtet von der
Flachkuppel ein Fresko, das zu den preiswürdigsten des
bayerischen Barock gehört: Der Tag, von Cosmas D. Asam.
Aus den Wolken sprengt der Gott des Tages auf hohem
Triumphwagen, Apollo. Vor ihm fliehen die Gewalten der
Nacht. Die Musen heben an zu frohlocken. Die Genien des
Gartenbaus und der Jagd rüsten zu heiterem Tagewerk. Und
über allem lächelt Frau Venus, von der sich Mars – zu neuer
Heldenoper geharnischt – verabschiedet.

ALTENBEUERN (Obb. – D 8) → **Neubeuern**

ALTENBURG (Obb.) → **Ebersberg** (D 7)

ALTENERDING (Obb.) → **Erding** (D 7)

ALTENFURT b. Nürnberg (Mfr. – D 4)

Kapelle St. Johannes Bapt. und St. Katharina. Die Sage läßt sie durch
Karl d. Gr. gegründet sein. Sichtbar wird sie erstmals 1225, urspr. wohl
eine Taufkapelle. Sie war Besitz des Nürnberger Schottenklosters. –
Einfacher, gewölbter Rundbau, dem sich östl. eine über Dreiviertel-
kreis stehende Apsis, in Sandsteinquadern, anlegt. Der den Rundbau
umfahrende eingetiefte Rundbogenfries greift nicht auf die Apsis über,
die jünger ist. Als Bauzeit der jedenfalls von den Nürnberger Schotten
gegr. Kapelle wird sich die Mitte des 12., der Apsis die Mitte des 13. Jh.
ansetzen lassen.

ALTENHOHENAU (Obb. – E 8)

Dominikanerinnen-Klosterkirche St. Peter und Paul

Das unterscheidende »Alt« deutet auf eine neue Siedlung glei-
chen Namens. Aus der jüngeren Siedlung Hohenau entwickelte
sich die Stadt Wasserburg. Die ältere, etwas aufwärts am rechten
Ufer des Innstroms, wurde vom letzten Wasserburger Grafen,
Konrad, 1235 mit einem Frauenkloster bestiftet, dem ersten
dominikanischen hierzulande. Eine 1239 geweihte Kirche ist nur in
den Mauern des Chores erhalten. Neubau nach 1379 (Brand).
Einwölbung in den 70er Jahren des 17. Jh. Die heute den Raum
bestimmende hervorragende Ausstattung entstand in den 60er und
70er Jahren des 18. Jh. – Nach der Säkularisation blieb das Klo-
ster noch bis 1822 von Nonnen besetzt. In der Folge Abbruch
eines Großteils der Klostergebäude (südl. der Kirche). Rückkehr
des Ordens 1922. Nun Klosterneubau an der N-Seite der Kirche,
in guter Anpassung.

1schiffiger, rechteckig umrissener Raum mit stark eingezogenem Chor östl. und tiefer Nonnenempore westl., deren getäferte und mit Gemäldemedaillons ausgestattete Decke nach
1683 geschaffen wurde. Die Meister der späten Rokoko-
Ausstattung (1761 beg., 1774 vollendet) sind: der Münchner
Ignaz Günther (Altäre), der Augsburger Matth. Günther
(Chorfresko) und der Münchner Joh. Mich. Hartwagner
(Fresko des Langhauses, 1774). Der Hochaltar ist eines der
schönsten und reifsten Werke Ign. Günthers, wahrscheinl.
1767 entstanden. Über dem Tabernakel mit dem getriebenen
Silberrelief der Opferung Isaaks, vom Münchner Goldschmied J. Fr. Canzler (sicher nach Entwurf Günthers),
eine ältere Muttergottes und die (Güntherschen) Ordens-
patrone Dominikus und Katharina von Siena. Seitlich, zwi-

schen den Säulen, die Patrone der Kirche, Petrus und Paulus, in drehenden, schwingenden Körpergebärden, Gefühl und Pathos in der nur Günther eigenen Weise verbindend. Typisch auch die Seitenfiguren der beiden Nebenaltäre, Joseph und Anna südl., Sebastian nördl. (der Partner Sebastians, Florian, der, ausgeliehen, verbrannte, 1900 durch einen hl. Sigismund, um 50 Jahre älter und fremder Herkunft, ersetzt). Die schmuckreiche Kanzel ist Werk des Aiblinger Bildhauers Ign. Stumbeck, des ebenfalls Aiblinger Kistlers Christ. Kögelsperger und des Miesbacher Malers Jos. F. X. Graß, 1774. Das reich (barock) gekleidete, einst hochverehrte Jesulein am südl. Altar stammt aus dem 18. Jh. (ein zweites, sog. Kolumba-Jesulein, frühes 15. Jh., im Verwahr des Klosters). Werk des 14. Jh. (nach Mitte) ist der an der N-Wand hängende Crucifixus dolorosus; er war Gnadenbild, Empfänger vieler Bittzettel (vom 16. bis ins 18. Jh.), die durch die Seitenwunde eingelegt wurden. Gnadenbild war auch die an der gleichen Wand stehende »Maria vom Siege«, Mitte des 15. Jh. (aus der 1805 abgebrochenen Ägidius-Kapelle nördl. des Klosters). Die gute Wappengrabplatte, Rotmarmor, unter der Kanzel, ist die des Ritters Konrad v. Laiming, 1446. – Die südl. an den Chor anschließende Sakristei (urspr. Kapelle der hll. Felix und Adauctus) wurde spätestens 1347 errichtet; ein Fächer starker Rippenstrahlen in der 5teiligen Chorbrechung. Das Deckengemälde des Obergeschosses (Oratorium) vom Münchner Maler Jos. Ant. Schütz, 1774.

Werke Ign. Günthers (Kruzifixus und Mater dolorosa, 1765) auch in der **Pfarrkirche** des benachbarten GRIESSTÄTT.

ALTENMARKT (Ndb.) → **Osterhofen** (F 7)

ALTENSTADT b. Schongau (Obb. – B 7)

Der Name setzt das Dorf westl. der Stadt von dieser als dem neuen Schongau ab. Um 1080 als Scongoe bezeugt, 1224 als »oppidum« (Burg), ist es um diese Zeit staufischer, nach dem Ausgang der Staufen, 1268, wittelsbachischer Besitz. Man muß annehmen, daß die große, dörfliche Maß weit überschreitende Kirche Alt-Schongaus vor Gründung Neu-Schongaus (nach 1225) entstanden ist. Denn anders läßt sich die Monumentalität dieser Dorfkirche nicht erklären. Es darf wohl auch der seit 1191 hier gebietende staufische Grundherr berufen werden. Enge Verwandt-

*schaft mit der Peterskirche in der Straubinger Altstadt erinnert
an die Tatsache, daß beide Altstadt-Pfarrkirchen dem Augsburger
Bischof bzw. seinem Kapitel zustanden. Zweifellos waren Glieder
einer italienisch-lombardisch geschulten Bauhütte hier wie dort am
Werk.*

Die **Pfarrkirche St. Michael** ist einer der bedeutendsten
roman. Bauten Altbayerns. Eine Frühdatierung (2. Hälfte
12. Jh.), auf welche die Annahme einer Gründung durch
Herzog Welf VI. († 1190) hinführte, dürfte der schon gotisch
geknickte Arkadenbogen kaum zulassen. Die Zeit um 1220
(Jahreszahl 1224 am nördl. Seitenschiff) wird in Ansatz zu
bringen sein. – Überraschend tritt der große, münstergleiche
Bau mit der schönen feierlichen Gruppe seiner beiden O-
Türme in den Blick. Der Besucher umschreitet einen massiven
Quaderbau, der seine basilikale Fügung in der klaren Staffelung der Schiffe aufs ersichtlichste herausstellt. Ein Querschiff fehlt; jedes der 3 Schiffe endet in einer Apsis. Über
den O-Jochen der Seitenschiffe stehen die beiden Türme, die
da, wo sich der O-Giebel des Mittelschiffs erwarten ließe,
ein Querriegel verspannt. Die W-Seite legt den Schnitt durch
die basilikale Raumstufung. Wenig Schmuck; der sorgfältig
bearbeitete Tuffquader ist Schmuck genug. Die wenigen
schmückenden Gliederungselemente sind Lisenen, Rundbogenfriese, Kachelfriese. Die Türme öffnen sich erst oben,
in den beiden Hochgeschossen, in zweifachen, zuletzt dreifachen Klangarkaden, denen jenes Helle, Heitere anhaftet,
das wir Staufisch nennen. Die W-Seite öffnet sich in einem
Rundbogenportal: Sehr schlanke, spiralig kannelierte Säulen
treten in die beiden Stufen des Gewändes und setzen sich,
über Kapitell und Kämpfer, in den Stufen des Bogens als
Archivolten fort, 2 starke Säulen rahmen; urspr. ruhten sie
auf Löwensockeln. Im Bogenfeld das Relief eines auf
St. Michael zu beziehenden Drachenkämpfers, der fast wörtlich den vom Portal der Straubinger Peterskirche wiederholt.
holt.
Der Besucher tritt durch das einfacher gestaltete nördl. Portal ins I n n e r e. In 7 Jochen schreitet das mauerschwere
Schiff bis zur halbrunden Apsis, die den Raumzug fängt.
Und Apsiden, nur kleiner im Radius, fangen auch die Bahnen der Seitenschiffe. Pfeiler, aus 4 Halbrundstämmen zusammengesetzt, nehmen die leicht gespitzten Arkadenbogen
auf; nur das östl. Pfeilerpaar des den Altarraum begrenzen-

den O-Joches steht über Kreuzgrundriß. Halbsäulen streben
über den Pfeilern zur Wölbung hoch, Träger der Gurte,
welche die rechteckigen, kreuzgratigen Wölbfelder tragen.
Diese Wölbungen – in den Seitenschiffen ohne Gurte –, die
in ihren Unregelmäßigkeiten noch unsicheres Tasten verraten, sind älteste Bayerns, das nicht eben rasch an das Wag-
nis weitspannender steinerner Decken heranging. Strebe-
mauern, verdeckt durch die Dächer der Seitenschiffe, und
flache Vorlagen am Hochgaden sichern die Widerlagerung.

Altenstadt, Pfarrkirche
St. Michael
Kapitelle der Halbsäulen

Der den den durch Mauerwucht, doch auch durch eine starke
Körperlichkeit ausgezeichneten Raum abstreifende Blick
wird sich schließlich den *Kapitellen* zuwenden, deren breit-
niedere Blöcke in kantiger, kerbschnittartiger Zeichnung mit
ornamentalem Blattwerk überschrieben sind; auch diese, wie
die Portale in Sandstein ausgeführt, verweisen auf italie-
nisch-lombardische Einflüsse. – An der Altenstädter Kirche
gingen die Zeiten vorbei. Der Bau verharrte in seiner Ursprünglichkeit; auch die von König Ludwig I. veranlaßte
Restaurierung 1826 beschränkte sich aufs Konservieren. Die
alte Ausstattung fiel freilich dem Stilpurismus zum Opfer.
Noch steht (jetzt in der S-Apsis) die roman. Taufkufe, ein
aus Sandstein gemeißeltes Vierpaßbecken mit den von Bändern eingefaßten Reliefdarstellungen des Täufers und der
Taufe Christi, St. Michaels und der Muttergottes, der Evangelisten und der Paradiesflüsse. Den (neuen) Hauptaltar
überragt der »Große Gott von Altenstadt«, ein riesiger
Holzkruzifixus des frühen 13. Jh. (Höhe 3,18 m). Seine
Assistenzfiguren, Maria und Johannes, sind Kopien der im
19. Jh. in das Münchner Nationalmuseum abgewanderten
Originale. Die Thronende Muttergottes in der nördl. Apsis,
spätromanisch, ist Leihgabe des Bayer. Nationalmuseums. Sie
kam erst 1961 herein, als eine durchgreifende Restaurierung

die Zutaten des 19. Jh. verschwinden ließ und das Raumbild
seiner alten Gestalt anzunähern versuchte. Einige Wandmalereien bleiben zu nennen: im Chor Mariae Verkündigung
(S-) und Seelenwäger St. Michael (N-Wand), im südl. Seitenschiff Maria und Johannes unter dem Kreuz, alle aus der
Frühzeit des 14. Jh.

Die in die Kirchhofmauer (nordöstl.) eingesetzte Rundbogenarkade ist
ein Relikt des 1910 abgetragenen roman. Karners. – Die älteste, wohl
noch im späten 12. Jh. gebaute Pfarrkirche Altenstadts, **St. Laurentius**,
wurde 1811, mit Verlust der Apsis, in das Haus des Mayerbauern verwandelt.

ALTENSTADT (Opf.) → Neustadt a. d. Waldnaab (F 4)

ALTENSTEIN (Ufr. – E 2)

Die erstmals 1225 bezeugte **Burg**, an einer von Baunach herkommenden,
über die Haßberge nach Thüringen führenden Straße, ist der Stammsitz
der (1875 erloschenen) Stein v. Altenstein. 1703 von diesen verlassen,
verfällt die Burg. Im ältesten Bestande reichen ihre immer noch impo-
nierenden Reste ins 13., die Kapelle ins 15., der Zwinger auf der N-
Seite ins 16. Jh. zurück. Die schwache nördl. (Berg-)Seite sichert ein
Halsgraben, südl. schützt die natürliche Steilung des Burgfelsens. Das
nördl. einlassende Tor liegt in der Flankierung zweier Rundtürme;
2 gleich gestaltete decken die beiderseits anschließende Zwingermauer.
Jenseits des Zwingers, auf der Grenze der inneren (und älteren) Burg,
der starke, mit Buckelquadern verkleidete Bergfried. Südl., höherlie-
gend, Kapelle und Wohngebäude.

ALTFRAUNHOFEN (Ndb. – E 7)

Die **Pfarrkirche St. Nikolaus** ist Neubau (1791–95) durch Thaddäus
Leitner aus Landshut auf den Resten einer älteren Kirche: eine mächtige Anlage, Saalraum mit Flachtonne und eingezogenem emporenbesetztem Chor. Pilaster tragen das Gesims. Gliederung und Raumgrenzen sind herb, klassizistisch akzentuiert. Nur in der Fensterform
findet sich, reduziert, die barocke Kurve. Auch in den Deckenbildern
ist noch etwas vom barocken Illusionsraum zu spüren: Apotheose des
hl. Nikolaus von Tolentino (Langhaus) und Verherrlichung der Eucharistie (Chor). Andreas Seidl, Hofmaler und Akademieprofessor in München, hat sie geschaffen (1792). Auch 2 Altarblätter stammen von seiner
Hand. Die gesamte Einrichtung, die Altarausstattung, mit vorzüglichen
Schnitzfiguren des Chr. Jorhan, gehört der Erbauungszeit, so daß diese
Kirche ein fast ungetrübtes Bild ihres frühklassizist. Zeitgeistes vermittelt.

ALTMÜHLDORF (Obb.) → Mühldorf am Inn (E 7)

ALTOMÜNSTER (Obb. – D 6)

Birgittinnenkloster

Ein Einsiedler Alto, irischer oder angelsächsischer Herkunft, er-
richtet um 760 mit Unterstützung des Franken Pippin im Wald-
lande nördl. Dachau ein benediktinisches Doppelkloster. 1047
siedeln die Mönche nach Altdorf (Weingarten) über; die aus Alt-
dorf hierher verpflanzten Frauen bleiben bis 1485. Jetzt erwirkt
Herzog Georg von Niederbayern die Aufhebung des krankenden
Konventes der Benediktinerinnen, den er wenig später durch Bir-
gitten und Birgittinnen ersetzt. Dieses Doppelkloster hat bis zur
Säkularisation Bestand. Doch bleiben die Frauen, deren Konvent
sich 1840 verjüngt und als einziger deutscher des Ordens der
schwedischen Heiligen heute noch blüht.

Die **Klosterkirche** ist der letzte Großbau des Münchner
Baumeisters Joh. Mich. Fischer, der ihn 1763 begann, seine
Vollendung allerdings – da er 1766 starb – seinem Polier
B. Trischberger überlassen mußte, ein Alterswerk, mit den
Lockerungen eines solchen und mit merklicher Hinwendung
zum heraufkommenden Klassizismus. Fischer hatte sich mit
drei Gegebenheiten abzufinden, dem steigenden Terrain,
einigen älteren Bauteilen, die er, wie den aus dem frühen
17. Jh. (1617) herrührenden Chor, konservieren mußte, und
den Raumansprüchen des Doppelklosters. Und mit diesen
Hemmnissen fand er sich in origineller Weise ab. Die Tatsache älterer Teile ist wenig spürbar, und das Gelände ver-
half zu einer in ihrer Art wohl einzigen Stufenkomposition
steigender Räume, zugleich zu zweckdienlicher Aufteilung.
– Das Altomünster überragt, hoch aufgesockelt, den Marktflecken. Eine Treppe geleitet vor die schmale, vom reizvollen, steil aufsteigenden Turm bekrönte Fassade. Sie geleitet
weiter durch die Turmvorhalle in die 3geschossige Rotunde
des Laienraums, ein in den Diagonalen abgeschrägtes Quadrat mit umlaufender Empore, der die runde Flachkuppel
aufsitzt. Breite Rundbogenöffnungen brechen die von starken Eckpilastern gegliederte Wand auf, Brüstungsgitter
überspielen dekorativ die Basis der Öffnungen. Die 2. Empore vermittelt zum Nonnenchor, der sich als 2. Geschoß
auf eine kleinere, weniger hohe Rotunde setzt, die, seitl.
durch Emporen, in den Diagonalschrägen durch Nischen gelockert, das große Rund mit dem langgestreckten Chor verbindet, der einem vorderen, vom Hochaltar besetzten Quadrat ein erhöhtes folgen läßt. Gleiche Kämpferhöhe bindet

die verschiedenen Raumeinheiten dieses 60 m in der Abfolge
messenden Konglomerates, das seinen Rang in der Tiefen-
staffelung der aufgereihten Räume gewinnt. – Der Stuck,
1773, vom Augsburger Jak. Rauch, hat nicht mehr viel zu
sagen, er flackert nur da und dort von den Rahmenprofilen
her in das Weiß der Flächen. Um so stärker sprechen die
hellbunten Malereien der Gewölbeschalen, Leistungen des
Jos. Magges, darstellend die Wunder und die Glorie des
Titelheiligen. Wäre der Hauptaltar im vorderen Chorjoch
nicht (1892) zerstört worden, dürfte sich die Kirche auch
einer vollen guten Altarbesetzung rühmen. Indessen stehen
die anderen Altäre noch, die nach 1765 aus der Werkstatt
des Münchners J. B. Straub hervorgingen, sehr schätzbare
Komponenten einer, auch im heutigen Bestand und Zustand
noch glücklich reichen, ganz einheitlichen Ausstattung. Einige
Skulpturen stammen von Jak. Arnold aus Dachau. Das Blatt
des Hauptaltars gehört Ignaz Baldauf, das des rückwärtigen
Altars Jos. Zitter. – Altomünster steht wohl nicht in der
ersten Reihe der Großbauten des altbayer. Spätbarock, aber
an Bodenverwachsenheit – wörtlich wie übertragenen Sin-
nes – sucht es seinesgleichen. Sein Mangel – die feine Eleganz
etwa Schäftlarns – ist auch sein Vorzug: etwas Derb-Kräfti-
ges, Originell-Verschrobenes. *(Tafel S. 32.)*

Kloster. Trakte beiderseits der Kirche und ein östl. von ihr liegender
Hof sind Bauten aus dem 16.–18. Jh. Der südl. der Kirche benachbarte
Herrenkonvent ist ein Werk des Münchner Stadtmaurermeisters J. Mayr,
1723–29.

ALTÖTTING (Obb. – E 8)

*Tritt um 750 als agilolfingische Pfalz (»Autingas«) hervor. Seit
788 ist es karolingisch (»palatium regium«, 832). Karlmann errichtet 877 hier ein Kloster. Im 12. Jh. kommt die nun wenig bedeutende kleine geistliche Siedlung an die Herzöge von Bayern. Neue
Bedeutung gewinnt sie durch die um 1490 aufblühende Marienwallfahrt. »Item es was ein grosze kirchfahrt auferstanden gen
Unser Frauen capellen zu Altenötting«, notiert der Chronist 1491.
In der Lutherzeit hart bedroht, gewinnt die Wallfahrt in der
2. Hälfte des 16. Jh. wieder Boden, 1591 ziehen die Jesuiten ein,
im 17. und 18. Jh. hebt sich Unsere Liebe Frau »auf der grünen
Matten« an die Spitze der bayerischen Liebfrauen, und eines der
besuchtesten Wallfahrtsziele ist die »finster, uralt haylige Capel«
heute noch. Barocke Planung (E. Zuccallis), die Gnadenkapelle in
eine mächtige zentrale Wallfahrtskirche einzuschließen, gedieh*

nicht über die 1672 gelegten Fundamente hinaus. Bei aller Groß-
artigkeit hätte sie Unersetzliches zerstört, die hohe Altertümlich-
keit der Kapelle und des Kapellplatzes, der »grünen Matte«.

Hl. Kapelle

877 erstmals bezeugt. Zweifellos ist der kleine, turmartig hochge-
reckte Bau eine der ältesten Kirchen, nicht nur Rundkirchen,
Deutschlands. Wahrscheinl. entstand er als Taufkapelle, wenn
nicht in agilolfingischer, dann in karoling. Zeit. Nur das westl.
Portal ist jünger, wahrscheinl. 1263. Das Langhaus kam erst gegen
Ende des 15. Jh. (1494) hinzu, veranlaßt durch die so rasch auf-
blühende Wallfahrt. Im frühen 16. Jh. dürfte der Umgang mit
Segmentbogenarkaden hinzugefügt worden sein. Das älteste der
unzähligen »Taferln«, die seine Wände überdrängen, datiert 1517.

Der A u ß e n b a u ist schlicht. Östl. die unten runde, oben
8eckige Gnadenkapelle, westl. das spätgot. Langhaus mit
dem 8eckigen steil und spitz behelmten Dachreiter. I n n e -
r e s. Das flach gedeckte, einfache Schiff ist nur Vorraum
der Kapelle, die man durch das spätroman. Portal betritt.
Das untere Rund mit einem Gesamtdurchmesser von nur
9,4 m und einer Mauerstärke von 1,6 m höhlt sich in
8 Rundnischen. In halber Höhe springt die Mauer zurück,
nun, innen wie außen, achtseitig gebrochen. Sie nimmt, ohne
Absetzung, die ebenfalls 8seitige Kuppelwölbung auf.

A u s s t a t t u n g. Schwarzer Stuckmarmor, der einen älteren
Schwarzanstrich ersetzt, verkleidet die Wände. Das 1645 entstandene Silbertabernakel des Gnadenaltars birgt das ehrwürdige
Gnadenbild, die »Schwarze Muttergottes«, ein Schnitzwerk des
frühen 14. Jh., das der seit dem 17. Jh. bezeugte schwere Prunk-
ornat verdeckt. In der den Altar hinterfangenden Nische funkelt
die silberne Wurzel Jesse, entworfen von Tobias Schinagl, modelliert von B. Ableithner, ausgeführt vom Goldschmied Franz Oxner, 1670; die Dreifaltigkeitsgruppe eines Augsburger Goldschmieds kam 1673 hinzu. Die annähernd lebensgroße Silberguß-
figur des kniend anbetenden (10jährigen) Kurprinzen Maximilian,
rechts vom Altar, ist Dankvotiv für Errettung aus schwerer
Krankheit, ein bezauberndes Werk Wilhelm de Groffs (1737),
typisches Rokoko in der Gebärde höfischer Devotion. Links die
Figur des hl. Konrad von Parzham, 1931, von G. Busch. Das die
Gnadenmutter hochverehrende wittelsbachische Herrscherhaus
wählte die Kapelle als Beisetzungsstätte des Herzens. Die Herz-
urnen reihen sich in Wandnischen; die bemerkenswerteste ist die
Kaiser Karls VII. und seiner Gemahlin Maria Amalia, von Joh.
Bapt. Straub, 1745.

Altomünster. Klosterkirche, Inneres

Amberg. Rathaus

Stiftskirche St. Philipp und Jakob

*Die karoling. Klostergründung von 877 erlag den Ungarnstürmen.
1228 erneuert sie Herzog Ludwig als Chorherrenstift. Es entsteht
eine spätroman. Basilika. 1499–1511 erwächst der spätgot. Neubau
unter Beibehaltung von westl. Turmpaar, Vorhalle, W-Empore und
S-Mauer. Jörg Perger aus Burghausen ist Baumeister der Halle.*

Ä u ß e r e s. Weithin sichtbares Wahrzeichen ist das schlanke
Turmpaar, dessen Untergeschosse aus dem 13. Jh. stammen.
Die Spätgotik nach 1500 hat ihnen Achteckkörper und steile
Spitzen aufgesetzt. Ein gewaltiges Dach übergreift die
3schiffige Halle, deren Außenmauer bis auf die stattlichen
Maßwerkfenster und einige anliegende Streben des Schmuckwerks enträt. Um so mehr fällt die unorganische Portalzier
des 19. Jh. auf. Die S-Seite ist durch Kreuzgang und Stiftsbauten verstellt. Ein jüngerer, nicht zugehöriger Bautrakt
blockiert die Turmfront, so daß sich nur das N-Portal dem
Besucher darbietet. Hier meisterlich geschnitzte Türflügel,
geschaffen um 1513–19 von einem dem Hans Leinberger
nahestehenden Meister. Pathetisch rauschende Gewandmassen und kräftige, dramatische Typen zeugen vom barocken
Grundempfinden bayerischer Gestaltungsart schon in der
späten Gotik. Links erscheinen als Relieffiguren die Gottesmutter und St. Ursula, rechts die Patrone Philippus und
Jakobus, darunter die 4 »Großen« Propheten bzw. die
christlichen Kirchenväter inmitten von Fabel- und Tierwesen
als Träger mystischer Bedeutungsinhalte. Vom selben Meister auch das S-Portal im Kreuzgang mit Christi Geburt und
Anbetung der Könige. Das I n n e r e weitet sich zur 3schif-
figen Halle auf schlanken Achteckstützen. In ihrer Breit-
räumigkeit kündigt sich neuzeitliches Denken an, das seit
dem späten 15. Jh. zum körperhaft lagernden Raumbild
drängt. Ornamental gespanntes Rippenwerk gliedert die
Wölbungen der Schiffe, die, ohne ihre Bahn umgangartig
abzurunden, von den 6 schließenden Zwölfeckseiten des
Chores aufgefangen werden. Vor der W-Wand quert eine
Musikempore alle 3 Schiffe. Darunter öffnen sich 2 schlichte,
spätgot. Torflügel zur roman. Vorhalle, deren Laubkapitelle
und Portalgewände ins 13. Jh. weisen. Völlig überbaut, kann
dieser ehem. Auftakt zum Heiligtum nicht mehr sinngemäß
in Erscheinung treten.

Von mittelalterl. A u s s t a t t u n g ist außer den beiden Tauf-
steinen, dem romanischen (12./13. Jh.) und dem spätgotischen

(1501), einigen Weihwasserbecken und einem Kruzifixus von
etwa 1510 (Chorumgang, N-Seite) nichts erhalten. Unter den Epitaphien ragt hervor das ausgezeichnete des Ritters Roman Löffel-
holz (1520), das wohl dem Landshuter Stephan Rottaler gegeben
werden darf. – Der klassizist. Hochaltar umfängt ein Gemälde
von J. J. Dorner 1796, das Maria als Gnadenmutter und Helferin
feiert. Etwa gleichzeitig das vornehme Chorgestühl mit Reliefs aus
der Geschichte Altöttings und seiner Gnadenstätten. Das östl. Paar
der Seitenaltäre trägt je eine Figur von Chr. Jorhan (im N St. Nepomuk, im S St. Florian). Aufbauten Spätrokoko mit Gemälden
aus dem 19. Jh. Die beiden gegen W folgenden Nebenaltäre in
klassizist. Formensprache sind von je 2 Evangelistenfiguren des
Roman Ant. Boos flankiert (1796). Altarblatt im nördl.: Hl.
Abendmahl von Dorner, im südl.: Hochzeit zu Kana von Jos.
Hauber. Berühmt ist die Schrankuhr in der Emporenecke mit dem
sensenschwingenden »Tod von Eding« (= Ötting), gefertigt 1634.
Orgelprospekt 1724.

Für die immer zahlreicher werdenden Weihegaben wurde um 1510
die S c h a t z k a m m e r erbaut, ein spätgot. Saal nördl. vom
Chor. Hier fanden hervorragende Stücke europäischen Kunsthandwerks ihre Aufstellung, darunter das »Goldene Rößl«, um 1400
(Karl VI. von Frankreich kniend vor der Gottesmutter, im Vordergrund unten: Roß und Knappe), ein Meisterwerk französ.
Goldschmiedekunst; Erwerbung Herzog Ludwigs d. Gebarteten
von Ingolstadt, von ihm in die Ingolstädter Liebfrauenkirche
gestiftet, von der es 1506 als Pfand nach Altötting gegeben werden
mußte. Elfenbeinkruzifix, vlämisch, um 1580. Kostbare Gold- und
Silberaltärchen, Monstranzen, Stickereien usw. Die Art der Votivgaben reicht vom fürstlichen Schatz bis zum Wachsstock des Bauern.
Gerade deshalb ist die Altöttinger Schatzkammer nicht nur Sammlung bedeutender Kunstschätze, sondern zugleich Denkmal inniger
Frömmigkeit.

Der **Kreuzgang** im S der Kirche bietet ein Bild aus der
1. Hälfte des 15. Jh., wenn auch plastische Teile aus der
voraufgehenden roman. Anlage in seinem Gefüge enthalten
sind. Interessant ist die lange Reihe seiner Grabdenkmäler,
eine Geschichte bayerischer Skulptur aus 4 Jahrhunderten.
An seinem N-Trakt (der Kirchenpforte gegenüber): die
ovale S e b a s t i a n s k a p e l l e von Dom. Chr. Zuccalli
aus dem späten 17. Jh. Sebastiansgruppe auf dem Altar von
Andr. Faistenberger gegen 1700. – Am O-Trakt S i e b e n -
s c h m e r z e n k a p e l l e , ein zweigeschossiger, schmaler
Bau der Spätgotik. Im Chor kräftige Stuckzier aus dem
17. Jh. Das Untergeschoß dient als Parmentenkammer.
Im S folgt die T i l l y k a p e l l e (ehem. Peters-

kapelle) von Hch. Kemmater um 1425, ein schmucker, got.
Baukörper. Seit 1642 Grablege derer v. Tilly. Die Darstellung des Perneggerschen Altars von 1643 nimmt auf den großen Feldherrn des 30jährigen Krieges Bezug: Graf Joh. Tserclaes v. Tilly betet zum Kruzifixus. In der Gruft die Sarkophage Tillys sowie seines Neffen und Nachfolgers und dessen Gemahlin.

Gottesackerkirche St. Michael 1469. 1schiffiger Raum mit Netzgewölbe. Wandgemälde Weltgericht 16. Jh. Kreuzigungsrelief um 1530.

Ehem. Jesuitenkirche St. Magdalena (jetzt Kapuzinerkirche)

Der kurze, 1schiffige Bau mit seinem kräftigen Achteckturm über dem Chor folgte 1697 einem um 100 Jahre älteren. Baumeister ist Frater Thom. Troyer. Emporenbesetzte Flachnischen begleiten das Schiff, im O querhausartig ausgreifend. Die krautige, starkplastische Stuckdekoration oberitalienischen Charakters ist von hohem Reiz. – Hochaltar 1795 mit Gemälde von Chr. Winck. Seitenaltäre 1712 mit Bildern von Joh. Casp. Sing.

Alte St.-Anna-Kirche der Kapuziner (ehemals Franziskaner, seit 1953 Bruder-Konrad-Kirche), erb. 1654. Schlichter, 1schiffiger Raum mit eingezogenem Chor. Ausstattung 1956/57. Durch den hl. Konrad von Parzham jetzt das zweite Wallfahrtziel Altöttings. – Vor der Kirche ein moderner Brunnen mit der Statue des Heiligen von G. Busch.

Neue St.-Anna-Kirche der Kapuziner (Päpstliche Basilika), 1910–13. Eine großräumige Anlage in neubarocken Formen.

Marienbrunnen, viell. von Santino Solari aus Salzburg, 1637. 2 vierpaßförmige, nach der Höhe gestaffelte Becken, bekrönt von der Immaculata-Figur eines unbekannten Meisters.

ALTSTÄDTEN (B. Schw.) → Sonthofen (A 8)

ALTUSRIED (B. Schw. – B 7) → Kempten

ALZENAU (Ufr. – B 1)

Der alte, frühmittelalterl. Ortsname Willmundsheim trat erst im Spätmittelalter hinter dem der mainzischen Burg nordöstl. der Siedlung zurück. Das der Sage nach von Kaiser Friedrich I. verliehene und wohl auch tatsächlich auf ihn zurückgehende »Freigericht Willmundsheim vor der Hart« (das mehrere Gemeinden als »Märker« einschloß) verlor seine Freiheit 1500 an Hanau und Mainz, das sich schon 1425 im Hauptort der Märker, dem 1412

zur Stadt erhobenen Alzenau, die Herrschaft hatte sichern können.
Bei Mainz bleibt Alzenau bis zur Säkularisation, 1816 kommt es an
Bayern.

Die **Burg** entstand verhältnismäßig spät, um 1400, als mainzische Gründung; sie trägt auch in den erhaltenen Teilen die Prägung dieser Zeit. Der obere Saal des Palas verdient als wohl erhaltenes Relikt profaner Raumarchitektur der Spätgotik besondere Beachtung. Ein feines Zierstück ist der seiner NO-Wand anhängende Kapellenerker.

Kath. Pfarrkirche. Der Miltenberger Baumeister Joh. Mart. Schmidt entwarf sie, ein Aschaffenburger Maurermeister führte sie 1754 ff. aus. Bruchsteinmauer mit Hausteingliederung charakterisiert das Äußere. Das durch Wandpfeiler gegliederte Innere ist durch eine gute einheitliche Ausstattung des späten 18. Jh. ausgezeichnet.

AMBERG (Opf. – E 4)

Die Stadt, in günstiger Verkehrslage, an der Kreuzung der böhmischen Straße mit der Vils, erwächst aus 2 Siedlungszellen. Die ältere, um St. Martin, dürfte in ihren Anfängen in karoling. Zeit zurückgehen, die jüngere, bei St. Georg, trat im 11. Jh. hinzu. Eine Kaiserurkunde, 1034, die Amberg erstmals nennt und den Bamberger Bischof mit bestimmten Rechten (Markt, Zoll, Schifffahrt) belehnt, läßt schon einen Handelsplatz von Bedeutung erschließen. Die Vereinigung der beiden Ursprungszellen im 13. Jh. begründet die Stadt, als die Amberg jedenfalls um die Mitte des Jahrhunderts zu bezeichnen ist. Die Quelle ihrer Prosperität ist der 1270 erstmals ausdrücklich bezeugte (doch sicher viel ältere) Erzbergbau, dessen Schwerpunkte Amberg und Sulzbach sind. – Als Bamberger Lehen kommt Amberg an die Sulzbacher Grafen, dann an die Staufen, endlich, 1268, an die Wittelsbacher, 1329 mit dem »oberen Fürstentum« an deren pfälzische Linie. Neben Heidelberg Hauptort der Kurpfalz, dient es bis ins 17. Jh. als Warte-Residenz der hier als Statthalter regierenden Kurprinzen. – 1628 fällt Amberg (mit dem Großteil der Oberpfalz) an Kurbayern, das die seit 1538 prot. Stadt rekatholisiert. Der 30jährige Krieg knickt die Handelskraft. Die Heimsuchungen des 18. Jh. schwächen die Stadt: Einnahme durch die Österreicher in den beiden Erbfolgekriegen 1703, 1743, 1745, Bedrohung durch Preußen 1757/58, Einzug der Franzosen 1796. Im frühen 19. Jh. verliert Amberg seinen oberpfälzischen Vorrang an Regensburg.

Der **Grundriß der Stadt** ist annähernd oval. Die Vils teilt das Stadtgebiet in etwa gleich große Hälften. Die erste Pfarrkirche, St. Georg, steht im W des sich hier zuspitzenden Berings, die zweite, St. Martin, grenzt mit ihrer W-Seite an das linke Ufer der Vils. Rückgratachse ist die von St. Georg ausgehende Georgenstraße, die in geradem Verlauf auf die Krämerbrücke trifft. Hier schließt sich jenseits der Vils der rechteckige, nördl. von der Martinskirche begrenzte Marktplatz an, der östl. die Rathausgasse entläßt.

Das bis ins frühe 14. Jh. links der Vils (östl.) nur bis zum Spital, rechts (westl.) nur bis zu einer durch die Frauenkirche bezeichneten Linie reichende Stadtgebiet wurde unter Ludwig d. Bayern bis zu den heutigen Endpunkten der Altstadt erweitert; Kaiser Ludwig stiftete 1317 das Spital noch außerhalb des Grabens (»Spitalgraben«) und verlieh 1326 seinen Bergbauzoll »pro reformatione civitatis«, also für die Erneuerung, sagen wir auch gleich Erweiterung der Stadt.

Dank des großenteils erhaltenen Wehrgürtels, der Mauern mit Zwinger und Graben, der Tore und Türme ist Amberg eine der eindrucksvollsten deutschen Städte guten alten Aussehens. Die beiden mächtigen Pfarrkirchen setzen die monumentalen Gewichte; das hervorragende Rathaus bezeugt ein selbstbewußtes Stadtbürgertum; die Bauten der kurfürstlichen Herrschaft sind ansehnlich, aber nicht augenfällig genug, um den Charakter des **Stadtbildes** zu bestimmen. Eine anmutige Zugesellung ist die vom (Namen gebenden) Berge hereinblickende Wallfahrtskirche Maria-Hilf; sie mischt den an der äußeren Erscheinung Ambergs sonst wenig beteiligten Barock ins Spiel.

Pfarrkirche St. Martin (Marktplatz)

Die älteste, ehemals vor den Mauern gelegene Pfarrei St. Georg gab ihre Rechte 1629 an St. Martin ab, dessen Kirche in der Stadt erwachsen war. Ein kleiner Vorgängerbau fiel dem Brand von 1356 zum Opfer. Erst 1421 konnte St. Martin als größere Kirche wiedererstehen. Der Bau zog sich lange hin. 3 Baumeister sind überliefert: Marsilius Poltz, der vorübergehend 1460/61 durch Hans Zunter ersetzt wird und 1476 seine Bauhütte dem Hans Flurschütz überläßt. 1483 schlossen sich die Gewölbe. Der Turm mußte bereits 1509 einem Neubau Platz machen (vollendet 1584). Um 1720 bekam er sein heutiges Aussehen. Inzwischen hatte die Barockisierung der Einrichtung begonnen. Sie mußte 1869–74 der Neugotik weichen.

Der fast völlige Verzicht auf vertikale Außengliederung erhöht die Geschlossenheit dieser gewaltigen, einheitlichen Baumasse aus Sandsteinquadern. Um so deutlicher erscheint die Baufuge östl. der Portale in der 5. Fensterachse. Obwohl der Bauplan von 1421 nahezu konsequent durchgeführt wurde, zeigen sich diesseits und jenseits dieser Naht Unterscheidungen: Bis hierher war der Bau gediehen, als man 1442 den Chor einzuwölben begann. Erst 1461 wurden die Umfassungsmauern gegen W weitergeführt, an die der Baumeister Poltz schmale Dreieckspfeiler anlehnte. Der W-Turm ist in das Langhaus einbezogen. Obergeschoß und Haube gehören dem 18. Jh. an. Das Fenstermaßwerk bevorzugt Fischblasenmotive. An der N-Wand, nahe dem östl. Portal, 2 Konsolenfiguren: Maria und der Verkündigungsengel, aus

dem späten 13. Jh. Vergessen wir auch nicht die schöne Rotmarmorplatte für den Büchsenmeister Merz († 1501, südl.
Außenwand) mit dem kraftvollen Reliefbildnis des Verstorbenen, das Kanonenrohr-Attribut zu Füßen. – Das I n n e r e
zeigt das Wesen einer spätgot. Hallenkirche zu 3 Schiffen.

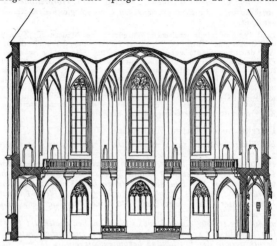

Amberg, Pfarrkirche St. Martin, Querschnitt

Schlanke Rundstützen entsenden das elastische Rippensystem
der Gewölbe. Eingezogene Strebepfeiler scheiden an den
Wänden Kapellen aus und sind durch eine umlaufende Empore verbunden. Diese Empore ist bedeutsame Auszeichnung
der Kirche. Nirgends sonst gibt es bis dahin ähnliche Wand-
pfeileremporen von solcher Tiefe. Vermutl. bot sie den um
die Kirche verdienten Bürgern Platz. Ihre Wappen an der
geschnitzten Brüstung deuten es an. Der ganze gewaltige
Kirchenbau, nach dem Regensburger Dom der bedeutendste
gotische der Oberpfalz, berichtet vom bürgerlichen Wohlstand der einstigen Handelsstadt.

Die E i n r i c h t u n g entstammt zumeist dem 19. Jh. Lediglich
ein bronzenes Taufbecken von 1417 blieb erhalten (Fuß klassizistisch, Deckel um 1730). An der S-Wand, über der Sakristeitür,

hängt das ehem. Hochaltarblatt von dem Rubens-Epigonen Gaspar
de Crayer 1658: die Schutzheiligen der Kirche unter der himmlischen Marienkrönung. An den Wänden der Turmpfeiler 2 weitere
Gemälde Crayers: Enthauptung des Täufers Johannes und Petrus
und Johannes an der Goldenen Pforte. In der Kapelle westl. vom
S-Portal eine Replik Crayers (1644) zu dem ähnlichen Gemälde
der Münchener Staatsgemäldesammlungen: Thronende Maria mit
Heiligen. – Hinter dem Hochaltar Sandsteintumba des Pfalzgrafen
Ruprecht Pipan († 1397). Das vorzügliche Werk ist Weicher Stil
mit böhmischen Anklängen. Deckel ist die prächtige Relieffigur
des Verstorbenen, die Wände zeigen Szenen aus der Heilsgeschichte.
– Nördl. vom Hochaltar ein Flügelaltar mit geschnitzter Muttergottes um 1510–20 und Seitentafeln um 1480. – In der Kapelle
östl. des N-Portals Grabdenkmal für Prinz Friedrich Philipp
(† 1562) mit dem Relief des kindersegnenden Christus. Hier auch
das Epitaph für Prinz Philipp († 1575) mit einem Relief der Kreuztragung. – In einer der südl. Kapellen altniederländisches Muttergottesbild aus dem Umkreis des Hugo van der Goes, um 1480.

Sakristei, urspr. Leonhardskapelle, aus dem späten 14. Jh. – *Ölbergkapelle* mit Skulpturen des frühen 16. Jh.

Kirche St. Georg (Neuthor-Gasse)

*1094 als Pfarrkirche genannt. Der Stadtbrand von 1356 vernich-
tete sie. Ihr Neubau begann 3 Jahre später und wurde noch im
14. Jh. zu Ende geführt. Genannt wird 1379 ein Baumeister Heinrich Hirssel. Im 16. Jh. diente sie der lutherischen, später der kal-
vinischen Lehre. Dann zogen die Jesuiten ein. Diese erweiterten
seit 1652 die Seitenschiffe durch je 2 Kapellen und veranlaßten seit
1718 eine Umgestaltung des Innern. 1773–1811 wirkte hier der
Malteserorden. Dann wurde der Bau Studienkirche.*

Das Ä u ß e r e zeigt die Formen einer got. Basilika mit eingezogenem, langgestrecktem Chor und mächtigem W-Turm.
Kräftige Strebepfeiler gliedern das Mauerwerk. Das W-Portal ist eine großzügige Gewändeanlage des späten 14. Jh.
Im I n n e r n hat sich die Gliederung des 14. Jh. zwar erhalten, doch wird sie von der meisterlich ausgeführten Stuckdekoration übertönt. Die Arkadenpfeiler haben sich in ionische Säulen verwandelt, Kompositpilaster beleben die Wände des Chores. Auch die Gewölbe verraten wohl noch ihre
got. Rippenstruktur, doch schwingen sich von den Konsolen
im Langhaus, von den Gebälkstücken im Chor Girlanden-
stäbe, um sich im Scheitel unter Stuckrosetten zu kreuzen.
Bandwerk- und Stuckranken füllen die Kappenfelder. An
der Hochschiffwand, über den Arkaden, reihen sich Relieffiguren der 12 Apostel. Mit ihnen begann 1718 die Ausge-

staltung des Raumes, wahrscheinl. durch Stukkateure aus
Wessobrunn (vermutl. Andr. Rauch und Phil. Jak. Schmuzer). Daß sie sich bis über die Jahrhundertmitte hinzog, beweist der Rocaillestuck in den Seitenkapellen. Die Größe der
Gewölbefresken mußte auf die got. Gewölbestruktur Rücksicht nehmen. Joh. A. Müller schildert hier und an den Hochschiffwänden Szenen aus der Legende des hl. Georg. Den
Chorschluß füllt der mächtige Hochaltar von 1694, entworfen von Frater Jos. Hörmann, mit dem Gemälde von Joh.
N. Schöpf: Apotheose des hl. Georg. Die Seitenschiff-Altäre
wurden 1668 aufgestellt, 1700 überarbeitet und 1720 bis
1730 mit Antependien versehen. Ihre Gemälde stammen von
Gasp. de Crayer 1672 (Heidentaufe durch Fz. Xaver, Vision
des Ignatius). Auch Kreuzaltar und Marienaltar sind Ende
des 17. Jh. entstanden; jener mit einem weiteren Gemälde
Crayers (Kreuzabnahme), dieser mit einem Altarblatt von
Andreas Wolff (Mariae Himmelfahrt). Schutzengel- und
Aloysius-Altar folgen erst 1754. Die Kanzel zeigt den üppigen Akanthusschmuck ihrer Entstehungszeit, 1702. Ein treff-
lich geschnitztes Chorgestühl von 1701 begleitet 2 Joche des
Langchors. Schließlich verdient auch der Orgelprospekt als
Werk des Rokoko rühmende Erwähnung.

Ehem. Jesuitenkolleg. Der viereckige Binnenhofkomplex schiebt hinter
dem Chor der Kirche einen langgestreckten Flügel gegen S. Das Ä u -
ß e r e ist betont einfach. 1665 wurde der Grundstein gelegt, Fertigstellung erst 1689. An Baumeisternamen ist nur einer überliefert,
Wolfg. Hirschstötter. Der andere, Georg Dientzenhofer, beruht auf gut
begründeter Annahme. Unter den I n n e n r ä u m e n verdient der
Kongregationssaal Aufmerksamkeit: ein anderthalbgeschossiger Saalraum, rechteckig mit schöner Kassettendecke nach Entwurf Frater Hörmanns, 1678. Der prächtige, von Oratoriengittern flankierte Altar ist
ein Werk des Rokoko, 1764. Das Altarblatt, Mariae Himmelfahrt, lieferte G. de Crayer (erworben 1672). – Der B i b l i o t h e k s s a a l
mit Stukkaturen um 1730 und schön geschnitztem Schrankwerk um 1680
(Zutaten 1715) erreicht zwar nicht die künstlerische Höhe der Klosterbibliothek von Waldsassen, ist aber doch ein gediegenes Beispiel barocker Bibliotheken. – Aus den Raumausstattungen des späten 17. Jh.
sind hervorzuheben: der Speisesaal mit Wandvertäfelung und Lesepult
nach Entwürfen Fr. Hörmanns und der ehem. Rekreationssaal.

Frauenkirche (Hofkapelle, Frauengäßchen). Eine Inschrift am W-Portal
nennt 1312 als Jahr der Erbauung. Die Bauformen weisen jedoch ins
frühe 15. Jh. Auch die Inschrift wurde in dieser Zeit gefertigt. Die
kleine 3schiffige Hallenkirche auf Rundpfeilern trägt zu seiten des W-
Portals Figuren der Verkündigung, Maria und Gabriel, schlichte Arbeiten der Zeit um 1440–50.

St. Katharina (im W, außerhalb der Stadtmauer) wurde vor 1382 gegründet, doch im 18. Jh. weitgehend umgestaltet.

Ehem. Franziskanerkirche (Stadttheater, Schrannenplatz). Die Gründung soll 1452 stattgefunden haben. 1464 wird vom Bau des Chores berichtet. Die Reformation unter Pfalzgraf Friedrich vertrieb die Bettelmönche. Unter Kurfürst Maximilian I., 1624, kehrten sie wieder. Instandsetzungen 1627–68. Die Säkularisation 1802 verwandelte die Klosterkirche in ein Stadttheater. Der 1schiffige Raum mit eingezogenem Strebewerk und schmalem Chor wurde durch Einbauten weitgehend verändert. – Die profanierten **Klostergebäude** schließen sich um einen Kreuzhof. Ein polygonaler Erker im O trägt das Datum 1482.

Dreifaltigkeitskirche (östl. der Stadt), ehem. Siechenhaus-, später Friedhofskapelle. 1514 beg., im 18. Jh. verändert. Die Altäre um 1710–25.

Deutsche Schulkirche (ehem. Salesianerinnenkirche, Deutsche Schulgasse)

1692 kommen die Salesianerinnen nach Amberg, 1693 wird ihr Kloster nach Modell Wolfg. Dientzenhofers und auch unter seiner Leitung begonnen. 1696 stuckieren Mitglieder des G.-B.-Carlone-Trupps die Räume. 1697 wird der Grundstein zur Kirche gelegt, die 1698 annähernd fertig ist und 1699 geweiht wird. 1738 westl. Erweiterung des urspr. zentral gestalteten Schiffes, 1757 Erneuerung der Ausstattung. – Das 1802 säkularisierte Kloster kommt 1847 an die Armen Schulschwestern. Seither heißt die Kirche, unterschiedlich zur Lateinischen bei St. Georg, Deutsche Schulkirche.

Der Geschmack des Rokoko bestimmt das Raumbild. Ein prächtiges Portal (1738) mit den Giebelfiguren der hll. Augustin und Franz von Sales führt ins Innere. Aus der eingezogenen Vorhalle überblicken wir den 1schiffigen Raum, seinen eingezogenen Chor und seine gerundeten Eckkapellen. Z. T. vergoldetes Rocaillewerk, Strahlenbesatz und Rankenmotive erzeugen ein Gefühl festlicher Fröhlichkeit. Die Stuckarbeiten (darunter die interessanten Emblemvasen auf den Konsolen des Gewölbeansatzes, Elemente und Jahreszeiten vorstellend) stammen von 1758. Gottfr. Bernh. Götz malte gleichzeitig die Fresken: am Langhausgewölbe Szenen aus der Gründungsgeschichte des Salesianerinnenordens, an den Seitenwänden Heilige und Allegorien. Lebendiges Rokoko spricht auch aus Altaraufbauten, Brüstungsgittern, Orgelprospekt usw.

St. Sebastian (im S, außerhalb der Stadt), 1711–15. Westl. Seitenkapelle 1753. Ausstattung der Erbauungszeit.

Ehem. Paulanerkirche (Ev. Pfarrkirche). Der 1schiffige Bau wurde 1729 geweiht. Die Stuckarbeiten vermutl. von Fr. Chr. Muttone aus Waldsassen. An die Stelle der urspr. Fassadentürme von 1759 trat 1866 ein neuer Turmbau. Das Innere wird durch eingezogene Pfeiler mit umlaufender Empore gegliedert.

Die jüngste Wohnanlage in Ambergs Peripherie hat durch eine eigene **kath. Pfarrkirche (zur Hl. Familie)** von F. Haindl (1955) ihren Akzent erhalten. Besonderheit: Stahlbetonstützen, Vereinheitlichung von Presbyterium und Langhaus.

Rathaus *(Tafel S. 33).* Der Bau wurde nach dem Brand von 1356 an beherrschender Stelle im O des Marktplatzes begonnen. Seine W-Fassade mit dem schlanken, reich verblendeten Giebel trägt die Züge dieser ersten Bauzeit. Die Balustrade mit ihrem vorgeschobenen Treppentürmchen kam 1552 hinzu. Unter der S-Front einst Arkadengänge. Sie wurden 1761 geschlossen. Der westl. Teil bis zum schön dekorierten, flachen Erker gehört noch der ersten Bauperiode an. Der gegen O folgende und der ganze nördl. Komplex wurde als »Neues Rathaus« 1572/73 aufgeführt. Das Obergeschoß vom Alten Bau umfängt den großen Ratssaal mit rautenförmig kassettierter Holzdecke des späten 16. Jh. An seine NW-Seite lehnt sich das Zeugenzimmer, ein kleinerer Raum, 2 Joche lang, mit Kreuzrippengewölben. Im SW der Anlage, also im »Neuen Rathaus«, liegt der kleine Ratssaal von 1573. Seinen Vorplatz schmückt das in Renaissanceformen gehaltene Treppengeländer. Im Innern vornehme Wandvertäfelungen mit säulenflankierten Türen und eine kassettierte Holzdecke.

Ratstrinkstube (dem Rathaus gegenüber, nahe St. Martin), ein vornehmer Bau von 1728, erweitert 1756-64. In Muschelnischen der Außenfront plastische Allegorien der 4 Elemente.

Sog. Eichenforst (auch »Klösterl« gen., jetzt Heimatmuseum). Der Name »Aichenforst« für diesen ältesten Pfalzgrafensitz in Amberg ist noch nicht erklärt. Sein Kern reicht wohl ins frühe 14. Jh. zurück. Der schlichte, hochgiebelige Bau wurde in der Folge mehrfach verändert. Von hohem Interesse ist die H a u s k a p e l l e , deren Chörlein sich auf kantigem Pfeiler über dem Vilsufer erhebt. Sie entstand im späten 14. Jh. Ihr Inneres ist durch rippenbesetzte Flachdecke geschlossen, Beispiel für die rein ornamentale Bedeutung des spätgot. Rippennetzes. Die Glasgemälde zum größeren Teil aus dem 15. Jh.

Ehem. Schloß (Landratsamt). Urspr. diente den Pfalzgrafen der sog. Eichenforst als Residenz. 1416 Beschluß zum Neubau. Die Arbeit lag überwiegend in Händen der Bauhütte von St. Martin. Es erwuchs ein 4flügeliger Komplex, umzogen von Wall und Graben, in der Mitte den Hofgarten umschließend. Durchgreifende Erneuerungsarbeiten 1602/03 unter Leitung von Joh. Schoch aus Heidelberg. Damals entstand der erhaltene S-Trakt. Brandschäden und Baufälligkeit führten im 18. Jh. zum Abbruch der übrigen Teile. Der bestehende S-Flügel ist ein 3geschossiger Bau mit hohem Volutengiebel. Der kleine Torbau im S, mit

seiner zu beiden Seiten erkerartig eingerollten Balustrade (ausgeführt
nach 1605, Balustrade 18. Jh.), führte in das ehem. prächtige Innere.

Ehem. Zeughaus. Der Bau des späten 15. Jh. wurde durch Joh. Schoch
1604 gründlich erneuert. Aus dieser Zeit stammt der S-Flügel mit seinen
Volutengiebeln. Im SO blieb ein massiger, zinnenbekrönter Treppenturm erhalten.

Ehem. Regierungskanzlei (Landgericht). Der Bau entstand
auf Geheiß des Pfalzgrafen Friedrich II. 1544/45. 1601 kam
der polygonale Treppenturm hinzu. Das 18. Jh. leistete im
südl. Erweiterungsbau Beitrag. Auffallend überragt der hohe
Renaissancegiebel die Flucht der Regierungsstraße. Ein rechteckiger Erker über dem säulenflankierten Portal trägt die
Wappen des Pfalzgrafen Friedrich II. und seiner Gemahlin
Dorothea von Dänemark, im Obergeschoß ihre und ihrer
Väter Reliefbildnisse. Feine Rankenornamente füllen die
rahmenden Pfeilerflächen. Auch die Hofseite im W trägt
einen Renaissance-Erker mit allegorischen Reliefs, 4 Laster
darstellend. Hier das Vollendungsdatum 1546. Im Winkel
der beiden Gebäudetrakte führt seit 1601 ein Portal mit dem
kurfürstl. Allianzwappen in den Treppenturm. Die Gewölbe
der Torhalle und einzelner Zimmer sind mit reichen Netzrippenfiguren versehen.

Nicht zuletzt dem wirtschaftl. Niedergang im 19. Jh. ist die
Zahl erhaltener alter **Wohnhäuser** zu danken, die sich im
Wechsel von hohen Giebelfronten des 15. und 16. Jh. mit
den horizontal abschließenden Breitseiten der Bauten des
17. und 18. Jh. zu malerischen Straßenbildern vereinigen.
Fachwerk wurde meist durch späteren Mörtelbewurf verdeckt. **Haus B 123** (Ecke Georgenstr./Vord. Viehmarkt-
gasse): Der spätgot. Erker ist dem des Alten Rathauses
formverwandt. – Daneben, am **Haus Nr. B 65**, ein schöner
Eck-Erker mit Renaissanceschmuck des 16. Jh. – **Jonashaus**
(Löffelbrunngasse D 22), frühes 17. Jh. Das weit vorspringende Dach diente zum Aufhängen nasser Färberware. Die
Dachvorkragung ruht auf 2 Konsolen, die das Walfisch-
wunder des Jonas schildern. Unter diesen tragen Meerwesen
erläuternde Texte. – **Forstamt** (Herrengasse D 67): Als
ehem. Palais des Grafen Morawitzky im 18. Jh. errichtet in
großzügiger barocker Formensprache mit schönem Innenhof. – **Haus A 163** (Ecke Georgenstr./Roßmarkt), Mitte
18. Jh. Ein freundlicher Rokoko-Erker belebt das Bild der
Straßenabzweigung. – **Haus B 46** (Weinstraße). Die sonst

schlichte winkelförmige Anlage trägt in der Portalachse
flotte Stukkaturen aus dem mittleren 18. Jh. – Malerische
Bilder am Ufer der Vils im Verein mit den einzelnen, z. T.
überdachten Brücken.

Stadtbefestigung. Schon im 12. Jh. war Amberg befestigt.
Der Mauergürtel umgab ein annähernd rechteckiges Geviert, das durch den Lauf der Georgenstraße und das Fluß-
bett der Vils bestimmt wurde. Erst unter Ludwig d. Bayern,
nach 1326, begann die neue Ummauerung des mittlerweile
zum langgestreckten Oval angewachsenen Stadtbereichs.
Diese Umfriedung wurde in Etappen durchgeführt, die sich
bis ins 15. Jh. ausdehnten. Verstärkungen im Lauf des
16. Jh. und v. a. unter Kurfürst Maximilian im 30jährigen
Krieg. Bei der Schleifung, 1796, und im 19. Jh. wurde viel
zerstört. Im N der Stadt erhielten sich Graben, Zwinger
und Ringmauer. Nur in der südl. Partie zwischen Schloß
und St. Georg fehlt heute die Stadtmauer ganz. Zuweilen
wurden später Wohnbauten ans Innere des Berings gesetzt.
Von den ehem. 5 Toren stehen noch 4. – Wenn wir vom
Bahnhof aus, uns südwärts wendend, die Stadtmauer um-
wandern, begegnen wir zunächst dem **Nabburger-Tor.**
2 mächtige Rundtürme mit polygonalen Obergeschossen
von 1587 flankieren die Torwölbung. Die Vorbauten verfielen der Spitzhacke. Rundtürme begleiten das starke
Mauerwerk westwärts bis zur Vilsbrücke. Hier überquert
die Mauer in 2 Bögen den Fluß. Die Bogenrundungen ergänzt der Wasserspiegel zu Kreisen, daher der Name
»Stadtbrille«. Etwas weiter gegen W folgt das **Wingers-
hofer-Tor,** ein wehrhafter Bau in Rustikaquadern, 1579/80.
Dann reißt der Mauergürtel ab, um erst wieder nördl.
St. Georg, und hier in fast unberührter Form, anzuheben.
Er leitet ostwärts zum **Vilstor** mit seinem hohen Viereckturm des 15. Jh., der eine niedrige Befestigungsmauer von
1574 vorschiebt, innen vom Wehrgang umzogen. Der weitere Mauerverlauf gegen O war mehrfachen Veränderungen und Verwüstungen ausgesetzt. Es folgt das **Ziegeltor,**
dessen Unterbauten aus dem 15. Jh. stammen, während die
oberen Teile gegen 1581 hinzutraten. Die beiden flankierenden Batterietürme sind durch einen Wehrgang verbunden. Von hier führt der turmbewehrte Bering zum Ausgangspunkt unserer Wanderung zurück.

Wallfahrtskirche Maria-Hilf

Der »Amberg« ist wohl schon in vorbambergischer Zeit, unter den Babenbergischen Nordgaugrafen, befestigt. Die mittelalterl., bambergische, dann herzogliche Burg geht mit ihren letzten Resten im frühen 17. Jh. ab. Das schlimme Pestjahr 1634 veranlaßt die Bürger zum Bau einer Votivkapelle, einem kleinen Rundbau, der 1640–43 aufgeführt wird. Der wachsende Andrang der Wallfahrer erfordert dann den Bau einer großen Kirche, der, nach 1696 vorgelegten Rissen Wolfgang Dientzenhofers, 1697 von Georg Peimbl als Bauführer ins Werk gesetzt wird. 1699 steht das Schiff im Rohbau, 1700 auch der Chor. 1711 hat die Weihe statt. Der Turm folgt erst 1724–26. Die monumentale Treppenanlage, die sich in schrägem Achsenstoß der Fassade vorlegt, auf die der bergansteigende Pilgerweg zuhält, kommt erst 1856 hinzu.

Der massive Quaderbau, mit dem gedrungenen Turm rücklings des Chores, folgt dem geläufigen Wandpfeilerschema mit Querschiff und Emporen.

Die A u s s t a t t u n g ist von hoher Güte. Giov. Batt. Carlone wurde hierzu gewonnen (1702). Doch schon im folgenden Jahr mußte wegen der »Kriegstroublen« die Ausführung unterbrochen werden. Erst 1717 wurde sie durch den Carlone-Schüler P. d'Aglio vervollständigt. Prächtige, gut disponierte Anordnung der Stukkaturen kennzeichnet den Carlone-Trupp. An den Pfeilern stehen Figuren von Propheten und Heiligen. Geschwungene, auch pflanzlich dekorierte Rahmungen gliedern die Gewölbe. Dazwischen treiben meisterhaft modellierte Putten ihr Wesen. Ebenfalls 1717 konnte Cosmas D. Asam die Fresken in Angriff nehmen. Er erzählt darin die Geschichte der Wallfahrt und stattet sie mit allegorischen Nebenbildern aus. Von Carlone und d'Aglio stammt der Hochaltar (1703), in den 1760 der silberne Rahmen für das Gnadenbild eingesetzt wurde. Zugleich entstand das Tabernakel. An den Außenseiten des Retabels stehen die Figuren von Joachim und Joseph, im Auszug Gottvater zwischen 2 Sibyllen. Die übrigen Altäre 1710–12, die Kanzel 1713.

AMERANG (Obb. – E 8)

Seit dem 11. Jh. ist Ortsadel nachgewiesen, v. Amerang, 1395 folgen die v. Laiming. Hofmark. Im 16. Jh. Eigentum der Scaliger aus Verona (»von der Laitter«), später der Herren v. Lamberg, seit 1820 Besitz der Freiherren v. Crailsheim.

Das Schloß, auf bewaldeter Anhöhe südl. der Ortschaft, zeigt sich heute als Leistung der Zeit um 1550–60, auf mittelalterl. Grundlage. Rühmenswert: der trapezförmige Arkadenhof, der zu den ältesten seiner Art in Bayern gehört. Die Schloßkapelle ist spätgotisch, mit Rippengewölben von 1513.

Die **Pfarrkirche St. Rupertus**, drunten in der Ortschaft – ein mehrfach
erweiterter und veränderter Bau, dessen Anfänge in das 14. Jh. reichen –, besitzt Epitaphien ehem. Schloßherren: des Jörg Laiming
(† 1476), des letzten Scaligers Joh. Dietrich »von der Laitter« († 1598)
u. a.

AMORBACH (Ufr. – B 2)

Ehem. Benediktinerabtei

*Die Klosterlegende läßt den hl. Pirmin 713 eine erste Niederlas-
sung an dem später »Amorsbrunn« gen. Heilquell gründen und
mit deren Verlegung an den Mudbach, 734, die Geschichte Amorbachs beginnen. Der erste (hl.) Abt Amor scheint seine Existenz
einer Namendeutung (Amerbach = Amorbach) zu verdanken. Immerhin dürfte die Legende, es fehlt nicht ganz an stützenden
Gründen, eine frühe, vermutl. irische Klostergründung wahrscheinlich machen. Die erste verbürgte Nachricht trifft ins späte
10. Jh.: Kaiser Otto III. übereignet 993 das Kloster an Würzburg. Durch die Vögte, die Herren v. Dürn, und deren Nachfolger, die Erzbischöfe von Mainz (seit 1272), lockern sich die
Beziehungen zu Würzburg. Dank seiner Stellung zwischen Würzburg und Mainz ist Amorbach schließlich nahezu exemt.*

Ehem. Abteikirche

*Eine Kirche des frühen 11. Jh. läßt sich aus den erhaltenen W-Tür-
men erschließen. Sie überragten, nach Abbildungen zu urteilen, ein
in 2 Geschossen 2 Kapellen einschließendes Westwerk. Die, wohl im
späten 12. Jh. teilweise erneuerte, 3schiffige Basilika wich dem
großartigen Neubau des 18. Jh., der 1742 nach den Plänen des
Mainzer Baudirektors Max. v. Welsch, mit Beibehaltung der Türme
und der Umfassungsmauern, begonnen und 1747 vollendet wurde.
– Der »Reichsdeputationshauptschluß«, 1803, bringt das säkularisierte Kloster an die Fürsten von Leiningen. Die Klosterkirche
wird ev. Pfarrkirche.*

A u ß e n b a u. Über die 2flügelige Treppe erreicht man die
Rampe, auf der der Bau gestellt ist. Die W-Ansicht beherrschen stärker als die vorgeblendete 2geschossige, durch gedoppelte Pilaster gegliederte barocke Front die beiden
roman. Türme, die, gedrungenen Wuchses, in 6 Geschossen
bis zu den barocken Hauben aufsteigen. Die 3 Untergeschosse
sind karg, verschlossen, nur die Lisenen und die sie verbindenden Rundbogenfriese gliedern die Flächen. Um so reicher
wirken die Obergeschosse dank der vierfach gereihten
Klangarkaden. – Hochschiff und Seitenschiffe übernehmen
das Pilastermotiv der Fassade. Urnen besetzen die unteren
Seitenschiffdächer in den Abständen der Pilaster. Die Fas-

Amorbach, Ehem. Abteikirche

sade ist ganz aus Buntsandstein, am übrigen Bau wechseln
Putzflächen mit Sandsteingliederungen.
I n n e r e s. Das Raumschema einer kreuzförmigen Basilika
ist nicht eben originell. Bewog dazu der Grundriß der älteren, roman. Kirche? Die Kenntnis anderer Planungen des
Mainzer Baumeisters (Entwurf für Vierzehnheiligen) läßt
eher auf freie, klassizistisch bestimmte Wahl schließen. In
diesen mächtigen Raum eintretend, wird man aber die Kritik rasch vergessen. Die hohen Arkaden des Schiffes herrschen und führen, Pilasterpaare trennen die Arkaden, ein
schweres, über den Pilastern verkröpftes Gesims setzt die
schon von den Gewölbefüßen angegriffene Hochwand ab
und markiert zugleich die Tiefenachse. Die auf Hängezwik-
keln überkuppelte Vierung sammelt zentral die ihr anliegenden Arme des Querschiffs und des Chores, ein schmiedeeisernes Gitter grenzt sie gegen das Langhaus ab. Die *Fresken* schuf der Augsburger Matth. Günther, die Stukkaturen
die beiden Wessobrunner Joh. Mich. Feichtmayr (II) und
Joh. Gg. Üblherr. Die Fresken im Langhaus *(Tafel S. 64)*
sind der Legende des Ordensheiligen gewidmet, das im Chor
dem apokalyptischen Johannes, die im Querschiff und in
den Seitenschiffen verschiedenen Heiligen. Der riesige, durch
die 6 hellroten Marmorsäulen beherrschte, nur im Aufsatz
ornamental gelöste *Hochaltar* (1750) läßt für die in Stuck
ausgeführten Teile (Joachim und Anna unten, Trinität oben)
wieder die beiden Wessobrunner, für das Gemälde, Himmelfahrt Mariae, wieder Günther nennen. Die gleichen Namen
haften auch an den Altären des Querschiffs und den meisten
der Seitenschiffe (1747–49); sie sind, Stuckmarmor, be-
schwingtestes Rokoko. Die sehr reiche, wundervolle Kanzel
ist Werk des Würzburgers Joh. Wolfg. van der Auvera
(1749–52). Die Orgel kam 1776–82 hinzu; sie fängt in ganzer Breite des Schiffes den Rückblick nach W, über der von
entzückender Rocaille-Balustrade beschlossenen Empore.
Das eichene Chorgestühl arbeitete der Würzburger Bildhauer
Georg Adam Gutmann (mit dem Schreiner Kilian Koch),
dem auch die Tür des Hauptportals gehört. Das hoch zu
rühmende, die 3 Schiffe durchstellende Gitter schuf der
Würzburger Schlosser Marx Gattinger. – Der hohe Beitrag
der Amorbacher Klosterkirche zur deutschen Kunstgeschichte
des 18. Jh. liegt in erster Linie in ihrer grandiosen Ausstattung.

Klostergebäude. Sie lehnen sich der S-Seite der Kirche an.
Der W-Flügel, Mitte des 17. Jh., mit nördl. Verlängerung
von 1786, ist einfach. Kaum aufwendiger der klassizistische
von 1783, doch gliedern hier 3 Pavillon-Risalite die langen
Fluchten. Und im Innern birgt er 2 ausgezeichnete Raum-
schöpfungen eines frühen, konsequenten Klassizismus, den
Grünen Saal und die Bibliothek. Die reichen Stukkaturen
des Saales schuf Andr. Dittman (1792/93), der auch in der
Bibliothek mitarbeitete; von ihm auch der noble Vorraum.
Die Wirkung der Bibliothek beruht in ihrem, den rechteckigen Raum flächig umwandenden Geschränk, der geschnitzten Plastik der Treppen- und Galeriebrüstungen (von J. B.
Berg, 1797/98), dem die flache Spiegelwölbung füllenden
Fresko, das Konr. Huber malte (1798); Thema des Gemäl-
des sind Allegorien (Weisheit, Tugend, die Wissenschaften);
im Gegensatz zu Raum und Raumzier blüht hier noch das
späte Barock. – Der der S-Seite der Kirche entlang laufende
»Kirchgang« (1786) ist bemerkenswert durch die in ihn versetzten Arkadensäulen des roman. Kreuzgangs. – Die der
W-Seite des Klosterplatzes anliegende Klostermühle, mit
steilen Staffelgiebeln, stammt von 1448.

Fürstl. Leiningensches Schloß. 1724–27 als Wohnung des Mainzer Ober-
amtmanns nach Plänen von Anselm Franz v. Ritter zu Grünstein errichtet, von den Fürsten Leiningen im 19. Jh. umgebaut und erweitert.

Die Stadt

*Die dem Kloster zuwachsende Siedlung verdankt ihre Erhöhung
zur civitas dem Klostervogt Konrad v. Durn, 1253, der sie auch
schon befestigt. Sie kommt 1272 durch Kauf an das Erzstift Mainz.*
Die nur in geringen Resten erhaltene Mauer umschloß ein
Oval, nördl. des in eigener Mauer liegenden Klosters. Die
sammelnde Hauptachse ist der gestreckte, in leichter Krümmung verlaufende M a r k t p l a t z , auf den die von O
her kommende Pfarrgasse trifft. – An den mainzischen
Stadtherrn erinnert die **Kellerei** (Heimatmuseum), an der
S-Grenze des alten Stadtkerns, ein schlößchenartiger Bau,
wahrscheinl. von 1482–85. Etwa gleichzeitig entstand das
Rathaus am Marktplatz, dessen massives Erdgeschoß sich
in einem breiten Kielbogen öffnet; Obergeschoß und Giebel, verschiefert, kragen vor, ein Schopfwalm schneidet den
Giebel, ein Dachreiterchen, übereck gestellt, krönt den First
des Satteldaches. Das 1475 errichtete sog. **Alte Stadthaus**,

am Markt südl. des Rathauses, urspr. wohl Kaufhaus, verbindet ein massives, über Freitreppe zugängliches Erdgeschoß mit Obergeschossen in (verputztem) Fachwerk und Schieferverkleidung; auch hier schneidet ein Schopfwalm (ortsübliche Dachform des 17. Jh.) die Giebelstirn.

Kath. Pfarrkirche

Die Pläne gab der Mainzer Alex. Jakob Schmidt, ein Mitarbeiter des Anselm Fz. v. Ritter zu Grünstein. Die Bauzeit ist 1751–53. Nicht eben zeitüblich ist der Raumtypus: 3schiffige Halle. Die wenig ältere Mainzer Peterskirche mag ihn eingegeben haben. Auch der Außenbau trägt das Gepräge des Mainzer Spätbarock. Großzügige, straffe Pilastergliederung, hohe rund geschlossene Fenster. Das gilt ähnlich auch für die um ein Giebelgeschoß überhöhte Fassade. An den Flanken des apsidial schließenden Chorarms 3geschossige, stark plastisch gegliederte, zwiebelbehelmte Türme. Der breitgelagerte, wohlig weite und helle Raum der Halle lebt nicht zuletzt vom Schmuck der der Stichkappentonne aufgetragenen Fresken von Joh. Zick (1753): Legende des Titelheiligen, St. Gangolf, im Chor, des hl. Sebastian im Mittelschiff (3 Joche zusammengreifend), verschiedener Heiliger in den Seitenschiffen, Engelskonzert über der W-Empore. Der Hochaltar (Marmor) ist mit 4 guten Statuen des Würzburgers Jos. Keilwerth besetzt; der Kruzifixus kam 1808 hinzu; ihn schuf der Amorbacher J. B. Berg. Die Seitenaltäre, von etwa 1720, wurden aus der älteren Kirche übernommen. Die beiden Stuckmarmorkanzeln (die Symmetrie wollte eine zweite) arbeitete der Würzburger Anton Bossi (1753/54). Die Orgel (um 1720) stand urspr. in der Klosterkirche in Neustadt a. M.

Gotthardsberg. Das Frauenkloster auf dem benachbarten Frankenberg entstand auf der Stätte einer zum Schaden Amorbachs errichteten, von Kaiser Friedrich I. 1168 zerstörten Burg, wohl gegen Ende des 12. Jh. Es brachte es zu keinem Flor und wurde 1439 mit Amorbach vereinigt. Die Schweden zertrümmerten es. Doch steht die Kirche noch in den Mauern aufrecht. Das nachgot. Äußere (1629) verschweigt den roman. Kernbau, der in den Arkaden der 3schiffigen Basilika noch rein erhalten ist.

AMORSBRUNN (Ufr. – B 2)

Die Klostersage von Amorbach verlegt hierher den Gründungsbau. Über dem Brunnen, einer wohl uralt heiligen Quelle, steht schon im 12. Jh. ein, damals und noch im 13. Jh. marianisches Kirchlein, das im

15. Jh. (Statue des hl. Amor von 1446 im Chor) eine Wallfahrt weckt. Die Kapelle wurde, mit Beibehaltung roman. Mauerteile, im 16. Jh. (Jahr 1521 an der S-Pforte) umgebaut. Ein Rechteck mit 3seitig schließendem Chor, das Schiff mit Flachdecke, der Chor mit Netzrippengewölbe. Schönster Schmuck ist der Schnitzaltar von etwa 1500 mit der Wurzel Jesse, wohl Arbeit eines Mainzer Bildschnitzers. Die Freikanzel von 1576, das 1565 gefaßte Heilbad – gespeist von dem im Innern der Kirche entspringenden Quell – und die Mariensäule von 1720 sind Stimmungsträger des Idylls Amorsbrunn.

ANDECHS (Obb. – C 7)

Um 1130 verlassen die Grafen von Diessen ihre Diessener Burg und lassen sich auf dem Berg Andechs, über dem jenseitigen östl. Ufer des Ammersees nieder. Diese Burg, unter deren Namen die Grafen von Diessen und Wolfratshausen, Markgrafen von Istrien und Herzoge von Meranien in die Geschichte eingehen, wird in den 40er Jahren des 13. Jh. in den Kämpfen des letzten Andechs-Meraniern mit dem Herzog von Bayern zerstört.

Benediktinerkloster und Wallfahrtskirche

Im 10. Jh. soll der hl. Rasso die von ihm im Hl. Lande gesammelten Reliquien in Andechs geborgen, im 12. Jh. Graf Berthold die Burgkapelle St. Nikolaus gestiftet und das große Andechser Heiltum, die hll. 3 Hostien, beschafft haben. Das ist sagenhaft. Ausgangspunkt der von allen Nebeln befreiten Klostergeschichte ist das Ereignis von 1388: die wunderbare Wiederfindung der hll. Hostien, welche die Wallfahrt zum »Heiligen Berg« aufblühen läßt. In den 20er Jahren des 15. Jh. beginnt der Bau der größeren Kirche, der bestehenden, die 1438 mit einem Kollegiatstift (Stiftung Herzog Ernsts) und 1451 mit einer Benediktinerabtei (Stiftung Herzog Albrechts) verbunden wird. Weihe 1458. – Blitzschlag verursacht 1669 starke Schäden. Die Kirche wird durch D. Schinagl und G. Zuccalli neu gewölbt und neu dekoriert. 1712 werden die Fenster erweitert. Dann veranlaßt die 300-Jahr-Feier eine letzte Umgestaltung (1751). Baumeister ist der Münchner Lor. Sappel, dem als Berater der Landsberger Ign. Merani zur Seite steht. Die beiden östl. Chorpfeiler werden niedergelegt, der Chor neu gewölbt. 1755 wird der neue Choraltar aufgestellt. Damit ist die Verjüngung der alten spätgot. Kirche ohne viel Schaden für ihr bauliches Gefüge beendet. – 1803 Säkularisation. 1846 erwirbt König Ludwig I. die Klosterbaulichkeiten und gibt sie 1850 den Benediktinern zurück. – Andechs war eine der blühendsten Wallfahrten des bayerischen Oberlandes und steht heute noch in hohem Ansehen, wenn auch der »Konkurs« des 18. Jh. mit mehr als 400 Gemeinden nicht mehr erreicht wird.

Die **Klosterkirche** ist, deutlich genug, zugleich Wallfahrtskirche. Der räuml. Organismus, Halle mit allseitiger Um-

gangsgalerie, ist aus den Bedürfnissen der Wallfahrt erwachsen. Das Nachmittelalter hat am spätgot. Baukörper wenig
geändert. Auch die Erneuerung des 18. Jh. beschränkte sich
auf den Überwurf einer neuen Dekoration, die nun allerdings ein Prachtstück ist und immer wieder Zweifel an der
Person des Baumeisters Sappel hat laut werden lassen. Da
aber der Glanz des Raumes in seiner Dekoration und deren
An- und Einpassung liegt, besteht nicht die geringste Notwendigkeit, die Idee etwa dem Jesuiten Merani (der offenbar nur technisch zuriet) zuzuschreiben. Der Schöpfer des
barocken Andechs ist der Schöpfer seiner Dekoration: Johann Baptist Zimmermann.
Die Kirche ist dem Klosterkomplex im SW vorgelagert,
ihre W-Front steht über dem abschüssigen Berghang. Schlichter Außenbau. Turm mit Welscher Haube des späten 17. Jh.
Im S Eingangshalle mit Rahmenstuck des 17. Jh. Die 3schif-
fige Hallenkirche aus der 1. Hälfte des 15. Jh. hat ihre
Struktur bewahrt *(Tafel S. 65)*. Nur das östl. Pfeilerpaar
eines ehem. Chorumgangs mußte 1751–55 weichen zugunsten
der Altarzone wie der Empore, die in feingestimmter Schwingung den ganzen Raum umzieht. Joh. Bapt. Zimmermann
lieferte ein Meisterwerk der Dekoration, unterstützt von
Joh. Gg. Üblherr. Sprießende Blattranken, Akanthus und
flackernde Rocaillen entkleiden die Wand ihres schließenden
Mauercharakters. Aus den Gewölben leuchten Zimmermanns hellbunte Gemälde; im Mittelschiff (von O): Verehrung der Hostien, Himmelfahrt Christi, Gnadenstätte
Andechs und über der Musikempore Engelskonzert; im N-Seitenschiff: St. Benedikt; Maria, dem Johannes Ev. einen Gürtel überreichend, und die musizierende hl. Cäcilia. Im
S-Seitenschiff: Rassos Sieg über die Ungarn, St. Michael und
der psalmodierende David. An der Emporenbrüstung Szenen
aus der Wallfahrtsgeschichte. Wandgemälde berichten von
der Klosterstiftung durch Herzog Albrecht III. und deren
Bestätigung durch Papst Nikolaus V.

A u s s t a t t u n g. Der Hochaltar des Untergeschosses, entworfen
von Joh. Bapt. Zimmermann, enthält in strahlenumglänzter Nische
das Gnadenbild der thronenden Muttergottes (Ende 15. Jh.). Zu
ihren Seiten St. Nikolaus und Elisabeth von Thüringen nach Modellen von Joh. Bapt. Straub. Seine silbernen Tabernakel-Engel wurden nach der Säkularisation durch hölzerne Kopien ersetzt. Darüber, auf der Empore, rahmt ein Baldachinaufbau die Immaculata

des Joh. Degler (aus dem alten Altar von 1608/09). Von dem Weilheimer Franz Xaver Schmädl die flankierenden Benedikt und Scholastica wie der thronende Gottvater im Baldachin. Schmädl schuf auch die von starkem Pathos erfüllten Figuren der Emporenbrüstung St. Johann Nepomuk und Florian. Links oben, nahe dem Chorgewölbe, kniet in fingierter Loge die Stifterfigur Albrechts III. zur »Ewigen Anbetung« – darin ein Nachfahre Asamscher Ideen (vgl. Osterhofen!). Unter der Empore vereinigt die Chorrückwand Altarteile aus dem 17. Jh. An die O-Pfeiler lehnen sich Altäre mit Gemälden von Andr. Wolff von 1703 (Benedikt und Rasso) und Schnitzfiguren, vermutl. von Joh. Bapt. Straub (Ildefons und Anselmus im N, Bernhard und Hermann d. Lahme im S). Die Altäre am 2. Pfeilerpaar enthalten Gemälde von Elias Greither d. J. aus Weilheim. – Interessante Votivtafeln an der W-Wand. Dahinter Aufbewahrungsraum zahlreicher Votivkerzen; deren älteste von 1594. An der N-Seite Schmerzhafte Kapelle mit Stuck um 1670–80; Vesperbild von Roman Ant. Boos, späteres 18. Jh. 4 versilberte Büstenreliquiare des frühen 18. Jh. Weiter ostwärts Sebastianskapelle, 1755 ausgestattet. Rotmarmorepitaph Törring-Seefeld, 1508, dem Erasmus Grasser nahestehend. An der S-Seite Josephskapelle 1754 von Joh. Bapt. Zimmermann. Darin Votivgemälde des späten 17. Jh. Von der Empore aus betretbar, im N: die Hl. Kapelle, Aufbewahrungsort des Reliquienschatzes; restaur. 1757. Dreihostienmonstranz Mitte 15. Jh.; »Siegeskreuz Karls d. Gr.« 12. Jh., Brustkreuz der hl. Elisabeth von Thüringen, ihr Brautkleid aus sarazenischem Damast, die Goldene Tugendrose Albrechts III.

Klosterbau. Reizvolle Binnenhofanlage, 2. Hälfte 17. Jh. Kreuzgang z. T. 15. Jh. Im Innern prächtige Stukkaturen (nach 1679). Südl. der Kirche der gute, schlichte Bau der **ehem. Klosterapotheke** von 1763.

ANGER (Obb. – E 9)

Der Ortsname »Ellinburgschircha« im frühen 10. Jh. setzt eine Kirche voraus, die später Höglwörth zugehörte. 1817 wird umgekehrt Höglwörth Filiale von Anger, wie der Ortsname seit dem späten 18. Jh. lautet.

Die **Pfarrkirche St. Peter und Paul** gehört zu der kleinen Gruppe spätgot. Zentralbauten. Sie muß zwischen 1447 und 1500 entstanden sein. Über dem Raumquadrat, das gegen W durch Rundpfeiler, gegen O durch die Choreinziehung abgesteckt wird, wölbt sich eine rippenbesetzte Flachkuppel, deren Mitte eine sechseckige Rippenfigur bezeichnet. Daß die Kirche ehemals einen Mittelpfeiler besessen haben soll, wie die in Burgkirchen am Wald, ist möglich, aber nicht erwiesen. Dann wäre das bestehende Gewölbe als Leistung des 17. Jh. zu betrachten. Dieses 17. Jh. hat die westl. Eingangshalle durch Einbau zweier Emporen für das Raumbild entwertet. Aus der Einrichtung, die sonst dem 19. Jh. angehört, seien notiert: das geschnitzte Vesperbild (16. Jh.) im Hochaltar, ein spätgot. Altarflügel mit der Reliefdarstellung St. Seba-

stians vor seinem Richter (um 1510) und einige Schnitzfiguren des
18. Jh. (Guter Hirte, Büsten neben dem Hochaltar). Die reich geschnitzte, kassettierte Eichenholztür zur Vorhalle im S entstand um
1540–50.

In der Nähe **Schloß Staufeneck**, ein ehemals salzburgischer Lehenssitz
des 13. Jh., umgebaut 1513, mit holzverkleidetem Wehrgang.

ANSBACH (Mfr. – CD 4)

»Onoldisbach« erwächst aus einer Klostergründung des 8. Jh. Der
Würzburger Bischof ist Grundherr, doch entrechtet ihn der von
ihm bestellte Vogt. Obervögte des Stifts, und also Herren Ans-
bachs, sind im 12. Jh. die Staufer, Untervögte die Herren v.
Dornberg, denen der Abgang des staufischen Kaiserhauses zustatten
kommt: In der 2. Hälfte des 13. Jh. herrschen die Dornberger; die
Lehenshoheit der Bischöfe bedeutet nicht mehr viel. Die Dorn-
berger, deren Wappen das der Stadt wird, sterben 1288 aus, die
Vogtei über Stadt und Stift fällt an die Grafen v. Oettingen.
Diese verkaufen 1331 ihr Erbe an den Burggrafen Friedrich v.
Nürnberg. Seit etwa 1456 ist Ansbach markgräfliche Residenz. –
Die Siedlung wuchs der Klosterkirche zu, sie mag im 10. Jh. ihre
erste Pfarrkirche St. Johannes Bapt. gebaut haben. Im 12. Jh. voll-
zieht sich die Stadtwerdung, 1165 läßt sich ein Mauerring voraus-
setzen, gegen Ende des Jahrhunderts treten »Bürger« auf, 1221
fällt das Wort »Stadt«. Der Weg zur Reichsfreiheit wird nicht be-
schritten. – Markgraf Albrecht Achilles, der als erster in Ansbach
zu residieren beginnt und auch das Schloß begründet, erweitert die
Stadt im S um die »neue Stadt«. Der Herrieder Torturm rückt aus
der Uzstraße südlich vor. Die von Albrecht veranlaßten Mauern
werden im 18. Jh. aufgelassen. – 1528 siegt die Reformation. Unter
dem ausgezeichneten Georg Friedrich (1547–1603) gewinnt die
Stadt einige ihrer charakteristischen Bauten (Gumbertus-Turm-
gruppe, Kanzlei, Neuer Bau). Der Große Krieg wird mit Schaden,
doch begrenztem, überstanden. – Das prägende Jahrhundert Ans-
bachs ist das 18. Markgräfin Christiane Charlotte, die 1723–29
vormundschaftlich regiert, und ihr Sohn, Markgraf Karl Wilhelm
Friedrich (1729–57), machen Ansbach zu Ansbach. Unter dem »wil-
den« Markgrafen entsteht vor dem Herrieder Tor die »Neue Aus-
lage«, die zu den beachtlichsten städtebaulichen Leistungen des
18. Jh. gehört. Seine »Baugnaden« befeuern den Baueifer des Bür-
gers. – Der letzte Markgraf, Karl Alexander, tritt die Markgraf-
schaft (Ansbach-Bayreuth) 1791 an Preußen ab. 1806 Übergang
an die Krone Bayern.

Zwei Zeiten haben das **Stadtbild** Ansbachs geprägt, das 16.
und das 18. Jh. Das 16. hat, vom Stadthaus angefangen bis
zur Turmgruppe von St. Gumbert, die monumentalen Blick-

fänge geschaffen, das 18. Jh. hat die Ansicht der Plätze, Straßen, Gassen, durch Neu- oder Umbau, barock überarbeitet. Lehrreich v. a. der O b e r e M a r k t , der seine Erscheinung vornehmlich durch Abbau der alten Giebelstirnen gewann. Horizontale Trauflinien riegeln die urspr. Spitzung ab, die aber doch noch in den dem Dachwalm vorgesetzten Zwerchhäusern nachklingt; diese die Dachregion in vielen Varianten belebenden Zwerchhäuser sind charakteristisch ansbachisch. Der von der Zeit so beschottene »irreguläre« Grundriß mittelalterl. Verkehrswege, wie der U z s t r a ß e , ließ sich allerdings nicht mehr geradebiegen, glücklicherweise, denn eine durch Krümmung, Staffelung, Verschränkung so abwechslungsreiche »malerische« Straße wie die Uzstraße gehört ebensowohl zu den Auszeichnungen dieser Stadt wie die im S der Altstadt in der Promenade (vorher Breiter Graben), in der Maximilianstraße vor dem Herrieder Tor und in der durch die Karlsstraße mit der Altstadt verbundenen »Neuen Auslage« regulär geschaffenen Straßen und Plätze des Barock. Eine hervorragende Leistung barocken Städtebaus ist die N e u e A u s l a g e (um den Karlsplatz), welche den Namen der markgräflichen Baumeister Retti und Steingruber nennen läßt. Steingruber insbesondere leistete für das Stadtbild viel. Auch die sehr anmutige Gestaltung der Außenseite des Herrieder Tores mit den beiden vorgerundeten Bürgerhäusern an den Flanken ist sein Werk. Bis ans Ende des Jahrhunderts wirkt seine gute, schlicht bürgerliche Art fort; denn noch der letzte der markgräflichen Baumeister, J. C. Wohlgemuth (dem die Maximilianstraße viel verdankt), hängt an ihr.

Ehem. Stiftskirche St. Gumbert

Kurz vor der Mitte des 8. Jh. gründet ein Graf Gundpert das später nach ihm genannte Benediktinerkloster an der Rezat, das, zunächst Reichskloster, nach 768 an den Würzburger Bischof übergeht und sich im 10., spätestens 11. Jh., in ein Chorherrenstift umwandelt. – Von einem frühroman. Kirchenbau (Mitte 11. Jh.) hat sich, unter dem östl. Teil des barocken Langhauses, die (1934 freigelegte) Krypta erhalten: ein 3schiffiger Hallenraum, dessen Kreuzgratgewölbe auf den Würfelkapitellen stämmiger Säulen aufsitzen, 3 (urspr. 5) Joche tief, mit mittlerer Chorapside. Ein Neubau fand im 12. Jh. statt (Weihe 1165); von ihm haben sich nur wenige Mauerzüge erhalten. Der hochmittelalterl. Bau, eine 3schiffige flach gedeckte Pfeilerbasilika mit östl. Querschiff, wird

*nach 1280 (Brand) durch einen Umbau ersetzt, dieser wieder im
späten 15. Jh. (1475 ff.) durch Seitenkapellen erweitert und mit
2 neuen Fronttürmen ausgestattet. 1501–23 entsteht der Chor,
der, 1817 durch eine Mauer vom Langhaus abgetrennt, heute die
»Schwanenritterordenskapelle« ist. Wir kennen die mehreren Meister, die ihn bauten: Martin Kugler von Nördlingen (1501–07),
Endres Emhart d. J. (1508 ff.), Jörg Steltzer und St. Weyrer d. Ä.,
beide von Nördlingen (1516 ff.), und Hans Beheim von Nürnberg
(1521–23). – Seit 1563 ist die Stiftskirche Hofkirche. Der Ulmer
Gideon Bacher führt 1594–97 den breiten, starken Mittelturm
auf; er behält den 1493 vom Nördlinger Meister Heinrich Kugler
(Vater des Martin, auch Echser genannt) gebauten südl. der beiden
spätgot. Fronttürme bei, erneuert aber den (1483 errichteten)
nördlichen. Die Turmhelme wurden 1953 erneuert. – 1736 betraut
der Markgraf seinen Baumeister Leopold Retti mit dem Neubau
des Langhauses, das 1738 eingeweiht ist.*

Der Bau kehrt seine offene südl. Langseite dem Unteren
Markt zu, dessen Häuserzeile dem pompösen Fremdling
schlicht bürgerlich gegenübersteht. Die Aufrißgliederung ist
klassizistisch kühl, man könnte sagen: protestantisch; die
Reihung der hohen Rundbogenfenster bestimmt den Auf-
riß, nur daß die 2. und die vorletzte Achse durch flache
Risalite und diese durch die der Attika aufgesetzten, von
Fanfarenengeln begleiteten Wappenkartuschen betont sind.
Gegen diesen, durch Gesimse 3geschossig geteilten, unter
schwerer Mansardendachung liegenden Block steht nun einerseits, östl., der Chor, andererseits, westl., die dreifältige
Turmgruppe. Der Chor polygon gebrochen und an den Kanten verstrebt, in hohen, breiten, mit Maßwerk geschmückten
Fenstern geöffnet, durch Friese unter Sockel- und Dachgesims belebt, durch einen Rechteck-Erker (für die Reliquien
des hl. Gumbert) auffällig, gleicht sich lediglich in der schweren Bedachung dem Retti-Bau an, der, ohne Rücksicht auf
die älteren Bauteile, mit der Selbstverständlichkeit eines sich
absolut überlegen wissenden modernen Geschmacks hingesetzt wurde. Wie anders verhielt sich noch der Meister der
westl. Turmgruppe, der Ulmer Gideon Bacher! 1594 führte
er zwischen den beiden spätgot. Achtecktürmen, deren nördl.
(von 1483) er gleichzeitig völlig erneuerte, einen massigen,
erst in den beiden Obergeschossen in Fensterpaaren geöffneten Stirnblock empor, dem er einen hohen 8eckig gesockelten
Achteckhelm aufsetzte; aber, wohlgemerkt, anpassungswil-
lig, in got. (gotisierenden) Formen. In gleichen, nur entspre-

Ansbach, Ehem. Stiftskirche St. Gumbert

chend kleineren (1953 erneuerten) Helmen strahlen auch die
Flankentürme aus. Diese hochoriginelle 3-Turm-Gruppe beherrscht das Stadtbild absolut; Ansbach wird an ihr er-
kannt.
I n n e r e s. Der vom Langhaus abgesperrte Chor bricht
nach 2 Jochen im $^5/_8$-Schluß, öffnet sich über dem durch
Friese begrenzten Sockel in Maßwerkfenstern und ist mit
reich figuriertem Netzgewölbe gedeckt. Er nahm in den 20er
Jahren des 19. Jh. den Namen der an der N-Seite des Langhauses stehenden Georgskapelle des Schwanenritterordens
an, dank des übertragenen Inventars dieser 1736 erstellten
Kapelle. Der spätgot. Altar (hinter dem barocken Hochaltar)
ist der der Georgskapelle, Stiftung des Markgrafen Albrecht
Achilles (1484), doch nicht im urspr. Zustande. Unter den
11 Grabsteinen von Rittern des Schwanenordens (seit 1825
hier aufgestellt) einige charaktervolle wie der des Lorenz
v. Eberstein (1480) und des Sebastian v. Luchau (1520).
7 dieser Rittersteine stammen von der Hand eines Anonymus, des »Meisters der Ansbacher Schwanenordensritter«,
dessen das Monogramm JA einschließendes Zeichen noch
keine sichere Deutung gefunden hat. Eine lange Reihe von
Totenschilden an den Wänden und einige gute Scheiben
(16. Jh.) in den Fenstern. – Das über den alten Umfassungsmauern aufgeführte Langhaus ist ein hoher heller Saalraum,
dessen in rundbogigen Fenstern geöffnete Wände durch in
Stuck aufgesetzte Lisenen gegliedert sind. Eine Stichkappentonne deckt. Der die sparsame Ausstattung beherrschende
Kanzelaltar wurde nach Angaben P. A. Biarelles 1738/39
von einem Münchner Kistler gearbeitet. Die Orgel datiert
1735/36.

Ev. Pfarrkirche St. Johannis

*Die Pfarrei ist erstmals 1139 bezeugt: Der Würzburger Bischof
schenkt sie an den Altar des hl. Gumbert. Erst im Spätmittelalter
gelingt es der Stadt, das Stift zurückzudrängen. Der bestehende
Bau wird im 2. Jahrzehnt des 15. Jh. begonnen; das Langhaus
ist 1435 unter Dach. Um diese Zeit entstehen wohl auch die beiden
Türme. Der Chor wird 1441 (Inschr.) in Angriff genommen. Der
1463 genannte Endres Steinmetz (Emhart, d. Ä.) dürfte ihn
großenteils aufgeführt haben. Der Chorboden wurde bei Einbau
der Fürstengruft 1660 erhöht, 1885 aber wieder tiefer gelegt.*

Das Ä u ß e r e , das seine durch gereihte Streben gegliederte
nördl. Langseite dem Oberen Markt zuwendet, fällt durch

das Paar der östl. stehenden Türme auf, deren ungleiche
Höhen und ungleiche Abschlüsse von uns Heutigen jedenfalls nicht bescholten werden. Für das Erscheinungsbild der
Stadt sind sie wesentlich. Wenig Aufwand bieten die in guten
Sandsteinquadern aufgeführten Mauern; reicher, dank der
gestaffelten Streben, ist nur der zwischen den Türmen hervortretende Chor. Auch die 3schiffige *Halle* bietet nicht viel
auf, »banal« wollen wir sie (mit Dehio) aber doch nicht nennen. Der in 3 hohen, 3- und 5teiligen Fenstern aufgebrochene, mit einem feinstrahligen Netzgewölbe gedeckte, mit dem
Mittelschiff des Langhauses zu räumlicher Einheit verbundene Chor muß jedenfalls gelobt werden. Die Fürstengruft,
eine 2schiffige, 2 Joche zählende Halle unter dem Chor, ist
die Herberge der in Zinnsärge gebetteten sterblichen Reste
von 25 Markgrafen und Markgräfinnen des 17. und 18. Jh.

Die **Ludwigskirche**, in der »Neuen Auslage« (am Karlsplatz), ist ein
klassizist. »Tempel«, der den Münchner Leonh. Schmidtner zum Urheber hat; errichtet 1834–40.

Die **Friedhofskapelle Hl. Kreuz**, im 1521 von St. Johannis ins südl.
Vorgelände der Altstadt verlegten Friedhof, entstand 1461–78 als Pil-
gerkapelle. 1602–12 wurde sie nördl. und östl. erweitert; zugleich wurde
der westl. anliegende Turm aufgestockt.

Die sog. **Karlshalle** (an der Karlsstraße), erste kath. Kirche Ansbachs,
ein wenig aufwendiger Kirchensaal, entstand 1777/78, gebaut von J. C.
Wohlgemuth.

Die beachtenswerte **Synagoge** (an der Rosenbadstraße) ist ein Werk
L. Rettis, 1744–46, mit guter, gleichzeitiger Ausstattung (Almemor,
Hl. Lade).

Residenz

*Der Ausgang ist eine »an der Steynen brucken« (der Rezat) am
O-Rande der Stadt in den Jahren um 1400 erbaute Wasserburg,
die in den 20er Jahren des 16. Jh. durch den Nürnberger Hans
Beheim umgebaut und wohl auch erweitert wird. Teile des Be-
heim-Baues haben sich in den Erdgeschoßräumen des NW-Flügels
erhalten. Der baufreudige Markgraf Georg Friedrich baut wieder,
1587 ff., durch den Stuttgarter Meister Blasius Berwart und den
Ulmer Meister Gideon Bacher den Umbau um. Das Geviert, dessen Grundriß aus den Fundamenten heraus noch den Bau des
18. Jh. an bestimmte Linien und Flächen bindet, dauert nun das
17. Jh. aus. Gegen Ende des Jahrhunderts taucht die Absicht einer
Umgestaltung auf, die der 1694 aus Wien geholte, aus Graubünden
stammende Gabriel Gabrieli übernehmen soll. Die Absicht gedieh
aber erst 1705 zur Tat. 1705–15 entsteht der O-Teil des SO-
Traktes (9 Achsen). Auf Gabrieli treffen auch einige Abschnitte der*

*Hofarkaden, trifft also das für 3 Seiten verbindliche System der
Gliederung der Hofwände. Gabrieli vertauscht dann, 1716, den
markgräflichen Dienst mit dem bischöflich-eichstättischen. Er läßt
ein zwar noch unvollendetes, aber durch ihn entscheidend gepräg-
tes Schloß zurück. Die beiden Herren von Zocha, »Kavalier-
Architekten«, lösen den Welschschweizer ab; bedeutender der
jüngere, Karl Friedrich, ein Klassizist französischer Schulung.
Seine Entwürfe blieben aber zumeist auf dem Papier. Zwischen
1716 und 1731 dürfte wenig gebaut worden sein. Erneute Aktivität erst mit der Berufung des jungen Leopold Retti, 1731. Retti
vollendet (1732/33) unter Preisgabe des von Gabrieli geplanten
Mittelrisalits den von diesem begonnenen SO-Trakt – Ergebnis:
die repräsentative Fassade an der der Stadt ab-, der herankommenden Nürnberger Straße zugewendeten Seite –, modernisiert,
nur äußerlich umgestaltend, die im Kern älteren Trakte im NO
und NW, führt, anscheinend ganz, den SW-Trakt auf (1731–35),
bringt die Arkaturen des Hofes zu Ende, fügt die Gebäudegruppe
an der N-Ecke hinzu, Küchenbau (1736) und Marstall (1740/41),
und wohl auch den Annex an der W-Ecke, die Hauptwache. Die
Prägung der Rettischen Bauteile ist kühl-klassizistisch, viell. durch
die französisch reglementierten Planideen Zochas eingegeben. Sein
eigenes Werk ist die von ihm geleitete Ausstattung der markgräflichen Wohnung, für die er eine Reihe fähiger Künstler nach
Ansbach holt, den Maler Carlo Carlone, den Stukkator Diego
Carlone, den Bildhauer A. Sylva u. a. m. Wichtiger die beiden
Biarelle, der Maler Joh. Adolf und, insbesondere, der Bildhauer
Paul Amadeus, der, als Dessinateur an der Spitze einer Gruppe
Münchner Arbeitskräfte (aus dem Umkreis Cuvilliés'), den leichten, intimen Stil bestimmte. Die Raumausstattung, die 1734 mit
dem Großen Saal beginnt, zieht sich viele Jahre hin; seit 1745
leitet sie Steingruber; die Künstlerhände wechseln vielfach, erst in
den 70er Jahren findet sie ihr Ende. – 1791 verläßt der letzte,
zugunsten Preußens resignierende Markgraf, Karl Alexander, die
Residenz, die nun ihres lebendigen Inhaltes beraubt bleibt.*

Ä u ß e r e s. Gräben an 2 Fronten (SO und NO) erinnern
noch an das Wasserschloß des späten Mittelalters wie der
Geviertgrundriß an das Schloß der Spätrenaissance. Aber
die glänzende Fassade Gabrielis (SO), die, wenn auch nur
z. T. von ihm gebaut, doch ihm gehört, mit ihrer breiten,
von steinernen Schilderhäuschen flankierten, den Graben
querenden Zufahrt läßt diese Rückstände kaum wirksam
werden. Eine Palastfassade, fluchtet sie in 21 Fensterachsen,
lang hingereiht stehen die dem Rustikasockel entwachsenden
Kolossalpilaster, nur zweimal, in wenig betonten Risaliten,
hebt sich die durch die Reihung gleichförmiger Glieder
charakterisierte Front, deren Länge zu unterstreichen auch

die Dachbalustrade bestrebt ist. Gehäufte Wiederholung ermüdet, aber die große Wirkung dieser Fassade beruht auf der Wiederholung. – Die Einfahrtshalle des Gabrieli-Flügels durchschreitend, erreicht man den Binnenhof des Gevierts, dessen Trapez in den gegenüberliegenden Ecken abgeschrägt ist (wozu ein älterer Turm, in der N-Ecke, Anlaß bot). Die einheitliche Gestaltung der Hoffassaden durchbricht nur die südöstl., die K. F. v. Zocha (vermutl.) hinzufügte, kühlnüchterne Ergänzung der Hoffassaden Gabrielis. Zusammengreifende Pilaster gliedern auch hier, gedoppelt an den Risaliten der Mitten; eine horizontale Dachbalustrade schließt auch hier ab. Dazu kommen nun aber die durch Säulen dreigeteilten Erdgeschoßarkaden und die gleichgestalteten Fenster der beiden Hauptgeschosse, die die Wandflächen in ganzer Breite der Pilasterabstände öffnen; es resultiert der Eindruck des Heiter-Offenen, dazu, dank der kräftig runden Säulen, der des plastisch Geformten. – Die Außenfassaden der 3 Flügel schuf Retti. Er gliederte sparsam, sparsamer noch als an der südöstl. Hoffassade; eine vornehme Simplizität muß seinen französisch-klassizistisch bestimmten Schöpfungen (die in hartem Kontrast zu denen des in Wien geschulten Gabrieli stehen) zuerkannt werden.

I n n e r e s . Die Raumausstattungen der Residenz sind hohen Ranges. Durch das mehr als zurückhaltende, 3 Geschosse einnehmende Treppenhaus erreicht man die Gesellschaftsräume. Da ist der von L. Retti gestaltete Große Saal (1735–37), in der Höhe der beiden Obergeschosse, deren zweitem er, in der Tiefe, einen Balkon vorlegte; die elegante Stuckzier gehört Diego Carlone, das Deckenfresko (Glorifikation des Markgrafen Carl Friedrich) Carlo Carlone. Da sind die Wohnräume des Markgrafen Carl Friedrich, die ebenfalls Retti (nach Entwürfen J. A. Biarelles) gestaltete. D. Carlone und C. Daldini stuckierten, Biarelle schnitzte. Der Weiße Saal trägt allerdings, seit 1774/75, den Stempel des Klassizismus, der auch sonst da und dort seine Hand im Spiel hat. Nennen wir noch das durch zarten, reizvoll ornamentalen Stuckdekor ausgezeichnete Schlafzimmer des Markgrafen, das durch den Holzton des Eichengetäfels bestimmte Braune Kabinett, das von den Farben des Stuckmarmors getragene Marmorkabinett; weiter die Wohnräume der Markgräfin Friederike Luise (Schwester Friedrichs d. Gr.),

fast alle 1738–44 ausgestattet, mit dem weiß getäferten
Schlafzimmer, dem prachtvollen Spiegelkabinett *(Tafel
S. 96)*, dessen geschnitzte Vertäfelungen der Münchner Bildhauer Joh. Kasp. Wezlar leistete (die Stilnähe zu den Reichen Zimmern der Münchner Residenz [1733–38] wird nicht
überraschen), dem wieder durch Braun und Gold bestimmten Braunen Wohnzimmer, dem Audienzzimmer mit wahrscheinl. auch von Wezlar geschnitzter weißer Vertäfelung,
dem Jagdzimmer (mit 1774 hinzugekommenen Jagdbildern,
deren zwei von J. B. Oudry, 1722 und 1724, sind), dem
Gobelinzimmer, dessen Wandzier nun wieder Stukkatorwerk
ist, bis auf die 1700 in der Pariser Manufaktur gearbeiteten
3 Gobelins. Wir führen noch an die Gastzimmer im NO-
Flügel, das 1745–49 ausgestattete Kabinett, das Audienzzimmer (1775/76), das Monatszimmer von 1763 und den
1763/64 nach den Entwürfen Steingrubers geschaffenen, mit
Kacheln der Ansbacher Fayencemanufaktur ausgekleideten
Speisesaal, und schließlich die Galerieräume (im ältesten Teil
des Gabrieli-Flügels) mit dem Vorzimmer, der 1771 neu gestalteten Galerie (Spiegelgalerie) und dem Bilderkabinett,
das noch die älteste Ausstattung dieser Raumfolge, von 1726
bis 1729, bewahrt.

Der **Hofgarten**, östl. des Schlosses, steht außer Zusammenhang mit diesem. Er wurde sicher schon im frühen 16. Jh.
begründet, im frühen 18. Jh. neu gestaltet und zugleich, östl.
und südl., erweitert. 1723/24 entsteht die große, von O nach
W verlaufende Doppelallee und 1726 ff., nach den Plänen
Karl Friedr. v. Zochas, die **Orangerie** an der N-Seite. Dieses
»Pomeranzenhaus«, 1730 im Rohbau fertig (1743 noch nicht
ganz vollendet), bestimmt nun den Park als der, wenn auch
exzentrische, architektonische Beziehungspunkt: ein 1geschos-
siger, 29 Achsen (102 m) zählender Langbau, durch ionische
Pilaster, Gebälk und hohe Rundbogenfenster gegliedert,
durch verhältnismäßig schwache Risalite mitten und seitlich
modelliert. Stärker stoßen die Risalite auf der Rückseite,
gegen die (hier ehem. zu einem Bassin genützte) Rezat, vor.
Hier legt sich der fensterlosen Wand eine pompöse Kolonnade vor. Die Inspirationsquellen: das Grand Trianon, Versailles (für die S-Seite), die Louvre-Kolonnade, Paris (für die
N-Seite). Die, diesen Vorbildern nicht entsprechende, Mansarde entstand, in ihrer letzten Form, erst um 1760. – Die

geometrische Anlage französ. Stils ist nur in einem kleinen, nach 1945 erneuerten Teil, dem Parterre vor der Orangerie, erhalten. Doch konnten auch die großen Achsen, die von der Orangerie ausgehende Querachse (NS) und die durch die prächtige doppelte Lindenallee gegebene Längsachse (OW) als Dominanten wiedergewonnen werden. – In den 80er und bes. 90er Jahren des 18. Jh. verdrängte, hier wie allenthalben, der »natürliche« englische Gartenstil den »künstlichen« französischen. Das 19. Jh. stattete den (inzwischen etwas verkürzten) Park mit Denkmälern aus, dem des »Anakreontikers« J. P. Uz (1720–96), einer Bronzebüste Heideloffs von 1825, und dem des »occultus occulto occisus«, des vielumrätselten Kaspar Hauser, der am Platze dieses Steinpfeilers 1833 sein Ende fand.

Ehem. markgräfl. Kanzlei. Sie besetzt das Areal der einst um den Kreuzgang gruppierten Stiftsgebäude. Angelehnt an die N-Seite der Stiftskirche, verträgt sich der wuchtige, 1594 errichtete Bau vorzüglich mit deren vom gleichen Baumeister, Gideon Bacher, gestalteten Turmfront: breitgelagertes Gegengewicht, trotz Aufreckung in 7 Zwerchgiebeln. Diese Giebel charakterisieren auch den vom selben Bacher etwa gleichzeitig aufgeführten »**Neuen Bau**« (für die Gäste des Hofes) am Unteren Markt, dessen hoher mauerstarker Körper den Kolossen der benachbarten Stiftskirche und des im Hintergrunde aufragenden Schlosses standhält.

Stadthaus. Zwischen den beiden Märkten gelegen, steht das spätestens 1532 von Sixt Kornburger aufgeführte Stadtoder Landhaus an wichtigster Gelenkstelle des Stadtkörpers, und der massive, seine Langseiten beiden Märkten zuwendende Block erfüllt auch seine städtebauliche Aufgabe ausgezeichnet. Regelmäßige Anordnung der durch 2 Pfosten unterteilten Fenster ist der sichtlichste Beitrag der »neuen Zeit«, die sonst nur die Portale mit antikischem Zierat geschmückt hat. Die steilen, in Blenden aufgelockerten Giebel mit den fialenartigen Aufsätzen über den Schrägen (urspr. mit Statuen, Kaiser und Kurfürsten, besetzt) sind altdeutsches Erbe, die Fenster sind es auch, und der Stiegenturm mit den feinen Pförtchen und der Spindel lebt noch aus bester Steinmetztradition.

Rathaus. Am Oberen Markt, in Ecklage zur Uzstraße, auf dem Platz eines 1531 erstellten Vorgängers. Es greift nicht

weit hinaus über das ein rundes Jh. vorher vom Stadthaus
Gebrachte. Nur daß das Volumen und mit ihm das Gewicht
der Horizontalen gewachsen ist. Valentin Juncker gab 1621
die Risse des 1622/23 errichteten Gebäudes.

Gymnasium. Das 1727 an der SW-Ecke der Stadtmauer, über dem Graben, errichtete Zuchthaus **verwandelt sich 1735 in das Gymnasium. Die**
Entwürfe von J. Chr. Hornung, doch von K. F. v. Zocha abgeändert.
Das in 4 urspr. 2geschossigen Flügeln, mit offenen Pfeilerarkaden im
Erdgeschoß, einen Hof einschließende Gebäude wurde 1882 um ein
2. Obergeschoß erhöht. Der kräftige Turm an der SO-Ecke ist Relikt
der alten Stadtbefestigung.

Prinzenschlößchen. Gabrieli baut es 1699–1701 für den
Hofrat Gg. Chr. Seefried, doch kommt es erst unter dessen
Nachfolger im Besitze, Hofrat J. F. Weyl, 1708 ff. zu Ende.
1721 gelangt es an den Erbprinzen, und seither heißt es
Prinzenschlößchen, obgleich schon 1757 an Private veräußert. – Die 2geschossige Front wölbt sich in 3 Achsen vor,
eine der Mansarde vorliegende Attika beschließt sie, die
beiden Schornsteine auf dem First des Daches sprechen auch
vernehmlich mit. Überraschend diese zarte heitere Anmut
in einer sonst das Gewichtig-Wuchtige schätzenden Zeit.

Der noch sehr umfangreiche Bestand an guten alten **Wohnhäusern** des
16.–18. Jh. sei wenigstens in Hinweisen gestreift. Die Straßenfassaden
des 18. Jh. verblenden nicht selten ältere Baukörper. Beispielhaft J o h . -
S e b . - B a c h - P l a t z (Unt. Markt) **5,** eine ehem. Stiftskurie, die
einen vortrefflichen Innenhof (Arkaden im Erdgeschoß, Treppenturm)
aus der 2. Hälfte des 16. Jh. einschließt. Oder **Nr. 7,** die ehem. Stifts-
dechantei, mit von K. F. v. Zocha gestalteter Fassade, die nicht den ins
16. und 17. Jh. zurückweisenden altfränkischen Hof (mit Fachwerk) erwarten läßt. – Am M a r t i n - L u t h e r - P l a t z (Ob. Markt) seien
(aus vielem) **Nr. 6** und **Nr. 12** herausgehoben, beide nach 1719 neu gestaltet, Nr. 6 von Gabrieli, 12 von Zocha. – Vorzügliche, nahezu geschlossen barocke Bebauung zeichnet die M a x i m i l i a n s t r a ß e
aus, an deren Beginn die beiden, mit ihren Rundungen das Herrieder
Tor so reizvoll einfassenden Häuser Nr. 1 und 2 (von Retti und
Steingruber) stehen. Nr. 4 ist das Wohnhaus Steingrubers (1737). Nr. 3,
5, 7, 9, 11, 13, 15 sind rühmliche Wohnhausgestaltungen des späten
18. Jh. – Vorwiegend barock auch die dem Graben folgende P r o m e -
n a d e , mit stattlichen, meist 3geschossigen Hausbauten. Hier, **Nr. 26**
bis 28, das 1715–19 errichtete markgräfl. Jagdzeughaus und das 1718 aufgeführte ehem. Gesandtenhaus, **Nr. 24** (jetzt Verwaltungs-Gerichtshof),
beide von Zocha; der Gesandtenbau, für einen Hofmusikus bestimmt,
ein Palais, 2geschossig, mit Mansarde, 9 Achsen zählend, deren mittlere Risalit ist. – Wir verweisen nur noch auf einige Plätze, die von
insgesamt guter Architekturhaltung sind: Platenstraße, Jäger-(jetzt
Bischof-Meiser-)straße, Pfarrstraße, Neustadt, Nürnberger Straße, und
schließen mit der (doch offenbar nötigen) Feststellung, daß die städtebaulichen Werte Ansbachs außerordentlich sind. Man kann nicht sagen,
daß Ansbach eine barocke Stadt ist. Das bürgerliche Mittelalter wurde

Amorbach. Ehem. Abteikirche, Deckenfresko im Langhaus

Andechs. Klosterkirche, Inneres

durch die Zielsetzungen der absolutistischen Ära doch nur äußerlich angegriffen, in den (verhältnismäßig engen) Grenzen des noch Möglichen
korrigiert. Unterschichtig wirkte es fort. Und nicht zuletzt in diesem
Mit- und Ineinander der gewachsenen und der gewollten städtebaulichen
Formen beruht die ganz eigene, freie Lebendigkeit des Ansbacher Stadtbildes.

ARNSTEIN (Ufr. – C 2)

*839 tritt es namentlich hervor. Seit 1292 ist es würzburgisch; das
Hochstift dürfte aber schon im 12. Jh. die Lehensrechte besessen
haben. In der Folge mehrfach, an die Hutten und Thüngen, verpfändet. 1317 erscheint die der vermutl. von den Henneberg
begründeten Burg zugewachsene Siedlung als Stadt.*

Das Schloß, auf der Zunge des zwischen Wern und Schwabach ausstreichenden Höhenzugs, und die Pfarrkirche, auf einer Schwelle dieser
Höhe, überragen die Stadt, deren Hauptstraßenzug (Marktplatz – Marktgasse) der Rundung des Schloßberges folgt. – Das auf 3 Seiten von Gräben umgebene Schloß (jetzt Amtsgericht), 1525 zerst., in den 40er Jahren wiederaufgebaut, leistet sein Bestes als Krone der Stadt. Die von
ihm ausgehende und zu ihm zurückkehrende Ringmauer ist nur in
einigen (meist in Häuser verbauten) Teilen erhalten. Das auf den keilförmig zur Pfarrkirche aufsteigenden Markt gestellte Rathaus ist ein
wenig aufbietender 3geschossiger Bau des frühen, teilweise auch des
späten 16. Jh.

Kath. Stadtpfarrkirche St. Nikolaus. Der Neubau von 1617 übernahm
im Chor die Rückstände eines got. Baubestandes. Kapelle. 1722 wird das Schiff erweitert, 1725 der Turm aufgesetzt. Der Maler des Deckengemäldes im Chor
ist Seb. Urlaub (1726), der Bildhauer der frühklassizist. Seitenaltäre
(um 1790) der Würzburger G. Winterstein. Die schöne, reiche Kanzel
von etwa 1700 stand ehemals in der Würzburger Karmeliterkirche. Der
prächtige Orgelprospekt stammt aus dem frühen 18. Jh.

Wallfahrtskirche Maria Sondheim. Sie liegt, wie schon ihr
Name sagt, außerhalb, südl. von Arnstein, das einmal hierher pfarrte. Angebl. ging ein Frauenkloster voraus. 1307
verlautet erstmals von der Kirche. Um die Mitte des 15. Jh.
entsteht sie neu. Der Turm kommt im 16. Jh. hinzu. – Ein
Schiff, flach gedeckt, in 3 Achteckseiten schließend. Etwas
Sonderliches ist die hohe Dreierarkade, die den Raum hälft-
lings teilt (vergleichbar der 3teilige Chorbogen der Ritterkapelle in Haßfurt). Offenbar war eine im Mittelschiff
überhöhte Halle geplant; die Dreierarkade zeigt ihren
Querschnitt an. – Kontrastierend zum spätgot. Raumbild
das auf die Flachdecke des Chores gesetzte Gemälde der
Maria vom Siege (Lepanto), Werk des Malers Phil. Rudolf,
1770. An der N-Wand des Schiffes eine gute Steinstatue der
Muttergottes, auf Konsole unter Baldachin, frühes 14. Jh.

Die ausgezeichneten Renaissance-Reliefs der Evangelisten Johannes und Lukas, um 1520, Relikte eines verlorenen Taufsteines, jetzt im Verbande eines neu geschaffenen. – Am nördl. Seitenaltar das Gnadenbild, eine geschnitzte Pietà von etwa 1470, zwischen den Figuren der hll. Michael und Jakobus von etwa 1520. – Im Chor eine Reihe guter gemalter Scheiben des 15. und frühen 16. Jh. – Reicher Besitz an Grabsteinen und Epitaphien, großenteils der Hutten, die von der Überlieferung als Stifter der »Ritterkapelle« angesprochen werden; sicher, daß die Kirche ihrer Munifizenz viel zu danken hat. Wir heben hervor: den Grabstein eines nicht näher bezeichneten Hutten mit dem Todesjahr 1447 (im Harnisch), den des Konrad v. Hutten (ebenfalls im Harnisch), 1502, das Epitaph des Philipp v. Hutten, das den 1546 in Venezuela Erschlagenen mit seinem Bruder, Bischof Moritz von Eichstätt (Stifter des Epitaphs), kniend vor dem Gekreuzigten darstellt, Arbeit des Peter Dell, das des Steph. Zobel v. Giebelstadt, 1585, und den Grabstein des Kindes Martin Strigler, 1598, dieser an der nördl. Außenwand.

ARNSTORF (Ndb. – F 7)

Um die Mitte des 12. Jh. erstmals bezeugt, wahrscheinl. schon damals im Besitz der (sich im 13. Jh. so nennenden) Closener, Closen. Arnstorf ist seit 1419 Markt. Eine Teilung der Herrschaft Ende des 17. Jh. läßt neben dem oberen mittelalterl. Schloß ein neues unteres entstehen. Die letzte Closen vererbt 1847 den Arnstorfer Gesamtbesitz an die Grafen Deym.

Oberes Schloß. Ohne besondere Außengliederung umfängt das Geviert der Wasserburg einen langgestreckten Binnenhof mit umlaufenden Arkaden. Der älteste Mauerbestand verweist auf das 13. Jh. Umfassende Ausbauten im 17. und im frühen 18. Jh. – Eine raumkünstlerische Kostbarkeit ist der Kaisersaal, über und über mit mythologischen Figuren ausgemalt von Melchior Steidl, 1714. Auch kleinere Räume des 2. Obergeschosses enthalten Freskogemälde des Meisters. Im NO-Flügel die Schloßkapelle, eine Anlage des 15. Jh., um 1700 umgestaltet und bald darauf mit guter Stuckinkrustation versehen. Kostbare Seltenheit: ein Theaterraum aus der Zeit um 1700.

Das **Untere Schloß** ist ein schlicht gehaltenes 2geschossiges Gebäude, Ende 17., Anfang 18. Jh., freundlich belebt durch die dreieckigen, hohen Giebel über den Langseiten und die übereck gestellten Rechtecktürmchen an der südwestl. Schmalseite.

Die **Pfarrkirche St. Georg** entstand in der 2. Hälfte des 15. Jh. Die Seitenschiffe sind ins frühe 16. Jh. zu setzen. Ihr schönster Besitz ist das

Grabdenkmal des Hans v. Closen, 1527, mit der ganzen Figur des geharnischten Ritters im Rahmen einer reichen Renaissance-Architektur, wahrscheinl. Werk des Landshuter Meisters Stephan Rottaler.

ASBACH b. Griesbach (Ndb. – F 8)

Ehem. Benediktinerklosterkirche St. Matthäus

Bischof Otto von Bamberg weihte die 1127 vollzogene gräfliche Stiftung. Die Benediktinerabtei kam zu hohem Wohlstand, bis die Säkularisation 1803 dem mönchischen Leben ein Ende setzte. Zahlreiche Brände suchten das Kloster heim, so daß mehrmaliger Neubau der Kirche geboten war. Nicht jedoch Brand, sondern barocke Bauleidenschaft führte zur bestehenden Kirche, die 1771–80 wahrscheinl. nach Plänen des Münchner Hofbaumeisters François Cuvilliés d. J. ausgeführt wurde. Enge Verwandtschaft zu Cuvilliés' Kirche in Zell (Oberösterreich) erhärtet diese Annahme.

Das frühklassizist. späte 18. Jh. spiegelt sich wie im Außenbau auch im klar disponierten Innenraum der Wandpfeileranlage. Schlichte Pilaster und die gegurtete Tonnenwölbung verleihen dem Heiligtum kühle Strenge. Dünnes Rankenwerk des späten Rokoko füllt die schmückenden Rahmenfelder. Jos. Schöpf schuf die vorzüglichen Gewölbefresken (1784): im Chor Christi Verklärung, im Langhaus Mariae Himmelfahrt. Der orthogonale Aufbau verrät den beginnenden Klassizismus. Die räumliche Tiefe entwickelt sich nicht mehr im barocken Sinne aus der Architektur in die Illusion himmlischer Fernen, sondern stuft sich unabhängig vom gebauten Raum in verselbständigten Bildzonen. Die Auflösung des barocken Gesamtkunstwerkes ist im Vollzug. Über der Orgelempore psalmodiert David. Enger dem Rokoko verhaftet ist die nach 1780 entstandene Einrichtung. Ihren Figurenschmuck lieferte Jos. Deutschmann. Sein puttenumschwirrtes Tabernakel ist letztes Rokoko. Auch den Hochaltarfiguren Petrus, Paulus, Benedikt und Scholastika eignet noch etwas von gelöster Grazie. Ähnliches gilt von Deutschmanns Kanzelaufbau. Ein besonderer Schatz sind die Altarblätter von Mart. Joh. Schmidt, dem sog. Kremser-Schmidt, dessen flackernde Lichtkompositionen das kirchliche Rokoko noch einmal aufleben lassen. Im Hochaltar erzählt er vom Märtyrertod des Matthäus, im ersten Paar der Seitenaltäre (v. O.) zeigt er Maria als Himmelskönigin und Benedikt auf dem Sterbelager, im zweiten Isaaks Opferung und Martyrium der hl. Barbara, im dritten Apotheose

St. Leonhards und Bischof Otto von Bamberg, der das Kloster dem Schutz des Altöttinger Gnadenbildes empfiehlt; in
der klassizistisch dekorierten Armeseelenkapelle die fürbittende Maria.

Die **Klostergebäude** gruppieren sich südl. der Kirche um 2 Binnenhöfe, 2geschossige Trakte aus der Barockzeit. Die Bauten des O-Hofes
führte D. Christ. Zuccalli gegen 1680 auf, die des W-Hofes entstammen
dem frühen 18. Jh. Die fein stuckierten Fensterrahmungen gab ihnen
Joh. Bapt. Modler aus Kößlarn (1730–40). Im Innern hat sich das sog.
Grafenzimmer erhalten mit Modlerschem Stuck und einem schönen Plafondgemälde um 1770, das Joh. Jak. Zeiller nahesteht. Von besonderem
Reiz ist der freundliche Speisesaal mit dem farbenfrohen Fresko des
Mannaregens, sign. J. Jak. Zeiller 1771, inmitten reichbewegter, gemalter Rocaille-Ornamentik.

ASCHACH (Ufr. – D 2)

Schloß. Im 12. Jh. hennebergisch, seit 1491 würzburgisches Amtsschloß,
das 1525 von den Bauern verwüstet, 1553 noch einmal zerstört und
1559–79 wieder aufgeführt wird. 1829 vom Schweinfurter Industriellen
Wilh. Sattler erworben und als Steingutfabrik nutzbar gemacht. 1874
übernimmt es Graf Friedr. v. Luxburg, der den jetzt erneuerten Räumen den romantisch-historischen Stil seiner Zeit aufprägt und reiche
kunstgeschichtliche Sammlungen zusammenträgt. Sein Sohn, Graf Karl
Luxburg, schenkt das Schloß (mit Grundbesitz) an den Bezirk Unterfranken, der es 1957 als Graf-Luxburg-Museum der Öffentlichkeit übergibt.

ASCHAFFENBURG (Ufr. – B 2)

*Der Name deutet schon an, daß die Stadt bei einer Burg erwuchs,
einer urspr. wohl keltischen, dann alemannischen Volksburg, die
mit dem vom Geographen von Ravenna (Ende 7. Jh.) genannten
Ascapha(burg) gleichgesetzt werden darf. Im 6. Jh. wird diese
Burg fränkisch, Bestandteil des königlichen Fiskus. Im frühen
10. Jh. kommt sie an die sächsischen Liudolfinger. Die erste urkundliche Nennung, 974, betrifft die Stiftskirche St. Peter, die als
Gründung Herzog Liudolfs († 957), eines Sohnes Kaiser Ottos I.,
anzusprechen und also spätestens 957 anzusetzen ist. Die Annahme
karoling. Abkunft hat aber gute Gründe für sich. Die Stiftskirche ist der Kristallisationskern der (975/976 und 981 als civitas
bezeugten) Stadt. Ende des 10. Jh. geht sie ans Erzstift Mainz, dem
sie als Vorort des Mainzischen Oberstifts verbunden bleibt. Erzbischof Willigis schlägt, um 1000, über den Strom eine Brücke, und
jetzt entwickelt sich die so günstig am auslaufenden Spessart über
einem östl. Mainbogen situierte Siedlung rasch zu Markt und
Stadt, die sich im 12. Jh. in einen Mauerring einschließt. 1171
heißt die Marienpfarrkirche noch »in campis«, in den Feldern,*

1184 liegt sie bereits innerhalb der Mauer. Der Befestigung der hoch gelegenen »Oberen Stadt« (auch »Altstadt«), von der Burg an der N-Spitze den Main entlang zum westl. Tor am Windfang und zur Stiftskirche an der O-Spitze und wieder zur Burg zurück, folgt im 13. Jh. die der Vorstadt, die im 14. Jh. erweitert wird. Die Vorstadt St. Agatha (NO), noch 1279 außerhalb der Mauern, folgt 1346, die Fischervorstadt 1374, zuletzt die nördl., gegen Mitte des 15. Jh. Das sich spannende Verhältnis der Erzbischöfe zu ihrer Stadt Mainz führt zu häufiger Verlegung der Hofhaltung nach Aschaffenburg, dessen Bürger sich beträchtliche Freiheiten zu sichern wissen, die sie dann allerdings durch ihr Zusammengehen mit den Bauern 1525 wieder verlieren. Die wirtschaftliche und kulturelle Blüte der Stadt liegt im 15. und 16. Jh., der Große Krieg des 17. Jh. knickt sie. Nach Auflösung des Mainzer Kurstaates wird Aschaffenburg die Residenz eines Fürstentums, das aber kurzen Bestand hat; 1814 fällt es an Bayern. Bald regt es sich kräftig, in den Gründerjahren entwickelt es sich zur Industriestadt. Heute greift es mit einem immer noch wachsenden Gürtel von Vororten schon weit ins Umland hinaus. – Der 2. Weltkrieg zerstörte große Teile der Altstadt, die aber doch ihre großen Baudenkmäler (einige freilich nur trümmerhaft) bewahren konnte.

Stiftskirche St. Peter und Alexander

Gründung des Herzogs Liudolf am Ort einer durch Grabung festgestellten karoling. Kirche, läßt sich das Kollegiatstift um Mitte des 10. Jh. voraussetzen. Seine stadtgeschichtl. Bedeutung ist nicht hoch genug einzuschätzen; nicht von ungefähr liegt vor der Stiftskirche der Markt vor. Von Anfang an steht es in nahen Beziehungen zu Mainz, seit 1262 (spätestens) müssen seine Pröpste dem Mainzer Kapitel entnommen werden, mehrere seiner Pröpste besetzen dann wieder den Mainzer Stuhl, seit 1588 behält der Erzbischof die Propstei für sich. – Gegen Ende des 12. Jh. beginnt das Langhaus zu entstehen, um die Mitte des 13. Jh. der Chor, der in den 80er Jahren zu Ende kommt. Bald nach Mitte des Jahrhunderts müssen die beiden Vorhallen (W- und N-Seite) entstanden sein. Im frühen 15. Jh. wächst der Turm auf, fertig ist er wohl erst gegen Ende des Jahrhunderts. 1516 wird die der N-Seite anhängende Maria-Schnee-Kapelle, Stiftung der Kanoniker Georg und Kaspar Schanz, geweiht. 1618 kommt noch die vom kurmainzischen Baumeister Matthias Erb errichtete W-Empore hinzu, ein für die Zeit bezeichnendes Exempel posthumer Mittelalterlichkeit. – Der Beitrag der späteren Zeiten zur Baugeschichte: Abbruch des spätgot. Lettners gegen Ende des 17. Jh., geringe Erhöhung der Langhausmauern, Abtragung der 4 Giebel und Neubedachung 1719–22, zugleich Erneuerung der Decke des Langhauses. 1723 entsteht die große Treppe an der N-Seite. – 1802 stirbt das Kollegiatstift. 1821 wird seine Kirche Pfarre. 1880–82 und, letztens, 1956/57 wird sie restauriert.

Durch das Gelände aufgesockelt, von N her über den schönen Treppenaufstieg (1723) zugänglich, liegt der gestreckte, durch das Mansardendach belastete Körper der Kirche nur an W- und NW-Seite offen; die NO-Seite verstellen Kreuzgang und Stiftsgebäude, O- und S-Seite stoßen gegen die Stadtmauer. Der Grundriß steckt ein Kreuz mit allerdings nur wenig vorspringenden Armen ab, der Querschnitt ist basilikal. – Ä u ß e r e s. Als Schauseite konnte sich, bei der angedeuteten Lage, nur die zum Markte hin offene NW-Seite anbieten, und sie empfing auch alle Auszeichnung. Hier baut sich, wie der Flügel eines westl. Querschiffs, die *Maria-Schnee-Kapelle* vor. Der reiche Giebel ist freilich erst Restauratorenwerk des 19. Jh. (1870), der 1719 beseitigte war ein schlichter, kaum geschmückter Staffelgiebel. An die Maria-Schnee-Kapelle legt sich westlich die in Rundbogenarkaden geöffnete gangartige Vorhalle an, deren längerer Teil der W-Fassade vorliegt, ein liebenswürdiges Bauwerk spätroman.-frühgot. Prägung. Sie leistet schönsten Beitrag zum Erscheinungsbild der so reichen Baugruppe. In ihrem W-Flügel steht das W-Portal der Kirche, nicht groß, aber eine der besten Portalschöpfungen spätroman. Stils. In der äußeren der beiden Gewändestufen stehen Säulen, ein prächtig berankter Rundwulst umfährt die innere; die Hochrelieffiguren Christi und der beiden Stiftspatrone, Petrus und Alexander, füllen, in starker Plastik, die Ränder überdrängend, das Bogenfeld. 2 einfachere Portale sind an der N-Seite, das erste unter der Maria-Schnee-Kapelle, das zweite gegen den Kreuzgang. – Der Blick vom ansteigenden Markt her ergreift über die beschriebene vordergründige Baugruppe hinweg den am W-Ende des südl. Seitenschiffs stehenden Turm, dessen im Plane liegender nördl. Korrespondent keine Verwirklichung fand. Gegen die Putzflächen des nur in den Gliederungen gequaderten Langhauses steht das kräftige Rot seines Buntsandsteins. Dem untersetzten, durch Streben verstärkten quadratischen Untergeschoß, das mauerhaft schwer und nur wenig geöffnet ist, entwächst das schlankere und nun auch, oberen Teils, ringsum fensteroffene Achteck, dem wieder der hohe, ebenfalls 8eckige Helm entwächst. – I n n e r e s. Der Blick des westlich Eintretenden dringt durch das noch ganz romanisch gefügte, rundbogige Pfeilerarkaden aneinanderreihende Mittelschiff durch die beiden, nun schon spitz gebrochenen Vierungsbögen in den flach ge-

Aschaffenburg, Stiftskirche

schlossenen Chorraum vor, aus dem Älteren ins Jüngere,
denn im Querschiff übernimmt der Spitzbogen die Führung.
Das Langhaus ist mit seinen 3 Schiffen flach gedeckt (1719),
Rippenkreuzgewölbe schließen die beiden Chorjoche und die
3 Joche des Querschiffs. Der Blick zurück trifft auf die
W-Empore, bei deren Aufbau roman. Spolien verwendet
wurden; die nachmittelalterl. Kreuzgratgewölbe der 2×3

Joche ruhen auf Säulen des frühen 13. Jh., die durch saftig beblätterte Kelchblockkapitelle ausgezeichnet sind. Eine Reihe von Seitenkapellen leistet räumlichen Zuschuß: 5 an der S-Seite des Langhauses, deren 4 westl. infolge später (im frühen 19. Jh.) herausgenommener Zwischenmauern ein äußeres Seitenschiff bilden; bis auf die erste, östliche, noch frühgotische, sind sie spätgotisch; weitere 3 an der N-Seite des Langhauses. Deren westliche ist die bedeutendste, die Maria-Schnee-Kapelle; ihr Untergeschoß ist Vorhalle; das Obergeschoß ist in seinen 2 Jochen mit einem vorzüglichen spätestgot. Netzrippengewölbe gedeckt.

Die Ausstattung ist reich: Hochaltar, eine Baldachinanlage, ausgeführt 1771/72, Arbeit des Mainzer Schreiners J. M. Henle; Kanzel, reiche Spätrenaissance, verschiedene Werkstoffe (Sandstein, Marmor, Alabaster) kombinierend, ein frühes Werk des bedeutenden Aschaffenburger Bildhauers Hans Juncker, 1602, der auch den Magdalenenaltar von 1618 aus Marmor und Alabaster (im südl. Seitenschiff) beisteuerte; Taufstein (im S-Flügel des Querschiffs), 1487 dat. und einem Meister Conrat von Mosbach zuschreibbar, mit neuerdings wieder freigelegter Fassung vom Aschaffenburger »Meister Mathis« (dessen Gleichsetzung mit Mathis Gotthardt = »Grünewald« irrig ist); Altar der Maria-Schnee-Kapelle, lt. Stiftungsinschrift (Rahmen) 1519 errichtet; er wurde seines wertvollsten Teiles, der Haupttafel und der Flügel, beraubt; die Haupttafel (durch moderne Kopie ersetzt) steht heute in Stuppach bei Mergentheim, eine der beiden Flügeltafeln, mit der Darstellung des Schneewunders, gelangte über München (1852) ins Freiburger Museum; über den Meister belehrt das der Stifterinschrift beigesetzte Monogramm, das in Mathis Gotthardt Nithardt (»Grünewald«) aufzulösen ist; Nothelferaltar, neugotisch, aber mit einer guten »Gedräng«-Kreuzigung des späten 15. Jh. besetzt. Führen wir jetzt die bedeutendsten einzelnen Kunstwerke an: die großartige Beweinung Christi Grünewalds (Predella eines verlorenen Altars von etwa 1525), in der 1. Kapelle südl. (hier auch das Epitaph des Grünewald so nahestehenden Kanonikers Heinr. Reitzmann), den Auferstehenden Christus von Lucas Cranach (urspr. in der Stiftskirche zu Halle, um 1520), die hll. Martin und Georg, früher Grünewald zugeschrieben (um 1520). Unter den Holzbildwerken sei der große roman. Kruzifixus (um 1200) hervorgehoben, der jetzt von entstellender Nachfassung befreit ist. Aus der langen, z. T. hochbedeutenden Reihe der Denkmäler und Grabdenkmäler: Das Stifterdenkmal (S-Wand des Chores) von 1524, gewidmet Herzog Otto von Schwaben; die Bronzetafel wohl aus der Vischerschen Hütte in Nürnberg; der jetzt im N-Flügel des Querschiffs aufgestellte, wahrscheinl. für die (beabsichtigte) Hallesche Grabstätte des Kardinals Albrecht von Brandenburg, eines der großen

Mäzene der Renaissance, bestimmte Bronzebaldachin von 1536, Werk der Vischerschen Hütte in Nürnberg, wie das, Peter Vischer d. J. zuzuweisende, Bronzeepitaph des Kardinals von 1525 und das schöne, inschriftl. für Hans Vischer gesicherte Relief der Glorienmuttergottes von 1530 (beide jetzt an der Wand hinter dem Baldachin); der Reliquienschrein, »Margarethensarg«, auf dem Baldachin, befand sich einmal im berühmten »Halleschen Heiltum« des Kardinals. Merken wir hier auch das Grabmal des letzten der Mainzer Kurfürsten, F. K. v. Erthal, in der Turmkapelle an, klassizist. Werk H. Ph. Sommers von 1816. Endlich sei noch auf die S c h a t z k a m m e r verwiesen, die, über alle Schmälerungen hinweg, doch noch einen reichen Bestand an Kleinodien bewahren konnte. Hauptstücke: die Turmmonstranz des frühen 15. Jh., die etwa gleichzeitige silberne Reliquienbüste des hl. Alexander und die jüngere, 1473 vom Frankfurter Hans Dirmsteyn geschaffene des hl. Petrus, das Kapitelkreuz um 1480, die sog. Stola des hl. Martin (12. Jh.) und die beiden großen Kirchenbücher, Missale und Passionale, die Kardinal Albrecht vom Nürnberger Nik. Glockendon ausstatten ließ.

An der N-Seite der Stiftskirche liegt das Geviert des **Kreuzgangs** mit den Stiftsgebäuden. Der Kreuzgang hat hohen Rang. Bei spätroman. Grundhaltung regt sich in den Knospen- und Blattwerkkapitellen, zart und doch kräftig, erste Frühgotik. Die Bauzeit wird kaum weit von der des Chores abliegen. Die 4 Flügel, deren südl. der Kirche anliegt, sind (bis auf ein spätgot. Joch in der NO-Ecke) flach gedeckt, sie öffnen sich hofseits in je 4 dreigeteilten Fensterarkaden, deren Rundbogen auf runden oder 8eckigen Säulen sitzen; Pfeiler trennen die Fenstergruppen; die Kapitelle variieren von einem zum andern, neben verhältnismäßig strengen (romanisch stilisierten) Formen stehen gelöste, mit dem realistischen Laubwerk der frühen Gotik. Gehe man an dieser morgenfrischen, im Sinne des Wortes knospenden Kapitellplastik nicht rasch vorüber! – Der Kreuzgang bewahrt eine große Anzahl von Grabdenkmälern, darunter so bedeutende wie die Epitaphien der Kanoniker Peter Schenk v. Weibstadt (1437), Joh. v. Kronberg (1439), Th. Kuchenmeister (1493). – Das Stiftskapitelhaus beherbergt das Museum der Stadt Aschaffenburg.

Kath. Pfarrkirche St. Agatha. Gegr. im 12. Jh., reicht die zweite Pfarrkirche der ihren Kern (Obere Stadt) überwachsenden Siedlung im Grundbau auch dahin zurück. Der 1schiffige Erstbau erfuhr in der 2. Hälfte des 13. Jh. (Chor, Glockengeschoß des Turmes) und in der 2. Hälfte des 14. (die Seitenschiffe) Zufügungen; im frühen 15. Jh. erweitert sich der frühgot. Chor um das abschließende Polygon. Im

2. Weltkrieg großenteils zerstört; nur Chor und Turm blieben erhalten; ein Neubau A. Boßlets, 1959, ersetzte das Langhaus. Der Turm wurde 1960 abgetragen und neu aufgeführt. 1963 kam ein durch Heinzmann, Würzburg, errichtetes Westwerk hinzu.

Muttergottespfarrkirche. Vom ältesten Bau der ältesten Pfarrkirche der Stadt hat sich das in die N-Wand des Turmes vermauerte Tympanonrelief (Muttergottes zwischen hl. Katharina und hl. Joh. Ev.), Ende des 12. Jh., erhalten. Der zu dieser Zeit aufgeführte, in der 1. Hälfte des 13. Jh. um das Glockengeschoß erhöhte Turm überstand den Neubau von 1768–75. Dieser von Fz. Bockorni errichtet, ein Rechtecksaal mit rund geschlossenem Chor. Teile der Ausstattung, der 70er und 80er Jahre des 18. Jh., wurden 1944 zerstört. Modernes Deckengemälde 1965 bis 1967 von Herm. Kaspar.

Ehem. Jesuitenkirche (Studienkirche). 1612 kommen die Väter der Gesellschaft Jesu nach Aschaffenburg. 1619 bauen sie ihre Kirche, die 1621 geweiht wird. Nach Aufhebung des Ordens wird sie profaniert, doch 1810 »auf neue Art und nach dem neuen Zeitgeist« restauriert. Sie ist einer der Nachkommen der Münchner Jesuitenkirche (St. Michael), deren Grund- und Aufriß sie allerdings vereinfacht. Das von 3 flachen Seitenkapellen begleitete Schiff buchtet östl. in einer Halbrundapside aus. Eine Stichkappentonne, mit Teilung durch Gurte, deckt das Schiff, Halbtonnen decken die Kapellen. Die Stuckdekoration arbeitete Eberhard Fischer von Babenhausen. Die Altäre sind klassizistisch.

Kath. Pfarrkirche St. Joseph, 1928/29 von A. Boßlet errichtet. Der 2. Weltkrieg ließ nur Turm und Teile des Langhauses übrig. 1950/51 wurde sie erneuert. Auch die gleichzeitige **Herz-Jesu-Kirche,** ebenfalls von Boßlet, wurde teilweise (westl.) zerstört.

Auf der Schweinheimer Höhe entstand die **Pfarrkirche St. Gertrud,** 1959, nach den Entwürfen von Rud. Schwarz, eine der Kirchen, die er, um ihn selbst zu zitieren, »nach dem großen Gedanken des heiligen Weges« gebaut hat. An das hohe Rechteck des Kirchenkörpers legt sich südlich die Pfarrsiedlung; östlich, isoliert, der Glockenturm.

Schloß

Eine mittelalterl. Burg, 1552 geplündert und verbrannt, wird 1605 durch den Schloßbau des Straßburger Meisters Georg Ridinger ersetzt. 1607 steht die mächtige Terrassenmauer gegen den Fluß, 1614 ist der Bau vollendet. Vom Bestand der mittelalterl. Burgschlosses wurden der Bergfried und die östl. Terrassenmauer übernommen. Änderungen, die aber nur das Innere betrafen, fanden in der Endzeit des Mainzer Kurstaates um 1800 statt. Ergebnis dieser klassizist., von Emanuel d'Herigoyen geleiteten Eingriffe: das sehr noble Treppenhaus im O-Flügel, das zu ihm führende mittlere Portal dieses Flügels, die Beseitigung der den Hoffronten vorgelegten Arkaden. Der 2. Weltkrieg verwandelte das »St. Johannisburg« in eine, doch immer noch gewaltige, Ruine. Der Wiederaufbau ist jetzt abgeschlossen. Das Schloß beherbergt eine (seit 1964 zugängliche) Filialgalerie der Bayer. Staatsgemäldesammlungen.

Eine der ersten deutschen plangerecht einheitlichen, regelmäßigen Schloßanlagen, umschließt das durch Erdaufschüt-

Aschaffenburg, Schloß

tungen hoch aufgesockelte, der Böschung des rechten Main-
ufers aufgesetzte Schloß mit 4 Flügeln einen Innenhof, dem
nördlich der alte Bergfried einbezogen ist. 4 quadratische
Türme springen aus den Ecken. Die 3geschossigen Flügel
sind nur waagerecht, durch die Gurtgesimse gegliedert, die
ihren Mitten aufsitzenden 3stufigen Zwerchgiebel bringen
aber doch noch die alte got. Vertikale zum Einsatz. Die
Horizontale beherrscht auch, und fast stärker noch, die gedrungenen vielgeschossigen Türme, die aus dem etwas eingezogenen Obergeschoß ins Achteck übergehen. Der »horror
vacui«, der deutschen Renaissance so lange wesentlich, ist
zum Schweigen gebracht. Das Dekorum häuft sich nur an
den Zwerchgiebeln, in denen sich die Verhaltenheit der nur
durch die Fenster und ihre Gesimsverdachungen belebten,
sonst lakonischen Mauerflächen redselig öffnet. Der immer
noch spürbare Einschuß deutscher Steinmetzengotik zeigt
sich in den Spindeln der in die Hofecken eingestellten Trep-

pentürme und der im N-Flügel liegenden, 2 Geschosse durchgreifenden **Schloßkirche** mit ihrem der deckenden Flachtonne unterlegten Rippennetz. Ihr, nun allerdings von einem nicht mehr zu überbietenden »horror vacui« beherrschter Marmor-Alabaster-Altar, Werk Hans Junckers, ist als eine von deutsch-got. Formantrieben gesteuerte Renaissance zu definieren, gleicherweise die Kanzel, auch Hans Junckers, der einer der fähigsten fränkischen Steinmetzen-Bildhauer des frühen 17. Jh. ist. Auch das in den Hof führende Portal der Kirche, mit dem Relief der Taufe Christi, gehört ihm. – Die Johannisburg leitet großartig den repräsentativen neuzeitlichen Schloßbau ein. Die Wucht, die ihr eignet, wuchs ihr vom Festungsbau (des Festungsbaumeisters Ridinger) zu, aber auch die genaue Regularität, wenn schon der Grundriß des eckbetürmten Gevierts ältere, mittelalterl. Voraussetzungen hat.

Das 1842–49 im Auftrag König Ludwigs I. nach dem Vorbild des Hauses des Castor und Pollux in Pompeji von Fr. Gärtner und den Professoren Schlotthauer (München) und Louis (Aschaffenburg) in der Anlage südl. des Schlosses errichtete **Pompeianum** war seit 1945 Ruine. Die Wiederherstellung des vortrefflich in den landschaftlichen Rahmen des Main-Hochufers eingefügten quasi-antiken Baudenkmals ist beendet.

Schönbusch *(Tafel S. 97)*

Wenige Kilometer südl. der Stadt schaffen sich die Mainzer Kurfürsten einen Tiergarten, den Kurfürst Friedrich Carl von Erthal 1775 erweitert und durch seinen Baudirektor J. Schneider gestalten läßt. Französ. und englischer Gartenstil streiten in diesem ersten »Schönbusch« noch um die Vorhand. Seit 1778 leitet den Parkausbau der kurmainzische Minister Graf Wilhelm v. Sickingen, der seinen Architekten, den in Paris geschulten Portugiesen Emanuel Joseph d'Herigoyen, einführt. Der englische Stil setzt sich jetzt entscheidend durch, wenn auch der französische (der z. B. den Kanal eingab; die Natur kennt keine Kanäle) noch nicht konsequent abgeschafft ist. 1782 scheidet Sickingen aus. Jetzt tritt aber einer der künftig berühmtesten »modernen« Gartengestalter auf, der Schwetzinger Hofgärtner Friedr. Ludwig Sckell, und was der Schönbusch noch werden konnte und was er noch wurde: einer der frühesten »Englischen Gärten«, das wurde er durch ihn.

Waldstücke, Lichtungen, Wiesen, Seeflächen sind die wechselnden Komponenten des sehr großen, schon durch seine Größe »Landschaft« aufnehmenden Parks, der nun eigenstes Leben doch erst aus den in seinen N-Teil eingestreuten Architekturen gewinnt, deren Autor Herigoyen ist. Da ist zunächst das **Schlößchen** (»Pavillon«) zwischen See und Kanal, 1778/79 errichtet, ein rechteckiger Kubus, 2 Geschosse und 1 Halbgeschoß hoch und von einer Attika beschlossen, nur die Fenster und, an der leicht vorgezogenen Mitte, die Fenstertüren gliedern. Einfach und edel, so steht dieses kleine feine frühklassizist. Bauwerk in der Parknatur. Den Eintretenden nimmt eine Vorhalle auf, über einige Stufen erreicht er das durch Säulen abgegrenzte Treppenhaus, dessen Treppe in 2 Armen ansteigt und in einem weiterführt. Oben, über der Vorhalle, ist der Große Saal, dessen Wandaufriß durch die kannelierten Pilaster, die die hohen Türen und Fenster einfassen, bestimmt ist. Bewundernswert diese »edle Einfalt«, Ausdruck einer selbstsicheren Noblesse. – Mehrere kleinere **Pavillons** (neben den schlicht anmutigen Wirtschaftsgebäuden von 1783) durchsetzen die Parklandschaft: der Speisesaal, ein Vierpaß im Grundriß, um 1800 errichtet, der gleichzeitige Freundschaftstempel, dessen quadratischer Plan ein überkuppeltes Achteck einschließt, der Tanzsaal, die Waage etc. Ein wichtiger Stimmungsträger (zur Landschaft die Ländlichkeit!) ist schließlich das, auch von Herigoyen, 1788 geschaffene Dörfchen. Eingestaltung menschlicher (natürlicher) Gefühle in die Natürlichkeit der Landschaft: das ist der Sinn aller dieser kleinen anmutigen Baulichkeiten.

ASCHAU (Obb. – D 8)

Die 927 genannte Ascouva (Eschenaue) ist zunächst Flurname, den sich Burg (s. Hohenaschau) und Siedlung aneignen. Diese, bis vor kurzem Niederaschau genannt, wird Hauptort der Herrschaft, die nach den Aschauern an die Mautner, die Freyberg, die Preysing übergeht. Die Kirche gehörte urspr. zur Pfarrei Prien, bis sie 1680 Selbständigkeit erlangte.

Kern der bestehenden, durch talbeherrschende Lage und ungewöhnliche Stattlichkeit ausgezeichneten **Pfarrkirche St. Mariae Lichtmeß** ist das im späten 15. Jh. als 2schiffige Halle aufgeführte Langhaus. Es wurde 1702 barockisiert und 1752 durch das nördl. Seitenschiff und ein westl. Langhausjoch erweitert. J. B. Gunetsrhainer beriet, der Attler Stiftsbaumeister Wolf Steinbeiß entwarf den Bau und führte ihn aus. Der im unteren Teil noch hochmittelalterl. Turm wurde 1767–69 aufgestockt. Sein Zwillingsbruder kam erst 1904 hinzu, in welchem Jahre auch der Chor gänzlich neu errichtet wurde. – Der breit entwickelte, von 8 Rundpfeilern unterteilte Hallenraum erfreut durch eine üppige Stuckdekoration, die einheitlich wirkt, aber nicht einheitlich ist; in Langhaus und südl. Seitenschiff datiert sie 1702 – der Stilcharakter deutet auf einen

Oberitalianer –, im nördl. Seitenschiff und W-Joch 1752; der jüngere Stukkator lehnte sich aber eng an den älteren an, zudem sorgen die 1753/54 von Balth. Mang gemalten Deckenfresken für den Zusammenschluß. Der Hochaltar ist, bis auf das Gemälde (von Tob. Schinagl, 1673) und die in Kupfer getriebene, versilberte Dreifaltigkeitsgruppe im Auszug (1752), neu. Alt die beiden Altäre in den Seitenschiffen, 1754 bis 1756, reiche Rokoko-Aufbauten, mit Figuren von Phil. Rämpl (Rosenkranzaltar) und Jos. Ant. Fröhlich, Tölz (Johannesaltar). Prächtige Kanzel, 1687/88.

Die **Kreuzkapelle** nördl. der Pfarrkirche wurde 1752/53 vom gleichen Baumeister, Wolf Steinbeiß, aufgeführt: nicht zu kleine, originelle Anlage, 3 Rundräume, der mittlere stärker, zentral sammelnd. Volkstümliche Deckenfresken von Jos. Tiefenbrunner, 1753. Die ältere Kreuzigungsgruppe (1. Hälfte 17. Jh.) urspr. in der Pfarrkirche.

ASTHEIM (Ufr. – D 3)

Ehem. Kartäuserkloster

»Maria Bruck zu Ostheim« tritt 1409 als Stiftung des Erkinger v. Seinsheim und seiner Gattin Anna v. Bibra ins Leben. Das schon 1404 begonnene Kloster wächst zögernd heran; die Kirche steht erst 1469 fertig, der vorerst in Holz aufgeführte Kreuzgang erst gegen Ende des Jahrhunderts. Der Bauernkrieg setzt der Kartause hart zu, tatkräftige Prioren des späten 16. und frühen 17. Jh. geben ihr (1583 ff.) die heutige Gestalt, die nun freilich nur mehr ein Fragment der ursprünglichen ist; der Kreuzgang mit den anliegenden Kartausen auf der N-Seite der Kirche fehlt. 1803 säkularisiert, gelangt die Klosterkirche durch Kauf an die Fürsten Schwarzenberg. Seit 1954 ist sie Besitz der Gemeinde, die sie, und anschließend auch die Johannes-Kapelle, 1957 restaurieren läßt und 1958 im Prokurat ihr Rathaus einrichtet.

Die langgestreckte 1schiffige **Kirche** ist nachgotisch, d. h. noch oder wieder gotisch, wie so manche Kirche dieser Zeit im Würzburger Sprengel. Ihr bester Schmuck sind die Reihungen (Rippennetze) der flach gesprengten Tonnenwölbung. Der nur über dem Dach, als Dachreiter, in Erscheinung tretende, sonst ins Innere eingeschlossene Turm ist Ersatz des nach einem Brand, 1867, abgetragenen, etwa in der Mitte des Schiffes postierten ursprünglichen. Ein feines Werk der Zierarchitektur ist der die 4 Joche des 3seitig geschlossenen Chores von den 4 Jochen des Schiffes trennende Lettner, dessen Bühne eine Maßwerkbalustrade beschließt. Der aufwendige barocke Hochaltar entstand 1723/24, das schmuckreiche, trotz Renaissance-Formen noch im Spätmittelalter wurzelnde Chorgestühl 1606 (mit Ergänzungen von 1724).

Von der **Klosteranlage** blieb übrig das sog. Prokurat (1583) südl. der Kirche, der beide verklammernde Verbindungsbau (gleichzeitig) und die ihm anhängende 2geschossige Johanneskirche, die 1584 an Stelle des ersten »Chorkirchleins« erbaut wurde und im Obergeschoß einen Saal enthält. Das heute in den Verbindungsbau einlassende Renaissance-Portal stand bis 1867 an der S-Wand des Langhauses.

ATTEL am Inn (Obb. – D 8)

Ehem. Benediktinerklosterkirche St. Michael

807 hören wir von einem St.-Michaels-Heiligtum zwischen dem Inn und der Attel. Eine erste Klostergründung geschieht 1038 durch Graf Arnold von Diessen-Andechs. Ihr folgt, wahrscheinl. 1137, eine Neugründung, die Hallgraf Engelbert von Limburg-Wasserburg vollzog. Die schadhafte Kirchenanlage des Mittelalters wich 1713 einem Neubau, den der Abt Cajetan Scheyerl selbst entwarf. 1715 Weihe. Auflösung des Klosters 1803.

Das Ä u ß e r e der hochgelegenen Kirche, eingebettet in die umgebenden Klostertrakte, entbehrt des gewohnten Schmuckwerks. Auch die I n n e n -Gliederung ist einfach; sie folgt dem landläufigen Schema der emporenbesetzten Wandpfeilerkirche (vgl. Au, Gars). Die Stuckauskleidung bevorzugt Akanthusranken und Blattgehänge (um 1715). Eine »Restaurierung« um 1880 hat die urspr. Farbstimmung verfälscht und den Freskenschmuck übertüncht. – Der Hochaltar von 1731 umfängt ein Gemälde des Apokalyptischen Weibes (Kopie des Freisinger Dombildes von Rubens). Zu rühmen: das reich gebildete Rokoko-Tabernakel. Ein Nebenaltar des 17. Jh. im Vorchor trägt das ehem. Gnadenbild einer 1786 abgebrochenen Wallfahrtskirche, einen ehrwürdigen roman. Kruzifixus des frühen 13. Jh. Die übrigen Seitenaltäre stammen zum großen Teil aus dem frühen 18. Jh. – In der letzten südl. Seitenkapelle: Grabdenkmal für das gräfliche Stifterpaar Engelbert und Mathilde v. Limburg-Wasserburg, geschaffen und bezeichnet von Wolfgang Leb 1509. Weitere gute Grabdenkmäler aus dem 15. und 16. Jh. sind in die Wände eingelassen. Eine der nördl. Seitenkapellen barg das kleine hochbedeutende Schnitzwerk der Immaculata von Ignaz Günther (um 1762, heute unter Verschluß).

AU am Inn (Obb. – E 7/8)

Ehem. Augustiner-Chorherren-Stiftskirche St. Maria

*Zwei Salzburger Priester gründen Ende des 8. Jh. in Au eine Zelle,
die dem Grundherrn, dem Salzburger Erzbischof, zufällt. Die Zelle
verschwindet im 10. Jh. 1120 stiftet der Graf von Megling ein
Augustiner-Chorherrenstift. 1269 verlautet von eine Weihe, 1451
von einem Brande, dem ein Neubau folgt. Ein zweiter großer
Brand 1686 veranlaßt den bestehenden Bau, der 1708–17, viell.
nach Plänen von Dom. Christ. Zuccalli, durch den Trostberger
Maurermeister Wolf Högler aufgeführt wird. Die Kirche des 1803
säkularisierten Klosters ist seither Pfarrkirche. 1969 zerstörte ein
Brandunglück Turmhauben und Dachstuhl. Der Innenraum erlitt
Sekundärschäden. Wiederherstellung 1972–74.*

Ein langgestreckter Wandpfeilerraum mit Emporen aus der
Ideenwelt der späten Nachfolge von St. Michael-München
in enger Verbindung zu oberösterr. Baugepflogenheiten.
Häufige Verwendung der Segmentbogenform verleiht dem
Raumbild etwas Geducktes, eng Begrenztes. Der Chor ver-
selbständigt sich zu überkuppelter Rundform (vgl. Indersdorf). – Die Stuckdekoration folgt dem Stil der Zeit um
1715 mit Akanthusranken und Laubwerk. Jünger, um 1725,
das Bandwerk in einer der südl. und der Rocailleschmuck
von 1754 in einer der nördl. Seitenkapellen. Bescheidene
Freskomalerei, 1717, von Fz. Mareis in Wasserburg (der
auch für die Mehrzahl der Altarblätter zu nennen ist).

Altarausstattung um 1715–20, in den Kapellen um 1730. Aus
der hohen Zahl z. T. vorzüglicher Grabdenkmäler sind die Rot-
marmorplatten für Propst Wilh. Helfendorfer († 1504) und
Propst Chr. Sperrer († 1515; 1. nördl. Kapelle) hervorzuheben,
beide eng verwandt mit der »Wasserburger Gruppe« (vgl. Wasserburg, Attel, Rott usw.). Die 1. südl. Kapelle enthält das Grabmal für Propst P. Häckhl († 1540), vom Meister der Altöttinger
Türen. In der 2. nördl.: Denkmal für Maria Theresia von Törring († 1756), dem Münchner Joh. Bapt. Straub zugeschrieben. –
Aus dem Kirchenbesitz sind ferner zu notieren: 2 emaillierte
Bronzeleuchter um 1200 (Limoges) und das Vitalis-Reliquiar von
1517, Wasserburger Herkunft.

Der Baumeister der **Klosterbauten** südl. der Kirche ist Dom. Christ.
Zuccalli (1687/88). Die Erweiterungen sind jüngsten Datums. Beachtlich
der gut ausgestattete, 1688 stuckierte Bibliothekssaal. – Das Kloster
wurde 1803 säkularisiert, doch konnten die Chorherren bleiben. Seit
1853 ist es im Besitz der Dillinger Franziskanerinnen.

Das Stampfl-Schlößchen auf westl. Uferhöhe ist Rest einer Burg der Grafen von Mögling. Unterbau wohl 13., obere Teile, mit Erker, 15. Jh.

In der Nähe, westl.: die **Petruskapelle** in **BERG**, ein 8eckiger Kuppelbau von 1626, der sich 1748–61 verjüngte.

AUB (Ufr. – C 3)

Das Recht, sich mit Mauern und Gräben zu umführen, erhielt der Ort 1404. Ein Teil der Mauer fiel zwar im 19. Jh., lange Strecken stehen aber noch aufrecht und geben der von der Burg überhöhten Stadt noch den guten alten Zusammenschluß.

Die **Burg**, ehemals der Hohenlohe, kommt im 16. Jh. an Würzburg. Wahrscheinl. im Bauernkrieg zerst., entsteht um die Wende des 16. Jh. auf und bei der Burgstatt das (nun als Amtsgericht bedienstete) Schloß. Ein älterer Rundturm (15. Jh.) und mehrere 3stufige Giebel (die typischen der fränkischen Renaissance) charakterisieren die Baugruppe.

Die **kath. Pfarrkirche** ging aus einer Benediktinerpropstei, abhängig von St. Burkard in Würzburg, hervor, die wahrscheinl. schon um die Wende des 10. Jh. bestand. Die Propstei wurde bei der Verwandlung des Würzburger Klosters in ein Ritterstift 1464 aufgelöst. Von der frühgot., wohl in den 70er, 80er Jahren des 13. Jh. aufgeführten Propsteikirche überstand nur der W-Teil den Neubau Bischof Julius Echters, 1615, der, eine 3schiffige Halle, seinerseits wieder im 18. Jh. (um 1750) verändert, in einen flachgedeckten Saal umgewandelt wurde; nur der Chor blieb. Der älteste W-Teil ist die 3schiffige Empore, deren Pfeiler (im Obergeschoß Bündelpfeiler) und Gewölbe (Kreuzrippen) die straffen plastischen Formen der Frühgotik zeigen; gute figürliche und ornamentale Steinmetzarbeit in Kapitellen, Schlußsteinen etc. Gut auch das große Maßwerk-Radfenster im W. – Der beherrschende Choraltar entstand 1682. Relikt des 1637 vom Windsheimer Gg. Brenck geschaffenen Kreuzaltars ist der Chorbogenkruzifixus. Über dem nördl. Seitenaltar steht jetzt die 3figurige Kreuzigungsgruppe Riemenschneiders, ein hoch zu rühmendes, ins 2. Jahrzehnt des 16. Jh. zu setzendes Werk des Würzburger Meisters. Die Kanzel, ehem. in Oberzell, frühklassizist. Das Grabmal des Jörg Truchseß von Baldersheim und seiner Gattin Margarethe, an der N-Wand des Langhauses, viell. Arbeit Jörg Riemenschneiders, Tills Sohn.

AUBING (Obb.) → **München** (D 7)

AUERBACH b. Eschenbach (Opf. – E 4)

Seit 1107 bezeugt, dank Kloster Michelfeld schon 1144 Markt, 1184
von Bamberg erworben. Als an die Staufen ausgegebenes Lehen
geht es Bamberg verloren; 1266 kommt es über Konradin an die
Wittelsbacher. Vorübergehend »neuböhmisch«, seit 1400 kurpfäl-
zisch.

Die regelmäßige, ehemals völlig umfriedete Stadtanlage zeigt den in
Bayern häufigen Typus der breiten M a r k t s t r a ß e , die eine Reihe
senkrecht einmündender Gassen in sich aufnimmt. In ihrer Mitte steht
das **Rathaus** von 1418 (umgestaltet 1928/29). Seine Fassade trägt ein
Wappenrelief von 1552. – Gegen O gabelt sich die Straße vor der **Pfarrkirche St. Johann Bapt.** Unter Beibehaltung got. Mauerteile und des
Turmes wurde der Bau 1686/87 durchgeführt. 1779 machte der alte got.
Chor dem bestehenden Neubau Platz. Im ganzen eine schlichte, emporenbesetzte Wandpfeileranlage mit eingezogenem Chor. Die Dekoration
beschränkt sich auf Gesimse und einfaches Rahmenwerk im Chorgewölbe. Von hohem Reiz ist der gegen 1785 geschaffene Hochaltar mit
seiner eleganten, vorgeschobenen Säulenkulisse. 4 Seitenaltäre (2 um
1690, 2 um 1710) zeigen vorbildlich die derzeit in der Oberpfalz beliebten geschnitzten Akanthusrahmungen. Annakapelle 1730, mit Taufstein von 1525. – **Spitalkirche** 14. Jh. – **Friedhofskirche St. Helena.** Ein
Nachhall der Gotik prägte 1595–99 den kleinen Bau. Von hohem Reiz
ist seine bemalte Balkendecke (1611). Auch die Brüstung der W-Empore
trägt Malereien. – **Roman. Stadel** im Hof des Hauses Nr. 105.

AUERBERG (Obb. – B 7)

Der, ähnlich dem Peißenberg, den Alpen vorgelagerte Höhenzug, ein
Inselberg, trägt Spuren vorgeschichtlicher Befestigungen. Ein mächtiger,
wahrscheinl. keltischer Ringwall umschloß und umschließt z. T. noch
die beiden Aufgipfelungen Schloß- und Kirchberg. Ihm folgte z. Z.
des Kaisers Tiberius (14–37 n. Chr.) eine römische Militärstation. –
Auch das Patrozinium der **Kirche St. Georg** deutet auf frühe Gründung.
Der heutige Baubestand ist Ergebnis zahlreicher Umgestaltungen. Romanisch (13. Jh.) ist der Sattelturm, gotisch (14.–15. Jh.) der Chor;
auch in den Umfassungsmauern des Schiffes stecken mittelalterl. Teile.
Die Altareinrichtung gehört im wesentlichen dem 17. und 18. Jh. Zu
rühmen ist eine geschnitzte spätgot. Muttergottes, um 1510–20. Kleine
Georgsfigur um 1400.

AUFHAM (Obb.) → Erding (D 7)

AUFHAUSEN b. Regensburg (Opf. – E 6)

Stiftskirche Maria Schnee

Ein kleines Marienbild findet in einer Holzkapelle Aufstellung,
eine Kirche ersetzt bald die Kapelle (Weihe 1672), und diese wird
wieder durch die große, die vor uns steht, ersetzt. 1736 beg., wird

die Stiftskirche 1751 geweiht. Joh. Mich. Fischer ist ihr Baumeister.
Es genügt, dies zu wissen, um mit gespannter Erwartung das (wie
das schon der Ortsname andeutet) hoch in die Landschaft gestellte
Wallfahrtsziel anzugehen.

Der A u ß e n b a u zeigt nur gerade Begrenzungen. Die
übergiebelte Fassade ist sparsam – Portal, wenige Fenster,
einige Nischen. Am Scheitel des nördl. gerichteten Chores
reckt sich ohne viel Ehrgeiz ein zwiebelbehelmter Turm. Wie
so oft in Altbayern: Die Kunst des Künstlers galt dem
R a u m. In dem ist nun alles getan, die den äußeren Umriß
führende Gerade abzusetzen; Brechung und Kurve haben
das Wort. Das Schiff ist eine Rotunde, genauer ein Achteck,

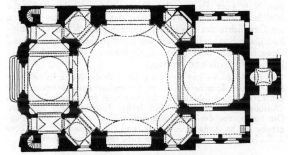

Aufhausen, Stiftskirche, Grundriß

das Schiff ist der Hauptraum, Zentrum der Komposition,
alle anderen Räume – die rechteckige Vorhalle südl., der
quadratische Chor nördl. – ordnen sich ihm zu. 8 Wandpfeiler besetzen die Ecken des Oktogons, breite Kapellen-
nischen vertiefen die Querachse, etwas tiefere, aber weniger
breite die Diagonalachse; diese sind 2geschossig unterteilt:
Kapelle unten, Oratorium oben. Diese Aufhöhlungen der
Schrägwände der Rotunde sind eines der bevorzugten Motive des großen Raumgestalters Fischer. Sie legen eine zweite
äußere Raumschicht um die erste innere, sie komplizieren
und bereichern das System der Raumachsen, und ihre Wirkung wächst noch, wenn sie sich mit benachbarten Raum-
ausweitungen, hier den Oratorien, die sich in den Chor öffnen, zusammenschließen. So ist der Raum allseitig von einer

Raumgalerie umfangen. Auf 8 Bogen, alternierend breiter
und schmaler Spannung, ruht die große Flachkuppel, der
sich wieder die kleineren Kuppeln der zugeordneten Räume
angleichen. Gedoppelte Pilaster straffen und schmücken die
Pfeiler, sie tragen reiche Kapitelle, das vorgreifende Gebälk
setzt die stützenden Raumkräfte von den lastenden oberen
in schönster und richtigster Lage ab. – Der Stukkator hat die
Mittel seiner Dekorationskunst mit Maß eingesetzt, sein gra-
ziöses leichtes Laub- und Bandwerk, das schon die Rokoko-
Muschel aufnimmt, hat nicht eben viel Platz. Denn der
Freskomaler gibt groß an. Die Themen, die er (ein noch
Unbekannter) an die Wölbschalen setzt, sind: der hl. Philip-
pus Neri (der Patron der Oratorianer, die bis 1687 die
Wallfahrt betreuten) kniend vor der Muttergottes (Chor),
die Geschichte des römischen Maria-Schnee-Wunders (Lang-
haus), die Evangelisten und die Kirchenväter (Kapellen und
Oratorien der Schrägseiten), Opferung Isaaks und König
David (Vorhalle und Empore).

Daß die Altar-Ausstattung älter als der Raum ist und eine
ältere zähere Sprache spricht, ist der einzige anzumerkende Mangel. Erfreue man sich aber an der Altartafel der Kapelle links vom
Chorbogen, die ein bestes Werk früher deutscher Renaissance ist.
Die Halle, vor der die Muttergottes sitzt, erinnert an die Fuggersche bei St. Anna in Augsburg, und ein Augsburger, Jörg Breu
d. Ä., ist auch der Meister des um 1510 entstandenen Werkes.

AUFKIRCHEN (Obb.) → **Starnberg** (C 7)

AUFSESS (Ofr.) → **Unteraufseß** (E 3)

AUGSBURG (B. Schw. – C 6)

Der Vorstoß der Römer in den vindelizischen Raum vor den Al-
pen, 15 v. Chr., führt zur Errichtung eines Legionslagers bei Ober-
hausen am linken Ufer der Wertach, das, selbst nur kurzen Beste-
hens, doch jedenfalls den Ausbau der (wohl älteren, keltischen)
Siedlung auf der Höhenschwelle zwischen Lech und Wertach zur
Folge hat. Diese Zivilsiedlung entwickelte sich rasch zum Hauptort
der Provinz Raetien, zu der (von Tacitus, Ende des 1. Jh. n. Chr.,
so genannten) »splendidissima Raetiae provinciae colonia«, *den*
den Namen des Kaisers Augustus tragenden **Augusta Vindeli-**
corum, *die dann auch durch Hadrian zu einem »municipium« (das*
sich selbst verwaltet) erhoben wird. Sie bedeckt das Areal der

*frühmittelalterl. Domstadt, mit gleicher S-, doch erheblich weiter
ausgreifender N-Grenze. Der monumentale Bestand erlag wohl
schon den Alemannenstürmen des 5. Jh. Die mittelalterl. Stadt
nahm von ihren Linien nicht viel mehr als die von N nach S verlaufende Richtungsachse, Teilstrecke der Via Claudia Augusta, in
sich auf. Doch dürfte die frühmittelalterl. Bischofskirche, die
Nachfolgerin einer sicher vorauszusetzenden spätrömischen, auf
dem zentralen Platze der Augusta, dem Forum, erwachsen sein.
Auch die über dem Grabe der römischen Märtyrerin Afra (✝ um
300) errichtete Kirche, außerhalb der Augusta, südlich, deutet auf
eine röm. Wurzel, eben auf das Grab (Friedhof an der Straße) und
eine Grabmemorie, zurück. Die Heilige wurde schon um die Mitte
des 6. Jh. (Zeuge ist Venantius Fortunatus) hoch verehrt.
Die sichere Reihe der Augsburger Bischöfe, d. h. der Bischöfe der
nun, seit dem frühen 5. Jh., von den Alemannen besetzten Stadt,
beginnt erst im 8. Jh. Sie bringt im 10. den großen Ulrich, der 973
stirbt, 993 in förmlicher Kanonisation (es ist die erste überhaupt)
heiliggesprochen wird und nun als der volkstümliche Heilige
Schwabens durch die Jahrhunderte geht. – Um die Bischofskirche
über dem Forum entwickelte sich die frühmittelalterl. Stadt, der
sich gegen S zu, längs der großen Verkehrsachse, die bürgerliche
Marktsiedlung angliedert. Diese verdichtete sich, früh schon, spätestens im 10. Jh., um den sog. Perlach, griff aber, dem Zuge der
Straße folgend, schon im 11. Jh. weiter nach N aus, bis zur Böschung der Höhenschwelle, d. i. bis zur Afrakirche, die, urspr.
isoliert, eben hier, am Abstieg der Straße in die Lechniederung,
steht. Im Laufe des 12. Jh. spätestens dürfte dieser Pol des jetzt
erstaunlich langgestreckten Stadtkörpers erreicht und umfaßt worden sein. Die auch beträchtlich, doch nun in der Querachse ausgreifende östl. Vorstadt, die »Jakober«, dürfte sich erst im Hochmittelalter entwickelt haben; kaum früher die »untere Vorstadt«
nördl. der Domstadt, auf dem lange unbebauten nördl. Areal der
Augusta.
Bis ins frühe 13. Jh. von den Bischöfen beherrscht, beginnt sich die
bürgerliche Stadt um die Mitte des Jh. der Muntschaft zu entziehen; seit 1276 kann sie als reichsunmittelbar gelten. Der unaus-
bleibliche Zwiespalt zwischen den Regierenden, einem besitzkräf-
tigen ratsfähigen Patriziat, und den Regierten, der Gemeinde,
findet seinen Abschluß in der unblutigen Revolution von 1368, die
die Zünfte ins Recht setzt. Die Stadt am alten Südweg der Via
Claudia, dank ihrer Lage aufs engste mit dem Mittelmeerraum
verknüpft, entwickelt sich im Spätmittelalter zu einem der tätigsten
Handels- und Gewerbezentren Europas. Die großen Kaufleute,
vorab die (aus dem für Augsburg insbesondere wichtigen Weber-
handwerk heraufgekommenen) Fugger, die Welser, die Höchstetter
u. a. begründen, am Ausgang des Mittelalters, einen schon rein
kapitalistischen Geldhandel. Die wirtschaftliche Hochblüte wird,
wie stets, von einer kulturellen begleitet; es genüge, die Namen*

der Holbein, Burgkmair, Erhart, Daucher und die Edelhandwerke
der Goldschmiede und Plattner zu nennen. Augsburg, das sich am
frühesten der neuen Kunst des Südens öffnet, wird zur Vermitt-
lerin der Renaissance. – Bevorzugte Stadt der Reichstage und be-
vorzugt von Kaiser Maximilian, dem »Bürgermeister von Augs-
burg«, ist die volkreiche Stadt (Anf. d. 17. Jh.: 44 000) auch der
fruchtbarste Boden für die erregenden Ideen der heraufkommen-
den Neuzeit. Der Funke Luthers zündet sofort. Die Reformation
gerät der Stadt politisch nicht zum Guten. Die Teilnahme am
Schmalkaldischen Krieg, 1547, muß hart gebüßt werden. Der Kai-
ser restauriert die patrizische Ratsverfassung. Noch zehrt die Stadt,
trotz schwerer wirtschaftlicher Krisen, von ihrem aufgesammelten
Reichtum; um die Wende des 16. zum 17. Jh. gewinnt sie die ihre
(nun schon fragwürdig gewordene) Macht symbolisierenden, ihre
Endgestalt prägenden Monumente; und zu rechter Zeit steht ihr
auch noch ein großer, Altes und Neues in sich zusammenfassender
Baumeister zur Verfügung, Elias Holl. Er hat wie kein anderer
vor und nach ihm die monumentale Gestalt der Stadt geprägt.
Der »endlose«, 30jährige Krieg, den die Stadt 1632, 1634, 1646
unmittelbar zu spüren bekommt, leitet die lange Altersperiode ein,
die aber doch noch im 18. Jh. eine erstaunliche Nachblüte der Edel-
gewerbe zuläßt. Die Goldschmiede sind führend. Augsburg lenkt
in vielen Dingen den modischen Geschmack. Es hat auch eine
Malerakademie, dirigiert von so bedeutenden Künstlern wie Berg-
müller und Günther. Politisch wiegt es nun freilich gleich Null,
und der Verlust der Reichsfreiheit an Bayern, 1805, beendet
schließlich nur einen Zustand des Nicht-Leben- und Nicht-Sterben-
Könnens. Im 19. Jh. wächst eine leistungsfähige Industrie heran,
die nun freilich wenig schonend mit dem alten, schön gealterten
Stadtwesen umgeht. Davon zu reden, erübrigt sich nach den Bom-
benorkanen von 1944 allerdings; sie haben einen Großteil der
Altstadt niedergebrochen. Mit vielem Guten ging aber nicht das
Beste zugrunde: die besondere, einmalige Prägung dieser Stadt-
gestalt, wie sie in der Aufreihung der Monumente vom Dom her
über den Perlach bis zu St. Ulrich enthalten und, gottlob, auch er-
halten ist.

Dom St. Maria *(Tafel S. 128)*

Die spätröm. Bischofskirche stand wahrscheinl. schon in diesem
(südl.) Bezirk der Augusta; die sehr alte, zum wenigsten ins 6. Jh.
zurückreichende Taufbrunnenanlage südl. des mittelalterl. Domes
dürfte die Annahme stützen. – Die Frühgeschichte des Domes läßt
sich kaum mehr fassen. Die Anfänge müssen wohl im späten 7. Jh.
liegen; um 700 und um 800 erfährt der Urbau Erneuerungen, und
noch einmal, nach Mitte des 10. Jh., durch den hl. Ulrich; der
W-Chor erhielt damals eine Krypta, die sich im westl. Abschnitt
der bestehenden erhalten hat (soweit dieser älteste Teil nicht in die

durch Einsturz des Chores veranlaßte Bauperiode 994–1006 fällt).
Etwa ein Halbjahrhundert später läßt Bischof Heinrich II. (1047
bis 1063) Langhaus und Querschiff neu aufführen; dieser 1065 ge-
weihte Bau steht noch in Mauern und Pfeilern aufrecht. Auch die
beiden Türme werden, unterenteils, in diese bis in die 70er Jahre
des Jahrhunderts währende Bauperiode gehören, desgleichen der
jüngere östl. Abschnitt der W-Krypta. Die oberen (Ziegel-)Ge-
schosse der Türme, aufgestockt im späten 12. oder frühen 13. Jh.,
beschließen die Baugeschichte des roman. Domes, der zu rekon-
struieren ist als eine 3schiffige Basilika mit westl. Querschiff,
2 Chorapsiden, einer Krypta und 2 Türmen östlich an den Flan-
ken der Seitenschiffe. 1331–39 wird der W-Chor, werden, in näch-
ster Folge wahrscheinl., auch Querschiff und Langhaus gewölbt.
Der Anbau der äußeren Seitenschiffe ist mit ca. 1343 zu begrenzen;
das Datum des NO-Portals, eben 1343, setzt die Vollendung des
nördl. Seitenschiffs voraus. Dann, 1356, wird der O-Chor in An-
griff genommen; sein Vorstoß nach O nötigt die Straße, den Ho-
hen Weg, zu östl. Umgehung des Hindernisses. 1396 sind die
Pfeiler seines Mittelschiffs gesetzt, 1410–13 werden die Gewölbe
eingezogen, 1431 wird er geweiht. Weitere Baudaten: 1488/89 Er-
höhung des S-Turmes, 1564 des N-Turmes, 1721 Anbau der Ma-
rienkapelle am N-Arm des Querschiffs. Das 19. Jh. brachte eine
purifizierende Wiederherstellung (1852–63), das 20. (1934, zu-
letzt 1971/72) eine gute Restaurierung, die sich an die in Spuren
noch greifbare urspr. Fassung der Raumwände anlehnte.

Ä u ß e r e s. Der Blick von S, vom Fronhof her, umfaßt
das Gebäude in seiner ganzen langen und vielteiligen Ausdehnung. Die Länge (113,25 m) würde dominieren, erhöbe
sich nicht jenseits der das Langhaus östl. absteckenden, breit
auseinanderstehenden Türme der Hochbau der got. Chores,
dem sich die roman. Türme nun als Trabanten zuordnen.
Dieser steilmächtige Chor ist kathedralisch; aus der schon
hochaufstrebenden Umfassung der Seitenschiffe und der
7 Kapellen des Schlusses erhebt sich in letzter Stufe das
Mittelschiff, hochgetrieben gleichsam von den noch nicht ver-
brauchten Steigekräften der Umringung, die in den kantigen
Schmalkörpern der Streben sinnfällig in Erscheinung treten.
Der Umriß des Chorhauptes ist außerordentlich bewegt; die
Eckbrechungen sind stärker als die zudem von den Fenstern
aufgebrochenen Flächen, der Bewegungsdrang faltet noch
die Dächer über den Kapellen und beruhigt sich erst im
geschlossenen Wandkörper des Mittelschiffs. Die dieser Aufragung zugeordneten, zugleich aber auch verklammernd wirkenden Türme sind unterenteils, bis zum Ansatz des Chor-
daches, mauerhaft verschlossen; erst in den jüngeren Hoch-

geschossen öffnen sie sich in Klangarkaden, um sich zuletzt
in den spät- bzw. nachgot. Spitzhelmen der Schwere zu entledigen. Das Langhaus gibt seine roman. Provenienz nur in
Erstreckung und Lagerung zu erkennen; die spätgot. Seitenschiffe mit den gereihten Giebelstirnen der quergestellten
Dächer verdecken es bis hoch hinauf. Die Front des Querschiffs ist in einem breiten, hohen Spitzbogenfenster aufge-
schlossen. Unmittelbar an das Querschiff schließt sich westl.
die im 13. Jh. polygonal ummantelte Apsis an.

Die Portale. Stellen wir das unbedeutende der südl. Seitenschiffs (2. Joch von W) voran, dann der bedeutenden
Bronzetüren wegen. Man setzt sie ins mittlere 11. Jh. (zur
Weihe von 1065), und jünger sind sie keinesfalls, eher um
einige Jahrzehnte älter. Da unter den 35 Bronzereliefs mehrere doppelt begegnen, wurden vermutl. Reliefs einer zweiten Türe hinzugenommen. Die flachen, meist nur eine Figur
enthaltenden, in Rahmenleisten (mit Kopfmasken an den
Kreuzungen) eingeschlossenen Felder lassen keine durchlaufende Ordnung erkennen; der die verschiedenen biblischen
und allegorischen Inhalte zusammenfassende Sinn wird in
der Antagonie des Guten und Bösen zu suchen sein. Verglichen mit den Hildesheimer Türen (1015) eignet den Augsburgern eine engere Bezogenheit auf spätantike (byzantinische) Vorlagen. – Nun zu den großen Portalen an N- und
S-Seite des O-Chores, in dessen Seitenschiffe sie einzulassen.
Beide nützen die flankierenden Streben zu Vorhallen – über
dem nördlichen wölbt sich noch eine hohe Nische –, beide
öffnen sich in Zwillingspforten, vor deren Teilungspfosten
eine Muttergottes steht, beide füllen den übergreifenden
Spitzbogen mit einem in Streifen gegliederten Tympanon.
Das nördliche ist 1343 datiert, das südliche 1360 anzusetzen.
Im Tympanon des nördlichen (wie des südlichen) eine Folge
von Darstellungen aus dem Marienleben. Die Linienschärfe
der Faltenbahnen, die gleichsam gezeichneten Umrisse der
Figuren charakterisieren die Stilstufe der 30er und 40er
Jahre; die nächsten Voraussetzungen liegen in Gmünd (Hl.-
Kreuz-Münster), das wieder auf den Vorort der oberdeut-
schen Hütten, Straßburg, zurückdeutet. (Die Muttergottes
des Pfostens und die Figuren der Nische, eines Thrones
Salomonis, jetzt im Innern.) Trotz des geringen Zeitabstands
gehören die Skulpturen des S-Portals schon einer wesentlich
anderen, der ersten spätgot. Stilstufe an; gegen das Schmäch-

tige steht das Füllige, gegen das scharfe Lineament die plastische Wölbung. In den Streifenreliefs des Tympanons
dichte und nun auch mehrschichtige Reihungen der kleinen,
zu schwer entwirrbaren Massen geballten Figuren. Reichste
Ausstattung: Die Bildhauer haben nicht nur die Gewände
der Portalnische (Apostel) und die Bogenläufe (Vorfahren
Christi) mit Statuen und Statuetten besetzt, sie besetzten
noch die Tonnendecke der Vorhalle. Fraglos stehen sie in
engster Beziehung zur Parler-Hütte der Gmünder Kreuzkirche, die seit den 50er Jahren ihre Kräfte auszusenden
beginnt; der Parlersche Winkelhaken an der Konsole des
Andreas (rechts) kann folglich nicht überraschen. Wir werden dieses kathedralische Portal mit dem kathedralischen
Chor zusammen sehen müssen; auch die Idee dieses in letzter
Wurzel französ. Chores wird ein Parler (der Ausgang der
Sippe ist die Kölner Dombauhütte) vermittelt haben.
I n n e r e s. Das Mittelschiff beruht noch auf den Pfeilerarkaden des 11. Jh. Kantige Vorlagen und Runddienste
nehmen die got. Kreuzrippengewölbe auf, die den Raum
etwas drückend belasten. Die Seitenschiffe sind, bis auf die
sie innen begrenzenden Mittelschiffarkaden, spätgot., durch
stämmige Rundpfeiler 2schiffig geteilte Hallen, dank der
verhältnismäßig großen Fenster gut durchlichtet. Und hell
steht auch der in 5 hohen Fenstern geöffnete westl. Chor im
Blick, gleicher Höhe mit Quer- und Mittelschiff. Sein durch
die Krypta gehobener Boden stößt durch die Vierung bis
zum 2. Joch des Mittelschiffs vor. Die Krypta ist aus 2 Abschnitten zusammengesetzt, der ältere, westl., des späten
10. oder frühen 11. Jh.: 4 ungefüge Säulen, Stichkappentonne, Halbrundschluß; der jüngere, östliche, der Zeit um
1065: Halle zu 4 Schiffen und 6 Jochen, mit Kreuzgratgewölben, die auf niedrigen Säulen mit Würfelkapitellen
sitzen. – Der an Höhe überlegene O-Chor tritt immer nur
ausschnittweise in den Blick des in der Achse des Langhauses
Stehenden: mit den 3 Arkaden des inneren Schlusses und
dem breiten Fenster darüber; seine Höhe läßt sich nur in
ihm selbst erfassen, die Vielfältigkeit seines durch den 7mal
brechenden, in den Kapellen ausstrahlenden, differenzierten
Raumgefüges läßt sich nur im Durchschreiten des hohen, mit
starken Runddiensten gegliederten Umgangs erfahren. – Das
Mittelschiff des O-Chores ist gegen Seitenschiffe und Umgang, der W-Chor gegen Querschiffarme und Seitenschiffe

des Langhauses durch steinerne Schranken abgeriegelt; die
mit Maßwerk geschmückten und von einer Maßwerkgalerie
beschlossenen des O-Chores wohl aus dessen letzter Bauzeit,
um 1430, der auch der steinerne Dreisitz (im Chor rechts)
zugehört; die 1501 von Burkhard Engelberg geschaffenen
Schranken des W-Chores sind Leistungen hochentwickelter
Steinmetzenkunst: Maßwerkgitter und Maßwerkblenden
(die prächtige Doppelreihe der Fischblasen!), kreisend strömende Bewegung scheinbar unendlicher Formgeflechte.

Ausstattung. Auf ihre schönsten Besitze sei im Verfolg
einer vom W-Chor ausgehenden, im O-Chor endenden Führungslinie hingewiesen. Im *W-Chor:* Die wohl im frühen 12. Jh. erstellte steinerne Bischofskathedra; der als Unikum zu bewertende
Aufbau über der Steinmensa des Hochaltars, ein sich zu Kielbögen
verbindendes Bronzegestänge von 1447; das mit reizvollen figürlichen Gruppen ausgestattete Chorgestühl von 1495, vermutl. Arbeit des Schreiners Ulrich Glurer; der Kronleuchter (Bronze) des
frühen 15. Jh. – Im *Querschiff, S-Arm:* Das riesige Wandgemälde
des hl. Christoph von 1491, wohl von der Hand Ulrich Apts; das
große gemalte Fenster der S-Wand von rund 1430, von starker,
auf Gold gestimmter Farbigkeit, die Verherrlichung der Himmelskönigin; die Bruder-Konrad-Säule, 1947 errichtetes Dankvotiv für
die Bewahrung des Domes 1944/45. – Im *Querschiff, N-Arm:* Die
in den Wandungen sandsteinerne, in der Deckplatte (mit den Reliefgestalten St. Helena und St. Jakob) rotmarmorne Tumba des
Konrad und der Afra Hirn, 1425 (ehem. bei St. Anna, in der von
den beiden Hirn gestifteten Goldschmiedekapelle); Grabmal des
Domherrn F. X. N. Schenk v. Castell, eine Leistung des Ign. Wilh.
Verhelst, 1761. – Im *Mittelschiff:* Der gemalte Fries, Figuren-
medaillons und Mäander, unter den Fenstern des Hochschiffs,
hochinteressanter Rückstand der Ausmalung des 11. Jh.; die 5 großartigen Glasgemälde in den Fenstern der südl. Hochwand, Inkunabeln der deutschen Glasmalerei von rund 1100: die in eine strenge
feierliche Frontalität gestellten Gestalten, Jonas, Daniel, Hosea,
Moses (Kopie des 15. Jh.), David, verwandt mit Hirsauer Buch-
malereien des frühen 12. Jh.; die Tafelgemälde der Altäre an den
4 östl. Arkadenpfeilern, Darstellungen des Marienlebens, die aus
dem Kloster Weingarten hierher kamen, Frühwerke des älteren
Holbein, 1493; die Tafelgemälde der 4 westl. Pfeileraltäre, ebenfalls Darstellungen des Marienlebens, die vom Hochaltar der
Pfarrkirche Unterknöringen stammen, 1484 dat., viell. vom Ulmer
Jörg Stocker; am 3. nördl. Pfeiler ein geschnitzter Schmerzensmann
von Georg Petel, um 1630; am südl. O-Chor-Pfeiler die gute Holzfigur einer Muttergottes, die über einem die Handorgel spielenden
Engel steht, um 1490; am Kreuzaltar des nördl. Seitenschiffs, O-
Wand, ein vorzüglicher, doch wohl schwäbischer Kruzifixus von

etwa 1510 und, als Predellenrelief, eine Grablegung Christi von etwa 1520 aus dem Umkreis Leinbergers; in einem der Fenster des nördl. Seitenschiffs beste gemalte Scheiben von der Hand Meister Peter Hemmels von Andlau, 3 Themen des Marienlebens, Ende 15. Jh.; im O-Teil des Mittelschiffs ein Altarblock von Jos. Henselmann mit Reliefdarstellungen von Heiligen des Bistums, 1962. – Im *O-Chor:* Chorgestühl, in die Zeit der Baubeendigung des Chores, 1431, zu setzen, vortrefflich im Figürlichen (Allegorien, Heilige) wie im Ornamentalen. Die große Bronzegruppe des Hochaltars, der Gekreuzigte und die Apostel, ist das 1962 aufgestellte Werk Jos. Henselmanns. Glasgemälde im oberen Chorhauptfenster, 1954, von Jos. Oberberger: Gnadenbaum und Heimsuchungsfiguren. Die kleinen Obergadenfenster wurden, nach Angaben Oberbergers, 1962 eingesetzt. – In den Chorkapellen (von S nach N): 1. Rotmarmoraltar von 1597 mit Gemälde P. Candids. – 4. Tafelgemälde, Heimsuchung Mariae, um 1470, aus Freising kommend, hervorstechende Leistung eines (baierischen?, schwäbischen?) Anonymus; Bronzegrabplatte des Bischofs Wolfhart Rot († 1302), beispielhaftes Werk einer am Leben leidenden, asketischen Idealen zugewandten Zeit, wichtig zudem durch die Bildhauer und Gießer (Otto und Chunrat) nennende Inschrift; – 5. Glasgemälde, 3 große Medaillons mit Dornenkrönung, Geißelung und Kreuztragung, bedeutendes Werk der Münchner Glasmalerei um 1400; Rotmarmor-Epitaph des Bischofs Friedr. v. Hohenzollern († 1505), mit Kreuzigung und dem Bischof im Geleit des hl. Andreas, ausgezeichnete Arbeit des Augsburger Bildhauers Hans Beierlein, der auch das an der Wand gegenüber befindliche Rotmarmor-Epitaph des Bischofs Heinr. v. Lichtenau schuf: Ölberg und Bischof Heinr. im Geleit des hl. Andreas, 1509; – 6. Tafelbilder im Altar um 1520, z. T. nach Vorbildern aus Dürers Marienleben. Sandsteintumba des Bischofs und Kardinals Peter v. Schaumberg († 1469), mit Relief, Totenskelett (drastisches Memento mori), auf der Deckplatte; – 7. Tafelgemälde Christoph Ambergers, Maria im Umstand der Augsburger Heiligen, 1554 gemalt, ein Hauptwerk des Meisters, der sich hier an eine Formulierung des älteren Holbein anlehnte.

Annexe

B l a s i u s k a p e l l e , an der N-Seite des Querschiffes, Ende 15. Jh. – A n d r e a s - und H i l a r i a - K a p e l l e am S-Arm des Querschiffs, ein 2geschossiger Bau, dessen Weihedaten 1326 (unten) und 1329 sind. – M a r i e n - k a p e l l e . Der 1721 in die SW-Ecke des Kreuzhofs gestellte Zentralbau entstand nach den Plänen des Eichstätter Baudirektors Gabriel Gabrieli: ein völliges Rund mit 4 flachen Ausbuchtungen, beschlossen von Kuppel mit Laterne. Vortreffliche Stuckdekoration, vornehmlich Bandelwerk-

motive. Der reiche, prächtige Altar mit Figuren von E. B.
Bendel umschließt als Mitte eine Sandsteinstatue der Muttergottes von etwa 1340. – K r e u z g a n g. Nördl. dem Dome
anliegend, umfaßt er in 3 Flügeln den Kreuzhof; der 4.,
südl. Flügel wurde schon im 14. Jh. zugunsten des äußeren
Seitenschiffs aufgelassen. Der vor Augen stehende Bau
wurde um 1470 von Hans von Hildesheim begonnen, doch
erst 1510 vollendet. Die 4 S-Joche des W-Flügels im frühen
18. Jh. barock verwandelt. Maßwerkfenster, figurierte Rippengewölbe (Sterne, Netze). Die aus dem W-Flügel in den
Dom führende Pforte noch frühgot., um 1230. Die Fülle an
Grabsteinen und Epitaphien fast unvergleichbar (man zählt
430). Die Entwicklungsgeschichte des Epitaphs kann an fort-
laufender Reihe vom 13. (1285) bis ins 19. Jh. (1805) abgelesen werden. Wir müssen uns mit Hinweisen begnügen:
Epitaph des Arztes Ad. Occo († 1503), mit der Büste des
Occo, Werk wahrscheinl. Gr. Erharts; Grabplatte des Vitus
Meler († 1517), mit der Relieffigur des hl. Jakobus, ein ausgezeichnetes Werk des jüngeren Hans Beierlein. (Bis hierher
im O-Flügel, die folgenden im N-Flügel:) Epitaph Heinrichs d. Bursners († 1348), mit der thronenden Muttergottes
zwischen 2 Heiligen und dem Bursner dazu, wohl von einem
der am NO-Portal tätigen Steinmetzen; Epitaph des Joh.
v. Wolfstein († 1519), mit Anbetung der Könige, wahrscheinl. von Gr. Erhart. (Das folgende im W-Flügel:) Epitaph Eberh. Sturmfeder und Heinr. Nagel († 1601), mit
Steinigung des Stephanus und Auferstehung, Arbeit des
Hans Reichle. – Nebengebäude am Kreuzgang: an der
W-Seite des W-Flügels der K a p i t e l s a a l, ein sehr beachtlicher roman. Hallenbau wohl des späten 12. Jh.: durch
4 Säulen in 3 × 3 Joche mit Kreuzgratgewölben geteilt. –
An der O-Seite des W-Flügels die K a t h a r i n e n - K a -
p e l l e, Gründung des Konr. v. Rechberg 1300; die 1564
erneuerte Kapelle beschließt ihr eines Kreuzrippengewölbe-
joch mit einem $^5/_8$-Polygon.

Auf dem Fronhof südl. des Domes wurden 1928–30 die Grundmauern
der 1808 abgetragenen **Johanniskirche,** der uralten Taufkirche des Domes, freigelegt. Die Mauerzüge lassen einen ins 6. Jh. zu setzenden
kleinen Rechteckbau mit apsidialer Priesterbank östl. und einer noch
älteren, spätröm. Taufgrube westl. und eine diesen Kernbau umfassende 3schiffige Pfeilerkirche erkennen, die auf den bezeugten Neubau
des hl. Ulrich von 956–960 zurückgeführt werden darf.

Ehem. Benediktinerstiftskirche St. Ulrich und Afra, jetzt kath. Pfarrkirche *(Tafel S. 129)*

Die Wurzel des berühmten Reichsstiftes ist das Grab der hl. Afra (die unter Diocletian, angebl. 304, das Martyrium erlitt) an der nach S führenden Straße, außerhalb der Römerstadt; Wallfahrtsziel schon um die Mitte des 6. Jh. Grabungen, 1961, stießen auf röm. Gräber des späten 4. oder frühen 5. Jh. und alemannische (Steinkisten) des 7. Jh.; auch die südl. Außenmauer der spätröm. Basilika konnte ermittelt werden; ihre Achse wich von der (orientierten) der vorroman. und roman. Nachfolgebauten ab. Im späten 8. Jh. besteht neben der Afra-Basilika ein Kanonikerstift. Die Beisetzung des hl. Ulrich 973 erhöht die Anziehungskraft der Afra-Kirche, deren Patrozinium nun auch, mit Voranstellung des neugewonnenen Heiligen, lautet: St. Ulrich und St. Afra. 1012 wird das Stift mit Tegernseer Benediktinern besetzt, um nun zeit seines Bestehens – als Reichsstift (seit 1323) entzieht es sich der Reformation – ein Hort benediktinischer Kultur zu bleiben. Von den Neubauten der Kirche im 11. und 12. Jh. braucht nicht gesprochen zu werden; sie sind spurlos vergangen, denn 1467 wird ein Neubau von Grund auf ins Werk gesetzt. Er war kaum weit gediehen, als er einer Unwetterkatastrophe 1475 zum Opfer fiel. Doch unverzüglich wurde zum andern Mal begonnen. Der leitende Meister ist zunächst, bis 1477, der Straßburger Valentin Kindlin (der 1467–75 Baumeister der Pfarrkirche Mariae Himmelfahrt in Landsberg am Lech war), dann, bis 1512 (Todesjahr), der große Augsburger Burkhard Engelberg, der den Hauptteil der Kirche ausgeführt haben dürfte, zuletzt Hans König. 1489 schließt sich die Wölbung des nördl. Seitenschiffs, 1499 die des Mittelschiffs, das 1500 geweiht werden kann. Und noch im gleichen Jahr wird durch König Maximilian der Grundstein zum Chor gelegt. Die schwierigen Zeitverhältnisse (Reformation) erzwingen 1526 eine Bauunterbrechung; erst gegen 1560 kann die Vollendung erwogen werden. 1594 wird am N-Turm gearbeitet (der S-Turm war Absicht geblieben). 1603 ist das Chorgewölbe fertig. Auch die dem N-Arm des Querschiffs anliegende Sakristei einschließl. ihres hohen Obergeschosses, der Marienkapelle, entsteht erst in dieser »nachgot.« Zeit (1601). Die der Sakristei östl. vorgebaute Allerheiligenkapelle kommt 1698 hinzu, und 1710 wandelt sich der dem nördl. Seitenschiff vorgesetzte spätgot. Predigtsaal in die bestehende barocke Gestalt (ev. St.-Ulrichs-Kirche, s. S. 97). Weitere wesentliche Veränderungen geschahen nicht mehr. Der 2. Weltkrieg schädigte St. Ulrich nur wenig. Durchgreifende Restaurierung beendet 1970.

Das Ulrichsmünster ist ein verputzter Ziegelbau, eine 3schiffige Basilika mit östl. Querschiff, das sich in der Flucht der Seitenschiffe hält, und einem am O-Ende des nördl. Seitenschiffs stehenden, das Viereck des hohen Unterbaus mit

2 Oktogongeschossen beschließenden Turm. Der langgestreckte, zugleich aber auch steil aufgereckte Baukörper sperrt quer die auf ihn zukommende Achse der Maximilianstraße, die in ihm das ihrer Breite und Länge gewachsene monumentale Blickziel findet. Der Abfall des Geländes östl. und nördl. steigert, für die Sicht von unten, den Eindruck der Steilwüchsigkeit. Reichste Gruppierung gegen N: Der Vorstoß der ev. Ulrichskirche, mit geschweiftem Giebel und doppelgeschossigem, übereck gestelltem Firsttürmchen, im Kleinen schon die führenden Motive des großen Aufrisses anschlagend, dann seitlich zurück der mächtige Anstieg des Querschiffs, der mit einem, hier von Fialen und Blenden geschmückten, in Wellen aufwärts gestaffelten Giebel (des frühen 17. Jh.) schließt, endlich, über der Dachkimme der Marienkapelle aufwachsend, der hohe, stämmige und doch schlank wirkende, mit fülliger Zwiebel behelmte Turm (Vorbild wie vieler Türme in Schwaben bis ins späte 18. Jh.!).

I n n e r e s. Die Maße sind: Gesamtlänge 93,5, Breite 27,5, Höhe des Mittelschiffs ca. 30, der Seitenschiffe 15 m. Das 7 Joche reihende Mittelschiff öffnet sich in ebenso vielen Spitzbogenarkaden in die entsprechenden Joche der Seitenschiffe; die trennenden Dienste schnellen unkörperlich linienhaft an den Wänden hoch, um je 3 der sich über ihren Kapitellen kreuzenden Strahlen des Rippennetzes aufzufangen. Die Fenster, durch den Anfall der Seitenschiffe hoch hinaufgerückt, verhältnismäßig klein, gewinnen durch ihre Blendenfortsetzungen nach unten doch wieder Größe. Nur die Fenster des $^5/_8$-Chorschlusses brechen in einem Zuge von unten nach oben die Wandflächen auf. Der Raum ist, für die Zeit, überraschend steil. (Man denke an die gleichzeitigen Hallen etwa Obersachsens, die Breite gegen Höhe stellen.) Aber trotz des gegen Ausgang des 15. Jh. nicht mehr modernen basilikalen Systems, trotz des kaum gehemmten Aufschnellens aller Bewegungsbahnen ist der Raumeindruck doch kein eigentlich gotischer mehr: Die Wände verspannen sich flächig, die Gliederungen bieten ihnen wenig Konkurrenz. Ein stilles, in sich beruhigtes, gleichmäßig lichtes Raumbild liegt vor dem von W her eintretenden Besucher, der sofort die Blickachse zum Chor hin aufnimmt, der, von Helligkeiten durchflutet, die riesigen *Altäre* entgegenstellt, die an gotische erinnern können, aber nicht gotisch sind. Diese großartige und prächtige Dreiheit von Altären schuf, 1604 bis 1607, der Weilheimer Joh. Degler (d. Ä.). Die Erinnerung an spätgot. Schreinaltäre liegt nahe. Aber schon die Zusammenordnung zur Dreiheit, als einer optischen Einheit, ist neu, »neuzeitlich«, Renaissance. Das Figürliche sammelt sich in den zentralen Hauptgruppen der Anbetung des Kindes (Hochaltar), der Auferstehung Christi (Altar rechts) und des Pfingstwunders (links). Volkstümliche Krippenkunst hat Beisteuer geleistet. Altes und Neues, Deutsches und Italienisches begegnen sich in originellster Weise. Vergleichbar nur die gleichzeitigen großen Altarwerke Jörg Zürns in Überlingen.

Man kann diesen Raum nicht analysieren, ohne zugleich seine A u s s t a t t u n g – die doch nicht seine ursprüngliche, von den Bilderstürmen des 16. Jh. zerstörte ist – in die Betrachtung einzubeziehen. Zu den 3 großen Altären im Chor und an den Wänden des Querschiffs tritt als wesentlicher Wirkungsfaktor der in der Vierung stehende *Kreuzaltar*, der, die östl. gerichtete Blickachse aufhaltend, bereichernd komplizierend unterbricht. Die sich in scharfen Konturen abzeichnende Kreuzigungsgruppe (Kruzifixus, Maria, Johannes, Magdalena) ist das hervorragende Werk des Bildhauers Hans Reichle und des Gießers Wolfg. Neidhart, 1605; die Bronzegestalten schwer, geballt, doch von starker ausfahrender Gebärdung. – Der durch den nordwestl. Eingang eintretende Besucher wird zuerst dem die Vorhalle abtrennenden mächtigen *Gitter* gegenüberstehen, das, 1712 entstanden, die bewunderungswürdige Arbeit eines unbekannten Schmiedes und (im Holz) des Bildhauers E. B. Bendel ist: Die Verstäbungen zeichnen in die Tiefe führende Laubengänge, die der wuchtige Rahmen mit seinen plastischen Kurvenprofilen beschließt. – Aus der wahrlich reichen Ausstattung sei hier nur das Beste herausgehoben: Die vom Meister der Altäre, Degler, 1608 geschaffene Kanzel (Mittelschiff), das Orgelgehäuse von 1608 auf der (im gleichen Jahre eingebauten) W-Empore, entworfen von Matthias Kager, der auch die beiden Flügel malte; das rotmarmorne, von 2 stark plastischen Bronzeputten, wahrscheinl. H. Reichles, getragene Weihwasserbecken (Mittelschiff); das Mariahilfbild in der reichen ornamentalen Stuccolustro-Rahmung, die 1763 von den beiden Feichtmayr, Fz. Xaver und Joh. Michael (II), geleistet wurde (Mittelschiff, 4. Pfeiler nördl.); die großartige und so charakteristisch schwäbische ruhevolle Muttergottes wahrscheinl. Gregor Erharts, die wohl ehemals im 1499 aufgerichteten Pfarraltar stand, eines der wenigen Vermächtnisse des Spätmittelalters in St. Ulrich (nordwestl. Vierungspfeiler). Schließen wir hier die *Ulrichsgruft* unter dem rechten der beiden Seitenaltäre an; das kleine rechteckige Raumgelaß wurde 1762 durch Holzvertäfelung in das heiterste (recht profan anmutende) Rokoko umgekleidet;

die Tumba, aus grauem Marmor, ist ein vorzügliches Werk des
Placidus Verhelst, der die gesamte Ausstattung der Gruft im Ent-
wurf, aber wohl auch in den Schnitzereien bestritten haben dürfte.
Neuerdings wurde dieser kleine feine Raum zu seinem Schaden als
Seitenarm an die neu errichtete Afra-Ulrich-Gruft angelegt, ein
Kellergewölbe, in das er sich ohne Wandgrenze öffnet. – Vom
Mittelschiff ins nördl. Seitenschiff: Die Beichtstühle (ihre Reihe
setzt sich in Querschiff und südl. Seitenschiff fort), schwer und
reich wie das Holzwerk des großen Gitters, auch vom gleichen
E. B. Bendel 1712 gearbeitet; die guten Gemälde des Kreuzwegs,
14 Stationen (zum andern Teil im südl. Seitenschiff) stammen von
der Hand des Januarius Zick, um 1780. Die dem Seitenschiff anliegende, im Kern spätgot., 1596 ff. erneuerte *Bartholomäuskapelle*,
deren Altar mit einem Gemälde, Marienkrönung, des Hans von
Aachen ausgestattet ist, beherbergt eine Anzahl kostbarer Gegenstände des übriggebliebenen Kirchenschatzes, wie Dalmatika, Kasel,
Kamm, Kelch, alle dem hl. Ulrich zugeschrieben (der zuvor gleichfalls hier beherbergte spätröm. Steinsarkophag der hl. Afra jetzt
in der neugeschaffenen Afragruft). – Nun in den nördl. Arm des
Querschiffes: Die beiden längsrechteckigen Tafelgemälde mit Darstellungen der Ulrichslegende, um 1450, von einem in den Niederlanden geschulten Meister; bemerkenswert, daß eine der Assistenzfiguren in der Szene des Fischwunders (Mitte der 1. Tafel) auf den
jungen Martin Schongauer gedeutet wird; die 3. hochrechteckige
Tafel, Muttergottes, durch das Wappen als Stiftung der Il-
sung bezeichnet, um 1450. – Von den Seitenkapellen, die das
südl. Seitenschiff begleiten, sind die 1., 2. und 4. Fuggersche Sepulturen; in der Georgskapelle (1. von O.): Altar von 1629, mit Gemälde, Maria im Engelschor, von Christoph Schwarz und Peter
Candid, 1587–94; in der Andreaskapelle Flügelaltar von Friedr.
Sustris (Entwurf), Wendel Dietrich (Schreinerarbeit) und Chr.
Schwarz (Gemälde), 1582; in der mit der Andreaskapelle durch
eine Schranke von Marmorarkaden (von ca. 1580) zusammengefaßten *Simpertuskapelle* mit dem Grabe des 1450 kanonisierten
Bischofs Simpert wölbt sich auf- und zugleich vorwärts der die
kleine Abtskapelle tragende Simpertusbogen, 1492 ff. erbaut und
also doch wohl, wenigstens im Entwurf, Burkhard Engelberg zugehörig, ein Zierstück spätgot. Steinmetzkunst; das Grab des Heiligen, Tumba in Wandnische, dat. 1714 (das verdrängte spätgot.,
wahrscheinl. Mich. Erharts, im Bayer. Nat.-Mus.); die auf der
Schranke stehenden Tonfiguren wahrscheinl. von Carlo Pallago,
1582; in der letzten Kapelle Altar von Wendel Dietrich, 1590, mit
Gemälde von Chr. Schwarz.

Annexe. Der der N-Seite des Querschiffs anliegende doppelgeschossige Bau, mit Sakristei unten, Marienkapelle
oben, ist in den Mauern spätgotisch, wurde aber in beiden

Ansbach. Residenz, Spiegelkabinett

Schloß Schönbusch bei Aschaffenburg

Geschossen 1601 gewölbt. Beide Räume schließen in 5 Seiten des Achtecks; dem unteren legt sich noch östlich die 1698–1705 errichtete Allerheiligenkapelle vor. Die gemalten Glasscheiben (Sakristei), Fragmente einer sonst verlorenen Folge, sind Arbeiten Gumpolt Giltingers, 1496, viell. nach Entwürfen des älteren Holbein. Die durch 2 hohe Arkaden räumlich mit dem Querschiff verbundene Marienkapelle von kassettierter Tonne überwölbt; ihr 1570/71 errichteter Altar ist ein bezeichnendes Werk der nach- oder wiederauflebenden Gotik.

Die ev. Pfarrkirche St. Ulrich wurde 1457 an der N-Front des Münsterquerhauses als Predigtsaal der Benediktiner errichtet und 1709/10 in den barocken Saal mit flacher Tonnendecke umgewandelt. Sie besitzt eine sehr gute Ausstattung: Stukkaturen von Matthias Lotter nach Entwürfen des Goldschmieds Abrah. Drentwett d. J., Altar (1693) und Kanzel (1712–14) von Daniel Scheppach.

Ehem. Stiftskirche St. Peter am Perlach. Das Weihedatum 1182 bezeichnet die Vollendung der kleinen Anlage. Die 3schiffige, ehemals gewölbte Halle (eine der wenigen romanischen) hat von ihren 3 O-Apsiden nur eine behalten. Die Untergeschosse des westl. anstoßenden Perlachturms sind als Vorraum bzw. Empore einbezogen. Eines der Emporenfenster wird von reich geschmückter Zwergsäule geteilt. 1722 hat man davor eine barocke Orgel aufgerichtet. Die damals wie um 1770–80 erfolgte Barockisierung hat von der alten Ausstattung wenig übriggelassen. Reste von Wandmalerei (vor der südl. Apsis) weisen ins späte 13. Jh. – Schöne, tönerne Marienfigur des Weichen Stils um 1430 (ihre Schwester steht in Buxheim); Sakramentshäuschen 1522.

Ev. Pfarrkirche St. Jakob (in der ehem. Jakobs-Vorstadt). Von dem um 1355 erneuerten und 1705 barockisierten Bau blieb nur der Chor, dem in jüngster Zeit ein einfaches Langhaus vorgelegt wurde.

Ehem. Barfüßerkirche, jetzt ev. Pfarrkirche. Vom Bau von 1398 steht nur noch der Chor, leidlich erhalten (ergänzt). Seine 2teiligen Fensterformen entstammen der Barockisierung von 1716. Als Überrest einer bis 1944 bestehenden, 3schiffigen Basilika wirkt er in seiner jetzigen Vereinsamung als wuchtiger, herber Akzent im Stadtbild. Die Kirche besitzt einen Kruzifixus Gg. Petels, 1631, und ein, mit fraglichem Recht, Petel zugeschriebenes Christkind, 1632.

Ehem. Kollegiatstiftskirche St. Moritz, jetzt kath. Stadtpfarrkirche. Die Geschichte reicht bis ins frühe 11. Jh. Der bestehende Mauerkern stammt aus einer 1440 beg. Erneuerung. Der Turmbau dauerte bis 1494 und erhielt 1534 seine Erhöhung. Eine durchgreifende Barockisierung unter Leitung des Joh. Jak. Herkomer 1714/15 hinterließ die einprägsamen, querovalen Fensterformen in den Obergaden der Basilika. Auch die Flachkuppelfolge über dem Hochschiff ist Beitrag Herkomers. Der 1944 ausgebrannte Kirchenraum wurde 1947–49 von Dom. Böhm modern sachlich neugestaltet. – Einige ältere Skulpturen fanden wieder Aufstellung: An der W-Wand des nördl. Seitenschiffs ein Hl. Sebastian von Gemelich, um 1627; an der W-Wand des südl. Seitenschiffs die Figur des Christophorus von Georg Petel, um 1630; von ihm auch die schöne

Darstellung des Erlösers in der Kapelle des nördl. Seitenschiffs; die
Apostelfiguren von Ehrgott Bernh. Bendel, um 1720, in den Seitenschiffen. – An der W-Wand des Langhauses 2 hervorragende Grabdenkmäler in Rotmarmor, das des Apothekers Claus Hofmair, 1427, und das
des Sigmund Gossenbrot und seiner Gattin Anna Rehlingerin, 1500
(Gerippe; vgl. Schaumberg-Epitaph im Dom).

Ehem. Karmelitenklosterkirche St. Anna, jetzt ev. Pfarr-
kirche

Kirche eines ehem., 1321 gegr. Karmelitenklosters. Seit 1525
dient sie dem prot. Kultus. – Von der älteren, wohl im
14. Jh. errichteten Anlage ist nichts mehr zu spüren. Der
spätmittelalterl. Bestand verblieb im Chorbau mit seiner
kräftigen Verstrebung, geschaffen zwischen 1487 und 1497.
Das schmucke, übereck gestellte Türmchen hat 1602 Elias
Holl hinzugefügt. Zur Feier des Reformationsjubiläums
1748 wurde das Innere barock ausgestaltet. Das basilikale
Langhaus erhielt eine festliche Pilasterordnung, die Arkadenbögen wurden gerundet, locker verteiltes Rocaillewerk
wurde an Wände und Wölbungen geheftet. Diese Arbeiten
leitete Andr. Schneidmann. Die Freskomalerei war dem
Augsburger Akademiedirektor Joh. Gg. Bergmüller anver-
traut. – In den Altar des O-Chores ist ein Tafelbild von
Luc. Cranach d. Ä. eingesetzt: Christus als Kinderfreund.
An der S-Wand ein Bildepitaph von Jörg Breu d. Ä.: Christus in der Vorhölle, um 1535. Gegenüber ein Steinrelief von
Chr. Murmann d. J.: Auferweckung des Lazarus, 1593, eine
fein empfundene, vom italienischen Manierismus beeinflußte
Darstellung vor reichem Landschaftsgrund. – Das westl.
Ende des Kirchenraums mündet in die *Fuggerkapelle*. Sie
bildet eine Art »Westchor«, gestiftet 1509 von Jakob und
Ulrich Fugger, geweiht 1518 »in der Ehr des zarten Fron-
leichnams unseres Herren Christi, auch der Mutter Gottes
und des hl. Matthäus nach christlicher Ordnung«. Bedenken-
lose Eingriffe von 1818 wurden 1922 nach den vorliegenden
alten Plänen korrigiert. 1944 entstanden schwere Schäden
durch Kriegseinwirkung. Sie erforderten die Erneuerung der
Gewölbe und Ergänzungen an den Grabreliefs. Die große
Doppelorgel ist vernichtet, auch Teile des Mosaikfußbodens.
– Als eines der frühesten Denkmäler deutscher Renaissance
ist die »Fuggerkapelle« berühmt. Ein beherrschendes, theologisches Programm verbindet alle Teile der Ausstattung.
Mittelpunkt ist die frei stehende Fronleichnamsgruppe von

Hans Daucher mit den 3 Reliefs der Predella: Kreuzschlep-
pung, Kreuzabnahme und Christus in der Vorhölle. Dazu
gehören die beiden mittleren Reliefs der rückwärtigen Arka-
denfolge von Seb. Loscher: Auferstehung Christi und, als
alttestamentliches Gegenstück, Simsons Sieg über die Phili-
ster. Darunter die Andeutung von Sarkophagen (wie sie die
florentinische Renaissance ausgebildet hat), auf denen die
Figuren des Ulrich (Kopie) bzw. des Jakob Fugger ruhen.
Diese beiden Reliefs verraten engen Zusammenhang mit der
Kunst Albrecht Dürers. In der Tat hat der große Nürnberger Meister hierzu Vorlagen geliefert, 1510 (erhalten in Wien
und Braunschweig). Die beiden seitlichen Wappenreliefs
sind von interessanter, dekorativer Eigenwilligkeit in der
Verwendung italienischer Architekturformen hinter den Relieffiguren geharnischter Wappenträger. Statt des bei Peter
Vischer d. Ä. zu Nürnberg in Auftrag gegebenen und schließlich ins Nürnberger Rathaus gelangten Abschlußgitters
wurde eine Steinschranke (neu) eingezogen und mit Puttenfiguren des Seb. Loscher besetzt. – Die gesamte plastische
Thematik ist in kühle, florentinisch klingende Bogenarchitekturen gefaßt, über denen das durchlichtete Obergeschoß
aufwächst mit der noch spätgot. formulierten Rippenwölbung (erneuert). Von der zerstörten Doppelorgel unter dem
Rundfenster der W-Wand blieben die Flügelgemälde des
älteren Jörg Breu erhalten. Das Gehäuse selbst ist Kopie. –
An der S-Seite: Hl.-Grab-Kapelle von 1506–08 mit einer
der Renaissance gemäßen »Nachahmung« des Hl. Grabes,
wahrscheinl. von J. Holl 1598. – Von hohem Interesse ist die
Goldschmiedekapelle von 1420–25 an der N-Seite des O-
Chores, Stiftung der Patrizierfamilie Hirn, als deren Vermächtnis die Kapelle 1429 in die Obhut der Goldschmiede-
zunft gelangte. Um 1496 erfuhr der schmale, nicht sonderlich
hervorragende Kapellenraum eine Erweiterung gegen W.
Seine Bedeutung beruht in der (1889 freigelegten) Ausmalung. Der Bauzeit entsprechend sind die Fresken der beiden
O-Joche und des Chores um 1420–30, die der W-Joche
gegen 1520 entstanden. Über der frühen illusionistischen
Darstellung eines Chorgestühls im O erscheinen Bilder aus
dem Leben Christi. Neben den Chorfenstern Heiligengestal-
ten und Szenen aus der Kreuzfindungslegende: vorzügliche
Arbeiten unter vorherrschend italienischem Einfluß. Die
jüngeren Bilder in den W-Jochen verraten trotz ihrer Schad-

haftigkeit die Hand eines tüchtigen Meisters. – Aus den
Zeiten des Karmelitenkonvents ist der 4flügelige, spätgot.
Kreuzgang überkommen. Nicht nur malerische Vorzüge,
auch die gut erhaltene Reihe von Grabdenkmälern verleihen
ihm Bedeutung.

Ehem. Augustinerstiftskirche St. Georg, jetzt kath. Pfarrkirche

Das Chorherrenstift ist eine bischöfl. Gründung von 1135;
Weihe der ersten Kirche 1142. Die bestehende Basilika ist
ein Neubau der Jahre 1490–1505. Älter, noch roman., nur
der untere Teil des südwestl. stehenden, 1681 aufgestockten
Turmes. Der spätgot. Neubau hielt sich an das Vorbild der
1475 begonnenen Ulrichskirche: eine 3schiffige Basilika mit
einem tiefen, 3 Joche zählenden, polygon geschlossenen
Chor (dessen Seitenschiffe 1925 hinzukamen). Chor und
Mittelschiff von Netzgewölben gedeckt, die Wölbung der
Seitenschiffe barock. Die dem Chor südl. anliegende Kapelle,
ein Raum von 3 Jochen, mit gutem Netzrippengewölbe, entstand als Hörwarthsche Sepultur 1506. – St. Georg, 1944
schwer betroffen, ist seit 1956 wiederhergestellt. Die
Ausstattung hat nicht mehr viel Altes anzubieten. Genannt
seien: die kleine roman. Knotensäule, die jetzt die (moderne)
Kanzel trägt; der in der Hörwarthschen Kapelle aufgestellte
ehem. Kreuzaltar, Werk des Ignaz Wilh. Verhelst und (in
den beiden Engeln) E. B. Bendels, 1778/79; das Epitaph des
Laur. Fellmann, ein 1497 dat. Steinrelief (der hl. Petrus
führt den Verstorbenen dem Schmerzensmann zu), wahrscheinl. von der Hand Gr. Erharts (südl. Seitenschiff); die
große Marmorstatue des Salvator, eine 1512 anzusetzende,
schon renaissance-nahe Arbeit vermutl. Loy Herings (in der
modernen Kapelle westl. am Turm).

Ehem. Augustinerstiftskirche, jetzt Dominikaner- und
Wallfahrtskirche **Hl. Kreuz**

1159 gegr., 1199 durch die »Offenbarung des wunderbar-
lichen hl. Gutes«, ein Hostienwunder, ausgezeichnet, das eine
berühmte Wallfahrt zur Folge hat. – Der spätgot. Neubau
erwuchs in den Jahren 1503–08; der Baumeister, Hans
Engelberg, führte möglicherweise Pläne seines Vaters Burkhard aus. Der in den unteren Teilen beibehaltene roman.
Turm wird in den oberen 1514 und noch einmal 1677 er-

neuert bzw. erhöht. 1716–19 wird die spätgot. Hallenkirche
von J. Jak. Herkomer im Innern ins Barocke umgeprägt.
Aber der reiche, dem got. Baukörper aufgelegte Ziermantel
ging 1944 zugrunde. Nur das nackte Raumgefüge der 3schiffigen Halle mit den sehr schlanken Rundstützen konnte
1948/49 wiederhergestellt werden; die Gewölbe sind völlig
neu.

Nördl. der kath. Hl.-Kreuz-Kirche steht, parallel zu ihr,
die **ev. Hl.-Kreuz-Kirche**, die 1650–53 an Stelle der Otmarskapelle von Joh. Jak. Kraus errichtet wurde. Auf unregelmäßig, östl. spitzwinklig zugeschnittenem Gelände
aufgeführt, gewann der Bau der beengten Situation seine
originell verschrobene Gestalt ab. – Auch das I n n e r e ,
ein großer Saalraum, ist durch die Eigenheit des Grundrisses bestimmt; die Schrägstellung der O-Wand wurde nur
etwas durch die vorliegende tiefe Holzempore korrigiert.
Kassettendecke mit bemalten Feldern, Emporen an O- und
S-Seite, ebenfalls mit gemalten Feldern, Kanzel an der N-Seite, Orgelgehäuse auf der östl. Empore statten diesen
Predigtsaal mit einer warmen Fülle aus. Der in flachem
Rund schließende Chor, der erst 1735 hinzugefügt wurde,
ist zweigeteilt durch die vor- und zurückschwingende Orgelempore. Stark betont ist die Kanzel (1762, von Ign.
Wilh. Verhelst), eingefaßt von den beiden großen Gemälden J. H. Schönfelds (1665), Kreuztragung und Kreuzabnahme.

Ehem. Dominikanerkirche St. Magdalena (profaniert, »Römisches Museum«). Die Kirche der seit 1225 ansässigen
Dominikaner wurde 1513–15 aufgerichtet: ein hoher,
2schiffiger Hallenbau von harmonischen Abmessungen.
Kapellenreihen begleiten beiderseits die Hallenschiffe, 3teilige Fenstergruppen beleben die hochgiebeligen Schmalfronten, vor deren östlicher sich 3 Chorkapellen gruppieren. Das weiträumige Erscheinungsbild läßt es zu keiner
den got. Kirchen sonst eigenen Tiefenbewegung kommen.
Jedes Joch scheint in sich zu ruhen; jeder Betrachterstandpunkt hat gleiche Gültigkeit. 1716–24 umkleidete die
Barockzeit das Innere mit feiner Stuckdekoration. Als Ausstattungskünstler werden Anton, Fz. Xaver und Joh. Mich.
(I) Feichtmayr genannt. Die Reihe der schlanken, got. Stützen verwandelte sich in eine Säulenfolge. Nach Entwürfen

Bergmüllers besorgte Alois Mack die Ausführung der Malereien, 4 große Gedenktafeln von 1519/20, deren Schmuckwerk an den älteren Burgkmair gemahnt, erinnern an Kaiser Maximilian I., seinen Sohn Philipp von Burgund-Kastilien, Kaiser Karl V. und Erzherzog Ferdinand.

Ehem. Dominikanerinnen-Klosterkirche St. Katharina (seit 1835 Staatl. Gemäldegalerie). Nach dem Vorbild der Dominikanerkirche wurde 1516 bis 1517 für den im mittleren 13. Jh. gegr. Schwesternkonvent eine ähnlich geartete 2schiffige Anlage errichtet. Auch in sie hat das 18. Jh. eine neue Ausstattung getragen. Die Klosterbauten sind um einiges älter, beg. 1498. (Hof aus der Katharinengasse, Inneres durch das Palais Schaezler betretbar.)

Franziskanerinnen-Klosterkirche Maria Stern (hinter dem Rathaus), hervorgegangen aus einem 1258 gegr. Beginenkloster. Johannes Holl, der Vater des Elias Holl, errichtete 1574–76 die nicht sonderlich hervortretende, doch harmonische Anlage. In der Art des originellen Türmchens verbinden sich Ornamentformen der nachlebenden Gotik mit neuartigen, auf Barockes hinführenden Ideen. Das Innere wurde 1730 neu ausgestattet und bewahrt schöne plastische Bildwerke von Ehrgott Bernhard Bendel.

Ehem. Dominikanerinnen-Klosterkirche St. Margareth, jetzt kath. Spitalkirche. Die 1298 geschaffene Gründung erhielt 1594 den bestehenden, schlichten Neubau. Gründliche Veränderungen führten 1720 zum heutigen, barocken Erscheinungsbild. Leiter der Arbeit war viell. Joh. Gg. Fischer aus Füssen. Die Deckenbemalung, eine der letzten aus der farbenfrohen barocken Raumkunst, ist ein Werk Jos. Ant. Hubers, 1803. Der schöne Hochaltar trägt ein Gemälde des Asam-Schülers Chr. Thom. Scheffler, 1735. Kanzel von Andr. Heinz 1744.

Stiftungskapelle St. Antonius (Dominikanergasse). Teile des Mauerwerks gehen wohl noch auf die Zeit der Stiftung, 1410, und deren Erweiterung, 1445, zurück. Der einfache Raum trägt gute Stuckausstattung von 1745 mit einem Deckenbild von Matth. Günther, 1768. – Stiftsgebäude wohl 15./16. Jh.

Kath. Friedhofkapelle St. Michael. Der 1604 von Elias Holl erstellte kleine Bau wurde 1712 umgestaltet und 1722 stuckiert. Nach Beschädigung von 1944 (Verlust von Hubers Deckenfresko) instand gesetzt.

Ehem. Franziskaner-Klosterkirche Zum Hl. Grab, jetzt kath. Stadtpfarrkirche St. Maximilian. Vom Bau aus der Zeit Elias Holls 1611–13 sind nur Teile der Fassade übernommen. Das Schiff erlebte nach seiner 1944 erfolgten Zerstörung eine interessante Neugestaltung durch Dom. Böhm.

St.-Gallus-Kapelle (an der Schwedenmauer neben St. Stephan). Der kleine Raum verfügt über feine Rahmenstukkatur von 1590. Interessant die Zerlegung des Chorgewölbes in verschiedenartig gefüllte Stuck-Kassetten.

Die benachbarte **ehem. Damenstiftskirche St. Stephan,** jetzt Benediktinerstiftskirche, war ein prächtiger Bau des späten Barock von Fz. Xav. Kleinhans 1755–57 mit freundlicher Rokoko-Ausstattung. Die Zerstörung von 1944 hat nur Teile der Umfassungsmauern hinterlassen, die im nüchternen Neubau von 1951 aufgegangen sind.

Als gut erhaltenes Beispiel des kirchlichen Rokoko in Augsburg kann die **St.-Antonius-Kapelle** gelten. Im 15. Jh. gestiftet, erhielt sie 1746 ihre letzte entscheidende Ausgestaltung. Die Stuckarbeiten sind ein Werk der Brüder Feichtmayr, Freskomalerei und Altarbild von Matth. Günther. – Rotmarmorner Stiftergrabstein, 1408.

Bedeutungsvoll für den Sakralbau der letzten Jahrzehnte sind die Kirchen **St. Anton** und **St. Joseph**, um 1925–30, von Michael Kurz, **St. Wolfgang 1932–34, St. Thaddäus in Oberhausen 1937/38, St. Aegidius in Neusäß 1948–51, Mariahilf in Neustadtbergen 1951–54, Hl. Geist in Hochzoll 1953–56** und **St. Don Bosco** in der Herrenbachsiedlung 1961/62, diese alle von Thomas Wechs, sowie die Um- bzw. Neubauten von Dominikus Böhm, **St. Moritz** und **St. Maximilian** 1949–51.

Ehem. Jesuitenkolleg (Jesuitengasse 12). Der überaus prächtige Raum von 1763–65 (Neugestaltung innerhalb älterer Umfassungsmauern) war »Festsaal der Lateinischen Kongregation« und trägt heute den Namen »Kleiner Goldener Saal«. Die beschwingten Stukkaturen stammen von einem Mitglied der Künstlerfamilie Feichtmayr, die Ausmalung hat Matth. Günther geschaffen. Das große Fresko der Mitte zeigt Jesaja, der dem König Ahab die Geburt des Messias prophezeit. In den 4 Eck-Kartuschen erscheint Maria als Schirmherrin einzelner Stände: als »Weiseste« Helferin der kirchlichen Gewalt, als »Spiegel der Gerechtigkeit« für die weltliche Herrschaft, als »Sitz der Weisheit« für die lernende Jugend und als »Pforte des Himmels« für die sterbenden Frommen. (Die Kirche des ehem. Jesuitenkollegs von 1580 wurde im 19. Jh. abgebrochen.)

Rathaus

An der Hauptstraßenachse, halbwegs zwischen Dom und St. Ulrich, ragt der gewaltige Rathausblock, Sinnbild bürgerlicher Macht und Freiheit, Kathedrale des Bürgertums. Zu Beginn des Glaubenskrieges raffte sich Augsburg zu seiner größten baukünstlerischen Leistung auf. Der »Stadtwerkmeister« Elias Holl hat mit diesem Werk die augsburgische Renaissance zur Vollendung geführt. Er hat sein – wie er es nennt – »heroisches« Ideal in einzigartige Form gegossen. Freilich gingen ausgedehnte Studien voraus, u. a. eine Reise nach Venedig (1600). Doch was aus den Vorarbeiten erwuchs, trägt mit den unverkennbaren Zügen der künstlerischen Persönlichkeit die Prägung des Augsburger Stadtgeistes.

Die Baugeschichte hebt an 1609 mit Bestandsaufnahmen des alten Rathaus-Vorgängers. Neubaupläne werden eingereicht und beraten.

*1615 findet die Grundsteinlegung statt, 1618 das Richtfest. 1620
kann im Innern die erste Bürgermeisterwahl vorgenommen werden.
Die Ausstattung zog sich unter der Leitung von Matth. Kager bis
1626 hin. Sie ging im 2. Weltkrieg völlig zugrunde. Die Vernichtung des »Goldenen Saales« gehört zu den schmerzlichsten Verlusten in der deutschen Kunst.*

Das Äußere ist aus dem stereometrischen Gebilde des
Würfels entwickelt, was bes. an der Rückfront (die bei tieferer Bodenlage über das Kellergeschoß herabgeführt ist) zur
Geltung kommt. Die Straßenseite wirkt etwas breiter, mehr
lagernd als aufstrebend und darin »italienischer«. Die
Außengliederung ist klare Konsequenz des Innenraums.
Straff zusammengefaßt wird der durch hohe Fensterreihen
betonte Mittelrisalit, der über die Dachbalustrade hinaus-
führt, um nach 2 Geschossen in prächtiger Giebelarchitektur
zu gipfeln: das deutsche Element, typisch für den Begriff
der Augsburger Renaissance. Hier liegen die Festräume
übereinander: im Erdgeschoß der (instand gesetzte) »Untere
Fletz«, darüber der niedrigere »Obere Fletz« (Fletz = Vorhalle), dann, 3 Geschosse umgreifend, der »Goldene Saal«,
und ganz zuoberst die »Modellkammer«. Das stärkere Hervortreten der Fensterumrahmungen kennzeichnet die repräsentative Bedeutung dieser übereinanderliegenden Hallen
und Säle. – Ehemals sollte dieses »Mittelschiff« von
einem ähnlich gearteten »Querschiff« durchkreuzt werden.
Dieses Projekt wurde zugunsten der 2 Achtecktürme aufgegeben. (Zwiebelhauben im urspr. Sinn erneuert.) Auch diese
Türme werden durch Risalite im Unterbau vorbereitet. Sie
bergen die beiden Treppenhäuser. Zwischen ihnen und dem
Mittelschiffkörper ergänzen Amtsräume das zugrunde liegende Rechteck. Es sind dies Ratsstube, Gerichtsstube, Pflegamt, Baustube, Steueramt, Fürstenzimmer usw. – Elias Holl
hat in diesem wohl bedeutsamsten Profanbau zwischen Mittelalter und Barock alle Erinnerungen an nachlebende Gotik
abgestreift. Er überragt darin seine wenig älteren Zeitgenossen Paul Franke (Wolfenbüttel) und Hch. Schickhardt
(Stuttgart). Die deutsche Renaissancebaukunst hat ihre klassische Lösung gefunden. – Im einzelnen ist zu erwähnen:
das Gitter über dem Hauptportal mit Stadtwappen 1620
nach einem Modell Chr. Murmanns d. J. gegossen, und an
der O-Seite der Wappenstein vom spätgot. Vorgängerbau,
1450. 2 Wappenträger (das beliebte »Wilde-Mann«-Thema)

Augsburg, Rathaus

weisen die Augsburger Zirbelnuß, auch Pyr genannt. Dieses antike Fruchtbarkeitssymbol deutet auf den röm. Ursprung der Stadt.

Der benachbarte **Perlachturm**, eine Art bürgerlichen Hoheitszeichens, ist als steiler Akzent dem Rathaus beigeordnet. Über den W-Bau der roman. Peterskirche wurde ein hoher Vierkant gesetzt, der im 8eckigen Arkadengeschoß

endet. Untere Teile romanisch und gotisch. Der entscheidende
Ausbau geschah 1614–16 durch Elias Holl. Die charaktervolle Helmkrone wurde 1946–49 wiederhergestellt.

Zeughaus (hinter St. Moritz). Die Rüstkammer der Stadt
sollte zugleich als Repräsentation bürgerlicher Wehrkraft
dienen. Daher die prächtige, von Jos. Heinz »visierte« Fassade. Elias Holl leitete die Ausführung, 1602–07. Die Stirnseite umfaßt nur 3 Achsen, von denen die mittlere schmaler
ist. Diese Gliederung entwickelt das über die starken Ge-
simslagen hinwegströmende Aufwärts, das, von Giebelvolu-
ten verstärkt, in dem steinernen Wappensymbol der Zirbelnuß gipfelt. Das barocke Motiv des gesprengten Giebeldrei-
ecks kehrt in den reichgebildeten Fensterrahmungen wieder.
Über dem weiten, säulenflankierten Portal erscheint das
ideelle Kernstück der Anlage: die Bronzegruppe des Satans-
bezwingers St. Michael zwischen Putten mit Emblemen des
Krieges. Die Inschrifttafel enthält in griechischen Lettern
die Widmung an den »Erzfeldherrn«. Hans Reichle arbeitet
1603 an den Modellen, Wolfgang Neidhart besorgt 1604–06
den Guß. Angeregt durch die ältere Gruppe Hubert Gerharts vor St. Michael zu München, ist das Werk doch von
hoher künstlerischer Selbständigkeit. – 1806 zieht das Kgl.
Bayer. Artillerie-Depot ins Zeughaus ein, 1895 erwirbt es die
Stadt, die nun, 1899, hier ihre Hauptfeuerwache einrichtet.
1954 erhält es in Gestalt des Kaufhauses Merkur (auf dem
Areal des abgetragenen Pfarrhauses von St. Moritz) eine
störende Nachbarschaft. Seit 1965 Streit über das künftige
Schicksal des Gebäudes, seine Eingliederung in den Kauf-
hauskomplex, seine Umgestaltung ad hoc.

Stadtmetzg (unterhalb des Perlach). Die 1609 von Jos. Heinz
»visierte« und von Elias Holl ausgeführte Fassade hat die
Aufgabe, einen breiten, unregelmäßigen Gebäudeabschluß
einheitlich und monumental zusammenzufassen. Die Gliederung folgt dem Vorbild italienischer Palazzi. Nur der
imposante Giebelaufsatz verleiht dem Bauwerk die deutsche
(augsburgische) Note. Der monumentalen Wirkung zuliebe
entstand vor der neuen Front eine kleine Platzanlage. Dort
steht seit 1833 der *St.-Georgs-Brunnen* mit gutem Gußwerk
von Peter Wagner, 1575.

Ehem. Weberzunfthaus (neben St. Moritz). Der urspr. got., mehrmals
umgestaltete und 1605 mit Matth. Kagers Fassadenmalerei ausgestattete

Bau wurde 1913 in Anlehnung an das Voraufgegangene völlig erneuert. Jetzige Bemalung 1935. Das ehem. Steildach 1944 zerst.

Ehem. Kaufhaus (an der Hl.-Grab-Gasse), 1611 von Elias Holl und Matth. Kager. Später mehrmals verändert und 1944 beschädigt. – **Gymnasium St. Anna.** Elias Holl schuf 1613–15 den streng gefügten Aufbau mit seiner schlichten Außengliederung. Das Innere entspricht in »klassischen« Zweckformen seiner Bestimmung als humanistische Bildungsstätte.

Hl.-Geist-Spital. Das letzte Werk Elias Holls, errichtet 1625–32: die klare, auf das Nötige beschränkte Anlage eines städtischen Wohlfahrtsinstitutes. Von freundlicher Wirkung der Arkadenhof.

Ehem. Residenz der Fürstbischöfe (westl. vom Dom, jetzt Regierungsgebäude). Umfangreicher Komplex mit stattlicher Portalanlage, erbaut von Joh. Bened. Ettl 1743. – Die jetzige Bischofsresidenz ist ein Bau von 1730, östl. vom Dom.

Schülesche Kattunfabrik (vor dem Roten Tor). Schloßartige 3-Flügel-Anlage von 1770–72, geschaffen von L. Chr. Mayr.

Aus der jüngeren Baukunst sei die durchgreifende, 1956 vollendete Neugestaltung des **Stadttheaters** rühmend vermerkt.

Patrizierhäuser

Die **Fuggerhäuser** am Weinmarkt (Maximilianstr. 36–38) wurden 1511 durch eine einheitliche, bemalte Frontwand zusammengefaßt. Nach schwerer Beschädigung errichtete man den Straßentrakt bis 1951 in zurückhaltendem Felderverputz neu. Erhalten blieben Teile der rückwärtigen Höfe mit schlanken Säulenarkaden. Hier Reste von Wandmalereien des älteren Jörg Breu. Im westl. Fuggerhaus sind Teile der 1569–73 unter Friedr. Sustris ausgestatteten Gesellschaftsräume erhalten (sog. »Badezimmer«). – **Haus des L. Boeck v. Boeckenstein** (Philippine-Welser-Str. 24, Maximiliansmuseum), 1544–46, mit 2 zur Straße gewendeten Erkern. Stattliche Säulenhalle im Erdgeschoß. Im Hof eine bronzene Brunnengruppe um 1600 nach Entwurf von Adriaen de Vries. Gegossener Reichsadler nach Modell von H. Reichle. – **Haus Koepf** (Phil.-Welser-Str. 28, Industrie- und Handelskammer). Umbau einer älteren Anlage 1738 durch Andreas Schneidmann. Prunkvolle Barockfassade mit Pilasterbesatz und – typisch augsburgisch – hohem Volutengiebel auch über der Breitseite. Die Erdgeschoßhalle wurde vom älteren Bau (1578) übernommen. Ein prächtiges Deckenfresko über dem Treppenhaus verherrlicht Handel und Gewerbe, eine Schöpfung von Gottfr. Bernh. Götz, 1739. – **Schaezler-Haus** (Maximilianstr. 46, Museum). Der

prächtigste aller barocken Profanbauten Augsburgs, errichtet 1765–67 für den Bankier v. Liebert. Baumeister war
Karl A. v. Lespilliez vom kurfürstl. Hof in München. Die
Ausführung hatte Leonh. Matth. Gießl. Der vornehm-
zurückhaltende Bau besitzt ein schönes Treppenhaus mit
einem Fresko von G. Guglielmi: Künste und Wissenschaften blühen unter dem Glück des Handels, 1766. Hervorragend schöner Festsaal mit bedeutendem Rokokostuck
von einem der Feichtmayr und geschnitzten Vertäfelungen
von Placidus Verhelst, 1770. (Von hier Durchgang zur
Staatl. Gemäldegalerie im ehem. Katharinenkloster.) – **Gar-
tenguthaus** (Schaezlerstr. 9), um 1765. Freundlicher Bau des
Rokoko. Deckenfresko von Jos. Christ. Saal mit Stuckdekoration der Feichtmayr-Gruppe.

Vom einfachen, **bürgerlichen Wohnbau** ist vieles verlorengegangen. Die
in Augsburg sehr beliebte Fassadenmalerei ging schon früh zugrunde. –
Mozarthaus (Frauentorstr. 30), Geburtshaus des Leopold Mozart, Vater
des Wolfg. Amadeus. 1951 völlig erneuert. Mozartmuseum. – **Haus Dr.
Roeck** (Maximilianstr. 51), kleines Gebäude, anmutiges Rokoko von
1769/70. Innen Freskomalerei von Vitus Fel. Rigl. – »Blaues Krügle«
(Vorderer Lech 8), Wohnhaus, spätes Rokoko, mit freundlich geschmückter Fassade. – **Haus Dr. Hohmann** (Maximilianstr. 48). Im Innern schöne Freskomalerei von Jos. Ant. Huber 1764/65.

Fuggerei (in der St. Jakobervorstadt)

*Jakob Fugger d. Reichen gebührt der Ruhm, die erste großzügige
Siedlung der sozialen Fürsorge geschaffen zu haben. 1516 wurde
die Anlage in Angriff genommen und 1525 vollendet. Baumeister
war Thom. Krebs.*

Dieses Städtchen für sich, innerhalb der Jakobervorstadt,
wird durch 3 Tore betreten (eines zerst.). Über jedem das
Fuggersche Wappen mit erläuternder Stifterinschrift. Dahinter reihen sich 4 2geschossige Paralleltrakte, durch Querflügel beiderseits abgeriegelt. 2 ähnlich umbaute Straßen
verankern das Geviert mit der näheren Umgebung. Trotz
der Gleichförmigkeit dieser mustergültigen Siedlungshäuser
ergeben sich vielfältige, malerische Straßenbilder. Am Hauptplatz: *Neptunbrunnen* mit guter Bronzefigur um 1550. –
Ein eigenes Kirchlein, **St. Marx**, wurde 1581/82 hinzugefügt.
Im Innern Teil einer vortrefflich gearbeiteten Holzdecke um
1550 (angebl. aus einem der Fuggerhäuser). Der Hochaltar
trägt ein Gemälde der Kreuzigung von dem Venezianer
Palma Giovane, um 1600. Steinrelief des aufgebahrten
Ulrich Fugger von Seb. Loscher 1512–15 (aus der Fugger-

kapelle in St. Anna). – Die Zerstörungen von 1944 wurden
zum großen Teil behoben. – Die Siedlung umfaßt 53 Häuser
mit 106 selbständigen Wohnungen. Nach Stiftungsbrief von
1521 beträgt die jährliche Miete 1 rheinischen Gulden (das
ist 1,71 DM). Diese Festsetzung gilt heute noch!

Die Brunnen

*Schon im frühen 16. Jh. entstanden bedeutende Brunnenwerke.
Heute sind es 3 prächtige Springbrunnen der Zeit 1590–1600, die
Augsburg schmücken, alle in der Hauptstraßenachse. (Die kleine-
ren Brunnenschöpfungen wurden bereits genannt: s. Stadtmetzg,
Haus des L. Boeck und Fuggerei.)*

Der **Augustusbrunnen** gilt der Verherrlichung des mut-
maßlichen Stadtgründers. Er wurde zum 1600jährigen
Stadtjubiläum aufgerichtet. Gesamtentwurf und die Modelle der Figuren lagen in Händen des in Italien gebildeten
Niederländers Hubert Gerhart. 1589–94 führte Peter Wagner die Güsse aus. Der Mittelpfeiler wurde 1748/49 im
Geschmack des Rokoko ausgewechselt (Becken und Pfeiler
1950 erneuert). Am Beckenrand verkörpern 4 lagernde
Figuren die Hauptflüsse Augsburgs und deren Aufgaben:
der Lech, Flößerei und Schiffahrt (SO); die Wertach, Trieb-
kraft der Mühlen (SW); der Brunnenbach, Fischerei (NW);
die Singold, Förderin des Gartenbaus (NO). Weibliche
Hermengebilde am Steinsockel versprühen dünne Wasser-
strahlen. Darüber, an den Ecken, heben Putti ihre wasserspeienden Delphine. Unter der oberen Sockelplatte ein
Steinbockrelief und darüber die Vollfigur des Kaisers Augustus in ausholender Feldherrngeste. Er wendet sich zum
Rathaus hinüber, zum Sitz der bürgerlichen Gewalt, die
nur dem Kaiser verpflichtet ist. Die städtebauliche Wirkung
im Zentrum der unregelmäßigen Platzanlage, vor Rathaus
und Perlachturm, muß hoch gerühmt werden.

Der **Merkurbrunnen** am Platz der Straßeneinmündung
zwischen Moritzchor und Weberzunfthaus kam 1596–99
zur Ausführung nach dem Modell des in Florenz geschulten
Adriaen de Vries. Guß von Neidhart. Auf dem Brunnen-
stock erscheint der Gott des Handels (nach dem berühmten
Vorbild des Giovanni da Bologna), dem Amor die Sandale
bindet. Hier, am verkehrsreichen Mittelpunkt Augsburgs,
hat Merkur, der Genius des Handels, den ihm angemessenen Standort.

Der **Herkulesbrunnen** vor dem Schaezler-Haus, 1596 bis
1602, ist ebenfalls Werk des Adriaen de Vries und des
Gießers Neidhart. Sinnbild der Kraft, als Reiniger von
giftigem Gewürm, wendet sich Herkules gegen N, zur Altstadt. Am 3teiligen Sockel Putti und Schwäne, badende
Najaden und Reliefs der Augsburger Gründungsgeschichte.

Wassertürme. Die Wasserversorgung erforderte schon früh die Anlage
von Speichertürmen. Eine schöne Gruppe liegt zwischen dem Hl.-Geist-
Spital und dem Roten Tor, errichtet im 15.–18. Jh. Von 2 Wasser-
türmen des Elias Holl nahe dem Jakobertor ist einer erhalten, 1608:
mustergültig in der Verbindung von Zweckform und städtebaulichem
Anspruch.

Das allmähliche Wachsen der **Stadtbefestigung** ist heute nicht mehr so
leicht ablesbar. Aus dem Mittelalter blieben erhalten: das **Vogeltor** am
Wall, 1445, mit hängendem Schlußstein in der Durchfahrt; das **Jakobertor**, ein massiger Backsteinkörper mit 8eckiger Bekrönung aus dem
14./15. Jh., gegen O gerichtet. In seiner Nähe Reste des alten Berings
und weiter nördl. ein Wehrturm von 1454, der »**Fünfgratturm**«. Südl.
vom Jakobertor Reste einer jüngeren, 1540–42 erstellten Bastionsanlage.
Das frühe 17. Jh. ist mit mehreren Bauten des Elias Holl vertreten:
Wertachbruggertor an der alten Straße nach Ulm 1605 mit Rustikasockel und achtseitigem Aufbau. **Rotes Tor** an der alten Münchner
Straße 1621/22; Mauer und Vortor sind älter, 1545/46. Wirkungsvoll
die Umbänderung des Hollschen Turmoberteils vor den roten Backsteinlagen.

AUHAUSEN b. Nördlingen (B. Schw. – C 5)

*Im Wörnitztal von den Herren von Auhausen, die sich später,
nach einem thüringischen Besitz, Lobdeburg nennen, im frühen
12. Jh. gegründet. Das Kloster gewinnt Bedeutung dank des ihm
anhängenden Hospitals, der sich im Spätmittelalter entwickelnden
Marienwallfahrt und der häufigen Sepulturen des Adels. Karl IV.
privilegiert die Äbte zu ständigen Reichskaplänen. – Das im
Bauernkrieg 1525 schwer geschädigte Kloster wird 1534 von seinen
Vögten, den Markgrafen, aufgehoben. Seine durch Teilprofanie-
rung verstümmelte Kirche dient seither als Pfarrkirche.*

Ehem. Benediktinerklosterkirche St. Maria

*Die 3schiffige Basilika entstand in der Gründungszeit des Klosters,
um 1120. 1230 ist von den 3 Obergeschossen des N-Turms die
Rede; der S-Turm trägt das Datum 1334. 1519 weichen Haupt-
und N-Apsis dem weiträumigen, spätgot. Chorbau. Die ehemals
gegen W offene Vorhalle wird zugesetzt, gegen N und S treten
Seitenkapellen hinzu, und die O-Abschlüsse der Seitenschiffe werden durch Zwischenmauern abgetrennt. 1534 kommt der Bau an
die Protestanten. Durch Herabsetzen der Mittelschiffdecke und Erhöhung der Seitenschiffmauern wird ein umfangreicher Dachboden*

ermöglicht und zum Getreidespeicher bestimmt. Emporeneinbauten
formen den Innenraum für die Erfordernisse des prot. Kultus um.

Der Außenbau wird durch das alle 3 Schiffe übergreifende Dach des 16. Jh. um seine urspr. Basilikalwirkung gebracht. Nur der spätgot. Chor im O und das mächtige
Turmpaar im W tragen noch heute den Charakter der benediktinischen Anlage. Auch die 3 Obergeschosse des N-Turmes
(um 1230) mit Blendarkaden, Deutschem Band, lilienge-
schmückten Blendbogenfriesen und Kapitellen künden von
roman. Architektur. Zwischen den Türmen die ehem. Vorhalle, wuchtiger Auftakt (in 2 Geschossen) zum Kirchen-
R a u m. Sie ist beiderseits durch Turmkapellen erweitert,
deren nördl. noch eine alte Altarmensa bewahrt. Dann beginnt
die strenge Folge der 7 Basilikaljoche, getragen von massigen
Arkadenpfeilern. Die herabgesetzte Flachdecke und zahlreiche Emporeneinbauten bedrücken. Bayerisch-schwäbischer
Übung folgend verzichtet der Bau auf ein Querschiff. Wieweit Einflußnahme durch die Hirsauer Klosterreform vorliegt, bleibe dahingestellt. Offenbar waren die beiden östl.
Joche, deren eines von massivem Tonnengewölbe überspannt
ist, als Mönchschor ausgeschieden; flache Wandvorlagen über
den Pfeilern deuten es an. Infolge des Dachumbaus sind die
Obergadenfenster verschwunden. Die 3 O-Joche der Seitenschiffe tragen Kreuzgratgewölbe, das südl. hat seine roman.
Apsisrundung behalten. Hell hebt sich der spätgot. Chorbau
von 1519 ab. Hohe Fenster lassen von allen Seiten das Licht
einströmen, und ornamental empfundene Wölbrippen, deren
Enden die Schnittpunkte übergreifen, verleihen diesem
Raumteil seinen frohen, gelockerten Charakter. – Hier ein
hervorragendes Werk ostschwäbischer Malerei: der Marienaltar des Hans Schäufelin von 1513. Sein Schüler Seb. Dayg
half bei der Ausführung mit. Der Flügelschrein zeigt in seiner Mitte die Marienkrönung über der Verehrung des Apokalyptischen Lammes, an den Flügeln Passionsszenen und
Heilige. Die Predella berichtet aus der Auferstehungs-
geschichte und verweist auf einzelne weibliche Heilige. –
Loy Hering schuf 1521 den Renaissanceaufbau des Sakra-
mentshäuschens, eine imposante 4geschossige Anlage, die
Szenen der Mannalese und des Abendmahls (nach Dürers
Großer Passion) umschließt. – »Melchior Schabert, Schreiner
zuo Werd [Donauwörth] 1519«, signierte das Chorgestühl,
das im Bauernkrieg 1525 schwere Verstümmelung erfuhr.

– Die Glasgemälde wurden 1527 gefertigt. – Aus der Zahl
der Steindenkmäler ist Loy Herings Auferstehungsrelief in
der von Tod und Stifter flankierten Ädikula hervorzuheben, 1521, und die Renaissance-Grabplatte des Hartmann
zu Lobdeburg 1542. Der Verstorbene steht in seiner Prunk-
rüstung stolz aufgereckt vor einer Flachnische; seine abge-
winkelten Ellenbogen überschneiden die reich gezierten Rahmenpfeiler. Hartmann von Lobdeburg, kündet die Umschrift, habe 958 das Kloster gestiftet: eine fromme Sage
ohne Beglaubigung.

Von der **Klosteranlage** hat das 19. Jh. nicht viel übriggelassen: einen
Torbau des späten 12. Jh. im N, der einst einen Wehrgang getragen
hat, und die »Neue Abtei« von 1521, ein schlichtes Bauwerk, südwestl.
der Kirche vorgelagert.

AURA b. Hammelburg (Ufr. – D 2)

Ehem. Benediktinerklosterkirche St. Laurentius

*Aus dem Besitz Herzog Ernsts von Schwaben (vom Stamme der
sog. jüngeren Babenberger) kommt Aura, nahe Kissingen an der
Saale, um 1015 an das Bamberger Bistum. 1108 errichtet Bischof
Otto I. das Kloster, das er mit Hirsauer Mönchen besetzt. 1113
kann die Kirche geweiht werden. Erster Abt ist Ekkehard, berühmt
als Historiograph, Kompilator einer (großenteils auf den Prior
des Bamberger Michaelsklosters Frutolf zurückgehenden) Welt-
chronik. – Bauern- und Markgräflerkrieg (1525, 1553) schädigen
das Kloster so schwer, daß es 1564 aufgehoben werden muß. Bischof
Julius erhöht die Kirchenmauern und fügt den Turm hinzu. 1668
wird die Klosterkirche Pfarrkirche. 1687 wird sie von ihrem »un-
nötigen Anhang«, d. h. von allen entbehrlichen Bauteilen befreit:
westl. um das Querschiff, östl. um die Hälfte des Chores und die
Apsiden verkürzt.*

Der erhaltene Torso ist eine roman. 3schiffige Basilika,
flach gedeckt, nur das östl. Joch des (8 Joche zählenden)
Mittelschiffs mit Halbtonne, die östl. Joche der Seitenschiffe
(über ihnen ehemals nach hirsauischer Übung die Türme)
mit Gratgewölben gedeckt. Die Arkadenpfeiler verbergen
unter Ummantelungen des 18. Jh. einen urspr. Stützenwechsel. Die Rekonstruktion des Kirchentorsos ergibt ein
W-Querschiff und 3 (entgegen hirsauischer Übung) parallel
gestellte Apsiden im O. – Das **Kloster**, an der N-Seite der
Kirche, mit 3 Flügeln den Kreuzhof umfassend, hat sich
nur in Teilen (W- und O-Flügel) erhalten. – Im 2. Jahr-

zehnt des 17. Jh. begann Bischof Gottfried v. Aschhausen
östl. des Klosters eine neue Klosterkirche zu bauen, die
aber mit kaum halb hohen Mauern unvollendet liegenblieb.

AYING (Obb.) → **München** (D 7)

BABENHAUSEN (B. Schw. – B 6)

*»Babinhusin« ist 1237 Burgsitz der Grafen von Tübingen. Nach
häufigem Besitzerwechsel geht es 1539 von den Rechberg durch
Kauf an Anton Fugger, der sich um großzügige Ausgestaltung
des Schlosses bemüht. 1803 wird Babenhausen Reichsfürstentum,
doch schon 1806 dem Königreich Bayern zugeschlagen. Sitz einer
Fuggerschen Hauptlinie.*

Die **kath. Pfarrkirche St. Andreas** (nördl. der Schloßanlage und mit
dieser verbunden) besitzt noch Chormauern des 15. Jh. Das breite,
durch 4 Freistützen gegliederte Schiff und die Chorwölbung sind barocker Umbau um 1715–20. Dieser Zeit gehört auch der Stuckdekor.
Schmerzliche Eingriffe brachte das 19. Jh., das im Schiff eine flache
Holzdecke einzog, Nebenaltäre beseitigte, den Hochaltar (von 1756,
mit einem Gemälde von Joh. Gg. Knappich 1680) reduzierte und vieler-
lei veränderte. In der vorderen Chormitte die von Anton Fugger um
1550 angelegte Familiengruft. – Aus dem sehr umfangreichen Inventar
der Kirche sei die Muttergottesfigur am südl. Seitenaltar genannt, um
1430, dem Hans Multscher nahestehend. An der O-Wand heraldischer
Rotmarmor-Epitaph 1551 für den 1560 gestorbenen Anton Fugger (wohl
aus der Steinmetzhütte Zwitzel, Augsburg). An der S-Wand 2 Rech-
berg-Grabdenkmäler, Sandstein, mit Darstellung der Verstorbenen,
wohl ulmisch um 1470. – Westl., der Kirche anliegend, verbindet ein
schmaler, um 1544 errichteter Gang mit dem Schloß.

Das **Schloß** ist ein ausgedehnter Komplex, im wesentlichen aus der Zeit
Anton Fuggers, 1541–46. Nur der »Rechberg-Bau« im S, mit steilen
Stufengiebeln, ist in seiner Substanz älter, 15. Jh. Der Fuggersche Architekt des 16. Jh. ist Quirin Knoll aus Augsburg. 1547 fertigt der
Münchner Hans Wisreuter hölzerne Kassettendecken, von denen etliche
erhalten sind. Auch ein 1546 anzusetzender Marmorkamin blieb aus
dieser Zeit. Das 17. und 18. Jh. trug Änderungen und Neuausstattungen
herein. Ist auch das (1845 vereinheitlichte) Äußere schlicht, so bewahrt
das Innere doch bedeutende Leistungen der Kunst und des Kunsthandwerks in reicher, hier im einzelnen nicht benennbarer Menge. **Fugger-
Museum.** – Ausgedehnter **Schloßgarten**, im 18. Jh. neu gestaltet. – Im
NO der Ortschaft **Friedhofskapelle** von 1722.

Südl.: KLOSTERBEUREN mit der **ehem. Franziskanerinnen-Klosterkirche**, einem Neubau von 1740/41 unter Verwendung älterer got. Teile
und guter Ausstattung aus der Mitte des 18. Jh.

BAMBERG (Ofr. – D 3)

902 als Sitz eines ostfränkischen Grafengeschlechts, der sog. älteren Babenberger, bezeugt, seit 973 durch kaiserliche Schenkung Besitz des Herzogs von Bayern, Heinrich d. Zänkers, entfaltet sich Bamberg rasch und reich unter dessen Sohn, Kaiser Heinrich II. Das entscheidende Jahr ist das der Erhebung zum Bistum, 1007, dessen auf Kosten Würzburgs (v. a.) und Eichstätts geschaffener geistlicher Sprengel etwa das heutige Oberfranken einschloß. Vom Gründer dem Schutze der Römischen Kirche unterstellt, konnte sich das Bistum aus dem Suffraganenverhältnis zum Mainzer Erzstuhl lösen und eine unmittelbare, im Grunde erzbischöfliche Stellung behaupten. Die reiche Güterausstattung griff weit über die Grenzen des Sprengels hinaus, konnte aber meist nur im Bereich der dichtesten Ballung, an Main und Rednitz, auf die Dauer gehalten und gemehrt werden. Nur hier, im »Radenzgau«, konnte, auf der Grundlage grafschaftlicher Rechte, der Ausbau eines reichsfürstl. Territoriums, eines Staates, des Hochstiftes Bamberg, gelingen. Die Konkurrenz einer starken Laienherrschaft, der Markgrafen von Schweinfurt (»jüngeren Babenberger«) und ihrer Erben, zunächst der Grafen von Andechs, Herzoge von Meranien bis 1248, dann der Burggrafen von Nürnberg, seit 1415 Markgrafen von Brandenburg, konnte allerdings nicht bezwungen werden, sie kostete dem Bistum, bei Anbruch der Reformation, mehr als die Hälfte seines Sprengels.

Ausgang der Siedlung ist die Grafenburg auf dem Domberg (»Burg« bis ins 18. Jh.). Die älteste Bürgersiedlung wird sich am Fuße der Burg, auf dem schmalen Streifen zwischen Berg und linkem Arm der Regnitz (Rednitz), dem »Sand«, annehmen lassen. Ihre Pfarrkirche ist die »Obere« am Kaulberg, der kaum später als der Sand besiedelt wurde. Die von den beiden Flußarmen umfaßte Inselsiedlung mit der alten (karoling.?) Martinspfarrkirche am O-Rande begann sich erst im Laufe des 12. Jh. dank Verlegung des Marktes hierher durch Bischof Otto I. zu entwickeln. Das Rathaus dieser neuen, entwicklungsfähigen Marktstadt stand am Platze der (1945 zerst.) Maut am Grünen Markt. Eine sehr alte (dörfliche) Siedlungszelle birgt sich in der »Teuerstadt«, jenseits, östl. des rechten Flußarmes, längs des »Steinwegs« (Königsstraße), der der S-N-Achse der Rednitz folgende Überlandverkehr passieren mußte. – Die dem Dome folgenden bischöflichen Kirchengründungen besetzten die Hügel nördl. und südl. des Domes bzw. der Marienkirche (Ob. Pfarrkirche) auf dem Kaulberg: Das Benediktinerkloster St. Michael und die Kollegiatstifte St. Stephan und St. Jakob; nur das letztgegründete St. Gangolf entsteht in der Niederung, weit drüben in der Teuerstadt. – Die geistliche Stadt breitete sich also oben, auf den Höhen (den »7 Hügeln«) aus, die bürgerliche unten. Die Bevorrechtungen der geistlichen Stadt, durch »Immunitäten« (Steuerfreiheiten), führte im Spätmittelalter zu

*Zusammenstößen mit der das »Mitleiden« der »Muntäter« for-
dernden Stadt, schwersten sozialen Erschütterungen der Bamberger
Geschichte, die, da sich der geistliche Teil als der stärkere erwies,
nur zu einer dauernden Schwächung des stadtbürgerlichen Teiles
führten. Die Immunitäten behaupteten sich bis ins 18. Jh. Bamberg
ist, nach dem vielzitierten Wort eines seiner schwedischen Okku-
panten, ein großer weitläufiger Ort gleichsam von unterschied-
lichen Städten. Erst die bayerische Landstadt (seit 1802) vereinheitlicht das Konglomerat.*

Die Stadt

Die verschiedenen Siedlungszellen heben sich als städtebauliche Sonderheiten auch heute noch deutlich ab. Auf den
Hügeln von N nach S: der Michelsberg (Klosterimmunität),
der Domberg (bischöfl. Immunität), der Jakobsberg (Stiftsimmunität), der Kaulberg (domkapitelsche) und der Ste-
phansberg (Stiftsimmunität). Kennzeichnend die lockere,
von Gärten durchsetzte Bebauung der in sich abgeschlossenen, von ihren aufragenden Kirchen beherrschten Immuni-
tätsbezirke; enger bebaut nur der von Kleinbürgern, auch
Häckern bewohnte, der hier herabkommenden Steigerwaldstraße anliegende Kaulberg. Dann der rechtlich zur Stadt
gehörige, gedrängt bebaute Sand zwischen den Hügeln und
dem inneren, wahrscheinl. schon im frühen Mittelalter künstlich geschaffenen (oder doch regulierten) Flußarm; aufschlußreich für die ältere Bamberger Siedlungsgeschichte,
daß sich hier, südl. der Sandstadt, die Dominikaner, Franziskaner und, hinter ihnen, die Juden ansiedelten; die Juden
wurden nach 1459 ausgetrieben, ihre Synagoge verwandelte
sich in die (jetzt profanierte) Marienkapelle an der Juden-
straße; die in die 70er Jahre des 13. Jh. zurückgehende
Franziskanerkirche wurde 1812 abgebrochen. – Jenseits, in
der Niederung zwischen den beiden Flußarmen die eigentliche Bürgerstadt. Ihre richtende Achse ist der Grüne Markt,
ein geräumiger Straßenmarkt, dessen westl. Ende die zweite
bedeutende Verkehrsader, die Lange Straße, entzweigt. Das
große Platzgeviert zwischen Markt und äußerem Flußarm,
der Maxplatz, ist erst spät durch den Abbruch der alten
Pfarrkirche St. Martin entstanden. – Jenseits des äußeren
Flußarms die Teuerstadt, stadtbürgerlichen Aussehens in der
tragenden Achse (Königstraße), bäuerlichen an deren Fort-
setzungen südl. und nördl. (Gärtnerviertel), bis auf die hier,
südl., eingesprengte ehem. Immunität von St. Gangolf mit

Stiftskirche und Kuriengürtel. – Rings um die Teuerstadt
greift die moderne Stadt wachsend, auf Kosten der Gärtner,
in die offene Talbreite hinaus.

Die Stadtlandschaft Bamberg, wie sie sich von einem der
sammelnden Blickpunkte, etwa am Austritt der Nürnberger
Straße aus dem Hauptsmorwald, panoramatisch erschließt,
ist eine der schönsten. Glückliche Nützung der geologischen
Fundamente: der Randhöhen des niedergehenden Steigerwaldes, deren höchste die Altenburg besetzt, die sich in Wellen, sanft, ohne Eile, herabsenken bis zu den auslaufenden,
auf- und abschwingenden Hügeln, deren jeder eine Kirchen-
krone emporhebt, am höchsten der »Mönchsberg« des hl.
Michael, den der etwas tiefer liegende Domberg doch dank
seines Türmegevierts überherrscht. Ein anderer Blickpunkt,
auf einer der Höhen, etwa der Altenburger, schwächt das Relief der vordergründigen Hügel und läßt sie mit der Talstadt
zu einer nur leicht gestuften, durch das warme Rot der alten
Dächer farbig getönten ausgebreiteten Stadtganzheit zusam-
menfließen, aus der sich doch immer noch, bindende Mitte,
der Dom des hl. Kaisers hebt. – Heinrich II. zog die Grundlinien dieser großen Stadtlandschaft. Aber Bamberg ist keine
romanische Stadt (wie Regensburg), auch keine gotische (wie
Nürnberg), sondern trotz der mächtigen Aufragungen des
Mittelalters, Dom und Obere Pfarrkirche, eine barocke, dank
der reichen, von den Schönborn-Bischöfen Lothar Franz und
Friedrich Karl gesteuerten Bautätigkeit des 18. Jh., die das
überdauernde Mittelalter zwar nicht gern, doch mit einem
erstaunlichen Verstehen in das eigene Planen einbezog.

Dom *(Tafel S. 160)*

*Heinrich II. beginnt 1003 oder 1004 eine doppelchörige Kirche, die
1012 als Domkirche St. Peter (W-Chor) und St. Georg (O-Chor)
geweiht wird. Der Neubau des 13. Jh. hat diesen Gründungsdom
bis auf die in einigen westl. Teilen erhaltene W-Krypta beseitigt.
Er besaß 2 Chöre über Krypten, ein westl. Querschiff und 2 östl.
Türme und gab den Grundriß (die Auswertung der letzten Grabungen wird genauere Rekonstruktionen ermöglichen) dem Neubau
weiter, der – wegen Brandschaden 1185 – unter Bischof Ekbert von
Andechs-Meranien (1203–37) ins Werk gesetzt wurde. Mit 95 m
Länge (gegenüber 75 m) übertraf er seinen Vorgänger, der auch in der
Breite weniger maß, beträchtlich. Im 2. Jahrzehnt beg., wurde er
schon im 4. zu Ende gebracht; die Weihe 1237 schloß ihn ab. Der
Bauverlauf darf so zurechtgelegt werden: 1. Ein Meister oberrhei-*

*nischer Schulung errichtet 1215–25 den O-Chor (doch ohne Wöl-
bung, die auch nicht in seinem Vorhaben liegt) einschl. der 3 den
Chor begleitenden Seitenschiffjoche und der flankierenden Türme
bis zu 4 Geschossen. 2. Er wird durch einen Meister burgundisch-
frühgot. Schulung abgelöst, der den Chor einwölbt, die O-Türme
vollendet und das Schiff aufführt. 3. Ihm folgt gegen Ende des
3. Jahrzehnts ein Zisterzienser, Baumeister-Bruder (Konverse) des
Steigerwaldklosters Ebrach, der in den typischen Formen zisterziensischer Frühgotik das Querschiff, den W-Chor bis zu den
Gewölbekämpfern, die W-Türme bis zu 3 bzw. (nördl.) 2 Geschossen und die dem S-Querschiff anliegende Sepultur errichtet. 4. Ihm
löst, um 1232, ein auf den Bauplätzen nordfranzös. Kathedralen
(Reims, Laon) geschulter »Gotiker« ab, der den noch offenen Chor
wölbt und die Türme vollendet; ihm, oder doch seiner Hütte,
gehört die große, statuarische Plastik. – Spätere Änderungen des
urspr. Baubestandes: Die durch Einsturzgefahr, 1274, veranlaßten
schweren Streben an den O-Türmen; die Aufstockung der O-
Türme, die Beseitigung der um die Helme der westl. gruppierten
4 Ecktürmchen (als Endigungen der Tabernakelstellungen an den
Turmecken), beide Maßnahmen durch J. M. Küchel 1766–68 ausgeführt, der auch die neuen kupferbeschlagenen Turmhelme (so
wesentlich geworden für das Stadtbild) aufsetzte. Nicht so positiv
sind die Eingriffe der von König Ludwig I. anberaumten Dom-
wiederherstellung (Purifikation) 1828 ff. zu bewerten, die das im
Lauf der Jahrhunderte angesammelte Inventar ausräumte, wenn
es sich nicht auf den gewünschten Stilnenner bringen ließ.*

Äußeres. Einheitlich wirkend trotz der Beteiligung mehrerer Bauhütten, deren erste noch spätroman. Formen verwendet. Trotz des (übrigens schon am O-Chor, im Bau-
bereich der 2. Hütte, aufkommenden) Spitzbogens weichen
auch die spätesten westl. Teile nicht vom Charakter roman.
Mauerschwere ab, und wenn die W-Türme aufgelockert,
vergleichsweise entschwert sind, so folgen sie doch in der
Lagerung ihrer Würfelgeschosse genau den östlichen. Der
aus dem Äußeren ablesbare Grundriß einer doppelchörigen
3schiffigen Basilika mit westl. (nicht östl.!) Querschiff und
Turmpaaren an den Flanken der Chöre – kein »moderner«
des Jahrhunderts – erweist sich dem des frühroman. Grün-
dungsdoms verpflichtet. Häufung der dekorativen Wirkungsmittel an der gegen Stadt und Tal gewendeten O-Seite,
insbesondere an der in 5 hohen Rundbogenfenstern und den
Drillingen der Zwerchgalerie darüber aufgebrochenen Chorapsis, die eine der glanzvollsten Leistungen des roman. Spätstils in Deutschland ist. Sparsam dagegen die Gliederung
des Schiffes: am Hochgaden lediglich die Reihung der Rund-

Bamberg, Dom
Westturm

bogenfenster (die zugesetzten lassen auf urspr. geplante Flachdecke schließen), an den aufwendiger gehaltenen Seitenschiffen eine Folge von Lisenen und ein gegen den des Hochschiffs bereicherter Fries; hier legt sich auch das prächtigste der 4 Portale vor. Das Querschiff ist von herber Großartigkeit, felsenhaft karg, zisterziensische Mönchsarchitektur. Dann aber wieder ein reiches Aufblühen in den W-Türmen, die man als Bildhauerarchitektur bezeichnen möchte (wie es ja auch wahrscheinlich ist, daß sie der »Reitermeister« erdacht hat); vorbildlich war einer der Türme der Kathedrale von Laon.

Die *Portale*. 2 an der O-Seite, in den Sockelgeschossen der Türme: Rechts die Gnadenpforte mit schmuckreichem Stufengewände, das ein mit ornamentaler und figürlicher Plastik ausgestattetes Kapitell- und Kämpferband von den Archivolten trennt; ein Hochrelief-Tympanon füllt die Lunette: Der in der Mitte thronenden Muttergottes sind links der hl. Petrus und Georg (die Dompatrone) und die kleine Figur eines Bischofs (der bischöfl. Bauherr, Ekbert), rechts das hl. Kaiserpaar Heinrich und Kunigunde und die kleine Figur eines Klerikers (vermutl. Dompropst Boppo von Andechs-Meranien) zugeordnet; der zu Füßen der Maria hingeworfene Adorant mit dem Kreuz auf dem Mantel ist wahrscheinl. auf den Bruder des Bischofs, Herzog Otto VII. von Meranien, zu deuten. Das Portal links, die Adamspforte, wurde als einfaches Pfeilerstufenportal mit im normannischen Zickzack gebrochenen Bögen wahrscheinl. im 1. Jahrzehnt des 13. Jh. angelegt und, um 1235, mit 6 Statuen besetzt, deren nächste Verwandte an der Kathedrale von

Reims stehen; sie stehen jetzt im Diözesanmuseum des
Kapitelhauses; am rechten Gewände standen: der hl. Petrus
und das Urelternpaar, am linken das hl. Kaiserpaar und der
hl. Stephanus; die einigende Idee: Gründer und Beginner,
nämlich der Gründer der Römischen, die Gründer der Bamberger Kirche, die ersten Menschen, der erste Märtyrer. Man
darf daran erinnern, daß der (jetzt vom Domkranz einge-
nommene) Platz im Mittelalter als Atrium, Paradies, bezeichnet wurde. Das dritte und reichste Portal, das Fürstentor, befindet sich, als zentraler und stets nur höchsten Fest-
tagen vorbehaltener Zugang, an der Langseite des nördl.
Seitenschiffs; noch von der ersten, spätroman. Hütte angelegt und aufgeführt, wurde es von der letzten, frühgotisch
vollendet, der das Tympanonrelief des Jüngsten Gerichts,
die beiden Statuen an den Portalflanken, Ecclesia und Synagoge, und die auf den linken Gewändekämpfer gesetzten
des Abraham und seines Posaunenengels gehören (die Statuen jetzt im südl. Seitenschiff, die Trägerdienste der Ecclesia und Synagoge mit den Relieffiguren des Ezechiel und
eines vom Teufel geblendeten – im Kopf ergänzten – Juden
an den Kapitellen noch in situ); die an den Gewänden der
Portalbucht stehenden Propheten und Apostel (auf den
Schultern der Propheten) sind noch mit den Stilmitteln des
Meisters der Gnadenpforte geschaffen, zeigen sich aber in
der Reihe rechts schon von der jungen Gotik berührt. Die
Veitspforte am nördl. Querschiff ist ohne bildnerischen
Schmuck; ihr Wirkungsmittel ist der Kleeblattbogen der
Zisterzienser.
I n n e r e s. Bestimmend die bedeutende Aufhöhung der
beiden, urspr. (bis ins 17. Jh.) durch Lettner abgeschlossen
Chöre, die durch die *Krypten* bedingt ist. Deren östliche
(Patron St. Johannes Bapt.), baugeschichtlich am Anfang
stehend, um 1210–20, ist 3schiffig, die 3 × 7 Joche, kreuz-
gewölbt, mit schweren Rippen und Gurten, ruhen auf starken Rund- und Achtkantpfeilern. Die westliche (St. Mauritius), ein Relikt des Heinrichsdomes, im 13. Jh. zugeschüttet,
ist nur fragmentarisch erhalten. Der *Ostchor* (St. Georg) besteht aus der rund geschlossenen Apsis, deren Halbkuppel
1928 durch K. Caspar ausgemalt wurde, und 2 quadratischen
Jochen mit einem 6- und einem 4teiligen Rippengewölbe.
Der Werkumfang der ersten, spätroman. Hütte reicht bis zu
dem das Sechserjoch teilenden Wandpfeiler, doch trifft die

spitzbogige Überwölbung schon auf die nächste, für das folgende Chorjoch und die 3 Joche des Hochschiffs verantwortliche burgundisch-frühgot. Hütte. Das zweite 4teilige
Chorjoch und die gleichförmigen 3 Joche des Hochschiffs
öffnen sich in je 2 Spitzbogenarkaden in die Seitenschiffe,
deren 3 östl. Joche wenigstens im Wandaufbau noch der ersten Hütte zuzurechnen sind. Pfeiler und Gurte trennen die
Joche, deren jedem 2 Seitenschiffsjoche entsprechen. Die
Fenster des Hochschiffs wie die der Seitenschiffe rundbogig.
Mit der dem W-Chor zugeschlagenen Vierung und den ihr
anliegenden Querarmen setzt, Mitte der 20er Jahre, die
zisterziensische Hütte ein (Altarweihe 1229 im S-Arm). Sie
führt den die – jetzt zugeschüttete – Krypta des Heinrichsdomes überhöhenden *Westchor* auf und überläßt allein
noch die Einwölbung der Chorjoche der letzten, etwa 1232
antretenden frühgot. Hütte. Das Querschiff wandgeschlos-
sen, karg, streng, doch durch kraftvoll plastische Gliederungen (Dienste, Rippen) und 2 Fensterrosen ausgezeichnet. Der
Vierung folgen 2 Schmaljoche und der 5seitig gebrochene
Chorschluß; die gebündelten, durch Tellerringe unterteilten
Dienste und die gedrängten, wie Schienen wirkenden Rippen
bestimmen den durchaus got. Eindruck.

A u s s t a t t u n g . *Die Steinbildwerke des 13. Jh.* An den
O-Chor von den Seitenschiffen trennenden Schrankenmauern je
6 Reliefdarstellungen der Apostel (südl.) und Propheten (nördl.);
Werk der ersten Hütte in der Apostelreihe, deren erste 3 Paare
(»Petrusreihe«) noch eng mit der Plastik der Gnadenpforte (und
der Zierplastik der Chorapsis) verbunden sind, deren letzte (»Pau-
lusreihe«) aber schon die lineare Bewegung der Faltenläufe zu
stärkerem, »leidenschaftlichem« Ausdruck steigern. Die Propheten-
reihe setzt, wenn sie sich auch noch gleicher Stilmittel bedient,
doch schon die Anwesenheit der letzten Hütte voraus; der berühmte Kahlköpfige (Jonas?) steht schon auf der Schwelle der
neuen statuarischen Plastik. Die Werke der sicher schon hier beteiligten got. Hütte an den Chorpfeilern des nördl. Seitenschiffs:
die Gruppe der Heimsuchung, Maria und Elisabeth (»Sibylle«),
formal abhängig von der »Visitatio« am W-Portal der Kathedrale
von Reims und doch unvergleichlich eigen, eines der Gipfelwerke
des »klassischen« 13. Jh. Die Gruppe des hl. Dionysius und des
ihm die Märtyrerkrone reichenden »lachenden« Engels. Das Grabbild des Papstes Clemens II. (Bischof Suidger von Bamberg). Die
Statuen wurden wahrscheinl. schon im 13. Jh. an diesen Plätzen
aufgestellt; Umgruppierungen (spätestens im 17. Jh.) zerrissen die
thematischen Zusammenhänge Maria-Elisabeth, Engel-Dionysius.

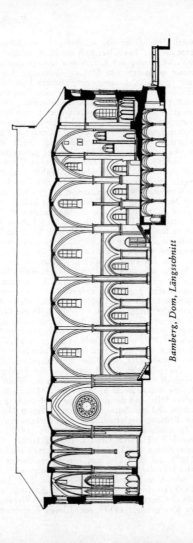

Bamberg, Dom, Längsschnitt

Am nordwestl. Chorpfeiler der »*Reiter*«, dessen Meister, wahrscheinl. Haupt der got. Bauhütte, auch die Heimsuchung geschaffen
hat; ideale Verkörperung des Ritters und Königs staufischer Zeit;
die Benennung hl. Stefan von Ungarn (Schwager Kaiser Heinrichs II.), seit rund 1700 bezeugt, durch neuere Umtaufen (König
Konrad III., der im Dome ruht, Philipp von Schwaben, der in
Bamberg 1208 ermordet wurde, Kaiser Konstantin, Heinrich II.)
nicht widerlegt. – Den Schrankenreliefs nächst verwandt das der
Verkündigung am südwestl. Chorpfeiler (urspr. am östl. Beginn
der nördl. Chorschranke) und das des hl. Michael am Beginn der
südl. Chorschranke. An den Chorpfeilern des südl. Seitenschiffs
die vom Fürstentor stammenden, 1937 hierher geborgenen Statuen
der *Ecclesia* und *Synagoge* (nur dem Straßburger Paar vergleichbar, doch erblühter noch), des *Abraham* (Abrahams Schoß) und des
Posaunenengels, ehemals auf dem Kämpfer des Portals. Auf dem
W-Chor die Tumba des Papstes Clemens II. († 1047), aus grauem
kärntnischem Marmor: an den Wandungen die Reliefdarstellungen
der 4 Kardinaltugenden und der Personifikation des Paradies-
flusses, des sterbenden Papstes und des hl. Johannes Bapt.; die
schon erwähnte Statue des Papstes im nördl. Seitenschiff war für
die Deckplatte eines die Tumba überhöhenden Baldachins gedacht.
Von gleicher Hand wohl auch die Grabplatte des Bischofs Gunther
(† 1065), auf der bis 1934 im O-Chor, jetzt in der O-Krypta
stehenden Tumba mit dem im Profil dargestellten Bischof; die
symbolischen Tiere in Tiefrelief sind noch frühromanisch. Eine der
Heimsuchungs-Maria gegenüber aufgestellte Muttergottes führt
schon ins spätere 13. Jh. (um 1260). – Um die Mitte des 14. Jh.
setzt die Reihe der *Bildgrabplatten* der Bischöfe ein (von einigen
älteren, wie der des Gunther und der von ihr abhängigen, aber
viel geringeren und wahrscheinl. auch nachmittelalterlichen der
Bischöfe Ekbert, 1237, und Berthold, 1275, abgesehen). Hervorragend vor allem die des *Friedrich v. Hohenlohe* (1352) am
3. Pfeiler des Mittelschiffs, Werk des Würzburger »Wolfskeelmeisters«, eine der stärksten Verkörperungen der Hochgotik; ihm
nahe der Friedrich v. Truhendingen (1366) an der Wand des nördl.
Seitenschiffs; die des Albrecht v. Wertheim (1421) an der gleichen
Wand, Weichen Stils, und die des Philipp v. Henneberg (1487) im
südl. Querschiff, »eckigen Stils«, Werk eines Mainzer Meisters; eine
Anzahl von Bronzegrabplatten, aus der Vischerschen Hütte in
Nürnberg, der Bischöfe: Georg v. Schaumberg (1475), von Hermann Vischer d. Ä.; Heinrich Groß v. Trockau (1501), Veit Truchseß v. Pommersfelden (1503), auf dem W-Chor; Georg Marschalk
v. Ebnet (1505), auf dem O-Chor, von Peter Vischer d. Ä. Die
nachmittelalterl. Epitaphien wurden bis auf einige wenige, wie die
des Georg Schenk v. Limburg (1518–21) von Loy Hering (W-
Chor, um 1833 (Domrestaurierung) in die Michaelskirche gebracht.
Zwischen den O-Chortreppen das *Grabmal Kaiser Heinrichs II. und
der Kaiserin Kunigunde*, 1499 ff. von Tilman Riemenschneider in

Solnhofer Kalk gearbeitet und 1513 auf dem Platze der Gräber (vor dem O-Chor) aufgestellt, 1837 in der Mitte des Schiffes; auf der Deckplatte die ruhenden Gestalten des Kaiserpaares, an den Wandungen Darstellungen aus der Legende: die Feuerprobe der hl. Kunigunde, die Auszahlung der Bauleute von St. Stephan aus leerer Schüssel, Heilung des am Stein leidenden Kaisers durch den hl. Benedikt, sein Sterben und seine Wägung durch den Erzengel; hervorragendes Werk des Würzburger Meisters, wenn auch, wahrscheinl., nach Visierungen des Bamberger Hofmalers W. Katzheimer. – *Chorgestühl*. Das des O-Chores ist ins früheste 14. Jh. zu setzen; 1835 ff. stark ergänzt, doch blieben die plastischen Teile, wie die sitzenden Figuren des hl. Kaiserpaares, die Ritter Georg und Mauritius (?), die Tiere und Monstren, intakt. Das etwas jüngere Gestühl des W-Chores, um 1380–90, Zeit und auch Stil der Parler, ist eines der besten der ersten Spätgotik; reiche Ausstattung mit Figürlichem, dessen auf das Heil der Seele gerichtete Inhalte sich nicht in jedem Falle eindeutig festlegen lassen. Mehrere spätgot. Altäre aus anderen Kirchen wurden erst in neuerer Zeit hierher versetzt, 1888 der Flügelaltar aus Mühlhausen von etwa 1510 (N-Querschiff), 1919 der aus Kirchgattendorf von etwa 1515 (N-Seitenschiff), zuletzt, 1937, der großartige, urspr. für die Nürnberger Karmelitenkirche bestimmte, dann in der Bamberger Ob. Pfarrkirche aufgestellte *Marienaltar* des Veit Stoß von 1523 (dat. und sign.). Von der im 19. Jh. ausgeschafften barocken Ausstattung konnte die große *Kreuzigungsgruppe* des Justus Glesker von 1648 ff. 1912 zurückerworben werden; jetzt über dem westl. Choraltar (urspr. auf dem Kreuzaltar vor dem O-Chor).

Annexe. Am S-Arm des Querschiffs die N a g e l k a - p e l l e , ehemals »Kapitel«, dann Sepultur. In den ersten beiden Doppeljochen Werk der zisterziensischen Bauhütte, in den folgenden Erweiterung von 1456. Die seit 1762 an den Wänden aufgestellten 97 Bronzegrabplatten von Domherren reichen vom späten 15. bis ins 17. Jh.; die spätgotischen meist Güsse der Vischerschen Hütte in Nürnberg, die auch einige des 16. Jh. beisteuerte. Der an der O-Wand stehende Altar mit dem Holzrelief der (im spätgot. Bamberg beliebten) Apostelteilung wird dem Bamberger Bildhauer Hans Nußbaum zugeschrieben, um 1500; die Predella ist älter, Relikt eines 1456 gestifteten Altars. – Der südl. angrenzende K r e u z g a n g des ehem. Domklosters spätgot., um die Wende des 14. Jh. errichtet, doch in der Wölbung erst gegen Mitte des 15. Jh. vollendet. Das Baujahr der ihrem W-Flügel aufgesetzten Andreaskapelle ist 1412. – Der Kreuzgang verwahrt als Lapidarium eine Anzahl bedeutender Steinbildwerke, meist des 14. Jh.

Schatzkammer. Der Domschatz reicht bis in die Gründungszeit des Bistums zurück. Das älteste erhaltene Inventar ist von 1127. Die Säkularisation hat den Bestand geschmälert; Kostbarstes heute in der Münchner Staatsbibliothek und in der Schatzkammer der Residenz. Aber immer noch großartig genug ist der verbliebene Bestand. Wir nennen: den Sternenmantel Kaiser Heinrichs (um 1000), den Mantel der Kaiserin Kunigunde (frühes 11. Jh.), die Dalmatika des Kaisers (11. Jh.), Schale, Lampe, Gürtel der Kunigunde (10. und 11. Jh.), das Grabtuch Bischof Gunthers (Mitte des 11. Jh.), den bronzenen Osterleuchter (um 1160), den Grabornat Papst Clemens' II., der 1951/55 restauriert und in den Schatz geborgen wurde (um 1040). Teile des Domschatzes jetzt im Diözesanmuseum des Kapitelhauses.

Der **Domberg** (»die Burg«) ist eine städtebauliche Einheit und vom Dom nicht abzutrennen. Die nach 3 Seiten abfallende Böschung schon im 11. Jh. bemauert; die (allseitig) erhaltenen Mauerzüge aber doch meist erst aus nachmittelalterl. Zeit (16.–18. Jh.). An den Mauerzug lehnt sich ein Ring von Domherrenkurien an, deren einige, wie die »Curia S. Elisabethae« (Domgasse 7), noch die ehemals allgemeine burgliche Abgeschlossenheit der einzelnen Höfe in ihren Vorwerken erkennen lassen. Eindrucksvoll die lediglich von Kurien besetzte Domgasse, reizvoll altfränkisch der Innenhof der ehem. Erthalschen (Nr. 11).

An der (nicht urspr.) platzgleichen Erweiterung der Ob. Karolinenstraße das in dieser sonst altfränkischen Umgebung prätentiös ansprechende **Erzbischöfl. Palais**, ein vermutl. von Küchel in den 1760er Jahren errichteter spätbar.-frühklassizist. Domherrenhof. – Die Straße, ehemals »In der Burg«, trifft wenig oberhalb auf die aus der Burg entlassende Torenge (Jakobstor), die durch 2 Kurien, den **ehem. Langheimer Hof** (im Kern mittelalterlich) und den in wirkungsvoller Schräge postierten **ehem. Markgräfl. Brandenburgischen** (um 1780), flankiert ist.

Die offenen Plätze um den Dom sind ursprünglich, nicht Freilegungen, wenn auch in der Erscheinung erst durch das späte 16. und vor allem das frühe und späte 18. Jh. bestimmt. Der östl. und nördl. dem Dom anliegende D o m - p l a t z (Karolinenplatz) liegt in der Umklammerung der beiden Hofhaltungen, der Alten im W und der Neuen im NO. An der offenen Seite, zur Stadt, begrenzt ihn die 1794 von Lorenz Fink erbaute, von G. J. Mutschele dekorierte, mit Seehofer Gartenfiguren von F. Dietz (Justitia) und M. Trautmann (Jahreszeiten) ausgestattete frühklassizist. *Brunnenmauer.*

Alte Hofhaltung. Erwachsen aus und über der Pfalz des 10./11. Jh., die mit der Gründung des Bistums an den Bischof überging. Der Saalbau der Pfalz, bildlich überliefert,

wurde erst 1777 abgebrochen. Mauerteile der ins frühe
11. Jh. zu setzenden oktogonen Pfalzkapelle St. Andreas
haben sich am SO-Eck erhalten. Der 1937 freigelegte untere
O-Teil der Thomaskapelle (bischöfl. Hauskapelle), im Erdgeschoß des nach 1185 aufgeführten, leider auch 1777 abgetragenen Turmes (»Hohe Warte«, an der Flanke des
Haupttors), reicht ebenfalls ins frühe 11. Jh. zurück; die
schöne reiche Weiheinschrift, Weiß auf Purpur, in der Apsis
deutet wahrscheinl. auf den Papstbesuch d. J. 1020. – Der
über der Ruine befindliche spätroman. Chor der **Katharinenkapelle** umfaßt 6 Kreuzgratgewölbe, die auf den
Würfelkapitellen zweier Säulen ruhen. – Die den Hof umschließenden Fachwerkflügel, die das einzigartige, im hohen
Grade malerische Bild der weitläufigen Anlage bestimmen,
entstanden unter den Bischöfen Philipp v. Henneberg (1475
bis 1487) und Heinrich Groß v. Trockau (1487–1501), dessen Verdienst die Inschrift des von Adam Krafft 1498 gemeißelten Wappensteins über dem Spitzbogentor des NO-
Flügels rühmt. Das Areal wurde damals um die Hälfte
(gegen N) erweitert. Der prächtige Renaissancebau der
»**Ratsstube**« wurde unter Bischof Veit von Würzburg 1570
bis 1577 nach Entwürfen des markgräfl. Baumeisters Caspar Vischer (s. Kulmbach, Plassenburg) vom bambergischen, Erasmus Braun, errichtet. Das bei seiner Höhe
schmale gequaderte Gebäude mit dem aus der Achse ver-
schobenen doppelgeschossigen Erker, dem zurückstehenden
Treppenturm, dem von Voluten begleiteten Giebel ist
durch die besten Eigenheiten einer schmuckfrohen deutschen Renaissance geprägt. Ein köstliches Ding ist auch die
Treppenspindel im Innern, das jetzt das **Heimatmuseum**
beherbergt. Das angrenzende, Tor und Törchen kombinierende Portal, dessen plastische Ausstattung, wie wohl auch
die des Ratsstubenbaues, der Bildhauer Pankraz Wagner
besorgte, bereichert noch einmal die reiche Baugruppe. Der
vom barocken, prätentiös fürstlichen Gegenüber zurückkehrende Blick wird den Reiz dieser »altdeutschen« Architektur um so eindringlicher empfinden lassen.

Neue Hofhaltung (Residenz). Ihre Geschichte beginnt mit
dem für Fürstbischof Joh. Phil. v. Gebsattel 1608 ff. nach
den Plänen des Nürnberger Ratsbaumeisters Jakob Wolf
d. Ä. aufgeführten Schloßbau gegenüber der (nun) Alten

Hofhaltung. Er umfaßt 2 Flügel, deren einer die Ob. Karolinenstraße begleitet, deren anderer nur mit seiner Giebelseite an sie herantritt, im stumpfen Winkel zur Richtungsachse der Straße. Die stilistischen Merkmale sind die kennzeichnenden der letzten deutschen Renaissance: geschlossene Wandflächen, sparsame Schmückung, vorherrschend horizontale Gliederungen; nur der Giebel (in der Blickachse des Domplatzes) sucht die horizontale Lagerung noch zu bestreiten. Dieses Schloß erschien dem 1693 ins Regiment tretenden Fürstbischof Lothar Franz v. Schönborn (seit 1694 auch Kurfürst von Mainz) zu dürftig; er setzte eine zunächst ins Auge gefaßte Kompromißlösung bald wieder ab und entschied sich für eine ausgreifende Neuanlage östl. der alten, die den Domplatz, zum wenigsten auf 2 Seiten, mit einheitlichen Trakten umschließen sollte. Die Idee fand die rascheste Verwirklichung: 1697 begonnen, steht die Schönbornsche Residenz schon 1703 unter Dach. Der Baumeister, Joh. Leonh. Dientzenhofer, erwies sich auch hier, wie bei den kurz zuvor begonnenen Klosterbauten von St. Michael und Banz, als ein sicherer Gestalter ausgedehnter Baumassen, und wenn die in sozusagen endlosen Fensterreihungen ablaufenden Fronten, die das Gesetz der 3 Ordnungen so genau erfüllen, auch etwas akademisch trocken sind, so muß die städtebauliche Leistung dieser mächtigen Blöcke doch hoch bewundert werden. Die nördl. Außenfront, unmittelbar über der Böschung der Burgmauer, monumentalisiert das Profil des Domberges; der um ein 4. Geschoß erhöhte O-Pavillon begrenzt wie ein Riesenpfeiler die gedehnten Trakte und tritt auch mit einer immer noch standhaltenden Wucht dem Koloß des Domes gegenüber. Erst dieser Residenzbau befreite den Platz von der kleinteilig mittelalterl. Bebauung und schloß seine noch burgliche Hofenge auf. – Das I n n e r e hält noch an den Raumdispositionen des 17. Jh. fest. Das Treppenhaus ist ohne den Anspruch der großen Treppenhäuser der nächsten Folgezeit. Die Treppenläufe legen sich um ein offenes Viereck, dessen Umfassungen die aufsteigenden Arkaden sind. Die Räume des fürstlichen Wohnens und Repräsentierens, im 1. und 2. Obergeschoß, reihen sich (ohne Enfilade) an den verbindenden Korridoren auf. Der große Saal, der »Kaisersaal«, in der Mitte des 2. Obergeschosses (des Mittelflügels) bescheidet sich mit der Geschoßhöhe.

Sehr bedeutend, teilweise hohen Ranges, die A u s s t a t t u n g. Die Stukkaturen meist von J. J. Vogel, Höchstleistungen im ausgebreiteten Werk dieses Bamberger Meisters, der sein Metier vorzüglich beherrschte. Die Gemälde im Kaisersaal vom Tiroler Melchior Steidl; sie weiten mit allen Mitteln der täuschenden Perspektive den bei geringer Höhe lang und breit gelagerten Raum und bedrängen ihn zugleich durch die aggressive Plastik der sich scheinbar aus den Flächen von Wand und Decke lösenden Körper. Die greifbare Plastik der Stukkaturen vollendet diese überreiche, überschwere, wahrlich barocke Dekoration. – Von der Hochstufe des Barock zur Spätstufe: den feinen zarten Stukkaturen der 70er Jahre von Ant. Bossi in mehreren Räumen des 1. Obergeschosses, im Spiegelzimmer oder im Kleinen Marmorsaal.

Die Residenz beherbergt jetzt eine vorzügliche (staatl.) **Gemäldegalerie** (auch Werke aus dem Gemäldebesitz der Stadt). – Der »Rosengarten« im Rücken des Haupttraktes bietet preiswürdigen Blick auf den Michelsberg. Feiner Gartenpavillon von der Hand J. M. Küchels.

Der kleinere Platz (früher »Hofplatz«) südöstl. und östl. des Domes, der mit seiner O-Apsis und der Estrade des »Domkranzes« (1508–10) einragt, wird einerseits von Kurien, andererseits vom **Kapitelhaus**, einem kostbaren Werke B. Neumanns (1731–33), begrenzt, das mit unaufdringlicher Würde die große Nachbarschaft des Domchors beantwortet; der nicht hohe 2geschossige Bau strafft sich in den Pilastern des flachen Risalits der Mitte und mildert seine französ. Noblesse in der verhältnismäßig schweren, von Lukarnen und Kaminen reizvoll belebten Dachhaube. Im Obergeschoß, neuerdings hier eingerichtet, das **Diözesanmuseum**. – Der Eckbau der östl. Kurienzeile, der **ehem. Stadionsche Hof** (Dompl. 1), von J. H. Dientzenhofer unter Beteiligung Neumanns 1739 errichtet, korrespondiert als ein die Platzöffnung festigendes Gewicht mit dem gegenüber aufragenden Pavillon der Residenz. – Die **ehem. Laurentiuskurie** (Dompl. 3) birgt in ihrem Rücken die an den Zwinger der Burgmauer gestellte Hauskapelle, deren spätroman. Apside Zeitgenosse des östl. Domchors ist. – Abschluß des Platzes südl. ist die von Küchel 1737 gebaute ehem. **Domdechantei.**

St. Michael

Ehem. Benediktinerkloster auf dem Hügel nördl. des Domes, neben diesem der stärkste Akzent im Stadtbild. Bischöfl. Gründung, doch sicher unter Anteil Kaiser Heinrichs II. Blüte im 11. und 12. Jh. Der Prior Frutolf († 1103) ist einer der großen Chronisten des Mittelalters. Bischof Otto d. Hl. führt die Hirsauer Reform ein; Restaurator des Klosters, wird er auch in dessen Kirche begraben (1139). – Im Aufruhr der Bürger gegen die stiftischen Immunitäten, 1435, schwer geschädigt, tritt das Kloster doch wenig später, in der 2. Hälfte des 15. Jh., unter dem bedeutenden Abt Andreas Lang, in eine Periode erneuter Kraftentfaltung. Seine letzte Hoch-Zeit fällt in die Jahre des Abtes Christian Ernst v. Guttenberg (1689–1715); sie wirkt fort bis ins späte 18. Jh. Die Säkularisation, 1803, vernichtet eine noch unerschöpfte Lebenskraft. Die Stadt erwirbt die Gebäude und belegt sie mit ihrem Spital.

Der 1021 geweihte Gründungsbau der Klosterkirche wird durch ein Erdbeben, 1117, vernichtet. Der zweite, Bischof Otto zu dankende Bau wurde 1121 geweiht: eine 3schiffige, in 3 Apsiden schließende Kreuzbasilika mit 2 Türmen westlich und, wahrscheinl., auch östlich. Der Otto-Bau muß (was wir aus Merkmalen seines Erhaltenen, i. ü. aus Abbildungen des Spätmittelalters erschließen) in den 30er Jahren des 13. Jh. (Ablaß 1238) Veränderungen erfahren haben. Der Chorbau wurde in den oberen Teilen erneuert, die O-Türme wurden abgetragen, die W-Türme neu aufgeführt; auch die Profile der Arkaden (Rundstäbe) müssen damals entstanden sein. Das Spätmittelalter, die ergiebige Zeit des Abtes Andreas, wölbte die O-Teile neu und beschaffte eine reiche (doch gänzlich verschollene) Ausstattung. Etwa 100 Jahre später, um 1570, entsteht, in posthum got. Formen, ein neuer Chorschluß. Dann nötigt ein Brand, 1610, zu weitgehender Erneuerung; vom Otto-Bau können nur die Arkaden des Mittelschiffs, das Querschiff und die Umfassungsmauern der Seitenschiffe übernommen werden. Die westl. Türme wachsen neu auf. Nachgeborene Gotik kennzeichnet diese Wiederherstellung; für das Netzrippengewölbe des Langhauses steht der Name des Italieners Lazaro Augustino zur Verfügung. 1617 sind diese Arbeiten abgeschlossen. – Die auf eine gründliche Um- oder auch Neugestaltung zielende Baucifer des anhebenden Barock blendet dem Außenbau die Fassade vor; Joh. Leonh. Dientzenhofer errichtet sie, 1696 ff. Sein Bruder, Johann, legt ihr 1723 Freitreppe und Terrasse vor. Er stellt auch die beiden Kapellen (Sakristei und Marienkapelle) in die östl. Winkel des Querschiffs und, wahrscheinl., die Hl.-Grab-Kapelle an die Stirn des S-Armes. Das Querschiff verliert seine Apsidiolen. Im Innern wird die Chorbühne erhöht und mit der zuführenden Treppe ausgestattet (um 1725). Was der geschonte alte Bau versagte, suchte die Ausstattung zu erreichen. Ihr voller Einsatz beschränkte sich auf Vierung und Chor, erzielte aber hier die reichste Verwandlung, ohne den alten (roman. oder nachgot.) Baukörper auszuschalten. Diese Ausstattung ist eine der glänzendsten des Rokoko.

Äußeres. 3schiffige Basilika mit östl. Querschiff und 2 W-Türmen, freiliegend bis auf die durch die Abtei verstellte N-Seite. Der roman. Otto-Bau, von einem Laien Richolf aufgeführt, folgt den Gewohnheiten der Hirsauer. O-Türme, auf die die gewölbten O-Joche der Seitenschiffe schließen lassen, sind anzunehmen; die W-Türme wird der Gründungsbau des 11. Jh. vermittelt haben. Der Chor staffelte in 3 Apsiden; 2 weitere traten aus den O-Wänden des Querschiffs. Der roman. Bau, Langhaus und Querschiff, wendet sich offen gegen S (Blickpunkt bei St. Jakob). Der 3seitig gebrochene nachgot. Chor, über unterfangender Sokkelterrasse schmal und steil aufwachsend, von den barocken

Augsburg. Dom, Südseite

Augsburg. St. Ulrich, Mittelschiff und Chor

Annexen, Sakristei und Marienkapelle, wie von breiten Streben flankiert. Die Fassade J. L. Dientzenhofers übergreift die Untergeschosse der Türme, die sich erst in ihren 3 oberen befreien. Gehoben durch die auf Freitreppe zugängliche, in prächtiger Kurve vor- und zurückschwingende Terrasse, strebt sie in 2 Geschossen empor: das Portalgeschoß breit gelagert, die Mitte durch starke Säulenpaare betont, durch Gebälk und Attika vom eingezogenen, durch einen dreieckigen Giebel beschlossenen Obergeschoß abgesetzt, zu dem der über die Mitte geschlagene Segmentbogen vermittelt; die sehr kräftige Körperlichkeit der Gliederungen wirkungsvoll unterstützt durch die kontrastierend einfachen Mauerwürfel der Türme und die kaum geschmückten Wandungen der anschließenden Klostertrakte. Die Nischenstatuen (Heinrich und Kunigunde, Benedikt und Scholastika, Maria) und der Erzengel auf der Giebelspitze sind Werke des Bamberger Bildhauers Joh. Kasp. Metzner, 1698, die beiden großen Schutzengel auf der Balustrade Leonh. Goldwitzers, 1723/24. – I n n e r e s. Die Abfolge der auf Rechteckpfeilern ruhenden Arkaden bewahrt noch roman. Raumfügung. Der durch Pilaster gegliederte Lichtgaden mit den hoch liegenden Spitzbogenfenstern ist Ergebnis der Erneuerung 1610–14. Nur das letzte (östl.) Joch, das, als »chorus minor«, durch hochgeführte Pfeiler und Schwibbögen abgesetzt ist, und das ausladende, 3 Quadrate addierende Querhaus kommen, einheitlich, aus der roman. Anlage herüber. Die nachgot. Decke, Tonne mit Stichkappen, von zarten Rippen übernetzt, erfreut durch den aufgemalten »Botanischen Garten«: fast 600 Pflanzenarten in treuer Wiedergabe. Der nach Hirsauer Gewohnheit urspr. kryptenlose Chor wurde erst 1725, durch J. Dientzenhofer, erhöht.

A u s s t a t t u n g   d e s   B a r o c k. Das frühe 17. Jh. gab die Orgelempore einschließlich des schönen Orgelprospektes. Die reizvollen Oratorien unter ihr mit den feinen Filigrangittern kamen um 1725 hinzu. Damals entstanden auch die 6 Seitenaltäre an den Arkadenpfeilern, deren plastische Teile L. Goldwitzer besorgte, erhielten Vierung und Chor die neue, so reiche Ausstattung, an deren Vollendung bis um die Mitte des Jahrhunderts gearbeitet wurde. In der Vierung der Sakramentsaltar, den die auf 2 seitlichen Läufen zugängliche Treppenestrade hinterfängt. Die dem Altar seitlich zugesellten mächtigen Figuren des hl. Kaiserpaares stammen, fraglich allerdings, ob auch im Entwurf, sicher aber in der Ausführung vom damals noch sehr jungen Joh. P. Benkert.

Das Theatrum sacrum des Chorraums, das ganz im Zeichen der
Engel steht, schirmt sich durch ein schmiedeeisernes Gitter ab. Ein
in der Fülle des Zierats unbeschreibliches *Gestühl* besetzt prächtig
die Flanken des Chorraums, nicht genug zu rühmendes Werk des
Schreiners H. E. Kempel und (Intarsien) des Ebenisten Servat.
Brikkart. Endlich, in der Brechung des Chorschlusses, aufsteigend
bis zur Wölbung, der *Hochaltar,* dessen groß entgegengehaltenes
Gemälde (des jüngeren J. Scheubel) der »Königin der Engel« und
den sie umschwebenden Chören der Engel selbst gewidmet ist.
Engel am Fuße des Rahmens und v. a. in der von Gott Vater ausgehenden Glorie des Aufsatzes, den wieder Engel mit Wand und
Wölbung verbinden; Werk des Fz. Schlott und (Gemälde) des älteren J. Scheubel, doch erst in den 40er Jahren vollendet. Beitrag
dieser späteren Zeit ist auch die 1751 ff. von Fz. A. Thomas Böhm
und G. A. Reuß geschaffene *Kanzel.* Nonplusultra einer wuchernd
blühenden, zuletzt im Aufbau des Daches aufrauschend zersprü-
henden Dekoration. Alles Figürliche, die Evangelisten unten, die
Kirchenväter oben und der kämpfende Erzengel zuhöchst, in den
Strom des Ornamentes eingeschlossen. – Ä l t e r e A u s s t a t -
t u n g. Mittelalterl. Herkommens: Das Grab des (1189 kanonisierten) hl. Gründer-Bischofs Otto; auf der unter der Chorbühne
stehenden Steintumba die liegende Gestalt des Heiligen, an den
von einem Tunnel (zum Durchkriechen) durchbrochenen Wandungen die Reliefdarstellungen der Muttergottes, der hll. Michael,
Otto, Heinrich, Kunigunde, Johannes Bapt., Stefan und Lorenz,
um 1430; eine um 100 Jahre ältere Bildgrabplatte des Heiligen an
der Wand hinter der Tumba. Ein hervorragendes Steinbildwerk
der hohen Gotik ist der in die Zeit des Abtes Walther, 1334–50,
zurückgehende Erbärmde-Christus, dem in den 20er Jahren des
18. Jh. die ausgezeichnete, Frz. Ant. Schlott zugeschriebene Mater
Dolorosa (Holz mit Stuckverkleidung; Fassung neu) beigeordnet
wurde (N-Arm des Querschiffs). – Die *Epitaphien der Bamberger
Bischöfe,* im südl. Seitenschiff, standen bis 1833 im Dom: 1. W. v.
Redwitz, 1558, von Hans Polster; 2. J. Ph. v. Gebsattel, 1611,
von Mich. Kern; 3. J. G. Zobel v. Giebelstadt, um 1580, von Hans
von Wemding; 4. E. v. Mengersdorf, 1596, von Hans Werner;
5. M. O. Voit v. Salzburg, 1659, von Matth. Seber, nach Entwurf
Justus Gleskers; 6. N. v. Thüngen, 1610, von Mich. Kern; 7. V. v.
Würtzburg, 1580, von Hans von Wemding; 8. F. K. v. Stadion,
um 1757, von einem der Würzburger Auvera; 9. A. Fr. v. Seinsheim, 1779/80, von Martin Mutschele und Friedr. Theiler; 10. J.
Ph. v. Frankenstein, um 1753, von Mart. und Jos. B. Mutschele.

Annexe. Neben der M a r i e n k a p e l l e , an der Chorflanke, südl.,
mit guter Ausstattung im Stil des frühen Rokoko, die eigenartige, an
den südl. Querarm anschließende H l . - G r a b - K a p e l l e , die in
den 20er Jahren des 18. Jh., wahrscheinl. von Joh. Dientzenhofer, auf
dem Platze der Sepultur, aufgeführt wurde. Der originale Aufbau des
Grabes, das den quadratischen, überkuppelten Raum fast ganz einnimmt,

darf dem älteren Mutschele, Joh. Georg, zugeschrieben werden. Die
ausgezeichneten Stukkaturen der Decke – Thema ist ein »Totentanz«,
den auch die Malereien illustrieren – leistete Martin Graß.

Klostergebäude. Die Haupttrakte umschließen einen der
N-Seite der Kirche anliegenden Rechteckhof, dessen Länge
der des Schiffes entspricht; nur der N-Trakt stößt nach beiden Seiten, östl. und westl., über diese Ausdehnung vor.
Westl. vor der Kirche der gegen sie ansteigende große Wirtschaftshof, durch dessen W-Flügel – hier die beiden Tore –
der klösterliche Bereich betreten wird; er umfaßt ein unregelmäßiges Viereck. Diese schon in ihren Dimensionen
großartige Anlage entstand in allen wesentlichen Teilen
unter dem Abt Christ. Ernst v. Guttenberg, der unter die
bedeutendsten Bauherren der Zeit zu stellen ist. Sein Baumeister war Joh. Leonhard Dientzenhofer, der 1696 ff. die
mächtigen Trakte nördl. der Kirche aufführte. Nach seinem
Tode (1706) löste ihn der Bruder, Johann, ab, der den kurzen Kanzleitrakt südl. der Kirchenfassade errichtete und
diese den Hof beherrschende Fassade mit der sie von unten
her vollendenden, so wirkungsvollen Treppenterrasse ausstattete. Nach seinem Entwurf entstand auch der *Brunnen*
(1710, von J. N. Resch): in Kurven schwingende Beckenbrü-
stung, ein Merkur auf der Säule; er stünde glücklicher, isolierte ihn nicht eine unnötige Rasenfläche. Die Trakte des der
Wirtschaft dienlichen Hofes entstanden in den 20er und 30er
Jahren; gegen Ende der 40er Jahre, spätestens, sind sie fertig. Der Anteil B. Neumanns, den der Fürstbischof Friedrich Karl v. Schönborn zuzog, bedarf noch der Klärung.
Gegen Ende der Hauptbauzeit, 1743, entstand auch das
wahrlich preiswürdige kleine *Portal* an der Außenseite des
S-Traktes, das auf steiler schmaler Treppe von der Michels-
berger Straße her zugänglich ist: seitlich, in Nischen, die
Statuen des hl. Kaiserpaares und darüber, im Giebel, St.
Michael, mit rauschenden Schwingen über dem niedergeworfenen Unhold. – Die Klostertrakte bergen noch eine Fülle
vortrefflicher Raumdekorationen. Hinweise müssen genügen.
Genannt seien: das Refektorium (Deckengemälde von Seb.
Reinhard, 1714/15, Stukkaturen von J. J. Vogel), die Zimmer des Abtes, die Kapelle (Deckengemälde von C. C. Castelli 1699, Stukkaturen von G. B. Brenno 1700).

Der Komplex der Klostergebäude ist an den Böschungen
von **Terrassen** und **Gärten** umgeben, einer Natur und

Kunst mischenden Rand- und Rahmenzone, in der sich erst
die schöne Gesamtheit »Michelsberg« vollendet. Eine Stützmauer tritt gegen die unten, nördlich, vorbeiziehende Gau-
stadter Straße vor, über der ein Pavillon steht, anmutig
auf chinesische Art bekuppelt, 1751/52 wahrscheinl. von
Küchel errichtet. Die große Terrasse östl. der Kirche, zwei-
fach gestuft, und der Garten unter ihr entstehen nach 1759.
Die beiden Achteckpavillons (von L. Fink), die, an die
Böschung gestellt, den Garten zwischen sich nehmen, festigen den grünen Gürtel. – Der Blick von der unteren (zugänglichen) der beiden Terrassen umgreift die Stadtlandschaft. Der Domberg insbesondere präsentiert sich hier unvergleichlich; die Blöcke der Residenz treten in ihrer
Mächtigkeit hervor. Sie erwuchsen in der gleichen Zeit wie
die großen Trakte des Klosters, unter der Hand des gleichen Meisters, Joh. Leonh. Dientzenhofer, der kaum je eine
durch die Idee überraschende Architektur erfand, aber un-
trüglich sicher große Baumassen zu beherrschen wußte.

St. Getreu (St. Fides). Propstei des Klosters St. Michael, 1124 durch
Bischof Otto errichtet. Die Barockkirche entstand 1670 (Schiff) und 1732
(Chor). Reiche, originelle Ausstattung, plastischen und dekorativen
Teils meist von Fz. Schlott. Der Maler der vorzüglichen Fresken ist noch
nicht sicher ermittelt. Hochaltar von 1733, mit spätgot. Muttergottes.
Der sehr eigenartige Dreifaltigkeitsaltar von G. A. Reuß. In der nordöstl. Seitenkapelle die ausgezeichnete steinerne Grablegung, 1500. Gleichzeitig die steinerne Kreuzigung, Endstation des bis St. Elisabeth am
Sand beginnenden Kreuzwegs, des ältesten, der sich erhalten hat, Stiftung des Heinrich Marschalk v. Rauheneck, dem auch der Nürnberger
des Adam Krafft verdankt wird, Anfang 16. Jh. Beste Leistungen auch
die 8 Holzreliefs der Passion von 1493 an der N-Seite der Kapelle,
Relikte des spätgot. Hochaltars der Michaelskirche, wahrscheinl. von
der Hand des Bamberger Malers Ulrich Huber.

St. Jakob

*Um 1070 westl. des Domes, »extra urbem« (außerhalb der Burg),
von Bischof Hermann als Kirche eines Chorherrenstifts gegr., wenig später vom Gründer an das Kloster St. Michael übertragen,
doch bald der urspr. Bestimmung zurückgegeben. Die noch unvollendete Kirche wird von Bischof Otto I. zu Ende gebracht und
1109 bzw. (W-Krypta) 1111 konsekriert. Der Gründungsbau war
eine 3schiffige Basilika mit 2 Chören und Krypten, westl. Querschiff und 2 O-Türmen. Erhalten: Querschiff, Langhaus, O-Chor
und Erdgeschoß des S-Turmes. Eine wahrscheinl. umfänglicher geplante Erneuerung des 13. Jh. betraf lediglich die Untergeschosse
des N-Turmes; er trägt am 2. Geschoß das als frühes Denkmal der
Heraldik bemerkenswerte Wappen der Meranier, das nur auf den*

Stiftspropst Boppo von Andechs-Meranien (Bischof 1237–42) be-
zogen werden kann. Wahrscheinl. in der 1. Hälfte des 15. Jh. wird
der roman. W-Chor durch den gotischen ersetzt. In gleicher Zeit
werden wohl die Obergeschosse des N-Turmes aufgesetzt. 1491
entsteht die dem W-Chor zugeordnete südl., wenig später die
nördl. Sakristei. 1771 wird der S-Turm bis Dachhöhe abgetragen,
die Fassade vorgeblendet, das Innere barockisiert. Das damals
eingezogene Lattengewölbe mußte, bis auf das der Vierung, ge-
legentlich der purifizierenden Wiederherstellung, 1866–82, wieder
einer Flachdecke weichen.

Ä u ß e r e s. Die roman. Teile, Langhaus und Querschiff,
schmucklos, nur durch die Aufreihung der Rundbogenfenster
belebt. Auch der spätgotische, durch die Streben gegliederte,
in 5 Seiten des Achtecks schließende Chor treibt keinen Aufwand. Die wahrscheinl. nach Entwurf des Würzburgers Joh.
Mich. Fischer gebaute Fassade, die in 2 Würfelgeschossen
aufsteigende got., 1737 bekuppelte Turm überragt, hält sich
an das Schema der Bamberger Barockkirchen, kühlt es nur
klassizistisch ab. Wirkungsvolle Mitte ist der in die große
Nische des Obergeschosses gestellte hl. Jakobus des Ferd.
Dietz. – I n n e r e s. Die klaren Raumkuben der Schiffe
drücken vollendet den roman. Stilwillen aus, der auf eine
einfache, sparsame Monumentalität gerichtet ist. Der gleichförmigen Reihung der monolithen Säulen (Buntsandstein)
mit starken Basen und Würfelkapitellen entspricht die Fensterreihung des Hochgadens. In gleicher Weise streng und
einfach das Querschiff in seinen ausladenden Flügeln, deren
O-Wände in Apsidiolen ausbuchten. Anlehnung an den frühroman. Dom darf vermutet werden. Die von einem schmalen Vorjoch eingeleitete östl. Chorapsis ist in einen rechteckigen Stirnblock eingemuldet, der auch die Untergeschosse
der Türme einschließt. Das des südlichen (in den oberen
Geschossen abgetragenen) ist noch von der roman. Halbtonne gedeckt. Das des nördlichen (Eingangshalle) deutet in
seinen kraftvollen plastischen Diensten und Rippen auf die
um 1220 tätige Dombauhütte.

A u s s t a t t u n g. Sie ist, bis auf das Gemälde der barocken
Vierungskuppel, neugotisch (1867 ff.). Die früher im nördl. Querarm befindlichen 2 Bildteppiche mit Kreuzigung und Grablegung,
wahrscheinl. Arbeiten der Dominikanerinnen vom Hl. Grab, 1470,
sind jetzt im Diözesanmuseum (Domkapitelhaus) aufzusuchen; die
sehr gute Glorienmuttergottes ist mit rund 1460 anzusetzen. Die
dem S-Arm des Querschiffs anliegende Josephskapelle, urspr. Ka-

pitelsaal des Stifts und, sub titulo Mariae Magdalenae, Sepultur
(vgl. Dom, Nagelkapelle), geht in der Anlage ins 12., in der
Mauer wohl ins 13. Jh. zurück.

Karmelitenkirche

Auf der Höhe des Kaulbergs, seitl. der nach Würzburg führenden
Steigerwaldstraße, entsteht in der 1. Hälfte des 12. Jh. durch das
Domkapitel ein Hospital mit Kapelle St. Theodor, die sich dank
Stiftung der Pfalzgräfin Gertrud v. Stahleck 1157 in ein Zister-
zienserinnenkloster verwandelt. An die Stelle des 1554 aufgelösten
Nonnenkonvents treten 1589 die Karmeliten, die seither (mit Un-
terbrechung 1803–1902) Kirche und Kloster besitzen. – Die Kirche
der Zisterzienserinnen aus dem Anfang des 13. Jh., von der sich
die W-Fassade und westl. Teile der Umfassungsmauern erhalten
haben, kann als 3schiffige, 6jochige Basilika mit Emporen über den
Seitenschiffen, östl. Apsiden und 2 W-Türmen rekonstruiert wer-
den. Barocker Umbau durch Joh. Leonh. Dientzenhofer seit 1694;
der Chor wird nach W verlegt; an die Stelle des urspr. Chores
tritt die Fassade.

Ä u ß e r e s. Einheitlich barock, bis auf die ehemals gegen
die »Sutte« gewendete Fassade des frühen 13. Jh., die durch
ein Stufenportal mit normannischem Zickzackprofil und
seitlich angeordneten Löwenpaaren ausgezeichnet ist. Die
Stirnwand, ab Fensterhöhe, und der südl. Turm, offenbar
nach längerer Bauunterbrechung, erst zu Anfang des 14. Jh.
vollendet; der N-Turm wurde 1819 abgetragen. Die in
einem flachen Relief gehaltene, nur im Mittelabschnitt
stärkere plastische Akzente aufnehmende 2geschossige Fassade – mit Statuen von Leonhard Goldwitzer in den Nischen – steht im rechten Winkel zu einem südl. **Klostertrakt**
(Bibliotheksbau), der, um 1593 errichtet, 1675/76 früh-
barock überholt wurde und den Vorplatz sehr gut räumlich schließt. – I n n e r e s. Ein heller, weiter Raum ohne
dekorativen Aufwand im umschließenden Mantel. Das
3jochige kreuzgewölbte Langhaus wird von hohen und
tiefen Seitenkapellen begleitet. In Stuck aufgetragene Pilasterpaare und ein stark ausladendes Kranzgesims, auf
dem die Gewölbe fußen, gliedern den Aufriß. Der eingezogene, vergleichsweise schmal und steil wirkende Chor
von Emporen flankiert. Die Ausstattung wurde nach der
Säkularisation zerstreut. Kanzel und Josephsaltar (zurückerworben) vom älteren Goldwitzer, dem angebl. die Söhne
des J. G. Götz zur Seite standen. – Der K r e u z g a n g
auf der S-Seite ist, bei aller Verstümmelung, immer noch

hohen Lobes würdig. Lange für ein Werk des 13. Jh. gehalten, auf das ja auch die wesentlichen Merkmale hindeuten, kann nun doch kein Zweifel daran bestehen, daß erst das späte 14. Jh. (die einem Kapitell des S-Flügels eingemeißelte Jahreszahl 1392 dürfte, wenn auch nicht authentisch, einen Anhalt bieten) in enger Anlehnung an die Spezifika spätroman. Kreuzgänge diese also romantisch-retrospektive Architektur geschaffen hat. Die reiche, stilistisch eindeutig spätgot. Kapitellplastik – Laubwerk und, mehr noch, Figürliches aus vielen Sinnbereichen – läßt keine andere Deutung zu. Nächst Verwandtes in der Bauplastik am Chor der Oberen Pfarrkirche. Die schönen Arkadenreihen mit ihren schlanken, einzelnen und gepaarten Säulen wurden, im O-Flügel, schon gelegentlich der spätgot. Einwölbung 1466 durch die in sie eingestellten Stützpfeiler empfindlich gestört; weitere Störungen durch Einwölbung oder Umbau im späten 17. und um die Mitte des 18. Jh., grobe Mißhandlung (durch Ausbrechen von Säulen) im 19. Im O-Flügel noch einige Reste des alten roman. Kapitelsaals: Bogenöffnungen (Eingang und Fenster).

St. Stephan, ehem. Kollegiatstiftskirche (seit 1807 ev. Pfarrkirche)

Wahrscheinl. Gründung des ersten Bischofs, spätestens um 1009, doch wohl im Auftrag König Heinrichs und mit Anteilnahme der Königin Kunigunde, in der das Stift seine Gründerin verehrte; feierliche Weihe in Anwesenheit des Kaisers durch Papst Benedikt VIII., 1020. Der durch die Um- und Neubauten des 13. und 17. Jh. verschwundene Urbau gab wahrscheinl. den Grundriß (griech. Kreuz) an die Nachfolgebauten weiter. Aus dem 13. Jh. (Zeit des Dombaues) steht noch der 5geschossige, Rundbogenfriese und Spitzbogenfenster kombinierende Turm, der die oberen Geschosse der Dom-O-Türme voraussetzt. 1628 ff. wurde die heutige Kirche aufgeführt, von Giov. Bonalino, doch wahrscheinl. nach Entwürfen des markgräfl. Baumeisters Val. Juncker. Nach vollendetem Chor erzwang der Krieg längere Unterbrechung. Erst 1658 konnte der Bau wiederaufgenommen werden. Doch entschloß man sich, das 1658–62 mangelhaft errichtete Langhaus wieder abtragen zu lassen und mit A. Petrini abzuschließen, der 1677 ans Werk ging und 1680 fertig wurde. Die Ausstattung zog sich allerdings noch hin, und die Weihe geschah erst 1717.

Ä u ß e r e s. Der Grundriß nähert sich dem griech. Kreuz. Die antikische Gliederung (dorische Pilaster) gab Bonalino am Chor an und an Petrini weiter, der seine Eigenart der

schweren wuchtigen Fassade mitteilte. – I n n e r e s. Der in
5 Achteckseiten geschlossene Chor Bonalinos ist noch durch
den Spitzbogen bestimmt; die vortrefflichen Stukkaturen
entwarf der Bayreuther Abr. Graß. Schiff und Querschiff
zeigen die wie stets durch eine kraftvolle Plastik ausgezeichneten Gliederungen Petrinis. Die geplante Vierungskuppel
kam nicht zur Ausführung. Die ab 1683 aufgetragenen
Stukkaturen gehören mehreren Italienern und dem Bamberger J. J. Vogel, der einen Teil des Langhauses und die Vierungskuppel (Steinigung des Titelheiligen) dekorierte. –
J. G. Götz schuf das prächtige Orgelgehäuse, 1695.

Obere Pfarrkirche am Kaulberg

*Eine Kapelle oder Kirche besteht hier wohl schon im 10. Jh., wenn
auch erst Mitte des 12. Jh. bezeugt. Das Langhaus des bestehenden
Baues wurde wahrscheinl. 1338 begonnen und 1378 (oder 1387?)
geweiht. Der sehr großartige Chor wuchs wahrscheinl. erst in den
90er Jahren auf – Grundsteinlegung, wenn die Inschrift des Sakramentshauses so gedeutet werden darf, 1392 –, er wurde, nach Ausweis der Wappenschlußsteine, im 3. Jahrzehnt des 15. Jh. vollendet. Auch der Turm, in den beiden unteren Geschossen wohl um
und nach Mitte des 14. Jh. geschaffen, dürfte erst in dieser Zeit
(bis auf den 1535 in Holz aufgesetzten Kopf) zu Ende gebracht
worden sein. – Barocke Restaurierung 1711–13, ausgeführt vom
Stukkator J. J. Vogel. Die Chorbedachung, urspr. mit westl. Giebelschluß, wurde 1767 abgeändert.*

Ä u ß e r e s. 3schiffige Basilika mit das Langhaus stark
überragendem Chor und einem hohen, 5geschossigen Turm
an der SW-Seite der Fassade. Diese wie auch die Flanken
des Langhauses von einer an Bettelordenskirchen gemahnen-
den Schlichtheit. Um so wirkungsvoller die Friesbordierun-
gen des Turmes, deren Aufwand sich in den oberen Geschossen verdoppelt. Statt eines Spitzhelmabschlusses kam es im
16. Jh. zu dem Provisorium der in Holz ausgeführten, mit
kleiner Kuppel bedachten Türmerstube. Die dem nördl. Seitenschiff vorgelegte, die herbe Fassade freundlich schmük-
kende Ölbergkapelle kam 1502 hinzu. Die der Kaulberg-
straße zugekehrte N-Seite des Langhauses weist als reizvolles
Schmuckstück die Ehepforte auf, die um 1360 hinzugefügt
wurde; an den Gewänden die Klugen und die Törichten
Jungfrauen, im Tympanon Himmelfahrt und Krönung
Mariae. Gegen die Kargheit des Langhauses setzt sich der
über der Abschüssigkeit des niedergehenden Berges mächtig

aufragende Chor im Sinne des Wortes prachtvoll ab. Das
Dekorum, Fialen, Krabben, Friese, läßt nur wenig Fläche
unbeschrieben. Aus dem in 9 Seiten eines Sechzehnecks gebrochenen Umgang wächst steil, von offenen Strebebögen
gestützt, der Hochchor; daß der auch steil gebösche Sattel-
walm dem 18. Jh. (Küchel) angehört, muß man wissen. Der
Stil dieses für das Stadtbild Bambergs so bedeutungsvollen
Chorbaus verweist auf die Parler-Kunst Böhmens. – I n -
n e r e s. Das Hauptschiff hat durch die den Querschnitt
zugunsten der Breite und der Horizontale korrigierende
barocke Restaurierung den mittelalterl. Charakter verloren.
Die Pfeiler waren urspr. achtkantig, die Arkaden und Fenster selbstverständlich spitz, die Decke war wohl anfänglich
flach (wie es die der Seitenschiffe noch ist), die fran-
ziskanische Haltung unterstreichend; doch ging der barokken Wölbung schon eine Holztonne voraus. Das die Wölbung überziehende Stukkaturengespinst gab J. J. Vogel, die
Fresken (Joh. Jak. Gebhards) mußten 1886/87 modernen
weichen. Der Chor, zwar im Hochschiff auch von der Hand
des barocken Restaurators erfaßt, hat doch die alten Fenster
und Gewölbeformen bewahren können. Dieses 3jochige,
3seitig geschlossene Chorschiff liegt in der Umfassung eines
9seitigen Umgangs, der noch um eine zwischen die »eingezogenen« Streben gelegte Kapellenreihe erweitert ist. Hier,
im Umgang, liegt die spätgot. Struktur noch frei. Der Umgang erreicht nicht die Breite der Seitenschiffe. In den Wappen der Schlußsteine der wechselnd 3- und 4seitigen Wölbfelder hat sich das (die Pfarre besitzende) Domkapitel der
20er Jahre des 15. Jh. verewigt.

A u s s t a t t u n g. Der mächtige, die Sicht in den Chorschluß
versperrende Hochaltar, vom Fürstbischof Lothar Franz v. Schönborn gestiftet, wurde 1710–13 nach dem Entwurf eines Karmeliten Leopold ausgeführt; er beherbergt in der Mitte eine vortreffliche sitzende Muttergottes von etwa 1330 (Gnadenbild). Die
beiden Altäre am Chorbogen annähernd gleichzeitig (1711–17).
Die Kanzel älter, 17. Jh., doch 1712 bereichert; im Deckelaufbau
eine Muttergottes des frühen 16. Jh. – Das hervorragende Gemälde, *Christi Himmelfahrt*, an der W-Wand des südl. Seitenschiffs, sehr wahrscheinlich ein Werk Tintorettos der 40er Jahre
des 16. Jh.; der bis 1937 hier, vor der W-Wand, stehende Marienaltar des Veit Stoß von 1523 (seit 1543 in Bamberg) jetzt im Dom.
Im Chorumgang, in der 6. Kapelle, das aus der Bauzeit des Chores
stammende, 1392 dat. Sakramentshaus mit einer Fülle von Bild-

werk: unten Grablegung, in den Nischenreihen die Apostel und die Evangelisten, oben Jüngstes Gericht. Spätmittelalterlich: Taufstein in der 13. Chorkapelle mit den Reliefdarstellungen der Taufe Christi und der 7 Sakramente an der Holzverschalung, feinen und originellen Arbeiten aus dem 2. Jahrzehnt des 16. Jh. von typisch bambergischer Art. Hl. Anna im Wochenbett, Holz, Ende 15. Jh.; Himmelfahrt und Krönung Mariae, um 1500 (beide Werke im Umgang). An den Pfeilern von Chor und Langhaus Holzfiguren, Christus, hl. Christoph und die Apostel, 1480/81 datierbare Arbeiten des Bamberger Bildschnitzers Ulrich Widmann. – Der große Holzkruzifixus am Choräußeren ist in die 20er oder 30er Jahre des 16. Jh. zu setzen.

St. Martin

Ehem. Jesuitenkirche, auf die Titel und Rechte der 1804 abgebrochenen Pfarrkirche (auf dem Maxplatz) übergingen. Die Jesuiten kommen 1620 nach Bamberg, um die Leitung der 1580 begr. Schulanstalten, Gymnasium und Seminar, zu übernehmen. Die bis 1589 von den Karmeliten bewohnten Gebäude an der (später so gen.) Jesuitengasse werden 1689 ff. von Grund auf erneuert. Auf einem jetzt hinzuerworbenen Grundstück am Grünen Markt beginnt gleichzeitig die Kirche zu entstehen. Georg Dientzenhofer gibt die Pläne, Joh. Leonhard, der Bruder, mit dem die altbayerische Baumeistersippe der Dientzenhofer in Bamberg Fuß faßt, führt sie aus. Um 1690 ist die Fassade vollendet, 1693 findet die Weihe statt.

Der bis auf den halbrunden Chor rechteckig umrissene starke Quaderbau, auf 2 Seiten eingeschlossen, südl. von schmaler Gasse begrenzt, wendet seine Schauseite gegen den Grünen Markt, in dessen Wandung sie eingebunden ist. Der Turm steht, versteckt, am Scheitel des Chores. Hochbarocke Wucht zeichnet die 2geschossige, in der Mitte in 2 großen, an den Flanken in 2 kleineren Rundbogennischen aufgebrochene Fassade aus. Die noch vom hohen 17. Jh. übernommene Häufung der Gliederungsmotive wird durch die großen führenden Gliederungen bezwungen. In weitem kraftvollem Schwung reißt ein flach gespannter Bogen die durch ihre Vielteiligkeit bedrohte Mitte des Portalgeschosses zusammen. Die tiefen Höhlungen der Nischen sammeln Schattenmassen; der schwere kompakte Mauerkörper öffnet und schließt sich im bewegten Wechsel. – I n n e r e s. Die in Kapellen und Emporen aufgeteilten Abseiten begrenzen ein breit proportioniertes, mit Stichkappentonne überwölbtes 2jochiges Schiff, dem sich ein weniger breites, äußerlich nicht hervortretendes Querschiff vorlegt. Die mächtigen Gewölbeschalen des Schiffes ungeschmückt (doch kaum so beabsichtigt); nur die Flachkuppel über der Vierung mit gemalter, perspektivisch auf das Schiff bezogener Tambourkuppel, von G. F. Marchini (nach Vorlage des Andrea Pozzo), ausgestattet. Von starker beherrschender Wirkung die 3 großen Altäre: der Hochaltar und die schräggestellten beiden Seitenaltäre am Übergang des Querschiffs zum Chor, die sich durch gleiche Bauformen zu kompositioneller Einheit zusammenschließen. Die Kanzel, am Übergang des Schiffes zum Querschiff, tritt, mitwirkend, hinzu. Der 1701 vollendete Hochaltar inschriftl. für den italienischen Stukkator G. B. Brenno gesichert. Von ihm auch die Kanzel (1711–15). Der rechte Seitenaltar (1707) umschließt in seiner Nische ein ausgezeichnetes mittelalterl. Holzbildwerk, eine Pietà der 30er Jahre des 14. Jh., das ehemals in Alt-St.-Martin stand. – Die Altäre in den Seitenkapellen des Langhauses, verwandt mit den 3 großen und wie diese in Stuckmarmor ausgeführt, gehen vermutl. auf Entwürfe des A. Pozzo zurück, der übrigens auch das Hochaltarbild, Verehrung des Namens Jesu (jetzt an der Portalwand), malte. – Die beiden Seitenkapellen neben dem Chor durch feine, stilistisch jüngere Stukkaturen der 20er Jahre ausgestattet. – Wie die Pietà stammt auch das zweite mittelalterl. Bildwerk, das Ölbergaltärchen, mit Abendmahl und Gefangennahme auf den Flügeln, aus Alt-St.-Martin, Werk eines guten Bamberger Schnitzers aus dem 2. Jahrzehnt des 16. Jh.

Im Rücken der Kirche das (jetzt die phil.-theol. Hochschule und die Staatsbibliothek beherbergende) **ehem. Jesuitenkolleg**, das gleichzeitig begonnen, doch erst 1735 abgeschlossen wurde. Die den Hof, in den Chor und Turm der Kirche einragen, umgebenden Trakte, mit offenen Erdgeschoßarkaden, jedenfalls vom Baumeister der Kirche, Joh. Leonh. Dientzenhofer. – Der vom Kollegium durch die Jesuitenstraße getrennte, 1611/12 errichtete Schulbau (»Aula«) wurde 1819/20 schonungslos umgebaut; ungestört nur das schöne reiche Rustikaportal.

St. Gangolf

Ehem. Kollegiatstiftskirche in der Teuerstadt. Gründung durch Bischof Gunther dank Stiftung eines Edelfreien (Walbot) des Juralandes 1057. Weihe 1063. Der Gründungsbau hat sich in der Mauer von Schiff und Querschiff erhalten, das westl. Turmpaar fügte Bischof Otto I. Anfang des 12. Jh. hinzu; die durch Rundbogenfriese abgesetzten beiden Untergeschosse stammen aus dieser Zeit. Das 15. Jh. erweitert das nördl. Seitenschiff um die Kapellenreihe und ersetzt die Rundbogenarkaden des Mittelschiffs durch 3 breiter

*spannende spitzbogige auf Achtkantpfeilern. Auch der spätgot.
Chor muß noch in der 1. Hälfte des 15. Jh. entstanden sein; er
wurde, lt. Jahreszahl auf einem der Schlußsteine, 1458 gewölbt.
Der offenbar nicht unbeträchtliche Schaden eines Teileinsturzes
der Chorwölbung, 1563, wurde rasch wieder behoben. Das 18. Jh.
zog das Holzgewölbe der Schiffe ein, fügte auf Kosten des Kreuzgangs die südl. Kapellenreihe hinzu und schuf die barocke Ausstattung, die das stilreinigende 19. Jh. wenigstens zu einem Teil
(Chor und Seitenkapellen), ohne die Stukkaturen, beließ.*

Ä u ß e r e s . Die Fassade wirkt trotz des hohen, die Front
öffnenden Spitzbogenfensters verschlossen mauerhaft. Die
beiden Türme, in den unteren Geschossen, mit Rundbogenfriesen, romanisch, in den beiden oberen wohl im frühen
15. Jh. aufgestockt. Die Zwiebeln 1671. Langhaus und Querschiff ohne Aufwand an Gliederungen, der Chor von Streben umstellt. – I n n e r e s . Die roman. Raumfügung noch
im Aufblick zu der Reihe der Rundbogenfenster in Schiff
und Querschiff spürbar. Das Querschiff ohne ausgeschiedene
Vierung. Gegen die Wortkargheit von Lang- und Querhaus
steht der dem Mittelschiff an Breite etwas überlegene und
fast gleich lange, nach 4 Jochen 5seitig schließende Chor mit
der dichten Folge seiner Kreuzrippen.

Hier spricht auch noch die spätbarocke, hauptsächlich von den
Mutschele, Joh. Georg und den Söhnen Jos. Bonaventura und
Martin, besorgte A u s s t a t t u n g (1705 ff.), die reich und reizvoll ist. Der Hochaltar von Mart. Mutschele, 1709, ein offener
Baldachinaufbau, zugleich Rosenlaube, in der die Immaculata ihrer
Krönung entgegenschwebt; St. Gangolf und St. Johannes Bapt.
assistieren. Das ausgezeichnete Chorgestühl, in dem sich das leichte
sprühende Formengeranke fortsetzt, ist Werk der beiden Brüder
Mutschele und des Schreiners Fr. A. Thomas Böhm (1753). Auch
die Altäre der Seitenkapellen, bewegtestes Rokoko, sind rühmenswerte Leistungen der beiden Mutschele. Die von J. Bernh. Kamm
geschaffene Kanzel (1786) stand ehemals in der Kirche des Katha-
rinenspitals. – Kostbare, aus anderen Kirchen hierher gebrachte
Hinterlassenschaften des Mittelalters auf den beiden, 1938 neugeschaffenen Querschiffaltären: der Kruzifixus (Astkreuz) stammt
aus der Mitte des 14. Jh. (ehem. in Alt-St.-Martin) und die Muttergottes aus dem frühen 16. Jh. (ehem. in der Franziskanerkirche).

Annexe. Am nördl. Querschiff die S e p u l t u r der Stiftskirche, Anbau des 13. oder 14. Jh., 1816 verlängert und in eine »Göttliche Hilf-
kapelle« verwandelt, wozu das aus der 1803 aufgelassenen Heiliggrab-
kirche hierher geborgene *Bild der göttlichen Hilfe* (St. Kümmernis), ein
Nachbild der »Sente Hulf« auf dem Hulfenberg in Thüringen von etwa
1360, Anlaß bot. – An der N-Seite der Kirche das e h e m . K a p i -

t e l h a u s (1733) und der K r e u z g a n g , dessen N- und O-Flügel in der Substanz wohl noch ins 12. Jh. zurückreichen. – Die Statue des hl. Sebastian links neben der Kirche ist eine Dedikation des Bildhauers J. B. Mutschele (1771), ausgeführt von seinem Bruder Martin und dessen Gehilfen Fr. Theiler 1780 (wiederholt restaur.). – Die nahe Umgebung von St. Gangolf trägt dank der Kurien immer noch das Stigma eines abgeschlossenen geistlichen Quartiers.

Ehem. Dominikanerkirche

Bald nach 1304 siedeln sich die Dominikaner in der Stadt an, 1310 bauen sie schon an ihrer Kirche, »auf dem Brand«, am Eingang der Sandstadt, nicht weit von der etwas früher begründeten der Franziskaner.

Die breitflächige, in einem Giebel aufragende Stirn, die in ihrer Grundlinie den Knickungen der von der Sandstraße herkommenden, auf die Untere Brücke zuhaltenden (Dominikaner-)Gasse folgt, wendet sich als abschließende Wandung dem kleinen Platzgefüge der Herrenstraße zu. Der wenige Schmuck beschränkt sich auf ein barockes Portal (1711), über dem das gute Holzbildwerk des hl. Christoph von etwa 1520 steht, und die Blenden des Giebels. Das Langhaus ist eine Halle. Rundpfeilerarkaden trennen das breitere Mittelschiff von den Seitenschiffen, Holzdecken schließen. In diesen schlichten frühgot. Raum mündet ein 3jochiger, polygon gebrochener Chor, der etwas später, um die Mitte des 14. Jh., gebaut und noch einmal später, gegen Ende, mit den Kreuzrippengewölben gedeckt wurde. Er winkelt gegen die Achse des Langhauses; indessen weist der Grundriß dieser auf einem offenbar »verzwickten« Areal gebauten Kirche mehr als eine Unregelmäßigkeit auf. – Kirche und Kloster erlitten 1803 das allgemeine Schicksal der Säkularisation, die die Kirche ausräumte und profanierte. Heute ist sie Konzertsaal.

Auf der Flußseite lehnt sich der aus dem späten 15. Jh. herrührende K r e u z h o f mit den 4 gewölbten Gängen an. Das umschließende **Kloster** meist barock um- oder neugebaut; der gegen den Fluß gestellte, wenig gegliederte Langtrakt von 1732–34 ist Werk Justus H. Dientzenhofers.

Hl.-Grab-Kirche. Ein Hostienwunder, angebl. 1314, veranlaßte den Bamberger Bürger Franz Münzmeister 1354 zur Stiftung von Kirche und Kloster, das 1356 von Dominikanerinnen bezogen wird. Die Säkularisation profanierte Kirche und Kloster, das 1874 abgetragen wurde. Die Kirche gelangte 1926 an die Dominikanerinnen zurück. – Die Grabkirche, am östl. Rande der Teuerstadt, ist ein massiver Quaderbau des mittleren 14. Jh., 1schiffig, mit einem 3seitig geschlossenen Chor ohne Absetzung. Später, etwa Mitte des 15. Jh., das reiche Netzgewölbe. – Bauern- und Schwedenkrieg, besonders die Säkularisation haben die kleine feine Kirche ausgeräumt. Das wundertätige Kreuz, die »göttliche Hilfe« (St. Kümmernis), Stiftung des Stifters, 1364, heute in St. Gangolf.

Elisabethkirche. 1330 stiftet der Bürger Konrad Esler das Spital am Sand. Die kleine 1schiffige, von einem leicht eingezogenen polygonen Chor beschlossene Kirche entstand wohl bald nach Mitte des 14. Jh. – Das Spital ging 1738 im Katharinenhospital (Gründung des frühen 13. Jh. bei St. Martin, extra muros) auf. Die 1826 profanierte und entleerte Kirche wurde 1888 ihrer gottesdienstlichen Bestimmung zurückgegeben. – Vor der Kirche die 1. Station des spätgot., den Weg nach St. Getreu begleitenden **Kreuzwegs**, der 1500, wahrscheinl. vom Bamberger Bildhauer H. Nußbaum, begonnen und gegen 1510 vollendet wurde.

Kirche der Englischen Fräulein (Holzmarkt). Bau der Jahre 1724–27. Eingefügt in den 1737 vollendeten Klostertrakt, einfacher Rechtecksaal mit eingezogenem Chor. Pilastergliederung, flachgewölbte Holzdecke. Die Ausstattung (soweit nicht modern) meist aus der Mitte des 18. Jh.

Friedhofkapelle (sog. Gönningerkapelle), im Friedhof an der Siechenstraße. Stiftung des Bürgers J. J. Gönninger 1767, der von der Einsiedelner Gnadenkapelle ein Modell nehmen ließ, nach der die Bamberger Kapelle gebaut wurde. Die Fassade, schon an der Grenze zum »Zopf«, tut sich durch eine reiche Schmückung mit Bildhauerwerk – besorgt von den beiden Mutschele – hervor.

Die neuesten, modernen Kirchen sind: Die **Ottokirche** von O. O. Kurz, 1912–14, im Gärtnerviertel an der Hallstadter Straße, dem ihr hoher schlanker Turm eine wohltuende Senkrechte setzt; die **Heinrichskirche** von Mich. Kurz, 1927–29, im neuen Außenviertel Bamberg-Ost; die **Erlöserkirche** von G. Bestelmeyer, am Kunigundendamm, ein Zehneck mit frei stehendem Glockenturm, das nun die sonst akzentlose Flußlandschaft oberhalb der Kettenbrücke beherrscht; die **Kunigundenkirche** von Jos. Lorenz, 1953, in der östl. Gartenvorstadt. – Als ein das Stadtbild (im Blick von S her oder von den Höhen herab) heute mitbestimmender moderner Beitrag sei noch das **Priesterseminar** genannt, 1927/28 von Ludwig Ruff erbaut, das sich in hoher blockiger Turmgruppe über eine flache Umgebung emporhebt.

Rathaus (und Obere Brücke). Mitten im Fluß, auf Rosten, errichtet. Einzigartig durch die gewissermaßen neutrale Lage zwischen geistlicher und bürgerlicher Stadt, die auch städtebaulich aufs schönste genützt wurde.

Die Brücke ist erstmals 1157 unmißverständlich bezeugt, wird sich aber schon im frühen 11. Jh. voraussetzen lassen; als »obere« wird sie 1375 unterschieden. Die 3teilige, aus Rathaus, Turm und »Häuslein« bestehende Baugruppe begegnet erstmals 1386 (das ältere Rathaus stand auf dem Platz der »Maut« am Grünen Markt). Brandschaden 1440 führt zur Erneuerung der gesamten Baugruppe und zugleich auch der wiederholt durch Hochwasser und Eisgang ruinierten (hölzernen) Brücke, die durch den Stadtbaumeister Hans Bauer gen. Vorcheimer 1452 begonnen und lt. (jetzt verlorener) Inschrifttafel, ehemals auf der Brüstung, 1456 vollendet wurde. Die Jahreszahl 1467 an der N-Seite des Rathauses dürfte dessen Fertigstellung angeben. Die Brücke, 1945 durch Sprengung des östl. Bogens schwer beschädigt, hat im Mauerkörper seit ihrer Errichtung keine Wandlungen mehr durchgemacht. 1715 wurde ihr die sie an bester Stelle schmückende große Kreuzigungsgruppe von der Hand Leonh. Goldwitzers aufgesetzt (1888 und 1907 weitgehend erneuert; das originale Holzmodell im German. Nat.-Mus.). Rathaus und Torturm gewannen die heutige Erscheinung 1744–56. Neu- bzw. Umbau (der alte spätgot. Mauerbestand erhielt sich im hohen Sockelgeschoß des Rathauses, im Erdgeschoß und in Teilen des 1. Obergeschosses des Turmes) nach Plänen J. M. Küchels. Die einer blühenden Bildnerphantasie entsprungene Bauplastik des jetzt an ein 3. Geschoß erhöhten Turmes (Balkone, Wappen) wurde von J. B. Mutschele ausgeführt (1883 und 1888 erneuert, die Originale z. T. im Hof des Geyerswörthschlosses). Am Rathausbau selbst begnügte man sich mit Freskierung der nach 3 Seiten offenen Wände; sie wurde von dem Dillinger Joh. Anwander geleistet (vor kurzem wiederaufgefrischt). Im Innern noch gute Raumausstattungen, wie der Sitzungssaal im 1. Obergeschoß mit Stuckdecke, Gemälden von Anwander und Holzschnitzereien von J. G. Reuß.

Geyerswörth. Ehem. fürstl. Schloß auf der von Regnitz und Nonnengraben gebildeten Insel oberhalb der Ob. Brücke, die 1580 für das Hochstift erworben wurde. Errichtet in den 80er Jahren des 16. Jh., 1587 annähernd vollendet. Baumeister wahrscheinl. Erasmus Braun. 5 Flügel umschließen einen Innenhof mit einbezogenem mittelalterl. Turm, der wesentlicher Faktor der unregelmäßigen Baugruppe ist. Quaderbau, verputzt, ohne schmückende Gliederung. Über dem Tor Wappentafel des Fürstbischofs Ernst v. Mengersdorf (1587), wahrscheinl. von Hans Werner. Veränderungen im 18. Jh.; 1743 Einsturz des N-Flügels (östl. Teils), darauf Wiederherstellung durch den Hofingenieur Küchel.

Böttingerhäuser. Berühmte Beispiele privater Bauinitiative und eines Bauens aus Leidenschaft weit über den Zweck hinaus. Der Bauherr, der hochfürstl. bambergische Geheimrat und Kreisdirektorialgesandte Joh. Ign. Böttinger (1675–1730), war ein bereister Mann, und man darf glauben, daß ihm für seine »Paläste« italienische Palazzi (Venedig, Genua) vorschwebten. Das **Böttingerhaus an der Judengasse,** mit der Front in die Gassenenge gestellt, der Böschung des Stephansbergs angelehnt, zieht aus der doppelt bedrängten Lage doch viel mehr Vor- als Nachteil. In der Klammenge der Gasse kommt die es im Ganzen wie im Einzelnen auszeichnende körperliche Wucht zu um so stärkerer Entladung. Der wesentliche Anteil des Bildhauers, Joh. Nik. Resch, in Portal, Fensterrahmungen, Gesimsen, dürfte eher auf den Wunsch des Bauherrn als den des Bau-

meisters zurückzuführen sein. Ausführender (fraglich ob
auch planender) Baumeister des 1713 vollendeten Hauses
war der vorher in Eichstätt und Ansbach tätige Joh. Am-
mon. – Hofseite und Terrassengärten wurden 1900 durch
Abbau verstümmelt; die abgebauten Teile fanden am
»Bamberger Haus« im Münchner Luitpoldpark Verwendung. – Das andere Böttingerhaus, seit rund 100 Jahren
unter dem Namen der Gesellschaft **»Concordia«** bekannt,
wurde 1716–22 gebaut, wahrscheinl. von Joh. Dientzenhofer. 2 Flügel in Rechtwinkelstellung kehren ihre offenen
Fronten der Regnitz zu. Säulen in großer Ordnung steigern die nach S, dem Fluß entgegengerichtete Schauseite des
längeren, mit der O-Seite unmittelbar dem Wasser entwachsenden Flügels, Dachbalustrade und Dachgaube betonen sie. Terrassen architektonisieren den dem Stephans-
berg angelehnten Garten; ihre Brüstungen tragen immer
noch 22 Statuen.

Plätze und Straßen

G r ü n e r   M a r k t. Ältester Platzraum des Stadtkerns
zwischen den beiden Flußarmen, trotz einiger Störungen
und Verluste noch gut bewandet. Beherrschend die hochbarocke, so stark plastische Fassade der Martinskirche.
Empfindlichster Verlust die im Krieg ruinierte, dann abgetragene sog. Alte Maut, eines der ältesten öffentl. Gebäude der Stadt (spätgot.), das mit der hohen, breiten
Giebelstirn des wuchtigen Blockes den Platzraum am südl.
Ende abfing. Gegenüber, in bester Position, vor der Einmündung der Keßlerstraße, der *Marktbrunnen*, Neptun
(»Gabelmann«) über kurvigem Becken, Werk des Bildhauers J. K. Metzner von 1689. In der östl. Häuserzeile das
Raulinohaus (Nr. 14) von 1709–11; 3geschossiger Quaderbau mit Mansarde, im Erdgeschoß durch die das Tor rahmenden Pilaster und die das Gesims stützenden Hermen
plastisch gegliedert.
Der nördl. folgende M a x p l a t z erst durch Abbruch der
alten, in letzter Erscheinung spätgot. Martinspfarrkirche
1804 geschaffen. Dank der Monumentalbauten südl. und
nördl. ergab sich ein Platzgeviert, das den Eindruck über-
legter Planung erweckt. Die beiden großen korrespondierenden Baublöcke an den Längsflanken: **ehem. Priesterseminar** rechts (jetzt Neues Rathaus), 1732–37, und **ehem.**

Katharinenspital links, 1729–34; beide von B. Neumann und (Ausführung) Justus Heinr. Dientzenhofer, 3geschossige Blöcke, die ihre aufwendiger geschmückten Eckpavillons den tangierenden Straßenzügen (Hauptwachstr., Grüner Markt) zuwenden. Die schmalseitigen Platzwandungen kleinteilig bürgerlich bebaut, in der östl. das vorzügliche **Haus Nr. 8**, wohl von Joh. Dientzenhofer, 20er Jahre des 18. Jh.; die Mitte durch das Portal mit aufwärtsschwingendem Gesims betont und noch einmal durch das Relief der Marienkrönung auf dem Kurvengesims des Mittelfensters, das eine Welle von Kurvengesimsen akzentuiert.

Der S c h i l l e r p l a t z (ehemals Zinkenwörth), abseits und still, durch gute, meist spätbarocke Bebauung ausgezeichnet. In der (durch diese Einsprengung gestörten) östl. Zeile das 1808 von F. v. Hohenhausen gebaute **Theater**, das als Architektur wenig zu sagen hat, um so mehr als Bildungsstätte, an die sich zudem der Name E. T. A. Hoffmanns (1809–13 in Bamberg) knüpft. In der klein parzellierten westl. Zeile (in der auch das von Hoffmann bewohnte, nun als Gedenkstätte eingerichtete Schmalbrust-Häuschen steht) das in dieser kleinbürgerlichen Umgebung ungewöhnlich stattliche **Haus Nr. 3** von etwa 1720, mit dem eigentümlichen »gotischen« Kielbogen über dem Portal. Wirkungsvoller Teilhaber am Platzgefüge das **Haus am Eck** (Nonnenbrücke) von etwa 1740, das als Wohnhaus des letzten Dientzenhofer, Justus Heinrich, angesprochen wird.

L a n g e S t r a ß e. Die zweite Hauptverkehrsader der Altstadt, vom Grünen Markt ausgehend, vom modernen Schönleinsplatz begrenzt. Geräumiger, fast geradeläufiger, wohlerhaltener, vorwiegend barock gewandeter Straßenzug, den ehemals eines der Tore beschloß. Das große »**Haus zum Saal**« (Nr. 3) ist eines der sehr wenigen Bürgerhäuser, die ihren mittelalterl. got. Kern erhalten haben, was allerdings nur der Blick auf die steilen Staffelgiebel erkennen läßt. Die dem 3geschossigen Block vorgeblendete Fassade, 1717 vollendet, öffnet sich in einem hohen Portal, das mit seinem kraftvoll plastischen Kielbogengesims (vgl. Schillerpl. 4) in das Obergeschoß eingreift und sich mit der in die Flucht der Fenster eingestellten Statuennische bekrönt. In der gleichen Zeile das **Haus** des ausgezeichneten Bamberger Baumeisters **J. M. Küchel** (Nr. 57), 1739 errichtet, ein 3-

geschossiger Putzbau mit leichtem, 3 Achsen zusammen-
greifendem Risalit in der Mitte und Gitterbalkon über dem
Korbbogen des Portals. – H a u p t w a c h s t r a ß e. Zwischen Kettenbrücke und Grünem Markt, schmaler kurzer
Straßenzug, der ehemals von der Teuerstadt her über die
prächtige, 1752 von Küchel gebaute, 1768 von F. Dietz geschmückte, 1782 durch Eisgang ruinierte »Seesbrücke« betreten wurde. Die **Hauptwache**, die ihr den Namen gibt
(Nr. 7), ein niedrig gehaltener 2geschossiger Quaderbau mit
gereihten Arkadenbögen im Erdgeschoß, plastischem Wandkörper und behäbiger Mansarde, trotz des späten Ent-
stehungsjahres, 1774, nur obenhin vom Klassizismus berührt. Köstlich das um 1750 von J. Jos. Vogel gebaute **Haus
Nr. 7** mit der durchlaufenden Welle der horizontalen Gliederungen, Übersetzungen der Motive des älteren Hauses
Maxpl. 8 ins gelöste Rokoko. – Die K ö n i g s t r a ß e,
der »Steinweg« der Teuerstadt, jenseits der Brücke, einfacher bebaut, als Straße des großen N-S-Verkehrs durch
eine Reihe von Gasthäusern gekennzeichnet, ohne besondere Hervorragungen im einzelnen, es sei denn das Haus
am Eck zur Kettenbrücke (**Nr. 1**), ein guter ansehnlicher
Steinbau des frühen 18. Jh., Dientzenhoferscher Prägung.
Nun auf die Seite der Hügelstadt, die wir vom Grünen
Markt her durch die enge, gebogene Brückenstraße und
über die – schönsten Blick auf Flußlandschaft (»Klein-
venedig«) und Bergstadt erschließende – **Obere Brücke** erreichen. Die U n t e r e K a r o l i n e n s t r a ß e, mit sehr
guter Eckbetonung der von der Brücke herabkommenden
Straßenzeile (links durch das Haus Nr. 6, wahrscheinl.
J. Dientzenhofers, und den Brunnenpfeiler des jüngeren
Neumann), gewinnt in mählich sich steigerndem (urspr.,
bis ins 18. Jh., schärferem) Anstieg die Höhe des Domplatzes. Links, am unteren Anstieg, das **Haus Nr. 11**, vermutl.
von J. Dientzenhofer, 1714–16, mit dem kraftvoll plastischen Portal, rechts das etwas zurückgesetzte, außen wenig
verratende **Haus Nr. 18**, das eine der schönsten Bürger-
haustreppen des 18. Jh. (um 1730) birgt. – Der große
Schrannenplatz, links dieser Achse, entstanden auf Kosten
der Franziskanerkirche, läßt diesen Verlust (1812) als Leere
spüren. – Von hier über das sammelnde, bis vor kurzem
wohlbeschlossene, jetzt südl. aufgerissene Pfahlplätzchen,
dem links die auf die Portalfront des zweiten Böttinger-

hauses zuhaltende Judengasse entzweigt, zum U n t e r e n
K a u l b e r g, den links der dem Anstieg des Berges aufgesockelte mächtige Baukörper der Ob. Pfarrkirche begrenzt. In der 1761 zugunsten der Straßenbreite etwas zurückgesetzten Zeile rechts der hervorragende **Ebracher Hof**
(Nr. 4), rühmliche Leistung des Stadtmaurermeisters Martin Mayer (mit oder ohne Küchel?), 1764–66, paßt sich aufs
schönste der Steigung an. Das Bildhauerwerk von Ferd.
Dietz (1766/67). – In geringer Entfernung, im Bach, d. i. die
Senke zwischen Kaulberg und Domberg, der **ältere Ebracher Hof**, eines der wenigen frühbarocken Gebäude, 1679
bis 1682; 3geschossiger Block mit rustiziertem Giebel und
der im frühen 18. Jh. hinzugefügten Reliefgruppe der
Vision des hl. Bernhard, einem der besten Werke der Bamberger Steinplastik des Barock. – Nun noch, zum Beschluß
dieser gedrängten Ausleseumschau, ein Blick in die rechts
der Unt. Karolinenstr. ansetzende S a n d s t r a ß e, in der
Enge zwischen Berg und Fluß, dem sie abwärts folgt, mit
um so überraschenderem Blick auf den in sie eintretenden
Michelsberg. An ihrem unteren Verlauf das 1786 von Fürstbischof Franz Ludwig v. Erthal, einem vortrefflichen »Lan-
desvater«, gestiftete, 1787–89 von L. Fink und Phil. E. Geigel gebaute **Krankenhaus**, rühmliche Leistung eines sachlich
bestrebten, klassizistisch gedämpften letzten Barock.

Altenburg

*Unter diesem Namen erscheint sie schon in der 1. Hälfte des 12. Jh.
Aus einer viel älteren (zuletzt vorgeschichtlichen) Befestigung
dürfte sie – Vorwerk der Burg auf dem Domberg – erwachsen
sein. 1109 an das Kollegiatstift St. Jakob gegeben, gelangt das
»castrum in Altenburch« 1251 an den Bischof zurück, der bis ins
16. Jh. häufig hier residiert. Der Markgrafenkrieg, 1553, legt die
Burg in Asche. Eine Erneuerung geschieht anschließend, 1554–84.
1801 geht die Burg durch Kauf an den Arzt Dr. Marcus über, der
ein Turmzimmer nach den Ideen E. T. A. Hoffmanns ausmalen
läßt (nicht erhalten). Seit 1818 ist sie im Besitze des Altenburg-
vereins, der für ihre Instandsetzung sorgt, 1832–34 die Kapelle
und 1901/02 das Wirtschaftsgebäude aufführen läßt.*

Die Altenburg hat seit dem 15. Jh. zu viel über sich ergehen lassen
müssen, um noch zu sein, was sie war. Aber ihr Anteil an der Bamberger Landschaft ist bedeutend. Eine östl. Randhöhe des Steigerwaldes
krönend, übergipfelt sie die »Siebenhügelstadt«, die ihr in einem mäh-
lichen Stufenanstieg entgegenwächst, alle anstrebenden Linien sammelnd
und zur Ruhe bringend. – Der runde Bergfried wird in seinem stärkeren unteren Teil in die Zeit nach 1251 zurückreichen; der eingezogene

obere Teil ist um 1400 anzusetzen. Ende 15. Jh. ist die den Zwinger
einschließende äußere Mauer. Auch der Torbau spätgotisch, nur das begiebelte Obergeschoß jünger (nach 1554). Die dem Torbau anliegende
Kapelle ist eine neugot. Schöpfung K. Heideloffs. Sie übernahm aus
säkularisierten Kirchen der Stadt einige gute *Bildgrabsteine*; beachtlich
der des Martin v. Redwitz (1505), »Schule« Riemenschneiders, und der
marmorne des Georg v. Schaumberg (1520), beide ehemals in der Dominikanerkirche. – Die große steinerne Kreuzigungsgruppe vor der Burg,
nächst der Grabenbrücke, wurde in der 1. Hälfte des 18. Jh. aufgerichtet; eines der besten Werke des Bildhauers G. A. Reuß.

BANZ (Ofr. – E 2)

Ehem. Benediktinerkloster

*Der Banzer Berg trug schon in fränkischer, karoling. Zeit nördl.
des Klosters eine seine Höhe umschließende ausgedehnte Ring-
wallbefestigung, eine den Banzgau (Untergau des Grabfeldes)
schützende Volksburg. Die Schweinfurter Grafen setzen im 10. Jh.
an die S-Spitze des Berges eine Höhenburg. Gräfin Alberada, eine
der Erbtöchter des letzten »Markgrafen« von Schweinfurt, verwandelt 1069 diese Burg in ein Benediktinerkloster, das sie reich
dotiert und 1071 dem Bamberger Bischof übergibt, dem es künftig
im Weltlichen, wie dem Würzburger im Geistlichen, untersteht.
Bischof Otto I. von Bamberg restauriert das Kloster und weiht
1114 die Kirche (Patron St. Dionysius). Schwere Heimsuchungen
durch Brand und Plünderung im 16. Jh. Kulturelle Hochblüte in
der 2. Hälfte des 17. und im 18. Jh., bedeutender Ruf dank ge-
lehrter Mönche und der von ihnen begründeten wissenschaftlichen
Anstalten. Die Säkularisation vernichtet ein blühendes Kloster.
Erwerbung der Herrschaft Banz 1814 durch Herzog Wilhelm von
Bayern rettet den baulichen Bestand. Heute beherbergt Banz die
Gemeinschaft von den hl. Engeln und ein Altersheim. – Die befestigte Klosteranlage des Mittelalters ging in der des 18. Jh. unter
– ein durch die Großartigkeit der Neuschöpfung mehr als aufgewo-
gener Verlust. Die Baudaten: Um 1695 Beginn der Klostergebäude
durch Joh. Leonh. Dientzenhofer, der Kirche 1710 durch Joh.
Dientzenhofer; sie wird 1713 im wesentlichen fertig, doch erst 1719
geweiht. Das Tor des großen Hofes und die seitlich ans Tor schließenden Flügel entstanden 1772, vermutl. nach (hinterlassenen) Plänen Küchels.*

Ä u ß e r e s. Die **Kirche** liegt nur an 2 Seiten offen: Die
gegen das Tal gekehrte südl. Langseite, unmittelbar über der
Böschung und also keiner Nahsicht ausgesetzt, begnügt sich
mit geringstem Gliederungsaufwand. Mehr mit Fern- als
Nahsicht rechnet auch die Fassade, deren verhältnismäßig
schmal zusammengefaßter, in der Mitte geschwellter Stirn
die beiden hochbekuppelten Türme entwachsen. Einprägsam

der Umriß: die dreifache Aufwärtsstaffelung von Chor, Schiff, Turmpaar als Aufgipfelung der breitgelagerten Klostertrakte. Der Plan Neumanns, die Fassade mit einer Terrassenanlage auszustatten, blieb unausgeführt; eine Freitreppe mußte genügen. Die gute Fassadenplastik gab Balth. Esterbauer 1713. – I n n e r e s. Das Grundrißrechteck des Schiffes umschließt ein durch die 4 Eckpfeiler abgestecktes Längsoval. Die auf hohem, stark profiliertem Kämpfer aufruhende, in ihren gestelzt oder gedrückt gespannten Gurtbögen stärkste Bewegung ausdrückende Wölbung zerlegt sich in eine Reihe von Sphäroiden, die sich einer Zentralkuppel zuordnen. Die nur mühsam gebändigten Kurven führen, die vom Aufriß der Wand her nicht vorauszusehenden Gewölbegurten knüpfen ein Netz überraschender Bewegungsbahnen, die den Raummantel bildenden Wände und Pfeiler begrenzen einen Raum, den man mit Höhle oder Schlucht vergleichen mag. Der unter der Höhe und auch der Breite des Schiffes zurückbleibende Chor, dessen Absetzung durch den Chorbogen kaum empfunden wird, verbirgt seine Tiefe durch den nah an den Chorbogen herangerückten Altar, der sich aber in der Mitte zum Durchblick auf den Hauptaltar im Chorschluß öffnet. Die kunstgeschichtliche Ableitung führt nach Böhmen, Werke des Christoph Dientzenhofer, eines Bruders des Banzer Baumeisters, wie die Klosterkirche Břevnov über Prag, sind das Verwandteste.

Die einheitliche A u s s t a t t u n g teilweise nach Dientzenhofers Entwurf. Die Stuckarbeit leistete J. J. Vogel, die Fresken der Decke wahrscheinl. Melchior Steidl; das zentrale Thema ist die Ausgießung des Hl. Geistes, der (westl.) die Bekehrung Pauli vorangeht und (östl.) Abendmahl (über dem Hochaltar), Opfer des Melchisedek und Anbetung des Lammes (Chor) folgen. Der Hochaltar zwischen Chor und Langhaus wurde von B. Esterbauer 1714 ausgeführt (Tabernakel um 1760). Der Choraltar stammt vom gleichen Würzburger Künstler (nur Tabernakel, 1728, von J. Th. Wagner), der auch die Kanzel, nach dem Modell Dientzenhofers, schuf (1719–24). Das hervorragende Chorgestühl arbeitete, zwischen 1731 und 1768, J. G. Nestfell in Wiesentheid.

Klostergebäude. In der Monumentalität der Anlage nur mit Größtem, wie Melk, vergleichbar; im großen und ganzen Werk J. L. Dientzenhofers, bis auf den erst 1729 errichteten Trakt an der Talseite und den großen (Wirtschafts-)Hof an der Bergseite, der, Neumann und wahrscheinl. auch Küchel gehörig, allerdings ein wesentlicher Koeffizient ist. Der Blick von der Bergseite her umgreift das gestufte, vom höher gelegenen Abteibau beherrschte Gesamtbild. Das niedrig gehaltene, doch reich und mit allem Charme des Rokoko geschmückte Tor an der von Eckpavillons (mit geschwellten Dachhauben) flankierten Front ist Auftakt. Der große Wirtschaftshof fängt die hohe und breite Fassade des Abteigebäudes auf, das J. L. Dientzenhofer 1701–04 errichtete, dessen Mittelrisalit aber erst Neumann 1752 vollendete. – In seinem Innern noch einige vorzüglich ausgestattete Räume, die Abtskapelle und den Kaisersaal, beide von J. J. Vogel, 1702 und 1710, stuckiert.

BAUMBURG b. Altenmarkt (Obb. – E 8)

925 Gerichtsstätte »Poumburc«, später Sitz der Chiemgaugrafen aus dem Geschlecht der Aribonen.

Ehem. Augustiner-Chorherren-Stiftskirche St. Margarethen

Eine kleine klösterliche Niederlassung besteht hier schon im frühen 11. Jh. Die Gründung des Chorherrenstifts auf dem Hochufer über Alz und Traun um 1105 ist eine Unternehmung Berchtesgadens, ermöglicht durch die Güterschenkungen des Grafen Berengar von Sulzbach. 1156 wird die Klosterkirche geweiht. Der Propst ist seit 1185 Archidiakon (des salzburgischen Archidiakonats Baumburg). 1456 führt das Kloster unter Beistand des Nikolaus von Cues die Melker Reform ein, ist aber im 16. Jh. von außen wie von innen her stark bedroht. Indessen wenden sich die Verhältnisse gegen Ende des Jahrhunderts wieder zum Guten. – Die roman. Basilika steht nur noch in ihren Türmen (mit Zwiebelhauben des 17. Jh.). 1744–57 nimmt Propst Joachim Vischer den Neubau in Angriff, wozu er sich des Trostberger Maurermeisters Fz. Alois Mayr bedient. – 1803 erliegt das Kloster der Säkularisation. Seine Kirche besteht als Pfarrkirche fort, die Klostergebäude werden nach 1816 bis auf wenige Teile demoliert. Das erhaltene Konventsgebäude dient seit 1909 als Pfarrhof.

Das **Äußere** trägt schlichte Gliederung. Die übergiebelte O-Front ziert ein Wandgemälde, das die Hl. Dreifaltigkeit darstellt. Den herben Klang der mittelalterl. W-Türme lokkern deren barocke Bekrönungen und eine freundliche kleine Vorhalle – 2geschossig, durch Säulen und Pilaster gegliedert, volutengeziert und mit bewegter Kuppelbedachung versehen, typisch für die Zeit des Neubaus unter F. A. Mayr. Die Mittelnische gilt der Patronin, St. Margaretha. Darunter öffnet sich das Portal mit 2 bronzenen Löwenköpfen, deren einer dem 13. Jh. entstammt. – Das I n n e r e gliedert sich über Teilen mittelalterl. Fundamente. Der Baukünstler – hervorgegangen aus der Schule Gunetsrhainers in München – kennt seine Grenzen. Es ist ihm nicht um konstruktive Durchknetung des Raumgebildes zu tun. Er begnügt sich mit dem schlichten, konservativen Wandpfeilersystem und erfüllt es mit dem Pulsschlag seines sicheren Gefühls für edle Verhältniswerte. Die 2 Chorjoche werden durch Scheidmauern von den Wandpfeilerkapellen abgetrennt und erhalten darüber schwingende Oratorienbrüstungen. Das architektonische Gerüst wird durch mächtige Pilaster zur Anschauung gebracht. Über dem Gebälk fängt ein Kämpferglied den Ansatz der Gewölbe auf. Gurtbänder mit Brokatmalerei überspannen die Quertonnen der Seitenräume. Hier und im Gewölbe des Schiffes beginnt es zu züngeln und zu schäumen. Die Rocaille ist beherrschendes Ornamentmotiv. Ihr Meister ist Bernh. Rauch von Wessobrunn. Lockere, maßvolle Verteilung der Stuckgebilde adelt das Raumbild. Blühende Farbigkeit scheint die Wölbungen zu öffnen. Felix Ant. Scheffler hat das Langhausgewölbe dem Triumph des Ordensvaters Augustin gewidmet (1757). Das Chorfresko verherrlicht die Patronin St. Margaretha, und über der Orgelempore psalmodiert König David. Ein Stuckvorhang im Triumphbogen erhält sein Gegenstück in der Hintergrunddraperie des stattlichen Hochaltars. Das Gemälde schuf J. Hartmann, die Figuren (Katharina, Augustin, Rupert und Barbara) tragen salzburgische Züge. Das frühbarocke Chorgestühl wurde um 1756 überarbeitet. Orgelprospekt 1721. Kanzel um 1710. – Bedeutende Grabdenkmäler aus dem 12.–15. Jh. Großes Rotmarmor-Epitaph in der Vorhalle: Gräfin Adelheid als Stifterin, Gemahlin des Grafen Berengar v. Sulzbach; ferner die Grabmäler ihrer 3 Ehemänner, der Grafen Marquard v. Hohenstein und Marquardsberg, Ulrich v. Passau und Berengar v. Sulzbach, durchweg gute Arbeiten des 15. Jh.

Klosterbauten. Aus dem erhaltenen Bestand ist der ehem. Kapitelsaal hervorzuheben mit trefflichen Epitaphien aus dem 15.–17. Jh. (insbesondere von Törring). – Vom Kreuzgang verblieb der östl. Trakt.

Südöstl.: **Schloß Stein an der Traun,** eine der seltenen Höhlenanlagen schwer bestimmbaren Datums. In den Nagelfluhfelsen getriebene Stollen und Kammern verbinden das untere Schloß (1565, um 1875 umgestaltet, jetzt Landerziehungsheim) mit dem Hochschloß des späten 15. Jh.

BAUMKIRCHEN (Obb.) → **München** (D 7)

BAYREUTH (Ofr. – E 3)

*Der Name sagt aus: Rodung eines Baiern. Ein baierisches Grafen-
geschlecht, das der Andechs (seit 1180 Herzöge von Meranien),
beherrscht auch, vom mittleren 11. bis ins mittlere 13. Jh., das
obere Mainland. Neben einer älteren Siedlung, westlich, »Altenstadt«, erwächst im späten 12. Jh. (erste Nennung 1194) als an-
dechsische Pflanzung eine »nova villa«, aus der sich die Stadt entwickelt. 1231 ist sie als solche bezeugt. Der ältere Kern, zwischen
Kanzleistraße (urspr. Schmiedgasse) südl. und Sophienstraße
(urspr. Breite Gasse) nördl., schloß Burgsitz (auf der Stelle des
Kanzleigebäudes) und Kirche ein. An diesen kleinen, eng bebauten
Bering legte sich wohl schon im frühen 13. Jh. östlich der Markt
an, ein breiter Straßenmarkt (mit urspr. frei stehendem Rathaus)
von unverkennbar baierischer Art. Schon damals dürfte der endliche, bis in die Neuzeit geltende Umfang der die Burgsandstein-
terrasse über dem Roten Main besetzenden Stadt erreicht worden
sein. – Aus dem Erbe der Andechs-Meranier kommt Bayreuth
1248 (endgültig 1260) an die Nürnberger Burggrafen, und bei
ihnen, die sich seit ihrem Einzug in die Mark Brandenburg, 1415,
auch in ihren fränkischen Gliedern Markgrafen nennen, bleibt es
bis zum Anfall an Bayern, 1810. – 1430 von den Hussiten zerstört, erholt sich die Stadt rasch; Markgraf Albrecht Achilles nennt
sie, 1457, auszeichnend eine »der eltistin und wesentlichsten Städt«
seiner fränkischen Herrschaft ober und unter Gebirgs. 1542 wird
die Hofkanzlei von Kulmbach nach Bayreuth verlegt, ein gutes
Halbjahrhundert später verläßt dann auch der Hof des Markgrafen von Kulmbach-Bayreuth die Plassenburg, um nach Bayreuth
zu gehen. Zunächst änderte sich die spätmittelalterl. Prägung der
bürgerlichen Stadt nur wenig, erst im ausgehenden 17. Jh., mit
dem Bau des Alten Schlosses, beginnt die Tatsache »Residenz«
monumental sichtbar zu werden, und erst so recht im 18. Jh. wird
der Habitus der Stadt »markgräflich«. Ihre glücklichste Zeit ist
die des Markgrafen Friedrich »des Vielgeliebten«, dem Wilhelmine,
Schwester Friedrichs d. Gr., als Gattin zur Seite steht. Mit dem
Heimgang Friedrichs 1763 (Wilhelmine ging ihm 1758 voraus)
endet das Wachstum der markgräflichen Stadt. Das 19. Jh. läßt
sie wohl, nach außen, wachsen, doch ohne Gewinn für ihre Gestalt.
Richard Wagner machte zwar ihren Namen weltgültig, aber ge-
staltlichen Gewinn konnte die Stadt aus ihrer Allianz mit dem
Bringer der Festspiele nicht ziehen.*

Die Stadt

Die lange, breite, leicht gekrümmt verlaufende M a x i -
m i l i a n s t r a ß e ist, trotz des ihr anliegenden Alten

Schlosses, gut bürgerlich, sehr stattliche Hausbauten, auch
noch einige in Giebelstellung, mehrere, wie die Mohren-
apotheke (1605–10), das Alte Rathaus und das ihm am
Zugang der Brautgasse gegenüberliegende Stirnerhaus,
durch doppelgeschossige und auch gedoppelte Erker ausgezeichnet, besetzen (schmerzliche Lücken riß der Krieg)
die Wandungen; die breite Front der **Spitalkirche** stellt sich
der herankommenden Straße entgegen, eben da, wo sie in
die (westl.) Beuge geht; *3 Brunnen* bilden die geräumige
Fläche, Herkules-, Fama-, Neptunbrunnen; ihre Entste-
hungsjahre sind 1676, 1708, 1755. – Die Achse des markgräflichen Bayreuth ist die dem Markgrafen Friedrich zu
dankende, durch die Hofarchitekten St. Pierre und Gontard
geprägte F r i e d r i c h s t r a ß e , die, als eine ganz einheitliche Straßenschöpfung des 18. Jh., ihresgleichen sucht.
Das **Waisenhaus** (Gymnasium) an der auch ganz einheitlichen, rechteckig begrenzten Platzerweiterung Friedrichstr. 14, ein durch 2 starke Risalite gegliedertes, bei aller
Nüchternheit stattliches Bauwerk des J. D. Räntz, 1732/33,
gab die Richtung an. Unter den meist sparsam behandelten, doch immer guten soliden Häusern, die der Straße
anliegen, sind hervorzuheben: das **Liebhardt-Steingräber-
sche** (Nr. 2, 1753, vermutl. von Gontard) und das weiland
Ellrodtsche (Nr. 7, 60er Jahre des 18. Jh., Gontard), das
erste wirksam durch seine 3teilige Gruppierung, das zweite
durch den hier ungewöhnlich pompös wirkenden Säulenportikus. Das benachbarte Haus (Nr. 3, 5) ist durch den
Namen seines Bewohners **Jean Paul** geweiht. – Der spätbarocke klassizist. Hausbau gipfelt in den stets vorzüglichen, proportionssicheren Bauschöpfungen Gontards, wie
Hofapotheke (1756, Rich.-Wagner-Str. 2), **Harmonie, Gon-
tard-Haus** (1759; beide in schönster Gruppierung die N-
Ansicht der Altstadt, im Blick von der Luitpoldstraße, beherrschend). Eine der besten, imposantesten Gontard-Ar-
chitekturen, das weiland **Reitzensteinsche Palais** (Luitpoldstr. 13, 1761; zuletzt Neues Rathaus), wurde 1945 bis auf
das Erdgeschoß vernichtet. Es weht etwas wie preußische
Luft um diese noblen, meist ruhigen, zuweilen auch trocken
wortkargen Fronten. Die dem Tode des Markgrafen Friedrich, 1763, folgende Berufung nach Berlin-Potsdam, durch
Friedrich d. Gr., verpflanzte die Gontard und Räntz in das
verwandteste Kulturklima. Der Genius loci spricht ebenso-

wohl aus dem Alten wie aus dem Neuen Schloß und auch
schon aus dem in den 20er Jahren des 17. Jh. errichteten,
doch erst im 18. Jh. auf seine endliche Länge gebrachten
Kanzleigebäude, das der durch den Verlauf der Stadtmauer
bedingten Krümmung der nach ihm benannten Straße
folgt. Eine kühle, vernünftige, protestantische Haltung
streitet zuweilen mit dem Prunkbedürfnis, und der strenge
Anspruch des Zwecks weicht, freilich nur im Bereiche der
fürstlichen Laune, dem der Phantasie. Das glücklichste Gewächs dieses eigenartigen, kleinen, aber intensiv erfüllten
Kulturraumes ist die Eremitage. – Die Bausymbole der
neuen Stadt sind **Haus Wahnfried** (1873) und das **Festspiel-
haus** (1872–76). Vergessen wir aber nicht, was den Meister,
dessen Name sich so eng und so weltgültig weit mit dem
Namen Bayreuth verband, hierher zog: das gute alte Gesicht der Markgrafenstadt.

Ev. Pfarrkirche

*Sie ist eine Tochter der Altstädter Nikolauskirche. Ihre erste Patro-
nin, Maria Magdalena, wurde 1616 durch den Titel der Dreifaltigkeit ersetzt. Der Gründungsbau des mittleren 13. Jh. dürfte
die Fundamente der beiden W-Türme hinterlassen haben, deren
Achsen nicht mit der des Langhauses harmonieren; der nördliche
geht jedenfalls, im Untergeschoß, ins 13. Jh. zurück. Um die Mitte
des 14. Jh. scheint der Neubau des Chores und wohl auch der des
S-Turmes in Angriff genommen worden zu sein; der Hussiten-
brand 1430 bot dann Anlaß zum Neubau des Langhauses. 1439–45
ist ein Meister Oswald von Bamberg am Werk, dann, bis 1472,
ein Hans Pul; das W-Portal entsteht 1439, die Einwölbung ist
1470 vollendet. 1518–29 werden die Türme um die Achtecke aufgestockt. Der Stadtbrand von 1605 schädigte auch die Kirche, bes.
in den Hochgeschossen der Türme, im Strebewerk des Mittelschiffs,
im Fenstergaden und in den Wölbungen. Als Restaurator betätigte
sich der Hofbaumeister Mich. Mebart, die Neuwölbung besorgte
der aus Hof kommende Meister Phil. Hofmann, der sich noch auf
die »Reyhen« (Reihungen der Rippennetze) verstand. Die Wiederherstellung hielt sich erstaunlich treu an den got. Bestand; post-
hume Gotik blühte ja, um die Wende des 16. zum 17. Jh., an mehr
als einer Stelle. Nach einem zweiten Brand 1621 wurden die Türme
(Oktogone und welsche Hauben) zu Ende gebracht; Ausbau des
nördlichen aber erst 1666–68; gleichzeitig entsteht die steinerne
Brücke. Ein den Bränden fast vergleichbares Unheil bedeutete die
»Stilreinigung« 1871/72, die alles barocke Inventar entfernte. Auch
der Baukörper mußte sich Glättungen gefallen lassen.*

Äußeres. Eine der ansehnlichsten got. Pfarrkirchen im

oberen Franken. Die Türme, in fast noch roman. Weise ein
Würfelgeschoß auf das andere setzend, flankieren die westl.
Stirnseite des Mittelschiffs, die sich in einem, allerdings ganz
erneuerten, reich profilierten kielbogig umrissenen Portal
öffnet; eine Brücke verbindet ihre Obergeschosse. Der basilikal gestufte Körper des Langhauses liegt im Gerüst der
Strebepfeiler und -bögen; der Chor ist nur von steilen Streben umstellt, die durch Gesimse unterteilt und mit Blenden
belebt sind. Wenig hohe Fenster im Lichtgaden des Mittelschiffs, breite in den Seitenschiffen, sehr hohe im Chor; Gestäb und Maßwerk kaum noch in einem Stück original.
Friese nur an den beiden Untergeschossen des S-Turmes. –
I n n e r e s. Arkaden auf abgekanteten Pfeilern schreiten
die Tiefe des Hochschiffs ab, ihre Spitzbogen wirken wie
aus der Wand geschnitten, die ohne Trennung bis zu der auf
halbrunden Diensten fußenden (im 17. Jh. erneuerten) Wölbung aufgeht. Der 3seitig gebrochene Chor ist durch die
hohen, noch in die Gewölbekappen hineinreichenden Fenster
bestimmt: Ein Fenstergehäuse; zwischen den Fenstern nur
schmale pfeilerartige, durch Dienststrahlen gegliederte Wand-
brücken. – Die Raumwirkung durch die vom Restaurator
für gut befundene Entleerung geschädigt; nur der verschonte
Spätrenaissance-Altar von 1615, Werk Hans Werners, setzt
noch erwünschten Akzent. Von Werner auch die Alabasterreliefs des (neugot.) Taufsteins.

Spitalkirche. An Stelle einer älteren führt sie St. Pierre
1748–50 auf. Die eigenartige Stirnseite des Quaderbaus steht
wirkungsvoll zum Markt, dessen Zug sie schließend auffängt. Klassizistisch, überrascht sie durch die Auftürmung
über der mit Giebel und Attika beschlossenen, durch die
hoch gestühlten Pilaster nur leicht reliefierten Fassade. Der
einfache Raum ist dank seiner Schmückung hell und heiter.
Das Deckenbild (Vision des Jesaias, Verleihung der Redner-
gabe) schuf J. B. Müller aus Dresden, 1750. Der den Raum
bestimmende Kanzelaltar ist Werk des J. G. Räntz. Das
Orgelgehäuse, auch von Räntz, wanderte in die Friedhofkirche ab.

Friedhofkirche. Der Gottesacker war schon 1533 hierher, vor die Stadt,
verlegt worden. Die kleine Kirche entstand, eine ältere Kapelle ersetzend, 1779–81. Als Autor ist der Hofbaumeister J. G. Riedel zu vermuten. Ein Rechteck mit abgeschrägten Ecken und mittleren Eingängen, die Mitte auch durch den, den trockenen Ernst etwas aufheiternden,

Dachreiter betont. – Der Friedhof, auf dem einige Berühmte (Jean Paul, Liszt) ihrer Urständ warten, besitzt noch einige beachtliche Grabsteine, auch Gruftkapellen, des 18. Jh.

Ein neuer Kirchenbau ist die 1956 von Pfeiffer-Hardt errichtete 3türmige **Christuskirche** (in der Nähe des Bahnhofs), die sich sehr gut einem Rundplatz und den von ihm ausgehenden Straßen zuordnet.

Altes Schloß

Der älteste (meranische) Burgsitz lag an der S-Seite des Mauerrings. Die Burggrafen dürften sich aber schon im 13. Jh. ein festes Haus an der SO-Ecke, am Platze des Alten Schlosses, geschaffen haben, von »castris« ist bereits 1268 die Rede. Der spätmittelalterl., in der 2. Hälfte des 16. Jh. neugestaltete Bau mußte bis ins späte 17. Jh. genügen. 1667 nimmt sich Markgraf Christian Ernst vor, die 2 vorderen Teile gleich den 2 hinteren aufzuführen und »in eine Vierung und rechte Form« bringen zu lassen. Im nächsten Jahr beginnt der Umbau der alten unregelmäßigen Viereckanlage. Aber erst in den 90er Jahren wandelt sich das altfränkische Gebäu zu »rechter Form«, dank dem 1691 berufenen (vorher in Güstrow und Berlin tätigen) Ch. Ph. Dieussart. Er muß zwar die alten Trakte stehenlassen, überblendet sie aber an der dem Hof zugekehrten Seite mit vereinheitlichenden Fassaden und bringt so »die ganze circonferenz des einwendigen Platzes auf ein Modell der Architektur«. Dieussart erlebt die Vollendung nicht, indessen findet sein Nachfolger J. L. Dientzenhofer (der bald nach Bamberg geht) nicht viel mehr zu tun, als den 8eckigen Treppenturm (des frühen 17. Jh.), unteren Teils, bis zur Trauflinie der Trakte, mit der von Dieussart angegebenen, Pilaster und Arkaden verbindenden Blendgliederung zu ummanteln. Die gegen die Marktstraße vorgreifenden Flügel werden später, schon unter Georg Wilhelm, um 1700, nach den Plänen von Dieussart, aufgeführt.

Ältester Teil des 1753 durch Feuer heimgesuchten Schlosses ist der hohe, für das Fernbild so wesentliche Achteckturm mit der interessanten Stiege (»schneckenweis ohne Stupff«: Fahr- oder Reittreppe), der 1565/66 von Caspar Vischer gebaut wurde. Die Fassaden Dieussarts sind, bei etwas trocken klassizist. Haltung, doch durch ein kraftvolles Relief der Gliederungen und, nicht zuletzt, durch die strotzende Plastik der über den Fenstern des Erdgeschosses angebrachten Büstenmedaillons ausgezeichnet. Diese Reliefs, die nicht einheitlich sind (es sind ältere der 60er oder 70er Jahre, also hier wieder verwendete, darunter), meißelte zu einem Teil wahrscheinl. der Baumeister (Bildhauer-Baumeister) selbst, zum anderen der aus Regensburg stammende Elias Räntz, ein Mentor des Bayreuther Barock, der

dann auch begabte Söhne zur Verfügung stellte. – Die nach
dem Brand von 1753 durch St. Pierre gründlich erneuerte,
1758 vollendete **Schloßkirche** (seit 1812 kath. Pfarrkirche)
wendet sich in einfacher Lisenengliederung nach außen.
Innen ist sie durch die köstlichen Stukkaturen des M. Pedrozzi geschmückt, die, voll profaner Heiterkeit und, bis
in die Themen, »katholischen« Geistes, leicht, flüssig, sprühend, zum Besten des Rokoko gehören. – Die vermutl. von
Gontard entworfene Fürstengruft unter der Orgelempore
birgt die Sarkophage des Markgrafenpaares Friedrich und
Wilhelmine.

Neues Schloß

*Brandschaden des Alten Schlosses, 1753, gibt den erwünschten An-
laß zum Neuen Schloß. Vom nur langsam vorrückenden S-Flügel
abgesehen, ist der Bau bereits 1754 unter Dach. Baumeister ist
J. St. Pierre, der zuvor (1744 ff.) die hier befindliche Reitbahn
zum regelmäßigen Platz (Schloßplatz) gestaltet hatte und nun,
Sparens halber, mehrere der von ihm hier errichteten Bauten in
die Schloßplanung einbeziehen mußte. Die Freiheit des Planens
war also stark beengt, und wenn die vom Bruder der Markgräfin,
Friedrich d. Gr., geäußerte Kritik auch nicht des Grundes ent-
behrte, so müssen dem Architekten doch die erschwerenden Um-
stände (mit denen er sich aufs bestmögliche abfand) zugute gehalten werden.*

In beiden Flügeln stecken etwas ältere Relikte; der die
Flügel verbindende Mittelbau entwickelte sich aus der ref.
Kirche. Das Ergebnis der Kompilation: ein sehr langgestreckter 3geschossiger Trakt mit einem vorgezogenen Mittelbau.
Bieten die (urspr. nur 2geschossigen) Flügel wenig auf, so
um so mehr die prätentiöse Mitte: Über dem rustizierten
Sockelgeschoß erhebt sich das in 3 hohen Rundbogenfenstern
geöffnete Hauptgeschoß; die ihm vorgesetzten korinthischen
Säulen tragen ein verkröpftes Gebälk, dem eine horizontal
abschließende Attika aufsitzt. Zu diesem barocken Klassizismus französ. Prägung verhält sich der auf dem Platze stehende, sehr barocke *Brunnen* nicht gerade zustimmend; er
ist älter, 1700 schuf ihn, nach Angaben Joh. Leonh. Dientzenhofers, Elias Räntz, erst 1748 wurde er vom Alten Schloß
hierher übertragen. – 1759 wuchs noch südl. der »Italienische
Bau« hinzu, der, zunächst noch ohne Anstoß an das Schloß,
später, 1764, mit diesem durch einen Zwischenbau verbunden wurde. Werk Gontards, trägt dieses nur schwach und

flach gegliederte Gartenschlößchen schon frühklassizist. Charakter. – I n n e r e s. Eine Reihe wohlerhaltener Räume
aus der Zeit des Markgrafenpaares Friedrich und Wilhelmine birgt beste und zugleich höchst originelle Ausstattungen des späten Rokoko. Hervorgehoben seien das Zedern-
und das Spalierzimmer (im Obergeschoß des S-Flügels):
Ausklang des Rokoko, dessen ornamentale Formensprache
hier nicht der Antike, sondern der Natur weichen muß. Man
wird, für dieses eigentümliche sentimentale Rokoko die
Markgräfin selbst verantwortlich machen dürfen, die es,
später, auch in das Neue Schloß ihrer Eremitage einführte.
– Der Große Saal im Italienischen Bau, für die zweite Gemahlin des Markgrafen errichtet, zieht noch einmal die
Register des späten Barock; die klassizist. Motive ordnen
sich unter. Die Ausstattung der Räume gehört R. H. Richter,
der entzückende Stuck M. Pedrozzi. Das Blumenkabinett sei
als ein Inbegriff der so eigenartigen, bunte Farbe und natürliche vegetabilische Motive einbeziehenden Dekorationsweise
des bayreuthischen Rokoko insbesondere gerühmt.

Der Hofgarten, auf der Rückseite des hier durch den in die Ansicht
einbezogenen Italienischen Baues nicht länger, aber auch, dann Unregelmäßigkeiten, belebter wirkenden Schlosses, hatte schon bescheidene Vorläufer im 16. und 17. Jh. 1753 um die Hälfte wachsend, wird er jetzt
auch neu gestaltet. 1789 verlor er, zum Landschaftsgarten englischen
Stils umgewandelt, seine urspr. Prägung.

Opernhaus *(Tafel S. 161).* Sehr dringliches Bedürfnis eines
von einer theaterfreudigen, ja selbst theaterbegabten Fürstin
gelenkten Hofes, entsteht das markgräfl. Opernhaus doch
erst verhältnismäßig spät, 1744. Als Architekt ist J. St. Pierre
zu erschließen. Das Innere entwarf Giuseppe Galli Bibiena,
aus der bedeutenden Bologneser Familie von Theater-Archi-
tekten, die Ausführung dürfte sein Sohn Carlo, seit 1746
in Bayreuth, stark beeinflußt haben. 1748 ist dieses prächtige Rokokotheater fertig. »Rokoko« will allerdings nicht
recht passen. Die in die Straßenzeile eingebaute Fassade ist,
bei allem Pathos der großen Säulenstellung, französ.-klassi-
zistisch, und der Innenbau entfaltet seine Pracht in einem
schweren dröhnenden Barock. Die Meister sprechen ihre
Nationalitäten aufs klarste aus. – Bühnenhaus und Zuschauerraum besetzen je zur Hälfte die Tiefe des Gebäudes.
3 Logenränge schlagen einen Bogen, in dessen der Bühne
gegenüberliegendem Scheitel der Haupteingang ist – mit

dem Podest der in 2 Armen zum Parterre herabführenden Treppe – und darüber die Hofloge. Zur Bühne leiten die schräg gestellten hohen Trompeterlogen über, deren berankte Säulen an den Flanken des Proszeniums wiederkehren. Da auch das Motiv der Logenbalustraden im Proszenium aufgenommen ist – wie oben an der schweren reichen Decke, als Einfassung des von Wilh. Ernst Wunder gemalten Musen-Apolls –, schließen sich Bühne und Zuschauerraum formal zusammen. Es ist, als gleite dieser in jenen hinüber, dessen Prospekt (neu, aber in der alten Art) nun diesen wieder zurückspiegelt.

Eremitage

Nordöstl. der Stadt umschließt eine Schleife des Roten Mains ein Stück Waldlandschaft, das, schon im frühen 17. Jh. markgräflicher Besitz, wie geschaffen zur Anlage eines »Tiergartens« ist, den Markgraf Christian Ernst 1666 in Angriff nimmt, um ihn 1669 mit einem Grotten- und Brunnenhaus zu bereichern. Markgraf Georg Wilhelm greift dann den der höfischen Gesellschaft des Zeitalters nicht mehr fremden (aus dem Frankreich des Louis XIV eingeführten) Gedanken der Einsiedelei, »Eremitage«, auf. So entsteht 1715–18 nach den Plänen des Hofbauinspektors Joh. David Räntz das **»Alte Schloß«**, das zwar nicht in seiner repräsentativen Fassade, um so mehr aber an den Flanken, im Hof und besonders im Grottenbau bis in die Schornsteine hinauf den Anschein frei gewachsenen Gefelses erwecken will. An den Fassadentrakt des einen Innenhof umhegenden Gevierts läßt die Markgräfin Wilhelmine 1736 ff. 2 kurze Flügel anstoßen, die das Motiv der Felsenarchitektur übernehmen. Auch das Innere erfuhr durch die hier erstmals ihren persönlichen Geschmack durchsetzende Markgräfin Umgestaltungen. Doch behielt der Marmorsaal die ihm unter Georg Wilhelm gegebene barocke Prägung. Sein Marmormaterial stammt aus Brüchen des Landes. Das kräftige Relief der Stukkaturen schuf (wahrscheinl.) D. Cadenazi, die Deckenfresken Gabr. Schreyer. Aus gleicher Zeit erhielt sich auch die Grotte am S-Ende des Gevierts: ein von einer Achtecklaterne überhöhter Kuppelraum über quadratischem Grundriß, den mit Glasschlacken und Muscheln ausgekleidet ist. Der Nerv dieser durch den Stukkator doch wieder künstlerisch gebändigten künstlichen Grotte ist das Wasser, das in

zahllosen »Sprüngen« den Raum durchgittert. Abgesehen
von diesen beiden Bewahrungen der Georg-Wilhelm-Zeit
trägt die Innenausstattung den Stempel der Markgräfin
Wilhelmine. Wir gehen nicht von Raum zu Raum, wir heben
nur heraus: das Japanische Kabinett, eine ganz persönliche,
in Teilen auch eigenhändige Schöpfung der Schloßherrin;
von den den Wänden applizierten Lackreliefs sind nur 4 ost-
asiatische Originale (Geschenke Friedrichs d. Gr. an die
Schwester), alle übrigen Arbeiten der Fürstin. Das angrenzende Musikzimmer darf zu den heitersten und intimsten
Wohnraumschöpfungen des Rokoko gestellt werden. Hellgrauer Stucco lustro bekleidet die Wände, die blaugrauen
Felder sind oben mit den von A. Pesne gemalten Porträts
der Freundinnen der Markgräfin besetzt. Das zarte leichte
Geranke der Deckenstukkaturen dürfte etwas später, d. h.
nach 1737, vermutl. um 1750, durch Pedrozzi zu Ende gebracht worden sein. Das nächstfolgende chinesische Spiegelkabinett ist nicht mit Spiegeln, sondern Spiegelscherben (daß
die »Eremitage« mit dem ihr eingeborenen Vanitas-Gedan-
ken anklinge) dekoriert. Die Chinoiserien steuerte Joh.
Christ. Jucht bei. – Mehr oder minder aktive Anteilnahme
der Markgräfin zeichnet, spürbar, alle der unter und von ihr
geschaffenen Räume aus. Es gibt reichere, festlichere Raumdekorationen, aber es gibt nur wenige, die so ganz Ausdruck
einer persönlichen Lebenssphäre sind.

Neues Schloß der Eremitage

*1749–53 entstand es (»Orangerie«, auch »Menagerie« genannt)
nach Plänen J. Saint Pierres, unter Beteiligung R. H. Richters und
Gontards. Wir dürfen aber annehmen, daß Geist vom Geiste der
Markgräfin in den Planer einging, denn so Beschwingtes, ja Poe-
tisches hat der doch recht kühle franzõs. Klassizist sonst nicht
geschaffen. Die reiche und feine, auch phantastische, für das späte
Rokoko so charakteristische Innenausstattung denke man sich, ge-
stützt auf Wort und Bild, hinzu; sie ging 1945 zugrunde. Die
Architektur blieb in wesentlichen Teilen erhalten. Sie wurde inzwischen
überholt. Der in preußischer Zeit auf den Kuppelscheitel gesetzte
Adler wurde durch einen, in Zeichnungen des 18. Jh. vorgegebenen
Apollo ausgetauscht.*

Der Grundriß zeichnet einen Halbkreis, in dessen Mitte,
abgesetzt von den dem Halbrund der Bogenschenkel folgenden Flügeln, das Achteck des »Sonnentempels« steht. Urspr.
nahm die Heckenarchitektur des Parterres die Anregung des

Bamberg. Dom, Ostchor

Bayreuth. Markgräfliches Opernhaus

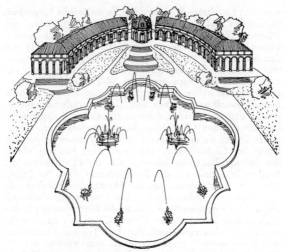

Bayreuth, Eremitage, Neues Schloß

Halbkreises auf, sie schloß ihn durch einen Gegenhalbkreis zum Vollkreis. Der zentrale Sonnentempel beherrscht mit seiner plastischen Körperlichkeit und der hohen, geschwellten Dachkuppel die von ihm ausstrahlenden Rundflügel, deren Reihungen offener, auf Zwillingssäulen ruhender Arkaden die waagrechte Bahn der durchlaufenden Attikabalustrade zusammenschließt. Inkrustation der Mauern und Säulen mit bunten Glasflüssen und Steinen steigert die der Anlage schon an sich eigene Phantastik, zu der ihresteils die verzinnten Stuckbüsten der Imperatoren (von Pedrozzi) über den Arkaden beitragen. Nehme man noch die in 58 Sprüngen spielende Wasserkunst der Fontänen des großen Bassins mit den beiden Tritonengruppen hinzu, um der urspr. Wirkung dieses Märchenschlosses teilhaftig zu werden. Die Plastik des Brunnens, des Parterres, der Reliefs an der Treppe rückseitlich des Sonnentempels gaben die Bildhauer Joh. Gabr. Räntz und Joh. Schnegg.

Der Park. Die urspr. Aufteilung in einen französisch (geo-

metrisch) gestalteten W- und einen die natürliche Landschaft
schonenden und verwertenden O-Teil ist nicht mehr rein
erhalten; die Geometrie der den beiden Schlössern benachbarten Quartiere mußte im letzten Jahrzehnt des 18. Jh. vor
den Forderungen des modernen, englischen Landschaftsgär-
tens zurückweichen. Immerhin (bemerkenswert früh) war
auch der durch Achsen geordnete W-Teil schon mit senti-
mentalen Hinweisen auf die allgewaltige Natur, die alles
Menschenwerk verzehrende und überdauernde, durchsetzt:
mit Ruinen vornehmlich, denn sie schrieben am augenfällig-
sten die gesuchte Chiffre des Memento mori in die Landschaft. Da ist die aus antiken Fragmenten zusammengestellte
Ruine des Grabdenkmals Folichons, eines Lieblingshundes
der Markgräfin (man erinnere sich des Hundekultes des
Bruders in Sanssouci), das Ruinentheater (von St. Pierre,
1743), die Sonder-Eremitage des Markgrafen Friedrich, die
allerdings erst Ruine wurde, aber doch schon Ruinenstil
zeigte. Unter den sonstigen mancherlei Einstreuungen in den
Park stechen hervor die sog. Untere Grotte mit ihrem wohlerhaltenen Wasserspiel und der von Tritonen, Delphinen
usw. umgebenen Nymphe, gemacht von zweien aus der
Räntz-Sippe, Joh. David und Joh. Lorenz. – Der O-Teil des
Parkes, der sich zum Flusse abwärts wendet, um sich von
ihm umfassen zu lassen, konnte schon durch seine natürliche
Anmut zu einer Anerkennung der landschaftlichen Gegebenheiten auffordern. Doch bleibt dieses Gewährenlassen des
Freiwuchses (bis auf die erschließenden Wegführungen) in
einer gemeinhin noch das Künstliche dem Natürlichen über-
stellenden Zeit (Mitte und noch vor Mitte des 18. Jh.) erstaunlich. Der englische Gartenstil begann erst in den 80er
Jahren vorbildlich zu werden, und so wird man die Initiative wie überall in der Eremitage bei der Markgräfin suchen
müssen. Der urspr. Charakter des Parkes, »Einsiedelei«, Ein-
kehr in die Natureinsamkeit, wies ihrer an sich schon durch
das Gefühl bestimmten Phantasie die Richtung.

Die die Stadt mit der Eremitage verbindende K ö n i g s a l l e e führt
an dem links liegenden, 1754 errichteten, zunächst Reitzensteinschen,
dann 1759 vom Markgrafen übernommenen und erweiterten Schlößchen
Colmdorf vorbei, erreicht am nördl. Knick die **Rollwenzelei**, von der
nur zu sagen ist, was die Inschrift meldet: »Hier dichtete Jean Paul«,
und berührt kurz vor ihrem Ziel das noble **Haus Philippsruh**, ein
klassizist. Werk des letzten der Hofbaumeister, C. Chr. Riedel, 1804
bis 1805.

Fantaisie. Eindrücke einer italienischen Reise des Markgrafenpaares, 1754/55, regten zum Bau eines Lustschlosses im nahen DONNDORF an. Der Tod der Markgräfin Wilhelmine, 1758, hemmte das Unternehmen und noch einmal der des Markgrafen Friedrich, 1763. Erst 1765 konnte es, vermutl. unter der Leitung Rud. Heinr. Richters, zu Ende gebracht werden. Eingriffe des 19. Jh. haben das Schloß stark verwandelt. Reizvolle Boiserien der beiden Bayreuther Ebenisten Spindler von 1760–65 heute im Bayerischen Nationalmuseum, München. Als Bestes ist der feine Gartensaal (Teehaus) Gontards von 1763 geblieben.

St. Georgen

Markgraf Georg Wilhelm, regierend seit 1726, baut als Erbprinz an einem kleinen (1509 angelegten) See nördl. der Stadt, »Brandenburger« genannt, 3 »holländische« Häuschen, ersetzt sie 1701 durch ein Schlößchen und dieses wieder, 1725, durch ein Schloß. Der markgräfl. Bauinspektor Joh. David Räntz, Sohn des Bildhauers Elias, führt es auf.

Der von den zurückliegenden Flügeln flankierte Mittelbau ist durch wuchtige Gliederungen bestimmt. Auf dem Sockel des rustizierten Erdgeschosses steigen die die beiden Obergeschosse zusammenfassenden Kolossalpilaster auf. Der mittlere der durch sie eingegrenzten 3 Abschnitte ist ausgezeichnet durch ein hohes übergiebeltes Rundbogenfenster (2. Geschoß) und das Wappenrelief (3. Geschoß). Eigentümlich die freie Gestaltung der Pilasterkapitelle, deren bestimmendes Motiv das Kreuz des von Georg Wilhelm gestifteten Ordens »de la sincérité« ist. Anregungen durch den preußischen Barock (Schlüter) sind deutlich, auch in dem Anteil, der der Plastik in den Trophäen über den Fenstern des 1. Obergeschosses und in dem kräftigen abschließenden Konsolengesims eingeräumt ist. An Schlüter erinnert auch der wohlerhaltene Hauptsaal der, reich und phantasievoll stukkiert, v. a. in der Rahmung des Plafondgemäldes, schwere voluminöse Barockformen aufbietet.

Vor dem Bau des Schlosses hatte Georg Wilhelm 1702 bereits im benachbarten Gelände eine **Hugenottenstadt St. Georgen** begründet, die, nie mehr als eine Miniaturstadt, heute noch vorzüglich erhalten vor Augen steht. Je 12 gleiche 2geschossige Häuser säumen die eine lange Straße, die sich nur oben zum Kirchplatz erweitert. Die **Sophienoder Kapitelskirche**, 1705–11 errichtet, ist Werk des aus Berlin gekommenen Gottfried v. Gedeler, bis auf den Turm, den J. D. Räntz 1716–18 hinzubaute. Ein Quadrat mit kurzen Armen an 3 Seiten, entfaltet dieser Predigtsaal

seine Vorzüge in einem soliden Quaderbau. Rühmenswert
auch das durch die Doppelempore, die Fürstenloge, den
stark plastischen Stuck B. Quadros, die Deckenbilder Joh.
Martin Wilds und G. Schreyers und den Kanzelaltar bestimmte Raumbild. Ein zweites hervorstechendes Gebäude
besitzt St. Georgen im 1735 gestifteten, 1742 wahrscheinl.
vom Bauinspektor Joh. Georg Weiß errichteten **Graven-
reuthischen Spital**: ein 2geschossiger Bau mit Mansarde, aus
dessen Mitte die in der Front mit rustizierten Pilastern gegliederte Kapelle vortritt; ein Dachreiter krönt die Mitte
des Firstes. Die vortrefflichen Stukkaturen (1744) von
F. H. Andrioli.

Südl. der Stadt das ehem. markgräfliche **Jagdschloß Thiergarten**. Der
1715–20 von D. Räntz errichtete Bau ist der mittlere Teil einer geplanten größeren Schloßanlage: ein 2geschossiges bekuppeltes Oktogon
mit westl. anschließendem 1geschossigem Flügel. Der von Pilastern gegliederte Saal des Oktogons durch die Stukkaturen A. D. Cadenazzis
ausgezeichnet. (Jetzt Hotel.)

BAYRISCHZELL (Obb. – D 8)

*Urspr. Namens »Hellingerswang« und Besitz der Grafen v. Sempt-
Ebersberg, dann, 1045, der Pfalzgräfin Haziga v. Scheyern (Wittelsbach), die hier eine Eremitenzelle vorfindet und mit Hilfe des
Abtes Wilhelm von Hirsau ein Benediktinerkloster gründet (Weihe
1077), das aber schon wenig später, um 1095, nach Fischbachau
verlegt werden muß.*

Pfarrkirche St. Margaretha. Neubau von Abraham Millauer, 1734–36,
unter Verwendung eines spätgot. Turmes, erweitert gegen 1786. Das
quadratische Laienhaus sendet gegen O einen halbrunden Chor, gegen
W einen ihm entsprechenden rechteckigen Vorraum aus. Über gliedernden Pilastern eine Flachkuppel. Laub- und Bandwerkstukkatur 1736
vom Thom. Glasl. Die Fresken erzählen aus der Margarethenlegende
und von der Gründung der Klosterzelle. Hochaltar aus dem 17. Jh. mit
Bekrönung des 18. Jh. Stuckkanzel gegen 1740 von Glasl. – **Seelenkapelle** auf dem Friedhof, an Stelle eines got. Karners, 1785/86. Rokoko-
Altar mit Gnadenbild von 1621.

BEILNGRIES (Opf. – D 5)

*1007 gelangt Beilingriez als Schenkung Heinrichs II. an Bamberg,
1015 an Eichstätt, bei dem es nun dauernd bleibt. 1043 erhält es
durch Heinrich III. Markt und Zoll. – Die starke Veste Hirschberg
nordöstl. über dem Markt, Sitz der Grafen von Hirschberg, der
Vögte des Hochstifts, fällt mit deren Aussterben 1305 an Eichstätt*

(s. Hirschberg). Das Landgericht Hirschberg, dessen Dingstätte Beilngries ist, fällt allerdings an den bayerischen Herzog. – Anfang des 15. Jh. ist Beilngries bereits ummauert, 1485 kommt es durch den Eichstätter Bischof zu Stadtrechten.

Die **Anlage** ist planmäßig; eine breite Marktstraße, die südöstl. auf das Rathaus trifft, ist die organisierende Achse. Die in Bruchsteinen aufgeführte **Ringmauer** steht noch gutenteils, auch einige Mauertürme (nicht die Tore) haben sich erhalten; der Graben zeichnet sich durch die ihn einnehmenden Gärten ab. – Die **Wohnbauten**, die ihre Giebelfront der Straße zuwenden, folgen z. T. der breitgiebeligen Altmühlbauweise; ein anderer Teil, hochgiebelig, folgt donaubayerischer Prägung. Reizvolle Staffelgiebel bereichern das Straßenbild.

Die **Pfarrkirche St. Walburga** ist Neubau von 1912/13 auf dem Platz einer älteren, im 12. Jh. gegr. Anlage, die 1693/94 durch einen Neubau ersetzt worden war. Von den Vorgängerbauten ist, außer dem Turm, nichts erhalten.

Die **Marienkapelle** wurde 1683 außerhalb der Stadt errichtet und 1753 durch den Eichstätter Pedetti vergrößert.

Ehem. Franziskaner-Klosterkirche, 1763.

Die **Friedhofskirche St. Lucia,** erb. 1469–76, diente ehemals als Pfarrkirche. Der einheitliche got. Bau hat einen rippengewölbten, eingezogenen Chor und ein flach gedecktes Langhaus. Dieses wurde um 1740 mit einfachen Bandmotiven ausstuckiert.

BEINBERG b. Gachenbach (Obb. – D 6)

Die **Wallfahrtskirche St. Maria** auf dem »Peinberg«, in reizvoller Lage, verkörpert den Typus einer schlichten altbayerischen Gnadenstätte. Stiftung der Peisser »auf dem Perg« (der ehemals einen Burgstall trug), gefördert von deren Nachfolgern, den Rittern v. Gumppenberg und v. Ötting. Entstanden zwischen 1485 und 1497 (Chor) und umgestaltet im 18. Jh. (Langhaus). Das Deckenbild im Schiff ist von Ign. Baldauf bezeichnet, 1767. Hochaltar Ende 17. Jh. mit Gnadenbild (um 1520), Seitenaltäre Ende 18. Jh. Im Chor links Muttergottesrelief 1473, an der Langhaus-N-Wand Marientod um 1500. Zahlreiche Votivtafeln 18.–20. Jh. – Restaur. 1960–64.

Im nahen **GACHENBACH** spätroman. **Kirche St. Georg** mit mittelalterl. Malereien. Am (neuen) Hochaltar Flügelgemälde des 15. Jh.

BENEDIKTBEUERN (Obb. – C 8)

Ehem. Benediktinerklosterkirche St. Benedikt

Eines der ältesten, viell. das älteste der großen Benediktinerklöster vor den Alpen, auch eines der reichst begüterten, und eine der fruchtbarsten Kulturanstalten von den ersten bis zu den letzten Tagen seines mehr als 1000jährigen Bestehens. Gründung wohl noch vor Mitte des 8. Jh., wahrscheinl. 747. Gründer: Landfrit,

Waldram, Elilant, 3 Brüder aus dem Uradel der Huosi. Der von ihnen gerufene Bonifatius weiht die erste Kirche. Die den Mönchen von »Beuern« gestellte und von ihnen bis ins 12. Jh. gelöste Aufgabe ist, gemäß dem »Ora et labora« der Regel, auch eine wirtschaftliche: Bezähmung und Erschließung des Wildlandes. Eine für Frauen bestimmte Zweigniederlassung entsteht im nahen Kochel. Die für alle baierischen Klöster so verderblichen, für manche tödlichen Krisenjahre des 10. Jh. (Schmälerung durch den Herzog, Verheerung durch die Ungarn) werden mit knapper Not überstanden. Im frühen 11. Jh. dank Zuzug Tegernseer Mönche (1031) reorganisiert, blüht es wieder auf, gewinnt sogar, im 13. Jh., reichsunmittelbare Stellung, ohne sie allerdings, gegen den Herzog, behaupten zu können. Nach Hoch-Zeiten seines geistlich-geistigen Lebens im 15. und seit dem späten 17. Jh. verfällt es 1803 der Säkularisation, deren Exekutoren es mit der üblichen Schonungslosigkeit behandeln. Ein reicher Handschriftenbesitz (jetzt der Münchner Staatsbibliothek) ist nicht die einzige, aber auch nicht die letzte Beglaubigung seines hohen kulturellen Ranges. Ironie des Schicksals, daß sich sein Name mit den für seine Geistigkeit am allerwenigsten kennzeichnenden Vagantenliedern des 12. Jh., den Carmina Burana, verband. – Seit der Aufhebung in privaten Händen, zeitweise (1807–18) die von Utzschneider geführte, mit einem optischen Institut verbundene Glashütte beherbergend, konnte das Kloster mit der 1930 vollzogenen Besetzung durch Salesianer seine alte geistliche Bestimmung zurückgewinnen.
Die neue barocke Klosterkirche wurde (wie die Tegernseer) um einige Jahrzehnte zu früh in Angriff genommen; die Reife des großen barocken Bauens (an der nur die, allerdings köstliche, Anastasiakapelle teilhat) stand noch bevor. Der Weilheimer Baumeister Kaspar Feichtmayer, der die Klosterkirche 1680–85 aufführte, überschritt nicht ein gutes Mittelmaß. Indessen ist die entwicklungsgeschichtliche Bedeutung der Klosterkirche (wie die der Tegernseer) hoch einzuschätzen. Die Ausstattung in Stuck und Fresko öffnete neue Wege, man darf sagen den neuen Weg, der dann in wenigen Jahrzehnten zur Reife führte. In und mit Benediktbeuern beginnt die Geschichte der Asam; der Vater, Hans Georg, ist der Freskomaler der Klosterkirche, der Sohn, Cosmas Damian, kommt in Benediktbeuern zur Welt.

Das Kloster liegt am Fuße des Gebirges, östl. ragt die mit dem Namen seines Heiligen benannte Benediktenwand, und diese einerseits geschlossene, andererseits offene landschaftliche Situation muß seinen Vorzügen zugerechnet werden. Über dem breitgelagerten Komplex der Klostertrakte stehen die beiden schlanken, in den Obergeschossen 8eckigen Türme mit ihren Zwiebelhelmen. Der wenig gegliederte, in den Fensterformen etwas altmodische *Kirchenkörper* wendet

seine von einem gestuften, rund geschlossenen Giebel überhöhte Stirn dem großen Klosterhof zu. Offen, gegen das
Gebirge, steht der flachschlüssige Chor, dessen N-Seite die
jüngere Anastasiakapelle (so reich im Inneren, so bescheiden
im Äußeren) anliegt. – Das I n n e r e wirkt dunkel und
gedrückt: eine Wandpfeileranlage mit tiefen Seitenkapellen
und niedrigen Emporen darüber. Alle Bogenspannungen
scheinen unter der Last ihrer Aufgabe nachzugeben. Ihre
Rundung ist wie gepreßt. Die Schwere des Gesamteindrucks
verstärkt sich durch stark plastische Stukkatur. Diese scheint
aus dem Zusammenwirken oberitalienischer und einheimischer
Kräfte entstanden zu sein. Figürliche Teile (Engel, Apostel)
zeigen am deutlichsten die engen Grenzen ihrer künstlerischen Fähigkeit. Die in Temperatechnik ausgeführten Gewölbemalereien, seit der Landshuter Renaissance-Residenz
früheste Versuche illusionistischer Raumerweiterung diesseits der Alpen, malte Hans Gg. Asam (1683/84). In derber
Bildsprache berichtet er aus der Heilsgeschichte (von O):
Christi Geburt, Taufe, Verklärung, Auferstehung, Ausgießung des Hl. Geistes, Weltgericht. Chordekoration 1791
überarbeitet. Hinter dem O-Abschluß: Sakristei und Mönchschor. – Der Hochaltar von 1686 trägt ein Benediktusbild
von Mart. Knoller 1788 (im 19. Jh. verdorben). Über den
seitlichen Durchgängen stehen die Figuren der Bischöfe, welche die ersten Weihen der Münsterkirche vollzogen haben:
St. Bonifatius rechts und St. Ulrich links. Darüber Orato-
rienfenster und Büsten der Patrone Benedikt und Scholastika. Die allegorischen Puttengruppen am unteren Rand des
Altarbildes schuf Rom. Ant. Boos um 1780: 3 christliche
Tugenden. Die Altäre der Seitenkapellen sind von beschei-
denem Aufbau. Im östl. Paar Gemälde von Martin Knoller
(1788), in den beiden folgenden Kapellen der N-Wand von
Karl Loth, in der westl. der S-Wand von Cosmas D. Asam.
– Die *Anastasiakapelle*, nördl. hinter dem Chor zurückliegend, ist ein Raumgebilde kostbarster Art. Der bedeutendste Meister des kirchl. Spätbarock in Bayern, Joh. Mich.
Fischer, hat 1751–58 dieses lichtdurchströmte, laubenhaft
lockere und zugleich architektonisch straff umschriebene
Oval geschaffen. Flockige Rocailleformen umspielen das
Fresko der Flachkuppel, in dem Joh. Jak. Zeiller den Himmel öffnet. Aus ihm blickt die Dreifaltigkeit herab in den
strahlenden Festsaal der hl. Anastasia. Im Altarbild (von

Amigoni 1726) schwebt sie den Himmlischen entgegen. Darunter, auf der Mensa, steht die silbergetriebene Reliquienbüste der Heiligen (teilvergoldet, mit Edelsteinbesatz), ein Werk von hoher Meisterschaft nach Entwürfen des Egid Qu. Asam. Seitenaltäre mit Arbeiten aus der Werkstatt Ign. Günthers.

Die **Klosterbauten** schließen sich gegen S und gegen W in rechteckigen Höfen zusammen. Sie entstanden unter Einbeziehung mittelalterl. Reste 1669–75. Im Innern interessante Stuckarbeiten von 1669, 1685 und aus dem 18. Jh. Bes. üppig ist die Stuckdekoration des Alten Festsaals um 1680. Merkwürdige Malereien vermengen die Gestalten der christl. Religion mit solchen der antiken Mythologie zu allegorischer Aussage. – Prälatenbau mit Speisesaal und Festsaal, beide von Joh. Bapt. Zimmermann ausgestaltet, desgleichen die Bibliothek im Konventsgarten (1724).

Die imponierend stattlichen **Wirtschaftsbauten** von Mich. Ötschmann (1708) bilden nordöstl. der Kirche einen dritten, rechteckigen Hof.

BENK (Ofr. – F 3)

Ev. Pfarrkirche

Die Siedlung läßt sich urkundlich erstmals 1237 nachweisen. Die der hl. Walburga geweihte Kirche, an der eine Wallfahrt hing, ist bis 1365 Filiale von Marktschorgast. 1740 brennt sie ab, 1741–48 wird sie durch das bayreuthische »hochfürstliche Bauamt« neu errichtet. Die Stukkaturen besorgt F. H. Andrioli, die Bildhauerarbeiten J. G. Räntz, die Bemalung der Ausstattung (1749) Heinr. Samuel Lohe, »privilegierter Kunst-Mahler in Hof« (so auf der Rückseite des Altars). Das Orgelgehäuse, durch seine Weiß-Gold-Fassung von der sonst hier bevorzugten bunten abweichend, kam 1805 hinzu.

Der Wert der kleinen Pfarrkirche, einer der kleinsten des Bayreuther Landes, liegt in ihrer A u s s t a t t u n g. Beherrschend der große Kanzelaltar von J. G. Räntz und (in einigen dekorativen Teilen) J. G. Schleunig, der sich in breit gesockelter Pyramide aufbaut. Vor ihm das ebenfalls Räntz zu dankende Taufbecken: von einem Engel gestützt, bewegt profiliert. – Ein wesentlicher Wirkungsfaktor ist die von Lohe gegebene farbige Fassung der Stühle und Emporen, die mit ihren rot unterlegten grauen Ornamenten ein Etwas von Bäuerlichkeit hinzubringt, mit welchem sich der elegante Stuck des Hofkünstlers Andrioli doch freundlich verträgt: an der Decke des Schiffes das goldene Strahlen entsendende Auge Gottes, Wolkenflocken und Engelsköpfchen ringsum; Weiß und Gold auf zartblauem Grund.

BERBLING (Obb. – D 8)

Pfarrkirche Hl. Kreuz. Eine der reizvollsten Landkirchen des bayer. Rokoko. Neubau 1751–56 durch Phil. Millauer und Hs. Thaller. Äußeres reich gegliedert. Zentralbau, dessen Seitenwände sich in den Raum hineinblähen zwischen konvex gerundeten Ecken. Dem querovalen Chor entspricht eine ebensolche Vorhalle. Vorzügliche Rocaille-Stukkaturen. Gute Gewölbefresken: Kreuzauffindung und -erprobung (Chor), Konstantinsschlacht (Laienhaus). Gemälde des Hochaltars von Joh. K. Weidtinger 1786. – Wilh. Leibls berühmtes Gemälde »Drei Frauen in der Kirche« (Hamburg, Kunsthalle) entstand 1882 in Berbling.

BERCHING (Opf. – E 5)

Die 883 erstmals gen. Siedlung kommt 1015 als Königsschenkung an das Bistum Eichstätt, das sie im 12./13. Jh. an die Vögte, die Grafen v. Hirschberg, verliert, dank Rückgabe der Vogteirechte durch Hirschberg 1296 aber zurückgewinnt. Berching bleibt im – Sitz eines bischöflichen Propsteiamts – eichstättisch bis zur Säkularisation. – Als Stadt (civitas) zeigt es sich erstmals 1314. Zunächst nur mit Palisaden bewehrt, erhält es gegen Ausgang des 15. Jh. den türmereichen Mauerring, der es heute noch in guter Erhaltung auszeichnet. – Hauptachse ist die von S nach W ziehende Straße, die noch zwischen den beiden Toren liegt. Die jenseits der Sulz um die sicher »uralte« Lorenzkirche (älteste Pfarrkirche) gesammelte Vorstadt wurde gleichzeitig ummauert. Auch ihre Hauptachse, die von Neumarkt herkommende, nach Beilngries führende Straße, tritt noch durch Tore ein und aus.

Pfarrkirche Mariae Himmelfahrt. An die frühgot. O-Teile mit dem kräftigen Turm setzte der Eichstätter Hofbildhauer Matth. Seybold 1756 und in den nächsten Jahren (an der Orgelempore Chronostichon 1758) ein zentralisierendes Langhaus mit 2 Seitenkapellen. 2 vorgeschobene Pfeiler im O antworten dem emporenbesetzten W-Abschluß und verbinden auf originelle Art Laienhaus und Chor. Bewegte Rocaille-Stukkaturen, 1758, umspielen die Deckengemälde J. M. Baders von Eichstätt: im W der psalmodierende König David, im Laienhaus die Marienkrönung. Aus gleicher Zeit die Altäre (Hochaltarblatt 19. Jh.). In der nördl. Seitenkapelle Epitaph des Georg Keller († 1542) aus der Werkstatt des Loy Hering.

Die **Kirche St. Lorenz,** auf die sich wahrscheinl. eine Weihenachricht der 60er Jahre des 11. Jh. bezieht, erfüllte lange die Aufgabe der Pfarrkirche. Vermutl. gehen die Langhausmauern auf den Gründungsbau zurück. Der Turm gehört dem 13. Jh. an (Obergeschoß und Haube Ende 16. Jh.). Auch das rundbogige, einmal gestufte Portal an der N-Seite zeigt die Formen des frühen 13. Jh.; im Tympanon Relief mit Vortragekreuz zwischen 2 Rosetten. 1680 er-

folgte eine Umgestaltung. Wandpfeiler wurden eingezogen,
auch neue Gewölbe; die Fenster wurden verändert. Der
neugot. Hochaltar birgt Schnitzarbeiten nürnbergischen
Charakters aus der Zeit um 1500–20: Marienkrönung und
Flügelreliefs mit Laurentiuslegende und Hl. Sippe (um
1520), Figuren der hll. Laurentius und Sebastian in den
Seitenaltären; St. Wolfgang, um 1500 (N-Wand). Von
hohem Reiz ist ein Zyklus von Tafelgemälden aus der
Laurentiuslegende in den Seitenaltären, bedeutende Arbeiten der Regensburger Schule um 1515, Albrecht Altdorfer
nahestehend (Rahmen und Inschriften 17. Jh., im 19. erneuert). Führen wir noch auf: das Steinrelief mit Christus-
haupt, um 1400, an der S-Wand des Chores, vermutl. Fragment eines Sakramentshauses, und das vorzügliche Holzrelief der Kreuztragung in alter farbiger Fassung, um 1420
bis 1430, an der S-Wand des Langhauses, das sich noch vor
wenigen Jahren im Tordurchgang zur Vorstadt befand.

Friedhofskapelle St. Michael. Neubau 1706 an Stelle eines mittelalterl.
Karners; jetzt Kriegergedenkstätte. Schöne Stukkaturen (Akanthusranken, Fruchtbüschel) umkränzen ein kleines Gemälde (Ansicht Berchings).

Wallfahrtskirche Mariahilf an der Straße von Beilngries. Eine Feldkapelle wurde 1796 durch den schlichten bestehenden Kirchenbau ersetzt.
Die einfache Altarausstattung stammt aus der Erbauungszeit. Auf dem
rechten Seitenaltar eine Schmerzensmanngruppe, ein meisterliches
Schnitzwerk um 1480–90.

Die **Wohnhäuser** wenden fast durchweg ihre oft hohen Giebelfronten
zur Straße. Einzelne Stufengiebel. Die flachen Giebel – manchmal mit
Eckbekrönungen – folgen der Altmühlbauweise: kein Vorkragen der
Dächer, flache Frontwände. Der Eingang sitzt meist in der Mitte der
Fassade und führt in einen stichbogig gewölbten Flur. Einige flach-
rechteckige Erker beleben das freundliche Straßenbild. Zahlreiche Häuser des 16. und 17. Jh. haben ihr urspr. Gesicht bewahrt.

In seltener Vollständigkeit blieb der **Mauergürtel** erhalten.
Seine bestehende Form erhielt er unter dem Eichstätter
Bischof Wilhelm von Reichenau gegen Ende des 15. Jh.
Unregelmäßiges Quaderwerk bis zu 1,5 m Dicke bildet die
6 m hohen Mauern, die gedeckte Wehrgänge tragen. **9 Be-
festigungstürme** (heute meist zu Wohnungen umgestaltet)
folgen dem Lauf des Berings. Dazu **2 Tortürme**, einer gegen
O, einer gegen W. Beide zu großen Teilen vom ersten
Bering, Ende des 13. Jh., im 15. Jh. durch Vortore erweitert. Die **Vorstadtmauer**, ebenfalls Ende des 15. Jh., hat
gelitten. Ihr Mauerwerk, Bruchstein, ist gröber als das der

inneren Stadtbefestigung. 2 Tore überspannen hier die Straße Neumarkt-Beilngries.

Ostwärts: HOLNSTEIN mit **Burgruine**, deren Kernbestand in das 12. Jh. weist (urspr. Graf v. Hirschberg, 1631–1728 v. Tilly). – Der **Schloßneubau** des Grafen Franz Ludwig v. Holnstein im Ort von 1769 (seit 1881 Kretinenanstalt).

BERCHTESGADEN (Obb. – E 9)

Das von den Bergen eingeschlossene Land verdankt seine Erschlie-ßung dem in die Wildnis gepflanzten Chorherrenstift, das zunächst Mühe hatte, sich zu behaupten, nach Baumburg zurückwich, sich aber wieder festsetzte und schließlich, schon im Laufe des 13. Jh., dank des Salzsegens, zu einer der bedeutendsten Prälaturen des Südostens aufstieg. Die im späten 13. Jh. errungene landesfürst-liche Stellung seiner Pröpste besteht durch die Jahrhunderte, bis zur Säkularisation, 1801, trotz der bedrohlichen Nachbarschaften des Salzburger Erzstifts einer-, des Herzog- und Kurfürstentums Bayern andererseits, oder, besser, dank dieser Nachbarschaften, deren Rivalität die Unabhängigkeit besser als Kaiser und Reich garantierte. – Säkularisiert, kommt die Fürstpropstei an Salzburg, wenig später, 1810, mit Salzburg, an Bayern, das Salzburg wieder an Österreich verliert, aber Berchtesgaden behält.

Ehem. Augustiner-Chorherren-Stiftskirche St. Peter und Johannes

Das Gründungsjahr liegt um 1100. Stifterin ist Gräfin Irmgart von Sulzbach, die, dreimal verheiratet, das Dotationsgut – das Berchtesgadener Land in toto – von ihrem zweiten Gatten, Hall-graf Engelbert, ererbt hatte. Der Exekutor der Stiftung ist ihr Sohn Berengar II. von Sulzbach. Mutterkloster ist Rottenbuch. Das anfänglich gute Verhältnis zu Salzburg wird schon gegen Ende des 12. Jh. durch die Konkurrenz des Salzbaus gespannt. Die terri-toriale Geschlossenheit des Besitzes im Gebirgswinkel begünstigt eine freie Entwicklung. Das Stift wird 1294 vom König mit dem Blutbann belehnt und gewinnt damit die Landesherrschaft, die ihm nur einmal, für wenige Jahre (1393–1409), an Salzburg entgleitet. Seit 1558 sitzen seine Pröpste, als einzige deutsche Regularpröpste, auf der Bank der Fürsten. Die unvermeidliche Anlehnung an einen der beiden starken Nachbarn überantwortet das Stift vom späten 16. bis ins frühe 18. Jh. (1590–1723) wittelsbachischen Kirchenfür-sten, Erzbischöfen von Köln, die nicht in Berchtesgaden residieren. Die Endjahrzehnte standen unter dem Druck schwerer Schulden-last, der auch der ausgezeichnete letzte Fürstpropst, Konrad v. Schroffenberg, nicht mehr anders als durch Preisgabe bester Be-sitzrechte an Bayern abhelfen konnte.

*Die zugängliche Baugeschichte der Stiftskirche beginnt mit den
ältesten Teilen der bestehenden, die in der 2. Hälfte des 12. Jh.
begründet wurde: Eine 3schiffige Basilika, deren beide Türme, vor
der W-Front, über die sie seitlich vorspringen, erst im frühen
13. Jh. aufgeführt wurden, ganz allerdings nur der nördliche; der
südliche blieb stecken. Gleichzeitig wurden die Stiftsgebäude errichtet (oder erneuert); erhalten der von ihnen umschlossene Kreuzgang auf der S-Seite der Kirche. – Zwischen 1283 und 1303 wurde
der roman. Chor durch einen größeren, in der Breite und Länge
der Schiffe, ersetzt; er ist das erste Denkmal der Frühgotik in Altbayern. Gleichzeitig wieder eine Teilerneuerung der Stiftsgebäude;
damals entstand jedenfalls das Dormitorium im O-Flügel. – Die
dritte, die erhaltene Stiftskirche vollendende Bauperiode fällt in
das 1. Jahrzehnt des 16. Jh.; sie verwandelt das basilikale Langhaus in eine 3schiffige Halle. – Die 3 folgenden Jahrhunderte änderten den Bestand der Kirche nicht mehr. Nur das 19. Jh. griff
noch einmal, wesentlich, in die (äußere) Baugestalt ein: Erneuerung des (1819 durch Blitzschlag zerst.) nördl. Turms und Ausbau
des südlichen, 1856–64, durch H. Hübsch, in roman.-got. Formen.*

Nur gegen O und W liegt der in Haustein aufgeführte Baukörper frei: der Chor mit Eckstreben und hohen, 2teiligen
Maßwerkfenstern, steil aufstrebend über dem hier scharf
abfallenden Gelände; die von den beiden (neuen) spitzbehelmten Türmen bestandene Fassade dem einfach gut um-
hegten Hofplatz zugekehrt, in seine Wandung einbezogen.
Ein spätgot. Portal läßt ein, zunächst in die von einem
Kreuzrippengewölbe des frühen 13. Jh. gedeckte Vorhalle,
die sich durch ein roman. Portal in das I n n e r e, das
Langhaus, öffnet; bemerkenswert, daß sich der Mauerblock
dieses (erneuerten) Portals in das Mittelschiff vorschiebt
(Parallele am Dom zu Gurk, der ebenfalls dem Salzburger
Einflußbereich zugehört). Das Langhaus ist eine Halle mit
breitem Mittelschiff und schmalen Seitenschiffen. Schlanke
Rundpfeiler tragen die vom Netz der Rippen übergitterte
Wölbung. Die »geknickte Reihung« der Wölbfelder erweckt
den Eindruck einer schwankenden, richtungslosen Bewegung.
Dieser eigentümlich spätgot. Hallenraum öffnet sich durch
den halbrund geschlossenen Chorbogen in den frühgot. Chor,
dessen annähernd quadratische Joche in das eingezogene
5seitige Polygon münden. Kreuzgewölbe mit schnittig profilierten Rippen, auf Runddiensten, die nicht bis zum Boden
durchgeführt sind. Der Charakter ist streng, herb; viel geschlossene Wand, bis auf den in hohen Fenstern aufgebrochenen Schluß; doch vortreffliches, frisches Steinmetzenlaub-

werk im Dekor der Schlußsteine, Kapitelle, Konsolen. Wie
nahe diese frühgot. Formen doch noch der (in Altbayern nur
zögernd und spät aufgegebenen) Romanik stehen, beweist
die in den Kreuzgang führende Pforte (südl.). Kontrastierend zu dieser Architektur, die sparsam wie zisterziensische
ist, das Rokoko-Oratorium, das (wie auch die beiden an der
S-Seite des Langhauses) 1752 eingefügt wurde.

Die Stiftskirche wurde, im ganzen, nie barock umgekleidet. Doch
erhielt sie selbstverständlich barocke Altäre. Der Hochaltar, vom
römisch geschulten Salzburger Barth. von Opstall 1663–69 im schönen Untersberger Marmor aufgeführt, ist ein erstaunlich strenges,
man darf sagen klassizist. Werk, das auch das Gemälde des Regensburger Joh. Spielberger nicht von seiner kühlen Würde erlöst.
Gleicherweise streng auch die beiden Seitenaltäre an der O-Wand
des Langhauses, deren südlicher ein (1657 dat.) Gemälde von der
Hand Joachim Sandrarts einschließt. Die beiden kleineren, späteren Altäre seitlich des Hochaltars tragen Gemälde des Joh. Zick
(1742). – Hinterlassenschaft des Mittelalters ist das Chorgestühl,
das in Teilen (die allerdings wieder teilw. Erneuerungen sind;
Originale im Bayer. Nat.-Museum, München) in die Zeit des Chorbaus zurückreicht, hauptsächlich aber in die Jahre 1436–43; die
Inschrift nennt einen Meister Marquard von Reichenhall. Werk
eines namhaften Passauer-Salzburger Malers, des älteren Rueland
Frueauf, ist die das Bogenfeld des nördl. Seitenportals füllende
Tafel von 1484 mit der Darstellung des Gnadenstuhls zwischen
den Kirchenpatronen Peter und Johannes und dem Propst Erasmus
Pretschlaipfer. – Bedeutend die Reihe der marmornen Bildgrab-
steine; wir erwähnen: den des Propstes Peter Pienzenauer
(† 1432), in der für Berchtesgaden eigentümlichen Schräglage zur
Wand, wohl von gleicher Hand wie der des Ulr. Kastenmayer in
Straubing; den des Propstes Gregor Rainer, Arbeit des Salzburgers
Hans Valkenauer, vor 1522, und den des Propstes Wolfg. Lenber-
ger, Arbeit des Wolfg. Kaltenberger, vor 1541.

Schloß

*Der Komplex der ehem. Stiftsgebäude südl. der Kirche, seit 1818
gelegentlich von der königl. Familie bewohnt, wurde 1918 von
Kronprinz Rupprecht übernommen, der es mit erlesenen Kunstsammlungen ausstattete.*

Mitte der Geviertanlage ist der **Kreuzgang**, der nur im
nördlichen seiner 4 Flügel durch spätere Eingriffe (des
16. Jh.) verändert wurde, einer der nicht zahlreichen wohlerhaltenen romanischen, und einer der letzten, denn früher
als im 2. Viertel des 13. Jh. ist er nicht entstanden. (In diesem Gebirgswinkel trafen die Stile meist verspätet ein.)

Rundbogige Arkaden, in Dreier- und Vierergruppen, mit
gepaarten, wechselnd gestalteten Säulen (glatten runden,
gerade oder geschraubt kannelierten, 8kantigen) öffnen die
hofseitigen Wände; Kreuzgratgewölbe schließen. Die besondere Auszeichnung ist die reiche Architekturplastik,
figürliches Gebild, dessen Inhalte verschiedenen Sinnbereichen, Sage, Mythologie, Volksglauben, entnommen sind,
im einzelnen schwer zu deuten, wenn auch die Beziehung
auf die dunklen, in Tier und Fabelwesen symbolisierten
Mächte sicher ist. Träger dieser noch ganz roman., der
Schwere des Steins verhafteten Plastik sind die Kapitelle
und Kämpfer, aber auch die Pfeiler und Säulen. Der Quell-
bereich ist der oberitalienisch-lombardische, auf den auch
die 3 Löwen (ehem. Säulenträger vor Portalen), 2 vor der
frühgot. Chorpforte im O-Flügel, deutlich genug hinweisen. – Die **Stifts(Kloster)gebäude** des Gevierts um den
Kreuzgang beruhen auf mittelalterl. (roman. und frühgot.)
Grundlagen, die aber durch die Erneuerungen der späteren
Jahrhunderte (16.–18. Jh.) meist völlig überschichtet wurden. Hinzufügung des 16. Jh. (Mitte) ist der an die Fassade
der Stiftskirche anschließende vordere westl. Flügel bis auf
den südl. Teil (Treppenhaus), der um 1750 hinzukam, Hinzufügung des 16. und 18. Jh. das Propsteigebäude, das den
Hofplatz südlich schließt. Nördl. Begrenzung dieses guten
Platzraumes ist der schräg stehende, 1458 aufgeführte,
100 Jahre später umgebaute und um die Arkaden bereicherte Getreidekasten. Das Tor, zwischen ihm und dem
Propsteigebäude, westl., führt in einen Vorplatz, in dem
sich der mittelalterl. Torzwinger der Stiftsbefestigung fort-
erhielt. Die gen. Klosterflügel, die im rechten Winkel zu-
einander stehen, wurden im 18. Jh., 1725 (der westl.) und
1782 (der südl.), in ihren schlichten, nur durch die Fenster
gegliederten Frontflächen mit feinen Stukkaturen geschmückt. – Unter den Innenräumen ragt der noch frühgotische des Dormitoriums im O-Flügel hervor, eine 2schif-
fige, 7 Joche tiefe Halle mit Achtkantpfeilern, die der
schöne rote (Adneter) Marmor auszeichnet, und quadratischen Kreuzrippengewölben. Angeführt seien noch die
beiden Säle im 1. Obergeschoß des W-Flügels, aus der Mitte
des 16. Jh., die zwiegesichtig zwischen Spätgotik und Renaissance stehen; die reifen Renaissance-Portale der 30er
bis 50er Jahre des Jahrhunderts wurden aus dem Schlosse

von Neuburg a. d. Donau übertragen. Auf die übrigen, in die Führungslinie des Museums einbezogenen, z. T. durch vorzügliche Stukkaturen (des 18. Jh.) ausgezeichneten Räume sei wenigstens hingewiesen.

St. Andreas (ehem. Pfarrkirche) unmittelbar neben der Stiftskirche. Gegr. 1379. Durchgreifender Umbau 1699 in schlichten Formen. Seltene Wölbekonstruktion.

Frauenkirche am Anger. Das im frühen 11. Jh. errichtete Frauenkloster wird um 1500 aus dem Nonntal auf den Anger verlegt. 1699 gehen Kirche und Kloster an die Franziskaner über. – Der vorliegende Bau entsteht im 2. Jahrzehnt des 16. Jh. (Jahreszahl 1519): eine 2schiffige, in beiden Schiffen dreiseitig schließende Halle mit Rundpfeilern. Der Turm kam 1682 hinzu. Das spätgot. Gewölbe zeigt reiche Rippenfigurationen, die sich dem Maßwerk annähern. – Der östl. Kapellenanbau datiert 1668. Hier eine Maria im Ährenkleid, Holzfigur von rund 1500.

Kalvarienberg um 1760.

Die **Wohnbauten** zeigen als typische Eigenart eine Verschmelzung der ländlichen Salzburger Hausform mit der oberbayerischen: stark vortretendes Giebeldach einerseits, Vorliebe für bemalte Fassaden andrerseits. Ein gutes Beispiel der Fassadenmalerei um 1600 am **Gasthaus zum Hirschen:** Affen parodieren die menschlichen Leidenschaften.

Wallfahrtskirche Maria-Gern, nördl. Berchtesgaden. Gegen 1709. Elliptischer Grundriß mit ausschwingenden Nischen für Altäre und Vorhalle. Akanthusstukkaturen der Erbauungszeit tragen zum überaus freundlichen Raumbild bei. Hochaltar 1716, Nebenaltäre 1739/40.

Wallfahrtskirche Kunterweg, westl. Berchtesgaden, an der Straße zum Hintersee. Kleine Raumschöpfung von 1731–33 auf rechteckigem Grundriß mit Halbkreisapsiden an den Schmalseiten. Baumeister: Seb. Stumpfenegger. Bandwerkstuck. Altar 1756 mit Gemälde von Joh. Zick. Zahlreiche Votivtafeln.

BERG (Obb.) → **Au am Inn** (E 7)

BERGEN b. Neuburg (B. Schw. – D 5)

Pfarr- und Wallfahrtskirche Hl. Kreuz, ehem. Benediktinerinnen-Klosterkirche

Wiltrudis, die Witwe des Bayernherzogs Berthold I., stiftete 976 das Kloster, dem sie bald selbst als Äbtissin vorstand. Die bedeutenden Maße der mittelalterl. Klosterkirche aus dem 12. Jh. erweisen, daß der Konvent der Benediktinerinnen blühte. 1552 wurde er auf Geheiß des prot. Pfalzgrafen Ottheinrich aufgelöst. Als Pfalz-Neuburg 1618 wieder zum alten Glauben zurückkehrte, übernahm der Jesuitenorden das Kloster, das sich zum Wallfahrerheiligtum entwickelte. So geschah 1755–58 unter Leitung des eich-

stättischen Baudirektors Giov. Domenico Barbieri die Umwand-
lung der alten Anlage zur Wallfahrtskirche.

Schon der A u ß e n b a u zeigt, daß Barbieri große Teile
der roman. Hallenkirche (einer oberdeutschen Seltenheit)
übernommen hat. Da sind die 3 Apsiden des O-Abschlusses,
die Längswände mit vermauerten Fensterschlitzen und einem
alten Stufenportal und der etwas abgerückte Glockenturm.
2teilige Fenstergruppen, das Vortreten je einer Achse an
beiden Seitenwänden und die Art des Verputzes bereiten
auf das barockisierte I n n e r e vor. Zum hellen, freundlichen Saal ist das Langhaus geworden, seitlich erweitert
durch Kapellen. Der Chor blieb 3schiffig, doch seine schlanken Maße haben alles Romanische abgestreift. Hoch ragen
die Pfeiler auf, zwischen denen leicht vorschwingende Oratorien hängen. Locker verteilte Rokoko-Stukkatur (von Jos.
Köpl aus Mertingen) belebt die weißen Wandflächen und
Wölbungszwickel. Farbenfroh leuchten die Fresken des
Augsburger Meisters Joh. Wolfg. Baumgartner: über dem
Hochaltar die Kreuzfindung, im südl. Chorschiff die Kreu-
zesvision des hl. Ignaz, im nördl. die Stigmatisation des
hl. Franz. Über dem Langhaussaal die Kreuzerhöhung durch
Kaiser Heraklius. Aus den Seitenkapellen schimmern die
Wundererscheinungen vor Hubertus und Eustachius. – Auch
der Hochaltar trägt ein Gemälde Baumgartners, desgleichen
die beiden rückwärtigen Nebenaltäre. Das andere Paar umschließt Altarblätter von Joh. Chrysost. Winck. Altaraufbauten und Kanzel mit allen figürlichen Arbeiten lieferte
der Dillinger Bildschnitzer Joh. Mich. Fischer. Im ganzen
bietet der Raum ein geschlossenes Bild aus der Zeit seiner
barocken Ausgestaltung von 1755–58. – Inmitten der südl.
Längswand: Epitaph für Wilh. v. Muhr (um 1535) von
Loy Hering mit Dreifaltigkeitsbild nach Dürer. – Zu seiten
des Chorbeginns führen Treppen hinunter in die *Krypta*.
Diese, 1756 um ein Säulenpaar verkürzt, ist noch rein romanisch: eine 3schiffige Halle aus der 2. Hälfte des 12. Jh.
Stämmige Rundsäulen mit Würfelkapitellen und auslaufenden Kämpferplatten tragen die schwer gegurteten Wölbungen. Gekoppelte Fensteröffnungen blicken in die Chorseitenschiffe der Oberkirche. Nördlich ein unter Verwendung der
alten Werkstücke erneuerter Brunnenschacht.

BERGHOFEN (B. Schw.) → **Sonthofen** (A 8)

BERGKIRCHEN b. Dachau (Obb. – D 7)

Die **Pfarrkirche St. Johann Baptista**, weitum sichtbar auf dem auch Dachau tragenden Tertiärrücken, ist als Leistung Joh. Mich. Fischers anzumerken: ein annähernd quadratischer Raum mit flach genischten und von Säulen flankierten Eckabschrägungen, querovalem Chor und emporenbesetzter Vorhalle. Eine erhaltene Rechnung Fischers gibt das Datum 1731/32. Trotz Zerstörung der urspr. Dekoration eignet dem Raumgebilde die kristallinische Klarheit Fischerscher Konzeption. Aus der Erbauungszeit blieb der stattliche Hochaltar mit einem Gemälde von Joh. Wilh. Holzmair 1640 (Hiob). – Der die Landschaft beherrschende Sattelturm wurde vom got. Vorgängerbau übernommen.

BERNBEUREN (Obb. – B 7)

Die Alemannensiedlung (5. Jh.) am Fuß des Auerbergs war im 8./9. Jh. fränkischer Königshof. Von einer Basilika des 12. Jh. kündet heute nur noch der Unterbau des Kirchturms.

Wir vermerken die **Pfarrkirche St. Nikolaus** als schön gegliederte und reich ausgestattete Schöpfung des Füssener Architekten Joh. Gg. Fischer, 1720–23. Feiner Bandwerkstuck dieser Zeit überzieht die Tonnenwölbung des Langhauses mit den Malereien von Joh. Heel. Das Gemälde im Chor ist jünger, 1775, von Fz. X. Bernhard (Zwickelbilder von A. Schropp). Zu rühmen ist auch die Altareinrichtung, für welche die einheimische Bildhauersippe Pfeiffer namhaft gemacht wird. Hochaltarfiguren viell. von Anton Sturm aus Füssen. Kreuzwegstationen von Bernh. Ramis, 1734/35. Die 2 spätgot. Schnitzfiguren im Chor stammen aus älterem Altarzusammenhang um 1500 (Muttergottes, St. Nikolaus).

BERNRIED (Obb. – C 7/8)

Ehem. Augustiner-Chorherrenkirche

Stiftung des Grafen Otto von Valley und seiner Gattin Adelheid 1121. Einer der Chorherren, »Paulus Bernriedensis«, gehört zu den bedeutenden geistlichen Schriftstellern des 12. Jh. (Leben Gregors VII., Leben der sel. Herluca von Epfach, die 1122–44 im Kloster, anfänglich Doppelkloster, lebte). Bernried ist nie reich, aber in seiner besten Zeit, 15.–17. Jh., ein Zentrum klösterlicher Reform. 1802 noch mit 18 Chorherren besetzt, erliegt es der Säkularisation. Die Klostergebäude verfallen, bis auf den S-Flügel (seit 1949 Besitz der Benediktinerinnen von Tutzing), dem Abbruch.

Die Kirche, jetzt **Pfarrkirche St. Martin**, entsteht neu 1659–62; nur im unteren Teil des Turmes steckt noch Mittelalter. Die Zeit, kurz nach dem Großen Krieg, begünstigte die Unternehmung nicht. Bernried ist eine der bescheidenen Leistungen des bayerischen Barock, der auch erst seine Lehrjahre absolvieren mußte. Langgestrecktes, 1schiffiges Langhaus, eingezogener flachschlüssiger Chor, die Ausstattung meist 18. Jh.

Die südöstl. benachbarte **ehem. Pfarrkirche** des Klosters entstand an Stelle eines got. (1388 geweihten) Vorgängers annähernd gleichzeitig mit dem 1653 erneuerten Kloster. Anmutige Seitenaltäre, 1768, wahrscheinl. vom Wessobrunner Tassilo Zöpf. Die nördl. angebaute Kapelle, altersher G r u f t k i r c h e gen., der Schmerzhaften Muttergottes (Vesperbild des frühen 15. Jh., Gnadenbild) geweiht, kam 1672 hinzu.

BERTOLDSHEIM (B. Schw. – D 5)

Schloß. Eine mittelalterl. Burg der Grafen von Lechsgmünd-Graisbach (12. Jh.) und der von Waller (1250–1500) geht voran. Der Generalfeldzeugmeister Fortunat v. Isselbach läßt sie 1718–30 vom eichstättischen Hofbaudirektor Gabriel Gabrieli durch eine noble barocke Triclinienanlage ersetzen, die zum Besten gehört, was Gabrieli gebaut hat. Das Innere besitzt noch Teile seiner alten Ausstattung und u. a. eine Gemäldesammlung der heutigen Schloßherren, der Grafen du Moulin-Eckart, mit Werken des 16.–18. Jh. – Die **Pfarrkirche St. Michael** ist ein got. Bau aus der 1. Hälfte des 14. mit Rippengewölben des späten 15. Jh. Reste alter Wandmalereien sind um 1340 anzusetzen. Die Altäre aber sind barock (Hochaltar 1695, Seitenaltäre Mitte 18. Jh.).

BERTOLDSHOFEN (B. Schw. – B 7)

Kath. Pfarrkirche St. Michael

Anlaß zum aufwendigen Neubau bot die seit 1685 bestehende und sich einer großen Frequenz erfreuende Antoniusbruderschaft. Der ihn allen Widerständen zum Trotz mit Zähigkeit durchsetzende Pfarrer Ulrich Julius erkor sich auch nicht zufällig die Basilika des Santo in Padua zum Vorbild, was der nach dem Entwurf des Füssener hochstiftischen Baumeisters Joh. Gg. Fischer 1727–33 ausgeführte, 1738 geweihte Bau allerdings nur durch die Häufung der Kuppeln erraten läßt.

Der A u ß e n b a u verbirgt die auf Hängezwickeln ruhenden, im Scheitel offenen Kuppeln zudem unter der Dachhaube. Seine Schauseite ist die Front des nördl. Querschiffarmes, der stärker als der südliche ist und dem auch der die Gruppe freundlich beschließende Turm entwächst. Die Folge der Raumteile ist: Langhaus mit ovaler Flachkuppel, Vierung und Querhausarme – die kapellenartig schmal sind – und Chor mit Halbrundkuppeln, deren Laternen in den Dachraum einragen. Zeichnet sich die Kirche schon durch das schöne und seltene Motiv der Kuppel-Gruppe aus, so noch einmal durch die glänzende *Dekoration*. Die Band und Gitter bevorzugenden Stukkaturen Ignaz Finsterwalders und der von ihm angesetzten Wessobrunner umspielen in einem leichten Relief die hellfarbigen Fresken des Matthias Wolcker, große und kleine Bildfelder, im Langhaus Taufe Christi, im Chor St. Michael, um einige der Hauptthemen zu nennen. Altäre und Kanzel vollenden die einheitliche Ausstattung – nur das Michaels-Gemälde am Hochaltar ist spätes Ersatzstück –, die eine der wirkungsvollsten, reichsten und heitersten der Zeit ist.

BETTBRUNN (Opf. – DE 5)

Pfarr- und Wallfahrtskirche St. Salvator

Der namengebende Brunnen hieß urspr. Viechbrunn; die im 14. Jh. aufblühende Wallfahrt, veranlaßt durch ein frühes Hostienwunder, angebl. 1125, tauschte das Bestimmungswort in das seither geltende um. An die Stelle einer Holzkapelle tritt 1330 der Steinbau, der bis ins späte 18. Jh. der Wallfahrt, einer der besuchtesten Altbayerns, genügen mußte. Der, fast schon in letzter Stunde, aufgeführte spätbarocke Neubau schonte seinen Chor. Das Ziel der Wallfahrt, die Hl. Hostie, verwandelt sich um 1330 in das wenig ältere Holzbild des Salvator (jetzt auf dem Tabernakel), das die Wunderkraft der urspr. in ihn eingeborgenen, wahrscheinl. 1330 (Brand) verlorengegangenen Hostie an sich zog. Die Säkularisation konnte die große, von Augustiner-Eremiten betreute Wallfahrt nur vorübergehend schwächen; sie lebte wieder auf, war bald wieder eine der besuchtesten und ist es noch heute. – Der spätbarocke Neubau übernahm Chor und Turm (an der Flanke des Chores). Der Münchner Hofmaurermeister L. M. Gießl, der 1774 das Langhaus baute, ist einer der begabtesten, zu einem frühen, noch barock bestimmten Klassizismus überleitenden Nachfolger J. M. Fischers. Sein zentralisierendes Raumgebilde, eingeschrieben ins Rechteck des Grundrisses, folgt Aufhausen und Eschenlohe mit ihren kennzeichnenden Ecklösungen. Die Tradition des Wandpfeilersystems auf zentralisierendem Grundriß weist auf St. Anna (München) und Frauenzell zurück. Neu der von Durchgängen durchbrochene Wandpfeiler, schon fast Freipfeiler.

Trotz Rundung der Diagonalseiten, trotz der noch verwendeten älteren Formensprache zeigt sich in diesem Werk des spätesten Barock ein Streben nach klarer Faßbarkeit des Raumes, nach fester, einfacher Begrenzung. Flacher Schluß der Nischen, Parallelität von Seitenwand und Emporenlauf, knappe Formung des schmückenden Details deuten in die Nähe der Stilwende. Auch die Fresken des berühmten Christ. Winck (Szenen aus der Geschichte der Wallfahrt und

Verherrlichung der Religion, 1777; im Chor: Verklärung
Christi 1784) beginnen sich vom groß angelegten kompo-
sitionellen Aufbau abzuwenden, **werden einfacher, faßlicher
und klarer**. Zurückhaltend auch die Stukkatur und die
Altäre. – Der in der Sakristei aufbewahrte Kruzifixus des
Thomas Hering, um 1540, stand ehemals, mit (verlorenen)
Assistenzfiguren, auf dem Kreuzaltar.

BETTENBURG (Ufr. – D 2)

*Bis 1248 meranisch, dann, 1249, als bambergisches Pfand an die
Henneberg, seit 1343 im Besitz der Truchseß v. Wetzhausen.*

Die im Bauernkrieg niedergebrannte, 1537, nun als Schloß, aber schlicht,
wiederaufgebaute **Burg** sei hier wegen des im Endjahrzehnt des 18. Jh.
angelegten **Parks**, Schöpfung des »letzten fränkischen Ritters« Christoph
Truchseß (1755–1826), erwähnt, der ein instruktives Beispiel für den
Parkstil der »Aufklärung« ist: Er lebt aus Ruinensentimentalität und
Ritterromantik. Die Plastik (Denkmale Sickingens, Berlichingens, Hut-
tens etc.) ist von M. G. Klauer (Weimar) und J. A. Ph. Stößel (Schweinfurt).

BEUERBERG b. Wolfratshausen (Obb. – C 8)

Ehem. Augustiner-Chorherren-Stiftskirche. Eine Eremitenzelle geht
voraus. Der Eremit Heinrich wird Propst des durch die Schenkung des
Otto von Iringsburg (Eurasburg, in geringer Entfernung talabwärts)
ermöglichten Chorherrenstifts, 1121. – Die alte, in der Anlage wohl
noch roman. (im 15. Jh. allerdings überholte) 3schiffige Basilika wird
1630–35 nach den Plänen des Münchners Hans Krumper (oder Isaak
Bader?) durch einen Neubau ersetzt. Die oberen Teile des Turmes kommen 1659 ff. hinzu. Der Umbau der Klostergebäude, 1729, veranlaßt
westl. Vorrückung der Front. – 1803 hört das Kloster auf zu existieren,
1835 werden die Gebäude von Dietramszeller Salesianerinnen bezogen,
heute Müttererholungsheim. – Wandpfeilerkirche in gedrungenen Formen. Nur der 3schiffige Chor trägt Emporen. Die Anlage befolgt
als eine der frühesten nach St. Michael (München) das lange nachwir-
kende Wandpfeilerschema, hier ohne Emporen. Hinter dem Hochaltar
Sakristei, darüber Mönchschor. Die Tonnengewölbe tragen geometrische
Rahmeneinteilung in Stuck, deren Felder Engelsköpfe und Rosetten
enthalten. Hochaltar um 1630–35 mit Gemälde der Kreuzabnahme von
Elias Greither (frei nach Daniele da Volterra); Giebel 18. Jh. Nebenaltäre 17. und Anfang 18. Jh., Kanzel 1782.

Marienkirche, 1643 mit Ausstattung des späten Rokoko, 1778–91. Stukkatur und Hochaltar von Tassilo Zöpf, Deckengemälde von Joh. Bader
(dem »Lechhansl«, im Chor) und Gaibler (im Langhaus).

BEYHARTING (Obb. – D 8)

Ehem. Augustiner-Chorherren-Stiftskirche. Das zu Anfang des 12. Jh.
ins Leben gerufene Stift geht einer Judith, Witwe eines Tageno von
Beyharting, zu Dank. Sonderlichen Reichtums erfreut es sich nicht;
mehr als 6 Stiftsherren zu unterhalten ist es erst in seiner besten Zeit,
im späten 18. Jh., in der Lage, da aber schneidet die Säkularisation 1803
seinen Lebensfaden ab. – Die erste Kirche wurde 1132 geweiht. 1454
wird der Chor, 1668–70 wird das Langhaus, durch den Münchner Konstantin Bader, umgebaut. – Hochgiebelige, schlicht gegliederte Fassade.
Dahinter Saalbau mit Wandpfeilern und eingezogenem Chor. Die locker
komponierte Stuckdekoration schuf Joh. Bapt. Zimmermann 1730: vorherrschend pflanzliche Motive wie Palmblätter, bunte Blütengirlanden,
Blattzweige und dgl.; Freskenschmuck von Jak. Wersching: (v. W.) Judith mit dem Haupt des Holofernes, Kirchenvater Augustin, Salome
mit dem Haupt des Täufers, (im Chor) Verehrung des Hl. Geistes und
Johannes auf Patmos. Hochaltar 1670–88 mit Gemälde von Antonio
Triva. Von diesem auch die Gemälde in den Altären seitlich des Triumphbogens (1688). Die gegen W folgenden Nebenaltäre erst 1747, den
älteren nachgebildet. Kanzel um 1670. Gegenüber schöne Mater dolorosa um 1770, Ign. Günther nahestehend. Chorgestühl 1630. Als seltenes
Beispiel hat sich das Chorgitter von 1670 erhalten. Bedeutende Rotmarmorplatte vom Stiftergrab im N der Vorhalle 1479 mit Relieffigur der
Stifterin; Inschrift 1513.

In der Nähe, südl.: **Schloß Maxlrain** (bis 1734 Stammsitz der Herren
v. Maxlrain und Hohenwaldeck), ein Renaissancebau von 1582–85.
Hoch übergiebeltes Rechteck mit Ecktürmchen. Die Kapelle besitzt
Stukkaturen von Joh. Bapt. Zimmermann. – Flankenbauten 19. Jh.

BIBERBACH (B. Schw. – C 6)

Wallfahrtskirche Hl. Kreuz. Diese wohl volkstümlichste schwäbische
Wallfahrt liegt beherrschend auf einer Anhöhe über dem Lech. Das
»Herrgöttle« ist ein geschnitzter Kruzifixus aus der Zeit um 1220–30
(Viernageltypus) im 1961 veränderten Hochaltar der Kirche. Valerian
Brenner aus Bregenz hat die Kirche errichtet, 1684–94: 1schiffig, mit
W-Querhaus und eingezogenem, mit Wandpfeilern besetztem Chor.
Stuckornamente von 1753 beleben das Raumbild. Gleichzeitig entstand
die Gewölbeausmalung, wahrscheinl. von Joh. Bapt. Enderle, mit Sze-
nen aus der Hl.-Kreuz-Legende. Auch die gesamte Einrichtung, Altäre
und Konsolfiguren, ist Werk des 18. Jh. Die Seitenaltäre sind Leistung
von Dom. Zimmermann (Scagliolen) und Ehrgott Bernh. Bendl (Schnitzwerke), 1712–14.

Vom benachbarten **Schloß**, das nach häufigem Besitzerwechsel 1514 an
die Fugger kam, blieben der vordere und der hintere Bergfried, beide
mit Aufstockungen des 17. Jh. Dazwischen liegt die Schloßkapelle, ein
schlichter Bau des frühen 18. Jh. Sie besitzt 2 Holzreliefs (Geburt
Christi und Anbetung der Könige) aus dem Umkreis des Ulmers Daniel
Mauch, Frühzeit des 16. Jh.

BIBURG b. Abensberg (Ndb. – E 6)

Ehem. Benediktinerklosterkirche

Stifter ist Konrad von Biburg, der sich durch Bischof Otto von Bamberg beraten läßt. Ein Bruder des Gründers, Eberhard, später Erzbischof von Salzburg, ist Abt des 1125 ins Leben tretenden Klosters. Die 1133 geweihte erste Kirche ist als Notkirche anzusprechen. Der bestehende roman. Bau wird sich nicht mit ihr gleichsetzen lassen, da die Stilindizien einer Datierung vor 1150 entgegenstehen. Das 15. und 16. Jh. tauschen die Flachdecken der Seitenschiffe, des Hoch- und Querschiffs durch Wölbungen aus. Im 16. Jh. kümmert das im 12. und 13. Jh. bedeutende Kloster. Um die Mitte des Jahrhunderts steht es leer. 1589 geht es an die Jesuiten, 1783 an die Malteser über, dann verfällt es der Säkularisation. Die Kirche wird Pfarrkirche.

Ä u ß e r e s. Weithin sichtbar überragt der hohe starke Quaderbau die Donauniederung, eine Kreuzbasilika mit Türmen über den O-Jochen der beiden Nebenchöre. Enge Anlehnung an das hirsauische Bauschema der Klosterkirche von Prüfening kann bei der Beteiligung des Prüfeninger Gründers, Otto von Bamberg, nicht überraschen. Der Außenbau konzentriert seine stärksten Faktoren östlich: Hier steigen die beiden Türme auf, mauergeschlossen unten, erst in den beiden Obergeschossen in Klangarkaden aufgebrochen, und hier stehen die 3 Apsiden nebeneinander, gestuft nach dem Rang der Schiffe, die mittlere vom später (im 15. Jh.?) steiler geführten Giebel überhöht. Ungegliedert und wenig geschmückt – der gute Kalksteinquader genügt – ragen die Wände, nur östl. und westl. mit der Zier der schönen roman. Friese ausgezeichnet. Der Rundbogenfries der Hauptapside ruht auf Kopfkonsolen, Tier- und Menschenköpfen, und das Scheitelfenster erfreut sich auch reicherer Gewändeprofilierung. Die harte, kahle Quaderstirn der den basilikalen Querschnitt abzeichnenden W-Fassade, deren urspr. Giebelneigung der steigende Rundbogenfries markiert (wie gleicherweise der Fries am Chorgiebel), löst sich nur in dem edlen Säulenportal, dessen äußerer Halbkreis in der Umfassung eines Kachelbandes liegt und dessen Kapitellzone Figuren, Fabelwesen, aufreiht, die, schwer deutbar, doch wohl in einem Bezugsverhältnis zu dem im Bogenfeld erscheinenden Christus stehen. – Auch das I n n e r e hat seine roman. Ursprünglichkeit verhältnismäßig gut bewahrt, bis auf die spätgot. Wölbungen. Denke man sich statt ihrer Flachdecken.

Biburg, Ehem. Klosterkirche

Frühe, roman. Wölbungen schließen nur die Chorjoche, das
vor der Hauptapsis und die je 2 vor den Nebenapsiden. Wie
ein lineares Gespinst liegt das Rippennetz der späten Wölbung über dem schweren Quaderbau des Schiffes, dessen

Wandflächen sich nur in den kleinen, hoch hinaufgerückten
Fenstern öffnen. Schwer, gedrungen sind auch die Pfeilerarkaden, die, in nicht ganz gleichen Abständen (die 2. und
5. spannen kürzer), die Schiffe trennen. Kreuzpfeiler stecken
das Quadrat der Vierung ab, der sich seitlich die Quadrate
der Querhausflügel anfügen. Der »quadratische Schematis-
mus« der reifen Romanik ordnet den Grundriß: Das Quadrat der Vierung ergibt, verdreifacht, das Mittelschiff und
bestimmt auch das Chorjoch, das sich in Arkaden (je 2) in
die Joche der Nebenchöre öffnet. Nur die ungleiche Arka-
denbreite der Joche des Mittelschiffs lockert die Bindung an
das normative Quadrat der Vierung. Die Proportion des
Querschnitts ist steil, immer noch, trotz der etwas drücken-
den Wölbung. Man lese sie an den Wänden des Chorjochs
oder an der, fast dessen Wölbscheitel erreichenden, Apsis ab.
– Die ältere (barocke) Ausstattung erlag fast ganz dem Restaurator des 19. Jh. Ein Taufstein, dessen Rundbecken
Arkaden mit eingestellten Lilien umgürten, weist in die spätroman. Zeit zurück. Ihr gehört auch die urspr. eine Tumba
deckende Grabplatte an, der »Berchta fundatrix«, mit dem
Reliefbild der angeblichen, 1151 verstorbenen Stifterin, der
Mutter des Klostergründers (ältestes figürliches Grabdenkmal in Bayern).

BICHL b. Benediktbeuern (Obb. – C 8)

Pfarrkirche St. Georg. Neubau 1751–53 unter Übernahme eines älteren
Turmes von 1671. Baumeister ist Joh. Mich. Fischer. Von seiner künstlerischen Sicherheit zeugen die vornehmen Verhältnisse des quadratischen Laienhauses mit den gerundeten Winkeln wie das eingezogene
Chorrechteck. Nur die notwendigsten Akzente einer Gliederung kommen in Anwendung: Eckpilaster mit Gebälkköpfen. Darüber wölben
sich Hängekuppeln mit der trefflichen Ausmalung Joh. Jak. Zeillers
(1752, im Laienraum: Georgsmarter). Den Hochaltar mit der Gruppe
des Reiterpatrons im Drachenkampf schuf Joh. Bapt. Straub.

BIEBELRIED (Ufr. – C 3)

Burg der Johanniter, die um die Mitte des 13. Jh. hier eine Kommende
einrichten. Die Burg entsteht 1275. Die Mauer der annähernd quadratischen (teilweise verbauten) Anlage erfreut durch die schöne, saubere
Quaderbearbeitung. – In der (1822 errichteten) **Pfarrkirche** 2 Werke
Riemenschneiders: Kruzifixus und Salvator.

BIESELBACH b. Augsburg (B. Schw. – C 6)

Wir notieren die schlichte **Kapelle** von 1747 wegen des
darin verwahrten Schnitzaltars von Daniel Mauch aus Ulm,
bez. und dat. 1510 (doch wohl nicht 1501 zu lesen). Spätgotisch ist die Form des Flügelaltars, spätgotisch ist auch
seine figürliche Besetzung, eine Darstellung der Hl. Sippe.
Die bürgerliche Intimität dieser heiligen Familienversamm-
lung führt an die Ideenwelt der beginnenden Neuzeit heran. Noch näher kommt ihr die Art der Rahmung: nicht nur
im Verzicht auf das traditionelle Sprengwerk, sondern mehr
noch im neuartigen Ornament, mit den »welschen Kindlein«,
den Putten mit Füllhorn und Girlanden, die sich nur zu
deutlich als Abgesandte Italiens ausweisen. – Die Predellen-
figur des aus einer Wurzel Jesse umgearbeiteten sterbenden
Franz Xaver ist Zutat von 1756 (Attribute 1954 beseitigt).

BILDHAUSEN (Ufr. – D 2)

Ehem. Zisterzienserabtei

*Pfalzgraf Heinrich v. Stahleck gründet sie um die Mitte des 12. Jh.
Das ältere Ebrach besiedelt sie. 1803 verfällt sie der Säkularisation.
1826 wird die (im 12. Jh. erbaute) Kirche abgetragen, auch Kreuzgang, Torkapelle und Gastbau verschwinden.*

Die Klosterbaulichkeiten haben sich in Teilen erhalten: das
noch roman. Torgebäude, mit spätgot. Muttergottesstatue
über dem Rundbogentor, die 1615 errichtete Abtei mit dem
1754–70 hinzugebauten, durch reizvolles Stiegengeländer
ausgezeichneten Treppenhaus und vorzüglichen Rokoko-
Ausstattungen in den Räumen der Abtswohnung, die in
gleicher Flucht anschließende Kanzlei von 1626 mit guter
Giebelfassade, der um einige Jahrzehnte ältere Archivturm,
das Kuratiegebäude, das aus 2 in rechtem Winkel gruppierten Flügeln besteht (17. und 18. Jh.), deren westlicher im
Erdgeschoß noch 3 beachtliche Räume des roman.-frühgot.
Klosters enthält, das Refektorium, das aber nur mehr im
Kellergeschoß und im Treppenturm (des frühen 17. Jh.) er-
halten ist, der anmutige, 1766 errichtete Gartenpavillon.

BINDLACH (Ofr. – F 3)

Ev. Pfarrkirche

*Der bestehende, sehr stattliche Quaderbau der in der Gründung
wahrscheinl. in vorbambergische Zeit zurückgehenden Kirche entstammt den Jahren 1766–68. Die beteiligten Künstler sind samt
und sonders Bayreuther. Die Risse gab der Hofbaumeister Rud.
H. Richter, der vermutl. Gontardsche Ideen verwendete, die Ausführung hatte der Maurermeister Georg Bauer, auch ein Bayreuther. Die 3 Portale und die Bauplastik des Turmes lieferte,
1767, Joh. Gabr. Räntz.*

Der **A u ß e n b a u** ist durch eine schwere, starke Körperlichkeit ausgezeichnet, insbesondere der Turm mit wuchtigem
Erdgeschoß und dem mit Dreiviertelsäulen bestellten Oktogon, das eine Kuppel krönt, wohl der beste des Markgrafen-
landes. – **I n n e r e s.** Der Baumeister Richter, ein hoch-
begabter Dekorateur, entwarf auch die (1766–69 von R. Albini u. a. ausgeführten) Stukkaturen und die Gemälde der
Decke, die W. E. Wunder (1768) ausführte. Raumbestim-
mend die doppelgeschossige Empore, die auch, nun 1geschos-
sig, auf die O-Wand des Chores übergreift, und der große
beherrschende Kanzelaltar (1777), an dessen Flanken die
Apostel Petrus und Paulus stehen und den der Berg Tabor
mit Christus, Moses und Elias beschließt, vortreffliche Leistung des Bildhauers Andreas Neuhäuser. Vor dem Altar,
in der üblichen Zuordnung, der Taufstein, 1777, von Fz. P.
Schuh, der auch, 1780, das Orgelgehäuse arbeitete.

BIRKENFELD (Mfr. – D 3)

Ehem. Zisterzienserinnenkloster

*Im nächst Neustadt a. d. Aisch gelegenen Birkenfeld, das 1272 aus
Seckendorffschem Besitz in den des Burggrafen Friedrich III. und
seiner Gemahlin Helene von Sachsen übergeht, stiften diese um
1275 ein für die Töchter des Adels bestimmtes Zisterzienserinnenkloster. Die Burggrafen sind seine Vögte; zweimal, im 14. Jh.,
walten Burggrafentöchter als Äbtissinnen. 1544/45 verfällt es der
Aufhebung.*

Der wohl bald nach Gründung, zuerst im Chor, dann im Langhaus,
aufgeführte Kirchenbau ist der typische der Zisterzienserinnen: 1schiffig,
in langer Erstreckung, der leicht eingezogene Chor flach schließend
und mit 2 Kreuzgewölben gedeckt, deren Rippen auf Konsolen sitzen.
Eigentümlich zisterziensisch auch die den größeren Teil des Schiffes
besetzende »Gruft« und Nonnenempore (beide profaniert); die Gruft-

kirche ist eine 3schiffige, 7 Joche tiefe Halle mit 8kantigen Pfeilern und Kreuzrippengewölben; die Verstärkung des mittleren Joches durch Mauerpfeiler läßt auf einen urspr. Turm, der nur als Dachreiter zutage trat, schließen (s. Würzburg-Himmelspforten); der Holzdachreiter wurde 1756 aufgesetzt. Die Nonnenempore, über der Gruftkirche, ist jetzt flach gedeckt, war aber ebenfalls gewölbt.

BIRKENFELD (Ufr. – D 2)

Schloß. Ein Freiherr v. Hutten, ansbachischer Hof- und Regierungsrat, baut es; die Pläne gibt der ansbachische Baumeister J. D. Steingruber, der 1738–53 auch den Bau leitet. – Der »herrschaftliche Pavillon« ist die Mitte eines von Flügelbauten bestandenen Hofes, dem sich ein von kleineren Gebäuden umschlossener Nutzgarten vorlegt; an dessen S-Seite der Wirtschaftshof. Im Rücken, östl., dieser wohlgegliederten Anlage liegt der Park. – Das Äußere der verschiedenen, auch der zentralen Teile dieser Gesamtheit ist ländlich einfach, doch anmutig. Die Art Steingrubers (wie man sie von Ansbach her kennt) charakterisiert die Flügelbauten des Hofes. – Die Innenausstattung des Schlosses, die sich bis in die 70er Jahre hinzog, enthält viel Beachtliches. Wir nennen das dem Nürnberger Maler Gout zu dankende Freskenzimmer (1774) und das chinesische Zimmer mit dem originellen, von Gout entworfenen Ofen.

BIRKENSTEIN (Obb.) → Fischbachau (D 8)

BOBINGEN (B. Schw. – C 6)

Wallfahrtskirche U. L. Frau. Eine schon lange blühende Wallfahrt veranlaßt 1748–51 den kostbaren Neubau. Die Leitung hat Fz. Xaver Kleinhans aus dem tirolischen Pinswang. Das Ä u ß e r e , hohes Schiff und niedriger, eingezogener Chor mit Dachreiterturm, fällt auf durch die originelle Art der 4teiligen Fenstergruppen, die an Dom. Zimmermann, Joh. Gg. Fischer (Füssen) und Jos. Schmuzer erinnert. – Das I n n e r e , ein saalartiges Schiff mit ovaler Flachkuppel und genischten O-Ecken, öffnet sich gegen einen quadratischen Chor, der sich seitlich in oratorienbesetzten Nischen erweitert. Die Gliederung besorgen schlanke Pilaster. Darüber zarter Rocaillestuck und, beherrschend, die Kuppelmalereien von Vitus Felix Rigl aus Dillingen. Durch das Wolkenmeer über dem Langhaussaal schwebt die Immaculata auf gläserner Kugel, in der sich der Sündenfall ereignet: Sieg über die Erbsünde der Welt. Im steilen Zenit erscheint die Dreifaltigkeit, in welcher der ungeborene Christus, ebenfalls in gläserner Kugel, der Nie-

derkunft wartet. Am unteren Wolkenrand versammeln sich Propheten und Heilige, um dem Heilswunder zu huldigen. Das Chorfresko preist die Eigenschaften der Gottesmutter in Allegorien. – Prunkend umgeben die Säulenstellungen des Hochaltars (von Joh. Einsle 1750/51) das bekleidete, realistisch mit Haaren versehene Gnadenbild der Muttergottes. Die Seitenaltäre sind Werke des frühen Klassizismus 1781. Am Kanzelkorb fein erfundener Rocailleschmuck.

Die Pfarrkirche St. Felicitas, ein spätroman., got. veränderter Bau, ist durch unsachgemäße Restaurierung entstellt. Rühmen wir aber den stämmigen Backsteinturm mit got. Spitze.

Die got. **Wolfgangskapelle** (um 1520) besitzt ein flach gedecktes Langhaus vor rippengewölbtem Chor. An der Chor-N-Wand ein 3flügeliges Altarbild mit Kreuzigung und Passionsszenen, Weicher Stil um 1430. An der S-Wand große Darstellung des Patrons, St. Wolfgang.

BODENLAUBEN (Ufr. – D 2)

Burgruine. Graf Otto von Bodenlauben, aus dem Geschlecht der Henneberg, Kreuzfahrer und Minnesänger, verkauft die von ihm ererbte Burg 1234 an Würzburg. 1525 zerstören sie die Bauern; seither liegt sie in Trümmern. Die beiden Rundtürme im S und N des etwa ovalen Berings der im südöstl. Blickfeld Kissingens liegenden Ruine weisen über ihr schönes Buckelquaderwerk ins späte 12. oder frühe 13. Jh.

BOGENBERG (Ndb. – F 6)

Pfarr- u. Wallfahrtskirche Hl. Kreuz und Mariae Himmelfahrt

Der am N-Ufer der Donau aufragende Bogenberg, einst keltisch, im Mittelalter Burgsitz der Grafen von Bogen, ist angebl. seit 1104 Ziel einer Wallfahrt. Damals habe die Donau das Gnadenbild stromaufwärts getragen und in der Nähe Bogens auf einen Felsblock gesetzt, meldet die Legende. Am Orte älterer Kirchenbauten vollendete man die bestehende 1463. Die Schweden machten 1632 das Gebäude zur Ruine. Seine Instandsetzung erstreckte sich über 20 Jahre. Eine Barockausstattung von 1723 verschwand im 19. Jh.

Das Äußere spiegelt die 3schiffige Halle der späten Gotik. Anliegende Strebepfeiler stützen die Gewölbe von Langhaus und Chor. Die Gefahr des Winddrucks soll die sechseckige Form des W-Turmes veranlaßt haben. Seine Haube schuf das 17. Jh. An der NW-Ecke des Langhauses eine interessante roman. Adlerskulptur um 1250–60. Aus derselben Zeit der Steinkruzifixus an der Vorhallenwand.

Das netzgewölbte I n n e r e (Rippen 1876 erneuert) vermittelt ein Bild der Spätgotik. Nur der Chor zeigt eine Marmorverkleidung des 18. Jh. und prächtige barocke Oratorien mit kühn kurvenden Giebeln auf gedrehten Säulen mit Netzwerkkartuschen, Bändern, Akanthus und Lambrequins. Die beiden Hauptaltäre wurden 1954–60 von R. Friederichsen, München, neu gestaltet. Der Choraltar, mit mittelalterl. Stipesfront, trägt einen barocken Kruzifixus und neue Flankenfiguren (Longinus und Ecclesia). Der vorgerückte Gnadenaltar (1954) enthält das Wallfahrtsbild, eine steinerne Muttergottes in der Hoffnung, um 1400. Von hohem Interesse ist das Steinbildwerk der thronenden Muttergottes (Chor-S-Wand) um 1240–50, wohl das urspr. Gnadenbild. Eine 3. steinerne Marienfigur findet sich über dem nördl. Eingang, vorzügliche Leistung des 14. Jh. (ehemals außen). Auch die Steinmadonna über dem S-Portal, Mitte 14. Jh., gehörte früher zum Außendekor. Notieren wir ferner das schöne Vesperbild im seltenen »Dreihändetypus« um 1430, südl. Seitenschiff, die geschnitzte Gruppe der Marienkrönung um 1500 unter der W-Empore und die barocke »Rosenkranzkönigin«, 17. Jh., links am Choraufgang. Kanzel 1725; gegenüber realistischer Kruzifixus aus dem späten 17. Jh. – Von volkskundlichem Interesse sind die 13 m langen und einen Zentner schweren Votivkerzen (mit Holzkern) im Chor, die seit dem 15. Jh. jährlich in Fußwallfahrt aus dem 75 km entfernten Holzkirchen (Kr. Vilshofen) auf den Bogenberg getragen und dort aufgestellt werden.

Salvatorkirchlein, unterhalb der Wallfahrtskirche. Eine kleine spätgot. Anlage erhebt sich über der Stelle, an der einst eine Hostie zu Boden geglitten war. Das Innere wurde 1770 in fröhlichem Rokoko ausgemalt. Die Deckenfresken behandeln das Thema des Opfers, die Wandbilder Szenen aus der Geschichte der Kapellengründung. Im etwa gleichzeitig geschaffenen Altar ist eine neugefaßte Vespergruppe der Zeit um 1460 aufgestellt (»Dreihändetypus« wie in der Wallfahrtskirche). Glasgemälde von 1468 im Chorfenster: oben Mariae Verkündigung und die »virgo in rosis«, unten Abraham und Melchisedek und die Mannalese. – Die benachbarte **ehem. Klause,** ein schlichter Bau des 18. Jh., erfreut sich besonderer Volkstümlichkeit.

BREITENBRUNN (Opf. – E 5)

Die **Pfarrkirche Mariae Himmelfahrt** ist Gründung des späten 12. Jh. Aus späteren Umbauten verblieb der O-Turm, der in seinem Untergeschoß den Chor enthält, vermutl. 13. Jh. Das Schiff wurde 1716/17 errichtet. Dünne Bandmotive und Akanthusranken deuten auf die Zeit nach 1720. Der Hochaltar wurde um 1740 aufgestellt, die Seitenaltäre folgten später. Im nördlichen geschnitzte Muttergottes um 1470. 3 schöne Kalkstein-Epitaphien von 1532, 1533 und 1547 aus der Werkstatt von Loy Hering bezeichnen die Grablege der von Wildenstein und Breiten-egg. – Die 2geschossige **Friedhofskapelle St. Michael** wurde 1500 geweiht, Mitte des 18. Jh. umgebaut und im 19. Jh. restauriert. – Auf vorgescho-bener felsiger Anhöhe über dem Laabertal liegt die **Wallfahrtskirche St. Sebastian**, errichtet gegen 1400 als got. Oktogon, dem sich ein Turm zugesellte. 1702–08 wurde der Bau gegen O erweitert. Später, im 18. Jh., erhielt das Oktogon seine steile Laterne und der Turm, wie diese, eine Zwiebelkrönung. In den erneuerten Altären sitzen die ge-schnitzten Reliefs ihrer got. Vorgänger, Anfang 16. Jh.

2 **Wohnhäuser** des Marktfleckens ragen mit steilen Giebelaufbauten aus den übrigen hervor. Beide gehören wahrscheinl. dem 16. Jh. an.

BRENDLORENZEN (Ufr. – D 1)

Kath. Pfarrkirche St. Johannes Bapt. Schon 742 und 822 bezeugt, darf die damals von St. Martin patronisierte, in frühfränkische Zeit zurück-reichende Kirche in der Substanz ihrer Langhaus- und Querschiff-mauern in karoling. Zeit gesetzt werden. Korrigiert man die späteren Veränderungen, so erhält man ein breit-rechteckiges Langhaus, ein überhöhtes, durch einen stark eingezogenen (1711 beseitigten) Scheid-bogen vom Langhaus abgesetztes Querhaus, das sich durch je 2 Arkaden in Seitenschiffe, östlich in eine ihm unmittelbar anliegende Apsis öff-net; diese mußte dem Chorturm des frühen 13. Jh. weichen. – Zeit-genosse dieses durch geschmückte Klangarkaden ausgezeichneten Turmes ist die kleine einfache **Laurentiuskirche**.

BRÜCKENAU (Ufr. – C 1)

Alter Besitz des Klosters Fulda, erwächst die urspr. Sinnau, erst-mals 1294 Brückenau genannte Siedlung um die Wende des 13. Jh. zur Stadt (rechtlich 1310). Bis 1802 bleibt sie fuldisch. 1876 brennt sie fast ganz ab; alten Gesichts ist sie nicht mehr. Auch die Kirche ist bis auf den Turm und wiederverwendete Mauern neu (1877 bis 1878).

Östl. der Stadt, ihr zugehörig, das erstmals 1334 bezeugte, bis zur Säkularisation fuldische **Schloß Römershag** (jetzt Pflegeanstalt). Die 3flügelige Anlage gehört ins späte 16. Jh., ins späte 17. und (W-Flügel des südl. Teils und N-Flügel) ins 18. Jh. Im nördl. Teil des W-Flügels das Treppenhaus, im N-Flügel die Kapelle.

Die **ev. Kirche** am Kurpark (auch Stadt Brückenau ist seit 1906 Bad) wurde 1958/59 nach Plänen Franz Gürtners, München, errichtet.

Bad Brückenau

1747 wird die Heilquelle gefunden; der Fulder Abt macht sie nutz-bar. Eine Ansicht von 1780 zeigt das erste Bad, das die Grund-

*linien, die Allee und ihr Gegengewicht auf der nördl. abfangenden
Höhe (Fürstenhof), an das 19. Jh. weitergegeben hat. Von einer
Magerzeit im frühen 19. Jh. erholt sich das Bad dank der Initiative
König Ludwigs I., seines fast alljährlichen Gastes. 1827–33 entsteht nach Plänen des Hofbaukondukteurs Guttensohn der Kur-
saal. Hat sich seither das Aussehen des Bades durch Zu- und Neubauten auch beträchtlich verändert, so ist doch die schöne Anlage
des 18. und auch die Prägung durch das klassizist. 19. Jh. wirksam
geblieben.*

Die beiden **Kirchen**, katholische und evangelische, wurden 1908 von
Dollinger erbaut.

BUCHLOE (B. Schw. – BC 7)

Die kath. **Stadtpfarrkirche** ist Umbau einer spätgot., nach 1517 auf
3 Schiffe erweiterten Anlage durch Joh. Gg. Fischer aus Füssen, 1729:
ein Hallenbau mit Spiegelgewölben, 1730 im Stil der Zeit stuckiert und
ausgemalt. Th. Wechs fügte 1937 Chorumgang und Sakristei hinzu. –
Auch das ehem. fürstbischöfl. augsburgische **Amtshaus** (heute Amtsgericht) ist ein Werk des Joh. Gg. Fischer, 1728/29. – Interessant: der
moderne **Krankenhausbau** von Sep Ruf 1953.

BURGAU (B. Schw. – B 6)

*Ein sich nach Burgau nennender Graf (Grafschaft zwischen Iller
und Zusam) erscheint erstmals 1132. Markgrafen nennen sich
die Burgauer als Erben der Grafen-Markgrafen von Ronsberg
(1. Hälfte des 13. Jh.). 1304 fällt die »Markgrafschaft« an die
Habsburger, die sich aber immer wieder zu Verpfändungen ge-
nötigt sehen. Endliche Einlösung erst 1492. Seitdem sind Burgau
und die Burgauer Markgrafschaft bei Österreich, bis 1805 Bayern
an dessen Stelle tritt.*

Die kleine **Stadt** liegt der N-Seite des Schloßbergs vor. Die von Augsburg kommende, nach Ulm führende Straße ist ihre Achse, die sich vor
der Pfarrkirche zu einem Platzdreieck ausweitet. Das Straßenbild ist
gut schwäbisch, Reihen schlichter Giebelhäuser, z. T. mit geschwungenen Giebeln. – Von der **Stadtbefestigung** verblieb nicht viel mehr als
der westl. Torturm, der, um 1610–20 entstanden, an die Augsburger
Türme Holls erinnert, sein reiches Schmuck als Wehr.

Die kath. **Pfarrkirche U. L. Frau** ist ein klassizist. Saalbau, 1789 errichtet. Nur der Turm ist älter, wohl frühes 17. Jh. Flache Pilaster und
Gurte gliedern den breit proportionierten Raum. F. Enderle schuf erst
spät, 1829, die Fresken, die noch in ihrer Farbigkeit an barocke anklingen. Die Altäre, Säulenarchitekturen mit bekrönenden Urnen, ordnen sich der hellen, kühlen Weite des Raumes unter. – Bemerkenswert,
daß der Neubau urspr. Jos. Dossenberger übergeben werden sollte
(Pläne im Städt. Museum), der im nahen Umkreis einige gute Kirchen
geschaffen hat. (Hammerstetten, Ettenbeuren; vgl. a. Scheppach.)

Das **ehem**. Schloß der Markgrafen ist ein ungegliederter 3geschossiger Block, wohl des 17. Jh., der aber mehr als einmal umgestaltet wurde. Wirtschaftsgebäude südlich vorgelagert.

Auf dem Schloßberg südöstl. die 1692 gebaute **Lorettokapelle**. – Westl., außerhalb der Altstadt, **Friedhofkapelle** von 1726.

Westl.: **UNTERKNÖRINGEN**, ehem. Sitz des Augsburger Ministerialengeschlechts der v. Knöringen (Wasserschloß, heute v. Hürbel). Die **Pfarrkirche**, die bis 1725 auch für Burgau zuständig war, ist ein wohlerhaltener spätgot. Bau von 1480/81, mit flach gedecktem Schiff und zierlich gewölbtem Chor. Sie enthält ein halbes Dutzend guter Epitaphien der Zeit um 1530–40 aus der Werkstatt Loy Herings.

BURGHAUSEN a. d. Salzach (Obb. – F 8)

Die im Bestimmungswort des Namens gen. Burg zeigt sich urkundlich erst im 13. Jh., ist aber fraglos schon um die Jahrtausendwende auf dem durch die Natur so erwünscht geschützten langgestreckten Höhenzug zwischen Salzach und Wöhrsee vorhanden. 1025 ist Burghausen (Königsgut) in den Händen der Kaiserin-Witwe Kunigunde. In der 2. Hälfte des 11. Jh. ist es der namengebende Sitz eines Grafengeschlechts, der sog. Sighardinger, das schon 1164 zu Ende geht. Es folgt im Besitz Heinrich d. Löwe, schließlich das wittelsbachische Herzogshaus. Die Teilung von 1255 schlägt es Niederbayern, die von 1392 Bayern-Landshut zu; der Ausgang des Landshuter 1503 bringt es an Bayern-München. – Die Siedlung im schmalen Raum zwischen Berg und Fluß, die sich, in dieser Bedrängung, nur einem Straßenzug, der Durchgangsstraße, zuordnen kann, dürfte sich schon im 12. Jh. zum Markt entwickelt haben. Stadtrechte erhielt sie angebl. 1235 (was auch ungefähr zutreffen wird). Ihr Wohlstand gründete im Samzug des Salzes, der hier die Salzach überschritt und seine Zölle abwarf, die Mächtigkeit der Burg in der bedrohlichen Nachbarschaft Habsburg-Österreichs, das seine Grenze spät, aber doch, 1779, an die Salzach heranschob; seither halbiert sie die Salzach-Brücke.

Burg *(Tafel rechts)*

Außerordentliche Längenausdehnung hat ihr den Ruf der größten Burganlage Deutschlands eingebracht. Ihre Errichtung vollzog sich in einzelnen Etappen seit 1253. Herzog Heinrich XIII. von Niederbayern ließ in der 2. Hälfte des 13. Jh. Palas, Kapelle, Dürnitz und Kemnate aufführen. Burghausen rückte zum zweiten Burgsitz der Landshuter Herzöge auf. Um 1480, unter Georg d. Reichen, folgten großzügige Umgestaltungen und die Ausweitung durch Befestigungen und Nebengebäude gegen N über 5 Höfe auf die Gesamtlänge von ungefähr 1100 m.

Westl. der Pfarrkirche führt aus dem Städtchen der Weg hinauf vor den inneren Burghof. Hier der vom Zwinger

Burghausen. Blick auf die Burg

Coburg. Schloß Ehrenburg, Riesensaal

umzogene Hauptbau. Wir durchschreiten das Torhaus des
späten 15. Jh. mit seinem O-Erker und begegnen dem kräftigen, runden Bergfried, an den sich die mächtige Schildmauer schließt. Sie ist die gegen N gerichtete Schirmwand
des Binnenhofs. Ihn begrenzen im O (links) der Dürnitz-
oder Gesindebau und gegenüber die Kemnate, auch Frauen-
zimmerstock genannt. Beide Trakte verbindet über hohem
Bogen ein gedeckter Gang, der das Datum 1523 trägt. Jenseits desselben setzt sich rechter Hand die Kemnate fort (aus
deren Wand die Bögen vermauerter Arkadenöffnungen hervortreten). Ihr gegenüber liegt die Burgkapelle, und da, wo
beide Seitentrakte im spitzen Winkel aufeinanderstoßen,
ragt der Palas, der Fürstenbau. Der ernste, schluchtartige
Hof vermittelt trotz mancher Umgestaltungen durch das
späte 15. Jh. den Charakter der dem 13. Jh. eigenen Form-
wucht und -schwere. Die Dachregion versank ehemals hinter
den hochgeführten, zinnenbestückten Frontmauern. – Der
P a l a s erhielt seinen Innenausbau unter Georg d. Reichen
im späten 15. Jh. Auf Vorratskammern im Erdgeschoß
(13. Jh.) folgen im 1. Obergeschoß unregelmäßige Raumgebilde, z. T. mit spätgot. Balkendecken. Sie umgeben den
mittleren Gang, den Fletz, aus dem eine (mehrfach erneuerte) Treppe ins 2. Obergeschoß führt (heute Gemäldegalerie). Die innere B u r g k a p e l l e St. E l i s a b e t h,
nach N gerichtet und durch Knickung der Längsachse dem
Terrain angepaßt, trägt an den Außenwänden (insbesondere
des Chörleins) kräftigen Blendbogenschmuck mit Deutschem
Band und schmalen, sich leicht spitzenden Fenstern: Merkmale der späten Romanik des mittleren 13. Jh. Innen Netzwölbungen des ausgehenden 15. Jh. Freigelegte Wandfresken
um 1400 und 1570. Altarschrein aus Surheim von 1524. Der
D ü r n i t z s t o c k enthält übereinander 3 mächtige Räume: im Erdgeschoß die 2schiffige Vorratshalle mit kräftigen
Rippengewölben auf später ummantelten ehem. Achteckpfeilern (14. Jh.); darüber eine weitere 2schiffige Halle, Speisesaal für die Gefolgsmannen, und schließlich im 2. Obergeschoß den (später verbauten) Tanzsaal. Von hier führt der
gedeckte Gang zum K e m n a t e n f l ü g e l , dessen untere
südl. Teile noch dem 13. Jh. angehören. Einzelformen weisen
auf Gepflogenheiten zisterziensischer Bauhütten, was Verbindung zu Raitenhaslach oder Seligenthal (Landshut) nahe-
legt. – Diesem kräftigen Kerngefüge schloß die Spätgotik

im 15. und 16. Jh. gegen N ausgedehnte V o r w e r k e an,
die in sich weitere 5 Höfe ausscheiden. Im 2. Außenhof das
alte Zeughaus, im 3. das sog. Aventinshaus (Wohnung des
bayer. Gerichtsschreibers und Prinzenerziehers 1509/10).
Querbau (Zuchthaus) 1751. Im nächsten Hof die äußere
S c h l o ß k a p e l l e S t. H e d w i g , ein Bau der Spätgotik zwischen 1479 und 1489 von Ulr. Pesnitzer. Im Innern
reiche Netzgewölbe und Stifterrelief Georgs d. Reichen. Den
letzten Hof verriegelte die sog. Schütte, die nach 1800 abgetragen wurde. Im Hof Brunnenhaus und Uhrturm aus
dem 17. Jh. – Turmbestückte Wehrmauern umschirmten beiderseits das Burg- und Stadtgelände zwischen Salzach und
Wöhrsee. Teile sind erhalten. Interessante Kopfbastion südl.
des Wöhrsees (im O Mühl- oder Wöhrturm, im W der Pulverturm auf dem Eggenberg).

Pfarrkirche St. Jakob. Die erste, 1140 geweihte Anlage ging 1353 im
Stadtbrand zugrunde. 1360 wurde der Neubau in Angriff genommen.
1470 beginnt der Turm aufzuwachsen, der 1722–26 sein 8eckiges Glockengeschoß und 1778–81 die Haube erhält. Erneuerung des Hochschiffdachs
führt 1851 zum Einsturz der Gewölbe. Nun beginnt eine Stilpurifi-
kation, welche die barocke Ausstattung fast völlig vernichtet. Das
Raumsystem ist das einer 3schiffigen, bis 1853 beiderseits von je 5 Kapellen begleiteten, querschifflosen Basilika. – Gegenwärtig (1969) in
Restaurierung.

Spitalkirche Hl. Geist, Stiftung Friedrichs d. Mautners, spätestens 1332
(erste urkundliche Erwähnung). Aus dieser Zeit verblieben die O-Teile.
Der Stadtbrand von 1504 zog den Neubau des Langhauses nach sich.
Gewölbt 1512. Mit Errichtung des bestehenden Turmes wurde 1773
die Barockisierung des Äußeren eingeleitet, der sich bis 1792 die Altarausstattung anschloß. – Rotmarmorplatte für das Grabmal der Familie
Mautner zu Katzenberg, um 1520, sign. von Meister Jörg Gartner.

Die ehem. Jesuitenkirche St. Joseph erscheint in wichtiger städtebaulicher Funktion an der N-Spitze des Marktplatzes. Die Umfassungsmauern stammen von 1630/31. Der Baumeister Isaak Bader hat Anregungen aus dem Kreis von St. Michael zu München verwendet. Inneres nach Brand völlig erneuert, 1874. – Heute profaniert.

Kirche der Engl. Fräulein (Schutzengelkirche) 1731. Einfaches Raumbild
mit zeitgenössischen Stukkaturen und guter Altarausstattung.

Ev. Friedenskirche, 1955, von Riemerschmid (München).

Rathaus, 14. Jh., oftmals verändert. – **Regierungsgebäude** (Hauptpl. 8)
mit 3 kleinen Giebeltürmchen, 16. Jh., und Fassadendekor des 18. Jh. –
Taufkirchenpalais (Amtsgericht), aus der Reihe der Bürgerhäuser, auch
in der Dachgestalt, mit betontem Anspruch hervortretendes Stadtpalais
des Vizedoms Graf Taufkirchen, 1731.

Die Wohnbauten folgen den Gepflogenheiten der im Innviertel heimischen Bauweise: Grabendächer hinter flachen, zuweilen gerade abschlie-

ßenden Straßenfronten. Einige Laubenhöfe. Vorherrschend 16. und 17. Jh. – Die **Stadtmauer** steht in Verbindung mit den Befestigungs-anlagen der Burg. Im frühen 17. Jh. verstärkt.

Heiligkreuz, außerhalb der Stadt, an der Tittmoninger Straße, ehem. »in der Au«, so bei erster Erwähnung des Sondersiechenhauses 1322. Der bestehende, einheitlich spätgot. Tuffsteinbau ist Werk des einhei-mischen Meisters Hans Wechselperger, für den, auch ohne die Nennung am Chorbogen (»1477 Hans Wechselperger«), die eigentümliche Fi-guration der Netzgewölbe zeugen würde. 1849 wurde die Kirche neu-gotisch überholt (der Spitzhelm aus dieser Zeit), 1953 gründlich und verständnisvoll restauriert. – Die Ausstattung gipfelt in der (1953 über dem Choraltar aufgestellten) großen Kreuzigungsgruppe des frühen 18. Jh., die wohl einem der Schwanthaler in Ried (Innviertel) gegeben werden darf (ehem. in Raitenhaslach). Die an der S-Wand des Schiffes stehenden Holzfiguren der Muttergottes, der hl. Katharina und des hl. Alban sind beachtliche Werke letzter, frühestens 1520 anzusetzender (schwäbisch inspirierter?) Spätgotik.

BURGKIRCHEN am Wald (Obb. – E 8)

Pfarrkirche St. Rupert. Der interessante Bau ist gegen Mitte des 15. Jh. entstanden, äußerlich schlicht: verstrebte Langhaus- und Chorwände, W-Turm. Das Innere überrascht durch Zentralisierung. 3 im Grundriß des Dreiecks angeordnete Rundstützen tragen das Gewölbenetz des Langhauses. Die beiden westl. Stützen scheiden das Emporenjoch aus. Übrig bleibt ein quadratisches Raumgebilde, dessen Mittelstütze die Sternfiguren des Wölbnetzes ausstrahlt. Im Grundriß entspricht das westl. Stützenpaar der Öffnung des Triumphbogens zum hohen Chor. Vorbild war vermutl. die Spitalkirche zu Braunau (1417–30). Hochaltar um 1760.

Benachbart, westl.: **TÜSSLING** mit einem **Schloß** von 1583 und Wohn-bauten im Stil der Inn-Salzach-Bauweise.

BURGKUNSTADT (Ofr. – E 3)

Der Name zeigt sich erstmals im 9. Jh. Dieses »Cunstat« kommt, teilweise wenigstens, 1059 aus dem Erbe der Markgrafen von Schweinfurt an das Hochstift Bamberg, das 1160, spätestens, die Burg besitzt. Die sicher schon im frühen 11. Jh. bestehende Burg, nach der sich die Marschälke von Cunstat (bambergische Ministe-rialen) nennen, ging im 17. Jh. ab. Dank ihrer Hochlage auf frei stehendem Hügel trägt die Oberstadt in ihrer Gesamtheit burg-lichen Charakter. Die Bauten einer rührigen Industrie am Hügel-fuß setzen einen modernen Kontrast zur sonst wohlerhaltenen kleinen Stadt.

Der von W nach O gerichtete **M a r k t** ist noch gut von älteren Häu-sern, des 17. und 18. Jh., bewandet. Am O-Ende steht die **kath. Pfarr-kirche St. Heinrich und Kunigunde.** Die solide, noble Turmfassade wurde 1783 nach den Plänen des Bambergers Lorenz Fink errichtet; Chor und Langhaus wurden, ohne viel Kunst, 1811/12 aufgeführt. – Der

Markt steigt westl. gegen das ehemals von der Burg besetzte Plateau an, zu dem eine von gestaffelten Fachwerkhäusern begleitete Gasse emporführt. Wir erreichen das hoch und frei liegende **Rathaus**, eines der rühmenswertesten fränkischen. Auf einem massiven 2geschossigen Unterbau, der wohl noch spätgotisch ist, ein Fachwerkgeschoß, Arbeit des vortrefflichen Zeiler Zimmermeisters Jörg Hoffmann, der Signatur und Jahr (1689) angebracht hat. (Fachwerkbauten Hoffmanns auch in Zeil, Scheßlitz und Königsberg/Ufr.) Ein so recht altfränkischer Raum ist die Halle des Erdgeschosses, deren Decke auf 2 Reihen starker, gebauchter Holzpfeiler ruht.

Die auf einem Hügel südwestl. der Stadt, im Friedhof liegende **Fünfwundenkapelle** ist die 1659 und 1719 gebaute Nachfolgerin einer sog. Tierkapelle vermutl. des 15. Jh.

Das benachbarte **ALTENKUNSTADT** besitzt eine massivsteinerne **Pfarrkirche**, die (in der Gründung sehr alt, vorbambergisch) 1528–37 neu gebaut wurde (nur Chor und Sakristei 18. Jh.). Der Turm mit dem hohen Spitzhelm ist Blickpunkt der südl. vom Jura, mit Kordigast, begrenzten Landschaft. Das Innere bewahrt eine gute Steinmuttergottes der 70er Jahre des 14. Jh., wohl Arbeit eines Bamberger Steinmetzen, und eine Reihe monumentaler Epitaphien (Aufseß, Redwitz, Schaumberg) des 16. Jh. – Der schöne **Pfarrhof** vermutl. von Lor. Fink.

BURGLENGENFELD (Opf. – E 5)
Burgruine
Die alte Historie der Lengenfelder Herren (des 9. und 10. Jh.) ist Sage. Um 1050 tritt das Geschlecht der Lengenfelder hervor, das 1119 erlischt. Pfalzgraf Otto V. wurde Herr in Lengenfeld, die Burg wittelsbachisch. Im 16. Jh. ist sie zweiter Sitz der Pfalz-Neuburger. Der unglückliche Pfalzgraf Philipp residierte hier, bis er seinen Anteil 1541 dem Bruder Ottheinrich in Neuburg (a. d. Donau) verpfändete, um bis 1545 unterhalb der Burgbergs in der »Kanzlei«, dem späteren Amtsgericht, ein »armselig Haus« zu halten. 1806 begann man die Gebäude abzutragen. 1814 setzte sich der bayerische Kronprinz Ludwig für die Erhaltung ein. Seit 1958 Privatbesitz.

Eine schmale Pforte mit kleinem Zwinger öffnet das Innere der annähernd oval geführten Ringmauer, an deren N- und S-Seite Wall und Graben kenntlich geblieben sind. Die Anlage trägt Zeichen ihres roman. Ursprungs. Später erneuerte Teile heben sich durch Bruchsteinmauerwerk von dem Quaderverband des mittelalterl. Berings deutlich ab. Eine Terrainstufe im W kennzeichnet den Standort der inneren Burganlage. Erhalten blieben ein paar Grundmauern, Kellerräume und der 28 m hohe Bergfried des 12. Jh. Ihm ostwärts gegenüber im äußeren Hof wuchtet der sog. Sinzenhofer- oder Friedrichsturm, um 1100 entstanden. Etwas jünger der ihm benachbarte Torturm mit seinem spätgot.

Vorbau nach O. Zur anderen Seite, nordwärts des Sinzen-
hofer Turmes, erstreckt sich der got. Bau (»Getraidkasten
und Zeughaus«), der im 19. Jh. durchgreifende Veränderungen erfahren hat. Schreiten wir die N-Mauer westwärts
entlang, den runden Bergfried umkreisend, so stoßen wir
zunächst auf das ehem. Kastenamt, einen einfachen Bau von
1611. Gegen S umbiegend, finden wir die Reste des Tiefen
Brunnens. An ihm vorbei gegen O treffen wir einen schlanken Viereckturm des 12. Jh., der seit 1648 den Namen
»Pulverturm« führt.

Der Burgbering sendet gegen W Mauerzeilen aus, die die Stadt rechteckig einschlossen. Teile davon als **Stadtmauer** bes. gegen SO und NW
erhalten. Rechteckige Türme folgen ihr. Auch Reste eines Wehrganges
sind feststellbar. Die alten Mauerzüge wurden 1462 ausgebessert.

Pfarrkirche St. Veit. Das mittlere 18. Jh. hat den Bau gestaltet und
durch Rokokostuck und Malereien belebt. Die Chorpartie, eine Rotunde mit Säulengang, ist jüngste, nunmehr raumbeherrschende Zutat
(1958, auf Kosten der got. Chorfundamente). Aus dem alten Bestand
nennen wir Loy Herings Epitaph für Bernhard v. Hürnheim († 1541).

Das **Rathaus**, flankiert von 2 Achtecktürmchen, ist eine beachtliche
Schöpfung der Zeit um 1600.

Unweit der Pfarrkirche das malerische **Allmannsche Schlößchen**, ein
ehem. Burggut, erbaut im 16. Jh. – Die **Wohnhäuser** zeigen der Straße
ihre Giebelfronten. Hervorzuheben ist der Pfälzerhof mit hohem Staffelgiebel.

BÜRGSTADT (Ufr. – B 2)

*Sehr viel älter als das benachbarte Miltenberg, sicher eine Burg-
Statt fränkischer, merowingischer Zeit, ist Bürgstadt wahrscheinl.
schon im 8. Jh. Besitz des Erzstifts Mainz, bleibt es auch bis zu
dessen Ausgang 1803, zwar schon im 13. Jh. von Miltenberg (das
urspr. nach Bürgstadt pfarrte) überspielt, wenn es auch seinen
Altersvorrang als Sitz des Miltenberger Zent(Hoch)gerichts behauptet.*

Die **kath. Pfarrkirche**, die Mutterkirche von Miltenberg, ist ein spätroman. Bau, dem das 15. Jh. die feinen Portale und das Jahr 1607 das
nördl. Schiff zubrachte. Von der alten Ummauerung des Kirchhofs steht
noch das Torhaus.

Martinskapelle. Der Gründung nach sicher sehr alt, ist der bestehende,
durch sein Inneres interessante Bau doch erst im frühe 13. Jh. zu
setzen. Das spätgot. W-Portal mit den zierlichen Engelskonsolen unter
dem hl. Martin im Bogenfeld (um 1440) von einem der an der Pfarrkirche tätigen Steinmetzen sei nicht übergangen. Insbesondere sei hingewiesen auf die originelle Ausstattung des Inneren, des Schiffes, dessen
1593 dat. Wandmalereien, Medaillons in Rollwerkrahmen, den einfachen Raum mit seiner guten, warmen Bretterdecke aufs schönste

schmücken. Die spätgot. Kreuzigungsgruppe auf dem Balken im Chorbogen, der Spätrenaissance-Altar im flach geschlossenen, auch noch durch einige Wandbildfragmente belebten Chor vervollständigen den Eindruck des von späteren Eingriffen kaum berührten Kirchenraums.

Das 1590–92 gebaute **Rathaus** ist ein vortrefflicher Repräsentant der in Franken so reich vertretenen Gattung: ein 2geschossiger Block, mit unregelmäßig verteilten, in Zweier- und Vierergruppen zusammengefaßten Fenstern im Obergeschoß, geschweift konturierten Giebeln über beiden Schmalseiten, einem Sechseckturm an der südlichen, und hohem Satteldach mit Reihen spitzbehelmter Gauben. Im Innern eine das ganze Erdgeschoß besetzende 2schiffige Halle mit Kreuzgewölben.

BURGWINDHEIM (Ofr. – D 3)

1278 kommt es an Kloster Ebrach, das 1720–25 seine **Kurie** (»Schloß«), vermutl. durch B. Neumann, aufführen läßt. Einem Mitteltrakt legen sich beiderseits Quertrakte an; die Ecken sind durch Pavillons verstärkt. Der Bau lebt aus der Gruppenfügung seiner Teile; auch die hohen Mansarden leisten guten Beitrag.

Die **kath. Pfarrkirche**, 1748–51, ist stattlich, ihre um 1753 geschaffene Ausstattung ist schönstes Rokoko. Die Seitenaltäre sind Inventionen B. Neumanns.

Die **Wallfahrtskirche z. Hl. Blut**, durch ein Mirakel d. J. 1465 veranlaßt, wurde 1467 errichtet und 1597 wiederhergestellt. Ein beabsichtigter Neubau, für den Neumann eine originelle zentrale Kuppelkirche entwarf, kam nicht zur Ausführung.

Der **Hl.-Blut-Brunnen**, über einer 1626 entdeckten Heilquelle, ist eine anmutige Kleinarchitektur von 1690, ein in 4 Bogen geöffneter Pavillon, den eine hohe, in Laterne endigende Dachkuppel schmückt.

BUTTENHEIM (Ofr. – E 3)

Kath. Pfarrkirche. Wahrscheinl. eine der von Karl d. Gr. an Main und Rednitz gegr. Missionskirchen, wird sie doch erst 1118 sichtbar. Mittelalterl. nur der massige Turm im frühgot. Untergeschoß. Das nördl. gerichtete Langhaus ist Werk des Bambergers J. M. Küchel, 1754–57. Sehr reich die auch von Bamberger Meistern geschaffene A u s s t a t - t u n g im reifsten Rokoko. Der Hochaltar, mit frei stehendem Tabernakel, von G. A. Reuß und Fr. A. Thomas Böhm, 1758, die Seitenaltäre 60er Jahre, feinstes Spiel der Rocaille; die Kanzel 1758 von Adam Stöhr. – Ein weiterer, sehr bedeutender Besitz der Kirche sind die in der Turmkapelle stehenden Stibarschen Grabsteine: des Albrecht Stibar (1491) mit dem Monogramm des »Meisters der Schwanenordensritter«, des Heinrich (1507), der Elisabeth (1507), Gattin des Heinrich; der zweite Riemenschneider nahestehend, der dritte sicher von seiner Hand.

BUXHEIM (B. Schw. – B 6/7)

Ehem. Kartäuserkloster

*Der Orden des hl. Bruno (benannt nach seiner ersten Niederlassung
in der Chartreuse bei Grenoble) suchte Eremitentum mit klösterlicher Gemeinschaft zu verbinden. Jeder Mönch bewohnt ein
schlichtes Eremitenhäuschen mit Studier- und Schlafraum, Werkstatt und Gemüsegarten. Der Kreuzgang verbindet die Eremito-
rien. – Als der Bischof von Augsburg 1402 den Buxheimer Besitz
an die Kartäuser verschenkte, gab es in Europa bereits allenthalben
derartige Niederlassungen. Buxheim erhielt seine Mönche aus
Christgarten bei Nördlingen. Sogleich erwuchs das Klosterkirch-
lein. Ihm folgten im frühen 15. Jh. Kreuzgang und Zellen. Zu den
barocken Umgestaltungen wurden Dom. und Joh. Bapt. Zimmermann herangezogen, die damals, 1710–27, noch am Beginn ihrer
Tätigkeit standen. Die Säkularisierung, 1803, verschleuderte beste
Teile des klösterlichen Kunstbesitzes. Heute dienen die Bauten der
Salesianer-Kongregation (»Marianum«).*

Die **Klosterkirche** (»Mariae-Saal«), eine 1schiffige Anlage
des frühen 15. Jh., wird vom Kreuzgang in Mönchs- und
Bruderchor unterteilt. Das gesamte Innere trägt reiche
Stuckzier im Rankenwerk der Zeit um 1711 und hellfarbigen Freskenschmuck von Joh. Bapt. Zimmermann. Der
Bruderchor im W enthält 6 Altäre: 2 unter dem lettnerartig den Kirchenraum durchschneidenden Kreuzgang,
2 darüber auf der Empore (alle 4 aus der Zimmermann-
Werkstatt). Die beiden restlichen wurden um 1640 gefertigt. Der Mönchschor im O bewahrt einen kostbaren Hochaltar von 1631 mit dem später eingesetzten Mariae-Him-
melfahrts-Bild von Joh. Gg. Bergmüller, 1718. Vom (1883
nach England verkauften) Chorgestühl des Tirolers Ignaz
Waibl um 1680–90, ehemals hochberühmt, ist nur der
Priorenstuhl verblieben. Der **Kreuzgang**, im 15. Jh. erbaut
und 1738 mit Stukkatur versehen, ist dreimal durch Brun-
nenkapellen erweitert. An seine Außenwand stoßen die
Eremitenzellen (später z. T. abgebrochen, Zugänge vermauert). Im NW, als Hauskapelle des Priors, die **St.-Anna-
Kapelle**, geweiht 1508, ausgestaltet 1740 durch Dom. Zimmermann – ein prächtiges Werk des reifen Rokoko.

Die **Pfarrkirche U. L. Frau**, ein Frühwerk des Dom. Zimmermann, entstand 1725–27. Zimmermanns Eigenart kündet sich im Ausdeuten der Gliederung durch Mittel, die
weniger Struktur als Ornament sein wollen. Dadurch wird

der halbrund geschlossene, architektonisch unbedeutende
Saalraum zum Bild schwebender, heiterer Festlichkeit. Die
Deckengemälde tragen das Signum Joh. Bapt. Zimmermanns. Im nördl. Seitenaltar überlebensgroße Muttergottesfigur aus Ton, um 1430, Weicher Stil, in neuerdings
wieder freigelegter alter Fassung, eines der schönsten plastischen Werke dieser Zeit, von gleicher Hand wie die weitgehend übereinstimmende Maria (ebenfalls Ton) in Augsburg, St. Peter.

Die **Klosterbauten**, durch Gänge miteinander verbundene Baukörper,
enthalten einige 1710–15 schön dekorierte Räume. Zu nennen: ehem.
Bibliothek (Stuck und Malerei von Joh. Bapt. Zimmermann, 1710), Refektorium (Stuck dem J. B. Zimmermann nahestehend, 1710–12).

Illerabwärts die Ortschaft **PLESS** mit der **Pfarrkirche St. Gordian und
Epimachus**, gutes Rokoko in der Nachfolge des Dom. Zimmermann.
Als Architekten werden genannt: Jakob Jehle und Joh. Wiedemann
(vom Kloster Buxheim). Bauzeit 1765/66. Saalraum, in der Mitte verbreitert, eingezogener Chor mit geschwungenem Abschluß. Stuck, Freskomalerei (von Eustachius Gabriel 1766) und Altarausstattung der Bauzeit prägen den freundlichen, einheitlichen Charakter der rühmenswerten Anlage.

CADOLZBURG (Mfr. – D 4)

*Die Anfänge dieser mächtigen Burg urspr. der Grafen von Aben-
berg bedürfen noch der Klärung. Sichtbar wird sie, im Namen,
erst 1157. Im Besitz der Nürnberger Burggrafen aus dem Hause
Zollern ist sie wohl schon, mit der Abenbergschen Erbschaft, um
die Wende zum 13. Jh. Die Burggrafen ziehen sie bald ihrer durch
die wachsende Reichsstadt bedrängten Nürnberger Burg vor und halten hier Hof bis ins 15. Jh. Dann, 1456, gewinnt die Stadt-Resi-
denz Ansbach der Cadolzburg den Rang ab. Die spätmittelalterl.
Burg wurde, im Burghof, von Dürer in zwei seiner frühen Aquarelle festgehalten. Sie erfuhr, im inneren Bestand, vom 16. bis ins
19. Jh. beträchtliche Veränderungen, erhielt sich aber im Äußeren
vorzüglich und darf auch heute noch, nach der Katastrophe von
1945, die eine Ruine zurückließ, zu den großartigsten Dynasten-
burgen des Mittelalters gerechnet werden. Trotz der Umbauten des
15. und 16. Jh., die nach außen nur wenig, augenfällig nur im
»Neuen Bau« der S-Seite, in Erscheinung treten, vermittelt sie den
Eindruck einer wesentlichen hochmittelalterl. Veste. Beherrschend die
schweren, geschlossenen Buckelquaderstirnen der aus dem umlaufenden Zwinger aufstrebenden Mantelmauer. Die wuchtige Baumasse wenig, nur durch die Brechungen ihres Umrisses gegliedert;
doch war sie, jedenfalls im Spätmittelalter, differenzierter, viel-
fältiger und urspr. auch von einem (im späten 18. Jh. abgetragenen) Bergfried, »Luginsland«, überragt.*

Ein in die Niederung des Farrnbachs vorgreifender, von SO nach NW fallender und sich im Fallen verjüngender Höhenzug des Dillbergs trägt Siedlung und Burg. Die kleine wohlerhaltene **Stadt** ist südl. durch einen Torturm abgeriegelt. Die Marktstraße läuft, der Senkung des Berges folgend, auf das erste, durch einen Graben gesicherte äußere Burgtor zu, das in die ausgedehnte **Vorburg** einläßt. Ein zweiter, tiefer, in den Fels des hier zutage tretenden Burgsandsteins geschnittener Graben schützt das zweite innere Tor, über dem ein hoher schmaler, ungegliederter Turm aufragt. Ein mit 2 Erkern ausgestattetes (jüngeres, spätgot.) Vortor deckt noch einmal das ältere (frühgot.) Haupttor. Der Blick trifft beiderseits der Torbefestigung auf die starren Quaderflächen der steilen Mantelmauer, der nur der mit seiner Außenwand der Mauer aufgestockte **Neue Bau** die Allüre eines Schlosses mitteilt. Fenster mit Kreuzpfosten gliedern die Wandung dieser in den 80er Jahren des 16. Jh. aufgeführten Renaissancefassade; 2 (nur in Resten erhaltene) Zwerchgiebel schließen sie ab. – Die **Hauptburg** ist durch den sog. Kapellenbau in 2 Höfe geschieden, einen großen südlich und einen kleinen nördlich. Der südliche ist östlich vom Neuen Bau begrenzt, westlich vom Alten Bau, dem der riesige Rauchfang (»Ochsenschlot«) der Burgküche anliegt. Seine Aufstockungen, in Fachwerk, und die steilmächtige Bedachung gingen 1945 zugrunde. Von den Räumen braucht nicht mehr gesprochen zu werden; der Krieg nahm sie weg.

Die **ev. Pfarrkirche** am Fuße des Burgbergs, im »Tal«, dem alten, der Marktsiedlung im Rücken der Burg vorausliegenden Burgdorf, ist ein Bau der Jahre 1750/51, der nach den Entwürfen des Ansbacher Landbauinspektors J. D. Steingruber aufgeführt wurde; nur der Turm (bis auf die beiden Obergeschosse) mittelalterlich.

CASTELL (Ufr. – D 3)

Der auf ein »castellum« zurückweisende Name ist schon früh, 816, bezeugt. Im S des Dorfes die wenigen Trümmer der beiden Stammburgen des alten, heute noch blühenden Grafengeschlechts der Castell. Die nähere untere (1497 »Altcastell«) steht auf dem Herrenberg, die (schon 1258 so gen.) obere auf dem Schloßberg. Das im N des Dorfes liegende neue Schloß entsteht 1687 ff. Die fürstl. Domanialkanzlei wurde 1600 als Badehaus (eines Heilbades) errichtet.

Ev. Pfarr- und Schloßkirche. Der in den 80er Jahren des 18. Jh. nach Plänen des Würzburger Landbaumeisters Jos. Alberti aufgeführte, 1792 vollendete Bau darf zu den beachtlichsten Lösungen prot. Kirchengestaltung gerechnet werden. Der Außenbau der hoch gelegenen Kirche folgt dem seit Petrini in Würzburg-Franken geläufigen Schema (Giebelfassade, Frontturm); auch die O-Wand des Chorhauses ist, mit Portal, Pilastern, 3 Fensterreihen, als Fassade gegeben. Das I n n e r e, ein rechteckiger, von Emporen, unteren und oberen, umgebener überwölbter Saal mit wenig, stärker nur an den Architekturgliedern, Kapitellen, Kämpfern, mitsprechenden Stukkaturen des Nürnbergers J. M. Krieger, der auch den ausgezeichneten Kanzelaltar 1787 schuf, ist durch die gut eingefügten Holzemporen charakterisiert, die auch den eingezogenen, flachschlüssigen Chor begleiten.

CHAM (Opf. – F 5)

Die Further Senke, der das von Regen und Chamb geschaffene Becken zugehört, ist uraltersher von einer Heer- und Handelsstraße durchzogen. Schon in merowingischer Zeit ist sie wichtig; in den böhmischen Kriegszügen der sächsischen und salischen Kaiser spielt sie eine entscheidende Rolle. Auf dem Galgenberg östl. Chams besteht schon im 10. und bis ins 12. Jh. eine starke Reichsburg, deren ausgedehnter Wall- und Grabenring noch gut abzuschreiten ist. Herzogsland, dann Königsland, erhält das »Chambriche« den Rang einer Mark. Nach dem Ausgang der erlauchten Markgrafen von Vohburg-Cham 1204 ergreift Wittelsbach Besitz. Herzog Ludwig d. Kelheimer gründet um 1220 die Stadt nördl. des älteren, schon 1135 bezeugten Marktes (»Altenmarkt«) innerhalb des Burgbergs. 1356 kommt Cham als Pfandschaft an Kurpfalz; erst 1625 kehrt es, infolge der Katastrophe des kurpfälzischen »Winterkönigs« von Böhmen, an Bayern zurück. – Das neuzeitliche Wachstum der Stadt gedieh bergan. Heute überragt eine mächtige neuroman. Pfarrkirche die Altstadt.

Die Fundamente der **St.-Jakobs-Pfarrkirche,** auch die Unterbauten der Türme, gehören dem 13. Jh. an. 1394–1411 wurde der Chor hinzugefügt. Die Gestalt des Langhauses wurde oft verändert. Um 1750 entstanden Stukkatur und Bemalung, letztere von Otto Gebhard aus Prüfening. 1894 Erweiterung der Kirche um 2 Joche gegen W. Malerei und Stukkatur wurden dem alten Bestand angeglichen. Aus der barokken Einrichtung blieb ein fein geschnitztes Tabernakel (um 1760, jetzt Aloysius-Altar). Die übrige Einrichtung ist neubarock.

Spitalkirche, 1514 errichtet, um 1750 barockisiert. Altäre spätes 18. Jh.

Das **Rathaus,** ein Bau des 15. Jh. mit Treppengiebeln und Erker, wurde in der Folgezeit oft verändert. 1875 erhielt es einen neugot. Erweiterungstrakt gegen O. – Von den **Wohnhäusern** haben nur wenige ein charaktervolles Erscheinungsbild bewahrt. Hervorzuheben ist das Café Krone am Marktplatz, ein spätgot. Baublock mit Zinnenkrönung, wohl des 16. Jh. – Von der **Stadtbefestigung** sind weite Strecken erhalten. Die älteste, von 1266 wurde um 1430 verstärkt und z. T. neu errichtet. Die Zeit des 30jährigen Krieges brachte weitere Verstärkungen. Ein Bericht des frühen 19. Jh. nennt doppelte Ringmauern mit Zwinger und zahlreichen Türmen. Noch sind Teile kenntlich. Vom alten Bering blieb der viereckige Straubinger Turm im SO. Von den ehemals 4 Toren besteht noch das von wuchtigen Rundtürmen eingefaßte Burgtor, später »Biertor«, aus dem 14. Jh. Es grenzt an das ehem., später völlig veränderte Stadtschloß (jetzt Brauerei).

Wenige Kilometer ostwärts liegt die ältere Gründung

CHAMMÜNSTER (Opf. – F 5)

Ehem. Benediktinerkloster, jetzt Pfarrkirche Mariae Himmelfahrt

Das dank reicher herzoglicher Schenkungen durch St. Emmeram (Regensburg) errichtete Kloster am Regen, in geringer Entfernung von Cham, ist eine der frühesten bayerischen Klostergründungen, spätestens der Mitte des 8. Jh. Als Missionszentrum von hoher Bedeutung, v. a. für das (bis 973 dem Regensburger Bistum zuständige) Böhmen. Im 10. Jh. erliegt es, wie so viele andere Klöster, den Ungarn oder dem säkularisierenden Herzog Arnulf »d. Bösen«. Seine Kirche lebt als Pfarrkirche fort; sie kann sich im Rückblick auf ihre Pfarrer eines Gerhoh von Reichersberg (1126–28) rühmen. Seit 1160 ist sie im Besitz des Regensburger Domkapitels, das sie nun stets mit einem Domkanoniker (»Dekan«) besetzt. Im 17. Jh. verliert sie ihre Pfarr-Rechte an die jüngere Stadtpfarrkirche St. Jakob in Cham. – Der bestehende Bau, der in seiner Größe die einstige Bedeutung des »Münsters« immer noch vor Augen stellt, vereinigt Chorteile der 2. Hälfte des 13. Jh. mit dem 3schiffigen Langhaus des 15. Jh. 1476 waren die Arbeiten abgeschlossen. Der südl. der beiden Chortürme wurde 1874–77 neu gebaut.

Die schlichte Form des Chores legt die Abhängigkeit von der Dominikanerkirche zu Regensburg nahe; das östl. Turmpaar ist eine häufige Erscheinung im Regensburger Kunstbereich. Das 6jochige Langhaus ist basilikal, wenn auch mit unbefenstertem Hochgaden. Bemerkenswert ist das Gliederungsmittel der Hochschiffwände: kleine (später vermauerte) Fensteröffnungen, die zum Dachstuhl der Seitenschiffe führen. Von den Kämpferplatten der im Wechsel runden und 8eckigen Arkadenpfeiler steigen dünne Runddienste auf, Rippen entsendend, die sich zu den Sternfiguren der Gewölbe entfalten. Sonst fehlt künstlerisches Detail. Doch verrät die großzügige Raumanlage, daß wir hier in der Mutterkirche von Cham stehen. Die 2. Hälfte des 18. Jh. hat den Chor mit einem üppigen Hochaltar ausgestattet: eine Baldachinanlage auf reichgebildeten Pfeilern, übergreifend auf die Chorwand. Das ornamentale Detail verweist auf die Zeit um 1760–70. Aus dem 15. Jh. das rechteckige Kanzelcorpus mit spätgot. Blendbogenschmuck. Die roman. Stilperiode hat 2 Taufbecken hinterlassen: das eine unter der W-Empore, mit dem Relief Christi und der 12 Apostel, um 1200; das andere, im südl. Seitenschiff, deutet mit seiner merkwürdigen Eiform, seinen Blendarkaden und Eckknollenfüßen ins 13. Jh. Die Wandmalerei am nördl. Obergaden (Legende von den 3 Lebenden und den 3 Toten) gehört dem 15. Jh., ebenso das Schutzmantelbild neben der Orgel und die Marientod-Darstellung im Bogenfeld des S-Portals. – Zahlreiche Grabdenkmäler des 15.–17. Jh.

Die **Friedhofkapelle St. Anna** wurde gegen 1400 errichtet und im 18. Jh. etwas verändert. Im Chor steht ein Altar der Zeit um 1760–70, der ehemals als Seitenaltar in der Münsterkirche gedient haben soll. – In der Nähe hat sich das Untergeschoß eines ehem. **Karners** aus dem 13. Jh. erhalten, ein tonnengewölbtes Rechteck mit Quadern im W. Das Leichenhaus darüber 1965.

Nahe Chammünster, auf dem südwestl. Ausläufer des Lamberges, ragt, sagenumwoben, der Überrest eines mittelalterl. Turmes, der **Ödenturm**, auch Ellen- oder Eulenturm geheißen. Seine Mauertechnik, sorgfältig behauenes Buckelquaderwerk, verweist ihn ins 12. Jh. Um den Turm legte sich ehemals die **Burg Chameregg.**

COBURG (Ofr. – E 2)

1056 erscheint der Name erstmals in der Überlieferung. Aber noch meint er die Burg, die eine frühe vorgeschichtliche Wurzel haben mag. Doch sicher schon in der 2. Hälfte des 12. Jh. besteht der (1217 gen.) »burgus«, der Burgflecken an der Itz, der sich an eine ältere dörfliche Siedlung (»Trufalistat«) anschloß. Größere Teile des urspr. königseigenen Gebiets in und um Coburg kamen 1074 an die Benediktinerabtei Saalfeld, an deren Stelle im Laufe des 12., endgültig des 13. Jh. die stärkere Laiengewalt der Grafen von Henneberg tritt. 1353 gelangt die »Neue Herrschaft« der Henneberger, teilweise wenigstens, erbschaftlich an das Haus Wettin. Im 16. Jh. wird Coburg die Residenz wettinischer Fürsten (1543), um es von nun an, mit einigen Unterbrechungen allerdings, zu bleiben. Der Bau des Stadtschlosses (seit 1543) eröffnet die höfische Epoche der Stadt. Sie kommt ihr förderlich zustatten, v. a. unter dem tatkräftigsten der Regenten, Herzog Joh. Casimir (1586–1633), der die großen städtebaulichen Akzente setzt: die Kanzlei am Markt, das Gymnasium am Kirchplatz, das Zeughaus an der Herrngasse. Sein Maler-Baumeister, Peter Sengelaub, darf zu den besten Archi-

tekturgestaltern der deutschen Spätrenaissance gestellt werden. Der Stil der Casimirschen Renaissance prägte die nachmittelalterl. Stadt wie dann kein zweiter mehr. Die barocken Jahrhunderte berührten das Stadtbild wenig. – Im 19. Jh. ist Coburg ein Mittelpunkt der dynastischen Verflechtungen Europas. Auf dem Markte steht das Denkmal des englischen Prinzgemahls, Alberts von Coburg. Der städtebauliche Beitrag des Jh. ist der große, offene, noch von der eigentümlichen Luft einer kleinen Residenz erfüllte Schloßplatz. – 1920 fiel Coburg durch Volksentscheid an Bayern.

Ev. Pfarrkirche St. Moriz

Eine Kirche dieses Titels wird sich schon im 12. Jh. an dieser Stelle voraussetzen lassen. Der überkommene Bau wurde mit dem Chor begonnen; ein päpstlicher Ablaß, 1323, deutet auf Bautätigkeit. Die beiden Türme, die ältere Vorgänger hatten, begannen im frühen 15. Jh. aufzuwachsen. Am wahrscheinl. in der 2. Hälfte des 15. Jh. errichteten Langhaus wird noch oder, wohl besser, wieder in den 20er Jahren des 16. Jh. gebaut. Der Meister dieser letzten spätgot. Um- oder Ausbauarbeiten ist der Steinmetz Kunz Krebs, der später im Torgauer Schloß eines der besten Werke einer eigenständig deutschen Renaissance schaffen wird. Der gleiche, hier noch ganz der heimischen, sächsischen, Spätgotik verhaftete Steinmetz erstellt auch die durch das reiche Flechtwerk der gewundenen Reihungen ausgezeichnete Kapellenempore (»Westchor«) zwischen den Türmen. 1584–86 wird der nördl. Turm um das letzte Oktogongeschoß aufgestockt; der südliche bleibt bei seinen 5 gedrückten Würfelgeschossen; die ihm damals aufgesetzte welsche Haube läßt ihn gerade noch den Dachsattel des Langhauses überragen. Im Außenbau erhält sich der got. Baukörper, im Innern erfährt er die barocke Verwandlung 1740–42 durch den Ansbacher J. D. Steingruber: Die Pfeiler werden als ionische Säulen maskiert, die 3schiffige Halle wird zum Saal mit Emporen und flacher Stuckdecke. Nur der Chor bleibt den barocken Eingriffen entzogen.

Die Morizkirche steht abgerückt vom Markt, der nur den Blick auf ihre die östl. Häuserzeile überragenden Türme hat. Ihre Beteiligung am städtebaulichen Gefüge wird sich am einprägsamsten auf einem Standort nördl., in der Rückertstraße etwa, erfahren lassen. – Wesensmerkmale sind das ungleiche Paar der Türme, der steile schwere Sattel des Daches, der auf die Breite des Mittelschiffs eingezogene, ungewöhnlich lange Chor mit den straffen Senkrechten der Fenster und Streben. Eigenartig der 3seitig schließende »Westchor« zwischen den Türmen, in dessen Untergeschoß sich das 2 Streben als Wangen nützende, mit Stäben und Kehlen profilierte Spitzbogentor öffnet, dem rechts die (1608 erneuerten) Statuen der nackten Ureltern,

links die etwa dem mittleren 15. Jh. zugehörigen der Muttergottes und der hl. Barbara assistieren. – I n n e r e s. Der
Raum ist durch die Umprägung des 18. Jh. bestimmt. Das
Langhaus ist durch je 4 Säulen in 3 flach gedeckte Schiffe
geteilt. An der Decke des Mittelschiffs feine Stukkaturen
von etwa 1720. – Nur der Chor – 3 Joche tief, in 5 Seiten
des Achtecks schließend, mit Kreuzrippengewölben gedeckt –
darf sich noch zu seinem urspr. Wuchs bekennen. Stärkster
Blickfang ist das in seinen Schluß gesetzte riesige, in 5 Geschossen bis zu 12 m aufsteigende *Epitaph* aus Alabaster,
das Herzog Joh. Casimir 1595–98 vom Thüringer Bildhauer
Nik. Bergner für seinen unglücklichen Vater Johann Friedrich aufrichten ließ, eines jener Prunkdenkmäler der Renaissance, die bis zur letzten Spitze hinauf mit Schmuck,
Relief und Figur, beladen sind, nicht eben erwärmende,
aber bewunderungswürdige Leistungen eines meisterlichen
Könnens. Auf der Rampe vor dem Hauptgeschoß knien die
Statuen der herzoglichen Familie; das große Relief der
Mitte illustriert die Überführung des ägyptischen Joseph
in das kanaanische Grab, typologisches Vorbild der Über-
führung des in der Gefangenschaft des Kaisers gestorbenen
Fürsten. – Die Bronzeplatten der ehemals vor dem Epitaph
aufgestellten Tumben jetzt an den Wänden: gute, genaue
Porträts der Herzöge Johann Ernst (1553; Arbeit des
Büchsengießers Leonh. Eberlein), Joh. Friedrich d. Mittlere
(1595), Elisabeth, Gemahlin des vorigen (1594), und Joh.
Casimir (1633). – Einziger Ausstattungsbesitz aus dem Mittelalter ist der im Untergeschoß des S-Turmes stehende
Bildgrabstein des Bürgers und Ritters Albrecht Bach
(† 1441), einer der besten fränkischen Grabsteine der Zeit.

Ehrenburg

Im NO-Eck der Stadt bauen sich 1250 die Franziskaner an, die ihr
Kloster 1525 an den Rat übergeben. Herzog Johann Ernst, seit
1543 im Besitze der Pflege Coburg, entschließt sich unverzüglich
zum Bau eines zeitgemäßen Stadtschlosses auf dem Platze des
Klosters nächst der Stadtmauer, zu dem er mehrere Baumeister
heranzieht: den Nürnberger Paul Beheim, den Kulmbacher Caspar
Vischer, den Thüringer Nik. Gromann. Der erste, Beheim, der nur
kurz auftritt, könnte die Visierung gegeben haben. Der zweite,
Vischer (er wird später den Schönen Hof der Plassenburg bauen),
trug in den Jahren 1543–47 die Hauptlast, die ihm dann der
dritte, Gromann, abnahm. Man wird also Vischer, der nicht nur

*als Steinmetz, sondern auch »anstatt eines Baumeisters« gebraucht
wurde, als den entscheidenden Autor des Schlosses namhaft machen
dürfen; es wird ihm auch vom Herzog, 1547, ausdrücklich beschei-
nigt, daß er den Bau »wie er vor Augen als ein fürnehmer Meister
fast zur Endschaft vollbracht« habe. Dieses in 3 Flügeln einen östlich von der Stadtmauer geschlossenen Hof umgebende Renaissanceschloß – »Ehrenburg« angebl. seit einem Besuche Karls V., 1547 –
steht nur noch im S-Flügel, an der Steingasse und im angrenzenden Teil des W-Flügels, an der Rückertstraße, doch auch hier nicht
mehr im ersten Zustande, vor Augen. – Eine zweite Bauperiode
eröffnet Herzog Johann Casimir, der schon wenige Jahre nach
seinem Regierungsantritt (1586) eine Neugestaltung, zugleich aber
auch eine beträchtliche Erweiterung der Ehrenburg durch den aus
Straßburg stammenden, 1589 verpflichteten Michael Frey in die
Wege leitet. Der S-Flügel wurde jetzt überholt. Zweifellos gehören
die 8 Zwerchgiebel, das Obergeschoß des Eck-Erkers und der Wendelstein in der SW-Ecke des Hofes in diese bis 1596 währende
Bauphase. Wurde der alte Mauerbestand, wahrscheinl., übernommen, so mit ihm auch die Disposition der zu Zwillingen gepaarten
Fenster, dazu der ziervolle Erker, mit dem die Reihe der so eigenartigen »Coburger Erker« anhebt, und das schöne reiche Portal,
nur daß es durch die Fußgängerpforte und die Wappentafel ergänzt wurde. Die Erweiterung des alten Schloßkomplexes um ein
zweites Hofgeviert nördlich entzieht sich der augenscheinlichen
Kenntnis; Abbildungen des 17. Jh. lassen den hohen, 3geschossigen
Fürstenbau, zwischen S- und N-Hof, bewundern, der noch einmal,
in wirkungsvoller, steigernder Wiederholung, eine Reihe von
Zwerchgiebeln trug. Nur der 2geschossige Altanenbau, mit dem
der Herzog die O-Seite des (jetzt vorderen) Hofes schließen ließ,
ist noch ein Vermächtnis der zweiten, Casimirischen Bauperiode.
Diese 1623–29 von dem im Bambergischen tätigen welschen Baumeister Giov. Bonalino aufgeführte Altane ist ein früher Beitrag
des italienischen Barock, der sich »modern« von der sonst doch
noch recht »altdeutschen« Umgebung des Schloßhofes distanziert,
die doppelten Arkaturen berufen sich auf Vorbilder der italienischen Hochrenaissance (aber das Ornament der Brüstung hält noch
am alten deutschen Maßwerk fest).*

*Ein Großfeuer, 1690, führt zur dritten Bauperiode, in deren Ver-
lauf der Hauptteil des Mauerkörpers der erhaltenen Ehrenburg
entsteht. Die Planung des an die verschonten Trakte des vorderen
Hofes anschließenden Neubaus gehört vielleicht dem aus Saalfeld
kommenden Justin Bieler; die Leitung der Bauarbeiten lag in den
Händen des Weimarer Christian Richter. Mit der Hofkirche im
W-Flügel des jetzt entstehenden nördl. Hofes wird begonnen
(Grundsteinlegung 23. 6. 1690). Ein Corps de logis ersetzt den
Fürstenbau an der N-Seite des (südl.) Hofes; ein mittlerer, das
Treppenhaus bergender Turm tritt über seine nördl. Front vor;
W- und O-Flügel umfassen einen Ehrenhof, der allerdings erst im*

*19. Jh. die volle Öffnung in den vorgelagerten (auch erst im 19. Jh.
geschaffenen) Platz findet. Die 3geschossigen Flügel erhöhen sich
an ihren freien Enden zu 4geschossigen Eckpavillons. Urspr. nach
S gerichtet, wendet sich die Ehrenburg jetzt gegen N. Um 1700 ist
sie großenteils vollendet, der Ausbau zieht sich allerdings noch
durch Jahrzehnte hin; die Hofkirche wird erst 1738 geweiht. – Die
vierte und letzte Bauperiode fällt in die langen Regierungsjahre
des 1806 antretenden Herzogs Ernst I. Sie prägt die äußere Erscheinung des Barockschlosses neu, das sie romantisch, neugotisch,
maskiert. Eine planende Beteiligung Schinkels (seit 1811) an den
in Sandstein vorgeblendeten Fassaden der den Ehrenhof umfassenden Flügel steht wohl fest, indessen dürfte der 1816 berufene
A. M. Renié die Schinkelschen Ideen redigiert und auch modifiziert
haben. Etwa 1810–14 entsteht noch der klassizist. sog. Silberbau
an der SO-Ecke, dem der an der O-Seite des vorderen Hofes
stehende Altanenbau, bis auf die geschonte Hoffront, zum Opfer
fällt. 1812–21 verwandelt sich der O-Flügel des Ehrenhofs, gleichzeitig auch das Corps de logis, dem 1827–34 eine Frontmauer vorgesetzt wird; der Turm steht jetzt mit seiner N-Kante in der
Flucht dieses Traktes. 1834–37 verwandelt sich auch der Pavillon
des W-Flügels. Die Abräumung der Wirtschaftsgebäude nördl. des
Ehrenhofs 1830–35 gibt die Fläche für den Schloßplatz frei, dessen
Gestaltung um 1840 in Angriff genommen wird.*

Die repräsentative Seite der Ehrenburg ist, seit dem barocken Neubau, die nördliche. Das Renaissanceschloß sah
südlich, zur Stadt hin. Der erhaltene Flügel an der Stein-
straße ist beste deutsche Renaissance. Der 2geschossige, dem
Anstieg der Straße folgende Bau ist durch das durchlaufende Gesims, auf dem die Fenster des Obergeschosses
sitzen, stärker horizontal als vertikal gegliedert, wenn auch
die Zwerchhäuser des Dachsattels (2. Bauperiode) Gegen-
gewichte setzen. Die Zweiergruppen der Fenster mit ihren
plastisch profilierten Bänken und Gesimsen verteilen sich
in unregelmäßigen Abständen über die sonst flächig geschlossenen Wände. Portal und Erker, beide teilweise (im
Haupttor bzw. im 1. Geschoß) älter, aus der 1. Bauperiode,
sind durch eine fast gegensätzlich wirkende Fülle der Dekoration betont, vortreffliche Werke der Steinmetzenkunst
(wahrscheinl. Caspar Vischers). Der W-Flügel an der Rük-
kertstraße führt, einfacher, die Gliederung des Haupt-
flügels fort. – Durch den Tordurchgang wird der vordere
Hof betreten, den südl. und westl. die beiden Renaissance-
trakte begrenzen. In ihrem Winkel ein robuster runder
Treppenturm (2. Bauperiode); der Korrespondent in der

südöstl. Ecke kam im 19. Jh. hinzu. Östl. Hofbegrenzung
ist der Altanenbau des Bonalino. Er hat einige schädliche
Veränderungen erleiden müssen; das 3. Geschoß (1811 ff.)
ist wegzudenken; die Arkaden standen urspr. offen, eine
2. Brüstung schloß oben ab. Nördl. Begrenzung ist der Mitteltrakt des barocken Neubaus, des gegen N gerichteten
Tricliniums, dessen hohe, wandgeschlossene Blöcke der (nicht
genau) in die Mitte gestellte Turm überragt. Die »gotische«
Gliederung der Flächen (durch Spaliere von Stäben) liegt
nur leicht verschleiernd auf den barocken Kernblöcken. –
Ins I n n e r e drang die Neugotik nicht vor. Die neugeschaffenen Raumdekorationen (meist nach Entwürfen
Reniés) sind klassizistisch, das Treppenhaus kann mit »Neu-
renaissance« charakterisiert werden. Die in ihren Mauern
barocke Ehrenburg birgt aber auch noch hervorragende
barocke Raumgestaltungen. Die *Hofkirche* im W-Flügel, in
allen wesentlichen Teilen, auch in den Stukkaturen und
Fresken, 1690–1701 ausgeführt (mit Ergänzungen 1731–35),
tritt äußerlich nicht in Erscheinung. Der Grundriß ist ein
Rechteck, dem aber durch das eingestellte Gerüst von
Pfeilern ein differenzierter Hallenraum mit Seitenschiffen
unten und Emporen oben abgewonnen wurde. Die über
den korbbogigen Arkaden umlaufende Empore, nur südl.
vom Fürstenoratorium unterbrochen, umgreift auch den
hohen Kanzelaltar, der dem schönen, hellen, durch die üppige Stuckdekoration der flach gewölbten (Holz-)Decke beherrschten Raum die sonst wenig spürbare prot. Note mitteilt. Der Altar, ein Säulenbaldachin in Stuckmarmor, ist,
wie die Orgel auf der Chorempore, Bestandteil der urspr.
Ausstattung, 1697, viell. von dem Bamberger Nik. Resch,
die in Holz geschnitzte Kanzel jünger, 1732 von dem Coburger Joh. Christ. Hemmer. – Im Geschoß über der Kirche
der *Riesensaal,* so gen. nach den 28 Riesen, paarweise angeordneten Hermenatlanten, die den wuchtigen Architrav
stützen; in der schweren, strotzenden Fülle des Dekors eine
der erstaunlichsten Raumschöpfungen eines italienisch inspirierten Hochbarock *(Tafel S. 193)*; Italiener, die Brüder
Carlo Dom. und Bart. Luchese, waren es auch, die diese
prächtige Stuckausstattung 1697–99 schufen. Eine reiche,
schwere Stuckdekoration beherrscht auch den *Weißen Saal*
(im 2. Obergeschoß des Mitteltraktes), auch hier von einem
Italiener, Giov. Caveani, geschaffen. Im *Roten Zimmer,* um

1820 von Renié umgestaltet, alt nur noch die Decke. Das
Gobelinzimmer, wieder mit reichem, von C. Tagliata ge-
gebenem Deckenstuck, dessen Blätter und Ranken sich frei
vom Grunde lösen; auch dieser Raum von Renié 1816–20
umgestaltet; dominierend jetzt die französ. Gobelins (des
späten 18. Jh.). – Aus der Reihe der klassizist. Räume sei
der *Thronsaal* (im O-Flügel) herausgehoben; von Renié
1822 entworfen, 1831 ausgeführt: korinthische Pilaster,
rote Samtbespannungen der schmalen Wandfelder, stuckierte
Muldendecke über umlaufendem Gebälk; ferner: der Marmorsaal im »Silberbau« von Friedr. Schinkel, ausgeführt
durch Renié bis 1817, mit »pompeianischer« Deckenbemalung von Manfred Heideloff.

Zuletzt noch einige Angaben über den Wirkungsraum des
Schlosses, den S c h l o ß p l a t z. Erst durch die Abräumung der vorgelagerten kleineren Wirtschaftsgebäude,
1830, möglich geworden, beginnt er um 1840 Gestalt anzunehmen. Zunächst entstehen am Fuße des Burgbergs die
Arkaden mit der in sie einbezogenen Hauptwache (jetzt
Kriegergedenkstätte). 1849 tritt die von L. Schwanthaler
modellierte Bronzestatue Herzog Ernsts I. in die Mitte des
Rondells. Die beiden Gebäude im N des Platzes – der doch
ein offener bleibt –, **Landestheater** und **Palais Edinburgh**,
entstehen 1837–40 und 1881. – Über den Arkaden steigt,
als grüne, landschaftliche Platzrahmung, der **Hofgarten** zur
Veste aufwärts an, der 1855 ff. in die endliche Form gebracht wurde. – Im stadtnahen unteren Teil nördlich das
1816 von Herzog Ernst I. errichtete klassizist. **Mausoleum**
des Herzogspaares Franz und Augusta.

Die Stadt

Die Anfänge der Marktsiedlung sind ins 12. Jh. zu setzen. Im
13. Jh. unter den Hennebergern entwickelt sich der Markt zur
Stadt. Die öffentlichen Befugnisse, zunächst in der Hand eines von
der Herrschaft bestellten Schultheißen, gehen im frühen 14. Jh.
bereits an einen Zwölferrat über. Das erste bekannte Stadtsiegel
datiert von 1272.

Der Umfang der ältesten, inneren Stadt läßt sich an den
beiden erhaltenen der urspr. 4 inneren Tore ablesen: Juden-
tor (W) und Spitaltor (N); beide dürften in der Anlage
ins 13. Jh. zurückreichen. Die Tore im S und W, inneres
Ketschentor und Steintor, gingen im späten 18. bzw. frühen

19. Jh. ab. Vor den Toren bildeten sich wohl schon im 14. Jh. Vorstädte: Ketschenvorstadt im S – ihr Tor (äußeres Ketschentor) steht noch –, Spital- (und Hl.-Kreuz-)Vorstadt im N, Judenvorstadt im W. – Ziemlich genau in der Mitte, im Schnitt der die Tore verbindenden Hauptstraße, öffnet sich das große regelmäßige Viereck des Marktes. Dieser Grundriß (einer geplanten, nicht einer gewachsenen Stadt) deutet frühestens ins mittlere 12. Jh.

Rathaus

1438 setzt sich die Stadt mit ihrem Rathaus an der SO-Ecke des Marktes fest; 1456 erwirbt sie das benachbarte Haus, stößt das Eckhaus ab, kauft es aber 1570 zurück und nimmt noch das in der Ketschengasse angrenzende hinzu. Auf diesen beiden Grundstücken erwächst 1578–80 der Neubau des Rathauses, den der Überlinger Baumeister-Steinmetz Hans Schlachter besorgt. Das Konglomerat verschiedener Bauteile wird 1750/51 zu einem einheitlichen Gebäudeblock zusammengefaßt (und 1901–05 glättend restauriert).

Die Gliederung des 4geschossigen Blockes beschränkt sich auf die Absetzung des rustizierten Sockelgeschosses und die risalitartige Eingrenzung der 5 mittleren Achsen durch rustizierte Pilaster, die ein flacher Dreiecksgiebel – dem schweren, gebrochenen Dachsattel, verspannt. Ein 8seitiger (1865 erneuerter) Dachreiter krönt die Mitte. Vom Bau der Spätrenaissance, der einen 3geschossigen Giebel (über dem Eckhaus) gegen den Markt stellte, haben sich nur Teile erhalten: das wuchtige Quaderportal an der Ketschengasse, der reizvolle doppelgeschossige Erker an der SO-Ecke und der Treppenturm im Hof. Der Erker ist, neben dem des Ehrenburgflügels an der Steingasse, die älteste der für Coburg so bezeichnenden doppelgeschossigen Erkerarchitekturen. Das Sechseck ruht, wie stets, auf einer Stützsäule, dem, auf einem Kragstein, der Stadtheilige, St. Moritz, vorgesetzt ist; unter ihm die kleine Figur des Baumeisters Hans Schlachter, kniend, mit dem Schlegel und einem, Meisterzeichen und Namensinitialen einschließenden, Schildchen in den Händen. – Im Innern, wohlerhalten (und gut restaur.), der große Saal im Obergeschoß mit schwerer Balkendecke auf geschraubten Holzsäulen.

Regierungsgebäude. Das die ganze N-Seite des Marktes besetzende Gebäude der »Cantzley«, als welches es 1597 ff., vermutl. nach den Plänen P. Sengelaubs, aufgeführt wurde,

wendet seine begiebelten Schmalseiten Spital- und Herrngasse zu, an den Ecken der Schmal- und der langen Marktseite tritt je ein auf einer Rundstütze sitzender Polygon-
erker vor. In der Rahmung dieser beiden reizvollen und
auch reizvoll geschmückten, mit Kuppelhelmen bedachten
Erker »liegt« die durch die Reihung der gepaarten Fenster
und der die 3 Geschosse trennenden Horizontalgesimse
charakterisierte, im Erdgeschoß übrigens nur in kleinen
(oder klein wirkenden) Ladentoren aufgebrochene Marktseite, die sich oben, in den 3 begiebelten Zwerchhäusern
(mit größerem mittlerem) dann doch der Lagerung begibt.
Urspr. Bemalung der Wandflächen (auch von Sengelaub,
der von Haus aus Maler war, besorgt) läßt noch eine Ab-
bildung der 2. Hälfte des 18. Jh. erkennen. Ein reiches, vom
Wappen überhöhtes Portal öffnet sich gegen die Spitalgasse.

Gymnasium (Casimirianum). Die vom Herzog bereits 1598
beabsichtigte, 1605 eingerichtete Schule ist bis ins frühe
19. Jh. »Gymnasium academicum«. 1601 legt Joh. Casimir
den Grundstein zum Bau, den P. Sengelaub bis 1604 aufführt. Der lange, zum Kirchplatz hin offenliegende nördl.
und südl. gegiebelte Block ist 2geschossig; ein starkes, die
Horizontale durchsetzendes Gesims trennt die Geschosse.
Die Vertikale spricht dann aber doch wieder im hohen
Satteldach, in den mit ornamentierten Pilastern gegliederten
ten Giebeln (deren nördl. der reichste ist), in der Sechserreihe der Zwerchhäuser über der O-Seite, die nun freilich
auch wieder (die Reihung macht es) die Horizontale der
»liegenden« Geschosse aufnehmen. Der in der Achse des
3. der 5 Zwerchhäuser der Rückseite stehende achteckige
Treppenturm überragt den langen Baukörper, beherrscht
ihn aber nicht. Urspr. war der Bau bemalt (Figuren, historische, allegorische, auf den Mauerstreifen zwischen den
Fenstern). Auch die Statue des Herzogs (NO-Ecke), Werk
des Bildhauers Veit Dümpel von 1628, war in Farbe und
Gold gefaßt.

Zeughaus. 1616–21 läßt es Herzog Joh. Casimir durch P. Sengelaub errichten. Als Zeughaus dient es nur kurze Zeit (1683 ist der obere Saal
Theater). Schwere Rustika-Portale betonen den »martialischen« Charakter des hohen, 3geschossigen Gebäudes, dessen strenge (bei geringerer
Befensterung urspr. noch geschlossener wirkende) Mauerfronten sich erst
in den beiden durch Pilaster, Voluten, Obelisken geschmückten Giebeln
lockern.

Bürgerhäuser. Die Stadt erfreut sich noch eines ansehnlichen Bestandes alter guter Hausbauten, bes. aus den Jahrzehnten um die Wende des 16. Jh., die ihr ja auch die großen Architekturen der fürstlichen Initiative zubrachten. An die Spitze eines auswählenden Überblicks ist das **Münzmeisterhaus** an der Ketschengasse (Nr. 7) zu stellen, ehemals (bis 1564) Besitz des bedeutenden Geschlechtes der Münzmeister-v. Rosenau, das schon als eines der frühen, in den Beginn des 15. Jh. datierbaren deutschen Fachwerkhäuser beachtlich ist: auf massivem Erdgeschoß 2 vorkragende Fachwerkgeschosse, deren Wände durch das einfache konstruktive Gerüst der Ständer und Streben charakterisiert sind. – Ein jüngeres, 1622 dat., schmuckvoll reiches Fachwerkhaus, die **Hahnmühle** am Bürglaß, sei hier angereiht. – Ein früher, noch spätgot. Steinbau ist die **Hofapotheke** am Markteck der Steingasse, gegen die sie ihren mit Blenden belebten Giebel stellt; 2 Steinfiguren, die Muttergottes am Markteck und der Christophorus über der Türe an der Steingasse, führen ins 2. oder 3. Jahrzehnt des 16. Jh. – Älter noch, wohl das älteste Steinhaus, ist das seitlich von Treppengiebeln überhöhte Haus **Neugasse 1**. – Beste, stets solid gequaderte Hausbauten der für die Stadt so ergiebigen Spätrenaissance sind: **Herrngasse 4**; das spätgot. Haus erhielt seine durch Horizontalgesimse und Zwillingsfenster gegliederte Fassade in der 2. Hälfte des 16. Jh.; das Schmuckstück des Zwerchhäuschens am Dach kam wohl etwas später, um 1600, hinzu; – **Herrngasse 17**, um 1591 gebaut; Horizontalgesimse sondern die 3 Geschosse; die Fenster treten im 1. Stock zu Paaren, im 2. zu Reihen zusammen; das schöne rundbogige Portal, aus der Achse nach links, und der doppelgeschossige rechteckige Erker, aus der Achse nach rechts gerückt, setzen die Akzente. – Genannt sei auch noch das mit Erker ausgestattete Haus **Judengasse 5**.

Veste

Die ersten Nennungen des Namens Coburg sind auf den »Coberg«, und das heißt doch wohl die Burg, zu beziehen, die 1126 ausdrücklich genannt ist. Die ältesten Bauteile sind ins späte 12. und frühe 13. Jh. zu setzen. Die schon 1075 bezeugte, mit einer Propstei des Klosters Saalfeld verbundene Kapelle (St. Peter und Paul) möchte auf eine Burganlage schon im 11. Jh. schließen lassen. Wahrscheinl. im 12. Jh. setzen sich die Henneberg auf dem Coberg fest – der

Saalfelder Propst weicht in die Talsiedlung aus –, und mit diesem erlauchten Grafengeschlecht beginnt die uns zugängliche Geschichte der Veste. Die Burg des 12./13. Jh. besetzte mit ihren Hausbauten die östl. Hälfte der etwa ein Oval umschreibenden, auf 3 Seiten natürlich, nur östlich künstlich, durch einen Halsgraben geschützte Burgfläche: der 2geschossige Palas mit der ihm östl. vorliegenden Doppelkapelle, der westl. anschließende Küchenbau, die im rechten Winkel dazu stehende (später sog.) Steinerne Kemenate, der dem östl. Zugang benachbarte runde Bergfried umgriffen den inneren (östl.) Hof, dem ein ausgedehnter westlicher vorlag, ein Wirtschaftshof, dessen Existenz allerdings nur der an die W-Spitze des Berings vorgeschobene, in den unteren Teilen wohl noch spätroman. »Blaue Turm« vermuten läßt. Palas (jetzt »Fürstenbau«) und Steinerne Kemenate reichen in ihrem ältesten Mauerbestande in die frühe Hennebergische Burgzeit zurück. Der (in seinen Fundamenten bekannte) mächtige Bergfried dürfte im frühen 16. Jh. abgetragen worden sein. – Die Bautätigkeit des späteren Mittelalters – die Veste ist jetzt, seit 1353, wettinisch, Bollwerk und Verwaltungssitz der sächsischen »Ortslande in Franken« – entzieht sich der Kenntnis. Sie wird insbesondere dem Ausbau des (zuletzt dreifachen) Mauerrings und wohl auch des äußeren (westl.) Hofes zugute gekommen sein. – Die zur Verfügung stehenden Baudaten treffen erst ins späteste Mittelalter. 1489 wird, lt. Inschrift der Wappentafel, das Zeughaus (jetzt »Hohe Haus«) »verneut«. Es dürfte, in der Anlage, nicht sehr viel früher entstanden, die Erneuerung kaum vor dem 1. Jahrzehnt des 16. Jh. abgeschlossen worden sein. 1500 ruiniert ein Brand die Hauptgebäude der inneren Burg; in den folgenden Jahren werden Fürstenbau und Steinerne Kemenate wieder instand gesetzt. Der Fürstenbau wird um ein 3. Geschoß aufgestockt und erhält jetzt seine um 4 m über die alte Palasfront vorgeschobene Fachwerkfassade. Auch die Steinerne Kemenate wächst um ein weiteres Geschoß. Wenig später, 1506, datieren die ältesten Ansichten der Veste auf dem Dresdner Katharinenaltar L. Cranachs.

Im Laufe des 16. Jh. verwandelt sich die mittelalterl. Burg (das Stadtschloß nimmt ihr 1547 die Hofhaltung ab) in eine Festung. 1531 bewilligt der Torgauer Landtag für ihren Ausbau beträchtliche Mittel. Die Hohe Bastei an der bes. gefährdeten O-Seite wird 1533 in Stein aufgeführt und 1553 verstärkt. Um diese Zeit ist der namhafte sächsische Baumeister Nickel Gromann auf der Veste tätig. Er bricht den Tunnel in den Fels, den der W-Hof unterirdisch mit dem westl. Tor verbindet (die Verlegung des Tores, Ende des 15. Jh., an die S-Seite war bereut worden), und vertieft die Gräben. Auch die sog. Rote Kemenate (an ihrer Stelle jetzt der Kongreßbau) geht auf Gromann zurück. – Weiterer Ausbau unter dem rührigsten der Herzöge, Joh. Casimir. Wieder tritt ein namhafter Baumeister, der Ulmer Gideon Bacher, auf. Die beiden Bastionen an der S-Seite entstehen 1614/15, nach den Wap-

*pen Rautenkranz und Bunter Löwe genannt. Im W schiebt sich die
(in der Anlage ältere) Bärenbastei vor. Die jetzt, wenigstens teilweise, modern fortifizierte Veste hat bald ihre Bewährungsprobe
zu leisten. 1632 hält sie der Belagerung durch die Kaiserlichen
rühmlich stand (1635 kapituliert sie ohne Not). Nach dem Großen
Krieg rückt das Haupttor wieder an die S-Seite; der Altenburger*

Coburg, Veste

*Baumeister Chr. W. Gundermann und der Bildhauer Langenhan
schaffen, 1671, den repräsentativen Rahmenbau. Noch erhält die
Hohe Bastei ihre letzte Gestalt. Aber die aktive Zeit der Veste ist
vorbei. Sie fängt an abzunehmen und verkommt.
Erst der 1806 antretende Herzog Ernst I. wendet ihr wieder sein
nun romantisch beflügeltes Interesse zu. Die Einebnung der Wälle
und Gräben steht am Anfang (1827 ff.). 1838 setzt dann, nach den
Entwürfen Heideloffs, der Ausbau ein. Der Burgenbauer der Romantik hatte seine eigene Vorstellung »Burg«, die er der ihm aus-
gelieferten mehr oder minder gewaltsam aufdrang. Die originellen
Turmbedachungen des 16./17. Jh. mußten Spitzhelmen weichen,
der Rote Turm an der W-Seite wurde 1857 neu errichtet, der
Wehrgang auf der inneren Ringmauer beseitigt, ein Teil des Fürstenbaus abgetragen, die Kirche (1851) neu aufgeführt. Brunnenhaus und Schmiede verschwanden, von anderen kleinen Baulichkeiten zu schweigen. Eine letzte Restaurierung, die sich um Wieder-
gutmachung der ersten bemühte, fand 1909–24 unter Leitung Bodo
Ebhardts statt. Tat sie des Guten zuviel, so sicherte sie doch in
sorgfältiger Arbeit den gefährdeten Bestand. Sie beschränkte sich
nicht auf das Konservieren, fügte hinzu, ergänzte, baute aus: Der
aktive Restaurator Ebhardt vollendete den Turm (des ersten Restaurators), der das Haupttor überragt, stellte die Wehrgänge
wieder her, überholte eingreifend den Fürstenbau und auch die
Steinerne Kemenate, errichtete den Gästebau an der S-Seite des
O-Hofes und den Kongreßbau an der N-Seite des W-Hofes und
erneuerte die Mauer zwischen Blauem und Rotem Turm. – Der
2. Weltkrieg brachte noch in seinen Endtagen empfindlichen Schaden, der aber bald wieder behoben werden konnte.*

Die Veste ist eine Ringburg, und es ist auch der hohe starke
Bering der mittelalterl. Wehrmauer, der den Eindruck beherrscht; die bastionären Erweiterungen des 16. und 17. Jh.
wirken doch erst in zweiter Linie mit, bei aller Wucht ihrer
Quaderböschungen. Herankommend auf dem vorgeschrie-
benen Zugang, treffen wir allerdings zuvörderst auf die
beiden südl. Bastionen, Rautenkranz und Bunter Löwe, und
wir treten auch durch das prächtige barocke Festungstor
(von 1671) in den Burgbereich ein. Es folgt das 1670 dat.
innere Tor, das dem mittelalterl. Spitzbogentor vorliegt.
Dieser seit Ende des 15. Jh. bestehende Zugang führt durch
einen die Burgmauer querenden, in der Tonne gewölbten
Gang in den inneren östl. Burghof, den der durch seine
(ganz erneuerte) Fachwerkfassade gekennzeichnete *Fürstenbau*, die (1851, 1900 auch gänzlich erneuerte) Lutherkapelle,
die Steinerne Kemenate und der (neue) Gästebau begrenzen.
Steinerne Kemenate und eine spätgot. Mauer trennen den
inneren vom großen äußeren Hof, an den mit ihrer W-Seite
die Steinerne Kemenate angrenzt; südlich das spätgot. *Hohe
Haus* mit den von steilen Block belebenden Eck-Erkern am
Dachfuß, nördlich der (neue) Kongreßbau, westlich der
(stark erneuerte) Herzoginbau (ehem. Schaf- oder Kornhaus).
Im Hof der Abstieg des von Gromann gebrochenen Tunnels,
der zum ehem. Haupttor neben dem (ganz erneuerten) Roten Turm vermittelte, und der mit dreisäuliger Ädikula
überdeckte *Ziehbrunnen*, eine der frühesten Brunnengestal-
tungen der deutschen Renaissance, ein feines Werk des
Steinmetzen Kunz Krebs von 1531. – Die Gebäude des
W-Hofes bergen jetzt die reichen kunst- und kulturge-
schichtlichen Sammlungen der Veste (Kupferstichkabinett,
Waffen, Glas, Keramik, Wagen und Schlitten, um nur die
wichtigsten Bestände zu nennen). Gute alte Räume v. a. in
der Steinernen Kemenate (»Bankettsaal« im 1. Obergeschoß,
Anfang 16. Jh.), die auch die auf alte Weise (auch mit altem
Holz) neugestalteten »Lutherzimmer« enthält, die der Re-
formator bei seinem Aufenthalt, 23. 4. bis 5. 10. 1530, bewohnte.
Die Veste, eine der größten deutschen Burgen, in Franken
nur von der Salzburg übertroffen, wird gern die »fränkische Krone« genannt. Und der Name paßt gut: Die freie,
zu rechter Höhe emporgehobene Lage über dem N und S,
Thüringen und Franken verbindenden Tal der Itz, die

Mächtigkeit des Mauerkörpers, die kraftvollen Kurven-spannungen des umschließenden, in den 3 die Pole festi-genden Türmen und in der Aufragung des Hohen Hauses gipfelnden Beringes rechtfertigen ihn. Und wenn der über die Sicherung des Erhaltenen im Interesse der Ganzheit weit, zu weit hinausgreifende Eifer des Restaurators auch eines Zügels bedurft hätte, so muß doch dem Veranlasser der Wie-derherstellung, dem letzten der Coburger Herzöge, Carl Eduard, unser Dank für seine Fürsorge abgestattet werden.

Nordöstl.: Das Sommerschloß der Coburger Herzöge ROSENAU, ein reizvolles Gebäude früher Romantik 1809–17 (unter Verwendung älterer Mauerreste) in großzügiger englischer Parkanlage.

COLMBERG (Mfr. – C 4)

Reichslehen der Grafen von Truhendingen, seit 1269 (spätestens), dann, seit 1318, des Nürnberger Burggrafen, dem es Kaiser Lud-wig d. Bayer zu Eigen übergibt. In der Folge ist es Sitz eines markgräflichen Oberamtes, in bayerischer Zeit eines Rentamtes, bis es 1880 in private Hand übergeht.

Die **Burg**, nicht groß, aber wuchtig, besetzt einen nördl. des Ortes (ehemals »Altenstadt unter Kolbenberg«) ins Alt-mühltal vorgreifenden Bergvorsprung, der sie auf 3 Seiten durch seine Böschungen sichert; die vierte ist durch Hals-graben gedeckt. Die den erhaltenen Bestand begründende Hauptbauzeit dürfte im späten 12. oder im frühen 13. Jh. liegen. Um- und Zubauten gab es bis ins frühe 18. Jh. – Die Auffahrt nimmt die O-Seite, tritt durch ein Rundbogentor (16. Jh.) in den äußeren Bering (Zwinger) und durch das Spitzbogentor, nordöstlich, in den inneren. Dessen Fläche, unregelmäßig rechteckig, liegt im Einschluß der bis zu etwa 10 m aufsteigenden Ringmauer aus Buckelquadern (13./14. Jh.), die nur südöstlich (hier abgetragen) fehlt; westlich sitzt ihr noch der gedeckte Wehrgang auf. An der N-Seite des Hofes ragt, rechts vom Tor, der ganz in Buckelquadern gebaute starke runde Bergfried auf (14. Jh.), den eine Holzbrücke mit dem Wehrgang der N-Mauer ver-bindet. Die westl. anschließende Gerichtsstube, eine kleine offene Arkadenhalle, kam im frühen 16. Jh. hinzu. Der Hauptbau, in der SO-Ecke des Hofes, spätromanisch in der Grundlegung, früh- und (oberenteils) spätgotisch im Auf-bau. Der hohe, doppelt unterkellerte, 3geschossige Block

prägt, mit dem überragenden Bergfried, das Fernbild der
Burg. Der westl. Flügel beherbergt Kapelle und »Rittersaal«. Das Rentamt, das über spätgot. Erdgeschoß in den
Fachwerkgeschossen im frühen 18. Jh. aufgeführt wurde,
schließt den Hof zwischen W-Flügel und nördl. Ringmauer
ab.

DACHAU (Obb. – D 7)

*Auf der Böschung des hier an die Schotterebene stoßenden Tertiär-
rückens, bei dem 805 erstmals genannten »Dahauua«, begründen
im 11. Jh. die Scheyern-Wittelsbach eine Burg, nach der sich ein
Zweig des Geschlechts bis zu seinem Ausgang (1182) benennt. Erbe
ist das Herzogshaus. Die sich der Burg anlegende Siedlung erhält
1391 Marktrecht. 16. und frühes 17. Jh. sind die besten Zeiten
Dachaus. Das Burg-Schloß entwickelt sich 1546 ff. zu einer großen
4-Flügel-Anlage. 1610 entsteht das Rathaus, 1625 die Pfarrkirche,
1636 das Bürgerspital. Der Ausbau der die Höhe des Marktes steil
ersteigenden Straße durch Kurfürst Carl Theodor 1790 sei als
letzte Maßnahme der »guten alten Zeit« vermerkt. 19. und 20. Jh.
bringen Industrie und zerdehnen die Siedlung, die sich in der Niederung an der Amper auszubreiten beginnt. Seit 1934 Stadt.*

Stadtpfarrkirche St. Jakob. An den 1584 von Friedr. Sustris umgestal-
teten Chor schließt das 1624–29 nach Plänen Hans Krumpers, von Georg
Ernst erbaute Langhaus. Nach Kriegsverwüstung von 1648 wiederher-
gestellt. 1925 nach W erweitert. Der Turm wurde 1678 erhöht. 3schiffige
Halle von gedrungenen Verhältnissen mit eingezogenem Polygonalchor.
Stuck überzieht die von Stichkappen durchdrungenen Tonnengewölbe
mit Rahmenleisten in Form von Kreuzen und Kreisen; als Füllung
Engelsköpfe, Rosetten, Sterne. – Hochaltar neu, mit Gemälde von Jos.
Hauber 1800; Tabernakel Mitte 18. Jh. – Apostelfiguren um 1625.
Silbergetriebene Jakobusfigur 1690 von Joh. Gg. Oxner. Mater Dolo-
rosa von Thadd. Stammel (Mitte 18. Jh.).

Friedhofkapelle Hl. Kreuz. Kleines Oktogon von 1625 wahrscheinl.
nach Plänen Hans Krumpers mit gutem Stuck. Vorhalle 1934. Kreuzigungsgruppe von Adam Krumper 1567.

Ansprechendes **Straßenbild** dank der großen Anzahl erhaltener Häuserfronten aus dem 17. und 18. Jh.

Schloß. Neubau 1546–73 unter den Herzögen Wilhelm IV.
und Albrecht V. von Heinr. Schöttl. Ehemals 4flügelige
Binnenhofanlage. Umbau 1715 für Max Emanuel durch
Jos. Effner. 1806–09 verfällt der größte Teil des Schlosses
dem Abbruch. Nur der SW-Trakt bleibt. Im Innern führt
das noble Treppenhaus Jos. Effners zum alten Festsaal mit
dem von Hans Thonauer 1567 gemalten Grisaillefries. Die
Gartenfassade trägt Effners Pilastergliederung. – Vom ba-

rocken **Garten** haben sich die Hauptachsen des oberen Teils erhalten. Ein Terrassengang im S gibt den Ausblick frei bis zum Alpenrand. Ehemals führte der Garten jenseits des W-Tores in regelmäßigen Geländestufen zum Ampertal hinab.

Östl. vor der Stadt das **Sühnekloster Hl. Blut,** Erinnerungs- und Sühnestätte auf dem Boden des ehem. Konzentrationslagers. Die **Sühnekapelle zur Todesangst Christi** ist eine Schöpfung von Jos. Wiedemann, geweiht 1960: turmartig, auf kreisförmigem Grundriß, mit offener Vorderseite. Sie steht in der Achse der ehem. Lagerstraße. Dahinter ein erhaltener Wachtturm, der zum Klostereingang ausgebaut wurde. **Die Klosterkirche Hl. Blut** ist ein schlichter Rechteckbau unter Giebeldach. Ein geschmiedetes Eisengitter unterteilt den Raum in Klosterchor und Laienhaus. – Dahinter die nach neuen Prinzipien errichtete, doch der alten Regel folgende Klosteranlage mit Einzelzellen. Um einen rechteckigen, bepflanzten Binnenhof gruppieren sich Kapitelsaal, Krankenstube, Paramentenraum usw. Im O der Anlage: Refektorium, Küche, Wirtschaftsräume. (Karmeliterinnen-Kloster.)

DEGGENDORF (Ndb. – F 6)

Die Urzelle der Siedlung an der Donau war eine »Urfar«. Ein Reihengräberfeld bezeugt ihre frühe Existenz. Zunächst herzoglicher, dann königlicher Besitz, gelangt sie über die Luitpoldingerin Herzogin Judith um die Mitte des 10. Jh. an das Regensburger Kanonissenstift Niedermünster, das auch die Kirche, Mitte eines ausgedehnten Sprengels, patronisiert. Unter den Nordgaugrafen (Babenbergern) wächst angrenzend eine Burgsiedlung zu, die Deggendorfer »Altstadt«. Auf die seit dem späten 11. bis ins frühe 13. Jh. hier herrschenden Grafen von Deggendorf folgt nach einigen Jahrzehnten des Machtkampfes 1246 Herzog Otto von Bayern, der die neue Stadt anlegt, die doch erst 1316 zu Stadtrechten kommt. 1380 wächst, neben einer schon im 13. Jh. begründeten Martinskapelle, der so charakteristische (nur mit dem Straubinger vergleichbare) Stadtturm auf. Seit 1427 ist Deggendorf Sitz eines herzoglichen Pflegegerichts. Im 30jährigen Krieg hart heimgesucht, auch im Spanischen Erbfolgekrieg und noch einmal, nun schwerstens, im Österreichischen Erbfolgekrieg: 1743 brennt die Stadt großenteils ab. In der neuesten Zeit (1934) wächst sie durch das eingemeindete Schaching. Auch die alte Ufersiedlung (Urfar) breitet sich aus, dank Reederei, Winterhafen und Werft. – Das sind in Kürze die Lebensdaten dieser in schönster Stromlandschaft am Fuße des Waldes liegenden altbayerischen Stadt.

Stadt. Das Regelmaß wittelsbachischer Gründungen des 13. Jh. ist durch Kelheim, Neustadt a. d. Donau u. a. Orte bekannt. Hier führt eine breite Marktstraße von S nach N durch das annähernd ovale Stadtgefüge; die Pfarrkirche mit ihrem befestigten Friedhof bleibt vor den Mauern. Senkrecht münden in die Hauptstraße die Nebengassen ein,

deren wichtigste (Bahnhofstraße und Pfleggasse) von Tor zu Tor den
Markt vor der Front des Rathauses kreuzen. Die Tore wurden im
19. Jh. niedergelegt. Nur eine kleine Partie der Stadtmauer ist erhalten.

Pfarrkirche Mariae Himmelfahrt

*Von einer roman. Anlage, die 1240 niederbrannte und 1242–50
wiedererstand, hat sich lediglich jenes Tympanonrelief erhalten,
das später in die Wand der Wasserkapelle eingesetzt wurde. Das
15. Jh. erneuerte Chor und Sakristei in spätgot. Formen, die z. T.
vom Neubau des 17. Jh. übernommen wurden. Dieser geschah 1655
bis 1657 durch Konst. Bader aus München, den Meister der Wallfahrtskirche Maria Birnbaum. 1743, während des Bayer. Erbfolge-
kriegs, brachte Brand die Gewölbe zum Einsturz. Instandsetzung
und Neudekoration 1748. Das 19. Jh. brachte eine wenig erfreu-
liche Restaurierung und setzte eine Fassade mit Treppenanlage vor
den W-Teil.*

Das I n n e r e zeigt das Wesen einer 3schiffigen Basilika
barocken Gepräges (1655). Den 6 Jochen Langhaus (das
westliche 19. Jh.) folgen 3 Chorjoche mit polygonalem
Schluß. Stichkappengewölbe (1748) runden sich darüber.
Von den Stuckarbeiten des 17. Jh. hat sich nur weniges hinter dem Hochaltar erhalten, schlichtes Eierstabmotiv. Rückständig wirkt der Stuck von 1748, Bandwerk, eigentlich das
Thema der 1720er Jahre! Fresken z. T. übermalt, z. T.
Werke des 19. Jh. Eine prächtige Baldachinanlage repräsentiert der Hochaltar, 1749 für den Eichstätter Dom von
Matth. Seyboldt geschaffen und 1884 nach Deggendorf ver-
kauft.

Wasserkapelle. Wohl ehemals als Karner gegen Ende des 15. Jh. neben
der Pfarrkirche errichtet, ein schlichter Zentralbau mit Mittelstütze.
Außen, an der N-Wand, wurde das Tympanonrelief der alten Pfarrkirche eingelassen: die Flucht nach Ägypten, eine interessante Arbeit
aus der Mitte des 13. Jh. – Die beiden großen Steinskulpturen vor der
Kapelle stammen von einem Kreuzweg, der ehemals von der Hl.-Grab-
Kirche auf den Geyersberg führte.

Hl.-Grab-Kirche

*1337 werden die der Hostienschändung beschuldigten Juden ge-
waltsam vertrieben. Im gleichen Jahre »huab man daz gotshaus ze
baun an«, meldet die Inschrift am 2. nördl. Seitenschiffpfeiler. In
dieser mit reichen Ablässen an bestimmten, »die Gnad« genannten
Tagen ausgestatteten Sühnekirche werden die 10 Hostien ausgesetzt, Ziel einer bis ins 19. Jh. blühenden, von Volksmassen fre-
quentierten Wallfahrt. Das Weihe- und wohl auch Vollendungsjahr der neuen Kirche ist 1360. Geringfügige Erweiterungsbauten
kamen im 15. Jh. hinzu. Das 19. Jh. erneuerte die Seitenschiff-*

Apsiden. Eine glückliche Zutat des 18. Jh. ist der schlanke, reich gegliederte Turm, ein Werk Joh. Bapt. Gunetsrhainers aus München. Die Ausführung lag in Händen seines Schwagers Joh. Mich. Fischer. Der Helm wurde nach Brand 1753 in der urspr. Form ergänzt.

Schlicht ist die ä u ß e r e Erscheinung der Kirche. Der Giebel erinnert mit Maßwerk und Erker an got. Profanarchitekturen. Unten mahnt eine Inschriftkartusche von 1697 an Kreuzwegstationen, die einst von hier ihren Ausgang nahmen zum Geyersberg hinauf (einige vor der Wasserkapelle erhalten). Rechts davon ist die spitzbogige Gnadenpforte, mit gleichzeitigem barockem Schmuckwerk. Steil erhebt sich der Turm (1727) über dem Marktplatz. Wie ein Riegel schiebt sich das Langhaus der Kirche ihm nach in das Gefüge der breiten Marktstraße. Landshut mit St. Martin mag das Vorbild geliefert haben. – Das I n n e r e ist das einer spätgot. 3schiffigen Basilika in einfachen Formen. Gedrungene Verhältnisse. Es gibt nicht viele Basilikabauten der Gotik in Bayern. Die Hl.-Grab-Kirche ist einer der wenigen. An den Kapitellen der Seitenschiffe Fratzen, Krabben und Blattranken. – Unter der (neugot.) Orgelempore, über der Grube der angeblichen Hostienschändung, ein Gedenkaltar mit reicher Maßwerkdurchbrechung aus der Mitte des 14. Jh.

Die **Bürgerspitalkirche St. Katharina** wurde 1762/63 durchgreifend erneuert. Schäumendes und flackerndes Stuckwerk umgibt die guten Deckenbilder von F. A. Rauscher. Das spätere Vorrücken des Altars und die Einrichtung des Emporengangs konnten der feinen und intimen Raumwirkung nicht viel anhaben. Rühmend vermerken wir eine spätgot. Schnitzfigur der Muttergottes, um 1510.

Die **Pfarrkirche St. Martin**, 1951–53, von Otto Weinert (München), besitzt einen vorzüglichen alten Schnitzaltar, dat. 1624, der aus Schaching hierher übertragen wurde.

Rathaus. In der Mitte der Marktstraße stuft sich über dem 1535 errichteten Bau der hohe Giebel, hinter dem sich ein massiver Turm reckt. Seine oberen Geschosse 1790 ergänzt.

Am Oberen Stadtplatz **Heimatmuseum** und **Stadtarchiv**.

2 Brunnen beleben das Bild des Marktplatzes nördl. und südl. der Grabkirche. Der erste entstand 1543 und trägt eine Muttergottesfigur von 1630, der andere, mit einer Mater Dolorosa, um 1730.

Wallfahrtskirche zur Schmerzhaften Muttergottes auf dem Geyersberg. Der schlichte, mit Netzrippenwölbungen überspannte Raum wurde 1486 geweiht (1855 restaur.). Sein neugot. Altar enthält ein Vesperbild von etwa 1400. Beachtenswert ist die hohe Zahl der Votivtafeln.

DETTELBACH (Ufr. – C 3)

Das schon um die Mitte des 8. Jh. gen. Dorf (Königsgut) wird dank Würzburg 1484 Stadt, die sich nun sogleich befestigt. Das Stadtgebiet ist durch den Altbach gehälftet. Mauern und Türme (urspr. 52, jetzt 36) stehen noch großenteils. Die Gräben sind zugeschüttet. Von den 5 Toren blieben 2: Faltertor und Brucktor. – Eine der wohlerhaltenen fränkischen Zwergstädte, an denen »die Zeit vorüberging«.

Kath. Pfarrkirche

1489 beginnt man den Chor zu bauen, zu groß, das Langhaus mußte hinter seinen Abmessungen zurückbleiben. Nach 1769 führt man es neu auf. Der Chor wird jetzt Langhaus.

Aufgeböscht, unregelmäßig, ist die Kirche mit dem lustigen Motiv des dem starken viereckigen Hauptturm durch eine Holzbrücke zugesellten schlanken runden Treppenturms »malerisch«. Ihr Wert liegt in der schönen Gruppenbildung verschieden alter Teile. Der Turm mag noch um einige Jahrzehnte dem Chor vorausliegen. Dieser, der von 8 rundbogig geöffneten, gewölbten Kapellen umstellt ist, überrascht durch seine großzügige Anlage. Wahrscheinl. sollte er eine 3schiffige Halle werden. Aber es reichte nicht mehr dazu, er blieb flach gedeckt.

Wallfahrtskirche Maria auf dem Sand

Ein kleines Vesperbild erregt um 1504 eine Wallfahrt, die sich bis in die Zeit des großen Julius mit einer kleinen Kirche begnügt. Bischof Julius baut unter Beibehaltung des 1511 geweihten Chores dieser Erstkirche die große, die sich zur besuchtesten Wallfahrtskirche Mainfrankens entwickelt. 1610 geht der »welsche Baumeister« Lazaro Augustino ans Werk, 1611 stehen die Umfassungsmauern. Die Wölbung führen zwei deutsche Steinmetzen aus, Jobst Pfaff (Würzburg) und A. Zwinger (Iphofen), 1611/12. Zwinger übernimmt auch den N-Giebel. S- und W-Giebel setzt der Kitzinger Steinmetz Peter Meurer auf. 1613 steht das von Michael Kern (Forchtenberg) gearbeitete Portal. Im gleichen Jahre Weihe. 1613/14 baut Meurer die umfriedende Mauer. – Die Folgen einer purifizierenden Wiederherstellung, 1897, konnten 1956 bis 1958 wieder behoben werden.

Die Wallfahrtskirche ist das vorzüglichste Beispiel jener »nachgotischen«, Altes und Neues mischenden Stilphase, die man in Würzburg-Franken als »Juliusstil« bezeichnet. Das Schiff und das Querschiff sind Juliuszeit, das Joch östl. des Querschiffs und der Chor älter (vom Gründungsbau). Der

Raum, in hohen (nachgot.) Maßwerkfenstern geöffnet, ist
durch die, wieder nachgot., Rippenfiguration (Reihungen)
der Decke bestimmt. Die Gurtbögen kurven aber breit und
flach, und der Raumeindruck ist trotz »gotischer« Forma-
lien doch kein gotischer. Die schmächtigen Gewölberippen
ordnen sich in Rosetten. Der Raum des Schiffes weitet sich

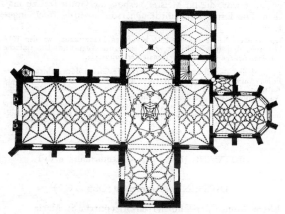

Dettelbach, Wallfahrtskirche, Grundriß

in die Flügel des Querschiffs hinein, und der ältere Chor
ist ihm, bei schmalem Einblick durch den Chorbogen, wie
ein (man möchte fast meinen: nur optisch betretbares) Gehäuse vorgesetzt. – Das Ä u ß e r e zeigt die für alle Ju-
liusbauten typische sparsame Wandbehandlung, verputzte
Flächen mit Sandsteingliederungen. Aber die schon durch
einen bewegten Giebel und Maßwerkrundfenster ausgezeichnete Fassade zeigt das Prunkstück des von M. Kern gemeißelten Portals vor, das in seiner Häufung von Figur und
Ornament unüberbietbar ist. Im I n n e r n stellt sich sofort
der große *Gnadenaltar* in den Blick, der frei in die Vierung
gestellt ist, doch etwas nördl. zurückgeschoben und nicht
auf die Blickachse des Haupt-, sondern des Querschiffs bezogen. Er ist von 1778/79 und eine Arbeit des Augustin
Bossi. Die kleine Holzpietà ist spätgotisch. Engel mit den

Leidenswerkzeugen stehen vor den Säulen der in Stuckmarmor aufgeführten Baldachinanlage, in der krönenden
Laterne kräht der Hahn des hl. Petrus. Hochbedeutend die
Kanzel, wieder von M. Kern, der hier 1626 eines der reichsten Steinmetzenwerke deutscher Renaissance geschaffen hat;
Thema des Aufbaus ist die Wurzel Jesse, die aufs beste dazu
geeignet war, die im Meister verborgene Gotik frei zu machen. Die Empore im nördl. Querschiff wurde 1659 eingefügt.

Die **Klostergebäude** für die 1616 berufenen Franziskaner wurden 1617
begonnen und 1620 vollendet. Auch sie baute Augustino. Die einfache
4-Flügel-Anlage trägt alle Merkmale der Juliuszeit.

Im profanen Dettelbach, dessen so reizvolle Gassen doch keinen sonderlichen Aufwand treiben, steht voran das frei aufgestellte hochgereckte
Rathaus, im späten 15. oder frühen 16. Jh. entstanden. Die schöne
Auszeichnung des 3geschossigen Giebelbaus ist die Freitreppe an der
Schauseite mit der von ihr aufgenommenen kleinen Türvorhalle, der das
dem 3. Geschoß vorgekragte Chörlein aufsitzt. Die Ratsstube, mit höl-
zerner Flachtonne gedeckt, bringt in den Pfeilern der tiefen Fensternischen schon frühe Renaissance.

DETTWANG (Mfr. – C 3) → Rothenburg o. d. T.

DIESSEN am Ammersee (Obb. – C 7)

Ehem. Augustiner-Chorherren-Stiftskirche St. Maria

*Am SW-Ufer des Ammersees lag die Stammburg der Grafen von
Diessen-Andechs. Diesem Geschlecht verdankt das Augustiner-
Chorherrenstift sein Entstehen. Gründungsdatum ist 1132. Im
Kriege von 1318 gingen Kirche und Kloster in Flammen auf. Der
Neubau war 1340 vollendet. Barocke Baufreude setzte an seine
Stelle seit 1720 eine neue Anlage, die 1728 beinahe vollendet ist.
Dem Stiftspropst Herculan Karg gefiel sie nicht. Er ließ von Joh.
Mich. Fischer neue Pläne ausarbeiten, studierte inzwischen zeit-
genössische Kirchenanlagen und befahl den Abbruch des Rohbaus.
1732 begann Joh. Mich. Fischer sein Werk unter Beibehaltung der
alten Fundamente (nicht der des Chores). 1739 war die neue Kirche
weihefertig.*

Ä u ß e r e s. Die Klosteranlage liegt, den Uferhang hinaufgerückt, über den Häusern der Ortschaft. Das langgestreckte,
hohe Kirchendach überragt sie. Einzigartig der landschaftliche Rahmen: die ausgedehnte Fläche des Ammersees, umrahmt von waldbestandenen Moränenhügeln, gegen O übergipfelt vom Andechser Klosterberg, gegen S abgeflacht zu

Dinkelsbühl. St. Georg, Mittelschiff und Chor

Ebrach. Ehem. Zisterzienserkloster, Treppenhaus

Diessen, Ehem. Stiftskirche, Fassade

anmutiger Mooslandschaft. – Von hohem Formenadel ist die Kirchenfassade. Sie steht am Anfang der großartigen Reihe, die über Fürstenzell und Zwiefalten nach Ottobeuren führt. Ihre Schwingung lenkt von den Flanken über die Kehle zum konvexen Mittelteil. Die Pilasterordnung folgt ihrem Vorwärts und Rückwärts. Darüber ein steiler, bewegter Giebel, bekrönt vom Auge Gottes. In der Nische darunter der Ordensheilige Augustinus. Am Binnengiebel die Wappenkartusche der Grafen und Pröpste von Diessen. Eine Marienbüste in der rotmarmornen Portalbekrönung deutet auf das Patrozinium. – I n n e r e s. Ein Blick aus der niedrigen

Vorhalle in die Flucht der kulissenartig vortretenden Pilaster
läßt die Grundrißfigur eindringlich gewahr werden. 4 wand-
pfeilerbesetzte Joche leiten vom Orgeljoch mit der Vorhalle
zum geengten Triumphbogen. Das letzte Langhausjoch ist
durch seinen Gewölbegurt wie durch einschwingende Stufen
als Auftakt zum Heiligtum isoliert. Ihm folgt der quadratische Mönchschor, wieder um einige Stufen erhöht. Emporeneinbauten füllen seine kurzen Seitenarme. Noch ein
paar Stufen höher rundet sich die Apsis. – Klar ist der Aufriß. Pilasterordnungen tragen das Gebälk, das sich über
Wandpfeiler und Seitenwände gleichartig fortsetzt. Nur in
der Chorpartie fehlt es. Die Hervorhebung des Mönchschores durch Dreiviertelsäulen, durch Emporen, großes N-
Fenster und Kuppel kann eine unterschiedliche Wertung der
Raumschale zulassen. Von hoher raumkünstlerischer Bedeutung ist das geschwungene Stelzungsglied zu Häupten der
Wandpfeiler, vorgebildet in St. Michael zu München oder
Fürstenfeld. – Fischers Lieblingsidee, die zentrale Raumgruppierung, durchdringt auch das Langhaus. 3 Joche werden vom monumentalen Gewölbefresko zusammengefaßt,
gerahmt von den Raumteilen Orgeljoch und Chorbogenjoch.
Dazu die Reihe der von Quertonnen gewölbten, emporen-
losen Seitenkapellen.

A u s s t a t t u n g. Diese geniale Raumschöpfung erhält durch
locker schwingende Emporenbrüstungen im W wie an den Mönchs-
chorflanken einen heiteren Akzent, den die Stukkatur durch ihr
bewegtes Spiel fortklingen läßt. Gemessen an anderen Raumschöpfungen der Zeit bleibt sie zurückhaltend. Die Stukkateure
kommen aus Wessobrunn: das Brüderpaar Fz. Xaver und Joh.
Mich. (II) Feichtmayr sowie J. Gg. Üblherr. Frühe Rocailleformen
vermählen sich mit Nachklängen aus dem Bandwerk des vorausgehenden Jahrzehnts. Dazu elegante Kartuschen und Figürliches
(z. B. die 4 Kardinaltugenden in den Kuppelzwickeln). Die Goldfassung nur einzelner Profile auf dem vorherrschenden Weiß des
Grundes und der Stuckarbeiten selbst trägt der vornehmen Stimmung auch von der Farbe her Rechnung. Um so großartiger hebt
sich die Freskomalerei des Augsburger Akademiedirektors Bergmüller ab. Sie behandelt Themen aus der Ortsgeschichte: Über der
Orgel die Auffindung der sterblichen Reste des sagenhaften Kir-
chengründers Rathard (1013), im Hauptfeld des Langhauses Maria,
umgeben von Heiligen als Schutzherrin des Heiligtums, dessen
Gründung durch die Grafen von Diessen und die Einführung der
kleinen Mechtildis in das ehemals angegliederte Nonnenstift. Die
gewaltige Komposition (1736) ist von strengem Regelmaß. Trep-

pen führen aus den Ecken in das Bildfeld. Gedämpft ist der Illusionismus. Es gibt kein Übergreifen aus dem geschwungenen Rahmen. Klarheit und delikate Stufung der Farbe gilt auch für Bergmüller. Im folgenden Joch gegen O berichtet die Malerei von der Kirchengründung St. Georgen durch Rathard. Heilige und Selige aus dem Grafengeschlecht von Diessen-Andechs versammeln sich in der Chorkuppel um Christus. – Einzigartig die Komposition des Hochaltars: kurvendes Gebälk, Säulen um die frei stehende Mensa, übergipfelt von der Baldachinarchitektur. Entwerfender Meister ist Franç. Cuvilliés d. Ä. Die Ausführung lag in Händen seines Mitarbeiters Joachim Dietrich. Von starker Gebärdensprache die 4 Kirchenväter, welche die Mensa umstehen (für sie ist Dietrichs Autorschaft nicht erwiesen). Sie sind die Erklärer dessen, was sich im Altarblatt (von Albrecht 1738) vollzieht: der Himmelfahrt Mariens zur Hl. Dreiheit, die (voll plastisch) im hohen Baldachin ihrer wartet. Das Altargemälde ist versenkbar. Hinter ihm liegt eine Bühne, die wechselnde Darstellung heiliger Begebenheiten erlaubt. Das *Theatrum sacrum* sendet auch in den Kirchenraum seine Zeichen: Kulissenfolge der Wandpfeiler, Stuckvorhang über dem Triumphbogen und Zurückhaltung in architektonischen und dekorativen Mitteln als Vorbereitung zur wechselnden Szenerie. – Die vom Hochaltar angestimmte Festlichkeit klingt nach in den bedeutenden Seitenaltären. Das östl. Paar enthält links (n) das Bild der Rosenkranzverleihung von Hermann und Heiligenbüsten von Straub, rechts das Kreuzigungsbild von Desmarées. Im nächsten Joch folgen Gemälde von Bergmüller (s) und A. Wolff (n), Figuren beiderseits von E. Verhelst. Das nächste Paar der Altäre hat Joh. Bapt. Straub geschaffen, links (n) mit einem Bild von Giov. Batt. Pittoni (St. Stephan), rechts (s) mit dem Sebastiansbild von Giov. Batt. Tiepolo. Die beiden westl. Altäre tragen Gemälde von Albrecht (s) und Joh. Ev. Holzer (n). Der Altar in der Vorhalle wurde von Fz. X. Schmädl geliefert. Die Kanzel ist ein Meisterwerk von Joh. Bapt. Straub. Auf ihrem Schalldeckel kniet der entrückte Prediger Paulus. Das Kanzelcorpus enthält geschnitzte Reliefs: Bekehrung und Predigt des Paulus.

Die **Friedhofskirche St. Johannes**, unten am Ende der Ortschaft, wurde 1777 als zweite Pfarrkirche errichtet: ein spätbarocker Saalraum mit gerundeten Ecken, Flachtonne und eingezogenem Chor. Die straffe, edle Wandgliederung bietet klassizist. Motive auf, ohne das durchaus barocke Raumempfinden zu verletzen. Der Raum ist dem gleichzeitigen Schöpfungen d'Ixnards im Süden Württembergs vergleichbar. Bewegter und darin »barocker« ist die sonst völlig in Weiß gehaltene Kanzel. Wirkungsvoll kontrastieren als farbige Akzente die streng gebauten Altäre von Thomas Schaidhauf, bes. der Baldachinaufbau des Hochaltars mit plastischer Kreuzigungsgruppe vor marmorierter, gerahmter Rückwandtafel.

St. Georgen, bis 1804 erste Pfarrkirche Diessens, ist Zentrum eines eigenen Ortsteils im W, auf der Höhe. Die Geschichte soll bis 815, zur Gründung durch St. Rathard, zurückreichen. Der bestehende Bau gehört

dem 15. Jh. an und wurde 1750 vergrößert. Seine Stukkaturen schuf
Fz. X. Feichtmayr, die Freskomalerei Jos. Zitter. Zur Altarausstattung
trugen bei: Matth. Günther, Jos. Magges und J. Bader als Maler, Schaidhauf und Zöpf als Plastiker.

St. Anna in Rommenthal, 1757 nach Entwurf von Joh. Mich. Fischer.
Kleines, harmonisches Raumoktogon. Fresken von Frz. Kürzinger.

St. Alban am Seegestade, um 1770.

DIETELSKIRCHEN (Ndb.) → **Geisenhausen** (E 7)

DIETERSHOFEN (B. Schw.) → **Illertissen** (B 6)

DIETRAMSZELL (Obb. – D 8)

Ehem. Augustiner-Chorherren-Stiftskirche

*Der Tegernseer Mönch Dietram gründete 1102 eine Kapelle, dann,
als sich die Örtlichkeit als ungeeignet erwies, an anderer, 2 Weg-
stunden westl. entfernter Stelle eine Martinskapelle mit anhängen-
dem Klösterl, auf das sein Name übergeht. Dietram lebt bis 1147.
Eine Kirchweihe durch Bischof Otto I. von Freising ist für 1156
bestätigt. – Das Mittelalter hat keine Spuren hinterlassen. 1722
wird die im rechten Winkel an die Klosterkirche anstoßende Pfarrkirche geweiht, 1729 der Neubau der Klosterkirche in Angriff
genommen und 1741 vollendet; Weihe erst 1748. 1803 wird
Dietramszell Sammelkloster der durch die Säkularisation obdach-
los gewordenen Nonnen. 1830 durch Indersdorfer Salesianerinnen
neu besiedelt.*

Die Klosterkirche steht in der ersten Reihe der großen
Barockkirchen Oberbayerns. Die Pracht ihrer von J. B. Zimmermann geleisteten Ausstattung in Fresko und Stuck ließ
auf der Suche nach dem nicht überlieferten Baumeister an
J. M. Fischer denken. Doch berechtigt die Raumgestaltung
in ihrer Anlehnung an das über 100 Jahre ältere Beuerberg
(gleicher Chorgrundriß, auch gleiche Gesamtlänge) die Hy-
pothese nicht; der Baumeister muß noch gefunden werden.
Vorgeschlagen sind Magnus Feuchtmayer und Lorenz Sappel. Dietramszell ist vergleichsweise rückständig, die großartige Dekoration täuscht darüber hinweg. – Äußeres fast
schmucklos. 4jochiger Wandpfeilerbau mit doppelter W-Empore im Vorjoch und eingezogenem Chor. Der Aufbau des
Langhauses verbindet Seitenkapellen (je 4) mit Emporen, die
auch die durch Freipfeiler abgesetzten Seitenschiffe des Chores (der ohne die Emporen eine 3schiffige Halle wäre) unter-

teilen. Der (an Räumen J. M. Fischers gemessen) schwerfällige, aber doch mächtige Raum gewinnt seinen Glanz durch die *Stukkaturen und Fresken* J. B. Zimmermanns. Die zarten und zart getönten Stukkaturen: schmale Rocaillen, durchsetzt von Bandwerk und pflanzlichen Motiven. Die Deckenfresken, gekennzeichnet durch die helle, frohe, viel Himmelsbläue in sich aufnehmende Farbigkeit des Meisters: (von W) Hl. Cäcilie und Engelskonzert (über der Orgel), der hl. Augustin empfiehlt die Gründung den Himmlischen (bez. 1744, Hauptbild), Dietram widmet das Kloster dem hl. Augustin und (im Chor) die Hl. Trinität in Erwartung der auffahrenden Maria. Die Kapellen zeigen Szenen aus dem Marienleben. Mächtiger Hochaltar vor blauer Stuckdraperie. Er enthält Zimmermanns vorzügliches Gemälde der Himmelfahrt Mariens (1745) zwischen den Figuren zweier hll. Bischöfe, Martin (Patron der Klosterkirche) und Korbinian. Prächtig komponierte Auszugsglorie. Zu seiten des Triumphbogens auf Konsolen die großen, wirkungsvollen, von Draperien hinterfangenen Figuren St. Johannes Nepomuk und St. Petrus Fourier, sehr gute Werke, viell. des Weilheimers Fz. X. Schmädl, dem auch die (doch nur mittelmäßigen) Figurenpaare der 5 Seitenaltäre zugeschrieben wurden, sicher zu Unrecht. Der 1. der S-Reihe enthält, plastisch, die auf Wolken thronende hl. Katharina, eine inschriftl. gesicherte Arbeit Ph. Rämpls von 1772, der 1. der N-Reihe (Achatius) ein Gemälde von M. Heigl, der 2. der S-Reihe (Magdalena) ein Gemälde von Zimmermann (1757), der 2. der N-Reihe und der 3. der S-Reihe (Augustin, Monika) bringen wieder Gemälde von Zimmermann. Die beiden stärkeren, fast ganz vergoldeten Altäre in den letzten Kapellen, Kreuz- und Marienaltar, sind nur, doch reich, vom Bildhauer (Schmädl?) ausgestattet (die Muttergottes älter, 17. Jh.). 2 weitere Altäre an den O-Wänden der Chorseitenschiffe bringen, plastisch, die Glorie des hl. Stephanus (südl.) und des hl. Johannes Bapt., die 1778 datiert und sicher von Ph. Rämpl sind. Die ansehnliche, ja prächtige, in Weiß-Gold gefaßte Kanzel entstand 1745; am Corpus 2 Reliefszenen aus dem Leben St. Augustins und kräftige Putten, auf dem Deckel ein großer Engel mit den Gesetzestafeln. – Die in die W-Wand des südl. Seitenschiffs eingesetzte, vermutl. von einem Stifterhochgrab stammende Relieffigur (Holz) des sel. Dietram ist spätgotisch, Ende 15. Jh.

Im N, vom 1. Langhausjoch aus betretbar, die 1722 geweihte **Pfarr-kirche St. Martin.** Saalbau mit Empore des 19. Jh. Der Stuck Joh. Bapt. Zimmermanns vermengt Bandwerk und Blattranken. Seine Gemälde, bez. 1726, schildern (von N) Christi Auferstehung, Himmelfahrt, En-gelskonzert und im Chor das Pfingstwunder.

Klostergebäude. Schlichte Binnenhofanlage.

Wallfahrtskirche Maria im Elend auf der Anhöhe südl. des Klosters. Der kleine Zentralbau, der eine ältere Kapelle ablöste, wurde 1690 er-richtet und 1791 überholt; die Ausstattung gehört in dieses Jahr. Das gute, auch volkskundlich lehrreiche Fresko der Kuppelschale malte Joh. Seb. Troger. Zahlreiche Votivbilder, ältestes 1607.

Wallfahrtskirche St. Leonhard (nördl. Dietramszell) von L. M. Gießl 1769, geweiht 1774, zentrales, durch starke Eckpfeiler abgestecktes, flach überkuppeltes Quadrat, dem sich östlich und westlich kurze, dreiseitig bzw. rund geschlossene Arme anlegen. Ein gutes Fresko Chr. Wincks, die Glorie des Titelheiligen, schmückt die Gewölbeschale des Haupt-raums (1769). Die Altarausstattung besorgte der in Wolfratshausen an-sässige Ph. Rämpl, der sich eng an Ign. Günther anlehnt, aber doch, in Ausdrucksgebärde und kompositioneller Ordnung, Eigenart entwickelt. Der Hauptaltar, mit Leonhard in der Mitte, Sebastian und Rochus an den Seiten, ist durch einprägsame Bildfügung ausgezeichnet; die Seiten-altäre in der Querachse des Hauptraums gesellen sich ihm mit ihren Einzelfiguren, Barbara und Apollonia, zu einer in sich geschlossenen Dreiheit.

DILLINGEN (B. Schw. – C 5)

Neben einer Alemannensiedlung (später: Oberdillingen) entsteht, rund 1 km östlich und auf einem Geländesporn über der Donau, im 10. Jh. eine Burg (castellum). Sie wird Sitz der dem König (Otto I.) vertrauten Grafen von Wittislingen, die sich seitdem »von Dillingen« nennen. Erste Kunde bringt die Vita Sti. Udal-rici, 973. Auf dem Vorgelände dieser Burg entsteht im 12. und 13. Jh., durch Siedlungsverlegung, die Stadt und wächst in dem für ihre Zeit verbindlichen Regelmaß heran. 1258 kommen Burg und Stadt durch Bischof Hartmann von Augsburg, den letzten Dillinger Grafen, an das Hochstift Augsburg. Im 15. Jh. verlegt der Bischof seine Hofhaltung in die ehem. Grafenburg. Seit 1543, unter der Regierung des Bischofs Otto Truchseß v. Waldburg, nimmt die Stadt ihren Aufstieg. Es entsteht die Jesuiten-Universi-tät, die 1564 Petrus Canisius in seine Obhut nimmt. Im frühen 17. Jh. erwachsen Universitäts- und Pfarrkirche. Die Stadt erhält das Gepräge eines barocken Fürstensitzes. Die Aufhebung des Jesuitenordens 1773 gebietet auch der städtischen Entwicklung Halt. Seitdem hat sich wenig verändert: das Städtchen bietet ein kaum getrübtes Kulturbild aus dem 16.–18. Jh.

Pfarrkirche St. Peter. Urspr. Pfarrei war St. Martin in Oberdillingen. 1498 hören wir von einem Kollegiatstift an der Stelle der heute be-stehenden Kirche. Diese ist Neubau des Graubündners Joh. Alberthal

von 1619–28 unter Einbeziehung des mittelalterl. Turmes. Alberthal
schuf das Bild einer hohen, 3schiffigen Hallenkirche. 1643 zeigten sich
Risse im Mauerwerk, so daß ein neu eingefügtes Stützensystem den
Hallenbau zur Wandpfeileranlage umwandeln mußte. Stuck von Jos.
Feistle und Ausmalung von Jos. Wolker 1734 (im Chor), 1735 (im
Langhaus). Zum Hochaltar lieferte Joh. Chr. Storer, Konstanz, 1661 das
Gemälde. Chorgestühl und Kanzel von Matth. Kager um 1630. Kreuz-
altar (heute Tabernakel zum Hochaltar) 1764. Unter der Orgelempore
ein Kruzifixus um 1650 mit oberschwäbischen Assistenzfiguren um 1460
bis 1470. Erasmuskapelle im N, 1733, mit geschnitzter Marienfigur um
1620–30. In der nördl. Sakristei Palmesel (1756/57) von dem Dillinger
Bildhauer Joh. Mich. Fischer.

Spitalkirche Hl. Geist. Erweiterungsbau einer älteren Kapelle gegen
1500. Umgestaltung und Stuckierung des Innern 1680.

St.-Wolfgangs-Kapelle, auf dem ehem. Friedhof, 1536 als Totenkapelle
errichtet und 1591/92 umgebaut. Instandsetzung und Stuckdekoration
gegen 1715, Erweiterung 1725. Am nördl. Seitenaltar Beweinungsgruppe
von Stephan Luidl, um 1725. Renaissance-Epitaph für Hieronymus
Lochner, 1539.

Studienkirche Mariae Himmelfahrt

Seit 1606 bemühte sich der Jesuitenkonvent, unterstützt vom Augs-
burger Bischof Heinrich v. Knöringen, um den Neubau der ehem.
Universitätskirche. Als Vorbild diente St. Michael in München.
Für das Projekt werden Matth. Kager oder Jos. Heinz verant-
wortlich gemacht. Bezeugt ist nur der ausführende Werkmeister
Joh. Alberthal aus Graubünden. 1617 Einweihung. 1750–65 zog
das Rokoko ein. Restaur. 1957.

Das Ä u ß e r e , auf rechteckigem Grundriß, pilasterbesetzt
und im O mit schmuckem Dachreitertürmchen bekrönt, atmet
die gemessene Würde des frühen 17. Jh. Von schöner Weiträumigkeit ist das I n n e r e. Durch das farbenfrohe, bewegte Gewand des mittleren 18. Jh. schimmert die kraftvoll-
feierliche Struktur der einzigartigen Raumschöpfung von
1610: eine emporenlose Wandpfeileranlage von imponieren-
den Verhältnissen. Die Wirkung der mächtigen Wölbtonne
erfährt durch schmale Stichkappen einige Einbuße. Steile
Quertonnen überspannen die Seitenräume, und ein gewaltiger Triumphbogen bezeichnet den Beginn des leicht eingezogenen Chores. Sein Aufriß ist der einer 3schiffigen Halle.
Erst das 18. Jh. hat durch Einziehen von Oratorien und
Trennwänden seine urspr. Gestalt verwischt. – Der Verzicht
auf Emporen, Weglassung von Querhaus und Stelzungsglied
über den Pfeilergesimsen und der Hallenchor bedeuten
gegenüber St. Michael in München eine folgenschwere Abweichung. Hier setzt eine Bewegung ein, die gegen Ende des
Jahrhunderts in Variationen des »Vorarlberger Wandpfei-

lerschemas« wiederkehrt (Ellwangen, Obermarchtal). So ergibt sich eine fast eigenständige Form zwischen den beiden
um etwa 100 Jahre voneinander getrennt liegenden Entwicklungsstufen St. Michael und Obermarchtal. Nachklänge
dieses neuartigen Erscheinungsbildes finden sich in den
Jesuitenkirchen von Eichstätt und Innsbruck wie in Weilheim und Beuerberg. – Der heitere Rokoko-Stuck (Signa-
turen JS und FS noch nicht stichhaltig gedeutet) fügt dem
herben frühbarocken Raumbild das Element des Zierlichen
bei: züngelnde Rocaillen, sprießendes Rankenwerk und im
Triumphbogen kartuschentragende Engel auf dampfenden
Wolkenballen. Die Gewölbespannung wird übertönt von
den duftigen, leuchtenden Fresken des Asam-Schülers Chr.
Thom. Scheffler. Im Chor: Marienkrönung; im Langhaus,
Mitte: Maria im Kranz der Heiligen, der im O-Joch Europa
und Asien und im W-Joch Amerika und Ostindien huldigen.
Diese merkwürdige Auswahl der Kontinente geschah unter
dem Gesichtspunkt der Jesuitenmission. Das Chorfresko be-
gleiten seitlich die Frauenfiguren des Alten Testaments Sarah
und Judith (N), Rebekka und Esther (S), während in den
Seitenräumen des Langhauses Patrone der Hochschulfakul-
täten die Muttergottes-Verehrung ergänzen. – Der von dem
Dillinger Bildhauer J. M. Fischer und dem Schreiner Jos.
Hartmuth geschaffene Hochaltar trägt ein 1753 entworfenes
und 1756 vollendetes Gemälde von Joh. Gg. Bergmüller,
Mariae Himmelfahrt. Die Figuren der hll. Aloysius und
Ignatius, Franz Xaver und Stanislaus, sind Leistungen
Fischers. Unter den bewegten Oratorienbrüstungen der
Chorseiten Fakultätsbilder von Joh. Anwander aus Lauin-
gen, 1762. Die prachtvolle Kanzel schuf J. M. Fischer um
1760: übergipfelt von bewegter St.-Michaels-Figur, umgeben von Evangelistensymbolen, christlichen Tugenden und
Hinweisen auf die Jesuitenmission. Aus den durchweg vorzüglichen Nebenaltären ist der südöstliche hervorzuheben
mit dem Kreuzigungsbild Bergmüllers und der nordwestliche
mit einem Gemälde Schefflers, 1726, und Engelsfiguren von
Joh. Georg Bschorer. – Auf den vielfältigen Reichtum an
Gemälden von H. Schönfeld, Matth. Kager, Joh. Chr. Storer, Joh. Anwander und Vitus Felix Rigl sei, wenigstens
kurz, hingewiesen.

Die **Konvents- und Universitätsbauten** schließen sich ostwärts an die Studienkirche, eine Folge würdevoller Fassaden, die im einzelnen an Elias Holl und Augsburg erinnern. Das **Priesterseminar** schuf Joh. Alberthal 1619–22; das **Jesuitenkolleg** kam 1736–38 hinzu, eine schöne, wiewohl altertümliche 4-Flügel-Anlage, deren Inneres u. a. einen reich gestalteten, barocken Bibliothekssaal birgt mit geschnitzter Empore, einem Deckengemälde von Schilling (Künste und Wissenschaften) und trefflichem Figurenschmuck von Joh. Georg Bschorer. Schließlich die **Universität** 1688/89 mit prunkvoll ausgestalteter Aula (gen. »Goldener Saal«) von 1761–64. Deckengemälde von Anwander, 1762: Maria, Thron der Weisheit. – Der Studienkirche gegenüber setzt das **Gymnasium** (1724) die wohlgestaltete Reihe der Bauten fort.

Franziskanerinnen-Klosterkirche Mariae Himmelfahrt

Rechtwinklig an den Chor der Pfarrkirche angrenzend. Kleine, gute, trotz der im Schiff gegebenen Längsachse zentralisiert wirkende Raumschöpfung des Füsseners Joh. Gg. Fischer, 1736. Das Schiff in den Ecken genischt, tiefe, den Laienraum verkürzende W-Empore, eingezogener Chor mit flachen Seitenräumen. Die zarten Stukkaturen, vom Wessobrunner Ign. Finsterwalder, verbinden Bandelwerk mit früher Rocaille. Die 1737 bez. Fresken (wie die Gemälde der von Einsle, Göggingen, geschaffenen Altäre) von Chr. Th. Scheffler. – An der N-Wand Kruzifixus, um 1520, begleitet von 2 vorzüglichen, stark bewegten Figuren, den Reueheiligen Petrus (Mitte 18. Jh.) und Magdalena (wohl niederländisch, 17. Jh.).

Nennen wir auch die 1960–62 von F. Haindl errichtete und Fz. Nagel ausgestattete **Christkönigskirche der Taubstummenanstalt** auf dem Grundriß eines unregelmäßigen Sechsecks. Rechts von der Altarinsel eine schöne spätgot. Muttergottes um 1510, aus der Werkstatt des jüngeren Syrlin.

Aus der Gegenwartskunst ist auch die **Hauskapelle im Knabenseminar St. Stanislaus** zu nennen, ein heller, hoch durchfensterter Raum von Thomas Wechs, 1955/56. Die gemalte Ausstattung schuf Gg. Bernhard, den Kruzifixus des Hochaltars Anton Rückert, München.

Schloß. Die urspr. 2türmige Kernburg wurde, seit ihrer Schenkung an das Augsburger Hochstift, von allen Bischöfen als Zuflucht in Notzeiten benützt. Im 14. Jh. wird sie ständige Residenz und erhält allmählich (um 1425–1520) Schloßcharakter. Eine Brandkatastrophe, 1595, gibt Anlaß zu glänzendem Wiederaufbau und zu Erweiterungen, die sich den heute bestehenden Ausmaßen annähern. Der nächste Umbau,

Ende 17. Jh., gilt den Erfordernissen einer barocken Hofhaltung. Unter Bischof Joh. Fz. Schenk v. Stauffenberg geschehen weitere eingreifende Baumaßnahmen durch Joh. Casp. Bagnato, um 1740. – Einige auffallende Momente seien aus dem heutigen Erscheinungsbild aufgezählt: Binnenhofanlage, Kernmauern aus der Zeit um 1200, Bekrönung des Bergfrieds um 1595–1600, W-Tor rd. 1480 (mit steinerner Nischenfigur der Muttergottes, Augsburg um 1520), N-Tor 1732. Im Schloßhof Denkmalrelief für Graf Hartmann und seinen bischöflichen Sohn und Erben, Augsburger Arbeit um 1500. Innen Reste barocker Stukkatur aus dem späten 17. Jh. (Kapelle) und um 1740. 2 Reliefs von Loy Hering. Im sog. kleinen Rittersaal eine interessant bemalte Holzdecke um 1600.

Der **Wohnbau** steht unter dem Einfluß Alberthals. Auch Augsburger Vorbilder spielen eine Rolle. Es kommt zu schönen Straßenbildern von selten reiner Klangfarbe. Aus der alten **Stadtbefestigung** ist wenig überkommen. Das **Mittlere Tor** mit seiner barocken Bekrönung ist städtebaulicher Akzent von feinem künstlerischem Wohlklang.

DINGOLFING (Ndb. – F 7)

Unter- und Oberstadt, die eine an der Isar, die andere auf einer Terrasse der Talböschung, haben ihre eigenen geschichtlichen Anfänge. Die Unterstadt erwächst aus einem um 770 bezeugten Herzoghof, dessen Kirche, mit dem auf frühe Gründung deutenden Patrozinium St. Johannes Bapt., 833 dem Regensburger Emmeramskloster gehört. Die wittelsbachischen Herzöge bestreiten die regensburgischen Rechte; es gelingt ihnen, sich oberhalb der Unterstadt festzusetzen und hier eine befestigte Siedlung anzulegen (1251), die dann auch, 1274, rechtsförmlich zur Stadt aufrückt. Auch die Unterstadt fällt ihnen zu. Beide Städte liegen oder lagen in ihren Mauergürteln, nur durch eine, mit Mauern geschützte, Straße verbunden. Die den Talverkehr nützende untere, der ja auch die Pfarrkirche gehört, ist die reichere, im Grundriß differenziertere; in ihr sitzen die Gewerbe; die obere, die Burgstadt der Herrschaft, ist lediglich einer Straße zugeordnet. – Seit 1255 bei Niederbayern, seit 1353 bei Bayern-Straubing, seit 1425 bei Bayern-Ingolstadt, seit 1438 bei Bayern-Landshut, fällt Dingolfing 1503 mit dem Landshuter Erbe an Bayern-München. 1743, im Österreichischen Erbfolgekrieg, Verlust zahlreicher Wohnbauten.

Pfarrkirche St. Johannes

Sicher eine der ältesten bayerischen Pfarrkirchen, enthält der Baubestand doch keine Hinweise mehr auf das aus Urkunden zu erschließende hohe Gründungsalter. Eine Inschrift neben dem S-Portal kündet von der Grundsteinlegung 1467 und dem Baumeister (?) »jörg brobst«. Vollendung zwischen 1480 und 1490. Die 3 folgenden Jahrhunderte haben ihren Beitrag zur Ausstattung geleistet, der im 19. Jh. stark vermindert wurde.

Der stattliche Backsteinbau, eine 3schiffige Halle auf kräftigen Rundpfeilern, kann seine Herkunft von den Landshuter Vorbildern eines Hans »Stethaimer« nicht leugnen (Landshut, Hl.-Geist-Kirche). Auch der Turm lehnt sich eng an den Typus von St. Jodok in Landshut an. Seine Bekrönung wurde im 19. Jh. erneuert. Vollendete Harmonie der Proportionen zeigt der I n n e n r a u m, dessen Querschnitt die Figur des gleichseitigen Dreiecks zugrunde liegt. Vom alten Hochaltar haben wir 2 hervorragend schöne Schnitzfiguren erhalten, die beiden Patrone Johannes, um 1520; stämmige Gestalten, umgeben von quirlenden Draperien, weisen sie (wie auch der riesige, etwa gleichzeitige, Triumph-Kruzifixus) in die Nähe Hans Leinbergers.

Siechenkirchlein im Vorort HÖLL 1742.

Aus jüngster Kirchenbaukunst sind zu nennen: die St.-Josephs-Kirche von R. Vorhoelzer 1957 und die ev. Erlöserkirche von G. Gsaenger 1960.

Schloß. Der urspr. Bau Herzog Ottos II. von 1251 ist verschwunden. Das heute als Schloß bezeichnete Gebäude ist ein unbefestigtes Herzogshaus aus dem späteren 15. Jh., ein rechteckiger Backsteinbau mit reich verblendetem spätgot. Stufengiebel, einem Meisterwerk niederbayerischer, von Landshut inspirierter Profanbaukunst (**Heimatmuseum**). Ein späterer niedriger Trakt enthält den Verbindungsgang zum herzoglichen **Traidkasten** (heute Schulhaus) von 1477/78. An ihn schließt sich die **Stadtbefestigung** an, von der sich einzelne Tore und Türme erhalten haben, aus dem 16. und 17. Jh.

DINKELSBÜHL (Mfr. – C 4)

Eine Wörnitzfurt und die Kreuzung einer N-S- mit einer W-O-Straße ließen den Platz hochkommen, der 1188 als »burgus« sichtbar wird. Er ist staufischer Besitz. Die kaiserlose Zeit macht ihn frei. 1305 stellt ein kaiserliches Privileg seine Bürger den Ulmern gleich. Die Verleihung des Blutbanns, 1398, vollendet die Reichsstadt, die seit 1387 ein 24er Rat, halb patrizisch, halb zünftisch, regiert. Wie bei einer Reichsstadt nicht anders zu erwarten, tritt auch Dinkelsbühl der Augsburger Konfession bei (1541). Doch stärkt das Eingreifen des Kaisers, 1552, den altgläubigen Ratsteil auf Kosten des neugläubigen, der erst in der Schwedenzeit das Übergewicht gewinnt und fortan behält.

Der heute noch gesammelt in den Rahmen der Mauer gefaßte **Stadtkörper** bietet sich dank Hanglage in übersichtlicher Ganzheit dem ihn von unten her abspürenden Blick. Unten, das ist die Flußniederung. Die Wörnitz ist die östl.

Basis des mit der Spitze gegen W liegenden Dreiecks, das
die Stadt einschließt. Sehr deutlich stellt der Grundriß in
einem inneren Oval noch die kleine älteste Stadt (des
12. Jh.) heraus. Die diesem östlich bereits durch die Wörnitz
begrenzten Raum, dessen Rückgrat die Nördlinger Straße
ist, im 13./14. Jh. zuwachsenden Vorstädte (Segringer, Rothenburger, Nördlinger) werden 1380 ff. in den Ring einbezogen. Die Stadt hat nun ihre Gestalt gewonnen, und sie
hat diese mittelalterl. Gestalt – ihr Ruhm! – bis zum heutigen Tag ohne merkliche Einbußen und Verderbnisse bewahrt. – Der **Mauergürtel** umhegt noch rings, und noch
stehen auch die 4 Tore: Wörnitztor (O), Nördlinger (S),
Segringer (W) und Rothenburger Tor (N). Das älteste ist
das im Unterbau wohl noch ins späte 13. Jh. zurückreichende Wörnitztor. Um rund 100 Jahre jünger dürfte das
Rothenburger sein (um 1380), wieder um Gleiches jünger
das Nördlinger, das, bis auf den Staffelgiebel des frühen
17. Jh., 1490–95 errichtet wurde. Das jüngste ist das 1655
erneuerte Segringer. Die Mauern, nicht ganz, aber doch bis
zur Höhe des Wehrgangs erhalten (ein ganz erhaltenes
Stück am Rothenburger Tor), sind östlich durch den Mühl-
graben und die Wörnitz gedeckt, nördlich sichern Rothenburger und Hippenweiher, dann ein Doppelgraben, den
noch eine, schon östl. des Rothenburger Tores beginnende
Zwingeranlage verstärkt. Die lange Reihe der Mauertürme
(zwischen Nördlinger und Segringer Tor sind es 8) sei hier
nur rasch vermerkt. – Das Bild der **Straßen** und Gassen ist
das ungestörteste, das sich denken läßt. Das Fachwerk überwiegt und würde das noch viel mehr tun, läge es nicht vielfach unter Putz. Giebelstellung ist die Regel, Staffelung der
in leichter Schräge zur Zeile stehenden Häuser (Nördlinger
Straße) sorgt für einen Zuwachs an Bewegung. Entsprechend der Lage der Stadt an der Grenze Schwabens und
Frankens, kreuzen sich schwäbische und fränkische Züge,
wenn auch die fränkischen in der Vorhand sind. Eine statt-
lich-breite Behäbigkeit ist jedenfalls Schwabenmitgift. – Die
kommunalen Bauten treten nicht so augenfällig wie etwa
in Rothenburg in Erscheinung. Genannt seien die **ehem.
Ratstrinkstube**, ein 3geschossiger, durch hohen Staffelgiebel
und lustiges Firsttürmchen ausgezeichneter Steinbau der
2. Hälfte des 16. Jh., das **Kornhaus** von 1508, teilweise
Quaderbau, doch stärker durch die Fachwerkobergeschosse

bestimmt, die etwa um 1600 errichtete **Schranne**, wieder Steinbau mit einem ziervollen Renaissancegiebel. Unter den (nicht geringenteils ins Spätmittelalter zurückreichenden) Bürgerhäusern sei das prächtige **Deutsche Haus**, am Markt bei der Pfarrkirche, herausgehoben, eines der schönsten Fachwerkhäuser überhaupt. Um 1600 errichtet, setzt es auf das gemauerte Erdgeschoß 2 Fachwerkgeschosse und auf diese einen hohen 3geschossigen Fachwerkgiebel. Die profilierten Schwellen betonen nachdrücklich die Horizontale, die geschnitzten Ständer sehr viel weniger die Vertikale, die sich dann doch im gereckten Giebel als Dominante durchsetzt. Die schöne Wohnlichkeit dieser altdeutschen Bürgerhäuser mag man im Flur des kath. Pfarrhauses von 1601 oder im Stiegenhaus des 3. ev. Pfarrhauses, Mitte des 18. Jh. (Rothenburger Straße), gewahr werden. – Barocker Steinbau (wie die Adlerapotheke von 1747) ist nur an wenigen Stellen in das altfränkische Wesen dieser Stadt eingekreuzt. Um so überraschender ist es, in dieser Bürgerwelt auf ein Palais zu stoßen wie das des Deutschen Ordens (**Deutschordenshaus**), errichtet 1761–64 vom Ellinger Baumeister des Ordens, Matth. Binder.

Kath. Stadtpfarrkirche St. Georg

Eine der glücklichsten Schöpfungen der deutschen »Sondergotik«, verdankt diese große Hallenkirche ihre Wirkung nicht zuletzt ihrer plangemäßen Einheitlichkeit. Tatsächlich wurde sie auch verhältnismäßig rasch hingesetzt: 1448 begonnen, steht 1469 bereits der Außenbau, 1499 schließen sich die 1492 angefangenen Gewölbe. Der planende Meister, Nikolaus Eseler von Alzey (gleichzeitig Werkmeister der Nördlinger Kirche), leitete den Bau bis 1463, dann löste ihn sein gleichnamiger Sohn (der auch wieder gleichzeitig anderwärts, in Rothenburg und Nördlingen, baute) als Kirchenmeister ab. Der beiden Eseler Bildnisse, Kopien des 17. Jh. nach verschollenen Originalen des 15., hängen an der Wand des nördl. Seitenschiffs. – 1534–49 ist St. Georg ev.-lutherisch und noch einmal 1632–44. Im »Normaljahr« 1624 katholisch, kehrt es nach dem Westfälischen Frieden zur kath. Kirche zurück. 1856 wird St. Georg unter Leitung Heideloffs restauriert und purifiziert.

St. Georg ist eine 3schiffige Hallenkirche; Chor und Langhaus bilden eine völlige Einheit, die Seitenschiffe laufen um, der Umgang bricht in 6 Seiten des Zwölfecks, das Mittelschiff schließt in 3 des Sechsecks. Das Material der Mauern ist Sandstein, der Wölbungen Ziegel. Die lichte Länge zählt

76,88, die Breite 22,48 m. – Ä u ß e r e s. Streben, bis nah
an die Trauflinie des großen Satteldachs aufsteigend, besetzen die in hohen Fenstern geöffneten Wandungen in gleichen
Abständen. Der aus der Achse gerückte W-Turm erreicht
nicht die zur Beherrschung des mächtigen Hallenkörpers
nötige Höhe. Die beiden ersten Geschosse sind spätromanisch (um 1220–30); ins Erdgeschoß läßt das rühmliche
6säulige Stufenportal ein. Die folgenden Geschosse sind
frühgotisch, wohl spätes 13. Jh., das hohe Glockengeschoß
Hans Böringers kam wohl erst in den 40er Jahren des
16. Jh., das Oktogon 1550 hinzu. Daß man einen zweiten
Turm im Sinne hatte, beweist der Turmstrunk an der N-
Flanke des Chores, aber die Kraft reichte nicht mehr. An den
Langseiten öffnen sich 4 Portale, deren 3, die eingrenzenden
Streben nützend, überwölbt sind. – I n n e r e s *(Tafel
S. 224).* In 6 Jochen fluchten die Schiffe, in 4 der leicht erhöhte Chor. Die von 2 Bogen unterfangene Empore (vortreffliche Steinmetzenarbeit an der Balustrade) schließt
westlich. Rühmen wir die Reihen der Pfeiler, aus deren
hohen, schlanken, elastisch an- und abschwellenden Leibern
sich das Netz der dicht gekreuzten schnittigen Rippen entwickelt. Die Tonne, der sie aufgesetzt sind, kurvt in einem
flachen Segmentbogen über der Steilstrebigkeit der Stützen,
lediglich in den Seitenschiffen steiler. Gleichmäßige Erhel-
lung von den hohen und auch breiten Fenstern her modelliert die Pfeiler, die stärker durch ihre Linien als durch ihre
Körper sprechen, wie die Decke stärker durch das ornamentale Geflecht der Rippen als durch die Schale der Tonne.
Wesentlich auch, daß die Chorumfassung eine Brechung in
die Mitte stellt; auch hier, an der Zielstelle, trifft der Blick
auf eine Linie.
A u s s t a t t u n g. Die barocke fiel dem Purifikator Heideloff
zum Opfer. So geht dem Raum die Wärme alten Mobiliars ab.
Der Hochaltar ist neugotisch (1892). Doch bewahrt er eine vorzügliche gemalte Kreuzigungstafel aus dem Umkreis des Nürnbergers Hans Pleydenwurf, um 1470–80; der Gekreuzigte, ein der
Tafel vorgesetztes selbständiges Schnitzwerk, wohl etwas älter als
die Tafel, die für ihn geschaffen wurde. Spätgot. Teile enthalten
auch die (im Aufbau neugot.) Altäre des hl. Sebastian, des Hl.
Kreuzes, der Hl. Dreifaltigkeit. Beachtlich insbes. der erste, mit
der Sebastiansmarter als Mitte, Arbeit eines schwäbischen, doch im
Bereich des »Donaustils« geschulten Malers, 1510–20. Ausgezeichnete Steinmetzarbeiten sind: Der Baldachinaltar im Chorumgang

(Rückseite des Hochaltars), der urspr. am SW-Pfeiler des Chores stand, in 3 breiten Arkaden geöffnet, mit Sterngewölbe gedeckt, auf Konsolen an den Ecken die Figuren der Verkündigung und der Hll. 3 Könige (diese bis auf eine, Balthasar, barock, was auch für die Magdalena gilt); das reiche Gitter ist 1724 datiert; die Pietà des (neugot.) Altars ist ein gutes Holzbildwerk letzten Weichen Stils. Das Sakramentshaus (Stiftung d. J. 1480) am NW-Pfeiler des Chores darf mit Auszeichnung genannt werden, überschreitet auch die Bildhauerarbeit nicht das Mittelmaß; seine Einung mit dem Steinkörper des Pfeilers ist die gelungenste. Die etwa gleichzeitige Kanzel zierlich und ziervoll, polygon, doch rund wirkend, mit den Figuren der lateinischen Kirchenväter vor den Ecken; die Evangelisten in den Feldern, die Treppe und der Deckel sind Zuschüsse des 19. Jh. Anscheinend spätgotisch, doch erst 1643/44 geschaffen, ist der 8eckige Taufstein, an dessen Stütze 4 Löwen gestellt sind. – Aus der Reihe der Epitaphien sind herauszuheben: das des Marqu. Fieer, Doktors der Arznei, und seiner Frau, geb. Manlichin (1512, 1525), mit der Muttergottes und dem sie verehrenden Ehepaar, sicher augsburgische Arbeit, Gregor Erhart nahestehend (Chorumgang), und das der Barbara Langenmantel (1471) mit dem Erbärmdemann und seinen »Waffen«, ein bedeutendes Denkmal der Kultgeschichte. – Und nennen wir noch 2 gute Einzelbildwerke: den Kruzifixus von etwa 1420 und die Muttergottes mit 2 die Mondsichel tragenden Engelchen zu Füßen, von etwa 1480.

Die Kirche des im 13. Jh. gegr., nach Brand 1380 am heutigen Platz neugebauten Spitals verbindet einen kleinen 2jochigen Rechteckchor des späten 14. Jh. mit einem 1567 zu jetziger Länge und Breite erweiterten Saalbau, der seine heute bestimmende barocke Note 1772/73 erhielt. Die Fresken des Ellingers Joh. Nieberlein entstanden 1774, gleichzeitig Kanzel und Emporen, das Orgelgehäuse folgte 1778. – Seit 1576 ist die Spitalkirche ev. Pfarrkirche.

Dreikönigskapelle. 1378 hört man erstmals von ihr. 1834 wird sie profaniert, jetzt ist sie Kriegergedächtniskapelle. Auf der Höhe der Segringer Gasse, seitlich des Tores liegend, empfängt die schlichte Kapelle ihren Reiz aus der Umgebung, der sie zugleich wieder Reiz mitteilt.

Kapuzinerkirche. 1622 kommen die Kapuziner nach Dinkelsbühl, bauen auch gleich ihre Kirche, von der nur zu sagen ist, daß sie so einfach, so ganz ohne Aufwand in ihrem einen, von einer Tonne überwölbten Schiff ist, wie der Orden für ziemlich hielt.

St. Ulrich. Südl. der Stadt, auf einer Anhöhe, liegt das lindenbeschattete Kirchlein, das 1700 gebaut wurde und bei dem eine Klause ist. Beide Schmalseiten haben Volutengiebel; der halbrunde Chor hat auf seiner Kuppel eine Laterne, und der Langhausfirst trägt einen Dachreiter. Das sind die Schmückungen des bescheiden anmutigen Kirchleins.

DOLLNSTEIN (Mfr. – D 5)

1007 wird die Siedlung, »Tollenstein«, sichtbar. Die Burg ist eine Gründung der Grafen von Hirschberg, wohl der Mitte des 12. Jh. Wolfram erwähnt Dollnstein (Anlaß ist das Faschingstreiben der Kaufmannsfrauen) in seinem »Parzival«. Seit 1440 ist der Ort, Markt vermutl. schon im 13. Jh., eichstättisch, Sitz eines Pfleg- und Kastenamts.

In 2 Hälften ordnet sich die Siedlung der Altmühl zu; befestigt war aber stets nur die nördliche, an deren S-Rand auch ·die Burg lag. Von ihr hat das 19. Jh. nichts übriggelassen. – Die enge Verbindung von Gefels und gleichwüchsiger Mauer ist das Auszeichnende dieser Talsiedlung, deren beherrschende Baumasse die zu einem starken Turm aufsteigende **Pfarrkirche** ist. Roman. in der Langhausmauer (12. Jh.), got. im Chor (frühes 14. Jh.) und jedenfalls auch im Turm (bis auf eine Aufstockung von 1727), erfuhr sie im 19. Jh. eine westl. Verlängerung. Ihr beachtlichster Besitz: die *Wandmalereien* von etwa 1330 im Chor. – Das benachbarte stattliche **Pfarrhaus** (1744) steht der Art des Eichstätter Baudirektors Gabrieli nahe.

DOMMELSTADL (Ndb. – G 7)

Der Ortsname bezieht sich auf einen »Tummelstadel« (Reithaus) der Neuburger Herrschaft; er ist erstmals 1642 bezeugt.

Pfarrkirche Hl. Dreifaltigkeit

An Stelle einer kleinen Kapelle errichtete Kardinal Jos. Dominikus v. Lamberg 1747–51 das bestehende Kirchlein. 3 Baumeister lösten einander ab. Severin Goldberger wurde wegen seiner mangelhaften Gewölbekonstruktion durch Ph. Jak. Köglsperger ersetzt, der neue Gewölbe einzog und die Fassade aufführte. Andere Mängel führten zum Verschwinden Köglspergers, dem der größte Anteil am Bau zukommt. Ihm folgte J. M. Schneitmann aus Passau.

Ein zierlicher Turm mit gedrungener Zwiebelhaube überragt die portikus-geschmückte Eingangsfront im N. Konvex dehnen sich die Langhauswände und leiten zum geraden südl. Abschluß, der Sakristei. Schon das Ä u ß e r e verrät den bewegten Grundriß. Galt es doch, dem Patrozinium ein dreifältiges Haus zu errichten. So gruppieren sich im I n n e r e n 3 Apsiden um ein gleichschenkliges Dreieck mit eingeschriebener Flachkuppel. Man kann Dommelstadl als späten Nachfolgebau von Gg. Dientzenhofers »Kappel« (bei Tirschenreuth) ansprechen, wenn auch seine Erfindung in älteren Quellen auf ein römisches Vorbild zurückgeführt wird, das in solcher Form gar nicht existiert. Als vermittelndes Glied ist die Dreifaltigkeitskirche im österreichischen Paura bei Lambach heranzuziehen (vollendet 1724). – Die Stukkaturen gehören dem Carlone-Kreis an. Ihr Meister ist Joh. Bapt. d'Aglio, der hier elegante Rocaillen mit lockerem Band- und Pflanzenwerk verbindet. Kartuschen in den 3 Gewölbezwickeln enthalten Reliefs zu den göttlichen Tugenden: Glaube, Hoffnung, Liebe. Die Altäre wurden kurz nach Vollendung des Kirchenraums errichtet. Paul Troger malte das Dreifaltigkeitsblatt des Hochaltars (1752).

DONAUALTHEIM (B. Schw. – C 5)

Staufische Ministerialen besaßen hier im 12. und 13. Jh. eine Burg. Nach Aussterben der Nachfolger, der Grafen von Dillingen, 1286, kam die Siedlung zum Teil, und Anfang des 17. Jh. ganz, an das Augsburger Hochstift.

Pfarrkirche St. Vitus. Der stattliche Kirchenraum des Tirolers Fz. X. Kleinhans, 1752/53 erbaut, wirkt durch feingestimmte Maßverhältnisse und gute Ausstattung. Chr. Greinwald aus Dillingen schuf das Stuckgewand, Vitus Felix Rigl die Freskomalerei, 1753. Die Altäre sind Leistung des Dom. Bergmüller, den der Dillinger Bildhauer Joh. Mich. Fischer (Apostelfiguren 1770) und Fz. K. Schwerdtle unterstützten. V. F. Rigl lieferte die Blätter der Seitenaltäre.

DONAUSTAUF (Opf. – E 6)

Burg

Die bewegte Geschichte des schon im 10. Jh. erwähnten Burgsitzes, »castellum Stufo«, beginnt mit einer Fehde 1133: Herzog Heinrich d. Stolze von Bayern berennt die bischöfliche Burg. Sie fällt und geht in Flammen auf. Bald kommt sie wieder an den Regensburger Bischof, und wieder beginnt das Ringen (1146). 10 Jahre später weilt Friedrich Barbarossa hier. 1161 nimmt sie Heinrich d. Löwe. Und wieder holt sie sich der Regensburger Bischof zurück. 1355 muß sie an Kaiser Karl IV. verpfändet werden, der sie 1373 den Wittelsbachern abtritt. 1385 wird die Burg an Regensburg verpfändet. Im Städtekrieg 1388 belagern sie die bayerischen Herzöge Albrecht und Stephan, doch ohne Erfolg. 1488 kommt Donaustauf an Bayern, dem es bis 1715 als Pfandschaft verbleibt, endgültig aber erst 1810 zufällt. 1634 wurde die Burg von den Schwe-

den erstürmt. Seitdem blieb sie Ruine. – Die ältere Baugeschichte
liegt im dunkeln. Ende des 14. Jh. hört man vom Verstärken der
Befestigung; desgleichen zu Beginn des 16. und des 17. Jh.

Noch läßt sich der ungewöhnliche Umfang der Fortifika-
tionen ermessen. Unter Ausnutzung des Terrains konnten
5 Torbauten mit Zwingern hintereinandergesetzt werden.
Die Erklärung dieser großen Wehranlagen liegt in der
strategischen Bedeutung des Burgberges: Überwachung des
Donauverkehrs und der Stadt Regensburg. – Ein letzter
Torbau führt ins Innere der Ruine. Gegenüber erheben sich
die Reste des Palas und des Torturms mit der *Kapelle.*
Diese, eine interessante Anlage, liegt im Obergeschoß des
Torbaus. Urspr. ein Quadrat. Die Umfassungswände waren
mit je 3 Nischen versehen, die von Säulen flankiert waren.
So ergab sich der Grundriß einer 3schiffig-3jochigen Halle,
deren Mitte von 4 freistehenden Stützen aufgefangen
wurde: also ein Raum mit 9 quadratischen Gewölbefeldern.
Die erhaltenen Säulen tragen Würfelkapitelle. Nischen-
system, Mauertechnik und Kapitellformen deuten auf Zusammenhang mit der Wolfgangskrypta zu St. Emmeram in
Regensburg. Deren Bauzeit, Mitte des 11. Jh., kann auch
auf die Donaustaufer Kapelle bezogen werden.

Walhalla. Nächst unterhalb Donaustauf wendet sie sich in
beherrschender Höhenlage, ein Griechentempel auf mächtigem Treppenpodest, der Stromebene zu. Der Stifter, König Ludwig I., widmete sie dem Genius der großen Deutschen. In Reihen stehen ihre Marmorbüsten (deren erste
schon der Kronprinz Ludwig 1807 in Auftrag gegeben
hatte) an den Wänden der feierlichen Halle. Der sehr weit
gezogene Kreis soll sich immer wieder öffnen, um den
Nachwuchs der Heroen einzulassen. Kein Stand, kein Geschlecht sei ausgenommen, Gleichheit bestehe in Walhalla,
wollte der König. Leo v. Klenze errichtete 1830–41 diesen
Peripteros nach athenischem Vorbild. – Die klassische Walhalla wurde nicht, was sie werden sollte: Nationaldenkmal.
Aber schön ist sie, wie sie dasteht im Leuchten ihres weißen
Steins, ohne Bezug auf den alten bayerischen Donaugau zu
ihren Füßen, Gestalt gewordene Sehnsucht eines späten
deutschen Humanismus.

DONAUWÖRTH (B. Schw. – C 5)

In günstigster Verkehrslage an einer die Donau überbrückenden N-S-Straße entwickelt sich spätestens im 10. Jh. eine Siedlung, die, zunächst auf den namengebenden »Wörth« zwischen den beiden Armen der in die Donau mündenden Wörnitz beschränkt, bald auf das linke Wörnitz-Ufer übergriff. Denn hier lief die große Straße. Grundherrschaftlicher Besitz eines edelfreien Geschlechtes, geht Wörth (seit dem 15. Jh. »Donauwörth«), schon im späten 10. Jh. mit Markt, Münze und Zoll ausgestattet, um die Mitte des 12. Jh. an den König über. Nach dem Ausgang der Staufen vom Herzog von Bayern in Besitz genommen, nimmt es König Albrecht I. 1301 an das Reich zurück. Reichsstadt mit Unterbrechungen bis 1607. Vom Kaiser geächtet, fällt es 1609 an den Vollstrecker der Acht, den Herzog von Bayern. Seit Mitte des 16. Jh. protestantisch, kehrt es unter Bayern zur alten Kirche zurück. Das Jahr 1945 suchte die wohlerhaltene Stadt aufs schwerste heim. Ihr Stolz, die Reichsstraße, von der Pfarrkirche oben bis zum Rathaus unten, sank dahin. Der Wiederaufbau suchte, in enger Anlehnung an Vergangenes, das alte Bild zurückzugewinnen. Er ist im ganzen wohlgelungen.

Neben der alten Fischersiedlung auf dem Wörth, dem »Ried«, zeigt sich die wohl erst im 13. Jh. so geschaffene **Stadtanlage** durch ein regelmäßiges System paralleler Längsstraßen mit Quersprossen bestimmt. Achse ist die breite, bergan steigende Reichsstraße. – Die Burg, unter deren Hut die Markt-Stadtsiedlung ins Leben trat, der »Mangoldstein«, ging schon 1301, mit letzten Resten dann im 19. Jh., zugrunde. – Die **Stadtbefestigung**, im späten 11. Jh. unternommen, schloß sich im frühen 13. Jh. zum allseitigen steinernen Mauerring, der, im späten Mittelalter wiederholt verstärkt, in den ersten Jahrzehnten des 19. Jh. teilweise niedergelegt wurde; doch stehen (trotz 1945) immer noch gute Strecken aufrecht. Von den Toren blieben nur das (freilich stark übergangene) **Riedertor** und das **Färbertor**, beide an der der Donau zugekehrten Hauptseite.

Stadtpfarrkirche Mariae Himmelfahrt (St. Ulrich und Afra)

An Stelle der alten Ulrichskapelle von 1044 errichtete der Stadtbaumeister Hans Knebel 1444–61 den spätgot. Backsteinbau, dessen starker Turm den oberen Teil der Reichsstraße beherrscht. Die Kirche ist eine Halle, doch liegt der Scheitel des Mittelschiffs weit höher als jener der Seitenschiffe. Im Dachstuhl verborgene Strebebögen leiten den Gewölbeschub auf die Außenmauern und die Strebepfeiler über. Das letzte Joch vor dem eingezogenen Chor ist durch schmale Seitenkapellen erweitert. Durchlaufende Netzrippenfiguren überspannen die Gewölbe. – Eine große Zahl spätgot. Wandmalereien konnte 1938/39 freigelegt werden, einige aus der Mitte des 15. Jh., die meisten um oder nach 1500. – Die Altarausstattung (des 17. Jh.) wurde im 19. Jh. beseitigt.

Hervorragender Besitz der A u s s t a t t u n g ist das vom Augsburger Bürger Gg. Regel 1503 gestiftete *Sakramentshaus*, das vermutl. von einem Augsburger Steinmetzen aus der Hütte Burkhard Engelbergs und einem Augsburger Bildhauer, wohl Gregor Erhart, ausgeführt wurde. In der schwerelos aufsprießenden Baldachinarchitektur noch ganz spätgotisch, ist es in dem Bildwerk doch schon von neuer Prägung. Es ist nicht nur die stärkere Realistik, die die beiden Reliefdarstellungen, Opfer Melchisedeks und Mannalese, charakterisiert, sondern schon ein spürbares Etwas jener natürlich-menschlichen Gebärde, die eben jetzt von den bahnbrechenden Meistern der jungen Neuzeit (»Renaissance«) gefunden wird. Auch dem im Treppenwinkel schlafenden hl. Pilgrim Alexius wird man diese natürliche Unmittelbarkeit des Daseins abnehmen können. Über dem (neuen) Altar ein got. Kruzifixus von 1513. Über der Sakristeitür eine steinerne Muttergottes Weichen Stils, um 1430. Die Kanzel mit dem breiten, beidseitig ausschwingenden Schalldeckel ist jüngste Zutat, 1957, von Thomas Wechs. Glasgemälde von Jos. Oberberger, München, 1960. – Die Sakristei bewahrt ein beachtliches Gemälde der »Donauschule«, das Regelsche Epitaph von 1515, das Albrecht Altdorfer nahesteht.

Ehem. Benediktinerklosterkirche Hl. Kreuz

Das nach 1034 von Mangold errichtete Kloster wurde später verlegt und mehrmals erneuert. Von einem Bau des 12. Jh. stammen die Untergeschosse des Turmes. Die bestehende Kirche ist ein Neubau des Barock. Franz Beer gab die Pläne, Josef Schmuzer aus Wessobrunn führte sie 1717–20 aus. Die Inneneinrichtung kam 1723–25 hinzu. 6 Jahre später erfolgte die Weihe. 1747 wurde der Turm erhöht. Das Kloster verfiel 1803 der Säkularisation. Heute ist es kath. Erziehungsanstalt.

Dank dem sog. Vorarlberger Schema ist das Raumbild dem von Weingarten eng verwandt: eine emporenbesetzte Wandpfeileranlage von großen Dimensionen, im mittleren Joch durchschnitten vom breiten, kurzarmigen Querschiff. (Die Vierungskuppel mußte 1936 erneuert werden.) Von hohem Reiz ist die konkave Emporenschwingung in den beiden Langhausjochen, die sich erst im Chor gerade strafft. Stark schattende Gebälkprofile über den Pilasterbündeln entsenden fein geschnittene Stichkappengewölbe, deren Felder zartes Stuckwerk aus der Zeit um 1720 bedeckt: Akanthus, Rahmen- und Bandmotive. Die Deckenbilder schuf 1720/21 Karl Stauder. Das Programm ist kompliziert. Es vereinigt Themen aus der Heilsgeschichte, Kreuzsymbolik und Klostergeschichte, vermengt mit Texten aus der zeitgenössischen Erbauungsliteratur. (Die Bemalung der Vierungskuppel wurde 1941 erneuert.)

Von hohem künstlerischem Geschmack ist die *Altarausstattung*. Der reiche Hochaltar ist 1724 von Franz Schmuzer entworfen. Joh. Gg. Bergmüller schuf das Gemälde, eine Verherrlichung der kath. Kirche durch Benediktus, der die Laster überwunden hat. Unter der vornehmen Säulenarchitektur die Figuren von Petrus und Paulus, Ulrich und Amandus von Maastricht. Im Auszug umjubeln Engel und Putten das Ovalbild Mariae Verkündigung. Die Seitenaltäre des Chores tragen sehr bewegte Skulpturen (1714 bis 1725), die dem bedeutendsten Barockbildhauer der Gegend zugeschrieben werden, J. Gg. Bschorer. Aus dessen Werkstatt auch die Figuren der beiden Querschiffaltäre, Zacharias und Elisabeth am Rosenkranzaltar im N, Joachim und Anna am Scholastika-Altar im S. Stephan Luidl schuf die Figuren der 3 Kapellenaltäre im Langhaus, welche alle 3 wieder Gemälde von Bergmüller tragen. Kanzel (um 1720), Chorgestühl (um 1690 mit Zutaten um 1720), Bet- und Beichtstühle aus dem frühen 18. Jh., alles Stücke von hoher Gediegenheit, beleben den schönen, weiten und hellen Raum. Aus der älteren Ausstattung ist die mächtige Kreuzigungsgruppe von Andr. Frosch 1519 hervorzuheben. – Nordwärts unter der Orgelempore führt der Zugang in die *Gruftkapelle*, ein langgestrecktes Rechteck mit kräftigen Akanthus-Stukkaturen der Zeit um 1690–1700. (Die ehemals zugehörigen Altäre von 1705 stehen heute im Kreuzgang.) Ein Doppelaltar des 19. Jh. bewahrt ein eindrucksvolles Vesperbild von 1510–20 und (links) eine barocke Monstranz (1716), welche die kostbare Kreuzpartikeltafel des 11. Jh. (Rückseite spätes 12. Jh.) umfängt. Unter der Orgelempore Grabdenkmal der Herzogin Maria von Brabant und ihrer Hofdamen, Opfer eines Eifersuchtsaktes des Gatten, Herzog Ludwigs d. Strengen; Ende 13. Jh.

Der 4flügelige **Klosterbau** entstand gegen Ende des 17. Jh. Veränderungen 1777–80. Der Kreuzgang trägt Stukkaturen seiner Erbauungszeit. Von 1780 stammt das Deckenfresko von J. B. Enderle im Festsaal mit Szenen aus der Klostergeschichte. Einzelne Räume der ehem. Prälatur im O-Trakt haben ihre schönen Stuckarbeiten um 1698 bewahrt.

St. Johannes, an der Straße nach Kaisheim. Der kleine 1schiffige Bau mit eingezogenem Chor wurde 1425 begonnen. 1535 ist er Friedhofskirche. Das freundliche Bild seines Äußeren gipfelt im barocken Dachreitertürmchen über dem Choransatz. Vermutl. aus der alten Ausstattung stammt die Kreuzigungstafel um 1480 innen über dem N-Portal, eine Malerei Nürnberger Prägung.

Die **Spitalkirche** entstand 1611/12 und wurde, wie der um 1680 errichtete Spitalbau, nach Beschädigungen von 1945 wiederhergestellt.

Das **Rathaus** ist ein Baukonglomerat aus Teilen von 1236 und 1308, erweitert und aufgestockt gegen 1500. Durchgreifende Erneuerung 1686 im barocken Sinne, die 1853 einer Regotisierung zum Opfer fiel.

Fuggerhaus (Landratsamt). Das Gebäude im W der Reichsstraße war im 15. Jh. Wohnung des kaiserl. Pflegers. 1536 erwarben es die Fugger und errichteten bis 1543 den erhaltenen Komplex. Bernh. Zwitzel und Hans Breithart sind als künstlerische Mitarbeiter bezeugt. Unter den hohen Gästen dieses Hauses sind Gustav Adolf (1632) und Kaiser Karl VI. (1711) zu nennen. 1945 Bombenschäden. – Die Anlage ist dem Geist des Renaissance-Stadtschlosses entsprossen, wenn auch der hohe Zinnengiebel an der älteren heimischen Tradition festhält. Eine prächtige Vorhalle erinnert an die der Landshuter Stadtresidenz (auch dort Bernh. Zwitzel). Die ehemals prunkvolle Innenausstattung ging fast ganz verloren (Teile im Bayer. Nat.-Mus.)

Ehem. Deutschordenshaus, Spitalgasse, ein ausgezeichneter Bau des frühen Klassizismus, 1774–78, entworfen von M. d'Ixnard, errichtet von Matth. Binder. Älter ist die anstoßende Kapelle, wohl Anfang 18. Jh.

Trotz der Bomben von 1945 stehen immer noch zahlreiche Profanbauten, die den Stil des donauschwäbischen Bauweise mehrerer Jahrhunderte aufzeigen: So der **Stadtzoll** (Sparkasse, Reichsstraße) von 1418, 1524/25 aufgestockt und erweitert, mit seinem reizvollen spätgot. Erker. – Das **Hintermeierhaus** aus der 2. Hälfte des 15. Jh. (Heimatmuseum). – **Haus Nr. 209** in der Kreuzgasse (Prot. Schule), 1571. – Das langgestreckte **Invalidenhaus**, 1715/16 als Kaserne errichtet. – Die **ehem. Klosterschule** (Nr. 212), 1764 als klösterliche Amtswohnung aufgeführt. – Das **Hotel Krebs**, ein großer klassizist. Bau von 1780; u. v. a.

DORFEN (Obb. – E 7)

Die Siedlung im Tal des Isen ist wittelsbachische Gründung um 1230. – 1954 wurde der Marktflecken Stadt.

Altbayerisch das **Ortsbild**. Mitte ist ein Straßenmarkt, eingehegt von Giebelfronten kleiner Bürgerhäuser. 2 einfache spätgot. **Tore** künden vom ehem. Mauerring.

Am westl. Hochufer des Isentales steht die **Pfarr- und Wallfahrtskirche Maria-Dorfen**, ein Neubau von 1782–86 unter Verwendung spätgot. Chormauern aus älterem Bestand. Die Pläne stammen wahrscheinl. von Leonh. Matth. Gießl aus München. Weiträumige Wandpfeileranlage vor eingezogenem Chor. Beherrschend die Deckenbilder von Joh. Jos. Huber 1786, Szenen aus dem Marienleben, in denen die orthogonale Sicht des frühen Klassizismus den barocken Illusionsraum verdrängt hat. Der Hochaltar, nach einer Konzeption des Egid Qu. Asam 1748/49, wurde erst neuerdings, nach erhaltenen Bilddokumenten, erstellt. Das Gnadenbild, eine thronende Muttergottes, gehört dem späten 15. Jh. Seitenaltäre und Kanzel um 1790.

DORMITZ (Ofr. – E 4)

Kath. Pfarrkirche

Das Dorf (Dorenbenze) erscheint 1142, seine Kirche 1416. Ihre Befestigung wurde 1823 bis auf Reste beseitigt. Ehem. Filiale von Neunkirchen am Brand, ist Dormitz erst seit 1938 selbständige Pfarrei. – Der spätgot., ins frühe (Chor) und ins späte 15. Jh. zurückgehende Quaderbau erfuhr im frühen 18. Jh. (1716, 1723) die übliche Anverwandlung an den Zeitgeschmack, die aber den steinernen Bestand respektierte. Die Dormitzer Kirche ist, zum wenigsten im Außenbau, das Paradigma einer spätmittelalterl. Landkirche des Nürnberger Kulturkreises.

Der nördl. am Chor stehende Turm setzt 4 Geschosse aufeinander, ein 5., eingezogenes, folgt über dem durch die Einziehung gewonnenen, von einer Maßwerkbalustrade eingehegten Umgang, ein Spitzhelm des frühen 17. Jh. krönt. Ein Treppentürmchen legt sich an die NW-Ecke des Turmes, ein anderes an die W-Front, die ein feines, in Maßwerkfenstern aufgebrochenes First-Erkerchen auf dem Giebel hat. Die beiden Spitzenbogentore westlich und südlich sind von schmückenden Stabprofilen umfahren; vor das südliche ist eine anmutige Vorhalle gestellt, die sich in 3 Arkaden öffnet und mit 2 Kreuzrippengewölben gedeckt ist. An der S-Seite des Chores ein guter Ölberg des frühen 16. Jh. – Das I n n e r e wird durch die barocke Überschichtung bestimmt. Das Schiff ist ein Saal mit Flachdecke, deren zarte Bandwerkstukkaturen ein Bester des Faches, der Bamberger J. J. Vogel (1723/24), und deren kleinfeldrige Fresken der Thüngersheimer Seb. Urlaub (1724) leisteten. Beider Meister Hände übergingen auch den eingezogenen, auf Kreuzrippen gewölbten, das eine Joch in 5 Seiten des Achtecks beschließenden Chor. Eine steinerne Empore, auf 3 spitzbogigen Arkaden, besetzt den westl. Abschnitt des Langhauses. Altäre und Kanzel barock, auch sie bambergisch. – Aber der Ruhm der kleinen Dormitzer Kirche ist ihr schöner Besitz an einzelnen Kunstwerken der Spätgotik. Im Hochaltar steht eine gute Muttergottes der 60er oder 70er Jahre des 15. Jh., am linken Seitenaltar der *»Beter von Dormitz«*, die Figur eines (urspr. mit dem gegenüberliegenden Leonhardsaltar verbundenen) Stifters, von edler stiller Art, ein kaum mehr gotisch zu nennendes Werk des frühen 16. Jh. Wir erwähnen noch die Pietà aus der 1. Hälfte des Jahrhunderts an der N-Wand und die kleine andere (stärker ansprechen-

de) unter der Empore, frühes 15. Jh., die beiden Heiligen
an der Empore, Nikolaus und Wolfgang, die dem »Martha-
meister« (Nürnberg) gegeben werden, die 8 Relieftafeln an
den Wänden des Schiffes: 4 Darstellungen aus dem Marienleben, in der Art des Veit Stoß, und 4 aus der Passion, in der
Art des Marthameisters, die beiden Tafelgemälde mit Szenen
der Zachariaslegende, die dem Dürerschüler Wolf Traut
nahestehen, endlich die gemalten Glasscheiben, Arbeiten des
Nürnbergers Veit Hirschvogel von 1503. Das ist ein reicher
(hier noch nicht in allem aufgezählter) Besitz.

DRUISHEIM (B. Schw. – C 6)

*Über dem benachbarten Weiler Burghöfe lag das in der Notitia
dignitatum (um 400) bezeugte röm. Kastell Summuntorium. Auf
dem Platze dieses spätestens im frühen 5. Jh. zertrümmerten
Kastells erhob sich dann eine alemannische Volksburg, die der
Geograph von Ravenna (um 700) als »Turigoberga« überliefert.
Im Mittelalter erwächst hier die Burg Treugesheim, die im 15. Jh.
verfällt. – Das Dorf kommt 1552 an die Fugger, 1662 an das
Kloster Holzen.*

Die **Pfarrkirche St. Veit** wird 1731/32 von Kaspar Radmiller aufgeführt. Das Raumbild erwächst aus 3 Teilen: dem
querrechteckigen, fast quadratischen Laienhaus, einem kleinen W-Vorraum von annähernd ähnlichen Proportionen
und dem stärker eingezogenen längsrechteckigen Chor.
Hinter diesem erhebt sich der schon 1714 errichtete Turm.
Von hohem künstlerischem Wert sind die Gewölbefresken
Matth. Günthers, dat. 1732: St. Veit stürzt einen Götzen
(im Chor), seine Verherrlichung inmitten der 14 Nothelfer
(Laienraum) und sein Martyrium (W). Die Altarausstattung entstand um die Mitte des 18. Jh. Der nördl. Seitenaltar (1759) bewahrt eine Anna-Selbdritt-Gruppe, vermutl.
von J. G. Bschorer. Auch die Seitenfiguren St. Ursula und
Katharina sind mit der Bschorer-Werkstatt eng verbunden.

Ein gutes Deckenbild Matth. Günthers bewahrt auch die **Kapelle zur
Schmerzhaften Muttergottes** inmitten ihrer Stukkatur von J. M. (II)
Feichtmayr, 1749/50.

EBERN (Ufr. – E 2)

*1216 erstmals, 1230 schon als »civitas« bezeugt, 1335 von Kaiser
Ludwig mit dem Gelnhauser Stadtrecht begnadet. Von Anfang an*

und bis ans Ende des Heiligen Römischen Reiches bischöflich-würzburgisch.

Der ein Viereck beschreibende Mauerzug schließt einen ziemlich regelmäßig gegliederten, auf den Markt als Hauptachse bezogenen Stadtkörper ein. Die **Mauer** noch gut erhalten an der O- und S-Seite, hier auch noch Vierecktürme. Von den 5 Toren überstand nur eines, das **Grautor**, ein stattlicher Torturm, das 19. Jh. – Das **Rathaus**, am Marktplatz, zu dem sich die transversale Straßenachse erweitert, **ist** mit Auszeichnung unter den fränkischen zu nennen. 1604 erbaut, 1690 erneuert, setzt es auf das massive, in 4 Rundbogentoren geöffnete Erdgeschoß ein reizvoll gefachtes Obergeschoß und auf dieses einen hohen, ebenfalls gefachten, im Schopf gewalmten Giebel. – Das Fachwerk gab bis ins 18. Jh. den Ton an. Dann hält, von Bamberg her, das Steinhaus seinen Einzug.

Die **kath. Pfarrkirche St. Lorenz** dürfte großenteils 1457–91 erbaut worden sein, bis auf den noch ins 14. Jh. zu setzenden Turm. Sie ist 3schiffig, basilikal, doch ist der Hochgaden des Mittelschiffes unbefenstert. Die Figurationen der Rippengewölbe bereichern das Raumbild. Die westl. Empore ist durch eine Maßwerkbrüstung ausgezeichnet. Die gute Steinkanzel ist das 1583 datierte Werk des Steinmetzen Hans Schlachter (HS). Der neugot. Hochaltar wurde 1889 gesetzt. Von der barocken Ausstattung blieb nur der reiche, um 1700 aufgerichtete nördl. Seitenaltar. Aus der Reihe der (meist Rotenhanschen) Grabdenkmäler sei das des Richard von Lichtenstein (1512), mit der Reliefstatue des geharnischten Ritters, hervorgehoben. – Der benachbarte **Karner** von 1464 ist 2geschossig und mit einem Chorerker ausgezeichnet, ein gutes Stück spätgot. Architektur.

Die **Marienkapelle** im Friedhof, ein 1518 aufgeführter Quaderbau (das Schiff im 18. Jh. neu befenstert und erhöht), erfreut durch ihre in die 40er Jahre des 18. Jh. zu setzende Rokoko-Ausstattung.

Die **ev. Christuskirche** (Zeugnis des Wachstums der kleinen, jetzt dank Kugelfischer mit Industrie versorgten Stadt), ein Zehneck, wurde 1957/58 nach den Plänen von K. Pfeiffer-Hardt, Bayreuth, errichtet.

Der 1633 angelegte **Judenfriedhof** nördl. der Stadt besitzt noch eine Anzahl alter, ins 18., wenn nicht 17. Jh. zurückreichender Grabsteine.

EBERSBERG (Obb. – D 7)

Ehem. Klosterkirche St. Sebastian

Als Gründung der Grafen von Sempt-Ebersberg entsteht auf dem Grunde der gräflichen Stammburg 934 ein Chorherrenstift. Auch die im Spätmittelalter so hochverehrte Hirnschale des hl. Sebastian soll damals schon, als gräfliche Schenkung, an das Kloster gelangt sein. 1013 übergibt Graf Ulrich das Kloster den Benediktinern. Die 970 geweihte erste Kirche wird im frühen 13. Jh. (um 1230) durch einen Neubau ersetzt, der 1305 einem Brande zum Opfer fällt. Nur die beiden Türme (deren nördlicher steckengeblieben war) wurden in den 1312 vollendeten Neubau einbezogen. Dank

*der 1446 über Tegernsee eingeführten Melker Reform erfreute sich
das Kloster im 15. Jh. hoher Blüte. Die Sebastianswallfahrt, gefördert durch die im gleichen Jahre begründete Sebastiansbruder-
schaft, kräftigte die materielle Existenz. Um 1450 wird ein neuer
Chor errichtet; 1452 weiht Kardinal Nikolaus von Cues den Hochaltar. Wahrscheinl. in den 70er Jahren wird die Vorhalle erneuert,
der (unvollendete) NW-Turm um 2 Geschosse erhöht. 1481–84 führt
Erhart Randeck das Langhaus auf. Damit endet die mittelalterl.
Geschichte der Klosterkirche. – Im 16. Jh. krankt der noch im
15. so lebenskräftige Konvent. 1595 müssen die Benediktiner ihr
Kloster verlassen (sie siedeln nach Mallersdorf über); 1596 treten
die Jesuiten an ihre Stelle. Die baulichen Neuerungen des 17. Jh.
beschränken sich in der Hauptsache auf den Umbau der Vorhalle
durch Mich. Beer. Die entscheidende, doch lediglich verwandelnde
(die spätgot. Substanz bewahrende) Umgestaltung findet 1733/34
statt, wahrscheinl. vom Münchner Maurermeister J. G. Ettenhofer
durchgeführt. Ein Brand veranlaßt 1782 die Erneuerung der Gewölbe des Mittelschiffs. 1790 wird schließlich noch der SW-Turm
erhöht und mit der Kuppelhaube bekrönt. – Inzwischen haben die
Jesuiten das Kloster verlassen (1773), die Malteser sind eingezogen.
Aber auch ihre Zeit läuft schon 1808 ab. Seither ist die Klosterkirche Pfarre. Restaur. 1966–69.*

Das Äußere wird vom massigen SW-Turm aus dem frü-
hen 13. Jh. beherrscht; 1790 erhöht und mit welscher Haube
versehen. Sein nördl. Bruder zeichnet sich als Stumpf im
Mauerwerk der Eingangsfront ab. Beide enthalten in ihren
Erdgeschoßräumen Oberbayerns früheste Rippengewölbe,
um 1230. Dazwischen die roman., sowohl um 1470–80 wie
durch Mich. Beer 1666 umgestaltete Vorhalle. Langhaus und
Chor tragen anliegende Verstrebung und verraten die
I n n e n - Struktur einer 3schiffigen Hallenkirche der späten
Gotik, wie sie Erh. Randeck 1481–84 schuf. Sein Porträt findet sich unter der W-Empore, die nordwestliche der 4 wappenhaltenden Konsolenbüsten. Ettenhofers Barockisierung
von 1733/34 hat die Freipfeiler der Halle mit Pilastern verkleidet. Stukkaturen dieser Zeit zieren die W-Empore und
die Gewölbe der Seitenschiffe. In ihren Flachkuppeln erläutern Fresken die Werke der Barmherzigkeit. Trockene
Schmuckformen der Chor- und Mittelschiffwölbung hingegen
zeugen vom klassizist. Geist ihrer Entstehungszeit nach
1781. Franz Kirzingers Fresken schildern (von W): St. Sebastian vor dem Kaiser, die karitative Tätigkeit der Malteser, Johannes d. T. als Malteserpatron und im Chor St. Sebastian als Helfer der Kranken.

A u s s t a t t u n g. Hochaltar 1773 mit Sebastiansfigur zwischen den hll. Ignatius von Loyola und Petrus, Paulus und Fz. Xaver. Kanzel und die geschnitzten Beichtstühle Mitte 18. Jh. Im W, mitten unter der Orgelempore, steht die Rotmarmor-Tumba für das Stifterpaar Ulrich v. Sempt-Ebersberg und Richardis von Wolfgang Leb (1501), eines der bedeutsamsten Kunstwerke bayerischer Spätgotik. Der Deckel zeigt das Stifterpaar, das der Himmelskönigin seine Klosterstiftung anvertraut; an den Seitenwänden hocken versunkene Mönchsgestalten zwischen den Bild- und Wappenreliefs von Ebersberger Grafen. – Am südl. Emporenpfeiler das Fragment eines vorzüglichen Rotmarmor-Epitaphs mit der Bildnisfigur eines Abtes, frühes 15. Jh. – Nördlich an den Chor schließt sich die Grabkapelle mit Epitaphien des 14.–17. Jh. Beste: die des Otto († 1371) und der Katharina († 1374) v. Pienzenau an der O-Wand.

Sakristei mit Sterngewölbe um 1480–90. Schnitzfiguren: St. Antonius und Magdalena aus der Werkstatt Ign. Günthers, um 1760. Darüber *Sebastianskapelle* 1688, vom Laienbruder Hch. Mayer, dem Mitarbeiter Mich. Beers. Die schönen Stukkaturen (erst 1699 vollendet) entstanden unter Einfluß der Münchener Theatinerkirche. Rahmenwerk tritt hinter reichen, überquellenden Gebilden des vorherrschend pflanzlichen Themenschatzes zurück. Auf dem Altar silbergetriebene Reliquienbüste St. Sebastians, Ende 15. Jh.

Ev. Hl.-Geist-Pfarrkirche, 1957/58 erb. von H. v. Werz und Joh. Chr. Ottow. Hervorzuheben der baldachinartig vor die O-Wand gestellte Altarraum mit Lichtzuführung aus dem (über ihn gestellten) Turm.

Rathaus. 1529 als Hofwirtschaftshaus des Klosters errichtet. Im Innern Netzgewölbe und geschnitzte Holzdecke.

Dreiseitig umbauter, stimmungsvoller M a r k t p l a t z mit Hausfronten aus der Barockzeit bis zum Biedermeier.

Aus dem Umkreis notieren wir: **GRAFING** (Markt seit dem 14. Jh., Stadt seit 1953) mit der **Pfarrkirche St. Ägidius**, einer Wandpfeileranlage von 1692, erweitert 1902, mit der **Dreifaltigkeitskirche** am Markt, 1672, die Stuck und Deckengemälde von Joh. Bapt. Zimmermann, 1748, und 2 Altarfiguren von Joh. Bapt. Straub besitzt, und mit der **Leonhardikirche** von 1720. Der Ortskern mit dem Rathaus zeigt noch gute Partien aus dem 18. und frühen 19. Jh. – Weiter südl.: **UNTERÖLKOFEN** mit einer reizvollen got. **Burg**, die 1383–1506 den bayerischen Herzögen gehörte (seit 1871 Besitz der Grafen von Rechberg). Palas, Bergfried und Ringmauer mit Teilen des Wehrgangs bieten ein kaum gestörtes Bild got. Burgenbaus. Vorburg und Bauhof 17. Jh. – Südwestl. liegt die Wallfahrt **St. Maria-ALTENBURG**, eine Gründung des frühen 15. Jh. Die Kirche erhielt 1710 einen festlichen barocken Neubau mit vorzüglichem Stuckwerk. Hochaltar (mit got. Muttergottes) 1719, überarbeitet 1775.

EBRACH (Ofr. – D 3)

Ehem. Zisterzienserkloster

*Ein Berno, edelfreien Standes, schenkt 1127 den Klostergrund,
ein versumpftes Waldtal des Steigerwaldes. Die Abtei Morimond
beschickt die junge Pflanzung, die erste des Ordens in Franken.
Der tatkräftige, eng mit dem hl. Bernhard verbundene erste Abt
Adam tritt als Mittler gelegentlich auch in der Reichsgeschichte
hervor. Das rasch aufblühende Kloster sendet 7 Männer- und
3 Frauenklöster des Ordens aus (in Franken Langheim, 1132, und
Heilsbronn, 1136). Sein wachsender Grundbesitz beflügelt seinen
Ehrgeiz. Das bis zuletzt verfolgte Ziel der Reichsunmittelbarkeit
wird allerdings nicht erreicht, der Würzburger Bischof behauptet
die Landeshoheit. – Unter dem 49. Abt, dem bedeutenden Eugen
Montag, verfällt Ebrach dem unvermeidlichen Schicksal der Säkularisation, 1851 wird es zum Zuchthaus abgewürdigt.*
*1200 wurde die große, bestehende Kirche angefangen. 1207 ist die
dem N-Querschiff anliegende Michaelskapelle, in ihren O-Teilen
jedenfalls, unter Dach. Um diese Zeit werden auch Chor und
Querschiff begonnen, 1239 dürfte der gesamte O-Bau abgeschlossen oder dem Abschluß nahe gewesen sein. Wenig später wird das
Langhaus in Angriff genommen, dessen Vollendung sich bis 1282
hinzieht. 1285 wird der fertige Bau geweiht. – 1773–91 empfängt
die Kirche die trotz der späten Stunde noch sehr üppige klassizist.-
barocke Ausstattung.*

Die **Klosterkirche,** eine der mächtigsten des Ordens in
Deutschland, ist eine 3schiffige gewölbte Basilika mit ausladendem Querschiff und flach geschlossenem Chor, den ein
mit 12 Kapellen besetzter Umgang (Grundrißfigur der
2. Klosterkirche von Cîteaux) begleitet. Die lichten Maße
sind: Länge 84,5, Breite 23,4, Höhe 21,9 m, Länge des Querschiffs 44,5, Breite 8,9 m – Abmessungen, die nur wenig
hinter denen des Bamberger Domes zurückstehen. Der
A u ß e n b a u , turmlos, bis auf den 1716 von Greising neu
aufgeführten Dachreiter, ist durch das Kreuz der Schiffe
und den in 3 Stufen aufsteigenden Rechteckchor charakterisiert. Der langgestreckte Baukörper ist nur durch die Folge
der 4kantigen Streben (früheste deutsche) gegliedert, die
unten, an den Seitenschiffen, je 2, oben, am Hochschiff, je
1 Fenster zwischen sich nehmen. Die felsige Nacktheit der
Querschiffsfronten bricht in je einem Radfenster auf. Eine
große vielgefächerte Maßwerkrose (Original im Nationalmuseum München) schmückt die spätestens 1280 entstandene
Fassade, die sich unten in einem Spitzbogentor mit reich

profiliertem Gewände öffnet (oben denke man sich den im Bauernkrieg zerst. Giebel hinzu). Die Einzelformen liegen alle dem Romanischen näher als dem Gotischen. Auch die spätesten (westl.) Fenster zeigen nur leichten Scheitelknick, der Rundbogen herrscht noch, der Rundbogenfries markiert

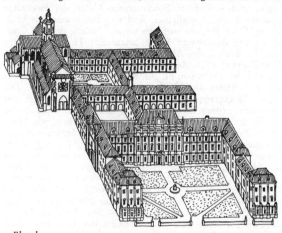

Ebrach
Ehem. Zisterzienserkloster (nach einem Stich aus dem 18. Jh.)

die Trauflinien der Schiffe, nur am Chor ist's, statt seiner, der (typisch burgundische) Konsolenfries. Wenn der Eindruck dieses in vortrefflichster Sandsteinquaderung aufgeführten Baukörpers doch viel mehr gotisch als romanisch ist, dann dank dem Gerüst der hageren sehnigen Streben. Trotz rund 80jähriger Bauzeit wirkt der Bau einheitlich. Doch wird man bei genauerem Zusehen die älteren Formen an Chor und Querschiff leicht erkennen. – Das I n n e r e liegt unter dem Mantel der ihm von Materno Bossi aufgetragenen Stukkaturen, die aber nicht die Bewegungsläufe des got. Wandkörpers auslöschten. Noch fluchten die 7 schmalrechteckigen Joche kurzen beeilten Schrittes in die Tiefe, kurven spitz die Bögen der gleichmäßig gereihten Arkaden wie die den zu Säulen verwandelten Pfeilerdiensten entwachsenden Gurte und Rippen der Kreuzgewölbe, rundet sich im Ausschnitt der Orgel die fast die ganze Breite der W-Wand durchmessende wundervolle Rose. So ist es auch im Querschiff, dessen geringere Breite die ihm östl. anliegenden 4 Kapellen ausgleichen, und im Chor, dessen beide O-Joche 6teilig überwölbt sind. – Auch die Stuckmarmor-Altäre, der Hochaltar und die 10 des Langhauses, sind von Bossi, dem, als Bildhauer, Peter Wagner zur Seite stand. Mächtig der den Chor in ganzer Breite und Höhe besetzende Hochaltar. Älter nur der Bernhardus-Altar im Querschiff, vom Nürnberger Veit Dümpel 1626, der Johannes-Altar in der ersten nördl. Querschiffkapelle, von Fr. Jul. Brenno 1693, die etwa gleichzeitigen Altäre in den Kapellen des Chorumgangs. Die reiche Stuckgruppe des Pfingstwunders im S-Flügel des Querschiffs (über der Sakristeitür) schuf, 1696, Brenno, die der Nothelfer im N-Flügel des Umgangs F. Humbach, 1741. Die frühklassizist. Kanzel kam erst im 19. Jh. hierher (aus Himmelspforten). Das sehr reiche Chorgestühl, von P. Wagner entworfen, in der Werkstatt des Klosters ausgeführt, ist mit Holz- und Alabasterreliefs ausgestattet. Die Orgel entstand 1743, ihre plastischen Teile sind von G. A. Gutmann. Das prächtige Gitter unter der vorgewölbten Orgelempore schuf, ebenfalls 1743, der Würzburger Hofschlosser J. Gg. Oegg; es sperrte urspr. den Chor. – Aus der dezimierten, doch immer noch ansehnlichen Reihe der Grabdenkmäler seien herausgehoben: die Epitaphien der Königin Gertrud (Gemahlin König Konrads III.) und ihres Sohnes, Herzog Friedrichs von Schwaben, archaisierende Arbeiten der Zeit um 1600; das von Brenno 1697 geschaffene Stuckmausoleum des ersten Abtes, Adam, das vom Würzburger Th. Kistner gemeißelte des Abtes Leonh. Rosa (1591) und das sehr aufwendige, in grauem und weißem Alabaster gefertigte des Abtes Hieronymus Hölein, das Nik. Lenkhard 1618/19 begann und Veit Dümpel 1621–26 beendete. – Die mit ihrem Querschiff in die NO-Ecke des Querschiffs der Klosterkirche eingreifende kreuzförmige, im (untergrufteten) Chor erhöhte *Michaelskapelle* ist der früheste Bauteil: 1. Jahrzehnt des 13. Jh. Gebündelte, durch Schaftringe geteilte Dienste mit Kelchkapitellen, Kleeblattarkaden, schwere rechteckig profilierte Gurte, kräftige, leicht gespitzte Rippen: alles Eigenheiten zisterziensischer Frühgotik, hier in morgenfrischer Darbietung versammelt.

Südl., neben der Kirche, und südwestl. von ihr schließt der großte Komplex des 5 Höfe umfassenden **Klosters** an. Das Hufeisen des Ehrenhofes öffnet sich westlich. Der an die Fassade der Kirche im rechten Winkel anstoßende langgestreckte Abteibau sieht nördlich. Der Bau der ausgedehnten, durch eine Mauer umschlossenen Anlage begann 1687 nach Plänen des Joh. Leonh. Dientzenhofer, der die beiden östl. Höfe, größtenteils auch die beiden westl. folgenden und noch den N-Trakt (der Abtei) bis zu 8 Fensterachsen aufführte. Seine solide, aber grundnüchterne und wenig barocke Art hätte das Ganze bestimmt, wäre der Bau nicht 1698 unterbrochen und erst 1716 wiederaufgenommen worden. Die Bauleitung hat jetzt Jos. Greising. Die Pläne gab aber doch wohl B. Neumann (1716). Ihm ist, meinen wir, die großartige Gestaltung der Schauseiten, des nördl. Abteitrakts einschließlich des Treppenhauses und des Ehrenhofs zu danken, wenn auch die Einzelheiten des Aufrisses vom Bauleiter Greising geprägt wurden. 1717 ist der Abteitrakt fertig, es steht auch der Mitteltrakt des Ehrenhofs, dessen S-Flanke aber erst 1730 hinzukommt. – Neumann gab der langen, 26 Fensterachsen zählenden Abtei Halt und Mitte in dem durch Portal, Kolossalordnung und Giebel ausgezeichneten Risalit, er grenzte ihn westlich durch den hohen, wieder zügig zusammengreifend gegliederten Pavillon ab, er zog die von Dientzenhofer geplanten 2 westl. Höfe zu einem zusammen und öffnete ihn in den hier vorliegenden Abteigarten, er festigte die vorgreifenden Flügel durch die hohen Eckpavillons und betonte die Mitte durch eine wieder in »großer Ordnung« gehaltene Risalitbildung. Soweit nötig, lehnte er sich an das Aufrißschema Dientzenhofers an, er wiederholt sogar, aus Symmetriegründen, den Erker vom O-Flügel des Abteitraktes am W-Flügel. – Seine kaum mehr zu bestreitende Leistung ist auch das *Treppenhaus* der Abtei *(Tafel S. 225)*, das in Franken nur das von Pommersfelden zum Vorgänger hat. Es leidet an Raumenge, würde aber weniger an ihr leiden, wenn die urspr. Planung, die die obere Galerie zurückschwingen ließ, ausgeführt und nicht die Rückwand des Obergeschosses (im 19. Jh.) vorgeschoben worden wäre. Die Treppe steigt in 2 sich mehrfach brechenden Läufen zu einem Podest auf, der sich unten in 3 Bogenstellungen öffnet. In der Höhe, nur wenig unter dem Spiegel der Decke, quert eine Galerie, die auf hohen, schlanken Säu-

len ruht. Die Stuckdekoration Georg Hennickes überträgt die
Balustraden (von Treppe und Galerie) auf die Wände und
führt so den Gedanken des Treppenhauses zu Ende. Das
große, da und dort in Stuck überquellende Deckenfresko ist
von J. A. Remele. Die rechteckigen Ölgemälde an den Seitenwänden, klassizistisch, bringen eine unverträglich harte
Linie in den Aufriß. Die reiche phantasievolle Kunst des
Stuckbildners Hennicke, im Treppenhaus mit weiser Zurückhaltung eingesetzt, entfaltet sich voll im *Kaisersaal* (im
Mittelpavillon des Ehrenhofes), der seine eigenste Leistung
ist. Pilaster und Dreiviertelsäulen in rötlichem Stuckmarmor
greifen 2 Geschosse zusammen. Darüber eine blühende, Ornamentales, Pflanzliches, Figürliches souverän beherrschende
Dekoration. Das Ölgemälde der Decke (Sieg des Lammes)
gab Lünenschloß. Die Dekoration des *Gartensaals* (unter
dem Kaisersaal) verwendet Grottenmotive. – Die **Gartenanlage** im und vor dem **Ehrenhof** wurde im 19. Jh. verstümmelt. Doch erfreut noch der große Brunnen mit der
Herkules-Antäus-Gruppe J. W. v. d. Auveras (1747). Der
die SW-Ecke des Klosterberings sichernde Wartturm wird
wahrscheinl. J. M. Küchel verdankt. Die Terrasse gegenüber
dem Abteibau, mit Freitreppe von 1754, trägt auf ihrer
Höhe die Orangerie: So schließt sich gärtnerisch-architekto-
nisch der südlich von Kirche und Abtei geschlossene Platzraum nördlich. Von den 2 ins Klosterreich einlassenden Toren
hat sich nur das vermutl. von Küchel gebaute östliche, Bamberger, erhalten.

ECKSBERG (Obb.) → **Mühldorf am Inn** (E 7)

EDELSTETTEN (B. Schw. – B 6)

*Das Kloster ist eine Gründung des 12. Jh. Das freiweltliche
Damenstift, mit reicher Begüterung, kommt, 1803 säkularisiert,
zunächst an die Fürsten Esterhazy, dann, 1806 an Bayern.*

Ehem. Damenstiftskirche St. Johannes. Der stattliche Saalbau mit halbrundem Chor und doppelgeschossiger Stiftsempore im W wurde 1709
nach Plänen des Ottobeurer Konventualen Chr. Vogt aufgerichtet. Die
örtliche Bauleitung lag in Händen von Simpert Kramer. Schönes Stuckwerk gliedert die flache Stichkappentonne, der Zeit entsprechend:
Akanthusranken, Blüten- und Fruchtkränze, Rosetten. Meister dieser
Dekoration ist Joh. Bapt. Zimmermann 1710. Die Freskomalereien,
hellfarbig, sind in ihren Einzelheiten von geringerem künstlerischem

Eichstätt. Bischöfliches Palais (rechts),
Ehem. Domkapitelsche Trinkstube (hinten) und Domtürme

Erlangen. Orangerie

Rang, etwas gehemmt und unfrei. – Gute Altarausstattung aus der Erbauungszeit. Der Urheber ihrer plastischen Teile ist der Dillinger Joh. Mich. Fischer. Unter der W-Empore ein interessantes Vesperbild des späten 14. Jh. und einige Äbtissinnen-Grabsteine des 16. und 17. Jh.

Stiftsgebäude in ländlichen Formen, von Mich. Thumb, seit 1683.

EFFELTRICH (Ofr. – E 3)

Der Stolz dieses guten fränkischen, ehemals bambergischen Dorfes am Fuße des Hetzles ist die **Kirchenburg**, die kurz nach Mitte des 15. Jh. ihre bis heute behauptete Gestalt gewonnen haben dürfte, etwas früher als die dem Ritter St. Georg geweihte Kirche, die erst gegen Ende des 15. Jh. und im frühen 16. aufgeführt wurde. – Der hohe Mauerring des Kirchhofs umschreibt ein Viereck. 4 Rundtürme (der 4., südwestl., nur in den unteren Steinlagen erhalten) besetzen die 4 Ecken; ein quadratischer Torturm tritt an den durch Abschrägung gewonnenen Knick. In dieses Befestigungssystem war auch der Kirchturm einbezogen, den ein Gang mit der Mauer verband. Der bis 1835 ganz erhaltene hölzerne Wehrgang besteht noch in einer Länge von rund 15 m. Ein Graben lag westlich vor. Über dem Tor, in Nischen, die spätgot. Holzfiguren Georg, Sebastian, Laurentius, in der schönen, rundbogig geschlossenen, kielbogig überhöhten Erkernische seitlich eine kleine, zu kleine (also nachträglich hier aufgestellte) Figur des reitenden St. Georg; Anfang des 16. Jh.

Die Kirche – Pfarrkirche erst seit 1938 – ist ein spätgot. Quaderbau. Der nordwestl. stehende Turm ist in das Langhaus eingerückt, ein übereck gestelltes Uhr-Erkerchen schmückt den 8kantigen Spitzhelm. Das Langhaus flach gedeckt (Stuck des 18. Jh.), der polygon schließende Chor trägt Netzrippengewölbe. Hochaltar frühes 18. Jh. Der neugot. linke Seitenaltar birgt spätgot. Figuren, Muttergottes, Katharina, Barbara (um 1500). An der S-Wand ein ins frühe 16. Jh. zu setzender hl. Georg, der ehemals die Erkernische am Torbau besetzt haben könnte. – Die barocke Ölbergkapelle, außen, südlich, enthält gute spätgot. Figuren, viell. von der Hand des Bamberger Bildhauers Hans Nußbaum.

Ein anderer ausgezeichneter Besitz dieses auf einer guten Scholle begründeten (erstmals 1174 bezeugten) Dorfes ist seine **Linde**, die jedenfalls sehr alt ist, wenn auch nicht tausendjährig. Der von ihrer weiten, 66 m umfassenden Krone überschattete, durch einen 8eckigen Steinkranz eingehegte Platz war die Stätte des Dorfgerichts, der Beratung und des Festes.

EGERN (Obb.) → **Rottach-Egern (D 8)**

EGGENFELDEN (Ndb. – F 7)

»Etinvelt« befindet sich im 12./13. Jh. in der Hand Kraiburg-Ortenburgscher Ministerialen, seit 1259 ist es herzoglich-niederbayerisch. 1328 wird es mit dem Marktrecht begabt. 1364 fordert der Herzog Mauerbau und Verbesserung der Tore. Sitz eines Landgerichts, neben Pfarrkirchen Vorort im Rottal, gewinnt Eggenfelden doch erst 1901 den Rang einer Stadt.

Die **Pfarrkirche St. Nikolaus und Stephan** erhielt 1444 ihre Weihe, ein Hallenbau der Spätgotik mit eingezogenen Strebepfeilern. Stämmige Rundstützen tragen das reiche Netzgewölbe (Chor 1467, Langhaus 1488). Im Aufbau weist der Raum eher auf die Braunauer Bauhütte als auf die Landshuter. Die Einrichtung enthält manches gute Schnitzwerk der Zeit um oder nach 1500. Nennen wir daraus nur die fast lebensgroße Gruppe der Marienkrönung (1. südl. Kapelle) von reicher, doch verhaltener Form. Zahlreiche z. T. vorzügliche Epitaphien des 15./16. Jh.

Neben der Pfarrkirche steht die **St.-Anna-Kapelle**, ein schlichter Bau des ausgehenden 15. Jh., dessen Doppelgeschossigkeit dem Charakter einer ehem. Friedhofskapelle, eines Karners, entspricht. Untergeschoß barockisiert.

Die übrigen Kirchen, **Spitalkirche** (1492), **Friedhofkirche U. L. Frau** (urspr. Pestkapelle, 1634–37) und **Franziskanerkirche** (Gründung des 1802 säkularisierten Klosters um 1650, Bau der Kirche 1654–58) seien nur kurz genannt.

Vom **Mauergürtel** des zweimal, 1552 und 1648, eingeäscherten Marktes stehen nur wenige Teile, von den Toren das Neumarkter Tor. Das **Rathaus** ist ein Bau des 17. Jh.

EGGENTHAL (B. Schw.) → Irsee (B 7)

EIBELSTADT (Ufr. – C 3)

Kaiser Sigismund verleiht 1434 den Eibelstädtern das Stadtrecht: »Daß sie nun fürbaß sich befestigen mögen.« Die mit vielen Türmen und 4 Toren ausgestattete Mauerwehr des 15. und 16. Jh. steht noch in guter Erhaltung.

Das **Rathaus** ist ein beachtliches Gebäude des frühen 18. Jh., vermutl. vom domkapitelschen Baumeister Peter Zwerger: 2geschossig, das Erdgeschoß in Arkaden aufgebrochen, die Fenster gerahmt und horizontal bedacht, ein Portal mit gebrochenem Giebel an der Schmalseite. Die fast klassizist. Allüre wirkt etwas streng und kühl in dieser Umgebung, doch die vor der Front in einem Balustradengärtlein stehende, in den 50er Jahren des 17. Jh. gesetzte *Mariensäule*, Werk des Würzburgers Greg. Diemeneck, lockert freundlich auf.

Kath. Pfarrkirche

Ältester Teil, wie meist, so auch hier der Turm, der in seinen 3 Untergeschossen auf einen spätroman. Bau des 13. Jh. zurück-

geht. Der spätgot. Nachfolger wurde in den 80er Jahren des 15. Jh., doch anscheinend nur im Chor, aufgeführt. 1520–25 folgen die Seitenschiffe, das südliche zuerst, das der Würzburger Dombaumeister Hans Bock, dann das nördliche, das der eingesessene Steinmetz Stephan Baldt ausführt. Der Bau der Seitenschiffe dürfte gleichzeitig die Begrenzungen des Mittelschiffs ergeben haben. Wetterschaden, 1622, veranlaßt einen Umbau, den der Beauftragte, Jakob Bonalino, 1625 beendet; er erstreckte sich auf die Einwölbung des Mittelschiffs und die Erhöhung des Turmes, der jetzt auch seine beiden Flankentrabanten erhält. Der Spitzhelm ist neugotisch (1848).

Der Raum des 3schiffigen Langhauses, in das westlich der Turm eingreift, ist eine nahezu quadratische, breitgelagerte Halle. Die nachgot. Gewölbe auf Rundpfeilern. Der in der Breite des Mittelschiffs anschließende Chor bricht nach 2 Achsen in 5 Seiten des Achtecks; Netzrippengewölbe. Westl. Beschluß des Raumes ist die gute doppelte Empore von 1624.

In Betrachtung der A u s s t a t t u n g sei der Taufstein des Zacharias Juncker von 1613, aus Kalkstein und Alabaster, vorausgenommen, eine der für Mainfranken charakteristischen reichen Bildhauerarbeiten der Spätrenaissance. Von gleicher Hand auch das vorzügliche Bildnisepitaph des Kindes Anna Justina Krauschent († 1626). Im Chorbogen die Dreiergruppe des Gekreuzigten zwischen Maria und Johannes, von etwa 1510, aus der Nähe Riemenschneiders. Der ansehnliche Hochaltar von 1695/96, eine Arbeit des Würzburgers Seb. Bez, enthält im Giebel die große Holzfigur des hl. Nikolaus, des Kirchenpatrons, offenbar ein Relikt des spätgot. Hochaltars, auf den wohl auch die Holzfiguren in den Seitenaltären, dem Marienaltar von 1624–33 (mit der guten spätgot. Muttergottes in der Mitte) und dem Kreuzaltar von 1636, zurückweisen. Das Gemälde des Hochaltars, Kiliansmarter, von Osw. Onghers.

Die **Kreuzkapelle**, östl. außerhalb der Stadt, eine Bürgerstiftung, 1657 bis 1661 vom domkapitelschen Werkmeister Heinr. Eberhardt errichtet, besitzt gute Ausstattung des 17. und 18. Jh.

EICHELBERG (Opf. – E 5)

Pfarr- und Wallfahrtskirche zur Heiligsten Dreifaltigkeit. Auf beherrschender Anhöhe zwischen den Tälern der Schwarzen und der Weißen Laber liegt das Heiligtum, das seine Entstehung einem 1688 geschehenen Mirakel verdankt. 1693–95 wird die G n a d e n k a p e l l e aufgerichtet, deren später, 1770, geschaffener Altar das wundertätige Bild der Marienkrönung (Anfang 17. Jh.) umfängt. 1697–1711 erwächst die große K i r c h e , welche die Gnadenkapelle als Nebenraum (links vom

Chor, gegenüber der Sakristei) in sich aufnimmt. Die Pläne stammen von dem Graubündner Maurermeister Giov. Batt. Camesino: eine schlichte Wandpfeileranlage mit eingezogenem Chor. Ohne Stuck- und Freskogewand treten die Bauformen klar, ja herb hervor. Altäre und Kanzel um 1710–20.

EICHSTÄTT (Mfr. – D 5)

Das Altmühltal lag, unteren und mittleren Teils, im röm. Rätien, und röm. Siedlungsreste konnten auch im Stadtgebiet festgestellt werden. Der im 11. Jh. gen. »mons veteris urbis«, »Altenburg« (Frauenberg, südl. über der Altmühl), dürfte den Platz einer frühgeschichtlichen Siedlung anzeigen. – Eine Landschenkung im noch dürftig besiedelten Altmühljura ermöglicht dem Angelsachsen Willibald die Errichtung eines Klosters, das Bonifatius 743 zum Bischofssitz erhebt. Am westl. Rand des damals fränkisch beherrschten baierischen Nordgaus gegründet, verwächst das in der Folge dem Erzstuhl Mainz (nicht Salzburg) zugeordnete Eichstätt enger mit dem fränkischen als dem baierischen (und schwäbischen) Teil seines Sprengels, der, südlich nur wenig über die Donau greifend, nördlich bis zur Pegnitz, die er urspr. noch überschritt, heranreicht. Diesem, 1016 zugunsten Bambergs verminderten, verhältnismäßig kleinen Sprengel entsprach ein verhältnismäßig kleines Territorium, das sich nur schwer gegen die mit der Domvogtei belehnten Grafen von Hirschberg behauptete. Erst der Abgang der Hirschberger und deren Beerbung, 1305, ermöglichte eine weniger gehemmte Territorialpolitik, die nun allerdings in der Beengung durch die bayerischen Herzöge einerseits, die Nürnberger Burggrafen andererseits nicht mehr zu einer Landesherrschaft, vergleichbar der Würzburger oder Bamberger, führen konnte. – Die der Domimmunität, »urbs« (Burg), nördl. anliegende Siedlungszelle entwickelte sich langsam zur »civitas« mit einigen dem geistlichen und weltlichen Herrn, Bischof und Kapitel hier, Hirschberg dort, abgetrotzten Selbstverwaltungsrechten. Die Zuordnung der »civitas« zur »urbs« kann auch noch klar aus dem städtebaulichen Organismus abgelesen werden.

Eichstätt ist wie Freising eine geistliche Stadt; das absolute Übergewicht des geistlichen Elements – städtebaulich: des Domes – wird verstärkt durch den hochaufragenden Baukörper des Benediktinerinnenklosters der hl. Walburg, der Schwester der hl. Willibald, deren wundertätiger, ein heilendes Öl spendender Leib hier im 9. Jh. beigesetzt wurde. Willibald und Walburg sind die beiden großen, dauerkräftigen Namen der Eichstätter Geschichte. – Die Bischöfe, seit dem ersten auf der S-Seite des Domes behaust, schaffen sich erst im 14. Jh. die doch unentbehrliche Höhenburg, die

Willibaldsburg, mit der sie die Tallandschaft an auf- und abwärts beherrschender Stelle krönend vollenden. – Die **Domstadt** ist weiträumig, Plätze lassend: nördl. der D o m - p l a t z (ehem. Domfriedhof, und bis ins anbrechende 19. Jh. nicht ganz so leer), südlich der dem 18. Jh. zu dankende R e s i d e n z p l a t z, östlich der im 17. Jh. geschaffene J e s u i t e n p l a t z (Leonrodplatz). Auf der Grenze von geistlicher und bürgerlicher Stadt ehemals (bis ins 19. Jh.) die Pfarrkirche (»Collegiata«). – Der hier anschließende älteste Kern der **Bürgerstadt**, die das 12. Jh. in Mauern einschloß, umfängt den keilförmigen, mit seiner Spitze in die lange Westenstraße auslaufenden M a r k t, der der einzige Platzraum der sich von O nach W verengenden Bürgerstadt ist. Die Vorstädte strecken sich, dem Gelände folgend, aus: westlich, talaufwärts, die Westenvorstadt, östlich die nur eine Straße bildende, vom Jesuitenplatz ausgehende Ostenvorstadt, nördlich die einem Seitental folgende Buchtalvorstadt und, südlich der Altmühl, die kleine Spitalvorstadt am Hange des Frauenbergs, an dem der Name »Altenburg« haftet. – Die hier auch nicht im Auszug zu gebende Chronik des fürstbischöflichen Eichstätt bringt auf dem letzten Blatt das unvermeidliche Ereignis der Säkularisation, den Anfall an Bayern, 1805. Das für den Schwiegersohn des ersten Bayernkönigs, Eugen Beauharnais, Herzog von Leuchtenberg, geschaffene Fürstentum Eichstätt war ein kurzfristiges, mit 1824 schon wieder beendetes Interim. Ihre Abseitslage bewahrte die sich kaum verändernde Stadt vor den Segnungen des Fortschritts, und auch die Turbulenz unserer Zeit hat ihre glückliche Stille noch nicht ins Gegenteil verkehrt.

Dom

Der erste, von Willibald errichtete Bau war, nach den Grabungen 1970–72, ein einfacher Saalraum. Addidamente des 10. Jh. wurden vom Neubau Bischof Heriberts (1022–42) verdrängt, der aber in der Planung steckenblieb. Die östl. Lage des Kreuzgangs gründet in ihr. Den schon abgetragenen O-Chor baute Bischof Gundekar (1057–75) wieder auf und weihte ihn 1060. Mauerteile stecken noch in den Seitenwänden des bestehenden Chores, Relikte sind die neuerdings freigelegten 3teiligen Fenster, die auf urspr. geplante Emporen hinweisen. In die Zeit des ausgezeichneten (sel.) Gundekar fällt auch der Bau der beiden unbündig den Chorwänden angeschobenen Türme; das Weihejahr ihrer, längst profanier-

ten, Kapellen (Muttergottes und St. Michael) ist 1072. Die Er-
hebung der Gebeine des hl. Willibald, 1256, veranlaßt Neubau
des W-(Willibald-)Chores, der 1269 geweiht wird; er hat sich, er-
gänzt um ein 1471 hinzugefügtes westl. Joch und die 1714 vor-
gelegte Fassade, erhalten. Nach 1349 Erneuerung des O-Chores
(ohne die westl. Langmauern), nach Mitte des Jahrhunderts Er-
neuerung, und zwar von Grund auf, des Langhauses einschließlich
der nördl. Kapellenreihe. Das 15. Jh. fügt die beiden Sakristeien
hinzu, Pfarrsakristei (urspr. Johanneskapelle, Gründung des
11. Jh.) am südl. Querschiff und Kapitelsakristei an der N-Seite
des O-Chores. Auch der Kreuzgang, bis ins 11. Jh. an der S-Seite
des Schiffes, dann östlich hinausgerückt, und das Mortuarium
(»Grebnus«) gehören dem 15. Jh. 1592–1730 entstehen die südl.
Seitenkapellen. Letzter Zubau: die Fassade des Willibaldchors,
nach Entwurf Gabriel Gabrielis, 1714–18 und die dem Chor nördl.
anliegende Sakristei, ebenfalls Gabrielis, 1724.
Der Dom ist also im wesentlichen ein Werk des 14. Jh. und wirkt
auch einheitlich. An eine breit proportionierte, wahrscheinl. die
Proportionen des frühroman. Vorgängers festhaltende 3schiffige
Pfeilerhalle legt sich östlich das Querschiff und an dieses der 3-
jochige, in 3 Seiten des Achtecks geschlossene Chor, westlich der
4 Joche zählende frühgot. Willibaldchor. In den Pfeilern des
Schiffes wechseln voluminöse runde mit (nach innen) in scharfem
Dreikant profilierten. Pfeiler unterteilen auch die Arkaden des
Querschiffs und sondern deren Arme ab. Baustoff ist Kalkstein aus
heimischen Brüchen, als Bruchstein an den ältesten Teilen, als Qua-
der an den jüngeren verwendet.

Der A u ß e n b a u ist eine kompakte Quadermasse; stärker bewegt ist nur die O-Seite: vorzüglich die Gruppierung
von Querschiff, Türmen, Chor und – im Winkel zwischen
Chor und NO-Turm – Kapitelsakristei. Die beiden Türme
einheitlich romanisch, nur Giebel und Helme sind hochmittelalterlich (Ende 13. Jh., nur die Giebel des S-Turms später,
15. Jh.), nicht hoch, aber kraftvoll stämmig, einfach klar gegliedert. Die Kapitelsakristei, viell. von Matth. Roritzer, in
den 60er bis 80er Jahren des 15. Jh. entstanden, ist durch das
entzückende Chörlein an der O-Seite ausgezeichnet. – Das
Hauptportal an der N-Seite des Schiffes, im Schirm einer
(die Kapellenreihe des Seitenschiffs unterbrechenden) Vorhalle; das Marientod und Marienkrönung enthaltende Tympanon 1396 dat.; gleichzeitig die die Archivolten besetzenden Propheten (aus Kunststein); um 1420 die sehr feinen
Terrakottafiguren in den Hohlkehlen des Gewändes, für die
sie nur zu klein sind, die Muttergottes und die 3 Magier und
ein Stifter (Domkanoniker), um 1450–60 die 4 Heiligen an

den Seitenwänden der Vorhalle, ebenfalls Terrakotta: Willibald, Walburg, Wunibald und Richard. – Höchst überraschend die mit der Rücksichtslosigkeit eines guten Gewissens dem Willibaldschor vorgeblendete Barockfassade von 1714–18.

Die Ausstattung der 3schiffigen Halle, einer der frühen fränkischen, durch die Purifizierung (1882) gemindert, doch immer noch reich. Im Willibaldschor die steinerne Muttergottes, eine Stiftung des Domherrn Siboto von Engelreut, angebl. 1297. Gegenüber die urspr. am Choraltar stehende steinerne Willibaldstumba von 1269, in Form eines got. Kirchenchors. Im nördl. Querschiff die mächtige Gundekarstumba, anläßlich der Erhebung des hl. Bischofs 1309 errichtet, die Deckplatte barock, wohl 17. Jh. Am nordöstl. Vierungspfeiler die ausgezeichnete Tonmuttergottes der 20er oder 30er Jahre des 15. Jh., beispielhaftes Werk des Weichen Stils. Der spätgot. Flügelaltar des Hauptchors (vor 1484) mußte 1749 einem Barockaltar, dieser (1881) dem noch vor Augen stehenden neugotischen weichen, der aber die erhaltenen sehr guten Holzbildwerke des got. Altars (Maria, Willibald, Walburg, Wunibald, Richard und Reliefdarstellungen der Passion) verwenden konnte. Auf dem Kreuzaltar ein mächtiger Kruzifixus von Loy Hering, um 1520 (z. Z. im nördl. Seitenschiff). Bis auf die fehlenden Flügel wohlerhalten der völlig steinerne, von der Mensa bis zur Spitze 9,5 m messende *Pappenheimer Altar* im nördl. Querschiff, eine zwischen 1489 und 1497 anzusetzende Stiftung des Domherrn Kaspar Marschalk v. Pappenheim; der Steinmetz »VW«, viell. der Nürnberger Veit Wirsberger, war einer der bedeutendsten Könner seiner Zeit. Das Steinmetzzeichen des Dombaumeisters Hans Paur weist den architektonischen Rahmen als dessen Arbeit aus. Der 1514 von Bischof Gabriel v. Eyb errichtete Willibaldsaltar fiel dem barocken von 1745, einer übrigens sehr schätzenswerten Arbeit des Eichstätter Hofbildhauers Matth. Seybold, zum Opfer, doch blieb im neuen Aufbau, eingestellt in die dem Schiff zugekehrte Rückseite, die Ädikula mit der Statue des thronenden hl. Willibald erhalten, ein neuerdings dem Gregor Erhart zugeschriebenes Werk und eines der hervorragendsten deutscher Renaissance überhaupt. Urspr. Bekrönung der Nische war die schöne, Gregor Erhart nahestehende Kreuzigungsgruppe, jetzt an der S-Wand des Willibaldschores. Ein Frühwerk der Renaissance und des gleichen Meisters der jetzt im nördl. Seitenschiff aufgestellte *Wolfsteinsche Altar* von 1519/20; Rahmung des Reliefs, des Pfingstwunders, ist eine anmutige Säulenädikula; welsche Kindlein auf den Kapitellen der Säulen. – Aus der sehr langen Reihe von *Grabdenkmälern* der Bischöfe seien genannt: Konrad v. Pfeffenhausen (1305) und Joh. v. Heideck (1429) an der W-Wand des nördl. Seitenschiffs; Wilhelm v. Reichenau (1496) im Willibaldschor, ein beachtliches Rotmarmorwerk des Augsburger Bildhauers Hans Beierlein; Albert v. Hohenrechberg, ebenfalls von Loy Hering, 1552; Eberhard v. Hirnheim (1560), Johann Anton v. Zehmen (1790) von Ign. Alex. Breitenauer; Gabriel v. Eyb, von Loy Hering, 1520, in der 2. Seitenkapelle nördlich, von W; Martin v. Schaumberg, von Phil. Sarder, um 1570, an der W-Wand des südl. Seitenschiffs; Johann Konrad v. Gemmingen (1612), in Marmor und Bronze, die liegende Gestalt des Bischofs, ein ausgezeichnetes Werk viell. Hans Krumpers in München, das der 3 Bischöfe aus dem Hause Schenk v. Castell, Marquard (1680), Euchar (1697) und Franz Ludwig, der es 1731 nach »Angebung« des fürstbischöfl. Baudirektors Gabrieli errichten ließ, wie das vorige im O-Chor und aus dem gleichen Material.

N e b e n r ä u m e , die keinesfalls zu übergehen sind: Das untere Geschoß der *Kapitelsakristei*, ein Saal mit mittlerem Rundpfeiler und 4 Sterngewölbejochen, ein Rippenauffänger vor der Spitzbogenöffnung des Chörleins frei hängend; die beiden hochroman. *Turmkapellen*, Marien- und Michaelskapelle, jeweils im 2. Geschoß, mit in die Mauerstärke genischten Apsiden; der im Laufe des 15. Jh. aufgeführte *Kreuzgang* und das ihm westl. anliegende *Mortuarium* aus den 80er Jahren d. Jh., einer der beispielhaften Räume deutscher Sondergotik, 8 Doppeljoche umfassend; einer der beiden geschraubten Pfeiler an Anfang und Ende der Pfeilerreihe, die »schöne Säule«, ist ein Prachtstück hochentwickelter Steinmetzenkunst; der mit dem »Thummeister« Hans Paur zu identifizierende Meister »h p« hat an einer Wandkonsole (N-Wand) sein Bildnis überliefert; rühmenswert auch der Kreuzhof mit breiten Maßwerkfenstern im Erd- und Dreiergruppen von Rechteckfenstern im Obergeschoß. Die als Strebenträger verwendeten Säulen sind roman. Spolien. Die Reihe der Grabdenkmäler setzt sich im Mortuarium (und im Kreuzgang) fort; insbesondere bemerkenswert: das Grabdenkmal dreier Domherren des Geschlechts der Heltpurg, um 1480, und das zweier des Geschlechts der Reichenau, 1491, beide von Hans Paur (beide an der O-Wand); Epitaph des Ulrich v. Wolfersdorf (1504), vermutl. Arbeit eines Augsburger Meisters (»des Mörlin-Epitaphs«), das des Domherrn Joh. Kaspar Adelmann (1541) von Loy Hering, das des Domherrn Bernhard Arzat (1521) ebenfalls von L. Hering. Das Tympanon mit dem Jüngsten Gericht von 1429, an der N-Wand, stammt aus der (1818 abgetragenen) Kollegiata. Im Mortuarium auch die ehemals auf dem Ostenfriedhof stehende Kreuzigungsgruppe von 1541. Hohen Wertes die *Glasgemälde* in den 4 Fenstern der O-Seite; die

Schutzmantelmaria des 2. Fensters ist »Holbon« signiert,
1502 datiert. Von Hans Holbein d. Vater sind möglicherweise auch das 1. und 3. Fenster und wohl sicher das 4. mit
dem Jüngsten Gericht.

Auf dem Domplatz nordöstl. die **Johanniskirche.** Auf der Stelle einer
frühmittelalterl. Taufkirche, doch erst 1279 (als alte Pfarrkirche auf dem
Domfriedhof) bezeugt. 1520–27 mit Verwendung einiger Mauern des
roman. Vorgängers aufgeführt, im Gefolge der Säkularisation profaniert. Der Quaderbau wendet seine steil begiebelte W-Front der durch
die Abbrüche des 19. Jh. zu weit gewordenen Platzfläche zu. Der
einfache Mauermantel umschließt eine 3schiffige, 9 Joche zählende Halle
mit 3seitigem Schluß. Rundpfeiler nehmen die Kreuzgratgewölbe der
Decke auf, deren Stuckrippen nur Zierwerk sind.

St. Walburg

*Walburg, die Schwester Willibalds, beschloß ihre Tage in Kloster
Heidenheim, Gründung des anderen Bruders, Wunibald. Gegen
Ende des 9. Jh. wurde ihr Wunder wirkender Körper in eine
westl. vor den Mauern Eichstätts liegende Hl.-Kreuz-Kirche übertragen. Das mit der Kirche, nun St. Walburg, verbundene Kanonissenstift wurde 1035 in ein Benediktinerinnenkloster umgewandelt, das, 1803 säkularisiert, 1835 wieder errichtet, heute noch
blüht. – Die bestehende, dank Terrassenlage emporgehobene, neben
dem Dom das Stadtbild beherrschende Klosterkirche wurde 1626
bis 1631 von Martin Barbieri aufgeführt, bis auf den oberen Teil
des Turmes, der, entworfen und auch ausgeführt vom domkapitelschen Baumeister J. B. Ettl, 1746 hinzukam. Von Ettl übrigens
auch die sehr anmutige Vorhalle an der S-Seite, die sich der von
unten her zuführenden »Walburgisstiege« zuwendet. Stukkaturen
(Wessobrunner Arbeit) und Deckengemälde 1706. Hochaltar 1664
(Gemälde von Sandrart), die beiden Seitenaltäre 1676 von Karl
Engel (Angelini), dem Bruder des Baumeisters, und (Gemälde)
J. H. Schönfeld. – Die 1726 in Angriff genommene jüngere Ausstattung wurde von M. Seybold geleitet.*

Hervorragend, schon im nächsten Sinne des Wortes, der
A u ß e n b a u, der sich mit dem westl. anliegenden, etwas
tiefer gesockelten Klosterkomplex zu imponierender Gruppe
verbindet. Die Gliederung der der Westenstraße zugekehrten S-Wand großzügig, edel, fast möchte man sagen klassisch. Reizvoll die dem unauffällig in den Winkel zwischen
Turm und Langhaus gesetzten Eingang auf hohem Sockel-
podest vorgelegte offene Portalvorhalle. Auch der Eingang
an der O-Seite, ins Obergeschoß der Gruftkapelle, ist durch
eine kleine offene Vorhalle geschmückt, die sich einem Trep-
pensockel aufsetzt. Der Turm, westl. an der S-Seite des
Schiffes, verbindet die im Grundriß rechteckigen unteren Ge-

schosse des Mittelalters mit dem eingezogenen Oberbau Ettls, dessen Kuppel eine von M. Seybold entworfene, vom Augsburger Goldschmied Thad. Lang getriebene Statue (Kupfer, vergoldet) der hl. Walburga trägt.

I n n e r e s. Eine Wandpfeilerkirche mit eingezogenem Rechteckchor, wenig tief und also steil wirkend. Die Bestimmung liest sich am westl. eingebauten Frauenchor ab, dessen holzgeschnitzter reicher ornamentaler Schmuck (wie auch der der seitlichen Galeriebrüstungen) 1710 datiert. Über ihm die Orgelempore. Er stimmt vorzüglich mit dem in einem zarten Relief aufgetragenen Stuck der Wölbungen zusammen. Das Datum der Fresken ist 1708. Die beiden Balkonoratorien im Chor 1730. Mächtig der im 18. Jh. (um 1740, durch M. Seybold) bereicherte *Hochaltar* von 1664, mit der von Sandrart gemalten Glorie der Titelheiligen, dem die Seitenaltäre sekundieren. Er verstellt den eigenartigsten Besitz der Kirche, die hochaltertümliche, in der Anlage ins 11. Jh. zurückgehende *Confessio der hl. Walburg*, die sich der (der Höhe des östl. anliegenden Klosterhofes entsprechenden) Gruftkapelle zuwendet, die auch von oben, dem über der Gruft befindlichen, durch eine Öffnung mit ihr verbundenen östl. Chorjoch (mit Umgang für die Nonnen) Einblick gewährt. An den Rücken des Hochaltars lehnt sich der Stipes eines kleinen Altars an, den ein steinernes Frontale übersteigt, dessen mittlere Tür zu dem (schon im 9. Jh. bezeugten) Ölfluß vermittelt. Darüber, im Dreipaßgiebel, die auf einem Sarg ruhende Steinfigur der hl. Walburg. Dann ein 3teiliger Aufbau mit Tabernakel in der Mitte. Dieses zierliche Steinmetzenwerk, mit den Relieffiguren der Verkündigung (auf der verborgenen Rückseite der hll. Willibald und Wunibald), dürfte um 1450 entstanden sein. Und nun, noch einmal darüber, ein Schrein, der neu ist, aber 5 ausgezeichnete Holzfiguren, Walburga zwischen ihren Eltern Richard und Wuna und ihren Brüdern Willibald und Wunibald, des frühen 16. Jh., einschließt. Dieser sog. *Gruftaltar* birgt das Grab der Heiligen: eine über dem Stipes befindliche Höhlung enthält als oberen Abschluß die kleine Steinkiste, in der die Gebeine ruhen. – Die Gruftkapelle zeigt sich heute barock; ihre um 1630 erneuerten Gewölbe wurden 1706 durch reichen Stuckzierat ausgezeichnet. Die Gitter sind schönste Schmiedearbeit der 20er und 30er Jahre des 18. Jh. Indessen wird man des eichstättischen Genius loci, der Strahlungskraft seiner frühen

Heiligen, kaum an anderer Stelle so unmittelbar gewahr werden wie in diesem kleinen, mit Andacht gefüllten Raum.

Jesuitenkirche (Schutzengelkirche)

Der 1617 beg. Kirchenbau wird 1620 geweiht. Die Pläne viell. von Matth. Kager, die Ausführung vom Graubündner Joh. Alberthal. Als Bauleiter wird ein Jesuitenbruder Jak. Kurrer genannt. Nach Brand 1634, der nicht viel mehr als die Mauern übrigläßt (nur die Chorwölbung widersteht), weitgehende Erneuerung 1661. Stuckierung von Franz Gabrieli, dem Bruder des fürstbischöfl. Baudirektors Gabriel G., und Fresken von Joh. Roßner aus Worms, 1717.

Die mit der hohen steilen, wenig gegliederten Fassade den vor ihr ausgebreiteten Platz, einen der schönsten Eichstätts (Leonrodplatz), beherrschende Jesuitenkirche ist eine Wandpfeilerkirche. Der eingezogene Chor ist rund geschlossen. An der S-Seite der in Kuppelhelm und schlanker offener Laterne endende Turm, einer der übrigens nicht vielen Türme, die das Fernbild der Stadt bestimmen. Vorzüglich die leichtflüssigen Stukkaturen Gabrielis. Hochaltar 1739, vom Hofbildhauer Matthias Seybold, das Altarblatt vom Augsburger Joh. Ev. Holzer. Die Gemälde der beiden Seitenaltäre von J. G. Bergmüller, der auch die Medaillons am Corpus der 1721 von F. Joh. Veit entworfenen, von Fr. Steinhart ausgeführten Kanzel malte.

Kapuzinerklosterkirche Hl. Kreuz. Errichtet 1623–25, an Stelle einer um die Mitte des 12. Jh. gestifteten Schottenklosterkirche zum Hl. Kreuz und Hl. Grab, aus der das hochinteressante Hl. Grab, eine roman. Nachbildung des Vorbilds in Jerusalem, übernommen wurde.

Ehem. Dominikanerkirche. Der wahrscheinl. 1271 beg. Bau, Stiftung der Gräfin Sophie von Hirschberg und ihrer Söhne Gerhard und Gebhard, ist 1278 nahezu fertig. 1713–23 wird er in eine seine letzte Erscheinung bestimmenden Weise umgestaltet. 1918 erlag er einem Brand, der ihn als Ruine zurückließ. Got. Herkommens nur der (auch in der Wölbung erhaltene) in 7 Seiten des Zwölfecks geschlossene Langchor. Die Ausstattung weitgehend vernichtet.

Hl.-Geist-Spitalkirche. Gründung des 13. Jh. Brand 1634, Neubau 1698, nach Entwurf Jak. Engels. Die Statuen an der Fassade von Christian und Veit Handschuher. – Die Spitalkirche ist ein Rechteck, im Innern durch Einbauten kreuzförmig. Die Giebelfront einfach, aber gut gegliedert.

Mariahilfkapelle an der Westenstraße. Viell. durch eine hier entspringende, als Heilbrunnen verehrte Quelle veranlaßt, stiften die Eichstätter Tuchmacher 1453 die Frauenkapelle nahe dem Westentor. Der spätgot. Bau wandelt sich 1656 und 1744 ins Barocke. Die begiebelte Fassade verliert 1784 den ihrer Mitte vorgesetzten Turm. Eine durch Freitreppe emporgehobene Spitzbogenpforte läßt ein. In der Nische

rechts gute steinerne Muttergottes des mittleren 14. Jh. Der Raum, mit
erhöhtem, polygon schließendem Chor erfreut durch die gute, 1744
geschaffene Ausstattung in Stuck und Fresko.

Ehem. Klosterkirche Notre Dame. Baubeginn 1719, Baumeister Gabriel
Gabrieli. Die Stukkaturen vermutl. von Franz Gabrieli. Interessanter,
in einem Flügel des Klosters eingestellter Zentralbau. Der überkuppelte
Hauptraum beschreibt einen Kreis, dem sich nördlich (hier Chor),
westlich und östlich kurze Arme anlegen. Die Stuckierung, frühes Rokoko, elegant, reich v. a. an der Kuppelschale mit einem Scheitelfresko
von der Hand des Augsburgers J. G. Bergmüller (1721). – 1803 wurde
das Kloster säkularisiert, die Kirche profaniert.

Frauenbergkapelle auf der Höhe östl. der Willibaldsburg. 1720 Errichtung einer Holzkapelle. Vollendung der bestehenden Kirche 1739. Baumeister Gabrieli. Rechteck mit ausgeschliffenen Ecken. Das Spiegelgewölbe in der Mitte durchbrochen. Durchblick in eine zweite, höher
liegende Kuppelwölbung. Annexe westlich (Eingang) und östlich (Chor).
Die Wölbung reich dekoriert mit Stuck und Fresko. Außen an der N-
Seite Steinkanzel, von etwa 1500 (urspr. in der abgebrochenen Kolle-
giatpfarrkirche).

Die Stadt

Sie wurde 1634 durch einen vernichtenden Brand betroffen,
und so ist ihre Erscheinung im wesentlichen barock. Doch
hat sich der spätgot. Mauerring, v. a. auf der Bergseite,
erhalten. – Die um den Markt geschlossene bürgerliche
Stadt ist, insbesondere in den Vorstädten, schlicht bebaut;
das an der Altmühl übliche stumpfwinklige Giebelhaus mit
Legplattendach bestimmt den Eindruck. Aufwendiger nur
der vortreffliche M a r k t. Hier, neben dem im Kern spätgot., 1823/24 umgestalteten **Rathaus** mit seinem wesentlich
im Stadtbild mitsprechenden Turm, steht ein so stattlich
ansehnliches Bürgerhaus wie das bald nach 1600 aufgeführte
Gasthaus zur Traube mit seinem guten, 3stufigen, durch
Pilaster gegliederten, geschweiften Umrisses aufsteigenden
Giebel und ein so anmutiges Bauwerk wie die 1738 von
Gabrieli gebaute **Stadtpropstei.** Guten Beitrag zum schönen, keilförmig sich gegen die Westenstraße verjüngenden
Platzraum leistet auch der 1690 erstellte *Willibaldsbrunnen*
mit der Bronzefigur des hl. Bischofs über den Brunnen-
pfeiler beschließenden Muschelschale.

Ehem. fürstbischöfl. Residenz

*Urspr. stand hier, an der S-Seite des Domes, das Domkloster, doch
schon in der 1. Hälfte des 11. Jh. setzt sich an seine Stelle der Hof
des Bischofs, »alter Hof« genannt seit Bevorzugung der Willibaldsburg. Nach der Zerstörung des spätgot. Gebäudes 1633 dauerte es
eine Weile, bis der Neubau in Angriff genommen wurde, bis*

*Wende des Jahrhunderts. 1704 ist der vom Hofbaumeister Jak.
Engel errichtete W-Flügel fertig. 1725 entsteht – Baumeister ist
jetzt Gabrieli – der S-Flügel, der die Verbindung zum älteren
O-Flügel (ehem. Kanzlei) herstellt. Wenig später gewinnt der vorliegende Residenzplatz neue Gestalt. Westlich entsteht das Kanzleigebäude (1728), südwestlich das Generalvikariat, an der S-Seite
wachsen die »Kavalierhöfe« auf, an der O-Seite die 4 Kurien der
Willibaldskanoniker, 1767 erhält der W-Flügel der Residenz durch
M. Pedetti den Stiegenhausanbau, 1791 der S-Flügel den mittleren
Risalit. Das sind die wesentlichen Baudaten der Residenz, die,
1817 vom Bischof verlassen, jetzt staatliche Ämter beherbergt.*

Trotz verschiedener Bauzeiten ist der Eindruck einheitlich,
die Gliederung der Trakte differiert nicht: Das Erdgeschoß
ist rustiziert, die Fenster des Hauptgeschosses sind durch
Gesimsverdachungen (Dreieck oder Segment) ausgezeichnet.
Der ältere W-Flügel, der diese Gliederung angab, hebt sich
nur durch stärkere, schwerere Profile ab. Seine Mitte
schmückt das 1704 dat. Portal; die flankierenden Schilderhäuschen entwarf 1784 Pedetti. Die dem Platz zugekehrte
S-Seite liegt in der Rahmung 2geschossiger polygoner Eck-
erker; ihre Mitte ist durch den nachträglich vorgeblendeten
frühklassizist. Risalit betont. Die beiden Schilderhäuschen,
die dem von einer auf Säulen ruhenden Altane überhöhten
Portal zur Seite stehen, sind wieder von Pedetti. An die
Umwandungen des nördl. dem Dome angrenzenden Binnenhofes ist wenig Kunst gelegt. Nur das Portal der S-Seite
mit seinen Säulenpaaren und den Wappenlöwen darauf
schmückt. Die Hofwand des W-Flügels empfing ihre (frühklassizist.) Prägung durch Pedetti. – I n n e r e s. Das Treppenhaus (W-Flügel), Pedetti zu danken, darf zu den vorzüglichen des Jahrhunderts gestellt werden. In 2 Armen
läuft die Treppe an, die Arme brechen, nach Erreichung
eines Zwischenpodests, im rechten Winkel, erreichen ein mittleres Podest und vereinigen sich jetzt zu einem Arm, den ein
Vorplatz empfängt. Die zarten Rahmenstukkaturen schuf
J. J. Berg, das Fresko der Flachdecke (Sturz des Phaeton)
der Hofmaler J. M. Franz (1768). Das Geländer der Treppenläufe, ein prächtiges Stück Schmiedearbeit, gehört dem
Hofschlosser Seb. Barthlmes. – Die Zimmer des 1. Obergeschosses sind frühklassizistisch. Das ist auch die Kapelle
in der NO-Ecke des W-Flügels, die sich urspr. in Oratorien
in den Dom öffnete; eine Holzkuppel, Lichtspender, überhöht den kleinen quadratischen Raum. Im 2. Obergeschoß

ist der große rechteckige, 1768 vollendete Hauptsaal; Stuckmarmor, Spiegel (teilw. mit Stuckreliefs, Kinderszenen, belegt) bestreiten die Ausstattung der Wände, ein großes, von J. M. Franz geschaffenes Gemälde (Allegorien, Friede und Gerechtigkeit) füllt den mittleren Teil des Deckenspiegels, den sonst ein entzückender Rocaillestuck bekräuselt.

Der Residenzplatz darf als einer unserer besten und auch besterhaltenen barocken Plätze bezeichnet werden. Kein späterer Eingriff stört. Nördl. Platzbeschluß ist die Residenz. Westl. beschließen der 3geschossige Block des ehem. Generalvikariats (um 1730) und der südl. Flügel der ehem. fürstbischöfl. Kanzlei (1738), südlich die zu einer leicht zurückschwingenden Front zusammentretenden 4 Kavalierhöfe (30er Jahre), östlich die 4, zu Zweiergruppen zusammengefaßten Kurien der Willibaldskanoniker (1732). Alle diese Bauten führte auch der eine Gabrieli aus. Was diese Platzfügung von anderen einheitlichen Platzschöpfungen des Jahrhunderts unterscheidet, ist die Lockerung der sonst erstrebten »Regularität« zugunsten einer stärker persönlichen Sonderung der Anrainer, die nun wohl weniger einem Willen als äußeren Anlässen zu danken ist. Ein sehr wirksamer Teilhaber dieses schönen Platzes ist endlich der *Marienbrunnen*, den 1775–80 der Baudirektor M. Pedetti und der Hofbildhauer Joh. Jak. Berg schufen: Die hohe Säule, motivisch eine Votivsäule, entwächst dem in An- und Abschwellung umbrüsteten Becken, um auf ausladender kurvierter Sockelplatte die in Kupfer getriebene Statue der Muttergottes aufzunehmen.

Ehem. Sommerresidenz

Ein fürstbischöfl. Garten besteht hier, an der Ostenstraße, schon 1696. Der Bau dieser neben der eingeschlossenen Residenz am Dom erwünschten Sommerresidenz wurde in den 30er Jahren des 18. Jh. aufgeführt, sicher von Gabrieli.

Bei sehr langer Erstreckung (100 m) gliedert sich der Bau in ein mittleres Corps de logis mit anhängenden, in Eckpavillons endigenden Flügeln. Das an der (nördl.) Straßenfront kaum die Flucht übergreifende 2geschossige Corps de logis setzt einen 3geschossigen Risalit vor, dessen mittlere Achse einen dreieckigen Wappengiebel hochtreibt. Stärker bewegt in Vor und Zurück ist die Gartenfront; hier löst sich der Mittelbau in stärkerem Ausgriff von den Rücklagen. – Die

I n n e n r ä u m e bergen ausgezeichnete, vermutl. dem Bruder Gabrielis, Franz, zu dankende Stuckausstattungen. Man mag diese zarten, nie wuchernden, immer mit Takt den Gliederungsbedürfnissen der Wand oder Decke dienenden Reliefgespinste im Großen Saal bewundern, der zudem am Dekkenspiegel das Fresko eines der Besten des Zeitalters, des Joh. Ev. Holzer, anzubieten hat (Allegorie Frühling, Sommer). – Der auf der S-Seite, gegen das Altmühltal anliegende **Garten** spricht, umgewandelt und entstellt, nicht mehr rein. Die S-Mauer mit ihren 3 Pavillons soll aber als etwas Feines beachtet werden; der mittlere Pavillon, 1736 von Gabrieli errichtet, wird 1779–81 vom »Geometer« Jos. Xaver Effner und von Pedetti verändert, d. h. nördl. und südl. geöffnet und mit einer apsidial hinterfangenen Fontäne ausgestattet, die sich als »point de vue« der vom Schloß ausgehenden mittleren Achse entgegenstellt. Die einst sehr zahlreiche Gartenplastik mußte im späten 18. Jh. weichen.

Ehem. Kanzlei. 1728 wird sie gegenüber dem W-Flügel der Residenz, westl. Begrenzung der Residenzstraße, von Gabrieli gebaut. Der lange, 15 Achsen zählende Straßentrakt wird durch einen von Pilasterpaaren gefaßten Risalit mit stark gerahmtem Dreieckgiebel gemittet. Das Portal, durch eingestellte Säulen 3teilig, verwendet das von Gabrieli gern benützte Palladio-Motiv. Die Rücklagen zwischen dem mittleren und den seitlichen Risaliten öffnen sich im Erdgeschoß in Rundbogenarkaden.

Bischöfl. Palais *(Tafel S. 256)*

Vor der Säkularisation war es ein Domherrnhof, den der Domherr Marquard Wilh. von Schönborn in den 20er Jahren des 18. Jh. baute. 1817 bezog ihn der Bischof. Nicht zu bezweifeln, daß Gabrieli der Baumeister ist.

Ein rechteckiger Block unter Walmdach, 3geschossig, mit 2 Eck-Erkern, das ist der Hauptbau an der S-Seite eines Hofgevierts. Stellt sich der durch einfachste Gliederung und doch so vollendet bewältigte Bau nicht ganz selbstverständlich zu den Bauten Gabrielis, so dank eines dem Meister nachzurühmenden Verständnisses für das von der Situation Geforderte: Der gegenüberliegende, etwas ältere (1688 von J. Engel geschaffene) Ulmer Hof lenkte die Konzeption, der vorliegende Jesuitenplatz inspirierte zu ruhigen gesammelten Baublöcken. Deshalb auch die einfache Dachgestaltung (gegen die sonst von Gabrieli geschätzten Brechungen des Dachkörpers). – So vornehm wie das Außen ist auch das Innen. Eine 2armige Treppe mit einem guten Eichenholzgeländer geleitet zu den Obergeschossen. An der S-Seite beider Obergeschosse reihen sich die Wohnräume. Die Stukkaturen des 1. Obergeschosses sind frühklassizistisch (um 1785, wahrscheinl. vom Würzburger Materno Bossi), allerbeste der Zeit. – Das Haus verwahrt eine Anzahl z. T. hervorragender Kunstwerke des 15./16. Jh.

Dompropstei

Schon 1142 an diesem Platze bezeugt. Ein 1633 zerstörter älterer Bau findet 1672 Ersatz. Als Meister ist J. Engel anzunehmen. Die Stukkaturen der Fassade kamen durch den Hofstukkateur J. J. Berg um 1770 hinzu.

Das aus 2 im stumpfen Winkel zusammenstehenden Flügeln bestehende, an der SW-Ecke polygon beerkerte, von einem großen Walmdach gedeckte, sehr geschlossene Gebäude ist einer der wesentlichen Bewirker des Jesuitenplatzes, dessen andere, neben der Kirche wichtigste der Bischofshof (Gabrielis) und der Ulmer Hof (auch Engels), die Domdechantei und das Jesuitenkolleg mit dem Gymnasium sind. – Hinweis auf die ausgezeichneten Stuckausstattungen einiger Räume muß genügen. Das Archiv des Hauses verwahrt das berühmte Gundekarianum, das 1071 bis 1072 begonnen wurde und dessen Miniaturen die Jahrhunderte bis ins 16. illustrieren.

Ehem. Domdechantei. 1765 von M. Pedetti neugestaltet – der Kern ist älter –, beschließt der 3geschossige Bau mit den beiden Eck-Erkern und dem geschweiften Giebel vorzüglich die SW-Seite des Jesuitenplatzes, der einer der preiswürdigen Plätze dieser Stadt ist. 1963 für die Zwecke der bischöfl. Ordinariatsverwaltung schonend umgestaltet.

Ehem. Domkapitelsche Trinkstube (jetzt Dompfarrhof). Der »Pfaffenkeller«, die »Herrentrinkstube«, steht seit 1510 an dieser Stelle. 1649 wird sie erneuert und noch einmal, endgültig, 1761, jetzt durch Giov. Domen. Barbieri. Der 3geschossige Bau, einer der städtebaulich wirksamsten des Stadtgefüges, liegt 3seitig offen. Die mit einem 2geschossigen Mittelerker belebte, von einem geschweiften Giebel überragte O-Seite fängt den vom Jesuitenplatz herkommenden Raumzug. *(Tafel S. 256.)*

Ostein-Riedheim-Hof. Am Roßmarkt (Luitpoldstr.) liegend, entwickelt er eine breite, an einem mittleren Risalit bezogene Fassade, die in die Mansarde eingekreuzter Zwerchgiebel krönt. Bald nach 1725 dürfte Gabrieli dieses für ihn typische Werk ausgeführt haben.

Cobenzl-Schlößchen. Der Oberjägermeister Franz Ludwig Knebel von Katzenelnbogen ließ es, an der Berglehne über dem rechten Altmühlufer, 1730 ff. durch Gabrieli bauen. Das auf eine Terrasse gestellte Schlößchen besteht (spätere Addidamente abgerechnet) aus einem ovalen hohen Mittelbau und 2 kurzen Flügeln (der östl. Anbau ist 19. Jh.).

Auf höherer Terrasse erhebt sich ein Pavillon, der sich aus 2 Rechtecken zusammensetzt, deren eines, längeres, Rücklage, deren anderes, an den vorderen Ecken gerundet, im Erdgeschoß breit geöffnet, Vorlage ist.

Ostenfriedhof. Er besteht seit 1535. Die schon damals errichtete Kapelle wandelt sich zu heutiger Erscheinung 1790. Kapelle und Friedhof bewahren noch viele ältere Grabsteine. Wir nennen nur den an der O-Mauer stehenden des fürstbischöfl. Baudirektors Gabrieli, der ihn, auf dem Siechbett, noch selber entwarf. Ausgeführt hat ihn wohl M. Seybold. Die lange, vollrühmende Inschrift sagt nicht zuviel. Eichstätt ohne Gabrieli wäre nicht Eichstätt.

Willibaldsburg. Südöstl. der Stadt, auf talparallelem, in einem Sporn endendem Höhenrücken. Gründung des 14. Jh. Im 16. und frühen 17. Jh. zum Schloß umgeschaffen. Urspr. 3 Höfe umfassend, seit der Säkularisation auf den 1609 oder kurz vorher nach Entwurf Elias Holls von Joh. Alberthal begonnenen **Gemmingenbau** beschränkt, der, wennschon verstümmelt, immer noch einer der stärksten Faktoren der Eichstätter Altmühllandschaft ist.

Rebdorf. Ehem. Augustiner-Chorherrenstift

Bischof Konrad von Eichstätt gründet es 1156. Die roman. Kirche besteht bis ins 18. Jh., das sie »mehr einem Keller als Tempel Gottes ähnlich« findet und folglich auch, 1732–57, an ihren Umbau geht, den der Hofbildhauer Matth. Seybold durchführt. – 1806 wird das Kloster säkularisiert. Seit 1959 ist es Besitz der Herz-Jesu-Missionare.

Die 3schiffige Pfeilerbasilika hat ihre alte Fügung durch den barocken Umbau nicht verloren. Die Seitenschiffe haben die halbe Breite des Mittelschiffs, die 3 Schiffe enden ohne kreuzendes Querschiff östlich apsidial. Westlich legen sich 2 Türme vor, die eine kreuzgewölbte Vorhalle verbindet. Äußerlich auch barock gewandet, ist der Mauerbau dieses W-Teils doch noch völlig romanisch, spätromanisch. Beide Türme (nur die Oktogone später, 1732) sind in ihren ersten beiden Geschossen mit Kreuzgratgewölben gedeckt. Aus der Mauerstärke ausgesparte Steintreppen vermitteln zu den Obergeschossen. Im Langhaus hat wahrscheinl. schon die Spätgotik die 4 östl. Joche der Seitenschiffe durch Sperrmauern, zum Schaden des Ganzen, abgeriegelt. Auch die vom barocken Stuck nur leicht überkleideten Rippenkreuzgewölbe des Mittelschiffs und des Chores sind gotisch, aus dem frühen 14. Jh., zu welcher Zeit auch der Chor bis zu den Fensterbänken abgetragen und neu, nicht mehr halbrund, sondern polygon, aufgeführt wurde. – Der Einbau des barocken Mantels hat keine Barockkirche geschaffen, trotz Maskierung aller Einzelformen, den in schweren, gleichen Schritten in die Tiefe fluchtenden Raum aber doch heiter aufgelockert. Die ausgezeichneten Stuckaturen dürften Franz Gabrieli zu danken sein. Das hellfarbige Deckenfresko malte Jakob Dietrich (1734). Ist der Eindruck dieses in der Substanz roman., im Kleid barocken Raumes kein erwärmender, so muß zur Entschuldigung allerdings auch gesagt werden, daß die mobile Ausstattung fehlt; die vorhandene dürftige datiert 1857.

Südöstl. schließt der weitläufige Komplex des **Klosters** an. Er legt sich, näheren und älteren Teils, in 4 Flügeln um den Kreuzgang, der noch alt, got., frühes 14. Jh. ist. Ein 3schiffiger got. Raum mit Rippenkreuzgewölben auf Rundpfeilern befindet sich auch im S-Flügel des Klosters. Der südl. folgende äußere Klosterhof ist durch den Prälatenstock beherrscht, den wahrscheinl. Seybold entwarf. 3 Risalite mit Giebeln gliedern den 2geschossigen Trakt. Das Außenbild des Klosters bestimmt der gegen die Altmühl gewendete K o n v e n t b a u, dessen lange, mehr als 50 Achsen zählende Front die Fähigkeit des Architekten, Gabrielis, eine sehr große, gedehnte Baumasse durch im Grunde sehr einfache Gliederung zu organisieren, bewundern läßt. 5 je 3-achsige Risalite besorgen die Gliederung. Die nur 2geschossige Hoffassade bedient sich des (von Gabrieli schon am Ansbacher Schloß verwendeten) Palladio-Motivs des durch eingestellte Säulen 3geteilten Fensters. – Das Stiegenhaus, in der Mitte des Konventbaus, schickt ein 3schiffiges Vestibül voraus, das gegen den zuleitenden Gang eine Arkatur stellt. In 3 Läufen führt die Treppe zum Obergeschoß aufwärts, das mit einem Vorraum (hier wieder die Arkatur) empfängt. An der N-Wand erinnert ein von einem Putto gehaltenes Porträtbrustbild (Stuck) an den Architekten Gabrieli.

Marienstein

Ehem. Augustinerinnenkloster. Um 1460 entsteht es dicht neben Rebdorf im Weiler Steingruben, begründet von einer Eichstätter Bürgerstochter Walburg Eichhorn. 1470 kann die Kirche geweiht werden. Im 19. Jh. verfällt ein großer Teil des Klosters, auch der Chor der Kirche, dem Abbruch. – Das Kloster, eine Vierflügelanlage, lehnte sich an die N-Seite der Kirche. Nur der an die Kirche stoßende Prioratsbau und die

Wirtschaftsgebäude stehen noch, doch auch so trägt Marienstein als klösterliche Baugruppe, neben der mächtigen von Rebdorf, immer noch wirksam zur Architekturlandschaft des Eichstätter Altmühltals bei.

EINING (Ndb. – E 6)

In geringer Entfernung südl. vom Dorf Eining liegen die 1879 bis 1920 aufgedeckten Ruinen des röm. Kastells Abusina, so genannt nach der hier der Donau zufallenden Abens. Ein erstes Kohortenkastell wurde, wie das in Regensburg-Kumpfmühl, in den 80er Jahren des 1. Jh., unter der Regierung des Kaisers Titus (79–81), angelegt. Kurz vor Mitte des 2. Jh. wurden die Erd- und Palisadenwälle in Mauerwerk übertragen. Nach den verheerenden Einbrüchen der Alemannen (233) preisgegeben, doch Ende des 3. Jh. wieder von Truppen besetzt. Jetzt entsteht im SW-Eck des Quadrats ein Innenkastell; der übrige Kastellraum wird Vicus, Zivilsiedlung. Spätestens im frühen 5. Jh. fällt auch Abusina wie alle anderen rätischen Kastelle am Donaulimes (nur die südlichsten, Quintanis-Künzing, Batavis-Passau, halten sich noch einige Jahrzehnte) den germanischen Invasoren zum Opfer.

Das **Kastell** hat sich noch in beträchtlichen Teilen über der Erde erhalten. Mit 147 : 125 m ist es eines der kleinsten Kohortenkastelle. Eine urspr. 4,5 m hohe, 1,2 m starke, an den Ecken abgerundete Mauer, der ein Wall vorlag, umzieht das Rechteck, innenseits durch Türme verstärkt. Türme, jeweils 2, sichern auch die 4 Tore. An den großen Mittelbau, das Praetorium, schließen sich an: das von Hallen umgebene Atrium, die Waffenkammern, Verwaltungsgebäude, Getreidemagazin und Fahnenheiligtum. – Das kleine spätröm. Kastell in der SW-Ecke, mit einem Brunnen in der Mitte, hat die starken Umfassungsmauern der Spätzeit. An die beiden Binr nmauerzüge lehnen sich die Mannschaftsräume an. Die Ecken, außer der südwestlichen, sind durch vorspringende Türme gesichert.

Zwischen Eining und (näher) Hienheim verläßt der trockene **Limes** den nassen, die Donau. Angelegt in hadrianischer Zeit (Anfang 2. Jh.), zur Mauer, der »Teufelsmauer« des Volksmundes, im frühen 3. Jh. ausgebaut, mußte er schon ein halbes Jahrhundert später, spätestens 260, aufgegeben werden. Die rätische Grenze trat an den nassen Limes zurück. – Der rätische Limes fällt mit einer Strecke von 110 km (bei insgesamt 166 km) ins bayerische Gebiet. Die urspr. 2–3 m hohen, 1,20 m starken Trockenmauern lassen sich als wallartige Erhöhungen, v. a. im Schutze der Wälder, noch in längeren Strecken durch das Gelände verfolgen. Auch die in regelmäßigen Abständen der Mauer zugeordneten, meist älteren viereckigen Wachtürme sind häufig noch in ihren Grundflächen kenntlich.

EISENBERG b. Füssen (B. Schw. – B 8)

2 Burgruinen beherrschen das Allgäuer Seengebiet zwischen Füssen und Marktoberdorf. Die ältere der ehem. Burgen, **Eisenberg**, wurde von Lehensträgern des Klosters Kempten im 12. Jh. errichtet. Ihre Nach-

folger verkauften sie 1382 an Herzog Leopold von Österreich, der sie
1390 an die Herren v. Freiberg als Lehen weitergab. Ältere Teile
stecken in den Resten des Palas und der inneren Zwingermauern (im
NW der Anlage). Der gegen S im Dreieck ausfahrende äußere Bering
kam wohl erst im 15. Jh. hinzu. – Die Herren v. Freiberg errichteten
1418–23 auf dem westl. Gipfel des Höhenzugs eine zweite Feste, die sie
Hohenfreiberg nannten. Selbst als Ruine gibt sie noch einen guten Begriff von spätmittelalterl. Befestigungskunst. Teile des Torbaus begrenzen den westl. vorgelagerten äußeren Hof, an dessen turmbestücktem
Bering der Verlauf doppelter Wehrgänge kenntlich ist. Eine tiefe Tor-
einfahrt führt vor den Palas, dessen SW-Turm im Obergeschoß die
Kapelle enthielt (Malereireste). Gegen O liegt dem Palas ein zweiter
Turm an, hinter dem sich der Bering fortsetzt. – Beide Burgen wurden
1646, vor dem drohenden Anmarsch der Schweden, auf Geheiß der
Tiroler Landesregierung, angezündet, um die Möglichkeit feindlicher
Stützpunkte auszuschließen.

ELLINGEN (Mfr. – D 5)

Schloß

*Ein Hospital, das Walther und Kunigunde von Ellingen stiften
und dem Kaiser, Friedrich I., auftragen, steht am Anfang. Kaiser
Friedrich II. übergibt es 1216 dem Deutschen Orden, der eine
Kommende einrichtet. Schließlich nimmt der Landkomtur der
Ballei Franken hier seinen Sitz. 1788 tritt an seine Stelle der
Deutschmeister. Aber schon 1796 annektiert Preußen. Dann, 1806,
fällt Ellingen an Bayern, dessen König, Max I., die Herrschaft
Ellingen 1815 dem Feldmarschall v. Wrede als Thronlehen zueig-
net. Seit 1939 ist Ellingen Besitz des Staates. – Eine Wasserburg
ging dem Schloßbau des 18. Jh. voraus, und die Kirche birgt auch
noch got. Mauern. 1708 hob der Neubau an, mit dem O-Flügel.
Franz Keller errichtet ihn nach den Entwürfen des Fürstl. Oettin-
genschen Baurats W. H. Beringer. Dann, 1717, kam der Hauptflügel (S) an die Reihe und zugleich auch der andere Flügel (W),
die beide noch Keller baute. 1720 stehen die beiden Flügel, deren
westlicher den östlichen wiederholt. Zuletzt wurde die den Schloßhof nördlich abriegelnde Kirche weitgehend umgestaltet, 1746–52;
Franz Jos. Roth (Wiener und von Haus aus Stukkateur) und
Matth. Binder sind die Erneuerer. Endlich, 1774, wurde noch, nach
Plänen des Franzosen Michel d'Ixnard, dem O-Flügel eine Altane
vorgelegt. Um diese Zeit bemächtigte sich der Klassizismus, durch
d'Ixnard, auch der Innenräume.*

Frei, am NW-Rand der kleinen Stadt, liegt der große
Komplex dieser geistlichen Residenz, mit dem Gesicht nach
S. Ein gemauerter Graben hegt die Fläche ein. Das Schloß
umgreift in 4 Flügeln (deren einer die Kirche ist) einen
Innenhof. Seine Haupt- und Schauseite, die südliche, hat
als Gegenüber die in 3 Flügeln den vorgelagerten Platz

umfangende Brauerei, die wohl gleichzeitig mit dem ersten
Flügel des Schlosses von Keller aufgeführt wurde. (Der
hier nachgezeichnete Stich des 18. Jh. trägt südlich – an
Stelle der Brauerei – und auch nördlich nicht ausgeführte

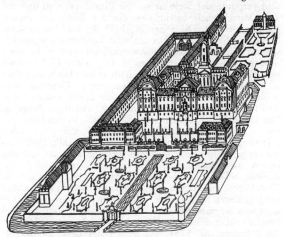

Ellingen, Schloß (nach einem Stich aus dem 18. Jh.)

Planideen vor.) Der so gewonnene Ehrenhof öffnet sich
östlich und westlich in Toren. Nördlich und westlich liegen, verdeckt, die Wirtschaftsgebäude, nördl. liegt auch der
Park. – Ä u ß e r e s. Der mächtige, weit die südl. Rezat-
Talung beherrschende Hauptflügel setzt 3 Risalite vor,
deren mittlerer einen Giebel trägt; die seitlichen, zu je
4 Achsen – der mittlere zählt 5 –, schließen in eigentümlich
kuppeligen Dachhauben, die man als Ellinger Spezifika bezeichnen kann. Die Verbindungstrakte sind 3geschossig, die
Risalite fügen noch ein Halbgeschoß hinzu. Das rustizierte
Erdgeschoß ist sockelhaft. Pilaster straffen die Hochgeschosse, doch nur der Risalite. Plastische Gesimse, waage-
rechte und gekurvte, beschatten die Fenster der Hauptgeschosse. Das von Säulenpaaren gerahmte Rundbogenportal
der Mitte überträgt seinen Anspruch auf die Mittel-

achse der beiden folgenden Geschosse; Voluten, auf ihnen
Mars und Minerva, die das Fenster des 1. Obergeschosses
einfassen, tragen einen Balkon, der dem durch Dreiteiligkeit ausgezeichneten Fenster des 2. vorliegt. Alle Flächen
sind verputzt, der Stein ist auf die Plastik (v. a. in und auf
dem Mittelgiebel) beschränkt, die der Bildhauer Friedr.
Maucher leistete. Die Seitenflügel (O, W) sind bei entsprechender Gliederung durch einfache Fensterreihungen bestimmt; die 2geschossigen Zwerchgiebel sind nicht eben
modern, stilistische Verspätungen. Gegen den Hof wenden
sich die beiden Seitenflügel wie nach außen. Doch liegt dem
westlichen die in Höhe der beiden unteren Geschosse aufgeführte spätere Kolonnade vor, eine durch waagerechten
Architrav abgedeckte Säulenreihung klassizist. Prägung.
Der Hauptflügel läßt einen starken Risalit in den Hof vortreten, der sich, ein geschlossener Block mit gliedernden
Pilastern, in einer hohen Mittelnische aufhöhlt, über dem
schweren Gesims noch ein Attikageschoß aufsetzt und mit
einem von Balustraden flankierten Dreieckgiebel abschließt. – Die gegenüberliegende Hofbegrenzung stellt die
1746 begonnene **Kirche**, die nun dem Schweren das Leichte
entgegensetzt. Sie legt ihre S-Flanke an den Hof. Diese ihre
Langseite ist nun wieder durch einen flachen Risalit unterbrochen, über dessen geschwungenen Giebel der (1748 von
Roth begonnene, 1751 von Binder beendete, an der N-
Seite der Kirche, auf der S-N-Halbierenden stehende) Turm
herüberblickt. Der Risalit, in hohen stichbogigen Fenstern
geöffnet – wie die beiderseits angrenzenden, mit Mansarden bedachten »Flügel« –, ist aufs schönste geschmückt.
Vor den rahmenden Pilastern stehen auf Volutensockeln
die Statuen St. Georgs und St. Elisabeths, höher, in der
Mitte zwischen den beiden Fenstern, die Immaculata, dann
folgen 2 Wappenkartuschen; die kleinere überschneidet die
Giebelbasis, die größere krönt, mit flatternden Konturen,
die Giebelspitze. So reicher Anteil der Plastik kennzeichnet
auch den diesen schönen Vordergrund überragenden Turm,
dessen Steinkörper an sich schon so wirkt, als hätte ihn
Bildhauerhand modelliert, der aber dann auch noch seine
reizvoll umrissene Kuppel mit 5 frei aufgerichteten Statuen
beschließt. – I n n e r e s. Der S-Flügel des Schlosses enthält das große, 1719 nach Entwurf Kellers aufgeführte,
von Roth stuckierte Treppenhaus. In 2 Läufen steigt die

Treppe an, die Läufe erreichen einen Podest, brechen, treffen auf einem höheren zusammen, dann geleitet ein Lauf zum 1. Obergeschoß weiter. In gleicher Abfolge bewegt sich die Treppe zum 2. Obergeschoß, das sie in hoher gewölbter Halle empfängt. Die eleganten Stukkaturen schuf hauptsächlich Franz Jos. Roth, das Fresko (Titanenkampf) Joh. Pinck. – Die repräsentativen Räume des S-Flügels (Wohnung des Landkomturs) durften nur in der Reihe westlich des in der Mitte liegenden Speisesaals bei ihrer urspr. Ausstattung bleiben. Die übrigen wurden 1774/75 nach Entwürfen d'Ixnards neu gestaltet: klassizistisch. Auch die Räume des 2. Obergeschosses wandelten sich klassizistisch. Der Hauptsaal bewahrt aber noch die alte, reich stuckierte Decke mit einem Fresko von Pinck (nur die Wände wurden um 1820 umgestaltet), und auch die westl. anschließenden Räume haben noch die urspr., von Roth gestalteten Decken. Die Reihe der Paradezimmer gehört d'Ixnard.

Die **Schloßkirche** setzt 2 lange Rechtecke aneinander, Schiff und Chor. Dieser schließt in 5 Achteckseiten (zur Erinnerung: die Mauern sind gotisch). Aber die blendende A u s - s t a t t u n g in Stuck und Fresko (1718) macht die ältere Fügung des Raumkörpers ganz unwirksam, wofür allerdings auch, neben den hohen Fenstern, die weichen Muldungen der Wölbung sorgen. Stukkator war Fr. Jos. Roth, der wohl auch, nach Einholung Neumannscher Anregungen, das Bauliche konzipiert hatte. Wirksame Faktoren des barocken Raumbildes sind auch die den Flanken des Chores anliegenden prächtigen Oratorien. Der den Chorschluß füllende Hochaltar (1748) ist Werk des Augsburgers Fz. X. Feichtmayr (das Gemälde älter, 1684, von Onghers, Würzburg). Etwas später, 60er Jahre, Seitenaltäre und Kanzel. Entzückende, reich, ornamental geschnitzte Betstühle (1748).

Die dem Hauptflügel des Schlosses entgegengewendete, in 3 Flügeln gruppierte **Brauerei** ist in bescheidene Anmut gekleidet. Der Mittelbau überwächst in einem Giebelrisalit seine beiden Geschosse, die eine behäbig lastende Mansarde deckt, deren First ein schnörkelfroher Dachreiter aufsitzt. Beiläufig bemerkt: Die Dächer sind in Ellingen eine eigene Sache. – Zuletzt die beiden **Tore**. Das weniger aufwendige (O) entstand 1769/70; 2 runde Schilderhäuschen (das nördliche 1945 zerst.) vor der den Graben querenden Brücke, dann, hinter ihr, 4 Pfeiler, darauf 2 Panduren und 2 Schweizer. Das andere (W), »Brühltor«, stand 1765 fertig; ein Korbbogentor, dem sich 2 Wohnflügel anschließen; konkave Rundungen leiten vom Torbau zu den Flügeln über. Vor dem Tor (das neuerdings, weil baufällig, abgebrochen wurde) quert wieder eine Brücke den Graben. – Nördl. des Schlosses, an dessen W-Flügel angrenzend, die **Reitschule**. 1749 entstand sie nach Entwürfen Fr. J. Roths, und die leichte phantasievolle Art des Stukkateur-Architekten haftet dem originellen Bauwerk mit dem Standerker unten und dem Zwerchgiebel oben (vor der steilen Mansarde) deutlich genug an. – Die Wirtschaftsgebäude nördl. der Reitschule, 1751–56 und 1761/62 von M. Binder aufgeführt, erfreuen bei einfacher, guter Gliederung durch ihre prächtigen Mansarden. – Der **Park**, östl. der Wirtschaft, im Rükken des Schlosses, wandelte sich 1796 ff. aus dem urspr. französischen in den englischen von heute. Die beiden Orangerien im Blumen- und Gemüsegarten (südl. der Brauerei) schuf Fr. J. Roth, um 1740; beherrschend die gereihten hohen Fenster; die dekorative Lust des Architekten konnte sich nur in den Dachbalustraden entladen.

Die Stadt erwuchs im Schatten des Ordensschlosses. Die Befestigung konnte erst spät, im 16./17. Jh., zustande kommen; sie war einfach genug. Was von ihr noch erhalten ist, gehört dem frühen 17. Jh. an. Das Weißenburger Tor (1945 zerst.) ist 1609, das Pleinfelder 1660 datiert. Die älteste Siedlung lag der »Alten Gasse« an. Weißenburger und Pleinfelder Straße bilden die Ordnungsachse der jüngeren (Stadt-)Siedlung, die in der Mitte von der kürzeren Hausner Straße gekreuzt wird. An der Kreuzung steht das **Rathaus** (urspr. Obergerichtsverwalterei), 1744 errichtet, »Invention« des Baudirektors Fr. J. Roth, eine der heitersten des Rokoko: ein mittlerer Risalit überwächst das 2geschossige Rechteck und schließt mit einem Giebel, der noch auf geschweiftem Podest ein offenes Firsttürmchen aufnimmt; die festliche Wirkung des in seiner Mansarde doch wieder bürgerlich behäbigen Bauwerks beruht auch gutenteils in der Zusteuer des Bildhauers. – Das Gesicht Ellingens ist durch die Ordensbaumeister geprägt, so einheitlich, daß man versucht sein könnte, an eine barocke Planung zu denken, hielten die doch noch spürbaren Merkzeichen höheren Alters nicht davon ab. Wie eine barocke Straße barocker Wurzel aussieht, mag man eben in Ellingen an der 1749 ff. angelegten schnurgeraden Neubaugasse kennenlernen. – Wird man auf Schritt und Tritt immer wieder an das Schloß, an sein Hereinwirken in die kleinbürgerliche Welt erinnert, so mag die entzückende **Rezat-Brücke** mit ihren 8 Heiligen auf der Brüstung (1762 von M. Binder errichtet) auch einmal die Erinnerung an den geistlichen Charakter der Herrschaft wachrufen, der sich im Schlosse selbst mit seiner in den Hof eingeborgenen Kirche so wenig kundtut.

Kath. Pfarrkirche St. Georg. Im großen Jahrhundert Ellingens konnte auch ein Neubau der Pfarrkirche nicht ausbleiben. 1729–31 führt ihn Fr. J. Roth auf. – Sie ist nicht orientiert, denn ihre Front sollte gegen die Straße stehen und ihr der Front entwachsender Turm ein Blickpunkt der Straße sein. Der Grundriß setzt ein Kreuz, Chorarm und Querschiffarm schließen rund, und in die Winkel zwischen Chor und Querschiff schmiegen sich 2 doppelgeschossige Sakristeien. Die Fassade lebt von dem als Risalit aus ihr heraustretenden gequaderten Turm, der sich in einem plastisch geschmückten Portal öffnet, über dem in hoher Nische die Immaculata steht und an dessen Flanken auf Konsolen der hl. Georg und die hl. Elisabeth. Die Ausstattung ist einheitlich, 30er Jahre des 18. Jh. Zarter Stuck überspielt die flache Spiegelwölbung, dem die eingestreuten Freskenfelder nur geringe Konkurrenz machen. – Bei der Pfarrkirche, in ihrem *Friedhof*, westlich, steht die **Mariahilfkapelle.** 1676 begründet, wurde sie jetzt, zugleich mit der Pfarrkirche, jedenfalls auch von Roth, neu gebaut: ein Oval mit rechteckigen Anbauten seitlich. Das östl. Rund des Ovals ist Fassade. Ein reizvoll umrissenes Portal zwischen 2 hohen Fenstern, ein geschweifter Giebel mit Statuennische, das ist, kurz angedeutet, der Inhalt dieser Schauseite. – In der NW-Ecke des Friedhofs steht ein Ölberg, dessen Kapelle barock (1730?) ist, dessen Figuren spätgotisch sind. Und unter der Figur eines Christus »im Stock« an der N-Mauer ruht der Baumeister des Landkomturs, Matthias Binder, der 1777 starb, nachdem er viel mit »mühsamer Pflicht« gebaut hatte.

Maximilianskapelle. Westl. der Stadt, im Freiland. Neu wurde sie gegen

1733 gebaut, 1734 geweiht. Der Stil weist auf Fr. J. Roth. Eine feine reiche Ausstattung in Stuck und Fresko zeichnet sie aus.

Spitalkirche St. Elisabeth. Bis 1705 lag sie westl. des Schlosses, dann wurde sie an den heutigen Platz außerhalb der Stadt verlegt. 1708 geweiht. Aber die Ausstattung ist um einige Jahrzehnte jünger; die Stukkaturen von der in Ellingen gewohnten Güte.

ENGELTHAL (Mfr. – E 4)

Der Ort, urspr. Swinnahe, zeigt sich erstmals 1058/59 anläßlich der Weihe einer Kirche durch Bischof Gundekar von Eichstätt.

Ehem. Dominikanerinnenkloster

Gründung des Reichsministerialen Ulrich von Königstein auf Reicheneck, 1240. Urkundl. erstmals 1245 bezeugt. 1339 von Kaiser Ludwig dem Schutze des Nürnberger Rats unterstellt. Unter den (häufig nürnbergischen) Nonnen des dem Dominikanerorden unterstellten, doch nach der Augustinerregel lebenden Klosters eine berühmte: die mit Gesichten begnadete Christine Ebnerin (1277 bis 1356). Nach 1504, im Bayerischen Erbfolgekrieg, fällt Engelthal an Nürnberg, das 1525 die Reformation einzuführen versucht, ohne Erfolg, und nun das Kloster aussterben läßt. 1565 übergeben die beiden letzten Frauen das verödete Kloster dem Rat.

Ev. Pfarrkirche. Die Klosterkirche St. Johann Bapt. ist um 1270 im Bau. 1747–51 erfährt sie ihre barocke Umgestaltung, die den mittelalterl. Mauerbestand respektiert. – 1schiffiges, urspr. flach gedecktes Langhaus, das ein mit Kreuzrippengewölben gedeckter Rechteckchor beschließt. Die gute Stucktonne des 18. Jh., mit Bandwerkmotiven, vom Hersbrucker J. Chr. Reich bemalt. Einheitliche barocke Ausstattung. Das Orgelgehäuse 1714. In den Fenstern Nürnberger Wappenscheiben, Mitte des 16. Jh.

Gegenüber die **Willibaldskapelle,** auf dem Platze der im 11. Jh. geweihten Kirche. Profaniert und entstellt; vom got. Bau läßt sich noch der 3seitige Chor erkennen.

Kloster und Dorf liegen noch in alter Mauer-Umhegung, zugänglich durch 2 Tortürme. Die Klostergebäude sind weitgehend umgestaltet.

ENSDORF (Opf. – E 5)

Ehem. Benediktinerklosterkirche St. Jakob

Der Gründer des von St. Blasien besiedelten, den Reformen Clunys folgenden Klosters im Vilstal nahe Amberg ist Pfalzgraf Otto von Scheyern-Wittelsbach, der 1121 die schon von seinem Schwiegervater Friedrich von Hopfenohe-Lengenfeld beabsichtigte Stiftung vollzieht. Bischof Otto von Bamberg, Erneuerer so vieler Klöster, festigt sie. – Im 15. Jh. führt ein tatkräftiger Abt die Kastler Reform ein. Im frühen 16. krankt das zudem von einem

*schweren Brand (1507) heimgesuchte Kloster, das dann der neu-
gläubige Pfalzgraf Ottheinrich säkularisiert. Doch gibt es Kurfürst Ferdinand Maria 1669 der geistlichen Bestimmung zurück;
seit 1716 ist es wieder Abtei. Noch in der 2. Hälfte des 18. Jh. von
bedeutenden Äbten geleitet, erliegt es unter seinem 95. Abt 1802
der Säkularisation. Seit 1920 ist es Noviziat der Don-Bosco-
Salesianer.*
*Eine erste, 1123 geweihte (Holz-)Kirche wird bald durch eine
zweite monumentale, 1179 und 1180 geweihte, ersetzt. Diese, eine
flachgedeckte Kreuzbasilika mit 2 W-Türmen und doppelgeschossigem »Paradies«, steht, im Kern wenigstens, bis ins späte 17. Jh.
1695 macht sie dem von Martin Funk und Chr. Grantauer (einem
Mitarbeiter Wolfg. Dientzenhofers) geleiteten Neubau Platz, der
1717 geweiht wird. Als Stukkateure sind die 3 Landshuter Brüder
Ehehamb, Matthies, Thomas und Bernhard, bezeugt, später (1716)
Phil. Jakob Schmuzer und Thomas Aicher (Chor). Der Schöpfer
der Fresken ist Cosmas Damian Asam (1714 Chor, 1716 Schiff).
Turm 1711–16.*

An die S-Seite der Kirche lehnt sich das gleichzeitig aufgeführte Geviert des Klosters; der W-Trakt steht in der
Flucht der W-Stirn der Kirche, die der quaderstarke, sehr
massive, doch straff gegliederte 3geschossige Turm, mit pral-
ler, laternengekrönter Zwiebelhaube, besetzt. Das aufwendige Portal in der Mitte ist, in den Statuen Jakob, Otto und
Benedikt, Werk des Amberger Bildhauers Frz. Joach. Schloth
(1718). – Das I n n e r e der »Wandpfeilerkirche« ist rechteckig umgrenzt; östlich stark eingezogener, 3seitig gebrochener Chor. Das Langhaus in seinen 3 Jochen mit Stichkappentonnen, das (nicht ausladende) Querschiff mit Flachkuppel
gedeckt. Die Stuckzier entspricht der Stilstufe 1710–15:
Akanthusranken, Rahmenstäbe, Kartuschen, alles in flachem
Auftrag; Bäume, in Andeutung, umgeben den feinen Orgelprospekt (Mitte des Jahrhunderts). Über den Bögen der
Vierung sitzen die schlanken Figuren der Evangelisten und
Kirchenväter, sehr bewegt gewandet. Am Chorgewölbe die
Allegorien der Fides, Spes, Caritas und der Ecclesia. Die
Asamschen Fresken ordnen sich noch zurückhaltend, in
Scheitelmedaillons, den Zierflächen der (übrigens ganz wes-
sobrunnischen) Stukkaturen ein. Hauptthema ist die Ver-
herrlichung St. Jakobs. Das Chorgewölbe stellt ihn vor als
den Patron von Kloster und Kirche. In der Vierungskuppel
öffnet sich für ihn der Himmel bis zum Thron der Trinität.
Grisaillen erzählen aus seinem Leben. In den Langhausjochen: das Martyrium des Apostels, sein siegbringendes Er-

scheinen in der Schlacht von Clavigo und sein Dienst als
Tröster und Befreier der Gefangenen. In Kartuschen die
Symbole seiner Eigenschaften. – Der Hochaltar und die
4 vorderen (östl.) Seitenaltäre sind Stuckmarmorarchitektu-
ren; das Gemälde des Hochaltars, Pilger am Grabe des Heiligen, vom Prüfeninger Johann Gebhard, 1712. Auch die
Kanzel (1711/12) aus Stuckmarmor. – Ältere, spätgot. Ausstattungsstücke: Holzmuttergottes, um 1500, und Holzrelief
der Beweinung Christi, um 1490.

Nördl. Annex des Chores ist die **Stifterkapelle**, 1715–21 als Mausoleum
der urspr. im Kapitelsaal beigesetzten Wittelsbacher, des Gründer-
paares Otto und Heilica, des Sohnes Friedrich und des Enkels Otto,
errichtet. Der Sarkophag des in Stuckmarmor aufgeführten Denkmals
umschließt die Reste der Genannten. An der O-Wand die 1721 überarbeitete und neu beschriebene Grabplatte des Pfalzgrafenpaares Otto
und Heilica. – Südl. des Chores die gegen 1715 stuckierte S a k r i s t e i
mit hervorragend geschnitzten, 1743 datierten Schränken.

Die **Klostergebäude** wurden im beginnenden 18. Jh. aufgeführt. Im
Friedhof blieb der Turm der ehem. Pfarrkirche bestehen, ein Bau der
Zeit um 1600.

ERDING (Obb. – D 7)

*Neben dem Herzogs-, dann Königshof »Ardeoingas« (später,
unterschiedlich »Altenerding«), der Ende des 9. Jh. aus Königshand an Salzburg kommt, entsteht an der (das bischöfl. Freising
umgehenden) Straße München – Landshut in der Klammer zweier
Sempt-Arme Erding die Stadt, herzogl. Gründung der 20er oder
30er Jahre des 13. Jh., ein Moos vor, ein »Holzland« hinter sich
und also nicht zum Großwerden bestimmt. Die Landesteilung
1255 bringt sie an die niederbayerische Linie, und bei Niederbayern bleibt sie auch die längste Zeit. – Um die Mitte des 13. Jh.
ummauert, mit dem Herzogsschloß in der Ecke südöstlich, im
14. Jh. südlich erweitert, verliert sie durch ein Großfeuer 1648 das
mittelalterl. Gesicht. Der hohe Sattel der Pfarrkirche bleibt aber
nach wie vor die Dominante. Im Aufriß sind die Gassen meist
18. Jh.; im Grundriß werden sie sich nicht viel von den Absteckungen des Anfangs entfernt haben.*

Die Figur des Stadtkörpers ist ein unregelmäßiges Oval
mit einer von S nach N gerichteten längeren und einer von
O nach W gerichteten kürzeren Achse, die ehemals auf das
dem Chor der Pfarrkirche vorgestellte Rathaus (an dessen
Stelle jetzt die Schrannenhalle) auflief, vor dieser platzartig
erweitert. Umgekehrt, von W nach O gesehen, hält sie auf
das allein verbliebene der (ehemals 4) Tore zu, den Schönen

Turm. Eine anziehend altbayerische, behaglich landbürgerliche, im ganzen wohl erhaltene Stadt.

Stadtpfarrkirche St. Johannes

Neubau im wesentlichen aus der Mitte des 15. Jh. Chor viell. in einzelnen Teilen noch 14. Jh. Dasselbe kann für den östlich isoliert stehenden Glockenturm gelten, der als ehem. Stadtturm mit dem Rathaus verbunden war (heute mit der Schrannenhalle des 19. Jh.). Sein Kuppeldach, aus dem frühen 17. Jh., wurde 1651 erneuert. Eine barocke Stuckdekoration wurde mit Altären des 17. und 18. Jh. gegen Ende des 19. Jh. beseitigt. Letzte Restaurierung 1948 ff.

Backsteinbau einer 3schiffigen Halle Landshuter Prägung mit niederen Seitenkapellen und eingezogenem Chor. Netzgewölbe (im 19. Jh. unrichtig rekonstr.) über schlanken oktogonalen Pfeilern. Ausstattung vorherrschend 19. Jh. – Im Hochaltar Holzfiguren der beiden Johannes. Sie stammen, wie die schöne Muttergottesfigur im O-Altar des nördl. Seitenschiffs, vom spätgot. Hochaltar des ausgehenden 15. Jh. Großartiger Kruzifixus von Hans Leinberger um 1520 (am W-Ende des südl. Seitenschiffs). Am SW-Pfeiler Christus in der Pein, eine Kalksteinfigur von 1464.

Spitalkirche Hl. Geist, erb. 1444. Erneuerung des Gewölbes und gute Stuckdekoration der Miesbacher Schule 1688. Ausbesserungen 1766. Hochaltar 1793.

Rathaus 17. Jh., ehemals Stadtresidenz der Grafen Preysing.

Die Wohnbauten, oft mit schmuckreichen Giebeln und kleinen Erkern, prägen die kleine altbayerische Landstadt. – Ehem. Gerichtsschreiberei (später Brauerei Triendl) 1685 in vornehm repräsentierender Außenformen. Innen Kapelle, geweiht 1698, 1772 restaur. und mit schönem Rokoko-Altar versehen. Saal mit Stuckdecke von 1735. – Von der Stadtbefestigung hat sich der Schöne Turm (ehemals Landshuter oder Ostertor) erhalten. 1408 erwähnt. Erneuert gegen 1500. Bedachung 1660. Prächtiges Bauwerk mit dreigeschossiger Blendbogengliederung und 2 Flankentürmchen an der Außenseite.

Wallfahrtskirche Hl. Blut, am Rande der Stadt. Wallfahrt

bereits 1360. Die Erzählung des der Wallfahrt zugrunde liegenden Hostienwunders – auf einer Tafel an der N-Wand der Kirche – nennt jedoch erst 1417. Völliger Neubau durch Hans Kogler 1675–77 mit einer kleinen, kreuzförmigen Krypta an der Stelle des Wunders. Die Stuckausstattung erfolgte erst 1704 durch Joh. Gg. Bader aus München (restaur. 1965/66). Unerschöpflich in der Erfin-

dung vegetabilischer Formen von der Blattranke bis zum
Palmenwedel, überzieht die Dekoration in starkem Relief
das Tonnengewölbe mit den gerahmten Stichkappen. Phan-
tasievoll bewegte Rahmengebilde um die Deckengemälde.
Besonders anmutig in ihrer Durchbildung ist die Empore.
Altarausstattung kurz vor 1700. Die beiden seitlichen
Hochaltarblätter von A. Wolff. – Brunnenkapelle 1701.

Südl. der Stadt das Dorf **ALTENERDING**. Hier die **Pfarrkirche Mariae
Verkündigung**. Geräumiger Neubau durch Hans oder Anton Kogler
1724, mit reicher, im Schreinerwerk von Matthias Fakler, Dorfen, besorgter Ausstattung der 60er Jahre. Deckengemälde 1767 von Martin
Heigl. Hervorragend schöner Hochaltar mit vorzüglichen Schnitzfiguren
des Landshuters Chr. Jorhan d. Ä. Von ihm auch die figürlichen Teile
der Seitenaltäre und der Kanzel 1767, deren Corpus sich aus einem
Schiff erhebt mit den Figuren Christi und Petri.

An der Straße nach München, in **AUFHAM**, altes strohgedecktes **Hirten-
haus** aus dem 17. Jh., restaur. 1963.

In der Nähe Erdings zahlreiche **Dorfkirchen** – z. T. von Stadtbaumei-
ster Hans Kogler – mit origineller Rokoko-Ausstattung der 1760er
Jahre und oft mit vorzüglichen Schnitzwerken des Landshuter Meisters
Christ. Jorhan. Genannt seien die stattliche Kirche von **GROSS-THAL-
HEIM** (s. d.) und die kleineren, nicht minder reizvollen von **HÖR-
GERSDORF, ESCHELBACH** und **OPPOLDING**.

ERESING (Obb. – C 7)

Pfarrkirche St. Ulrich

*Chor und unteres Turmgeschoß sind der Rest eines mittelalterl.
Bauwerks, das 1488 begonnen wurde. Das Langhaus mit der
Unterkapelle ist Neubau des frühen 17. Jh., ebenso das okto-
gonale Glockengeschoß des Turmes mit der Zwiebelhaube. 1756/57
durchgreifende Veränderungen unter Leitung von Dominikus
Zimmermann, Innenausstattung bis 1766.*

1schiffiger Saalraum, dessen Bedeutung v. a. in seiner reichen Stukkatur liegt. An die Stelle der gewohnten Pilasterordnungen sind Konsolen getreten, welche, eingeschlossen
in das kurvende Friesband, die Stichkappen des Spiegel-
gewölbes gleichsam federnd auffangen. Nik. Schütz besorgte die Ausführung der heiter gelockerten Rocaille-
Dekoration. Gute Deckengemälde von Fz. Mart. Kuen aus
Weißenhorn. Das große Mittelfresko zeigt St. Ulrich, dem
das Kreuz überreicht wird als Siegesmal der Ungarnschlacht
auf dem Lechfeld. Schöner Hochaltar, gegen 1700. In seinem Auszug Muttergottes, Ende 15. Jh.

ERING (Ndb. – F 8)

Die **Pfarrkirche Mariae Himmelfahrt** gehört zu den besten Leistungen spätgot. Baukunst in dieser Landschaft. Als Bauzeit muß das gesamte 15. Jh. in Anschlag gebracht werden, wenngleich die Jahre 1458–1506 als die dem Bau förderlichsten gelten müssen. An der Urheberschaft des Burghausener Meisters Hans Wechselberger ist kaum zu zweifeln. Feine, dekorative Wölbrippennetze überspannen Chor, Langhaus, Kapellen und den Raum unter der W-Empore. Jüngst hat eine Restaurierung die urspr. Farbigkeit wiedergebracht. Die Einrichtung ist im wesentlichen barock, Ende 17., sowie Beginn und Ende 18. Jh.

Nördl.: die **Wallfahrtskirche St. Anna**, ein feiner, spätestgot. Bau von 1520. Aus dem Inventar sind anzumerken: 2 Tafelgemälde aus dem ehem. spätgot. Altar (Geburt Christi und Marientod), viell. salzburgisch, Ende 15. Jh., einige Glasmalereien von 1523 und die barocke Altarausstattung um 1680–90.

ERLACH b. Simbach (Ndb. – F 8)

Pfarrkirche Mariae Himmelfahrt. Der am nördl. Talrand des Inn gelegene spätgot. Bau gehört zu einer Gruppe von Kirchen, die von der Braunauer Bauhütte abhängig sind. Stephan Krumenauer, Schöpfer der Stadtpfarrkirche von Braunau, wird als Urheber des wohl 1478 beendeten Gebäudes vermutet. Der 1schiffige, mit Netzrippen überspannte Raum überragt das Mittelmaß got. Landkirchen beträchtlich. Barock ist der Hochaltar, oberösterreichischen Gepräges, 1676/77. Seitenaltäre 1649. Der Turm, 13. Jh., erhielt im 15. spätgot. Obergeschosse und 1740 die Barockhaube.

ERLANGEN (Mfr. – D 4)

976, spätestens 1002 kommt das Dorf Erlangen an die Würzburger Johanniskirche (Stift Haug). 1017 geht es an das Hochstift Bamberg über. Bamberg verkauft es 1361 an Kaiser Karl IV., der neben dem Dorf westl. der Regnitz (Klein-, Alterlangen, um dem Martinsbühl) die Stadt, »Altstadt«, gründet. König Wenzel überläßt sie 1402 dem Nürnberger Burggrafen. Die Burggrafen (seit 1415 Markgrafen) bestimmen nun die Geschicke Erlangens bis zum Anfall der fränkischen Markgrafschaften Ansbach-Bayreuth an Preußen, 1792, das sie 1806 Bayern überlassen muß. – Erst als »Christian Erlang« wird Erlangen zu dem, was es ist: Markgraf Christian Ernst von Bayreuth baut im südl. anschließenden Gelände eine Hugenottenstadt, der sich dann das später, 1700, begonnene Schloß zuordnet. Der Entwerfer der Neustadt ist wahrscheinl. Elias Gedeler. 1686 kommen die ersten Hugenotten (600 Seelen) nach Erlangen und 1686 wird auch der Stadtbau auf der gerodeten Erde nachdrücklich in Angriff genommen. 1690 ist die Hugenottenstadt »Neu Erlang« wohl schon nahezu fertig. Sie reicht südlich bis an den Hugenottenplatz (ehemals »Französischer

*Markt«), den sie noch einschließt. 1690 erneuter Zuzug von Refu-
giés. Langjährige Steuerfreiheiten locken nun auch viele Deutsche,
vorwiegend Pfälzer Reformierte, an, die das franzöz. Element
stark zurückdrängen. Eine zweite, deutsche Neustadt beginnt um
1700 südlich und östlich der französischen zu entstehen. An der
Achse der Friedrichstraße wächst sie gegen O. Ihr bauliches Gepräge beruht nicht zuletzt auf den mehreren Palais des Adels wie
dem Egloffsteinschen (Friedrichstr. 17, jetzt Oberrealschule), dem
Bünauschen (Friedrichstr. 17, 28), dem Großschen (Hauptstr. 7).
Der Name der beiden, nun ein durchaus einheitliches Ganzes bildenden Neustädte ist seit 1701 »Christian Erlang«; er behauptet
sich bis 1812. – 1743 wird Erlangen mit der im Jahre zuvor in
Bayreuth begründeten Universität beschenkt. Das Gebäude der
seit 1701 und bis 1741 bestehenden Ritterakademie (Hauptstraße 14, 16, 18) nimmt sie auf und beherbergt sie bis 1825. Der
Stifter der Friderico-Alexandrina, Markgraf Friedrich, steht in
Bronze (Schwanthaler) auf dem Hugenottenplatz. – Die Nähe
Nürnbergs, viell. auch ein Erbe merkantilen Geistes von den
kalvinistischen Vätern her, haben die Stadt in unserem Jahrhundert stark industrialisiert. Wissenschaft (Universität, seit 1916
Friedrich-Alexander-Universität Erlangen-Nürnberg) und Industrie sind die Pole ihres modernen Daseins. Seit 1948 wächst südlich, südwestlich und östlich eine neueste, durch modernste Großbauten der Industrie charakterisierte Neustadt heran. Das Gesicht
der alten Hugenotten- und Markgrafenstadt ist aber immer noch
wohlerhalten. Unter den barocken Planstädten des 17. und 18. Jh.
steht Erlangen voran, heute, nach den Zerstörungen anderer, wie
Potsdam, Karlsruhe, Hanau, mehr denn je.*

Die Stadt (vgl. Plan S. 290)

Eine der frühen, durch einen fürstlichen Willen geschaffenen Planstädte, ist sie durch alle Vor- und Nachteile einer
Reißbrettplanung bestimmt: absolute Herrschaft des rechten Winkels, genaue Regelmäßigkeit, Gleichförmigkeit der
Quartiere. Eine starke Achse, die H a u p t s t r a ß e , stößt,
in SN-Richtung, durch, 2 große Plätze, M a r k t - und
H u g e n o t t e n p l a t z , legen sich an sie an; alle anderen Achsen, parallel oder senkrecht, sind sekundär. Die
Häuser 2geschossig, meist verputzt, doch auch, bes. in den
jüngeren, nach 1700 aufwachsenden Stadtteilen, massiv steinern, mit Sattel-, erst später und auch nicht oft Mansardendächern; nur die hervorgehobenen, durch reichere Gliederung ausgezeichneten sog. **Richthäuser** an den Hauptkreu-
zungspunkten der Achsen sind höher, 3geschossig. Der
Eindruck einer »freundlichen Langeweile« (Dehio) resultiert

Ettal. Klosterkirche, Orgelempore

Frauenzell. Klosterkirche, Laienhaus und Chor

aus dem Sauber-Sachlichen, Wohlgeordneten. – Diesem Charakter glich sich auch die 1706 von einem schweren Feuer heimgesuchte, nach Plänen G. v. Gedelers wiederaufgebaute **Altstadt** (nördl. der Hugenottenstadt) so weitgehend an, daß man die Grenze zwischen Neu- und Altstadt nur an der hier vom Gesetz des rechten Winkels etwas freieren Straßenführung erkennen wird; doch zeichnet sich der Übergang in der Verengung des Straßenzuges immer noch deutlich ab. – Bauliche Akzente sind: die Ev.-ref. Kirche am Hugenottenplatz, die Neustädter Kirche an der Friedrichstraße, das Schloß an der O-Seite, das stattliche Rathaus an der S-Seite des Marktplatzes.

Ev.-ref. Kirche (Hugenottenpl.)

1685 verpflichtet sich der Markgraf zum Bau der (bis 1922 französ. ref.) Kirche, die er auch zu eigenen Lasten nimmt. 1686 wird begonnen. Baumeister ist jedenfalls J. M. Richter. 1687 steht der »Tempel« im Rohbau, 1692 ist die Einrichtung fertig, 1693 wird geweiht; der östl. vorgesetzte Turm kommt 1732–36 hinzu. Sein Baumeister ist Joh. Georg Weiß.

Ein ernsthafter, schwerfälliger, doch von verhältnismäßig schlankem Turm überragter Sandsteinbau, längsseits zum großen Platz gestelltes, fast quadratisches Rechteck. Nur Lisenen gliedern. Die Fenster sind viereckig, rund, oval. Innen ist es nicht reicher. Doch ist das Zwölfeck einer sich in Korbbögen öffnenden Holzempore dem Rechteck eingeschrieben. Das gibt die Illusion eines originellen Rundraumes. Die Kirchenstühle stehen parallel zu den Zwölfeckseiten. Allseits zugänglicher Zielpunkt ihrer Insassen ist die frei vor der W-Wand stehende Kanzel, an der doch etwas Schmuck gewagt wurde, was auch von der (1764 beschafften) Orgel gilt.

Neustädter Stadtpfarr- und Universitätskirche (Neustädter Kirchenpl.). Sie wurde als Kirche der jüngeren, deutschen Neustadt nach 1720 vermutl. von Joh. Gg. Kannhäuser errichtet. Ihr Weihejahr ist 1737. Doch kamen die beiden Obergeschosse des Turmes erst 1765 hinzu, die Laterne 1830. 2geschossiger Aufriß, doch durch die Kolossalpilaster zusammengegriffen; rundbogige, von Segmentgesimsen überdachte Fenster, abschließendes Triglyphengebälk. Diese gute straffe Gliederung bestimmt auch den eingezogenen, halbrund geschlossenen Chor und greift auf den jüngeren, westl. vorgestellten Turm über, der in 3 Geschossen zum krönenden Oktogon aufsteigt. – Innen doppelte Emporen. Deckengemälde und Stuck gab der Hofmaler Christian Leimberger. Die 1744 aufgestellte Kanzel des Kanzelaltars ruht auf einem Engel des Elias Räntz. Die Orgel datiert 1739–41.

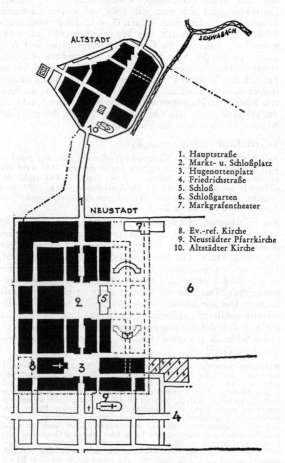

ALTSTADT

SCHWABACH

NEUSTADT

1. Hauptstraße
2. Markt- u. Schloßplatz
3. Hugenottenplatz
4. Friedrichstraße
5. Schloß
6. Schloßgarten
7. Markgraftheater

8. Ev.-ref. Kirche
9. Neustädter Pfarrkirche
10. Altstädter Kirche

Erlangen, Entwicklungsplan der Stadt

Altstädter Dreifaltigkeitskirche (Martin-Luther-Pl.)

Die mittelalterl. Marienkirche hing an der Forchheimer Martins-kirche, von der sie sich erst 1435 lösen konnte. Der barocke Neu-bau entsteht nach dem Brand der Altstadt 1706. Als Baumeister ist G. v. Gedeler anzunehmen. Der Turm kommt 1729 hinzu.

Einheitliche, auch den Turm einbeziehende Gliederung der Umfassungswände; straffende Pilaster, Triglyphenfries. Der Chor schließt 3seitig. Der westl. stehende Turm erhebt sich in 3 Geschossen zum abschließenden, mit Kuppelhelm gedeckten Oktogon. Der mit umlaufenden Emporen be-stellte Saalraum hat Spiegelgewölbe mit Rahmenstukkatu-ren. Beherrschend der Kanzelaltar, nach Rissen von Joh. David Räntz; hohe Säulen festigen den Aufbau, den die Apostelfürsten flankieren; das Gesims wölbt sich in starker Kurve vor; die Fassung verbindet Schwarz und Gold. Gut auch das in Weiß-Gold gefaßte, mit vielen Engeln besetzte Orgelgehäuse von Fz. P. Dieffenbach (1720), auf der W-Empore.

Rathaus. Als Palais Stutternheim 1728–30 errichtet, Rathaus erst seit 1836. Starker, 3geschossiger Block mit flachem, begiebeltem Risalit, kräftigen, durchgehenden Eckpilastern und Mansardendach, an ältere bambergische Bauten J. Leonh. Dientzenhofers erinnernd.

Altstädter Rathaus. Das mittelalterliche stand frei im Platze. Das ba-rocke wurde an der O-Seite des Martin-Luther-Platzes 1733–36 vom Bayreuther Landbaumeister Joh. Gg. Weiß errichtet. 3 Geschosse unter steilem Mansardendach. Rustizierte Flachpfeiler kräftigen das Erdge-schoß, dessen Mitte sich im rundbogigen Portal, mit überfangendem Balkon, öffnet. Große Pilaster greifen die beiden Obergeschosse zusam-men. Stukkaturen, 1739, von Joh. Keilholz und Mart. Graszer. – Sehr verwandt das **Besoldsche Haus** (Hauptstr. 26), das auch zu gleicher Zeit (1733) gebaut wurde. Im Obergeschoß wohlerhaltener Festsaal mit Stuk-katuren und Deckengemälden von der Hand Christian Leimbergers.

Schloß

Erbprinz Georg Wilhelm legt 1700 den Grundstein und verkauft den vom Italiener Ant. della Porta aufgeführten Rohbau 1703 an seinen Vater Christian Ernst, der ihn 1704 durch Gottfr. v. Gedeler vollenden läßt. 1705 kommt die Orangerie hinzu, 1706 der kuriose, doch jedenfalls reizvolle Hugenottenbrunnen des Elias Räntz, 1711, als Abschluß der Mittelachse des Schloßgartens, die urspr. für den Schloßplatz bestimmte Reiterstatue des Großen Kurfürsten, eine freie, unvollendet gebliebene Nachbildung der Schlüterschen in Berlin, ebenfalls von E. Räntz. Der 1704/05 an-gelegte Schloßgarten auf der O-Seite des Schlosses verliert 1785 bis 1786 seine französ. Ordnung, sein Areal wird im 19. Jh. mehr-mals verkürzt. Ein Brand, 1814, zerstört die Ausstattung des

Schlosses. 1821–25 wird es wiederhergestellt. Seit 1826 dient es den Zwecken der Universität.

Ein langgestreckter 3geschossiger Quaderbau mit mittlerem, durch eine Attika beschlossenem Risalit und in enger Folge gliedernden großen Pilastern, fügt sich dieses karge (doch keineswegs so karg geplante) Schloß gut in das etwas trockene Milieu der Hugenottenstadt. – Die von G. v. Gedeler entworfene, 1705/06 errichtete **Orangerie** im Schloßgarten buchtet zwischen 2 Eckfronten in flacher Kurve zurück. Die Mitte mit den 3 rundbogigen Eingängen ist durch Säulenstellungen betont. Eine Attikabalustrade unterstreicht die horizontale Lagerung des 1geschossigen Gebäudes, das die durch eine mittlere Knickung gehälftete Dachung vortrefflich abschließt *(Tafel S. 257).* – Das im Schloßgartenplan Homans (1721) überlieferte Schloßprojekt sah auf der Gartenseite eine in Flügeln, Orangerie rechts, Konkordienkirche links, weit ausgreifende Anlage vor. Die Kirche blieb Torso: 2geschossiges Rechteck (1708).

An der NO-Ecke des Schloßgartens das heute **Markgrafentheater** genannte »Comödienhaus«. 1715–19 unter Markgraf Friedrich Wilhelm aufgeführt, in den 40er Jahren dank Markgräfin Wilhelmine durch den Venezianer Giov. Paolo Gaspari umgestaltet. Nun wiederhergestellt und (19. 12. 1959) wiedereröffnet. Einfacher als die (stilgeschichtlich vergleichbaren) Theater in Bayreuth und München, doch jedenfalls einer der hervorragenden Theaterräume des 18. Jh.

An der westl. Böschung des Burgbergs nördl. der Stadt steht das 1846 vollendete »**Kanalmonument**« mit den Statuen der Donau und des Mains, des Handels und der Schiffahrt, Werk Ludwig Schwanthalers. Der Ludwig-Donau-Main-Kanal, seit 1828 vorbereitet, 1832 im Entwurf (des Oberbaurats v. Pechmann) vom König genehmigt, wurde 1836 begonnen und 1843 in der Strecke Nürnberg – Bamberg, 1845 Kelheim – Nürnberg eröffnet.

ESCHENLOHE (Obb. – C 8)

Der Platz am Austritt der Loisach aus den Alpen ins Murnauer Moos war Burgsitz der Grafen von Eschenlohe, die ihr Gebiet 1294 zwischen dem Hochstift Freising (Werdenfels) und dem Hochstift Augsburg aufteilten. Der Augsburger Anteil mit dem Dorf Eschenlohe kam 1332 an das Kloster Ettal, dessen Oberherrlichkeit die **Pfarrkirche St. Clemens** zu danken ist, die wohl noch Joh. Mich. Fischer entworfen hat und die Fz. Kirchgrabner 1765–73 ausführte: ein flach überkuppelter Zentralraum auf quadratischem Grundriß mit abgeschrägten Ecken. Die pilastersbesetzten Eckpfeiler stehen rechtwinklig zur Hauptachse und überlassen die Schrägung nur den emporenbesetzten Nischen. Diese Struktur mündet in die Vorstellungen des beginnenden Klassizismus. Dem eingezogenen, halbrund schließenden Chor antwortet das gering vertiefte

Eingangsjoch mit der Orgelempore. Die Dekoration ist aufgemalt (kein Stuck!); Kuppelgemälde (Legende des hl. Clemens) 1776. Die Altareinrichtung gehört der Erbauungszeit. Tabernakel von Joh. Bapt. Straub.

ETTAL (Obb. – C 8)

Benediktinerklosterkirche

1330 gründet Kaiser Ludwig d. Bayer im Ammergauer Graswangtal ein Stift für 13 Ritter, ihre Frauen und 6 Witwen, zugleich ein Benediktinerkloster für 22 Mönche. Ein in Italien erhaltenes Marienbild – das Gnadenbild – soll ihn dazu bewogen haben. »Ze unser frauen Etal« wurde die Gründung genannt (Ehe = Gelöbnis). 1332 empfängt das (auch bei Ablehnung romantischer Deutungsversuche) einzigartige Ritterstift seine Regel. Es bleibt nicht lange am Leben, aber das benediktinische Kloster blüht. 1370 werden Kloster und Kirche geweiht. Der Gründungsbau, als monumentale Rotunde auch wieder ungewöhnlich, wird 1476–92 unter Einfügung einer Mittelstütze gewölbt. – Unter Abt Placidus 1709 bis 1736 tritt das Kloster in eine neue produktive Periode ein: Errichtung der einst berühmten Ritterakademie, Umbau von Kirche und Kloster. 1710 wird begonnen. Die Pläne gibt der Münchner Hofbaumeister Enrico Zuccalli. Fassade (ausgeführten Teils) und Chor (1726 geweiht) sind sein Anteil. Infolge eines Brandes 1744 wird seit 1745 wieder gebaut, aber auch jetzt unter Achtung der alten got. Mauern. Baumeister ist der Wessobrunner Franz Schmuzer. Seine Leistung ist, abgesehen von der Dekoration, die, allerdings auf Pläne Zuccallis zurückgreifende, Kuppel. 1752 kann die erneuerte Kirche wieder in Gebrauch genommen werden. – Dies die wichtigsten Daten der Baugeschichte bis zur Säkularisation 1803, die das Kloster liquidierte. Die Klostertrakte wurden z. T. abgerissen. Private Munifizenz (Frhr. Theodor v. Cramer-Klett) gab 1899 Ettal seiner klösterlichen Bestimmung zurück; seit 1906 ist es wieder Benediktiner-Abtei. – Im 19. Jh. wurde der nördl. Fassadenturm (1853/54), dann die Fassade selbst (1894–1901) und schließlich der südl. Turm (1906/07) vollendet.

Der nicht nur im Grundriß, sondern auch im aufgehenden Mauerwerk erhaltene Kernbau ist ein Unikum, *der* deutsche Zentralbau hochgot. Stils. Die romantische Idee des Grals braucht nicht herangezogen zu werden, auch wenn bei der Wahl des Grundrisses ein romantisches Motiv, die Absicht eines Rückgriffs, im Spiele gewesen sein kann. Eher ist eine formale Abhängigkeit von den um weniges älteren englischen Kapitelhäusern für weltliche Kanoniker (Salisbury, York, Wells) denkbar, zumal Ludwig d. Bayer seinem Schwager Edward III. von England (1338 »Generalvikar des Reiches«)

persönlich und politisch nahestand. Es muß aber auch auf die zentralen Spitalkirchen des 12.–14. Jh. hingewiesen werden – Neustift bei Brixen, Straßburg (Kärnten), Klausen (Südtirol), St-Michel-d'Entraigues usw. –, wenn wir den karitativen Charakter der kaiserlichen Gründung hervorkehren. – Der singuläre urspr. Grundriß ist durch die barocke Umgestaltung nicht oder nur wenig betroffen worden. Bezog sich der Eingriff des 18. Jh. zwar auf mehr als zeitgemäße Ausstattung, wie insbesondere in der großen Kuppel, so brachte er dem Bau doch nichts Fremdes, ihm nicht schon Eingestaltetes hinzu. – Die zweite und an sich wohl augenfälligere Bedeutung Ettals liegt in seinem Barock, der sich so zwanglos selbstverständlich mit seiner Gotik verbindet, eine der Gipfelleistungen des 18. Jh. – Der got. Bau, in der äußeren und inneren Umfassungsmauer erhalten, ist ein 25,3 m durchmessendes Zwölfeck, das ein doppelgeschossiger Umgang in der Tiefe der an den Ecken angeordneten Streben umgibt. Dieser »Kreuzgang«, im Erdgeschoß mit Kreuzrippen gedeckt, trägt die urspr. Frauenempore, die sich Seite für Seite in 4 Fensterschlitzen in den Hauptraum öffnet. Die eingezogenen, spitzbogig durchbrochenen Streben unterteilen. Der westl. Haupteingang (1898 in der Portalvorhalle freigelegt) umschließt ein Tympanon der 1330er Jahre, das den Gekreuzigten zwischen Maria und Johannes, Kaiser Ludwig und seine Gemahlin Margarete von Holland darstellt. Das spätgot. Netzgewölbe der Rotunde lag tiefer als die barocke Kuppel, sein Scheitel noch unter deren Fuß. Zwischen den beiden östl. Streben legte sich der 3seitig geschlossene Chor an. – Der Baumeister des 18. Jh. rührte den Außenbau wenig an, nur in der Kuppel machte er sich frei.

Das Münster öffnet sich in breiter Front gegen das Rechteck seines vorgelegten Klosterhofs. Beherrschend überragt es die barocke Kuppel über dem alten Zwölfeck. Ihr legt sich, konvex gerundet, der Eingangswand an. Mächtige Säulen unter schwerem Gebälk rahmen ihre 7 Achsen. Hier erweist sich Zuccallis italienische Schule in der Schwere des Geformten. Der Schwingung des Mittelteils antworten konkav die 3achsigen Flanken, die über Pilastern das Gebälk zu den beiden Türmen hinausleiten. Ein kleiner Glockenturm von 1563 südl. der Kuppel hat den Umbau überdauert. Wahrscheinl. hätte er bei der völligen Durchführung von Zuccallis

Projekt verschwinden müssen: Eine durchlaufende Balustrade war über dem Gebälk vorgesehen, bekrönt von den Apostelfiguren des Egidius Verhelst, die später in den Nischen der Fassade ihre Aufstellung erhielten. Ausgedehnte Treppenanlagen sollten zum Münster hinaufführen. Doch machte Geldmangel ihre Ausführung zunichte.

Das I n n e r e , die hochaufstrebende Rotunde, umfängt uns sehr hell und zugleich auch farbig. Pilasterbündel in zart getöntem Stuckmarmor tragen den Gebälkring, an den sich flackernde Kartuschen heften. Von seinen Vorkragungen schimmern reiche Vasengebilde, wenn auf ihnen nicht Putti schaukeln. Eine zweite Pilasterfolge gliedert das Fenstergeschoß, dessen Gebälkzone zur gemalten Balustrade überleitet, in das riesige Kuppelfresko Joh. Jak. Zeillers (1746). Im himmlischen Wolkenmeer erlebt die Welt der Heiligen St. Benedikts Entrückung und Krönung vor dem Thron der Trinität. Art der Gruppierung und ein gewisses Gleichmaß in Farbe und Komposition zeigen den Meister als Abkömmling der Wiener Schule Paul Trogers. Über dem Chorbogen hebt sich eine gemalte Draperie über der Szene, da dem kaiserlichen Gründer der gottgesandte Mönch erscheint, um ihm das Gnadenbild zu übergeben. Im Tabernakel des Hochaltars ist dieses der Verehrung ausgesetzt: eine Muttergottes in weißem Marmor, italienisch, wenn auch nicht von Giovanni Pisano. Dem Hochaltar ist ein eigenes Choroval errichtet. Klassizist. Kühle atmet die Dekoration des Chores, verglichen mit dem sprühenden Rokoko von Joh. Bapt. Zimmermanns Stuckdekoration in der hohen Rotunde. In duftiger Farbigkeit öffnet sich über dem Hochaltar Martin Knollers gemalter Himmel (1786), in den die Hl. Jungfrau aufschwebt, ein Thema, das derselbe Knoller schon im Hochaltarblatt (Mariae Himmelfahrt) anstimmt. Der strengen Würde des klassizist. Retabels mit bildhauerischem Schmuck von Roman Ant. Boos antworten beschwingte Seitenaltäre des Rokoko im Rund des Laienhauses. Joh. Bapt. Straub ist ihr Meister. Schwerelose Retabelformen, flankiert von nervös-eleganten Heiligenfiguren, verbindet er mit den Gemälden von Knoller (SO, SW, NO) Fel. Ant. Scheffler (S-Mitte), Zeiller (N-Mitte) und Fz. Gg. Hermann (NW) zu lebendiger künstlerischer Einheit. Ein köstliches Bild beschert dem sich umwendenden Betrachter die Eingangswand: Auf federnden Säulenpaaren schwingt sich die Orgelempore in

den Raum, ein Gebilde künstlerischer Bravour, wie es nur
Joh. Bapt. Zimmermann gelingen konnte *(Tafel S. 288)*.

Von den **Klostergebäuden** des 18. Jh. hat die Säkularisation das meiste
abgetragen. Die heutige weitläufige Anlage ist v. a. ein Werk des
20. Jh.

EYRICHSHOF b. Ebern (Ufr. – E 2)

*Ein älteres Schloß der hier seit dem 14. Jh. sitzenden Herren v.
Rotenhan (Burgruine in geringer Entfernung östl.) wird im
Bauernkrieg zerstört. Der wenig später beginnende Wiederaufbau
zieht sich bis ins späte 16. Jh. hin. Dieses von einem Wassergraben
umfangene Schloß steht noch zu wesentlichen Teilen aufrecht. Nur
der N-Flügel ist später; der markgräfl. Baudirektor K. F. v. Zocha
führte ihn 1735 ff. auf.*

Die 3flügelige Schloßanlage ist ein vortreffliches Beispiel
deutscher Renaissance. Zwanglose Gruppierung der anein-
andergelehnten oder sich durchwachsenden, wechselnd hohen
Gebäude verbindet sich mit belebtester Silhouettierung:
Rundturm, Staffelgiebel, Erker, Zelt-, Sattel- und Walmdach, Glockenhaube. Das Gesicht blickt südlich; der hier steil
gestirnte, bei verhältnismäßig kleinen Fenstern flächig wirkende Hauptflügel mit doppelgeschossigem Erker (1585)
und hohem Staffelgiebel steht aufs schönste mit dem 5ge-
schossigen Rundturm (der 30er Jahre des 16. Jh.) links und
dem nur 2geschossigen Eckturm des Anbaus rechts zusammen. Daß der Restaurator des 19. Jh. einige Akzente beigesteuert hat, sei nicht verschwiegen. – Im Innern geht noch
der große Saal auf die Bauzeit des 16. Jh. zurück. Die prächtige, architektonisch gerahmte Holztüre ist 1587 datiert. Eine
vorzügliche Leistung des 18. Jh. (um 1730) ist der Saal im
N-Flügel (Gastbau).

Das im späten 17. Jh. als **Orangerie** entstandene Gartenhaus hat gute
Stuckdecken. – Die mit ihm zusammenstehende **Schloßkapelle** (ev. Pfarrkirche) wurde 1685/86 errichtet. Ein 2geschossiger, geschweift umrissener
Giebel, dem ein Holztürmchen aufsitzt, zeichnet das kleine Bauwerk
aus; ein reiches, von Säulen gerahmtes, von Wappen (Rotenhan-Erffa)
bekröntes Portal schmückt die geschlossene Stirn.

Burg FALKENBERG (Opf.) → Tirschenreuth (F 4)

FALKENSTEIN (Opf. – F 6)

Die Burg auf der Höhe des Granitkegels war im 11. und 12. Jh.
Lehen der Regensburger Bischöfe. 1130 brachte sie Herzog Heinrich
d. Stolze an sich. Doch nicht lange, und der Regensburger Dom-
vogt Friedrich hatte sie ihm wieder entrissen. 1332 kam die Burg
durch Kauf an die Wittelsbacher. Im frühen 15. Jh. wurde sie er-
folgreich gegen die anstürmenden Hussiten verteidigt, wobei sich
die Falkensteiner Weiber rühmlich hervorgetan haben sollen. Der
bis auf weniges zerstörte Zwinger unterhalb des Bergfrieds kündet
als »Weiberwehr« von ihrem Ruhm. Nach 1514 wechselte die Burg
oft ihren Herrn. Erfolglos berannten sie die Schweden 1634. Seit
1825 gehört sie den Fürsten Thurn und Taxis.

Von SW führt der Aufgang in den äußeren Hof mit dem
langgestreckten Kastengebäude, das, 1780 zum Herrensitz
umgebaut, nun als Forsthaus dient. Ein gewölbter Torgang
steigt nordwärts zum inneren Burghof. Im SW überragt ihn
der zinnenbewehrte Bergfried. Seine derbe Bruchsteinmauer
weist ihn, wie die Hauptmauer den gesamten Anlage, als
romanisch aus. Von einem Umbau 1619 stammen Teile des
Traktes an der O-Seite und ein Erker rechts vom Torgang
außerhalb des Hofes. Die Zutaten des 17. Jh. lassen sich in
ihrer Ziegeltechnik leicht von dem Bruchsteinmauerwerk des
Mittelalters unterscheiden. Ebenfalls dem 17. Jh. gehört der
fragmentarisch erhaltene, 2geschossige Laubengang an, der
vor dem N-Flügel zum Oratorium der Burgkapelle führte.
Diese ist ein schlichter, 1schiffiger Bau außerhalb des Be-
festigungsringes. Ihre Detailformen verweisen auf die Mitte
des 17. Jh.

FEICHTEN (Obb. – E 8)

Pfarr- und Wallfahrtskirche Mariae Himmelfahrt. Die spätgot., 3schif-
fige Hallenkirche, deren Stattlichkeit sich durch die im Spätmittelalter
aufblühende Marienwallfahrt erklärt, wurde 1502–13 von Gg. Steinbrecher (Grabstein, 1521, in der Sakristei) errichtet. Der Turm ging 1478
voraus, die Empore (unteres Geschoß) folgte 1523. Schon vor dem Umbau
durch den Trostberger Fz. Alois Mayr (1763) Erneuerung der Ausstattung. Der vortreffliche Baumeister (s. Baumburg, Marienberg) wußte
durch Vereinheitlichung der Gewölbe und sorgfältig gelenkte Gliederung
ein gutes Raumbild zu schaffen. Die Ausstattung gehört zu den freundlichsten Erscheinungen volkstümlichen bayerischen Barocks. Marianische
Deckenfresken, 1763/64 von Fz. J. Soll aus Schedling. Hochaltar, um
1740, mit zugehöriger Marienfigur (Himmelfahrt). Die Seitenaltäre
gleichzeitig; das Gnadenbild auf dem nördlichen, Steingut um 1400,
gehört in den Kreis der »Schönen Madonnen«. Prächtige Kanzel, 1739. –
Pfarrhof und **»Dienstbotenhaus«**, 17. und 18. Jh., schließen den Umgriff von Kirche und Friedhof östl. ab.

FEUCHTWANGEN (Mfr. – C 4)

In der 2. Hälfte des 8. Jh. entsteht das Benediktinerkloster, das 817 unter den Königsklöstern der zweiten Leistungsstufe aufgeführt ist. Gegen Ende des 10. Jh. wird es, jetzt Eigenkloster der Bischöfe von Augsburg, durch Tegernseer Mönche neu besiedelt. 1197 erscheint es als Kollegiatstift. Stiftsvögte sind, seit 1376, die Nürnberger Burggrafen. Die Reformation führt 1563 zur Säkularisation. – Die dem Kloster zuwachsende, im Kern ältere, urspr. einem fränkischen Königshof zugeordnete Siedlung ist 1241 königseigen; 1284 erscheint sie als »oppidum«. Sie steht dem Reiche zu und gedeiht; Grund für das nachbarliche Dinkelsbühl, sie niederzubrennen (1309). Verpfändung durch Kaiser Karl IV. an den Nürnberger Burggrafen, 1376, beendet die Reichsfreiheit. 1388 fallen die Dinkelsbühler (im Städtekrieg) ein zweites Mal über sie her. Aus der Asche entsteht sie im heutigen Umfang. 1395 beginnt der Bau des neuen Mauergürtels, der in Teilen noch steht. – 1806 kommt Feuchtwangen, mit Ansbach, an Bayern.

Sammelnde Mitte der in ein unregelmäßiges Viereck eingeschriebenen Stadt ist der große rechteckige M a r k t - p l a t z ; tragende Achse ist der zwischen W und O verlaufende Zug der Unteren Tor- und der Jahnstraße. Von den Toren steht noch das Obere. Das Rathaus ist ohne Aufwand, kaum den benachbarten, doch guten, breit-stattlichen, in der Prägung schwäbischen Häusern überlegen. Die bauliche Krone ist die mit der N-Seite ihres Chores an den leicht ansteigenden und sich verengenden Markt herantretende

Ehem. Stiftskirche

Gründung des späten 8. Jh., entsteht sie im späten 12. und frühen 13. Jh. neu. Von der damals aufgeführten 3schiffigen doppeltürmigen Basilika haben sich nur Teile der Türme erhalten. Im 14. Jh. weicht der roman. Chor dem gotischen. 1532–61 baut man die teilweise eingestürzten Türme wieder auf und schiebt die Umfassungsmauern der Seitenschiffe hinaus. 1865 setzen die rigorosen Wiederherstellungen und Erneuerungen ein. Die Wand des südl. Seitenschiffs und die des Mittelschiffs darüber entsteht neu, 1867 folgt die des nördl. Seitenschiffs, 1887/88 der Stirnbau zwischen den Türmen. Auch das Vorhallenportal ist Zutat dieser Jahre. 1913–20 verjüngt sich der S-Turm, wird aber, über Ziegelbeton, mit den alten Quadersteinen verkleidet, zugleich der westl. Stirnbau. Die Wände des südl. Seitenschiffs und des südl. Hochschiffs darüber werden abermals erneuert. – W-Front und Langhaus sind also zu beträchtlichen Teilen neu. Doch hielt sich der Restaurator im großen und ganzen an den alten Bestand, wie er auch tunlichst die alte Substanz in die neue einbezog.

Die dankbarste Ansicht der Stiftskirche ist die westliche: über die noch offene Niederung der Sulzach heben sich die beiden ungleichen Türme; der 8eckige bekuppelte Dachreiter auf dem O-First des hohen Langhaussattels bereichert noch einmal den Umriß, dem sich zudem auch der 8eckige Turm der nördl. benachbarten Johanniskirche zuordnet. Die zweite dankbare Ansicht ist die südliche: Der von seinen Streben umstellte spätgot. Chor tritt als monumentale nördl. Begrenzung in den Blick des Marktes. – Die doppeltürmige W-Seite trägt noch, bis auf die beiden (barocken) Aufstockungen des S-Turmes, spätroman. Prägung. Die Türme steigen in gequaderten Würfelgeschossen auf; Lisenen, Rundbogenfriese, Deutsches Band, Schachbrettfriese gliedern die Quaderflächen. Der die Türme verspannende Stirnbau öffnet sich in einem schmuckreichen Rundbogenportal mit Säulen und Archivolten in den Stufen des Gewändes. Das Profil des (»normannischen«) Zickzackbogens, der den äußeren Rahmen schlägt, kehrt in dem (allerdings erneuerten) Fensterchen in der mittleren Rechteckblende wieder. Eine Vorhalle, mit Tonnenwölbung, geleitet ins Langhaus. Die urspr. Struktur des unter einer Holzdecke liegenden Mittelschiffs ist durch spätere Eingriffe, des 16., mehr noch des 19. und 20. Jh., gestört. Doch wohlerhalten der die Breite des Mittelschiffs haltende, 3 Joche tiefe Chor, der mit Kreuzrippengewölben gedeckt ist und in 5 Seiten des Achtecks schließt.

Die A u s s t a t t u n g birgt noch einigen wertvollen älteren Besitz. Der Hochaltar, mit Marienfigur und 2 Kronenträger-Engeln im Schrein und Gemälden (Marienleben) auf den Flügeln, ist beglaubigtes, 1484 geschaffenes Werk des Nürnbergers Mich. Wohlgemut, dem aber nur die Flügel zuzuteilen sind. Strittig allerdings, ob sie »eigenhändig« sind. Der Altar wurde 1901 restauriert und erst damals wieder an die, im 17. Jh. verlassene, zentrale Stelle gesetzt. Eine andere beachtliche Hinterlassenschaft des Spätmittelalters ist das (1866 um beidarseits je 4 Stallen verkürzte) Chorgestühl von etwa 1510, mit derb-frischen, wohl schwäbischen Geschnitzen in Eichenholz. Aus der Reihe der zahlreichen Epitaphien ragen hervor: das des lebensgroß, kniend dargestellten Ritters des Schwanenordens Sixt v. Ehenheim (1504), das als Gegenstück gesetzte seiner Gattin Anna (1503) und das des Stiftsherrn Lucas Freyer (1523), den der hl. Christoph dem Erlöser empfiehlt, eine gute Arbeit des Eichstätters Loy Hering (Kalkstein).

Der spätroman. **Kreuzgang** an der S-Seite des Langhauses ist noch in

2 Flügeln erhalten; der östl. Flügel ist neu, der südliche verbaut. Die
verhältnismäßig kleinen rundbogigen Arkaden schließen sich, zwischen
den Pfeilern, zu Vierergruppen zusammen; die Säulen tragen Würfelkapitelle, die Kämpfer Schachbrettfriese. Über dem W-Flügel Fachwerkstock.

Die **Johanniskirche**, nördl. der Stiftskirche, ehemals deren Pfarrkirche,
urspr. viell. Taufkirche. Der Turm, östlich am polygonen Chor, ist
unterenteils noch spätromanisch, wie, wenigstens in der Anlage, auch das
im frühen 15. Jh. umgebaute Schiff. Das Turm-Achteck wurde 1484
aufgesetzt, doch erst 1540 vollendet. Die Ausstattung ist noch in Teilen
spätgotisch: Sakramentshaus, Kanzel, Taufstein, Chorgestühl. Unter
den Grabsteinen ragt der ganzfigurige des Schwanenordensritters Jörg
v. Ehenheim (1499) hervor. – Das große 2geschossige Speichergebäude,
der **Kasten** des Stiftes, nordwestl. der Johanniskirche, mit Fachwerk im
Obergeschoß, entstand 1565.

Zuletzt noch ein Hinweis auf das **Heimatmuseum**, das eines der besten
in Bayern ist. Sein Rang gründet in der ausgezeichneten Sammlung alter
Volkskunst.

FISCHBACHAU (Obb. – D 8)

Ehem. Benediktinerklosterkirche St. Martin. 1085 wird das von Gräfin
Haziga von Scheyern in Bayrischzell errichtete Kloster hierher verlegt.
1096 ist es Abtei. 1104 übersiedeln die Benediktiner nach Glaneck bei
Dachau (Petersberg). Mit Kloster Scheyern, in dem sie schließlich seß-
haft werden, bleibt die Martinskirche als Propstei bis zur Säkularisation
verbunden. – Die um 1100 geweihte roman. Basilika, ein mit Tuffstein
verblendeter Ziegelbau, hat sich in den Mauern erhalten. Sie war
turmlos und ohne Querschiff. 3 Apsiden schlossen sie östlich ab. Die
Pfeilerarkaden zeigen noch gut das roman. Gefüge. 1628/29 wurden die
beiden Seitenapsiden beseitigt, 1698 ff. wurde die mittlere überhöht. Zugleich wurde durch Hans Mayr von Hausstätt der Turm gebaut. 1733
trat an die Stelle der alten Flachdecke ein Holzgewölbe. – Stuckdekoration Wessobrunner Herkunft (1737/38); Laub- und Bandwerkthemen,
1765 in den unteren Teilen durch Rocaillen ergänzt. Die Freskomalerei
behandelt Szenen aus der Martinslegende, im Hochschiff und in den Seitenschiffen aus dem Wirken der Benediktiner und dem Marienleben. Der
Maler ist wahrscheinl. der Ingolstädter Melchior Buchner, der wohl nicht
nur das von ihm signierte Fresko über der Orgelempore ausführte.
Prächtiger Hochaltar um 1760–70 mit Gemälde auf Jos. Deyrer: die
Stifterin Haziga vertraut ihre Gründung dem hl. Martin an, 1706.
Benediktusaltar im N sowie Kanzel um 1760–70. Am 1892 veränderten
südl. Seitenaltar eine vorzügliche, um 1740 geschnitzte Muttergottesfigur.

Friedhofkirche Mariae Schutz. Ein erster Bau wurde 1087 geweiht. 1494
führt Joh. Ziegler (von Schnatterbach bei Scheyern) den Chor auf und
wölbt das Schiff. Um 1630 kommen die Stukkaturen Miesbacher Art
hinzu. 1634 entsteht der Hochaltar, der jetzt eine geschnitzte Muttergottes des frühen 16. Jh. einschließt. Gleichzeitig das Predellenrelief des
Marientodes. – 1695 erweitert Hans Mayr von Hausstätt das Schiff
westlich und fügt auch den Turm hinzu.

Wallfahrtskirche BIRKENSTEIN. Um ein Gnadenbild der Maria erbaut
1709/10 nach Vorbild der Santa Casa von Loreto. Baumeister ist Hans

Mayr aus Hausstätt. Um 1760 überreich ausgestattet mit Verbildlichungen der Lauretanischen Litanei. Das Signum »J. G. W. pinx. 1761« deutet viell. auf den Asam-Schüler Jos. Gregor Winck.

FISCHEN (B. Schw. – A 8)

Die **Pfarrkirche St. Verena** in der uralten, 907 erstmals genannten Ortschaft ist Neubau des 15. Jh., der im 17., 19. und 20. Jh. Wandlung erfuhr. Er besitzt in den Seitenaltären vorzügliche Schnitzwerke von Benedikt Erhardt, 1751. Die Apostelfiguren an den Seitenwänden sind Leistung von Melchior Eberhard, 1759. – Die **Frauenkapelle**, ein Bau des 16. Jh., erhielt 1664–67 ihre interessante Form: auf Kreuzgrundriß, mit steil überkuppelter Vierung. Architekt ist Michael Beer, dessen Kuppelraum in der Kemptener Stiftskirche dieser in kleine Verhältnisse übersetzten Lösung eng verwandt ist. Gegen die karg dekorierte Raumarchitektur heben sich die Altäre besonders kraftvoll ab: der Hochaltar 1666 mit dem Gnadenbild, einer Marienklage um 1450, und einem Gemälde von Joh. Casp. Sing 1680, die Seitenaltäre im Querschiff 1673/74, mit Blättern von Franz Hermann (alle Gemälde im 19. Jh. überarbeitet). Seitenaltäre im Langhaus 1698. Zahlreiche Votivtafeln.

Nordöstl.: HINANG (Gde. Altstädten) mit der **Martinskapelle**, die eine schöne hölzerne Kassettendecke besitzt. Kanzel 1660–70, Altäre zwischen 1690 und 1715.

FLADUNGEN (Ufr. – D 1)

Die früh (789) erwähnte Siedlung erhält 1335 durch kaiserliche Verleihung das Mauerrecht. Stadtherr ist der Würzburger Bischof.

Die **Befestigung** hat sich in ihrem ganzen Umfang und auch großenteils in der urspr. Höhe erhalten. Neben der im Kern mittelalterlichen, im 16. und 17. Jh. weitgehend veränderten **Pfarrkirche** dominiert im Bilde der kleinen Stadt der starke Block des **Rathauses**, das als Zehnthaus 1628 vom Würzburger Baumeister Michael Kaut errichtet wurde.

FLOSSENBÜRG (Opf. – F 4)

Burgruine

Die auf hellgrauer Granitklippe hoch aufgesockelte Burgruine ist Rest einer Gründung des Grafen Berengar von Sulzbach, kurz nach 1100. Die Besitzer wechseln: Burg und Herrschaft Floß gehen 1188 an Kaiser Friedrich Barbarossa, 1212 an König Přemysl Ottokar von Böhmen, 1251 an Herzog Otto III. von Bayern. Doch behauptet das Reich zunächst noch seine Rechte. 1360–73 ist Flossenbürg »neuböhmisch«. In der Folge setzen sich die Leuchtenberg, endlich, 1449, die niederbayerischen Herzöge fest, allerdings nicht unbestritten, da auch Kurpfalz Rechte geltend macht. 1634 brennen die Truppen des Bernhard von Weimar Burg (und Ort) nieder. Seither Ruine.

Aus ältestem Bestand (12. Jh.) blieb der blockige Wohnturm auf dem

Gipfel und der davor gesetzte »Hohe Mantel«. Jünger sind die Reste
des Palas und des vorgeschobenen quadratischen Turmklotzes (Mitte
13. Jh.). Aus einer Erweiterung des frühen 16. Jh. (unter Gintersich
von Guttenstein) stammen die Scheidmauer zwischen Vorburg und
Hauptburg mit dem halbrunden Batterieturm und Teile des Torbaus.

FORCHHEIM (Ofr. – E 3)

Erste Nennung 805, karoling. Pfalz, häufiger Tagungsort von
Reichsversammlungen bis ins 12. Jh. Das heute Pfalz genannte,
von Gräben umgürtete wuchtige Gebäude aus der 2. Hälfte des
14. Jh. geht auf ein von Bischof Otto d. Hl. von Bamberg errich-
tetes »steinernes Haus« (Anfang des 12. Jh.) zurück. Forchheim
fällt durch König Heinrich II. 1007 an Bamberg, das es im 16. Jh.
zu seiner südl. Grenzveste (wie Kronach zur nördl.) ausbaut und
bis 1802 behauptet.

Die städtische Siedlung (Stadt wohl schon im 13. Jh.) lehnt
sich an den der Regnitz folgenden S-N-Verkehrsstrang;
Nürnberger und Bamberger Straße bilden das Rückgrat,
dem sich die gegen die am westl. Brechung der gegen die am W-Rand
liegende Pfalz vorgreifende M a r k t p l a t z anlegt. Das
spätmittelalterl. Stadtbild ist noch gut erhalten; der Markt
ein eindrucksvoller Platzraum von typisch fränkischer Art.
Das an seiner S-Seite stehende

Rathaus ist eines der schönsten Beispiele der Gattung. Der
Giebelbau mit noch schlichtem, lediglich konstruktivem
Gefach kann 1491 datiert werden. Das massive Erdgeschoß
verhilft ihm zu Stattlichkeit, das 8kantige Uhrtürmchen
schmückt ihn. Der westl. anliegende, traufseitig zum Platz
stehende Flügel kam 1535 hinzu, »Hans Rvhalm ein Meister gebesen dieses Paws«, meldet ein Schriftband. Schönstes
Zierfachwerk; Balustersäulen mit Kapitellen, die eine fröhliche Laune mit allerlei Figur beschnitzt hat. Die Rückseite,
gegen den Kirchplatz, mußte sich durch eine Restaurierung
Ende des 19. Jh. schädigen lassen. 1912 vergriff sich der
Restaurator auch am Marktflügel, der sich unten in Lauben
öffnete.

Kath. Pfarrkirche St. Martin
976 würzburgisch, seit 1017 bambergisch; 1354 mit einem Kolle-
giatstift verbunden. Von einem roman. Bau haben sich die N-
Wand des Hochschiffs und der südl. Arm des Querschiffs erhalten;
an diesem läßt sich die Abkunft von der O-Chorbauhütte des
Bamberger Domes (um 1220) ablesen. Anfang des 14. Jh. wurde

das südl. Seitenschiff erneuert, wenig später auch die S-Mauer des Schiffes, das nun erhöht wurde. Nach Errichtung des Stiftes (1354) begann der neue Chor zu entstehen, anschließend der Turm am W-Ende des südl. Seitenschiffs, der die Vorrückung der Front in seine Fluchtlinie veranlaßte, gleichzeitig Einwölbung der Seitenschiffe und des südl. Querarms. 1538–42 wurde der mächtige Dachsattel aufgesetzt. 1719/20 vollzog sich, unter den Händen des Bamberger Stukkators Joh. Jak. Vogel, die Umwandlung ins Barocke. 1845 wurde eine neue Holzdecke eingezogen, 1927 entstand der Chorbogen.

Ä u ß e r e s . Sandsteinquaderbau. Bestimmend das die 3 Schiffe übergreifende, den basilikalen Querschnitt verdeckende Dach. Portale an der W-Seite und an den Seitenschiffen. Der in 6 Würfelgeschossen aufsteigende Turm, urspr. spitzbehelmt, seit 1670 bekuppelt. Der große Ölberg am Chorschluß von 1512–15 ist ein vorzügliches Werk vermutl. eines Bamberger Bildhauers, dem auch der benachbarte Holzkruzifixus zuzusprechen ist. Der Schmerzensmann an der N-Seite ist ein typisch nürnbergisches Werk des mittleren 14. Jh. – I n n e r e s . Kontrast des fensterlosen flach gedeckten Schiffes zum hellen gewölbten Chor. Die Arkaden des Mittelschiffs auf Achtkantpfeilern, die Hochwände durch barocke Pilaster dürftig gegliedert. Die (alten) Kreuzrippengewölbe der Seitenschiffe sind mit feinen Bandelwerkstukkaturen, wohl vom Bamberger J. J. Vogel, geschmückt.

Die A u s s t a t t u n g barocken Teils im 19. Jh. beseitigt. Doch blieben die Altäre. Hochaltar von 1697/98, allerdings 1836 stark überarbeitet; die Seitenfiguren, St. Heinrich und St. Kunigunde, sind Werke Seb. Deglers, das Gemälde (1698) gehört Seb. Reinhard. Relikte der spätgot. Ausstattung: 8 Tafeln mit Darstellungen der Passion und (rückseitig) der Martinslegende vom ehem. Hochaltar, wohl einem Bamberger Maler (W. Katzheimer?), um 1490. An der S-Wand des Chores großes Holzbildwerk, Abschied Christi von Maria, Stiftung des bischöfl. Rats Hans Braun, um 1520, ein bedeutendes, sichtlich unter dem Einfluß Dürers stehendes Werk, viell. eines Bamberger Meisters, dem auch die durch die barocke Weiß-Fassung entstellten Apostel in Schiff und Chor nahestehen. Das figurenreiche Sandstein-Epitaph des Stadthauptmanns G. Groß-Pfersfelder († 1589) an der W-Wand ist ein beachtliches Werk Hans Werners.

Marienkapelle, nächst der Pfalz und in Zusammenhang mit ihr unter Bischof Otto d. Hl. entstanden. Romanisch sprechen nur noch die hochliegenden (zugesetzten) Rundbogenfenster. Erneuerungen des 14. und 18. Jh. haben die urspr. Erscheinung verwischt. Dachreiter 1591.

Katharinenhospital. Die Kirche ist mit dem 1328 gestifteten Spital in guter Gruppe zusammengeordnet. 1688 erhält der got., steil bedachte Bau den reizvollen barocken Dachreiter. Das Innere wurde 1728 modernisiert. Erwähnt sei die Statue des hl. Antonius aus der 1. Hälfte des 14. Jh., die auf ein dem Spital des 14. Jh. vorausgegangenes Antoniterspital schließen läßt. – Das **Pfründnerhaus**, mit Renaissance-Portal und Fachwerkgiebel, wurde 1611 von Paul Keit und dem Zimmermeister Hans Schönlein aufgeführt; die Rückseite steht auf Rundpfeilern über dem hier vorbeigehenden Flüßchen, der Wiesent.

1685 wird die **Kirche der Franziskaner** begonnen, 1693 geweiht. Die Auszeichnung des schlichten Bauwerks ist die vortreffliche barocke und spätbarocke Ausstattung. Die Plastik der Altäre vom Bamberger J. Bernh. Kamm.

Pfalz

Fraglich, ob das »Pfalz« genannte alte bischöfl. Schloß den Platz der geschichtlich bedeutenden, 805 bezeugten karoling. Pfalz einnimmt. Sicher ist nur, daß hier schon der hl. Bischof Otto in der Frühzeit des 12. Jh. ein »steinernes Haus« (und die benachbarte zugehörige Kapelle) errichtete. – Die erhaltene Pfalz geht, wenigstens im Hauptbau (östl.) und im Kern des Hofgebäudes (westl.) in die 2. Hälfte des 14. Jh. zurück. Der nördl. Teil des Hofgebäudes wurde 1559, der südliche 1566/67 erneuert. Der Fachwerkgang über der nördl. Hofmauer wurde 1559, der über der südlichen in den 60er Jahren aufgesetzt. 1603–05 entstand der Treppenturm. 1719 wurde, mit Preisgabe der alten Stufengiebel, das Walmdach aufgesetzt.

Eine Wasserburg, grabenumgürtet, ein Viereck einschließend, von starker Höhenentwicklung im Hauptbau an der O-Seite. Der älteste Torbau stand nördlich; in spätgot. Gestalt steht er noch. Der Eingang wurde dann an die S-Seite verlegt. Der sehr mächtige massive Palas schloß urspr. in Staffelgiebeln ab. Mauerwerk des »Steinernen Hauses« dürfte in seinen Umfassungen stecken. Im Innern bergen die 3 Geschosse je 2 Säle, einen großen und einen kleinen, die durch spätgot. Wandmalereien ausgezeichnet sind; im Erdgeschoß (das 1616 neu gewölbt wurde) sind es nur wenige Fragmente, mehr im südl. Saal des 1. Obergeschosses: Propheten, Anbetung der Könige, Verkündigung etc., entstanden älteren Teils wohl bald nach 1350, jüngeren Teils um 1400.

Festung

Die im Markgrafenkrieg 1552 gemachten bösen Erfahrungen führten in nächster Folge zur Anlage starker bastionärer Fortifikationen neuesten (italienischen) Stils, die in einem runden Halbjahrhundert bis knapp vor Beginn des 30jährigen Krieges (in dem sie

*ihre Bewährungsprobe bestehen) aufgeführt, in der 2. Hälfte des
17. Jh. durch neue Werke verstärkt und schließlich um die Mitte
des 18. Jh. noch durch einige Vorwerke ergänzt werden. 1886
wurde diese die Stadt einschließende, nicht nur starke, sondern
auch, im sinnfälligen Ausdruck ihrer Stärke, schöne Festung großenteils abgetragen. Immerhin blieben die Bastionen und Kurtinen
zwischen SW und N ganz oder teilweise erhalten (neuerdings sehr
gut in gärtnerische Anlagen einbezogen).*

Die 1553 wahrscheinl. vom Nürnberger Paul Beheim errichtete St.-Veits-
Bastion, südöstl., nächst dem Amtsgericht, und die beiderseits anschließenden Kurtinen stehen noch, auch die 1560/61 von Jörg Stern aufgeführte Bastion vor dem mittelalterl. (ins 14. Jh. zu setzenden) Saltor-
turm nächst der Pfalz und die nördl. gerichtete Kurtine, das starke,
1657 gebaute St.-Valentins-Werk, nächst dem Krankenhaus, nordwestl.,
die anschließende (ältere) Kurtine und einige Teile des 1675 aufgeführten St.-Petri-Werks. Von den Toren steht nur mehr (versetzt) das
prächtige Nürnberger von 1698, das eine genaue Wiederholung des
Haupttors der Veste Rosenberg-Kronach (1662) ist.

FRAUENAURACH (Mfr. – D 4)

Ehem. Dominikanerinnen-Klosterkirche

*In den 60er Jahren des 13. Jh., wahrscheinl. 1268, stiften Herde-
gen und Elisabeth von Gründlach ein für die Töchter des Dienst-
adels bestimmtes Dominikanerinnenkloster. 1548 hebt es der Ansbacher Markgraf auf. Nach der Zerstörung im Markgrafenkrieg
1553 erfolgt 1586–88 ein Wiederaufbau der Kirche. Die Klostergebäude verfallen. Eine Wiederherstellung 1898/99 konnte den
alten Bau stabilisieren, schädigt ihn aber leider durch verständnis-
lose Eingriffe. Letzte Überholung 1959.*

Die **ev. Pfarrkirche**, d. i. die ehem. Klosterkirche, dürfte im
Bestand ihrer Mauern in die 2. Hälfte des 13. Jh. zurückgehen. Das Bauschema ist das der frühgot. Frauenklöster
der Zisterzienser: langgestrecktes Schiff, fortgesetzt vom
gleich breiten Chor, der hier in 7 Seiten des Zehnecks
schließt. Die hohe Lage der alten (zugesetzten) Fenster, die
sehr schmal sind, ist Hinweis auf die ehemals den größeren
Teil des Schiffes einnehmende Nonnenempore, die im 16. Jh.
beseitigt wurde. Der Wandaufriß am kenntlichsten noch an
der S-Seite, an der die flachen Streben auf einer unteren
Mauerverstärkung sitzen. An der N-Seite überrascht das im
ganzen gut erhaltene *Portal*, von dem man zunächst annehmen könnte, daß es von einem älteren Bau herübergenom-
men wurde, das aber doch in die erste Bauzeit der Klosterkirche zu setzen ist, trotz spätroman. Stilerscheinung. Das

schöne breite Tor ist in eine vorgezogene, seitlich von Lisenen, oben von einem Rundbogenfries gerahmte Mauerstirn
eingebuchtet, das Gewände mit je 3 Säulen bestellt, deren
beschädigte Kapitelle wie der abschließende Kämpfer noch
gute Steinmetzenarbeit, Laubwerk und Vögel, erkennen lassen; eine schwere Archivolte fußt auf dem Kämpfer über der
inneren Säule, Stäbe und Kehlen schlagen die äußeren
Kreise. Das stark zerstörte (abgeschlagene) Tympanonrelief
zeigt noch die Umrisse eines Jüngsten Gerichts, das sich ikonographisch mit dem des Bamberger Fürstentors vergleichen
läßt, wie denn dieser Spätling roman. Portal-Architekturen
am ehesten aus einer der Filiationen der Bamberger Dombauhütte, wahrscheinl. der St. Sebalder in Nürnberg, abzuleiten ist. – Der Kirchenbau der Dominikanerinnen trug, wie
üblich, nur einen Dachreiter. Der starke 4geschossige Turm
kam erst 1709 ff. hinzu; seine Prägung deutet auf die (späteren) Erlanger Kirchtürme; ein Erlanger, J. G. Kanhäuser,
hat ihn auch gebaut. – I n n e r e s. Die Raumverhältnisse
sind durch die Wölbungen des 17. Jh., Holztonne im Schiff,
schwere (stuckierte) Rippengewölbe im Chor, gestört. Das
Schiff kann jetzt als Saalraum angesprochen werden. – Ein
wertvoller Besitz aus der got. Frühzeit ist die um oder bald
nach 1300 gemeißelte Steinstatue der Muttergottes im Chor,
die auch noch auf der alten Konsole und unter dem alten,
fialenartigen Baldachin steht. Die A u s s t a t t u n g ist
barock. Stattlicher Hochaltar mit gewundenen Säulen, Kreuzigungsgruppe in der Mitte, Evangelisten seitlich und im
Sprenggiebel; Ende des 17. Jh. Die Kanzel zeichnet sich
durch die originelle, bewegte und locker gelöste Komposition des Deckels aus: im Geschling grüner Akanthusranken
ein Haufe weißer Engelchen.

FRAUENCHIEMSEE (Obb. – E 8)

Benediktinerinnen-Klosterkirche St. Maria

*Wohl bald nach 750 entsteht als Stiftung Herzog Tassilos auf
der kleineren der beiden Inseln ein Benediktinerinnenkloster,
das sich – die Jahre 1803–37 ausgenommen – bis heute erhält.
Irmengard, eine Tochter König Ludwigs d. Deutschen, leitet um
Mitte des 9. Jh. den Konvent. Sie wurde stets hoch verehrt; 1928
wurde die »Selige« kanonisiert. Ihr Grab (von den Fundamenten
angeschnitten, also einem älteren Bau zugehörig) wurde 1961 im*

*westl. Endteil des Langhauses gefunden. Auf ihre Initiative darf
der Münsterbau in der Anlage zurückgeführt werden. Die ebenfalls
1961 aufgefundenen und dann freigelegten Wandmalereien an den
Hochwänden des Mittelschiffs, außen, nördlich und südlich, führen
nicht über das frühe 12. Jh. zurück. Der isolierte, doch urspr. durch
Gebäude mit einer westl. Vorhalle und dem südl. anschließenden
Kloster verbundene, dem Inselbild so wesentliche Turm darf
wohl ins 11. Jh. gesetzt werden. Änderungen des Baubestandes
wohl erst im 12. und 13. Jh. Um 1150 ist der rechteckige, doppelgeschossige Chorumgang zu datieren, in die 1. Hälfte des 13. Jh.
die Halbsäulenvorlagen der Langhausarkaden und das Portal an
der N-Seite bis auf das wahrscheinl. doch etwas ältere, wenn auch
nicht über das 12. Jh. hinausreichende Tympanon. Letzte, spätgot.
Baumaßnahmen: 1472 Wölbung der Seitenschiffe durch Jörg von
Schnaitsee, 1476 des Hochschiffs durch Hans Lauffer von Landshut.*

Ä u ß e r e s. Es wird beherrscht durch das wuchtige Achteck
des Glockenturms. Die Untergeschosse werden jetzt, wohl
mit Recht, als frühmittelalterlich angesprochen. Die Obergeschosse hat man im späten 13. oder frühen 14. Jh. aufgesetzt, die Kuppel 1626 (erneuert 1955). Die Apostel-, jetzt
Irmengard-Kapelle, östl. des Chors, wurde 1480 von H. Lauffer hinzugefügt, die Marienkapelle nordöstlich 1536. Der
Baukörper des Münsters zeigt sich wenig gegliedert. Das
Laienportal öffnet sich an der N-Seite; die plastische Zier,
im Tympanon und an den Säulen, hier Löwen und Schreck-
köpfe, ist ungefüg, aber kraftvoll. An der Tür spätgot.
Beschläge und ein Bronze-Türklopfer, Löwenkopf, des
12. Jh. Die Wandmalereien an den Hochwänden des Mittelschiffs, die nur über die Dachböden der Seitenschiffe
zugänglich sind, zeigen südlich als zentrale Beziehungsfigur
Christus, dem Ezechiel und ein Engel zugeordnet sind, nördlich Aaron, Moses u. a. Die Malereien sind wohl nur um 3
oder 4 Jahrzehnte älter als die reif hochromanischen in den
Leibungen der Chorhausarkaden. – Das I n n e r e ist ein
3schiffiges basilikales Langhaus auf rechteckigen Pfeilern
mit (späteren) Halbrundvorlagen, die mit einfacher Abschrägung in die Leibung übergehen. Bemerkenswert ist das
ausgeschiedene Rechteck des östl. Nonnenchors (um 1150),
ältestes Beispiel eines Chorumgangs im Alpenraum. 1467
wurde ihm im W der neue Nonnenchor gegenübergestellt.
An die Stelle der O-Apsis trat um 1480 die Irmengard-
(ehem. Apostel-)Kapelle, an die NO-Ecke 1536 die spätestgot., später barockisierte Marienkapelle. – Das Viereck des

östl. Nonnenchors ist nicht nur durch seine seltene Form, sondern auch durch die 1927/28 aufgedeckten hervorragenden Malereien in den Arkadenleibungen ausgezeichnet. Spürbar ist der Einstrom salzburgischer Kunst (Stift Nonnberg), die auch die Entstehungszeit auf 1160–70 festsetzen läßt. Vom Scheitel des östl. (mittleren) Bogens blickt Christus als Halbfigur zwischen 2 Engeln. Unterhalb der beiden himmlischen Boten stehen ganzfigurig Maria und Martha. Der nördl. Bogen reiht Engelsgestalten und jeweils 2 Vögel, die ihre Schnäbel in ein Gefäß tauchen (Lebensbrunnen). Der südliche weist in einer Folge von Vierpässen je 2 Tauben neben 3teiligem Rankenstamm mit lilienartigen Blattspitzen (Lebensbaum). Das theologische Programm: Christus verheißt Maria und Martha (der Menschheit) das ewige Leben, dessen Symbole Lebensbaum und Lebensbrunnen sind. Andere Wandmalereien kamen später hinzu. Ihr Entstehungsdatum ist lesbar: 1496.

Die Einrichtung der Kirche entstammt dem 17. Jh.: Hochaltar (mit Flankenfiguren der Ordensheiligen Benedikt und Scholastika und erneuertem Gemälde) 1694; Kanzel 1662; Brüstung der Musikempore 1602. – Treffliche Grabplatten für Äbtissinnen aus dem 15.–17. Jh. – Ausmalung der Marienkapelle von Balth. Furthner 1761. Der 1688 dort aufgestellte Altar umfängt ein geschnitztes Marienbild um 1540.

Klosterbauten 1728–31. Ohne viel Aufwand, doch reizvoll als Baugruppe.

Torkapelle St. Michael und St. Nikolaus. Die neuesten Untersuchungen konnten karoling. Entstehung wahrscheinlich machen. Rechts der Durchfahrt die tonnengewölbte Nikolaus-, darüber die flach gedeckte (nur im eingezogenen quadratischen Chor gewölbte) Michaelskapelle. Die hier jetzt aufgedeckten, sehr wertvollen Wandmalereien, Engel in einfarbig roten Kontur-Umrissen, offenbar durch byzantinische Vorlagen inspiriert und ins frühe 11. Jh. zu setzen. Das farbige Christusbild an der O-Wand des Schiffes gehört der Mitte des 13. Jh. an.

FRAUENROTH (Ufr. – D 2)

Ehem. Zisterzienserinnenkloster

Stifter ist Graf Otto von Bodenlauben-Henneberg. 1231–34 entsteht es. Bedeutend ist es nie. Ende des 16. Jh. stirbt es aus. – Die Kirche wurde wohl gleich nach Stiftung in Angriff genommen. Veränderungen fanden im 17. und 18. Jh. statt. Jetzt ist sie 1schiffig, urspr. war sie (seltener Fall bei Kirchen der Zisterzienserinnen) 3schiffig und hatte auch ein, allerdings nicht ausspringendes, Querschiff im O.

Besterhalten der in Halbrundapsis schließende Chor, der mit einem
Rippenkreuzgewölbe gedeckt ist. Das Schiff bietet nicht mehr viel
Altes. Ein einfach gutes gestuftes Rundbogenportal an der W-Seite. –
Der Name Frauenroth hat kunstgeschichtlichen Klang durch das bedeu-
tende Grabmal des Stifterpaares, des Grafen Otto von Bodenlauben
und seiner Gemahlin Beatrix aus hohem französisch-morgenländischem
Geschlecht (Courtenay-Odessa). Die beiden Reliefsteine deckten urspr.
eine Tumba. Graf Otto starb (spätestens) 1245, Gräfin Beatrix anscheinend nur wenig später, und viel später als 1245 wird man ihrer beider
Denkmal nicht ansetzen dürfen. Die stilistische Herkunft des noch von
der Stauferzeit getragenen Werkes ist ungeklärt (Mainz? Thüringen?).
Seine Verbundenheit mit der großen statuarischen Plastik des früheren
13. Jh. ist augenfällig.

FRAUENZELL (Opf. – F 6)

Ehem. Benediktinerklosterkirche Mariae Himmelfahrt

*Da, wo das waldige Hügelland bei Donaustauf und Wörth fast
an das N-Ufer der Donau greift, liegt, abseits der großen Straßen, Frauenzell. Aus einer Einsiedelei ging es hervor; 1324
wird die Klostergründung bestätigt. Von der mittelalterl. Kirche
steht noch der massige Turm im Klosterhof neben der barocken
Fassade des Neubaus von 1747. Zuvor, 1736, konsultierte Abt
Benedikt Eberschwang »die berühmtiste und vortrefflichste Künstler Hr. von Asam und andere verständige Baumaystr«. In der Tat
erinnert der Grundriß an die rund 20 Jahre ältere Konzeption
von Weltenburg. Vermutl. hat ein wohl vorliegendes Asamsches
Projekt gründliche Umarbeitung erfahren. Die Ausführung wird
den Mettener Klosterbaumeistern Bened. und Albert Schöttl zugeschrieben. Restaur. 1965/66.*

Die leicht konvex geführte, 3geschossige Fassade mit ihrem
prunkenden Portal läßt einen fröhlichen Raum des Rokoko
erwarten. Der Eintritt in den hohen Ovalraum übertrifft die
Erwartung: Aus querovaler Vorhalle gelangen wir in das
Laienhaus mit seiner schwebend leichten Umgrenzung. Nur
streckenweise ist die Wandordnung mit Pilastern und Gebälk
durchgeführt. Die Rückwände der flachen Nischen sind
glatt. Als Chor ein kreisrunder Raum, der vom breiten
oratorienbesetzten Triumphbogenjoch angeschnitten wird
(Tafel S. 289). Eleganter Rokokostuck sammelt sich am Rand
der Gewölbe, Kartuschenwerk, Zweige und Vasen von zarter Farbigkeit. Mich. Speer aus Regensburg schuf 1752 die
Deckengemälde, deren Themen Leben und Wesen Mariae
umkreisen. Im Chor zeigen ihr Engel die Leidenswerkzeuge,
im Laienhaus fährt sie gen Himmel, verehrt von den 4 Erd-
teilen. Der Hochaltar wurde später errichtet; hier eine Mut-

tergottes-Skulptur des 17. Jh. Aus dem älteren Kirchenbau
kommt der Altar der südwestl. Seitenkapelle von 1628–30.
Spätes 17. Jh. ist die Kanzel. Reizvoller Orgelprospekt.

Klostergebäude 18. Jh. Nur teilweise erhalten.

FREISING (Obb. – D 7)

*Nächst Freising überquerte eine Römerstraße die Isar, aber röm.
Funde hat der früh besiedelte Boden noch nicht hergegeben. Um
die Wende des 7. Jh. ist Freising Burgsitz eines der bajuwarischen
Teilherzöge. Eben in dieser Zeit gewinnt es in dem fränkischen
Missionarbischof Korbinian seinen Heiligen. Die herzogl. Pfalzkapelle wandelt sich in eine Bischofskirche, die Pfalz in ein
Bischofskloster. Kanonisches Bistum wird Freising allerdings erst
739 durch Bonifatius. Auch der das Stadtbild Freisings neben dem
Domberg beherrschende Weihenstephaner trägt schon z. Z. Korbinians eine Kirche. Ihr Titel, St. Stephan, haftet seit rund 1200 Jahren an dem Berg. Das Kloster, das hier im 11. Jh. erwuchs, fiel der
Säkularisation zum Opfer, die es mit Kirche und Kapellen zerstörte. – Im Raum zwischen diesen Bergen und einer westl. Randhöhe entwickelte sich auf schwankem, moosigem Grund die Stadt,
die nie über ein bescheidenes Maß hinausging und bis ans Ende
des Hl. Röm. Reiches ihren Bischöfen gehorchte. – Freising war
eine geistliche Stadt. Im Mittelalter ist es der Kulturherd des südl.
Altbayern. Namen wie der des dritten in der Reihe seiner Bischöfe,
Arbeos, des Geschichtsschreibers, dem wir erste Einblicke in die
Frühzeit des bajuwarischen Sonderdaseins verdanken (8. Jh.),
Ottos, der einer der großen deutschen Geschichtsschreiber des
Mittelalters ist (12. Jh.), zeugen für die Bedeutung des geistlichen
Hochsitzes. – Hochsitz auch wörtlich: in burglicher Höhe und
burglicher Bewehrung residieren die Bischöfe; unter ihnen breitet
sich die weite, von der Isar durchströmte Schotterebene, im S ragt
der Wall des Gebirges, der noch eines der freisingischen Territorien, die Grafschaft Werdenfels, einschließt. Näher zeichnet sich
mit den Gipfeln der Frauentürme die Landeshauptstadt ab, die
auf Kosten Freisings entstand, seine Bedeutung mehr und mehr
drückte und ihm schließlich auch (1821) den Bischof fortnahm.
Doch immer noch wächst der Klerus des Erzbistums München-
Freising auf dem Freisinger »mons doctus« heran.*

Die Bauten des Dombergs

Dom St. Maria und Korbinian

*An Stelle der agilolfingischen Hofkapelle St. Maria entsteht im
8. Jh. der erste Dombau, der 903 einem Brand erliegt. Ein zweiter
Bau des 10. Jh. geht in der Feuersbrunst von 1159 unter. Bischof*

Albert von Hartshausen († 1184) beginnt 1160 einen Neubau,
durch Stiftungen des Kaiserpaares Friedrich Barbarossa und Bea-
trix gefördert: eine große 3schiffige Pfeilerbasilika mit 2 W-Tür-
men und 3 Apsiden, querschifflos und flach gedeckt. Weihe 1205.
Die Gotik des frühen 14. Jh. fügt eine Vorhalle hinzu. An Stelle
eines alten Baptisteriums entsteht im W die Stiftskirche St. Johan-
nes. Der Kreuzgang erfährt seine Umgestaltung, mit ihm die
Benediktuskirche. Bischof Nikodemus della Scala läßt 1443 durch
Jak. Kaschauer aus Wien einen neuen Hochaltar errichten (Schrein-
figuren jetzt in München und Stuttgart). 1481/82 ersetzt Jörg,
Meister der Münchener Frauenkirche, die Flachdecke durch Rip-
pengewölbe. 1621–24 erfolgt durch Einbeziehung seitlicher Kapel-
len die Erweiterung zur Fünfschiffigkeit mit Emporen; die Orgel-
empore entsteht, der bisherige Lettner verschwindet zugunsten
einer Chortreppe. Bischof Veit Adam ist bei diesen Umgestaltun-
gen durch Hans Krumper beraten. Der neue Hochaltar wird 1624
errichtet und mit einem Gemälde von P. P. Rubens ausgestattet.
Fürstbischof Joh. Franz Ecker leitet die Barockisierung des Domes
ein. 1710 entsteht die Maximilianskapelle, 1716 werden Kreuz-
gang und Benediktuskirche mit Stuckdekor versehen. Zur Säkular-
feier 1724 wird dem Dom seine schöne barocke Vereinheitlichung
durch die Dekoration der Brüder Asam. Das 19. Jh. fügt an den
Außenbau neugot. Strebepfeiler und verändert leicht die Fassade
und die beiden äußeren Seitenschiffe. Die letzte Restaurierung,
1964/65, suchte die Fassade dem urspr. Zustand anzunähern.

Der roman. Dom, den wir aus den Veränderungen späterer
Zeiten herausschälen, ist eine in Ziegeln gemauerte 3schiffige
Basilika mit westl. Turmpaar, ohne Querschiff (wie meist
im roman. Altbayern), mit 3 Parallelapsiden östlich und
4schiffiger Krypta. Spätgotik und Barock haben die urspr.
Struktur überschichtet. Das Innere läßt, abgesehen von den
Arkadenreihen, nicht mehr viel vom roman. Bau spüren; das
Äußere hat die alte Prägung besser bewahrt, am meisten am
Halbzylinder der großen Chorapside, die noch ungekränkt
romanisch ist. (N-Nebenapside 1869 rekonstr.)
Ä u ß e r e s. Durch 2 spätgot. Tore (westl. und östl.) wird
steil bergan der umfriedete Bezirk der Domstadt betreten.
Ein rechteckiger Hofplatz, rings umbaut – nördlich die Johanneskirche und der (1682 gebaute) Fürstengang, westlich
die ehem. fürstbischöfl. Residenz, südlich das Gymnasium,
neben ihm das (ebenfalls 1682 gebaute) schönste Umschau
bietende Belvedere –, öffnet den Blick auf die ihn östlich
begrenzende *Domfassade*. Sie wäre völlig schmucklos, hätte
ihr nicht das 17. Jh. (1681) ein Marmorportal vorgeblendet.
Die Mauerfläche ist bei ihrer Wortkargheit geblieben. Und

wie die Stirn, so diese in kaum gegliederten schweren Block-
gestalten sie seitlich flankierenden Türme, die ein ungewöhnlich breiter Abstand trennt, was noch einmal ihrer unwirsch-
trotzigen Erscheinung zugute kommt. Allerdings, die nackten
Flächen waren einmal bemalt, ganz so abweisend zuge-
schlossen war das alte Domgesicht nicht. Daß es nicht ganz
frei liegt – an die N-Hälfte legt sich der Brückenbau zur
Johanneskirche –, mag als belebender Reiz empfunden werden. Südlich und östlich eingebaut bietet sich frei neben der
Fassade nur die nördl. Langseite, die den 5schiffigen Körper
des Langhauses (im Gerüst neugot. Streben) erschließen
läßt.
I n n e r e s. Eine Vorhalle zwischen den beiden Türmen
empfängt. 2 Freipfeiler teilen sie in 3 Schiffe, deren Joche
durch Netz- und Kreuzrippengewölbe gedeckt sind. Das Er-
richtungsjahr ist 1314; die Netzgewölbe kamen im 15. Jh.
hinzu. – Nun das schöne spätroman. Innenportal, von etwa
1200, das in den Dom einläßt. Sehr schlanke, z. T. kannelierte Säulen stehen in den Stufen des Gewändes, Archivolten schlagen den Bogen, ein ornamentierter Kapitellfries
scheidet die Zonen. Unter ihm, an den Rahmenpfeilern, die
Relieffiguren Kaiser Friedrichs I. und eines bischöfl. Beglei-
ters (Albert I.?) und der Kaiserin Beatrix. Die Kröte am
Pfeiler unterhalb der Kaiserin wird als Fruchtbarkeitssymbol zu deuten sein. – Im Rahmen dieses Tores liegt nun der
lang abfluchtende Raum von Schiff und Chor vor uns. Eine
Treppe führt in das tieferliegende Schiff, eine Treppe führt
am östl. Ende des Schiffes wieder aufwärts, der von der
Krypta untersockelte Chor liegt wieder höhengleich mit der
Vorhalle. Der Blick des auf der Höhe postierten Betrachters
umfaßt die räumliche Ganzheit des Langhauses, zur Ruhe
kommend am Aufbau des *Hochaltars*, der die Apokalyptische Maria des P. P. Rubens entgegenhält. Der Blick ist
einer der überraschendsten, den es in alten Kirchen gibt:
alles andere als dieses barocke Fest mußte der Besucher des
mittelalterl. Domes erwarten *(Tafel S. 320)*. Dieses Barock ist
ein innerer Mantel, aufgelegt 1723/24 von den Brüdern
Asam, deren Dekorationskunst sich hier glänzend bewährte.
Es war schon nicht mehr der urspr. roman. Wandaufriß, an
den sie mit Stuck und Farbe herangingen, sondern der durch
die Emporen bereicherte, schon barocknähere des 17. Jh.
(1621–24). Über den roman. Arkaden schreiten in gleichen

Takten die Emporenbogen hin, Spender des ihnen von außen
zukommenden Lichtes, das direkten Zugang nur in den Fenstern über dem Hauptgebälk hat, die, von den Stichkappen
der Tonnendecke umfaßt, schon deren Region zugehören.
Eine farbige Stuckarchitektur, Pilaster und Gebälk, bändigt
eine Dekoration, deren ornamentales Gerank sich mit den
Farbflächen der Gemälde orchestral verbindet. Mit abge-
schirmtem Licht schaltet sich das auf breiter Treppe zugängliche Presbyterium zwischen die Hellräume des Langhauses
und des Chores, dessen Schluß, die roman. Apside, sich hinter der Altarwand verbirgt. Daß sich (bis 1870) am Bogen
über dem Hochaltar ein farbiger Stuckvorhang raffte, sei
angemerkt: durchaus bühnenhaft war die Plattform des
Chores gedacht. Stuck und Fresko in engster Verflechtung
sind die Bewirker des sehr farbigen, doch nie lauten Raumbildes. Das Fresko an Wand und Decke will aber selbstverständlich auch auf seine Bedeutung, auf den belehrenden
oder berichtenden Inhalt hin befragt werden. Ausgehend
von der Apokalyptischen Maria des Hochaltargemäldes (das
auch die farbige Haltung der Fresken bestimmen haben
dürfte), inszenieren die 5 Fresken der Decke: die Anbetung
des Lammes durch die 24 Ältesten (Apok. 14, 2 ff.), dann
die thronende Mutter Gottes, weiter die 3 göttl. Tugenden,
Glaube, Hoffnung, Liebe, umgeben von den Wappen des
Bischofs und des eben jetzt, 1724, amtierenden Kapitels, folgend die Glorie und die personifizierten Tugenden des Heiligen Freisings, St. Korbinians. Und nur diesem sind die
20 Freskenfelder über den Arkaden gewidmet, Taten und
Tatsachen seines irdischen Wunderwandels. Mit so leichter,
rascher Hand hingesetzt wie Farbskizzen sind auch die Bilder in den Seitenschiffen und Emporen, deren Themen stets
in Bezug stehen auf die ihnen benachbarten Altäre. – Die
vereinte Kunst der beiden Asam-Brüder hat auch die das
südl. Seitenschiff, in Ersetzung der urspr. Apside, beschließende *Johanneskapelle* geschaffen, um oder bald nach 1729,
ein Raumgebild, das ganz in sich selbst beruht: unter der
Kuppelschale mit breiter lichtspendender Laterne will sich
der nicht runde, nur rund geschlossene kleine Raum doch
ganz ins Runde schließen. Stuck und Fresko überspielen auch
hier farbig die Flächen, die doch dem reichen 3teiligen Altar
mit den weißen Stuckstatuen der 3 Johannes das bestimmende Wort lassen. Rot, Weiß, Gold sind die Farben der

Komposition, ein Goldlicht überquillt sie aus dem in das
aufschwingende Gebälk des Altars gesetzten, gelb verglasten
Rundfenster.
Nehmen wir nun die wenige Schritte von diesem barocken
Raumkleinod abwärtsführende Treppe, um in die K r y p t a

– in eine völlig andere Welt, die nichts
vom schönen Schein weiß – einzutreten:
die lakonische, nur dem festen rauhen
Stein das Wort lassende Welt des
roman. Mittelalters. 9 Joche schließen
sich zu 4schiffiger Halle zusammen, die
ehemals, bis ins 17. Jh., von der W-Seite
her in 2 Zugängen betreten wurde.
3 × 8 Tuffsäulen tragen die einfachen
Wölbfelder, Tonnen, die sich in Graten durchdringen, 21 Wandsäulen leisten ihnen Beistand. Die Stützen wechseln Rund und Viereck, einige sind
gebündelt, einige kanneliert. Variabel
auch die vom Steinmetzen gemeißelten
Kapitelle, deren Würfel oder Kelche
mit figürlichem Relief geziert sind.
Eine der Säulen, die östliche der N-
Reihe, bietet auf der Kämpferplatte
ihres Kapitells einen Namen: LIVT-
PREHT. Hieß der Steinmetz so? Und
gehört dann auch ihm diese berühmte
sog. *Bestiensäule*, die 4. der mittleren
Reihe, deren Stamm ganz Bildwerk ist,
Drachen, Dämonen, die mit Menschen
kämpfen? Es wurde viel gerätselt über
die inhaltliche Bedeutung dieses Bild-
pfeilers, der wohl aus oberitalien.
Formengut herzuleiten ist. Darf, ja

Freising, Dom
Bestiensäule

muß eine inhaltliche Bedeutung ange-
nommen werden, dann am ehesten die
der von den höllischen Mächten bedrohten Christenseele. –
Die Entstehungszeit der Krypta, deren wohlerhaltener
Bestand nur im O (östl. Stütze und östl. Gewölbe) eine
Störung aufweist, muß, wie das stilistisch zugehörige W-
Portal, vor 1205, Weihejahr des Choraltars, angesetzt wer-
den. – Die Krypta beherbergt den Steinsarg St. Korbinians,

jetzt Tisch des Altars des Heiligen, und die Grabplatte des
Bischofs Hitto, der 835 starb; sie zeigt ein Kreuz in rundbogiger Arkade. – An den Scheitel der Krypta legt sich wieder ein barocker Annex an, die achteckige *Maximilians-*
kapelle, errichtet da, wo 272 der hl. Maximilian das erste
Kreuz errichtet haben soll, 1715 vom tatkräftigen Bischof
Ecker, der hier 1727 begraben wurde. Ein zarter, die Blattranke des Akanthus bevorzugender Stuck überkleidet die
von 8 Strahlen gegliederte Kuppel, in deren Felder der Vater
Asam, Hans Georg, seine kleinen marianischen Fresken
setzte. In 4 Nischen der Stuccolustro-Wände stehen die
Glaubensboten Bayerns: Maximilian, Korbinian, Rupert,
Bonifatius.

Aus der Unterkirche in die obere zurückkehrend, gelte unsere
Aufmerksamkeit jetzt der A u s s t a t t u n g. Der Hochaltar
fand schon seines Bildes wegen Erwähnung, doch ohne die Tatsache, daß das Original des Rubensbildes z. Z. der Säkularisation
den Dom verließ (seither in München). Das mächtige Altargebäude
ist Werk des Freisinger Bildhauers Phil. Thürr, 1624. Um dieses
Jahr entstand auch der Großteil der noch reichlich vorhandenen
Ausstattung, Kanzel und Orgel und die große Mehrzahl der Seitenaltäre, deren einige durch gute Gemälde – von Peter Candid
(Heimsuchung), J. Sandrart (Joachim und Anna), M. Kager (Anbetung der Hirten) – ausgezeichnet sind. Hinterlassenschaft des
späten Mittelalters: das schöne reiche Chorgestühl, das wahrscheinl.
nach dem Entwurf des Augsburgers Ulrich Glurer der Freisinger
Meister Bernhard 1484/85 arbeitete (im figürlichen Programm ein
Katalog der Freisinger Bischöfe vom 8. bis ins 14. Jh.), und die
am O-Ende des nördl. Seitenschiffs stehende Beweinungsgruppe
des Erasmus Grasser, die 1492 dem riesigen Christus von 1440
hinzugefügt wurde. Erwähnen wir noch den Kruzifixus mit der
Schmerzensmutter an der N-Seite des Mittelschiffs, Leistung des
Egid Qu. Asam, und werfen wir noch einen Blick auf die die
Jahrhunderte, vom 13. bis ins 18. Jh., durchmessende Reihe der
Grabdenkmäler, etwa den frühestgot. Bildnisstein des Otto
Seemoser von rund 1230 oder die gute, auch bildfigürliche Reliefplatte des Bischofs Sixt von Tannberg, 1495, Werk des Augsburgers Hans Beierlein. – Ehe wir die Annexe des Domes aufsuchen,
sei noch die südöstlich angebaute 2geschossige *Sakristei* des 15. Jh.
(1448) berührt. Das untere Geschoß, eine Halle, deren Netzrippengewölbe 3 Marmorpfeilern auflasten, verwahrt, eingepaßt in den
Schildbogen der Wand, die große gerahmte Tafel der Passion,
Werk des Nik. Alexander Maier von Landshut 1495. Die lange in
der Sakristei befindliche, ebenfalls spitzbogig gerahmte Tafel mit
den Darstellungen der Sigmundslegende, Werk des »Schwab-

malers« Hans Wertinger von Landshut, 1498, hängt jetzt im Gang
hinter der Orgelempore. Die obere Sakristei enthält im Nebenraum
die Schatzkammer, der die Säkularisation freilich nicht viel gelas-
sen hat, immerhin ein Rarissimum, die spätgot. Holzmonstranz
von 1472, Modell der silbernen in Waidhofen a. d. Ybbs (Nieder-
österreich).

Nun in den **Kreuzgang**, der, zugänglich durch die Sakristei-
vorhalle, östlich von Domchor und Maximilianskapelle den
Kreuzhof umschließt. Im 15. Jh. errichtet, wird er 1716
durch Stuck und Fresko ins Barocke gewandelt. Stuck und
Fresko der Decken (auch der beiden südlich anliegenden
Kapellen) gab der damals noch junge Joh. Bapt. Zimmermann. Zahlreiche Grabsteine, erst im 18. Jh. hier aufgestellt, werden nicht nur den Genealogen beschäftigen, denn
manche dieser meist bildfigürlichen Epitaphien sind gute,
ja sehr gute Werke des Bildhauers; so das des Joh. Haller
(1478); des Markus Hörlin (1517); des Matthäus Hörlin
(1535) von Gregor Erhart; des Joh. Lamberg (1505), des
Paulus Lang (1521) von Hans Beierlein d. J. (?). Im SO-
Flügel der Marmor und Sandstein kombinierende Wand-
altar des Kanonikers Kaspar Marold von Stephan Rottaler,
1513; eines der Frühwerke der Renaissance in Bayern, zeigt
er innerhalb eines antikischen Rahmenbaus die Gottesmutter zwischen dem hl. Sebastian, der den Stifter präsentiert,
und der hl. Barbara. – An den O-Flügel des Kreuzgangs
lehnt sich die angebl. auf dem Platze des ersten agilolfingischen Domes errichtete *Benediktuskapelle* (»Alter Dom«).
Um 1340 wurde sie erneuert, eine 3schiffige Halle, die 1483
vom Münchener Frauenkirchenmeister Jörg gewölbt wurde, mit 1schiffigem, polygon schließendem Chor. Bischof
Ecker ließ auch sie, 1716, barock verkleiden. Schönster Besitz des sehr reizvoll got.-barocken Raumes ist das sog.
Hornbeck-Fenster von 1412, Frühwerk got. Glasmalerei in
Altbayern. – Im Obergeschoß des an den S-Flügel angrenzenden Gebäudes befindet sich die Dombibliothek, 1732
bis 1738 geschaffen, reich stuckiert.

Treten wir nun wieder, den Dom durchquerend oder um-
gehend, auf den Domplatz hinaus. Die ihn nördl. begrenzende **Johanneskirche** ist die alte, got. erneuerte Taufkirche
des Domes. Die 1319–21 als Stiftung des Bischofs Konrad
d. Sendlingers entstandene 3schiffige Basilika ist ein Früh-
bau der Gotik in Altbayern. 4 Pfeilerarkaden tragen die

– stärker als sie den Raumeindruck bestimmende – Hoch-
gadenwand, 4 Rippenkreuzgewölbe schließen die Decke.
Die Gliederungen, Dienste, Rippen, sind fein und straff,
ein Etwas von Morgenfrische haftet dieser Frühbezeugung
der Gotik an.

Im W des Dombergs – der durch das westl. Tor heraufkommende Besucher hatte sie zu seiner Rechten – stand die kleine roman. **Martinskapelle**, wohl des späten 12. Jh., die ehemals dem Friedhof des 1803 zugrunde säkularisierten Andreasstifts gehörte und 1959/60 den Neubauten
des Priesterseminars weichen mußte. An das Andreasstift erinnert der
steinerne *Andreasbrunnen*, auf dessen Säule der Apostel steht, Werk
des Münchners Franz Ableithner, 1697.

Über die Johanneskirche hinweg verbindet der 1683 errichtete Fürstengang Dom und **bischöfl. Residenz**. Zeuge
der mittelalterl. Anlage ist wohl nur noch der Unterbau
des NO-Turmes. Ältester Teil von augenscheinlicher Bedeutung ist der Arkadenhof, den 1519 Stephan Rottaler,
renaissancebegierig, aber noch nicht so recht kundig, aufführte, einer der vielen Arkadenhöfe, die noch folgen sollten. 1619–21 wurde die Residenz entscheidend umgebaut.
Aus dieser Zeit stammt die H o f k a p e l l e im älteren
Turm, mit reichem Stuckdekor in der Art des Münchners
Hans Krumper. Weitere Umgestaltungen, die nur das Innere betrafen, brachte das 18. Jh.

Untere Stadt

St. Georg, Stadtpfarrkirche. Neubau um 1440. Spätgot. Hallenbau, dessen Seitenschiffe im O unvermittelt zur flachen Chorwand umknicken.
Sterngewölbe. W-Turm 1681–89 von A. Riva.

Friedhofkirche im N der Stadt 1543–45, Turm 1708. Hochaltar um 1760.

Hl.-Geist-Spitalkirche 1607. Wandpfeileranlage mit Rahmenstuck. Hochaltar und Kanzel 1697. Der Spitalbau wurde, wahrscheinl. von A. Riva,
1686 aufgeführt.

Altöttinger Kapelle beim S-Eingang zur Stadt, am Ufer der Moosach,
1673. Im nördl. Seitenaltar Relief der Marienkrönung durch die 3 göttlichen Personen um 1540.

Ehem. fürstbischöfl. Lyzeum (Marienplatz 7). 4-Flügel-Anlage von 1697.
Darin Saal mit Freskoschmuck von Hans Georg Asam 1709, restauriert
im Jahre 1949. – Zahlreiche Wohnhäuser der Hauptstraße mit Fassaden
aus dem 17. und 18. Jh. Besonders reich ausgestaltet: Untere Hauptstr. 7 (um 1720) und Rindermarkt 18 (um 1730). – *Mariensäule* 1674,
Variation des Münchner Vorbilds. – *Mohrenbrunnen* (neben der Altöttinger Kapelle) von Franz Ableithner 1700. – Die mittelalterl. **Stadtbefestigung** ist bis auf geringe Reste verschwunden.

Außerhalb des alten Stadtbereichs

Neustift, St. Peter und Paul

Kirche des ehem. Prämonstratenserklosters, gegr. 1141. Neubau 1705–15 durch Giov. Ant. Viscardi. Nach Brand von 1751 durch Joh. Mich. Fischer überarbeitet. Neu dekoriert und vollendet 1756. 1803 säkularisiert, seit 1892 Pfarrkirche.

Schlichter Außenbau mit unvollendeter Fassade. 3jochige Wandpfeilerkirche mit eingezogenem Langchor und gerundeter Apsis. Die wuchtige Gliederung durch Dreiviertelsäulen verrät ähnlich der Klosterkirche Fürstenfeld die Formensprache Viscardis. Darüber lockert sich das Raumbild in der hellfarbigen Ausmalung Joh. Bapt. Zimmermanns (Szenen aus dem Wirken St. Norberts) und der dezent verstreuten Rocaillestukkatur Fz. Xaver Feichtmayrs. Ein Kunstwerk ersten Ranges: der *Hochaltar* Ignaz Günthers von 1756 auf ovalem Grundriß, bevölkert von bedeutenden Schnitzfiguren des Meisters (Gemälde neu, 1905). Von I. Günther stammen auch das Chorgestühl und das östl. Paar der Seitenaltäre, einer mit einem Gemälde von B. A. Albrecht, Geburt Christi, 1744, der andere mit einem Kruzifix aus dem 17. Jh. und den von J. G. Winter gemalten Assistenzfiguren, 1764. Zum mittleren Paar der Seitenaltäre lieferte Gg. Angerer Pläne und Figuren, zum westlichen Christian Jorhan (diese erst 1779). Kanzel 1755.

Im S das **Klostergebäude**, Ende 17. Jh.; östl., isoliert, die **Bibliothek**, um 1670, mit gutem Schrankwerk.

Weihenstephan, ehem. Benediktinerabtei, dem Domberg westl. gegenüber, auf bewaldeter Anhöhe, gegr. 1020, aufgelöst 1803. Zum großen Teil abgebrochen. Heute Hochschule für Brauerei und Landwirtschaft. Am S-Hang Reste der 1720 von den Brüdern Asam erbauten Kapelle über dem Korbiniansbrunnen, einer 2geschossigen Rotunde.

Wieskirche, im N, außerhalb der Stadt in reizvoller Lage, 1746–48 für eine Kopie des Steingadener Wiesbildes erbaut. Interessant durch die Masse der Votivbilder aus 2 Jahrhunderten.

Aus der südwestl. Umgebung sind die **Kirchen** von MASSENHAUSEN (got. Chor, Stuckdekor um 1650 und 1698) und FÜRHOLZEN (einheitlicher Zentralbau 1723 mit Altarbild von M. Steidl) zu nennen.

FREYSTADT (Opf. – D 5)

Gründung der Herren v. Stein im 13. Jh. – Die Ortschaft sammelt sich um den langen Straßenmarkt, den 2 parallel laufende Gassen

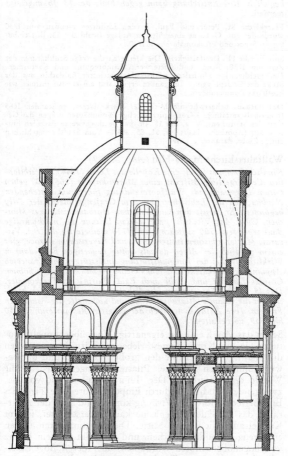

Freystadt, Wallfahrtskirche Maria-Hilf, Schnitt
(zum Text auf S. 320 f.)

*begleiten. Ihre Entstehung kann gegen Ende des 13. Jh. angesetzt
werden.*

Pfarrkirche St. Peter und Paul. In den schlichten Neubau von 1730
wurde der got. O-Turm einer älteren Anlage (wohl des 13. Jh.) einbezogen. Stuck und Freskomalerei um 1740.

Spitalkirche Hl. Dreifaltigkeit. Die kleine Kirche trägt Stukkaturen der
Zeit um 1730: Band- und Gitterwerk, Lambrequins und Kartuschen.
Der gleichzeitige Hochaltar wächst als stuckierter Baldachin aus der
Mitte des Chorpolygons. Im ganzen ergibt sich ein ebenso intimer wie
kostbarer Raumeindruck.

Das **Rathaus** beherrscht die Mitte des Marktplatzes; entstanden 1665
(mehrmals restaur.). – Gute spitzgiebelige **Wohnhäuser** prägen das Gesicht des Städtchens. V. a. das 18. Jh. hat beachtenswerte Fassaden hinterlassen (Apotheke, Haus Nr. 81, 85, 89). – Vom **Stadtbering** blieben
einige Reste, darunter 2 Tore.

Wallfahrtskirche Maria-Hilf *(Abb. S. 319)*

*Kindlich-frommes Spiel, eine Kapelle aus Lehm (1644) und schließ-
lich die bürgerliche Stiftung einer Marienkapelle (1667–70) gehen
voran. Der wachsende Wallfahrerzudrang führt zum bestehenden
Neubau, den der Lehensherr aus dem Grafengeschlecht der Tilly
begönnert. Er beruft den kurfürstlichen Hofbaumeister aus München, Giov. Ant. Viscardi, unter dessen Leitung der merkwürdige
Baukörper seit 1700 aufwächst und 1710 weihefertig dasteht. Viscardi, Mittler zwischen italienischem und bayerischem Barock, gibt
einem nördlich der Alpen damals völlig neuartigen Baugedanken
Wirklichkeit. Bei der Innenausstattung unterstützen ihn Francesco
Appiani als Stukkateur und Hans Georg Asam (mit seinen Söhnen
Cosmas Damian und wohl auch Egid Quirin) als Freskomaler.
Das 19. Jh. bemühte sich um die Erhaltung des Baues, doch besei-
tigte es die gesamte Altarausstattung und übermalte die Asamschen
Fresken. Ihre Aufdeckung blieb der jüngsten Restaurierung, 1950
bis 1959, vorbehalten.*

Schon das Ä u ß e r e ist eigenartig. Hoch überkuppelte Rotunde, in ein Kreuz eingeschrieben. 4 Türmchen umstehen
die mächtige Kuppel mit den großen Fenstern und der bewegt umrissenen Laterne. Pilasterstellungen gliedern die
Wände des Unterbaus. Der I n n e n r a u m ist von be-
zwingender Wucht. Da durch Emporenbauten die Tiefe des
Eingangsjochs nicht zur Wirkung kommt und der Altarraum das Maß der Seitenarme kaum überschreitet, ist der
Kuppelraum die starke Mitte. Die Diagonalseiten tragen
emporengeschmückte Nischen, und so ergibt sich ein Kranz
von bogenüberwölbten Anräumen, über deren Bogenscheiteln der gedrungene Tambour aufwächst. Eine stämmige
Halbsäulenordnung gliedert den Unterbau. Ihr Gebälk ist

Freising. Dom, Langhaus und Chor

Frickenhausen am Main (Luftbild)

nicht durchgeführt. Alle Wandflächen, die nicht zugleich
Stütze sind, bleiben leer, ungegliedert. So bahnt sich hier die
Unterscheidung ungleichwertiger Raumschalen an, die in der
späteren bayerischen Architektur eines Joh. Mich. Fischer
z. B. zu hoher Bedeutung gelangt. Aus der Verbindung des
oberitalienischen Zentralbaugedankens mit dem deutschen
Wandsystem entsteht hier eine neue, zukunftsreiche Lösung.
Francesco Appiani überzog 1708 die Wände mit Stukkaturen, deren flaches Relief aus der vor 1700 geltenden, üppig
quellenden Form zu neuen Erfindungen führt. Akanthusranken, Palmenwedel, Blattstäbe, Festons und Kartuschenwerk sind Kennzeichen dieser Entwicklungsstufe. Auch die
wiedererstandene Farbtönung, gelbliches Relief auf zartrosa
Grund, entspricht dieser Zeit. 8 große Stuckfiguren schmük-
ken die Schmalwände der Kreuzarme: Abraham und David,
Joachim und Anna, Zacharias und Elisabeth, Johann Bapt.
und Joseph. Die Fresken Asams behandeln Szenen aus dem
Marienleben und seine sinnbildlichen und prophetischen Ent-
sprechungen im Alten Testament. Der Hochaltar ist neu
(1957). Hans Osel (München) schuf die Gruppe der Himmelfahrt Mariens. Aus der alten Einrichtung blieb nur die
von Appiani geschmückte Kanzel.

FRICKENHAUSEN b. Ochsenfurt (Ufr. – C 3)

*Aus babenbergischem Besitz kommt Frickenhausen an den König
und durch ihn, 903, an Würzburg. Seit 1406 steht es dem Domkapitel zu. – Der Markt, von einer dank den vortrefflichen (schon
903 bezeugten) Weingärten glücklich besitzenden Bürgerschaft behaust, bringt es doch nie zu Stadtrechten.*

Die spätmittelalterl., dem 15. und 16. Jh. angehörende
Ringmauerbefestigung mit vielen Rundtürmen steht noch
völlig, und wie eh tritt man auch heute noch durch eines
der 4 Tore in den Markt ein. Unter den »altfränkischen«
Städten Frankens ist Frickenhausen eine der köstlichsten
(Tafel links). Das **Rathaus** (15./16. Jh. erfreut durch die
originelle, im späten 16. Jh. hinzugefügte Freitreppe und
im Innern durch die balkengedeckte, mit einer lustigen
Fachwerktribüne belebte Diele. – Die **kath. Pfarrkirche
St. Gallus** ist ein Um- oder auch Neubau der Jahre 1514
bis 1516, den Meister Hans Bock leitete. Doch wurde 1605
bis 1616 der Chor erneuert, der Turm erhöht, das Lang-

haus gewölbt. Älter, romanisch, nur der östl. stehende
Turm (in 3 Geschossen). Die durch die 3 Schiffe gelegte
W-Empore ist durch Maßwerkbrüstung und figürliche
Konsolen ausgezeichnet, deren eine (mit Meisterschild)
wahrscheinl. den Baumeister, Hans Bock, darstellt. Der
Hochaltar, von 1617, ist ein Prachtstück deutscher Spät-
renaissance, ein Werk des Windsheimer Meisters Georg
Brenck.

FRIEDBERG (B. Schw. – C 6)

*Das Land auf dem Lechrain nahe Augsburg ist urspr. welfischer,
dann staufischer, schließlich wittelsbachischer Besitz. Um 1250 entsteht die Burg. Herzog Ludwig von Bayern und König Konradin
gründen 1264 die Stadt, der aber erst im frühen 15. Jh., dank
Herzog Ludwig d. Gebarteten von Bayern-Ingolstadt, das Stadtrecht zufällt. Der regelmäßige, durch das Rechteck bestimmte
Grundriß mag mit dem anderer bayerischer Planstädte, wie Neustadt a. d. Donau oder Kelheim, verglichen werden. Herzog Ludwig d. Gebartete baut Friedberg zu einer starken Veste gegen das
feindnachbarliche Augsburg aus, das von dieser Anhöhe herab
recht gut »eingesehen« werden konnte. Die wichtige Lage brachte
der Stadt mehrmalige Verwüstung. Bei allem Mißgeschick blüht
sie im 17. und 18. Jh. gewerblich; Friedberger Uhren und Fayen-
cen haben gute Geltung. – Alte Grenzveste Bayerns, wurde die
Stadt erst in jüngster Zeit an Bayerisch Schwaben angeschlossen.*

Die **Burg** hat aus ihrer Gründungszeit im 13. Jh. nur Teile der Grundmauern gerettet. Dreimalige Zerstörung (1541, 1632 und 1646) hat
gründlich aufgeräumt. Der mächtige Turm trägt die Jahreszahl 1552.
Das übrige ist im wesentlichen erst nach 1646 errichtet worden. Ein
gewölbter Saal im NW der Anlage stammt viell. noch aus dem 15. Jh. –
Der spätgot. **Mauergürtel** hat sich in Teilen (westl., nordwestl.) erhalten. – Das frei auf dem Platz stehende **Rathaus**, ein 2geschossiger Langbau mit Giebeln über den Schmalseiten, ist eine prätentiös stattliche
Architektur, die mit Ehren auch in Augsburg stehen könnte; ersichtlich inspiriert durch Hollsche Bauten, aber errichtet erst in der 2. Hälfte
des 17. Jh. (1646 fast völlige Zerstörung der Stadt).

Die **kath. Pfarrkirche** ist eine neuroman. Basilika (1872). Sie bewahrt,
eingesetzt in die W-Wand des südl. Seitenschiffs, einen jener heraldischen Reliefsteine, die Herzog Ludwig d. Gebartete von Bayern-Ingolstadt an mehreren Orten (Aichach, Lauingen, Burghausen, Ingolstadt)
zum rühmenden Gedächtnis seiner Taten, hier des Friedberger Mauer-
baus von 1409, anbringen ließ, ein vortreffliches Steinmetzenwerk.

Wallfahrtskirche zu Unseres Herrn Ruhe, auch »Herrgotts-
ruh«, ostwärts der Stadt

*Voran geht eine der hochmittelalterl. Hl.-Grab-Nachbildungen,
deren Fundamente 1964 festgestellt und auf dem Boden der Apsis*

angegeben wurden. 1496 verlautet von der Weihe eines Kirchen-
chors in der Ehre des Salvator mundi und der Hll. 3 Könige.
Dieser Zeit gehört das Gnadenbild an, ein Christus »in der Rast«.
Mirakel mehren den Pilgerstrom, dem, nach der Zerstörung des
alten, 1632 ein neues Gotteshaus errichtet wird. Erneuter Auf-
schwung der Wallfahrt um 1720 führt 1731 zum Bau der bestehen-
den Kirche nach den Plänen des Eichstätters Joh. Benedikt Ettl;
sie wird 1753 geweiht (doch Hochaltar und Bruderschaftsaltar erst
1761). Betreuer der Wallfahrt sind seit 1630 Franziskaner, seit
1720 bis zur Säkularisation Bartholomäer, seit 1937 Pallotiner.
Eine allzu romantisch entstellende Restaurierung um 1870 konnte
1964 im wesentlichen rückgängig gemacht werden.

Ä u ß e r e s. Eine vielfältige Baugruppe, vom Turm (nördl.)
und der großen Chorkuppel überragt. Das etwas ältere,
1719/20 errichtete 2geschossige, mit behäbiger Mansarde bedachte Priesterhaus an der NW-Seite des umgebenden Friedhofs gesellt sich als freundlicher Beistand hinzu. – Die 3tei-
lige W-Front deutet den 3schiffigen, in der Mitte überhöhten
Querschnitt des Innern an, übertreibt aber die Mitte. Die
konvexe Stirn des Mittelschiffs von leicht vorgezogenen
konkaven Randstücken gerahmt und beherrscht von einem
vorgewölbten Halbrundbogen, der von den gliedernden
Pilastern abstößt. Pilaster und eine gebälkartige Frieszone
gliedern das Gebäude ringsum; die Mitten der Seitenschiffe
durch Giebel betont. Die Chor-Rotunde hebt sich frei, fast
wie ein Bau für sich, heraus. Alles etwas derb, rustikal, aber
originell. Eigenwilligkeit ist allenthalben, im Ganzen wie im
Einzelnen, spürbar. – I n n e r e s. Der Querschnitt des
Langhauses ist der einer Halle, doch bleiben die Seitenschiffe um mehr als 2 m unter der Höhe des Hauptschiffs
zurück. Flache (doch nicht flach wirkende) Rundkuppeln
schließen die beiden quadratischen Joche des Mittelschiffs,
ovale die längsrechteckigen der Seitenschiffe. In die westl.
Rotunde des Mittelschiffs greift die vom Stukkator insbesondere reich geschmückte Orgelempore (1745) ein, eine reizvolle Kurvenbildung, die auf Säulen und (seitlichen) Pilastern
ruht. Zu weiterer Komplizierung ist in den westl. Fußring
der Kuppel ein Emporengang eingeschaltet, dessen Lichtquelle (Rundfenster im Giebel der Fassade) nicht sichtbar ist.
Der von einer Tonne gedeckte Durchgang, der Mittelschiff
und Chor verbindet, hebt diesen, ein der Längsachse folgen-
des Oval, als eigenständigen Zentralraum ab. – Die meisterlichen Stukkaturen – wuchernde züngelnde Rocaille, wenig

Figürliches, Engelchen an einigen betonten Stellen – gab
Fz. X. Feichtmayr d. Ä.; Joh. M. Feichtmayr und viell.
J. G. Üblherr führten sie 1738 aus. Sie umkreisen, immer
wieder über die Grenzen drängend, die großen *Fresken* der
Deckenregion. Das Fresko der durch Radialgurte in 8 Felder
zerlegten Chorkuppel schuf, 1738, Cosmas Damian Asam,
an dessen Stelle († 1739) ein anderer der großen barocken
Kirchenmaler, Matth. Günther, trat; er schuf die Fresken des
Langhauses; das des W-Joches den südl. Seitenschiffs ist 1749
datiert; die des nördl. Seitenschiffs entstanden nach einem
die erste Ausmalung ruinierenden Bauschaden 1764 und
1772. Das ikonographische Programm ist ein beziehungsreich
typologisches; das führende Thema ist die Erlösung durch
den Opfertod Christi; auch die Darstellung der südöstl.
Kuppel, David und Abigail, steht in diesem Zusammenhang.
– Das Fresko der Chorrückwand, von Cosmas D. Asam, das
das Doppelpatrozinium »Dreifaltigkeit« und »Drei Könige«
feiert, wurde 1964–66 aus der seit 1870 deckenden Tünche
hervorgeholt. Die ausspringenden figürlichen Stuckteile sind
sinngemäße Ergänzung. – Der urspr. Hochaltar 1870 abgetragen. Die beiden Nebenaltäre in den O-Abschlüssen der
Seitenschiffe sind überschwenglich reich, reich genug, um die
1873 in ihre Mitten eingesetzten Schreine ertragen zu können. Der nördliche, der Gnadenaltar, beherbergt im Schrein
das spätgot. Gnadenbild, der südliche, der Bruderschaftsaltar, das Relief der Beweinung, ein hervorragendes Werk
des Augsburgers Egid. Verhelst. In den Seitenschiffen, westl.,
zahlreiche Votivtafeln.

St. Maria Alber ist eine zweite, kleinere Wallfahrtskirche westl. Friedberg, an der Straße nach Augsburg. Zentralbau von 1692–95, quadratisch
mit kleinen Apsiden und derbem Stuckgewand, der später durch ein
niedriges Schiff gegen W erweitert wurde.

FRIESENHAUSEN (Ufr. – D 2)

Die Pfarrkirche von 1713–15 läßt an J. Greising denken. Die Fassade verbindet sich mit dem in sie eingestellten, aus ihr hervortretenden 3ge-
schossigen Turm. Kräftig plastische Gliederungen. – Das 1563 errichtete
Schloß ist ein reizvolles Gewächs fränkischer Renaissance. Horizontale
Gliederungen und mehrteilige, von Voluten begleitete Giebel bestimmen
das Aussehen der unregelmäßig rechteckigen Anlage.

FRONTENHAUSEN (Ndb. – E 7)

Urspr. Ortsadel, 1204 bei Regensburg, seit 1386 bei Niederbayern. Ortsbefestigung 1418–23 (in Resten sichtbar).

Die **Pfarrkirche St. Jakob** ist eine spätgot. Pseudobasilika mit schönen Gewölbefigurationen in der Chorpartie, abhängig von Landshut. Entstehungszeit: Ende 15. Jh. (vgl. a. Reisbach).

Rathaus 1737. – **Wohnbauten** in der Mehrzahl nach dem Ortsbrand von 1770 neu errichtet. – Quadratischer M a r k t p l a t z.

FÜNFSTETTEN (B. Schw. – C 5)

Pfarrkirche St. Dionysius. An einen Turm des 14. Jh. lehnt sich der Neubau von 1760–67, ein langgestrecktes Schiff, dessen gerundete O-Ecken zum eingezogenen Chor überleiten. Von hohem Reiz ist seine Ausstattung. Elegant und temperamentvoll bewegte Rocailleformen überziehen die Gewölbe und umrahmen die Freskomalereien von J. B. Enderle (1768); Szenen aus dem Leben des Patrons St. Dionysius. Aus derselben Zeit stammt die Einrichtung, die dem Kirchenraum einen hohen Grad freundlicher Rokokostimmung verleiht.

FÜRHOLZEN (Obb.) → **Freising** (D 7)

FÜRSTENFELDBRUCK (Obb. – C 7)

Ehem. Zisterzienserkloster

1258 von Herzog Ludwig d. Strengen in Olching gegr. als Sühne für die übereilte Hinrichtung seiner Gemahlin Maria von Brabant. Er beruft Mönche aus dem Zisterzienserkloster Aldersbach (Ndb.) in das Kloster, das, 1263 auf seinen eigenen Grund »in campo principum« verlegt, den Namen Fürstenfeld übernimmt. Wie der Stifter, so wird auch das Herz des Guttäters dort beigesetzt, Kaiser Ludwigs d. Bayern, der am nahegelegenen »Kaiseranger« starb. 1632 wütet schwedische Soldateska an der ehrwürdigen Stätte. Von barocker Bauleidenschaft besessen, beginnt Abt Balduin Helm (1690–1705) die Neugestaltung des Klosters. Er stirbt darüber und hinterläßt seinen Nachfolgern den Neubau der Kirche. 1803 wird das Kloster aufgehoben. Die Kirche entgeht eben noch der Vernichtung. Seit 1923 betreuen sie Ettaler Benediktiner.

Ehem. Klosterkirche Mariae Himmelfahrt *(Tafel S. 352)*

Von der mittelalterl. Anlage ist nichts erhalten. 1701 wird der Grundstein zum Chor gelegt. Baumeister, planender wie ausführender, ist G. A. Viscardi. Es bleibt aber zunächst bei den Fundamenten, da Geldmangel wie Kriegsnöte zu fast 14jähriger Unterbrechung führen. Erst 1714 kann weitergebaut werden, jetzt unter

Leitung und auch nach den Plänen J. G. Ettenhofers, langjährigen
Poliers des 1713 gestorbenen Viscardi. Nun erst Aufführung des
Chores. 1717 wird die alte (got.) Kirche abgebrochen. 1718 steht
der Chor, im gleichen Jahre Beginn des Langhauses, dessen Wöl-
bung sich 1728 schließt. Maler, C. D. Asam, und Stukkadorer, Jac.
Appiani, sind 1736 fertig. Am 16.7.1741 findet die Weihe statt.
1747 kommt noch das nach Entwurf J. L. Giessls von M. Matheo
ausgeführte Hauptportal, 1753 das Paar der Seitenportale hinzu.
Um diese Zeit wird auch der Turm, mit der Helmkuppel, zu Ende
gebracht.

Kolossale, 5achsige Fassade, die auf 2 hohe Geschosse und
eine Blendbalustrade ihren Volutengiebel türmt. Die drei
kanonischen Säulenordnungen wachsen aus schräggestellten
Sockeln. Marmorportale 1747 und 1753. Im Giebel die kup-
fergetriebenen Figuren des Salvator Mundi zwischen St. Benedikt und Bernhard. – Das I n n e r e überrascht durch
seine Weiträumigkeit (lang 83, breit 28,4, hoch 27 m). 3jochige
Wandpfeileranlage mit 2 schmalen Vorjochen und $3^1/2$ Joche
tiefem Chor mit Abschluß in 5 Seiten des Zehnecks. Das
Verhältnis des Chores zum Langhaus und das Stelzungsglied
der Gewölbe verraten das Vorbild von St. Michael in München. Neu ist hingegen das Zurücktreten des Emporenthe-
mas, das nur im schmalen Laufgang über dem Gebälk an-
klingt und erst in hoher Gewölberegion wiederkehrt. So
dämpft den beherrschenden Höhendrang allein das alle
Wände durchlaufende Gebälk. Aus zahlreichen, 3geschossig
angeordneten Fenstern durchströmt das Licht den riesigen
Raum. Die Kompositordnung mit ihren mächtigen, rötlich-
grauen Stuckmarmorsäulen und goldenen Kapitellen ist
Generalbaß zu der durch kräftige Gurte gebundenen Gewölberegion, deren zartrosa getönter Stuck (von P. F. Appiani, 1717–23, im Langhaus von Jac. Appiani, 1729–36) zu
gelockertem Spiel anhebt mit Akanthus-, Muschel- und
Bandwerk. Putten heben einen sattgrünen Stuckvorhang
über den Triumphbogen, während aus den einzelnen Jochen
die kühnen Farbkompositionen Cosmas Dam. Asams herab-
leuchten, deren inhaltliche Fülle zuweilen über den Rahmen
hinausquillt. Sie berichten aus der Geschichte des Ordensheiligen Bernhard von Clairvaux: (von W) 1. Traum der
Mutter Bernhards, in dem ihr der Ungeborene als »Wach-
hund« der Kirche erscheint. 2. Bernhards Vision von der
Geburt Christi – ein Stück höchster illusionistischer Bravour.
3. Die Bekehrung des Herzogs von Aquitanien. 4. Ankunft

Fürstenfeldbruck, Klosterkirche, Fassade

und Einkleidung Bernhards in Cîteaux mit symbolhafter Parallele des gen Himmel fahrenden Christus. 5. Vision Bernhards vor dem Gekreuzigten, das Salve Regina im Speyerer Dom und, als »Gemälde« einer Scheinkuppel, die Ausgießung des Hl. Geistes. Im Chor: Engel, Patrona Bavariae, Klostergründung und Mariae Himmelfahrt. Über den Seitenkapellen allegorisierende Darstellungen aus dem Ordensleben der Zisterzienser. Der Hochaltar, mächtige Architektur eines unbekannten Meisters, Mitte 18. Jh. Altarblatt mit Mariae Himmelfahrt von Joh. Nep. Schöpf. Seitlich die Figuren von Joachim und Anna, Zacharias und Elisabeth, Jos. Prötzner zugeschrieben. Im Auszug vollplastisch die Trinität in Erwartung der auffahrenden Maria. An den Chor-Seitenwänden Gemälde der Kirchenväter von Schöpf. Chorgestühl 1729. Oratorienbrüstungen von Tassilo Zöpf um 1750. Den Choreingang flankieren die Figuren Herzog Ludwigs d. Strengen und Kaiser Ludwigs d. Bayern von Rom. Ant. Boos (1766). Seitenaltäre mit Bildern von Schöpf und Ign. Baldauf. In dem mittleren Kapellenpaar Altäre von Egid Qu. Asam mit Altarblatt (hl. Sebastian, N) von Andreas Wolff. Apostelfiguren an den Langhauspfeilern 1761–63 von Thomas Schaidhauf. Unter der Paulusfigur sinngemäß die reich dekorierte Kanzel. Die Beichtstühle tragen vollplastische Figurengruppen, biblische Szenen zum Thema der Buße. Skulpturen des Orgelprospekts und der Emporenbrüstung von Joh. Gg. Greiff. Altäre in den Vorjochkapellen von T. Zöpf. An der S-Seite der Vorhalle Altar mit (neugefaßter) Muttergottes aus Lauingen, um 1330. – In der Sakristei Teile spätgot. Altäre: Thronende Muttergottes mit den hll. Benedikt und Bernhard, nach 1480, und 2 Tafelgemälde, Geburt Christi und Pfingsten.

Klostergebäude, 1691, begonnen unter Leitung des G. A. Viscardi. Wesentliches aus den reichen Stukkaturen von Nic. Perti und Fr. Appiani und der Gemälde von Hans Gg. Asam blieb. Gerühmt wird der zwar erhaltene, doch leider nicht zugängliche Kaisersaal, zu dem von der urspr. Hauptfront im N ein eigenes (doch später vermauertes) Treppenhaus führte. (Heute Schulkaserne der Landpolizei.)

Nördl. vom Kloster, amperabwärts, liegt **BRUCK,** heute Stadt, ehemals Marktflecken und seit 1342 mit dem Kloster verbunden.

Pfarrkirche St. Magdalena. 1673–79. Wandpfeilerkirche mit Stuckdekoration von Sießmayr, Augsburg, 1764; Gewölbefresko von Ign. Baldauf. Altarblatt des St.-Antonius-Altars wahrscheinl. von Chr. Winck. Spätgot. Immaculata.

Kirche St. Leonhard 1440. 2schiffige Halle. Am Netzgewölbe Fresken des 18. Jh.

Westl. **ST. WILLIBALD** (östl. Jesenwang), eine spätgot. **Wallfahrtskirche** 1413, erweitert 1478, mit bemalter Holzdecke. Auf dem Hochaltar (1617) eine Schnitzfigur des Heiligen um 1500. – Weiter südwestl.: **MOORENWEIS,** dessen schöne, 1728 errichtete und 1775 dekorierte **Pfarrkirche** Deckenbilder von Matth. Günther vorweist.

FÜRSTENZELL im Rottal (Ndb. – G 7)

Ehem. Zisterzienserklosterkirche Mariae Himmelfahrt

Ein Passauer Domkanoniker erhält 1274 die bischöfl. Genehmigung, auf dem Hof »Celle« ein Kloster zu errichten. Herzog Heinrich XIII. von Niederbayern unterstützt das fromme Werk. Aldersbacher Mönche besiedeln das Kloster. – Die mittelalterl. Baugeschichte der Kirche darf beiseite bleiben; von der 1334 geweihten ersten hat sich nichts erhalten. Der glänzende Neubau des 18. Jh. beseitigte sie. Der Passauer Bildhauer J. Matth. Götz entwarf ihn und begann ihn auch, 1739, auszuführen. Aber sein baumeisterliches Können erwies sich bald als zu gering, und der Prälat holte sich den »von vieler Experience berüembten« Joh. Michael Fischer aus München. Fischer hatte sich nun wohl mit den schon stehenden Mauern seines einst der erfindungsreichen Vorgängers zu vertragen. Und es gelang ihm, in das trockene Rechteck der Umfassung einen in Kurven schwingenden, atmenden Raum einzugestalten. 1740 wird das Dach gesetzt, 1743 schließt sich die Wölbung, 1745 steht der Bau bis auf den S-Turm, dessen Abschluß noch bis 1774 auf sich warten ließ. Das 19. Jh. versündigte sich durch einige ungute Änderungen an der Kirche, nun Pfarrkirche, des säkularisierten Klosters. Die Beseitigung des Mönchschores, der den Chorschluß eingenommen hatte, war der bedauerlichste Eingriff. – Kloster und Kirche jetzt Eigentum des Marienordens. – Letzte Restaurierung 1956/57.

Ein weiter, unregelmäßig begrenzter Hof liegt der Fassade vor. Diese Fassade, der Fischers erster Entwurf für Ottobeuren zugrunde liegt, ist ungewöhnlich breit. Indessen überspielen die beiden Türme die Breite, und was der in der Mitte vorschwellenden Stirn an Schmuck abgeht, holen die reich bewegten, wie gedrechselten Helmkronen nach. Ein großes Mittelfenster bricht die Stirnschwellung auf, eine Immaculata steht vor der Fensterfläche, Benedikt und Bernhard ordnen sich dem Portal zu. – Angesichts des prächtigen Aufwandes, der beim Eintritt aufs stärkste anspricht, erinnern wir uns des Ordens, der diese Kirche zur Ehre Gottes bauen ließ. Hatte er nicht, solange das Mittelalter währte, jedes Mehr-als-Nötig verdammt? – Kurz charakterisiert, ist dieser fürstliche Fürstenzeller Bau eine Wandpfeilerkirche mit eingezogenem Chor. Das Mittel, dessen sich Fischer bediente, um den Wandkörper der orthogonalen Starre zu entreißen, ist die Empore. Sie verspannt, über den nur wenig tiefen Kapellen, die starken, mit Pilasterpaaren besetzten Wandpfeiler in konvexen Schwüngen, und die pulsierende

Bewegung, die sie der Raumgrenze mitteilt, klingt wie in einem Echo in den Kurven der in die Tonne eingreifenden Halbrundbogen über den Pfeilern nach. Daß sich der große, im Grundriß rechteckige Raum rund schließe, sind die Ecken geschrägt und gemuldet, daß er sich einheitlich zusammenfüge, überfängt ihn *eine* große, im Halbkreis geführte Tonne. Und eine Tonne übergreift auch den verhältnismäßig tiefen Chor. Auch hier ausgeschliffene Ecken, die die Wände flüssig ineinandergleiten lassen. Beide Raumkörper, Langhaus und Chor, gehen sozusagen lautlos, ohne Gelenkgeräusch, ineinander über. – Schließen sich nun schon dank der erwähnten architektonischen Mittel die Teile zum Ganzen, so bewirkt ein Letztes an Vereinheitlichung diese reiche, wahrhaft rauschende *Dekoration*, deren Träger Stuck und Fresko sind. Die Rocaille des Kößlarner Meisters J. B. Modler überspielt in einem plastischen Relief die sehr hellen weißen Flächen, stets sinnvoll, nie willkürlich. Die üppigen Pilasterkapitelle verketten sich mit den reizvollen ornamentalen Gitterbrüstungen der Emporen. Putten und Muscheln stärken noch den Schwellungsgrad der Emporenbrücken. Züngelnde Kartuschen schließen sich um Felder figürlicher Reliefs, aus denen sich zuweilen vollrund ein Putto löst. Die zarte Färbung (zu Weiß Gelb und Rosa, auch Gold) ordnet sich dem stärkeren Einsatz der Gemälde unter, die großflächig die Wölbschalen der beiden Räume übergreifen. Ihr Meister ist der Tiroler Joh. Jakob Zeiller. Die Sphären öffnen sich, um, im Chor, die Glorie des Himmels freizugeben und, im Langhaus, den Weg dahin – die Mönche des Grauen Ordens beschreiten ihn im Schirm ihrer Patronin, der Jungfrau – aufzuzeigen. Der Maler der Fresken gab auch, daß sich das farbige Gewirk einheitlich vollende, das Blatt des Hochaltars, Mariae Himmelfahrt. Dieser in der Rahmung zweier Drehsäulen stehende Altar mit dem hohen, wie auflodernden Auszug, in dem die Dreifaltigkeit der Auffahrenden wartet, ist wieder das Werk eines namhaften Meisters, des Münchners Joh. Bapt. Straub. Die beiden Engel, die sich verehrend dem Tabernakel zuneigen, bezaubern durch die beschwingteste Grazie. Daß der 1741 vollendete Altar urspr. auf der vorderen Chorbühne stand, wurde schon angedeutet. In dieser Stellung kürzte er den Blickweg in den Chor ab, schloß er diesen enger an das Langhaus an. Die Seitenaltäre sind älter als die Kirche, wurden um 1720–30 für deren

Vorgängerin geschaffen. J. Matth. Götz, der sich dann mit so wenig Glück als Baumeister versuchte, ist ihr Schöpfer. Zeiller stattete einige 1746 mit neuen Gemälden aus. Im gleichen Jahre entstand auch der Orgelprospekt. – In der Sakristei gute Einrichtungsstücke um 1740–50.

Klostergebäude. Auf der S-Seite legt sich die Klosteranlage, einen Binnenhof bildend, an die Kirche. 1687 ist sie vollendet. Gegen W erstreckt sich der ehem. Prälaturflügel, dessen Mitteltrakt den *Fürstensaal* (jetzt *Hauskapelle*) enthält, einen nicht stuckierten Raum. Seine Ausmalung – Götter und Allegorien der Gewerbe huldigen der Landesmutter Bavaria – besorgte 1733 Barth. Altomonte. Gegen S schließt der Refektoriumsflügel den Binnenhof. Ein hoher Raum nimmt das Obergeschoß ein, der ehem. *Speisesaal.* Gemalte Architektur, deren Supraporten biblische Szenen mit dem Thema der Speise schildern, öffnen sich zum Deckenfresko: Religio schüttet das Füllhorn ihrer Gaben aus; allegorische Gestalten umgeben sie, ein Engel kämpft gegen die Laster der Menschheit an. Der Wiener Joh. Gfall wird als Meister genannt. Der ehem. Konventflügel im O enthält ein geräumiges *Treppenhaus* mit einem Plafondgemälde Zeillers, das *Weltgericht.* An der S-Wand der Kirche entlang läuft der 2geschossige *Kirchgang* mit klassizist. Fassadenbemalung, Allegorien der Künste und Wissenschaften. Auch die gegenüberliegende Front des Refektoriumsflügels trägt Freskenschmuck. Der Maler ist, hier wie dort, Joh. Gfall.

Der O-Flügel des Klosters verlängert sich über den Binnenhofkomplex hinaus gegen S. Hier der *Bibliotheksraum*, eine der Kostbarkeiten des bayerischen Rokoko. Der weite, emporengeschmückte Saal vereinigt die grauen, violetten, gelblichen und rötlichen Marmorierungen seiner Wandregale mit dem Weiß und Gold der Emporenbrüstungen zum bewegten Farbakkord. Leider ist die Krönung, das Deckenfresko von Matth. Günther und Zeiller, im 19. Jh. verschwunden. Doch entschädigt das geschnitzte Emporengeländer, ruhend auf prächtigen Atlantenkörpern. Über den Aufgängen der beiden Schmalseiten springen lustige Knabenfiguren aufeinander zu: Allegorie auf den ehrlichen und unehrlichen Kampf in der Literatur. Jos. Deutschmann, Passau, ist der Meister dieser seltenen Raumausstattung, deren Detailformen, Putten, Rocaillen, Ornamentbänder,

auch für sich schon köstlich sind. – Der anmutige P a v i l l o n,
der zum einstigen Prälatengarten vor der W-Front des Klosters gehörte, ist neuerdings verbaut und entstellt worden.
Die Zufahrt zum Kloster im NW, mit Torkapelle und Klo-
sterwirtshaus, blieb teilweise erhalten.

FÜSSEN (B. Schw. – B 8)

Das im röm. Staatshandbuch des späten 4. Jh. (Notitia dignita-
tum) gen. Foetibus ist auf Füssen zu beziehen, das am Austritt
der Via Claudia Augusta aus dem Gebirg in das Vorland liegt.
Als der Urheber des mittelalterl. Füssen darf der von St. Gallen
ausgehende irische Glaubensbote Magnus bezeichnet werden, des-
sen Zelle (8. Jh.) sich im 9. Jh. zum Kloster St. Mang entwickelt.
Erst von den Welfen, dann von den Staufen bevogtet, fällt Füssen
1313 als Pfandschaft an die Augsburger Bischöfe, bei denen es bis
zur Säkularisation verbleibt. – Die Siedlung am Fuße des (wohl
schon von den Römern) befestigten Schloßbergs erscheint 1294 als
Stadt, die sich in den 30er Jahren des 14. Jh. in Mauern einschließt.
Dank der Lage an einer der wichtigsten Paßstraßen (Fernpaß,
Reschen-Scheideck) entwickelt sich die junge Stadt zu einem Um-
schlagplatz des Transithandels. In der N-S-Richtung, zwischen
Lech und Schloßberg, verlaufen auch die Hauptachsen ihres Grund-
risses. – Im 30jährigen Krieg schwer heimgesucht, 1703 großenteils
durch Brand zerstört. 1803 fällt sie an Bayern.

Ehem. Benediktinerklosterkirche St. Mang *(Tafel S. 353)*

Über der Grabstätte des Schwabenapostels Magnus erhob sich schon
im 9. Jh. ein Kirchenbau. Ihm waren die Gebäude des Benedik-
tinerkonvents angeschlossen. Roman. Neubau 1143 geweiht. Von
nachfolgenden Um- und Neugestaltungen ist wenig bekannt. Erst
der barocke Baueifer des Abtes Gerhard I. Oberleitner führte zur
bestehenden Anlage. Als Baumeister wurde der Einheimische Joh.
Jak. Herkomer verpflichtet. Er schuf hier sein Erstlingswerk (ab-
gesehen von vorangehenden Kapellenbauten), das ihm bald eine
Zahl ruhmreicher neuer Aufträge einbringen sollte. 1717 war der
Bau weihefertig. Nach Auflösung des Konvents durch die Säkula-
risation wurde das Gotteshaus Pfarrkirche.

Ä u ß e r e s. Am SO-Hang des Schloßbergs wuchtet der
massige Turm des frühen Mittelalters. Seine Dachpyramide
wurde später durch den dreieckigen Giebel mit Sattel-
bedachung ersetzt. Auf kreuzförmigem Grundriß erheben
sich die O-Teile, um gegen W in das breitere Langhaus zu
münden. Wuchtig ist auch das Erscheinungsbild des barocken
Baukörpers. Eine Eigenheit des Baumeisters Herkomer:

halbkreisförmige, in sich 3geteilte Fenster. – I n n e r e s. Die
mächtige, 3schiffige Hallenanlage mit Querschiff ist auf den
Fundamenten des roman. Vorgängerbaus entstanden. Darin
mögen der flache Schluß des O-Chores, die Tatsache eines
W-Chores wie die engen Verhältnisse des Mittelschiffs ihre
Begründung finden. In Aufbau und Raumgruppierung ist
starker venezianischer Einfluß unverkennbar (Palladio u. a.).
Das ist auf Herkomers Studienzeit in Venedig zurückzuführen. An die großartig überkuppelte Vierung schließen als
Langhaus 2 flach überkuppelte Joche. Die Wölbungen der
Seitenschiffe und des Querschiffs sind aus der Tonne entwickelt. Die Kürze der Anlage drängt über kräftige, stuckmarmorne Pilaster nach oben. Der O-Chor sendet hinter
3 Arkaden den niedrigen Mönchschor aus. – Von hoher Bedeutung ist, daß Herkomer nicht nur als Architekt, sondern
auch als Stukkateur und Freskomaler auftritt. Seine kraftvollen Stuckarbeiten füllen stark plastisch die Gewölberegion und weisen in ihrer Eigenart nach Oberitalien. Der
Freskenzyklus (im Querschiff beginnend) behandelt Szenen
aus dem Leben des Kirchenpatrons St. Mang. – Der Hochaltar ist von bescheidenen Ausmaßen, trägt jedoch vorzügliche Marmorfiguren von Ant. Sturm: Benedikt und Scholastika, Columban und Gallus. Als Ergänzung treten die
Malereien von B. Riepp an der Chorwand hinzu: Verklärung Christi, 1764, und das Gewölbefresko von Herkomer:
Die hll. Benedikt, Columban, Gallus und Magnus huldigen
der Dreifaltigkeit. – Die stattlichen Seitenaltäre enthalten
gute Gemälde, eines von Pellegrini (Einführung des Rosenkranzes). Kanzel von Ant. Sturm. – Vor dem Hochaltar
führen Stufen in die frühroman. *Krypta.* Ihre Mitte bestimmt ein arkadenumzogenes Rechteck im Wechsel von
quadratischen Pfeilern und Rundstützen. Hier waren vermutl. die Gebeine des hl. Magnus beigesetzt. Ein tonnengewölbter Umgang leitet um dieses Rechteck, das schon früh
als Wallfahrtsstätte Bedeutung erlangt hat. Die Anlage ist
ein seltenes, urtümliches Bauwerk aus dem 9. Jh. Bedeutend,
allerdings nur noch Fragment, ist das 1950 freigelegte Wandgemälde, die hll. Magnus und Gallus darstellend, anzusetzen
um 1000–30. – Die Reliquien des hl. Patrons wurden später
in die *Magnuskapelle* im SW der Anlage (Unterkirche) übertragen. Der reichgeschmückte Raum mit vorzüglichen Stuckarbeiten von 1750–55 und Bemalungen von F. A. Zeiller be-

wahrt treffliche Skulpturen von Anton Sturm: St. Mang in der Mittelnische, Benedikt und Scholastika zu seinen Seiten sowie Columban und Gallus gegenüber. – Gegen O folgt der Kirche ein saalartiger Kapellenraum aus dem 17. Jh. mit interessanten Totentanzdarstellungen, 1610.

Klostergebäude. Abt Gerhard I. Oberleitner betrieb gleichzeitig mit dem Kirchenbau die Neuerrichtung der Konventhäuser. Sie schieben sich als mächtige 4-Flügel-Anlage gegen die Stadt vor und zeigen imposante Fassadengestaltung. Das Innere bewahrt u. a. einen von Andrea Maini 1721–24 prachtvoll stuckierten Saal (Heimatmuseum).

Frauenkirche am Berg, jenseits des Lech, 1682/83 von Joh. Schmuzer. Der breite Saalraum trägt gutes Stuckwerk der Erbauungszeit. Im Hochaltar ein spätgot. Relief (Marientod) aus älterem Altarzusammenhang; schönes Vesperbild des frühen 18. Jh. an der S-Wand. Orgelempore 18. Jh. Der Chor wurde 1854 durch Einbau einer von außen zugänglichen Kapelle verändert. Sie ist Beginn des kurz zuvor angelegten Kalvarienbergs.

Krippkirche. Der schmale, 1schiffige Bau mit fein geschwungener Fassade, eingesetzt in die Häuserflucht der Reichenstraße, ist ein Werk des Joh. Gg. Fischer, 1717, aber doch wohl nach Entwurf J. J. Herkomers. Ehemals stand hier eine Kapelle der Jesuiten, die 1611–27 in Füssen wirkten.

Friedhofskirche St. Sebastian, im O der Stadt. An den vom spätgot. Bau (1507) gebliebenen Chor setzte Joh. Gg. Fischer 1721–25 ein breites, saalartiges Langhaus mit merkwürdigen, dem schwäbischen Kreis eigentümlichen Fenstergruppen. Die Zäsur geht auch durch das Innere: Stuck und Fresken im Chor (J. Schmuzer und J. J. Herkomer) von 1687 scheiden sich deutlich von der Dekoration des Langhauses, 1745/46. Altäre 1696–1700, Kanzel 1725, Orgel 1770.

Feldkirche St. Ulrich und Afra im N (an der Straße nach Roßhaupten). Neubau wohl von J. J. Herkomer 1724/25 in einfacher, doch fein gegliederter Form.

Franziskanerkirche. Saalraum mit eingezogenem Chor. Die Doppelpilasterstellung im Laienhaus ist ohne architektonische Bedeutung auf die Wand gesetzt und zeigt darin eine dekorative Spätform des Rokoko, 1763–67. Prunkvolle Ausstattung.

Spitalkirche, 1748/49. Originelles Werk Frz. Karl Fischers, Sohnes des Joh. Georg. Die Fassade trägt (erneuerte) Freskobemalung, ein Beispiel für die heimische Gepflogenheiten: St. Florian und Christophorus. Im 1schiffigen Inneren seltsame Wandgliederung: Ein Blendbogen, ausgehend von Pilastern, rundet sich über den großen, fächerförmigen Fenstern der Seitenwände. Der eingezogene Chor ist durch seitliche Emporenräume erweitert. Rocaille-Stukkatur um 1760–70. Im Hauptgewölbe Darstellung der Sakramente inmitten einer Scheinarchitektur. Schön geschwungene Orgelempore. An der N-Wand Schutzengelgruppe, 2. Hälfte 18. Jh.

Hohes Schloß. 1322 übertrug das Kloster den Burgsitz an den Bischof von Augsburg. Ende des folgenden Jahrhunderts betrieb Bischof Friedrich von Zollern den umfassenden Ausbau. Der Sinn eines Burgsitzes hatte sich zugunsten einer Schloßniederlassung geändert. Das zeigt sich in der

Verminderung der Wehrbauten und Verstärkung des wohnlichen Charakters. Die Anlage gruppiert sich um einen geräumigen Hof. Im südöstl. Teil ruht die Schloßkapelle in einfachen got. Formen (mit zeitgenössischem Holzrelief der Marienkrönung). Der Wohn- und Saalbau gegen NW bewahrt eine Zahl guter Balken- und Kassettendecken um 1500 und 1510, z. T. mit hochstehenden Schnitzarbeiten. Hinzu kommen einige Stukkaturen aus dem 17. Jh. (Gemäldegalerie).

Die **Wohnbauten** ordnen sich in einigen Gassen zu malerischen Gruppen. Ihre Giebelfronten deuten in der Regel zur Straßenseite. Darunter einzelne schöne Beispiele aus dem 15. und 16. Jh. – Aus dem **Mauerbering** ist am besten erhalten die Strecke östl. der Stadt (zugleich Friedhofsmauer). Hier stehen runde, kegelbedachte Wehrtürme und Teile des Wehrgangs, 14. und 15. Jh.

GACHENBACH (Obb.) → **Beinberg** (D 6)

GAIBACH (Ufr. – D 2)

Schloß

1580 gelangt der Sitz Gaibach »mit Zwinger, Gräben und Zugehör« an Valentin Echter v. Mespelbrunn, der um die Wende zum 17. Jh. das Schloß aufführen läßt. Baumeister war wahrscheinl. der Volkacher Jobst Pfaff. 1650 kommt Gaibach an die Schönborn. Kurfürst Lothar Franz baut 1694–1710 das Schloß teilweise um. Der verantwortliche Meister war jedenfalls J. Leonh. Dientzenhofer, wenn auch Mainzer und Wiener Ratschläge eingeholt wurden. Im frühen 19. Jh. wandelt sich die Ausstattung klassizistisch, der Park englisch. Auch der wehrhafte Charakter, der ihm, nach Ausweis des S. Kleinerschen Stichs von 1728, immer noch anhing, wurde damals beseitigt. Nur die beiden Kanonentürme der NO- und SW-Bastion erinnern noch an die Fortifikationen. – Seit 1949 beherbergt das Schloß (noch Schönbornscher Besitz, aber auf 99 Jahre verpachtet) das Franken-Landschulheim. Die Ausstattung wurde nach Pommersfelden übergeführt.

Das Schloß ist eine 4-Flügel-Anlage mit quadratischem Binnenhof, 2geschossig. Die Straßenfront liegt in der Rahmung zweier Rundtürme. Das Hauptportal, in der Mittelachse der Front, trägt im Scheitelstein ein Wappenschildchen mit mehreren Steinmetzzeichen und den Initialen J. P., die auf J. Pfaff zu deuten sind. Zum Hof hin öffnen sich die Flügel in Arkaden. Im N-Flügel die in 2 Läufen aufsteigende Treppe. Raumausstattungen von etwa 1820. Ein gutes Bei-

spiel später klassizist. Dekoration bietet der »Konstitutions-
saal«. Älter nur die Stuckausstattung der profanierten, jetzt
verbauten Schloßkapelle, wahrscheinl. vom Bamberger J. K.
Vogel, um 1700. – Im äußeren Park auf dem schönste Rund-
sicht gewährenden Sonnenberg die von Klenze entworfene,
32 m hohe »Konstitutionssäule«, 1821–28 aufgeführtes Denkmal der 1818 von Max. I. Joseph gegebenen Verfassung.

Kath. Pfarrkirche. Ihr Bauherr ist Fürstbischof Friedrich
Carl v. Schönborn, ihr Baumeister B. Neumann, die Bauzeit 1742–45. Der Grundriß der mit der 3teiligen, durch
Pilaster (die mittleren schräg gestellt) gegliederten Fassade
der Straße zugewendeten Kirche zeichnet ein Kreuz mit 3
kurzen Armen, Konchen, östl., die sich, westl. durch das
ihnen angeglichene O-Joch des Schiffes ergänzt, der Vierung
zuordnen. Sphärisch gekrümmte Gurte, wie sie dann Neumann wenig später in Vierzehnheiligen anwendete, schließen
die Gewölbeschalen ein oder weichen ihnen aus, denn der
Eindruck ist, je nach Standort, der eines Vordringens der
Konchenwölbungen in das zentrale Ellipsoid der Vierung
oder, umgekehrt, des der Vierung in die der Konchen. Kreuzgewölbe decken das Schiff. Der 4geschossige Turm (im Untergeschoß älter, Ende 16. Jh.) steht im Scheitel des Chores.
Die Ausstattung schlägt keine vollen Akkorde an, die architektonische Fügung spricht um so stärker. Wenig Stuckzier.
Die Altäre schuf 1747/48 Ant. Bossi, die Kanzel (plastischen
Teils) der Kitzinger R. Wierl, der auch, mit M. Gutmann, an
der Orgel arbeitete.

Kapelle Hl. Kreuz. 1697/98 läßt sie Kurfürst Lothar Franz v. Schönborn
auf dem »Sonnenberg« an der O-Seite des Parkes errichten, ver-
mutungsweise von J. L. Dientzenhofer. Das Rund des Zentralbaus,
außen nur durch ein Portal geschmückt, umfährt ein Quadrat, dem an
jeder Seite eine der Mauerstärke abgewonnene Rechtecknische vorgelegt
ist. Eine hohe, 8flächige Kuppel mit Laterne schließt das Rund, Tonnen
decken die halbrund geöffneten Nischen.

GANACKER (Ndb. – F 7)

Die **ehem. Wallfahrtskirche St. Leonhard,** eine Anlage der Spätgotik
um 1470, gehört nicht zu den großen, bedeutenden Baudenkmälern. Ihr
Wert liegt vielmehr bei der Reduktion des großen Gedankens (der
3schiffigen Halle) auf kleinsten Maßstab. Das Attribut des Viehpatrons
Leonhard, eine Kette, umspannt das von Strebepfeilern gegliederte
Äußere. St. Leonhard erfreute sich zeitweise eines so großen Zulaufs,
daß man 1733 den Münchner Baumeister Joh. Mich. Fischer um Über-

schlag und Visierungen für eine Kirchenerweiterung anging. Erschrocken über die »importanten Uncosten« trat man von dem Projekt zurück und begnügte sich mit Turmaufstockung und Zwiebelkrone (1750–52). So blieb das Innere unangetastet: eine Pseudohalle auf Achteckpfeilern, mit Netz- und Sternrippenwölbungen. Von den 4 Jochen ist das westliche der Orgelbühne vorbehalten. Gegenüber setzt sich das Mittelschiff als eingezogener Chor fort. Im neugot. Hochaltar steht die vorzügliche Schnitzfigur St. Leonhards, um 1480. Zugehörig das Relief in der Predella, St. Leonhard mit 2 Gefangenen. Das bäuerliche Gemälde an der Chor-S-Wand zeigt Leonhard als Schützer des Viehs, 18. Jh. – Notieren wir auch das gute Vesperbild in der **Friedhofskapelle**, um 1720–30.

GARMISCH-PARTENKIRCHEN (Obb. – B/C 8)

Garmisch

Der urspr. Name der 802 bezeugten Siedlung ist Germarisgave, Germersgau. 1249 gelangt sie durch Kauf an das Hochstift Freising. Erst im 16. Jh. nähert der Name sich der heutigen verschliffenen Form. Die Loisach scheidet in 2 Hälften: Niklasdorf (ehemals Nikolauskapelle an Stelle der Pfarrkirche) und St. Martinswinkel (alte Pfarrkirche St. Martin »am Rain«). Seit 1752 ist Garmisch Amtssitz der Grafschaft Werdenfels.

Partenkirchen

Die Siedlung an der Partnach hat einen röm. Vorläufer, Partanum, an der Scarbia (Scharnitz) und Teriolis (Zirl) angehoben, dem Brenner zustrebenden Südstraße. 1294 erwirbt der Bischof von Freising die Herrschaft Partenkirchen, zugleich die Burg Werdenfels, die der bis zur Säkularisation freisingischen Grafschaft den Namen gibt. Die Verkehrslage begünstigt Partenkirchen wie das rivalisierende Garmisch. 1361 verleiht Kaiser Karl IV. das Marktrecht. Schwere Brände 1632 und 1865. Seit 1935 ist Partenkirchen mit Garmisch verbunden.

Alte Kirche St. Martin (Garmisch)

Im Mittelalter Pfarrkirche für das ganze obere Loisach- und Isartal. Um 1280 Neubau, von dem sich der Turmunterbau erhalten hat. 1446 Erweiterung zur bestehenden Form und spitze Turmbekrönung. Chorneubau 1460–62. Einwölbung um 1520. Beeinflußt durch die alte Ettaler Rotunde, wird auch hier ein runder Mittelpfeiler errichtet. So ergibt sich ein annähernd quadratische Zentralraum, der im O durch das eingezogene Chorpolygon, im NW durch ein dem einschneidenden südwestl. Turm entsprechendes Joch erweitert ist. Die Gewölberippen ruhen auf ausgehauenen Kragsteinen und vereinigen sich im runden Mittelpfeiler. Bedeutende *Wandmalereien:* An der N-Wand

riesige Christophorusfigur aus der Mitte des 13. Jh. in
fürstlicher Gewandung (bartlos). Jünger sind die seitl. angrenzenden Passionsszenen (Anf. 15. Jh.), vom Einzug in
Jerusalem bis zur Auferstehung. Dazwischen Bischof Erhard
von Regensburg, die Päpste Urban und Gregor und darunter eine weitere Kreuzigung. Anna Selbdritt (rechts
oben) 1523, sign. »Paulus Traber«. Über dem Triumphbogen Christus als Weltenrichter inmitten der 12 Apostel,
um 1430, erneuert 1523. Darunter Auferstehung der Toten.
Im S Wappen des Freisinger Bischofs Philipp. Im Chor
Szene aus der Martinslegende (1893 entstellt), zu einem
größeren Zyklus gehörig. Gnadenstuhl, Korbinian und
Sigismund (die Patrone der Freisinger Diözese), Schutzmantelmaria usw., dat. 1462. Glasgemälde 1. Hälfte 15. Jh.
Hochaltar (mit Vesperbild des 18. Jh.) und Seitenaltäre
Ende 17. Jh.

Neue Pfarrkirche St. Martin (Garmisch). 1730–34 von Jos. Schmuzer
errichtet. Weiter, 1schiffiger Raum mit halbrunden Seitenkapellen im
östl. Joch vor dem eingezogenen Chor. Schöne Stuckdekoration von den
Wessobrunnern Jos. Schmuzer, Mich. Schmidt (W-Empore) und Leonh.
Bader. Deckenfresken von Matth. Günther 1733. Martinslegende an der
W-Wand von Fz. Zwinck 1776. Hochaltar 1734 mit Gemälde von Mart.
Speer (St. Martin, nach van Dyck) zwischen den Figuren des Petrus und
Paulus von Ant. Sturm aus Füssen. Seitenaltäre 1750–52 mit Figuren von
Fz. X. Schmädl. Altäre der Seitenkapellen Ende 18. Jh. Reich gestaltete
Kanzel 1782.

Pfarrkirche Mariae Himmelfahrt (Partenkirchen), 1865–71. Altarblatt
von Barth. Letterini aus Venedig 1731.

Pestkapelle (Partenkirchen) 1634–37, mit Rochusfigur 16. Jh.

Wallfahrtskirche St. Anton (Partenkirchen)

*Als Dank für die Verschonung in Kriegsgefahr von der Gemeinde
am westl. Abhang des Wank errichtet. Der 1704 begonnene, 1708
geweihte Gründungsbau beschränkt sich auf das nördl. Oktogon.
1733–39 entsteht der Erweiterungsbau. Baumeister der ersten kleinen Kirche war der Maurermeister Fabian Meyr. Der Erweiterungsbau wurde vermutl. von Josef Schmuzer geleitet.*

Ein Kreuzweg geleitet zur Kirche empor, die auf der
Schwelle des Berghanges steht, anmutig-freundlich in großer Landschaft. Der ältere Teil beschreibt ein Achteck;
daran ein eingezogener, von Emporen begleiteter überkuppelter, rund schließender Chor; über diesem der Turm.
Der Erweiterungsbau ist das elliptische Langhaus an der
S-Seite. Das Ä u ß e r e ist ein einheitliches Rechteck. Auf

der S-Seite ein Laubengang. Unter der zu ihm empor-
führenden doppelten Treppe eine Grotte mit der Schmerzhaften Muttergottes, letzte Station des seit 1740 bestehenden Bergkreuzweges. – I n n e r e s. Das jüngere Oval öffnet sich in Arkaden in das ältere Oktogon, die dreieckigen
Resträume des das Oval umschreibenden Rechtecks erweitern sich zu apsidialen Seitenkapellen. Die Kuppel des
Achtecks trägt einen zarten Stuckschleier, Gitter- und
Bandwerk und Blumen mit eingestreuten Bildern, Symbolen der Antoniuslegende. Die Fresken an der Kuppel des
Langhauses gab einer der Besten seines Faches, der Augsburger Johannes Evangelista Holzer (1739). Eine Scheinarchitektur, schwere Säulen und Obelisken, weiten den
Kuppelraum, eine helle Laterne scheint ihren Scheitel zu
öffnen. Aus ihr schwebt dem hl. Antonius das Christkind
entgegen. Die Felder der Kuppel berichten von den Wundern des Heiligen, am S-Rande wird das Antoniusbrot
gespendet.

Von der **Burg Werdenfels** (nördl. von Garmisch), die 1249–1632 Ministerialen des Hochstiftes Freising behauste, sind Reste des alten Palas, des
inneren Tores und des Berings geblieben.

Jagdhaus Schachen (auf der Schachenalpe, erreichbar durch Partnach-
klamm und über die Elmau). König Ludwig II. (1864–86), der romantische Bauherr von Neuschwanstein, Linderhof und Herrenchiemsee, schuf
sich zwischen Alm- und Felsregion in großer Hochgebirgsszenerie, 1872,
ein kleines Refugium. Die schlicht getäferten Untergeschoßräume stehen
in gewolltem Gegensatz zu dem üppig dekorierten »Maurischen Saal«,
der das ganze Obergeschoß einnimmt.

GARS am Inn (Obb. – E 7/8)

Ehem. Augustiner-Chorherren-Stiftskirche St. Maria

*Das von Herzog Tassilo in den 70er Jahren des 8. Jh. gestiftete
und an St. Peter in Salzburg geschenkte Benediktinerkloster wandelt sich Anfang des 12. Jh. in ein Augustiner-Chorherrenstift des
Rottenbucher Reformkreises. – Seit 1848 gehört das 1803 säkularisierte Kloster den Redemptoristen. Vom Gründungsunterbau blieben 3 Untergeschosse des S-Turmes bestehen (Oberteil, N-Turm
und Vorhalle 19. Jh.). Alles übrige entstammt der Barockzeit, geschaffen von Gasparo und Domenico Chr. Zuccalli 1661–90.*

Kraftvolles, plastisches Gefühl lebt in der Wandpfeileranlage, deren Emporenbalustrade sich mit den Pilasterkämp-
fern zur durchlaufenden Horizontalen vereint. Darüber

wölbt sich eine stattliche, klar gegliederte Halbkreistonne. Der Choraufbau mit seinen Pfeilern und Oratorieneinbauten erinnert an Beuerberg. Die Stuckierung gelangte über einen Versuch in der 3. südl. Kapelle nicht hinaus. Bis auf Apostel-Leuchter um 1700 und Triumphbogenkartusche um 1750 ist alle Wanddekoration aufgemalt. Fresken 1766–77. – Hochaltar 1693 mit 30 Jahre älteren Gemälde der Himmelfahrt Mariens. – Kanzel um 1690. – Schöne Kreuzigungsgruppe vom Landshuter Chr. Jorhan 1762. – Treffliche Grabdenkmäler (für Fraunberger, 1436, von Hans Heider aus Salzburg; für Jak. Hinderkircher, 1420, vom Meister des Straubinger Albrechtsgrabes u. a.). – *Felixkapelle* um 1750–52, östl. vom Chor. Den Schrein für die Reliquie des Heiligen schuf Chr. Jorhan.

Schlichte **Klosterbauten** 1657–65 von den beiden Zuccalli.

GAUKÖNIGSHOFEN (Ufr. – C 3)

Karoling. Königshof, dessen Martinskirche 741 als Schenkung Karlmanns an Würzburg kommt.

Kath. Pfarrkirche. Sie wurde 1724 gebaut und 1730 geweiht. Ob von Balth. Neumann entworfen, ist fraglich. Gute, stattliche, durch Pilaster gegliederte, von einem hohen Giebel bekrönte Fassade, stämmiger Turm, ebenfalls mit Pilastergliederung, und reizvoller, in schlanker Laterne endigender Kuppel. Die vorzüglichen frühklassizist. Stukkaturen gehören Materno Bossi, die Deckengemälde J. A. Urlaub (1776/77). Ausgezeichnete Altäre. Der Hochaltar von 1730–40 trifft, in seinen figürlichen Teilen, auf Ferd. Dietz. Die Seitenaltäre datieren 1752, ebenso die sehr reiche Kanzel, die viell. J. G. v. d. Auwera zuzuschreiben ist.

Auch **Rathaus** (Ende 16. Jh.) und **Schloß** (Mitte 18. Jh.) sind achtbare Zeugen alter fränkischer Kultur.

GEISELHÖRING (Ndb. – F 6)

1355 erste Nennung als Markt, 1952 Stadt. Die Anlage vereinigt 2 Marktplätze: »Am Lins« und den »Viehmarkt«.

Die **Pfarrkirche St. Petrus und Erasmus** ist eine stattliche barocke Wandpfeileranlage von 1761–64 unter Einbeziehung mittelalterl. Teile (Chor, Turmuntergeschoß). Als Baumeisternamen stehen die Landshuter Georg

Fischer und Joh. Gg. Hirschstötter zur Wahl. Die Ausstattung ist gutes Rokoko: Rocaillestuck von Fz. X. Feichtmayr, Deckengemälde im Langhaus (Kreuzigung Petri) von Matth. Günther 1765/66. Das nördl. Seitenaltarblatt trägt die Signatur dieses bedeutenden Meisters, dem auch einzelne der Kreuzwegstationen zugeschrieben sind.

Von Matth. Günther finden sich Deckengemälde auch in den **Kirchen** der Nachbarorte **SALLACH** (südwestl.), 1764, und **HADERSBACH** (südl.), 1766. Dieses Werk Günthers, die Geschichte der Esther darstellend, muß als besonders bedeutende Leistung gerühmt werden.

Ostwärts Geiselhöring: **HAINDLING** mit den **Wallfahrtskirchen Mariae Himmelfahrt**, 1719, auf älterer Grundlage (Gewölbe 19. Jh.), und **Hl. Kreuz**, einem würdig gegliederten Bau des 17. Jh., mit 2geschossigem Umgang von 1626, der einen vorzüglichen Altar von 1624 besitzt. Der namentlich noch nicht festgestellte Schnitzmeister, viell. ein Regensburger, gehört zu den Besten dieser Zeit und Landschaft.

GEISENFELD (Obb. – D 6)

Uralter Siedlungsboden; im Feilnforst und Feilnmoos, dem keltischen Vallatum (Manching) zugewendet, ergaben sich Funde der Hügelgräber-Bronzezeit (um 1550 v. Chr.), der Urnenfelderzeit (um 1200 v. Chr.) und der Hallstatt-Periode (um 800–500 v. Chr.). Eisenschlackenfunde deuten auf Abbau von Raseneisenerz durch die Kelten.
Ein Benediktinerkloster der Karolingerzeit (vor 820) ging in den Ungarnstürmen des 10. Jh. unter. An seiner Stelle stiftete Graf Eberhard II. v. Sempt-Ebersberg um 1030 ein Benediktinerinnenkloster, dem sich die Siedlung anlegte, die bald Marktrechte, doch erst 1954 Stadtrecht erhielt. Das Kloster verschwand nach der Säkularisation 1803.

Die **Pfarrkirche St. Emmeram** ging aus der Abteikirche hervor. 3schiffiges roman. Langhaus und got. Chor. Barockisierung 1726–30. Zahlreiche Grabdenkmäler: ältestes für die Äbtissin Gerbirgis († 1061) um 1300, bestes für den Priester L. Rempler (1539), die meisten 17. und 18. Jh.

Das schöne **Rathaus** entstand 1626, reich mit Stuckwerk versehen und bekrönt von einer Justitia-Figur. – Am M a r k t p l a t z gute Bürgerhäuser und ein Denkmal für Kurfürst Max IV. Joseph, 1803.

GEISENHAUSEN (Ndb. – E 7)

»Kisinhusa« erscheint um 1000 in der Ulrichs-Vita; 1386 wird es bayerisch und erhält 1453 Marktrechte.

Die **Pfarrkirche St. Martin** ist ein bedeutendes Werk der Landshuter Bauhütte: ein 3schiffiger Hallenbau, beg. 1477. – **Rathaus** 2. Hälfte 18. Jh. – Unter den **Wohnbauten** finden sich solche mit Grabendächern der Inn-Salzach-Bauweise. – **Wallfahrtskirche St. Theobald** auf dem Leberberg, got., mit barocker Ausstattung 1724.

Nordöstl., der Kleinen Vils folgend: **DIETELSKIRCHEN** mit einer
»Jugendstil«-**Kirche** von 1913, im Sakralbau eine Seltenheit. Ferner,
nach dem Zusammenfluß von Kleiner und Großer Vils, **GERZEN**, dessen **Pfarrkirche** im Mittelschiff noch roman. Teile vorweist (13. Jh.),
ein nördl. Seitenschiff und Rippenwölbungen um 1520 besitzt; das südl.
Seitenschiff kam 1872 hinzu.

GELBERSDORF (Obb.) → Moosburg (E 7)

GEMÜNDEN (Ufr. – C 2)

*Die Stadt trägt ihren Namen von einer Mündung: der Saale in
den Main. Von der später Klein- oder Weniggemünden genannten
(Dorf bleibenden) Siedlung rechts der Saale nahm sie (links der
Saale) ihren Ausgang. 1243 tritt sie erstmals ans Licht, wenig
früher dürfte sie von den Grafen von Rieneck begründet worden
sein, die sich mit den Würzburger Bischöfen in den Besitz teilen
mußten. 1387 gewinnt der Würzburger die volle Stadtherrschaft.*

Burg und **Stadt** sind in eine zusammenhängende **Ringmauer** eingeschlossen. Von den beiden Toren steht noch das **Mühltor**. Der Bestand an
alten Häusern ist nicht bedeutend, weist aber doch einige gute **Fachwerkbauten** (des 16. und 17. Jh.) auf. Ein beachtlicher Vertreter Würzburger Spätrenaissance, das unter Bischof Julius 1585–96 erbaute 3geschossige steilwüchsige Rathaus, ging mit so manchem andern guten Alten
1945 zugrunde.

Der Bau der **kath. Stadtpfarrkirche** begann 1468 mit dem Turm und
schritt 1486 zu Langhaus und Chor fort. Die Kirche ist 1schiffig und
setzt auf das W-Joch des eingezogenen Chores den Turm. Gewölbt ist
nur der Chor. Die Treppe außen, am SW-Eck, ist neugotisch. Das ist
auch die Ausstattung. 1945 weitgehend zerstört (wiederhergestellt).

Die Stadt wuchs neuerdings beträchtlich südöstlich. Hier die 1954 von
Hans Schädel gebaute **kath. Dreifaltigkeitskirche**: ein Trapez mit zum
Altar hin fallender Decke und frei stehendem Glockenturm; Altargemälde von Gg. Meistermann. – Die die benachbarte Waldhöhe beherrschende Baugruppe ist das von H. Beckers, Regensburg, gebaute
Kloster der Barmherzigen Schwestern vom Hl. Kreuz.

An der Straße nach Rieneck in knapp halbstündiger Entfernung ein großer **Soldatenfriedhof**.

Scherenburg. Urspr. gehörte die Burg den Grafen von Rieneck. Erst in
der 2. Hälfte des 15. Jh. wird sie würzburgisch. Die älteren Teile dürften in die 2. Hälfte des 13. Jh. zurückreichen. Im frühen 18. Jh. noch in
gutem Wesen, beginnt sie in der 2. Hälfte des Jh. zu verfallen. – Eine
Bergzunge zwischen Main und Saale ist ihr Podest. Gegen O liegt sie
schwach, hier schnürt sie der Halsgraben vom ansteigenden Bergrücken
ab. Die Ringmauer beschreibt, annähernd, ein Dreieck. Sie setzt sich
westl. in den abwärtsgehenden, Burg und Stadt zusammenziehenden
Stadtwehren fort. Im Innenfeld des Berings steht unzerstört nur noch
der hohe runde Bergfried. – Auf der Höhe des Berges, über der Scheren-

burg, liegt das Wenige der Trümmer einer zweiten Burg, der **Slorburg,**
die der Würzburger im 13. Jh. den Rieneckern in den Nacken gesetzt
hatte.

GENHOFEN (B. Schw. – A 7)

In weitem Umkreis sichtbar, auf kleiner Anhöhe, liegt die **Kirche St.
Stephan,** ein Bau der Spätgotik (Jahreszahl 1495 außen über der Sakristeitür). Der schlichte Innenraum mit eingezogenem Chor trägt eine
einzigartige Ausmalung mit Themen bäuerlicher Ornamentik, die zwischen 1567 und 1605 hereingekommen ist. Es handelt sich um Reste
alpenländischer Schablonenmalerei, die sich hier in einem letzten erhaltenen Beispiel großen Umfangs dartut. Zinnen-, Flecht- und Dreieck-
bänder, Rautennetze und Radsterne, Kreuze, Hakenkreuze, mehrmals
das Wappen der Montfort, eine primitiv angedeutete Hirschjagd, Vögel
und ähnliches sind, anscheinend zusammenhanglos, nebeneinanderge-
setzt. – Der Hochaltar des Malers Adam Schlanz aus Kempten, 1523,
enthält Schnitzfiguren, die dem jüngeren Syrlin, Ulm, nahestehen. Auch
die Seitenaltäre, um 1510–15, scheinen derselben Werkstatt anzugehören.
Astkreuz über der Emporenbrüstung um 1500.

GEROLZHOFEN (Ufr. – D 3)

*Um oder nach 750 tritt »Gerolteshoue« erstmals ans Licht. Im
frühen 14. Jh. schon als (würzburgische) Stadt bezeichnet, ist es
Ende des Jh. auch schon mit Mauern und Türmen bewehrt. Die
Vorstädte befestigten sich ein rundes Jahrhundert später.*

Der **Stadtplan** zeigt eine klare Disposition. Kern ist die rechteckig
umgrenzte alte Innenstadt mit zentralliegendem Markt, deren mehr
oder minder rechtwinklig bestimmte Gassenläufe an Gründung des
13. Jh. denken lassen. Diesem Kern, dessen Ummauerung nur noch
teilweise erhalten ist, legen sich 2 Vorstädte an, südl. die Zent-, nördl.
die Spitalvorstadt, diese noch gut ummauert. Die Stadtsilhouette ist
durch die Aufragungen der Pfarrkirche, des **Rathauses,** 15./16. Jh., des
ehem. Oberamtshauses, 1580 durch Bischof Julius gebaut, des **Rentamtes,** 1600 ebenfalls durch Julius gebaut, und des **Zehntstadels,**
16. Jh., bestimmt. Der Bestand an guten alten **Häusern** ist nicht gering; neben Fachwerkbauten des 16. und 17. stehen ansehnliche Stein-
bauten des 18. Jh.

Kath. Stadtpfarrkirche

*1397 fällt die ältere Kirche dem Städtekrieg zum Opfer. Anfang
des 15. Jh. beginnt die neue zu entstehen, sie wächst langsam auf,
denn geweiht wird sie erst 1479. Bischof Julius läßt sie Ende des
16. Jh. erneuern. 1899 wird sie um die beiden W-Joche erweitert
und gleichzeitig restauriert.*

Sie ist eine 3schiffige Halle mit überhöhtem Mittelschiff.
Der eingezogene Chor ist von den beiden Türmen flankiert, die sich in ihn öffnen. Das Langhaus zählte urspr.
4 Joche. Die Arkadenbogen entwachsen Rundpfeilern; ein

Netzgewölbe schließt. Einfachere Figuration zeigen die
Chorgewölbe. In den Seitenschiffen Rippenkreuzgewölbe.
– Die Pfarrkirche hat einige nahe Verwandte in Würzburg-
Franken (Ochsenfurt, Kitzingen, Königshofen); am näch-
sten steht ihr die ebenfalls durch ein östl. Turmpaar charak-
terisierte Haßfurter. – Gute, vorwiegend barocke Aus-
stattung. Der Hochaltar ist ein vorzügliches Werk Peter
Wagners, dem auch die Altäre der Seitenschiffe nahestehen.
Die Kanzel, 1680, schließt noch spätgot. Teile ein.

Ehem. Friedhofkapelle St. Johannes. Sie ist, nach der Gepflogenheit
solcher »Karner« (Beinhäuser), 2geschossig; 1496 gestiftet, wird sie 1497
begonnen. Mit der Verlegung des Friedhofes, 1542, vor die Stadt verliert sie ihre Funktion; Bischof Julius läßt sie schließen. Das Erdgeschoß
(jetzt Kriegergedächtniskapelle) diente als Beinhaus, das Obergeschoß
als Kapelle. Ähnlicher Art die Friedhofkapellen in Ochsenfurt, Ebern.

Die **Spitalkirche** (des 1402 gestifteten Spitals) geht ins frühe 18. Jh.
(1710) zurück. – Die **Michaelskapelle** des 1542 vor der Stadt angelegten
Friedhofs entstand 1737.

GERZEN (Ndb. – E 7) → **Geisenhausen**

GMUND am Tegernsee (Obb. – D 8)

Pfarrkirche St. Ägidius

*Die Pfarre ist wahrscheinl. älter als das Kloster Tegernsee, von
dem sie später abhängig ist. Nach Beschädigungen durch den
30jährigen Krieg schien ein vergrößerter Neubau der Kirche geboten. Lorenzo Sciasca wird als Baumeister gewonnen. Baubeginn
1688, Weihe 1693.*

Das Äußere ist freundlich-bescheiden. Anmutig hebt sich eine
schlichte Turmzwiebel über die umstehenden Häuser. Um so mehr überrascht die Weiträumigkeit des Innern: eine emporenlose Wandpfeileranlage von edlen ruhigen Verhältnissen. Bedeutend ist der Raumzier: Noble Rahmenformen zerlegen die Gewölbe. Gemessen an den
krautig wuchernden Stuckgebilden in der kurz zuvor vollendeten
Münchener Theatinerkirche hat hier eine andere Formgesinnung Platz
gegriffen, die wohl durch die Person Sciascas vertreten wird. – Der
Hochaltar wurde 1762 aus Tegernsee geliefert. Das Gemälde (Geschichte
des hl. Ägid) hat Hans Gg. Asam geschaffen. Seitenaltäre 1761. Der
nördliche umschließt eine spätgot. Schnitzfigur der Muttergottes, der
südliche ein weiteres Gemälde von H. G. Asam. Ein Holzrelief Ignaz
Günthers von 1763 zeigt den Barmherzigen Samariter in weiter, orientalischer Landschaftsszenerie. Ferner sind anzumerken: eine weiße Marmorplatte aus den Katakomben, Märtyrerstein einer Römerin; dann
got. Tafelbilder Mitte 15. Jh. (eines rheinisch: Verkündigung) und 1507
(Muttergottes mit Katharina und Barbara); eine Schutzmantelmaria.
aus Marmor gebildet, um 1450, u. a.

In der Nähe: **Filialkirche Georgenried**, ein rippengewölbter spätgot. Raum von 1528 mit guter Altarausstattung von 1631.

GNADENBERG (Opf. – E 4)

Ruine der Birgittenklosterkirche

Pfalzgraf Johann I. v. Neumarkt stiftete 1426 dieses älteste Birgittenkloster Süddeutschlands. Nach der Ordensregel wurde es als Doppelkloster errichtet, 1430 mit Mönchen und 1435 mit Nonnen aus dem dänischen Mariaboo besiedelt. 1451 ging man an die Errichtung der Kirche, die 1483 ihre Weihe erhielt. Die Einwölbung erfolgte 1511–18. Nürnberger Meister hatten die Bauleitung. Seit 1556 wurde mit Einführung der Reformation das klösterliche Leben abgebaut. 1635 gingen Kirche und Kloster in Flammen auf. Im verbliebenen Refektoriumsflügel richtete man 1654 zunächst als Provisorium, später für die Dauer, die heutige Pfarrkirche St. Birgitta ein.

Erhalten blieben vom Bau der alten Klosterkirche 3 Umfassungsmauern auf rechteckigem Grundriß mit der Portalwand gegen NO. Noch aus der Ruine lassen sich die merkwürdigen Bauvorschriften St. Birgittas ablesen: Der Chor war nach W (hier SW) gerichtet und gerade geschlossen. Gegen O erstreckte sich eine Halle, 3 gleich hohe Schiffe zu 5 Jochen. Der Hochaltar stand nahe dem Chorbogen, durch 6 Stufen erhöht. Dahinter sollte der Mönchschor liegen. Vom O führten 2 Portale in die Seitenschiffe. Dazwischen stand der Marienaltar. Eine doppelte Fensterordnung gliedert die Wände, unten kleinere Öffnungen, oben große, 3teilige Fenstergruppen. Nur das 2. Joch (vom N) ist geschlossen, denn hier lag der Zugang zur hoch angebrachten Nonnenempore. Interessant die Reste eines gewölbten Ganges zwischen den beiden Fensterzonen. Die Ordensregel erforderte für die Prozessionen der Mönche einen durch Gitter vom übrigen Schiff abgetrennten Wandelgang, der vom Chor aus durch die ganze Kirche führen sollte. – Bleibt noch zu nennen: das lebensgroße Bildnisepitaph des Ritters Martin v. Wildenstein, 1466.

Die **Klostergebäude** flankieren das Münster in der vom Orden festgesetzten Anordnung. Das Brüderhaus ist völlig verschwunden. Das Nonnenkloster – ehemals ein Viereck nordwestl. der Kirche – blieb zu geringen Teilen erhalten (jetzt Pfarrkirche und Remisen).

Bad GÖGGING (Ndb. – E 6)

Schon von den Römern besiedelt, die auch bereits die Schwefelquelle nützten. Die Kirche, die einen frühmittelalterl. Vorgänger hat, steht über röm. Mauerresten.

Kirche St. Andreas (seit 1960 mit einer neuen Kirche vereinigt)

Ein massiver Quaderbau des 12. Jh. kündet von einer der ältesten Pfarreien dieser Landschaft. Seinen schlichten Formen widerspricht das große Portal (N). In symmetrischer Anordnung vereinigt es eine Reihe von Skulpturen, die mit dem Regensburger Schottentor in Verbindung stehen. Wie aber solcher Reichtum an einer kleinen Landkirche? Auch die Deutung der dargestellten Figuren ist noch nicht hinreichend gelungen. Das Tympanon zeigt den Weltenrichter zwischen 2 Engeln; die Innenseiten der Konsolen tragen Figuren der Patrone St. Andreas und Johannes Ev. Was sich aber beiderseits über den kauernden Portallöwen an Themen entwickelt, bleibt im ganzen ungeklärt. Daß ein theologisches Programm zugrunde liegt, steht außer Zweifel. Doch welches? Was soll links unten das Fabelwesen, das sich gegen ein anderes der Innenseite wendet? Was bedeutet die Gruppe darüber: Männer, die sich die Hand reichen? Nach oben folgen 2 Halbfiguren mit Opfergaben, Korn und Widder (wohl Kain und Abel), dann 2 Juden, die mit einem König verhandeln (Verurteilung Christi?), endlich die weibliche Figur mit Rauchfaß (Magdalena?) und das verstümmelte Männchen über dem Bogenlauf. Rechts unten ein Sirenengeschöpf (Luxuria?), das den Mönch in der Leibung ansingt. Darüber ein Paar im Gespräch, dann ein Widder vor einem Engel (Opferung Isaaks?). Deutbar ist die folgende Darstellung des Gekreuzigten zwischen Maria und Johannes, höher hinaufgerückt der Auferstehende und zuletzt wohl der Teufel als kentaurenhafter Bogenschütze. Für uns eine kaum zusammenhängende Vielfalt, für seine Entstehungszeit bildgewordener Text.

GÖSSWEINSTEIN (Ofr. – E 3)

Vermutl. nach einem Grafen Gozwin genannt, ist die **Burg** schon im frühen 12. Jh. Bamberger Besitz. Das Burghaus bewahrt noch heute got. Kern. Viel tat romantische Burgenfreude des 19. Jh. hinzu. Aber der

Wirkung dieses Hochsitzes über dem unten schluchtenden Wiesenttal wird man sich, bei aller Kritik, nicht entziehen.

Kath. Pfarr- und Wallfahrtskirche *(Tafel S. 384)*

Mit der Pfarrkirche des Burgfleckens verbindet sich schon im 15. Jh. eine Wallfahrt zur Hl. Dreifaltigkeit, die heute noch blüht. Der Bau der großen neuen Kirche beginnt, nach Plänen B. Neumanns, 1730 und ist, im Rohen, schon 1733 fertig. Die beiden Türme stehen 1734, die Fassade wird 1735/36, gleichzeitig die Wölbung, vollendet. 1739 Weihe.

Der Grundriß beschreibt ein Kreuz. An das 2 Joche mit Wandpfeilerkapellen umfassende Langhaus legt sich das Querschiff, dessen 3seitig schließende Arme sich mit dem ebenso schließenden Chorarm zur Dreipaßfigur verbinden. Der Außenbau, imponierend schon durch den schönen Sandstein (den das Juraland nicht anzubieten hat), sammelt seine Kraft in der breit gefronteten, von starken Türmen überhöhten Fassade, der die wirkungsvolle, 1755 von Küchel hinzugefügte Terrasse vorliegt. Der Raum, in der Bergung schwerer Wandpfeiler und wuchtiger Tonnen, weitet sich in der Vierung, in die sich die Arme des Querschiffs und des Chores öffnen.

Die Ausstattung (ohne originale Fresken; die vorhandenen 1928, von W. Kolmsberger) entzückt durch die feinen, zartblühenden Stukkaturen des Bambergers F. J. Vogel (1733 ff.). Der Hochaltar, auch Gnadenaltar (1737) mit dem geschnitzten spätgot. Gnadenbild der Marienkrönung, eine phantasiereiche Erfindung Küchels (nach Ideen des Fürstbischofs), steht groß und prächtig, blickfangend, entgegen. Die Ausführenden waren: der Stukkator Vogel, der Bildhauer Peter Benkert und der Marmorierer Christian Kurz. Küchel entwarf auch die Altäre im Querschiff (1738) und ließ sie von den gleichen Meistern ausführen. Die Ausstattung des Kreuzaltars gehört, bis auf den 1763 hinzugekommenen Kruzifixus des Bayreuthers J. B. Schnegg, Benkert, auch die des Marienaltars, dem aber wieder Schnegg in der Immaculata einen späten, schon klassizist. angehauchten Zuschuß leistete (1763). Der Anna- und Josephsaltar des Langhauses ist wieder Stukkmarmorarbeit des Chr. Kurz (1742) nach Benkertschem Modell, im Figürlichen von M. Mutschele. Der späte Kunigunden-und-Nepomuk-Altar (1765) gehört Bernh. Kamm. Gelöstestes Rokoko sind die, doch auch schon späten Nischenaltäre Mutscheles in den beiden Turmkapellen (1762). Die Ausführenden der (1738) von Küchel entworfenen Kanzel sind wieder Vogel, Benkert und Kurz.

Küchel, dem (wie in Vierzehnheiligen) viel der festlichen Wirkung dieses Kirchenraumes zu Dank geht, baute 1747–49 auch den ansehnlichen

Pfarrhof rechts und das korrespondierende schmal gehaltene **Mesner-haus** links.

Den der Kirche anliegenden **Friedhof** betretend, wird man zunächst vor dem großen, 1588 von dem Bamberger Bildhauer Hans Werner geschaffe-nen **Denkmal** der Eltern des Fürstbischofs Ernst v. Mengersdorf halt-machen, ein typisches, die Teile häufendes, in der Vertikale addierendes Werk der deutschen Spätrenaissance. Das Szenarium des Hauptstückes: der Fürstbischof und seine Eltern in Anbetung der Dreifaltigkeit. – Dann wende man sich noch der im Friedhof östl. quer beschließenden **Marien-kapelle** zu, die ein posthum got. Bau des Bamberger Italieners Joh. Bonalino, 1630, ist. Angrenzend das 1723 vom Bamberger Fürstbischof ins Leben gerufene **Kapuziner-(heute Franziskaner-)Kloster**, dem eine in breitem Bogen geöffnete Kapelle vorliegt. Das den Bogen schließende perspektivisch verstäbte Gitter ist eine ausgezeichnete Arbeit des F. Dony (1725), dem übrigens auch alle Eisenarbeiten in der großen Kirche gehören.

GOTTESZELL (Ndb. – F 6)

Ehem. Zisterzienserklosterkirche St. Anna (heute Pfarrkirche). Die von Aldersbacher Mönchen besiedelte und von den bayerischen Herzögen Ludwig III., Stephan I. und Otto III. geförderte Klostergründung wurde 1286 bestätigt. Um 1339 erwächst eine 3schiffige, querschifflose Basilika nach dem Vorbild von St. Peter in Straubing. Seuchen und Kriege zehr-ten am Bestand des Klosters, Brände suchten die Kirche heim, aus denen das Gnadenbild der hl. Anna überdauerte. Immer wieder erfuhr der Bau Instandsetzungen. Auch von der 1729 begonnenen Barockisierung der Brüder Asam blieb wenig. Sie fiel zu großen Teilen der Purifizierung von 1889 zum Opfer. Erhalten sind noch die Pilaster des Hochschiffs (von E. Qu. Asam) und das jüngst freigelegte Fresko seines Bruders Cosmas Damian an der Chorrückwand, Mariae Himmelfahrt darstel-lend. Die ebenfalls z. T. freigelegten Fresko-Szenen an den Hochschiff-wänden aus der Jugendgeschichte Christi sind (soweit es sich nicht um jüngere Ergänzungen handelt) von weniger bedeutenden Meistern des 18. Jh. Im Hochaltar stecken noch Teile von 1729. Auch die stattliche Kanzel und einige Seitenaltäre sind aus dieser Zeit überkommen. Zu rühmen ist das feine Tabernakel mit den schlanken Anbetungsengeln von dem Passauer Jos. Deutschmann, um 1760. – Nur der südl. und Teile des westl. Klosterflügels sind erhalten. Ein polygonaler Erkerturm des späteren 17. Jh., auf 4 Säulen ruhend, schmückt die Front neben der Toreinfahrt.

GRAFENRHEINFELD (Ufr. – D 2)

Der durch eine gute Ackerkrume begünstigte Ort ist seit 1179 Besitz des Würzburger Domkapitels, an dessen Herrschaft noch Amtsvogtei (jetzt Gasthaus Hirschen) und Pflegerhaus (jetzt Gast-haus Adler) erinnern.

Kath. Pfarrkirche

Die älteste Kirche, St. Bartholomäus (1388), lag außerhalb des Ortes. Sie verschwindet im Schwedenkrieg, ihre Rechte gehen auf die Hl.-Kreuz-Kapelle im Ort über. Diese, ein reguläres griechisches Kreuz, wich 1755 der bestehenden großen Kirche, die der Würzburger Joh. Mich. Fischer, ein Jünger B. Neumanns, baute, der sich an einen 1748 dat. Entwurf des Meisters halten konnte. Nur der spätgot. Turm blieb. Die erst 1765/66 zu Ende gebrachte Fassade wurde bei Erweiterung der Kirche, 1863, um 1 Joch vorversetzt. Gleichzeitig wurde der O-Turm aufgeführt und der alte W-Turm erhöht.

Die südl. gerichtete, sehr ansehnliche Kirche ist durch ein den Chor flankierendes Turmpaar ausgezeichnet. Das Langhaus ist außen vielfach und gut durch gedoppelte Pilaster, innen durch Bündelpfeiler gegliedert. Eine Stichkappentonne deckt. Die Deckenfresken im Chor und Langhaus von Joh. Zick (1756), die Altäre und die Kanzel von P. Wagner (1766) gingen 1945 zugrunde.

GRAFING (Obb.) → Ebersberg (D 7)

GRAFRATH (Obb. – C 7)

Wallfahrtskirche St. Rasso

Die ehem. Amperinsel »Wörth« ist seit dem 14. Jh. als Wallfahrt zum Grab des hl. Rasso, Grafen von Diessen und Andechs, bezeugt. Der bestehende Neubau (als 5. an dieser Stelle) 1686–94 von dem Vorarlberger Mich. Thumb.

Wandpfeilerkirche im Vorarlberger Münsterschema mit kurzem, mittlerem Querschiff und eingezogenem Chor, an dessen 1. Joch sich seitliche Anbauten lehnen, die wohl im Äußeren, nicht aber im Innern zur Wirkung kommen. Hier öffnen sie sich lediglich in ihrer oberen Hälfte zu Emporen. Stuckdekor 1752, wahrscheinl. von den Wessobrunnern Joh. Gg. Üblherr, Fz. Xav. und Joh. Mich. (II) Feichtmayr. Die Gewölbefresken Joh. Gg. Bergmüllers schildern Szenen aus dem Leben Graf Rassos, seinen Kampf gegen die Ungarn, Übergabe des Reliquienschatzes, Eintritt ins Kloster und (im Chor) Rasso als Fürbitter. Der Hochaltar ist eine der besten Arbeiten des Joh. Bapt. Straub aus München, 1759, mit den Figuren der Patrone Philippus und Jakobus. In der Mitte grabmalartiger Aufbau mit dem Wappen St. Rassos über dessen Reliquien. Seitenaltäre um 1700. Auf dem südöstlichen: Vesperbild um 1510, viell. von Erasmus Grasser. Rotmarmorplatte mit Relieffigur des hl. Rasso, 1468 als Hochgrab geschaffen.

GRASSAU (Obb. – E 8)

Die **Pfarrkirche Mariae Himmelfahrt** ragt aus den oberbayerischen Dorfkirchen an Größe und Bedeutung hervor: Eine 3schiffige Halle mit überhöhtem Mittelschiff auf Rundstützen, errichtet gegen Ende des 15. Jh.
1696 wurde sie um ein weiteres Seitenschiff gegen S erweitert und erhielt
ihre dichte, krautige Stuckierung. Dieser Zeit gehört auch der Altar
im neuen, südl., Seitenschiff. In der übrigen Ausstattung herrscht das
18. Jh. vor. Deckenfresken 1766. Bei Restaurierung 1923–25 kamen
ältere Malereien zum Vorschein, so an der N-Wand (Ende 15. Jh.) und
an der Emporenbrüstung.

GREDING (Mfr. – D 5)

*1064 steht es in der Liste der Königshöfe. 1311 wird es eichstättisch. Damals ist es schon Markt. Befestigt wird es in der 2. Hälfte
des 14., stärker im frühen 16. Jh.*

Die Stadt hat Hanglage zur Schwarzach; sie bietet ein gutes, durchaus
mittelalterl. wirkendes Fernbild an und enttäuscht auch nicht in der
Nähe, denn alles ist da, was zu einem guten alten Stadtgesicht gehört.
Höchste Aufragung ist die hoch liegende, urspr. befestigte Martinskirche in der N-Spitze des Stadtumrisses. Inmitten liegt der sehr geräumige Markt, dem die von den 3 Toren kommenden Straßen zustreben. Größtenteils steht die **Ummauerung** noch aufrecht, die, mit vielen
Türmen besetzt, die Stadt aufs schönste einhegt. Der Charakter der
Hausbauten ist fränkisch; eichstättischer (höfischer) Einfluß machte sich
nur bei einigen Bauten höheren Anspruchs geltend.

Kath. Stadtpfarrkirche St. Jakob. Sie erwuchs aus einer
spätmittelalterl. Kapelle. 1722–27 wird sie von Grund auf
erneuert, viell. nach Plänen Gabrielis. Stukkaturen vom
Eichstätter Franz Horneis. Der Hochaltar stand (bis ins
19. Jh.) im Kloster Rebdorf (40er Jahre des 18. Jh.), nur
das Gemälde, von Bergmüller, vom früheren Hochaltar.

Kath. Kirche St. Martin

*Ehemals war sie die Pfarrkirche, dann gewann ihr die besser liegende Jakobskirche den Rang ab. Ihr ältester Teil ist der westl.
stehende Turm, der in 5 Geschossen wohl noch ins 11. Jh. zurückreicht, wofür Stilnähe zu den Eichstätter Domtürmen spricht. Die
Basilika entstand, eine kleinere Kirche ersetzend, gegen Ausgang
des 12. Jh. Änderungen in der 2. Hälfte des 16. betrafen die Seitenschiffe (Erhöhung) und die beiden östl. Mittelschiffsarkaden
(ausgebrochen und durch große Spitzbogenöffnungen ersetzt).*

Der Aufriß der roman. Pfeilerbasilika ist trotz der Änderungen erhalten geblieben. 3 Halbrundapsiden, eine grö
ßere mittlere und 2 seitliche, schließen östl. den Zug der
auf sie hinstrebenden Schiffe ab. Die Pfeiler sind quadra-

tisch; die Decken flach. Das einfache, 2mal gestufte Rundbogenportal liegt südlich. Der Vorzug der Ausstattung
liegt in den (allerdings restaurierten) Wandmalereien des
12. (Hauptapsis), des 14. und 15. (Mittelschiff) und des
16. Jh. (Seitenschiff).

Bei der Kirche steht eine der für das frühe und hohe Mittelalter typischen **Karnerkapellen,** die meist dem hl. Michael (dem Totenengel)
gewidmet sind; diese Michaelskapelle dürfte zugleich mit dem roman.
Bau der Kirche entstanden sein. Das Obergeschoß, die Kapelle, läßt
östl. eine Erkerapside vorspringen.

Ehem. fürstbischöfl. Schloß. 1696 ist der Bau vollendet; sein
Meister wird kaum ein anderer sein als der eichstättische
Hofbaumeister Jakob Engel. 2 Flügel besetzen einen rechten Winkel, die SO-Ecke schmückt ein schlanker oktogoner
Erkerturm mit Zwiebelhaube. Der Aufbau ist 3geschossig:
das Erdgeschoß ist sockelhaft; das 1. Obergeschoß dominiert, die hohen Fenster sind gerahmt und mit Giebeln,
Dreiecken und Segmenten bekrönt; ein Halbgeschoß
schließt ab, darüber steiles Walmdach.

Von Engel dürfte auch das in seiner Giebelfront mit einem Firsttürmchen ausgestattete **Rathaus** von 1699 sein. – Schloß, Rathaus und das,
wahrscheinl. von Gabrieli, 1741 errichtete **»Jägerhaus«** stehen am Markt
in städtebaulich rühmenswerter Gruppierung zusammen. – Die **Bürgerhäuser,** deren nicht wenige spätmittelalterlich sind, wenden sich meist
in Giebelstellung zu Platz und Gasse.

GREIFENSTEIN (Ofr. – E 3)

Die beherrschend postierte **Burg** über dem Albtal der Leinleiter, nördl.
von Heiligenstadt, zeigt sich erstmals 1172. Besitz edelfreier Geschlechter
(Schlüsselberg, Wolfsberg), dann der Streitberg, gelangt sie nach deren
Ausgang 1680 als heimgefallenes Lehen an das Bamberger Hochstift,
1691 an Fürstbischof Marquard Seb. Schenk v. Stauffenberg, über diesen an dessen Familie, die sie heute noch besitzt. 1683–93 wandelt sie
sich unter der Hand J. L. Dientzenhofers zum barocken Schloß, das noch
einige gute Ausstattungen (Stuckdecken des Bambergers J. J. Vogel),
auch eine Waffensammlung vorzuweisen hat. – Im rückseits des Wirt-
schaftshofes (nördl.) anliegenden Park ein **Chinesischer Pavillon** des frühen 18. Jh. und eine romantische **Ruine** d. J. 1820. Eine alte Kastanien-
allee verbindet Schloß und Park, eine noch ältere Lindenallee begleitet
die Auffahrt.

GREIMHARTING (Obb.) → **Prien am Chiemsee** (E 8)

GRETTSTADT (Ufr. – D 2)

*In fuldischer Überlieferung schon 815 genannt. Seit dem Spät-
mittelalter halb ebrachisch, halb würzburgisch (mit der Konsequenz zweier Schultheißen).*

Die **kath. Pfarrkirche**, 1766–69 unter Leitung des Würzburger J. M.
Fischer errichtet, ist durch eine ungewöhnlich reiche Altarausstattung,
viell. von der Hand Peter Wagners, ausgezeichnet.

Das 1590 datierte **Rathaus**, mit Freitreppe, Erker, Fachwerkstock, ist
ein origineller Vertreter ländlicher Renaissance. – Eine volkskundliche
Kostbarkeit ist die 1796 gesetzte, zur Stufenpyramide gestutzte Linde
zwischen Rathaus und Pfarrkirche, deren breite barocke Fassade be-
schließend im Blick steht.

GRIESSTÄTT (Obb.) → **Altenhohenau** (E 8)

GRIESSTETTEN (Opf. – E 5)

Wallfahrtskirche St. Martin und zu den Drei elenden Heiligen. Zu Beginn
steht die Einsiedelei dreier Benediktiner, um 1140: Marinus, Zimius und
Vimius. Aus der ihnen zugedachten Verehrung wurde eine Wallfahrt,
die sich 1740–47 mit der bestehenden Kirche schmückte. Einheimische
Baumeister errichteten sie auf einem Rechteck mit abgeschrägten Ecken
und mit eingezogenem Chor. Joh. Mich. Berg (Bruder des eichstättischen Hofstukkateurs Joh. Jak.) wird als Meister der feinen Stukkaturen
vermutet. Der Freskomaler nennt sich Joh. Adam Fux (1750). Aus einer
älteren Vorgängerin der Kirche blieben die got. Sakramentsnische und
der Taufstein.

GRÖNENBACH (B. Schw. – B 7)

Pfarrkirche St. Philipp und Jakob. Aus dem roman. Gründungsbau,
einer 3schiffigen Basilika, stammen das Untergeschoß des barockisierten
Turmes und eine Säulenkrypta unter dem Chor. Diese 1136 geweihte
Anlage erfuhr nach Gründung eines Kanonikerstifts 1479 die bestehende
Erweiterung zur spätgot. Halle, deren Mittelschiff seine seitlichen
Begleiter überragt. Vom barocken Umbau im späten 17. Jh. hat die
Restaurierung von 1887 wenig übriggelassen, Herz-Jesu-Altar (wohl
ehemals Marienaltar) im nördl. Seitenschiff 1713. Auf die Anzahl guter
Grabdenkmäler aus dem 15.–18. Jh. kann nur kurz verwiesen werden
(Rotenstein 1482, Marschalk 1555, Pappenheim 1558 u. a.). – Hinter
dem Chor 2geschossiger Rundbau des 17. Jh., als Beinhaus und Sakristei.

Ehem. Schloß. Bis zum 13. Jh. Lehen des Stiftes Kempten, später wechselnde Besitzer (v. Rotenstein, v. Pappenheim, Fugger). Mehrfach veränderte Baugruppe, im wesentlichen 16. und 17. Jh.

GRONSDORF (Ndb.) → **Kelheim** (E 6)

Fürstenfeldbruck. Klosterkirche
Seitenkapellen des Langhauses und Kanzel

Füssen. St. Mang
Mittelschiff mit Blick gegen den Chor

GROSSAITINGEN (B. Schw. – C 6)

Pfarrkirche St. Nikolaus. Unter Einbeziehung eines kräftigen, spätroman. Sattelturms entstand in 2 Etappen der barocke Baukörper: der Chor gegen 1700, das Langhaus 1750. Letzteres ist ein Werk des Tirolers Fz. Xav. Kleinhans. Eine vornehme Pilastergliederung umspannt den weiten, harmonischen Saalraum, den Fz. Xav. Feichtmayr mit prächtigen Variationen über das Thema »Rocaille« geziert hat. Die Deckengemälde von Balth. Riepp, 1754, stehen ihnen an meisterlicher Erfindung und Durchführung nicht nach.

Westl. der Kirche: **ehem. Zehentstadel** des Augsburger Dompropstes, erb. 1650. – Mehrere **Wohnhäuser,** in der Augsburger und der Lindauer Straße, stammen aus dem 18. Jh.

Sebastianskapelle. Kleiner malerischer Zentralbau von 1739/40, reich stuckiert und geschmückt mit hervorragend schönen Freskomalereien des Augsburgers Matth. Günther.

GROSSHEUBACH (Ufr. – B 2) → **Kleinheubach**

GROSSOSTHEIM (Ufr. – B 2)

Am Fuß des ausstreichenden Odenwalds, Hauptort des frühmittelalterl. Bachgaus und der aus ihm erwachsenen Mainzer Zent. Im Spätmittelalter (spätestens) Markt, im 15./16. Jh. ummauert.

Von den ehemals 4 Toren steht noch der Turm des Pflaumheimer. Die Bewehrung der Ringmauer hat 3 kräftige Türme hinterlassen. – Der **Grundriß** der noch durch die Ringgasse abgesteckten Marktsiedlung ist durch sich kreuzende Achsen bestimmt, deren von O nach W gerichtete die stärkeren sind. Der exzentrisch, südöstl., liegende Markt ist ein geräumiges Rechteck. An ihm die Pfarrkirche und der ansehnliche, malerisch altfränkische **Nöthig-Hof,** der im Kern auf den letzten der mainzischen Zentgrafen aus dem Geschlecht der Schad von Ostheim (vor 1580) zurückgeht.

Kath. Pfarrkirche St. Peter und Paul. Eine Martinsbasilika schon durch Einhard 827 bezeugt. Sie gelangt 1266 als Schenkung des Dompropstes an das Mainzer Domkapitel. Chor und Turm deuten in die 2. Hälfte des 13. Jh. Der 1schiffige frühgot. Bau wurde 1484 3schiffig erweitert. 1771 wurde das Mittelschiff erhöht und mit Emporen über den Seitenschiffen ausgestattet. Nach 1918 wurde es westlich erweitert. – Das Mittelschiff ist durch den Umbau des späten 18. Jh. geprägt. Der Turm steht westlich. Der quadratische Chor ist mit Kreuzrippengewölbe gedeckt; die gute, frühgot. Steinmetzarbeit der Kapitelle verweist auf die Bauhütte des Chores der Aschaffenburger Stiftskirche. Die Seitenschiffe tragen spätgot. Netzrippengewölbe, die dem O-Ende des nördlichen anliegende Kapelle (nach 1459) trägt ein Stern-, die ihr folgende Sakristei (1446) ein Kreuzrippengewölbe. – Die Stichkappentonne des Mittelschiffs ist mit Fresken J. C. Bechtolds, 1771, ausgestattet; Bechtold gab auch das Gemälde des (1910/11 neu errichteten) Hochaltars. Schönster Besitz der Kirche ist die holzgeschnitzte Gruppe der Beweinung von der Hand Riemenschneiders, die erst neuerdings als authentisches Frühwerk des Würzburger Meisters, von 1489, nachgewiesen werden konnte.

Die nach 1513 erbaute, 1773 weitgehend (im Chor ganz) erneuerte
Kreuzkapelle beherbergt eine große steinerne Kreuzigungsgruppe aus
dem Werkkreis des Mainzer Meisters Hans Backoffen, die im 2. Jahrzehnt des 16. Jh. entstanden ist.

Marienkapelle, »Frauhäuschen«, außerhalb, südöstlich. In der Anlage
spätgotisch, besitzt sie noch einen guten Schreinaltar des späten 15. Jh.

Die **Drippelkapelle** (ehem. St. Eligius) wurde nach Anhalt des Schrift-
bandes über der südl. Pforte (das auch den Namen Peter Drippel
nennt) 1517 errichtet. Der Schreinaltar, mit Muttergottes, Katharina
und Barbara in der Mitte, und bemalten Flügeln, ist mit rd. 1520 zu
datieren. Die reizvolle Gruppe der Geburt Christi im zweiten, kleineren Schrein ist typisch mittelrheinisch, wohl aus einer Mainzer Werkstatt, um 1510.

GROSS-THALHEIM b. Erding (Obb. – E 7)

Wir nennen die **Wallfahrtskirche St. Maria** (-Thalheim), eine spätgot.,
später (1670, 1736 und 1764) barockisierte Wandpfeileranlage, wegen
ihrer rühmenswerten Ausstattung. Die Barockisierungen lagen in Händen von Hans Kogler und Joh. Lethner. Das feine, reiche Gesamtbild
geht dem Münchener Freskomaler Martin Heigl (1764) sowie Erdinger,
Freisinger und Landshuter Künstlern zu Dank, aus denen der Name
Chr. Jorhan (Tabernakel 1765 und Figuren an der Orgel) hervorragt.
Das Gnadenbild ist spätgotisch, gegen 1500.

GRÜNAU (B. Schw. – D 6)

Jagdschloß des Pfalzgrafen Ottheinrich. Eine Wegstunde
ostwärts Neuburg liegt der stille Schloßkomplex in der
Donauniederung. – **Altes Haus.** Ein kurzer Bautrakt mit
hohen Stufengiebeln und viereckigem Turm ist das Kernstück. Ottheinrich hat es seiner Gemahlin Susanna »zu Gefallen« 1530/31 aufrichten lassen. Baumeister ist, wie in
Neuburg, Hans Knotz. Das Innere, z. T. mit altertümlich
gotisch anmutenden Wölbungen, birgt Reste seiner ehemals
stattlichen Ausmalung. Der Augsburger Jörg Breu d. J. hat
sie 1537 geschaffen. Etwas später arbeitete ein jüngerer
Meister, Hans Windberger aus Landshut, 1555. Ein rot-
marmornes Jagdrelief von Loy Hering gibt Kunde von
Ottheinrichs Jagdtreiben in den umgebenden Auenwäldern.
Ist es auch nicht viel, was dieses abgelegene Jagdschloß bieten kann, so hat es doch in seltener Weise die Zeitstimmung
bewahrt. – Einer späteren Epoche in Ottheinrichs Wirken
entstammt das **Neue Haus,** ein langgestreckter Bau mit
hohen Giebeln und runden Ecktürmen, 1550–55. – Beide
Trakte werden von Mauer und Graben umgürtet, so daß

der Anschein einer trutzigen Burg zustande kommt – in einem Zeitalter, das schon dem repräsentativen Schloßbau huldigt (vgl. Heidelberg, Ottheinrichsbau).

GRÜNWALD b. München (Obb. – D 7)

Burg. 1269–71 erwerben die bayer. Herzöge Grund im ehem. »Derbolfing«; etwas später erwächst darauf die Burg Gruonenwalde. Das Bestehende geht großenteils auf den Ausbau durch Herzog Sigismund zurück, 1486/87: der eckige Bergfried, der kraftvolle Torbau mit seinem Stufengiebel und der kleinere Zinnenturm. Das Mauerwerk der Wohn- und Wirtschaftsbauten ist nur z. T. alt. Hier hat die Romantik des 19. Jh. (auf Betreiben des neuen bürgerlichen Eigentümers) das Ihre hinzugetan.

GUNDELFINGEN (B. Schw. – B 5)

Landstädtchen an der Donau (Stadtrechte 1278) von altertümlichem Reiz. – **Pfarrkirche St. Martin.** Aus dem roman. Bestand wurde der Turmunterbau beibehalten. Der Chor ist gotisch, während der Saalraum des Langhauses (bei Verwendung älteren Baumaterials) barockes Gepräge zeigt. – Im N Rundkapelle **St. Leonhard**, mit Kuppelfresko von Joh. B. Enderle 1787. – **Marienkapelle** 1520, barockisiert und erweitert 1720. – **Rathaus.** Stimmungsvoller Giebelbau mit Türmchen, bez. 1677. – **Torturm** im O der Hauptstraße, 16. Jh. Ein kräftiger Akzent von städtebaulicher Bedeutung.

GÜNZBURG (B. Schw. – B 6)

An der Donaugrenze entsteht unter Kaiser Vespasian, nach Ausweis einer Bauinschrift 77/78, das Kastell einer Ala (Reitertruppe), das den hier einmündenden Nebenfluß, die Günz, im Namen trägt: Guntia. Die Vorrückung des Limes läßt es schon unter Domitian wieder aufheben, die Zurücknahme an den Strom gibt ihm erneute Bedeutung. – Die sichere mittelalterl. Geschichte beginnt mit d. J. 1162, in dem auch schon die, sicher sehr viel ältere, Martinskirche sichtbar wird. Im 13. Jh. ist Günzburg Besitz des Augsburger Hochstifts. Durch Verpfändung kommt es 1279 an die Markgrafen von Burgau. Damals ist es schon befestigt und auch Stadt. Hauptort der sich nach dem kleineren Burgau nennenden (seit 1304 österreichischen) Markgrafschaft, gelangt es mit dieser 1806 an Bayern.

Hauptachse ist der **Straßenmarkt**, den beiderseits Parallelstraßen begleiten. Quergassen verbinden. **Stadttore** stehen noch im W und N.

Frauenkirche *(Tafel S. 385)*

1735 brannte die got. Frauenkirche mit dem Franziskanerinnenkloster ab. Sogleich wurde ein Neubau in die Wege geleitet, zu

*dem man den bedeutendsten schwäbischen Kirchenbaumeister der
Zeit gewinnen konnte, Dominikus Zimmermann. Von 1736–41
dauerten die Bau- und Ausstattungsarbeiten. Die Altareinrichtung
folgte seit 1754. Weihe 1780.*

Äu ß e r e s. Auf einer kleinen Anhöhe inmitten der Ort-
schaft überragt die schmucke Anlage ihre Umgebung. Der
Umriß ist klar gezeichnet: hohes Langhaus, niedriger, eingezogener Chor und in seinem S-Winkel (auf mittelalterl.
Unterbau) der Turm. Seine Zwiebelbekrönung, Pilaster und
Lisenen, die aus wellenden Ecksimsen aufsteigen, und die
Dreiteiligkeit seiner Oberfenster sind typisch für Zimmermann, ebenso die eigenwillige Behandlung der Schiff- und
Chorwände mit ihrem flachen Pilasterbesatz, mit dem Ausschwingen einer durch reiche Fenstergruppen betonten Querachse, den phantasievollen Fensterrahmen. Die Chorrückwand ist durch ihren Giebelschmuck als Schaufront behandelt. Sie vereinigt sich im fröhlichen Weißrot ihrer Bemalung
mit dem gleicherart farbigen Turm und einem niedrigen,
grauen Stadtmauertürmchen zu ebenso bedeutender wie anmutiger Baugruppe. – Dem I n n e r n eignet eine stärkere
architektonische Bindung als dem älteren Steinhausen oder
der jüngeren Wieskirche. Nicht grünende Natur umgibt den
Günzburger Kirchenbau, sondern das Baugefüge einer Stadt.
Das scheint für Zimmermanns Raumerfindung von Bedeutung gewesen zu sein. So finden wir anstelle der naturhaft
aufschießenden Pfeiler, deren Leben sich Baumkronen gleich
aus Gebälkköpfen in Gewölbestuck entfächert, Säulen. Die
Säule ist in höchstem Maße Symbol architektonischen
Kräfteverhältnisses, welches Stütze und Last zugleich umspannt. So kommt es zur Verlängerung der Gebälklinie, die
nur vor den Angelpunkten der Längs- und Querachse halt-
macht. Durch dieses Achsenkreuz ist das Langhaus gekennzeichnet: die W-O-Linie, aus dem emporengeschmückten
Eingangsbereich zum Chor, wird inmitten des 1schiffigen
Langhauses durchschnitten von einer querschiffartigen Bewegung, die sich im gebälklosen Ausschwingen der reich
durchfensterten, altarbesetzten mittleren Wandfelder kund-
gibt. Die feinen reichen Schwingungen in den Raumgrenzen
neigen mehr zur Grundrißellipse als zum (tatsächlich zugrunde liegenden) Rechteck. Rundungen und Nischen verschleifen alle Härten der Raumwinkel und führen in den
eingezogenen Chor, dessen Forderung nach Zweigeschossig-

keit zu der reizvollen Bereicherung durch einen Umgang führt. Gedoppelte Viereckstützen erheben sich hier aus der Emporenregion, die kräftigen Gebälkköpfe tragend, über denen sich das Gewölbe entwickelt. Diese Chorform kann als Vorstufe zu den O-Teilen der Wieskirche bezeichnet werden. Allerdings erscheinen dort Säulen anstelle der Günzburger Viereckstützen, denen die Last querliegender Gebälkstücke abgenommen ist, ähnlich Tragstangen eines sich emporblähenden Baldachins. Das höhere Maß an architektonischer Kraft wird in Günzburg nicht zuletzt durch straffes Gliedern der Gewölbe erwirkt. Im Chor sind es Gurtbänder, im Langhaus flache Lisenen, die, aus dem Gebälk hinaufführend, die Wölbschale zerlegen. Auch das Stuckwerk ordnet sich mehr als in anderen Zimmermann-Bauten den architektonischen Kraftlinien unter. Den Chor schmücken vorherrschend Band- und Gittermotive, während im Langhaus die frühe Rocailleform zu ihrem Recht kommt. Die Freskomalerei bringt Themen aus der Marienverehrung: als Hauptfresko die Marienkrönung, der die Heiligen des Alten und Neuen Bundes beiwohnen, die 15 Geheimnisse des Rosenkranzes u. a. Der Meister ist Anton Enderle, 1741. – Doppelter Hochaltar 1758 mit Gemälde von Viola. Seitenfiguren neu. Chorgestühl 1740. Kanzel und Nebenaltäre 1760–70.

Die **Pfarrkirche St. Martin** ist neugotisch. Der aus Buckelquadern geschichtete Turmunterbau ist viell. Relikt des Römerkastells. Im Innern ist lediglich (im südl. Seitenaltar) eine spätgot. Anna-Selbdritt-Gruppe (um 1500) von Interesse.

Das 1609 vollendete **Schloß**, bis 1805 Sitz der österreichischen Verwaltung, wirkt durch Höhenlage und Masse. Die Einzelform ist bescheiden, das Innere umgestaltet. Nur die 1579/80 errichtete **Schloßkapelle** blieb erhalten: ein steiler Raum mit straffer Pilastergliederung. Ihr im W angeschlossen ist eine schön ausgestattete Kapelle von 1754, Zuschreibung an Jos. Dossenberger (Freskomalerei von Anton Enderle). Weitere Bauten des Zimmermann-Schülers Joseph Dossenberger, so das dem Schloß beigegebene ehem. **Piaristenkolleg** (1755–57), die ehem. **Münze** (1763–67, dem Schloß gegenüber) und das **Gymnasium** (1780 bis 1782, ehem. Kaserne), sowie einige durch Rokokostuck belebte Bürgerhausfronten (bes. in der Hauptstraße) tragen zum freundlichen Stadtbild bei.

GUNZENHAUSEN (Mfr. – D 4)

»Gunzenhusir«, auf altbesiedelter Scholle (vorgeschichtliche Funde, Römerkastell), ein Kloster, gedeiht 823 als kaiserliche Schenkung

an Ellwangen. Die Stadtwerdung wird sich unter den Ellwanger Äbten im 13. Jh. vollzogen haben. 1343 tritt an die Stelle des Abtes Herr Burkart von Seckendorf (Grabmal in der Spitalkirche), dem 1368 Burggraf Friedrich von Nürnberg folgt. Burggräflich-markgräflich bleibt Gunzenhausen bis 1806.

Die **Stadt** lehnt sich an die Altmühl; der langgestreckte Marktplatz ist die Rückgratachse. Die Befestigungen gehen in ihren wenigen erhaltenen Teilen ins 15. Jh. zurück. Von den Türmen stehen noch drei. Der **Torturm** (»Blasturm«) erhielt seine heutige Erscheinung 1603. Der hohe runde **Färberturm** ins 14. Jh. gesetzt werden. – Das Gepräge des **Straßenbildes** ist barock, 18. Jh. Das gute Haus am S-Ende des Marktes (das **Rathaus** werden sollte), vom Ansbacher J. D. Steingruber, 1748 ff., mag als typisch bezeichnet werden.

Ev. Pfarrkirche

Der Neubau beginnt 1448 mit dem Chor, dessen Meister überliefert ist: Endres (Emhart, d. Ä.) von Kemnathen; er leitete auch den Neubau der Ansbacher Pfarrkirche. Gleichzeitig wurde offenbar der in den Untergeschossen ältere (frühgot.) Turm aufgestockt. In den 60er Jahren folgt das Langhaus, das 1496 fertig ist. Baufälligkeit nötigt 1706/07 zu einschneidenden Baumaßnahmen: Erneuerung der W-Wand (mit Maßwerkfenstern!), Erhöhung der Mauern des Mittelschiffs und völlige Neubedachung, Wölbung des Mittelschiffs, östl. Verbreiterung der Empore. 1850 wird die Kirche restauriert und »gereinigt«.

Sie ist 3schiffig, basilikal, doch ist das Mittelschiff ohne Fenster. Der Chor hat 2 Joche und 5seitigen Schluß; ein Sterngewölbe deckt ihn. Das »pseudogotisch« gewölbte Mittelschiff zählt 6 Joche. Die Seitenschiffe, ungleich breit, sind alt gewölbt: Netz- und Sterngewölbe. Das Ä u ß e r e des Quaderbaus ist einfach. Der Chor steht im Gliedergürtel der Streben, der Turm steigt in querrechteckigen Geschossen auf und schließt mit einem Oktogon. – Von der barocken Ausstattung verschonte der Restaurator nur die Kanzel. Ein Relikt ist auch der Kruzifixus, wahrscheinl. von G. Volpini, am Kreuzaltar. Unter den Grabmälern beachtlich das des Paul v. Absberg (1503).

Kath. Stadtpfarrkirche St. Marien. 1868 entsteht die erste kath. Stadtpfarrkirche in der, seit 1533 prot., Stadt, an ihrer Stelle 1959/60 nach Plänen des Ingolstädter Architekten Jos. Elfinger der Neubau: Quadrat mit Halbrundapside, frei stehender Glockenturm, Vorhalle westl.; die übereck gestellten Vierecke des Balkenrostes der Decke bringen eine starke, gegensätzliche Bewegung in den sonst einfachen Raumkörper.

Spitalkirche Hl. Geist, am oberen nördl. Ende des Marktplatzes. Wie das Spital Stiftung des Burkard v. Seckendorf, 1351. Die 1353 geweihte kleine 1schiffige Kirche erfuhr 1611 und 1700–02 Erneuerungen, die aber, sieht man vom barocken Dachreiter ab, nur das Innere betrafen. Im Chor die monumentale Grabplatte mit der Relieffigur des gerüsteten Stifters, 1365.

HAAG (Obb. – E 7)

Der alte Burgsitz der Gurren ging 1245 an die Fraunberger über, die 1509 in den Reichsgrafenstand erhoben wurden. Mit dem unruhigen Ladislaus von Haag (1528–66) endete die freigräfliche Herrschaft. Haag kam an das Herzogtum Bayern.

Die ehemals mächtige **Burganlage** verfiel 1804 dem Abbruch. Es blieben Reste des äußeren (um 1500) und des inneren Berings mit dem Torturm (um 1200, obere Teile um 1500) und, die Ortschaft beherrschend und vorzüglich erhalten, der kraftvolle Bergfried (hoch 40 m) aus der Zeit um 1200, Obergeschoß und Dach mit 4 Ecktürmchen gegen 1500.

Die Hauptkirche der Haager Grafschaft liegt außerhalb, nördl., in **KIRCHDORF**. Heute **Pfarrkirche Mariae Himmelfahrt**, ist sie in ihrem Wesen eine roman. Basilika aus der Frühzeit des 13. Jh. Neugestaltungen, eine gotische (1471) und 2 barocke (1699 und 1730–47), haben ihr ein anderes Gesicht gegeben. Der Turm ist Neubau von 1868. Aus roman. Bestand blieb das granitene W-Portal. Die Seitenportale gehören der got. Umgestaltung, die auch die Arkaden verändert und den Chor erneuert hat. Reste der got. Gewölbeformationen blieben in den später kapellenartig unterteilten Seitenschiffen. Die seitl. Emporen sind barocke Zutat, 1699. Im Hochaltar (um 1735) eine geschnitzte Muttergottes der Zeit um 1490. Aus mittelalterl. Bestand nennen wir weiter eine Beweinung Christi um 1500 (nördl. Seitenaltar) und ein Vesperbild (Steinguß, frühes 15. Jh.). Gute Grabdenkmäler aus dem 16. und 17. Jh. Die stattliche Grabtumba des Grafen Ladislaus von Haag († 1566) wurde im 19. Jh. in das Bayer. Nationalmuseum, München, übertragen.

In der Nähe, südwestl., **ALBACHING** mit der **Pfarrkirche St. Nikolaus**, einem Bau des spätesten Rokoko (»Zopfstil«), 1790 (Schiff) bis 1812 (Turm). Hier hat der bedeutende Freskomaler Christian Winck eines seiner letzten großen Deckengemälde geschaffen (1792). Gute Altarausstattung dieser Zeit.

HABACH (Obb. – C 8)

Ehem. Kollegiatsstiftskirche St. Ulrich. Auf der Gründung von 1085 erwuchs 1660–80 ein Neubau im Wandpfeilerschema der Münchener St.-Michaels-Kirche, doch ohne Emporen (vgl. Beuerberg). Als Baumeister wird Kaspar Feichtmayr vermutet. Die Stuckdekoration in geometrischer Feldereinteilung wurde, nach Brand 1704, in den 2 W-Jochen nur aufgemalt. Hochaltar 1668. Die 4 westl. Seitenaltäre schuf Fz. Xav. Schmädl um 1753. In den Seitenkapellen Schnitzwerke des frühen 17. Jh., dem Barth. Steinle zugeschrieben: Ölberg, Anbetung der Hirten, Beweinung Christi (dat. 1609).

HABSBERG (Opf. – E 5)

Die Burg der Grafen von Sulzbach ist schon im 14. Jh. abgegangen. Ihre Stelle besetzte 1682 eine **Gnadenkapelle**, die 1730 erweitert und 1747 neu geweiht wurde. Hier das Gnadenbild, eine geschnitzte Muttergottes um 1680. – Wachsender Wallfahrerzustrom forderte den Bau eines neuen Heiligtums, der **Großen Wallfahrtskirche Mariae Himmelfahrt**, 1761–73, eines Raumrechteckes mit Flachtonnenwölbung und eingezogenem, flach überkuppeltem Chor. Der feine Rokoko-Stuck stammt von Jos. Dietmayer aus Wessobrunn. Joh. Mich. Wild schuf die Freskomalerei 1764: Himmelfahrt und Glorie Mariens. Da auch die gesamte Altarausstattung (bis auf wenige Ausnahmen) der Erbauungszeit angehört, ergibt sich ein schönes, einheitliches Bild des Rokoko.

HADERSBACH b. Geiselhöring (Ndb.) → **Geiselhöring** (F 6)

HAHNBACH (Opf. – E 4)

Pfarrkirche St. Jakob. Die kurze, spätgot. Anlage des 15. Jh. erhielt um die Mitte des 18. ihr heutiges Gesicht. Urspr. nahm der Bau eine Mittelstellung zwischen Basilika und Hallenkirche ein, ähnlich Chammünster oder Weiden. Erst das Öffnen der Oculusfenster des Hochschiffs im 18. Jh. entschied für den Charakter der Basilika. Altarausstattung um 1740–50; Kanzel 1780, hervorragend an Ideenreichtum und gediegener Ausführung.

HAIDSTEIN (Ndb.) → **Weißenregen** (G 6)

HAIMHAUSEN (Obb. – D 7)

Die Hofmark gelangt Ende des 16. Jh. als herzogliches Lehen, 1603 als Eigen an die Viehbeck, die (1615 Freiherren, 1692 Reichsgrafen von Haimhausen) bis zu ihrem Ausgang 1794 im Besitze bleiben. Heute Eigentum von Haniel; im Schloß Polizeischule.

Der schlichte, unter Beteiligung von Andr. Wolff erstellte Bau des späten 17. Jh. wird 1747 von François Cuvilliés d. Ä. in den modischen Formen franzöz. Prägung umgestaltet. Der vornehm gegliederte Hauptbau des **Schlosses** bildet mit den niedrigen Seitenflügeln östlich einen flachen Ehrenhof. Reizvolle Fensterbekrönungen verleihen ihm eine festliche Note. Die reiche, wirklich glänzende Kapelle im S-Flügel, den sie ganz einnimmt, besitzt Deckengemälde von J. G. Bergmüller aus

Augsburg 1748. Stuck und Altäre von den Verhelst. In Treppenhaus und verschiedenen Räumen Stukkaturen. Im Festsaal Gemälde von Bergmüller 1747.

HAINDLING (Ndb.) → **Geiselhöring** (F 6)

HALS b. Passau (Ndb. – G 7)

Nordwärts Passau im Tale der Ilz liegt der Marktflecken, überragt von einer Burgruine auf felsiger Uferzunge, die der Fluß um-schließt.

Pfarrkirche St. Georg, ein Bau aus der Frühzeit des 19. Jh., wurde im 2. Weltkrieg zerstört und anschließend wiederaufgebaut.

Wallfahrtskirche St. Achatius im alten Friedhof. Die Spätgotik des aus-gehenden 15. Jh. schuf den zunächst 1schiffigen Bau mit seinem W-Turm. Im 17. Jh. traten Seitenschiffe hinzu. Es ergab sich eine ungleiche Hallenkirche; der Mittelschiffscheitel liegt höher als der der Seiten-schiffe. Hochaltar 1696. Der Chor bewahrt eine Muttergottesstatue der Zeit um 1520–30.

Burgruine. Bis zum Ende des 12. Jh. Besitz der Edlen von Hals, kam die Burg an die Herren von Chambe, 1375 an die Landgrafen von Leuchtenberg, 1486 an die Aichberger und 1517 an die Wittelsbacher. – Die Uferzunge wird durch einen Kanal, der durch den Ort Hals führt, inselartig abgetrennt. Zusammen mit dem oberen Graben und festem Mauerwerk wurde für die Burg ein hoher Grad von Sicherheit erwirkt. Ragende Mauern an der O- und N-Seite der Anlage verraten den ehem. Palas. – Über die Baugeschichte fehlen Nachrichten. Im wesentlichen handelt es sich um spätmittelalterl. Bauten. Die Unbequemlichkeit des Burgsitzes trieb im 17. Jh. die herzoglichen Pfleger ins Tal. Die Burg verfiel.

Am **Rathaus**, einem schlichten Barockbau, hat sich der Pranger erhalten: eine ausgenischte Ecke mit profilierter, erhöhter Stehplatte und Eisen-ringen für Hals und Arme.

HAMMELBURG (Ufr. – C 2)

Unter einer Volksburg (Hiltfridesburg) errichten die Franken einen ihrer befestigten Höfe. Dieses »Hamulo castellum« erscheint, in früher Urkunde, 716: Der fränkisch-thüringische Herzog Hedan schenkte seinen Erbbesitz Willibrord, dem Apostel der Friesen. Die Kirche der Siedlung gelangt durch Königsschenkung im 8. Jh. an Würzburg, die Grundherrschaft 777 an Fulda. Der Abt um-mauert im frühen 13. Jh. die Siedlung, der 1303 das Gelnhauser Stadtrecht gegeben wird. Sie ist künftig Sitz eines fuldischen Oberamts. Ein Stadtbrand, 1854, schädigt das Stadtbild empfind-lich; die Tortürme verschwinden, auch die Ringmauern werden niedergelegt. Seit 1816 ist Hammelburg bayerisch.

Der **Stadtplan** ist durch 2 Achsen, Ober- und Niedergasse, bestimmt, in deren Schnitt der rechteckige Marktplatz mit dem Rathaus liegt. Kirche und Schloß liegen an der SW-Ecke des Stadtumfangs.

Kath. Stadtpfarrkirche St. Johannes Bapt. (ehem. St. Martin). Sie wird (uralte Vorgänger hinter sich) 1389 mit dem Chor begonnen. 1461 steht das Langhaus. Sie ist eine 3schiffige Basilika mit der N-Seite des Chors anliegendem Turm, der sich der auf ihn treffenden Kirchgasse zuwendet (Obergeschoß 1854). Eine Restaurierung 1889–91 stattete die Kirche mit Neugotik aus, die 1950 wieder beseitigt wurde. Zugleich trat an die Stelle der Flachdecke ein Rippengewölbe. 1957/58 Erweiterung um 2 Joche nach W. Doch wurde die urspr. W-Front, samt der innen anliegenden, in der Mitte 2geschossigen gewölbten Empore, wiederaufgebaut. – Alter Ausstattungsbesitz, dem Raum in guter Wirkung eingefügt: die Muttergottes Jakob v. d. Auveras über dem Hochaltar, von etwa 1720; die Steinmuttergottes am nordöstl. Pfeiler des Mittelschiffs, Ende des 14. Jh.; das Holzrelief mit dem Gekreuzigten zwischen Maria und Johannes, Georg und Stephan, Ende des 15. Jh., am modernen Ambo unter dem Chorbogen; die 3 Passionsreliefs, Sandstein, frühes 16. Jh., unter der Empore (früher an der Außenwand); die Pietà des späten 15. Jh. auf dem Altar der das nördl. Seitenschiff beschließenden Marienkapelle.

Die spätgot. **Ölbergkapelle** stand bis 1958 vor der W-Wand der Kirche, jetzt im SO-Eck des Friedhofs. Ihre W-Wand ist durch einen Lichterker zwischen den beiden Fenstern geschmückt; der 2jochige, rippengewölbte Rechteckraum umschließt eine großfigurige Ölberggruppe.

Schloß. Unter Beibehaltung der fürstäbtl. Kellerei (von 1573 ff.) wird es 1725 ff. aufgeführt. Eine 4-Flügel-Anlage, umschließt es einen Innenhof. Schauseite ist der durch einen mittleren Giebel ausgezeichnete W-Flügel; eine Arkadenaltane betont dann noch einmal die Mitte.

Das **Rathaus** entstand in den Jahren 1526–29. Der Stadtbrand 1854 beeinträchtigte es, die Wiederherstellung 1855/56 ließ nicht viel von der alten Erscheinung übrig. – Für seinen Baumeister Joh. Schonard zeugt noch gültig der sehr reizvolle **Marktbrunnen** von 1541, dessen offenes Pfeilergehäuse (mit barockem Baldachin) zu den heitersten Schöpfungen der deutschen Renaissance gehört. – Die ehemals in 4 Jochen den Fluß überschreitende, im Unterbau roman. **Saalebrücke** wurde 1945 zerstört.

Jenseits der Saale **Burg Saaleck**, von 1228, Jahr ihrer ersten Nennung, bis ans Ende des Hl. Röm. Reiches fuldische Feste zum Schutze des Flußübergangs der Straße Fulda – Würzburg. Die Beschießung 1866 zog als Folge weitgehende Erneuerungen nach sich. Doch steht noch der, wahrscheinl. ins 13. Jh. zurückreichende, Bergfried.

Unter der Burg das 1649 gestiftete **Franziskanerkloster Altstadt** mit 1698–1700 gebauter Kirche. Die ihr vorgelagerte Kapelle datiert 1746, der Kreuzweg, dessen 14 Stationen ihr Ziel in der Kalvarienberggruppe oben, vor Saaleck, finden, 1773.

HANNBERG b. Höchstädt a. d. Aisch (Ofr. – D 3)

Kath. Pfarrkirche. Ihre Auszeichnung ist der sie umgebende befestigte Friedhof, einer der besterhaltenen. Im 15. Jh. er-

Hannberg, von Nordwesten, um 1500

richtet, erlitt er nur 1879 durch Abtragung der Mauerhöhe geringe Schädigung. Der Grundriß beschreibt ein regelmäßiges Rechteck. 5 Türme (3 runde, 2 viereckige) decken die in Buckelquadern aufgeführte Ringmauer. – Die Kirche ist nur im Turm (der Chor ist) und in der Sakristei spätgotisch (1486). Das Langhaus entstand neu 1721.

HARBURG (B. Schw. – C 5)

Schloß

Der alte, erstmals 1093 genannte Burgsitz über dem Wörnitztal gehörte um die Mitte des 12. Jh. den Staufern. 1295 kommt er als Pfandschaft an die Grafen von Oettingen, die – seit 1774 fürstlichen Standes – ihn noch heute innehaben. 1493–1549 ist er ihre Residenz. – Die Anfänge der Bautätigkeit liegen im Dunkel. Anzeichen deuten darauf, daß die Grundmauern des inneren Berings,

dreier südl. Türme, des Fürstenbaus und des Ziehbrunnens dem
12. und 13. Jh. angehören. Die gegen S gerichtete Zwingermauer
mit ihren halbrunden Türmen kam im 14. und 15. Jh. hinzu. Da-
mals wurde auch die Vorburg einbezogen und der Saalbau sowie
die Rote Stallung aufgeführt. Lebhafter Baubetrieb beginnt um
die Mitte des 16. Jh.: Burgvogtei 1562, NO-Turm 1588, sog. Neuer
Bau 1595, Fürstenbau-Erker und Röhrenbrunnen 1596 und zahl-
reiche Wirtschaftsgebäude. Das kriegerische 17. Jh. bringt Schäden
und Instandsetzungen. Starke Aktivität zeitigt schließlich das
18. Jh.: Der Saalbau wird verändert; die Schloßkirche, die seit
ihrer Begründung im 13. Jh. zahlreiche Verwandlungen erfahren
hat, erlebt einen letzten durchgreifenden Umbau; der Fürstenbau
bekommt neue Innenräume, die im 19. Jh. nochmalige Änderung
erfahren. Damit ist aus der vielgestaltigen Baugeschichte nur das
Auffallendste berichtet: die allmähliche Umwandlung der wehr-
haften Burg zum wohnlich-repräsentativen Schloß.

Eng umgürtet der alte Bering die Kernbauten. Diese sind
großenteils in ihn einbezogen, so daß auf eine höhere Zahl
von Mauertürmen verzichtet werden mußte. Nur gegen
die gefährdete Seite war stärkerer Schutz geboten. Ihm
dient die turmbestückte Zwingmauer des 14./15. Jh., die
auf dieser Strecke den älteren, inneren Bering begleitet.
Von SW kommend, stößt die Zufahrtsstraße auf die Baugruppe des Unteren Tores (16./17. Jh.) neben einer alten
Bastion (15. Jh.). Die Rote Stallung mit ihren 3 Fachwerk-
Zwerchgiebeln und das innere Untertor schaffen einen
zweiten Riegel jenseits des Zwingergrabens. In der geraden,
nach NO führenden Wegachse reihen sich zahlreiche Nebengebäude: links Stallung (16. Jh.), Münze (19.), Amtspfleger-
haus (17.), Stadel und Hofmetzig (16.), Stallung und Bräuhaus (19. Jh.); gegenüber in gelockerter Folge (von NO
nach SW) anschließend an das Stadtpförtchen: Bräustübl,
Stall (16. Jh.), Stadel (17.), Bierkeller (18.), Braumeisterhaus
(17.), bis der quadratische Weiße Turm (17. Jh.) erreicht ist.
Neben ihm, mit erhaltenem, hölzernem Fallgitter, das
Obere Tor, das durch den inneren Bering auf den Schloßhof führt. Die Innenwand der Mauer trägt noch ihren
hölzernen Wehrgang. Dem Eintretenden zur rechten Hand
liegt das schlichte Gebäude der **Burgvogtei** von 1562. Ihr
folgt südostwärts der »**Neue Bau**«, auch Kastenhaus gen.,
1594/95. Innen ein 3schiffiger Erdgeschoßraum, darüber
Säle und Zimmer, z. T. mit Holzkassettendecken. Der Neue
Bau war Kornmagazin, später Marstall und Rüstkammer.

Das nächste Bauwerk im Verlauf der Mauer gegen SO ist der rechteckige **Diebsturm.** Starke Buckelquadern kennzeichnen ihn als ältesten Baukörper der Harburg. Er diente urspr. als Bergfried. Der **Saalbau,** ein kräftig gemauertes Rechteck, ist mittelalterl. Ursprungs. Das 2. Obergeschoß umfängt den großen Saal mit Stukkaturen von 1719 und 1742. Embleme von Krieg und Frieden zieren die Kamine an den Schmalseiten. Im Deckenstuck Gemälde aus der Zeit um 1700 (Jagdthemen). Auch die Zimmer im 1. Stock tragen Stuckarbeiten aus dem frühen 18. Jh. Der anstoßende **Faulturm** mit seiner gedrungenen Barockhaube enthält das Treppenhaus. Die O-Seite des Hofes nimmt der **Fürstenbau** ein, in dem Reste des mittelalterl. Palas stecken. Erker 1596. Der vorgeschobene Mittelrisalit enthält das Treppenhaus. Aus dem 2. Obergeschoß führt ein gedeckter Gang zur **Schloßkirche St. Michael,** einem 1schiffigen Bau, den in der Mitte ein Querhaus durchkreuzt. Dessen S-Arm (mit ehem. O-Apsis) gilt als roman. Bauglied und Ausgangspunkt der Kirchenanlage. Chorteile und Krypta werden dem 14. Jh. zugeschrieben. Das N-Querhaus gehört im wesentlichen dem frühen 17. Jh. an, die W-Partie entstand 1720/21. In diesen Jahren wurde durch neue Stuckinkrustation der einheitliche Raumeindruck hergestellt. Die nüchternen Formen entsprechen dem Sinn einer prot. Predigtkirche. 2 vorzügliche Leistungen spätgot. Schnitzkunst an den Chorwänden: eine Muttergottes um 1480 und ein Hl. Michael, Sepultur der Oettingen-Oettingen, um 1510. Aus den zahlreichen Grabdenkmälern der Oettingen sind die Graf Ludwigs XVI., 1562, und Graf Gottfrieds, 1620, hervorzuheben (S-Querhaus), dieses von Mich. Kern aus Forchtenberg. Die Gruftkapelle unter dem Chor reicht zwar ins 14. Jh. zurück, erhielt aber erst 1619 und 1628/29 ihre Gestalt. Die beiderseits des Eingangs sitzenden Wachtposten aus Stuck kamen 1619 zur Ausführung. Ein Rundturm aus dem 15. Jh. im nordöstl. Mauerwinkel trägt die Glocken. – An die S-Seite der Kirche lehnt sich die ehem. Pfisterei (Bäckerei) mit dem 1588 errichteten Pfisterturm. – Vergessen wir nicht, auf die hervorragenden Schätze der Bibliothek und die nicht minder kostbaren Kunstsammlungen (im Fürstenbau) wenigstens hinzuweisen.

Das Städtchen Harburg besitzt eine schlichte **Pfarrkirche** von 1612. Umlaufende Empore und Kanzelaufbau in der Chormitte über dem Altar

(1948 erneuert) deuten auf ihre Eigenschaft als prot. Predigtraum. – Die **Synagoge** der 1671 zugelassenen Juden, ein ehemals interessant eingerichteter Raum von 1754, ist profaniert. – **Rathaus** 15. Jh., Inneres verändert.

HASSFURT (Ufr. – D 2)

1230 erstmals erwähnt (»Hasefurth«), ist der sicher sehr viel ältere Ort damals schon würzburgisch und auch schon Stadt (oppidum) und befestigt. Bis 1803 ist es Sitz eines fürstbischöflichen Oberamts.

Der annähernd rechteckige **Stadtplan** ist durch eine starke W-O-Transversale, die Straße Bamberg – Schweinfurt, bestimmt, der sich, etwa in der Mitte, der Markt anlegt. Die regelmäßige Führung der geradeläufigen, rechtwinklig kreuzenden Gassen läßt einheitliche Plangründung, wohl des 13. Jh., erschließen. Von der alten Wehranlage ist wenig geblieben: eine Mauerstrecke südlich und 3 Stadttore (16. Jh.). Eine obere Vorstadt, östl. des Bamberger Tores, war durch eigene Befestigung gesichert. Der große Marktplatz wird nördlich von der Pfarrkirche geschlossen, südlich vom **Rathaus**, dessen ansehnlicher 3geschossiger Block (1521) auf der Grenze zwischen Markt und Hauptstraße steht.

Kath. Pfarrkirche

Der Standort der ältesten (erstmals 1249 erwähnten) Pfarrkirche ist bei der Marien-Ritter-Kapelle außerhalb der Mauern zu suchen. Um die Mitte des 14. Jh. bezieht sie dann ihren Platz innerhalb der Mauern. Von diesem ersten Bau steht noch der S-Turm (in den 2 Untergeschossen). 1390 beginnt die zweite, die bestehende Kirche heranzuwachsen, mit dem Chor voraus. In den 40er Jahren des 15. Jh. geht man an die Langhauswölbung, die sich erst gegen Ende des Jahrhunderts schließt. Der S-Turm wächst in der 1. Hälfte des 15. Jh. weiter, auch der N-Turm entsteht (1617 erhöht). – 1888–90 widerfährt der Kirche das Unheil einer Regotisierung: Ausräumung alles Barocken. Letzte, wiedergutmachende Restaurierung 1960.

Die Pfarrkirche ist eine in der Mitte überhöhte 3schiffige Halle mit eingezogenem, in 5 Achteckseiten schließendem Chor, dessen Quadrat die beiden Türme flankieren. Achtkantpfeiler tragen die 4 Arkaden des Mittelschiffs, Kreuzrippengewölbe schließen. – Der ältere N-Turm enthält in seinem mit einem Netzgewölbe gedeckten Erdgeschoß die Sakristei, im Geschoß darüber eine feine Kapelle mit einem östl. Chörlein, das einem schon am Erdgeschoß ansetzenden Erker aufruht; das Gewölbe ist sternförmig figuriert. Lt. Schlußsteinwappen wurde das Kapellengelaß vom Würzburger Bischof Sigmund von Sachsen, um 1440, errichtet.

Relikte der alten A u s s t a t t u n g sind: die Holzfiguren des hl. Kilian und seiner Gefährten, um 1500 geschaffene Werke aus dem Umkreis Riemenschneiders, an der N-Wand des Schiffes, ein Johannes d. T., sicher von Riemenschneider selbst, und eine Muttergottes, die ihm nahesteht, zur Rechten und Linken des Chorbogens.

Ritterkapelle

Der Name beruht auf einer kaum zutreffenden Voraussetzung: eine ausschließlich ritterschaftliche Verlöbnisstiftung ist die Marienkapelle nicht. Ihre Vorgängerin war die erste Haßfurter Pfarrkirche, die um die Mitte des 14. Jh. in die Stadt verlegt wurde. 1363 und 1364 verlautet von der »capella extra muros«, ob die 1433 so genannte »Stifts- und Begräbniskapelle zu U. l. Fr.« schon 1390 begonnen wurde, steht offen. 1431 wird der Grundstein zum Langhaus gelegt, 1455 steht der Bau schon großenteils, ist aber

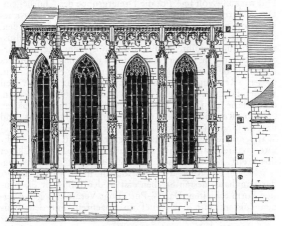

Haßfurt, Ritterkapelle

1464 noch nicht ganz fertig, wenn er auch 1465 geweiht werden kann. – 1603–05 läßt Bischof Julius die Kirche überholen. Erst jetzt erhält das Langhaus eine Wölbung. Eine Inschrifttafel (1614) rühmt den Erneuerer, der »diese Capell – Mit Costen gros baut Neu heraus«. Im 19. Jh. (1859 ff.) kommt über diesen Liebling der Romantik der allzu produktive Restaurator K. A. Heideloff, der aber vor Ausführung der von ihm geplanten Wiederherstellung eines »ursprünglichen Zustandes« 1865 stirbt (und bei der Kirche begraben liegt). Doch restaurierte er den Außenbau des Chores.

Eine zweite Erneuerung widerfuhr der Kirche 1889/90; damals entstand (für einen barocken hölzernen) der steinerne Dachreiter. – Über Ursprung und Bedeutung der »Ritterkapelle« wurde viel gefabelt, wozu der dreifache, 248 Schilde starke Wappenfries Anlaß bot. Eine 1413 bestätigte »adelige Bruderschaft«, die sich guten Zuspruchs seitens der im 15. Jh. häufig in Haßfurt tagenden fränkischen Reichsritterschaft erfreute, dürfte für den aufwendigen Bau der übrigens noch 1406 als Pfarrkirche bezeugten Kapelle als verantwortlich anzusprechen sein.

Der Plan sah wohl eine Halle vor, dem zuerst begonnenen, 4 Joche tiefen, dreiseitig geschlossenen Chor legte sich aber dann ein 1schiffiges Langhaus vor, zu dem das letzte westl. Chorjoch in Schrägstellung der Wände überleitet. Eigenartig und wirkungsvoll feierlich die Dreiergruppe des Chorbogens. Das Netzrippengewölbe des in hohen Fenstern aufgebrochenen, lichten Chores ist alt, um Mitte des 15. Jh. entstanden, die Kreuzrippengewölbe des Langhauses sind später, Juliuszeit; die unterwölbte W-Empore gehört dem letzten Jahrzehnt des 15. Jh. – Der A u ß e n b a u sammelt sein Bestes im Chor, der steil aufgereckt im Gerüst der Streben steht, dessen »Reichtum« aber zu einem nicht ganz kleinen Teil Heideloffisch ist: so die Wappenhalterengel auf den Streben, die Galerie, die Fialen. Alter Abschluß ist der mit Dreipässen gefüllte Rundbogenfries, mit dem sich ober-, inner- und unterhalb die (von Heideloff leider auch etwas gestörte) Wappenreihe verbindet. Bemerkenswert, daß dieser hochinteressante Wappenfries auch auf die W-Seite des Chores übergreift, der also urspr. (bis 1603–05) hier noch frei lag. – Sehr viel einfacher, durchaus schlicht, innen wie außen, ist das Langhaus, dessen Streben erst in der Juliuszeit die heutige Form erhielten. Das W-Portal hat Veränderungen erleiden müssen, auch das Relief im Bogenfeld mit dem vielfigurigen Reisezug der Hll. 3 Könige von etwa 1430. In der schmalen Vorhalle, in die sich das Portal öffnet, ist den Diagonalrippen der Wölbung die Gestalt eines Nackten aufgelegt, dessen Hände die Attribute der Mäßigkeit (Mischkrug) und der Gerechtigkeit (Waage?) umschließen; ein entsprechendes, die Kardinaltugenden symbolisierendes Bildwerk befand sich am Lettner der Gelnhauser Marienkirche (13. Jh.). Das Relief der Kreuzigung »mit Gedräng« über dem südwestl. Portal ist inschriftl. 1455 datiert. Noch sei der Denkstein an der S-Seite vermerkt, der die Wappen des Papstes, des Königs Albrecht, des Bischofs Joh. v. Brunn und des Haßfurter Pfarrers Jh. Lochner kombiniert und die Jahre 1431 und 1438 für den Bau (des Langhauses) angibt.

Das neugot. Inventar (Altäre, Kanzel) wurde gelegentlich der letzten Überholung entfernt. Der spätgot. Dreikönigsaltar (mit moderner Anbetungsgruppe) stand früher in der Pfarrkirche. Unter der Empore eine vorzügliche Pietà, Steinfigur des frühen 15. Jh. (Gnadenbild); die Holzfigur des gleichen Themas, am südöstl. Pfeiler, spätes 15. Jh.

Die Ritterkapelle beherbergt eine Reihe guter *Bildgrabsteine*; insbesondere nennenswert die eines Truchseß v. Wetzhausen (1488, Langhaus nördl.), des Hans und der Brigitte v. Schaumberg (1501, Langhaus südl.), des Appel v. Stein z. Altenstein (1513, Langhaus nördl.), des Joh. v. Hutten (1690, doch erst 1727 vom Sohne, dem Würzburger Fürstbischof Christ. Franz, gesetzt; Chor).

HAUNSHEIM (B. Schw. – C 5)

Pfarrkirche. Der ob seiner Seltenheit interessante Renaissancebau entstand 1608/09 unter Joh. Alberthal (Dillingen) bei beratender Mithilfe von Jos. Heinz (Prag) und Elias Holl (Augsburg). Schon die im klassischen System durchgeführte Außengliederung durch toskanische Pilaster hebt den Bau über das gewohnte Maß der Landkirchenbauweise hinaus. Den Außenpilastern entsprechen innen flache Wandpfeiler, die das Gewölbe des Saalraumes auffangen. Im W gute geschnitzte Emporenbrüstungen. Darunter 2 Grabdenkmäler für die ehem. Schloßherren von Loy Hering 1545 und 1549. Epitaph für den Bauherrn der Kirche, Zacharias Geizkofler, hinter dem (erneuerten) Hochaltar, 1617. – Die Friedhofsmauer mit interessanter Eckturm- und Portalarchitektur deutet auf Mitwirkung des Elias Holl.

Schloß im 19. Jh. umgestaltet. Aus dem originalen Bestand: Torbau von Gilg Vältin 1604, 2 Eckerker im S und eine Säulenhalle im Innern.

HAUSBACH (Ndb. – G 7)

Kirche St. Magdalena. An der Donaustraße zwischen Vilshofen und Passau überrascht eine Zentralanlage, deren äußere Merkmale gotisch sind: ein Rundbau knapp mittlerer Größe (Durchmesser 14,6 m) mit 8 Wandpfeilern, einem Freipfeiler in der Mitte und einem Rippengewölbe darüber, äußerlich durch das steile, spitze Kegeldach und das späte, erst 1761 zugefügte Türmchen gekennzeichnet. – Bei der Instandsetzung 1964 konnten nun folgende Feststellungen getroffen werden: ein (flach gedeckter) Rundbau wahrscheinl. des 11. Jh. steht am Anfang; der Ring seiner außenseits in Kleinquaderwerk, innenseits in Bruchstein aufgeführten, über 4 m starken Mauer ist der Kern der Rotunde. Sie wurde im 13. oder 14. Jh. um 1,8 m erhöht und erhielt damals die Spitzbogenfenster. Erst in der 2. Hälfte des 15. Jh. kam es durch Einbau der Pfeiler (zugleich Anbau der Streben) und dem Rippenwölbung zur letzten, heute noch gegebenen Gestalt. – Hausbach ist also nicht zu den seltenen got., sondern zu den roman., wahrscheinl. frühroman. Rotunden zu stellen. Welcher Umstand zur Wahl des zentralen Grundrisses führte, bleibt nach wie vor offen. Die Kirche trug bis ins späte Mittelalter den Marientitel, den die frühen Rotunden (Würzburg, Altötting) vorzugsweise tragen.

HEIDENFELD (Ufr. – D 2)

Ehem. Augustiner-Chorherrenstift

Gräfin Alberada (aus dem Hause der Markgrafen von Schweinfurt) und ihr Gatte, Graf Hermann von Habsberg, stiften es um 1069, der Würzburger Bischof übernimmt es. 1802 säkularisiert, verschwindet die Kirche. Doch bleiben die Konventsgebäude, erbaut nach Plänen Neumanns 1723–32. Seit 1910 im Besitz der Barmherzigen Schwestern von Würzburg, die 1935 die durch den Kirchenabbruch entstandene Lücke durch ein Krankenhaus schließen.

Das Geviert des Klosters legte sich an die S-Seite der Kirche an. Der imposante O-Flügel (Propstei) fluchtet in 21 Achsen und setzt mittlich und seitlich flache, durch große Pilaster gegliederte Risalite vor; über dem mittleren sitzt ein Giebel, über den seitlichen sitzen Mansarden. Putzfläche steht gegen den Buntsandstein der Gliederungen. Im Innern bemerkenswert das Stiegenhaus: einarmige freitragende Treppe mit schmiedeeisernem Geländer; die Decke reich stuckiert. Der große, auch vortrefflich stuckierte Saal (im 2. Obergeschoß) ist jetzt Kapelle. Der wie die Propstei gegliederte N-Flügel (1733 dat.) birgt das durch feine Stukkaturen ausgezeichnete Refektorium.

Die kath. **Pfarrkirche** ist Neubau d. J. 1906, doch sind Altäre und Kanzel gute, 1791 geschaffene frühklassizist. Werke Peter Wagners.

HEIDENHEIM (Mfr. – C 5)

Ehem. Benediktinerkloster

Die beiden Angelsachsen Wunibald und Willibald, Bischof von Eichstätt, gründen es 752. Wunibald leitet es auch, nach ihm seine Schwester Walburga. Eine steinerne Kirche entstand 776–778. Wunibald wurde in ihr begraben, auch Walburg, aber sie wurde dann (871) nach Eichstätt gebracht. Das Kloster wurde um 800 in ein Kanonikerstift, dieses aber um die Mitte des 12. Jh. in ein Benediktinerkloster der Hirsauer Reform zurückverwandelt. Eine neue Kirche wird gebaut (Weihe in den 80er Jahren des 12. Jh.). Im 14. Jh. wird der Chor erneuert; der hl. Wunibald siedelt aus der Krypta in ihn über (1363). 1528 resigniert der letzte Abt; das Kloster steht nun unter markgräflicher Verwaltung. – Baufällig-

keit zwang, die beiden Türme und den Giebel der W-Front abzu-
tragen und neu aufzubauen, 1866/67. Die letzte Restaurierung
(1969) bemühte sich erfolgreich um Wiederherstellung des roman.
Wandkörpers.

Von der Basilika des 12. Jh. stehen noch Langhaus und
Querhaus. Doch wurden im frühen 18. Jh. südl. Seitenschiff
und S-Arm des Querschiffs weitgehend erneuert. Der Chor,
3 Joche tief, 5seitig schließend, ist spätgotisch. 6 Pfeilerarkaden schreiten das Langhaus ab, über ihnen ein Gesims, darüber
die in 6 kleinen Rundbogenfenstern geöffnete Hochwand.
Westl. stehen die beiden neuen Türme an Stelle der alten.
Sie schließen die 2schiffige Vorhalle ein, deren 4 mit Kreuzgratgewölben gedeckte Joche einem Mittelpfeiler aufruhen. –
Die Ausstattung ist ohne Patina. Doch bewahrt die Kirche
einige vorzügliche Grabmäler, voran das hochinteressante
Walburg-Grab, eine frei im Langhaus stehende, in der Frühzeit des 13. Jh. errichtete Grabkapelle: ein Rechteck mit
Kreuzgratgewölben, außen mit Lisenen und Spitzbogenfrie-
sen gegliedert und in Zinnen schließend, westl. ein rundbogiger Eingang, östlich und nördlich Fensterarkaden; die große
Öffnung der S-Seite ist nicht alt (18. Jh.). Innen stand urspr.
eine Reliquientumba, von der sich nur die spätgot. Relief-
deckplatte erhalten hat, die sich doch wohl an ein älteres
Vorbild, des 13. Jh., anlehnt. Neben der Tumba des hl. Wunibald (1483) seien insbes. hervorgehoben die monumentalen
Grabsteine des Grafen Ulrich von Truhendingen und seiner
Gattin (1310) und die des Wiricho von Treuchtlingen und
seiner Gattin (um 1349), die Epitaphien des Abtes Wilhelm
v. Vestenberg (1446) mit Erbärmdechristus zur einen, Wappen zur anderen Seite, und der beiden Äbte Eberh. Müllin-
ger (1482) und Peter Hagen (1500) mit Vesperbild.

Das nördl. anliegende **Kloster** wurde in markgräfl. Zeit, 1722–30, in
den stattlichen Geviertblock verwandelt, der vor Augen steht. Doch
blieb der 1481–87 errichtete sehr schöne Kreuzgang, teilweise wenigstens
(O- und S-Flügel ganz), erhalten. Der Kapitelsaal, nördl. des Querschiffs, wurde durch den Einbau der kath. Kirche zerstört. – Östl. der
Klosterkirche liegt der »**Heidenbrunnen**«, mit dessen Wasser (Mineral-
quelle) der hl. Wunibald getauft haben soll: eine kleine spätgot. Halle,
2 Joche mit Kreuzrippengewölben.

HEIDINGSFELD (Ufr.) → **Würzburg** (C 2)

HEILIGENTHAL (Ufr. – C 2)

Ehem. Zisterzienserinnenkloster. Gründung einer Jutta von Fuchsstadt
um 1234 in »Bonebach«, das so zum Heiligenthal wird. Um die Mitte
des 13. Jh. beginnt die erste steinerne Kirche aufzuwachsen. 1287 ist sie
wohl fertig. Das nie florierende Kloster zieht Bischof Julius zugunsten
seines Spitals 1579 ein. – Die **Kirche** trägt die Merkmale der Frauenkirchen des Ordens: lang gestreckt, 1schiffig. Der Chor schließt 7seitig. Nur
er ist gewölbt; das heute profanierte Langhaus blieb (gegen die Absicht) ungewölbt. Die Einzelformen sind frühgotisch. Von den 5 Jochen des Langhauses sind die 3 westlichen durch eine Mauer als Nonnenempore abgeriegelt. Diese ist 2geschossig; das untere Geschoß (die
»Gruft«) besitzt noch die urspr. Flachdecke. – Die Klostergebäude, auf
der S-Seite, sind abgegangen. Der an Stelle des W-Flügels stehende Bau
ist, auf dem Julius-Wappen, 1610 datiert.

HEILSBRONN (Mfr. – D 4)

Ehem. Zisterzienserkloster

*Die Kirche des 1132 von Bischof Otto von Bamberg in »Haholtes-
brunnen« mit Hilfe des Grafen von Abenberg gegr., von Ebrach besiedelten Klosters wurde spätestens 1149 geweiht. Nach Ausgang der
Abenberger (um 1200) bevogten es die staufischen Könige, dann,
etwa seit Mitte des 13. Jh., die Zollernschen Burggrafen von
Nürnberg, die (auch die 3 ersten Brandenburger) vom späten 14.
bis ins frühe 17. Jh. hier beigesetzt werden. – Die Reformation,
der sich die Markgrafen sofort zuwenden, bringt doch nicht sofort
die Säkularisation ihres Hausklosters, dessen Konvent noch durch
ein halbes Jahrhundert, bis 1578, Bestand hat. 1581 wird eine
Fürstenschule eingerichtet, die später, 1736, in die Residenzstadt
Ansbach verlegt und mit dem Gymnasium vereinigt wird. –
Der Gründungsbau der 30er und 40er Jahre des 12. Jh. hat sich
in seinen Hauptteilen erhalten (Mittelschiff, nördl. Seitenschiff,
Querschiff, Haupt- und Nebenchöre, doch ohne Apsiden). Der
Chor wurde 1263–84 in zwei Bauabschnitten östlich erweitert. Im
14. Jh. wird westlich, auf der Grundlage eines roman. »Paradie-
ses«, als Grablege des burggräfl. (seit 1415 markgräfl.) Dienst-
adels, die sog. Ritterkapelle hinzugefügt, 1412–33 das südl. Seitenschiff zur 2schiffigen Halle (Mortuarium) umgebaut. 1427–33 verwandelte sich der hölzerne Dachreiter in einen steinernen. – Das
sind die Daten der mittelalterl. Baugeschichte. Die Neuzeit hat den
alten Bestand nicht gemehrt. Erneuerungen des Innern fanden
1706 und 1770/71 statt. Eine romantisch inspirierte Wiederherstellung, nach Direktiven Gärtners, 1851–66, beseitigte mit wenig
glücklicher Hand, was sie hinzugefügt hatten. Sie benahm auch dem
Außenbau, durch Teilerneuerungen und Glättungen, die Alterspatina. Doch konnten die jüngsten Wiederherstellungen, 1946–50
und 1955, die hohen Raumwerte des Münsters zurückgewinnen.*

Der **Münster**-Grundriß, der nicht zisterziensischen oder, wie bei mehreren von Bischof Otto errichteten Klosterkirchen, hirsauischen Gewohnheiten folgt, ist der einer 3schiffigen Anlage mit ausladendem Querhaus und 3 getrennten Parallelchören, deren Apsiden nach 1263 beseitigt wurden, um dem neuen, 2 Joche und einen ^{5}/$_8$-Schluß hinzufügenden Chor Platz zu machen. Der A u ß e n b a u , lang gestreckt (Gesamtlänge rund 85 m), zisterziensisch sparsam, ohne Aufgipfelung bis auf den (gänzlich erneuerten) Dachreiter. Roman. Kern und got. Annexe setzen sich deutlich ab; die Führung hat das roman. Langhaus. An das Querschiff legt sich südlich die in ihrer urspr. Verwendung ungeklärte *Heideck-Kapelle* (Begräbnis der Herren von Heideck, urspr. Karnerkapelle St. Michael) an, die um das Jahr 1190 entstanden sein dürfte; ihre Auszeichnung ist die durch Rundbogen- und Schachbrettfries geschmückte Erkerapside. Am südl. Nebenchor das einzige alte (spätroman.) Portal, mit Stufengewände, Säulen, Archivolten und einem um 1400 anzusetzenden Tympanonrelief der Gregormesse. – I n n e r e s . Das Mittelschiff ruht auf 6 Arkaden, deren stämmige Säulen mit schweren Basen und Würfelkapitellen ausgestattet sind. Statt der beiden östl. Arkaden schließen Mauern, die einen (hirsauischen) »chorus minor« absetzen. Das Querschiff öffnet sich in hohen, halbrund geschlossenen Schwibbögen gegen Langhaus und Chor, die eine klare Sonderung der Raumteile bewirken. Die (urspr. kleineren) halbrunden Fenster des Mittelschiffs sind hoch hinaufgerückt, über der durch Gesims abgegrenzten Arkadenzone spricht die schwere, geschlossene Quadermauer. Mittelschiff, nördl. Seitenschiff, Querschiff und Ritterkapelle sind flach gedeckt, die Chorarme mit Halbtonnen. Der Blick nach beiden Richtungen, östlich und westlich, trifft auf die hellen, hoch befensterten Abschlüsse der got. Chöre, den östlichen, der sich in harten schnittigen Linien bricht, den westlichen, der eine flache Wandstirne entgegenstellt. Dem mauergeschlossenen roman. nördl. Seitenschiff antwortet gegensätzlich das 2 × 5 Hallenjoche aneinanderreihende südliche, dessen schlanke Stützen, übereck stehende Bündelpfeiler, die fast rundbogig geführten Rippen der Kreuzgewölbe ausgehen lassen.

Die sehr reiche A u s s t a t t u n g hat ihre stärksten, auffälligsten Gewichte in den Grabmonumenten der Burggrafen-Markgrafen und des ihnen und dem Kloster nahestehenden Adels, und so wird

sich auch die erste Aufmerksamkeit auf diese den Raum beherrschenden Monumente richten. 3 *Hochgräber* besetzen die Achse des
Mittelschiffs. Das über einer der beiden Zollerngrüfte stehende,
1362–66 vom Burggrafen Friedrich V. († 1398) errichtet, doch vom
Markgrafen Georg Friedrich von Ansbach 1566–68 sehr weitgehend erneuert; ihm gilt auch die Liegefigur im Harnisch auf der
Deckplatte; die 8 Kleinfiguren an den mit Wappen geschmückten
Wandungen scheinen got. zu sein, sind es aber nicht; sie gelten
(die Deutung schwankt im einzelnen) Burggrafen und Burggräfin-
nen des 14. Jh. Das Hochgrab in der Mitte ist das 1626 begonnene,
doch erst 1712 zu Ende gebrachte des Markgrafen Joachim Ernst;
der vom Bayreuther Abraham Graß ausgeführte, 1634 aufgestellte
Marmorsarkophag trägt die bronzene Bildnisfigur des Markgrafen, ein Gußwerk des Nürnbergers Georg Herold, wahrscheinl.
nach dem Modell des Nürnbergers Gg. Schweigger; die späte Fertigstellung leistete der Bildhauer Fr. Maucher. Das dritte, westl.
Hochgrab (unter dem der »Heilsbronn« entspringt), ist das der
Kurfürstin Anna, schon vor ihrem Tode (1512), gegen Ende des
15. Jh., errichtet; an den Wandungen die Kleinfiguren von 17 Heiligen, auf der Deckplatte die gute Liegefigur der in ein Nonnen-
habit gekleideten Fürstin. 2 weitere Tumben stehen an N- und
S-Seite des Mittelschiffs: die des Konrad v. Heideck (1357), deren
mit Maßwerk gegliederte Wandungen die Kleinfiguren von
6 Engeln und Heiligen enthalten; auf dem Deckel, gerüstet, die
Statue des Heideckers, ein ausgezeichnetes Bildwerk der Zeit um
1360. Gegenüber, nördl., die Tumba der Grafen Emicho und Johann von Nassau (1358–62), mit ebenfalls durch Maßwerk geschmückten Wandungen. Das ihr im 19. Jh. aufgesetzte Grabdenkmal des Titularerzbischofs von Anavazara (1390) mit den Reliefs
von Kreuzigung und Marienkrönung ist typische, wohl nürnbergische Parler-Plastik. Im nördl. Seitenschiff, an der W-Wand,
wieder ein markgräfliches Denkmal, Georgs d. Frommen (1543)
und seines Vaters Friedrich (1530); das Marmorepitaph mit den
knienden Figuren der beiden Fürsten vor dem Gekreuzigten ist
eines der besten Werke des Eichstätters Loy Hering. – Die *Ritterkapelle* ist eine Grablege des Adels, führt also ihren romantischen
Namen nicht ganz zu Unrecht. Aus der Reihe der meist heraldischen (meist in Bodenlage befindlichen) Grabdenksteine seien die
Bildsteine an der Wand herausgehoben: die ganzfigurigen des
Wilh. v. Ellrichhausen (1482), des Georg v. Seckendorf (1444) und
seiner Gattin Margarethe (1436). – Und wieder eine Grablege für
sich ist das Mortuarium. Unter den vielen Denksteinen seien hier
der des gerüsteten Georg Sack (1483) und des Ludwig v. Eyb
(1521), mit Marienkrönung und Vera Ikon, wieder ein Werk des
L. Hering, herausgestellt. – Die *Altäre*. Der Hochaltar, ein
Schreinflügelaltar auf got. Mensa, Stiftung des Ansbacher Markgrafen Friedrich 1502–22, bringt in der Mitte, plastisch, die Anbetung der Könige und erzählt auf den von einem Nürnberger

(dem »Meister des Heilsbronner Hochaltars«) gemalten Flügeln (außen) aus Marienleben und Passion. Der Flügelaltar im südl. Seitenchor, etwa gleichzeitig, vereinigt im Schrein die Muttergottes mit hl. Lucia und hl. Ottilie, fügt im hohen Gespreng die Marienkrönung hinzu und bringt auf den von Seb. Dayg, Nördlingen, gemalten Tafeln wieder Szenen aus dem Marienleben und die ungewöhnliche Darstellung Christi, der den gegen die Großen der Welt gerichteten Zorn Gottes beschwichtigt. Der 1513 gestiftete, vom Nördlinger Bildschnitzer Peter Strauß geschaffene nördl. Seitenaltar vergegenwärtigt im Schrein die Marter der 11 000 Jungfrauen, auf den von Wolf Traut, Nürnberg, gemalten Flügeln 4 Martyrien, im hohen Gespreng die hll. Barbara, Magdalena und Apollonia. Hinweise auf die weiteren Altäre müssen hier genügen: der 14 Nothelfer an der N-Wand des Chores, 2. Hälfte 15. Jh., des hl. Mauritius, an der S-Wand des Chores, Stiftung d. J. 1513, mit gemalten Tafeln W. Trauts, der hl. Petrus und Paulus, 1517 bis 1518, von P. Strauß und W. Traut, und der hl. Stephanus und Laurentius, von Seb. Dayg, im südl. Seitenschiff; der hl. Philippus und Jakobus von 1518, im nördl. Seitenschiff; der hl. Martin und Ambrosius, 1487, in der Heideck-Kapelle. – Wir verweisen noch auf das 1515 dat., in 5 Geschossen aufsteigende, Ad. Krafft nahestehende *Sakramentshaus* im Chor und greifen aus der Fülle einzelner Kunstwerke heraus: das Steinbildwerk Christus als Richter, um 1320, in der Heideckkapelle; die Holzbildwerke: Kruzifixus über dem neuen Kreuzaltar, um 1510, aus dem Umkreis des V. Stoß, Pietà im Hauptchor, vorzügliches Werk eines Nürnbergers, um 1500; und die gemalten Tafeln: Votiv des Abtes Friedr. v. Hirschlach, mit Schmerzensmann, um 1350, wohl von gleicher Hand wie die beiden Passionstafeln, Inkunabeln der Nürnberger Tafelmalerei, Votiv des Eichstätter Bischofs Berthold, eines Burggrafen, um 1365, doch 1497 erneuert, mit Halbfigur der Muttergottes, und Votiv des Abtes Konr. Haunold, 1494, mit Schutzmantelmaria.

Im N der Klosterkirche lag der Kreuzgang, dem sich wieder das **Refektorium** anlegte. Nur dieses erhalten; jetzt durch Einbauten entstellt. Ein mauerstarker, mit Streben bewehrter, typisch zisterziensischer Quaderbau, spätestens der Mitte des 13. Jh. Roman. Zierformen begegnen sich mit den konstruktiven der Frühgotik. Der nördl. gerichtete, 4 querrechteckige Joche reihende Längsraum ist beherrscht durch die starken plastischen Gurte und Rippen der Kreuzgewölbe, die auf tief sitzenden Konsolen fußen. – Die westl. anschließende **Sakristei** ist, zum wenigsten in der Wölbung, jünger, vom Ende des 13. Jh.; ein großartiger quadratischer Raum, die Wölbung auf achtstrahligem Rippenfächer.

Das **Brunnenhaus**, nordwestl. der Klosterkirche, steht wohl da, wo einmal die Brunnenkapelle des Kreuzhofes stand. Die die Brunnenstube bergende Fachwerkhalle wurde 1753 errichtet.

Im Anschluß an die wenigen erhaltenen Teile der Klosteranlage sei noch die sog. **Neue Abtei** erwähnt, deren 2geschossiger Hauptbau gleichzeitig mit dem Chor des Münsters (2. Hälfte des 13. Jh.) entstanden sein dürfte. S-Flügel und westl. Turmanbau kamen 1487 bzw. 1519 hinzu. Sehr beachtl. spätgot. Räume: der durch eine schöne, viell. von Hans Traut geschnitzte Holzdecke ausgezeichnete Kaisersaal; das ebenfalls mit guter alter Holzdecke ausgestattete Markgrafenzimmer; der Bibliotheksraum mit Geschränk und Getäfer des frühen 16. Jh.; die Abtskapelle mit Holztonne und Wandmalereien (auf Leinwand) des frühen 15. Jh.

HELLRING (Ndb.) → Rohr (E 6)

HEMAU (Opf. – E 5)

Der Ortsname entwickelt sich von »Hempurc« (1138) über »Hembaur« (1329) zu Hemau. Als Markt erscheint Hemau 1272, als Stadt 1326. Seit 1305 ist es herzoglich, 1505 kommt es an Pfalz-Neuburg.

Rückgrat der **Stadtanlage** ist die Landstraße Würzburg – Nürnberg – Regensburg. Sie verbreitert sich zum typisch bayerischen Straßenmarkt, in den, meist rechtwinklig, die Seitengassen münden. Der einst sehr stattliche Bering umhegte die Stadt im Viereck. Er verfiel 1808 dem Abbruch.

Pfarrkirche St. Johann Bapt. 1127 weihte Bischof Otto von Bamberg eine Kirche, deren Pfarr-Rechte stets (bis 1803) Prüfening zustanden. Neubau von 1719–21 unter Verwendung got. Chormauern. Der Turm wurde erst 1726–29 hinzugefügt. Um 1720 erhielt die Kirche ihr Stuckgewand. Die Altäre der Seitenkapellen, untektonische, rein ornamentale Aufbauten, stammen von 1721 und 1723. Im Chor finden sich Reste eines got. Altars der Zeit um 1500: 4 vorzüglich gearbeitete Reliefs mit Szenen aus der Geschichte der beiden Johannes.

Rathaus. Der schlichte Block geht auf eine got. Anlage von 1471 zurück, die, 1779 ausgebrannt, im Innern erneuert wurde.

HERRENCHIEMSEE (Obb. – E 8)

Ehem. Benediktinerkloster

Wie das Kloster der Benediktinerinnen auf Frauenwörth geht auch das der Benediktiner auf Herrenwörth (»Awa«, Au, uraltersher und so noch vom Volksmund bis ins 19. Jh. genannt) ins 8., viell. sogar ins frühe 8. Jh. zurück. Seine Kirche trug den Titel St. Salvator. Salzburgisches Eigenkloster, gelangt es als Schenkung Karls d. Gr. 788 an den Bischof von Metz, kehrt aber 891, als Schenkung König Arnulfs, an Salzburg zurück. Die Ungarnnot bringt es zum

Erliegen. Erst im 12. Jh. erwacht es zu neuer Existenz: Erzbischof Konrad von Salzburg siedelt, 1130, Augustinerchorherren an. Das Stift gedieh; sein Besitz greift weit über den Chiemgau aus, die Erhöhung seines Propstes zum Archidiakon, die Errichtung eines Salzburger Suffraganbistums »Chiemsee«, 1218, bekräftigt seine Geltung. Die Säkularisation zerschlug es.

Noch steht das in der 1. Hälfte des 17. Jh. errichtete Geviert der Klostertrakte, das sog. **Alte Schloß**, mit dem schönen Kaisersaal (Dekoration um 1700) und der 2schiffigen Halle der Bibliothek (Dekoration um 1735), aber die große Kloster- und Bischofskirche, in letzter Erscheinung Werk des Graubündners L. Sciasca, 1684, verschwand bis auf das Mittelschiff des Langhauses. Die kleine, im Kern got. und im 17. Jh. umgestaltete **Pfarrkirche** steht noch. – Daß die Insel nicht gänzlich verödete, danken wir König Ludwig II., der sie, 1873, einer Gesellschaft von Holzspekulanten entriß.

Neues Schloß

Seit 1867 (erster Besuch in Versailles) trug sich König Ludwig mit dem Gedanken einer Nachbildung des Versailler Schlosses, das er (wie seinen Schöpfer, Ludwig XIV.) hoch verehrte, für ihn das Denkmal eines sakrosankten Königtums. Linderhof, die Staffelseeinsel waren die zunächst in Aussicht genommenen Plätze. Nun bot sich der ideale in der Herreninsel. 1878 begann der König durch Gg. Dollmann sein Königsschloß zu bauen. Als er 1886 endete, stand es noch unfertig da, die Kirche fehlte und von beiden Flügeln noch ganz der südliche. (Der nördliche, im Rohbau fertig, wurde wieder abgetragen.) Auch die Ausstrahlung des Schlosses in den offenen Raum hinaus – das Achsensystem des Parkes – hatte erst eine Teilverwirklichung gefunden. Immerhin, der Kern des Schlosses stand, und auch die von Jul. Hofmann besorgten Ausstattungen waren weit gediehen. König Ludwigs stärkste Eindrücke in Versailles waren 2 Räume, das Schlafzimmer und die Spiegelgalerie. Sie standen im Zentrum seines Bauens und Planens, schon ehe er den Standort gefunden hatte. Die Tatsache, daß er das Corps de logis selbst nie bewohnte, mag überraschen (seine eigene Wohnung legte er in den N-Arm des Cour d'honneur). Sie beweist aber nur, und ganz ausdrücklich, die kultische Haltung seines nachahmenden Bauens; er baute nicht, um zu bewohnen (was er als König des 19. Jh. auch nicht mehr bewohnen konnte), sondern um es durch ein Numen – Ludwig XIV. – bewohnen zu lassen. »Nachahmendes Bauen« bedarf einer Berichtigung. Er hielt sich weitgehend, doch nicht absolut an das Vorbild. Der König korrigierte, wo es

ihm nötig erschien. So korrigierte er die Hofseite im Interesse der Einheitlichkeit. So wandelte er das Treppenhaus
sehr merklich im Sinne seines, des 19. Jh., ab. Schon das
Glasdach (breite Lichtzufuhr) modifiziert wesentlich, von
der vollen, sehr üppigen Dekoration in Stuck und Farbe
(die bunt und grell ist) zu schweigen. Ein Plus ultra charakterisiert aber diese Kopie allenthalben. Das Zeitsignum ist
unverkennbar, und Zeitsignum ist ja schließlich auch die
Tatsache der Nachahmung, die sich auf die Oberfläche des
Originals beschränkt. – Dieses Schloß ist nur durch den
zu begreifen, der es bauen ließ. Der Bauherr war ein
Einsamer, der sich seine Gesellen in fernen großen Ver-
gangenheiten suchte. Diese romantische Rückwendung verband ihn nun freilich wieder aufs engste mit der eigenen
Zeit, und so ist auch sein Bauen aus der Zeit heraus zu verstehen, ist es auch, als das eines stärker an die Vergangenheit
angeschlossenen Königs, stärker der Vergangenheit verbunden als das eines beliebigen Geldbürgers.

HERRIEDEN (Mfr. – C 4)

*Gegen Ende des 8. Jh., wahrscheinl. in den 80er Jahren, gründet
ein Cadold das Benediktinerkloster an der oberen Altmühl, als
dessen erster Abt Deocarus (Theutgar) erscheint; in ihm wird
Herrieden künftig seinen Stifter verehren. Eigenkloster des Königs, steht es 817 in der Liste der Königsklöster als eines der
zweiten Leistungsstufe. 888 kommt es als königl. Schenkung an
den Bischof von Eichstätt, der es in ein Chorherrenstift verwandelt. – Die Siedlung, älter als das Kloster, büßt einen hohenlohe-
schen Anschlag auf das Leben Kaiser Ludwigs 1316 mit Zerstörung
und Entrechtung. Seit 1316 ist Eichstätt im unbestrittenen Besitz
aller Rechte. 1238 erscheint sie als Markt, 1289 als Stadt. Nach
1315 wurde sie befestigt, die Befestigung nach 1490 erneuert.*

Kath. Pfarrkirche St. Veit, ehem. Stiftskirche

Der sehr ansehnliche Bau ist durch 2 westl. Türme ausgezeichnet; diese, in 4 einfachen Würfelgeschossen aufsteigend,
durch eine Brücke verspannt, sind die ältesten, wohl noch im
14. Jh. entstandenen, im späten 16. und im 18. überholten
Bauteile. Die bestehende Halle wurde 1447 begonnen. 1461
ist der von Endres Emhart d. Ä. von Kemnathen (s. die
Pfarrkirchen von Gunzenhausen, Weißenburg, Ansbach-
St. Johannis) gebaute Chor vollendet. Emhart stirbt 1475.

Ein Brand des Langhauses, 1490, unterbricht. Die Arbeiten kommen erst 1502 wieder in Gang und schließen 1533 (Weihe) ab. In diesem letzten Bauabschnitt entsteht das Langhaus, doch ohne Wölbung. 1740–48 wird der Raum, zunächst das Langhaus (1740), dann der Chor (1748), unter Leitung des Eichstätters Matthias Seyboldt ins Barocke gewandelt. Erst jetzt wird das Langhaus gewölbt. – Die Kirche ist eine 3schiffige Halle mit überhöhtem Mittelschiff, die Schiffe durch quadratische Pfeiler geteilt. Chor mit etwas südl. abweichender Achse, 2 Joche tief, 5seitig schließend, mit Netzrippengewölbe gedeckt. An seiner S-Seite die ebenfalls mit Netzrippengewölbe gedeckte Blasiuskapelle (1521 bis 1522), an seiner N-Seite mehrteiliger Sakristei-Anbau. Das Langhaus beiderseits von Kapellen begleitet; südlich sind es 3 flache Wandpfeilerkapellen, nördlich 2 ausspringende rechteckige, St. Nikolaus und St. Peter und Paul.

Die A u s s t a t t u n g ist einheitlich barock, 1740 und 1748. Sie wandelte den in den Mauern spätgot. Raum ins Helle und Heitere. Die durch Gurte gegliederte Wölbung ist von zarten Bandelwerkstukkaturen des Eichstätters Frz. Xaver Horneis und mit Freskenvierpässen überschrieben. Von schöner, kraftvoller Bewegung das durch die Gemälde des Ellwanger Hofmalers Ed. Wiedemann (1748) zu Aufkurvungen genötigte Gebälk im Chor. Wirkungsvoll die wölbig bewegte mit einem vortrefflichen Prospekt (1780) besetzte Orgelempore im W. Der große, bis zur Wölbung aufragende Hochaltar ist 1695 geschaffenes Werk des Eichstätters (Graubündners) Jak. Engel; das den Kirchenpatronen Veit und Deocar gewidmete Gemälde schuf J. C. Sing. Das nach Entwurf des Eichstätters M. Pedetti gearbeitete Tabernakel ist Zugabe d. J. 1780. Die Seitenaltäre (Franz Xaver, Sebastian, die Hll. 3 Könige, Deocar, Peter und Paul) gehören in die 2. Hälfte des 18. Jh. (meist 70er Jahre). Etwas älter die Kanzel, um 1720. Das Chorgestühl geht in den Stallen ins späte 15., in den Rückwänden ins 18. Jh. zurück. Insbesondere hervorzuheben der urspr. in der Mitte des Schiffes stehende Deocarus-Schrein von 1482: als Kirche, mit geschweiftem Satteldach, gestaltet, auf gespindelte Stützen gesetzt, mit dem Wappen des Eichstätter Bischofs Wilhelm v. Reichenau und den Relieffiguren der hll. Deocarus und Wunibald, Willibald und Walburg.

Frauenkirche. Nördl. der Stiftskirche und parallel zu ihr, mit schmuckvollem Dachreiter auf dem O-First des Schiffes. 1474 an Stelle einer angebl. karoling. »Krypta« neu aufgeführt, 1490 abgebrannt, 1493 wiederaufgebaut, 1700–14 barock restauriert, aus dieser Zeit (1703) auch der Dachreiter. Reizvoll die Schmückung der O-Wand des Chores durch eine Nische mit hl. Nepomuk und ein Zwerchhaus darüber, das kräftige Pro-

file rahmen, mit Büsten auf den seitlichen Voluten und der Spitze des
Segmentgiebels. Zum flach gedeckten Schiff ein eingezogener Chor mit
Netzrippengewölbe. Die Ausstattung ist neugotisch, besseren Herkom-
mens nur die 1705 geschaffene Holzdecke.

Die **Martinskirche** auf der Anhöhe nördl. der Stadt, von altersher
Pfarrkirche des Stifts, dem sie 1380 inkorporiert wurde, dürfte die
erste Kirche am Ort gewesen sein; jedenfalls bestand sie schon vor dem
Kloster. Und noch umgibt sie der Friedhof. Der bestehende einfache
Bau, ein Saal mit eingezogenem Chor, ist nachmittelalterlich (Weihe
1668; 1721 durch G. Gabrieli erweitert; Turm 1733/34). Bemerkenswert
das große Epitaph des Ehepaars Joh. Adam und Maria Mang, 1773, von
dem Bamberger J. B. Mutschele.

Die **Stadt**, am N-Ufer der Altmühl, umschreibt etwa ein Oval. Die
Mauerzüge haben sich großenteils, wenn auch verbaut, erhalten. Innerhalb des südl. Zuges steht das ehem. stiftische **Schloß**, das im wesentlichen auf einen Umbau des frühen 16. Jh. zurückgeht. Westlich
2 parallele Straßenzüge, Vordere und Hintere Gasse, östlich die Stiftskirche. Das südl. **Storchentor**, gegen die Altmühl, im Kern spätgotisch.
Vor dem Tor die barocke **Altmühlbrücke**. Tor und Brücke verbinden
sich zu anmutiger Vedute.

HERSBRUCK (Mfr. – E 4)

*1011 schenkt Heinrich II. den Königshof Hersbruck an sein Bistum
Bamberg, das 1057 einen Markt gründet. Durch die Vögte, seit
1188 sind es die Staufer, geht Bamberg seines Hersbrucker Besitzes
verlustig, der aus dem Staufererbe 1269 an die Herzöge von
Bayern fällt. 1353 kommt es an Kaiser Karl IV., der es zur Stadt
privilegiert, aber 1373 wieder an den Herzog zurückgibt. Im
Bayerischen Erbfolgekrieg 1504 ff. gelingt es den Nürnbergern,
Hersbruck zu besetzen und zu behaupten. Bis 1806 gehört es zum
Territorium der Reichsstadt, eines ihrer besten Pflegämter. – Die
älteste Marktsiedlung lag, wie man annehmen darf, zwischen
Wassertor und Unterem Markt, der im 13. Jh. entstanden sein
dürfte und dem der Obere hinzuwuchs. Erst in der 2. Hälfte des
14. Jh. gliederte sich das Quartier an der Prager Straße an. In der
Hussitennotzeit, im frühen 15. Jh., ummauerte sich die Stadt steinern. Der 1444 vollendete Ring ist noch in Teilstrecken erhalten,
insbesondere, mit Wehrgang und Graben, nordöstlich. Erhalten
haben sich auch die 3 Tortürme, der spätgot. Hohenstadter, der
Wassertorturm (1601/02) und der (im 19. Jh. veränderte) Nürnberger.*

Ev. Stadtpfarrkirche

Älteste erhaltene, noch mittelalterl. Teile der in der Gründung ins späte 10. Jh. zurückgehenden Kirche, Stiftung der
Herzogswitwe Wiltrud, sind das Untergeschoß des (1731
erhöhten) Turmes und der polygon gebrochene Chor;

beide wohl aus der Frühzeit des 15. Jh. Das Langhaus wurde 1738 neu aufgeführt. Die teilweise erneuerten Deckengemälde vom Hersbrucker J. Chr. Reich. Der bedeutende Hochaltar konnte 1961, dank Rückkehr des lange im German. Nat.-Museum aufbewahrten Schreines, als Ganzes wiederhergestellt werden; die gemalten Flügeltafeln, Jesus- und Marienleben, sind Werke eines sehr eigenartigen Nürnberger Unbekannten, des nach ihnen so gen. »Hersbrucker Meisters«. Der barocke Hochaltar, mit Gemälde von J. J. Poesler, jetzt in Ipsheim (Mfr.). In den Chorfenstern noch alte gemalte Scheiben, älteste aus dem 15., letzte aus dem 17. Jh. – Der Ölberg, am Äußeren, stammt aus dem Jahre 1444, wurde aber 1652 restauriert.

Ehem. Spitalkirche. Die kleine Kirche des 1406 erbauten, 1423 erweiterten Spitals der hl. Elisabeth, das erst 1440 in den Mauerring einbezogen wurde, dürfte gleichzeitig mit den Spitalgebäuden errichtet worden sein. Der 2jochige, mit Kreuzrippengewölben gedeckte Chor schließt gerade; die Balkendecke des Schiffes ruht auf 6 Holzpfeilern. Der barocke Hochaltar von 1688 ist Werk des Neumarkter Bildhauers E. Wirsing. Der spätgot. Vorgänger von etwa 1510 ist jetzt auf der rechten Seite aufgestellt; im Schrein geschnitzte Kreuzigung, die Flügel gemalt. Der Zwölfbotenaltar über der Sakristeitür, um 1480, wanderte aus der Pfarrkirche hierher.

Die Burg, an der Pegnitz, wich in der ersten Nürnberger Zeit einem **Schloß**, das den Pfleger behauste. 1618–22 wurde es, nach Rissen des Zeugmeisters M. Pfeffer, vom Nürnberger Stadtwerkmeister J. Wolf d. J. erweitert: Der ältere Trakt (jetzt Mitte) wurde westlich verlängert, NO- und NW-Flügel wurden zugefügt und 2 Achtecktürme errichtet. So entstand schon früh, man darf sagen vor der Zeit, eine regelrechte Ehrenhofanlage, nun freilich noch in der Hut einer mit Wehrgang und Graben ausgestatteten Mauer.

Das **Rathaus**, im Kern viell. ins 13. Jh. zurückreichend, zuletzt im 18. Jh. umgestaltet, hat sich, nach Brand 1945, neuerdings stark verjüngt. Der obere Teil des Turmes datiert 1527. Gut steht es, in breiter Zuwendung, zum Oberen Markt. – Der Bestand an alten Häusern ist beachtlich. Fachwerk, bis ins 16./17. Jh. vorherrschend, ist noch in einigen guten Proben eingestreut. Auch einige spätgot. Treppengiebel ragen noch. Ein vortreffliches Bürgerhaus des 18. Jh. ist Martin-Luther-Str. 15, mit reicher Stuckzier des Rokoko an der Front.

Sehr beachtlich, schon als einziges seiner Art, das 1933 eröffnete volkskundliche **Hirtenmuseum**. Das alljährliche Hersbrucker Hirtentreffen (6. Jan.) gibt ihm lebendigen Rahmen.

HESSENTHAL (Ufr. – B 2)

Eine der ältesten, schon 1293/94 mit Ablässen begnadeten Wallfahrten Unterfrankens. 3 Kirchen im kleinen Umkreis: Wallfahrtskapelle, Wallfahrtskirche, Kreuzkapelle. Die **Kapelle**, eine Gründung des 13. Jh., wurde 1454 erneuert; das Gnadenbild ist eine Pietà des 15. Jh. Die zweite, die **Wallfahrtskirche**, entstand 1439. Stiftung der Echter v. Mespelbrunn und ihre Grablege; unter den Grabdenkmälern das 7 m hohe, figurenreiche, das Dietrich Echter für seine Eltern 1582 setzen ließ. Das Langhaus, das um 1600 hinzukam, mußte 1954 verkürzt werden. Die dritte, die 1618 errichtete Kreuzkapelle, wurde abgetragen, um der **modernen Wallfahrtskirche** (1954/55, Baumeister Hans Schädel, Würzburg) Platz zu machen. Dieser Neubau, der rechtwinklig an die ältere Wallfahrtskirche stößt, ist gut in die Landschaft eingepaßt; die alte reizvolle, von spätgot. Mauern umfaßte Kirchengruppe hat freilich gelitten. Im Chor in beherrschender Aufstellung die großartige Kreuzigungsgruppe des Hans Backoffen, 1519. Die Beweinungsgruppe im rechten Seitenschiff, im Barockaltar, dem Eingang gegenüber, ist ein um 1490 entstandenes Frühwerk T. Riemenschneiders.

HILPOLTSTEIN (Mfr. – D 5)

Einer der beiden Hilpolte von Stein gibt der »Stadt datz dem Stain« (so 1345) um die Wende des 13. Jh. den Namen, der allerdings nur langsam, erst im 16. Jh., mit dem Grundwort verwächst. Die Stadtwerdung wird mit rund 1300 anzusetzen sein. 1385 sterben die Herren v. Stein aus; ihr Nachfolger ist der Herzog von Bayern. 1505 fällt es an die Junge Pfalz (Neuburg).

Die **Stadt** läßt sich in ein Dreieck einschreiben. Die Hauptstraße trifft in ihrem O-W-Zug auf den Markt, der die wichtigsten anderen Gassen entläßt. Kirche, Schloß, Rathaus stehen da, wo sie den Markt erreicht. An der NO-Ecke des Stadtumfangs liegt die Burg, nordwestl. jenseits des Stadtweihers die kleine Vorstadt. – Die Stadttore (2) fehlen heute. Doch steht die aus Sandsteinquadern aufgeführte **Ringmauer** noch großenteils, wennschon in verminderter Höhe; von den Mauertürmen blieb nur der (südl.) **Töttelsturm.**

Die nordöstl. in den Bering einbezogene, heute als Krankenhaus dienende **Burg** dürfte im späten 13. Jh. gebaut worden sein. Ende des 18. Jh. ist sie Ruine und wird als Steinbruch ausgebeutet. Annähernd rechteckigen Grundrisses, besteht sie aus Haupt- und (tiefer liegender) Vorburg. Ein Treppenhaus von 1606 vermittelt zwischen Vor- und Hauptburg. In der O-Hälfte der von einer hohen Ringmauer gedeckten Hauptburg steht der quadratische Bergfried. Die Wohnbauten der Vorburg verbergen ihren mittelalterl. Ursprung unter barocker Erscheinung.

Ehem. herzogliche Residenz. 1619 ff. errichtet, ein Konglomerat von Teilen, wurde sie im 19. Jh. verstümmelt. Das fürstl. Wohnhaus (nun Amtsgericht) ist ein 3geschossiger Giebelbau ohne sonderliche Auszeichnung, es sei denn die Stuckausstattung einiger Räume, die der Nürnberger Heinr. Kuhn arbeitete.

Die Anzahl spätmittelalterl. **Bürgerhäuser** ist groß. Giebelstellung zur

Straße ist die Regel; Fachwerk war die Regel, doch wurde es später meist verputzt.

Kath. Stadtpfarrkirche St. Johannes Baptista. 1279 bezeugt, 1372 mit einem Kollegiatsstift ausgestattet. Der sehr stattliche spätgot. Bau 1732/33 durch den Neuburger Hofbaumeister Johann Puechtler außen wie innen ins Barocke verwandelt; nur der Chor übersteht, wird aber neugewölbt. Relikte sind ferner die 4 steinernen Apostel an der Treppe, am S-Portal und an der Fassade. Dort auch (Nische oben dem Eingang) eine vortreffliche Ton-Muttergottes des 15. Jh. Hoher, 1714 durch Johann Baptist Camesino barockisierter Turm. – Stukkaturen von Joseph Bolz aus Ellingen (Chor) und F. H. Andrioli (Langhaus, Seitenkapelle, Emporen). Chor-Deckengemälde von Matthias Zink aus Eichstätt nach Entwurf des Ingolstädters Max Puchner, der die Fresken im Langhaus leistete. Hochaltar 1702, 1758 neu gestaltet; das Gemälde älter, 1656 vom Jesuitenbruder Paul Brock. Die Seitenaltäre sind spätes 17. Jh. (im nördl. Muttergottes um 1460), die Altäre in den Kapellen um 1738, die ausgezeichnete Kanzel von Philipp Graf (Schreiner) und Leonhard Mayer, Ellingen, 1758. Das Grabmal des Jörg von Leonrod (1540) an der N-Wand des Chores ist eine Arbeit des Loy Hering. Gutes Holzrelief der Grablegung in der Seitenkapelle rechts (frühes 16. Jh.).

HIMMELKRON (Ofr. – F 3)

Ehem. Zisterzienserinnenkloster

Graf Otto (IV.) von Orlamünde ist der Stifter. Bald nach dem Stiftungsjahr, 1279, werden Kloster und Kirche begonnen worden sein. Vom Kloster südl. der Kirche steht nur noch der der Kirche anliegende Flügel des spätgot. Kreuzgangs, der durch die Äbtissin Elisabeth v. Künsberg 1473 errichtet wurde. Die Ruinierung von Kirche und Kloster setzte im 16. Jh. ein: 1553 im Markgrafenkrieg teilweise zerstört, 1569 durch die Markgrafen, die Himmelkron seit 1339 besitzen, säkularisiert. Erst das späte 19. Jh. setzte ihr Schranken. 1699 wird die Kirche (seit 1590 Pfarrkirche) »restauriert«: Nivellierung der Bodenhöhen von Schiff und Chor, Einziehung einer gewölbten Stuckdecke, Beseitigung der alten (wohl meist noch spätmittelalterl.) Ausstattung, Einbau von Kanzelaltar und Emporen. 1735 wird eine Fürstengruft (für das markgräfl. Haus) durch Abtrennung eines Teils der »Ritterkapelle« (Gruftkirche, unter der Nonnenempore) geschaffen, 1760 läßt die markgräfl. Bauverwaltung 3 Flügel des Kreuzgangs einreißen. 1791 wird das Kloster an Private verkauft. 1892 wird es von Neuendettelsauer Diakonissen bezogen.

Die **Klosterkirche** folgt dem Schema der Frauenkirchen des Ordens. Chor und Schiff fügen sich in langer Erstreckung

aneinander; der gewölbte 2jochige Chor schließt in 5 Seiten
des Achtecks. Im westl. Teil des Langhauses die (für die
Frauenklöster des Ordens typische) Gruftkirche: eine 3-
schiffige Halle, 7 Joche tief, welche die Nonnenempore
trägt. Ihres klosterzeitlichen Inventars längst beraubt, weist
die Kirche doch noch eine lange Reihe z. T. hervorragender
Grabdenkmäler auf; genannt seien: das mit einer Tumba
verbundene des Otto (IV.) v. Orlamünde (1285), das früher
mit der Sage von der Weißen Frau verknüpft wurde, die
Figur des Stifter-Grafen vom staufischen 13. Jh. geprägt;
das des Otto (VI.) v. Orlamünde (1318), das nach Mitte des
14. Jh. anzusetzen ist, das des Otto (VII.) v. Orlamünde
(1341) und das der Äbtissin Agnes, ebenfalls aus dem Geschlecht Orlamünde (1354), das zu den besten figürlichen
Grabsteinen des hohen 14. Jh. gehört, nahe verwandt den
Werken des »Wolfskeelmeisters« in Würzburg. – Der erhaltene W-Flügel des **Kreuzgangs** überrascht durch das
reiche Flechtwerk seiner Netzrippenwölbung, deren profilierte Hauptrippen tief herabgreifen, um sich von den
Diensten aufnehmen zu lassen, deren wandseitige spiralisch
gedreht sind; ein Ausnahmeschmuck der prächtigen Decke
sind die an den Rautenkappen der Reihungen befestigten
Stuckfiguren von musizierenden Engeln und 12 Herolden
mit den Insignien ritterlicher Orden und Schriftbändern.
– Die Steinreliefs an der N-Wand, 7 Darstellungen der
Heilsgeschichte, von Welterschaffung bis Himmelfahrt, sind
mit etwa 1480 zu datieren.

Kloster- bzw. Schloßgebäude, um 2 Höfe gruppiert. N- und O-Flügel
des Unteren Hofes 16. Jh. Sehr beachtlich der 1699 nach Plänen Ant.
della Portas errichtete, gut und kräftig gegliederte **Prinzenbau**.

HINANG, Gde. Altstädten (B. Schw.) → **Fischen** (A 8)

HINDELANG (B. Schw. – A 8) → **Bad Oberdorf**

HIRSCHBERG b. Beilngries (Opf. – D 5)
Schloß
*Über dem Zusammenfluß von Sulz und Altmühl thront auf be-
herrschender Höhe über Beilngries das Burgschloß. 1007 erscheint
die Grafschaft Hirschberg, Teil der von Heinrich II. zersplitterten
Nordgau-Grafschaft. 1305 stirbt der letzte Hirschberger und ver-*

Gößweinstein. Wallfahrtskirche, Westfassade

Günzburg. Frauenkirche, Langhaus und Chor

macht sein »castrum Hirzperg« mit einem Großteil der Grundherrschaft dem Bischof von Eichstätt, der es zum Sitz eines Oberamtes (seit 1470 in Beilngries) bestimmt. Das 15. Jh. bringt rege
Bautätigkeit: die 2türmige westl. Burganlage zeugt davon. Auch
im späten 16. Jh., unter Bischof Martin von Schaumberg, wird
gebaut; 2 Eck-Erker an der O-Fassade werden dieser Bauperiode
zugesprochen. 1729 beginnt der eichstättische Hofbaudirektor
Gabriel Gabrieli mit ausgedehnten Umgestaltungen eine Epoche,
die 1760–64 ihren Höhepunkt erlebt: Fürstbischof Raymund
Anton v. Strasoldo läßt sich seine glanzvolle Sommerresidenz errichten. Leiter seines Bauwesens ist Maurizio Pedetti. – 1806
kommt Hirschberg an den bayer. Staat. 1817–33 gehört es Eugen
Beauharnais (»Fürst von Eichstätt«), später dem Eichstätter Diöze-
sanseminar; heute Exerzitienheim.

Aus dem Dorf Hirschberg tritt gegen O die Auffahrts-
straße, »Fürstenstraße«, in den Bereich der spätmittelalterl.
Burg. Hohe Mauern umgrenzen ein trapezförmiges Terrain,
Mauertürme mit Pultdächern verstärken sie. Jenseits des tiefen Halsgrabens ragen bergfriedartig 2 mächtige roman.
Turmbauten mit got. Stufengiebeln und Satteldächern. Der
südliche enthält die rippengewölbte ehem. Torhalle. Darüber
bewahrt ein Raum komplizierte Vorrichtungen zur Bedie-
nung von Fallgittern. Der nördl. Turm enthält eine Folter-
kammer und das 7 m tiefe Verlies. Ehemals verband beide
Türme eine starke Ringmauer, die bei dem Umbau durch
M. Pedetti (1760–64) einem eleganten Gitterportal weichen
mußte. Seine Pfeiler tragen Tierplastiken. Dahinter öffnet
sich der langgestreckte Ehrenhof. 2 parallel geführte Flügelbauten vereinigen sich im O zum imposanten Mittelpavillon.
Wandgliederung und Detailformen verraten die eichstättische Herkunft des Baumeisters. Nachklänge aus der Ära
Gabrielis: der Palladio-Bogen im Hauptgeschoß über dem
Mittelportal. Joh. Jak. Berg schmückte den Eingang mit
2 gnomenhaften Nischenskulpturen in der beliebten, von
Callot erfundenen Verzerrung. Der Mittelpavillon bewahrt
traditionsgemäß die Räume fürstlicher Repräsentation, der
S-Flügel das Appartement des fürstbischöfl. Hausherrn mit
der Kapelle, der N-Flügel Gast- und Dienerschaftswohnun-
gen. Der Eichstätter Hofbildhauer Joh. Jak. Berg hat hier
Ausstattungen von hohem Rang geschaffen; ihm zur Seite
der Hofmaler J. Mich. Franz. Hervorzuheben der Kaisersaal. Locker verteilt sich auf seinem Plafond der Rocaillestuck. Eine genial modellierte Rosette bezeichnet die Mitte.

Architektur- und Jagdthemen gruppieren sich in breiter Folge.
An den Wänden Bildnisse der kaiserlichen Familie. Ein
pyramidenförmiger, mit Gußornament verzierter Eisenofen
vervollständigt das Ensemble. 2 Erkerzimmer mit schlichtem
Stuckdekor rahmen den hellen Saal. Es folgt (im S) das
Schreibkabinett mit seinen temperamentvoll hingeworfenen
Stuckimpressionen aus der Vogelwelt, das Schlafzimmer mit
seinen Darstellungen zum Thema »Nacht« und die 2geschos-
sige K a p e l l e St. J o h a n n e s E v. Am Hochaltar das
meisterliche Stuckrelief des Heiligen auf Patmos. Stuckranken überspielen Wände und Plafond. Im Musiksaal Embleme der Jahreszeiten und Elemente. Merkwürdigerweise liegt
der große Repräsentationsraum, der sog. Rittersaal, entgegen
der höfischen Gepflogenheit des 18. Jh., im nächsten Obergeschoß. Kann sein, daß sich hier eine speziell eichstättische
Gewohnheit ausdrückt, denn der Spiegelsaal der dortigen
Bischofsresidenz liegt ebenfalls im 2. Obergeschoß. Der
Raum füllt 2 Geschosse. Seine Pilaster sind mit Fayence-
platten Ansbacher Herkunft geschmückt. An den Fensterwänden Bildnisse des Bauherrn Raymund A. v. Strasoldo
und ihm gegenüber des Hirschberger Grafen Gebhard VII.,
der seinen Besitz 1305 dem Hochstift vermacht hatte. Die
übrigen Wandbilder zeigen Orte des fürstbischöfl. Gebietes:
Eichstätt, Beilngries, Berching, Abenberg, Greding, Ornbau
und Spalt. Am Deckenspiegel ein farbenreiches Fresko,
Iphigeniens Opferung in Aulis, bez. Mich. Franz, 1764. Aus
den zahlreichen übrigen Räumen ist ein Kabinett des S-Flügels zu nennen, dessen Stuck die Decke gleich einer Rosenlaube umrankt, und ein anderes im Gastappartement des
N-Trakts mit Kreisen unter radförmig rotierendem Rankenwerk.

HOCHALTINGEN (B. Schw. – C 5)

*Nach Erlöschen der 1153 genannten Herren von »Haheltingen«
kommt es in Besitz der Hürnheim-Niederhaus. Ihnen folgen 1585
die Freiherren v. Welden, die Hochaltingen 1764 an Oettingen-
Spielberg veräußern.*

Pfarrkirche Mariae Himmelfahrt. Die erhaltene Anlage
setzt sich aus 3 verschiedenen Bauteilen zusammen: der
Gruftkapelle, deren Kern aus dem 13. Jh. stammt, dem
Chor mit angelehntem Turm von 1520 und dem barocken

Langhaus um 1730. Dieses folgt dem Wandpfeilerschema der Vorarlberger (wie die Klosterkirche von Maihingen). 3 Joche führen zum eingezogenen spätgot. Chor, an den sich gegen O die 2geschossige Gruftkapelle anlehnt. Stukkiertes Rahmen- und Gitterwerk von 1735 überzieht die Gewölbefelder. Etwa gleichzeitig die Malereien: Szenen aus der Geschichte Christi und Mariens, ergänzt durch alttestamentliche Erzählungen, in Grisaille. – Ein beachtlicher Altar von 1565 in der 2. südl. Seitenkapelle. Sein vielteiliger Aufbau verbindet das got. System des Flügelaltars mit Renaissancedekor. Die Mitteltafel ist ein Rosenkranzbild, die Flügel bringen Szenen aus dem Leben Christi, in Anlehnung an Dürer. – Ältere Renaissanceformen zeigt das Sakramentshäuschen von 1530–40. – Ein gutes Schnitzwerk ist der Chorbogenkruzifixus, um 1490–1500.

Die Gruftkapelle bewahrt ein Meisterwerk von 1526, das Marmorepitaph der Edlen von Hürnheim. Prunkvoll angetan erscheint das Paar in 2 Nischen der großen Rotmarmorplatte. Die Gesichter sind aus weißem Marmor gemeißelt. Ein guter Sandsteinrahmen reiht die Symbole der Vergänglichkeit, so das wiederkehrende Thema des schlangenumringelten Totenkopfes inmitten kriegerischer und friedlicher Embleme. Leichname harren im bekrönenden Giebel der Auferstehung. In der oberen Rahmenleiste umtanzt ein gespenstischer Totenreigen zwischen 2 Feuern das beherrschende Wort »Finis« (Ende). Hier war ein Augsburger Meister am Werk, viell. Adolf Daucher.

Westl. der Kirche liegt das **Schloß**; seine Gestalt verdankt es dem 16. und 18. Jh. In der Schloßkapelle ein feiner Schreinaltar des frühen 16. Jh., ulmischer Art.

HÖCHSTÄDT a. d. Donau (B. Schw. – C 5)

Glaubwürdige Überlieferung läßt schon Karl d. Gr. über Höchstädt (zugunsten der Reichenau) verfügen. Sicher bezeugt ist es erstmals 1081. Über die Staufer gelangt es 1269 an Bayern; Stadt ist es wohl schon im frühen 13. Jh., beginnt aber erst seit der herzoglichen Neugründung auf der Hochterrasse um 1290 (die ältere Siedlung setzt sich als Altstadt ab) aufzustreben. Im frühen 16. Jh. kommt es an Pfalz-Neuburg, mit diesem 1777 an Bayern. Als Name einer Entscheidungsschlacht, 1704, Niederlage Frankreichs und des mit ihm verbündeten bayerischen Kurfürsten Max Emanuel durch Prinz Eugen und Marlborough (von den Erlän-

dern nach dem benachbarten Dorf Blindheim Blenheim genannt),
ging Höchstädt in die Geschichte ein.

Pfarrkirche Mariae Himmelfahrt. Chorbau und Turm 1485, vollendet
1498. Das Langhaus wurde 1523 aufgeführt. Schlichte, spätgot. Formen
beherrschen das Außenbild. Auch der Turmunterbau entstammt dem
späten 15. Jh., wenn er sich auch altertümlicher Gliederungsmittel bedient. Über dem aufgesetzten Achteck (mit Umgang) barocke Zwiebelhaube. Der Raum, eine 3schiffige Hallenanlage in etwas trockenen,
spätgot. Formen, war urspr. wohl als Basilika gedacht, da in den überhöhten Mittelschiffswänden blinde Fenster sitzen. Die Rippenverspan-
nung in den Langhausgewölben ist kraftlos. Das ältere Chorgewölbe ist
straffer, lebhafter. – Guter Hochaltar von 1695 mit Gemälde von Knappich, Augsburg. Die Flankenfiguren schuf J. B. Libigo. Von meisterlicher Können zeugt das Tabernakel des Dillinger Bildschnitzers Joh.
Mich. Fischer um 1760. – An der N-Wand schlichtes Sakramentstürmchen,
um 1485. – Prächtige Kanzel 1681.

Schloß der Pfalz-Neuburger. Eine mittelalterl. Burg, Sitz eines Reichs-
ministerialengeschlechtes, geht voran. Von ihr stammt der im W erhaltene Bergfried. 1589–93 entstand, nach Plänen des Hofbaumeisters
Sigmund Doctor und ausgeführt von Gilg Vältin, der einfache quadratische Binnenhofkörper mit Ecktürmen. Der alte Bergfried wird nun
Mittelakzent des W-Flügels. Die Hofseiten sind durch Treppentürmchen
und Zwerchgiebel freundlich belebt.

HOF a. d. Saale (Ofr. – F 3)

An der thüringischen Saale nächst der ihr hier zufließenden Reg-
nitz gründen die Franken einen »Hof«, die »curia Rekkenize« (des
Regnitzlandes, später Vogtlandes), dessen Bedeutung in seiner
Grenzlage zu den Slawen, Sorben, liegt. Er kann nur im Umkreis
der Lorenzkirche gesucht werden. In Anlehnung an den (Königs-)
Hof entsteht eine Dorf-, viell. auch schon Marktsiedlung, deren
örtliche Situation durch den Straßennamen »Altstadt« festgelegt
ist. Die Lorenzkirche, mit sehr großem Sprengel, bleibt Pfarrkirche
bis 1480, dann gibt sie ihre Rechte an die Michaelskirche der »Neu-
stadt« ab, der wahrscheinl. im späten 12. Jh. durch den Grund-
herrn, Andechs-Meranien, angesetzten Bürgersiedlung nördl. der
Altstadt, die sich etwa im 3. Jahrzehnt des 13. Jh. um die Spital-
vorstadt nördlich und gegen Ende des Jahrhunderts um die dem
1294 gegründeten Franziskanerkloster westlich anliegende erwei-
tert. Stadtherrn sind seit Mitte des 13. Jh. die Vögte von Weida,
seit 1372 die Burggrafen von Nürnberg, späteren Markgrafen von
Kulmbach-Bayreuth.

Das von S nach N ansteigende, dann, im nördl. Teil der Ludwigsstraße
wieder abfallende, östlich gegen den Saalegrund steil abgeböschte Areal
der mittelalterl. Stadt ist durch einen die Längsachse setzenden markt-
breiten Straßenzug gegliedert, der als »Altstadt« beginnt, sich am
»Oberen Tor« als »Ludwigsstraße« fortsetzt und am »Unteren Tor«
endet. Sie liegt nahe der Böschung; die Stadt konnte sich folglich nur

westlich in die Breite dehnen. Hier ein Raster sich kreuzender Gassen, deren stärkste, die Klosterstraße, die Mitte der Ludwigsstraße trifft. Hier das **Rathaus**. Gegenüber, zurückgesetzt, durch eine (heute breit geöffnete) Stichgasse zugänglich, die zweite Stadtpfarrkirche, **St. Michael**. Ein spät gesetzter Akzent ist die 1865 aufgeführte **kath. Stadtpfarrkirche St. Maria**, die ihre doppeltürmige Front dem Straßenzug der Altstadt zuwendet. – Der alte Stadtkörper wurde durch den Brand von 1823 weitgehend zerstört. Doch bietet die wenig später wiederaufgebaute Ludwigsstraße im sparsamen Klassizismus ihrer Häuserfronten das ansprechende Bild immer noch beherrschter städtebaulicher Ordnung. – Das 1563–66 von einem der besten Baumeister der Zeit, Nik. Hofmann, Halle, errichtete **Rathaus** mußte wohl auch den Restaurator an sich heranlassen, konnte aber doch seinen altdeutschen Charakter bewahren: ein 3geschossiger, durch Eck-Erker (östl.) belebter Block, mit Treppenturm an der N-Seite, einem Achtkant, dessen Kopfgeschoß Zutat d. J. 1694 ist. Auch das **Alte Gymnasium** sei beachtet: Sein Kern ist ein spätgot. Sommerhaus der Franziskaner, das 1543–46 umgebaut, im 18. Jh. ausgebaut wurde, 3geschossig, mit Achteck-Dachreiter. Dazu noch die »**Inkurabel**«, Waisenhaus des frühen 18. Jh. nächst der Lorenzkirche, mit der die starken Quadermauern (älter wirkend als sie sind) im Blick der »Pfarr« von W her in guter Gruppe zusammenstehen.

Ev. Stadtpfarrkirche St. Michael. Der ins späte 14. Jh. zurückgehende, später vielfach veränderte 3schiffige Hallenbau wurde 1480 durch den Chor erweitert, dessen von einem sächsischen Baumeister besorgte Wölbungen sich 1512 schließen. Die urspr. tieferliegenden Langhausgewölbe werden 1570 ff. durch Phil. Hofmann auf die Höhe der Chorgewölbe gebracht. Der Stadtbrand 1823 läßt nicht viel mehr als die Mauern und Türme übrig. Der bestehende Bau trägt das Stigma der Neugotik, das ihr Georg Erhard Sahr, der Renovator der abgebrannten Stadt, aufprägte.

Ev. Pfarrkirche St. Lorenz. Seit 1214 bezeugt. Nach Brand 1553 mit Beibehaltung älterer, spätmittelalterl. Mauern erneuert. 1822/23 im Innern verändernd restauriert. – Spätgot., Heinrich und Kunigunde gewidmeter Flügelaltar, Stiftung des Bamberger Domdekans und Hofer Pfarrers Hertnid v. Stein, um 1480, ehemals in St. Michael.

Spitalkirche. Der ins 14. Jh. zurückgehende, in der 2. Hälfte des 16. und noch einmal Ende des 17. Jh. restaurierte, 1835–38 im Außenbau regotisierte Bau hat ein einfaches Rechteck zum Grundriß. Leben gibt die barocke Kassettendecke mit ihren vielen Bildern des Alten und Neuen Testaments von der Hand des Hofer Malers H. Andreas Lohe, 1688/89, der auch die obere Empore (hier Passion, Abendmahl als Pfingstwunder) und die Orgelempore ausstattete. Der 1511 datierte Flügelaltar stand bis 1557 in der Michaelskirche. Im Schrein die Schnitzfiguren der Muttergottes, Barbara, Katharina, auf den Innenseiten der beweglichen Flügel Reliefs, Leben Jesu, auf den Außenseiten und auf den festen Flügeln Gemälde, Legenden.

Die jüngste Kirche Hofs, die **Lutherkirche**, ein Zentralbau Robert Reißingers, wurde 1956 errichtet.

HÖGLWÖRTH (Obb. – E 9)

Ehem. Augustiner-Chorherren-Stiftskirche St. Peter und Paul. Wahrscheinl. unter Mitwirkung eines der Grafen von Plain gründet Erzbischof Konrad von Salzburg um 1125 das Stift. Anfang des 17. Jh. ist es bis zur Unbewohnbarkeit verfallen. In der 2. Hälfte des Jahrhunderts entsteht es wieder; 1690 wird die aus einem spätmittelalterl. Bau barock umgewandelte Stiftskirche geweiht. – Das um die Wende des 18. Jh. verarmte Stift verfällt nicht der Säkularisation, muß aber 1817 aufgehoben werden. Der Teisendorfer Bierbrauer Phil. Wieninger zieht im Kloster ein, dessen Kirche als Filiale von Anger fortbesteht. – Der schlichte, doch vornehme Raum wird Lorenzo Sciasca zugeschrieben. Die locker verteilten Rocailleformen der Stukkatur schuf Benedikt Zöpf aus Wessobrunn 1765, Freskomalerei von Nik. Streicher (Hauptbild: Mariae Himmelfahrt). An der S-Wand Kanzel und Oratorium des Propstes, Mitte 18. Jh.

Die **Klosterbauten** schließen südwärts an die Kirche. Sie tragen die Zeichen salzburgischer Bauweise und bilden eine überaus reizvolle Gebäudegruppe am Seeufer (ehemals Insellage!).

HOHENALTHEIM (B. Schw. – C 5)

»Altheim« erscheint 916 als Konzilsort der deutschen Bischöfe. Die kirchlichen Patronatsrechte lagen beim Stift Ellwangen und seit 1328 beim Augsburger Domkapitel. Nach Niederlage im Bauernkrieg (bei Ostheim) 1525 verfügte Graf Karl Wolfgang von Oettingen Zuwendung zur Reformation, die aber nur langsam und widerwillig angenommen wurde. Der Glaubenskrieg brachte Verwüstung.

Ev. Pfarrkirche. Der karoling. Bau, in dem 916 das Konzil der deutschen Bischöfe tagte, steht nicht mehr. An seiner Stelle erhebt sich ein einschiffiger Raum von 1360–70, der 1755 gegen W erweitert wurde.

Das **Schloß** wurde an Stelle eines älteren 1711 für die Fürsten von Oettingen errichtet. Es war ehemals von Wassergräben umzogen. Im Viereck umstehen Wirtschaftsgebäude und Kavaliershäuser seine S-Front und umgrenzen den stimmungsvollen Ehrenhof. Gegen N erstreckt sich ein freundliches Gartenparterre nach französ. Muster. Seine Hauptachse verbindet den Mittelrisalit des Hauptschlosses mit dem 1geschossigen Gartenhaus. Auffallend ist die Vorliebe für Zwerchgiebel, die einem zwar rückständigen, aber typisch deutschen Empfinden entsprossen sind. – Die Innenräume tragen gefällige Rokoko-Stukkaturen aus der Zeit 1740–50. Vornehmes Mobiliar und zeitgenössische Gemälde machen das Ganze zu einer Idylle des höfischen Rokoko.

Auf dem östl. Ausläufer des Kirchbergs beschattet die etwa 200 Jahre alte **Gerichtslinde** einen Kreis verwitterter Steine, Reste ehem. Ratssitze, eine der seltenen erhaltenen Anlagen dieser Art, von hohem volkskundlichem Interesse.

HOHENASCHAU (Obb. – D 8)

Burg

Die Burg tritt im Namen des sich nach Aschau (vorher nach Hirnsberg) nennenden Geschlechts Anfang des 12. Jh. hervor. In den 30er Jahren des 14. Jh. werden die Aschauer von den reichen Mautner von Burghausen verdrängt, die wieder 1383 von ihren Erben, den Freyberg (schwäbischen Herkommens), abgelöst werden. Bis 1608 sind die Freyberg, die den (Salzburger) Lehensbesitz in ein Allod umwandeln können, Herren von Aschau. Dann geht die Herrschaft mit einer Freyberg-Tochter an die Preysing über, die bis 1853 Aschau besitzen. Dann mehrfacher Besitzerwechsel. 1875 erwirbt Theodor Freiherr v. Cramer-Klett das Schloß, bei dessen Nachkommen es bis 1942 bleibt.

Ein isolierter, allseitig frei abfallender Höhenrücken inmitten des Prientalbeckens, das er quer sperrt, hebt die Burg empor, die eine der mächtigsten im Lande vor den Alpen ist. Die ausgedehnte Anlage zerfällt in 3 Abschnitte, die der zeitlichen Abfolge der Teile entsprechen: die im ältesten Bestande – Ringmauer und Bergfried – ins späte 12. Jh. zurückreichende Hauptburg, die wohl im 13. Jh. entstandene Vorburg und die 1561 vorgelegte bastionäre Befestigung. Dieser Dreiteilung entsprechen 3 Tore, äußeres, mittleres (Vorburg) und inneres (Hauptburg). Der mittelalterl. Bestand von Haupt- und Vorburg erfuhr im 16., 17. und zuletzt noch im 20. Jh. Umgestaltungen. Um 1672–86 wurden fast alle Innenräume der Hauptburg neu gestaltet, Flügel und Bergfried etwas erhöht, die Fenster egalisiert. Auch die Eingriffe 1905/06 betrafen das Innere, wenn wir die Neubauten (anschließend an den Bergfried und das Gästehaus unterhalb der Hauptburg) ignorieren.

Erhalten ist eine Reihe vorzüglicher Raum - A u s s t a t t u n - g e n, meist des 17. Jh. Wir heben nur den großen Saal im 2. Obergeschoß des Flügels und die Kapelle an der W-Seite der Vorburg hervor. Der 1680–86 umgebaute und ausgestattete Saal überrascht durch das Motiv einer monumentalen Ahnengalerie: an den Wänden, auf Konsolen, 12 Stuckstatuen Preysingscher Vorfahren. Prächtige üppige Stuckdekoration an der Decke und, in vollstem Einsatz, über den Türen und dem Marmorkamin.

Die (erstmalig 1449 erwähnte) **Kapelle** wurde mit Verwendung mittelalterl. Mauern 1637–39 neu aufgeführt, 1681 ff. stuckiert und freskiert und 1905–08 in einigen Stücken verändert: breit proportioniertes Rechteck unter Halbtonne. Stukkaturen vom Oberitaliener Fr. Jul. Brenno und Fresken von Jos. Eder überkleiden als Rahmen und Rahmenfüllung Wand und Decke. Der Hochaltar ist ein später Zukömmling: italienische Barockschöpfung (1. Hälfte 17. Jh.), 1905 in Verona erworben. Urspr. Besitz dagegen die beiden Rokoko-Altäre vor den Seitenwänden, mit Gemälden J. B. Zimmermanns (1739), der auch die gelösten Stuckumrahmungen entwarf.

HOHENPEISSENBERG (Obb. – C 7)

Der Peißenberg ist ein Inselberg vor der Gebirgsschwelle. Sein charakteristisches Profil zeichnet sich weithin ab, der Blick von seiner Höhe umgreift die ganze schöne Breite des »Pfaffenwinkels«. Die mittelalterl. Geschichte des Berges bedarf noch der Aufhellung. 1514 errichten die Bauern der den Berg umkränzenden Dorfschaften eine kleine Kirche, die der Pfleger von Schongau mit einem Muttergottesbild beschenkt. Dieses Bild erweist sich als wundertätig, und nun setzt die Wallfahrt ein, die seit 1604 von den Rottenbucher Chorherren betreut wird, im 18. Jh. ihre höchste Frequenz erreicht und im 19. Jh. verkümmert. Seit 1805 ist Hohenpeißenberg Pfarrei. – 1781 hat sich auf dem Peißenberg ein erstes Observatorium niedergelassen, dem später andere wissenschaftliche und technische Stationen folgten.

Pfarrkirche Mariae Himmelfahrt 1615–19. 1schiffiger Raum mit Rahmenstukkatur des frühen 17. Jh. Der stattliche, reich gezierte Hochaltar stammt aus der Erbauungszeit und wurde bei Aufstellung der Seitenaltäre 1717–19 überarbeitet. Gemälde des Hochaltars 1717. Tabernakelengel von Fz. X. Schmädl aus Weilheim 1750–55. An den Chorseitenwänden Holzreliefs von Barth. Steinle (Moses, David). – Die G n a d e n k a p e l l e , an die Kirche anstoßend, wurde bereits 1514 aufgeführt und 1747 um das bestehende Langhaus gegen W erweitert. Das fein empfundene Rocaillewerk wird dem Wessobrunner Jos. Schmuzer zugeschrieben. Deckenfresken von Matth. Günther 1748. Der Hochaltar umfängt das Gnadenbild der thronenden Gottesmutter (15. Jh.).

Das St.-Georgs-Kirchlein am S-Hang des Peißenberges entstand im 12. Jh. und wurde 1497 erweitert. Die freigelegten Wandmalereien der St.-Georgs-Legende gehören der Frühzeit des 15. Jh. – Barocker Hochaltar mit geschnitzter Georgsfigur eines Landsberger Meisters. Kruzifixus Anfang 16. Jh.

Neue Pfarrkirche im Ort Hohenpeißenberg 1960/61 von Hans Heps, München.

HOHENSCHÄFTLARN (Obb.) → **Schäftlarn** (CD 7)

HOHENSCHWANGAU b. Füssen (B. Schw. – B 8)

Im 12. und 13. Jh. einer der Burgsitze der Herren von Schwangau, welfischer Ministerialen. 1397 verlautet von einem »Turn genannt der Swan«. 1538 wird die mittelalterl. Burg, Schwanstein genannt, abgetragen und wiederaufgebaut. Von den beiden dem Verfall überlassenen Burgen (Vorder- und Hinter-)Schwangau geht schließlich deren Name auf sie über. Wiederholt um- oder ausgebaut, wird sie 1809 zerstört. 1833 als Sommersitz des Kronprinzen Maximilian (seit 1848 König Max II. von Bayern) im romant.-biedermeierl. Sinn neu errichtet. Die Entwürfe lieferte der Theatermaler Domenico Quaglio. 1837 war der Bau vollendet. Seine Ausführung leitete zuletzt J. D. Ohlmüller. Kavalierbau von G. F. Ziebland 1851–53.

Das Äußere, in landschaftlich hervorragender Lage, wird vom 4türmigen Würfel des Palas beherrscht. In Einzelformen spiegelt sich das Empfinden bürgerlicher Romantik. Dieses bestimmt auch die Innengestaltung. Die Ausmalung der Räume verwendet Themen aus Geschichte und Sage, zu großen Teilen nach Entwürfen von Moritz v. Schwind (1835/36). – Im Park Schwanenbrunnen von Ludwig Schwanthaler.

Gegen N, auf freiem Feld nahe **SCHWANGAU**, liegt die **Wallfahrtskirche St. Koloman**, ein stattlicher Bau von 1673 mit dichtem Stuckwerk des Wessobrunners Joh. Schmuzer, der auch die Altaraufbauten geschaffen hat. Von einem älteren Altar stammen die spätgot., um 1520 anzusetzenden Schnitzfiguren (Muttergottes, St. Koloman und Apollonia) und Relieftafeln (Jugendgeschichte Christi).

HÖLL (Ndb.) → **Dingolfing** (F 4)

HOLLFELD (Ofr. – E 3)

Die kath. Pfarrkirche ist ein typischer Bau des späten 18. Jh. (1778 bis 1782), klassizist. Endbarock. Planer war der Bamberger Joh. Jos. Vogel. Altäre, Kanzel, Beichtstühle, schönstes Rokoko, stammen aus der Bamberger Dominikanerkirche; Hochaltar und Kanzel (1769) vom Bamberger B. Kamm.

HOLNSTEIN (Opf.) → **Berching** (E 5)

HOLZEN (B. Schw. – C 6)

Ehem. Benediktinerinnen-Klosterkirche

*Marquard von Donnersberg gründet unterhalb seiner Burg 1150
ein Kloster für Benediktiner und Benediktinerinnen. Diese Doppelbesetzung währt bis 1470; seitdem ist Holzen ausschließlich
Frauenkloster. Der Gründungsbau lag an einem (namengebenden)
»Neuwasser« der Schmutter. Später wurde das Kloster etwas
höher, an den (nun namengebenden) Wald des Schloßbergs gelegt.
Der Neubau des 17./18. Jh. rückte dann vollends auf die Höhe, an
die Stelle des Schlosses. – 1802 säkularisiert und an die Hohenzollern-Sigmaringen gegeben, gelangt Holzen 1813 an die Grafen
v. Fischer-Treuberg, 1927 an die Ursberger St.-Josefs-Kongregation. – Der Neubau des Klosters wurde 1696, der der Kirche 1698
begonnen. Baumeister der 1704 vollendeten Kirche war der Vorarlberger Franz Beer.*

Der Außenbau der in die O-Seite des Klostergevierts eingestellten Kirche, mit einem die Baugruppe beherrschenden
Türmepaar an den Flanken des Chores, ist ohne viel Anspruch. Der Grundriß beschreibt ein Rechteck, in das starke
Wandpfeiler mit verbindenden Emporen eingestellt sind.
Östlich ein stark eingezogener Polygonchor, westlich, über
dem Nonnenchor, in den Raum vorbuchtende Orgelempore.
Der durch das massive Gefüge der Pfeiler und Emporen
bestimmte Raum trägt eine schwere prächtige Stuckdekoration, die wohl sicher von Wessobrunnern geleistet wurde.
Neben der ornamentalen, durch pflanzliche Motive bestrittenen Zier spielt Figürliches eine bedeutende Rolle: über den
Pfeilern die Apostel, über dem Chorbogen Christi Himmelfahrt, an der Orgelempore musizierende Engel. Die Deckengemälde, teilweise, im Chor, vom Augsburger Joh. Rieger
(Signatur), bringen Darstellungen des Meßopfers, der 4 Gebetsgattungen (Chor), der Schutzheiligen des Klosters und,
in den kleinen Medaillons, der 8 Seligkeiten (Langhaus). Der
den Schluß des Chores füllende Hochaltar (1730/31) umschließt ein älteres Gemälde mit der Taufe Christi von
J. G. M. Schmidtner (1671); die Seitenfiguren, Zacharias und
Elisabeth, Joachim und Anna, sind Arbeiten E. B. Bendels.
Die altarartigen Ehrenpforten an den Chorwänden, Umrahmungen der Turmtüren, den hll. Bernhard und Scholastika gewidmet, enthalten Gemälde J. G. Bergmüllers (1742).
Die plastischen Teile der beiden schmalen Altäre seitlich des
Chorbogens gehören, bis auf die älteren Hauptfiguren

(Anna Selbdritt, Muttergottes, 17. Jh.) Bendel, der auch den Nothelferaltar im Langhaus (rechts) ausstattete. Etwa gleichzeitig, um 1730, die schöne, von einem Johannes Bapt. bekrönte Kanzel.

Die **Lorenzkapelle** wurde 1707 auf dem Chorplatz der alten Klosterkirche errichtet, ein Oktogon, das ein Türmchen überhöht; heute Friedhofkirche. – Die etwa gleichzeitig gebaute **Lorettokapelle** ist rechteckig, ebenfalls von einem Türmchen überhöht.

HOLZKIRCHEN (Ufr. – C 2)

Ehem. Benediktinerkloster

Das bald nach Mitte des 8. Jh. von einem Troaudus gestiftete, nach 768 dem Frankenkönig Karl übergebene Benediktinerkloster gelangte 775, als Übereignung des Königs, an Fulda. Nach kurzer Blüte sinkt es ab; seine Vögte, die Grafen von Wertheim, nehmen ihm ab, was sie können. 1552 hebt es Graf Michael auf. Bischof Julius stellt es wieder her, aber so recht gedeiht es nicht mehr. 1728–30 läßt Propst Bonif. v. Hutten einen Neubau der Klosterkirche nach Plänen B. Neumanns ins Werk setzen. – 1803 beendet das erst seit 1759 wieder mit einem Konvent besetzte Kloster seine Existenz. Seit 1816 gehört es den Grafen v. Castell.

Die **Klosterkirche** ist ein eher klassizistisch als barock zu nennender Zentralbau, ein überkuppeltes, innen im reinen Kreis geschlossenes Oktogon. Über dem von Pilastern getragenen Architrav eine ungegliederte Attika. Das Portal, mit Dreiviertelsäulen, Giebel und Wappen (Hutten) öffnet sich in der N-Seite. Alle Gliederungen in Haustein, alle Flächen verputzt. Abschließend ein (nach Brand im 19. Jh.) unrichtig wiederhergestelltes flaches Zeltdach mit offener Laterne. Der Rundraum ist durch 8 Dreiviertelsäulen plastisch akzentuiert. Über dem Architrav erhebt sich der Tambour mit der im Halbkreis gewölbten, in die Laterne geöffneten Kuppel, die (wie Architrav und Fenster) mit Stukkaturen geschmückt ist. – Ein beachtlicher Besitz sind die roman. Sandsteinreliefs, wohl der 1. Hälfte des 12. Jh.: Kopf eines Engels, Christus auf der Eselin, Mann mit Einhorn.

Die **Klostergebäude** umschließen in 3 Flügeln einen westlich offenen Hof. Kopfbau des N-Flügels ist die Kirche. Die 2geschossigen Trakte sind ungleichen Alters. Im Erdgeschoß des S-Flügels, dem der Kreuzgang vorliegt, stecken noch roman. Teile; der O-Flügel ist barock (1679–81); der N-Flügel, mit Fachwerkobergeschoß, entstand nach der Mitte des 16. Jh.

HOMBURG ob der Wern (Ufr. – C 2)

Burgruine

Ein Reinhard von Hohenburg soll um 1030 die Burg gegründet haben, Mittelpunkt einer bedeutenden allodialen Herrschaft. 3 Würzburger Bischöfe des 13./14. Jh. sind Hohenberger. Der Letzte des Geschlechtes trägt 1365 Burg und Herrschaft dem Hochstift zu Lehen auf, das 1381 Konrad v. Bickenbach belehnt. Der letzte Bickenbach verkauft 1469 Homburg an das Hochstift. Im 18. Jh. beginnt die Burg zu verfallen.

Eine 3seitig durch Steilböschungen geschützte Bergzunge bot günstigen Burgplatz; nur die schwache O-Seite war durch einen Halsgraben zu sichern. Der einen Keil bildende Bering ist durch einen Graben, der die älteste Burg deckte, in 2 Teile, Haupt- und Vorburg, zerlegt. Die Hauptburg ist die ältere, ins 11. oder 12. Jh. zurückreichend. Ein Zwinger verstärkt ihre Ringmauer innen, ein Graben umfährt sie außen. Unregelmäßiges Bruchsteinmauerwerk setzt sie gegen die sauber gefügten Quadermauern der Vorburg (13. oder 14. Jh.) ab, die östlich noch bis zu einer Höhe von etwa 12 m stehen. Einige Türme stärken sie; südlich war auch die Vorburg mit einem Zwinger bewehrt.

HOMBURG am Main (Ufr. – C 2)

Auf steilem Muschelkalkfels, nahe den Main-Übergängen Lengfurt und Urfahr und den sie nützenden Fernstraßen, zum Schutze dieser Straßen gegründet. Um die Mitte des 8. Jh. kommt Homburg aus Königshand an Würzburg, dem es dann Karl d. Gr. zugunsten des Klosters Neustadt a. Main entfremdet, dem es aber 993 dank Kaiser Otto III. wieder zufällt, seine westlichste Bastion. Der Burgort am Fluß ist bereits Anfang des 14. Jh. Markt, 1332 Stadt. Sitz mehrerer hochstiftischer Ämter, verliert es im Zeitalter der Schienenwege seine Bedeutung und ist nun auch nicht mehr Stadt. Doch wächst nach wie vor an den Muschelkalkhängen ein vielgerühmter Wein, der Kallmuth.

Der Bergfried der durch Steilabfälle 3seitig geschützten, nicht großen **Burg** ist, im Unterbau jedenfalls, noch romanisch (12. Jh.); das 18. Jh. setzte ihm das Achteck auf. Die Wohnbauten, Fachwerk, datieren 1561. – Eine Tropfsteinhöhle des Burgbergs soll der Sterbeort des ersten Würzburger Bischofs, St. Burkard († 754), sein, unter dem Homburg an das Bistum kam. Der 1721 in die Grotte gesetzte Altar enthält ein Alabasterrelief des Ölbergs von 1623.

Im **Städtchen** eine neuroman. Pfarrkirche. Die Zehentscheuer (jetzt Burkardusheim) geht auf Bischof Julius (1614) zurück. – Ein die übliche

Größe überragender Bildstock des 18. Jh., bekrönt vom Winzerheiligen Urban, zeigt die Reliefdarstellung des hl. Wendelin.

ILLERTISSEN (B. Schw. – B 6)

Der Boden erwies sich reich an vorgeschichtlichen (bronzezeitlichen) Hinterlassenschaften. Auch alemannische Reihengräber wurden aufgedeckt. 954 zeigt sich erstmals das oppidum Tussa. In der 2. Hälfte des 12. Jh. ist es Besitz der Grafen von Kirchberg, die es als Lehen ausgeben, um es erst kurz vor Mitte des 14. Jh. wieder an sich zu nehmen. 1520 kommt es an die Memminger Patrizierfamilie der Vöhlin, 1756 durch Kauf an Bayern. 1430 ist Illertissen Markt, seit 1954 ist es Stadt.

Pfarrkirche St. Martin. Der schlichte Saalbau, errichtet 1590 von Hans Schaller aus Ulm (seitlich erweitert von Th. Wechs 1958–60), bewahrt einen bes. prächtigen Hochaltar von 1604. Schöpfer des interessanten Aufbaus und der trefflich gearbeiteten Figuren ist Christ. Rodt aus Neuburg a. d. Kammel. – Grabdenkmäler der Freiherrn Vöhlin von Frickenhausen aus der 2. Hälfte des 16. Jh.

Ehem. Schloß der Vöhlin von Frickenhausen, ein schmucker Renaissancebau um 1550 und 1595–1600 im Charakter ulmischer Patrizierhäuser. Die Schloßkapelle trägt ein Stuckgewand von 1751 und Fresken von Fz. Mart. Kuen aus Weißenhorn.

Nordöstl. **DIETERSHOFEN** mit einer **Kirche** von 1759, viell. von einem der Dossenberger, gutes Rokoko von seltener Einheitlichkeit. – Ferner **BUCH**, dessen **Pfarrkirche St. Valentin** 1781–90 ein schönes Beispiel für den frühen Klassizismus darstellt. Konr. Huber lieferte die Freskomalerei.

ILMMÜNSTER (Obb. – D 6)

Kirche St. Arsacius

Als Gründungsjahr des von Tegernsee besiedelten Benediktinerklosters wird 762 angegeben, als Stifter Herren des Hochadels der Huosi. Im frühen 9. Jh. wurden die Reliquien des röm. Märtyrers Arsacius gewonnen, in dem das Kloster seither seinen Schutzherrn verehrt. Im frühen 10. Jh. wahrscheinl. Opfer der Säkularisationen Herzog Arnulfs, blüht es nach Mitte des 11. Jh. wieder auf, jetzt als Kollegiatsstift, das bis zur Aufhebung (zugunsten der Münchener Frauenkirche) durch Herzog Albrecht IV. 1492 Bestand hat. Seither ist die Stiftskirche Pfarrkirche. Bedeutendster Propst ist 1437–55 Nicolaus Cusanus. – Der auf die Talböschung der Ilm gesetzte, dem Tal seinen 3-Apsiden-Chor zuwendende Bau stammt aus der hierzulande noch wesentlich roman. Frühzeit des 13. Jh., nur daß seine Flachdecke 1676 durch ein Stichkappengewölbe, seine Fenster durch Okuli ersetzt wurden.

Das Äußere spiegelt den basilikalen Aufbau des Innern.

Der starke, in das W-Ende des südl. Seitenschiffs eingestellte Turm ist durch Rundbogenblenden belebt, sein Satteldach liegt zwischen Staffelgiebeln. Bogenfriese umziehen das Schiff, während die 3 Chöre ihre Gliederung durch Lisenen (Seitenapsiden) und Blendbögen mit Knospenkapitellen (Mitte) erhalten. Fragmente von Architekturplastik im Mauerwerk. – Das I n n e r e , breitgelagert (Breite des Mittelschiffs 10,5 m = ¹/₃ der Länge), durch die kennzeichnende Mauerschwere der bayerischen Pfeilerbasilika charakterisiert. Von den 7 Arkaden, deren Bögen sich merklich spitzen, entfallen 3 auf den erhöhten Chor. Unter diesem liegt die ausgedehnte Krypta, eine Halle mit 5 Gewölbejochen in 3 gleich hohen Schiffen, die mit einem schmaleren Joch in die halbrunde Apsis hineinwachsen. 4 quadratische Pfeiler mit Ecksäulen tragen das 3. Joch (von W); die übrigen Stützen haben quadratischen Grundriß und einfache Knospenkapitelle oder profilierte Kämpferplatten. An den Wänden wechseln Halbsäulen mit Pfeilern. Zwischen ihnen runden sich Blendbögen. – Der 1880 neu aufgeführte Hochaltar enthält die Flügel eines spätgot., um 1490 anzusetzenden Vorgängers, 12 Bildtafeln in der Art des Münchners Jan Pollack und 4 Relieftafeln, Szenen der Passion. Die am Chorbeginn stehenden Holzfiguren Maria und Johannes, um dieselbe Zeit entstanden, werden Erasmus Grasser zugeschrieben.

Die Klosterbauten fielen dem Schwedenbrand zum Opfer, 1646. – Östlich: die kleine Wallfahrtskirche Herrenrast, 1689.

INCHENHOFEN (Obb. – C 6)

Wallfahrtskirche St. Leonhard. Eine der ältesten Leonhardiwallfahrten, die ins hohe 13. Jh. zurückführt; seit 1284 von den Fürstenfelder Zisterziensern betreut. Neubau der sehr ansehnlichen 3schiffigen Pfeilerhalle (von der schweren Stämmigkeit der Münchner Frauenkirche) nach Mitte des 15. Jh. Der hohe, weithin blickende Turm wächst 1486 auf, erhält aber das Oktogon erst nach 1704. Erneuerungen der Raumausstattung 1610–23 (erhalten die Seitenaltäre), 1705/06 und um 1750–60. Die für den Raumeindruck wesentlichen Fresken der barocken Wölbung, einer Stichkappentonne, stammen aus dieser (letztgenannten) Zeit; Werke des in Inchenhofen geborenen fürstbischöfl. augsburgischen Hofmalers Ign. Baldauf, dem Titelheiligen und (im Chor) der Muttergottes gewidmet. Der prächtige Hochaltar (1755) erinnert an die Altarschöpfungen Egid Quirin Asams. Die Altäre der Seitenschiffe kommen noch aus den 20er Jahren des 17. Jh., der nördliche hat zur Mitte einen reitenden St. Martin, der südliche eine Pietà (Gnadenbild) Weichen Stils. Die vorzügliche Kanzel gehört den 60er Jahren des 18. Jh.

INDERSDORF (Obb. – D 7)

Ehem. Augustiner-Chorherrenstift

Der 1120 vom Papst gebannte Pfalzgraf Otto IV. wird unter der Bedingung der Stiftung eines Chorherrenstifts vom Bann gelöst. Die Sühnegründung wird 1126 durch Chorherren aus dem elsässischen Marbach besiedelt. 1131 erhält sie die »Libertas Romana«, die Rechte eines päpstlichen Eigenklosters. Im 15. Jh. gelangt es mit der »Indersdorfer Reform« zu hoher Bedeutung. 1783 verfällt es, überschuldet, kurfürstlicher Säkularisation. 1784 ziehen die Münchener Salesianerinnen ein, 1856 die Barmherzigen Schwestern.

Die **Kirche** wird 1128 geweiht und nach Brand von 1264 wiederhergestellt. Die massiven W-Türme im 15. Jh. z. T. erneuert. Der A u ß e n b a u zeigt eine langgestreckte, querschifflose Basilika. Barocke Überarbeitung verraten die erweiterten Fensteröffnungen und der turmartig angesetzte Chor. In der Vorhalle das spätroman. Portal mit gewulsteten Bogenläufen (um 1200). – Das I n n e r e hat den Charakter einer roman. Pfeilerbasilika bewahrt, doch ist ihm ein prunkvolles Barockgewand übergeworfen (1754 bis 1755). Meister der züngelnden Stuckrocaillen ist Fz. Xav. Feichtmayr. Barocke Pilaster leiten die mittelalterl. Pfeilergliederung zum Gewölbe. Zwischen ihnen und im Gewölbe schildern Fresken von Matth. Günther 1755 das Leben des hl. Augustinus. Der Chor isoliert sich als schachtartig erhöhter und überkuppelter Raum für den 1690/91 errichteten prächtigen Hochaltar. Als frühester einer wichtigen bayerischen Gruppe entwickelt er auf ovalem Grundriß seine eigene in sich geschlossene Räumlichkeit. Altarblatt mit Himmelfahrt Mariens von Andr. Wolff, bez. 1691, Figurenschmuck wahrscheinl. von Andr. Faistenberger und seiner Werkstatt. Die übrigen Altäre 18. Jh.; einer (rechts) mit Stammbaum Christi, Gemälde um 1450. An das südl. Seitenschiff lehnt sich die Rosenkranzkapelle, um 1755 reich stuckiert, mit Fresko Matth. Günthers von 1758. Altar 1721–28, an der Front der Mensa (durch Antependium verdeckt) Gemälde des Marientodes, um 1450. Spätgot. Muttergottes, Ende 15. Jh.

Klostergebäude 1693–1704. Kreuzgang mit got. Gewölben. Im O Nikolauskapelle mit guten, meist heraldischen Grabdenkmälern. Das Fresko, Matth. Günther nahestehend, schildert die Gründungsgeschichte. 2 Refektorien, Ovalräume.

INGOLSTADT (Obb. – D 6)

Nahe, am gleichen nördl. Stromufer, lag das mittelkaiserzeitliche Kastell Germanicum (Kösching), unweit des südl. Ufers das frühkaiserzeitliche bei Oberstimm und das spätkaiserzeitliche bei Manching, dieses im Einschluß einer (teilweise erhaltenen) riesigen Ringwallanlage der keltischen Vindeliker und nach dieser Vallatum genannt. Ingolstadt selbst, das die Schlüsselstellung der keltischen und röm. Plätze übernahm, entstand auf jungfräulichem Boden. Zunächst agilolfingischer Herzogshof, der, wahrscheinl., 728 vom Franken Karl Martell enteignet, dann aber von Karl d. Gr. zurückgegeben wird, um 788 mit dem Herzogtum der fränkischen Krone anheimzufallen. In der Reichsteilungsurkunde Karls, 806 als villa Ingoldesstat *erstmals namentlich erwähnt, 841 von Ludwig d. Deutschen an den Abt von Niederaltaich verschenkt, im frühen 13. Jh. (spätestens) wittelsbachisch. Herzog Ludwig*

d. Strenge setzt, nach 1255, an die SO-Ecke der sich spätestens unter ihm zu Markt und Stadt entwickelnden Siedlung eine erste Burg, den noch erhaltenen »Herzogskasten«. Gleichzeitig Bau der ersten Mauer, der 1363 ff. der 3mal größere, bis ins 19. Jh. ausreichende Bering folgt. Zugleich Korrektur des Donaulaufs, der jetzt dicht an die Stadt herangelegt wird. Anschaulichen Begriff der spätmittelalterl. Stadt geben die beiden Sandtnerschen Modelle von 1571 und 1573 (Ingolstadt, Besitz der Stadt; München, Bayer. Nationalmus.). Durch Ludwig d. Bayern mit dem die Stadtwerdung abschließenden sog. Stiftsbrief ausgestattet, rückt Ingolstadt durch die 3. bayerische Landesteilung 1392 zur Hauptstadt des Teilherzogtums Bayern-Ingolstadt auf. Der zweite Herzog, Ludwig d. Gebartete, setzt die großen baulichen Akzente, Liebfrauenkirche und Neues Schloß. Mit diesem ungewöhnlichen, leidenschaftlich-kämpferischen Fürsten erlischt die kurz befristete Ingol-

Ingolstadt, Hl.-Kreuz-Tor
(zu S. 401)

städter Linie; die Landshuter beerbt sie (1447). Sie schenkt der Stadt die Hohe Schule, 1472, die sich im 16. Jh. zu einem Hochsitz der Gegenreformation entwickelt; 1800 zu Kummer und Schaden der Stadt nach Landshut, schließlich, 1826, nach München verlegt. Nach dem Ausgang der Landshuter Linie, 1503, fällt Ingolstadt an Bayern-München. – Die Schlüsselstellung am Strom führt 1539 ff. zur Anlage einer bastionären Befestigung, die 1632 ihre Probe gegen die Schweden besteht. Verstärkungen der Fortifikationen in der 2. Hälfte des 17. Jh. Die Franzosen lassen sie 1800 schleifen. Eine neue Festung erwächst 1828 ff.; sie wird teilweise nach dem 1., endgültig nach dem 2. Weltkrieg demoliert. Die Stadt, in der Festungszeit exemplarische Soldatenstadt, kann wachsen, sie industrialisiert sich zunehmend (Ölraffinerie, Kraftfahrzeugwerke) und greift nun schon weit über den Grüngürtel des Glacis hinaus.

Die Stadt

Die erste Mauer (13. Jh.), nördl. der (heute überdeckten) Schutter, die nächst dem Neuen Schloß in die Donau mündet, umschloß ein Rechteck, dessen westl. Linie in der Höhe des Chores der Liebfrauenkirche, dessen östliche in der der Herzogkastens, dessen nördliche in der Linie Schrannenstr. – Holzmarkt und dessen südliche vor dem Hl.-Geist-Spital verlief. Dominierend die von O nach W zielende Straßenachse (Teil der Donautalstraße), die eine kürzere N-S-Achse quert. Der 1363–1430 geschaffene größere Bering ist in der Längsachse (Ludwigstr. – Theresienstr.) durch das 1417/18 ff. errichtete Neue Schloß (östl.) und das 1368 aufgeführte (dann ins Schloß einbezogene) Feldkirchner Tor begrenzt. Der erweiterte Bering schloß auch das bald nach 1270 vor dem N-Tor entstandene Franziskanerkloster und das 1319 vor dem S-Tor errichtete Hl.-Geist-Spital ein.

Die mit halbrunden Ziegeltürmen bewehrte **Mauer** ist nördl., westl. und südl. großenteils erhalten, südwestl. steht auch noch ein Torturm (Taschenturm). Die Haupttore, Donautor (südl.), Hardertor (nördl.), Feldkirchner Tor (östl.) sind gefallen; erhalten nur das mit einem Vorhof ausgestattete **Hl.-Kreuz-Tor** (1385), eine der reizvollsten deutschen Toranlagen des Mittelalters (der Blick des von W, Neuburg, Herankommenden ergreift sie zugleich mit den Türmen der Liebfrauenkirche).

Bis ins 17. Jh. der Donau-Übergang Bayerns, wird Ingolstadt 1539 ff. nach den Plänen des kundigen Grafen Reinhard Solms zur Festung des neuen bastionären Systems (die Wälle parallel zur mittelalterl. Befestigung) ausgebaut. 1659–79 im französ. System verstärkt, fällt sie 1800 größtenteils (einige Relikte westl., nordwestl.) der Schleifung durch die Franzosen zum Opfer. Unter König Ludwig I. beginnt 1828 der Bau der letzten Festung, an deren Werken nach den Plänen der bayerischen Ingenieur-Offiziere Streiter (südl. der Donau) und Becker (nördl. der Donau) Klenze gestaltend mitarbeitet. In den 60er und 70er Jahren Anlage eines äußeren Fortgürtels. Auch diese starke Festung existiert nicht mehr. Das Erhaltene – das Reduit Tilly am S-Ufer nächst der Brücke, die östl. und westl. benachbarten Türme Bauer und Triva sowie die Kavaliere Zweibrücken, Hepp, Elbracht und Heideck – gibt einen hohen Begriff von klassizistischer Festungsarchitektur.

Ingolstadt hat den Charakter einer Festungs- und Garnisonstadt verloren. Die Altstadt im Ring der mittelalterl. Wehr, im Ganzen wohl erhalten, zählt zu den schönsten Zeugnissen altbayerischen Städtebaus. Die Rückgratachse, der große breite WO-Straßenzug (Theresienstr. – Ludwigstr.) mit dem mächtigen Blickfänger der Liebfrauenkirche im W und der Moritzkirche etwas unterhalb der Mitte ist durch die geschlossene Reihe giebelseitig zur Straße stehender Bürgerhäuser (der Giebel häufig geschweift umrissen) gekennzeichnet. Preiswürdig der Blick über die nördl. Häuserzeile der Theresienstraße (ehemals Weinmarkt) zu den Türmen des Münsters, dessen geballte Masse auch das Fernbild der Stadt allseitig bestimmt.

Stadtpfarrkirche zu Unserer Lieben Frau
(Tafel S. 416)

Als zweite Pfarrkirche der Stadt neben der älteren, St. Moritz, mit entscheidender Anteilnahme Herzog Ludwigs d. Gebarteten 1425 begonnen (Bauinschrift in der Vorhalle des SO-Portals). Der Wunsch des Herzogs, im Chor der Kirche zur »schönen unser Frauen« (so von ihm selbst nach der 1436 von ihm geschenkten franzöz. Goldschmiedewerk einer Muttergottes genannt) begraben zu werden, ging nicht in Erfüllung (er ruht in Raitenhaslach; das 1435 dat. Modell der nie ausgeführten Grabplatte im Bayer. Nationalmuseum). Die Halbfigur eines Fürsten (Steinrelief) im Bogen der inneren südwestl. Turmpforte darf auf ihn bezogen werden. Die des Erbärmde-Christus der nordwestl. Pforte ist ihr thematisch zugeordnet. Der planende Werkmeister ist nicht überliefert und wohl besser im Schwäbischen (Ulm, Nördlingen) als im Bayerischen (Landshut, »Stethaimer«) zu suchen. Die baugeschichtlichen Daten: Der Ring der Chorkapellen steht wahrscheinl. 1438. Eine für 1439 bezeugte Weihe wird sich auf den Chor beziehen lassen. 1441 stehen die Türme noch nicht, Langhaus und (vermutl. auch) Chor sind noch ungewölbt. 1464–70 ist Friedr. Spyss Werkmeister. 1495 wird der »hintere Teil« der Kirche (Langhaus oder nur W-Schluß des Langhauses?) geweiht. 1496–1504 ist der Steinmetzmeister Hans Rottaler tätig, unter dem sich, 1503/04, die Wölbun-

gen des Langhauses und viell. auch die des Chores (wenn nicht doch schon früher) schließen. Die Türme stehen um die Wende des Jahrhunderts bis zu 4 Geschossen; nur der südliche wächst 1521 noch um ein fünftes weiter. 1510–25 ist der gleichzeitig am Regensburger Dom tätige Erhard Heydenreich Werkmeister. In seine Jahre fallen die Seitenkapellen, die südlichen drei 1510–13, die nördlichen drei 1513, 1514 und nach 1515. Unter dem folgenden, letzten Meister Ulrich Heydenreich, Vetter des Erhard, 1525–36, kam nicht mehr viel hinzu. – Der nördl. Turm der nie zur Gänze vollendeten 2-Turm-Front wird 1779 noch um ein Geschoß aufgestockt; die Helmkuppeln entstehen 1791. Eine auf »Reinigung« bedachte Restaurierung fand 1848–61 statt. In den letzten Jahren wurden große Teile des Außenbaus einschließlich der Türme vom Schmutze der Zeiten, zum Vorteil der zart roten farbigen Erscheinung, gesäubert.

Die in Langhaus und Chor 3schiffige Halle, ein Ziegelbau mit Hausteingliederungen, ist eine der Großleistungen altbayerischer Spätgotik. Der Außenbau *ein* mächtiger, nur durch die Folge der Streben gegliederter, von *einem* Dachsattel überhöhter Körper, von den beiden übereck gestellten Fronttürmen nur wenig übergipfelt, aber auch sie von eindrucksvoller Wucht. Ihre im Sinne des Wortes sonderbare Übereckstellung ist aus Gegebenheiten des Schloßbaus (s. die Türme des vom gleichen Herzog 1417/18 beg. Schlosses) abzuleiten; tatsächlich waren die Türme, als Geschützstände, in die Fortifikation der Stadt, ihrer naheliegenden W-Mauer, einbezogen. – Sparsame Schmückung der 5 Portale, reicher nur das westliche (dem die geplante Vorhalle versagt blieb) und das südöstliche: Apostel in Gewände und Bogenläufen (westl.), Statuen der Verkündigung und Heimsuchung, in den Bogenläufen Gruppen einer Anbetung der Könige (südöstl.; Mitte 15. Jh.). – I n n e r e s. Eine einheitliche 3schiffige, im Mittelschiff um 5 m überhöhte Halle (82 m lang, 31 breit, 27,5 hoch), Ziegel, verputzt, mit starken Rundpfeilern, die auf Vorder- und Rückseite mit je einem Dienst besetzt sind. Die W-Wand in der Breite der Seitenschiffe abgeschrägt und so der Brechung des Chorschlusses antwortend. Die ihr vorgelegte Orgelempore barock (1675; 1829 verändert). Das von einfach figurierten Netzrippengewölben gedeckte Langhaus zählt 8 Joche. Die von niedrigen Kapellen begleiteten Seitenschiffe umfassen in 5 Seiten des Zehnecks den lediglich durch Engerstellung des letzten Pfeilerpaares gebrochenen Chorschluß des Mittelschiffs. Erstaunlich die im hohen Maße ornamentalen, in ihren Figurationen kaleidoskopartig wirkenden Rippengeflechte der 3 südwestl. und nordwestl. Kapellen des Langhauses: ein gegen die Mitte zu sich verdoppelndes und sich hier frei ablösendes Gesprieß bizarrer Ast- oder Wurzelstäbe, eine typische, aber auch außerordentliche Leistung letzter Spätgotik.

A u s s t a t t u n g. Der den Dimensionen des Münsters gewachsene und ihm auch noch trotz des späten Jahres, 1572, stilnahe *Hochaltar* ist Werk zweier Münchner, des Malers Hans Mielich und des (durch die Visierungen des Malers gelenkten) Kistlers Hans Wisreuther; Stiftung Herzog Albrechts V., den Hochschule (die damals ihr 100. Gründungsjahr beging) und Stadt unterstützten; Denkmal der jetzt wieder erwachenden Freude am Schmuck des Gotteshauses, Denkmal einer eigentümlich deutschen, spätgotisch durchwachsenen Renaissance: ein Wandelaltar der herkömmlichen Form, doch retabelartig ausgebreitet, ein Fachwerk gemalter Tafeln, durch flache antikische Pilaster und ein starkes Hauptgesims (Architrav) gegliedert, bekrönt von einem sich wieder von der Horizontalen befreienden, in Fialen aufsprießenden Sprengwerk. Das Programm ist umfassend, eine (sicher von den Theologen der Hochschule festgelegte) »Summe«, die wir hier nur abkürzend aufgliedern können. Der bis zu 9 m aufsteigende, insgesamt 91 Gemälde enthaltende Altar zeigt bei offenen Flügeln das Marienleben (doch beachte man wohl die anspruchsvoll repräsentative Darbietung der herzoglichen Stifterfamilie auf der großen Mitteltafel), bei offenen Außenflügeln die Passion, bei geschlossenen Flügeln Darstellungen des lehrenden und wunderwirkenden Christus. Die Altarstaffel bringt die Auferweckung des Lazarus und die Evangelisten, das Sprengwerk die Himmelfahrt Mariae und (plastisch) ihre Krönung. Auf der Rückseite, groß, die Disputation der hl. Katharina von Alexandria, mit einer Fülle von Porträts der Professoren der Hohen Schule; im Sprengwerk St. Michael, die Schafe von den Böcken scheidend, und, zuhöchst (wieder plastisch), Christus als Endrichter. Der Künstler hatte einen sehr begabten Helfer, nach ungesicherter Meinung Christoph Schwarz. Übermalungen (1851) erschweren die Beurteilung.

Die im Altar noch schwankende Renaissance tritt im Chorgestühl, Arbeit eines Schreiners Wenzel nach wohl aus München gekommenem Entwurf, 1565, rein zutage. Von gleicher Hand auch die Kanzel. Der über Gestühl und Altar vorgreifende Blick trifft auf das Glasgemälde des mittleren Hochfensters, eine 1527 dat., von Hans Wertinger, dem Landshuter, geschaffene Verkündigung mit den ihr zugesellten Stiftern, den Herzögen Wilhelm IV. und Ludwig X. – Auf dem jetzt anzutretenden Rundgang beginnen wir mit der westl. Kapelle der N-Seite: 1. Kreuzigungsaltar vom

Ingolstädter Maler Melchior Feselen, 1527. – 2. Marientod, Mittelstück eines sonst verlorenen Schnitzaltars von etwa 1490, das ausgezeichnete Werk eines wohl einheimischen Meisters (Leihgabe des Bayer. Nat.-Museums). – 3. Roman. Kruzifixus, 2. Hälfte des 12. Jh. Gegenüber das Gnadenbild der *Mater ter admirabilis*, Kopie des römischen Lukasbildes in der S. Maria del Popolo, ehemals in der Kapelle des Jesuitenkollegs; dazu, an der Rückwand der Kapelle, die kniende Figur des mit einer Vision der »Dreimal Bewunderungswürdigen« begnadeten Jesuitenpaters Rem. – An der Wand seitlich des Sakristeieingangs (rechts) das vorzügliche Rotmarmor-Epitaph des (lehrend dargestellten) Professors Joh. Permetter (1505), das man dem Augsburger Hans Beierlein zuschreiben darf. – 6. Bronze-Epitaph des »Theologus invictus«, des schwersten Gegners Luthers, Prof. Joh. Eck (1542). – Das an der Wand folgende Sakramentshaus entstammt dem 19. Jh. (1851). – 7. Gemälde der Beweinung, sign. und dat. Matth. Kager 1629. – 8. Gute Holzfiguren, Lorenz und Sebastian, eines verschollenen Florianaltars von etwa 1520, zu seiten eines annähernd gleichzeitigen Kruzifixus. – Es folgt, im Umgang neben der Kapelle, das Denkmal des 1651 in Ingolstadt gestorbenen Kurfürsten Max. I. (dessen »viscera« hier beigesetzt wurden), ein Bronze-Engel mit Schriftband, viell. Arbeit Hans Krumpers. – 11. Denkstein Herzog Ludwigs d. Gebarteten, Steinrelief, ehemals am Feldkirchner Tor (1434), ikonographisch mit dem Multscherschen Modell der geplanten Grabplatte (1435) übereinstimmend. Die Steinmuttergottes über dem Altar ist ein gutes (nicht ungestört erhaltenes) Bildwerk des mittleren 15. Jh.

Wir schließen mit einem Hinweis auf die in mehrere Fenster des Langhauses eingesetzten Bildscheiben des späten 15. und des 16. Jh., v. a. auf die von Hans Wertinger gemalten Scheiben von 1525 in der 6. Kapelle und die guten, auch gegenständlich interessanten mit den Emblemen verschiedener Zünfte in den Fenstern mehrerer Chorkapellen.

Stadtpfarrkirche St. Moritz

Älteste, in karoling., wenn nicht agilolfingische Zeit zurückführende, bis 1407 einzige Pfarrkirche der Stadt. Ein 1234 geweihter spätroman. Bau steckt noch, als Mauerkern, im Langhaus der Kirche; auch der nördl. stehende sehr starke Turm weist in diese Zeit. Der zweite, südwestl. stehende sog. Pfeifturm möglicherweise im 14. Jh. (?) als Stadtturm errichtet, Exponent des südl. anschließenden Rathauses. Der Chor wurde um die Mitte des 14. Jh. erneuert, 1359 geweiht. Das 14. Jh. fügte aber auch die nördl. Seitenkapellen hinzu (die südlichen folgen erst im 17.). Das 15. Jh. erhöhte und wölbte das Langhaus (bis 1489). Eine reiche Ausstattung des 18. Jh., mit Stukkaturen J. B. Zimmermanns und Fresken Ph. Helterhofs, fiel dem Stilpurismus des späten 19. Jh. zum Opfer. Eine letzte Wiederherstellung, 1946, bedingt durch die

Kriegsverletzungen des Chores, trug wieder einige wenige Teile der spätbarocken Ausstattung zurück.

St. Moritz besetzt eine zentrale Stelle des Stadtgefüges, im Schnitt seines Achsenkreuzes, eine wirkungsvolle, durch die beiden in der Diagonale stehenden Türme beherrschte Baugruppe v. a. in der Wendung gegen S. Hier stellt sich das (von G. Seidl 1882 weitgehend verjüngte) Rathaus als Riegel vor. – Die Arkaden der 3schiffigen Basilika ruhen auf stämmigen Rundpfeilern. In den Hochwänden verhältnismäßig kleine Fenster. Der Chor bricht in 5 Seiten des Achtecks und ist, östlich und südlich, in hohen schmalen Fenstern geöffnet. – Der Hochaltar konnte seinen Tabernakel von 1765 zurückgewinnen, auch die Seitenfiguren, Mauritius und Gereon, von der Hand des Eichstätters J. A. Breitenauer, gehen auf den 1888 abgetragenen Vorgänger zurück. Dessen Gemälde, die Marter des Titelheiligen, von J. N. Schöpf, 1765, jetzt an der N-Wand des Chorhauses. Auf dem Altar an der O-Wand des nördl. Seitenschiffs die vorzügliche Silberstatuette der Immaculata, die, eine Arbeit des Münchner Goldschmieds Jos. Fr. Canzler, 1760, ein Modell Ign. Günthers voraussetzt. – Zählen wir noch auf, was sich an guten Kunstwerken an und in der Kirche findet: außen, am SW-Eck des Pfeifturms, die kraftvolle Holzfigur des Erbärmde-Christus von 1601; in der Vorhalle des NW-Portals die stehende steinerne Muttergottes von rd. 1330 und der Holzkruzifixus des frühen 16. Jh.; innen, in der 3. nördl. Seitenkapelle, das Epitaph des Andr. Mungst (1494), mit dem Nischenrelief der Verkündigung zwischen Nikolaus und Katharina, ein feines Werk augsburgischer Prägung, und der Kruzifixus an der S-Wand des Schiffes, wie der des N-Portals aus der Frühzeit des 16. Jh.

Minoritenkirche

1270 beginnen die Franziskaner (Minoriten) vor dem N-Tor des ersten Mauergürtels ihre Kirche zu bauen. 1277 werden Hochaltar und Chor geweiht, in nächster Folge entsteht dann wohl das Langhaus. 1383 wird der Chor erweitert, um 1400 erhalten die Seitenschiffe ihre Wölbungen. Gleichzeitig wird der auf die O-Mauer des Mittelschiffs und den Chorbogen gestellte 6eckige Dachreiter (oberen Teils 1881 erneuert) aufgesetzt. Die flache Balkendecke des Hochschiffs weicht erst 1716–18 einer Stichkappentonne (in Holz). Die Säkularisation liquidiert das Kloster, die Kirche wird Garnisonskirche. Die 1827 wiederkehrenden Franziskaner erhalten die

*ehem. Augustinerkirche, die, eine der großartigsten Kirchen Joh.
Mich. Fischer, 1945 vernichtet wurde. Wenig später stellte ihnen
der Staat ihr altes Kloster wieder zur Verfügung.*

Schlicht, wie das Ä u ß e r e , das in aller Strenge die Struktur einer got. Basilika abzeichnet, ist das I n n e r e . Die
bescheiden gehaltenen barocken Wölbflächen und verbreiter-
ten Fenster des Obergadens wollen nicht recht mit der herben Form der älteren Raumgrenzen in Einklang kommen.
Doch diese, für sich, sprechen noch eindringlich genug: die
spitzbogigen Arkaden, die straffen, got. Gewölbe der Seitenschiffe. Auch die alte got. Chorwölbung ist noch da, wenn
auch verdeckt durch den nach vorn gerückten aufwendigen
Hochaltar von 1755. Hinter ihm der Mönchschor mit gutem
Gestühl von 1613.

A u s s t a t t u n g . Die Kirche ist außerordentlich reich an Epitaphien. Wir nennen hier nur die besten: das für Elisabeth und
Dorothea Esterreicher, 1522 (am Eingang), und das wohl gleichzeitige für das Ehepaar Esterreicher (in der um 1700 erbauten,
südl. Montfortkapelle), beide von Stephan Rottaler aus Landshut;
das des Professors Wolfg. Peisser sen., 1526 (am 1. südl. Pfeiler),
von dem Augsburger A. Daucher, eine flache Renaissancenische,
die den Verstorbenen im frommen Disput mit den Engeln darstellt; Loy Hering aus Eichstätt arbeitete die Epitaphien Tetten-
hammer (1543), Helmhauser (1548, beide an der S-Wand) und das
des Statthalters Johann von der Leiter (1547, am 6. südl. Pfeiler,
O-Seite). Die Bronzetafel mit der figurenreichen Totenerweckung
(an der N-Wand), Epitaph für den herzogl. Rat Chr. Gewold,
1612, wird dem Münchner Hans Krumper zugeschrieben. In der
südlich 1601 angebauten ehem. Lichtenauer-Kapelle steht seit 1945
das Gnadenbild der »Schutter-Muttergottes«, eine Arbeit des frühen 15. Jh. Hier auch das Preysing-Epitaph aus der zerstörten
Franziskanerkirche von Ignaz Günther, 1770. Die angrenzende
Lorettokapelle entstand 1642.

Die **Gnadentalkapelle** (Harderstr.) der Franziskanerinnen, deren Konvent ins späte 13. Jh. zurückreicht, ist ein kleiner, mit dem Chor in die
Straßenzeile gestellter Bau d. J. 1487, der im 18. Jh. barock übergangen
und in jüngster Zeit, in guter Anpassung an den spätgot. Bestand, neu
gestaltet wurde. Die großartige Anna Selbdritt an der S-Wand des
Schiffes ist ein Spätwerk Hans Leinbergers; die Formgebärde letzte
»barocke« Spätgotik, der üppige Rahmen Renaissance in eigenwillig
deutscher Interpretation. Die Muttergottes über dem Choraltar ist eine
gute, vermutl. einheimische Bildschnitzerarbeit d. J. 1522.

Spitalkirche Hl. Geist (Donaustr.). Das Spital, Stiftung König Ludwigs
d. Bayern, 1319, lag urspr. vor der Mauer; erst die »Erweiterung« des
Ringes im späten 14. Jh. bezog es in sie ein. Die Kirche legt sich dem
langen Trakt des Spitalgebäudes als östl. Kopf vor; die in 3 hohen

Fenstern geöffnete, von einem mit Blenden überschriebenen Giebel überhöhte O-Wand des flachschlüssigen Chores steht in der westl. Häuserzeile des Marktes. Die 3schiffige Halle mit starken Rundpfeilern und
Kreuzgratgewölben geht wohl in die 2. Hälfte des 14. Jh. zurück.
Eine Ausmalung des späten 16. Jh. (1597) wurde 1904–16 zurückgewonnen. Stuck und Fresko kamen um 1710/20 hinzu. Beide Decora-
tionen vertragen sich und vertragen sich auch schönstens mit der Spätgotik des Raumes.

Sta. Maria Victoria

*Urspr. Betsaal der Marianischen Studentenkongregation. Grund-
steinlegung durch die Vertreter der 4 Fakultäten am 1. V. 1732,
Weihe 1736. Der Baumeister ist fraglich, schwerlich Cosmas Damian Asam selbst, der 1734, angebl. in 8 Wochen, die großartige,
den an sich einfachen Saalraum beherrschende Freskenausstattung
schuf; erwähnenswert, daß er die Hälfte des bedeutenden Hono-
rars (10 000 Gld.) zurückschenkte. 1803 geht der Saal (gleichartige
Kongregationssäle in München, Augsburg, Landshut, die ältesten
in Amberg, 1678, und Dillingen, 1689) an die Marianische Bürger-
kongregation vom Siege über.*

Die von einem Giebel beschlossene, gegen die Neubaugasse
gestellte Front ist durch Lisenen gegliedert und mit Stuck
(Bandelwerk) geschmückt. Das große, helle, über Hohlkehle
flachgedeckte, durch eine kleine östl. Vorhalle – über ihr die
schmal schluchtende Orgelempore – zugängliche Rechteck
empfängt sein Licht durch die doppelte Fensterreihe in den
Nischen der Längswände. Das mächtige (40 m lange, 15 m
breite) stark farbige *Fresko* füllt einheitlich den Spiegel der
Decke. Das vielschichtige, theologisch gelehrte Programm
vermutl. Beitrag der Hohen Schule, doch gelang es der strö-
menden Phantasie des Malers, die gedanklichen Inhalte an-
schaulich zu bewältigen. Zielpunkt (westl.) ist die von großer
Architekturkulisse hinterfangene, vom göttlichen Gnaden-
strahl getroffene Jungfrau, der sich von den Rahmenrän-
dern her die Gruppen bildenden, allegorisch beziehungsrei-
chen Personifikationen der 4 Erdteile, als Empfänger der
durch sie vermittelten Gnade, zuwenden; über der Empore
der Höllensturz. Die Hohlkehle von Stuckornamenten überspielt. – Der mit einem älteren Gemälde (um 1670) und den
Patronen der Fakultäten (Cosmas, Thomas von Aquin, Ivo,
Katharina) ausgestattete Hochaltar gehört dem Dillinger
Bildhauer Joh. Mich. Fischer (um 1763); er erinnert, in den
Säulenstellungen, im Baldachin, an Altäre Dominikus Zimmermanns. An den Wänden, in schwingenden Rahmungen,
Ölgemälde von G. B. Götz, J. G. Wolcker, M. Puchner und

Chr. Th. Scheffler (1749–53). Das Wandgestühl (von Mich. Vogel und Andr. Hofkofler, Ingolstadt, 1748) und die Schranktüren (1737) sind reizvolle Intarsienarbeiten. Das Ganze bezaubert in ungestörter Einheitlichkeit, ein Festsaal der Marienverehrung.

In der **Sakristei** die berühmte silberne Monstranz mit der getriebenen, allegorisch verschlüsselten Darstellung der Seeschlacht von Lepanto, das virtuose Werk des Augsburger Goldschmieds Joh. Zeckel um 1708.

Die **ehem. Klosterkirche der Augustiner** (seit 1606, dann – seit 1827 und bis 1945 – der Franziskaner) erlag dem 2. Weltkrieg, der nur diesen Teil unterhalb des Alten Schlosses heimsuchte; was noch an Mauer stand, wurde 1949/50 abgeräumt. Die zentral disponierte Kirche (Quadrat mit Ovalkapellen in den Diagonalen), 1739 errichtet, 1740 von J. B. Zimmermann mit Fresken ausgestattet, war eines der bedeutendsten Werke J. M. Fischers. – An ihrer Stelle jetzt das 1963 begonnene, 1966 eröffnete **Stadttheater Hardt** W. Hämers, eine unregelmäßig begrenzte Betonwucht, mit der sich die alte Stadt (die Blicklinie von W her erfaßt zugleich die beiden Schloßbauten des Mittelalters) vertragen muß und auch verträgt.

Zu den modernen Kirchen der Stadt folgende Angaben: 1917 entstand die **Pfarrkirche St. Anton** (1945/46 erneuert), ebenfalls 1917 **St. Josef**, als Notkirche, an deren Stelle 1963 der Neubau Jos. Elfingers trat; 1951 die von H. Zitzelsberger erbaute **Herz-Jesu-Pfarrkirche**, gleichzeitig die **Pfarrkirche St. Konrad**. Die Vollendungsjahre der **Pfarrkirchen St. Pius** und **St. Augustin** sind 1958 und 1959; der Architekt der ersten ist J. Elfinger, der zweiten H. Zitzelsberger. Als erste ev. Pfarrkirche entstand 1846 **St. Matthäus** am Schrannenplatz, ein neugot. Ziegelbau A. Heideloffs, als zweite **St. Lukas**, 1953–55, als dritte **St. Markus**, 1960.

Neues Schloß

Die Stadterweiterung des 14./15. Jh., die das im »Herzogskasten« erhaltene Alte Schloß um die unentbehrliche Ecklage bringt, veranlaßt den Bau einer »Neuveste« im SO-Eck des größeren Berings. Der Bauherr ist Herzog Ludwig d. Gebartete; die Bauzeit des Hauptschlosses läßt sich in die Jahre 1418–32 eingrenzen. Unter den 1447 nachfolgenden Landshuter Herzögen entsteht um 1450 die (1973 durch Neubau ersetzte) Statthalterei nördl. des Hauptbaus, wird der westl. anliegende Hof erweitert und (1471) durch einen zweiten Graben gesperrt, tritt (1555) an die N-Seite das Zeughaus (urspr. Getreidekasten), werden (1539 ff.) die Grabenwälle durch Bastionen verstärkt, wird das in Teilen (2. Obergeschoß) noch unfertige Hauptschloß vollendet und werden die O-Türme erhöht. – 1613 zerstört ein Blitzschlag das 2. Obergeschoß. 1677 (wahrscheinl.) wird die das Gebäude in der Mitte teilende Stiege durch eine Treppe ersetzt. Eine (schlechte) Neubedachung, um 1800, ging 1945 zugrunde. Die durch die 1963 beschlossene, 1969 vollzogene Verlegung des Bayer. Armeemuseums nach Ingolstadt veranlaßte Instandsetzung (mit Rekonstruktion der alten, durch das Sandtnersche Modell überlieferten Dachgestalt) des Hauptgebäudes ist

abgeschlossen; die der übrigen, den Hof umstellenden Gebäude
wird voraussichtlich noch ein Jahrfünft in Anspruch nehmen.

Nördl. und westl. liegt das mit der S-Seite der Donau zugekehrte Schloß noch in der Umfassung des breiten und
tiefen Grabens. Ein mit 2 Relieftafeln (Paris-Urteil, Ak-
täon) geschmücktes, von einem kleinen, in der Erscheinung
spätbarocken Turm überhöhtes Spätrenaissancetor (1580)
läßt in den an der N-Seite vom langen Rechteck des Zeughauses besetzten Schloßhof ein, den der innere Graben vom
Hauptschloß (und der nördl. angrenzenden Statthalterei)
trennt. Im Rücken der im 19. Jh. entstellten, neuerdings abgetragenen Statthalterei das alte, im späten 14. Jh. gebaute
Feldkirchner Tor, das Herzog Ludwig 1434 zum Verdruß
seiner Stadt für das Schloß annektierte. Das Hauptschloß
ist ein wuchtiger Ziegelbau, Rechteck mit 2 übereck gestellten
Türmen an der W-Seite, einem frei vortretenden, ebenfalls
auf Kant gedrehten, sehr starken Haupturm am SO-Eck
und einem 5seitigen am NO-Eck. Der auf mächtigen Keller-
gewölben mit starken rechteckigen Rippen ruhende Bau erhebt sich in 3 Geschossen, deren 3., 1945 demoliert, jetzt
wieder ausgebaut ist. Das Erdgeschoß ist in allen, das
1. Obergeschoß in den meisten Räumen gewölbt. Im N-Flügel (nördl. der Treppe) je ein großer Saal, der des Erdgeschosses (Dürnitz) um 1450 gewölbt: Netzrippengewölbe
auf 2 Achtkantpfeilern. Die Wölbung des großen Saales
(Tanzsaal) im 1. Obergeschoß geht in die erste Bauzeit zurück, der die Räume des S-Flügels (beider Geschosse) wohl
samt und sonders zugehören. Sehr schön der füglich so genannte Schöne Saal im 1. Obergeschoß (SO), dessen Sternrippengewölbe einer gewundenen Mittelstütze entwachsen.
Ein rühmenswertes Steinmetzenzierstück ist das Gewände
der in die westl. anliegende Turmstube einlassenden Pforte,
ein anderes die Wappentafel an der Wand seitlich des Eingangs zur Kapelle. Eine gute spätgot. Balkendecke im Zimmer an der SO-Seite. – Die Räume des Neuen Schlosses sind
beste spätgot. Profanarchitektur. Einige der Steinmetzen, die
die Werkstücke (Fenster- und Türstöcke, Pfeiler etc.) ausführten, arbeiten später, 1425 ff., nach Ausweis der Zeichen,
an der Liebfrauenkirche.

Hohe Schule. Herzog Ludwig d. Gebartete stiftete 1434 ein Pfründhaus,
das spätestens 1438 stand und das sein Nachfolger Herzog Ludwig d.
Reiche zweckentfremdete; er bestimmte es zum Hause seiner 1472 ge-

gründeten Universität. Ein hoher, starker, 3geschossiger Block mit Giebel über den Schmalseiten und Türmchen auf den Giebelspitzen. – Östl. benachbart das von Herzog Georg 1494 gestiftete **Collegium Georgianum**, in dem sich nach Verlegung der Universität eine Brauerei installierte, die aber nun auch wieder den Tempi passati angehört. – Im Zusammenhang mit der Hohen Schule ist noch das barocke **Gebäude der Anatomie** (1723 ff.) in geringer Entfernung südlich zu nennen, das 1971 durch eine gute Restaurierung verjüngt worden ist. – An die Jesuiten, Leiter dieser Alma mater und Hochburg der Gegenreformation, erinnern noch Teile des **Konviktbaus** ihrer 1583 errichteten Kollegs (nordöstl. der Liebfrauenkirche). Beachtlich der reich stuckierte O r b a n - S a a l , der einmal das Museum des Jesuiten Orban beherbergte.

Die **Bürgerhäuser**, meist in Giebelstellung zur Gasse, stehen noch in guten geschlossenen Reihen, wenn schon da und dort – bes. in der Ludwigstraße – von schonungslosen Einbrüchen betroffen. Durch reiche Stuckzier der Fassade ausgezeichnet das **Ickstatt-Haus** (Ludwigstr. 5) aus der Mitte des 18. Jh. Durch gute plastische Gliederung das vom einheimischen Baumeister Haltmayr aufgeführte **Landschaftsgebäude** Theresienstr. 25, etwa 1750–60. Das **Alte Rathaus** am Markt (ehemals Salzmarkt) nimmt zwar den Standort des alten ein, wurde aber erst 1882 durch Gabriel Seidl zu dieser, durch deutsche Renaissance inspirierten Gestalt gebracht. Das **Neue Rathaus**, an der östl. Platzseite, entstand 1960 nach den Plänen Th. Steinhausers.

Zeugnisse der roman. Baukunst dieser Gegend sind die nordöstl. gelegenen **Kirchen** von **TOLBATH** und **WEISSENDORF**, beide aus dem Beginn des 13. Jh., beide mit interessanter Bauplastik. Romanisch ist auch die weiter östlich, in Nähe der Donau gelegene **Kirche** in **PFÖRRING**, deren Zweitürmigkeit auffällt.

INGSTETTEN (B. Schw.) → **Roggenburg** (B 6)

INNING am Ammersee (Obb. – C 7)

Die **Pfarrkirche St. Johann Bapt.** ist ein guter Dorfkirchenbau, weit über dem ländlichen Durchschnitt. Baumeister ist B. Trischberger aus dem Münchener Baubüro des Joh. Mich. Fischer. Bauzeit: 1765–67. Das Laienhaus steht über einem Rechteck mit abgeschrägten und genischten Ecken, die von kräftigen Pilasterstellungen gerahmt sind. Die vorzügliche Ausstattung, Stuckwerk von Tassilo Zöpf, Fresken von Chr. Winck (Taufe Christi und Predigt des Täufers) und die gesamte Altareinrichtung gehören der Erbauungszeit.

IPHOFEN (Mfr. – C 3)

Frühfränkischen Ursprungs, Königshof, schon im 8. Jh. dank karoling. Schenkung (von Kirche und Kirchenzehnt) teilweise würzburgisch, steigt das Dorf an der Heerstraße Würzburg – Kitzingen – Nürnberg Ende des 13. Jh. zur Stadt auf und bewehrt sich wenig später mit Mauern, zunächst noch ausschließlich der (hohenlohe-

*schen) Vorstadt des »Gräbenviertels«, die erst nach Erwerb durch
das Hochstift, Ende des 14. Jh., in den Gürtel einbezogen wird.
Verwaltungssitz des nach ihm benannten hochstiftischen Amtes,
bleibt Iphofen würzburgisch bis zum Ausgang des Hl. Römischen
Reiches.*

Das **Stadtbild** ist besterhalten altfränkisch. Die Mauer, 1293–1349 aufgeführt, steht noch großenteils, auch 3 **Tortürme** – der Rödelseer nördlich,
der Einersheimer südlich, der Mainbernheimer westlich – stehen noch.
Vorzüglich der **M a r k t** mit Rathaus, Brunnen (1759) und der, von
oben her, mit Chor und Turm in den Blick tretenden Pfarrkirche. Reizvoll ist die Baugruppe des Rödelseer Tores, nördl. der Pfarrkirche, mit
dem malerischen Zwinger.

Kath. Pfarrkirche St. Veit

*Die alte Pfarrkirche war St. Martin (im Friedhof südöstl. der
Stadt). St. Veit, 1297 »capella civitatis«, lief ihr um 1300 den
Rang ab. – Der Neubau begann im frühen 15. Jh. (vor 1413) mit
dem Chor; am Mittelschiff wird noch 1508–24 gearbeitet. Dann
tritt eine lange Unterbrechung ein; endlich, um die Wende zum
17. Jh., hilft Bischof Julius, die Gewölbe schließen sich (Jobst
Pfaff dürfte sie in den 90er Jahren gemacht haben); der Turm,
an der N-Seite des Chores, steigt noch um ein Stockwerk.*

Ä u ß e r e s. An der N-Seite des Chores wächst der hohe,
in Würfelgeschossen gegliederte Turm auf. Im Winkel zum
Chor ein Treppentürmchen, rund beginnend, 8eckig weiter-
strebend und wieder rund endend, mit Stäben und Friesen
geschmückt. Der große Körper des Langhauses gestuft durch
die anliegenden Seitenkapellen. Die Bogenformen gehen
schon ins reine Halbrund über. Ein Rundbogen umschließt
auch die beiden Spitzbogenpforten des südöstl. Portals (mit
1529 dat. Anna Selbdritt) wie die gedoppelten Fenster der
südl. Seitenkapellen. An der N-Seite ein (auch rundbogiges)
Pförtchen mit geschraubten Säulen im Gewände. – I n n e -
r e s. Die 3schiffige, 8 Joche reihende Halle imponiert durch
die außerordentlich hohen Rundpfeiler, die mit antikischen
Kapitellen abschließen, aber dieser modische Zierat will nicht
viel bedeuten, denn absolut herrschend sind die spätgot. Stilformen, auch in den Sterngewölben der Juliuszeit. Der durch
hohe Fenster erhellte Raum ist nun allerdings so klar übersichtlich, so perspektivisch in seinem Ablauf zum 2jochigen,
5seitig schließenden Chor hin, daß die Beteiligung eines
»modernen« Stilgefühls doch nicht zu verkennen ist.

A u s s t a t t u n g. Die Altäre barock, frühes 18. Jh. In den Fenstern des Chorschlusses eine Anzahl gemalter Scheiben des frühen
15. Jh., Szenen aus der Legende der hll. Veit und Sebald, nächst

verwandt den Scheiben der Münnerstädter Pfarrkirche. Einzelne
Kunstwerke von Rang: die Stein-Muttergottes Weichen Stils, auf
Konsole, mit 3 musizierenden Engeln, und unter Baldachin, an der
N-Wand des Chores; die sehr feine Holz-Muttergottes, auch Weichen Stils, am Chorbogen rechts; der Johannes Ev., Til Riemenschneider zugeschr., in der südöstl., der hl. Johannes Bapt., ein gutes Werk gleicher Stilstufe, um 1510, in der nordöstl. Seitenkapelle;
der Marientod, Holzrelief des frühen 16. Jh., in der 2. Kapelle
südl.; unter den Grabsteinen ist der des Jörg v. Knotstat (1533),
möglicherweise von Georg Riemenschneider, dem Sohn, hervorzuheben.

An der S-Seite der Pfarrkirche steht die alte Gottesackerkapelle **St. Michael**, ein kleiner got. Karnerbau wohl des 14. Jh., der (profaniert)
sorglichere Pflege lohnen würde.

Die beiden anderen Kirchen, **Blutskirche** und **Spitalkirche**, seien nur
kurz angemerkt. Die Blutskirche, erwachsen auf der Stelle eines Hostienwunders (angebl. 1294), wurde 1369 mit der alten Martinskirche
vereinigt und 1605–15 gründlich erneuert. – Die Kirche (ihr Patrozinium, St. Johann Bapt., läßt vermuten, daß sie auf dem Platze der
742 bezeugten Königskirche steht) des um 1338 von der Stadt gestifteten,
1607 von Bischof Julius erweiterten Spitals, ein spätgot. Bau (Schiff
mit eingezogenem Chor), schließt mit ihrer W-Seite an das in der
Juliuszeit aufgeführte, von einem polygonen Treppenturm flankierte
Spitalgebäude an.

Rathaus, an der N-Seite des leicht ansteigenden, nordwestl. von der
Pfarrkirche überragten Marktplatzes. Den 1716–18 vom Würzburger
J. Greising aufgeführten 3geschossigen Block gliedern ein leichter Mittelrisalit und große Eckpfeiler. Eine Freitreppe liegt dem von Säulen gerahmten, von einem schweren Segmentgesims mit Liegefiguren, Krie-
gern, bedachten Portal vor, ein Zwerchhaus betont noch einmal die
Mitte, ein Dachreiter krönt den First.

Der im Gesichtsfeld Iphofens liegende, die westl. Steilkante des Steigerwaldes bekrönende **Schwanberg** war schon steinzeitlich besiedelt, er
trug Befestigungen der Bronze- und eine außerordentlich große der
Hallstatt-, dann der La-Tène-Zeit, zuletzt eine durch Abschnittswall
gesicherte Fliehburg des frühen Mittelalters.

IPTHAUSEN (Ufr.) → **Königshofen** (D 2)

IRMELSHAUSEN (Ufr. – D 2)

Schloß

*»Irminolteshusen« zeigt sich schon 783. Im 11. Jh. setzen sich die
Henneberger fest. 1354 tritt an ihre Stelle das Hochstift Würzburg,
das aber wenig später an Barth. von Bibra verkauft; seither im
Besitz der Herren von Bibra. – Älteste Teile entstanden im 15. und
frühen 16. Jh., O-, S- und SW-Flügel 1556–61. Eingriffe des spä-*

ten 17. und des 18. Jh. schwächten die burgliche Erscheinung ab; das 19. Jh. erneuerte die Fachwerkgeschosse des NO-Flügels. Im ganzen ist das Schloß aber wohlerhalten und darf berühmteren Verwandten (wie Mespelbrunn) an die Seite gestellt werden.

Ein Teich umgibt den 5eckigen Schloßkomplex, eine breite Zwingeranlage den Teich, nordwestl. fließt die Milz, südöstl. ein dieser zustrebender kleinerer Bach. Durch den Torbau (1514) an der 1699 überbrückten Milz betritt man den Zwinger, um über eine 2. Brücke den Kernbau zu erreichen. Rechts schließt sich der älteste noch ins 15. Jh. zu setzende nördl. und nordwestl. Flügel an. Der Hof, den er mit den 3 Flügeln des späteren 16. Jh. einhegt, trägt alle Merkmale der deutschen Renaissance, die sich am Vielfältig-Wechselnden und nicht am Planvoll-Einheitlichen erfreut. Der sog. Hansenbau, d. i. der Bau des späten 16. Jh., tut sich durch 3 behaubte Türme hervor. Ein origineller Kamin (in der »Kaminstube«) und das reiche, Formen der Renaissance und der Spätgotik kreuzende Säulenportal (der »Langen Stube«), beide von 1561, sind die Glanzstücke der Ausstattung.

Die 1471–1513 gebaute **ev. Pfarrkirche**, mit östl. Chorturm, beherbergt eine lange Reihe teilweise vortrefflicher Grabsteine der Herren von Bibra.

IRSEE (B. Schw. – B 7)

Ehem. Benediktinerklosterkirche Mariae Himmelfahrt

Gräfl. Stiftung von 1183, die Kaiser Friedrich II. 1227 bestätigt. Nach Abtragung der baufällig gewordenen mittelalterl. Kirche wurde 1699–1702 unter Leitung des Vorarlbergers Franz Beer der Neubau aufgeführt und 1704 geweiht. 1753 geht man an die Fertigstellung des Turmpaars. 1802 Säkularisation des Klosters.

Wenige, doch kraftvolle Gliederungen am A u ß e n b a u. Beherrschend überragt ihn das Turmpaar mit den 1753/54 aufgesetzten Glockenhelmen. Ein volutengezierter Giebel bekrönt die Fassade. Die übrige Gliederung wird von breiten Rahmenbändern und der 2geschossigen Fensterreihung besorgt. Kleine, über die Schiffwände heraustretende, übergiebelte Wandflächen deuten auf querschiffartige Erweiterung. – Der I n n e n r a u m folgt dem Vorarlberger Wandpfeilerschema und ist darin dem der Friedrichshafener Schloßkirche (von P. Thumb) sehr ähnlich. Emporen teilen die Seitenkapellen; nach querschiffartigem, laufgangbesetztem Zwischenglied folgt der Mönchschor mit Freipfeilern, doch ist diese »Halle« durch Scheidmauern und Emporen abgeschwächt. Das letzte Joch verschmilzt mit dem Apsisrund. Pilasterbesatz mit auskragenden, nach der Tiefe zu abbrechenden Gebälkköpfen trägt auch den Wandpfeilern des Langhauses etwas von Freipfeilern an. Die hohe Tonnenwölbung des Langhauses erscheint in den Chorteilen gedrückt und wird über dem Apsisraum noch weiter dem Korbbogen angenähert. Quertonnen überspannen die Seitenräume. Dem nicht gerade neuartigen Raumbild eignet doch eine Harmonie, die in der feingestimmten Bezugsetzung aller Teile aufeinander den Entwurf des bedeutenden Meisters verrät. Hinzu tritt das prächtige Stuckgewand, das 1702/03 von Vertretern der Wessobrunner Familie Schmuzer (Joseph und dessen Bruder Franz Xaver d. Ä.) der Architektur angepaßt wurde: Akanthusranken, Blattstäbe, quellende Frucht- und Laubgehänge, Kartuschen, Rosetten- und Muschelgebilde. Besonders reich: die Stuckfüllung der Mönchschorjoche. Die Bilder in den Stuckrahmen der Gewölbe wie die der Emporenbrüstungen sind auf Leinwand gemalt. Ihr Schöpfer heißt Magnus Remy. Das umfangreiche Programm umfaßt neben dem Stifterbild (W-Joch) Märtyrer, Benediktinerheilige, Apostel und Engel – bedeutungsgemäß bis zum (schlecht erhaltenen) Gottvaterbild nach den Graden der Heiligkeit gesteigert. In den Nebenräumen sind es Benediktinerheilige in Beziehung zur Marienverehrung. An den Emporenbrüstungen Szenen aus dem Leben des Ordensvaters Benedikt. In Vorraum und Seitenkapellen Geschehnisse des Rosenkranzes, die sich jenseits der Querachse in den Chorseiten fortsetzen. Unter den Laufgängen der Querarme die Allegorien »Glaube« und »Hoffnung«. Die »Liebe« ist im Behältnis der Eucharistie, dem Hochaltar, versinnbildlicht. – Der Hochaltar zeigt das Patroziniumsgemälde Mariae Himmelfahrt von M. Remy 1722. Etwa gleichzeitig: die Figuren der Nebenpatrone Peter und Paul und der Ordensheiligen Benedikt und Scholastika. Seitenaltäre um 1704 (die 4 westlichen) und 1725 (die östlichen). Rechts vom Chorbogen Marienaltar (1722) mit vorzüglich geschnitzter thronender Muttergottesfigur um 1510, in der Art des Memmingers Ivo Strigel. Benachbart: stehende Gottesmutter, allgäuisch, um 1515 (aus der z. T. abgebrochenen Pfarrkirche St. Stephan). – Von prächtiger, origineller

Form ist die Kanzel, 1724/25, als Vorderteil eines Schiffes
gebildet. Ein geblähtes Segel ist Schalldeckel. Putten klettern
durch die Takelage. Die Vorstellung der Kirche als Schiff in
den Wogen der Welt, die Tätigkeit des Priesters im apostoli-
schen Sinn als »Menschenfischer« und schließlich der Seesieg
von Lepanto mögen zu dieser seltsamen, doch nicht seltenen
Kanzelbildung geführt haben.

Klosterbauten, 1727–29, südl. an die Kirche anstoßend. Würdevolles
Treppenhaus mit trefflichem Stuck und guter Malerei (wohl M. Remy).
Zahlreiche barocke Raumdekorationen.

Nördl., bei **EGGENTHAL,** die hoch gelegene **Wallfahrtskapelle Mariae
Seelenberg,** eine kleine Rotunde von 1697, die 1702 den rechteckigen
Chor und 1710/11 ein ebensolches Langhaus mit anschließender Mönchs-
wohnung erhielt. Wessobrunner Stuck aus den Jahrzehnten der Erbauung, Deckenbilder von Fz. X. Bernhardt, 1758; im Altar (dieser 1702
und 1740) eine geschnitzte Muttergottes aus der Mitte des 15. Jh.

ISEN (Obb. – E 7)

Ehem. Kollegiats-Stiftskirche

*Die Klostergründung des Freisinger Bischofs Joseph, 748, war ur-
spr. mit Benediktinern besetzt. 1025 Eigenkloster der Kaiserin Kunigunde, seit dem frühen 12. Jh. (und bis 1803) Kollegiatstift.
Seine enge Verbindung zum Freisinger Bischofsstuhl tut sich auch
im Münsterbau kund, dessen Bauherr, Propst Ulrich, als Vorbild
den Dom zu Freising wählte. Der Bau muß um 1200 erwachsen
sein. Im frühen 15. Jh. wurden Vorhalle und Turm beigefügt. Ein
Brand zeitige 1490 durchgreifende Wiederherstellung und die
Wölbung der bisher flach gedeckten Schiffe. Ein zweiter Brand
führte 1660 zu Ausbesserungsarbeiten und 1669 zur Stuckinkrustation. Weitere rein dekorative Ausgestaltungen geschahen 1730 und
1756.*

Das Äußere ist fast schmucklos. Nur die Hauptapsis
trägt Reste roman. Gliederung. Der Turm erinnert an sein
Freisinger Vorbild. In der got. Vorhalle (mit Wandgemälden des 15. Jh.) tieft sich das roman. W-Portal. Sein figürlicher Schmuck ist verhältnismäßig derb. Im Bogenfeld
thront Christus über 2 Dämonenwesen (nach Psalm 90/13
Löwen und Drachen zertretend). Weitere Figuren finden
sich im Gewände, vermutl. 4 Allegorien der Sünde. Angesichts der Schmuckformen wird eine Abhängigkeit von
Regensburgs Schottenkirche angenommen. Umschrift des
Bogenfelds mit der Nennung des Stifters – für die Zeit um
1200 an solch bevorzugter Stelle eine Seltenheit. – Das

Ingolstadt. Frauenkirche, Mittelschiff und Chor

Kaisheim. Ehem. Klosterkirche, Chorumgang

I n n e r e entspricht im Aufbau dem Freisinger Dom. Nur
sind die Verhältnisse schlanker und die Barockisierung des
Langhauses ist älter. Immerhin ist das Schema der 3schif-
figen, querschifflosen Basilika gewahrt, deren Chor von
einer Krypta unterhöhlt ist. Quellender Stuck belebt den
Raum. Rosettengebilde wachsen aus den Scheiteln der Gewölbe. Kreisende Akanthusranken füllen die Kappenzwik-
kel – typisch für die Zeit gegen 1700. Die Hochschiffwände
tragen Pilastergliederung und Stuckrahmen. Ihre Gemälde
hat (bis auf die beiden westlichen um 1760) das 19. Jh. erneuert. Im Triumphbogen hängt, theatralischer Effekt, ein
Stuckvorhang. Hinter ihm regt sich anderes ornamentales
Leben; hier stammt die Stukkatur von 1730. Gewölbefresken 1859 erneuert. Hochaltar neubarock. 2 kleine Stuckaltäre
des 18. Jh. mit derbem Intarsienschmuck sind verblieben.
Einige Gemälde der ehem. Altarausstattung ebenfalls, darunter die Kopie des Freisinger Dombilds von Ulr. Loth
(nach Rubens). Geschnitzter, überlebensgroßer Kruzifixus
um 1530. Aus den zahlreichen Grabdenkmälern ist das
Gründermonument hervorzuheben (im nördl. Seitenschiff),
das ganzfigurige Idealporträt des hl. Bischofs Joseph von
Freising. Geschaffen 1473. – Die *Krypta*, eine 3schiffige
Halle, ruht auf Granitsäulen (Monolithe) mit gedrungenen
Kämpfern und Basen. Im gerundeten O-Abschluß ist eine
Sitznische eingerichtet. Kreuzgewölbe mit kräftigen Graten
überspannen dieses Raumgebilde, das seine originale Wir-
kung weitgehend bewahren konnte.

ISMANING (Obb.) → **München** (D 7)

Schloß ISARECK (Obb.) → **Moosburg** (E 7)

JÄGERSBURG (Ofr. – E 3)

Auf der Jurahöhe nahe Forchheim ließ Fürstbischof Lothar Franz v.
Schönborn durch A. F. v. Ritter zu Grünstein ein Jagdschloß errichten
(1720 ff.). Ein 3geschossiger Bau mit leicht vorgezogener Mitte, zugänglich durch einen von Nebengebäuden bestandenen Vorhof, den ein bekuppeltes Törchen öffnet. – Stukkaturen von J. J. Vogel, 1722, und
(Kapelle) G. Hennicke, 1726.

JENKOFEN (Ndb. – E 7)

Kirche Mariae Himmelfahrt

Die 3schiffige Pseudobasilika (mit fensterlosem Hochschiff) ist ein vortreffliches Beispiel bayerischer Backsteingotik. Die 3 westl. Joche stammen aus der Zeit um 1420, die beiden kürzeren, die ihnen folgen, und der eingezogene Chor aus der Mitte des 15. Jh. Der Bau entwickelte sich also von W nach O. Das erweist auch die reiche Netzrippenfiguration des Chorgewölbes.

An den Wänden von Chor und Mittelschiff gute Fresken der Zeit um 1600. Der (neue) Hochaltarschrein enthält eine spätgot. Muttergottes. Sie und die beiden Schreinflügel, mit 4 Relief- und 4 gemalten Darstellungen aus der Mariengeschichte, gehören zu den besten Leistungen des Landshuter Kunstkreises der Spätgotik. Das Abendmahlsrelief am nördl. Seitenaltar mag die späte, durch Leinberger geprägte Stilstufe der Landshuter Plastik des frühen 16. Jh., die barocke Phase der Spätgotik, deutlich machen. Bes. die Glasgemälde in den 3 Fenstern des Chorschlusses müssen gerühmt werden, sonderlich die beiden Rundmedaillons im nordöstlichen, deren eines die Muttergottes (weißer Mantel, rotes Gewand, goldner Strahlen-, farbiger Wolkenkranz), deren anderes die hll. Frauen Barbara, Elisabeth, Margaretha und Katharina und den knienden Stifter, Herzog Heinrich d. Reichen, zeigt. Das Jahr ist 1447. Die beiden anderen Fenster, je 4 Scheiben, sind wohl um ein Jahrzehnt jünger. Ganzfigurige Heilige unter Baldachinen. Man würde sie nicht weniger auszeichnen, minderte sie nicht der Vergleich mit den so wundervoll glühenden Medaillons.

KAISHEIM (B. Schw. – C 5)

Ehem. Zisterzienserklosterkirche Mariae Himmelfahrt
(Tafel S. 417)

Nordwärts von Donauwörth führt die Landstraße aus dem Donaubecken ins Tal des Kaibachs. Dieses kleine Rinnsal gab der Klosterstiftung des Grafen Heinrich von Lechsgemünd (= Lechsend) ihren Namen: Kaibachsheim, Kaisheim. Gründungsdatum 1134. Das Zisterzienserkloster Lützel im Oberelsaß schickte die ersten Mönche herüber, deren Nachfolger Kaisheim zum Ehrentitel eines »carcer ordinis« (Ordenskerker) brachten wegen der dort gepflegten harten Klosterzucht. 1352 begann man mit dem Neubau der Kirche, der sich von den O-Teilen nach W hinzog und 1387 weihe-

fertig war. 1459 wurde der Vierungsturm errichtet. Blitzschlag bewirkte mehrmals dessen Erneuerung, zuletzt um 1770–80. Seit Ende des 17. Jh. betrieben die Äbte Elias Götz und Rogerus Röls die durchgreifende Barockisierung der gesamten Klosteranlage. Franz Beer leitete seit 1716 die Bautätigkeit und legte 1719–21 vor die Kirchenfront eine stattliche 2-Turm-Fassade, die das 19. Jh. wieder abriß. 1802 wurde das seit 1656 reichsunmittelbare Kloster säkularisiert. Es wurde, wie Ebrach, in ein Zuchthaus verwandelt. – Die letzte Restaurierung der Kirche wurde 1965 beendet.

Ä u ß e r e s. Über die ausgedehnten Klosterbauten erhebt sich das Kirchenschiff als langgestreckter, kreuzförmiger Baukörper mit starkem Vierungsturm. Zisterziensisch schlicht zeigt sich die (1872 wiederhergestellte) W-Front. Ebenso einfach erscheinen die basilikal gestuften Längswände. Strebepfeiler verleihen ihnen Struktur. Der Gewölbeschub wird aus den Hochschiffstreben durch gemauerte Fangbögen unter dem Dach der Seitenschiffe in die Außenpfeiler geleitet. Ostwärts vom hochfenstrigen Querschiff rundet sich der Chor. Ein Umgang umgreift das Altarhaus, das im Gegensatz zu den schlichten, meist gerade geschlossenen Zisterzienserchören eine reichere Ausbildung erfahren hat. Auch das mächtige Achteck des Vierungsturms widerspricht den Ordensvorschriften, ein Zeichen, daß diese fortschreitender Lockerung unterworfen waren. Das würdig-ernste Baugefüge aus der 2. Hälfte des 14. Jh. hat seine Turmbekrönung erst 1459 erhalten, während der elegant geschwungene Helm sein Bild dem Spätbarock von 1770–80 verdankt. – I n n e r e s. In herber Großartigkeit öffnet sich das 8jochige Langhaus. Einfachheit seiner Formen spiegelt den Geist harter, mönchischer Zucht. Pfeiler tragen die Arkadenbogen. Über ihnen dehnt sich die nackte Hochschiffwand, bis aus der Fensterregion Konsoldienste aufsteigen, um Kreuz- und Gurtrippen in die Gewölbe zu entsenden. Auch die Seitenschiffwölbung erwächst aus Konsolen. Diese und die Schlußsteine allein sind Träger plastischen Schmuckes. Kräftige Bogen scheiden das Quadrat der Vierung aus. Nur der N-Arm des Querschiffs zeigt sich in voller Tiefe. Der S-Arm wurde durch eine Zwischenmauer vermindert und in seinen Abmessungen verschoben. Von architektonischer Vielteiligkeit ist der Chor. Größere und reichere Fensterformen betonen seine Bedeutung. Doppelt umzieht der Umgang sein Vieleck, das er um zahlreiche Glieder vermehrt und dem

Halbkreis naherückt. Reiche Gewölbefiguren begleiten ihn
im inneren Teil, Rundstützen sondern den äußeren, schmaleren. Das Raumempfinden dieser bedeutenden Anlage erklärt sich aus Kreuzung verschiedenartiger Einflüsse, die
teils aus Kloster Salem (Chor), teils aus Reutlingen, aus
Gepflogenheiten der Bettelordenskunst (Langhaus) und von
Auswirkungen der Parlerschen Bauhütte herzuleiten sind.
Der *Hochaltar* wurde an Stelle seines spätgot. Vorgängers
(Werk der drei Augsburger Hans Daucher, Hans Holbein
d. Ä. und Gregor Erhart; Teile in München und Augsburg)
1673 aufgerichtet. Seine mächtige Bildwand, teils Rahmen,
teils Triumphbogen, trägt 2 Gemälde von Joh. Pichler, der
Himmelfahrt Mariens gewidmet. Unten Figuren der Verkündigung, oben die beiden Johannes und 3 Erzengel: aus-
drucksgeladene, prachtvolle Schnitzarbeiten eines unbekannten Meisters. Stattliches, gleichzeitiges Tabernakel. Die Nebenaltäre aus dem frühen 18. Jh. Kanzel 1699. Dem barocken
Formgefühl war die leere Hochschiffwand unerträglich. Man
belebte sie durch Hängung von Apostelbildern (1711) in
reich geschnitzten Rahmen. Chorgestühl (jetzt in den Seitenschiffen) 1698 mit Rankenornamenten und kleinen Ovalbil-
dern aus der Marienverehrung der Zisterzienser. An den Vierungspfeilern kraftvoll bewegte Schnitzfiguren um 1660;
Muttergottes und St. Joseph. Am 4. südl. Pfeiler (von W):
Platte einer ehem. Stiftertumba für Heinrich von Lechsgemünd 1434. In herrscherlicher Würde erscheint die ideale
Porträtfigur des 300 Jahre vorher Verstorbenen. Vorzügliche Steinstatue der Muttergottes, um 1290, am südl. Chorpfeiler. Eine andere, um 1320 entstandene, im südl. Chorumgang. – Untere Sakristei mit gutem Schrankwerk des
mittleren 18. Jh.

Klostergebäude. Südl. der Kirche eckt sich die ausgedehnte Anlage der
Konventsbauten um 2 Binnenhöfe und einen Außenhof. Franz Beer
schuf damit seinen bedeutendsten Klosterbau, 1716–21. Die langgestreckten Trakte sind durch Mittel- und Eckpavillons gegliedert. Erhalten
blieb der 1725 vollendete, prächtig ausgemalte Kaisersaal. Eine Schein-
balustrade unter Bogenarchitekturen umgibt die Decke. Das Band-
ornament (von Jac. Appiani) entspricht der Régence-Mode in den
1720er Jahren. – Torturm und Wirtschaftsbauten des 17. und 18. Jh.
umgeben den Komplex.

KALBENSTEINBERG (Mfr. – D 4)

Aus Oettingenschem Besitz kommt das reichsunmittelbare Rittergut 1412 an den Nürnberger Ulrich Stromer, dann, 1414, an dessen Schwiegersohn Andr. Wernitzer, der es wieder dem seinigen, Hans Rieter, vererbt. Besitz der Rieter bleibt es bis zur Erwerbung durch die Reichsstadt Nürnberg 1754.

Ev. Pfarrkirche, ehem. St. Maria und St. Christoph

Der älteste Teil der erstmals 1194 bezeugten Kirche ist der Turm, der wohl im späten 14. Jh. gebaut wurde. 1463 beginnt man die Kirche, die 1469 geweiht wird. 1507–11 wird der Turm aufgestockt. 1609–13 findet eine Erneuerung statt, bei der altes, im 16. Jh. hinausgeräumtes Inventar wieder zu Ehren kommt.

Die Kirche ist 1schiffig, der stark eingezogene, an Höhe überlegene, in 3 Seiten des Achtecks schließende Chor ist mit Sterngewölben gedeckt, das Langhaus flach (1620). Der 4geschossige Turm steht westlich und nicht in der Achse. Die reichen Maßwerkbalustraden der Orgelempore und der beiden Herrschaftsemporen (Chor und SO-Wand des Langhauses) sind schöne und typische Zeugnisse der »Nachgotik«, zu danken dem Kirchenherrn Hans Rieter, der die Erneuerung ins Werk setzte. Die Sakristei an der S-Seite des Chores mit ihrem Fischblasen-Rippengewölbe ist ein feines Stück spätgot. Kleinarchitektur. – Der Hochaltar, 1611 aufgerichtet, kompiliert Altes und Neues; im gotisierenden Schrein des sonst in Renaissanceformen gehaltenen Werkes spätgot. Muttergottesfigur (um 1470). Kompilationen sind auch die Seitenaltäre. Die Flügeltafeln des südlichen mögen von M. Wohlgemut sein. Ein Unikum ist das Theodorus-Bild, dem schon 1724, von M. J. A. Döderlein, eine Abhandlung gewidmet wurde: »Slawenisch-russisches Heiligtum mitten in Teutschland.« Diese, man weiß nicht wie, aber jedenfalls durch einen Rieter im 17. Jh., hierher gelangte Ikone (Nowgorod, 16. Jh.) enthält in 12 Bildern die Legende des hl. Theodor d. Strateloten, dessen Figur die Mitte der Tafel einnimmt. Wir führen noch an: die Glasscheiben in den Chorfenstern (die spätgotischen vor 1480), das Chorgestühl, um 1490, den Palmesel, um 1460. – Nur einiges aus der Fülle dieses Kirchenbesitzes konnte angemerkt werden. Kalbensteinberg, die Grablege der Rieter (Nürnberg), ist schon fast so etwas wie ein Museum, und man muß wohl annehmen, daß Hans Rieter mit der Lust eines Antiquitätensammlers hierher zusammentrug, was er an »Altfränkischem« aufgreifen konnte.

KALCHREUTH (Mfr. – DE 4)

Der Name ist, dank zweier Aquarelle Dürers, wohlbekannt. Das bis ins 13. Jh. königseigene Dorf gelangt 1298 als Lehen an die Nürnberger Burggrafen. Sie verkaufen es 1342 an Ulrich Haller, bei dessen Geschlecht es als freieigener Besitz durch die Jahrhunderte, bis 1869, bleibt.

Das ehem. Hallersche Schloß inmitten des Ortes, westl. der Kirche, auf leichter Anhöhe, grabenumfaßt, geht im Hauptbau in die Mitte des 15., im S-Flügel in die Zeit nach Mitte des 16. Jh. zurück.

Pfarrkirche, ehem. St. Andreas

Sie zeigt sich erstmals 1390. Doch dürfte schon um die Mitte des 14. Jh. vom Grundherrn, Ulrich Haller, die Kapelle (Tochter der Pfarrkirche Heroldsberg) gestiftet worden sein. Im 15. Jh. tritt die bestehende größere Kirche an ihre Stelle: 1471 wird das Schiff, 1494 der Chor gebaut. Im frühen 17. und im frühen 18. Jh. kommen die Emporen hinzu. 1788 wird der noch stehende Turm aufgeführt.

Der aus dem rechteckigen Schiff und dem eingezogenen, 2 Joche tiefen Polygonchor bestehende Quaderbau ist der typische, einfach-solide der Nürnberger Landkirchen der Spätgotik. Der gute barocke Turm an der N-Seite des Schiffes, stattlich stämmig in 3 Geschossen aufsteigend und von Zwiebelkuppel bekrönt, wurde von einem Erlanger Maurermeister, Joh. Jak. Fiedler, errichtet; die Note Erlangens ist ihm auch deutlich aufgeprägt. – Das I n n e r e des flachgedeckten Schiffes ist durch die späten Doppelemporen beherrscht. Der Chor erfreut durch das Netz der Gewölberippen, deren runde Schlußsteine das Hallersche Wappen tragen.

Die Auszeichnung der kleinen Kirche ist ihre, selbstverständlich den Haller zu dankende, reiche alte A u s s t a t t u n g, die, auch wieder selbstverständlich, in Nürnberger Werkstätten geschaffen wurde. Der *Hochaltar* ist ein großer Wandelaltar mit 2 beweglichen und 2 festen Flügeln; im Schrein die Schnitzfiguren von Muttergottes, Petrus, Andreas, Wolfgang und Ursula; auf den Innenseiten der Flügel Reliefdarstellungen aus dem Marienleben, auf den Rückseiten wie auf den festen Flügeln Gemäldedarstellungen aus der Passion; das in 3 Türmen aufstrebende Sprengwerk enthält Martin (Mitte), Jakobus und Antonius, die Predella die Figuren Christi und der Apostel. Dieses wohlerhaltene Altarwerk ist eine Stiftung Wolf Hallers von 1498, der gleichzeitig auch das schöne reiche *Sakramentshaus* machen ließ; die Zuschreibung an Adam Krafft ist fraglich, beleuchtet aber den Rang des außerordentlichen Werkes. Der Seitenaltar links, Schnitzaltar mit 2 bemalten Flügeln, zeigt im Schrein die Gruppe der Anna Selbdritt; er ist 1516 datiert und wahrscheinl. Arbeit des sog. Marthameisters (Martha-Altar der Nürnberger Lorenzkirche). Der Seitenaltar rechts (1474?) wurde 1856 in seine Teile auseinandergenommen, die sich jetzt an verschiedenen Stellen der Kirche befinden; die Muttergottes in der SO-Ecke des Chores. Die Tonfiguren Christi und der Apostel an der N-Wand des Chores dürften zur Ausstattung der älteren Kapelle gehört haben; sie sind ins späte 14. Jh. zu setzen, etwas ältere, auch etwas ärmere, und, wie man annehmen darf, aus Niederbayern stammende Vettern der berühmten Nürnberger Tonapostel. Am Chorbogen links eine gute Pietà des frühen 16. Jh., in der NO-Ecke des Chores ein Hl. Antonius von rund 1520. Nennen wir noch die Tafel des Marientodes von etwa 1460 (S-Wand des Chores), die dem Nürnberger »Wolfgangsmeister« nahesteht, verweisen wir auf die gemalten Glasscheiben des späten 15. Jh. und schließen wir diesen Überblick mit den beiden Wandbehängen: einer Stickerei des mittleren 15. Jh. in hellen Farben auf schwarzem Grund mit alttestamentlichen Szenen, eingestreut in ein Schlingwerk von Ranken, und einer Wirkerei des späten 15. Jh. mit einer von stilisierten Wolken umgebenen Glorienmuttergottes.

KALLMÜNZ (Opf. – E 5)

Burgruine

Der auf 2 Seiten steil gegen die Talfurchen der Naab und der sich hier mit der Naab vereinigenden Vils abfallende Schloßberg trug schon eine vorgeschichtliche Burg. Der Außenwall nördlich darf wohl in die späte Bronzezeit gesetzt werden. Auch die Spitze des Höhenrückens wurde schon in Urnenfelder- oder La-Tène-Zeit befestigt. Der starke, annähernd 10 m hohe, aus dem Schutt der vorgeschichtlichen Anlagen aufgeführte Wall, der die hochmittelalterl. Burg nördl. begrenzt, ist frühmittelalterlich, viell. 10. Jh. (983 ist Kallmünz erstmals urkundlich belegt). – Über die Ursprünge der hochmittelalterl. Burg wissen wir wenig. Nur, daß die Burg, bis 1230 Reichszollstätte, über die Sulzbacher Grafen 1188 an den Herzog überging, ist sicher. 1504 umbrandet ihre Mauern der Landshuter Erbfolgekrieg. Die Böhmen brennen die Burg nieder. Zur drohenden Kriegsgefahr 1607 wird Kallmünz wieder in Verteidigungszustand versetzt. Pfalz-Neuburg schickt die Bauleute. 1633 hält die Burg den Schweden stand. Doch ihrem zweiten Ansturm, 1641, erliegt sie. Die Schweden hinterlassen eine Ruine.

Die Reste eines got. Torhauses jenseits des Halsgrabens im

NO der Burg sind Einlaß in den Festungsgürtel. Wir passieren die äußere, spätgot. Zwingermauer mit ihrem Rundturm, ehe wir den inneren, turmbewehrten Bering der späten 13. Jh. betreten. Inmitten des Hofes ragt der runde Bergfried aus dem frühen 13. Jh. Jüngste Zeiten haben ihn ergänzt und sein Inneres mit Treppen und Betondecke versehen. Im S-Winkel stehen die Mauern des Palas, im wesentlichen des späten 13. Jh. Interessante Detailformen: 3teilige Spitzbogenfenster, z. T. auf Säulen, Blattfriese und Vogelreliefs.

Ehemals senkte sich vom Burgberg herab südwärts eine Mauer bis ans Ufer der Naab. Ihr entsprach gegen NW eine zweite bis zum Ufer der Vils. Damit war auch die Marktsiedlung am Fuß des Burgfelsens gesichert. Türme schützten die beiden Flußbrücken. So konnte sich der **Marktflecken** im Schatten der Burg auf engem Terrain nur schwach entwickeln, eingeschnürt vom Winkel der Flußmündung, beiderseits flußaufwärts durch feste Mauern.

Die **Pfarrkirche St. Michael** ist 1756 entstanden, in ihrer Dekoration und Einrichtung gutes Rokoko.

Rathaus, 1603. In seinem Innern eine schöne Balkendecke (umgestaltet 1962/63). Museum.

Die alte **Naab-Brücke** ist großenteils ein Steinbau der Zeit um 1550. Mächtige Pfeiler teilen das Wasser. Zwischen ihnen wölben sich schwer die gemauerten Brückenbogen. Der westl. Teil wurde im 2. Weltkrieg gesprengt und später in Betontechnik wiederhergestellt.

KAPPEL (Opf. – F 3)

Wallfahrtskirche Hl. Dreifaltigkeit

Auf dem Glasberg bei Münchenreuth nächst der böhmischen Grenze steht angebl. schon im 12. Jh. eine Kapelle. Wallfahrtsziel wird sie wohl erst im 15. Jh. 1527 läßt sie sich als solche erstmals fassen. Stärkerer Zustrom im 17. Jh. führt zum Neubau, der, 1684 begonnen, dem Eifer des Pfarrers von Münchenreuth und des Superiors im nahen Kloster Waldsassen zu danken ist. Der vom Pfarrer empfohlene Baumeister Georg Dientzenhofer verehrt »alle angewandte Mühe und Arbeit samt den Abrissen denjenigen«, »zu wessen Ehr und Gottesdienst diese neuangefangene Kapellen erbaut wird«. – Der höchst auffällige Grundriß ist des Pfarrers Beisteuer, der vorhatte, das »Mysterium Sanctissimae Trinitatis, per omne Trinium, in den Kirchenbau zu adumbrieren«. Teilrestaurierung 1953–60.

Der bestellte, eben in Waldsassen tätige Baumeister Georg Dientzenhofer hatte sich mit dem Trinium – der Grundzahl

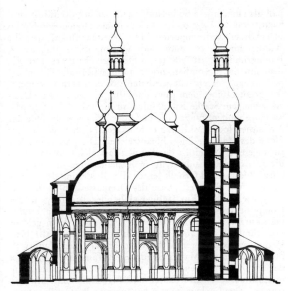

Kappel, Wallfahrtskirche, Schnitt

Drei – so gut es gehen wollte abzufinden. Er erzielte ein hochoriginelles Kirchengebilde. Außen und Innen tragen gleicherweise die heilige Drei der heiligsten Dreifaltigkeit vor. – Ä u ß e r e s. 3 pralle Rundschwellungen gruppieren sich zum Dreipaß, 3 auch ganz korpulente Rundtürme drängen sich in des Dreipasses Zwickel, 3 Dachreiter auf den Zeltdächern der Schwellkörper (Konchen) leisten ihnen Sukkurs. Die Zwiebeln, die den Türmen und Türmchen aufsitzen, bewirken in ihrer Häufung den Eindruck des Östlich-Slawischen, aber mit slawischen Kirchen hat diese oberpfälzische nichts zu tun. Eine ganz ähnliche Symbolgestalt war übrigens kurz zuvor für eine andere Wallfahrtskirche, auf dem Armesberg bei Kemnath, versucht worden. – Die kurze Charakterisierung des Äußeren beendend, sei noch der Umgang, ein gedeckter Prozessionsweg, genannt, der den Dreipaß als eine äußere Sockelstufe, auch wieder dreifältig, umzieht. Und die Lage dieser Wohnung des Dreieinigen Gottes in einsamer, waldumgürteter Flur, weiten Blickes über die Wälder hinaus, sei auch noch angemerkt. – Inneres. Raumgrundlage ist ein (gedachtes) gleichseitiges Dreieck, dem sich die 3 Konchen, breite, tiefe, halbrunde Raumkörper, anlegen, deren Kuppelschalen sich dem gern so genannten Triangel über dem (nun sinnfällig ausgedrückten) Dreieck zuneigen. Starke Rundsäulen, in die Ecken des Dreipasses eingebunden, fangen die Füße des Triangels ab. Jede der 3 Konchen lockert sich in 3 rechteckigen Nischen, die bis zur Höhe des Hauptgesimses hinaufreichen. Die jeweils mittlere ist ungeteilt, ausgefüllt durch einen fast gleich hohen Altar; die seitlichen sind unterteilt, in Kapelle unten und Empore oben. Pilaster und Gebälk leisten die Gliederung der Wandflächen. Vor der westl. Ecke des Dreipasses wölbt sich frei die Orgelempore. Ein Gefüge gleitender Rundungen, eine Komposition kreisender Raumhöhlungen, so etwa möchte man kurz diese »erklügelte«, und doch so glücklich gelöste, volkstümliche und auch vom Volk bewunderte Wallfahrtskirche charakterisieren. – Daß die Fresken der Hauptwölbung (des Prager Malers Smichäus, Anfang der 20er Jahre des 18. Jh.) durch neue ersetzt werden mußten, sei als Kummer vermerkt. – Altarbauten und Figürliches sind den Leistungen der Carlone zumindest verwandt. Orgelprospekt 1735–38. Anzumerken: die getriebenen und versilberten Antependien.

KARLSTADT (Ufr. – C 2)

Der Name verlockte zur Legende, Karl d. Gr. habe die Stadt gegründet; sie führte auch schon im 13. Jh. (1227) das Bild des Kaisers im Siegel. Der Name kam ihr wohl von der benachbarten, allerdings uralt-fränkischen Karlburg zu. Die Stadtgründung durch den Würzburger Bischof fällt in die Jahre um 1200; wenig später, im 2. Jahrzehnt des 13. Jh., schließt sich die Stadt offenbar schon in Mauern ein. Ihr dem Weinbau zu dankender Wohlstand läßt sie, trotz mehrfach erlittener Verpfändungen durch den bischöflichen Stadtherrn, im Spätmittelalter eine beachtliche politische Rolle spielen. 1396 tritt sie mit Würzburg und anderen fränkischen Städten zu einem Städtebund zusammen. In diesen Jahren kurz vor der Jahrhundertwende erfreut sie sich auch (wie Würzburg) der Illusion, Reichsstadt zu sein. – Im 16. Jh. durch die Ideen des neuen Zeitalters hoch aufgeregt, müssen sich die Karlstädter dann doch, 1585, durch Bischof Julius in die alte Kirche zurückführen lassen. In der Reformationszeit hat der Name ihrer Lateinschule guten Klang; einer ihrer namhaften Schüler ist Karlstadt (rechten Namens Andr. Bodenstein), Lehrer, dann Freund, schließlich Gegner Luthers. – Wirtschaftlicher Aufschwung in der 2. Hälfte des 19. Jh., Bau der Mainbrücke 1880, Ansiedlung der Portlandzementwerke 1887, die freilich eine schwere Belastung der anmutigen Stromlandschaft sind.

Der annähernd rechteckige **Grundriß** ist planvoll regelmäßig. Die mainparallele Obere und Untere Straße bildet das Rückgrat, dem in der Mitte der rechteckige Markt anliegt. Die südl. Stadthälfte, die den großen, wieder rechteckigen Kirchplatz einschließt, ist nach dem Schachbrettschema durchgeviertelt. – Der **Befestigungsring** umfaßt die Stadt noch guteteils, in bester Erhaltung an der W-Seite, die auch noch von mehreren Türmen überragt ist. Tore sind nur noch 2, das Obere und das Maintor, geblieben. – Das **Stadtbild** ist eines der rühmenswertesten Frankens. Die Gassen haben fast alle noch gutes Gesicht. Am Markt erfreut das 1422 gebaute **Rathaus**, dessen rein erhaltene got. Stirn mit dem Staffelgiebel eines der besten Beispiele spätmittelalterl. Profanbaus ist.

Kath. Pfarrkirche

Ein spätroman.-frühgot. Vorgänger vererbt den Kreuzgrundriß und den stämmigen, durch Lisenen und Fenstergruppen geschmückten W-Turm. Um oder bald nach Mitte des 14. Jh. dürfte der Chor, um 1386 das Querschiff errichtet worden sein, 100 Jahre später, 1489, stehen die Pfeiler des Langhauses, 1512/13 schließt sich die Wölbung. 1583 wird der Turm um ein Geschoß erhöht. 1875 erleidet die Kirche eine neugot. bestrebte Restaurierung.

Sie ist eine 3schiffige Halle mit ausladendem Querschiff und 1schiffigem Chor. Kreuzrippengewölbe, im Hauptschiff Netzgewölbe, decken. Früheste, spätroman. Teile stecken noch in der Vierung (Pfeiler, Bögen). Im W eine durchlaufende steinerne Empore. An der N-Seite des Chores die Rieneckeche Kapelle (von 1477). Die sog. Alte Sakristei an der S-Seite ist der Strunk eines geplanten (roman.) Turmes, der hinter den westlichen zurückgestellt wurde. Dieser, in 5 Geschossen frühgotisch, nur im 6. jünger (Juliuszeit), hat eine offene Erdgeschoßhalle. Die Wölbung ruht auf schweren, rechteckig profilierten Rippen. Neben dem inneren Tor das Nischenrelief eines Mannes, des (hier so gen.) »Pilgers«. – Innerhalb der 1875 verödeten Ausstattung findet sich doch noch ein so singuläres Stück wie die 6eckige *Steinkanzel* von 1523, eine Schöpfung letzter Spätgotik, die Riemenschneider nahesteht. Ein höchst beachtliches Steinbildwerk ist der monumentale (2,60 m hohe) Christus Salvator von etwa 1380, der neuerdings über dem Hochaltar aufgestellt wurde. Nennen wir noch, mit Auszeichnung, die Bildgrabsteine der Voite von Rieneck in der nach ihnen benannten Kapelle: der Barbara (1465), des Jörg (1467), der Anna (1502), des Philipp (1504). In der Rieneckkapelle jetzt auch das Steinbildwerk des reitenden Ritters St. Georg, das, im frühen 16. Jh. entstanden, die Rüstung des späten 14. zur Darstellung bringt, doch wohl in Anlehnung an eine durch ihn ersetztes älteres Original. – Im S-Arm des Querschiffs wurde neuerdings eine aus erhaltenen Teilen rekonstruierte roman. Totenleuchte, des späten 12. Jh., aufgestellt.

Karlburg. Karoling. Ursprungs (in der zugehörigen Mühlbacher Mühle wurde, alter Sage zu glauben, Karl Martell geboren), ist sie seit etwa 752 bischöflich-würzburgisch. In der Vita des hl. Burkard erscheint sie als »castrum Karloburg«. Der zugehörige Königshof lag talabwärts wenig unterhalb der Burg (Dorf Karlburg). – Die frühmittelalterl., durch starke Wälle abgeriegelte Abschnittsburg wird, im 12. Jh., durch die hochmittelalterl. Höhenburg abgelöst. 1525 brennen die Bauern sie nieder. Die Ruine wird noch einmal Ruine durch die Abbrüche des 19. Jh. – Ein scharfer Höhenvorsprung westl. Karlstadt ist der Burgplatz. Wenige roman. Reste (eines Wohnhauses); höher ragende spätgot. (des Palas) charakterisieren das Erscheinungsbild der Ruine. Der nur noch anzutastende Bering umschloß 3 Höfe. Von den beiden Bergfrieden steht noch der an der N-Seite mit einem Rumpfstück. Der runde westliche verschwand 1851.

KASTL (Opf. – E 4/5)

Ehem. Benediktinerklosterkirche St. Peter *(Tafel S. 448)*

Auf beherrschender Anhöhe über dem Tal der Lauterach liegt Kloster Kastl, eine der bedeutendsten Stätten benediktinischer Kultur im oberpfälzischen Raum. 1102 wird die Gründung von Papst Paschalis II. bestätigt. Als Stifter werden genannt Graf Berengar I. von Sulzbach, Graf Friedrich von Kastl-Habsberg mit seinem Sohn Otto und die Markgräfin Luitgard, Gemahlin Diepolds von Vohburg. Die Sage berichtet von 3 Burgen, die von ihren (oben gen.) Herren zu diesem Kloster umgewandelt worden seien. Die Gründung wurde mit Mönchen aus dem cluniazensischen Reformkloster Petershausen bei Konstanz beschickt. 1129 erhielt die Klosterkirche ihre Weihe. Da die Bautätigkeit noch in den folgenden Jahren rege fortschritt, mag damals nur der Chorbau vollendet gewesen sein. Ein Überfall seitens der Scharfenberger 1217 fügte der Kirche Brandschäden zu, die bis 1219 behoben werden konnten. Archivalische und stilistische Anzeichen deuten darauf hin, daß Hochschiff und Hauptapsis um 1400 ihre Einwölbung erhielten. Neue Anbauten und Veränderungen traten im 15. und

*16. Jh. hinzu. 1556 wurde durch Ottheinrich von der Pfalz der
Konvent aufgelöst. Die Gegenreformation übergab das Kloster
1636 den Amberger Jesuiten, die 1715 den Bau veränderten. 1782
richtete sich der Malteserorden in Kastl ein; er blieb bis 1808. Die
Gebäude wurden vom Staat übernommen. 1952–57 fanden durchgreifende Restaurierungsarbeiten statt, bei denen der Turm und
der S-Flügel des Konventsgebäudes abgetragen und neu errichtet
werden mußten. Das Kircheninnere erhielt 1963–67 sein heutiges
Gesicht.*

Der langgestreckte Bau trägt auch im Ä u ß e r e n die
Kennzeichen der querschifflosen Basilika: ein Hochschiff,
begleitet von 2 niedrigeren Seitenschiffen, die in den 3 W-
Achsen durch got. Kapellenbauten erweitert sind. Im östl.
Drittel des Lichtgadens fehlen die Fensteröffnungen. Hier
beginnt der Mönchschor, dessen Gewölbe tiefer sitzen. Ehemals rahmten ihn je 2 Seitenschiffe. Im S deutet die Wandstruktur zweier Achsen darauf hin, im N wurde das äußere
Schiff zur Sakristei umgestaltet. 3 Apsiden bilden den O-
Abschluß. Die mittlere ist nur bis zum Fenstergesims romanisch. Ihre oberen Teile sind gotisch. Ein mächtiger Turm zu
6 Geschossen überragt die O-Teile (Wiederherstellung 1963
bis 1967). Urspr. war ihm im N ein zweiter beigesellt. Doch
dieser stürzte 1264 ein, wobei Klostergebäude und Chor zu
Schaden kamen. Ein niedriger Baukörper ist dem Hochschiff
gegen W vorgelagert, die Vorhalle, »Paradies« genannt. Genaue Untersuchungen haben ergeben, daß die Vorhalle in
roman. Zeit 3schiffig und 2geschossig angelegt war. Arkadenöffnungen stellten die Verbindung zum Kirchenraum
her. Was erhalten blieb, trägt ein spätgot. Rippengewölbe
des 15. Jh., gestützt von einem Mittelpfeiler. – Wir betreten
durch das got. Portal der S-Seite den I n n e n r a u m : Ein
5jochiges Langhaus in Basilikalform, von den Fenstern der
Hochschiffswand hell durchlichtet, mündet in den niedrigeren Mönchschor ohne Lichtgaden. Der Raum endet in der
lichterfüllten got. Apsis, die von dunkleren roman. Nebenapsiden flankiert ist. Wechsel von Rund- und Rteckeckstüt-
zen belebt das Langhaus. Wandvorlagen auf den Pfeilern
gliedern im Mönchschor. Seine Mitte bezeichnet beiderseits
eine Rundstütze (die nördliche mit dem schönen Knospen-
kapitell im 13. Jh. erneuert). Der Bedeutung des Chores gemäß sind die Stützen abwechslungsreicher gebildet. Hinzu
kommen ornamentale Friese (Rankenwerk, Weinlaub, Akanthus, Blattstäbe und Flechtwerk). Das Hochschiff des Chores

trägt eines der ältesten Tonnengewölbe im süddeutschen
Raum. Während die deutsche Wölbekunst des frühen Mittelalters das System von Kreuzkappen entwickelt, kommt hier
die durch Gurte gegliederte Tonne in Anwendung. Das weist
auf einen Baumeister, der wohl unmittelbar aus Burgund
kam. Die Seitenschiffe tragen Kreuzgewölbe. Fächerartige
Wölbrippen in der Hauptapsis deuten auf den Stil der Gotik
um 1400. Dasselbe gilt von den Gewölben des Langhauses.
Dieses war zuvor wohl flach gedeckt. Skulpturengeschmückte
Konsolen und Schlußsteine markieren die Knotenpunkte des
Spannungsgefüges. Über die Seitenkapellen breiten sich
reiche spätgot. Sternfiguren. – Wandmalereien wurden 1906
freigelegt und ergänzt. Am 2. Pfeilerpaar rechts Muttergottes zwischen den hll. Katharina und Willibald, 14. Jh., links
Salvator; am Kanzelpfeiler St. Georg, am korrespondierenden St. Pantaleon – diese alle 15. Jh. Auch der Wappenfries
an der Hochschiffswand wurde unter Zugrundelegung der
freigelegten Reste des 14. Jh. 1909 und 1967 wiederhergestellt. Es handelt sich um die Wappen von Stiftern und
Wohltätern des Klosters. Der Hochaltar von 1782 wurde
belassen. Die neue Altarmensa »ad populum« trägt als
Reliefschmuck Christus inmitten der Apostel, von Porzky,
Altötting. – An den beiden östl. Pfeilern des Chores sind
2 Denkmäler für Abt Joh. Menger († 1554) angebracht mit
Darstellungen des Verstorbenen, einmal (links) zu Füßen
der Muttergottes, das andere Mal (rechts) kniend vor dem
Kruzifix, beides vorzügliche Arbeiten des Eichstätters Loy
Hering. Hier auch ein frühklassizist. Grabdenkmal von
1786. Südwärts, gegenüber in einer Nische, das Stiftergrab-
mal der Markgräfin Luitgard, ein Steinsarkophag des 12. Jh.
mit Rundbogenblenden. Die Altäre in den Seitenapsiden
(südl.) 1715 und (nördl.) um 1750. In den Nebenschiffen
Reste des ehem. Chorgestühls, Ende 13. Jh., wohl zu den
ältesten in Deutschland erhaltenen zählend (vgl. Seligenporten): Wangen mit Maßwerkblenden und krabbenbesetz-
ten Giebeln; Volutengebilde u. dgl. schmücken sie. – Kanzel
1679. – Unter der neuen Orgelempore (mit Orgelprospekt
von G. Gsaenger): ein Stein mit den 3 Stifterfiguren, wohl
nürnbergisch, um 1400. Darunter roman. Steinrelief mit sitzender männlicher Figur. – Benediktus-Altar mit Gemälde
von Fz. Jos. Geiger 1673. – Die Paradiesvorhalle, Rest der
roman. ehemals 3schiffigen und 2geschossigen Anlage im W,

mit got. Mittelpfeiler und Gewölbe, birgt seit 1964 Grabdenkmäler, die bis dahin im Kirchenraum standen. In der
NO-Ecke ein barocker Schrank mit der Mumie der kleinen
Prinzessin Anna († 1319), einer Tochter des Königs Ludwig d. Bayern; davor das zugehörige alte Epitaph mit
Kreuz und Spitzbogenblenden. An der N-Wand reihen sich
die Epitaphien des Diepold von Hohenburg († 1226), des
Abtes Joh. Winter († 1539), dann eine Platte mit Wappen
des Feldhauptmanns unter Kaiser Ludwig d. Bayern, Sey-
fried Schweppermann († 1337); davor, freistehend, die klassizist. Ehrentumba, die seine Reste birgt. Die nächsten Epitaphien gelten den Äbten Georg Kemnater († 1434), Leonhard († 1490), ferner Hans v. Raidenbach († 1482) u. a. –
Im O-Winkel der S-Wand, dem Mumienschrank gegenüber,
steht ein barockes Holzgehäus von 1715 für die Gebeine
der Stifter. Es folgt eine weitere Reihe steinerner Epitaphien,
die mit 4 schönen Leistungen der Loy-Hering-Werkstatt ausgeht: dem Fragment eines Kreuzigungsreliefs und mit den
Grabdenkmälern der Äbte Joh. Lang († 1524), Ulrich
(† 1495) und Joh. Menger († 1554).

Klostergebäude. Der schmale Bergrücken war zur Befestigungsanlage wie geschaffen. Teile des ehem. Burgberings
wurden von der Klosterstiftung übernommen, ausgestaltet
und verbessert. Der Zugang erfolgt von O, vorbei an einem
Torturm des 13. Jh. durch einen neuen Torbau wohl des
16. Jh. mit hoher Dachpyramide. Östl. des Münsters gruppieren sich die Gebäude der Klausur um den Kreuzgarten.
Wegen der Enge des Terrains mußte auf die übliche S-Lage
des Kreuzgangs verzichtet werden. Von ihm blieb nur der
N-Flügel erhalten, ein flachgedeckter, schmuckloser Gang.
Eine kleine Kapelle des frühen 15. Jh. verbindet ihn mit der
Kirche. Sie enthält ein Wandgemälde des Erbärmde-Christus
aus der Erbauungszeit. In der Nähe des Turmes blieben Teile
des südl. Kreuzgangflügels bestehen mit Rippengewölben,
skulptierten Konsolen und Schlußsteinen der Zeit um 1400.
Der N-Trakt der Klostergebäude enthält den heute entstell-
ten Kapitelsaal, einen langgestreckten Raum mit Flachdecke.
Seine S-Wand trägt rundbogige Arkaden, je 3 von einem
Blendbogen zusammengefaßt. Sie öffneten urspr. nach clu-
niazensischer Gepflogenheit den Kapitelsaal gegen den
Kreuzgang. Einzelne der gekoppelten Trägersäulchen blie-

ben erhalten. Ein merkwürdiger, doppelseitig gestalteter
Aufbau steckt in der östl. Trennungswand zum (neuen) Stiegenhaus. 2 Säulchen tragen einen Rundbogen, dessen Öffnung durch ein steinernes Füllsel unterteilt wird, das seinerseits eine kreuzförmige Durchbrechung trägt. Die Anlage
wird als »Altar« bezeichnet, ist aber vermutl. nichts anderes
als eine Wanddekoration, die den Durchblick auf den Altar
des folgenden Raumes ermöglichen sollte. Dieser anstoßende
Raum gilt als ehem. Johanneskapelle. Ihr folgte ein weiterer
Saal (Trennungswand heute gegen O verschoben), in dessen
östl. Stirnwand ein Kamin (?) erhalten blieb. Der gesamte
Unterbau des Flügels gehört der Zeit um 1400 an. Das
Obergeschoß, ehemals Dormitorium, gotisch. Im O-Flügel
liegt das (wiederhergestellte) Refektorium. Seine Kreuzgewölbe mit den reliefgeschmückten Konsolen und Schlußsteinen deuten auf die Zeit um 1400. In der W-Wand ist ein
steinernes Lavabo eingelassen. Von hohem Interesse sind hier
die Figuren zweier Mönche, einer mit Wasserkrug, der andere mit Handtuch. Im Kellergeschoß Reste einer Heiz-
anlage, sog. Hypokaustum. – Die südl. Gebäudetrakte stamm-
ten aus der Zeit nach 1552. 1963 wurden sie abgetragen
und neu erstellt. Lediglich im W-Ende des S-Flügels besteht
noch eine ältere Marienkapelle wohl aus der Zeit gegen
1300, ein Raum mit geduckten Pfeilern und gratigen Gewölben (später verändert). Die Klostergebäude beherbergen
seit 1958 ein ungarisches Gymnasium mit Internat.

Im nahen **PFAFFENHOFEN** die **Schweppermannburg** mit Teilen des 13.
und 14. Jh. und Schweppermann-Sammlung. – Neben der roman. **Pfarrkirche** mit got. Chor ein interessanter **Karner** aus der Frühzeit des 13. Jh.
Die Reste der Ausmalung gehören der Zeit um 1400–1420.

KATZDORF (Opf.) → **Neunburg vorm Wald** (F 5)

KATZWANG (Mfr. – D 4)

*Wahrscheinl. schon im frühen Mittelalter, spätestens im 12. Jh.
Besitz des Klosters Ellwangen, das sich seiner 1296 durch Verkauf
an Kloster Ebrach entäußert.*

Ev. Pfarrkirche

*1287 erstmals bezeugt, ist sie, und zugleich auch schon ihre Wehr-
anlage, 1296 im Bau und ist es noch 1301. Im frühen 16. Jh. (1510)*

wird sie nördlich verbreitert. Um 1530 zieht die neue Lehre in die
von Ebrach patronisierte Marienkirche ein. 1711 fand eine Wieder-
herstellung statt, die aber den Baukörper wenig, nur in den Fen-
stern, verändert.

Der kleine massive Kirchenbau ist bis auf die Aufstockung
des Turmes (um 1400), die N-Mauer und die Sakristei
(1510) frühgotisch. Der Turm, der noch den roman. Rundbogenfries zuließ, beherbergt den Chor, den ein auf Eck-
diensten ruhendes Kreuzrippengewölbe deckt. Er öffnet sich
in einem auf Konsolen gesetzten Spitzbogen ins urspr. flach
gedeckte, dann, wahrscheinl. 1711, mit Holztonne gedeckte
Schiff, ein Rechteck innen so schlicht wie außen, doch durch
ein gutes, mit Diensten und Archivolten ausgestattetes Spitz-
bogentörchen (südl.) ausgezeichnet. – Der Vorzug der kleinen schlichten Kirche liegt in ihrer reichen Ausstattung. Der
Hochaltar, ein Wandelaltar mit 2 beweglichen und 2 festen
Flügeln, ist Nürnberger Arbeit um 1480–90. Wie gut steht er
im kleinen steinernen Gelaß des Chores, wie fein ist die ältere
Muttergottes, noch Weichen Stils, die den Schrein besetzt!
Auch der Seitenaltar links, der den hl. Leonhard in der Mitte
(ein Stifter und ein Gefangener im Stock sind ihm zugeordnet) mit Barbara und Magdalena auf den Flügeln verbindet,
stammt aus dem späten 15. Jh. Etwas älter, aus der Mitte
des Jahrhunderts, die beiden gemalten Altarflügel, mit den
Seligen und Verdammten des Gerichts, an den Wänden des
Chores. Hervorragend das *Sakramentshäuschen* im Schiff,
links vom Chorbogen. Das Adam Kraffts zu St. Lorenz in
Nürnberg stand jedenfalls Pate; 2 Nürnberger waren es
auch, die es, 1518, schufen, der Baumeister Hans Beheim
und der Bildhauer Veit Wirsberger. Aus weißem Kalkstein
ist es gemacht; aus der Passion erzählen die Reliefs über der
Nische; die Gipfelfiale rollt sich (wie in Nürnberg) ein.
Werk des gleichen Veit Wirsberger ist auch der 1519 aufgestellte große *Kruzifixus* an der O-Wand des Schiffes (Holz),
eine der besten Formulierungen des Themas neben den bekannten des Veit Stoß in den Nürnberger Kirchen.

Rühmenswert die Gesamtheit Kirche – Friedhof, von starker Wehrmauer
und einem aus der vorbeigehenden Rednitz gespeisten (jetzt großenteils
zugeschütteten) Graben umfangen. Im Einschluß des Berings steht auch
noch, neben der Kirche, der gleichzeitige (frühgot.) Karner. Außerhalb,
vor dem Tor, die spätmittelalterl. Gruppe von Bildstock (1476) und
Sühnekreuz.

KAUFBEUREN (B. Schw. – B 7)

Urspr. saßen hier die Edlen von Beuren, welfische Vasallen. 1191 kam die Stadt in staufischen Besitz. 1240 erscheint sie (in der ersten deutschsprachigen Urkunde des Mittelalters) als Buoron. 1286 gewinnt sie durch König Rudolf die Reichsfreiheit. Brände verwüsten die Gassen 1325 und in den Kriegen des 17. und 18. Jh. 1802 verlor Kaufbeuren seine Reichsfreiheit an Bayern. – Die Stadt entwickelte sich aus Verschmelzung eines Meierhofs an der Stelle des Franziskanerinnenklosters mit der jüngeren Marktsiedlung zwischen der heutigen Kaiser-Max- und Ludwigstraße. Dieser Ortskern war seit dem frühen 13. Jh. ummauert. Im frühen 15. Jh. wich dieser innere Bering bis auf geringfügige Reste einem neuen, weitergespannten Mauergürtel, dessen Türme heute dem Stadtbild seine besondere Note verleihen.

Pfarrkirche St. Martin. Ein spätroman. Bau aus dem 13. Jh. liegt zugrunde. Reste bergen die 1404 mit spitzer, viermal gegiebelter Haube bekrönte Turm und die S-Wand des Seitenschiffs mit der alten Hauptportal. Vor diesem eine spätgot. Vorhalle. Sie gehört der Erneuerung von 1438–43 an, die das Gefüge der 3schiffigen Basilika hervorbrachte. Restaurierung 1893–98, die das Raumbild neugotisch ernüchterte. Erhalten blieben das roman. Taufbecken (Deckel neu) und eine Zahl guter, spätgot. Schnitzfiguren an den Chorwänden, darunter die hll. Martin und Ulrich, Cosmas und Damian von Michael Erhart sowie Petrus und Johannes, viell. von Ivo Strigel.

St.-Blasius-Kapelle

Auf einer Anhöhe im NW der Stadt ist das berühmte Kirchlein der Stadtmauer aufgesetzt, neben einem starken, der Wehr dienenden Rundturm. In ihn führt der durch die Kirche laufende Wehrgang. 1319 ist sie bezeugt. Der Chor wurde bei Erneuerung des Mauergürtels geschaffen, 1436, lt. Inschrift. Langhaus 1484.

Das I n n e r e ist eine 3schiffige Halle auf steilen Achteckstützen. Die Einwölbung geschah vermutl. im frühen 16. Jh. Bedeutend ist der 1518 bez. *Hochaltar*, ein Hauptwerk der oberschwäbischen Spätgotik. Der einheimische Jörg Lederer hat das überaus zierliche Schreingebilde geschaffen: feingesponnene Ornamentik von hoher Meisterschaft. Die 3 Mittelfiguren, St. Ulrich, Blasius und Erasmus, stammen aus älterem Altarzusammenhang, wohl der Erbauungszeit des Chores, 1436. In den Fialentürmchen des Sprengwerks erscheint die Muttergottes zwischen den hll. Sebastian und Christophorus. Den Schrein flankieren, selbst bei geöffneten Flügeln sichtbar, Johannes d. T. und Mutter Anna Selbdritt. Von besonderer Feinheit sind die Engelsfigürchen unter den seitlichen Baldachinen. So weit Jörg Lederer. An der Ausführung der Gemälde waren mehrere Meister beteiligt. Die Jugendgeschichte Christi an den Flügel-Innenseiten steht unter niederländischem Einfluß. Schwächer ist die Bemalung der Rückseite (Kreuzigung) und der Predella (letztere bezeichnet J. M., als Jörg Mack gedeutet). – An der Chor-N-Wand gemaltes Reliquienaltärchen (Triptychon) um 1470: Corpus Christi, von einem Engel gehalten (Mitte) zwischen Maria und Johannes (Flügel). Am Triumphbogen 2 Figuren um 1480–90, Johannes d. T. und Sebastian, Zuschreibung an J. Lederer. Stuhlwerk umzieht die Wände des Langhauses. Darüber in gemalten Bildzyklen: Die Vita des hl. Blasius (N-Wand), die St.-Ulrich-Legende, die des Erasmus, des Antonius (W-Wand) und die Aussendung der Apostel (S-Wand). Die Zeit der Bildfolgen dürfte die der Erbauung des Langhauses sein, um 1484. Schöner Tragekruzifixus um 1350. Tapetenbild (Wirkarbeit), St. Blasius inmitten von Tieren, Ende 16. Jh. – Das Gesamtbild der Blasius-Kapelle ist von seltener Geschlossenheit und Reinheit im künstlerischen Ausdruck der späten Gotik.

Ehem. Franziskanerinnenkirche. Klostergründung 1315. Die Kirche, eine spätgot. Halle, wurde mehrmals durchgreifend verändert. An der N-Seite des Chores Empore mit Stuckarbeiten des frühen 17. Jh.

St. Cosmas und Damian (vor der Stadt). Ansprechendes Kirchlein der Spätgotik, geweiht 1494, ausgestaltet im 17. und 18. Jh. Im Innern feine Stuckdekoration von 1743. Treffliche Seitenaltäre in bewegten Rokoko-Rahmen 1745.

Unter den **Wohnbauten** ist Kaiser-Max-Str. 22 mit seinen román. Skulpturresten hervorzuheben. Renaissanceportal (1531) in derselben Straße (Nr. 3). – Im **Heimatmuseum** (Kaisergässele) Kunstsammlung.

Der **Mauerbering** aus dem frühen 15. Jh. ist in weiten Strecken erhalten. In seinem Verband erscheinen 5 charaktervolle Wehrtürme, Wahrzeichen der Stadt. Der stattlichste ist der sog. »Fünfknopf«-Turm. – *Neptunbrunnen* 1753.

In jüngster Zeit ist der Stadt ein neues Industriefeld zugewachsen: NEUGABLONZ. Die dortige **Pfarrkirche** schuf Thomas Wechs, 1955 bis 1957. Der auffallend langgestreckte Baukörper wird von kleinteilig durchbrochener Chorkuppel und dem abgerückten Glockenturm überragt. Mosaiken an Turm, Hochaltar und Ambonen von Gg. Bernhard, Augsburg.

KEFERLOH (Obb.) → **München** (D 7)

KELHEIM (Ndb. – E 6)

*Das untere Tal der Altmühl, an deren linkem Ufer sich Kelheim
zunächst entwickelte, ist schon in der Altsteinzeit, der Michelsberg
westlich über der Stadt in der Jungsteinzeit besiedelt. Er trägt in
spätkeltischer Zeit eines der stärksten »oppida« (Burgstädte), dessen die Altmühl (Alcmona) einschließender Name, Alcimoennis,
durch Ptolemaeus überliefert ist. Wenig unterhalb, bei Hienheim,
stößt der röm. Limes vor der Donau ab; kurz vorher, am rechten
Ufer des Stromes, liegt das Kastell Abusina (Eining). – Diese
Daten mögen das hohe Kulturalter der Erde zwischen Donau und
Altmühl beleuchten. Das 866 erstmals beurkundete »Cheleheim«,
die Siedlung am linken Altmühl-Ufer (heute Vorstadt Gmünd), ist
schon früh, sicher schon im 11. Jh., Besitz der Scheyern-Wittelsbach. Um die Mitte des 11. Jh. ist es – eine zweite jüngere Siedlung am Fuße des Michelsberges – Markt und 1181, angebl., auch
schon Stadt. Die Plangründung des neuen Kelheim östl. des eben
genannten wird auf Herzog Ludwig II., d. Strengen, zurückzuführen sein.*

Der Grundriß der **Stadt** könnte nicht regelmäßiger sein:
ein Rechteck, fast Quadrat, geviertelt durch eine Längs-
und eine Querachse, an deren Kreuzung ehemals (bis 1824)
das Rathaus stand. Die Mauern stehen nur noch kleinenteils (N-Seite), von den Türmen noch 3, von den Toren
noch alle. Der die Stadt durch das Donautor (13. Jh.) Be-
tretende verläßt sie durch das Altmühltor (13. Jh.). Das Mittertor (14. Jh.) im W hatte im O keine Entsprechung an der
hier zum Markt erweiterten Querachse.

Die **Pfarrkirche Mariae Himmelfahrt** – hinter dem NO-Winkel des
Marktplatzes zurückliegend – ist ein guter Bau des 15. Jh. Sein basilikales Langhaus entstammt der 1. Jahrhundert-Hälfte. Das erhärten u. a.
die Gewölbe des nördl. Seitenschiffs, während jenseits der erneuerten
Hochschiffgewölbe das komplizierte Rippenwerk des südlichen auf die
Zeit nach 1500 verweist (Jahr am O-Giebel 1513). Der 1schiffige Chor,
um 1460 beg., ist wohl auch erst zu Beginn des 16. Jh. vollendet worden.
W-Joch und Turm 19. Jh. Auch die Seitenportale sind neu. Über dem
südlichen ein spätgot. Muttergottesbild um 1440. – 1957 durchgreifend
restauriert.

Spitalkirche St. Johannes (Ottokapelle). An der Stelle, an der 1231
Herzog Ludwig »der Kelheimer« ermordet worden war, errichtete sein
Sohn Otto d. Erlauchte eine Sühnekapelle. An den Mord erinnert hinter
dem Chor ein später errichtetes Sühnekreuz, das bis 1884 den Kapelleneingang gegenüberstand. 1500 wurde das sog. Reiche Spital angegliedert.
Der schlichte Baukörper erhielt 1601/02 eine neue Flachdecke, zugleich erweiterte Fenster und Stuckierung im Chor. Altäre 18. Jh.

Außerhalb der Stadtumwallung, am Fuße des Michelsberges, liegt das
Kirchlein **St. Michael**, ein kleiner Bau des 12. Jh., viell. die älteste, 1110

erstmals genannte, Pfarrkirche. Im Innern sind Reste roman. Wandmalereien von Interesse, sowie eine spätgot. Schnitzfigur des Seelenwägers St. Michael und ein dem 16. Jh. angehörendes Steinrelief der Maria Magdalena. – Dem Kirchlein gegenüber entstand 1461–71 die **Franziskanerkirche** mit Kloster. Die Kirche ist ein schlichter, flach gedeckter Saalbau mit eingezogenem, netzgewölbtem Chor. Im Langhaus Reste ehem. Barockisierung und ein Altar um 1750. Fast alles übrige vernichtete das

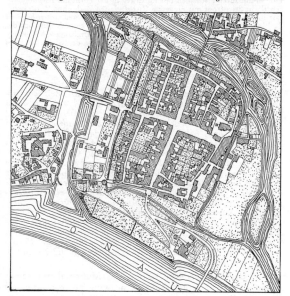

Kelheim, Stadtanlage

(Ausschnitt aus dem Stadtplan des B. Landesvermessungsamtes München)

19. Jh. Eine Restaurierung brachte 1953 got. und barocke Wandmalereien zum Vorschein. Die **Klosterbauten** gruppieren sich um den guterhaltenen Kreuzgang.

Als moderne Kirche kam 1959/60 die **Pfarrkirche St. Pius** von Friedr. Haindl hinzu.

Ehem. Herzogsschloß (Bezirksamt). Gegen O, außerhalb des Berings, auf einer kleinen Insel zwischen Donau und der sog. kleinen Donau (die den Stadtgraben bewässert), Reste des alten Herzogsitzes. Die Ruine des Bergfrieds mag der Zeit um 1150 angehören. Die übrigen

Gebäude enthalten mittelalterl. Kern, doch hat sich das urspr. Bild durch zahlreiche Umbauten stark verschoben.

Im Stadtbereich blieb der mächtige, mittelalterl. **Herzogskasten** erhalten (heute Gymnasium). – Das **Rathaus** erhob sich einst über der Straßenkreuzung im Herzen der Altstadt. Es wurde im 19. Jh. beseitigt und in das Gebäude der Stadtschreiberei ans NO-Eck der Kreuzung verlegt. – Die **Wohnbauten** erscheinen fast durchweg in der Form des Altmühlhauses: flache Stirnfront mit niederem Giebel, dessen Dach ohne Dachvorkragung fast in gleicher Flucht mit der Stirnmauer abbricht. Dazu treten hie und da kleine flache oder keilförmige Erker. Zuweilen bemächtigen sich des Giebels barocke Schwingungen, die ihn über den Dachansatz hinaus erhöhen. Ausgedehnte Stukkaturen finden sich nur an der Giebelfront des **Hauses B 2**, Mitte des 17. Jh.

Befreiungshalle

1836, auf seiner Griechenlandreise, faßte König Ludwig I. den Entschluß, ein Monument der Erinnerung an die Zeit der Befreiung, 1813–15, zu setzen. Die Platzwahl fiel auf den durch menschliche Urzeit geweihten Michelsberg zwischen Donau und Altmühl, der sich beherrschend gegen das hier, nach der Weltenburger Enge, breit öffnende Stromtal vorschiebt. Friedr. Gärtner entwarf einen »byzantinischen« Rundbau (Achtzehneck) und begann auch schon, 1842, seinen (und des Königs) Gedanken zu verwirklichen. Als er, 1847, starb, standen aber erst die Grundmauern und 2 der mächtigen Sockelstufen. So konnte der nun vom König berufene Leo v. Klenze den Entwurf Gärtners absetzen. Er hielt zwar an der Idee des Rundbaus fest, verwarf aber, als entschiedener Klassizist, die byzantinische Formgebung zugunsten der antik-römischen. Kaum hatte er die Fortführung des Werkes begonnen, als der König, 1848, die Krone niederlegte. Aber der leidenschaftliche Bauherr resignierte nicht, 1850 wurde weitergebaut, und am 50. Jahrestag der Leipziger Schlacht, 18. X. 1863, wurde die Befreiungshalle, ganz eigenes Geschenk Ludwigs an die Deutschen, feierlich eröffnet.

Der Michelsberg erreicht 100 m, das Mahnmal auf seiner Höhe 45 m. Die Kolossalität ist bezwingend, römischer als die vom Pantheon her inspirierte Form des Rundtempels, der sich doch in dem durch die Streben gestrafften Rundblock (tatsächlich – Erbe Gärtners! – Achtzehneck), im offenen Kranz des Säulenringes, als durchaus eigene, durch einen stereometrischen »Kubismus« bestimmte Leistung erweist. Der riesige Kuppelraum öffnet sich in 2 Rängen, einer 18-fachen Nischenkette unten, einer Säulengalerie oben. Je 2 Marmor-Viktorien (nach Modellen Schwanthalers, einige auch von seiner Hand) treten vor jede Nische: 34 Viktorien (Zahl der deutschen Staaten) schließen den Ring um den spiegelnden Marmorboden der Mitte, der die mahnende In-

schrift trägt: »Möchten die Teutschen nie vergessen...«
17 vergoldete (aus Beutekanonen gegossene) Eisenschilde
zwischen den Viktorien melden die Namen der Schlachten.
Schrifttafeln, über den Viktorien-Walküren, künden die Namen der Feldherren und goldene Lettern im Architrav der
eroberten Festungen. In 6 Kassettenkränzen rundet sich
die Kuppel; die Laterne über ihrem Scheitel ist der Lichtspender (einziger) der Rotunde. Edles Material, Marmor,
Granit, bekleidet die Wände des nicht, wie es die Absicht
wollte, in Kelheimer Marmor, sondern in Ziegel aufgeführten Baukörpers, den außen eine warmgetönte gelbe Putzschicht überzieht. Auf den das Rund umgebenden Streben
18, von Joh. Halbig entworfene Kolossalfiguren germanischer Jungfrauen; sie tragen Tafeln, welche die an der Befreiung beteiligten deutschen Völkerschaften nennen.

Westl. Kelheim, unterhalb des Michelsberges, im Altmühltal, liegt
GRONSDORF mit der kleinen **St.-Georgs-Kirche** (Ende 14. Jh.), deren
Chor um 1420–30 seine Ausmalung erhielt: Szenen aus der Heilsgeschichte, Apostel, Propheten.

KEMNATH (Opf. – F 4)

1008 erstmals genannt, geht das damals an Bamberg geschenkte
»Keminata« wohl schon im 11. Jh. an die Herren v. Hopfennohe,
dann, 1199, an die Grafen v. Leuchtenberg, schließlich, 1283, an
die Herzöge von Bayern über. Einen Wochenmarkt erhält es 1375.
Indes wird man die regelmäßige Grundrißgestalt – Rechteck mit
breiter halbierender Marktstraße, deren Mitte ehemals bis 1855,
wie so oft in oberpfälzischen Städten, das Rathaus besetzte – doch
wohl etwas früher, ins 13. Jh., datieren müssen. Die mit Zwinger
und Graben verstärkte Mauer, vermutl. in der Zeit der Stadtwerdung aufgeführt, läßt sich noch in beträchtlichen Teilen abschreiten. Die beiden westl. und östl. sperrenden Tore wurden im
19. Jh. abgetragen.

Pfarrkirche Mariae Himmelfahrt

Lt. Inschrift über dem Portal 1448 im Bau. Ihre gemauerte W-Empore entsteht 1506. – Die 3schiffige Halle, eine der besten Vertreterinnen dieser Raumgattung in der Oberpfalz, hat im Außenbau durch Veränderungen schon des 17. und dann noch des 19. Jh.
(der Turm, gleichzeitig östl. Stadttorturm, wurde 1854 neu gebaut)
gelitten. Aber der Raum, der Schiff und Chor einheitlich zusammenfaßt, ist noch guter alter Bestand.

Kräftige, doch schlanke Rundpfeiler trennen die Schiffe, die in 6 Jochen dem 3seitig gebrochenen O-Schluß zustreben. Kreuzgewölbe, deren Rippen den Pfeilern unvermittelt entwachsen, decken die Joche. Die westl. Empore durchquert die 3 Schiffe; Kreuzrippengewölbe unterfangen sie, eine Maßwerkbrüstung schließt sie ab.

Die **Ausstattung** bietet einige gute Barockaltäre an, den Hochaltar von 1739, die älteren, dem letzten Jahrzehnt des 17. Jh. angehörigen Seitenaltäre, die Altäre der Schmerzhaften Muttergottes und des hl. Johann Nepomuk, beide von etwa 1750. – Aufgedeckt wurden spätgot. Bemalungsreste. Ferner zu nennen: Epitaph des Christoph v. Trautenberg (1575), ein Sandsteinrelief mit guter Bildnisfigur.

Der Bestand an älteren **Bürgerhäusern** ist durch Stadtbrände stark zusammengeschmolzen. Doch stehen noch einige gute mit rundbogigen Einfahrtstoren und Staffelgiebeln; Nr. 26 am Markt sei unterstrichen. – *St.-Pirmin-Säule* 1695 (am westl. Ortseingang), *Sebastian-Säule* (auf dem Marktplatz) 1714.

KEMPFENHAUSEN (Obb.) → **Starnberg** (C 7)

KEMPTEN (B. Schw. – B 7)

Uralter Siedlungsboden trägt die ehrwürdige Stadt, deren Name an das keltische »Cambodunum« erinnert. Eine Anhöhe links der Iller, »Burghalde« geheißen, ist Keimzelle der Entwicklung. Dazu trat seit 15 v. Chr. am O-Ufer der Iller eine bedeutende Römerstadt mit Forum, Basilika, Thermen und allem Zubehör der glänzenden Mittelmeerkultur (Stadtteil »Lindenberg«, hier umfangreiche Ausgrabungen). Nach dem Alemanneneinbruch im 3. Jh. verlagerte sich das Gewicht der röm. Militärverwaltung zur »Burghalde«, an deren Fuß eine jüngere Römersiedlung erwuchs. Sie ging in einem Alemannensturm zu Anfang des 5. Jh. unter. 752 begann mit einer Missionszelle des St. Gallener Mönches Audogar das klösterliche Leben, das sich durch die Zeit der Ungarneinfälle retten und zum Schwerpunkt der Siedlung werden konnte. Diesem geistlichen Bezirk stand seit 1289 die Freie Reichsstadt gegenüber (östl. vom Stiftsbezirk). Die innere Spannung wuchs, als der Stadtrat 1527 die Reformation einführte. 1632 entlud sich das Mißverhältnis in der Zerstörung des Klosters durch die Schweden. Doch das benediktinische Leben drängte sich mächtig wieder hervor. So erweist es die glänzende Bautätigkeit der Fürstäbte im späteren 17. und 18. Jh. 1705 fiel der alte Befestigungsgürtel, von dem geringe Trümmer auf der Burghalde verblieben sind. 1803 gelangte das Kloster zur Auflösung. Die Stadt wurde bayerisch.

Die geistliche Stadt

Ehem. Benediktinerklosterkirche St. Lorenz

Nachdem der 30jährige Krieg Kloster und Kirche vernichtet hatte, begann sogleich eifriges Planen, das 1652 zur Grundsteinlegung des Neubaus führte. Dieser entstand nicht auf den Resten seines Vorgängers, sondern auf erhöhtem Platz: an der Stelle, da bis 1632 eine zweite Kirche des Klosters stand, die den Gottesdiensten der Pfarrgemeinde diente. Baumeister ist Mich. Beer aus Vorarlberg, der nach Vollendung des Langhauses 1654 sein Amt dem Graubündner Joh. Serro überließ. Dieser erhöhte das Mittelschiff und änderte den Verlauf der Emporen. 1666–73 wird an den Turmbauten gearbeitet, die erst in jüngerer Zeit ihre helmbekrönten Achteckgeschosse erhielten.

Das Ä u ß e r e hebt sich mächtig über das Stadtgewinkel. Seine Formen sind nicht sonderlich schmuckreich. Auf eine prunkvolle Fassadengestaltung ist zugunsten der alles umziehenden flachen Pilaster- und Gesimsordnung verzichtet (Vorhalle und Turmbekrönungen neu). Das basilikale Langhaus (1652 beg.) sendet nach beiden Seiten je 2 überkuppelte Rundkapellen (1704) und je 2 flache, geschwungene Erker (1748). Die O-Teile sammeln sich in einem 8eckigen, mit Kuppel und Laterne überdeckten Zentralkörper, der gegen O durch einen Sakristeitrakt die Verbindung mit der fürstäbtlichen Residenz herstellt. – Das R a u m b i l d ist für den vom W Eintretenden zunächst voller Rätsel. Er überschaut ein 4jochiges Langhaus, überwölbt von hoher Stichkappentonne, zwischen 2 niedrigen Seitenschiffen. Über den Arkaden öffnen sich 3teilig die nach der Vicentiner Basilika benannten »Palladio-Bögen« zum Emporengeschoß. Darüber die breiten Halbkreisfenster des Lichtgadens, den der Nachfolger Beers, Serro, um 1,7 m erhöhte. Diese kühn entworfene lichtvolle Anlage erfährt gegen O eine Verengung. Den herabgedrückten Triumphbogen quert eine offene Balustrade. Dem dunklen, niedrigeren Joch folgt eine hellere Zone, die in den Altarraum mündet. Diese merkwürdige Raumgruppe im O setzt sich selbständig ab. Wir erinnern uns des am Außenbau kenntlichen, überkuppelten Zentralkörpers. 4 starke Freipfeiler stecken ein Grundrißquadrat ab, das schachtartig über ein Emporengeschoß hinaufstrebt ins Achteck der Kuppel-Laterne. Dieses Grundrißquadrat ist Mitte eines umgebenden Achteckraumes, der – etwas niedriger als das Langhaus – nach 3 Seiten flach geschlossene Altar-

räume aussendet und dessen W-Seite sich als Triumphbogen
öffnet. Das westl. Paar der Freipfeiler ist durch dreieckige
Musikemporen mit den westl. Schrägen des Raummantels
verbunden. Im ganzen also: ein zentraler Kirchenraum für
sich, der nur durch die Gemeinsamkeit der Achse und den
Hochaltar mit dem Langhaus verkoppelt ist. Zu diesem
Zweierlei der Räume führte die Vereinigung von Stiftskirche
und Laienkirche, die zuvor in 2 getrennten Bauten untergebracht waren. So konnte nun der Benediktinerkonvent im
östl. Zentralraum der gottesdienstlichen Handlung beiwohnen wie der Laie im Langhaus. Die Altäre der Seitenarme
blieben dem Gebrauch der Mönche vorbehalten. – Dieses
Raumbild der ersten großen Kirchenanlage Deutschlands
nach dem 30jährigen Krieg schöpft im einzelnen aus oberitalienischen Quellen, wie denn nun in starkem Maße itali-
nisches Formengut auf die heimische Bauweise einwirkt. Als
Vorbild für die Langhausgestaltung kann S. Maurizio in
Mailand, für die O-Teile der Dom von Pavia gelten, ob nun
das ausgeführte Projekt von Mich. Beer stammt (was wahrscheinlich ist) oder von Joh. Serro.

Die Ausstattung – Stuck von Giov. Zuccalli, Malereien
von Andr. Asper – steigert sich aus dem ruhigen, zurückhaltenden
Dekor des Langhauses zu Dichte und Farbigkeit in den O-Teilen.
Hier überraschen bunte Scagliola-Füllungen an den Pilastern. –
Hochaltar 1684 mit der 1780–84 gefertigten Kopie des urspr.
Mariae-Himmelfahrts-Gemäldes von J. C. Sing. Ein Original dieses Malers ist die Huldigung vor dem Ordensvater Benedikt im
südl. Hochaltar. Im nördlichen: Kreuzabnahme nach Janssens von
Fz. Gg. Hermann 1699. Von hohem Reiz ist das Chorgestühl von
1669 mit den farbigen Scagliola-Arbeiten einer unbekannten Stuk-
katorin. Landschaftsbilder und Innenräume von starker perspekti-
vischer Illusionskraft fanden als Themen Verwendung. (Von derselben Hand die Pilasterfüllungen.) Seitenaltäre am Triumphbogen von Joh. Gg. Üblherr 1760 im Geist des reifen Rokoko, mit
trefflichen Figuren. Kanzel 1685. Die Altäre der Seitenschiffe
stammen aus dem frühen und mittleren 18. Jh. Unter der (neuen)
W-Empore interessanter Gabelkruzifixus um 1350. Die empor-
gerichteten Kreuzarme und Zweigstümpfe bedeuten im mystischen
Sinn den »Baum des Lebens« (arbor vitae). – Östl. der Kirche die

Ehem. fürstäbtliche Residenz

*Fürstabt Roman Giel v. Gielsberg (1639–73), Bauherr der neuen
Stiftskirche, betrieb zugleich die Errichtung von Stiftsgebäude und
Residenz. Der umfangreiche, rechteckige Komplex mit seinen Eck-
türmchen entstand 1651–74 nach Plänen von Mich. Beer. Den be-*

tont nüchternen Außenfronten tritt im östlichen der 2 Binnenhöfe die von Arkaden durchsetzte S-Seite entgegen: eine Wiederkehr der in Süddeutschland beliebten Laubenarchitekturen; Bogenfenster später z. T. vermauert.

Von hoher Bedeutung sind die prächtig ausgestalteten I n n e n r ä u m e (deren jetzige Verwendung als Landgericht sich nicht mit der Würde ihrer künstlerischen Erscheinung verträgt). Die Hofseite ist – dem 17. Jh. gemäß – von langgestreckten Gängen umzogen, die später durch Einbauten zerrissen wurden. In einzelnen Gängen und Räumen des 1. Obergeschosses: Rahmenstuck aus der Erbauungszeit um 1660, ebenso im Saal des Querflügelbaus (um 1670). Reicher gestaltet, doch ebenfalls aus dem späten 17. Jh., ist die Dekoration des Fürstensaals im W-Trakt (heute altkath. Betsaal), die sich in schönem Weingeranke, in Frucht- und Blattstäben ergeht. – Ihr Kostbarstes bietet die Residenz im 2. Obergeschoß des W-Flügels mit den Prunkräumen des Fürstabts Anselm I. Reichlin Freiherr v. Meldegg (1728–47). Die Entstehungszeit des prächtigen Appartements wird zwischen 1734 und 1742 angesetzt. Seine Ausstattung in Stuck, Schnitzwerk und Malerei gehört zum Besten, was das süddeutsche Rokoko geschaffen hat. Einer der Meister ist J. G. Üblherr, der sich vielfach einzelner Themen bedient, die unverkennbar von Dom. und Joh. Bapt. Zimmermann wie von Fr. Cuvilliés d. Ä. stammen, ein anderer ist Joh. Schütz, auch ein Wessobrunner. Malereien von Fz. Gg. Hermann. Besonders prunkvoll und feinsinnig ausgeziert sind das fürstäbtliche Schlafzimmer, das »Tagzimmer«, Audienzimmer und der Thronsaal. Hier u. a. die 4 trefflichen Tugendfiguren des Egid Verhelst. (Durchgreifend restaur. 1956–58.)

Abschluß des Hofgartens ist ein vornehm wirkendes **Orangeriegebäude** von 1780.

Kornhaus (westl. der Stiftskirche), ein schön gegliederter Baukörper des frühen 18. Jh., dessen vornehme Erscheinung sich über die reine Zweckdienlichkeit hinwegsetzt. Inneres verändert. (Heimatmuseum.)

Die ehem. Reichsstadt

Pfarrkirche St. Mang, zurückgehend auf eine Gründung des 8. Jh. Als Stadtkirche seit 1525 protestantisch. Die urspr. flachgedeckte Basilika der Spätgotik von 1427/28 erhielt 1512/19 drei Seitenkapellen. 1767/68 wurde das Langhaus eingewölbt und mit vorzüglichem Rokokostuck ausgekleidet. Kanzel 1608.

Kath. Pfarrkirche St. Anton (Kapuzinerklosterkirche), 1911/12 von F. Schildhauer, ein tonnengewölbter Raum mit Seitenkapellen, nach Kriegsschäden wiederhergestellt 1951.

Kath. Pfarrkirche, Friedenskirche Christi Himmelfahrt. Die 1926 von Andor Akos errichtete Notkirche beherbergt im Chor einen aus Burg Hohenthann stammenden, 1513 dat. Flügelaltar aus der Werkstatt des Ivo Strigel; im Schrein Muttergottes von etwa 1430.

Rathaus von 1474, verändert im 16. und 17. Jh. (Steinbalkon). Im 19. und 20. Jh. restauriert. – **Stadttheater** im ehem. reichsstädtischen Salzstadel. Dieses Haus diente schon 1657 den Spielen der Kemptener Komödiengesellschaft. Logenhauseinbauten 1754, dann 1812, Umbau 1828. Heute erscheint das gut disponierte, von Rängen (nicht mehr Logen!) umfahrene Zuschauerhaus mit den Veränderungen von 1896 und 1956. – An **Wohnbauten** sind schöne Beispiele schwäbischer Kunst aus dem 14.–18. Jh. überkommen. Das **ehem. Weberzunfthaus** (Gerberstr. 20) ist spätgotisch (Mitte des 15. Jh.). – **Ponikauhaus** (Rathauspl. 100) 1570–74 mit Giebel von 1740 und guter Innendekoration des Rokoko (Üblherr-Hermann). – **Londoner Hof** (Rathauspl. 2) mit prächtiger Fassade 1764. – *Rathausbrunnen* 1601, aus der Nachfolge des Hubert Gerhart.

Umgebung

Ostwärts, etwas außerhalb der Stadt: **Ehem. Leprosenhaus St. Stephan** im »Keck«. Schlichte, spätgot. Erweiterung eines roman. Bauwerks mit interessanter Ausmalung der Zeit um 1460: Abendmahl (in Sakramentsnische), Kluge und Törichte Jungfrauen, Heilige.

Eine gute Wegstunde nördl. Kemptens liegt die **Wallfahrtskirche Heiligkreuz,** ein kleiner Zentralbau von Joh. Jak. Herkomer 1711, an den 1730–33 ein saalartiges Langhaus gesetzt wurde. Die Stuckierung, den beiden Baustufen entsprechend, trennt und verbindet die beiden Raumabschnitte gleicherweise. Thema der Ausmalung ist die Geschichte des Kreuzes: im Langhaus die Passion (wohl von F. G. Hermann), im Chorbereich Kreuzfindung und -erhöhung (J. M. Koneberg). Altarausstattung im wesentlichen um 1768–70. – Das angeschlossene Franziskanerkloster (Bauten von 1716 und 1736) verfiel 1803 der Auflösung.

Weiter westl.: **WIGGENSBACH** mit der **Pfarrkirche St. Pankraz,** einem Neubau von Joh. Gg. Specht 1770/71. Der Grundriß, dem die Kreuzform eingeschrieben ist, ferner die flachen Kuppeln über Vierung und Chor sind mit dem älteren Werk des Joh. Gg. Fischer in Bertoldshofen (1734; s. d.) vergleichbar. Stuck von Joh. Gg. Wirth und Fresken von Fz. Jos. Hermann gehören der Erbauungszeit ebenso wie Altäre und Kanzel. Das Ganze von kraftvoller, einheitlicher Wirkung.

Weiter nördl.: **ALTUSRIED.** Die dortige **Pfarrkirche St. Blasius und Alexander,** auf spätgot. Grundmauern, ist als 3schiffige Halle von 1670 bis 1681 anzumerken, mit Stuck von Ant. Rauch und Joh. Bader 1728. (Fresken 1888 und 1891.) Die Ausstattung des 18. Jh. hat im späteren 19. Eingriffe erfahren.

KINDING (Mfr. – D 5)

Die **kath. Pfarrkirche**, im Turm romanisch, im Langhaus gotisch (westl. Teil neu), ist ohne sonderliche Bedeutung. Aber der befestigte **Friedhof** verleiht ihr den Rang einer Kirchenburg, die nicht viel Vergleichbares hat. 1357 verlautet von der Weihe des äußeren und inneren Friedhofs. Vermutl. geht die Anlage in diese Zeit zurück. Der innere, die Kirche umgebende Ring, dem talwärts der äußere vorliegt, ist an der S-Seite mit 3 Türmen bewehrt, die insbesondere den Eindruck der zudem erhöht liegenden Kirchenburg bestimmen. Die dem Turm der SO-Ecke angelehnte, 1474 dem hl. Michael geweihte, 1687 veränderte **Fünfwundenkapelle** fügt der vielfältigen Baugruppe noch einen weiteren Akzent hinzu.

KIPFENBERG (Mfr. – D 5)

Der **Michelsberg** zwischen Altmühl und Birkbach trägt schon in vorgeschichtlicher Zeit eine Befestigung, auf die Wälle und Gräben, an der offenen S-Seite, zurückdeuten. Auch das Frühmittelalter macht noch von dieser Abschnittsburg Gebrauch. Eine **Michaelskapelle**, auf der vordersten Schroffe, jetzt Ruine, ist im 17. Jh., wenn nicht schon früher, Wallfahrtsziel.

Burg

1301 kommt sie durch Kauf an das Hochstift Eichstätt, das hier ein Pflegamt einrichtet. Im 12. oder frühen 13. Jh. mag sie begründet worden sein. Um- oder Zubauten des späten 14. Jh. formten ihre äußere Erscheinung, die sich erst im 19. Jh. durch Abbrüche und im 20. Jh. durch Wiederaufbau (nach Plänen B. Ebhardts) wandelte.

Ein Dolomitblock trägt sie; unter ihr der Markt. Nur rückseits war sie eines Grabens bedürftig. Gut erhalten der Bergfried im Bering der Hauptburg (der nordöstlich eine Vorburg anliegt), quadratisch, ein Buckelquaderbau, der ins 13. Jh. zurückführt.

Die **kath. Pfarrkirche** wurde in der 1. Hälfte des 17. Jh. neu errichtet; ihre Ausstattung ist 18. Jh. – Die zweite Kirche, **St. Georg** (urspr. Pfarrkirche), ist im Kernbau mittelalterlich, wurde aber im frühen 17. Jh. erneuert.

KIRCHDORF b. Haag (Obb.) → Haag (E 7)

KIRCHHASLACH (B. Schw. – B 6)

Die **Pfarr- und Wallfahrtskirche U. L. Frau** ist eine 3schiffige spätgot. Basilika aus der 2. Hälfte des 15. Jh. (angegebene Baudaten 1449 am Turm, 1470 am Chor). Zwischen 1680 und 1710 erfolgte barocke Umgestaltung, welche die Pfeiler und Fenster umformte und (1707–10) das

Stuckgewand, vorherrschend Akanthusranken, und Freskomalerei beisteuerte. Auch die im W angebaute Gnadenkapelle kam damals hinzu,
mit einem Altar um 1680–90. Der Hochaltar entstand 1715 und erhielt
ein Gemälde von Joh. Gg. Bergmüller. Orgelprospekt 1735.

KIRCHHEIM a. d. Mindel (B. Schw. – B 6)

Schloß der Fugger

*Nördl. Mindelheim, als Krone eines sanften Höhenzugs, ließ sich
Hans Fugger 1578–85 sein Schloß errichten. Aus einer älteren
Burganlage der von Hirnheim wurden Teile der Kapelle und
des Turmes übernommen. Alles übrige – eine 4-Flügel-Anlage mit
Ecktürmen – ließ Fugger durch den Augsburger Stadtbaumeister
Jakob Eschay neu aufführen. Die Ausstattungsarbeiten übertrug
man den bedeutendsten Künstlern der Zeit: dem Schnitzer-Archi-
tekten Wendel Dietrich, dem Bildhauer Hub. Gerhart und dem
Stukkateur Carlo Pallago. Das 19. Jh. zerstörte die Geschlossenheit der Anlage durch Abbruch des gesamten N- und der Hälfte
des W-Flügels.*

Von Würde und Großzügigkeit zeugt das Erhaltene: langgestreckte Flügel, die zuweilen einen schmucklosen Giebel
aussondern und aus den Ecken annähernd quadratische
Türmchen hervortreten lassen. Der W-Trakt wurde von der
Kirche durchschnitten. Heute fehlt eine nördl. Hälfte. Der
O-Flügel öffnet in wuchtiger Rustikarahmung das Haupttor. Seine 3 Nischenfiguren aus gebranntem Gips hat Hub.
Gerhart geschaffen: Herkules, Mars und Minerva (diese
durch bronzene Muttergottes ersetzt). Im Giebelsegment:
gegossenes Fuggerwappen. Eine stattliche Eingangshalle auf
toskanischen Säulen schickt an der Hofseite Gänge aus, die
ehemals das ganze Anlageviereck nach italienischer Gepflogenheit durchfluchteten. Das Hauptgeschoß verzichtet auf
diese Art der Raumverbindung, während das 2. Obergeschoß
wieder darauf zurückgreift (mit Ausnahme des Saalflügels).
Trotz gewisser Ähnlichkeiten zum späteren Aschaffenburger
Schloß scheiden die dort verbindlichen franzö̈s. Vorbilder
aus. Es ist vielmehr eine Verbindung zum älteren (später
umgebauten und demolierten) Dachauer Schloß gegeben. –
Über der Eingangshalle liegt ein prächtiger Festsaal mit der
reichen geschnitzten Decke und den prunkenden Türumrahmungen W. Dietrichs, 1585. Den Figurenschmuck des Kamins
und der Wandnischen, berühmte Gestalten aus Sage und
Geschichte, lieferten H. Gerhart und C. Pallago 1582–85. An

dekorativem Reichtum kann sich dieser Saal mit seinen Geschwistern in Heiligenberg, Weikersheim und Augsburg (Rathaus) messen. Die räumliche Wirkung freilich bleibt, bei gedrungenen Verhältnissen, hinter ihnen zurück. Schlichtere, doch nicht minder schöne Decken- und Portalschnitzerei bieten die kleineren Räume, Empfangs- und Speisesaal. (Gemäldesammlung.)

Die **Schloßkirche St. Peter und Paul** soll sich in ihrem Gefüge eng an die alte Dachauer Schloßkapelle angeschlossen haben – soweit das den Bau von J. Eschay betrifft (seit 1581). Das 19. Jh. hat erweiternd und entstellend eingegriffen (Wölbungen, Seitenschiffe). – Hans Fugger ließ sich 1584–87 von Alex. Colin und H. Gerhart eine prächtige Grabtumba in rotem und weißem Marmor schaffen. Sie kam jedoch urspr. nicht in Kirchheim zur Aufstellung, sondern in St. Ulrich zu Augsburg. Neuerdings hat sie nun doch den ihr zugedachten Platz in der 1954/55 restaurierten Schloßkirche erhalten. – Über den Seitenaltären Gemälde von Rubens und Domenichino.

KIRCHWEIDACH (Obb. – E 8)

Pfarrkirche St. Vitus. Das schmucke Gotteshaus hat vermutl. F. A. Mayr aus Trostberg entworfen, Schöpfer der Wallfahrtskirche Marienberg bei Raitenhaslach. Ausführung 1772–74. Schon das Äußere vermittelt den Eindruck des Kostbaren: Würdige Pilastergliederung umzieht das Rechteck des Schiffes. Ein stattlicher Turm reckt daneben seine dreimal gewulstete Haube. Das Innere ist zentral angelegt. Die Seitenwände des Laienhauses sind im Gegensatz zu den betonten Wandflächen des Chores ungegliedert. Freskomalereien eröffnen die Gewölbe von Fz. J. Soll, um 1775. Als Themen liegen die Heiligenlegenden des Veit, Benno und Rupert zugrunde. Auch die Altarbilder hat Fz. J. Soll geschaffen.

Bad KISSINGEN (Ufr. – D 2)

801 meldet sich die Siedlung erstmals zu Wort, die Salzquellen erscheinen 823. Das »castrum Kitziche cum oppido« (1290) kommt 1394 an Würzburg, das für die Befestigung (von der das 19. Jh. wenig übrigließ) Sorge trägt. Doch dürfte die Stadtwerdung schon ins 13. Jh. zu setzen sein. Dafür spricht der rechteckig eingeschlossene Stadtplan in der Regelmäßigkeit seiner Gliederung. Etwa die Mitte besetzt der Markt mit dem Rathaus.

Die moderne Badestadt hat die Altstadt verbraucht. Von den einst 14 Türmen steht nur noch einer, der »**Feuerturm**«, dem sich auch noch Reste der Mauer anschließen. Das **Alte Rathaus** wurde 1577 errichtet, das **Neue**, ehem. Sitz der Heusslein v. Eussenheim, 1709, ein stattlicher 2geschossiger Bau Joh. Dientzenhofers.

Kath. Stadtpfarrkirche St. Jakob. Gutes Beispiel des frühen Klassizismus. Ihr Autor ist der Würzburger Hofkammerrat

Joh. Phil. Geigel, der sie 1772 ff. baute. Die zwar nicht
reiche, aber doch immer noch mitsprechende Stuckausstattung gab Ant. Petrolli. Einziger Rückstand der älteren
Kirche ist der östlich stehende, im Erdgeschoß got., in den
oberen Geschossen nachgot. Turm. Der quadratische, in den
Ecken abgeschrägte Saalraum fällt durch seine Höhe auf;
über den rundbogigen Arkaden öffnen sich korbbogige
Emporen; die in die Spiegeldecke einschneidenden Ovalfenster sind durch ein dem Hauptgesims aufruhendes geschlossenes Wandstück in eine Randzone abgerückt. Die
Ausstattung ist einheitlich klassizistisch, genauer gesagt
barock-klassizistisch, denn die Altäre (Stuckmarmor) zeh-
ren noch vom Besitz des 18. Jh.

Kath. Friedhofkirche St. Burkard. Chor und Turm wurden 1446 begonnen. Das Langhaus entsteht neu, nach Riß von B. Neumann, 1727–44.
Die einheitliche Ausstattung der Kirche – an den stark eingezogenen
überwölbten Chor (1466 ff.) legt sich ein rechteckiger Saal – schuf,
hauptsächlich, der Bildhauer Benedikt Lux aus Neustadt a. d. S.

Salinen. Im 16. Jh. fangen die Heilquellen an, bekannt zu werden. Der
Große Krieg läßt sie wieder vergessen. Doch Ende des 17. Jh. kommen
sie wieder zu Ansehen. Es fließen der **Sauerbrunnen** (jetzt Maxbrunnen)
und der **Scharfe Brunnen** (jetzt Pandur). In den 30er Jahren des 18. Jh.
wird gelegentlich der von Neumann geleiteten Arbeiten zur Sicherung
des Scharfen Brunnens der dritte, 1738 vom Fürstbischof »Ragoczy«
getaufte Brunnen entdeckt. Das gleichzeitig von Neumann erbaute
Kurhaus hat sich im 19. Jh. zu stark verändert, um noch eine Vorstellung seines Einst zu vermitteln. Konversationshaus und Arkaden entstehen, nach Entwürfen Fr. v. Gärtners, 1834–38, das neue Kurhaus
Anfang des 20. Jh. – Der langgestreckte Bau der **Oberen Saline** wurde
1767–72 aufgeführt; Pavillons betonen Mitte und Ecken, 1geschossige
Trakte mit hohen Mansarden verbinden sie. Das Baujahr der **Unteren
Saline** ist 1788.

KITZINGEN (Ufr. – C 3)

Einer der ältesten Orte am Main, schon 748 bezeugt, fränkischer
Königshof, entwickelt sich Kitzingen zunächst als Grundherrschaft
eines auf Bonifatius zurückgehenden, von der Äbtissin Tecla ge-
leiteten Benediktinerinnenklosters, zu dessen Ausstattung auch die
Königshöfe Dettelbach und Iphofen gehörten. Im 11. Jh. ist es
königseigen; Heinrich II. schenkt es 1007 an sein Bamberger Stift.
Als Klostervögte herrschen im 13. Jh. die Hohenlohe. Im 14. teilen
sich Würzburg und die Nürnberger Burggrafen, späteren Mark-
grafen, in die Herrschaft. Die Markgrafen bringen 1443 pfand-
weise die Würzburger Anteile an sich. Erst 1629 tritt das Hoch-
stift, die Pfandschaft ablösend, an ihre Stelle.
Die Siedlung neben dem Kloster erscheint im 11. Jh. als »villa«,

Kastl. Ehem. Klosterkirche, Langhaus gegen Osten

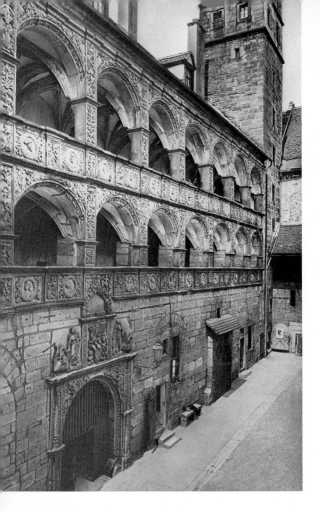

Kulmbach. Plassenburg, »Schöner Hof«

1290 als »oppidum«, 1300 als »civitas«. Die Entwicklung zur
Stadt im rechtlichen Sinn dürfte sich im frühen 13. Jh. vollzogen
haben. Bürger und Schultheiß zeigen sich erstmals 1226.

Der **Stadtplan** stellt noch deutlich einen inneren älteren und einen
äußeren jüngeren, erst 1443 angelegten **Mauerring** heraus. Ein östlicher
Teil des ersten Berings hat sich (an der Kapuzinergrabengasse) erhalten.
Unter den wenigen Überständen des jüngeren ragt der 1469 ff. erbaute,
1551 erneuerte runde **Falterturm** hervor. – Das jenseits des Stromes liegende Etwashausen war Vorstadt und dem Befestigungsgürtel einbezogen; hier noch das 1565 erbaute **Großlangheimer Tor**. Kitzingen und
Etwashausen sind durch die steinerne **Mainbrücke** verbunden, die mittelalterl. Ursprungs ist (erste Nennung 1300), in ihrer heutigen Gestalt
aber ins 17. und 18. Jh. zurückweist. Erscheint sie im Stadtspiegel (schon
1349) und im Stadtwappen, so zeugt das für die ihr zugemessene Bedeutung. Der Brückenschlag über den Main, dem eine Furt vorausgegangen
sein wird, war die Wurzel der Siedlung. – Das **Rathaus** wurde 1561–63
vom Schaffhausener Meister Hans Eckart errichtet. 1896 wurde es restauriert. Ein solides Gewächs deutscher Renaissance, 3geschossiger Block mit
reicher gegliederten Giebeln, an der W-Seite ein Halbrundturm. Vortrefflich, in schräger Zuwendung, steht der Bau zur unteren Marktgasse.

Die kath. Pfarrkirche St. Johann Bapt. ist eine im 15. Jh. er-
richtete 3schiffige Halle mit eingezogenem Chor. Eine Sonderlichkeit ist die ins südl. Seitenschiff 1485 einbezogene
Empore. Das Hauptportal, mit flacher, gewölbter Vorhalle
und schmuckreicher Stirnwand, liegt an der N-Seite; im
Bogenfeld ein gutes Relief des Jüngsten Gerichts, aus der
Frühzeit des 15. Jh. Das W-Portal bringt, im Bogenfeld, die
Krönung Mariae, aus den 30er oder 40er Jahren, eine Ab-
schrift des Bogenfeldreliefs der Würzburger Marienkapelle.
Die neugot. Ausstattung des 19. Jh. wurde 1958/59 beseitigt. Der Restaurator deckte gleichzeitig spätgot. Wandmalereien (im nördl. Seitenschiff) auf und befreite das etwa
1470–80 geschaffene Sakramentshaus von den Krusten späterer Übermalungen. Aus einem der Endjahrzehnte des
15. Jh. stammt auch das Chorgestühl. Die Kanzel, Marmor,
guter Klassizismus, von Materno Bossi (1793/94). Die 4
ausgezeichneten, von starker Bewegung erfüllten (unge-
faßten) Holzreliefs, jetzt über dem modernen Hochaltar,
Darstellungen der Passion von etwa 1480, sind Relikte des
alten Hochaltars. Das Crailsheimsche Epitaph (1556) wird
dem jüngeren Peter Dell zugeschrieben.

Prot. Pfarrkirche

Ehemals Kirche der Benediktinerinnen, dann der Ursulinerinnen.
Das Benediktinerinnenkloster wurde in der Markgrafenzeit 1568
in ein ev. adeliges Damenstift umgewandelt. 1660 besiedelt es der

Würzburger Bischof mit Metzer Ursulinerinnen. 1686 wird der
Grundstein zur neuen Kirche gelegt, deren Baumeister Petrini ist;
1693 fertig, wird sie 1699 geweiht. Seit 1817 ist die Kirche pro-
testantisch.

Eindrucksvoll die Fassade: reiche, doch wuchtige Gliederung
in den Formen italienischen Barocks verbindet sich mit nordischer Steilwüchsigkeit. Schwer und zugleich steil auch der
an der S-Flanke des Chores stehende Turm, der die Main-
Seite der Stadtansicht fast beherrscht. Ausstattung fehlt fast
ganz. Es spricht die nackte Architektur mit ihrer strengen
Pilastergliederung, ein Kirchenraum, der von den Protestanten (1817) sehr wohl übernommen werden konnte. Das
Schiff ist flach gedeckt, nur der Chor gewölbt. Eigenartig
und wuchtig wie alles an diesem Bau die Treppenanlage im
Block der Fassade.

In der neuen Wohnsiedlung südl. des Mains 2 moderne Kirchen, die
kath., St. **Vincenz**, 1950 von H. Schädel errichtet – das Schiff ein Raster-
bau parabelförmiger Bogenspannungen –, und die von Gerh. Saalfrank
gebaute, 1958 vollendete ev. **Friedenskirche**, ein Ziegelbau, mit west-
werkartig gestaltetem Turm, das einfache Raumrechteck durch das
stark farbige Bildfenster der Chorwand beschlossen.

Kapelle Hl. Kreuz in Kitzingen-Etwashausen

Vor dem Mainbernheimer Tor entstand 1450 ein Kreuzkirchlein.
Für den Neubau suchte man sich im 18. Jh. den Platz am Brücken-
kopf gegenüber Kitzingen aus. 1733 setzte Balth. Neumann den
Plan auf. Baubeginn aber erst 1741, Vollendung 1745.

Die kleine und doch monumentale Kirche, von Neumann
»gantz allein besorget«, ist eine der eigenartigsten Raumschöpfungen des Meisters. Der Grundriß beschreibt ein
Kreuz mit etwas längerem S-Arm, in dessen gerundete Front
der in 3 Stufen aufstrebende Turm einbezogen ist. Über dem
Schnitt der Kreuzarme ruht, auf Säulenpaaren, die frei den
Eckabschrägungen vorgestellt sind, eine den Raum beherrschende, stark gestelzte Kuppel, in die die Tonnen der
Kreuzarme mit fast den Scheitel erreichenden Kappen einschneiden. Der Gewinn dieses Ineinandergreifens ist der Eindruck eines vielfältigen Zusammenspiels verschränkter sphä-
rischer Flächen. Ein anderes, ungewöhnliches Motiv ist die
Verstellung des Chorschlusses durch 3 Arkaden. Ihre Säulen
treten im Blick des Eintretenden mit den freistehenden
Kuppelträgern zusammen. Die Kirche entbehrt der Ausstattung in Stuck und Farbe. Und doch entbehrt man sie nicht:

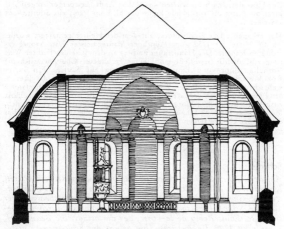

Kitzingen-Etwashausen, Kapelle Hl. Kreuz, Schnitt

Die Architektur steht so rein da, wie sie der Kopf des Meisters erdachte, ein elementares Raumgefüge.

KLEINHELFENDORF (Obb. – D 8)

652 soll hier der hl. Emmeram sein Martyrium erlitten haben. Bald nach Mitte des 8. Jh. entstand eine Kirche in der Ehre des Heiligen, dem schon früher eine Kapelle über der Stätte seiner Marter gebaut worden war. Um 770 ist sie in der Vita S. Emmerami des Freisinger Bischofs Arbeo bezeugt. Der Kult des sonst in Oberbayern wenig verehrten Heiligen blühte hier, vom 8. Jh. angefangen, durch alle Jahrhunderte.

Pfarrkirche St. Emmeram. Eine ältere roman., im Chor spätgot. Kirche (Nachfolgerin der 772 bezeugten) wurde 1668/69 durch den Münchner Konst. Bader mit Beibehaltung der alten Mauern, durch Erhöhung, westl. Verlängerung und Einwölbung barock umgestaltet. Ein breit proportioniertes Langhaus mündet in den leicht eingezogenen, 3seitig schließenden Chor. Flache, mit Pilastern besetzte Wandpfeiler gliedern, eine Stichkappentonne deckt. Der etwas schwere Raum gewinnt Leben durch die reiche farbige Stuckdekoration, die, vermutl. Werk eines Miesbacher Meisters, Pfeiler und Wölbung in geometrischen Feldern mit figürlichen Füllungen überzieht. Altäre und Kanzel, gleichaltrig (um 1679), vervollständigen die reizvolle, ländlich robuste Ausstattung.

Der Hochaltar, nach Entwürfen des Malers Andr. Leisperger ausgeführt, birgt als Mitte die thronende Figur des hl. Emmeram, ein Schnitzwerk spätester Gotik.

Marterkapelle. Der Granitblock, auf dem der Heilige gemartert wurde, ist die Mitte der 1752 vom Münchner Maurermeister Lor. Sappel errichteten Kapelle. Der Hauptraum buchtet an den Seiten in leichter Wellung aus, östlich beschließt ein kleiner gerundeter Chor, westlich die Vorhalle. Chor- und Emporenbogen ruhen auf Säulen. Ein zarter Rokokostuck überspielt die freien Flächen. Stärker spricht das Fresko, wahrscheinl. vom Aiblinger J. G. Gaill, an der Flachkuppel, die Glorie St. Emmerams. Der größere Teil des Hauptraums ist von der in Holz ausgeführten farbig gefaßten Gruppe der Emmeramsmarter über dem Marterstein, die 1789 hinzukam, besetzt; kein großes Kunstwerk, etwas derb in der kleinen feinen Kirche, doch originell.

KLEINHEUBACH (Ufr. – B 2)

Schloß

Aus dem Besitz der hier schon 1037 nachweislichen Rieneck kommt Kleinheubach 1559 an die Erbach, die 1731 an die Fürsten Löwenstein-Wertheim verkaufen. Der neue Besitzer ersetzt wenig später das alte Schloß (des späten 16. Jh., Georgenburg) durch das bestehende. Louis Remy de la Fosse, der darmstädtische Baumeister, übernimmt 1723 die Aufsicht. Ihm gehört der Schloßbau in erster Linie; der Baumeister Joh. Dientzenhofer dürfte sich ziemlich genau an die Risse des Franzosen gehalten haben. Zu Ende gebracht wurde der 1726 schon größtenteils aufgeführte Bau 1732 vom Mannheimer Joh. Jak. Rischer. Von ihm, auch im Entwurf, Marstall und Kanzlei. Die Bildhauerarbeit leistete der Würzburger Jak. van der Auvera.

Das Schloß umfaßt mit 3 Flügeln einen Ehrenhof. Die vorgeschobenen Gebäude des Marstalls und der Kanzlei waren urspr. durch Gitter mit den Flügeln des Ehrenhofes verbunden. – Das Schloß ist 3geschossig, doch dominiert das 1. Obergeschoß, das Erdgeschoß hat Sockelcharakter, das 2. Obergeschoß ist Halbgeschoß. Die starken Akzente sammeln sich am vortretenden Pavillon der Mitte, dessen beide Obergeschosse durch Kolossalpilaster zusammengefaßt und durch plastische Fensterverdachungen ausgezeichnet sind; das Portalgeschoß ist ohne Aufwand, das Gewicht liegt im Hauptgeschoß mit seinen hohen Fensteröffnungen; das Halbgeschoß darüber ist oval befenstert; ein schweres Gesims schließt ab, darüber Balustrade und großes Wappenrelief. Einfacher die Gliederung der Stirnseiten der Flügel, in den Grundzügen übereinstimmend, nur daß hier flache Giebel aufsitzen. Die Gartenfront fluchtet gerade, die Glie-

Kleinheubach, Schloß, Fassade

derung der Pavillons, des mittleren und der beiden seitlichen, entspricht der angegebenen des Ehrenhofpavillons; alle sind mit hohen Mansarden bedacht. Der Wechsel von roten Sandsteingliederungen und hellen Putzflächen bestimmt die farbige Erscheinung. Die beiden dem Ehrenhof vorliegenden Flankengebäude, Marstall und Kanzlei, sind in der Mitte ein-, in den Ecken zweigeschossig, die Eckpavillons durch Pilaster gegliedert und mit Mansarden bedacht. – I n n e - r e s. Die Schloßkapelle im Pavillon des S-Flügels wurde 1871 ihrer urspr. Ausstattung beraubt und neuromanisch restauriert. An der N-Seite des 3schiffigen Vestibüls im Mittelpavillon das Treppenhaus, eine klassizist. Schöpfung des fürstl. Löwensteinschen Baumeisters G. Weber und des (von Amorbach her bekannten) Dittman (1797/98). Der die beiden Geschosse des Pavillons einnehmende Marmorsaal verdankt seine reiche Wirkung den Stukkaturen Joh. Wickos und den Fresken A. Reiths (um 1730–40). Der Thronsaal ist wieder rein klassizistisch; die Stuckdekoration schuf Dittman. Der Gobelinsaal erhielt seine zarten Dekkenstukkaturen in den 30er Jahren des 18. Jh.

Der sich hauptsächlich südl. erstreckende sehr große **Park** ist englischen Stils.

Kath. Pfarrkirche Hlste. Dreifaltigkeit. Kleinheubach ist schon im 13. Jh. Pfarrsitz. Durch seine Herrschaft (Rieneck) fällt es im 16. Jh. der neuen Lehre zu. 1949 Errichtung einer kath. Pfarrei. 1954–56 entsteht, nach den Plänen des Würzburger Dombaumeisters Hans Schädel, die Pfarrkirche. Das Schiff verjüngt sich zum Chor, der mit den Ansätzen seiner Parabelkurve die Endigungen seiner Wände übergreift. Der Gehrung des Grundrisses entsprechend senkt sich das Dach gegen den Chor. Frei stehender Turm. Alle Außenwände mit Bruchsteinen bekleidet.

Über dem, mit seinem Fachwerk-**Rathaus** von 1611/12 erfreuenden, Markt **GROSSHEUBACH** am rechten Ufer des Mains liegt auf einer der talangrenzenden Spessarthöhen in schöner Einpassung in die anmutige Landschaft die **Wallfahrtskirche Engelberg.** Die von 6 Kapellen begleiteten »Engelsstaffeln« (17. Jh.) führen zu ihr empor. Die schon 1404 bezeugte Kapelle in monte angelorum wandelt sich unter den 1630 hier angesiedelten Kapuzinern in die größere Kirche »Maria zu den Engeln« (1639).

KLEINSCHWARZENLOHE (Mfr. – D 4)

Ev. Kirche Allerheiligen

Zwei Bauern, Fritz Beer und Hans Weiß, stiften »in der Lohe« die Allerheiligenkapelle, die um 1448 im Bau ist. Der Turm kommt 1513 hinzu. – 1463 stiften die Rieter von Kornburg eine Frühmesse, sie übereignen sich das Patronat und erweisen sich als die sorglichsten Patronatsherren; der reiche Inhalt dieses kleinen, sonst gar nicht auffälligen Gotteshauses ist ihnen zu danken, und wenn sie es im frühen 17. Jh. (1600–22) erneuern lassen, dann mit dem erstaunlichsten Respekt vor dem »altfränkischen« Erbe der Väter. Hans Rieter, der diese schonende Erneuerung bewerkstelligte, war allerdings (s. Kalbensteinberg) ein laudator temporis acti. – Seit 1632 ist Allerheiligen Rietersche Grablege. Nach dem Ausgang des Geschlechtes, 1753, fällt es an die Hl.-Geist-Stiftung in Nürnberg.

Die massive Sandsteinkirche ist einfach: Das Schiff ein Rechteck mit Flachdecke, die auf einer (1605 dat.) Mittelstütze ruht; der Chor, mit Kreuzrippengewölbe, im östl. stehenden Turm, an den sich nördl. die gleichaltrige Sakristei anlegt. – Der Raum des durch einen breit geschlagenen Spitzbogen in den Turmchor geöffneten Schiffes ist bestimmt durch das warme Holzwerk der Decke und der Emporen an der N-Wand und in der SW-Ecke; hier die köstliche Herrschaftsempore (1605) mit der nachgot. Maßwerkbalustrade. Dazu spätgot. Gestühl im Schiff und jüngeres des frühen 17. Jh. im Chor.

Überblicken wir, die kleine vergitterte Sakramentsnische von 1473 im Chor vorausnehmend, die in so seltener Fülle erhaltene A u s s t a t t u n g. Der *Choraltar*, Stiftung Peter Rieters und seiner Gattin Maria Imhof, 1491, birgt ein Schnitzwerk, Hochrelief, der im Nürnbergischen ungewöhnlichen, sicher aus dem Bambergischen zugetragenen Apostelteilung. Auf den Flügeln, außen, gemalt, das Pfingstwunder. Der Engel mit den Wappen Rieter und Imhof auf der Rückseite des Schreines deutet auf den Erneuerer Hans Rieter (1608). Der gemalte *Katharinenaltar*, rechts vom Chorbogen, mit der Verlobung der Heiligen in der Mitte, ist durch das Stifterpaar Peter Rieter und Klara Grundherr 1418–20 datiert, ein feines zartes Werk der frühen Nürnberger Tafelmalerei. Der ebenfalls gemalte *Kreuzigungsaltar* von 1480 ist – was wieder die Freude an altfränkischer Kunst beleuchtet – Erwerbung des Jahres 1620 (aus Tucherschem Besitz). Wir nennen noch das Reliquienaltärchen des späten 15. Jh. im Chor und die Memorientafel mit dem Erbärmdemann von 1462, Peter Rieters und seiner Hausfrau Barbara v. Seckendorf, und beenden diesen auslesenden Überblick mit dem Grabstein des geharnischten Philipp Rieter († 1635) und der Steintumba des Rieterschen Geschlechts über dem Grufteingang im Chor, der noch die 9 Totenschilde des 16. und 17. Jh. an den Wänden hinzuzufügen sind.

KLINGENBERG (Ufr. – B 2)

Burgruine. Im 13. Jh. mainzischer Lehensbesitz der Schenk v. Klingenberg, geht die Burg 1260 an die Bickenbach über, 1469 an die Grafen v. Hanau-Lichtenberg. Seit 1505 besitzt das Erzstift Stadt und Burg. 1683 von den Franzosen zerst., ist die Burg seither Ruine. Im 12. oder 13. Jh. begründet, reicht das von ihr Erhaltene kaum tiefer als ins 15. Jh. zurück. – Das **Stadtschloß** des mainzischen Amtmanns, ein 3geschossiger Renaissancebau, entstand 1560 ff. Der **Schloßpark** auf der anderen Straßenseite ist eine Anlage d. J. 1741. – Der Erbauer des Schlosses, der Amtmann v. Kottwitz-Aulenbach, ließ 1575 auch die **Gruftkapelle** errichten; Langhaus und Turmaufstockung sind jünger, 1617. Im Chor steht das prätentiöse Grabdenkmal des Stifters.

KLOSTERBEUREN (B. Schw.) → Babenhausen (B 6)

KLOSTERLECHFELD (B. Schw. – C 7)

Wallfahrtskirche Maria Hilf

Eine Votivkapelle an der Stätte der Ungarnbesiegung bildet den Ausgangspunkt der Anlage. Stifterin ist Regina Imhoff, Witwe eines Augsburger Patriziers. Elias Holl erhielt den Auftrag mit dem Hinweis, das röm. Pantheon (Sta. Maria Rotonda) als Vorbild zu nehmen. 1603 wurde der Bau aufgerichtet: ein zylindrischer Raumkörper mit Kuppel und Laterne, also eine freie Umdeutung des röm. »Vorbilds«, eher an mittelalterl. Totenkapellen erinnernd. – 1624 wurden Franziskaner berufen, die 1656–59 durch den Anbau eines Langhauses die Kirche vergrößerten. Fürstbischof Alexander Sigmund ließ 1690/91 seitlich 2 Rundkapellen hinzufügen und veranlaßte die Innenausstattung durch Stuck und Malerei. Diese Arbeiten dauerten von 1733 bis 1737. Die Franziskaner hatten sich, 1666–69, neben dem Heiligtum ein kleines Kloster erbaut.

Das Äußere erscheint in der Fernsicht als malerische Gruppe von Zwiebeldächern. Linden umschatten den Kirchplatz, dem im O ein stattlicher Kalvarienberg beigegeben ist. – Inneres. Der Rundbau des Elias Holl hat sich durch die Eingriffe der Folgezeit erheblich verändert. Die Umgestalter des 18. Jh., Kleinhans und (wohl) Joh. Gg. Fischer, haben es verstanden, die verschiedenen Raumteile des Konglomerats zu einer Einheit zusammenzufassen. Die feinen zarten Stukkaturen, die Decken und Wände überspielen, schufen die Wessobrunner Joh. Bapt. und Ign. Finsterwalder, die Fresken der Augsburger J. G. Lederer. Der Altar der Gnadenkapelle wurde im Laufe des 17. Jh. mehrmals, zuletzt 1748, umgestaltet. Die schon thematisch originelle geschnitzte Figurengruppe in der Mitte, Salvator zwischen Fürbitterin Maria und dem Engel des Gerichts, Michael, ist Werk des Augsburgers Christoph Murmann d. J. um 1604. Die reizvollen Seitenfiguren, Josef und Joh. Baptist, von rund 1720 dürfen E. B. Bendel gegeben werden. Auch die reich geschnitzte Kanzel verweist auf diesen bedeutenden Augsburger. Die Gemälde der Seitenaltäre des Langhauses sind vom Münchner Meister B. A. Albrecht, die der Altäre in den Seitenkapellen von den Augsburgern J. G. Knappich und Joh. H. Schönfeld.

Die anliegenden, durch einen Gang mit dem Langhaus verbundenen **Klostergebäude** entstanden 1666 ff. und wurden 1738 vergrößert.

KLOSTERZIMMERN (B. Schw. – C 5)

Ehem. Zisterzienserinnen-Klosterkirche (ev. Pfarrkirche). Die urspr. 3schiffige Basilika wurde 1255 errichtet und später ihrer Seitenschiffe beraubt. Übrig blieb ein langgestreckter, flach gedeckter Raum mit rippengewölbtem Chor und tiefer Nonnenempore im W. Sie überfängt eine Art Krypta. Das um 1490–1500 geschnitzte, doch sehr beschädigte Chorgestühl trägt Fratzenwerk. 2 fragmentierte Stiftergrabplatten der von Hürnheim sind als gute Leistungen des 14. Jh. anzumerken: Die eine, das Paar Rudolf und Adelheid darstellend, um 1320; die andere mit dem Reliefbild eines Gepanzerten (Rudolf II. v. H.?) um 1340–50.

KÖNIGSBERG (Ufr. – D 2)

Der Name deutet auf fränkisches Königsgut, aber sichtbar wird die einer Burg (wohl staufischen Ursprungs, auf dem Schloßberg) zugeordnete Siedlung erst 1234, in einem Erlaß König Heinrichs VII., der sich an die Schultheißen und Amtleute mehrerer königlicher Orte in Franken, darunter »Künesberg«, wendet. Aus meranischem Lehensbesitz fällt Königsberg 1248 an den Bischof von Bamberg zurück, wird aber von diesem schon 1249 an den Grafen von Henneberg verpfändet und nicht mehr eingelöst. Hennebergisch, Ort eines zur Pflege Coburg rechnenden Centgerichtes, bleibt er ein rundes Jahrhundert lang. 1333 gewährt Kaiser Ludwig die Marktgerechtigkeit. 1358 ist der Markt Stadt. Um die Mitte des Jahrhunderts fällt Königsberg, erheiratet, an die Nürnberger Burggrafen, dann an den Herzog von Pommern, weiter, 1394, an Würzburg, 1400 an den Landgrafen von Thüringen, endlich, erbschaftlich, an Kurfürst Ernst von Sachsen, um fortan, über eine kurze Unterbrechung, 1806–26, hinweg bis zur Angliederung des Coburger Landes an Bayern, 1920, bei Sachsen (seit 1826 Coburg-Gotha) zu bleiben, eine sich zäh behauptende Enklave. – Die kleine, dem Schloßberg (ohne Schloß; die Burg ist abgegangen) angelehnte Stadt dürfte unter Henneberg im frühen 13. Jh. ihre Anlage um den südöstlich bergan steigenden Salzmarkt gefunden haben. Die Stadtmauer ist 1343 bezeugt, 1414 ist die äußere Mauer im Bau; 1420 entsteht die Gottesackerkirche St. Burkhard vor dem N-Tor. Ein 1336 von Kunigunde von Sternberg gestiftetes Kloster der Augustiner-Eremiten, außerhalb der Mauern (an das keine sinnfälligen Spuren mehr erinnern), hatte bis 1524 Bestand; ebenso lange die ihm zugesellte Adelige Schwesternschaft der Agelblume.

Das Ortsbild ist gut, frei von Störungen. Mehrere **Tore** lassen noch ein (das Haßfurter westl., die Lauerpforte südl., das Schneckentor nördl., das Hoftor östl.). Viel Fachwerk. Insbesondere beachtlich das schmuckreiche **Haus Marienstraße 111** (Uhrmacherhaus) von 1733, das dem Zeiler Zimmermeister Jörg Hoffmann (s. seine Fachwerkbauten in Zeil, Burgkunstadt, Scheßlitz) verdankt wird: massives Erdgeschoß mit

breiter Toreinfahrt, Fachwerkobergeschoß, mit Baluster-Ständern und
Verschalungen unter den Fenstern (nächst verwandt das Haus im benachbarten Zeil, Hauptstr. 126, das 1689 datiert ist). – Am M a r k t ,
dessen N-Seite die Pfarrkirche begrenzt, westlich das stattliche, 1456
begr., nach dem Stadtbrand von 1632 in den Jahren 1659–68 großenteils
erneuerte **Rathaus**, ein 2geschossiger Block, unten massiv, in 2 Spitz-
bogentoren geöffnet, oben Fachwerk. – Der vom letzten Restaurator
an die Ecke des Hauses gesetzte Roland von 1608 ist der südlichste
Exponent der als Male der Gerichtsbarkeit zu deutenden nord- und
mitteldeutschen Rolande. – Vor dem Rathaus das Denkmal des großen
Königsbergers, des 1436 in Königsberg geborenen Astronomen Joh. Müller, der sich »Regiomontanus« nannte. Ein (neues) Fachwerkhaus am
Salzmarkt beansprucht, sein Geburtshaus zu sein.

Ev. Pfarrkirche

*1397 wird der bestehende Bau begonnen, 1432 geweiht. Das Voll-
endungsjahr des Turmes ist 1466. Die Wölbung schließt sich in den
60er Jahren. 1520 kommt der Sakristeianbau an der S-Seite hinzu.
1640 brennt die Kirche bis auf die Mauern nieder, nur die östl.
Chorgewölbe halten. Bis 1894 mußten Holzeinbauten genügen.
Dann Ausbau durch den Coburger Professor L. Oelenheinz.*

Die Pfarrkirche, urspr. St. Kilian, dann St. Maria, gehört zu
den ansehnlichsten fränkischen Pfarrkirchen. Mit ihrer S-
Seite begrenzt sie den leicht ansteigenden Markt, mit ihrer
N-Seite tritt sie an die dem Zug der Stadtmauer folgende
Marienstraße heran; gegen W sichert eine spätgot. Böschungsmauer den hier steil abfallenden Höhensockel. – Auf der
N-Seite, im Einsprung des Chores, erhebt sich der stämmige,
in 5 sich verjüngenden Geschossen aufsteigende, durch Eckstreben gefestigte Turm, an der S-Seite der 3geschossige, von
einem Fachwerkgiebel beschlossene Sakristeianbau. Chor
und Langhaus von Streben umstellt; der Chor höher als das
Langhaus, bei gleicher Firstlinie des Daches. Mehr Zierat am
Turm, dessen gruppierte Fenster (rundbogig, mit Maßwerkfüllungen) von Rechteckblenden umfaßt sind. – Das Langhaus ist eine 3schiffige, in der Mitte überhöhte Halle. Der
2 Joche tiefe, in 5 Seiten des Achtecks schließende Chor war,
nach Ausweis der die Dienste unterbrechenden Standplätze,
auf Schmückung mit Statuen angelegt; 1573 wurden 4 hier
stehende Apostel erneuert (eine aus der Pfarrkirche stammende spätgot. Muttergottes in den Sammlungen der Veste
Coburg). Das Treppentürmchen an der S-Wand entstand
jedenfalls gleichzeitig mit der Sakristei, zu deren oberen
Geschossen es vermittelt, 1520.

Die 1428 errichtete, »in den finsteren Zeiten des Papsttums« dem hl.
Burkhard geweihte **Friedhofkapelle** wurde 1617 erneuert. Diese Daten

überliefern die Inschriftsteine **an der** W-Seite. Die Kapelle ist ein schlichter, im Kern noch spätgot. Bau.

Die **kath.** **Pfarrkirche,** südlich, auf der Schwelle des Schloßberges, über dem Salzmarkt, wurde 1955 aufgeführt; Baumeister Hans Schädel, Würzburg.

KÖNIGSHOFEN i. Grabfeld (Ufr. – D 2)

Der Name weist auf karoling. Gründung. 739 ist die Siedlung auch schon als karoling. Besitz bezeugt. 1354 kann sich hier, nach Henneberg, Würzburg festsetzen und, eine auch wieder hennebergische Unterbrechung im 15. Jh. abgerechnet, auch auf die Dauer, bis 1803, behaupten. Der 1323 mit dem Marktrecht ausgestattete Ort ist jedenfalls schon befestigt oder doch eben dabei, sich zu befestigen. Um 1650 beginnt der Würzburger Fürstbischof Joh. Philipp v. Schönborn, die Stadt zur modernen, bastionären Festung auszubauen. Sie wird 1830 geschleift.

Die **Stadt** liegt auf ebener Fläche. Der Plan zeigt ein Rechteck; der rechte Winkel beherrscht auch die Führung der Gassen und den großen, in der Mitte liegenden Marktplatz, dessen westl. Häuserzeile der hohe Turm der Pfarrkirche überragt. Hier steht auch das stattliche, 1563 bis 1575 gebaute **Rathaus,** späte Renaissance Würzburger Prägung, bis auf die im 18. Jh. aufgesetzte Mansarde; ein 2geschossiger, polygoner Eckerker belebt den sonst wenig gegliederten Block.

Kath. Stadtpfarrkirche

Eine älteste Kirche steht schon im 8. Jh. Die jetzige wird 1442 begonnen, 1496 ist sie wohl großenteils fertig, 1514 findet eine Glockenweihe statt. In den 60er Jahren des 19. Jh. wird sie »regotisiert«; der Chor wird gewölbt.

Die Kirche ist eine im Mittelschiff stark überhöhte (und also nur bedingt so zu nennende) Halle mit eingezogenem Chor, den südl. der Turm flankiert. Die Netzrippengewölbe des Langhauses, insonderheit die infolge starker Busung fast kuppelig wirkenden des Mittelschiffs, sind reich figuriert. Ein Prachtbeispiel spätgot. Steinmetzenarbeit ist die in ganzer Breite des Langhauses durchlaufende W-Empore von rund 1520; ihre Unterwölbung ist mit einem der schönsten Rippennetze (»gewundene Reihungen«) geschmückt; preiswürdig auch das Maßwerk der Brüstungen. Der Außenbau, basilikal gestuft, ist nur durch Fenster und Streben gegliedert. Unter den 3 Portalen tut sich das westliche hervor, dessen Bogen mit einem auf 2 Streifen aufgeteilten Relief des Jüngsten Gerichts (von Hans Ditterich, um 1480) gefüllt ist. Ein Relief der Verkündigung im Bogenfeld des nördlichen. Der Turm geht in seinem jüngsten Teil (1603) ins Achteck über. – Die Ausstattung (purifiziert) besitzt in der steinernen Kanzel ein hervorragendes Exempel spätgot. Meißelarbeit, rühmliches Werk des an der W-Empore tätigen Steinmetzen.

In geringer Entfernung östl. **IPTHAUSEN** mit der kleinen, aber sehr reizvoll ausgestatteten **Wallfahrtskirche Maria Hilf**, die ein gesteinter Birkenweg mit der Stadt verbindet. Sie wurde 1746–54 nach den Entwürfen des Königshofeners Joh. Mich. Schmid errichtet. Die von Tiepolo inspirierten Deckenfresken schuf 1752 Gg. Ant. Urlaub: Im Chor St. Michael als Teufelsbezwinger, im Schiff die Verherrlichung des Kreuzes; die Malerei geht da und dort, in der Randzone, ins Plastische (Stuck) über. Im Hochaltar, der die ganze Breite des eingezogenen Chores besetzt, eine gute spätgot. Muttergottes. Die Seitenaltäre gelöstes Rokoko. Das Gnadenbild, das zum Bau dieses kleinen so heiter geschmückten Gotteshauses veranlaßte, eine Pietà des 17. Jh., steht in einer Nische der S-Wand des Schiffes.

KÖSSLARN (Ndb. – F 8)

Pfarrkirche zur Hl. Dreifaltigkeit, ehem. Wallfahrtskirche. Anno 1364 habe, so weiß es die Legende, einer der Ortenburger Grafen nahe dem Köstlhof im Wacholderbusch ein wundertätiges Marienbild gefunden. Um dieses sammelte sich die Wallfahrt, an dieser wuchs die Straßensiedlung Kößlarn. 1440–43 ersetzte man die urspr. Kapelle durch den Kirchenbau, der 1451 erweitert und 1515 mit neuem Chorraum versehen wurde. So ergab sich ein 1schiffiger, netzgewölbter Raum von gedrungener Weite, vor dessen W-Front 1509 ein massiger viereckiger Turm aufwuchs, heute bekrönt von einem barock behelmten Oktogon (1730). Das Kirchenschiff hat sein spätgot. Aussehen behalten, ungeachtet der ihm 1897 beigesellten Seitenschiffe. Barocker Hochaltar 1708; sein prächtiges Tabernakel, das die Hand des Passauer Bildhauers Jos. Deutschmann verrät, 1779. Darüber umfängt ein gleichzeitig entstandenes prachtvolles Gehäuse glorienartig das Gnadenbild. – Dank der blühenden Wallfahrt konnte 1488 ein so schönes, kostbares Werk wie die Silbermuttergottes des Passauer Goldschmieds »Walthasar Waltnperger« erworben werden. – Das 15. und 16. Jh. hat die Kirche mit einem festgefügten Mauergürtel eingefriedet, an den sich außer 2 Torbauten Pfarr-, Mesner- und Benefiziatenhaus lehnen.

KOTTINGWÖRTH (Opf. – E 5)

Pfarrkirche St. Vitus, Modestus und Kreszentia

Neubau von 1760 unter Verwendung eines Turmes (östl.) des 13. Jh. Im Verein mit dem Freskenschmuck von Chr. Erhart aus Augsburg, 1761, und einem stattlichen Hochaltar von 1768 bietet die Kirche ein helles, festliches Gesamtbild. – Im Turm hat sich der quadratische ehem. Chor erhalten, der heute als Taufkapelle dient. Von Interesse ist sein Fres-

kenschmuck, der sich als Schöpfung der Zeit um 1300 ausweist. Die O-Wand zeigt unter dem thronenden Erlöser
Szenen aus dem Martyrium des hl. Veit, während darunter
je 2 Apostel (links Peter und Paul) die Chornische flankieren. An der N-Wand setzt sich die Apostelreihe fort. Darüber erscheint St. Michael als Seelenwäger. Zu seiner Linken
öffnet sich der Höllenrachen, um eine Gruppe Verdammter
zu verschlingen, zu seiner Rechten schickt sich Maria an, die
Waagschale, aus der sie eine Seele anfleht, durch einen Stein
zu beschweren. Hinter ihr betreten schamhaft Adam und
Eva die Szene nach ihrem Sündenfall. Gegenüber beherrschen St. Georg und St. Martin die Fensterwand (letzterer
überstrichen). Darunter zeigen sich 3 weibl. Heilige, rechts
St. Margareta mit dem Drachen. Im Eingangsbogen links
schildert der Maler die Erasmus-Marter und die eines hl. Bischofs; rechts steht St. Willibald unter einem Baldachin. Die
O-Wand des ehem. Triumphbogens spielt mit der Opfer-
geschichte von Kain und Abel auf das Meßopfer an. Endlich
schließt sich im Gewölbe der Zyklus um die Gestalt des
thronenden Christus: in der südl. und nördl. Kappe die
Evangelistensymbole, in der westlichen die hll. Stephan und
Laurentius.

KREUZBERG (Ufr. – D 1)

Die Legende läßt auf dieser Hochwarte der Rhön (928 m) den hl. Kilian
ein Kreuz aufrichten. Aus dem Aschberg alten Namens wird der Kreuzberg, Wallfahrtsziel schon im Mittelalter. Bischof Julius tauscht das
Holz- gegen ein Steinkreuz aus und baut 1598 eine Kapelle. 1681 gesellt
sich das (1644 in Bischofsheim gestiftete) **Franziskanerkloster** hinzu. In
der Folge wird aus der Kapelle eine Kirche. Zugleich wächst das Kloster
auf; nur das Gästehaus (urspr. Fürstenbau) und die Brauerei (berühmt
durch ihr Gebräu, das Kreuzbergbier), 1706, 1731, stehen noch. Die Ausstattung der **Kirche** stammt aus der Zeit des Weihejahres, 1692. Der
kleine Steinaltar an der N-Wand des Chores ist ein Relikt der Julius-
kapelle.

Unterhalb der Berghöhe 3 barocke *Kreuze*, Ziel der 1710 aufgestellten
Kreuzwegstationen. – Symbol der Zeit, die ist, steht darüber der 157 m
hohe **Fernsehturm** des UKW-Senders des Bayer. Rundfunks.

KREUZPULLACH (Obb.) → München (D 7)

KRIESTORF (Ndb.) → Aldersbach (F 7)

KRONACH (Ofr. – E 2)

*Auf der Höhe zwischen den Flüßchen Kronach und Haslach ent-
steht vermutl. in frühkaroling. Zeit eine Befestigung, der ein Burgflecken (die obere Stadt) zuwächst. Die »urbs Crana« ist im 10.
und 11. Jh. Besitz der sog. jüngeren Babenberger. Über Kaiser
Heinrich V. kommt die Herrschaft 1122 an das Hochstift Bamberg.
Um 1130 baut Bischof Otto »ein steinernes Haus und einen
Turm«, womit er die künftig (in Urkunden erstmals 1249) so gen.
Veste Rosenberg, den nördl. Eckpfeiler der bambergischen Landes-
verteidigung, begründet. In der 2. Hälfte des 14. Jh. erneuert und
erweitert, verdankt sie ihre heutige Erscheinung dem späten 15.
und insbesondere der 2. Hälfte des 16. Jh. Der äußere, ein Fünfeck formierende Festungsgürtel kommt 1656–1700 hinzu.*

Rosenberg ist eine der großartigsten Festungsanlagen bastionären Systems, die sich erhalten haben. Die Bastionen
entstehen in dieser Reihenfolge: Valentin (NW) 1656–58,
Sebastian (NO) 1659 bzw. (nach Einsturz) 1693, St. Kunigunda (SW) 1663, St. Heinrich (SO) 1671, Lothar (N) um
1700. Etwas später die Vorwerke nördl. des die N-Seite
sichernden Hauptgrabens. – Das 1662 von Joh. Christein
errichtete Rustikator (vor der gewaltigen Mauerfläche der
die Basteien Heinrich und Kunigunda verbindenden Kurtine) läßt ein, ein rühmliches Schmuckstück frühbarocker
Art. Der linkswendig Weitergehende erreicht dann das
Zeughaustor, d. i. das Tor der älteren Hauptburg. Links
wuchtet der massive »Dicke Turm« (um 1570). Der das Tor
Durchschreitende tritt in den langen schmalen Zeughaus-
hof ein, den rechts das gegen Ende des 16. Jh. aufgeführte
Zeughaus, links der wenig früher erneuerte S-Flügel (Für-
stenhaus) der Hauptburg, in der Tiefe ein Rundturm
begrenzen. Der Hauptbau, im wesentlichen Werk des fürstbischöfl. Baumeisters Dan. Engelhardt (s. Kulmbach-Plas-
senburg), umschließt mit 4 Flügeln einen annähernd viereckigen Innenhof, in dem der quadratische Bergfried
(2. Hälfte des 14. Jh.) aufragt. Der den Hof südlich durch
den gewölbten Durchgang Verlassende sieht sich, zurück-
gewendet, dem Kommandantenhaus (16./17. Jh.) gegenüber. – Mächtige Mauerstirnen barocker Bastionen, ver-
schränkte Gruppenkompositionen von Baulichkeiten der
Spätgotik und der Renaissance sind die den Eindruck der
Veste bestimmenden Faktoren.

Die innere, obere Stadt (als solche frühestens 1323 belegt) liegt noch im

Ring ihrer **Mauern**, einer dreifachen zwischen Hämelturm und Mäusturm. Von den Wehrgängen sind allerdings nur Fragmente (N- und W-Seite) übriggeblieben. Von den 3 Toren steht noch das Bamberger, das freilich auch (1871) das innere Tor und den Turm hergeben mußte. Von den **Türmen** existieren noch der (1579 erhöhte) Pfarrturm, der (1614 ebenfalls erhöhte) Lehlaubenturm, der 1467 errichtete Hämelturm und der in den unteren Geschossen spätroman. obere »Stadtturm«.

Kath. Pfarrkirche St. Johannes Bapt.

Der Chor ist in den Grundmauern romanisch, im aufgehenden Mauerwerk frühgotisch. Das Langhaus, eine 3schiffige Halle auf Rundpfeilern, entsteht bald nach 1400, der höhere, polygonal geschlossene westl. Teil 1510. Auch der nordöstl. Turm kommt erst jetzt hinzu, das Glockengeschoß 1551–58. Das hölzerne Gewölbe schloß sich 1655.

Baumeister des W-Baues war wahrscheinl. der Nürnberger Hans Beheim, dem auch das bedeutende Portal an der N-Seite zugeteilt werden darf; das von 2 hohen starken Fialen flankierte, in Stäben profilierte Portal liegt im Überfang eines von schweren Krabben besetzten Kielbogens, dessen Bogenschenkel die Kreuzblume durchwachsen, um sich in freier Krümmung den Fialen zuzubiegen; die in den Kielbogen gestellte Figur des Täufers von Hans Hartlin, 1498. – Die Ausstattung wurde im 19. Jh. purifiziert. Wiedergutmachende Überholung 1958.

Im O des Chores steht die auf den Zwinger der Stadtmauer gesetzte **Annenkapelle**, 1512/13 gebaut. Die beiden Schiffe, die dem Karner aufsitzen, sind durch einen stämmigen Spiralpfeiler geteilt. Der kleine originelle, spätgot. Bau dürfte auch den berühmten Nürnberger Hans Beheim zum Urheber haben.

Spitalkirche. Die 1467 errichtete Kirche St. Anna des 1462 gestifteten Spitals verbindet mit 2geschossigem Langhaus quadratischen Chor mit Dreiseitenschluß. Der Spitalbau entstand 1715–18 nach Riß J. Dientzenhofers.

Klosterkirche St. Petrus von Alcantara. Die Franziskaner errichteten sie 1670–72. Beachtlich die gute spätbarocke Ausstattung, die fast ganz Bamberger Meistern (Martin und Georg Mutschele) zu danken ist.

Hl.-Kreuz-Kapelle am Kreuzberg. Ein Stationsweg, 1739 gesetzt, doch 1871 erneuert, geleitet hinauf. Die 1634 als Pestvotiv gebaute, 1644 geweihte Kapelle ist eine einfache Rechteckanlage; die 3seitig schließenden Kreuzflügel sind Hinzufügungen der Jahre 1659–61.

Rathaus. Das Baujahr ist 1583. Der 2geschossige Quaderbau ist mit einem 3geschossigen, geschweift umrissenen Giebel bestirnt. Das schöne antikische Portal, das, gut altdeutsch, nicht in der Achse steht, etwas jünger, frühes 17. Jh.

Haus zum scharfen Eck. Hoher, im Erdgeschoß massiver, im Obergeschoß gefachter Giebelbau wohl des 16. Jh., in wirkungsvoller Ecklage zum Markt. 1539 von Barthel Sunder, Maler genannt, dem Schwager Lucas Cranachs, erworben, bis 1670 im Besitz der »Sundermaler«. L. Cranach selbst kam wahrscheinl. im Hause Marktpl. 1, dessen Erdgeschoß noch spätmittelalterlich ist, zur Welt. – **Ehem. Kommandantenhaus** (Amtsgerichtsstr. 21). Das 1692 erbaute, sehr stattliche Bürgerhaus zeichnet sich durch das reiche Gefach im Obergeschoß und Giebel und einen dem Obergeschoß anhängenden polygonen Eckerker aus. – **Dümleinshaus.** Guter 2geschossiger Quaderbau mit flachem begiebeltem Mittelrisalit und Mansarde, 1769.

Melchior-Otto-Säule. 1654 von der Stadt dem Bamberger Fürstbischof dieses Namens, aber auch sich selbst zu Ehren errichtet, zugleich Erinnerungsmal an die rühmlichst bestandenen Belagerungen von 1633 und 1634. Die Rundsäule, Werk der Kulmbacher Bildhauer Brenck und Schlehendorn, trägt auf dem Kapitell das von den »geschundenen Männern« (1634 zu Tode gemarterten Kronachern) gehaltene Stadtwappen, das der anerkennende Landesherr verliehen hatte.

KRUMBACH (B. Schw. – B 6)

Grabhügel der Hallstattperiode kennzeichnen das uralte Siedlungs-gebiet. Aus dem 14. Jh. kommt Kunde von erzhaltigen Quellen. Im 12. Jh. Besitz von Ortsadeligen, bald aber als Schenkung zwischen benachbarten Klöstern wechselnd, gelangt es 1301, mit Burgau, an Österreich, bei dem es (mit Unterbrechungen) bis zum Anfall an Bayern bleibt. 1370 Marktrecht, 1895 Stadt.

Zu nennen ist die 1752 errichtete, schöne **Pfarrkirche,** einer der guten, soliden Rokokobauten dieser Gegend. Martin Kuen aus Weißenhorn schuf das große Deckenfresko. Die vornehmen Altaraufbauten der Erbauungszeit, Stuckfiguren der Apostel an den Wänden, kurz, die ganze Einrichtung vereinigt sich zum Wohlklang eines nicht gerade aufwendigen, aber feinen Raumbildes der Rokokozeit.

KÜHBACH b. Aichach (Obb. – D 6)

Ehem. Benediktinerklosterkirche St. Magnus

Graf Adalbero von Sempt und seine Gemahlin Wildburg stiften 1011 das Kloster. Nach dem Erlöschen des Grafenhauses kommt die Vogtei an die verwandten Wittelsbacher. Von den Heimsuchungen des 30jährigen Krieges kann sich das Kloster erholen, der Spanische Erbfolgekrieg erschöpft es, die Säkularisation hebt es auf, beläßt aber die Nonnen am Ort.

In den Jahren 1687/88 erwächst die heutige Kirche, ein statt-licher, emporenloser Wandpfeilerbau mit gutem, wohl wessobrunnischem Stuckwerk. Die kostbare Altarausstat-tung entstammt der Erbauungszeit. Sie vervollständigt wirksam den einheitlichen Raumeindruck. – Aus dem älteren got. Bestand sind, außer dem Turmuntergeschoß, eine im W vorgelagerte (durch Emporen unterteilte) Kapelle verblieben, die sog. Stifterkapelle, und ein Rest des Kreuzgangs.

Das westl. anstoßende ehem. Klostergebäude (jetzt »Schloß«) ist seit der Säkularisation Privatbesitz (Frhr. v. Truchseß). Der dem 17. Jh. entstammende Baukomplex wurde im 18. und 19. Jh. verändert.

KULMBACH (Ofr. – E 3)

Plassenburg

Im 12. Jh., erstmals 1135, nennen sich die Grafen von Andechs in fränkischen Urkunden Grafen von »Plassenberg«, sie werden nicht viel früher den günstig gelegenen Berg nahe der Vereinigung der beiden Mainläufe burglich befestigt haben. Nach dem Ausgang der Andechser, 1248, fällt der Kulmbacher Besitz an die Grafen von Orlamünde, die ihn, bedrängt, 1338 an den Burggrafen von Nürnberg verpfänden. Seit 1340 ist Kulmbach bis zum Anfall an Bayern, 1810, burggräflich-markgräflich. 1397 wird die im 14. Jh. stark ausgebaute Plassenburg fürstliche Hofhaltung, um es bis 1602 (Übersiedlung des Hofes nach Bayreuth) zu bleiben. Vom Markgrafen Albrecht Alcibiades neu und stark bewehrt, geht die »weyt beruembte Festung Plassenburg« im bundesständischen Krieg 1553 zugrunde. 1559 wird unter Leitung eines Amberger Baumeisters, Georg Beck, der Neubau begonnen, 1561 ist dann schon Caspar Vischer Baumeister. 1563 kommt der Steinmetz Daniel Engelhardt hinzu, dessen Hand der reiche Schmuck des Schönen Hofes zu danken ist; er ist später (1573) bambergischer Baumeister. Der durch die Ratschläge erfahrener Architekten, wie des Stuttgarters Alberlin Tretsch und des Ansbachers Blasius Berwart, geförderte Bau kann 1564 vom Fürsten bezogen werden. Noch nicht steht der Ruhm der Plassenburg, der Schöne Hof, dessen S-Flügel erst 1565/66 errichtet wird; der ältere O-Flügel erhält 1567/68 seine Arkadenreihen, der W-Flügel wahrscheinl. 1569. Auch der Bau der Fortifikationen ist 1564 noch keineswegs abgeschlossen. Erst mit der Erneuerung der Hohen Bastei 1585 endete die fast 25 Jahre währende Bauzeit. Markgraf Christian läßt im frühen 17. Jh. die Wehr der O-Seite verstärken. Das 18. Jh. fügt noch Kommandantenhaus und Kaserne hinzu. Aber die militärische Bedeutung der Festung mindert sich. Immerhin hält es Napoleon noch 1806 für nötig, die äußere Fortifikationslinie schleifen zu lassen.

Die auf der W- und N-Seite des Berges emporführende Zufahrt erreicht das ehem. Rittertor gen. (im 18. und 19. Jh. veränderte) Außentor, dem das Kommandantenhaus (1774 bis 1775) aufsitzt. Das Tor läßt in die Vorburg, den »Kasernenhof« ein, den nördlich und westlich die unter dem letzten Markgrafen 1782–84 errichtete Kaserne schließt. Auf deren O-Flügel folgt südlich der wuchtige massive Christiansturm, der, wahrscheinl. 1579 aufgeführt, 1606/07 das prächtige Rustikaportal mit dem Reiterstandbild des Markgrafen Christian in der hohen, dem Tor aufgesetzten Nische erhielt, Werk des Nürnberger Bildhauers Hans Werner. Südl. des Turms lag die Hohe Bastion (»Christianin«), ein mächtiges Bollwerk, das 1806/07 demoliert, 1866 gänzlich zerstört wurde. Eine südl. verlaufende Kurtine vermittelt zum südl. schließenden Arsenal, einem rauhen Hochgefüge, 1572–74 unter Markgraf Georg Friedrich errichtet. Das 6geschossige Gebäude verdankt seine Höhe der Notwendigkeit, die Höhendifferenz zwischen Vor- und Hauptburg auszugleichen. Westl. Begrenzung des unteren Burghofs ist der an das Arsenal angelehnte O-Flügel der Hochburg, dessen gequaderter N-Teil noch mittelalterlich ist (S-Teil um 1560). Am Vorwerk unter der NO-Ecke der Hochburg vorbei führt die Straße aufwärts zur Hochburg, die mit ihrer im Kern auch noch spätmittelalterl. N-Front im Blick steht. Die Straße erreicht das Rondell, die westl. Bastion, die sich der W-Front der Burg vorlegt. Hier öffnet sich der durch ein Renaissanceportal ausgezeichnete Durchgang zum Schloßhof, dem **»Schönen Hof«**, dessen Reichtum um so stärker wirkt, als die Kargheit der Außenfronten in keiner Weise auf ihn vorbereitet *(Tafel S. 449)*. Ein unregelmäßiges Viereck mit Türmen in den Ecken, ist er auf 3 Seiten gleichartig, durch die offenen Arkadengänge begrenzt; nur die N-Seite weicht ab, deren östl. Teil, mit dem hohen Säulenportikus, um 1550 entstand, deren westlicher wohl noch spätgotisch ist. Ganz gleich sind auch die 3 Flügel von 1564–68 nicht. Das massive Sockelgeschoß des südlichen, der nur die Tiefe des Arkadengangs hat, und teilweise auch des östlichen ist in Rundbogennischen aufgebrochen, das des W-Flügels prunkt mit einem (dem äußeren entsprechenden) Portal. Die schweren Pfeiler- und Mauerstirnen der Sockelgeschosse sind steigernde Folie für die beiden Arkadengeschosse, die zu den geschmücktesten Architekturen der deutschen Renaissance zu rechnen sind. Denn jede Fläche, Brüstung, Pfeiler, Bogen ist mit flachem Relief, ornamentalem und figürlichem, in teppichhafter Ausbreitung bedeckt. Die einheitliche Gliederung

Kulmbach, Plassenburg

ist nur am O-Flügel durch ein mittleres Leerwandstück unterbrochen. Dieser Flügel ist nördl. Teils etwas älter als die ihm vorgeblendete Arkadenfassade, auf das Wandstück lief urspr. (vor 1554) die S-Mauer der Hochburg, deren Hof noch nicht die spätere Ausdehnung hatte. – Das I n n e r e (lange zum Zuchthaus degradiert) birgt noch einige gute alte Räume, wie die um die Mitte des 16. Jh. entstandene Waffenhalle im Obergeschoß des N-Flügels mit ihren 7 stämmigen, die Kreuzgewölbe stützenden Steinsäulen, und den Markgrafensaal im Obergeschoß des O-Flügels, der um 1560 anzusetzen ist; gebauchte Wandsäulen stützen hier das in Stuck ausgeführte Netzgratgewölbe.

Die Siedlung, »Culminaha« in erster Nennung (11. Jh.), am Fuß des Burgbergs entwickelt sich um die befestigte Peterskirche, westl. ausgreifend entlang des breiten, bergabfallenden Straßenzuges Oberstadt. Der um 1300 erreichte Umfang läßt sich an den einen südl. Halbkreis um Obere Stadt und Marktplatz schlagenden Gassenläufen Schießgraben und Grabenstraße ablesen. Der Mauerring ist in Teilen erhalten; mehrere Türme (Weißer und Roter Turm) stehen noch.

Ev. Pfarrkirche St. Petri. Lt. Inschrift (am Chor) 1439 begonnen, nach Zerstörungen (1553) wiederhergestellt 1559 ff.; der Turm 1568 ausgebaut. Die 3schiffige Halle, mit eingezogenem, nach 2 Jochen polygon schließendem Chor, wurde 1877/78 purifiziert; die Gewölbe des Langhauses sind neu (die beseitigte Holztonne stammte von 1643). Nur Chor und Turmhalle erfreuen sich noch der alten Sterngewölbe. Von der Ausstattung blieb wenigstens der sehr gute, fast 15 m hohe Choraltar, mit figurenreicher Kreuzabnahme in der Mitte, Werk der Joh. Brenk und H. G. Schlehendorn, 1650–53. Werk dieser beiden tüchtigen Kulmbacher Meister ist wohl auch das am Choräußeren befindliche Grabmal des Gg. Wolf von Laineck und seiner Gattin, 1644.

Ev. Spitalkirche Hl. Geist. Eine spätgot. Kapelle (St. Elisabeth) ging voraus. 1738/39 führt der Kulmbacher Maurermeister Joh. Gg. Hoffmann den Neubau auf, zunächst noch ohne Turm, der 1749 folgt. Die Quaderwände sind einfach und gut gegliedert, durch Pilaster, Triglyphen, Kranzgesims. Der der östl. Front vorgesetzte, den Chorraum bergende korpulente Turm, in 3 Geschossen aufsteigend, im dritten 8-eckig, trägt eine kräftige 2teilige Kuppel mit Laterne darüber. Der einfache Saalraum mit doppelten Emporen besetzt, die Brüstungen mit biblischen Geschichten bemalt, wohl gleichzeitig mit Deckengemälde und Stuck, Mitte 18. Jh.; nur die Kanzel runde 100 Jahre älter.

Ehem. Langheimer Klosterhof (Finanzamt). In emporgehobener Lage auf einem Vorsprung des Schloßbergs sammelt das 1691–95 errichtete Gebäude, ein 3geschossiger Quaderblock, seine Kraft in der hohen Giebelfront, deren schwere Rustika auf die Mauerwucht der Plassenburg (durch die sie eingegeben wurde) vorbereitet.

Ehem. Kanzlei (Landratsamt). Wahrscheinl. von Georg Beck 1561 begonnen, wird sie von Caspar Vischer 1563 vollendet. 1662 ff. wird sie, teilweise, von S. A. Schwenter umgebaut. 2 hohe Giebel steilen den einfachen Block, dessen Schmuck ein Erker ist.

Rathaus. Der nicht große, aber durch seine kurvig umrissene Rokoko-Fassade heiter ansprechende Bau entstand 1752, nach den wahrscheinl. von St. Pierre modifizierten Plänen des Kulmbachers J. M. Gräf, ausgeführt vom Stadtbaumeister Hoffmann.

LAABER (Opf. – E 5)

Steil aufgesockelt über dem ehemals befestigten Marktflecken im Tal der Schwarzen Laaber liegen die Trümmer einer **Burg**, die noch umfangreiche Teile umaßt. Quaderwerks aufweist. Sie stammen von einem Um- oder Neubau des frühen 13. Jh. Kräftige Buckelquadern mit Randschlag türmen sich im Unterbau des Bergfrieds wie in einigen Strecken des Berings. Glatt behauene Quadern umfrieden die alte Kapelle. Die Burg, die im 14. Jh. den Minnesänger Hadmar III. von Laaber behauste, wurde, nach Umgestaltungen im 15. und 17. Jh., später dem Verfall preisgegeben. – Im Ort die got., um 1760 barockisierte **Pfarrkirche** mit der skulptierten Grabplatte Hadmars IV. von L., † 1420.

LANDAU a. d. Isar (Ndb. – F 7)

Herzog Ludwig d. Kelheimer begründet 1224 die Stadt und bewehrt sie auch schon wenig später mit Mauern, in deren SW-Eck er das (erhaltene) Schloß einfügt. 1304 verbinden die niederbayerischen Herzöge die Bestätigung älterer Stadtfreiheiten mit der Verleihung des (dem Landshuter nachgebildeten) Stadtrechtes.

– *Der durch ein Kreuz marktgleich breiter Straßen bestimmte Stadtplan ist der typische der Gründungsstädte des 13. Jh., wenn auch ohne strenge Regelmäßigkeit, die das steigende Gelände nicht zuließ. – Das alte Landau wird 1743, im Österreichischen Erbfolgekrieg, Opfer einer Brandlegung. Über den Trümmern formte sich langsam das neue Stadtwesen.*

Pfarrkirche Mariae Himmelfahrt. An Stelle einer mittelalterl. Anlage wurde der stattliche Bau durch den Landauer Maurermeister Dom. Magzin 1713 errichtet, unter Einbeziehung des alten Turmes. Weihe 1726. Der Turm erhielt 1774/75 seine Zwiebelhaube. Würdevoll kühl wirkt das Innere, eine 5jochige Wandpfeileranlage mit eingezogenem Chor. 1725 wurde der mächtige Hochaltar errichtet, mit Gemälde von J. Casp. Sing (Mariae Himmelfahrt). Die Seitenaltäre großenteils gleichzeitig. Lediglich das Paar der 4. Seitenkapellen (von W) ist Werk des Rokoko, 1764/65. Aus der spätgot. Ausstattung des Vorläuferbaus sind erhalten: der Chorbogenkruzifixus, Reliefs vom ehem. Hochaltar (Ende 15. Jh.) und 3 Schnitzfiguren (an den südl. Pfeilern).

Die **Friedhofskirche Hl. Kreuz** entstand in der 2. Hälfte des 15. Jh. Ihr Langhaus trägt eine barocke Flachdecke; der rippengewölbte Chor wurde nahezu unverändert belassen (restaur. 1964 mit Freilegung von Wandmalereien des 15. Jh.). Von der alten Ausstattung stammen 3 spätgot. Altäre, die im 19. Jh. überarbeitet und im 20. korrigiert wurden. Der Hochaltar mit den Figuren des Hl. Vitus und der Helena zu seiten des Erbärmde-Christus schildert in seinen Reliefs Szenen der Kreuzlegende (um 1480). Die Seitenaltäre enthalten eine Anbetung der Könige im bemalten Flügelschrein (um 1480) bzw. eine Muttergottes zwischen Petrus und Nikolaus inmitten zugehöriger Reliefs (um 1510).

Die **Steinfelskirche**, Wallfahrtskirche Mariae Heimsuchung, wurde über einer natürlichen Grotte 1698–1700 errichtet und 1726 geweiht. Einrichtung 1725. Zahlreiche Votivtafeln.

Ehem. herzogl. Schloß. Die Anlage aus der Erbauungszeit der Stadt brannte zu Beginn des 16. Jh. nieder. Das Vorhandene ist bis auf wenige Reste Werk des 18. und 19. Jh.

Im **Weißgerberhaus** (Höckinger Straße), einem der ältesten Häuser Landaus, das Heimatmuseum.

Auf gleicher Isar-Seite, einige Kilometer aufwärts, westl.: **USTERLING** mit spätgot. **Kirche St. Johannes**, die einen der besten spätgot. Flügelaltäre der Landschaft besitzt. Im Schrein, mit hohem Gespreng, die beiden Johannes, auf den beiden Flügeln je 2 Johannes-Legenden. Der Schnitzer des um 1520 anzusetzenden Werkes, Stiftung des Grundherrn Jörg Wieland, steht dem des Reisbacher Altars (Kr. Dingolfing) sehr nahe. Eine Besonderheit ist die in das Relief der Taufe Christi eingeschlossene Darstellung des »Wachsenden Steines« der Isar-Böschung, eines

Naturdenkmals (Sinterfelsbildung), das auch ein beachtliches Denkmal
der religiösen Volkskunde ist.

LANDSBERG am Lech (Obb. – C 7)

*1160 gründet Heinrich d. Löwe auf dem Schloßberg die »Landes-
purc« zum Schutze der von O (Bayern) nach W (Schwaben) zie-
henden Handelsstraße, der Salzstraße, die hier den Lech quert und
jenseits die uralte S-N-Straße (die röm. Claudia Augusta) schneidet. Im Anschluß an das ältere Dorf »Phetine« (Umkreis der
Bergstraße) entwickelt sich die Marktsiedlung, die sich von N her
südl. gegen die Lechbrücke vorschiebt. In der 2. Hälfte des 13. Jh.
dürfte sie – seit 1268 im Besitz der wittelsbachischen Herzöge – die
durch Bäckertor im N und Nunnentor im S abgesteckte Ausdehnung erreicht haben. Mitte dieses ältesten Stadtkörpers ist der sich
keilförmig zum (frühgot.) Schmalzturm aufwärts verjüngende
Markt, auf dem das Rathaus bis 1699 einen freien mittleren Standort hatte und der nördlich in die breite Herkomerstraße ausläuft.
Von der ältesten, in diese wachstumskräftige Frühzeit fallenden
Stadtbefestigung stehen noch 2 Tortürme, Bäckertor und Schmalzturm, und, an der Vord. Mühlgasse, Teile der Mauer. Eine erste
Stadterweiterung erweist sich im 14. Jh. nötig; sie schlägt das
nördl. Viertel, um den Vorderen und Hinteren Anger, hinzu. Die
zweite und letzte, im 15. Jh., bezieht noch das südöstl. Bergviertel
ein. Lechtor (abgetragen), Färbertor und Sandauertor markieren
die westl. Länge der Stadtbefestigung; auf der Bergseite schließt
noch die gut erhaltene, mit dem Dachl-, dann dem Pulverturm
und weiter mit 6 Rundtürmen bewehrte Mauer, die nächst dem
starken Bayertor einbiegt, um nun der S-Seite bis zum Nunnen-
turm zu folgen.*

Stadt. Die Häuser an Markt und Herkomerstraße bilden
mit ihren meist 4-, auch 5geschossigen, bei geringer Breite
um so höher wirkenden Fronten sehr stattliche Reihen, die
sich zu raumbegrenzenden Wandungen zusammenschließen.
In der W-Zeile des Marktes, als primus inter pares, das
1699–1702 errichtete **Rathaus**, dessen reiche Stukkaturen
(1721/22) den Namen des großen Meisters Dominikus Zimmermann berufen lassen, der 1759–64 als Bürgermeister
dieser Stadt amtete. – Anmutiger Angelpunkt des Platzes
ist der 1783 neugesetzte *Brunnen* mit der Marienstatue,
einer Arbeit des Straub-Schülers Jos. Streiter. – Der große
Baukörper der Pfarrkirche steht, vom Markt her gesehen,
hinter dem Schirm eines Häuserblocks, den er doch steil
überwächst. Beherrschend wendet er sich auch den beiden
Angergassen nördlich zu, deren einfache, meist 2geschossige

Bebauung sein Aufragen noch einmal steigert. Nicht der
letzte Reiz dieser schwäbische und bayerische Charakterzüge
verbindenden Stadtlandschaft ist ihr Teilhaben an der südl.
aufsteigenden Hochleite, die der den Markt durch das
Schmalzturmtor verlassende, dem Bayertor zustrebende
Straßenzug erklimmt und den die ehem. Jesuiten-Malteser-
kirche mit der hohen, von den beiden Türmen eingeklam-
merten Mauerstirn beschließt.

Pfarrkirche Mariae Himmelfahrt

*Das 15. Jh. ersetzte einen älteren Bau (St. Vitus) des späten 13.
oder frühen 14. Jh. durch die bestehende große Basilika. Nur der
noch ganz romanisch anmutende, mit Rundbogenfriesen gegliederte
Turm an der N-Seite wurde übernommen. Als Baumeister ist der
später bei St. Ulrich in Augsburg tätige Straßburger Valentin
Kindlin bezeugt. Er leitet den Bau 1458–66. Dann löst ihn der
Landsberger Ulr. Kiffhaber ab. Seit 1467 entsteht der Chor; er
ist 1488 vollendet. – Diese große Kirche ist eine 3schiffige, durch
Seitenkapellen erweiterte, flachgedeckte Basilika mit einem 3 Joche
tiefen, in 5 Seiten des Achteckes schließenden Chor, der ohne Einziehung das Mittelschiff fortsetzt. Der Baustoff ist Ziegel. – Gegen
Ende des 17. Jh. erhält die spätgot. Kirche ihre barocke Gewandung. Die Flachdecken werden durch Stichkappentonnen (Holz)
ersetzt, die hohen, steilen Wände des Mittelschiffs durch Pilaster
gegliedert, die Flächen der Wölbung reich stuckiert. Die gesamte
Ausstattung verjüngt sich. Zuletzt, 1698, wächst der Turm noch
um die beiden Achteckgeschosse, Kuppel und Laterne.*

Der A u ß e n b a u kann in seiner ragenden Mächtigkeit
des schmückenden Beiwerks entraten. Der Vergleich mit
St. Ulrich in Augsburg wird sich aufdrängen; schon die Stellung des Baukörpers zur großen Verkehrsachse ist vergleichlich. – Das Langhaus wird durch 2 Doppelportale an den
Längswänden betreten; Hauptportal ist das südwestliche.
Die 3 Gewändefiguren sind aus dem Vorgängerbau geblieben: die Muttergottes (Mitte), St. Joachim (links, beide
Stein) und ein hl. König (rechts, Holz) gehören dem späten
14. Jh. Hier auch das vorzügliche Rotmarmorepitaph eines
»in praxi« dargestellten Arztes, Arbeit eines Bildhauers, dessen Zeichen, Winkel und Pfeil, noch nicht identifiziert werden konnte, 1510, dem auch die Epitaphien des Conrad
Frech und des Michael Holl (1509) an den beiden N-Portalen gehören. – Im I n n e r n der Kirche spricht (ohne dabei
doch die spätgot. Struktur vergessen zu lassen) die barocke

Dekoration. Die von den Arkadenpfeilern aufstrebenden Pilaster sondern die schmalrechteckigen Joche. Apostelfiguren in Stuckrahmungen (1584) beleben die tote Zone zwischen Arkaden und Fensterreihe. Die Stukkaturen der Decke, in die wenige Freskenmedaillons eingestreut sind, gehen sicher auf Wessobrunner Kräfte zurück: ein Netz spiralisch schwingender Akanthusranken. Sehr mächtig, den Chor in Breite und Höhe füllend, der 1680 aufgerichtete *Hochaltar* des Jörg Pfeiffer von Bernbeuren, ein beispielhaftes Werk der um die schwersten Gewichte bemühten Altarbaukunst des späten 17. Jh. Paare geschraubter, von Weinreben umrankter Säulen tragen das reich profilierte Gebälk, über dem sich noch der hohe, vom Erzengel Michael übergipfelte Auszug erhebt. Der Bildhauer der Figuren – Joseph und Joachim, die 3 Erzengel – ist der Landsberger Lorenz Luidl (auch Urheber der Heiligenfiguren an der Wand des Mittelschiffs und des originellen Palmesels im nördl. Seitenschiff); das Altarblatt, Verehrung der Muttergottes und des hl. Veit (des urspr. Patrons der Kirche), ist Arbeit des Ant. Triva. – Dieser prächtigen Altararchitektur ist nur vorzuwerfen, daß sie einen Teil der die Chorfenster besetzenden gemalten Scheiben des frühen 16. Jh. (1510–20) verdeckt, die zum Besten der Augsburger (und der deutschen) Glasmalerei zu rechnen sind; sehr bemerkenswert auch das erst 1562 vom Münchner W. Prielmayer geschaffene Fenster der S-Seite, von der Stadt gestiftet und der (dargestellten) herzogl. Familie gewidmet. Das Grabdenkmal für den Arzt Cyriacus Weber (hinter dem Hochaltar), ein Skelett als Memento, 1572, ist als Werk von Hans Reichle anzumerken. – Eine Reihe guter, meist im 18. Jh. zugekommener Nebenaltäre schmückt die Seitenkapellen. Der Stuckmarmoraltar an der nördl. Chorwand ist ein 1721 entstandenes Werk des Dominikus Zimmermann. Er schließt ein (doch erst 1903 in die Kirche gebrachtes) geschnitztes Muttergottesbild von etwa 1450 ein, das dem großen Ulmer Meister Multscher zuzuschreiben ist. Die Altäre vor dem Chorbogen entstanden 1681. Notieren wir auch das schöne Gemälde von Peter Candid in einer südl. Seitenkapelle, Mariae Himmelfahrt, 1597. Der reichgebildete, auf eine zweite Empore gestellte Orgelprospekt wurde 1685–88 aufgerichtet. Die Schnitzereien schuf Lorenz Luidl. Von L. Luidl sind auch die Figuren des St.-Veits-Altars unten vor der W-Wand, 1696: die hll. Veit, Stephan und

Laurentius. Auch die vor den benachbarten Pfeilern stehenden Konsolfiguren sind als gute Leistungen dieses bedeutendsten Bildhauers der Stadt zu rühmen (die hll. Kreszentia und Modestus, die Erzengel Raphael und Michael). Chorgestühl und Kanzel entstammen dem frühen 18. Jh.

Dreifaltigkeitskapelle auf dem Friedhof. 1schiffiger Bau der nachlebenden Gotik von 1596. Flachdecke 1704. – An der Chorwand außen: Ölberg mit vorzüglicher, originaler Rahmung von Adam Vogt, um 1600.

Ehem. Ursulinerinnen-Klosterkirche, seit 1845 der Dominikanerinnen. Eine 1720–25 gebaute Klosterkirche Dominikus Zimmermanns wurde 1764 bis 1766 durch einen Neubau ersetzt, den der wenig bekannte Ignaz Resler aufführte. Die Kirche ist in die Front des in der Zeile der Herkomerstraße stehenden, 1768 vollendeten Klosters eingefügt. Der einheitliche Block urspr. in der ganzen Straßenfront, jetzt nur noch in der Teilfront der Kirche vom jüngeren Bergmüller bemalt. Der quadratische Saalraum mündet in einen von oben offenen Nebenräumen begleiteten flachschlüssigen Chor, dessen Bemalung, von der Hand Bergmüllers, eine Apside vortäuscht. Arbeit des jüngeren Bergmüller auch die Deckenbemalung, Arbeit des älteren das 1748 datierte Altarblatt.

St.-Johannes-Kirche

Zu dem freundlichen Bau lieferte Dom. Zimmermann 1741 die Pläne. Die Ausführung verzögerte sich durch den Österr. Erbfolgekrieg, so daß die Weihe erst 1754 stattfinden konnte. In der Folgezeit kamen Einzelheiten der Ausstattung hinzu.

Ä u ß e r e s. Die Straßenfront mit einschwingendem Mittelteil ist von horizontalem Dachansatz abgeschlossen. Es fragt sich, ob nicht urspr. ein Giebel beabsichtigt war, der die Bewegung der Fassade nach oben ausklingen ließ. – I n n e r e s. Der kleine Raum, ein Rechteck mit abgeschrägten und genischten Ecken, läßt etwas vom Ideengut der Wallfahrtskirche Steinhausen spüren. Neuartig bei Zimmermann ist die Säulengliederung. Ein hufeisenförmiger Chor ist Zielpunkt der Raumanlage. Hier erhebt sich der originelle Altaraufbau, ganz aus dem Geist des Rocaille-Ornaments geboren, und öffnet sich zur plastischen, bühnen- oder krippenhaft empfundenen Gruppe der Taufe Christi. Die Figuren schuf Joh. Luidl. Die Seitenaltäre, auch von Joh. Luidl, 1760, sind geistvoll erfundene Rahmenaufbauten um 2 dem Fz. Ant. Anwander zugeschriebene Gemälde, Johannes auf Patmos und Johann Nepomuk. Den Laienraum überfängt eine Flachkuppel, deren Fresko aus dem Leben Johannis d. T. berichtet. Karl Thalhammer aus Ottobeuren hat es geschaffen, 1752.

Ehem. Jesuitenklosterkirche Hl. Kreuz

1575 kommen die Jesuiten nach Landsberg. 1576–78 entsteht ihr Noviziat, das, 1603 und 1609 erweitert, in dem einen Arkadenhof umschließenden stattlichen Block nördl. der Kirche erhalten ist (heute Spital und Landwirtschaftsschule). Die 1580–84 nach den Plänen des Augsburgers Hans Holl aufgeführte Kirche wurde 1752–54 durch den Neubau ersetzt, vom Laienbruder des Kollegs, Ignaz Merani, der sich beim Bau des Dillinger Kollegs bewährt hatte. 1782–1808 gehörte die Kirche den Maltesern.

Ä u ß e r e s. Die hochgegiebelte, von 2 Türmen mit Kuppelhelmen begrenzte Fassade der auf den steilen südöstl. Talhang gestellten Kirche durfte, nur auf Fernsicht berechnet, schmucklos bleiben. Aller Aufwand, der reichste, wurde dem I n n e r e n zugewendet. Das Raumschema ist das, wohl der Dillinger Jesuitenkirche entlehnte der Wandpfeilerkirche. Das verhältnismäßig einfache, aber starke Relief des Wandkörpers verbindet sich mit dem leichten, farbigen Spiel der Dekoration. Die locker ausgeteilten Stukkaturen schöpfen aus dem Formenvorrat des reif entwickelten Rokoko. Beherrschend die großen, weitflächigen Fresken der Wölbungen. Im Chor: Kaiser Konstantin erblickt das Siegeszeichen des Kreuzes an der Milvischen Brücke; im Schiff, den ganzen Wölbspiegel einnehmend: die Erhöhung des Kreuzes. Der Maler ist Chr. Thomas Scheffler. Einen kleinen Beitrag leistete, in den Bemalungen der unteren W-Empore, Gottfr. Bernh. Götz (1754). – Der mächtige Hochaltar umfängt ein Bild der Kreuzigung von Joh. B. Bader nach Bergmüller, 1758. Von Bergmüller selbst stammen die Gemälde der beiden ersten, von Bader die der beiden mittleren, von Chr. Thomas Scheffler die der beiden letzten Seitenaltäre vor dem Chor. Hinzu kommen gut geschnitzte Beichtstühle, eine treffliche Kanzel und schöne geschmiedete Eisengitter (Oratorien, Empore) aus der Erbauungszeit. Die Sakristei wurde von Dom. Zimmermann stuckiert (um 1730), die über ihr liegende Ignatiuskapelle vom Bruder Schefflers, Felix A., bemalt (1756).

LANDSHUT (Ndb. – E 7)

Der Ursprung Landshuts scheint, wie der Münchens, in einem Gewaltakt zu gründen: Der Herzog verlegt, vermutl. in den 60er Jahren des 12. Jh., eine dem Regensburger Bischof zustehende

Brücke nächst Altheim eine kleine Strecke flußauf in den Schutz der Burg, die er des Landes Hut, Landshut nennt. »Landshut« taucht bald nach Mitte des 12. Jh. in Freisinger Traditionen auf. – Neben den dörflichen Burgflecken am Fuße des »Hofberges« tritt 1204 die vom Herzog, Ludwig d. Kelheimer, gegr. Stadt. Sie reicht längs der großen, den Verkehr München – Regensburg und Burghausen – Kelheim befördernden Straße »Altstadt« vom Nahen Steig südlich bis zur Steckengasse nördlich. Das 1208 bezeugte Hl.-Geist-Spital liegt noch außerhalb der Mauer (und wird auch erst im Spätmittelalter, nach 1339, in den Ring einbezogen), dürfte aber schon gegen Mitte des 13. Jh. von der gegen die Brücke hin rasch ausgreifenden Stadt erreicht worden sein. Auch die vorstädtischen Siedlungen, Zwischenbrücken (d. i. zwischen den Brükken der beiden Isararme), und jenseits der äußeren Brücke um das hier, 1232, gepflanzte Seligenthal und wohl auch die um St. Nikola (nordwestl.) müssen sich schon in der 1. Hälfte des 13. Jh. entwickelt haben. Die 1271 und 1280 ankommenden Dominikaner und Franziskaner siedeln zwar noch vor der Mauer (östl., nordöstl.), doch gliedert sich eben jetzt als breite Parallele zur »Altstadt« die »Neustadt« an. Hier, nordöstlich, tritt dann später, 1338, dank herzoglicher Initiative, noch die (allerdings nur locker bebaute) Freyung, mit eigener Pfarrkirche, St. Jodok, hinzu. Um die Mitte des 14. Jh. schließt sich der bis ins 19. Jh. nicht mehr überschrittene Ring.

1255–1340 ist Landshut Residenz der Herzöge von Niederbayern, 1392–1503 der »Reichen Herzöge« von Bayern-Landshut, deren einer, 1475, die berühmte »Landshuter Hochzeit« feiert. Als sommerliches Festspiel kehrt sie (seit 1903) alle 3 Jahre wieder. Mit dem Ausgang der Reichen Herzöge 1503 fällt Landshut an Bayern-München. Noch residiert Herzog Ludwig X. als Mitregent seines Bruders Wilhelm IV. in Landshut, 1516–45. Damit endet aber auch die hohe Zeit der Stadt, an deren Anfang der große Baumeister Hans von Burghausen (»Stethaimer«), an deren Ende der große Bildschnitzer Hans Leinberger steht. 1799 verliert die Stadt die alte niederbayerische Regierung, 1832 gewinnt sie die neue, die ihr nur vorübergehend (1932–56) wieder genommen wird. Die 1800 hierher verlegte Hohe Schule Ingolstadts bleibt ihr nicht; Ludwig I. verpflanzt sie 1826 nach München. Im 19. Jh. geschieht glücklicherweise nicht viel. Der 2. Weltkrieg läßt die Altstadt heil. Seit 1945 wachsende Industrialisierung der Peripherie.

Die Stadt. Landshut ist eine der schönsten deutschen Städte. Der sehr mächtige, gegen die Brücke zu in leichter Kurve auslaufende Straßenzug der »Altstadt« hängt an den Zielen St. Martin am südl. und Hl. Geist am nördl. Ende. In geringerer, aber immer noch stattlicher Breite entwickelt sich, gleich gerichtet, fast geradeläufig, die »Neustadt«. Sie

trifft südlich auf die Stirn der vor die Böschung des Burgberges gestellten Jesuitenkirche. Die Spannung zwischen
Fürst und Bürger (zu Zeiten gefährlich) drückt sich im
Gegenüber der Machtsymbole Burg und Münster eindrück-
lich aus. Der Charakter des Stadtbildes ist gotisch, die späteren Stile haben nicht viel mehr als den unvermeidlichen
alamodischen Schmuck der Häuserfronten (das hohe, meist
mit dem Giebel zur Straße gestellte Haus selbst veränderte
sich wenig) hinzugebracht.

St. Martin, Stadtpfarr- und Kollegiatsstiftskirche

*Eine roman. Basilika, deren Fundamente 1968 bei Grabungen fest-
gestellt werden konnten, geht voran. Sie lag, kaum halb so groß,
innerhalb der Umfassung der Nachfolgerin; ihre W-O-Achse wich
um etwa 6° gegen S ab. Der Beginn des got. Neubaus ist mit
etwa 1380 anzusetzen. 1389 ist erstmals »Maister Hanns paw-
maister zu sand Martein« bezeugt. Sicher der planende Meister,
leitet er die Bauhütte bis zu seinem Tode, 1432. Die um diese
Zeit an der S-Wand der Kirche angebrachte Gedächtnistafel nennt
ihn Meister Hans Steinmetz, er selbst nennt sich in einer Urkunde
1415 »meister hanns von Burkhausen, der steinmetz und werkmeister des paus zu St. Martin zu Landtshuet«. Sein Nachfolger im Werkmeisteramt ist der (lange irrig für den Sohn gehaltene, 1434–59 bezeugte) Hans Stethaimer. – Die Baugeschichte
nahm nach den jüngsten, auch dendrologisch gestützten Untersuchungen folgenden Verlauf: 1392 ist der Chor in Bau (steht wohl
schon im Sockelgeschoß), 1400 ist er gedeckt. Die Seitenkapellen des
Langhauses beginnen frühestens im 1. Jahrzehnt des 15. Jh. aufzuwachsen; die nordwestl., die östl. Sechserreihe abschließende Seitenkapelle ist 1429 datiert. Bis hierher, d. h. bis zum 7. Langhausjoch
(einschl.), erstreckt sich der Anteil des Meisters Hans von Burghausen, dem sicher gehört: der ganze Chor samt Wölbung, das
Langhaus bis zur angegebenen Grenze, aber nur in den Umfassungsmauern der Seitenkapellen. Die (aufgemalte) Jahreszahl 1432
am Hauptportal ist suspekt. Lt. Ratschronik wird der Grund zum
Turm erst 1444 gelegt. 1445 wurden (nach gleicher Quelle) wahrscheinl. die Pfeiler des Mittelschiffs, 1446 die 4 letzten Seitenkapellen begonnen. Der leitende Meister dieses 2. Bauabschnitts ist
Hans Stethaimer (lange »der Jüngere« genannt). 1472 steht der
Turm bis zum Anstieg des Kirchendachs (das frühestens 1475 aufgesetzt wird); 1495 ist er noch nicht vollendet; um 1500 dürfte er
seine Spitze erreicht haben. In diesem 3. Abschnitt (dessen leitender
Meister offensteht) kommt 1489 noch die Altdorfer-(Antonius-)
Kapelle an der N-Seite des Turmes hinzu (auf dem Platze einer
der 1446 bezeugten beiden Sakristeien). – Aus der späteren Geschichte des Münsters: 1595 überträgt Herzog Wilhelm V. das*

Moosburger Chorherrenstift nach St. Martin. Trotz dieser Rangerhöhung erfährt die Kirche in der Folge keine (über den Austausch der Altäre hinausgehende) Umgestaltung. Das barocke Inventar erliegt dem Restaurator der Jahre 1858 ff. Eine letzte Restaurierung, 1952 bis 1955, hat beträchtliche Flächen altbemalter Wände freigelegt und den trüben Anstrich des 19. Jh. entfernt.

Der Sage nach ist St. Martin das Werk dreier Baumeister; der dritte ist möglicherweise der 1459 genannte Thoman. Der entscheidende erste, Meister Hans von Burghausen, dürfte seine Schulung im südostdeutschen, böhmischen Bereich (der Parler) erfahren haben. St. Martin ist eine der mächtigsten und kühnsten Hallenkirchen der Spätgotik. Der Querschnitt der Schiffe ist außerordentlich steil proportioniert, die Glieder sind überaus schlank, die Pfeiler können an die Träger eines Stahlgerüstes erinnern. Isoliert sich der Chor (in der zweiten Landshuter Kirche des Meisters, der Spitalkirche, völlig ins Raumgefüge der Halle einbezogen) als Langchor, so möchte sich die Ursache am ehesten in den Raumansprüchen des Hofes erkennen lassen.

Äußeres. Eckstreben, die sich von Geschoß zu Geschoß verjüngen, begleiten den starken quadratischen Unterbau des vor die W-Front gestellten Turmes, Maßwerkgitter überblenden die Flächen. Über dem 4. Geschoß wächst das nun verhältnismäßig schlank wirkende Polygon auf. Fialenartige Ecktürmchen verschleifen den Übergang. Sie begleiten 2 Geschosse; nur einer (südöstl.) strebt bis über das Glockengeschoß weiter. Dann folgen noch 3 Geschosse, bis zum Aufsprießen des von 2 Fialengürteln umfaßten, über Ziegelkern mit Kupferblech bekleideten 8seitigen Spitzhelms. Mit 132 m steht der Martinsturm, zweithöchster des Mittelalters, nur hinter dem Straßburger (142 m) zurück. – Der Außen-

Landshut, St. Martin, Turm

bau von Langhaus und Chor ist lediglich durch die dichte
Folge der Streben gegliedert, aber schönere, strafferere Gliederung ist kaum denkbar. Über den niedrig gehaltenen
Kapellen (6,75 m Höhe bei 1,9 m Tiefe) zwischen den Streben des Langhauses hohe, schlanke Fenster. 5 *Portale* führen
ins Innere. Das tief gebuchtete Hauptportal ist im Torbogen
1432 datiert. Ein mit starken Krabben besetzter Kielbogen
rahmt und übersteigt den äußeren, die Bucht umfassenden
Spitzbogen. Das innere Tor hat gestufte (nicht mehr mit den
urspr. Statuen besetzte) Gewände. Das ikonographisch ungewöhnliche Relief des Tympanons bezieht sich auf den
Opfertod Christi, seine unblutige Wiederholung im Meßopfer. Am Teilungspfosten des Tores die Figur St. Martins
mit dem Bettler. Die 4 seitlichen Portale sind von vorgreifenden Baldachinen überschattet. Das nordwestliche (1945
schwer beschädigt) ist 1492 datiert. Die Gewändefiguren
stimmen stilistisch mit der plastischen Ausstattung des
Hauptportals überein. Die 4 Reliefdarstellungen unter dem
Weltenrichter im Tympanon noch ungedeutet. Die Plastik
der übrigen Portale ist in die 70er Jahre zu setzen. – Das
»Denkmal« (doch wohl Grabdenkmal) des Baumeisters
Hans von Burghausen an der S-Wand zwischen den beiden
Portalen ist ein Kunstwerk hohen Ranges; es wurde, vielleicht von der Hand des Nachfolgers im Werkmeisteramt
Hans Stethaimer, kaum später als 1432 geschaffen. Über der
die Hauptwerke des Meisters (in Landshut, Salzburg, Neuötting, Straubing und Wasserburg) und das Todesdatum
nennenden Inschrift steht in einer Nische die Halbfigur eines
Erbärmde-Christus; der sie stützende Kragstein zeigt die
Büste des greisen, 70–80jährigen Meisters, eine hervorragende Porträtleistung, deren Wurzel in den Prager Triforien-
büsten Peter Parlers zu suchen ist. Das mittlere der 3 Wappen ist das des Meisters, die beiden seitlichen sind die seiner
beiden Frauen.
I n n e r e s. Die Maße sind: Gesamtlänge, mit Turm, 92 m;
Höhe und Breite des Chores 27,8 und 11,25, des Mittelschiffs 29 und 11,1 m. Auf die mit Kreuzrippengewölbe
gedeckte Vorhalle im Turm folgt die hohe, helle 3schiffige
Halle, deren Mittelschiff sich im 1schiffigen Chor fortsetzt.
Das Langhaus zählt 9, im Mittelschiff querrechteckige, in
den Seitenschiffen quadratische Joche; flache Kapellen begleiten die Seitenschiffe. Die Verhältniswerte dieser Raum-

teile sind 1 : 2 : 4 : 2 : 1. Der 3 Joche zählende Chor schließt
in 5 Seiten des Achtecks. Sein Netzrippengewölbe wurde
wohl noch vom ersten Baumeister (also spätestens 1432) ein-
gezogen. Die in der Figuration einfacheren Wölbungen der
Schiffe dürften mit etwa 1450–60 anzusetzen sein. Als ein
Schmuckstück des Steinmetzen sei das Musikchörlein im
Chor, vor dem Spitzbogen, in dem sich das Obergeschoß der
südl. Sakristei in den Chor öffnet, beachtet. Die der urspr.
Ausstattung angehörigen Statuen (Ton) im Chor und in den
Seitenschiffen sind derbe, aber originelle, neuerdings in ihrer
Fassung freigelegte Arbeiten der 70er, 80er Jahre des 15. Jh.
Die Ausstattung, im 17. und 18. Jh. barockisiert, im 19.
purifiziert, enthält einige außerordentliche Kunstwerke. Der um
1424 geschaffene *Hochaltar* ragt schon als Typus hervor: Auf dem
mit Maßwerkblenden gegliederten Stipes erhebt sich ein aus gleichem Sandstein gearbeitetes Retabel mit in der Mitte eingefügtem
Sakramentshaus, einem Sechseck, das aber nur auf der Rückseite,
turmartig, aus der Wand hervortritt. Der Auszug ist Ergänzung
des 19. Jh. Die Vierpässe des Retabelfußes enthalten die Büsten
von Propheten, Aposteln und Kirchenlehrern, die, in Spruchbändern, auf das eucharistische Wunder hinweisen. Auch die anmutigen Engel in den Rahmenkehle, mit den Worten des Sanctus auf
den Spruchbändern, feiern die Hostie. Die Nischen seitlich der
Öffnung des Sakramentshauses sind jetzt leer. Die erhaltenen,
allerdings stark verwitterten Originale ihrer ehem. Besetzung
stehen im Museum. Gut erhalten ist die von einem Maßwerk-
baldachin überfangene Folge der Reliefs über den Nischen: der
hl. Martin, reitend, mit dem Bettler, Verkündigung, Heimsuchung
und Anbetung der Könige. Auch die Rückseite trägt Reliefs, Heilige, die wieder auf das eucharistische Wunder hindeuten. Der
Landshuter Altar ist einer der wenigen got. Tabernakelaltäre, die
noch existieren. Aber nicht nur dieser Seltenheitswert, auch der
künstlerische Rang der noch vom Weichen Stil geprägten Skulpturen wie der Reichtum an feinen, schmückenden Details zeichnen
ihn aus. Er darf Hans Stethaimer (»dem Jüngeren«, wie man ihn
lange nannte) zugeteilt werden, der wohl auch für die 1422 dat.
Steinkanzel zu nennen ist. – Eine bedeutende Leistung ist das in
Eichenholz gearbeitete Chorgestühl von rd. 1500; Brüstung und
Dorsale durch Felder feinen Maßwerks belebt; aus der reichen
figürlichen Ausstattung seien die Reliefs mit Szenen aus den Legenden des Täufers und des hl. Martin hervorgehoben. – Der im
Chorbogen hängende riesige Kruzifixus von 1495 deutet auf den
Ulmer Meister Michael Erhart. Von den Steinfiguren der Chor-
wände gehört die des hl. Petrus wohl der Werkstatt des Hochaltar-
Meisters um 1410–20. Der Johannes Ev. dürfte um die Mitte des
15. Jh., die übrigen Figuren im 3. Viertel entstanden sein. Die

Jakobus-Statue trägt das Vollendungsdatum 1476. Aus demselben Jahrzehnt stammen sicherlich auch die Tonfiguren am Chorbogen und an den Seitenschiffswänden, deren urspr. Fassung freigelegt werden konnte. – Berühmtester Besitz der Martinskirche ist die mächtige *Muttergottes* Hans Leinbergers von etwa 1520, ehemals im Rahmen eines frei schwebenden Rosenkranzes. Letzte »barocke« Phase der Spätgotik: starke, ornamental gelenkte Bewegung der Faltenbahnen bei strotzend plastischer Fülligkeit des Körperkerns, ein heroisches Pathos der Gebärde, dem sich das leichte, reizende Spiel der Putten unten, in den Strudeln des aufrauschenden Mantels, zugesellt. – Werk Leinbergers auch das in Sandstein ausgeführte, im Rahmen schon von der neuen, welschen Manier getroffene *Rorer-Epitaph* mit der Krönung Mariens, von 1524, in der mittleren Seitenkapelle zwischen den beiden N-Portalen. – Hervorragend 2 etwas ältere, in Rotmarmor gearbeitete Bildwerke: der *Grabstein des herzogl. Kanzlers Dr. Martin Maier,* 1481, mit der ganzen Figur des Verstorbenen, wahrscheinl. Werk des Augsburger Meisters Hans Beierlein, dem, lt. Signatur, sicher gehört: das vorzügliche *Epitaph* des schon oben einmal, als Stifter der Kapelle an der N-Seite des Turmes, genannten Georg Altdorfer, 1495, mit der Darstellung des in einem Kapellenraum knienden, von seinem Stabträger begleiteten Bischofs, der einer der angesehensten Landshuter Bürgerfamilien entstammte. – Aus dem übrigen Inventar nennen wir das ehem. Hochaltarblatt (N-Seite, über der östl. Tür), eine Kreuzigungsszene von Chr. Schwarz um 1585; *Taufstein* und *Weihwasserbecken* in Rotmarmor um 1500 (Taufkapelle und am westl. Eingang); *Orgelprospekt* gegen 1650, um 1700 überarbeitet, Flankenteile neu.

Ehem. Dominikanerkirche St. Blasius

1271 ließen sich in Landshut Dominikaner nieder und begannen mit dem Bau ihrer Kirche, die erst 1386 ihre Weihe erhielt. Das 15. Jh. fügte im S eine kleine Magdalenenkapelle hinzu, der sich im 18. Jh. eine Laurentiuskapelle nach W anschloß. (Beide heute im Gebrauch der griech.-orthod. Gemeinde.) 1747–49 durchgriffen gründliche Erneuerungs- und Ausstattungsarbeiten den Innenraum. Ihr Meister ist Joh. Bapt. Zimmermann. Damals Einziehung des Langhaus- und Erneuerung des Chorgewölbes, Beseitigung des Chorbogens und des Dachreiters. – Seit 1837 diente die Kirche des 1802 säkularisierten Klosters als Studienkirche; in den Klostergebäuden richtete sich die Regierung von Niederbayern ein. – Letzte Restaurierung 1963.

Ä u ß e r e s. Aus dem 18. Jh. stammt die klassizist. strenge W-Fassade, während der übrige Außenbau noch heute seine mittelalterl. Backsteinformen behalten hat. Das I n n e r e, 3schiffig-basilikales Langhaus und 1schiffiger Chor, hat seit 1747 den Ernst seiner schlichten Grundstruktur eingebüßt

Landshut Burg Trausnitz, Wittelsbacher Turm

Landshut. Stadtresidenz, Italienischer Saal

unter dem heiter stimmenden Stuck- und Farbenakkord des geschickten Dekorationskünstlers. Mit farbigem Stuckmarmor gefüllte Pilaster teilen die Joche. Zwischen ihnen stuft sich das Relief der Wand in bewegten Formen, von denen Putti herunterlachen. Chorgewölbe und Langhausdecke sind einer einheitlichen Flachtonne mit Stichkappen gewichen. Auch die Fenster hatten teil an der Umgestaltung. Zeugt die Auflockerung des Raumgefüges durch Dekorationsmittel von hoher Vollendung, so konnte das Belichtungsproblem nur ungenügende Lösung finden – wenigstens in den Seitenschiffen, die nur schwach aus je einer Lichtkuppel erhellt werden. Um so heller dagegen strahlt es aus der Gewölberegion des Hochschiffs, der farbig aufgelösten Himmelssphäre. Im W beginnt der Freskenzyklus mit der mystischen Vermählung St. Katharinens. Das große Mittelstück schildert den Garten paradiesischer Wunder; im Wolkenmeer neigen sich Dominikanerheilige vor der Gottesmutter, deren Symbole auf Erden und im Himmel erscheinen. Weiter ostwärts wirft Dominikus die Schriften der Häresie ins Feuer. Hier meldet sich der Maler: »Zimmermann inv. et pinxit 1749.« Im Altarjoch huldigen die 4 Erdteile der Eucharistie, und im Chorabschluß – über dem ehem. Psalliechor – schlägt König David die Harfe inmitten jubelnder Engel.

Die Altar - Ausstattung gewährt einen Blick auf die vorzügliche Schnitzkunst Landshuts im 18. Jh. Ein bedeutsames Werk Joh. Bapt. Zimmermanns ist das Hochaltarblatt: Dominikus empfiehlt Landshut (Stadtporträt des 18. Jh.) dem Schutze Mariens. Zwischen Mensa und Retabel bezeichnet wertvolles Chorgestühl den Ort des Psallierens. Die Form der Ornamente setzt seine Entstehung um 1750 an. Feinste Einlegearbeiten auf seiner Rückwand.

Die **Klostergebäude** entstanden 1699 neu. Nach Aufhebung des Konvents, 1802, zog die Universität Ingolstadt dort ein, die 1826 nach München hinüberwechselte. Heute Sitz der Regierung von Niederbayern.

Ehem. Franziskanerkloster. Stiftung Herzog Heinrichs für die Minoriten 1280. Die Kirche von 1374 sowie Teile des Konventsgebäudes fielen der Säkularisation zum Opfer. Erhalten ist der äußere Kreuzgang mit der Plankschen Kapelle, der W-Flügel eines zweiten inneren Kreuzgangs und der S-Flügel der Klosterbauten, alles Anlagen des 15. Jh., z. T. durch profane Verwendung entstellt.

St. Jodok

Die Anlage der Freyung 1338 führte auch zur Errichtung einer Kirche. Die vom Herzog gestifteten Reliquien des hl. Jodocus, eines bretonischen Einsiedlers, geben ihr den Titel. Der 1368 vollendete

(1369 zur Pfarrkirche, der zweiten Landshuts, erhobene) Bau wird
1405 teilweise durch einen Brand zerstört. Doch dürften Chor,
Mittelschiff und Turm, unteren Teils, im Kern auf die erste Bau-
zeit zurückgehen; Seitenschiffe, Seitenkapellen und Obergeschoß
des Turmes fallen ins 15. Jh. (Der Turm wurde 1958 restauriert,
das Innere 1960–63.)

Ä u ß e r e s. Der Turm steht mit dem Werk des Hans von
Burghausen in enger Verbindung (vgl. Neuötting), Vorläufer des Martinsturmes. Seine beiden quadratischen Untergeschosse gehören der frühen Bauzeit an. Auf dem dritten
erheben sich oktogonal Uhren- und Glockengeschoß, ähnlich
St. Martin von Ecktürmchen begleitet. Über dem Maßwerk-
kranz läßt eine 8eckig gefaltete Spitzhaube die Turmmasse
ausklingen. – I n n e r e s. Der Raum hält sich an die Grenzen der älteren Fundamente: eine 3schiffige Pfeilerbasilika
mit 6 Jochen und eingezogenem Chor. Das fortschreitende
15. Jh. hat an Langseiten wie O- und W-Ende Kapellen hinzugefügt. Die strenge Formensprache des Raumes lockert sich
im Hochschiffgewölbe mit seiner reichen Netzfigur. Eine
3schiffige Krypta mit schlichten Rundpfeilern unterwölbt
den erhöhten Chor, gehörig zum älteren Bau des 14. Jh.
2 quadratische Gruftkammern führen unter die südl. anliegende Sakristei. 1611 hat man durch das W-Joch eine
Empore gespannt mit dem typischen Felderstuck der Zeit.

Die A u s s t a t t u n g gehört fast durchweg dem mittleren
19. Jh. an. Verstohlen findet sich da und dort eine qualitätvolle
ältere Schöpfung. Das Fresko in einer der südl. Kapellen, mit den
um 1460 »modernen« Alltagsschilderungen in den Illustrationen
der 10 Gebote, eröffnet kulturgeschichtliche Einblicke. Am Chorbogen (links) hat eine prächtige Marienfigur im bayerischen Typus
des späten 15. Jh. ihren Platz gefunden. Ein vorzügliches, durch
das Monogramm für Stephan Rottaler gesichertes Werk ist der in
Rotmarmor ausgeführte Grabstein des Peter von Altenhaus, 1513,
mit dem Hochrelief des die »Maximiliansrüstung« dieser Jahre
tragenden Ritters. Von der Blüte des Landshuter Schnitzhand-
werks im hohen 18. Jh. zeugen die Figuren Johannes und Magdalena unter dem Kreuz (gegenüber der Kanzel, mit einer Mater
dolorosa des frühen 18. Jh.) von Christian Jorhan.

Hl. Geist, Spitalkirche

Im Jahre des Herrn 1407 am Sebastianstag, meldet die lateinische
Inschrift an der O-Seite des Turmes, wurde der erste Stein dieses
Werkes gelegt. In der Mitte dieser Schrifttafel erscheint das Wap-
pen mit den beiden gegenständigen Winkelhaken, das als das der

Bauhütte von St. Martin gedeutet werden muß. Daß Meister Hans
von Burghausen die Spitalkirche baute, erhellt aus den Angaben
seiner Gedächtnistafel bei St. Martin. Eine Kopfkonsole in der
Sakristei ist wahrscheinl. als Meisterporträt anzusprechen; sie
kommt der Büste bei St. Martin jedenfalls nahe. Der Bau währte,
über die Lebensjahre des Meisters hinaus, bis 1461; das ist das
Jahr, in dem sich die Gewölbe schließen. – Das Spital wurde 1809
profaniert, doch schon 1816 wiederhergestellt.

Die Spitalkirche, minder mächtig als die große Stadtpfarrkirche, hat vor dieser die völlige Einheitlichkeit des Schiffe
und Chor zusammengreifenden Hallenbaus voraus. Die
Seitenschiffe begleiten mit 7 Seiten des Zwölfecks den Chor,
der, nur durch eine Stufe vom Mittelschiff unterschieden,
dieses sozusagen nahtlos fortsetzt. Der in die Mitte des in
2 Seiten des Sechsecks brechenden inneren Chorschlusses gesetzte Pfeiler – eine Anordnung, die der Meister auch in der,
wohl etwas später begonnenen, Salzburger Franziskanerkirche trifft – fungiert als das Gelenk der flüssig, »weich«
gleitenden Chorrundung. Die durch Rundpfeiler getrennten
Schiffe sind zwar nicht gleich breit, der Vorrang des Mittelschiffs ist aber geringer als in St. Martin. Die Streben sind
zur Hälfte in das Innere gezogen und an der Stirn mit
Diensten besetzt, welche die hier anfallenden Rippen der
Netzgewölbe aufnehmen. – Der Außenbau ist eine kompakte, vom schweren steilen Dach überhöhte Ziegelmasse.
Der starke quadratische, mit Sattel gedeckte Turm liegt dem
6. Joch des nördl. Seitenschiffs vor. Die an 3 Seiten offene,
mit Sterngewölbe gedeckte Vorhalle betont die der Straße
zugekehrte westl. Giebelfront. Südlich und nördlich je ein
Seitenportal. – Die »gotische« Ausstattung des 19. Jh. wurde
neuerdings (1960/61) beseitigt. – Die Spitalkirche ist im
städtebaulichen Organismus Landshuts das Gegengewicht
der Martinskirche: Wie diese den breiten langen Zug der
»Altstadt« südlich begrenzt, so begrenzt sie ihn nördlich.
Da die Straße, um die Isarbrücke zu erreichen, in die Beuge
geht, stellt sich die östl. Zeile der Straße vor den quer zu
ihrer Richtung stehenden Ziegelblock der Kirche, die nun,
im Aufsteigen über den »kleinen« Vordergrund, ihre Dimension noch einmal steigert.

Das der W-Front gegenüberliegende 4flügelige **Spitalgebäude** erhielt seine
letzte Gestalt 1722–28 durch J. G. Hirschstötter und Matth. Ehehamb.

Ehem. Jesuitenkirche St. Ignatius

Am Trausnitzhang gelegen, bildet sie das monumentale S-Ende der »Neustadt«. 1631–41 entstand sie, ein Nachfolgebau von St. Michael zu München. Bauleiter war der Jesuitenpater Joh. Holl.

Ä u ß e r e s. Meisterhaft ist die städtebauliche Position ausgewertet. Galt es doch, den turm- und fassadenlosen Bau, der sich wie ein Sperriegel vor die Neustadt schiebt, seiner Bedeutung gemäß zu gruppieren. So mußte der Chor gegen W ausladen, um dem hochgiebeligen Langhaus den Schlußpunkt des Straßenbildes zu übertragen. Und dessen N-Wand erhielt über ihren 3 O-Achsen ein breites Uhrengeschoß, Verstärkung und Erhöhung als Ende der Straßenflucht. Flache Pilaster und breite Giebelbekrönungen der 2geschossig angeordneten Fenster durchgliedern die Wand als ruhendes, auffangendes Kraftfeld. – Das I n n e r e hält sich weitgehend an sein Münchener Vorbild St. Michael: eine tonnengewölbte Emporenkirche mit eingezogenem Chor und Quertonnen in den Abseiten, bei kleineren Maßen freilich. Auch ist der Raum steiler; eine Querschiffandeutung fehlt überhaupt, alle Formenwucht ist gedämpft, gemildert. Am deutlichsten klingt das Vorbild an im figurenbesetzten Stelzungsglied der Gewölbe, dem erst in der Brüstungszone der Empore ein widerlagerndes Gebälk antwortet. Auch die Stukkaturen sind andere: lockerer, kühler. Rahmenwerk hat sich der Pilaster bemächtigt, wie überhaupt die Gerade als Perl- oder Blattstab dominiert. Matth. Schmuzer aus Wessobrunn ist Schöpfer der Stukkaturen, 1640/41, Ergänzungen 1698 (untere Empore) und 1720–30 (unterhalb der Fenster, Bandelwerk). – In schweren Farben kontrastieren die Altäre mit dem hellen Raum. Der Hochaltar (1663 und 1665) trägt ein Gemälde von J. C. Storer: Christus erscheint dem hl. Ignatius von Loyola. Die Seitenaltäre haben verschiedene Entstehungszeiten: 1644/45, 1666 und 1765. Unter dem Chorbogen ragt ein Bronzekruzifix von 1643. Das Chorgestühl (um 1640) kann seinen geistigen Vater in St. Michael zu München nicht verleugnen.

Die schlichten Gebäude des **Kollegs** fanden 1668, die des **Gymnasiums** 1690 ihre Vollendung. Architekten: Mich. Beer und Mich. Thumb.

St. Sebastian. Die kleine 1schiffige Anlage auf der Isarinsel ist 1661/62 aus einer spätgot. Gründung erwachsen. Interessant ist ihre feine Stuckinkrustation, deren kleinteilige Dichte an krautigen Formen in eine Entstehungszeit um 1680–90 verweist.

Ursulinenkirche. Kurfürst Ferdinand Maria legte 1671 zu Kloster und Kirche den Grundstein. Diese erhielt 1679 ihre Weihe. Das wenig bedeutende Kirchlein liegt zwischen den Klostertrakten eingebettet und hat als nördl. Auftakt zur Neustadt eine wichtige städtebauliche Aufgabe zu erfüllen. Sein Inneres ist 1schiffig und von zurückhaltender Stuckdekoration.

Die Frauen- oder Engelkapelle südl. St. Martin verdient Erwähnung wegen ihrer guten Stukkatur von 1706, die dem spätgot. Bau sein barockes Gepräge verleiht: flache Akanthusranken auf getöntem Grund (Joh. Gg. Bader?). Die Mitte des Altars mit Flankenfiguren um 1760 (Christ. Jorhan?) nimmt eine spätgot. Muttergottes ein von vornehmer, stiller Art, etwa 1470.

Die Allerseelenkapelle im ehem. Stiftskastengebäude (östl. St. Martin) wurde im frühen 18. Jh. errichtet und trägt gute Stukkaturen, vermutl. von den Brüdern Ehehamb.

Zisterzienserinnenkloster Seligenthal

Außerhalb des alten Stadtbereichs, jenseits der Isar. Ludmilla, die Gemahlin Herzog Ludwigs d. Kelheimers, stiftete im Jahre der Ermordung Ludwigs, 1231, das Kloster. Töchter aus den besten Geschlechtern des Landes, auch Prinzessinnen des Herzogshauses, trugen hier den Schleier und walteten als Äbtissinnen. Aus der Zeit der Klostergründung hat sich nur die Afrakapelle erhalten. Die Klosterkirche, die 1259 geweiht wurde, ging im Um- und Neubau des 18. Jh. auf, der sich zwar ihrer Umfassungsmauern bediente, von der mittelalterl. Prägung aber kaum etwas übrigließ. Der Autor dieses in den Jahren 1732–34 bewerkstelligten Um- und Neubaus war der Münchner Hofmaurermeister J. B. Gunetsrhainer, der Ausführende der Landshuter J. G. Hirschstötter.

Klosterkirche

Der A u ß e n b a u beschränkt sich auf die einfachste Fügung der einhegenden Wände. Der schon 1689 umgestaltete Turm, der westlich in das Langhaus eingeschoben ist, verbirgt sich in seinen unteren (mittelalterl.) Geschossen, um erst, nun dachreiterartig, über dem First des Schiffes in einem schlanken Aufbau, Oktogon über Würfel, freizuwerden. – I n n e r e s. Gunetsrhainer erhöhte die alten Mauern des Lang- und Querschiffs und schuf den Chorbau gänzlich neu. Die Folge der Raumteile ist diese: Schiff, Querschiff, das mit flachen Rechteckarmen über die quadratische Vierung ausgreift, tieferes, den Armen des Querschiffs entsprechendes Chorjoch und halbrund schließender Chor. Das Langhaus, in seiner ganzen Länge durch die Nonnenempore gehälftet, tritt, als Raum, hinter den Querschiff-Chor-Sektor zurück, der als ein zentraler Raumorganismus und so, als bestünde er für sich, aufgefaßt werden kann. Beherrschend der große Raum der Vierung mit der Kuppel, dem sich alle Raumteile zuordnen. Starke Halb- und Dreiviertelsäulen gliedern.

A u s s t a t t u n g. Die von J. B. Zimmermann besorgten Stukkaturen bevorzugen, wie kaum anders zu erwarten, den zentralisierten Raumkörper der Vierung mit seinen Annexen. Diese Zimmermannsche Dekoration ist eine der vorzüglichsten. Rahmenwerk, Blattschnüre, Kartuschen, Frühformen der Rocaille und Spätformen des Bandelwerks, auf Brokat- oder leicht gelblich getönten Gründen, überkleiden zart, heiter, elegant die Deckenflächen. In den Hängezwickeln der Kuppelschale die Reliefs der 4 Kirchenväter. Der geniale Stukkateur schuf auch die Fresken. Das Hauptbild, an der Kuppelschale, feiert über sich türmenden Wolkenkränzen die Krönung Mariae. In den Querschiffarmen erzählen kleinere Gemälde aus ihrem Leben. Und ihr sind auch die Gemälde der 3 Altäre geweiht: ihre Himmelfahrt (auch von Zimmermann) am Hochaltar (der Blick steigt zur Krönung des Hauptbildes an der Decke weiter), Anna Selbdritt (der Blick greift empor zur Geburt), thronende Maria (der Blick empor trifft das Sterben der Jungfrau, ein in der Anlage spätgot., von Zimmermann erneuertes Gemälde). Gegen die leichtgewichtige Dekoration in Stuck und Fresko stehen verhältnismäßig schwer, prunkend, die Altäre: geschlossene architektonische Aufbauten, doch übersprudelnd von einer Vielfältigkeit schmückender Formen. Ein Aldersbacher Zisterzienser, Kaspar Grießmann, entwarf sie, der Griesbacher Joh. Wenzeslaus Jorhan leistete, wohl größtenteils, das Figürliche. – Aus den älteren Ausstattungsbesitzen seien herausgestellt: das Vesperbild von rd. 1420 und das Holzrelief der Kreuzabnahme von rd. 1510. – Die Klosterkirche war eine der Grabstätten der in Landshut residierenden Herzöge, woran freilich nur mehr eine Grabplatte, die späteste, erinnert; es ist die Herzog Ludwigs X. († 1545), die urspr. eine in der Vierung stehende Tumba abschloß, ein Werk deutscher Renaissance, dem Eichstätter Loy Hering nahestehend, viell. vom Sohne, Thomas Hering.

An die S-Seite des Langhauses lehnt sich die **Doppelkapelle der Preysing und Kargl**, eine Stiftung über der Sepultur der beiden Geschlechter. Auf dem östl. der in der 1. Hälfte des 17. Jh. (nach 1629) hier aufgestellten Altäre eine gute Muttergottes (Stein) des frühen 14. Jh. – Nördl. der Klosterkirche, durch einen Hof östl. der Klausur erreichbar, die **Afrakapelle.** Der Chor soll als eine Kapelle schon vor dem Kloster dagewesen sein; er wurde um 1300 verändert (Streben, Rippengewölbe). Das nach 1231 hinzugefügte Langhaus ist flach gedeckt und von einer Empore unterteilt. Der frühbarocke Hochaltar (um 1630) birgt 3 vorzügliche Schnitzwerke des frühen 14. Jh., Maria und die beiden Johannes, in den knappen Formen der Frühgotik. Kostbar auch die Skulpturen an der Emporenbrüstung: die Statuen der Stifterin, Herzogin Ludmilla, und Herzog Ludwigs d. Kelheimers, die sich einst an der Grabtumba befanden, doch erst im 14. Jh., um 1330, gearbeitet; am jetzigen Standort seit 1613. Die kleinen Brüstungsfiguren etwa gleichzeitig, nur 2 jünger (Magdalena um 1370, Gabriel um 1460).

Die **Konventbauten**, dem Laien kaum betretbar, lehnen sich mit einem Kreuzgang des späten 15. Jh. an die N-Wand der Klosterkirche. An ihn stoßen östlich Refektorium und Küche, diese mit einer seltenen Kaminanlage, die sich am Weg zur Afrakapelle aus den Konventbauten abhebt. Die südlich der Kirche vorgelagerten Bauten, Schule, Internat usw., 19. und 20. Jh.

St. Nikola. Die Lage im W ehem. außerhalb der Stadt stützt die Annahme, es handle sich um eine urspr. Siechenhauskirche. Einem älteren Bau folgte im 15. Jh. der bestehende, doch sind die Langmauern des Chores, teilweise wenigstens, Rückstand des älteren Baues. Chorwölbung, nach Ausweis der Wappenschlußsteine (Herzog Georgs), um oder nach 1479. Die Jahreszahl 1481 im Dachstuhl dürfte den Abschluß der Erneuerung, die vermutl. mit dem Langhaus um die Mitte des Jahrhunderts begann, kennzeichnen. St. Nikola, ein Ziegelbau, ist eine 3-schiffige, mit Netz- und Sterngewölben gedeckte Halle mit stark eingezogenem, polygon schließendem Chor und Turm an dessen S-Seite. Die Hl.-Geist-Kirche mag die Rundpfeiler mit den ihnen entwachsenden Rippen angeregt haben. – Kostbarer Besitz der sonst nichts mehr bietenden Ausstattung: Christus in der Rast, monumentales Schnitzbild Hans Leinbergers von etwa 1520.

Als interessantes Beispiel moderner Sakralbaukunst sei die **Kirche St. Konrad** von F. Haindl, 1951/52, vermerkt.

Friedhof. Das Zugangsportal wurde 1819 aus der abgebrochenen Klosterkirche von Münchsmünster erworben und hier eingebaut. Es gehört in die 1. Hälfte des 13. Jh. Maskenformen in der Kämpferzone erinnern an Verwandtes in Moosburg und Regensburg.

Burg Trausnitz *(Tafel S. 480)*

Bis Herzog Ludwig d. Kelheimer, 1204, anfing »zu pauen das geschlos Landshut«, stand auf dem Hochufer der Isar eine hölzerne Warte. Erst 1543, als eine neue Residenz inmitten der Stadt jener alten den Rang streitig macht, erhält sie einen anderen Namen: Trausnitz. Schon im 13. Jh. muß es eine gewaltige Anlage gewesen sein, die nach der ersten bayerischen Landesteilung dem Herzog Heinrich XIII. als Regierungssitz anbot. Aus dieser Zeit berichten der alte Bergfried, Wittelsbacher Turm geheißen, die Trakte des Fürstenbaus und der Dürnitz wie die Schloßkapelle zwischen beiden. Über die nachfolgenden An- und Umbauten erfahren wir

*erst seit dem 15. Jh.: O-Trakt, Erweiterung des Palas, Tiefer
Brunnen und Ausgestaltung der Befestigungen. Prinz Wilhelm,
später der V. bayerische Herzog dieses Namens (1579–97), ver-
brachte elf Jahre auf Burg Trausnitz. Die Laubengänge des Hofes,
Holzdecken mit Groteskenschmuck und Ausmalung der Narrentreppe, dazu ausgedehnte Lustgärten sind sein Werk, bis ihn sein
Regierungsantritt nach München rief. Maximilian I. (1623 Kurfürst) mußte sich der schlimmen Zeitläufte wegen um die Wehrhaftigkeit seiner Burg kümmern. Erst sein Sohn, Ferdinand Maria,
durfte im späten 17. Jh. wieder für Schmuck und Wohnlichkeit
sorgen. Späteren unwürdigen Verwendungsarten haben die Mauern
getrotzt. Sie blieben, als am 21. Okt. 1961 ein Brand den Fürstenbau ausleerte.*

Der Aufgang zur Burg führt heute vom Dreifaltigkeitsplatz über die Bergstraße durch das Burghauser Tor hinauf
zum Torbau der Vorburg mit dem langgestreckten Wehrgang oder über zahlreiche Stufen zum unteren Torwart-
haus und in den äußeren Schloßhof. Eine Brücke über den
Graben (teils Hühnergraben, teils Löwen- und Hirschgra-
ben genannt) leitet durch das spätgot. Torhaus mit Resten
gerundeter Flankentürmchen des 13. Jh. in die **Hauptburg**.
Wir haben den Innenhof betreten. Trapezförmig umstehen
ihn die herrschaftlichen Trakte.

An der W-Seite steht der **Fürstenbau**, dessen Untergeschosse
noch dem 13. Jh. angehören. Erweiterung unter den Reichen Herzögen wohl um die Mitte des 15. Jh. Sein Erscheinungsbild wird durch Laubengänge des fortgeschrittenen
16. Jh. bereichert, die sich im Winkel auch der Dürnitz
vorlegen. Prinz Wilhelm (V.) erhielt seine Künstler 1573
durch Vermittlung des Augsburger Patriziers Hans Fugger.
Es waren Italiener, deren Leitung ein Niederländer inne-
hatte, Friedr. Sustris. An Stelle der mittelalterl. Holzgale-
rien entstand ein Werk, das mit seinen geduckten Bögen
und rustizierten Pilastern italienischer Prägung nun unter
neuen Vorzeichen die Reihe der oberdeutschen Arkadenhöfe fortsetzt (vgl. Freising 1519 von Steph. Rottaler).
Schräge, mit den Treppen aufsteigende Bogengänge ersetzen die Treppenspindel im alten Achtecktürmchen der SO-
Ecke. – Die galeriebesetzten Flügel enthielten (bis 1961)
reich ausgemalte Prunkräume des 16. Jh. und darüber ein
Absteigequartier König Ludwigs II. von 1869; sie enthalten
noch die Burgkapelle, Dürnitzhalle, einige mit vorzüglichen
Möbeln, Wirkteppichen und Öfen des späten 16. und frü-

hen 17. Jh. ausgestattete Innenräume und, am NW-Ende, die kostbare Narrentreppe. Rechts winkelt sich die Anlage zu Söller und Damenstock, während links im SW der massige Bergfried des 13. Jh., der Wittelsbacher Turm, ragt. – **Burgkapelle St. Georg.** Die Doppelkapelle des 13. Jh. trägt an Stelle der Flachdecke seit 1517/18 spätgot. Gewölbe. Der O-Empore mit der Apsis gegenüber hängt die Fürstenempore. Beide sind durch einen schmalen, ansteigenden Emporengang verbunden. Lettnerartig gestaltet sich im O die Brüstung. Inmitten einer Reihe von Aposteln und Heiligen thront hier Christus. (Dieser erneuert, desgl. die erste Figur links und die zweite von rechts.) Handelt es sich hier um Figuren aus einer Art Stuckmasse, so sind die darüber stehenden Maria und Johannes unter dem herabhängenden Kruzifixus Schnitzarbeiten von ähnlicher Strenge und Verhaltenheit. Man glaubt Einflüsse von Chartres zu spüren, während St. Barbara und Katharina (wiederum Stuckmasse), welche die Apsis flankieren, etwas von der klassischen Schönheit des Straßburger Ecclesiameisters in sich tragen. Wir finden es wieder in der Verkündigungsgruppe unter den Bogenblenden nördl. der Apsis, in vornehmer Gestik und dem schmiegsamen Faltenwerk dünner Gewänder. (Südl. Pendant um 1870.) Zweifellos wirkten hier um 1250 Künstler, die aus nordfranzösischer und Straßburger Schulung gekommen waren. Der Hauptaltar, ein Triptychon, ist Stiftung Herzog Heinrichs XVI. im frühen 15. Jh. Der Weiche Stil hat im Vesperbild der Mitte wie in Seitentafeln und Predella Ausdruck gefunden. Der Stifter wird im rechten Flügel von Magdalena und Barbara den Himmlischen empfohlen und erscheint nochmals zu Füßen St. Georgs in der Außentafel. Derselben Zeit entstammt der südl. Seitenaltar mit einer Anbetung der Könige, während der nördl. mit dem Bild des Gekreuzigten sich durch härtere, holzschnittartige Linienführung als später, um 1460 bis 1470 geschaffen, ausweist. Nicht viel später entstanden ist das Sakramentshaus, 1473. Das 15. Jh. trug auch das hölzerne Maßwerk der Emporenbrüstungen herein. Die Frühzeit des 16. Jh. ist vertreten mit den Schnitzfiguren der hll. Georg von Stephan Rottaler und Christophorus vom Meister der Johannesfiguren in Dingolfing, beide um 1520 (N- und S-Wand). Die 2., obere, W-Empore trägt das »herzogliche Betstübl«, eine Zimmermannsarbeit deutscher

Renaissance gegen 1536. – Der **Fürstentrakt** enthielt bis
zum Brand (1961) die hellfarbig ausgemalten Prunkräume
Wilhelms V. von 1578/79. Zyklische Wand- und Deckenbilder formierten sich zum Fürstentriumph. Allegorische
Szenen und lateinische Sinnsprüche wechselten mit Gro-
teskenmalerei und Trabantengruppen von bestürzender
Illusion. Aus diesem umfangreichen Programm blieb die
»Narrentreppe« (gemalt von Alessandro Scalzi, gen. Pado-
vano, um 1578, restauriert von Fz. Jos. Geiger 1679). Lebensgroß gemalte Figuren aus der Commedia dell'arte
begleiten den Begeher dieser engen Schachttreppe in kraftvoller theatralischer Aktion: Pantalone, Zanne und Cor-
tigiana mit ihrer Dienerin überbieten sich an derber
Situationskomik. Allegorische Figuren unterbrechen mora-
lisierend die Szenenfolge in den Podesten. Herzog Wilhelm V. war Liebhaber der italienischen Stegreifkomödie,
von deren Inventoren und Darstellern Battista Scolari,
Massimo Troiano und der Musiker Orlando di Lasso
namentlich überliefert sind. – Der N-Flügel enthält, neben
der Kapelle, die Alte Dürnitz, eine wuchtige 2schiffige Halle
aus dem späten 13. Jh., und an seiner NW-Ecke, oben, eine
Loggia des 16. Jh. (»Söller«) mit getäferten Nebenräumen.

Die Reichen Herzöge besaßen neben ihrer Burg eine Stadtwohnung im
sog. **Harnaschhaus** beim Ländtor (heute Privatbesitz). Es unterscheidet
sich kaum von den Bürgerhäusern aus dem mittleren 15. Jh. und diente
lediglich als Absteigequartier. Seine Erscheinung hat sich in der Folge
mehrmals verändert.

Stadtresidenz *(Tafel S. 481)*

*Herzog Ludwig X. (1516–45), Mitregent des Bruders Wilhelm IV.,
war ein echter Renaissancefürst. 20 Jahre hatte er auf der Hochburg gehaust, umgeben von namhaften Gelehrten, als er 1537
seine Hofhaltung in die Stadt herunter verlegte. Schon vorher hatte
er mit dem Bau eines neuen Stadtquartiers in der Altstadt begonnen. Da führte ihn ein Staatsbesuch nach Mantua (1536). Er be-
geistert sich an dem neu entstandenen Palazzo del Tè von Giulio
Romano und läßt von dort italienische Bauleute kommen, die ihm
den ersten und wohl einzigen »Palazzo« nördlich der Alpen errichten. 1543 ist er vollendet. Nach dem Tode des Herzogs erlosch das
Leben in dem Neubau. Jahrhundertelang diente er als Absteigequartier fremder Fürstlichkeiten (Gustav Adolfs von Schweden
z. B.). Erst 1781–1800 beherbergte die Residenz wieder eine – freilich bescheidene – Hofhaltung: die des Herzogs Wilhelm von
Birkenfeld-Gelnhausen. Damals erhielt die Altstädter Fassade ihr
neues, steifes Gesicht.*

Der **Deutsche Bau** ist in die Straßenflucht der Altstadt eingebettet. Urspr. trug sein 2achsiger Mittelrisalit ein Türmchen. Gemalte Gigantenfiguren und ein ebensolcher Fries unter dem Kranzgesims, bewegte Fensterrahmungen und ein prächtiges Renaissanceportal hatten die Fassade ausgezeichnet. Heute erscheint sie in der kühlen und eintönigen Form von 1780. – Der **Italienische Bau** hingegen hat kaum etwas von seiner urspr. Gestalt eingebüßt. Seine Außenfront liegt nach W an der Ländgasse. Rustikaquaderwerk im Erdgeschoß, flache Pilastergliederung in den oberen Geschossen und das vorkragende Gebälk – alles hält sich streng an den Kanon italienischer Renaissance. Solches war bis dahin dem deutschen Kunstraum völlig fremd. Nur welsches Detail hatte sich den Schauseiten spätgotisch empfundener Gebäude angeheftet. Jetzt tragen Italiener ein ganz neues Gefüge der Baustruktur herein, deren vornehm-schlichte Außengliederung innere Großzügigkeit verrät. Ein geschlossener Gang über die Ländgasse hinweg verbindet mit der ehem. Badstube, einem Pavillon am Isar-Ufer.

Von der Altstadt aus betreten wir die Eingangshalle im Deutschen Bau, die sich bald zu 3 Schiffen weitet. Ihre Kreuzgewölbe ruhen auf rotmarmornen Säulen. Nach wenigen Schritten umfängt uns im rechteckigen Arkadenhof das beglückende Dolcefarniente italienischer Renaissancepaläste. Wir übersehen die 1780 ernüchterten Formen des deutschen O-Traktes und blicken in die schattigen Bogengänge unter den anderthalb pilastergefaßten Obergeschossen. Der westl. Arkadengang trägt reich kassettierte Wölbungen und schließt apsidenartig an den beiden Schmalseiten. Die Kassetten enthalten gemalte Szenen aus dem Alten Testament von Ludw. Refinger. Aus dem späten 18. Jh. stammt der plastische Schmuck der seitlichen Felder: Büsten der 4 Jahreszeiten vermutl. von Christ. Jorhan. Von ihm wohl auch der Brunnen unter den Arkaden der S-Seite. Aus der W-Halle wird die sog. Reitertreppe betreten. Sie zeigt einen neuartigen Typus, der anstelle der mittelalterl. Spindeltreppe Verbreitung findet. Durch ein Vorzimmer gelangen wir in den *Italienischen Saal*, eine tonnengewölbte Halle auf schwarzmarmornen Pilastern. Die Kassettenfelder tragen Bildnisse von Weisen, Helden und Herrschern des Altertums über einem Puttenfries von Hans Bocksberger d. Ä. Rundbilder an den Wänden weisen die Taten des Herkules, Reliefs in Soln-

hofer Stein, wohl von Thomas Hering. Mit dem Italienischen
Saal beginnt eine Reihe berühmter Prunkgemächer, deren
Gewölbeausmalung die antike Götterwelt, die Astrologie,
Gezeiten und Sinnlichkeit verherrlicht. Göttersaal (zugleich
»Saal der Elemente«), Sternenzimmer, Apollo-, Venus- und
Diana-Zimmer: eine Raumfolge, mit verschiedenartigsten
Überraschungen, z. B. mit den frühesten Experimenten illu-
sionskräftiger Untersicht auf deutschem Boden – ein Schritt
in die Zukunft barocker Gewölbemalerei. Die Namen der
Meister sind Hans Bocksberger d. Ä. aus Salzburg, Ludw.
Refinger aus München und Herm. Posthumus (unbekannter
Herkunft). Die karge Bemalung der Seitenwände wurde
durch die Klassizisten um 1780 besorgt. Das Untergeschoß
enthält weitere Götterzimmer. Dort, in den Räumen der
Nemesis, im Ecksaal, Arachne- und Latona-Zimmer begegnen Themen moralisierender Art. Im Obergeschoß des S-
Flügels leitet ein Gang zum Deutschen Bau hinüber. 10
(ideelle) Ahnen des Herzogs stehen hier, gemalt von
H. Bocksberger. Ein Marmorportal führt in die hohe, quadratische Residenzkapelle, die 1543 ihre Weihe erhielt.
Altarbild von Herm. Posthumus, Anbetung der Könige. –
Wir betreten den O-Trakt, den Deutschen Bau. Sein 1. Obergeschoß vermittelt Einblick in die ganz andere Welt des
Klassizismus um 1780. Aus den vorhandenen Beständen hat
man dort die sog. Birkenfeld-Zimmer rekonstruiert, ein
wertvolles wie interessantes Bild der fürstlichen Wohnkultur
unter Herzog Wilhelm von Birkenfeld-Gelnhausen. Darüber
der Festsaal des Deutschen Baues mit prächtiger Kassettendecke um 1540. – Die übrigen Räume beherbergen heute
das Stadt- und Kreismuseum und die Staatliche Gemäldegalerie.

Sog. **Herzogsschlößchen.** Auf baumbestandener Anhöhe südl. der Trausnitz errichtete sich Herzog Wilhelm von Birkenfeld-Gelnhausen 1782
ein Gartenschlößchen in der modischen kühlen Formensprache, die der
Reiz gärtnerischer Anlagen freundlich stimmt. Der Park enthält ein
Denkmal seines Schöpfers Sckell, einen runden Pavillon derselben Zeit
und einen triumphbogenartigen Torbau.

Rathaus (Altstadt). Seit 1380 am seither behaupteten Platz, 1452 und
1503 erweitert, 1570/71 im N-Flügel umgebaut (hier wohlerhaltener
Eck-Erker), 1860/61 in die vom Frankfurter Römer inspirierte heutige
Form gebracht. Die auf Prunk gestimmte Neueinrichtung besorgte
G. Hauberisser 1876–80; die Wandgemälde des Saales, von Löfftz, Fz.
Seitz, A. Spieß u. a., kamen 1880–82 hinzu. – Ehem. **Landschaftshaus**
(Altstadt 217). Versammlungshaus der niederbayerischen Stände, ent-

standen zwischen 1557 und 1601. Zahlreiche Restaurierungen haben den
Freskenschmuck von 1599 immer mehr vom Original entfernt. Den Hof
umzieht eine Galerie des 17. Jh. – **Krankenhaus.** Ehemals Sitz der Land-
schaftspräsenz, ein Bau des ausgehenden 17. Jh. Monumentale Treppe von
1693 mit Nischenfiguren von Chr. Jorhan um 1770–80. – **Ehem. Propstei
von St. Martin,** entstanden in den Jahren 1710–12 vermutl. nach Plänen
von Antonio Riva in schweren Formen von rückständigem Ernst.

Magdalenenstift (am linken Isar-Ufer). Das Gebäude wurde 1739 als
»Liebesbundkrankenhaus« errichtet. Seine Kapelle ist durch ein Turm-
oktogon hervorgehoben.

Bürgerhäuser

Ein Blick in die Fassadenfluchten der Straßenzüge zeigt
fröhliches Leben im Auf und Ab hoher Giebelfronten. Das
verursacht andererseits eine besondere Tiefe der schmal-
brüstigen Häuser, die oft in laubenumzogenen Binnen-
höfen ihre Mitte oder ihr Ende finden. Die Lauben trägt
meist der frühe Barock hinzu, während die Bogengänge in
der Altstadt zum Teil mittelalterl. Herkunft sind (in den
benachbarten Innstädten keine Seltenheit). Hervorzuheben
ist als frühes Beispiel das **Pappenbergerhaus** (Altstadt
Nr. 81) aus der Mitte des 15. Jh. Sein Stufengiebel mit
Zinnen und kleinen Türmchen sucht an Vielfalt seinesgleichen. Im Innern haben sich Gewölbe aus der Erbauungszeit erhalten, während der unregelmäßige Hof mit
seinen reizvollen Überschneidungen einen Begriff mittelalterl. Wohnens geben kann. Ebenfalls dem 15. Jh. entstammen das sog. **Grasbergerhaus** (Altstadt Nr. 300), das
Haus Altstadt Nr. 69, Dreifaltigkeitsplatz 12 u. a., z. T. mit
Veränderungen und Zutaten des 17. Jh. – Die Trausnitz-
Umgestaltung seit 1573 führte zur Verbreitung der beliebten
Laubengänge: **Altstadt Nr. 299** z. B. Auch der Rauh-
putzdekor kommt immer häufiger in Anwendung. Besonders originell zeigt ihn das **Haus Nr. 570** am **Regierungs-
platz.** Seine Dekorationsart und die lustige Schwingung des
Zinnengiebels weisen in die 1. Hälfte des 17. Jh. – Würde-
vollere Formen des italienischen Kanons gegen Ende des
17. Jh. repräsentiert der schwere Volutengiebel von **Haus
Altstadt 369.** Auch das quellende Stuckornament seiner
Innenräume bestätigt die außen angebrachte Jahreszahl
1683. – Das frühe 18. Jh. spricht aus den Bau- und Ornamentformen des **Pfarrhofs St. Martin** (Kirchgasse 232), der
neben seinem monumentalen Stiegenhaus über vornehm
stuckierte Räume verfügt. – Als Ausgestaltung des Rokoko

isoliert sich das ehem. **Palais Etzdorf** (Obere Ländgasse 50)
aus den Giebelreihen seiner Umgebung. Seinem Schmuck
(um 1750) liegen wahrscheinl. Entwürfe Joh. Bapt. Zimmermanns zugrunde. – Die klassizist. Bauten zeigen nur
ungern ihre Giebel (**Altstadt 260**) und schieben sich lieber
mit ihrer Breitseite in die Straßenflucht (**Rosengasse 453**).
Südlich auf einem Hügel außerhalb der Stadt das freundliche **Dräxlmeierschlößchen** von 1832, eine Gartenvilla,
deren feingestimmte Gliederung mit dem Grün ihrer Umgebung reizvolle Harmonie eingeht.

Den **Stadtbering**, großenteils 15. Jh., sandte die Burg zu
Tal, wo er zunächst die Freyung einschloß; nördl. St. Jodok
zielte er nordwärts, das Isar-Ufer anstrebend; den natürlichen Wassergraben entlang ließ er die Inselvorstadt vor
den Mauern, zog sich nächst dem Ländtor vom Ufer zurück und suchte, südl. des Dreifaltigkeitsplatzes den Höhenrücken erklimmend, wieder Anschluß an die Fortifikationen der Burg. (Dargestellt im hölzernen Stadtmodell
Jak. Sandtners von 1570 im Bayer. Nationalmuseum, München; Kopie im Stadt- und Kreismuseum in der Landshuter
Stadtresidenz.) Erhalten hat sich das **Ländtor** unter Einbuße seines Torturms. Nicht weit von ihm, nordwärts,
ragt der **Röcklturm**. Ein weiterer Mauerturm steht in der
Nähe des ehem. Franziskanerklosters. Das **Burghauser-Tor**
über der Bergstraße bildet den Anschluß an die Festungsanlagen der Trausnitz.

Berg ob Landshut

Auf dem Hochufer der Isar, südöstl. an die Fortifikationen
der Burg Trausnitz grenzend, liegt die Ortschaft Berg. Ihre
Pfarrkirche Hl. Blut gehört zu den bedeutendsten Bauten
des Umlandes. Die Errichtung wird als Sühnetat Herzog
Heinrichs XVI. nach drakonischen Maßnahmen gegen die
aufständische Landshuter Bürgerschaft, 1410, bezeichnet.
Von besonderem Reiz ist die W-Front, die zwischen 2 flankierenden Rundtürmen eine 2geschossige Eingangshalle
vorschiebt. Die Detailformen des Äußeren und Inneren
verweisen auf die 1. Hälfte des 15. Jh. Die Herkunft der
interessanten Fassadengestaltung ist ungeklärt. Das Innere
vereint mit dem 1schiffigen Langhaus eine 2 Joche tiefe,
3schiffige W-Empore mit reichem Sterngewölbe; die übri-

gen Joche des Langhauses und der eingezogene Chor tragen Netzrippengewölbe.

Adelmann-Schlößchen. Der blockige Baukörper mit seinem hohen Walmdach und den beiden türmchenartigen Kaminen stammt aus der 2. Hälfte des 17. Jh. – Unter den **Wohnhäusern** befinden sich zahlreiche Holzbauten des 17. und 18. Jh., typisch für die ländliche Bauweise der Gegend.

Notieren wir schließlich die **Pfarrkirche Mariae Heimsuchung** im nahe, nordwestl. gelegenen **ALTDORF**, den schönen spätgot. Hallenbau aus der 1. Hälfte des 15. Jh. mit spätroman. Turm. Die gute Altarausstattung gehört der Zeit zwischen 1690 und 1710. Aber auch ältere Stücke sind noch da: die hervorragend schöne spätgot. Muttergottesfigur in der Mitte des Hochaltars, ein Schnitzwerk um 1520, ein Relief des Marientodes um 1480 und ein gutes, urspr. an der Turmaußenwand angebrachtes steinernes Erbärmdebild, Weicher Stil, 1419.

LANGENZENN (Mfr. – D 4)

An der Rhein und Donau, näherhin Windsheim und Fürth verbindenden W-O-Straße liegt ein Königshof »Cinna«, der sich urkundlich erstmals 903 fassen läßt. »Apud Cinnam« versammelt Otto I. 954 die Großen des Reiches. Heinrich II. schenkt diesen, wie so viele andere Besitze des Reiches, an sein Bamberger Bistum, 1021. Im 12. Jh. ist Langenzenn abenbergisch, nach 1200 burggräflich. Die Großpfarre (Dekanat) wird 1409 durch die Burggrafen Johann und Friedrich zu einem Stift für Augustinerchorherren erhöht, das nicht allzulange Bestand hat; im Zuge der Reformation verfällt es 1533 der Aufhebung. – Die Siedlung erscheint 1331 und noch 1362 als Markt, 1369 als Stadt, die sich wohl wenig später mit Mauern bewehrt; 1388 ist sie ummauert. In diesem Jahre brennen sie die Nürnberger nieder. – Die Siedlung umschließt 2 Märkte, den oberen (alten) westl., den unteren (neuen) östl. der Stiftskirche. Im Rund des Kirchenbereichs ist die Ursprungszelle der Siedlung zu suchen. Die Marktsiedlung legte sich dem von Würzburg her kommenden Straßenzuge an. Der untere Markt dürfte sich im Anschluß an die Stiftskirche entwickelt haben. Er zog dann, als der stärkere, das Rathaus an sich und dominiert auch städtebaulich; die Baugruppe der Stiftskirche tritt von ihrem Podest herab beherrschend ins Bild. Die ältere Bebauung räumte ein Brand 1720 ab. Die bestehende, gute steinerne, ist Beitrag des 18. Jh.

Das stattliche **Wagenhöfersche Haus** (Prinzregentenpl. 8) wurde, lt. Inschrift über dem Tor, noch vor dem Brand, 1716, errichtet; das 2geschossige, mit einem Dachreiter geschmückte **Rathaus**, das den Chor der Stiftskirche abschirmt, entstand nach Entwurf des Ansbachers Steingruber 1727. Erwähnenswert auch das wohl bald nach 1720 gebaute **Gasthaus zum Schwedentisch** (Hindenburgstr. 13); der namengebende Steintisch, der recht wohl in die Schwedenzeit zurückreichen kann, steht noch.

Ehem. Stiftskirche, jetzt ev. Pfarrkirche

Der Grundriß des Langhauses reicht wahrscheinl. ins späte 13. Jh. zurück. Ein Ablaß 1279 läßt auf Bautätigkeit um dieses Jahr schließen. Weitgehende Erneuerung 1388; sie betraf den Chor, die Hochwände des Mittelschiffs, die Mauern der Seitenschiffe. Eine zweite, weniger umfängliche, folgte 1467/68; sie betraf den Chor, der östlich erweitert wurde; es kamen jetzt auch die beiden Nebenchöre in den Achsen der Seitenschiffe hinzu, die sog. Beichtkapelle südlich, die sog. Rosenkapelle nördlich, außerdem das vorletzte Geschoß des in den unteren 6 Geschossen ins 14. Jh. zu setzenden Turmes. Letztes Geschoß und Kuppelhaube wurden erst 1773 aufgesetzt. – 1878–1903 wurde renoviert und purifiziert. Hochaltar und Emporen wurden hinausgeräumt. Relikte der barocken Ausstattung sind Kanzel (1626) und Orgelgehäuse (1720).

Die schon als steinerne Baumasse bedeutende Stiftskirche, durch eine natürliche Erhebung aufgesockelt, doch in einen engen Ring von Gebäuden eingeschlossen, kommt nur mit ihrem den Unteren Markt (Prinzregentenplatz) überragenden O-Bau zu städtebaulich stärkerem Einsatz. Nördl. liegt das in seiner Ganzheit erhaltene Stiftskloster vor. Die W-Front, über die sich links ein Flügel des Klosters vorschiebt, treibt einen 7 Würfel übereinander schichtenden Turm hoch. Ein Portal, mit Vorhalle (15. Jh.), auf der S-Seite. – Die Kirche ist eine in den 3 Schiffen flach gedeckte Basilika mit westl., ins Mittelschiff einbezogenem Turm, einem tiefen, 3 Joche reihenden Chor, der in 5 Seiten des Achtecks schließt und mit Kreuzrippengewölben gedeckt ist. Der Chor von Nebenchören begleitet, deren südl. 4 Joche, mit Netzrippengewölben, deren nördl. 2 Joche zählt. Die 3 Arkaden des Mittelschiffs sitzen auf Rundpfeilern; der Raum der 1. westl. Arkade ist durch die (erneuerte) Empore ausgefüllt. Die Hochwände öffnen sich in Rundfenstern mit (erneuertem) Maßwerk. Die Turmvorhalle ist mit 2 Kreuzgewölben gedeckt, deren Rippen auf Kopfkonsolen aufsitzen; ein Maßwerkfries umfängt den ins Schiff geöffneten östl. Spitzbogen.

Die A u s s t a t t u n g bewahrt noch eine beachtliche Anzahl spätmittelalterl. Kunstwerke. Der (neugot.) Hochaltar beherbergt eine Gnadenstuhlgruppe des frühen 16. Jh. Eine Reihe spätgot. Altäre in den Seitenchören und Seitenschiffen. Im *südl. Seitenchor*: Der 1483–90 gestiftete Apostelaltar, auf alter Steinmensa, im Schrein Erbärmde-Christus zwischen Joh. Bapt. und Nikolaus; der Jungfrauenaltar, frühes 16. Jh., im Schrein und auf den Flügeln, geschnitzt, 5 hl. Jungfrauen, die Gemälde viell. von Hans Traut,

Nürnberg; der Sippenaltar, 1. Jahrzehnt des 16. Jh., im Schrein die Hl. Familie, die Gemälde der Flügel wohl von Hans von Kulmbach. Im *südl. Seitenschiff*: der Christophorusaltar, im (neuen) Schrein Christoph, Nikolaus, Ursula, Mitte des 15. Jh.; die Flügelbilder sind älter, wurden jedoch 1902 hart restauriert. Im *nördl. Chorschluß*: der Kreuzaltar, auf alter Steinmensa, mit den Reliefs der Kreuzabnahme und der Grablegung, dat. 1498. Insbesondere beachtlich die beiden gemalten *Altarflügel* (leider mit Randbeschneidungen) im W des südl. Seitenschiffs: Zurückweisung des Opfers Joachims und Verlobung Mariae, die dem bedeutenden Nürnberger »Meister des Bamberger Altars« (um 1430) gegeben werden dürfen; sie gehörten wahrscheinl. zum spätgot. Hochaltar. Das Chorgestühl kommt aus der Zeit um 1500, die Kanzel datiert 1626, das Orgelgehäuse 1720. Ein durch das Meisterzeichen gesichertes Werk des Veit Stoß ist das 1513 dat. Steinrelief der *Verkündigung* (am Chorbogen links), Stiftung der Margarethe v. Wildenfels († 1513), um 1880 in den Rahmen eines (im frühen 15. Jh. geschaffenen) Sakramentshauses eingefügt. Mit dem Ölberg (1486?) im nördl. Nebenchor und dem Grabstein des Hans v. Seckendorf und seiner Gattin Anna († 1444) sei die Aufzählung beschlossen.

An der N-Seite das Vierflügelgeviert des **Kreuzgangs**, gleichzeitig mit dem letzten spätgot. Ausbau der Stiftskirche entstanden; 1893–95 etwas scharf restauriert. Breite 3teilige Maßwerkfenster öffnen die hofseitigen Wände; Netz- bzw. Kreuzrippengewölbe decken. Über den Gängen Obergeschosse mit gepaarten Rechteckfenstern; auch hier urspr. umlaufende Gänge (nur der südl. erhalten). Am O-Flügel der Kapitelsaal (heute Gemeindesaal), am W-Flügel die Küche und neben ihr, nördlich, das Refektorium, das aber nur noch seine alte Pforte vorzuweisen hat.

Zuletzt noch ein Blick auf die dem O-Chor der Stiftskirche vorgesetzte spätgot. **Sakristei**, der wieder eine steinerne Freikanzel (»Tetzelkanzel«) vorgesetzt ist; erhalten nur der 3stufige Pfeiler, der die Brüstung trug.

LANGHEIM (Ofr. – E 3)

Ehem. Zisterzienserkloster

Eines der großen fränkischen Klöster des Ordens, in seiner letzten spätbarocken Erscheinung niet hinter Ebrach zurückstehend, doch aufs schwerste vom Vandalismus der Säkularisation betroffen (der allerdings ein Großbrand, 1802, vorgearbeitet hatte). So ist Langheim viel mehr Erinnerung als Wirklichkeit.

1132 legt Bischof Otto von Bamberg den Grundstein. Die Grafen von Andechs-Meranien, dann die von Truhendingen und Orla-

*münde kräftigen die wirtschaftliche Basis des Klosters. – Die
große, bis zu Brand und Abbruch im frühen 19. Jh. bestehende
Kirche, 1289 im Bau, wird 1316 geweiht. Sie läßt sich, nach Plänen
und Abbildungen, als 3schiffige Basilika ohne Querschiff, mit flach
geschlossenem Chor, Turm an dessen N-Flanke und 2 Dachreitern
rekonstruieren. Die im 18. Jh. bestehende Absicht, festgehalten in
Entwürfen B. Neumanns, sie durch einen Neubau zu ersetzen, fand
keine Verwirklichung. – Doch verjüngte sich der umfangreiche
Komplex des Klosters südl. der Kirche von Grund auf. Die Ausführung in den 30er und 40er Jahren des 18. Jh. lag in der Hand
des Sachsen-Eisenacher Oberlandesbaumeisters G. H. Krohne, dem
wohl auch die Planung zuzuweisen ist. Beteiligung Neumanns, dessen Langheimer Beziehungen nicht über 1743 zurückreichen, unver-
bürgt. Gegen Ende des Jahrhunderts, in den 90er Jahren, wurden
noch einige Teile vom Bamberger Lorenz Fink klassizistisch, doch
in taktvoller Anpassung an den älteren Bestand, hinzugefügt.*

Geblieben ist: von der Kirche nichts. Geblieben sind:
2 kleine **Kapellen**, der hl. Katharina und des hl. Michael.
Die erste, am NW-Ausgang des Ortes, ein (durch Profanierung entstellter) Bau des 13. Jh., auf der Grenze zwischen
Romanik und Frühgotik (beraubt um Wölbung, Apside
und Portal). Die andere, erneuert 1624, ein nachgot. Bau,
der auf den in Bamberg tätigen Welschen J. Bonalino hinweist. – Vom **Kloster** blieben: Der S-Flügel des den Kreuzhof umfassenden Konventbaus mit dem westl. und dem
östl. Eckpavillon, der erste, mit straff gegliederter und doch
schmuckreicher S-Front, von Krohne, der zweite (1792)
von Fink; die westl. 4 Achsen des S-Flügels entstanden
nach dem Brand von 1802. Vom äußeren, Verwaltung und
Wirtschaft dienenden Bereich: der »Hofratsbau«, der »Se-
kretärsbau«, ein größeres, 4flügeliges Ökonomiegebäude,
ein Teil des südl. Torhauses; gute, stabile Leistungen der
letzten, von Fink dirigierten Bauperiode.

LAUENSTEIN (Ofr. – F 2)

*Gründung schon im 10. Jh. (915) durch König Konrad I. ist Le-
gende. Eine Höhenburg in dieser Grenz-Waldzone (des Nordwal-
des) kann nicht älter als hochmittelalterlich sein. Der Name taucht
erstmals 1222 auf (Lewinsteine). Im 13. Jh. ist sie Besitz der thüringischen Grafen von Orlamünde, reichsunmittelbarer, erst 1427
dem Kulmbacher Markgrafen zu Lehen aufgetragen. Um diese
Zeit schwindet die Lebenskraft der Orlamünde. Graf Wilhelm
verkauft »von seiner großen Notdurft wegen« 1430 Lauenstein an*

die Grafen von Gleichen-Blankenhain. Die Herrschaft wechselt in der Folge mehrmals. 1506 erwirbt sie Heinrich v. Thüna, dessen Sohn Friedrich (bekannt durch seine Beziehung zu Luther) in Lauenstein die Reformation einführt und dessen Enkel Christoph der Burg die letzte Prägung, die Schloß-Prägung, gibt. 1622 verkaufen die Thüna an den Markgrafen. Mit den Markgrafschaften kommt Lauenstein 1791 an Preußen, dann, 1810, an den Staat Bayern, der es in private Hände übergehen läßt. Ein Romantiker, Dr. Meßmer, nimmt schließlich das verwahrloste Schloß in seine Pflege und macht es zu dem, was es heute ist: »ein Denkmal deutscher Kunst«; so geschrieben über dem Tor. Seit 1961 ist Lauenstein wieder Staatsbesitz.

Standort ist ein sich frei erhebender, nur nordwestl. an die Randhöhe des Loquitztales angelehnter Felskopf, dessen höherer Teil die Hauptburg, dessen tieferer die Vorburg trägt. Das westl. (in die Vorburg) einlassende Tor ist barock (1749). Das in den zweiten Bering einlassende (östl.) ist Rekonstruktion. Vor dem Tor des dritten Berings, der Hauptburg, zieht sich ein in den Fels eingeschnittener Graben. Der (barock erneuerte) Torturm schließt an die nordwestl., von einem Wehrgang begleitete Mauer an, die auf das nordöstl. stehende Hauptgebäude des inneren Burghofes zuhält. Dicht am Tor, innen, der Strunk des zu Anfang des 19. Jh. abgetragenen mauerstarken runden Bergfrieds, der ältester, noch roman. Burgbestand ist. Der annähernd rechteckige Hof ist südöstl. vom Palas, nordöstl. vom Thüna-Bau begrenzt. Der Palas dürfte unter Orlamünde in der 2. Hälfte des 14. Jh. aufgeführt worden sein. Der große, an die 20 m lange »Bankettsaal« im Erdgeschoß ist eine 2schiffige Halle mit Rundpfeilern, von wuchtiger Fügung. Der Bauherr des 16. Jh., Christoph v. Thüna, griff umprägend in das 2. Obergeschoß ein, dessen Ausstattung ins 6. Jahrzehnt des 16. Jh. zurückgeht. Ganz Werk dieses Christoph ist der 1551–54 aufgeführte NO-Flügel, dem im Winkel zum Orlamünde-Bau ein hoher 8eckiger Treppenturm vorliegt, der den vielteiligen, steil aufgereckten Baukörper der Hauptburg noch überragt. Die schöne Treppenspindel dreht sich durch 4 Geschosse. Hauptraum ist der »Rittersaal«, ein Quadrat mit starker Mittelsäule und prächtigem Fächer der Gewölberippen. Die alte deutsche Spätgotik ist noch bei gutem Ansehen. Auch in den Räumen der 3 Obergeschosse werden wir angesichts der Gewölbebildungen immer wieder den deutsch-spätgot. Stilcharakter dieser »Renaissance«-Ar-

chitektur betonen müssen. Nur die kassettierten Holzdecken
folgen einem jüngeren Formprinzip. Der sehr große, etwa
40 m lange Festsaal sei seiner Kassettendecke wegen gerühmt. – Lauenstein hat etwas viel an romantischem Neu-
Mittelalter in sich aufnehmen müssen. Schelten wir aber
nicht auf die Freude unserer Groß- und Urgroßväter an
den »Ritterburgen« des Mittelalters, sie hat viel Altes gerettet.

LAUF (Mfr. – E 4)

*1170 hervortretend, Sitz staufischer, sich »de Loufe« nennender
Reichsministerialen, entwickelt sich die Siedlung, nächst der Wasserburg auf der künstlich geschaffenen Pegnitz-Insel, dank günstiger
Straßenlage (Nürnberg-Böhmen) noch vor Mitte des 13. Jh. zum
Markt. 1268 kommt Lauf an die Wittelsbacher, 1329 an deren
pfälzische Linie, die es 1351 an Kaiser Karl IV. verkauft. Karl
erhebt es 1355 zur Stadt. Sein bis an die Bannmeile Nürnbergs
heranreichendes »Neuböhmen« hat keinen Bestand; Lauf kehrt
1373 zu Pfalz-Bayern zurück, das es indessen 1504, und nun für
die Dauer, an die Reichsstadt Nürnberg verliert. Seither, und bis
1806, ist es nürnbergisches Pflegamt. – Dank der Wasserkraft der
Pegnitz (der Ortsname drückt ihr gutes, nutzbares Gefälle aus),
die schon im Mittelalter Mühlen und Hämmer treibt, entwickelt
sich im Jahrhundert des Fortschritts eine blühende Industrie, die
aber das behaglich-fränkische Stadtbild ungekränkt läßt.*

2 Tore, das Hersbrucker östlich, das Nürnberger westlich, erinnern an die
(von Karl IV. bewilligte), sonst größtenteils abgegangene, mittelalterl.
Stadtwehr; das erste 1476 bezeichnet, doch im Kern älter, das zweite
1504 errichtet (oder erneuert) und 1526 restaur. – Der M a r k t , ein
großes rechteckiges Platzgeviert, mit dem Rathaus in der Mitte, mag an
altbayerische Märkte denken lassen; das Land an der Pegnitz rechnete
ja auch, bis ins Hochmittelalter, zum bayerischen Nordgau. – Das **Rathaus**, das ins 16. Jh. zurückgeht, hat gegen Ausgang des 19. Jh. einige
Verschönerungen erleiden müssen, die der Restaurator von 1936 allerdings wieder ausmerzte. Die einschließenden Häuserzeilen ohne Anspruch, doch, meist wenigstens, von guter alter Art; da und dort Fachwerk.

Die ev. Stadtpfarrkirche, die sich als wirkungsvolles Blickziel der östl. Schmalseite des Marktes zuordnet, erwuchs
aus der schon 1275 bezeugten Johanniskapelle, die nach
Zerstörung der Leonhardskirche 1553 zur Pfarrkirche erweitert wurde. Der Chor, mit Kreuzgewölben, noch spätgotisch. Der in den unteren Geschossen ebenfalls noch
mittelalterl. Turm erhielt die beschließende reizvolle Laterne um 1710. Das Langhaus ist ein schlichter Saalraum

mit 1699 geschaffener Holztonne. Die Ausstattung barock: Hochaltar 1692, Kanzel 1672, Orgelgehäuse 1700. Älter nur der Kruzifixus von 1498 über dem Chorbogen.

Die urspr. **Pfarrkirche St. Leonhard** ist seit 1553 (Markgrafenkrieg, Verheerung der Stadt) Ruine; nur Turm und Umfassungsmauern des Schiffes, spätgotisch, stehen noch. – Das 1374 von Heinrich und Elsbeth Glockengießer bei St. Leonhard gestiftete **Spital** wurde nach 1553 wiederaufgebaut und 1690 und 1713 erneuert und erweitert. Fachwerk über massivem Sockelgeschoß, gegen den Hof ein Treppenturm mit 1736 aufgesetzter Dachkuppel. Das sog. Bräuhaus (im Hof) ist ein Quaderbau von 1721.

Auf der Pegnitz-Insel das in der Burg der Reichsdienstmannen von Lauf begründete sog. **Wenzelsschloß**, das bald nach 1360 von Karl IV. aufgeführt und 1526 in Teilen (durch den Nürnberger P. Beheim) erneuert wurde, eine starke, hochaufragende, vielfältige, typisch fränkische Baugruppe, die einen kleinen engen Hof einschließt. Ein prächtiges Beispiel profaner Raumarchitektur der Gotik ist der große, von Kreuzgewölben gedeckte *Wappensaal*, so genannt nach der umlaufenden Doppelreihe steinerner Wappen (über 100), deren Eigner der Zeit des Bauherrn, Karls IV., angehören. Der zweite große Saal, *Kaisersaal* (Erdgeschoß), wurde um 1700 durch eine Stuckdecke barock abgewandelt.

LAUFEN a. d. Salzach (Obb. – E 8)

Eine Flußschleife der Salzach bot Anlaß zu befestigter Ansiedlung. Der Name »Laufen« deutet auf Stromschnellen, welche die Gegenwart geübter Schiffsleute notwendig machten. Schon um 790 ist von »Castellum ad Loffi« die Rede. Über 1000 Jahre, bis 1816, gehörte es zu Salzburg. Auf dem Salzhandel begründete sich der Wohlstand der Bürgerschaft, deren Häupter Schiffsherren und Kaufleute waren. Ihr Gewerbe blühte nur des Sommers. Der Winter förderte den altbayerischen Hang zu Sang und Spiel. Laufener Komödianten bereisten das Land, urwüchsige Nachfahren der italienischen Komödie. Die halbinselartige Lage der Stadt hemmte den Anschluß an das für die anderen Städte des südostbayerischen Oberlandes verbindliche Straßennetz.

Pfarr- und Stiftskirche Mariae Himmelfahrt

Vom Bestand einer roman. Basilika blieb der Turm. 1332 Neubau des Chores, dem sich gegen 1340 die Erneuerung des Langschiffs anschließt. Zugleich Erhöhung des Turmes. Die Barockisierung von 1770 wurde 1843 ausgelöscht, wobei zahlreiche Ausstattungsstücke verlorengingen. (Restaur. 1960/61.)

Ä u ß e r e s. Mächtig erhebt sich das steile Satteldach über
dieser ältesten got. Hallenkirche Süddeutschlands. Dachreiterartig wird es von 2 Geschossen des unverhältnismäßig
schlanken Turmes überragt. Seine gekoppelten Schallöffnungen sind konservativ rundbogig. Der ehem. Turmverlauf
zeichnet sich im Verband der glatten, sonst völlig ungegliederten W-Front deutlich ab. Um die Kirche zieht sich ein
niedriger Bogengang, der im SW auf die Michaelskapelle
übergreift, beg. im 15. Jh. und in der Folgezeit fortgesetzt.
Gegen S öffnet sich eine kleine Vorhalle mit reicher spätgot.
Netzfiguration des Gewölbes. Sie umfängt ein schönes Tor
aus Adneter Scheckmarmor. – Eine kraftvolle Halle ist das
I n n e r e : 3 fast gleich breite Schiffe, getrennt durch starke
Stützen, die ein Kranz von Runddiensten umkleidet. Nach
dem 3. Joch leiten breite Gurtbänder den Chor ein: 2 Joche
die sich nur wenig von denen des Langhauses unterscheiden.
Die Anlageform steht unter dem Einfluß österr. Zister-
zienserbauten (z. B. Heiligkreuz). – Der Hochaltar, 1654 bis
1658, ist eine einfache, doch wirkungsvolle Erfindung des
Tischlers Hans Fiegl und des Bildhauers Jak. Gerold. Altarblatt 19. Jh. Südl. Seitenaltar mit Gemälde des in Laufen gebürtigen Joh. Mich. Rottmayr 1690. An den Seitenwänden ehem. Altarflügel mit gemalten Passionsszenen
1467. Im nördl. Seitenschiff Muttergottes um 1470. Im W ein
Gemälde Rottmayrs 1698: St. Lukas malt die Muttergottes
und orgelspielende hl. Cäcilie, Epitaph für die Eltern des
Künstlers unter Anspielung auf deren Beruf. – Aus der reichen Zahl der steinernen Grabdenkmäler ist das des Max
Nußdorf und seiner Frau († 1478, vor der W-Empore)
hervorzuheben: Muttergottes zwischen dem knienden Paar
der Verstorbenen und deren Wappen, wahrschein. von Hans
Valkenauer aus Salzburg; hier auch der schöne Epitaph Wol-
kenstein 1516. – Im Umgang 2 Portallöwen der roman. Anlage.

Der 1625–27 erbaute **Dechanthof** bewahrt Teile der ehem. spätgot.
Altarausstattung.

Michaelskapelle, später Mariahilf. Der kleine, durch den Bogengang mit
der Pfarrkirche verbundene, Zentralbau wurde im 14. Jh. als 2geschos-
siges Beinhaus (»Karner«) im SW der Stiftskirche aufgeführt. 1861
wurde das Oberteil in Achteckform erneuert und 1772 mit Kuppel und
Laterne versehen. Restaur. 1967.

Kapuzinerklosterkirche 1655–59, umgestaltet im 19. Jh. Eine Schnitzfigur der thronenden Muttergottes um 1450 scheint aus dem spätgot.
Hochaltar der Stiftskirche zu stammen.

Schloß. Massiger viereckiger Baukomplex von 1424 und 1606 auf älterer Grundlage. **Rathaus** im wesentlichen von 1564/65. Fassade 1865 umgestaltet. Die **Wohnbauten** folgen dem Inn-Salzach-Typus: Grabendächer hinter horizontal abschließenden Frontmauern. Vom **Bering** des 14. Jh. stehen nur wenige Reste. Oberes Tor um 1650, Unteres Tor um 1510–20, Zinkenturm 16. und 18. Jh. – Die Verlegung der Brücke, 1899, urspr. östl. im Zuge der Rottmayrstraße, an die W-Seite unmittelbar vor den Stadtplatz, der eine Aufreißung erlitt, desorientierte die urspr. Richtungsimpulse.

LAUINGEN (B. Schw. – C 5)

Die Siedlungsspuren reichen bis in die Mittelsteinzeit zurück. Frühe Inbesitznahme durch die Alemannen ist durch Reihengräber bezeugt. Ein fränkischer Königshof ist vom 7. bis ins 9. Jh. vorauszusetzen. Die Güter, die hier im 9. und 10. Jh. Kloster Fulda besitzt, deuten jedenfalls auf Königsschenkungen. Dieser fuldische Besitz gelangt um die Mitte des 12. Jh. an die Staufen (unter staufischer Herrschaft kommt hier 1193 Albert von Bollstädt, d. i. Albertus Magnus, zur Welt) und schließlich, mit dem Konradinischen Erbe, 1269 an Bayern. 1392 kommt Lauingen an die Ingolstädter Linie, 1447 an die Landshuter, 1505 an die Junge Pfalz (Neuburg). – Wahrscheinl. schon im späten 12. Jh. Stadt und auch befestigt, erhält es durch Ludwig d. Bayern 1307 seinen got. Mauergürtel.

Die wohlerhaltene **Stadt** ordnet sich einer talparallelen Hauptachse zu, die sich zum Rechteck des Marktes erweitert. Der hohe, sehr schlanke Schimmelturm ist das Wahrzeichen. Am sehr geräumigen Markt das erst spät, gegen Ende des 18. Jh. neugebaute **Rathaus,** das man eher als Palais ansprechen möchte, gegensätzlich zum Bürgerhaus, das noch allenthalben zu (teilweise zinnenbesetzten) Giebeln aufsteigt, wenn es sie nicht gegen barocke Kurvenabschlüsse abgetauscht hat. Das **Schloß** der Herrschaft, wie üblich am Stadtrand, beherrscht das donauseitige Stadtbild, dessen voller Ernst aber weit von der heutigen Erscheinung abweichende spätmittelalterl. Existenz das große Gemälde des Lauinger Malers Matthis Gerung von 1551 (das Lager Kaiser Karls V. vor Lauingen) festhält (im Rathaus).

Pfarrkirche St. Martin. Eine der spätesten großen Hallenkirchen der Gotik, vollendet 1518. Die Abhängigkeit von Nördlingen und Dinkelsbühl ist offensichtlich. Neuartig die gleiche Breite der 3 Hallenschiffe. Die Spuren des 19. Jh. wurden inzwischen beseitigt. Alte Freskomalerei kam zum Vorschein. Grabdenkmäler von Fürstlichkeiten aus dem pfalz-neuburgischen Haus im nördl. Portalgewände. Das bedeutendste unter der Orgelempore: Rotmarmor-Tumba für Pfalzgräfin Elisabeth († 1563) mit Figur der Verstorbenen in Alabaster. – Kanzel 1956.

Mariahilfkirche östl. der Stadt: 13. und 14. Jh. Ein 2geschossiger Rundbau. – **St. Leonhard** am anderen Donau-Ufer 1480, barockisiert 1731. –

Ehem. Augustinerkirche. Saalbau des 17. Jh. Ausgemalt von Joh. B. Enderle 1791, mit etwa gleichzeitiger Ausstattung.

Friedhofskirche St. Johannes, 1771; Deckenfresko von J. Bapt. Enderle.

Das **Rathaus** erscheint in seiner italienisch-klassizist. Bauweise als fremdartiges Gewächs im altertümlich-deutschen Häusergewinkel. Kurfürst Carl Theodor ließ sich die Errichtung des Gebäudes angelegen sein. Lorenzo Quaglio hat es 1783–90 aufgeführt.

An einem Gebäude der Herzog-Georg-Straße (Nr. 58, **Jugendherberge**) befinden sich jetzt die urspr. am Schloß angebrachten Wappensteine Herzog Ludwig d. Gebarteten von 1413, eine vorzügliche Steinmetzarbeit, und des Pfalzgrafen Ottheinrich von 1555.

Den Marktplatz beherrscht der **Hof-** und **Schimmelturm** von 1478, Obergeschosse 1571.

LECHBRUCK (B. Schw. – B 8)

Die **Pfarrkirche Mariae Heimsuchung** ist als guter Bau des frühen Klassizismus zu würdigen. Joh. Ant. Geisenhof aus Pfronten hat die Anlage 1786–90 aufgeführt. Die Wirkung des hellen, 1schiffigen Innenraumes beruht in fein gestimmter Harmonie aller Verhältnisse und in der beherrschenden Gliederung durch gekoppelte Pilaster. Bei aller Liebe zur Fläche und zum rechten Winkel wurde der Übergang von Langhaus und Chor durch Eckrundungen verschliffen. Aus den Kurven der Oratorienbrüstungen spricht noch ein wenig Spätbarock. Die Bauausführung machte 1790 (wegen finanzieller Erschöpfung) vor der ornamentalen Dekoration halt. Man hat sie 1909 ergänzt. Bis dahin genügten die beiden Fresken von J. N. Eberle (im Chor Mariae Heimsuchung, im Schiff Mariae Himmelfahrt). Beide sind in die Fläche komponiert, ohne Tiefenillusion, und folgen darin der neuen »klassischen« Gesetzlichkeit des Wahlrömers Raphael Mengs. Dagegen ist die Altareinrichtung dem Spätbarock verpflichtet.

LEITHEIM (B. Schw. – C 5)

Auf einer alten, ehemals (und jetzt wieder) Weinbau tragenden Leite des Klosters Kaisheim ließ sich der Abt Elias Götz 1685 Lustschloß und Kirche errichten. Abt Coelestin I. Meermoos (1739 bis 1771) gestaltet die Schloßräume im modischen Rokoko aus. Ihm verdanken wir das, was Leitheim auszeichnet.

Schloß. Der schlichte, würfelförmige Baukörper ist durch einen gedeckten Gang mit der W-Front der Kirche verbunden. Ein nobles Treppenhaus mit fein geschmiedetem Geländer, mit Rocaillestuck und der Tages- und Nachtallegorie des Deckenbildes, führt in die Repräsentationsräume des 2. Obergeschosses. Hier ist die Stuckdekoration mit köstlichen Freskomalereien des aus Böhmen stammenden, in Augsburg ansässigen Gottfr. Bernh. Götz erhalten,

1751. Duftige Farbigkeit und liebenswürdiger Humor kennzeichnen den souveränen Künstler des Rokoko. Der Festsaal präsentiert, auf dem Plafond, Allegorien der 5 Sinne, Figurengruppen in arkadischer Szenerie; in den Eckkartuschen erscheinen die 4 Temperamente und an den Wänden, als Chinoiserien, die 4 Elemente (an den Fensterpfeilern), Ernst und Heiterkeit (an den Schmalseiten). Das Deckenbild im Empfangssalon gilt den 4 Jahreszeiten. Besonders reizvoll: der Reigen der 4 Lebensalter im Hofzimmer. Meister der umrahmenden feinen Stukkaturen ist Anton Landes aus Wessobrunn. – Aus der später hereingetragenen mobilen Ausstattung, die älteres Schrankwerk, Gemälde und Porzellane umfaßt, heben wir hervor: das »Sterbekreuz der Maria Stuart«, eine italienische Arbeit von 1488, die gestickte seidene »Taufdecke der Wilhelmine von Bayreuth«, 1732 und 3 Pastellbildnisse des schwedischen Rokokomalers Alexander Roslin, um 1750.

Schloßkirche St. Blasius. 1schiffiger Bau um 1690 (1696 vollendet) mit guter Akanthus-Stukkatur von Wessobrunner Künstlern dieser Zeit. Der Kruzifixus an der N-Wand und das Vesperbild am linken Seitenaltar Ende 15. Jh. – Rokoko-Kanzel Mitte 18. Jh.

LENGFURT (Ufr. – C 2) → Triefenstein

LENGGRIES (Obb. – C 8)

Das 1257 gen. Lenngengrieze meint die langen Kiesbänke des Isarbettes, an dem sich Dienstleute der Hohenburg ansiedelten. Haupterwerbsquelle war ehemals die Flößerei.

Die Pfarrkirche St. Jakob ist Neubau von 1721/22 (Baumeister Adam Schmidt aus München): 1schiffig, mit eingezogenem Chor, 2 flachen Querapsiden und 2geschossiger, durch große Pfeiler vom Langhaus getrennter Orgelempore. Gliederung und Stuckwerk halten zurück. Die kleinflächigen Deckengemälde, wohl von dem Böhmen Ad. Ant. Fett, 1722, feiern im Chor St. Jakob, im Langhaus die Evangelisten. Nur die Altäre in den Seitenapsiden (mit Bildern von Ph. Guglhör) sind alt, 1726/27, ebenso die Kanzel. – Die got. Maria-Hilf-Kapelle (Kriegergedächtnisstätte) auf dem Friedhof, die 1745 erweitert wurde, besitzt eine spätgot. Muttergottes der frühen 16. Jh. und 2 gemalte ehem. Altarflügel um 1500 mit der Enthauptung des hl. Jakob und der Überführung seiner Leiche nach Spanien, gute, echt bayerische Leistungen.

Schloß Hohenburg. Die Burg der Herren von Thann (11. Jh.), die sich mehrmals wandelte und seit 1566 den Grafen Hörwarth gehörte, wurde im Spanischen Erbfolgekrieg, 1707, zerstört. Das heutige Schloß entstand 1712–18, ein stattliches 3flügeliges Gebäude mit gegen O vorgelagertem Wirtschaftshof. Schloßkapelle 1722 mit schöner Rokoko-Einrichtung und byzantinischem Muttergottesbild wohl des frühen 13. Jh. (Seit 1870 Besitz der Herzöge von Nassau-Luxemburg, seit 1953 der Landshuter Ursulinen.) Die ehemals berühmten Parkanlagen von M. Diesel sind verwildert.

In der Nähe: **Kalvarienberg** (1694) mit Kreuzkapelle (1726) und Grabkapelle (1698).

LEUCHTENBERG (Opf. – F 4)

Die Landschaft, an der Luhe, ist schon im 10. Jh. bezeugt. Die Herren von Leuchtenberg, Edelfreie, treten im frühen 12. Jh. hervor. Häufig im Gefolge des Königs, sind sie seit 1158 Grafen, seit 1196 Landgrafen. Im 15. Jh. gewinnen sie Fürstenrang. Seit der 2. Hälfte des 14. Jh. residieren sie in Pfreimd. 1646 gehen sie aus. Ihr Erbe ist Kurbayern.

Burgruine

Die Burg, auf weithin sichtbarer Höhe des Naabberglandes, ist, noch in Trümmern, eine der mächtigsten Wehranlagen des bayerischen Nordgaus. 1124 weiht Otto von Bamberg die Kirche des Edlen Gebhard von Waldeck in Leuchtenberg, doch kaum eine Burgkapelle, sondern eher eine verschwundene Ortskirche. 1223 verpfändet Landgraf Diepold die Burg an Heinrich von Ortenburg, der den Bergfried instand setzen läßt. 1268 belagert Herzog Ludwig d. Strenge den Leuchtenberger. Dann schweigt die Überlieferung. Man nimmt an, Landgraf Ulrich I. (1294–1334) habe einen Neubau ins Werk gesetzt. Weitere Erneuerungen jedenfalls 1440, nach dem Abzug der Hussiten. »Im Juli Anno 1621 ist das fürstl. Schloß und Stambhauß ... durch das Mansfeldische Volkh überfallen und ausgeblindert worden ...« Ein neuer Überfall der Schweden 1634. Was sie ganz ließen, zerstörte die kaiserliche Besatzung ein paar Monate später. Die massigen mittelalterl. Architekturen haben den Stürmen so gut es ging standgehalten. Doch sie waren angeschlagen, und da Reparaturgelder fehlten, war der Verfall besiegelt. Einige Ausbesserungen konnten ihn nicht mehr aufhalten, bis 1842 ein Brand alles vollends zur Ruine machte.

Ein spitzbogiges Tor führt von S durch den äußeren Bering in die Vorburg, vorbei an den Resten der ehem. Amtsknechthauses. Noch einmal ist ein Tor zu passieren, eines aus dem 17. Jh., neben der Ruine des Rentamtes und sog. Neuen Schlosses. Vom 3. Tor an der Wegbiegung im N ist kaum etwas erhalten, so daß wir ungehindert zum Rest des Getreidekastens vordringen können, neben dem sich der letzte Torbau vorschiebt, der uns in den inneren Hof treten läßt. Sind wir durch einen spätgot. Vorbau des

15. Jh. eingetreten, der zum Kranz der äußeren Zwingmauer mit ihren halbrunden Turmbastionen gehört, so
entläßt uns ein älterer, got. Bauteil des 14. Jh. gegen den
Innenhof. Linkerhand steht die **Burgkapelle**. Auch sie ist,
wie die ganze innere Burg, aus dem frühen 14. Jh., ein un-
regelmäßiger Viereckraum mit eingezogener rechteckiger
Chornische. An einer Rundstütze in ihrer Mitte steht:
»...1440 Renovata est...« Damals wurde der Bau mit
Netzgewölben versehen, die bis auf geringe Reste im Chor
zugrunde gegangen sind. Die Sakristei und das darüber
befindliche Oratorium sind erst im 17./18. Jh. hinzugetre-
ten. Bis dahin wird eine Herrschaftsloge an der W-Seite
anzunehmen sein. Auf der höchsten Stelle inmitten des
Burghofes ragt der **Bergfried**, auch Lehenturm genannt.
In seinem ausspringenden Unterbau wird der Turm von
1223 vermutet, auf dem sich die Ergänzung des 14. Jh.
erhebt. (1888 nach Einsturz wiederhergestellt.) Obwohl der
Bergfried viel von der urspr. Höhe eingebüßt hat, bietet er
heute noch einen der umfassendsten Ausblicke über das oberpfälzische Bergland vom Fichtelgebirge und Bayerischen
Wald bis zum fernen Jura. Gegen S bildet die Innenburg
einen Winkel, annähernd vergleichbar einem Schiffskiel.
Hier ragen die Mauern des Palas aus dem 14. Jh. (geringe
Veränderungen im 17. Jh.). Ein Blendbogen ließ in der
Höhe des Saales außen die Wand einspringen zum Schutz
gegen Regeneinfall und zu besserer Belichtung des ehemals
großen Raumes (Fenster zugesetzt), ein Motiv, das sich an
Burgen öfter findet. Der nördl. an den Palas grenzende
Bau gehört dem 15. Jh. an und verbindet mit der Dürnitz,
einem gewölbten Raum, ebenfalls des 15. Jh., mit 8eckiger
Mittelstütze. Darunter gewölbte Kellerräume, darüber
Reste des 1644 erwähnten »Neu Gebäu über dem Gewölb
und Keller«.

LICHTENAU (Mfr. – D 4)

Veste

*Aus dem Besitz der Herrn v. Heideck kommt Lichtenau 1406 an
die Nürnberger, die es zur Beschwernis des Markgrafen im nahen
Ansbach stark befestigten. Markgraf Albrecht Alcibiades läßt die
Festung 1552 schleifen. Die Nürnberger bauen sie, seit 1558, nun
im modernen bastionären System, wieder auf. Der Bau schreitet
langsam voran, schneller erst in den 90er Jahren. Der Großteil*

dürfte erst jetzt und in den ersten 2 oder 3 Jahrzehnten des näch-
sten Jahrhunderts (bis 1630) entstanden sein. Der planende Kopf
ist noch nicht ermittelt. Beteiligt waren der in Ingolstadt tätige
Niederländer Simon Wick und die Nürnberger Peter Carl, Jakob
Wolf d. Ä., Wolf Stormer und Hans Westhauser.

Der Durchmesser der ein unregelmäßiges Fünfeck einschließenden Anlage beträgt von Wall zu Wall etwa 150 m. Die
5 Eckbastionen greifen in den breiten und tiefen Graben
vor, aus dem die Böschungsmauern der Wälle aufsteigen;
2 starke Wulstgesimse gliedern die wuchtigen Buckel-
quadermassen. Der Eingang (ehemals durch Zugbrücke gesichert) liegt südwestlich, im Schutze der »Glockenbatterie«.
Ein in der Tonne gewölbter Gang führt zunächst in einen
kleinen Vorhof. Hier die Auffahrt zu den Wällen und,
links, das zweite, **innere Tor.** Dieses, das sich in den Gliederungen seines Rahmens auf den schräg zur Achse des
Hofes verlaufenden Torweg ausrichtet, ist ein prächtiges
Stück antikischer Rustika-Architektur: Pilaster, Gebälk,
Sprenggiebel darüber, Oval-Oculus in der Mitte. Der innere
Torgang durchquert die Kasematte und trifft den **großen**
Hof, dessen Grundriß als Rechteck mit abgeschrägten (südwestl. doppelt abgeschrägten) Ecken zu bezeichnen ist. Frei
in den Hof gestellt der 3geschossige, im einzelnen anspruchslose **Schloßbau,** ein quer zur Hauptachse des Hofes
(N-S) stehendes Gebäuderechteck mit Satteldach, das die
beiden hohen, das Fernbild der Festung beherrschenden,
typisch nürnbergischen Rundtürme flankieren. Dieser Bau
hatte urspr. 2 nördl. vorgreifende Flügel und, als das Herz
der Festung, eigenen Grabenbering. Der große Hof ist ausgezeichnet durch die regelmäßige, geometrisch klare Disposition der den Wällen anliegenden Kasematten und
Kavaliere und die zugleich wuchtigen und schmuckvollen
Gliederungen der Fronten. Die um ein 3. Geschoß erhöhten
Kavaliere an W-, O- und N-Seite treten als starke Risalite
über die 2geschossigen Kasemattentrakte vor. Die allseitig
umlaufenden gewölbten Gänge der Erdgeschosse öffnen
sich in stichbogigen Arkaden. Fortlaufende Fensterreihen
gliedern die Obergeschosse. In den Ecken je ein die Wall-
höhe wenig überragendes Treppentürmchen; das südwestliche, das auch durch reichere Bedachung (Kuppel statt Zelt)
abweicht, birgt einen nachgot. Wendelstein. Die gedrungenen Blöcke der Kavaliere durch vollere, schwerere Gliede-

rungen und ein Mehr an Schmuck betont. In Holz aufgeführte, mit Zeltdächern gedeckte Hallen (Geschützstände)
schließen die Kavaliere ab. Kraftvolle Rustika, starkes Relief in den Pilasterrahmungen und Gesimsverdachungen
der in regelmäßigen Abständen dicht gereihten Fenster,
schwere grundstabile Quadermauer, das sind die Charakteristika dieser Zweckarchitektur, die ihren Zweck nicht nur
genau erfüllen, sondern auch in der Symbolsprache architektonischer Formen sinnfällig und »schön« ausdrücken
wollte. – Die kurze Beschreibung der Grund- und Auf-
rißgliederungen mag eine Vorstellung von der architektonischen Würde dieser reichsstädtischen Trutzveste vermittelt haben. Die wenigen Veränderungen im 19. Jh., die die
(jetzt wieder aufgegebene) Verwendung als Zuchthaus mit
sich brachte (einige Aufstockungen über den Wällen und
Bastionen), fallen nicht ins Gewicht. Lichtenau ist eine
Kostbarkeit der Festungsarchitektur.

Auch der erstmals 1246 genannte, im »castrum« der Herren v. Dornberg
aufscheinende Ort liegt noch guteils im Ring der 1734–36 aufgeführten
Mauern. Das obere Tor entsteht 1749, das untere (westl.), das an die
Festungsmauer anschließt, 1763. Auf die nicht geringe Anzahl guter,
meist gequaderter **Bürger-** und **Bauernhäuser** des 17. und 18. Jh. sei hingewiesen. Die **ev. Pfarrkirche**, halbrund geschlossenes Rechteck mit Frontturm, einfach, aber solid, datiert 1724.

LICHTENFELS (Ofr. – E 2)

Im 10./11. Jh. (bis 1058) Besitz der Markgrafen von Schweinfurt,
fällt Lichtenfels 1142 durch Schenkung an das Hochstift Bamberg,
das allerdings erst nach dem Ausgang der Andechs-Meranien (1248)
Besitz ergreifen kann.

Die Ringbefestigung der sicher schon im 13. Jh. so zu nennenden Stadt
ist nur in schwachen Resten überliefert, doch stehen noch 2 der 3 **Tor-**
türme; der ältere, Kronacher, reicht ins frühe 15. Jh. zurück, doch
ohne die erst 1551 aufgesetzten beiden Obergeschosse (Dachhaube 1802),
der jüngere, Bamberger, ins 16. Jh. (1535; Obergeschosse und Helm
1688).

Am N-Abhang des »Burgbergs«, dessen Höhe die 1142 bezeugte Burg
krönte, das 1555 durch Caspar v. Sternberg errichtete, 1612 von Bamberg erworbene Schloß, der »**Kastenboden**«, ein wuchtiger Quaderbau
mit Eck-Erkern und steilem Dachsattel, in wirkungsvoller Blickbeziehung
zum Markt am Fuße des Burgbergs.

Der östl. ansteigende Marktplatz ist noch gut umhegt. Hier, allseitig
frei, das **Rathaus**, ein langgestrecktes 2geschossiges Rechteck, das 1743
nach den Plänen Justus H. Dientzenhofers aufgeführt wurde.

Kath. Pfarrkirche. Der starke Turm an der S-Seite steht zeitlich voran. Dank Lage, auf östl. Anstieg, hebt er sich mit seinem von 4 Ecktürmchen umstellten Spitzhelm über die Stadt. Etwas jünger ist der 1483 beg., 1487 geweihte Chor, der, 2 Joche umfassend, 5seitig schließt und mit Netzgewölben gedeckt ist. Das Langhaus kam in der 1. Hälfte des 16. Jh. hinzu. Die gute Ausstattung gehört dem 18. Jh. Kostbarer Besitz sind die Bronze-Epitaphien des Wolf v. Schaumberg und der Walpurg v. Schaumberg (1529), die dem jüngeren Hermann Vischer, dem Sohne Peters d. Ä., gegeben werden dürfen.

LICHTENSTEIN (Ufr. – E 2)

Burg. Die 1232 erstmals beurkundete Burg ist Würzburger Lehen, bis ins späte 16. Jh. an mehrere Geschlechter (Ganerben) ausgegeben, erst dann Alleinbesitz der Lichtenstein, die 1845 erlöschen. – Sie dürfte urspr. mehrere Ansitze vereinigt haben; der nördliche liegt in Trümmern, der südliche steht noch. – Die kleinere N-Burg bewahrt noch Teile der Ringmauer, einen mit ihr verbundenen Rundturm und den Bergfried, dieser vom besten Buckelquaderwerk des 13. Jh. Jünger (14. Jh.) der in Bruchsteinmauer aufgeführte Bergfried der S-Burg. Der noch unter Dach stehende Wohnbau ist 16. Jh. Der spätgot. Wehrgang ist schätzbar als ein gut erhaltenes Relikt seiner Art.

LIEBENSTEIN (B. Schw.) → Bad Oberdorf (A 8)

LIMBACH b. Haßfurt (Ufr. – D 3)

Wallfahrtskirche Maria Limbach

Eine spätestens im 15. Jh. anhebende Wallfahrt gerät im 17. Jh. in Vergessenheit und blüht im 18. wieder auf. Der Würzburger Fürstbischof Fried. Carl v. Schönborn veranlaßt den Neubau der Wallfahrtskirche, die 1751 nach den Plänen und unter der Leitung B. Neumanns begonnen, 1754 vollendet und 1755 geweiht wird.

Eines der letzten Werke des großen, die Vollendung nicht mehr erlebenden Meisters, blieb sie von der späten Zeitlage nicht unberührt. Schon klassizistisch beruhigt ist die einfache, aber wirkungsvoll durch die gereihten steilen Pilaster im hohen Haupt- wie im Giebelgeschoß gegliederte Fassade. Im 1schiffigen I n n e r n, auch im halbrund geschlossenen Chor, überbrücken Emporen die Abstände zwischen den wenig von den Wänden abgerückten Freipfeilern, denen die Bogen ihrer weitgespannten Öffnungen ohne Absetzung ent-

Limbach, Wallfahrtskirche, Fassade

wachsen. Die Stuckierung der Stichkappentonne, Rocaille, zurückhaltend ausgeteilt, leistete der Bamberger Andr. Lunz, 1753. Die vorzügliche, nicht in einem Jahr entstandene, gutenteils vom Fürstbischof Friedr. Adam v. Seinsheim beigesteuerte A u s s t a t t u n g gipfelt in der großen Baldachinanlage des Hochaltars von Peter Wagner, 1761, der sich die beiden kleinen, aber reichen und leichten Seitenaltäre am Chorbogen zugesellen. Kanzel, Orgel, Beichtstühle: immer noch blühendes Rokoko und fast im Gegensatz zur schon so einfach gewollten Architektur.

LINDAU (B. Schw. – A 7)

*Die Insellage läßt auf vormittelalterl. Besiedlung schließen, auch
wenn aus dieser Epoche keinerlei sichtbare Spuren überkommen
sind. Im 9. Jh. entsteht ein Kanonissenstift. Um 1180 gehen die
Marktrechte des zu Lande benachbarten Äschach auf die Insel über.
Das Ortswesen entwickelt sich im 13. Jh. zur Reichsstadt. Verfas-
sungskämpfe im 14. Jh., Aufschwung durch Handelsverkehr,
Schutz- und Trutzbündnisse gegen unfreundliche Nachbarn (Österreich, Montfort) begleiten die Geschichte. 1522 wird die Stadt
evangelisch. Glimpflich überdauert sie die Glaubenskriege. Das
18. Jh. bringt Feuersbrünste (1720 und 1728). Nach Einbuße der
Reichsfreiheit kommt die Inselstadt 1805 an Bayern. – Das Schwergewicht der Stadtanlage ruht im O, im Gelände der ehem. Stiftsbauten mit den beiden Hauptkirchen, dem Spital und dem Marktplatz (Luitpoldplatz). Weiter westlich, durch ein bebautes Dreieck
von dieser weiträumigen Kernanlage getrennt, führt die Hauptstraßenachse (Maximilianstraße) am Rathaus vorbei gegen W. Um
diese Verkehrsader gruppiert sich die mittelalterl. Stadtanlage, um
jenseits des »Inselgrabens« in jüngere Bebauungszonen zu münden.
Hier der Marktplatz, der das Bahnhofsgelände mit dem gegen S
gelagerten Hafen verbindet.*

Ev. Stadtpfarrkirche St. Stephan

*Die älteste Pfarrkirche ist St. Peter (Kriegergedächtnisstätte) am
W-Rand der alten Stadtanlage. Sie dürfte nach der Markterhebung
um 1180 zu klein geworden sein: Anlaß zum Bau der St.-Stephans-
Kirche. Reste einer roman. Anlage stecken noch in den O-Teilen
des bestehenden Bauwerks. Im 14. Jh. erhielt der Chor seinen end-
gültigen Abschluß, 1506 durchgreifende, erweiternde Umgestaltung, die die heutige Erscheinung bestimmt. Nach dem Eindringen
der Reformation verschwand die alte Ausstattung. Emporen wurden eingezogen, der Charakter eines Predigtraumes angestrebt.
Die letzte Umgestaltung, 1781–83, ergab das heutige Raumbild.*

Im Äußeren obsiegt die spätbarocke Form über die
gotische. Der roman. Turmunterbau ist leicht kenntlich
(hier Rest eines plastischen Ziergliedes). Darüber folgen
2 Geschosse des frühen 16. Jh. mit barocken Blendformen
und endlich Glockenhaus und Helm von 1781–83. Ein breites Satteldach übergreift das 3schiffige Innere, das als
»Pseudohalle« gebildet ist, wobei die Seitenschiffe beträchtlich niedriger sind als das fensterlose Hochschiff. Die Halle
wie ihre Einwölbung ist ein Werk des späten Barock. Die
vorausgehende got. Anlage war basilikal gegliedert und
von flacher Decke geschlossen. Die Stuckdekoration ergeht
sich, dem späten 18. Jh. gemäß, in kühlen Rahmengebilden.

Metten. Klosterbibliothek

München. Sandtnersches Stadtmodell, 1570

Aus derselben Zeit stammen die Hauptstücke der Einrichtung.

Kath. Pfarrkirche St. Maria (ehem. Frauenstiftskirche)

Von den Gründungsbauten des 9. Jh. ist nichts überkommen. Unter den Vorzeichen der Hirsauischen Reform erhielt das Kloster, wohl im 12. Jh., seine roman. Münsterkirche, aus der einige Reste im Turmunterbau erhalten sind. Die Feuersbrunst von 1728 hat alles übrige vernichtet. So kam es 1748–51 zum Neubau. Als Baumeister wurde Joh. Casp. Bagnato verpflichtet, der sich im Dienste des Deutschen Ritterordens einen Namen gemacht hatte. 1805 ging die Kirche nach Auflösung des Stifts in die Hände der Pfarrei über. Ein Brandunglück zerstörte 1922 die Raumdecke und Teile der Ausstattung. Ergänzungsarbeiten folgten im gleichen Jahr.

Die Schlichtheit des Ä u ß e r e n erklärt sich aus der ehemaligen und nach 1728 neu geplanten Umschließung durch die Stiftsbauten (im S Kreuzgang, im N Friedhof). Das R a u m b i l d hält sich trotz aller spätbarocken Beschwingtheit an das Vorarlberger Wandpfeilerschema, das im späten 17. Jh. seine Ausprägung erfahren hatte (Obermarchtal, Friedrichshafen). Ein annähernd flaches Spiegelgewölbe über dem Schiff, hochgezogene Quertonnen in den emporenbesetzten Seitenräumen werden dem jüngeren künstlerischen Denken gerecht. Auch das kleinteilige Vorspringen der Emporenbalustraden trägt einen heiteren Klang in das sonst merkwürdig konventionelle Raumgefüge. Und – was der wichtigste Schritt über das alte Schema hinaus ist: Die Wanddurchbrechung unter und über den Emporen nähert die Wandpfeiler dem Charakter von Freistützen. Stuck und Freskomalerei weitgehend erneuert (1922). Nur die Gemälde im Chor und in den seitlichen Tonnenwölbungen sind ursprünglich (doch im 19. Jh. übergangen). Joh. Jos. Appiani hat sie gefertigt. Die Altarausstattung, gut, doch nicht hervorragend, stammt aus der Erbauungszeit, von den Stukkateuren Hs. Gg. Gigl und Andr. Bentele. Altargemälde von Fz. Gg. Hermann (Hochaltar und rechter Seitenaltar) und aus der Bergmüller-Werkstatt (linker Seitenaltar).

Das **ehem. Damenstift** (heute Landratsamt) ist eine vornehm-schlichte, 2flügelige Anlage, an Stelle einer älteren 1730–36 aufgeführt. Inneres völlig verändert. Erhalten, doch unzugänglich, ist ein prächtiges Deckenbild des Fz. Jos. Spiegler.

Ehem. St.-Peters-Kirche, jetzt Kriegergedächtniskapelle (Schrannenplatz). Die bescheidene, 1schiffige Anlage ist die älteste Kirche Lindaus: äußerlich schmucklos, nur durch das Hervortreten einer Apsisrundung und einen anstoßenden Turm auffallend. Dieser Turm ist ein Neubau von 1425 auf älteren, wohl ins 11. Jh. reichenden Fundamenten. Chor und O-Teile der Kirche entstammen wohl dem 11. Jh. Die westl. Verlängerung ist frühgot. Zutat. Das Innere bewahrt Wandmalereien. An der westl. N-Wand Christophorus um 1300. Gegen O Passionsfolge und andere Szenen um 1485–90, mit Meistersignatur Hans Holbeins d. Ä. An Chorbogen und Apsis Bemalungsreste aus dem frühen 16. Jh.

Ehem. Barfüßerkirche, jetzt Stadttheater (Fischergasse/Schulplatz). Das Baugefüge der Zeit um 1250–80 mit dem 1380 vollendeten Chor ist durch mehrmalige Umgestaltung völlig zerstört. Nur das Äußere kündet von ehem. kirchlicher Bestimmung. Innen Reste von Wandmalereien um 1510–20.

Das **Alte Rathaus** ist aus der S-Flucht der Hauptstraße etwas zurückgeschoben: ein breiter, behaglicher Baukörper mit volutengeziertem Staffelgiebel und stattlicher Ratslaube vor dem 1. Obergeschoß, zu der ein gedeckter Treppengang hinaufführt. 1422–36 wurde das Gebäude aufgerichtet. Umgestaltungen, bes. am nördl. Erkervorbau, 1536 bis 1540. Die Bemalungen erfuhren mehrmalige Erneuerung. Das Portal unter der Ratslaube trägt das Datum 1578. Ehemals war in diesem Bauteil das Gefängnis untergebracht. Auf dieses deutet die (erneuerte) Inschrift: »Lasset ab vom Bösen und lernet Gutes tun.« An der O- und S-Seite verraten dicht gereihte Fenster die Lage der spätgot. Ratssäle. Das originale Bild der S-Front ist durch mehrfache jüngere Veränderungen gestört. Wappenrelief 17. Jh. Den O-Teil des Erdgeschosses bildet eine breite Halle mit steinernem Mittelpfeiler von 1487 und kräftiger Balkendecke (1951 in urspr. Form wiederhergestellt). Auch die leicht gewölbte Holzdecke des großen Ratssaales ruht auf einer Mittelstütze, einer geschraubten Holzsäule. Schön gebildete Fensterpfeiler stimmen das an, was später in Lindauer Wohnhäusern als vorgesetzte Fenstersäule wiederkehrt. Datum an der Mittelstütze 1495, an den Konsolen über den S-Fenstern 1572. Kleiner Ratssaal mit schöner Vertäfelung und eingebautem Schrank um 1600. Balkendecke nach Brand 1921 erneuert (Original im Städt. Museum).

Neues Rathaus (Bismarckplatz 3). Barockbau von stattlicher Breitenausdehnung. Die dekorativen Einzelheiten entsprechen der Bauzeit 1706–17 (1885 renoviert).

Das »**Haus zum Cavazzen**« (Marktplatz 6, Städt. Museum) ist benannt nach den Grundstücksinhabern von 1540–1617; de Cavazz. Imposanter Barockbau von 1728/29 mit geschwungenem Dachkontur und Bemalungsresten.

Unter den **Wohnbauten** herrscht das 16. und 17. Jh. vor. Brände des 18. Jh. haben zahlreiche Erneuerungen verursacht. Ein bestimmter, für Lindau verbindlicher Bautyp ist nicht eindeutig zu umreißen. Vielmehr kreuzen sich u. a. seeschwäbische und Vorarlberger Einflüsse. Vorarlbergisch ist etwa die O-Flucht der Ludwigstraße mit hohen, durch Flacherker gezierten Hauswänden. Malerische Bilder ergeben sich in der Hauptstraße, die streckenweise von Arkaden, den sog. »Brotlauben«, begleitet wird. Ein spezifisch lindauisches Phänomen ist die Innengestaltung der Fensterpfeiler: seit dem frühen 16. Jh. mit markanten Profilen versehen, die sich schließlich als reich dekorierte Säulen von der Wand lösen. Beispiele sind bis ins 18. Jh. hinein zu verfolgen.

Stadtbefestigung. Ein erster Bering umgab die Klostersiedlung im O der Insel. Aus seinem Bestand ist die »**Heidenmauer**« überkommen (die keinesfalls in »heidnische« Zeit zurückreicht, sondern wohl dem 12. Jh. entstammt). Der **Petersturm** (der ehem. Peterskirche) erhebt sich auf Fundamenten des 11. Jh., ehem. Wachtturm der alten Fischersiedlung mit der (später eingegangenen) Schiffslände. Seine jetzige Gestalt verlieh ihm die Zeit um 1425. Dem Mauergürtel des 12. Jh. gehörte auch der **Mangturm** an, am Rande des neuen Hafens. Reste der einst beide Türme verbindenden, wehrgangbesetzten Stadtmauer am »Inselgraben«, der die W-Spitze der Insel als »Vordere Insel« abtrennte. Um 1370–80 entstand nicht weit von St. Peter der runde **Diebsturm**, ein Beobachtungswerk auf dem höchsten Punkt der Insel. Eine Erweiterung des Berings geschah um 1500. Von ihr kündet u. a. der **Pulverturm.** Die letzte Verstärkung erfolgte kurz vor Ausbruch des 30jährigen Krieges. Sie brachte die Schaffung starker Bastionen (Maximiliansschanze, Ludwigsbastion usw.).

Neue Hafenanlage 1811, erweitert 1850–56. Aus dieser Zeit stammen Leuchtturm und Löwenmonument der Hafeneinfahrt.

Vororte auf dem Festland

ASCHACH mit **Krellscher Kapelle** im Alten Friedhof 1515 und **Villa Lotzbeck**, einem klassizist. Bau von Joh. B. Métivier vor 1821. – Besonders malerisch: das **Schloß Senftenau**, ein Wasserschlößchen aus dem 14. Jh. mit 1551–69 erneuertem Hauptbau und barocken Nebengebäuden.

HOYREN mit den klassizist. Villen **Lindenhof** (1842–45 von Fz. J. Kreuter) und **Alwind** (1853 von Sutter).

REUTIN mit der **Rickenbacher Kapelle** aus dem 13. Jh. und der an italienische Kirchenbauten erinnernden **Pfarrkirche St. Joseph** von Thomas Wechs, 1934–36.

ZECH. Pfarrkirche **Königin des Friedens**, 1953–58, von Thomas Wechs.

LINDENHARDT (Ofr. – E 3)

Das Dorf am S-Fuß des Jura gelangt 1125 aus Königshand an die Pfalzgrafen von Scheyern-Wittelsbach, und wittelsbachisch bleibt es bis 1353. Nach einem böhmischen Interim fällt es im frühen 15. Jh. an die Burggrafen-Markgrafen. Bemerkenswert, daß es im wittelsbachischen Urbar von 1280 als Markt erscheint.

Ev. Pfarrkirche

Um 1130 gründet Bischof Otto I. von Bamberg die Pfarrei, die er seiner Klostergründung Ensdorf (Opf.) unterstellt. Ensdorfer Propstei ist sie bis zur Einführung der Reformation durch die Markgrafen. – Ältester Teil der massiv steinernen Kirche ist der Turm (14. Jh.). Das Schiff, ein flach gedeckter (urspr., nach Ausweis der Streben, auf Wölbung angelegter) Saal, und der Chor entstanden im 15. und 16. Jh. Erwähnenswert das kleine Relief außen am Chor, offenbar ein Votiv des Chorbaumeisters.

Aber Lindenhardt stünde nicht in diesem Führer, böte es nicht in den Gemälden seines spätgot. Altars ein Frühwerk Matthias Grünewalds. Dieser Flügelaltar, urspr. in der Pfarrkirche von Bindlach (Ofr.), erst 1685 nach Lindenhardt übertragen, enthält im, 1503 dat., Schrein (Predella und Gespreng sind Ergänzungen d. J. 1897) die Schnitzfiguren der Muttergottes, des hl. Wolfgang und des hl. Veit, und, auf den Innenseiten der Flügel, die Reliefs der hll. Otto und Bartholomäus (links), des hl. Kaiserpaars Heinrich und Kunigunde (rechts). Das Bildhauerwerk, mittlerer Güte, ist eher einer Bamberger als Nürnberger Werkstatt zuzuweisen. Nun aber zu der Hauptsache, den in Tempera ausgeführten

Gemälden. Würde die auf die Rückseite des Schreines gemalte Figur des Schmerzensmannes allein wohl kaum auf den Namen des großen Meisters führen, so führen die 14 Nothelfer der Flügelaußenseiten doch sofort auf ihn. Sie mußten allerdings auch erst (1926, durch O. Sitzmann) entdeckt werden. Die Farben haben, von der Sonne ausgesogen, ihre Kraft verloren, lassen aber immer noch das ganz Ungewöhnliche, eben Grünewaldische, erkennen. Man möchte angesichts des als Führer aus der Nothelfergruppe des linken Flügels hervortretenden, knabenhaft jungen Ritters St. Georg von strahlender Helligkeit sprechen, deren Quelle insonderheit das eigentümlich rundliche Antlitz ist. Die zentrale Figur des rechten Flügels, der hl. Dionysius, ist schlechthin monumental (und deutet auf den hl. Erasmus der Münchener Mauritius-Tafel voraus). – Wie nun Grünewald dazu kam, den Altar eines ostfränkischen, vermutl. Bamberger Schnitzers zu bemalen, ist offene Frage.

Zuletzt noch ein Hinweis auf 2 *Bildgrabsteine* im Chor, den des Albert Groß von Trockau von etwa 1490 mit der Figur des geharnischten Edelmannes und das des Pfarrers Joh. Nik. Degen und seiner Gattin mit den im Profil einander zugekehrten Reliefporträts des Paares, ein in seiner schlichten Realistik ausgezeichnetes, um 1703 entstandenes Werk des Bayreuther Hofbildhauers Elias Räntz.

LINDERHOF (Obb. – B 8)

Die Bauernsippe der Linder gab dem Lehenhof des Ettaler Klosters im Graswangtal den Namen. König Max II. baute sich da ein hölzernes Jagdhaus. König Ludwig II. begann es zu erweitern, schließlich drängte das Neugebaute (nördl. Teil 1870–72, südl. Teil 1874) das »Königshäuschen« auf die Seite. Gg. Dollmann baute, der Hoftheaterdirektor Franz Seitz stattete aus. Zuletzt trat noch Jul. Hofmann, der Nachfolger Dollmanns, hinzu; er schuf, mit E. Drollinger, das Schlafzimmer, in dem der Stil der Reichen Zimmer in der Münchener Residenz wieder auflebte.

Linderhof ist die intimste Schloßschöpfung Ludwigs II. Sie ist auch die eigenste, sie quält nicht durch zu genauen Hinweis auf ein bestimmtes Vorbild. Dieses Schlößchen ist, bei allen aufzeigbaren Stilentlehnungen (Barock, Rokoko) im einzelnen, doch ganz »19. Jh.«, reich, überreich, üppig, malerisch, romantisch, phantastisch. Und wie steht es im Rahmen seiner Kunstlandschaft, des, trotz aller barocken Elemente, doch auch wieder so zeiteigenen Parkes und der wildgewachsenen Naturlandschaft des einschließenden Alpentales! Der zeitflüchtige und doch so zeitgeformte Träumer, der es baute und auch mit Vorliebe bewohnte, mag hier stärker als in einer der anderen von ihm geprägten Örtlichkeiten gespürt werden. Maurischer Kiosk und Venusgrotte lassen die Stimmung nacherleben, die der König in diesen Illusionsräumen suchte, und die technischen Mittel bestaunen, die zu ihrer Gewinnung eingesetzt werden mußten.

LIPPERTSKIRCHEN b. Feilnbach (Obb. – D 8)

Die **ehem. Wallfahrtskirche St. Maria Morgenstern**, späte Barockisierung eines Bauwerks aus dem 14. Jh., erfreut durch die 1964 wiedergewonnene Einheit ihrer Ausstattung. Umbau durch den Münchener Hofmaurermeister Fz. Ant. Kirchgrabner, beg. 1778. Stuckdekoration im spätesten Rokoko durch Fz. Doll aus Wessobrunn 1796; vorzügliche Deckengemälde marianischen Inhalts von Jos. Hauber aus München, bez. 1798; Altäre von Jos. Götsch aus Aibling 1783–85. Im Hochaltar das geschnitzte Gnadenbild »Maria Morgenstern«, eine gute Leistung der bayerischen Spätgotik gegen Ende des 15. Jh.

LOH (Ndb. – F 6)

Wallfahrtskirche Hl. Kreuz. Unter Beibehaltung eines spätgot. Chores schuf man 1690 eine Wandpfeileranlage. Diesem bedeutungslosen Raum gaben 1768–72 die Münchner Hofkünstler Christ. Winck und Fz. Xav. Feichtmayr ein bewegtes, farbenfrohes Gewand, das zu den freundlichsten Schöpfungen des bayerischen Rokoko zählt. Feichtmayrs Stuck umspielt in lockeren Rocaillen, in Kartuschen- und Rankenwerk, z. T. auf Brokatgrund, die figurenreichen Gemälde Chr. Wincks: im Chor die Eherne Schlange, im Langhaus die Kreuzerhöhung durch Kaiser Heraklius. Bes. hier zeigt sich die duftige Palette des Meisters, der den irdischen Vorgang in den umlaufenden Rahmen komponiert, um die Mitte dem ätherischen Reich des Himmels mit dem Thron der triumphierenden Kirche zu überlassen. In die Weise des Rokoko stimmen Altäre und Kanzel ein, alle konzipiert von Feichtmayr: der Hochaltar mit einem spätgot. Kruzifix zwischen Maria und Johannes, vom Straubinger M. Obermayer (1788), die Seitenaltäre mit den Gemälden von Winck und die kurvenreiche Kanzel, Beichtstühle und Zelebrantensitz.

LOHR (Ufr. – C 2)

Die schon im 9. Jh. bezeugte Siedlung am Einfluß der Lohr in den Main wurde 1333 vom Kaiser mit dem Stadtrecht begabt und gleichzeitig den Grafen von Rieneck übereignet. 1559 kommt sie an Mainz. Von einer ältesten Befestigung steht noch der »Stadtturm« des 13. oder frühen 14. Jh. Der Mauergürtel des 14. und 15. Jh. wurde im 19. Jh. bis auf wenige Teile abgetragen.

Das im Kern spätgot., in der 2. Hälfte des 16. Jh. veränderte **Schloß** erinnert an die Stadtherren (Rieneck, Mainz). – Das **Rathaus**, 1601/02 neu errichtet, verlor Anfang des 19. Jh. seine Giebelbekrönung. An den Gassen noch viel guter alter Hausbau, z. T. Fachwerk.

Die **kath. Pfarrkirche** ist ein noch durch roman. Schwere bestimmter Bau der 2. Hälfte des 13. Jh., basilikal, flach gedeckt. Chor und Turm spätes 15. Jh. Überstand eines roman. Baues (Kapelle?) ist die Sakristei mit Tonnenwölbung und östl. ausspringender Apside.

Die A u s s t a t t u n g ist durch die (übrigens guten) neugot. Altäre (1890) bestimmt. Ein Relikt der verdrängten älteren ist die vortreffliche barock-klassizist. Kanzel, eine Arbeit des Karlstadter Bildhauers Georg Schäfer, 1804. Der im O-Joch des nördl. Seitenschiffs stehende reizvolle Kreuzaltar, ganz Rokoko, ist die eines älteren Karlstadter Bildhauers, Anton Herwiths, 1756. – Rühmenswert aber v. a. die Reihe bedeutender Grabdenkmäler, vorab die des erlauchten Grafengeschlechts der Rieneck: Ludwigs IV. (1408), Elisabeths (1419, beide Steine, wohl von gleicher Meisterhand, an der N-Wand des Chores), Johannes', Mainzer Domkustos und Pfarrer von Lohr (1401, wie die folgenden an der S-Wand des Chores), Thomas' II. (1421), Reinharts (1518) und der Agnes, Gattin Reinharts (1519). Doch sei nicht nur auf die allerdings bes. kostbaren Steine der mit Philipp II. 1559 erloschenen Spessartgrafen hingewiesen. Beachtlich sind auch diese: Der Grabstein der vor dem Kruzifixus knienden Elisabeth Lauter (1543, S-Wand der Taufkapelle), Werk Jörg Riemenschneiders, des Stiefsohns Meister Tills; des Ratsherrn Joh. Koler (1635, O-Wand der Taufkapelle), mit dem Relief der Grablegung Christi, Arbeit Zacharias Junkers; des Joh. Walter v. Kerpen (1623, Vorhalle) mit der prätentiös prächtigen Gestalt des Malteserritters.

MAIDBRONN (Ufr. – C 2)

Ehem. Zisterzienserinnenkloster

Der Würzburger Bischof Hermann v. Lobdeburg gründet es 1232, Bischof Julius hebt es Ende des 16. Jh. auf. Zur Baugeschichte der Klosterkirche steht nur das Datum 1290 zur Verfügung. Bauzeit ist

jedenfalls das späte 13. Jh. Der Turm gehört, in seiner heutigen
Erscheinung, dem frühen 19. Jh. an. Der westl. Teil des Schiffes
wurde 1885 abgetrennt und zum Pfarrhaus verbaut.

Einfachster, in Schiff wie Chor rechteckiger Grundriß, nur
daß die Mauer des die Nonnenempore und den Turm einschließenden W-Teils um ein Geringes ausspringt. Im Chor
Rippenkreuzgewölbe auf Konsolen, im Schiff Flachdecke. –
Schönster Besitz dieser anspruchslosen, zudem teilweise ruinierten Zisterzienserinnenkirche ist das auf dem Hochaltar
stehende, von einem barocken Rahmen umfaßte *Steinrelief*
der Beweinung, ein spätes, wenn nicht das letzte Werk Riemenschneiders. Urspr. Standort war vermutl. bis ins frühe
17. Jh. die Grumbachsche Grabkapelle der Pfarrkirche in
Rimpar. Die Inschrifttafel, die sich auf die Bauernbrand-
schatzung 1525 und die Neuerrichtung eines Marienaltars
1526 bezieht, wurde erst später mit der Beweinung verbunden. In den frühen 20er Jahren wird das durch die Merkmale eines persönlichen »Altersstils« charakterisierte, durch
die eigentümliche, schwere und trübe Stimmung ergreifende
Werk entstanden sein*.

MAIHINGEN (B. Schw. – C 5)

Sicher frühe alemannische Siedlung, doch erst 1280 urkundlich
erwähnt. Damals und bis ins späte 14. Jh. Sitz nach Maihin-
gen nennender Oettingischer Ministerialen, an die noch ein Burg-
stall (nordöstl. des Ortes) erinnert.

Ehem. Minoritenklosterkirche Maria Immaculata

Das 1437 gegr. Birgittenkloster geht 1607 an die Minoriten über.
Diese betrauen ihren Ordensbruder Ulrich Beer 1703 mit dem
Neubau der Konventgebäude, 1712 mit dem der Kirche. 1719
Weihe. 1803 verfällt der Konvent der Säkularisation.

Ulrich Beer bediente sich des bewährten Vorarlberger Wandpfeilerschemas. 3 emporenbesetzte Joche leiten vom Orgeljoch im W in eine Art Querschiff, das, schmäler als die
Langhausjoche, die Emporen zum Laufgang zurückbildet. Es
folgt der eingezogene Chor, in den sich durch $1^{1}/_{2}$ Joche hindurch die Emporen fortsetzen. Die Gurtbögen der Gewölbe

---

* Vgl. »Reclams Werkmonographien zur bildenden Kunst«: Riemenschneider, Die Beweinung in Maidbronn. Einführung von Max H. von
Freeden. UB Nr. B 9010.

tragen einen feinsinnigen Rhythmus in den Raum. Mit ihrer Hilfe gelingt die Zusammenfassung der 2 mittleren Langhausjoche; das Langhaus gewinnt so ein Zentrum, doch ist der Strom der Längsrichtung auf den Hochaltar zu stärker. Pilastergliederung bestimmt den Aufbau. Ihr entwächst bis zum Gewölbeansatz ein nischenbesetztes Stelzglied, das die Wölbung höher, den Raum mächtiger erscheinen läßt. Die Entwicklung dieses Aufbauschemas beginnt mit St. Michael in München. Urspr. waren die Gewölbe mit Bandwerkstukkaturen von 1718/19 überzogen. Doch 1752 mußten sie aus Sicherheitsgründen bis auf wenige Reste beseitigt werden. An ihre Stelle traten im gleichen Jahr die Deckenbilder des Regensburger Malers Martin Speer: Erhebung der Esther, Parallele zur Himmelfahrt Mariens, und die Verzückung des hl. Franz, der vom feurigen Wagen gen Himmel getragen wird. Der mächtige Hochaltar mit dem Bild von Fz. Micka wurde 1719/20 aufgestellt. Das Tabernakel formt sich aus schäumenden Rokoko-Ornamenten (1763). Die 2. nördl. Seitenkapelle (von O) beherbergt eine freundlich-majestätische Muttergottesfigur von 1510 (Kind um 1760 ergänzt). Die W-Empore trägt hinter dem 1734 und 1765 gearbeiteten Orgelprospekt den Brüderchor, halbkreisartig angeordnetes Stuhlwerk mit überaus kunstreichen Schnitzereien des Columban Liechtenauer von 1742–44. Das Notenpult, gehalten von einer Engelsfigur, weist in die 30er Jahre. – 2 ernste Grabdenkmäler des frühen Klassizismus im Chor: aus grauem, schwarzem und weißem Marmor einerseits Sarkophag und Obelisk, andrerseits ein kleines Tempelchen, beide für Glieder des Hauses Oettingen-Wallerstein. Der Meister ist Ign. Ingerl (1786 und 1777). – Unter der Orgelempore im N öffnet sich eine Altarbühne über dem Hl. Grab (1723). Gegenüber, im S, führt ein Durchgang in die Annakapelle mit Stukkaturen von 1736.

Südl. der Kirche das Geviert des **Konventbaus**. Ulrich Beer baute ihn 1703–06. Er beherbergte lange, seit 1840, Kunstsammlungen und Bibliothek (jetzt auf der Harburg) der Grafen Oettingen-Wallerstein.

Die **kath. Pfarrkirche**, ein 1schiffiger Bau von 1721–23 mit eingezogenem Chor, birgt ein zart empfundenes Bildwerk der Gottesmutter, Leistung des ausklingenden Weichen Stils um 1430.

MAINBERG (Ufr. – D 2)

Schloß

1305 kaufen die Grafen v. Henneberg die so günstig an einem Main-Knie nahe Schweinfurt postierte reichslehnbare Burg samt ausgedehnter Herrschaft. Die 1525 von den Bauern niedergebrannte, 1527 unter Beihilfe der nachbarlichen Reichsstadt wiederaufgebaute Burg geht 1552 im Tausch gegen Meiningen an das Hochstift Würzburg über. Mit dem würzburgischen Oberamt Mainberg kommt sie 1814 an Bayern. In den Jahren nach 1822 baut ihr Käufer, der Schweinfurter Fabrikant W. Sattler (die Welt verdankt ihm das »Schweinfurter Grün«) die inzwischen stark verwahrloste Burg wieder auf. In der Folge wechselnde, mehr oder weniger romantisch gestimmte Besitzer.

Die Bauten sind, bis auf den älteren Bergfried, spätgotisch, z. T. auch nachgotisch. Spätgotisch ist der (um 1485 errichtete) N-Flügel; in ihm die Kapelle und der Hauptsaal. In der Anlage auch der S-Flügel; in ihm die 2schiffige gewölbte Dürnitz. – Auf der Talseite, durch die Steilböschungen der Höhe natürlich geschützt, schnürte nur östlich ein Graben ab. Der Hauptbau umhegt in 4 Flügeln einen malerischen Innenhof. Der das Geviert überragende quadratische, in Bruchsteinmauerwerk aufgeführte Bergfried dürfte ins 13. Jh. zurückreichen. – Am Fuß des Schloßberges wurde 1702 das fürstbischöfl. **Amtshaus** errichtet, ein 2geschossiger 2-Flügel-Bau, gut gegliedert durch Pilaster (unten) und Lisenen (oben). Über dem Portal das Wappen des Fürstbischofs Joh. Ph. v. Greiffenklau (1699–1719). Als Baumeister ist Jos. Greising zu vermuten.

MAINBERNHEIM (Ufr. – C 3)

1172 nimmt Kaiser Friedrich I. das erstmals 889 bezeugte, damals königseigene Bernheim (Mainbernheim erst seit dem 16. Jh.) in den Schutz des Reiches. Als Reichspfandschaft geht es, seit 1382 Stadt, in der Folge von Hand zu Hand. 1494 gewinnen es die Thüngen und Bibra dem letzten Pfandinhaber, Burian v. Guttenstein, gewaltsam ab und verkaufen es 1500 an den Landgrafen von Hessen, der es 1525 weiterverkauft an die Markgrafen von Brandenburg-Ansbach, die es festzuhalten wissen.

Die kleine **Stadt** ist eine der besterhaltenen mainfränkischen. Der Grundriß beschreibt ein unregelmäßiges Rechteck, das die im oberen Teil gerade und breite, im unteren gekrümmt verlaufende Herrnstraße der Länge nach hälftet. – Der mit vielen (noch 18), meist runden, Voll-

und Halbtürmen besetzte, in Bruchstein aufgeführte **Mauerring** steht noch gutenteils aufrecht; auch die beiden Tore, Oberes und Unteres, welche die Herrnstraße an ihren beiden Polen beschließen, Tortürme des frühen 15. Jh., stehen noch auf ihren Plätzen. – Im Schnittpunkt der Herrnstraße mit der Querachse (Badgasse – Untere Brunnenstr.) ein im Becken 6seitig umrissener *Brunnen*, dessen mittlerer Pfosten den Bären (des Stadtwappens) trägt; er wurde 1681 errichtet. – Die **ev. Pfarrkirche** geht noch in den Untergeschossen des Turmes ins späte 13. Jh. zurück; Chor und Langhaus erhielten 1732 die endliche Gestalt. – Das 1548 erbaute **Rathaus** setzt sich weniger durch sein Gewicht als den ihm nördlich anliegenden kleinen Platz von seiner Umgebung ab. – Der Bestand an alten **Bürgerhäusern** hat keine Störungen erfahren. Hervorhebenswert das Haus Herrnstr. 41 mit geschmückten Toren (außen und in der Durchfahrt) und einem 8eckigen Treppentürmchen an der Hofseite, Anfang des 17. Jh.; originell, malerisch, der durch Fachwerk belebte Hof mit der die beiden Hofgebäude an der N-Seite verbindenden Galerie. – Notiert sei auch die liebenswürdige Steinkanzel im Friedhof vor dem Unteren Tor, von ca. 1618, mit der lustigen übergroßen geschweiften Kuppelhaube.

MALLERSDORF (Ndb. – E 6)

Ehem. Benediktinerklosterkirche St. Johannes Ev.

Gründer sind Ministerialen des Reichsstiftes Niedermünster in Regensburg, 1109. Die Mönche, Benediktiner, kamen wahrscheinl. vom Bamberger Michelsberg. 1164 begann der Bau einer größeren Kirche, vermutl. einer querschifflosen Basilika, die 1177 geweiht wurde. 1194 schon ging man an deren Erweiterung, die aber erst 1265 ihre Weihe erhielt. Teile des 13. Jh. stecken in der W-Front, deren N-Turm, in genauer Nachbildung des südlichen, aber erst im 17. Jh. hinzutrat. Die Spätgotik brachte 1460–63 eine neue Chorpartie, die jedoch in den durchgreifenden Neugestaltungen von 1611–16 und 1741 unterging. Die letzte, 1741 begonnene Umgestaltung verwandelt das Langhaus in eine emporenlose Wandpfeileranlage, läßt die polygonale Vorhalle entstehen und gibt der Kirche ihre vorzügliche Rokoko-Ausstattung. 1792 ist sie vollendet. 11 Jahre später wird das Kloster aufgelöst. Seit 1869 im Besitz von Franziskanerinnen.

Über dem Tal der Kleinen Laber lagert der Baukomplex. Die S-Flanke der Kirche ist hinter Klostertrakten versteckt. Gegen W ragt das Turmpaar des 13. Jh. in schweren roman. Backsteinformen. Die 3 Obergeschosse des schon früh abgetragenen N-Turmes wurden (im 17. Jh.) ergänzt. Beide Pyramidendächer sind neu. Dem Hinzutretenden entgegen steht die oktogonale Vorhalle des 18. Jh. Ihrer Eingangsfront wurde das in der 1. Hälfte des 13. Jh. geschaffene roman. Portal eingefügt. Sein abgetrepptes, zwischen Stufe und Wulst wechselndes Gewände umschließt ein Bogenfeld mit flachem Kreuzrelief inmitten von Flechtbandornamenten. Flechtbandschmuck trägt auch der Kämpferwulst, während in der Kapitellzone ornamentale mit figürlichen Darstellungen wechseln. Dämonische Mischwesen und allegorische menschliche Bildungen warten ihrer Enträtselung. Offensichtlich liegt ein Zusammenhang mit den Skulpturen des Regensburger Schottentores vor; die ganze Anlage muß im 13. Jh. als rückständig gelten. – Das I n n e r e zeigt das geläufige Wandpfeilerschema des 17. und 18. Jh.: 4 Joche mit Seitenkapellen und eingezogenem Chor, in dem der niedrige Kreuzaltar den Psallierchor abtrennt. Stuck fast nur im Chor, an dessen Gewölbe und an den seitl. Oratorien. Rocailleformen und Blattbüschel der 1740er Jahre. Volutenbänder und Ranken umgeben die Kartusche des Triumphbogens mit dem aufgemalten Phönix, dem Symbol der sich zu Gott aufschwingenden gläubigen Herzen. Stuckvasen zieren das Gebälk auch über den Wandpfeilern im Langhaus. Doch dessen Gewölbe verzichtet auf Stukkatur. So will es der frühe Klassizismus um 1775/76: klare, etwas steife Form, möglichst ohne Relief, lieber aufgemalt. Ähnliche Unterschiede weisen die beiden Fresken auf. Kurvender Bewegungsstrom leitet im Chorfresko in die himmlischen Fernen der Johannesvision auf Patmos. Gottvater thront über dem Apokalyptischen Lamm, vor dem sich die 24 Ältesten neigen. Gegenüber steuern Benediktiner das Schiff der triumphierenden Immaculata durchs schäumende Meer, aus dem ein Drachenwesen heraufzüngelt. Die Meistersignatur nennt J. A. Schöpf. Vollendungsjahr ist 1747. Ruhiger komponiert M. Schiffer sein Langhausfresko von 1776, Johannes verweigert sich dem Götzendienst. Klare Unterteilung der Bildzonen und Neigung zu orthogonaler Darstellung rühren an die Schwelle des Klassizismus. – Von hohem künstlerischem Wert ist der 1768 errichtete *Hochaltar*. Weniger das Gemälde von Mart. Speer (Johannes vernichtet die Ungläubigen), 1749, als die hervorragenden Schnitzarbeiten Ignaz Günthers machen seine Bedeutung aus. St. Benedikt und Scholastika im Gestus gläubiger Betrachtung und frommer Inbrunst flankieren das Altarblatt. Weiter außen steht sich das hl. Kaiserpaar gegenüber. Kaiser Heinrich, höfisch elegant, trägt das Modell seiner Bamberger Domgründung in der Linken und in der Rechten das blanke Schwert zum Zeichen seiner Herrscheraufgabe, der Verteidigung des Christentums. Kunigunde betritt mit Grazie bloßen Fußes die glühende Pflugschar. Sie weiß, daß das Gottesurteil für sie entscheidet. Ihre Haltung vereinigt Demut und Triumph. In der Strahlensonne des Auszugs entflieht Maria, das Apokalyptische Weib, dem drohenden Drachen des Antichrist, auf den siegreich St. Michael herniederfährt. Meisterhaft ist die Anordnung der Figuren, asymmetrisch gelockert in dennoch straffer geometrischer Bindung. Um 1740 ist der frei stehende Kreuzaltar entstanden, dessen bewegte Formen vom Schiff her gesehen mit dem Hochaltar verschmelzen. Hinter ihm bezeichnet seitliches Gestühl den Psallierchor. Spätgot. Eichenholzstallen von 1469 wurden durch gotisierende Rückwände 1791 erhöht. Die Seitenaltäre aus der Zeit zwischen 1750 und 1770 leisten ihren dekorativen Beitrag zur Langhausgestaltung. Die sehr reiche Kanzel um 1670 bis 1680, Deckel 1776. Kirchengestühl und Türe der S-Wand gleichzeitig.

Klostergebäude. An die S-Seite der Kirche schließt sich der reizvolle Kreuzgarten, umstanden von Bauten des 17. Jh. Das Refektorium im Untergeschoß des S-Flügels enthält Stukkaturen der 1760er Jahre. Im 1. Obergeschoß des O-Traktes das Oratorium mit einem vortrefflichen Fresko der Immaculata. Das westl. Gebäudeviereck wurde in der 1. Hälfte des 18. Jh. errichtet. Sein Obergeschoß enthält einen Saal, der von Schiffer um 1770–80 ausgemalt wurde. – 1952/53 schuf der Münchener Architekt Berlinger eine Hauskapelle mit kassettierter Holzdecke. Die Kreuzigungsgruppe stammt von dem Bildhauer Lorch.

MARIA BIRNBAUM b. Aichach (Obb. – C 6)

Wallfahrtskirche

Ihre Gründung wurde durch ein Vesperbild bewirkt, das 1632 von schwedischer Soldateska verstümmelt, im nahegelegenen Teich versenkt, dann gerettet und in einem hohlen Birnbaum aufgestellt wurde. 1659 erste Wunderheilung. Für die rasch aufblühende Wallfahrt wird, auf Betreiben des Deutschordens-Komturs Philipp Jakob v. Kaltenthal, 1661–68 die Kirche errichtet. Baumeister: Konst. Bader. Stuck von Matth. Schmuzer aus Wessobrunn. Vereinfachungen an Türmen und Dächern 1795. Seit 1866 ist die Wallfahrtspflege in Händen der Kapuziner.

Das Ä u ß e r e ist Konglomerat verschiedenster Formen. An den zylindrischen, von durchfenstertem Tambour bekrönten Zentralkörper lehnen sich konchenartig ausschwingende Bauglieder in der Längsachse, die im O vom Hauptturm aufgefangen wird. Sein quadratischer Unterbau ist

Maria Birnbaum, Wallfahrtskirche

durch apsidiale Ausbuchtungen erweitert. Er gipfelt im
8eckigen Glockengeschoß mit welscher Haube, Laterne und
Zwiebel. Zu seiten der Rotunde antworten ihm kleinere
Türmchen, und so ergibt sich zusammen mit den 3 geschwungenen Kuppeldächern ein überaus reiches Bild. – Das
I n n e r e ist ein helles, überkuppeltes Rund, das aus zahlreichen hohen Fenstern und in den Stichkappen durch Oculi
sein Licht erhält. Ein ebenso heller, kleeblattförmiger Chor
setzt den Raum gegen O fort, während das westl. anschließende Raumgebilde 2 seitliche Konchen aussondert und mit
schmaler Nische vor flacher Wand schließt. Hier stand bis
1817 der verehrungswürdige Birnbaum, seit 1672 sogar als
Mittelpunkt des dorthin verlegten Hochaltars. Dieser wurde
erst 1867 nach O versetzt, an die Stelle, die schon anfänglich
für ihn bestimmt war. Die Stukkaturen Matth. Schmuzers
gehören zum Feinsten, was die süddeutsche Dekorationskunst um 1660–70 leistete, Gliederung durch Pilaster und

Gebälk, Hervorhebung der Gewölbestrukturen durch ornamentierte Grate. Dazu kommen mannigfache Füllmotive: Rahmen- und Blattwerk, Girlanden, Muscheln und auch Figürliches. Maria Birnbaum gehört zu einer kleinen Zahl höchst origineller Kirchen, die als früheste barocke Zentralanlagen für die Entwicklung der bayerischen Baukunst bedeutsam werden sollten. (Vgl. Vilgertshofen, Westerndorf.)

A u s s t a t t u n g. Hochaltar um 1670–80. In seiner Rückseite der Birnbaum. Altarbild (Kreuzabnahme) von Joh. Heel aus Augsburg 1674. Gnadenbild 16. Jh. In der nördl. Eingangsvorhalle erzählen 2 Votivbilder die Geschichte der Wallfahrt.

MARIABURGHAUSEN (Ufr. – D 2)

Ehem. Zisterzienserinnenkloster

1237 gegr., wird es 1243 von Kreuztal (Haßfurt) nach Mar-(erst später Maria-)burghausen verlegt. Der erste Kirchenbau des 13. Jh. weicht im 14. einem zweiten. Er wird gegen 1300 in Angriff genommen und gegen Mitte des 14. Jh. beendet. 1582 hebt Bischof Julius das Kloster auf, um die Einkünfte seiner Universität zuweisen zu können.

Die sehr langgestreckte 1schiffige Kirche ist die typische der Zisterzienserinnen. Die Hälfte wird durch die unterwölbte Nonnenempore besetzt, die durch eine Quermauer vom 2 Rechteckjoche tiefen Langhaus abgeriegelt ist. Die von der Empore überdeckte sog. Gruft ist eine 3schiffige Halle, deren Kreuzrippengewölbe kämpferlosen Achtkantpfeilern aufsitzen. Der ohne Einziehung das Langhaus fortsetzende Chor schließt nach einem Joch in 5 Seiten des Achtecks. Kreuzrippengewölbe decken Chor und Langhaus; die Nonnenempore ist flach gedeckt. Altäre und Kanzel sind barock. Unter den Grabsteinen ragt der des Heinrich von Seinsheim (1375) hervor.

MARIAECK (Obb.) → **Traunstein** (E 8)

MARIA RAIN b. Nesselwang (B. Schw. – B 7)

Pfarr- und Wallfahrtskirche U. L. Frau

Lt. Inschrift im S-Eingang geht die Wallfahrt ins 11. Jh. zurück. Die bestehende Kirche ist ein Werk der Spätgotik von 1496/97, 3schiffig, ehemals flachgedeckt. Nur der 1schiffige Chor trug Ge-

*wölbe. 1648 ging man an die Einwölbung der Langhausschiffe. Seit
1707 beschäftigte man sich mit der barocken Ausgestaltung. Die
got. Seitenschiff-Fenster wurden abgerundet. Neue Altäre kamen
herein. Der Chorbogen wurde verändert. Um 1765–70 wurde der
Chor neu dekoriert.*

Der A u ß e n b a u , schlicht, unscheinbar, geht doch eine
innige Verbindung mit der landschaftlichen Umgebung ein:
Herb, doch nicht unfreundlich, steht das Kirchlein vor Wäldern und Bergen. – Der I n n e n r a u m , eine geduckte,
3schiffige Halle mit ungleich hohen Gewölbescheiteln, öffnet
sich zum hohen Chor, der strahlend hell und durch Stuck,
Malerei und Ausstattung belebt ist. – Der Hochaltar setzt
sich aus Teilen von 1519, 1614, 1762 und 1790 zusammen.
Über dem Tabernakel die kleinfigurigen Darstellungen von
Abendmahl und Mannalese (1614) als Sinnbilder der Eucharistie. Daneben Abraham, Melchisedek, Moses und Aaron,
ebenfalls 1614 von Mr. Chr. Schenkh aus Mindelheim. Rahmung 1762. Darüber, vor dem Retabelaufbau, thront das
Gnadenbild der Muttergottes (um 1490) im barocken Strah-
lenkranz. Flankensäulen und ein aufgeregt schwingendes
Gebälk (1790) rahmen den spätgot. Schrein (1519). Sein
Untergeschoß enthält die vortrefflichen allgäuischen Schnitz-
bilder (1519) der 4 Nebenpatrone Jakobus d. Ä., Heraklius,
Helena und Johannes Ev. Darüber, in luftigen Maßwerk-
balkonen, Mariae Verkündigung, Heimsuchung und Krönung. Hinter der barocken Rahmung sprießt das spätgot.
Sprengwerk auf mit Kreuzigung, Christophorus und Sebastian, Ulrich und Nikolaus. Der Meister von 1519 ist Jak.
Schick aus Kempten. Seitenfiguren neben der Schreinrah-
mung: Joachim und Anna (wahrscheinl. Schenkh 1614). Auf
der Rückwand des Altars gemalte Weltgerichtsdarstellung.
– Die meisten Seitenaltäre und die Kanzel 1761/62, letztere
von einer prächtigen, um 1620 von einem Meister H. L. E.
gefertigten Engelsfigur getragen. Im vorderen, nördl. Seitenaltar Vesperbild von 1686.

MARIENBERG b. Burghausen (Obb. – E 8)

Wallfahrtskirche Mariae Himmelfahrt

*Ehem. Pfarrkirche des Klosters Raitenhaslach. Ein älteres Marien-
heiligtum geht voraus. Den bestehenden Bau ließ Abt Emanuel II.
von Raitenhaslach durch Fz. A. Mayr 1760–64 aufführen.*

Die Kirche thront auf bewachsener Anhöhe und wendet ihre 2türmige O-Front gegen die Flußniederung der Salzach. Die Eingangsseite im W trägt Dreiecksgiebel und Pilaster (wie im O). Eine auffallend gegliederte Freitreppe führt zu ihr hinauf. Das Innere der kreuzförmigen Zentralanlage mit leicht gerundeten Abschlüssen trägt üppige Dekoration des Rokoko. Starkfarbige Freskomalereien von dem Münchner Mart. Heigl verherrlichen Maria in den sinnbildhaften Ausdeutungen der Lauretanischen Litanei. Hauptakzent ist der Hochaltar mit dem Gnadenbild der Muttergottes (dieses 17. Jh.). Seitenaltäre und Kanzel ergänzen das einheitliche Raumbild. Volkstümliche Schmuckfreude siegt über die dem Spätbarock Fz. A. Mayrs eigentümliche Zurückhaltung.

MARKTBREIT (Ufr. – C 3)

Vormals Niedernbreit geheißen, bewehrt sich die in geschützter Mulde am linken Main-Ufer liegende Siedlung, seit dem 15. Jh. Besitz der Seinsheim, im 16. Jh. mit Mauern und Türmen, kurz ehe ihr, 1558, das Marktrecht zuteil wird. Blühende Kaufmannschaft in der Folge. – 1945 (1. V.) hart heimgesucht.

Gut erhalten liegt die durch die nachbarlich zusammenstehenden Türme von Kirche und Schloß beherrschte kleine **Stadt** im Ring ihrer Mauern. Der Platz liegt ziemlich genau in der Mitte, bei Schloß und Kirche, das Rathaus am Rande, am nördl. Stadtausgang. Von den Toren steht noch das Maintor, das 1600 errichtet wurde und einen der schönsten fränkischen Gasseneinblicke (Schustergasse) abschließt. – Das **Schloß,** ein 3geschossiger gegiebelter Block, der die Dächerebene der bürgerlichen Umgebung überwächst, mit einem Treppenturm an der O-Seite, entstand um 1580. – Das **Rathaus** wurde 1579 begonnen. Hans Kessebrot, ein Steinmetz aus Segnitz, führte es aus. Mit dem gut gegliederten Giebel stößt der 3geschossige Block an das **Maintor** an, beide stehen, im rechten Winkel, schön zusammen. Die köstliche getäferte **Ratsstube** ist eines der besten Beispiele altdeutscher bürgerlicher Wohnkultur; wie kerndeutsch sind die Vokabeln italienischer Renaissance gesprochen!

Die **ev. Pfarrkirche** ist ein Konglomerat verschiedener Bauzeiten. Der Turm zwischen Chor und Langhaus ist, bis auf die Erhöhung von 1567, frühgotisch. Das Langhaus, aus dem 14. und 15. Jh., ist flach gedeckt,

ein Saalraum, stark durch die Emporen (um 1607) bestimmt. – Gute
Seinsheimsche Grabsteine des 16. Jh. – Vortreffliche Restaurierung durch
Döllgast 1960/61.

MARKTOBERDORF (B. Schw. – B 7)

Pfarrkirche Hl. Kreuz und St. Martin

*Neubau von 1732 nach Entwurf des Füsseners Joh. Gg. Fischer (der
1673 in Marktoberdorf geboren ist). Vom got. Vorgängerbau übernahm er die Umfassungswände als Chorpartie. Turm von 1680 mit
letztem Obergeschoß und neuer Zwiebelhaube von 1769.*

Am A u ß e n b a u sind die einzelnen Zeitphasen deutlich
abzulesen: das verstrebte, got. Chorvieleck und das alte,
zum Chor umgedeutete Langhaus (mit barocken Fensteröffnungen), überragt vom neuen, 1732 erstellten Langhaus.
Der Turm zeigt bis in sein unteres Achteck die um 1680
üblichen starken Profilierungen; das obere Geschoß mit dem
flacheren, zurückhaltenden Schmuck von 1769 setzt sich
kennzeichnend ab. – Das I n n e r e gliedert sich in ein
saalartiges Langhaus, einen flach überkuppelten, quadratischen Vorchor, querrechteckigen Altarraum und das Chorvieleck, dessen untere Teile als Sakristei dem Raumbild
entzogen sind. Diese Chorgliederung geht auf den Mauerbestand des einbezogenen got. Kirchleins zurück. Die interessanten Fenstergruppen im Vorchor sind typische Bildungen
Joh. Gg. Fischers. – Das zarte Netz farbig getönter Stukkaturen schuf Abr. Bader aus Mindelheim 1733, ein Nachhall
aus der Bandwerkmode, vermengt mit Pflanzlichem, mit
Gitter- und Kartuschenwerk des frühen Rokoko. Die verhältnismäßig kleinen Langhausfresken feiern die Geschichte
des Kreuzes und seine Symbolwelt, in der Chorkuppel eine
Verherrlichung des Gnadenstuhls. Schöpfer ist der Kemptner
Fz. Gg. Hermann, 1735. – Hochaltar, eine besonders stattliche Arbeit von 1747 mit Figuren von Jos. Stapf. Seitenaltäre am Triumphbogen 1733. Für sie waren urspr. die im
Vorchor aufgestellten Figuren Anton Sturms gedacht.

Östl. der Kirche: **Grabkapelle** des Clem. Wenzeslaus von Sachsen, des
letzten Augsburger Fürstbischofs und Kurfürsten von Trier. 8eckiges
Tempelchen von 1823. – Neben der Kirche: **Ehem. Jagdschloß** der
Augsburger Bischöfe von Joh. Gg. Fischer, 1722–25, 1761 erweitert. –
Südöstl. die Kurfürstenallee.

MARKT RETTENBACH (B. Schw.) → Ottobeuren (B 7)

MARKTZEULN (Ofr. – E 2)

Rathaus. Der Markt darf sich eines der schönsten, wurzelecht fränkischen Rathäuser berühmen. Auf älterem Steinsockel (des 16. Jh., auf das auch einige Wappentafeln verweisen) bauen die beiden Zimmermeister Hans Mühlhans und Carl Fuß 1690 das neue Haus auf. Die Schmuckseite ist natürlich die der Straße zugekehrte. Einfaches konstruktives Fachwerk im Erdgeschoß, mit schönen geschnitzten Türflügeln in rund geschlossenen Tor. Um so reicherer Aufwand in Obergeschoß und Giebel; hier prächtiges Zierfachwerk, meist Rautenmuster. Die Fensterpfosten (Obergeschoß) mit Halbsäulen ausgestattet. Der einfacher gehaltenen O-Seite liegt ein ebenfalls fachwerkgezimmerter Achtecktturm vor, der seine Wendeltreppe durch einen dritten Zimmermeister, Hans Rühr, erhielt. – Unter den behaglich altdeutschen Räumen des Innern ragt der Sitzungssaal, mit dem guten geschnitzten Holzwerk, hervor.

MASSENHAUSEN (Obb.) → Freising (D 7)

MAUERN (Ndb.) → Neustadt a. d. Donau (E 6)

MEMMELSDORF (Ofr. – E 3)

Kath. Pfarrkirche. Der massive Turm, der den Chor beherbergt, dürfte im frühen 14. Jh. entstanden sein; sein durch die 4 Ecktürmchen ausgezeichneter Spitzhelm kann 1609 datiert werden. Das Langhaus verdankt seine heutige Erscheinung, bis auf einen älteren got. Abschnitt, einer 1707 durch Balth. Caminata besorgten Erweiterung. – Der 1772 bis 1773 auf seine endliche Größe gebrachte **Friedhof** stellt gegen die Straße Portal und Mauer, die zu den anmutigsten Schöpfungen des fränkischen Barock gehören: Statuen auf den Pfeilern des Tores und der Mauer, geschaffen von einem der Besten, Ferdinand Dietz, wenn auch großenteils von einem Einheimischen, Joh. Baumgärtner, ausgeführt. Petrus, Paulus, Michael und Schutzengel auf den Köpfen der 4 Torpfeiler, Martin, Franz, Christus, Immaculata, Joseph, Johannes Bapt., Wendelin und Otto auf den Pfeilern der Mauer. Der 1945 zerstörte Michael trug die Inschrift: »Herr Ferd. Dietz, Bamb.-Würzb. Hofbildhauer 1773.« Aber die Mauer sei nicht für sich genommen, sondern als Teil der hinter ihr aufragenden, durch plastische Gliederungen bestimmten Architektur: Der Teil vollendet sich erst im Ganzen.

MEMMINGEN (B. Schw. – B 7)

*Die gute, ansehnliche Stadt zwischen Iller und Günz ist aus einer
alemannischen Niederlassung erwachsen. Mit dem welfischen Besitz gelangte die Siedlung 1191 an die Staufer, erhielt nach deren
Erlöschen 1268 Stadtrechte und 1438 Reichsfreiheit, die bis zur
Einverleibung an Bayern 1802 andauerte. Grundlage des Wohl-
stands waren die Tuchbereitung und der Handel zwischen Süd
und Nord. Die Hauptstraßenachse ist ein Teil der Fernstraße
Innsbruck – Ulm. Schon 1522 schloß sich die Stadt der Reformation an. Die Kriege des 17. und 18. Jh. besiegelten den Niedergang. Memmingen ist Heimatort der Künstlerfamilie Strigel. Ihr
berühmtester Sohn ist Bernhard († 1528), ein Wegbereiter deutscher Renaissance-Malerei.*

Pfarrkirche St. Martin

*Schon 926 soll hier eine Martinskirche gestanden haben als Über-
schichtung älterer, wohl merowingischer Bauten. Grabungen haben
Mauerreste erbracht, die auf eine 1077 errichtete und 1176 erweiterte Kirche bezogen werden. Die erhaltene Anlage ist spätgot.
Neubau: Das Langhaus wurde 1419 begonnen; 1489–91 folgten
die westl. Teile und 1496–1500 die Erneuerungen des Chores unter
der Leitung des zuvor in Ulm tätigen Matth. Böblinger. Letzte
Restaurierungen 1926 und 1956.*

Das Ä u ß e r e , in ruhigen Backsteinformen, ist das einer
spätgot. Basilika. Der Chor ist ein hoher, kräftig verstrebter
Hausteinbau. Massig schiebt sich über ihn der ältere, viereckige Turm, dem man 1535 sein überkuppeltes Achteck aufgesetzt hat. – Das I n n e r e ist schlicht. Niedrige Pfeiler
tragen die spitzbogigen Arkaden. Die Hochschiffwölbung
wurde erst 1846 eingezogen. Die Wandgemälde gehören dem
späten 15. (Hans Strigel nahe), dem frühen (Bernh. Strigel)
und dem späten 16. Jh. an. Aus dieser Zeit, um 1587, stammt
die frei stehende Altarmensa. Hochbedeutend ist das *Chorgestühl*, eine wertvolle Schnitzarbeit von Hch. Stark (Schreiner) und Hans Herlin (rechten Namens wohl Dabrazhauser;
Bildhauer), beg. 1501 (restaur. 1893). Das Figürliche zählt
zum Besten, was die oberschwäbische Kunst dieser Zeit auf-
zuweisen hat. Propheten, Sibyllen und Apostel erscheinen
unter den (erneuerten) Baldachinen in Halbfigur. Von besonderem Reiz sind die 12 Stifterbildnisse und die der beiden
ausführenden Künstler.

Kinderlehr-Kirche, ehem. Antoniterkapelle 1378; Chor 1472. Die Wandmalereien von 1486 wurden 1937/38 restauriert. – Die **ehem. Klosterbauten** umschließen westl. der Kirche einen schönen, spätgot. Arkadenhof.

Frauenkirche

Auf Resten einer älteren Anlage aus dem 13. Jh. erwuchs um die Mitte des 15. Jh. die flachgedeckte, querschiffige Pfeilerbasilika. 1458 erhielten ihre Seitenschiffe Netzwölbungen. Im folgenden Jahr wurde der gewölbte Chor zum bestehenden Maße verlängert. Der Turm, älter, etwa aus der Mitte des 14. Jh., wurde 1626 mit neuem Abschluß versehen.

Bedeutend ist die (1891 aufgedeckte) *Ausmalung.* Sie wurde um 1470 begonnen und im 16. Jh. teils übergangen, teils vervollständigt. Der Zyklus im Mittelschiff umfaßt Engel, Propheten, Apostel und Kirchenväter, Konsolen und plastisches Bauornament sind ebenfalls gemalt. In der Chorbogenleibung: Kluge und Törichte Jungfrauen; am Chorgewölbe: Engel und Evangelisten. Die Chorwand trägt ein Gemälde des Guttäters Hans Vöhlin (1464) und in einer Nische Maria mit musizierenden Engeln. Im nördl. Seitenschiff an der Turmwand Marienleben mit marianischen Symbolen. In der N-Vorhalle Weihnachtszyklus (Weicher Stil, um 1400), in der S-Vorhalle Kreuzigung. – Nicht nur der gute Erhaltungszustand, auch die meisterliche Ausführung machen die Fresken zum bedeutsamen Beispiel für die spätgot. Malkunst Oberschwabens. – Die spätgot. Marienfigur in der Nische wird Hans Strigel d. Ä. zugeschrieben.

Kreuzherrnkirche. Vom spätgot. Bau um 1480 stammt die 2schiffige Erdgeschoßhalle im W. Die Empore ist profan verbaut. Die östl. Hälfte, eine hochgeführte, 2schiffige Halle ähnlich der Augsburger Dominikanerkirche, wurde 1709 barockisiert. Wessobrunnische Stuckarbeiten von hohem Rang (Matth. Stiller). (Seit 1947 Konzertsaal und Ausstellungsraum.)

Das 20. Jh. ist mit der burgartigen **Pfarrkirche St. Joseph,** 1927–30, von Mich. Kurz und Thomas Wechs, und mit der **Pfarrkirche Mariae Himmelfahrt** von Thomas Wechs, 1955/56 (mit Skulpturen von Jos. Henselmann und Buntglasfenstern von Franz Nagel), vertreten.

Das **Rathaus** steht prächtig im Stadtbild, errichtet 1589, neu ausgestaltet 1765. Besonders reizvoll ist die Stirnseite mit den 3 Erkern.

Steuerhaus, 1495, mit schöner, durch Arkaden zum Markt hin geöffneter Erdgeschoßhalle. Obergeschoß barock, 1708. Fassadenmalerei 1908 erneuert. Letzte Restaurierung 1958.

Die **Wohnbauten** vermitteln in ihrer Mehrzahl spätgot. Baugesinnung. Steile Giebelfluchten beherrschen das Straßenbild. Die Obergeschosse sind zumeist in Fachwerk errichtet, das später mit Putz überzogen wurde. – Berühmt ist das alte Gerberhaus, »Siebendächerhaus« (1945 zerst., doch wiederaufgebaut). – Von stattlicher Erscheinung das 1581 bis 1591 errichtete **Fuggerhaus** am Schweizerberg. – Die Barockzeit hat den 1766 geschaffenen **Hermannsbau** (bei St. Martin) hinterlassen

(Städt. Museum). – Aus dem alten **Stadtbering** sind bedeutende Reste erhalten. Spätgotisch: das **Kemptnertor**, mit hohem Backsteinturm. Aus dem frühen 17. Jh.: das **Westertor**, mit kubischem Unterbau und 8eckigem, überkuppeltem Aufsatz in der Art des Elias Holl.

MERKENDORF (Mfr. – D 4)

Das im 12. Jh. namhaft gemachte Dorf ist Heilsbronner Kloster-
besitz. 1398 schenkt Kaiser Wenzel Stadt- und Befestigungsrecht.
Alsbald schließen sich auch die neuen Stadtbürger in eine Mauer
ein, die sie bis zur Mitte des 15. Jh. zuwege bringen. Eigene Pfar-
rei gewannen sie erst 1476. 1478 steht ihr Rathaus. 1518 wechselt
die Herrschaft, die nun den Markgrafen zusteht. Der Große Krieg
setzt hart zu, 1648 brennt fast alles ab.

Merkendorf ist eine der wahrlich sonderbaren fränkischen Zwergstädte; der Bürger ist Ackerbürger, und der Dorfcharakter haftet auch spürbar an der »Stadt«. – Ein ziemlich genaues Rechteck faßt das Stadtwesen ein, ein breiter Straßenzug, der durch das Untere Tor ein-, durch das Obere austritt, quert das Karree. In der Mitte dehnt er sich zu einem Keilplatz, und hier steht auch, an der Spitze einer Straßengabel, das **Rathaus**. Vom dritten der Tore, dem Taschentor östlich, stößt eine Transversale auf den Platz. Die Bebauung der Stadtfläche ist dörflich locker. Um so erstaunlicher, daß sich vor dem Unteren Tor, an der von Gunzenhausen herkommenden Straße, eine Vorstadt bilden konnte (oder ist's die Ursiedlung Merkendorf?). – Der **Mauergürtel** ist noch vollkommen; jeder Knick der Mauergeraden treibt einen spitzbehelmten Rund- oder Viereckturm vor. Der Graben zeigt sich nur noch an der S-Seite. Die Tore sind gemütlich-behäbig, barocke Torhäuser. Die Häuser sind alle guten Alters und also gut, wenn auch geringen Anspruchs.

Ev. Pfarrkirche

Baubeginn 1478. Der Turm wurde 1528 aufgeführt. 1648 brennt
die Kirche ab. 1655 ist sie wieder unter Dach. Eine Erneuerung,
1709/10, betraf v. a. Chor und Langhausdecke. Der 2. Weltkrieg
schlug schwere, inzwischen wieder geheilte Wunden.

Der im schönen hellroten Sandstein der Landschaft aufgeführte 1schiffige Bau, mit eingezogenem, 2 Joche tiefem, in 5 Seiten des Achtecks brechendem Chor ist spätgotisch; nur der Turm, an der NW-Ecke des Langhauses, ist etwas jünger. Eine kräftige barocke Zwiebel bekrönt ihn. Über dem Chor ein Sternrippengewölbe; die Flachdecke des Langhauses ist neu. – Der vortreffliche Kruzifixus über dem (modernen) Altar, eine Arbeit G. Volpinis (1709), stammt vom barocken Hochaltar.

MESPELBRUNN (Ufr. – B 2)

Schloß

1412 wird der kurmainzische Vizedom von Aschaffenburg und Forstmeister im Spessart Hermann Echter vom Mainzer Erzbischof mit Wüstung und Hofstätte, gen. der Espelborn, beschenkt. Er baut sich 1419 da an, sein Sohn baut das Haus burglich aus. Um die Mitte des 16. Jh. unter Peter Echter, dem Vater des (hier geborenen) großen Würzburger Bischofs Julius, wandelt sich die kleine Wasserburg in das uns vor Augen stehende kleine Schloß, das aus Echterschem Besitz 1665 an die Grafen v. Ingelheim übergeht, die es heute noch besitzen. 1904 eine Restaurierung vornehmlich des Inneren, die mit »Romantik« nicht sparte.

Ein Waldtal des Spessarts bewahrt diese mittelalterl., in der Renaissance reizvoll gefaßte Kostbarkeit, ein kleiner See schließt sie ein. 3 Flügel umfassen einen Hof, dessen W-Seite der hohe Rundturm sperrt, ältester, ins 15. Jh. zurückreichender Teil der malerischen Baugruppe. Der ihm anliegende Schwibbogen ist 19. Jh. – Im Erdgeschoß der »Rittersaal« und, im nördl. ausspringenden Rundbau, die Kapelle (1566), mit einem Alabasteraltar des Mich. Kern (um 1610). Im Obergeschoß der Gobelinsaal, mit dem großen Familiengobelin der Echter von 1564, der Ahnensaal mit gutem barockem Getäfer, der Chinesische Salon mit Ostasien-Porzellan.

MESSHOFEN (B. Schw.) → Roggenburg (B 6)

METTEN (Ndb. – F 6)

Benediktinerklosterkirche St. Michael

Die Legende macht den sel. Gamelbert, Priester zu Michaelsbuch, zum Gründer des Klosters, das er seinem Patenkind Utto übergeben haben soll (um 770). Nach dem Sturz Herzog Tassilos wurde Karl d. Gr. Wohltäter des Klosters »Metema«. Die Ungarnstürme fegten es 907 hinweg. Als Kanonikatsstift taucht es wieder auf. 1157 zogen wieder Benediktiner ein, die es bis 1803 und seit 1830

erneut bewirtschaften. Der früheste Kirchenbau soll dem St. Galle-
ner Schema entsprochen haben. Die Mitte des 15. Jh. schuf den be-
stehenden Chor, dessen Äußeres im wesentlichen seine spätgot.
Formensprache bewahrt hat, während die übrigen mittelalterl.
Reste völlig im 1712 begonnenen Neubau aufgegangen sind. Die
Türme wurden bereits 1696 durchgreifend verändert. Um 1720
entstand das Langhaus mit seiner prächtigen Vorhalle.

Die Vorhalle wölbt sich zwischen 2 niedrigen, ovalen Flankenbauten und vereinigt sich mit dem Turmpaar zur bewegten Front. Das reich geschmückte Portal zwischen den
Nischenfiguren der hll. Joseph und Christophorus geleitet in
das weiträumige I n n e r e. Eine 4jochige Wandpfeileranlage führt zum eingezogenen Chor, dessen Mitte der
Hochaltar unterteilt. Hinter ihm füllen den Schluß in 2 Geschossen Sakristei und Regularchor. Der Name des Baumeisters ist unbekannt. Fz. Jos. Holzinger hat 1722 die
Stuckinkrustation entworfen, Bandwerk, Lambrequins und
Fruchtgehänge. Die Fresken (von einem noch nicht stichhaltig ermittelten Meister) zeigen in der Vorhalle die Klostergründung durch Karl d. Gr., im Langhaus Begegnung Benedikts mit Totila und Christus als »Inspirator prophetarum«,
im Chor Christus vor seiner Aussendung zum Heilswerk.
Am Hochaltar von etwa 1720 ein Gemälde Cosmas D.
Asams, St. Michael stürzt Luzifer. Reich geschnitztes Gestühl
dieser Zeit umzieht den Regularchor, in dem u. a. der berühmte »Uttostab« mit der geschnittenen Krümme des
13. Jh. aufbewahrt wird.

Klostergebäude. Merkwürdigerweise gruppieren sich die
ausgedehnten Klosterbauten im N der Kirche. Der Grund
mag in der Anregung durch das Reichenauer Mutterkloster
zu suchen sein. Aus dem ältesten Bestande blieb nichts erhalten, wenn auch der Kreuzgang, Kern des gesamten Komplexes, auf den Fundamenten seiner älteren Vorgänger stehen dürfte. In seinem Obergeschoß befindet sich der schlichte
Kapitelsaal. – Der Neue Konventbau umgreift in 3 Flügeln
die O-Seite der Kirche. Er entstammt dem frühen 17. Jh.,
nur sein 2. Obergeschoß ist Zutat des 19. Jh. Im nördlichen
seiner Obergeschoß-Gänge ruht das granitene Hochgrab des
sel. Utto, eine Arbeit des frühen 14. Jh. von strenger Würde.
Ehemals stand das Grabmal vor dem Hochaltar. Die Gebeine wurden im 17. Jh. an der Evangelienseite des Chores
beigesetzt. Am Ende des Traktes liegt das Refektorium. –

Ein Juwel barocker Dekorationskunst ist, im O-Flügel, die *Bibliothek (Tafel S. 512)*. Sie erhielt 1706–20 ihr prunkendes Gewand unter der Leitung Fz. Jos. Holzingers. In feierlichem Rhythmus rahmen 2jochige Flankenräume die 3jochige Mitte. Herkulische Gestalten tragen an den Mittelpfeilern die Gewölbe. Zu seiten des Eingangs stehen die Allegorien von Glaube und Wissenschaft. Reiche Stuckarbeiten umziehen die Gemälde, deren allegorischer Inhalt sich nach dem Bücherbestand der geschnitzten Regale orientiert. – Das ehem. Sommerrefektorium im N-Flügel wurde im 19. Jh. zur Abtei verändert. – Im O- und S-Trakt folgen die Zellen mit schönen Türumrahmungen im Bandwerkstuck der 1720er Jahre. – Den nördl. folgenden Hof beherrscht der Festsaalbau von 1734, errichtet von Bened. Schöttl und von dessen Sohn, Frater Albert, 1755 vollendet. Der pilastergezierte, sich wölbende Mittelrisalit enthält in seinem Obergeschoß den stattlichen Festsaal, dessen Dekor 1940 einem Brandunglück zum Opfer fiel. – Inmitten des Hofes vor dem Festsaaltrakt steht der Karlsbrunnen mit der Figur Karls d. Gr., errichtet um die Mitte des 18. Jh.

MICHELFELD (Opf. – E 4)

Ehem. Benediktinerklosterkirche St. Johannes Ev.

Das Kloster ist eine Gründung Bischof Ottos I. von Bamberg (1119). Es wurde vermutl. mit Mönchen aus dem benediktinischen Reformkloster Michelsberg in Bamberg beschickt. Hussiten (1429), Bildersturm (1556) und Schweden (1634) haben ihm übel mitgespielt. Gegen Ende des 17. Jh. Neubau. Als Baumeister der Kirche wird 1697 Wolfg. Dientzenhofer aus Amberg genannt, als Ausführender Christ. Grantauer, des »Closters Unterthan und Maurermeister alhie«. 1700 ist der Rohbau vollendet. Die Innendekoration verzögert sich. 1714 wird auf der Orgelempore das Wappen des kunstsinnigen Abtes Wolfgang Rinswerger angebracht. Die Stukkaturen entstehen lt. Inschrift im Psallierchor 1716. Egid Qu. Asam hat sie geschaffen. Sein Bruder Cosmas Damian ist Schöpfer der Gemälde, dat. 1717. – Das Kloster hat die Säkularisation, 1802, nicht überlebt. Die Kirche dient seitdem der Pfarrei.

Hohe Mauern und starke Türme umgrenzen das Kloster. Sie entstammen zu großen Teilen dem 15. Jh. Wirtschaftsbauten des 17. und 18. Jh. bilden den gegen W gelagerten Vorhof. Eine schmale Brücke überquert die Pferdeschwemme und leitet durch den inneren Torturm (mit Dach des 18. Jh.)

in den Klosterhof. Wir begegnen dem behäbigen Kirchturm
von 1695 und betreten durch ihn den Kirchenraum, ein nicht
eben originelles Beispiel der landläufigen emporenbesetzten
Wandpfeileranlage, 3 Joche lang, mit querrechteckigem
Chor. Doppelpilaster bestimmen den Rhythmus der Raumfolge. Im Chor sind es schräge hervortretende Ecksäulen.
Egid Qu. Asams Stukkaturen, flach gebildetes, zartes Ran-
ken- und Blattwerk, weiß auf rosa oder hellgrün getöntem
Grund, kennzeichnen die früheste Stufe seiner fruchtbaren
Tätigkeit an der Seite seines Bruders. Auch der *Hochaltar*
verrät Asamschen Entwurf (vgl. Rohr, Kapellenaltäre!). Aus
ihm klingt zum erstenmal die Idee des »Gesamtkunstwerks«
auf, das später in Weltenburg oder St. Johann Nepomuk in
München zur programmatischen Einheit von Architektur,
Plastik und Malerei führen sollte, zum ˙Theatrum sacrum.
Im Altarblatt schildert (1721) Cosmas D. Asam das letzte
Abendmahl des Herrn, an dessen Brust der Patron des
Gotteshauses ruht, Johannes Ev. Auf diese Gruppe deutet
der gemalte Engel im Oberteil des Bildes. Links im Auszug
wiederholt eine plastische Engelsgestalt seine Bewegung. Sie
wendet sich zugleich gegen die Auszugsmitte, dem thronenden Gottvater zu. Über diesem vervollständigt das Gewölbefresko die Vision der Hl. Dreifaltigkeit: Inmitten der
7 Gaben des Hl. Geistes, allegorische Gestalten unter prächtiger Kuppelillusion, schwebt die göttliche Taube. Das Programm erfüllt sich also durch Richtungs- und Sinnbezüge
und greift in gelockerter Form über den Chorraum hinaus.
Szenen aus dem Leben Christi geleiten in den Gewölbejochen
zur Chor-Apotheose, hier umgeben von den Evangelisten,
dort von den Kirchenvätern. Stuckfiguren der 14 Nothelfer
(wahrscheinl. Frühwerke des E. Quirin Asam) ordnen sich
in den Kapellen der Heilsseite unter, in gleicher Sockelhöhe wie
die Gründerfiguren zu seiten des Hochaltars, Bischof Otto
von Bamberg und St. Wolfgang. Kleine Kollisionen zwischen
Raum- und Altararchitektur und die konventionelle, etwas
ungelenke Anlageform leisten dem programmatischen Ein-
heitsstreben Widerstand. Die beiden großen Dekorationskünstler des bayerischen Barock können ihre Kräfte nicht im
vollen Maß entfalten. Kanzel und Seitenaltäre ordnen sich
dem Raumganzen ein. Diese können als Vergröberungen
Asamscher Entwürfe gelten. Interessant ist die Einbeziehung
der Fenster in den Altarorganismus.

Das **Klostergeviert** um den Kreuzgang (überwiegend 18. Jh.) sendet gegen O den doppelgeschossigen Bau der **ehem. Marienkapelle** aus, eine Anlage des 15. Jh., deren Oberteil 1728 zur Bibliothek umgestaltet wurde. – Die **Friedhofskirche St. Leonhard** ist Neubau von 1730, eine schlichte Anlage mit Rocailledekoration um 1750. Hochaltar 1755. Westl. davon **Ölbergkapelle** des 18. Jh. mit spätgot. Steinfiguren um 1500.

MICKHAUSEN b. Schwabmünchen (B. Schw. – C 6)

Urspr. im Besitz der Edlen von Reck (14. Jh.), kam es über die v. Argon, später v. Freiberg, 1528 an König Ferdinand I., der den Freiherrn Raymund v. Fugger als Lehnsherrn einsetzte.

Pfarrkirche St. Wolfgang. Die spätgot. Anlage entstand gegen 1516. Um 1685 beschäftigte man statt den Abrunden der urspr. spitzbogigen Fenster und füllte die Wölbungen mit stuckiertem Rahmenwerk, mit Puttenköpfen, Fruchtgirlanden, Muscheln und Voluten. Die Art der Dekoration deutet auf wessobrunnische Künstler. 1755 kamen einige Zierate des Rokoko hinzu. – Der stattliche Hochaltar umfängt ein Gemälde der Kreuzabnahme von J. Gg. Melch. Schmidtner 1685. Unter dem Chorbogen hängt eine trefflich geschnitzte Rosenkranz-Maria des frühen 18. Jh. Kanzel 1756. – Von Interesse sind die 6 gemalten Wappenfenster um 1540. Links: Schwarzer Adler mit Brustwappen der Habsburger Herrschaftsgebiete, umgeben von der Kette des Goldenen Vlieses. Gemeint ist Erzherzog Ferdinand (= König Ferdinand I.). Alle übrigen Wappenfenster sind durch Umschriften gekennzeichnet: Joh. Jak. Fugger, Urs v. Harrach, Anna Rehlingerin, Raymund Fugger und Hans Jakob Fugger.

Schloß. Bis 1528 v. Freiberg, dann als Lehensgabe des Erzherzogs Ferdinand v. Österreich an die Fugger, 1842 v. Rechberg zu Donzdorf, jetzt Städt. Altersheim Augsburg. 3geschossige, schlichte Binnenhofanlage um 1690, mit einzelnen zurückhaltend stuckierten Repräsentationsräumen (Rittersaal, Lorettokapelle).

MILTENBERG (Ufr. – B 2)

1225 baut der Würzburger Bischof mainaufwärts die Burg Freudenberg, 1226 wird die kaum viel früher gegr. Burg Miltenberg sichtbar. Die ihr zuwachsende Talsiedlung zeigt sich erstmals 1237. Im gleichen Jahre verlautet von der Zerstörung des aufwärts benachbarten Wallhausen (auf dem Platze eines Römerkastells), aus dem der Mainzer Erzbischof den Pfalzgrafen zu verdrängen wußte und dessen Abgang der jungen Miltenberger Burgsiedlung zustatten kam. Dank von Mainz eingeräumter Freiheiten erfreut sich die Stadt im Spätmittelalter eines nicht geringen Maßes an Selbständigkeit. Die günstige Lage am Strom läßt sie blühen; sie ist früh Münz- und Zollstätte und hat Markt- und Stapelrecht. – Von der Burg nimmt die Siedlung ihren Ausgang, zwischen Burg und Strom dehnt sie sich, diesem aufwärts folgend, aus. Östl. und westl. gliedern sich Vorstädte an. An ihren Mauern wird im 15. Jh.

*gebaut. Plätze birgt die eingeengt in die Länge entwickelte Stadt
nur 2, den Marktplatz unterhalb der Burg, der sich als gewachsen,
und den Platz bei der Franziskanerkirche (Engelpl.), der sich als
geschaffen zu erkennen gibt. – Bis 1803 kurmainzisch, fällt die
Stadt (das ist sie seit rd. 1230) 1816 an Bayern.*

Der **Mauerzug** steht noch großenteils im südl. an die Burg anschließenden Verlauf, hier mit 9 Türmen bewehrt. Der mainseitige ist schon seit
dem 16. Jh. von Häusern überbaut. Die Befestigung der westl. Vorstadt
ist bis auf den **Spitzen Turm** abgegangen; dieser ein ansehnliches Stück
got. Wehrbaus von etwa 1400. Seine Entsprechung in der östl. Vorstadt
ist der **Würzburger Turm** gleichen Alters.

Mildenburg. In den 30er Jahren des 13. Jh. errichtet, geht
der innere Ring mit dem in prächtigen Buckelquadern aufgeführten Bergfried auch noch in diese Frühzeit zurück.
Steile Abböschungen auf 3 Seiten. Nur die Bergseite erforderte die Anlage eines Halsgrabens. Der urspr. hölzerne
Palasbau erhielt Ende des 14. Jh. einen steinernen Nachfolger, gleichzeitig dürfte sich der Zwinger um die ältere
innere Burg geschlossen haben, der in der 2. Hälfte des
15. Jh. eine südl. Erweiterung erfährt. Ins späte 15. Jh. gehört die Vorbefestigung auf der S-Seite, auch der (jetzt in
Ruinen liegende) Anbau des Palas. – Der (auf dem Greinberg
gefundene) Monolith im Hof, der »Toutonenstein« (so nach
den lesbaren Worten der Inschrift: »Inter Toutonos«), ist ein
noch ungelöstes Rätsel; sicher wohl nur, daß er nicht vorgeschichtlich, fraglich, ob er römerzeitlich ist.

Die **Stadt** ist eine der reizvollsten altfränkischen, die sich
erhalten haben. Der ansteigende, aufwärts sich verengende
M a r k t p l a t z unterhalb der Burg, die ihr unterstes,
1610 errichtetes Tor an ihn heranstellt, ist berühmt genug
und ist's mit Fug. Die Staffelung der Fachwerkbauten mit
ihren Steilgiebeln ist fast einzig. Der beerkerte steilste, dem
sich der Mildenburg-Torbogen anschließt, an dessen anderer Seite ein kleines Giebelhaus (des Torwarts) steht, ist
noch spätgotisch. Die gegenüberliegende östl. Marktseite
verhält sich, bei vorherrschender Traufseitenstellung der
Häuser, ruhiger. Auch hier am (1623 errichteten) ehem.
Gasthaus zur Krone ein polygon gebrochener Erker. Fachwerk schmückt die lange Hauptstraße. Ältestes wohl im
3geschossigen **Giebelhaus 114** (um 1450); das Riegelwerk
hat noch keinen anderen Ehrgeiz als den des sachlichen Ge-
nügens. Erst im 16. Jh. beginnt die Zier zu blühen. Ver-

Miltenberg, Marktplatz

schalungen decken die Schwellen und Balkenköpfe, die Ständer sind geschnitzt, die Gefache fügen sich zu reichen Figuren. Durch besondere Stattlichkeit tut sich das über massivem Erdgeschoß aufstrebende **Haus zum Riesen** hervor, Kopfbau einer Straßengabel und schon aus dieser Lage Gewinn ziehend. 1504 als Fürstenherberge bezeugt, wird es zu dem, was es ist, 1590. In der stärkeren Betonung der horizontalen Teilungen spricht die Zeit, im Ganzen hält der Aufriß aber doch an der hergebrachten Steilwüchsigkeit fest. »Dieser Bauw stehe in Gotts handt / Zum Rihsen ist er genandt / Fürsten vnd Herren ist er wohl bekandt / Bürger und Bauren steht er zu der Handt«, kündet die Inschrift an der N-Seite. – Verwiesen sei noch auf die 1581, 1610, 1611, 1615, 1623 bezeichneten Häuser (136, 6, 395,

228, 255). – Mit höherem Anspruch steht in der Straßenzeile das **Rathaus**, was es allerdings erst seit 1824 ist. Gebaut wurde es, im frühen 15. Jh., als Mainzer Kaufhaus. 18. und 19. Jh. haben korrigiert. Aber die schöne, flächig geschlossene Quaderstirn ist doch geblieben. Die 8 kleinen Fenster denke man sich in 4 Hochfenster um und 2 einfassende Ecktürmchen hinzu. – Das 18. Jh. hat das im Spätmittelalter geprägte Stadtbild kaum verändert. Das imposanteste, 1750 und 1751 gebaute **Haus 341** am Marktplatz mit seiner klassizistisch kühlen Pilasterfassade ist ein Fremdling im altfränkischen Miltenberg, wenn schon von einem Miltenberger Meister, Joh. Martin Schmidt, errichtet. – Der feine *Marktbrunnen*, der dem Raumbild des Marktes so zuträglich ist, wurde 1583 nach einer Nürnberger Visierung gesetzt.

Kath. Pfarrkirche St. Jakob. Ein spätmittelalterl. Bau wird im 18. und 19. Jh. weitgehend umgeschaffen. Der Eindruck des Inneren wie Äußeren ist stärkstens durch die Zutaten des 19. Jh. bestimmt. Die beiden guten, barocker Tradition verpflichteten Türme seitlich des Chores entstanden 1829 ff., gleichzeitig die Emporen über den Seitenschiffen, die aber erst 1886 ins Hauptschiff geöffnet wurden. Das Baujahr des Chores ist 1862. In jüngster Zeit, nach den Plänen Hans Schädels, in den Grenzen des Möglichen neu, modern gestaltet. Die Ausstattung hat nicht mehr viel, aber doch einiges gute Alte bewahrt: die Kanzel mit 4 Passionsreliefs am Corpus und den Kirchenvätern an der Stütze, Werk Mich. Junkers d. Ä., 1635; die Steinstatuen der Muttergottes und der anbetenden Könige, an der O-Wand des südl. Seitenschiffs (aus der 1825 beseitigten Marienkapelle), von rd. 1400; der Steinkruzifixus über dem Altar an der O-Wand des nördl. Seitenschiffs, 1525, mainzisch, Backoffen nahestehend; im gleichen Seitenschiff an der W-Wand ein in der Rahmung sandsteinerner, in den Reliefs (Marienleben) alabasterner Altar Hans Junkers, 1624; in der Kapelle südwestl. guter Holzkruzifixus der Mitte des 15. Jh. – **Laurentiuskapelle.** Diese wurde außerhalb der Stadt, östl., 1456 (Chor) und 1594 (Schiff) errichtet. Bemerkenswert sind die aus der Bauzeit stammenden Wandmalereien im Chor. Die mittelalterl. Altarmensa trägt einen Flügelaltar d. J. 1509, mit 3 Figuren im Schrein (Laurentius in der Mitte), Flügelreliefs und Flügelmalereien. – **Franziskanerkirche.** 1schiffiger, mit Stichkappentonne gedeckter, sehr schlichter Bau, 1667 ff. von A. Petrini errichtet, 1707 geweiht.

Nahe, westl., Miltenberg, am O-Hang des Mainbullacher Berges, liegen die »**Heunensäulen**«, 8 starke Monolithsäulen aus Buntsandstein, die, früher meist als römisch angesprochen, heute (aber auch nicht mit bester Gewähr) ins frühe Mittelalter datiert werden. Im 18. Jh. wurden noch 14 gezählt; 2 stehen in den Höfen des German. Nat.-Museums in Nürnberg und des Bayer. Nat.-Museums in München.

MINDELHEIM (B. Schw. – B 7)

Ein durch Reihengräberfunde bezeugtes Alemannendorf des 6. bis 7. Jh. ging voraus. Keimzelle der mittelalterl. Siedlung ist ein fränkischer Königshof, der 1046 als Schenkung Kaiser Heinrichs III. an Speyer gelangt. Die um die Mitte des 13. Jh. von den Herren von Mindelberg (aus der Ministerialität der Welfen) begründete (erstmals 1256 bezeugte) Stadt fällt 1365 an die Herzoge von Teck. Auf die Teck folgen die Herren von Rechberg, auf diese 1467 die Frundsberg, die 1589 aussterben. Nutznießer des Erbfolgestreits der Fugger und Maxlrain ist der Herzog von Bayern, der die Ansprüche der Maxlrain übernimmt und 1616 die Stadt besetzt. Als Kuriosum sei die kurze Zwischenherrschaft des vom Kaiser mit dem »Fürstentum« Mindelheim belehnten Herzogs von Marlborough mitgeteilt, der übrigens den Neubau der Pfarrkirche in die Wege leitete.

Pfarrkirche St. Stephan

Neubau von Valerian Brenner 1712 neben dem frei stehenden, älteren Glockenturm (Unterbau 1419, Obergeschosse barock, Helm 19. Jh.). Eine völlig verfehlte »Stilreinigung« von 1860 hat das Innere um seine Dekoration gebracht. Restaurierung 1958.

1933 hat man aus anderen Kirchen einige barocke Einrichtungsstücke hereingeholt. Am südl. Nebenaltar Gemälde des hl. Ignaz von Fz. Jos. Wiedemann 1756, am nördl. silberne Verkündigungsgruppe, Treibarbeit von C. Berthold-Augsburg, 1769/70. In der N-Wand ist ein bedeutendes Werk spätgot. Plastik eingelassen: die *Grabplatte des Herzogs Ulrich von Teck* (1432) und seiner Gemahlin Ursula. Die lebensgroßen Reliefbildnisse des verstorbenen Paares (in rotem Adneter Marmor) bezeugen bei klarer Prägnanz doch noch die Zartheit des ausklingenden Weichen Stils. Trotz der starken Künstlerpersönlichkeit des Schöpfers ist die genaue landschaftliche Herkunft unbestimmbar. In der südl. Seitenkapelle: Grabplatte der Anna von Teck (erste Gemahlin Ulrichs, 1425), enger dem Weichen Stil verhaftet, von inniger Ausdruckslyrik, doch künstlerisch schwächer als das jüngere Herzogsgrab.

Gruftkapelle (südl. der Pfarrkirche). 2geschossig, wohl Anfang 15. Jh. aufgeführt; erweitert und stuckiert 1726/27.

Kapellturm 1409, 1763 barock bekrönt. Kapellenraum profaniert.

Jesuitenkirche

Errichtet von Ordensbaumeister Joh. Holl 1625/26 bei Übernahme von Chorteilen der voraufgehenden Augustinerkirche. Das Schiff wurde 1721/22 unter P. Jos. Guldimann verlängert, erhöht und neugestaltet.

Das Äußere mit der vornehmen Gliederung seines Langhauses und dem langgestreckten Chor (aus dem noch Spätgotisches zu spüren ist) verbindet sich mit dem alten, anstoßenden Torturm zur wirkungsvollen Baugruppe. Der
Innenraum, eine kraftvolle Wandpfeileranlage mit
laufgangartig einschwingenden Emporen, hat seine renais-
sancehafte Würde bewahrt. Die überaus feine, rieselnde
Stukkatur bevorzugt Bandwerkformen. Sie vereinheitlicht
den Raum durch das Gleichmaß ihrer Eleganz im Langhaus
wie im Chor. Der theaterhafte Stuckvorhang über dem
Triumphbogen ist eine Erfindung, die sich um 1720 allenthalben verbreitet. In den ornamentalen Verband (Farben
erneuert) sind Reliefs mit Szenen aus dem Marienleben eingesetzt. – Stattliche Altäre von 1735–37 (Statuen neu).
Chorgestühl um 1625. Kanzel 1722. In der 1690 südl. angebauten Fz.-Xaver-Kapelle eine prächtige geschnitzte Muttergottes von etwa 1670.

Liebfrauenkirche, westl. der Stadt. Sie diente urspr. einem
Leprosenhaus, das schon 1360 Erwähnung findet. Der an-
gebl. nach 1455 entstandene Neubau hat sich im Kern des
Mauerbestandes erhalten. Nach 1725 (Brand) erfolgte eine
Neuausstattung, die das heutige Raumbild bestimmt. Der
Stuck darf A. Bader zugeschrieben werden. Kostbarster Be-
sitz ist das an der S-Wand aufgestellte Schnitzwerk der
»Mindelheimer Sippe«, dessen unbekannter, um 1510–20
tätiger Meister nach ihr benannt wird. Die zeitnahe porträt-
hafte Vergegenwärtigung der einzelnen Mitglieder der Hl.
Sippe verbindet sich mit der ornamentalen Bewegung einer
noch spätgot. Gewandbehandlung. Rahmen 1645, farbige
Fassung 1674. – Rosenkranztafel 1641. – Außen: Fünf-
Wunden-Brunnen 1662.

Katharinenkapelle 1606/07, kleiner Achteckbau mit Stuck von 1725–30.
Prächtiger Altar von etwa 1740 mit den Figuren der hll. Ulrich und
Konrad (seitlich) und Michael (im Auszug); über den seitlichen Durchgängen Florian und Georg. In einer Nische: vortreffliches Schnitzbild
der thronenden Muttergottes um 1640.

Einige erhaltene Teile des **Mauergürtels** nehmen das Stadtbild in ihren
wirkungsvollen Rahmen. Obertor um 1500.

Südl. der Stadt die **Mindelburg,** Gründung der Herzoge von Teck um
1370; im 15. und 16. Jh. Sitz der Frundsberg. Das Vorhandene ist durch
zahlreiche Erneuerungen entstellt.

München. St. Johann Nepomuk, Dreifaltigkeitsgruppe

München. Schloß Nymphenburg, Spiegelsaal der Amalienburg

MINDELZELL (B. Schw. – B 6)

Nach Erlöschen des gleichnamigen Herrengeschlechts (um 1200) kam der Ort an die von Lichtenau, die ihn dem Kloster Ursberg vermachten.

Pfarr- und Wallfahrtskirche St. Michael, ehemals vom Kloster Ursberg abhängig, errichtet von Kasp. Radmiller 1749. – Der stattliche Außenbau zeigt das Wesen einer kreuzförmigen Anlage. Das Raumbild der Querachse wird im Innern durch Turm bzw. Oratorieneinbau beiderseits verengt, so daß eine breitere Längsachse beherrschend bleibt. Langhaus und Chor tragen Flachkuppeln, bemalt von Fz. Mart. Kuen aus Weißenhorn unter Mithilfe von Joh. Bapt. Enderle. Dekoration und Einrichtung, aus der Erbauungszeit, verleihen der Kirche das Bild schöner Einheitlichkeit.

MITTENWALD (Obb. – C 8)

Hier oder doch in nächster Nähe ist die röm. Straßenstation Scarbia (oder Scarnia) anzusetzen. Die Siedlung »mitten« im Scharnitzer Wald, Mittenwald, zeigt sich erst spät, um 1080, und viel älter wird sie auch nicht sein. Die Lage an der vielbefahrenen Rottstraße aus dem Inn- ins Isartal herüber ist förderlich; Mittenwald, bis ins 13. Jh. den Grafen von Eschenlohe zuständig, dann, seit 1294, deren Aufkäufer, dem Bischof von Freising, gewinnt in der 2. Hälfte des 14. Jh. Marktrecht. Die Eröffnung der (den Weg nach München kürzenden) Kesselbergstraße, 1492, stärkt noch einmal die Rott; auch die Isarflößerei bringt Nahrung. Erst der Rückgang des Rottverkehrs im späten 16. Jh. knickt die wirtschaftliche Blüte des in eine harte Gebirgsnatur gepflanzten Marktes. Der Geigenbau, den um 1680 der eingeborene Matthias Klotz (ehemals Geselle bei Nicola Amati in Cremona) einführt, macht zwar Mittenwald nicht reich, aber er sichert, seit dem 18. Jh., doch viele Existenzen und legt auch einen eigenen Glanz auf den Namen. Spiegelt das so heiter farbige Bild der Plätze und Gassen doch vornehmlich die Züge eines so späten und hier nicht mehr so recht günstigen Jahrhunderts wie des 18., so mag aus dieser Tatsache immerhin auf ein, auch ohne Rott, ganz auskömmlich situiertes Marktbürgertum geschlossen werden.

Kaum ein anderer Ort diesseits wie jenseits der nahen Grenze (es sei denn Oberammergau) gab sich dem *Hausmaler* so willig in die Hand wie dieser. Auch die Pfarrkirche schloß sich nicht aus. Es war Matth. Günther, der ihren Turm schmückte, einer der großen Könner, neben dem sich der eingeborene Franz Karner und der aus Oberammergau herüberkommende Franz Zwinck, der Lüftlmaler, doch mit Ehren behaupten (beide um die Mitte des 18. Jh. tätig). Die **Wohnhäuser,** überwiegend mit flachen, vorkragenden

Giebeldächern, entsprechen der Bauweise des oberen Isartals.

Pfarrkirche St. Peter und Paul

Unter Übernahme eines spätgot. Chorbaus errichtete Jos. Schmuzer aus Wessobrunn 1738–40 die stattliche Anlage. Der Turm war 1746 vollendet. Weihe 1749.

Äußeres. Im Isartal, zu Füßen des felsigen Karwendel-Massivs, hebt sich aus niedrigem Häusergewinkel der in erster Fassung von Matth. Günther bemalte Turm mit seiner eigenwilligen Bekrönung. Er ist zugleich Zielpunkt der Hauptstraße. Der Baukörper, breit gelagert unter steilem Dach, trägt aufgemalte Pilastergliederung. – Das Innere, ein flach überkuppeltes Langhaus, ist gegen O durch ein schmales Joch zwischen 2 Seitenkapellen erweitert, Verbindung zum spätgot. eingezogenen Chor. Schmuzer sucht durch Abrunden dem Raum jede Härte zu nehmen. So ist auch die ausschwingende Emporenhalle im W zu verstehen. Entwicklungsgeschichtlich steht das Raumbild zwischen dem der Neuen Garmischer Pfarrkirche und der in Oberammergau.

Die prächtige Ausstattung in Stuck und Malerei verleiht dem Ganzen hohe malerische Werte. Jos. Schmuzer hat auch die Stuckdekoration geschaffen: lockeres Gitter- und Bandwerk, durchsponnen von Ranken und Blütengehängen. Wie die Stukkatur erweist, ist die nördl. Seitenkapelle etwas älter, entstanden 1727 bis 1734 und später in den Neubau einbezogen. – Die Deckengemälde, hervorragende Leistungen des Matth. Günther (1740), beschäftigen sich mit dem Leben der hll. Patrone Peter und Paul. Leuchtende Farbigkeit, atmosphärischer Duft und feinsinnige Komposition lassen das Raumbild ausklingen. – Auch das Gemälde des Hochaltars (1742), die Verherrlichung der beiden Apostelfürsten, hat Matth. Günther geschaffen. Im nördl. Seitenaltar geschnitzte Muttergottes um 1500. In der nördl. Kapelle Kruzifix des späten 14. Jh. Kanzel 1716.

Friedhofskirche St. Nikolaus, 1. Hälfte 15. Jh. Turm aus dem mittleren 18. Jh. An der Rückseite des barocken Hochaltars die eingekratzten Worte: »M. K. [= Matth. Klotz] 1684 geigenmacher im 20. Jahr.« Muttergottesfigur am Triumphbogen um 1520.

Pilgerhaus zum Hl. Geist 1485; Kapelle 1492, barock ausgestaltet im 17. Jh. Deckenbilder von M. Noder 1795.

MÖDINGEN b. Dillingen (B. Schw. – C 5)

Franziskanerinnen-Klosterkirche Mariae Himmelfahrt

Anschließend an eine schon im frühen 13. Jh. bestehende klösterliche Niederlassung stiftet Graf Hartmann von Dillingen 1246 das Kloster der Dominikanerinnen. Über die Vogtei gelangt es in die Landeshoheit des Herzogs von Bayern. Seit 1505 der Jungen Pfalz zugeschlagen, muß es sich 1542 vom neugläubigen Pfälzer Ottheinrich auslösen lassen. Dank Rückkehr Pfalz-Neuburgs zur alten Kirche kann es 1616 wieder besiedelt werden. 1802 liquidiert, gelangt es 1843 an die Franziskanerinnen von Dillingen. – Der geistliche Ruhm des Klosters hängt am Namen der Margarethe Ebnerin (1291–1351), einer der mit Gesichten begnadeten Frauen des durch diese Erleuchteten geprägten mystischen Zeitalters. – Kirche und Klosterbauten entstehen 1716–25 neu, Erstlingswerk des Dominikus Zimmermann.

Das Ä u ß e r e der Kirche trägt schlichte Gliederung durch die bei Zimmermann beliebten Scheinpilaster. Das I n n e r e, einschiffig, mit eingezogenem Chor, geht nicht über die Gepflogenheiten ländlicher Kirchenbaukunst hinaus. Der langgestreckte Raum wird durch die tiefe Nonnenempore im W und den darüberliegenden Musikchor verkürzt. Sein Adel beruht in der feinsinnigen *Dekoration.* Da sind die flachen Stuckmarmorpilaster, schmal mit vorkragenden Gebälkköpfen, welche die Stützen von Günzburg und der Wieskirche vorausahnen lassen; ferner Ranken- und Bandgeschlinge in den Kappen und Zwickeln der Flachtonnenwölbung; der feine Stuckvorhang über dem Chorbogen, der weniger auf theatralische Illusion als auf ornamentale Wirkung ausgeht. Die quellende, füllende Stuckierungsform ist verlassen. Man sucht nicht mehr die Raumgrenzen durch dekorative Massen zu verbergen, sondern durch sorgsam verteilte Stuckmotive zu lockern, zu lösen. Dazu treten die hellen Farben der Gewölbefresken. Joh. Bapt. Zimmermann, des Dominikus Bruder, hat sie ausgeführt. Im Chor das Letzte Abendmahl und 4 alttestamentliche Vorstufen zum Meßopfer. Im Langhaus: Dominikus und Franz von Assisi erretten eine Seele, Thomas von Aquino und die 4 Kirchenväter; im Nonnenchor: Katharinas mystische Anvermählung und Schutzmantelmaria über den Dominikanern. Schließlich Bilder des Rosenkranzes, der Heilsgeschichte und verschiedener Heiliger. – Hochaltar 1793. Darin eine vorzügliche, spätgot. Muttergottes, viell. fränkisch, um 1470–80, neuerdings von ba-

rocker Poliment-Fassung befreit und neu gefaßt. Unter der
W-Empore das sehr gute Sandsteinrelief eines Hl.-Grab-
Christus, um 1300, wahrscheinl. auf ein verlorenes frühgot.
Urbild des Freiburger Münsters zurückgehend. Nebenaltäre
1792 erneuert. Kanzel um 1720–30 wohl von Stephan Luidl
aus Dillingen. Vor den Pilastern gute Figuren von Heiligen
des Dominikanerordens um 1730. – Durch eine Türe der
S-Wand wird die *Ebnerkapelle* betreten. Der sel., 1351 ab-
geschiedenen Mystikerin Margarethe Ebner hat man kurz
nach ihrem Tod die hier bewahrte Grabplatte mit dem schönen Reliefbildnis gesetzt. Das umgebende Raumbild kam
1753–55 zustande, in der Blütezeit des Rokoko. Der Wessobrunner A. Landes lieferte die Stukkaturen und Vitus Fel.
Rigl aus Dillingen die Freskomalerei. Sie kreist um das Leben (d. h. die Versenkungen) und die Glorie der hier beigesetzten Seligen. Das Altarblatt zeigt eine Vision der
Mystikerin (von J. Anwander-Lauingen 1758). Figuren um
1760. Im Glasgehäuse: geschnitztes Christkind des frühen
14. Jh., das die besondere Verehrung der Marg. Ebner ge-
nossen haben soll. Kleiner Alabasterkruzifixus, ebenfalls aus
dem Umkreis der Mystikerin. – Sakristei mit Schrankwerk
von 1754. – Im Nonnenchor: Kruzifix, Vesperbild und
einige Heiligenfiguren aus dem 15. Jh. Tafelbild des Hl.
Abendmahls, bez. CP 1532 aus dem Wirkungsbereich Albrecht Dürers.

MÖNCHSDEGGINGEN b. Nördlingen (B. Schw. – C 5)

Ehem. Benediktinerklosterkirche St. Martin

Der Kern des 3schiffigen basilikalen Langhauses reicht ins roman.
Mittelalter hinauf. Abt Marquardt aus Hirsau soll 1161 den
Grundstein gelegt haben. Um 1480–90 kam der spätgot. Chor hin-
zu. Ein Brand bewirkte 1513–17 die Erneuerung des Langhauses.
Umbauten 1693, 1721–33 (Turm) und endlich 1751/52, wobei das
Innere sein Rokokogewand erhielt.

Noch läßt sich das alte Schema der Pfeilerbasilika mit W-
Vorhalle ablesen. Gegen O schließt der lichte, spätgot. Chor.
Die Fenster mögen 1693 ihre bewegten Formen erhalten
haben. Flatternde und züngelnde Rocaille der Stukkatur
weist in die Zeit von 1751/52. Damals schuf man auch den
Pilasterbesatz der Hochschiffwände und die Ausmalung der
Gewölbe: im Chor St. Martin verherrlichend, in den Schif-

fen von St. Benedikt und seinem Orden berichtend. Vitus
Felix Rigl signierte sie 1751. Von ihm auch das Gemälde
des Hochaltars, auf den kulissenartig vor die Arkadenpfeiler gesetzte Nebenaltäre hinleiten. Die Einrichtung, zu verschiedenen Zeiten des 18. Jh. entstanden, vereinigt sich mit
dem Raum zu festlichem Akkord.

Vom **Klosterkomplex** stehen noch große Teile. Der Kreuzgang, der S-
Wand der Kirche anliegend, hat seine Formen von 1716 bewahrt. Das
obere Hoftor und der sog. Studentenbau entstanden 1705.

MONHEIM (B. Schw. – C 5)

*Erste Nennung in der Vita der hl. Walburg, nach Mitte des 8. Jh.
In der 2. Hälfte des 9. Jh. erwächst als Stiftung der edlen Frau
Liubila ein Benediktinerinnenkloster, das bis zur Einführung der
Reformation durch Pfalzgraf Ottheinrich besteht. 1282 ist Mon-
heim eichstättischer Lehensbesitz der Grafen von Graisbach, im
frühen 14. Jh. der Oettingen. Als Stadt erscheint es 1340. Vorübergehend im Besitz der Herren von Heideck, dann Seckendorff,
gelangt es 1397 an die Herzoge von Bayern, 1505 an Pfalz-Neuburg.*

Der Grundriß der kleinen, wohlerhaltenen **Stadt** ist in ein unregelmäßiges, südl. zugespitztes, nördl. abgeplattetes Rund eingeschrieben.
Beherrschend der vom S- zum N-Tor durchstoßende, zu marktartiger
Breite anschwellende Zug der Hauptstraße. Die anscheinend in der
2. Hälfte des 14. Jh. aufgeführte Stadtmauer ist bis auf wenige Reste
verschwunden. Doch stehen noch die beiden **Tore** gegen N und S (das
N-Tor allerdings später stark verändert). Der Bestand an guten, im
Kern noch spätmittelalterl., meist 2gadigen, giebelseitig zur Straße
gestellten **Bürgerhäusern** ist noch beträchtlich. Die Hauptstraße bietet
reizvolle Ansichten, etwa im Blick gegen das südl. schließende, steil
begiebelte Tor.

Stadtpfarrkirche St. Walpurgis. Das Frauenkloster errichtete im 11. Jh. den roman. Kirchenbau. Von diesem stecken
Reste im Turmunterbau. Der bestehende 3schiffige Hallenraum wurde um 1500 aufgeführt. 1530 wurde der Nonnen-
konvent aufgelöst. Turm 1575. Beschädigungen machten
1595–97 das Einziehen neuer Gewölbe erforderlich. Im 17.
und 18. Jh. barockisiert. Schöne Verhältnisse verbinden sich
im Chor mit lockerem Stuckornament um 1730. Stuckarbeiten im Schiff 1913, Jugendstil; Hochaltar frühes
18. Jh. Kanzel um 1700.

Rathaus, gegen 1730 mit stuckierten Innenräumen. – Die **Wohnbauten**,
z. T. in Fachwerk, kehren ihre Giebelfronten der Straße zu.
Überwiegend 17. und 18. Jh., zuweilen mit älterem Kern. Beispiel aus
dem 15. Jh.: **Holzapfelhaus** mit Rundbogenfries unter der Giebelstirn.

MOORENWEIS b. Jesenwang (Obb.) → **Fürstenfeldbruck** (C 7)

MOOSBURG (Obb. – E 7)

*Die erste Erwähnung, Ende des 8. Jh., nennt das, wahrscheinl. von
der Hochadelssippe der Fagana, wenn nicht vom Herzog, ins
Leben gerufene Benediktinerkloster, das dank einer Reliquien-
übertragung (9. Jh.) im röm. Märtyrer Castulus seinen Patron
gewinnt. Seit 788 untersteht es dem König; aus Königshand kommt
es Ende des 9. Jh. an Freising. Die Krise des 10. Jh. eben noch
überdauernd, blüht es im 11. wieder auf, jetzt als Chorherrenstift, in das es Bischof Egilbert von Freising, ein Sohn des Moosburger Grafenhauses, umwandelt. Dieses Stift wird auf Veranlas-
sung Herzog Wilhelms V. 1599 an die Landshuter Martinskirche
übertragen. Das Münster lebt als Pfarrkirche fort. – Moosburg ist
wohl schon früh Markt. Ein Jahrmarkt, an St. Ursula, läßt sich ins
frühe 13. Jh. zurückführen. 1331 verleiht Kaiser Ludwig Stadtrechte.*

Die **Stadt** im S des zuhöchst liegenden und schon dank dieser Hochlage
das Siedlungsbild beherrschenden Münsters ist durch einige größere,
marktbreite Straßen gegliedert. Der dem Münster vorliegende, bis ins
frühe 13. Jh. von der Burg der Moosburger Grafen besetzte »Plan«
ist südöstl. von einigen guten spätgot. Häusern begrenzt.

Ehem. Stiftskirche St. Kastulus

*Wahrscheinl. in den 60er und 70er Jahren des 12. Jh. aufgeführt.
Gelegentlich einer durch Brand, 1207, veranlaßten, durch Weihe
1212 abgeschlossenen Wiederinstandsetzung kommt der Turm und
das ihm benachbarte reiche Portal hinzu. Der roman. Chor wird
1468 durch den Landshuter Baumeister Christoph Widerspacher
von Grund auf, spätgotisch, erneuert. Die Einwölbung des Langhauses, auf die der überhöhte Chorbogen schließen läßt, unter-
bleibt. Doch werden 1507–17 die Seitenschiffe gewölbt. Gleichzeitig
Erneuerung der Seitenapsiden, Bau der doppelgeschossigen Sakristei
an der N-Seite des Chores und Umgestaltung der Ursulakapelle am
südl. Seitenschiff. Nach dem Verlust seines Heiligen (1604) bleibt
das Münster, ohne Neuerungsehrgeiz, bei seinem Bestand. Die Neuausstattung des 17. und 18. Jh., die ihm doch nicht vorenthalten
bleibt, verschwindet 1867, um der Neugotik Platz zu machen, die
durch Restaurierungen 1937/38 und 1971/72 in einer dem schönen roman. Raume zuträgliche Weise mildernd korrigiert wurde.*

Äußeres. Die Lage auf der schmalen abgeböschten Landzunge bestimmt den lang ausgerichteten basilikalen Körper
der Kirche; in steiler Aufragung setzt sich der Chor östlich
an. Baumaterial ist vorwiegend Ziegel mit wenig Tuffqua-
dern. 12 Rundbogenfenster durchbrechen die Hochwände des

Mittelschiffs, Rundbogenfries und Lisenen gliedern die Wandfläche. Gleiche Motive trägt der hohe Glockenturm (1207, Helmhaube 19. Jh.), der dem südl. Seitenschiff vorgesetzt ist. Von den 3 Portalen ist das westliche (Anfang 13. Jh.) berühmt durch seine reiche Dekoration von Säulen, Archivolten, Kämpfern. Schwer deutbar sind die Reliefs der Flankenpfeiler mit Löwenköpfen darüber. Hervorragend das Tympanon, darstellend Christus zwischen Maria, hl. Kastulus und Kaiser Heinrich II. mit Bischof Adalbert; die Inschrift empfiehlt alle der göttlichen Gnade. – I n n e r e s. Aufteilung des Mittelschiffs in 12 Rundbogenarkaden auf viereckigen Pfeilern, deren je 4 durch die von den Kämpfern aufgehenden Lisenen abgesetzt sind, entsprechende Fenstereinteilung an der Hochwand und die Flachdecke (erneuert 1705, zuletzt 1971) geben dem hochroman. Raum klare Gliederung. Von den Arkaden sind die 3 östlichen wohl schon urspr. zum Chor zu rechnen. Dieser, der spätgotische, steht im Rang dem Mittelschiff nicht nach: mit hohen, lichten Spitzbogenfenstern und fein gegliedertem Rippenwerk liegt er dem Hauptraum vor. Gleicher Art sind die beiden, etwas späteren Nebenchöre, deren zarte Netzgewölbe sich in den Seitenschiffen – hier teilweise mit reliefierten runden Schlußsteinen besetzt – und auch noch unter der Orgelempore, die auf 4 Rotmarmorsäulen ruht, fortsetzen. Die südl. angeschlossene *Ursulakapelle* erinnert durch ihre Tieflage (3 Stufen unter dem Langhaus) und die tief herabgezogenen Rippen an eine Krypta. Beachtlich die Schlußsteine: im Chor der Kapelle ein bärtiger Christus- oder Johanneskopf (15. Jh.), an der Wölbung des Schiffes 3 Wappen, das bayerische, die 3 Rosen des Stiftes und das des Propstes Bernhard Arzt. Unter ihm entstand der kostbarste Besitz des Münsters, der *Hochaltar.* Ein frühes, aber das bedeutendste Werk Hans Leinbergers. Im März 1514 aufgerichtet (die Fassung ist die 1937/38 gemilderte von 1867), ist er mit einer Höhe von 14,40 m und 4,29 m Breite einer der mächtigsten Altäre der spätesten Gotik. Sein Aufbau ist der übliche: Predella, Schrein, Sprengwerk. Die Predella birgt Reliquien des hl. Kastulus. Darüber im 3geteilten Schrein die Gottesmutter in Begleitung des Kirchenpatrons St. Kastulus (rechts) und des kaiserlichen Stifters Heinrich II., d. Hl. (links). Unter Baldachinen seitlich die beiden Johannes. Das Gegitter des Sprengwerks enthält die Kreuzigungsgruppe, wenig tiefer

552 Moosburg: Ehem. Stiftskirche, St. Johannes

stehen die Patrone des Freisinger Bistums, Korbinian und
Sigismund. Der Altar ist die große Bildurkunde einer zutiefst aufgewühlten, noch am Alten hängenden, aber auch
schon das Neue in sich einlassenden Endzeit. Eine voll entwickelte, strotzend plastische Körperlichkeit verbindet sich
mit der erregtesten, »leidenschaftlich« ergriffenen Gebärde
des Lineaments, das in seinen starken, heftigen Bewegungen
»barock« erscheint. Das heroische Pathos, das diese Gestalten erfüllt, führt aus dem Mittelalter heraus, ist »neue Zeit«.
Bewundernswert auch die 4 Relieftafeln, Teile von sonst
nicht erhaltenen Altarflügeln, die jetzt unter den Chorfenstern angebracht sind; sie erzählen lebendig, fast »romantisch«, mit den Mitteln des Donaustils, die Kastulus-Legende,
des Heiligen Gefangennahme, Verhör, Marter, seine Ver-
scharrung. Die Tafeln der Predella (mit Stiftern der Her-
zogsfamilie) malte Hans Wertinger. – Das große *Rotmarmor-Epitaph* an der südl. Chorwand läßt des Propstes
Theoderich Mair gedenken, der, wie sicher anzunehmen ist,
durch Legat das große Werk Hans Leinbergers ermöglicht
hat; er kniet im Schirm seines Patrons vor der hl. Anna
Selbdritt. Noch zu Lebzeiten ließ er den Stein vom Augsburger Hans Beierlein (Ende 15. Jh.) errichten. – Augenfällig ist im Chor schließlich das eichene Gestühl. Etwa 1480
bis 1490 entstanden, erfreut es durch das phantasiereiche
Spiel der Ranke. – Das mächtige *Kreuz* an der W-Wand
des nördl. Seitenschiffs ist eine der großen Schöpfungen Leinbergers, auch das Epitaph des Kanonikus Mor-
nauer am 3. N-Pfeiler (Sandstein, Gottvater mit Pestpfeilen,
Erbärmde-Christus und Hl. Jungfrau) und der »Christus in
der Rast« am südl. Chorbogenpfeiler sind von ihm. Noch
seien genannt die Pietà am nördl. Chorbogenpfeiler (um
1500), die Pietà auf dem Altar des südl. Nebenchores (um
1430), ein Relief der Ursula-Marter am Altar der Ursulakapelle von einem Landshuter Meister (1508). Auch eine
Reihe guter Grabdenkmäler ist der Beachtung wert.

St. Johanneskirche. Sie liegt westlich, dem großen Baublock
des Münsters sehr nahe, fast mit diesem verbunden. Nicht
erwiesener Überlieferung nach soll sie älter sein als das
Münster, sicher ist, daß der heutige Bau seinen Anfang 1347
hat. Bis ins 15. Jh. schlicht 1schiffig, erwuchsen ihm in dieser Zeit Seitenschiffe und der ehrgeizige Turm. Dessen

Mächtigkeit wetteifert erfolgreich mit dem des Münsters – beide vereinigen sich zu dem weithin sichtbaren doppeltürmigen Merkzeichen Moosburgs. Nur die Spitzbogenblenden erweisen sein geringeres Alter. Seine Helmkrone ist ursprünglich. Das I n n e r e hat ein flach gedecktes Mittelschiff, Chor und Seitenschiffe tragen Netzgewölbe. Das Beste der Ausstattung heute im Münster. Beachtlich der Grabstein des Landshuter Bildhauers Stephan Rottaler für Margareth v. Fraunberg (1515, Rotmarmor). Heute dient die Kirche der ev. Gemeinde.

Friedhofkapelle St. Michael. Ein Ziegelbau des frühen 13. Jh. An der Apsis Blendbogen. Ölbergrelief in Ton, Ende 15. Jh.

In der Nähe, am W-Ufer der Isar: **Schloß Isareck**, errichtet für Herzog Albrecht V. von Bayern durch Asmus Hälmayr aus Moosburg 1559–70. Wiederhergestellt nach Brand 1648 und 1775 erneuert. Ein Teil der ehem. 4-Flügel-Anlage verfiel 1803 dem Abbruch. Schön stuckierte Schloßkapelle. (Heute Besitz der Grafen La Rosée.)

Weiter nördl.: **GELBERSDORF**, dessen **St.-Georgs-Kirche** einen 1482 bezeichneten hervorragenden Hochaltar besitzt mit vorzüglichen Tafelbildern und Schnitzwerken Landshuter Charakters.

MÖRLBACH (Obb. – C 7)

Die kleine spätgot., im 17. Jh. etwas veränderte, **Kirche St. Stephan** im waldigen Hügelland zwischen Isar und Starnberger See sei wegen ihrer kostbaren Einrichtung kurz angemerkt. Als Stifter sind die Thorer im benachbarten Eurasburg zu rühmen. Der Hochaltar, ein Schreinaufbau mit den Schnitzfiguren der hll. Stephan, Jakob und Sebastian und gemalten Passionsdarstellungen, ist gute altbayerische Arbeit um 1510 (Wappen v. Donnersberg und Leuchterengel vor dem Schrein kamen 1607 hinzu). Der Verkündigungsaltar (N-Wand) mit der geschnitzten Verkündigung Mariae und gemalten Szenen aus dem Marienleben ist älter, um 1480. Der gleichen Zeit gehören die beiden Tafelbilder (Reste eines verlorenen Altars): Zurückweisung Joachims und Vermählung Joachims und Annas. 3 Glasgemälde, darunter eines mit Stifterfigur und eines mit Stifterwappen der Thorer, sind um 1510 anzusetzen. Aus spätgot. Bestand nennen wir weiter ein Vesperbild-Relief, die Chorstühle mit Flachschnitzerei und 2 Leuchterstangen. Von den jüngeren Zustiftungen notieren wir das bemalte Lesepult von 1591 und die barocken Holzfiguren der hll. Christophorus (1679), Johannes Ev. (1693), Leonhard (1773) und Nikolaus (1778).

MÖSCHENFELD (Obb.) → **München** (D 7)

MÜHLDORF am Inn (Obb. – E 7)

Die Ortschaft ist 888 erstmals in einer Urkunde König Arnulfs genannt. Ein wichtiger Innübergang macht sie zur Handelsniederlage. 955 ist sie bereits Stadt unter salzburgischer Oberhoheit. Bis 1802 bleibt sie eine Enklave des Hochstifts Salzburg.

Mühldorf ist die typische »Innstadt« und als solche fast makellos erhalten. Absolut beherrschend der sehr große Straßenmarkt, der recht eigentlich der Inbegriff dieser Stadt ist. Noch kennzeichnen die waagrechten Vorschußmauern die geschlossenen Straßenzeilen, die, heute wenigstens, fast allen Schmuckes entraten. Die einfachen Blöcke mit verbindenden Lauben in den Sockelgeschossen behaupten sich, wie sie sind.

Stadtpfarrkirche St. Nikolaus

An die Stelle einer nach 1285 entstandenen Anlage wurde 1432 bis 1443 der spätgot. Neubau gesetzt, von dem der Chor überkommen ist. Der roman. Turm blieb bestehen. An seiner N-Seite errichtete 1448 die Bäckerzunft eine Andreaskapelle. 1764 erhielt der Turm seine Zwiebelbekrönung. Als man später daranging, die Langhauspfeiler schmäler zu machen, stürzte das Schiff ein. Sofort, 1768, wurde der Neubau in die Wege geleitet, für den man Fz. Alois Mayr aus Trostberg gewann. An den Entwürfen beteiligte sich W. Hagenauer. 1771 stand das neue Langhaus fertig. Weihe 1775.

Ä u ß e r e s. Deutlich heben sich 3 verschiedenartige Bauteile voneinander ab: der spätroman. Turm von 1285 mit seiner fast 500 Jahre jüngeren Zwiebelhaube, das vornehm von Doppelpilastern gegliederte Langhaus F. A. Mayrs von 1769 und der eingezogene, 1432 geschaffene Chor in spätgot. Formen – I n n e r e s. Hell und klar ist die Raumfolge aufgebaut, die durch verschieden weite Abstände der Wandpfeiler einen besonderen Rhythmus erhält. Dem Emporenjoch im W folgt ein quadratisches Raumgebilde, dem eine runde Flachkuppel zentrales Gewicht verleiht. Gegen O legt sich daran ein 2. Querjoch, dem westlichen entsprechend. Es leitet zum eingezogenen Chor. Diese Gliederung ist in Schäftlarn vorgebildet. Neu sind Vereinfachungen, die von der beherrschenden räumlichen Mitte weg zur Längenanordnung hindrängen. Die Strenge der Wandpfeilergliederung, hart neben den völlig ungegliederten Wänden, ernüchtert das Raumbild. Um so lebensvoller leuchten die Gewölbefresken von Mart. Heigl (1771/72): im Chor St. Nikolaus als Fürbitter, im Schiff Geschehnisse aus seinem Leben darstellend. – Hochaltar 1774, Tabernakel und Nebenaltäre 1762, Kanzel 1772.

St.-Johannes-Kapelle nordwestl. der Pfarrkirche, als Totenkapelle (Karner) wohl um die Mitte des 13. Jh. errichtet, urspr. dem hl. Michael geweiht. Rundbau über Gruft, mit Lisenen, und Rundbogenfries-Gliederung. Altarhaus 1450 hinzugefügt. 1885 unerfreulich restauriert.

Rathaus, in der Substanz spätgot. mit spitzbogigen Erdgeschoßlauben. Später mehrmals verändert. Die **Wohnbauten,** überwiegend dem 15. und 16. Jh. angehörend, folgen dem Inn-Salzach-Typus mit horizontal abschließenden Frontmauern vor Grabendächern. Vielfach Erdgeschoß-Arkaden und malerische Laubenhöfe. – *Marktbrunnen* 1692. 3 weitere Brunnen aus dem frühen 18. Jh. – Aus dem **Stadtbering** sind nur geringe Teile erhalten, darunter 3 schlichte Tortürme (2 mit roman. Mauerkern).

Westl.: **ALTMÜHLDORF** mit der **Pfarrkirche St. Lorenz,** einer 1518 vollendeten spätgot. Hallenkirche. Auf dem Altar ein Tafelbild um 1400, Beweinung Christi. – Gegenüber: **ECKSBERG** mit der reich ausgestatteten **Wallfahrtskirche St. Salvator,** 1684–86, mit gleichzeitigen Altären und schöner Rokoko-Kanzel um 1750.

MÜNCHAURACH (Ofr. – D 4)

Ehem. Benediktinerklosterkirche St. Peter und Paul

Die Gründung, durch Graf Gozwin von Stahleck, wird ins frühe 12. Jh. (1108) gesetzt. Bischof Otto I. von Bamberg übernahm das eine Burg verdrängte Kloster, angebl. 1132, und besiedelte es mit Hirsauer Mönchen. Von den Bauern 1525 verbrannt, wurde das nie viel bedeutende Kloster 1528 vom Ansbacher Markgrafen säkularisiert. Die Klostergebäude verschwanden. An den spätgot. Kreuzgang erinnert ein erhaltenes Joch im SO-Winkel des Querschiffs. Die Kirche, jetzt Pfarrkirche, erlitt 1891–93 eine purifizierende Wiederherstellung.

Die vermutl. im 3. Jahrzehnt des 12. Jh. errichtete Klosterkirche, ein gediegener Sandsteinbau, ist eine 3schiffige Basilika mit dopl. Querschiff. Die Dominante die basilikale Fügung der Schiffe aussprechenden Langhauses ist der an der N-Seite des Querschiffs stehende, 6 Geschosse hohe Turm, der, wie der beschließende Chor, spätgotisch ist. Das Rundbogenportal der W-Front, mit geschachten Kämpfern, weitgehend erneuert. Das I n n e r e des Langhauses ist durch die reine roman. Prägung ausgezeichnet, ein Paradigma der Hochstufe des Stils, einfach, streng in Flächen und Gliedern. Das Mittelschiff reiht 7 Arkaden, deren Rundbogen auf Monolithsäulen (grauer Sandstein) ruhen; die schweren Würfelkapitelle der auf nicht minder schweren attischen Basen mit Ecksporen stehenden Säulen sind wechselnd mit Schilden oder mit Riefelungen über je 3 Schildchen,

die Kämpfer mit Schachbrettfriesen geschmückt. Ein aus
Wulst und Leiste bestehendes Gesims scheidet den in 7 Rundbogenfenstern geöffneten Hochgaden. Eine (erneuerte)
Flachdecke schließt. Im westl. Joch eine unterwölbte Empore; die schweren gekanteten Wulstrippen der querrechteckigen Wölbung deuten ins frühe 13. Jh. Das ausladende
Querschiff wurde im frühen 15. Jh. gewölbt; Kreuzrippengewölbe wie im Chor. Der (roman.) Chorbogen sitzt auf
Vorlagen, die auf dem Gesims fußen und mit diesem ver-
kröpfen. Der Chor selbst, spätgotisch, Anfang des 15. Jh.
gänzlich neu aufgeführt, schließt nach einem quadratischen
Joch in 5 Seiten des Achtecks. Der urspr. Chor schloß in
3 Apsiden. – Der hohe Rang der Kirche liegt in ihren roman.
Schiffen, die einen Eindruck von der schlichten und doch
großen Mönchsarchitektur des 12. Jh. vermitteln.

MÜNCHEN (Obb. – D 7)

*Die Geschichte der Siedlung »zu den Mönchen« (vermutl. Tegern-
seern) ist vor 1158, dem Jahr der ersten urkundl. Erwähnung, ungeklärt. Der Ursprung der sich zur Stadt entwickelnden bürgerlichen Marktsiedlung, 1158, knüpft sich an die Gewalttat Heinrichs
d. Löwen: Zerstörung der wenige Kilometer flußab gelegenen
bischöflich-freisingischen Brücke bei Oberföhring, Verlegung an
eine durch Inselteilung geeignete Flußstelle bei München, Übertragung der an Föhring haftenden Markt-, Zoll- und Münzrechte.
– Die Neugründung ist im engsten Bereich um die erste (bis 1271
einzige) Pfarrkirche St. Peter auf dem »Petersbergl« zu suchen.
Eine dörfliche Altsiedlung, die in einem westl. liegenden, durch
den 2. Mauerring in die Stadt einbezogenen »Altheim« angenommen wird, ist hypothetisch.
Die seit 1158 München treffende Salzstraße befördert das »auf
das Salz gegründete« bürgerliche Gemeinwesen zu rascher Entfaltung. Planmäßige Ordnung des bebauten Geländes wahrscheinl.
in den 20er oder 30er Jahren des 13. Jh. Die in ihren sich kreuzenden Hauptachsen auf das Rechteck des Marktes (Marienplatz)
ausgerichtete Stadt birgt sich in den ersten, schon im 12. Jh. begonnenen Mauergürtel ein, der sich im Grundriß noch deutlich
abzeichnet (Rosental – Färbergraben – Augustiner- – Schäffler- –
Schrammerstraße – Hofgraben – Sparkassenstraße); von den Toren
blieb (bis 1944) nur das »untere« (Talburgtor, im O des Marienplatzes) aufrecht. – Diesem Mauerring legte sich rasch eine äußere
Stadt an, deren Wachstum insbesondere entlang der O-W-Achse,
vor dem unteren Tor im Tal, vor dem oberen an der Neuhauser
Straße, erfolgte. Um den Zuwachs beginnt sich nach Mitte des*

13. Jh. der zweite, bis an die Schwelle des 19. Jh. ausreichende Mauergürtel zu legen; um 1310 schließt er sich. 3 der 4 über die alten inneren vorgeschobenen Tore, Isar-, Sendlinger und Neuhauser (Karls-)Tor, haben sich, in Teilen wenigstens, erhalten (am besten das Isartor). Nach der 1. wittelsbachischen Landesteilung, 1255, verlegt der auf Oberbayern beschränkte Teilherzog, Ludwig d. Strenge, seine Hofhaltung hierher; der von ihm bald nach 1255 am N-Rande der Stadt angelegte Burgsitz, der später sog. Alte Hof, wird landesherrliche Residenz, die aber doch erst spät, nicht vor dem 16. Jh., der mit bedeutenden Freiheiten begabten, bürgerlich bestimmten Stadt ihr Zeichen aufdrückt. Der im 15. Jh. erstellte doppelte Mauerring wird im 17. in eine durch Torbastionen verstärkte Wallbefestigung eingeschlossen.

Ende des 18. Jh. beginnt die Stadt über die Wall-Linie hinauszudrängen, um die Wende zum 19. beginnt sich nördl. des Schwabinger Tores (Odeonsplatz) das sog. Schönfeld zu füllen. Wenig später nötigt die weiter ausgreifende Besiedlung des nordwestl. Vorfeldes (sog. Max-Vorstadt) zur Aufstellung eines »Generalplans« (1812), der das gesamte Vorfeld der Altstadt umgreift; die Gestaltung des ehem. Glacis (Sonnenstraße, Maximiliansplatz, Brienner Str.) geht in den Grundzügen auf diesen von K. v. Fischer und L. v. Sckell erarbeiteten Plan zurück. Zu großzügiger Neugestaltung, vom Zuge der in der Anlage dem hochbegabten Fischer zu dankenden Brienner Straße abgesehen, kommt es aber erst durch das aktive Eingreifen des Kronprinzen, späteren Königs, Ludwig (I.) und seines 1816 der kgl. Baukommission beitretenden Architekten, Leo Klenze; es entsteht die Ludwigstraße, auf die sich die westl. anschließenden Quartiere in schematischer Rechtwinkligkeit ausrichten. Das westl. und südl. Vorgelände erfreut sich nicht gleicher Sorge. Das östliche erhält erst unter König Max. II. die große ausrichtende Achse, die Maximilianstraße, mit ihr dann allerdings die dritte der 4 Monumentalstraßen, die das Antlitz der modernen Stadt bestimmen. Die vierte, die Prinzregentenstraße (um 1890), leidet, städtebaulich, unter ihrer Abseitigkeit, die auch durch die Verbreiterung der mit der Ludwigstraße verbindenden Von-der-Tann-Straße nicht ganz behoben werden konnte. Die Eingemeindung der vor den Toren liegenden Dorfschaften, wie Schwabing, Sendling, Haidhausen, Neuhausen, Giesing, Au, Bogenhausen usw., im 19. und 20. Jh. hat die Stadtgrenzen weit ins ehemals offene Bauernland hinausgeschoben; städtebauliche Werte hat dieses rasche Wachstum nicht gebracht. – Die Zerstörungen 1944/45 haben den bis dahin immer noch gut erhaltenen Körper der Alt- und älteren Neustadt großenteils niedergebrochen. Immerhin steht noch so viel Wesentliches, daß das Stadtbild als in seinen Grundzügen erhalten bezeichnet werden darf. Der Wiederaufbau hat inzwischen viele der klaffenden Lücken geschlossen. Die gewaltsamen Abräumungen haben manche Verbesserungen im Netz der Verkehrsadern ermöglicht, es sei nur auf den Oskar-von-Miller-

Ring hingewiesen, der auch durch seine gute moderne Bebauung beachtlich ist. Der in den letzten Jahren geschaffene Straßenzug des Altstadtrings hat nur Wunden geschlagen (die schwerste, kaum heilbare, der Maximilianstraße). Der Bau der U-Bahn griff glücklicherweise nicht oder doch nur wenig in den Organismus der Stadt ein.

Kirchliche Bauten

Metropolitan- und Stadtpfarrkirche U. L. Frau (Frauenkirche)

Die wohl bald nach Stadtgründung errichtete Marienkapelle steht innerhalb der ersten Stadtumwallung im äußersten NW, hart an der Mauer. Um oder bald nach Mitte des 13. Jh. tritt ihr ein größerer Bau zur Seite, der 1271 zur zweiten Pfarrkirche aufrückt. Die 1945 teilweise freigelegten Fundamente lassen eine 3schiffige Pfeilerbasilika ohne Querschiff rekonstruieren. Diese schon recht ansehnliche Kirche ist im 15. Jh. baufällig. 1468 legt Herzog Sigismund den Grundstein zum Neubau (Inschrift am SO-Portal). Baumeister ist Jörg von Polling oder (lt. Grabstein) von Halspach. Der Bau beginnt auf der N-Seite. 1473 hat die Umfassungsmauer ihre Höhe erreicht. 3 Jahre später ist die Wölbung vollendet. 1477 bis 1478 setzt der Straubinger Zimmermeister Heinrich den Dachstuhl auf. 1482 nimmt die Verglasung der Fenster bereits bedeutende Mittel in Anspruch, 1488 ist sie beendet. Im gleichen Jahre stirbt Meister Jörg, der, wie seine Grabtafel berichtet, den ersten, mittleren und letzten Stein gelegt, die Kirche also im wesentlichen vollendet hat; sein Nachfolger ist der Steinmetz Lukas Rottaler. 1494 Weihe. Die Türme sind 1493 noch offen; im 3. Jahrzehnt des 16. Jh., wahrscheinl. 1524/25, werden die »welschen Hauben« aufgesetzt. – Inzwischen war die Pfarrkirche mit einem Kollegiatstift verbunden worden (1492). Erwerbung der Reliquien des hl. Benno von Meißen (1580), der 1604 zum Stifts-, Stadt- und Landespatron aufrückt, steigert die Anziehungskraft. Dennoch kommt es bis ins 19. Jh. zu keiner über den Austausch der Altäre und Einrichtungsgegenstände hinausgreifenden Erneuerung, es sei denn, man rechne den von Kurfürst Max. I. errichteten (1857 wieder beseitigten) Bennobogen hierher. – 1803 wird das Stift säkularisiert, die Kirche ist wieder lediglich Pfarrkirche, bis ihr die Errichtung des Erzbistums München-Freising (1817) den Vorzugsrang einer Metropolitanpfarrkirche (1821) zubringt. 1858 bemächtigt sich ihrer der Stilpurismus der Restauratoren Matthias Berger und Ludw. Foltz. Neugot. Ausstattung verdrängt die barocke. 1943–45 zerschmettert der Luftkrieg einen Teil der Chormauern, alle Wölbungen und eine Reihe von Pfeilern. Diese schweren Bauschäden wurden 1947 bis 1957, in erstaunlicher, den Architekten Th. Brannekämper und G. Berlinger zu dankender Leistung, wieder behoben. »Die Pfeiler des Mittelschiffs wurden mit Stahlbetonkernen und Ziegelschalen hochgemauert, die zerstörten Joche mit Stahltrossen verspannt und

in Stahlbeton ergänzt«, die Streben des Chorschlusses »mit Lehr-
gerüsten und Stahlbetonankern gesichert«. Der Chor »erhielt über
drei Joche eine Stahlbetonbrücke«. Die Rippen der zerstörten
Netzgewölbe hat man aus Stahlbetonfertigteilen montiert, in die-
ses Rippennetz ist die Wölbung aus Bimssteinen eingemauert. Die
Hauben der Türme wurden als »Stahlbetonschalen ohne Säulen«
ausgeführt (Formulierungen des Architekten Th. Brannekämper,
die in die technische Strategie moderner Restaurierungen Einblick
gewähren).
Bis heute Mitte des Stadtkörpers, den sie auch in seiner groß-
städtischen Zerdehnung noch beherrscht, darf die Frauenkirche als
das Hauptmonument altbayerischen Bauwillens bezeichnet werden.
Ihre riesigen Abmessungen standen in keiner Beziehung zum tat-
sächlichen Raumbedürfnis einer noch recht eng begrenzten Stadt.
Verglichen mit den großen Hallenkirchen der benachbarten Städte,
der Landshuter Martinskirche oder der Ingolstädter Liebfrauen-
kirche, haftet der Münchner selbst hier, im Lande eines zur
Schmucklosigkeit neigenden Ziegelbaus, eine ungewöhnlich schwere
Wucht der Mauermassen an, aus der eine viel mehr bäuerliche als
bürgerliche Grundhaltung abzulesen ist. Der mächtige Selbstbezeu-
gungswille, der das Riesenwerk entstehen ließ, forderte auch das
Paar der Türme, das mit seinen Rundkuppeln zum Wahrzeichen
der Stadt geworden ist.

Die Frauenkirche, ein Ziegelbau mit Nagelfluhsockel, ist
eine 3schiffige Halle mit Chorumgang; die Abmessungen
sind: Länge 109, Breite 37,5, Höhe (innen) 30, Höhe der
Türme 99 m. – Der A u ß e n b a u, ein einziger riesiger
Block, nur durch Lisenen gegliedert. Über den Pultdächern
der Kapellen ein Mauerüberstand, der mit Maßwerk überblendet ist. Die Dachung war gewaltig, ein Riesensattel einheitlich über Langhaus und Chor (jetzt erneuert). Die Bauzier beschränkt sich auf den Fries unter dem Gesims in Höhe
der Fensterbänke. Auch die 5 Portale fügen sich mit ihrem
Mehr an Schmuck dem sparsamen Charakter des Ganzen.
Das *Hauptportal*, an der Stirnseite des Schiffes, mit einem
torartigen Überbau, ist von einem starken, krabbenbesetz-
ten, in Kreuzblume gipfelnden Kielbogen umfahren und
von 2 Pfosten flankiert, auf die der Sandsteinfiguren des
Schmerzensmannes und der Muttergottes gesetzt sind, gute
Arbeiten des späten 15. Jh. Die *Seitenportale*, 2 auf der S-,
2 auf der N-Seite, bieten weniger auf, reicher nur das südöstl., das als das der inneren Stadt nächste höhere Geltung
beansprucht: in den Hohlkehlen der Leibung Archivolten-
kränze (Apostel, Christus, Maria, weibliche Heilige, musi-

zierende Engel); an den Flanken auf gewundenen Säulen
Muttergottes und ein (neuer) Engel; die Muttergottes und
der Schmerzensmann an den Seitenwangen der Vorhalle,
beide aus Ton, sind älter, um 1430; an diesen Seitenwangen
auch die beiden Inschriftplatten, links Überlieferung des
Baubeginns, rechts Promemoria Herzog Sigismunds, mit
dem Relief des Herzogs, vorzügliche Leistungen spätgot.
Kalligraphie. – Die *Türme* wachsen über hohen Unterbauten
in 4 Würfelgeschossen auf und in 2 Achteckgeschossen den
Kuppeln zu, die auf einem mit stichbogigen Fensterpaaren
belebten Kranzgeschoß aufruhen; breite Lisenen mit aufge-
blendetem Stab- und Maßwerk hegen in straffer Vertikale
die durch Wasserschläge und Maßwerkfriese getrennten
Würfelgeschosse ein. – I n n e r e s. Die 3schiffige Halle
verläuft in ungehindertem Zuge von W nach O. Die Seitenschiffe umfassen in 10eckiger Brechung den lediglich durch
Engerstellung der beiden O-Pfeiler bewirkten Schluß des
Mittelschiffs. Die eingezogenen Streben schließen Kapellen
ein, die, nur durch die 4 Portale unterbrochen, die Seitenschiffe und den Chorumgang begleiten. Die Höhe der Seitenschiffe nahezu erreichend, steigern sie die Raumbreite; ihre
über 20 m hohen Fenster sind die Lichtspender. 22 hoch-
gesockelte kämpferlose Achtkantpfeiler grenzen das Mittelschiff gegen die an Breite etwas zurückstehenden Seitenschiffe ab; ihre enge Reihung schwächt die Wirkung der
Querachse: Von einem durch den sog. Teufelstritt gekennzeichneten Standpunkt aus (unter der Empore) schließen sie
sich wandartig zusammen. Auch die Scheidbogen betonen
die Trennungslinie der Schiffe. Dagegen fällt die Abgren-
zung der Gewölbejoche durch Querrippen nicht ins Gewicht;
der die Joche durchgreifende Tiefenzug dominiert. Die Rippen fußen auf polygonen Dienstkonsolen, die Scheidbogen
auf Kragsteinen, menschlichen Köpfen, die sehr gute Steinmetzarbeiten (viell. des jungen Erasmus Grasser) sind. Die
Gewölbe der Seitenschiffe, steilbusig, ruhen auf Diensten
und Dienstkonsolen. Das westl. Turmpaar hat keinen Anteil
am Gesamtraum, wenn sich auch die Kapellen der Erdgeschosse in die Seitenschiffe öffnen. Nur die zwischen den
Türmen liegende, von der Empore überwölbte Vorhalle ist
voll in das Mittelschiff geöffnet. Die dem 1. nördl. Joch des
Chorumgangs anliegende sog. Chorkapelle öffnet sich mit
kräftig gerahmter Kielbogenpforte in den Umgang; der

kleine stimmungsvolle Raum empfängt sein Licht durch die stark farbigen Scheiben einer spätgot. Katharinenmarter. Das schöne, spätgot. *Holzbild der Muttergottes* steht dem großen altbayerischen Meister der Zeit, Hans Leinberger, sehr nahe.

Die Ausstattung, ihres mittelalterl. Inventars früh, ihres nachmittelalterl. gutenteils im 19. Jh. beraubt, ist doch noch reich an Kunstwerken. Voraus zu nennen die *Glasgemälde* der Chorfenster, die urspr. Ausstattungsbesitz sind: Der Chor der Frauenkirche ist einer der wenigen Kirchenräume mit fast vollständig erhaltener Altverglasung. Zeitlich reichen die Scheiben vom späten 14. bis ins frühe 16. Jh. Das jetzt in der Mitte des Chorschlusses eingesetzte *Scharfzandt-Fenster*, Stiftung des Ratsherrn Wilhelm Scharfzandt, 1473, ist Werk eines Hochberühmten unter den Glasmalern der Spätgotik, des Straßburgers Peter Hemmel (von Andlau). Das Speculum-Fenster (rechts) verbindet, wie schon urspr., ältere, um 1430 zu datierende Scheiben (Passion) mit jüngeren, 1480 datierten. Das ebenfalls um 1430 und in gleicher Werkstatt entstandene Dreikönigsfenster besetzt jetzt das untere Drittel der Fensterfläche. Das Herzogsfenster (links) darf als Stiftung Herzog Albrechts IV. von etwa 1485 angesprochen werden. – Urspr. Ausstattungsbesitz sind auch die in die neuen Chorstühle eingesetzten Schnitzwerke von der Hand des großen Meisters der Spätgotik, Erasmus Grasser, 1492–1503. Hochaltar ist jetzt eine einfache moderne Mensa mit einer Kopie des sog. Bamberger Altars von 1429 (Bayer. Nat.-Museum). Das große Gemälde des barocken Hochaltars, Stiftung Herzog Maximilians 1620, eine riesige Holztafel, Himmelfahrt und Krönung Mariae, von P. Candid, jetzt an der N-Wand des Chorumgangs. – Einzelne Werke spätgot. Plastik: das Steinbildwerk des Erbärmdechristus, 2. Hälfte des 14. Jh., in der 1. Kapelle der S-Seite des Chorumgangs; die Pietà Weichen Stils, in der 1. Kapelle der S-Seite; die Holzfigur des thronenden hl. Nikolaus (Neuerwerbung), Erasm. Grasser zugeschr., in der 4. Kapelle der S-Seite; der hl. Georg Hans Leinbergers, um 1520, eine der eindrucksvollsten, edelsten Darstellungen des hl. Ritters (über dem nordwestl. Portal), der hl. Christoph, ehemals an der Kirchenfront des Püttrichklosters, ein urwüchsiges Münchner Werk gleicher Zeit (in der Vorhalle), der hl. Rasso, von einem Leinberger nahestehenden Meister (über dem südwestl. Portal). – Unter den Werken der nachmittelalterl. Plastik sei das außerordentliche *Grabmal Kaiser Ludwigs d. Bayern* im südl. Seitenschiff hervorgehoben. Um 1480 ließ Herzog Albrecht IV. für Kaiser Ludwig ein Hochgrab errichten, dessen mächtige Rotmarmordeckplatte, eingefügt in das spätere Mausoleum, erhalten blieb, die außerordentliche Leistung eines noch nicht ermittelten, nach heute herrschender Meinung nicht mit Erasmus Grasser zu identifizierenden Bildhauers (Gipsabguß des unzugänglichen Ori-

ginals im Nationalmuseum). 1619–22 errichtete Max. I. in der zeit-
gemäßen Form des »castrum doloris« das Prunkmonument durch
Hans Krumper, der aber mehrere Figuren von einem geplanten
Grabmal Wilhelms V. übernahm. Das Monument ist ein Gehäuse
aus schwarzem Marmor. Auf Eckvorsprüngen des Sockels 4 kniende
Grabwächter (H. Gerhart, um 1595), an der Mitte der Langseiten
die Herzoge Albrecht V. und Wilhelm IV., auf dem Dach Putten-
paare mit Wappen, die Kaiserkrone und neben ihr die (wieder
Gerhartschen) Allegorien der Weisheit und Tapferkeit. Die von
Dionys Frey ausgeführten Figuren sind Meisterleistungen des
Münchner Bronzegusses. Verweisen wir hier auch auf das Bronzerelief H. Gerharts mit der Auferstehung des Lazarus, 1596, in der
4. Kapelle der S-Seite, das H. Krumpers, Memorie der Münchner
Priesterbruderschaft, 1620, in der 5. Kapelle der N-Seite und die
einen Entwurf P. Candids voraussetzende Silberbüste des hl.
Benno, 1601, in der 2. Kapelle des südl. Chorumgangs. Eine vor-
treffliche Arbeit des späten 17. Jh. ist der hl. Sebastian Andreas
Faistenbergers über dem nordöstl. Portal; ausgezeichnete Proben
der Virtuosenhand Ignaz Günthers die 12 Marienreliefs von 1772
(ehem. am Chorgestühl) in der 2. Kapelle der südl. Chorumgangs.
– Einzelne Gemälde, die aufzusuchen sind: die Kreuzigung »mit
Gedräng«, ein charakteristisches Werk der Mitte des 15. Jh. (die
Flügelbilder Kopien) der Flügelaltar mit der 1483 datierten Taufe
Christi, Werk des Südtirolers Friedr. Pacher, und Passionsdarstellungen in der Art Jan Pollaks auf den Flügeln, beide in der Um-
gangskapelle links der Mitte; das große Schutzmantelbild von
1510, mit dem Wappen der Sänftl, wohl sicher von Pollak, in der
Mittelkapelle des Umgangs, und die Pollak nahestehende Andreas-
tafel in der 3. Kapelle der S-Seite.

Der umfangreiche Bestand an Grabsteinen und Epitaphien (außen
und innen) enthält manche gute Leistung. Genannt seien das Epitaph des Bischofs Tulpeck, 1476, und das schlichte, aber stimmungsvolle, des blinden Organisten Konrad Paumann, 1471, das
erste in der nördl. Turmkapelle, das zweite unter der Orgelempore.
Der einfache, kurze Text der jetzt in die gleiche Wand eingelassenen Grabplatte Meister Jörgs von Halspach, des Erbauers der
Frauenkirche, möge mit Ehrfurcht gelesen werden. In der 4. Kapelle der N-Seite das Epitaph des Dr. Balth. Hundertpfund, Pfarrer der Frauenkirche in den Jahren 1478–1502, mit der thronenden Muttergottes im oberen Teil der Rotmarmorplatte. In der
1. Kapelle der S-Seite befindet sich jetzt die Grabplatte des großen
bayerischen Baumeisters Joh. Mich. Fischer, des, wie die Inschrift
rühmt, kunsterfahrenen, arbeitsamen, redlichen und aufrichtigen
Mannes, der 32 Gotteshäuser, 23 Klöster nebst sehr vielen anderen
Palästen, Gemüter aber viele Hunderte durch seine altdeutsche
Aufrichtigkeit erbaute, bis er endlich den 6. Mai 1766 zum letzten
Gebäu des Hauses der Ewigkeit den Grundstein legte. – Die Gruft
ist Grablege der wittelsbachischen Fürsten von Kaiser Ludwig d.

Bayern bis Herzog Albrecht V. (1579), auch des letzten Königs, Ludwigs III. Eine zweite, kleinere Gruft diente und dient den Stiftspröpsten und Erzbischöfen.

Pfarrkirche St. Peter

Eine erste Kirche entstand wohl bald nach Stadtgründung, eine zweite größere angebl. 1181–90. Auch sie reichte bald nicht mehr aus, 1278 ist die dritte im Bau, 1294 wird sie geweiht: eine 3schiffige flach gedeckte Pfeilerbasilika mit 2türmiger W-Stirn und 3-Apsiden-Chor. Von ihr stehen noch die beiden Türme unteren Teils und die 4 westl. Arkaden des Schiffes. Dieser Bau fällt, bis auf die erwähnten Teile, dem Stadtbrand von 1327 zum Opfer. Langsamer Wiederaufbau; Weihe 1368. Die Abmessungen bleiben, bis auf die östl. Verlängerung des Langhauses um 4 Joche, die alten. Eingezogene Streben ergeben seitliche Kapellenreihen. Die 2-Turm-Front erfährt 1379–86 ihre bleibende, so eigenartige Ausgestaltung durch Schrägabdeckung der Turmstümpfe und die Hochführung eines mittleren Turmes, der mit Spitzhelmzwillingen abgedeckt wird. 1607 zerschlägt der Blitz die Helme, an deren Stelle nun über der Türmerbehausung als Sockel die den »Alten Peter« schmückende laternenbekrönte Kuppel tritt. 1629 setzt die entscheidende barocke Umgestaltung ein. Der Chor entsteht völlig neu; sein Baumeister ist der Wessobrunner Isaak Bader. 1641/42 werden die Schiffe (mit Ausnahme des südl.) neu gewölbt. 1646 Weihe. 1730 erneuert Ign. Ant. Gunetsrhainer das Chorgewölbe, J. B. Zimmermann stuckiert es. Angleichung des Langhauses erst 1753–56: Neuwölbung der Seitenschiffe, Stuckierung des Mittelschiffes, einheitliche Fenstergestaltung. Seither keine wesentlichen Veränderungen mehr, bis zur Katastrophe von 1944/45, die einen großen Teil des Langhauses in Trümmer legte und den Turmhelm zerstörte. Doch ließ sich die Ruine retten, und jetzt steht Münchens »Alter Peter« wieder in Gänze da.

Ä u ß e r e s. Eng eingeschlossen, entfaltet der langgestreckte Körper der Schiffe keinen Aufwand. Doch Chor und W-Stirn stehen frei. Auch sie sind wenig geschmückt, aber sie können, dank prächtigen Wuchses, des Schmuckes entraten, breitflächig und doch steil aufgereckt stellt sich die Turmfassade gegen den in schöner Kurve herankommenden Rindermarkt, die glatte Stirn nur von einem eingenischten großen Spitzbogen mit füllenden Blendbogen belebt. Der originelle Helm (1944 zerst., 1954 erneuert), Kuppel über eingerückter Türmerstube, mit hoher Laternenspitze, gehört zu den Charakterzügen des Stadtantlitzes. Als eine zweite Schauseite stellt sich der durch die Terrassenstufe (»Petersbergl«) aufgesockelte Chor gegen das »Tal«: Chorschluß

und Querhausflügel treten mit ihren 3seitigen Brechungen,
zwischen die sich schlanke runde Treppentürme vermittelnd
einstellen, zu schöner, auch durch ein schönes Blankziegelmauerwerk ausgezeichneter Gruppe zusammen. – 4 Portale
der Zeit um 1630 führen ins I n n e r e der außerordentlich
langgestreckten, steil proportionierten 3schiffigen, von Seitenkapellen begleiteten Pfeilerbasilika (Länge 90 m). Die
rundbogigen Arkaden ruhen auf gedrungenen quadratischen
Pfeilern, die durch Ummantelung der gotischen zustande
kamen. Die Barockisierung des Langhauses, 1753–56, konnte
den Raumcharakter der mittelalterl. Basilika nur verschleiern, er ist immer noch spürbar genug. Gegen die etwas
engbrüstige Räumlichkeit des Schiffes befreiende Weite im
jüngeren O-Bau: 3 um die überkuppelte Vierung geordnete
kurze Arme, jeder dreiseitig geschlossen und mit Klostergewölbe gedeckt, ein nur aus der heimischen Entwicklung
ableitbares, posthum mittelalterl. Motiv. In die beiden Seitenarme sind unten Sakristeien eingebaut, nur die oberen
Raumteile öffnen sich, als Oratorien, in die Vierung.

A u s s t a t t u n g. Der mächtige *Hochaltar* entstand nach einem
Entwurf des Malers Nik. Stuber, 1730. Im Aufbau fast gänzlich
(bis auf die geborgene Plastik) zerstört, wurde er 1954 in genauer
Wiederholung des urspr. Bestandes wieder aufgerichtet. Mitte ist
die große und großartige Holzfigur des Kirchenpatrons von Erasmus Grasser, 1492. Der barocke Thron wird nach dem Vorbild
der römischen Cathedra Petri (Bernini) von den wuchtigen gebärdenstarken Figuren der 4 Kirchenväter gestützt. Sie sind Werk
des Egid Qu. Asam. Mit ihm nahmen die bedeutendsten Bildhauer
der Stadt, wie J. G. Greiff, A. Faistenberger, an der Ausstattung
teil. Das links des Hochaltars stehende Gestühl arbeitete, 1750,
Joach. Dietrich (die Figuren der beiden Tugenden von Greiff),
den Dreisitz gegenüber Ign. Günther, 1767 (die Tugenden wieder
von Greiff). Die Figuren Christi und Mariae seitlich des Altars
führen die Apostelfolge an den Pfeilern des Schiffes an, ausgezeichnete Arbeiten von J. Prötzner, A. Faistenberger (Andreas)
und J. G. Greiff (Paulus). Am Altar der Katharinenkapelle (N-
Turm) die beiden mit aller Grazie des Rokoko ausgestatteten
Holzfiguren der hll. Katharina und Margaretha, Werke Ign. Günthers. – Der Besitz der Kirche an spätmittelalterl. Werken enthält
so kostbare wie den 1407 gestifteten steinernen *Schrenkaltar* (N-
Seite), der einer der ältesten Altäre in Bayern ist, die Rotmarmor-
Epitaphien des Ulr. Aresinger, 1482, von Erasmus Grasser, des
Balth. Pötschner, 1505, von einem Grasser nahestehenden Meister,
und die 5 gemalten Flügeltafeln mit Darstellungen der Petruslegende, 1517, von Jan Pollak, vom spätgot. Hochaltar (6 weitere

Tafeln im Nationalmuseum), auf den auch der in den barocken einbezogene thronende Papst-Petrus, eine monumentale spätgot. Holzfigur, zurückweist.

Pfarr-, ehem. Spitalkirche Hl. Geist (Tal)

Herzog Ludwig gründet, angebl. 1208, ein Pilgerhaus. Herzog Otto verwandelt es in ein Spital, vor 1250. Errichtung der Kirche nach dem Stadtbrand von 1327, doch kaum vor den 60er Jahren des 14. Jh.; 1392 ist sie vollendet. 1723–30 findet ein Umbau statt, den J. G. Ettenhofer durchführt. – Nach der Säkularisation werden die Spitalgebäude abgebrochen. Die Kirche, seit 1844 Pfarrkirche, wird 1885 um 3 westl. Joche verlängert und mit neubarocker Fassade abgeschlossen. – Der Luftkrieg 1944 fügt ihr schwere Schäden zu. Der Baukörper konnte wiederhergestellt werden. Die reiche, hochwertige Ausstattung ist großenteils verloren.

Ä u ß e r e s. Die 3schiffige Halle mit Chorumgang in 9seitiger Brechung präsentiert sich als ein einheitlicher Block ohne andere Gliederung als die durch die (barocken) Fenster gegebene. Der Turm, östl., in der Achse des Chorhauptes, spricht gut in der Ansicht, v. a. vom südl. anliegenden Viktualienmarkt her, mit; seines anmutigen Barockhelms ging er 1944 verlustig (erhielt ihn aber 1958 zurück). I n n e r e s. Die urspr. gestufte Halle wurde 1724 durch Erhöhung der Seitenschiffe auf einheitliche Höhe gebracht. Damals wurden auch die Pfeiler, urspr. wohl 8eckig, kreuzförmig ummantelt. Die beiden östlichen sind (wie in der Frauenkirche) etwas enger gestellt, um das Mittelschiff zu schließen. Flache Kapellen zwischen den Streben begleiten die Seitenschiffe. – Hl. Geist war die glückliche Verbindung eines spätgot. Hallenraums mit reicher farbiger spätbarocker Dekoration (Fresken von Asam, Stuck von Schmidtgartner; Stuckdekor an den Umfassungswänden erhalten). Die neuen, den urspr. nachgebildeten Stukkaturen und Gemälde in Wiederherstellung. Wiederhergestellt wurde auch der 1728–30 von Nik. Stuber und Ant. Mattheo geschaffene *Hochaltar*, mit dem Gemälde Ulrich Loths von 1661 und den beiden entzückenden Engeln von J. G. Greiff, um 1730. – Auf einem der Nebenaltäre die aus Kloster Tegernsee stammende sog. Hammerthaler Muttergottes, um 1450. – An der W-Wand das Grabmal Herzog Ferdinands von Bayern, Bronze, eine vorzügliche Leistung Hans Krumpers, um 1608. – In der Kreuzkapelle (Kriegergedenkstätte) ein spätgot. Kruzifixus um 1510. In anderen Seitenkapellen Gemälde von P. Horemans (Joseph in Ägypten, Salomo), J. H. Schönfeld (14 Nothelfer), J. A. Wolf (Mariae Empfängnis), Melchior Steidl (Taufe Christi).

St.-Jakobs-Kirche (St.-Jakobs-Platz)

Sehr früh, schon 1221, siedeln sich die Franziskaner in München an, zunächst bei der vor der (ersten) Mauer gelegenen Jakobskapelle. Doch ziehen die Brüder 1284 auf das ihnen vom Herzog zugewiesene Gelände nördl. des Alten Hofes (Max-Josephs-Platz) um. Im gleichen Jahre beziehen Klarissen das freigewordene Angerkloster, das bis zur Säkularisation besteht. 1843 werden die Klostergebäude von den Armen Schulschwestern bezogen.

Die 1944 schwer beschädigte, 1956 gänzlich abgetragene Klosterkirche ging in ihrem Kernstück auf die um die Mitte des 13. Jh. aufgeführte zurück, eine Basilika mit 3 östl. Apsiden. An ihre Stelle trat 1956 ein von F. Haindl errichteter **Neubau**, der zu den guten Lösungen der modernen Kirchenarchitektur Münchens zu rechnen ist.

Ehem. Augustinerklosterkirche (Neuhauser Str.)

1294 beruft Herzog Ludwig Augustiner-Eremiten und weist ihnen einen damals noch außerhalb der Mauer liegenden Platz, das »Haberfeld«, zu. 1291 Baubeginn, 1294 Weihe. Erweiterungsbauten um 1330/40 (Chorweihe) und um die Mitte des 15. Jh. 1618–21 erfolgt der die Erscheinung des Inneren bestimmende Umbau, unter weitgehender Schonung des mittelalterl. Baukörpers. Nach der Säkularisation diente die (jetzt durch Einziehung einer Zwischendecke entstellte) Kirche Mautzwecken; später wurde sie Bestandteil des Polizeipräsidiums, das 1910–13 von Th. Fischer auf dem Areal des Klosters errichtet wurde. Heute beherbergt sie das Deutsche Jagdmuseum.

Die Kirche, stattlich und steilwüchsig, im Zusammenstand mit Frauenkirche und St. Michael ein städtebaulicher Wirkungsfaktor erster Ordnung, ist eine 3schiffige Basilika ohne Querschiff und Turm, die mit dem Chor in das späte 13., mit dem Langhaus ins 14. Jh. zurückreicht. Die Arkaden und die Fenster wurden 1620 rundbogig verändert. Das spätgot. Netzgewölbe des Langhauses machte einer Stichkappentonne Platz. Die Wölbungen des Chores und der Seitenschiffe sind mittelalterlich (1458). Der Außenbau hat im Hochschiff seine urspr. Erscheinung bewahrt, nur die Stirnseite wurde 1620 zeitgemäß modifiziert. – Die urspr. reiche Ausstattung ging verloren oder wanderte in andere Kirchen ab. Das großartige Hochaltargemälde, die Kreuzigung, wahrscheinl. von Tintoretto, heute in Würzburg (Stift Haug).

Allerheiligenkirche am Kreuz (Kreuzstr.)

Errichtet um 1478 als Friedhofskirche der Peterspfarrei. Das Patrozinium lag zuvor auf der 1315 gestifteten, 1486 abgetragenen Gollierkapelle am Markt. Baumeister war wahrscheinl. Jörg von Polling. 1485 wurde geweiht, 1493 noch der Turm vollendet, um 1620 der Chor errichtet. 1789 wurde der Friedhof aufgelassen, die Kirche nach der Säkularisation profaniert, doch 1814 dem Gottesdienst zurückgegeben.

Der spätgot. Ziegelbau von 1478–85 hat sich im wesentlichen erhalten. Im einzelnen reicher durchgebildet als die Salvatorkirche, mit der das gleich enge Verhältnis zur Frauenkirche verbindet. Das Ä u ß e r e durch gestufte Streben, Sockel und Kaffgesims gegliedert, der Chor durch Lisenen und Blenden. Der südl. stehende Turm unverhältnismäßig mächtig; seine 4 Geschosse von Lisenen eingefaßt, durch Spitzbogenfriese und Gesimse getrennt; abschließend 4 gekappte Giebel und darauf der 8seitige (jetzt erneuerte) Helm. I n n e r e s. Das 1schiffige Langhaus umfaßt 3 Joche. Die Wölbung ist spätgotisch, doch durch Abschlagen der Rippen den jüngeren des Chores (Stichkappentonne) angeglichen.

Salvatorkirche (Salvatorstr.)

1494 als Friedhofskirche der Frauenpfarrei durch Albrecht IV. errichtet, wahrscheinl. vom (2.) Baumeister der Frauenkirche, L. Rottaler. Das Patrozinium lag zuvor auf Unseres Herrn Kapelle vor dem Schwabinger Tor (1350–1494). – Die Kirche des 1789 aufgelassenen Friedhofs wurde 1803 profaniert, dann, 1829, der griech.-orthodoxen Gemeinde überlassen.

Sie ist ein wohlerhaltener unverputzter Ziegelbau: Stil der Frauenkirche, in bescheidene Verhältnisse übertragen. Das Ä u ß e r e ist durch 3stufige Streben gegliedert. Der an der N-Flanke des Chores stehende Turm steigt in 4 quadratischen und 2 8eckigen Geschossen auf; sein Spitzhelm gehört dem 19. Jh. I n n e r e s. Das 1schiffige Langhaus hat 4 Joche, der Chor schließt in 5 Seiten des Achtecks. Wandpfeiler mit Dienstvorlagen nehmen das feinstrahlige Netzrippengewölbe auf. Ausstattung, bis auf weniges, neu.

Ehem. Herzog-Spitalkirche St. Elisabeth (Herzog-Spital-Str.). 1552 gründet Herzog Albrecht V. ein Hospital für ehem. Hofbedienstete, an dessen W-Seite die 1572 geweihte Kirche entsteht. Eine 1651 von Tobias Bader gearbeitete Schmerzhafte Muttergottes entwickelt sich zum wundertätigen Gnadenbild. – Der Baumeister der kleinen, mit sparsamer Fassade in die Straßenflucht einbezogenen Kirche war der Hofbaumeister H. Schöttl. 1944, bis auf den Turm (von J. B. Gunetsrhainer, 1727/28), zerstört. Jetzt einfacher Neubau, der das alte berühmte Gnadenbild noch vorweisen kann.

Ehem. Spitalkirche St. Nikolaus auf dem Gasteig, der östl. Steilböschung der Isar. Gründung des 13. Jh., an der hier die Isar erreichenden Salzstraße, als Kirche eines erstmals 1213 bezeugten Leprosenhauses,

das, als Spital, bis 1861 besteht. 1660/61 erneuert. Der Charakter einer
abseits vor der Stadt liegenden Spitalkirche blieb dem kleinen bescheidenen Bau erhalten, dank der das Herandrängen der Stadt hem-
menden Gasteiganlagen.

Jesuitenkirche St. Michael (Neuhauser Str.)

*1559 kommen die Jesuiten nach München. 1583 beginnt der Bau
ihrer Kirche, einer Hochburg der Gegenreformation. Bauherr ist
Herzog Wilhelm V., der die Kosten großenteils aus eigenen Mit-
teln bestreitet. 1590 stürzt der an der O-Seite des Chores stehende
Turm ein, für den Herzog Wink des Erzengels, sein Haus größer
zu gestalten. 1593 beginnt der neue Chor zu entstehen, nach neuem
Modell, tiefer. Zugleich wird ein Querschiff eingeschaltet, der
Turm von der Kirche getrennt und an die NO-Ecke des von
Kirche und Kolleg eingenommenen Areals verlegt. 1597 Weihe. –
Aufhebung des Jesuitenordens 1773. St. Michael wird Hofkirche.
1921 den Jesuiten zurückgegeben, wird der Bau 1944 weitgehend
zerstört, doch halten die Umfassungsmauern bis zum Fuß der
(völlig zerstörten) Tonne. Wiederaufbau 1946–53. Die Giebelfassade wurde 1960 im Sinne des urspr.(im späten 17. Jh. veränderten) Zustandes durch die Beseitigung des Rundfensters im
3. Geschoß korrigiert.
Die Baumeisterfrage ist umstritten. Chor und Querschiff gehören
dem in Italien gebildeten Niederländer Friedrich Sustris. Ob auch
das Langhaus, ist fraglich. Der Augsburger Schreiner-Architekt
Wendel Dietrich war sicher mit Rissen beteiligt. Der Steinmetz
Wolfgang Miller war wohl nur ausführender Werkmeister, leistete
aber als solcher Außerordentliches. Unnötig, einen Unbekannten in
die Debatte einzuführen. Wolfg. Miller, nach dem Turmeinsturz
zur Verantwortung gezogen, gab an, er habe niemals einen ordent-
lichen Baumeister gehabt, nur »bisweilen« Friedrich Maler (Sustris)
und Wendel Dietrich, der aber des Jahrs nur 3–4 Male zum Bau
gekommen. Der Baumeister der Michaelskirche ist in der Dreiheit
Sustris – Dietrich – Miller enthalten.*

St. Michael ist der erste große Kirchenbau Süddeutschlands nach dem
Abbruch der spätmittelalterl. Tradition, an die er wohl im konstruktiven System wieder anknüpft, die er aber auch, in der völligen Neu-
form des Ein-Raumes italienischer Abkunft, überwindet. Daß die Planidee dem römischen Gesù verpflichtet ist, liegt auf der Hand. Aber die
Verpflichtung ist locker. Gerade das aus dem Heimischen genommene konstruktive System (Halle mit Emporen in den Seitenschiffen)
rückt den Bau vom Vorbild ab, mag er diesem auch das entscheidend
Neue, die Raumgestalt des Tonnensaales, verdanken. Der bodenstän-
dige Charakter sicherte St. Michael eine außerordentliche Wirkung; das
Neue, schwer verständlich Fremde war mit vertrauten konstruktiven
Mitteln vorgetragen und so seiner Fremdheit bis zu einem der Aneignung günstigen Grade entkleidet.

Ä u ß e r e s. Hohe, 3geschossige Fassade mit Dreieckgiebel.
Trotz der kräftigen Horizontalgesimse spricht die Vertikale
stärker; ein deutsch geartetes Proportionsgefühl setzt sich

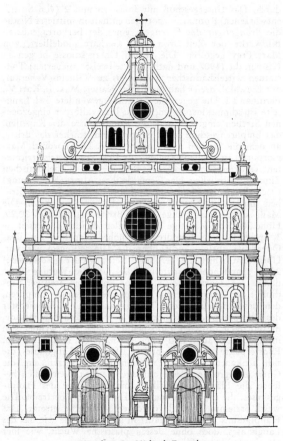

München, St. Michael, Fassade
(Zustand nach den Änderungen des späten 17. Jh.)

durch. Das Untergeschoß mit Pilastern und 2 (von Sustris entworfenen) Rotmarmorportalen enthält in mittlerer Nische die *Bronzefigur des Erzengels*, eines der hervorragendsten Bildwerke der Zeit, von Hub. Gerhart modelliert, von Mart. Frey gegossen. Die beiden Obergeschosse bergen in Nischen die (1907 und nach 1946 teilweise erneuerten) Tonstatuen wittelsbachischer Ahnen, bis zu Wilhelm V. herauf, mit Einschluß dreier habsburgischer Kaiser, Max. I., Karl V., Ferdinand I. Die gegen die Ettstraße gewendete östl. Langseite ist schmucklos; unten, in die Intervalle der eingezogenen Streben eingeschlossen, die Rundschlüsse der Kapellen, das Emporengeschoß leicht einspringend, stärker das dritte, an dem die Streben nach außen treten. Das nordöstl. Marmorportal ist zugleich Zugang zur 1592 von Sustris errichteten *Kreuzkapelle*, an die nördlich die sog. Wilhelminischen Zimmer anschließen. Das Gemälde ihres Altars (Kreuzigung) ist ein Werk des Hans von Aachen. Der Chor ist von Streben mit Volutenabschlüssen umstellt. – I n n e r e s. Die Maße sind: Gesamtlänge 78,26, Breite des Schiffes 20,29, Höhe 28,15 m. Mächtige Wandpfeiler scheiden beiderseits je 3 apsidiale, von Emporen überhöhte Kapellen aus. Das Querschiff springt nicht über die Umfassungsmauer vor. Über dem Schiff die berühmte (jetzt wieder geschlossene) 20 m spannende *Riesentonne*, die auch die Vierung überdeckt. Der eingezogene tiefe Chor schließt in 5seitiger Brechung; der Aufriß gleicht, bis auf die fehlenden Emporen, dem des Langhauses; seine Tonne spannt 15,3 m. Die Fenster des Chorobergeschosses sind, mit den Fenstern der Fassade, die einzigen direkten Lichtspender, der Chor wendet sich infolgedessen auch hell dem beschatteten Langhause zu. Pilasterpaare rahmen die breiten Pfeiler des Langhauses, die sich attikaartig in der Emporenzone fortsetzen, um die Gurte der großen Tonne aufzunehmen. Statuennischen beleben die Flächen. Auffallend die tiefe Lage des Hauptgesimses, die die Spannung der Tonne noch übertreibt. Die westl. Freiempore wurde durch eine moderne ersetzt. Das Hauptgesims des Chores läuft in gleicher Höhe wie das des Langhauses, doch ohne dessen plastische Wucht, wie hier alles ins Leichtere, Flüssigere gewandelt ist.

A u s s t a t t u n g. Die Stukkaturen der Gewölbe, mit den Gewölben zerstört, müssen hinzugedacht werden. Doch haben sich die reichen, 1697 erneuerten Dekorationen der Kapellen erhalten.

Der *Hochaltar*, 1589 von W. Dietrich geschaffen, 1944 stark beschädigt, doch jetzt wieder aufgerichtet; das Gemälde, der Teufelskampf des hl. Michael, gab, 1591, Christ. Schwarz. Die Architekturen der 8 Seitenaltäre entstanden samt und sonders 1697, doch mit Bewahrung der ausgezeichneten älteren Gemälde von P. Candid (2. und 3. Kapelle links, 3. rechts), Hans von Aachen (1. Kap. links, 2. rechts), A. M. Viviani (nördl. und östl. Querschiff). Auf der Mensa des Altars im westl. Querschiff steht der Schrein der hll. Cosmas und Damian, der, um 1400 für Bremen angefertigt, 1649 von Kurfürst Max. I. erworben wurde: der Holzbehälter mit vergoldeten Silberplatten beschlagen, deren getriebene Reliefs Reihen von Heiligen darstellen. Die Kanzel entstand 1697. Die bronzene Kreuzigungsgruppe im südl. Querschiff ist Werk des Giovanni da Bologna and (Magdalena) des Hans Reichle, 1594 bis 1595, der Weihbrunnenengel an der W-Wand Werk des H. Gerhart, urspr., wie auch die 4 Bronzereliefs (3 an der Mensa des Hochaltars, das 4. im nördl. Querschiff) und die 4 Bronzekandelaber, für das Grabmal Herzog Wilhelms (die Schriftplatte in der 1. westl. Kapelle) bestimmt. Das große Marmorgrabdenkmal des Eugen Beauharnais, Stiefsohnes Napoleons und Schwiegersohnes König Max Josephs, schuf 1830 Bertel Thorwaldsen. – Die Gruft unter dem Chor, die zeitlich zweite unter den 3 Münchner Sepulturen des Hauses Wittelsbach, birgt Herzog Wilhelm V., die Kurfürsten Maximilian I. und Carl Theodor und König Ludwig II.

Von den Gebäuden des östl. an die Kirche anschließenden **Kollegs** (1585–97) blieben die Fassaden (gegen die Neuhauser Straße) erhalten. Ihre Renaissance-Gliederungen sind edel einfach. Städtebaulich wirkungsvoll die Winkelstellung zur Straße, die gleichsam zu einem Anhalten gezwungen wird. Im Winkel der beiden Flügel steht seit 1961 der von Henselmann geschaffene, in hoher Reliefsäule aufsteigende *Rich.-Strauss-Brunnen.*

Ehem. Karmelitenklosterkirche (Karmelitenstr.)

1629 beruft der Kurfürst die Unbeschuhten Karmeliten nach München. Erst 1654, unter Kurfürst Ferdinand Maria, kann der Grundstein zum Kloster und zur Kirche gelegt werden. Weihe 1660. Als Baumeister wird Hofbaumeister Hans Konr. Asper genannt, als Ausführender Marx Schinagl. – Nach Aufhebung des Klosters, 1802, wird die Kirche durch Nik. Schedel v. Greiffenstein im Äußeren klassizistisch korrigiert (1802–11).

Die schlichte, westl. gerichtete Kirche folgt dem Schema der Karmelitenkirchen, deren älteste sie innerhalb Bayerns ist: 3schiffige, kreuzgewölbte Basilika mit Querschiff und platt schließendem, dem Schiff längengleichen Chor; die Seitenschiffe in Kapellen aufgeteilt, durch schmale Öffnungen verbunden; Gliederung: Pfeiler mit toskanischen Pilastern, Gesims, Attika. Turm südlich am Chorarm, rechteckig, mit flacher Blechhaube. 1944 bis auf die Umfassungsmauern zerstört, das Kloster gänzlich. Die Kirche wurde 1955–57 zu einem Bibliotheksraum umgestaltet.

Kath. Pfarrkirche St. Kajetan, ehem. Hof- und Klosterkirche der **Theatiner** (Theatinerstr.)

Dankvotivkirche der Kurfürstin Henriette Adelaide für die Geburt des Erbprinzen Max Emanuel (1662). Ohne Vertrauen in das Können einheimischer Meister, beruft die aus Turin kommende Fürstin den Bolognesen Agostino Barelli. Vorbild ist die römische Mutterkirche der im gleichen Jahre berufenen Theatiner, S. Andrea della Valle. 1663 trifft Barelli mit einem Trupp italienischer Bauleute ein, am 29. IV. wird der Grundstein gelegt. 1674 scheidet Barelli aus, der Graubündner Enrico Zuccalli tritt an seine Stelle. 1675 ist der Rohbau im wesentlichen fertig. Die Kuppel ist noch im Bau (1688 vollendet), die Fassade steht noch aus. Ausstattung 1688 guteteils abgeschlossen. Die Fassade läßt lange auf sich warten; erst 1765 entschließt sich Kurfürst Max III. Joseph zur Einlösung des Gelöbnisses seiner Vorfahren. Der ältere Cuvilliés entwirft die Fassade, der jüngere führt sie aus; 1768 ist sie vollendet. – 1801 löst der Kurfürst das Theatinerkloster auf. 1838 errichtet Ludwig I. ein Hof- und Kollegiatstift, das bis zum Ausgang der Monarchie Bestand hat. Heute den Dominikanern überlassen.

Die Theatinerkirche bezeichnet den Einbruch des italienischen Barock in die süddeutsche Baukunst; das Gegenspiel der bodenständigen Kräfte ist kaum mehr spürbar. Der Bau Barellis ist ein Fremdling, und nur die dem alten München ebenso fremd gegenüberstehende klassizist. Umgebung nimmt dieser Fremdheit das Auffällige, das ihr im 17. Jh. anhaften mußte. Da hier zum erstenmal der Typus der monumentalen Kuppelkirche, vorgetragen in engster Anlehnung an eine der berühmten Kirchen Roms, vor Augen trat, wurde das Werk Barellis der stärkste Anreger der nun einsetzenden Entwicklung der barocken Architektur Altbayerns. Ebenso entscheidend erwies sich der neue Stil der Stuckdekoration, der die heimische, von den Wessobrunnern ausgehende Produktion aufs kräftigste belebte. Das Stadtbild Münchens gewann in der hochaufragenden Kuppel und den mit ihr vergesellschafteten beiden Türmen einen seiner wesentlichen Akzente, der ihm, ohne den Hauptakzent »Frauenkirche« außer Kraft zu setzen, einen neuen Charakter aufprägte. Wenn München den Habitus einer barocken Stadt aufweist, so gründet dies nicht zuletzt in der Theatinerkirche, die, in ihrer Lage am Schwabinger Tor zunächst ziemlich beengt,

nach dem Fall der Mauern sich voll mitsprechend in den vor
ihr entstehenden Platz (Odeonsplatz) einschalten konnte.
Der Außenbau, an allen nicht freiliegenden Seiten
schlicht, durch Streben oder Rechteckblenden gegliedert, leistet sein Schönstes in der die Vierung überwachsenden Kuppel, den in weitem Abstande aufgestellten Türmen und der

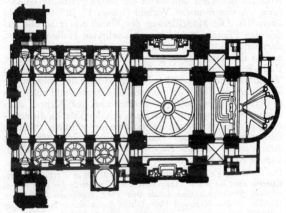

München, Ehem. Theatinerkirche, Grundriß

zwischen ihnen ausgebreiteten Fassade. Die *Kuppel* zeichnet
sich durch eine muskelstarke Körperlichkeit aus, das Kupfer-
dach führt in seinen radialen Bändern die Vertikalen der
den Tambour umstellenden Säulenpaare fort, um sie sich in
der von Volutenstreben umgebenen Laterne beruhigen zu
lassen. Die Türme lösen sich im 2. Geschoß frei von der Fassade, die gebündelten Pilaster an den Ecken teilen ihnen
plastisches Relief mit; das Gelungenste sind ihre Abschlüsse,
die zu den reizvollsten des deutschen Barock zu rechnen
sind, 8eckige Aufsätze, deren Seiten mit Voluten besetzt
sind, darüber die birnenförmige Haube, die der auf der
Laterne geschwisterlich gleicht. Die *Fassade* Cuvilliés' hält
wohl noch an den Grundzügen der ersten Entwürfe, Barellis, fest, zeigt sich aber in der Art der Flächenaufteilung

doch unverkennbar durch ihre späte Entstehungszeit bestimmt. In den 4 Nischen der beiden Geschosse Marmorstatuen von R. A. Boos, die hll. Ferdinand und Adelheid,
Maximilian und Kajetan. – I n n e r e s. Kreuzförmige
Kuppelbasilika mit Querschiff. Die Seitenschiffe sind in
Kapellen aufgeteilt. Der Aufriß ist durch die mächtigen
Arkaden bestimmt und durch die starke plastische Gliederung, die das römische Vorbild (frühes 17. Jh.) bei weitem
übertrifft. Die Modellierung des Wandkörpers beruht auf
den den Pfeilern vorgelegten kannelierten Halbsäulen und
dem ihnen aufliegenden verkröpften Gebälk. Tonnen über-
decken die durch Gurte getrennten Joche des Mittelschiffs,
flache Rundkuppeln die der Seitenschiffe. Auf den mächtigen
Vierungspfeilern setzt über Hängezwickeln der hohe, runde
Tambour auf, der, über breitem Kranzgesims und einer von
8 Statuennischen belebten Fensterzone, die Kuppel aufnimmt. Südlich und nördlich legen sich der Vierung die rechteckigen, von Quertonnen überwölbten Kreuzarme an, westlich
der aus einem Joch und Halbkreisapsis gebildete Chor. Ein
Annex ist die an die 3. Kapelle der N-Seite angebaute Grabkapelle König Max' II.

Die A u s s t a t t u n g erlitt durch den Krieg Verluste, überdauerte aber doch im Hauptsächlichen. Wesentlich die sehr reiche,
schwere Stuckdekoration (nach den 1662 gegebenen Entwürfen
Barellis in den 70er und 80er Jahren ausgeführt). Nur die Gewölbeflächen auslassend, beherrscht sie durch ihr hohes Relief den
Eindruck des Inneren. Bei aller Derbheit eignet ihr Kraft, eine
strotzende Plastik. Der »horror vacui« weist ihr jede nur mögliche
Fläche zu. Figürliches an dominierenden Stellen: Engel über den
Scheiteln der Arkaden, die Kirchenväter mit je 2 Engeln über den
Durchgängen aus dem Querschiff in Seitenschiffe und Chor, Allegorien in den Nischen des Tambours (Spes, Caritas usw.). – Unter
den *Altären* seien die (im Aufbau erhaltenen) 3 großen in Chor
und Querschiff hervorgehoben, die auf Entwürfe Barellis zurückgehen, aus dem Stil der Stuckdekoration entwickelt und ihr zugehörig sind. Das große Gemälde des südl. Querschiffaltars, der
hl. Kajetan als Pesthelfer, von J. Sandrart, 1667. Die wuchtige
Kanzel dankt ihr Figürliches A. Faistenberger, 1681; von lastender
Schwere, paßt sie in den Rahmen dieser in allen ihren Gliedern
schweren Architektur. Im nördl. Querschiff Grabmal der Prinzessin Josepha Caroline (1821), ein reizvolles Werk des Münchner
Klassizismus, von Konr. Eberhard, nach Entwurf Klenzes.

In der Fürstengruft unter dem Hochaltar ruhen die Kurfürsten Ferdinand Maria, Max Emanuel, Carl Albrecht

(Kaiser Karl VII.), Max III. Joseph, Carl Theodor, König Max I., König Otto von Griechenland und Kronprinz Rupprecht. – Die Trakte des **Theatinerklosters** südl. der Kirche gingen 1944, bis auf den W-Trakt (1663, Lorenzo Perti), zugrunde.

Bürgersaal (Neuhauser Str.)

1709 entschließt sich die Marianische deutsche Kongregation zum Bau eines Oratoriums an der Neuhauser Straße. Im nächsten Jahre findet schon der erste Gottesdienst statt. Baumeister war G. A. Viscardi; die Ausführung lag in den Händen seines Paliers J. G. Ettenhofer. Die Stuckierung besorgte Fr. Appiani, die Ausmalung J. A. Gumpp. – 1944 brannte die Kirche aus. Jetzt wiederhergestellt.

Der Bürgersaal ist ein mit der Stirnseite in die südwestl. Flucht der Neuhauser Straße einbezogenes 2geschossiges Gebäude, das sich dem Straßenbild ohne viel Anspruch auf Sondergeltung einfügt. Das Untergeschoß beherbergt eine schlichte gruftartige Unterkirche, eine gewölbte 3schiffige Pfeilerhalle (jetzt Ort der Verehrung des hier beigesetzten P. Rupert Mayer). – Über dieser Unterkirche, auf doppelter Treppe zugänglich, der »Saal«, ein großer Rechteckraum, von einem flachen Spiegelgewölbe überdeckt. – Die Fassade 2geschossig; im Mittelabschnitt über der Tür eine tiefe Nische mit der Steinfigur einer Muttergottes, von F. Ableithner.

A u s s t a t t u n g. Die Decke war urspr. stuckiert (und ist es jetzt wieder). Das Riesenfresko M. Knollers, das 1772 die Stukkaturen verdrängte, bedeckte (bis 1944) die ganze Spiegelfläche (32 : 10 m). Die Fresken an den Wänden, Medaillons mit allegorischen Hinweisen auf die Tugenden Marias, von Gumpp. – Vom Hochaltar blieb das Hochrelief der Verkündigung von A. Faistenberger, eines der beachtlichsten Werke der Münchner Bildhauerkunst des frühen 18. Jh. An der W-Wand die reizvollste aller *Schutzengelgruppen*, von Ign. Günther, 1773, ehem. im Karmelitenkloster, neuerdings mit (einer Skizze Günthers nachgeformtem) Baldachin. Unter den Fenstern der Langseiten 14 Ölgemälde, bis auf eines von F. J. Beich, um 1710, Darstellungen der vornehmsten bayerischen Marienwallfahrten.

Dreifaltigkeitskirche (Pacellistr.)

Anlaß zur Gründung gab eine Vision der Bürgerstochter Maria Anna Lindmayr (1704): Androhung eines göttlichen Strafgerichtes und seine Abwendung durch Errichtung einer Dreifaltigkeitskirche. 1704 feierliches Gelöbnis der 3 Stände. 1711 wird der Grundstein gelegt, 1713 ist die Kirche unter Dach, 1718 wird sie geweiht und

kommt an die Karmeliterinnen. – Die Pläne gab G. A. Viscardi,
die Ausführung besorgte J. G. Ettenhofer.

Die Kirche ist, trotz bescheidener Größe, neben der Theatinerkirche einer der wichtigsten Schulbauten des italienischen Barock in Bayern, ein entscheidendes Glied in der Entwicklungsgeschichte des von einer Längsachse durchschossenen Zentralbaus. Im baulichen Gefüge italienisch, in der
Ausstattung aber die Leistung einheimischer Meister, auf der
Grenze des hohen zum späten Barock, zu diesem in einer
schon merklichen Erleichterung aller Gewichte (bei noch
stark betonter Körperlichkeit der architektonischen Gliederungen) überleitend. – Der A u ß e n b a u , in die Straßenflucht einbezogen, bietet nur die freiliegende Seite, die
Stirnseite, an; sie springt in 3seitiger Brechung vor, gliedert
sich horizontal in Haupt- und Giebelgeschoß, vertikal in
5 Abschnitte, die im Hauptgeschoß durch Säulen auf hohen
übereck gestellten Sockeln geschieden werden. In der Mittelachse das Portal (Rotmarmor) und im Giebelgeschoß Nische
mit Kupferstatue des hl. Michael (nach Modell von J. Fichtl,
1726). Der gebrochene Grundriß teilt der Fassade eine Bewegung mit, die sich in der Begegnung mit den übereck gedrehten Säulen mit Spannungen sättigt und in ihrem Auf
und Ab modellierende Schattenschläge in das Hochrelief der
Flächen einführt. – I n n e r e s . An den quadratischen
Hauptraum mit abgeschrägten Ecken legen sich 4 Arme, der
nördl. (Chor-)Arm tiefer, der südliche 3seitig gebrochen.
Kannelierte Säulen übernehmen die Gliederung, ein starkes
Gebälk scheidet Unten und Oben. Der in flachem Segment
geschlossene Chor ist mit Stichkappenhalbkugel, der Hauptraum mit Rundkuppel auf Hängezwickeln gedeckt, die
Kuppelschale von 4 Fenstern durchbrochen.

A u s s t a t t u n g . Die Stukkaturen, von J. G. Bader, dicht über
Wand und Decke ausgebreitet, doch immer nur Füllung gerahmter
Flächen oder selbst rahmend, in flächigem Relief, weiß auf blaßrotem und blaßgelbem Grund. Die Fresken sind Frühwerk
C. D. Asams, 1714/15; in der großen Kuppelschale figurenreiche
Glorie der Trinität, in den Zwickeln die Evangelisten, am Chorgewölbe der Besuch der 3 Engel bei Abraham und Symbole der
Trinität, an den Tonnen der Seitenarme Taufe und Verklärung
Christi. Die Altäre aus der Erbauungszeit, noch durchaus im Barock des 17. Jh. verwurzelt. Der Hochaltar ein 4säuliger Aufbau
mit hohem Auszug; das Gemälde, Trinität, von Andreas Wolff;
das Tabernakelrelief später, um 1760, von Straub. Die Seiten-

Nördlingen. Stadtanlage (Luftbild)

Nürnberg. Kaiserkapelle der Burg, Unterkapelle

figuren der Nebenaltäre von B. Ableithner (rechts) und Faistenberger (links), 1717/18. Die Kanzel gleichzeitig und, wie die Altäre, durch barocke Schwere gekennzeichnet.

Franziskanerklosterkirche St. Anna im Lehel (St.-Anna-Str.)

*1725 übersiedeln die am Walchensee ansässigen Hieronymiten nach
München. 1727 legt die Kurfürstin den Grundstein. Baumeister ist
Joh. Mich. Fischer. 1737 wird die Kirche geweiht. – Nach der Säkularisation wird St. Anna Pfarrkirche (1808). 1828 übereignet
sie König Ludwig I. den Franziskanern, welche die Kirche 1885
mit der gegenüberliegenden gleichnamigen neuen (Gabriel Seidls)
vertauschen. 1852/53 Errichtung einer 2-Turm-Fassade von K. Voit,
deren Reste 1965/66 zugunsten des urspr. Außenbildes (Rekonstruktion der barocken Fassade) beseitigt wurden. 1944 geht die
von besten Meistern der Zeit geleistete Ausstattung in Stuck und
Malerei zugrunde; die räumliche Fügung blieb bestehen. Wiederherstellung der Deckengemälde von C. D. Asam 1971/72. Die von
den beiden Asam geschaffenen Altäre z. T. erhalten, auch die
Kanzel von J. B. Straub.*

St. Anna ist das entscheidende Frühwerk J. M. Fischers und
von hoher Bedeutung für die Entwicklungsgeschichte der
kirchlichen Architektur Süddeutschlands; denn erstmals ist
hier die das Jahrhundert so stark beschäftigende Aufgabe
einer Einigung von Rund- und Längsraum im Sinne gegen-
seitiger Durchdringung glücklich gelöst. Anregungen von
Österreich her mögen in der Genesis der Idee eine Rolle
gespielt haben. – Der A u ß e n b a u steht nur mit der östl.,
im alten Sinne wiederhergestellten Stirnseite frei. I n n e -
r e s. Der Grundriß beschreibt ein westl. gerichtetes Rechteck, in das ein Längsoval eingeschmiegt ist. Eingezogene
Wandpfeiler umgürten das Oval mit je 3, radial auf die
Mitte bezogenen Kapellen, deren mittlere, in Betonung der
Querachse, die gewichtigsten sind; in Segmenten geschlossen,
öffnen sie sich bis zur Fußzone des den Raum einheitlich
überspannenden Muldengewölbes. Westl. schließt sich der
kreisrunde Chor an; östl. ist der Raumorganismus durch den
Eingriff des 19. Jh. gestört; auch hier ein die Folge der
Raumausbuchtungen beschließender Raum annähernd kreisförmigen Grundrisses. Die Pfeiler mit kannelierten Pilastern
besetzt, über ihnen hohe Gebälkstücke mit kräftigem Gesims.

Ehem. Damenstiftskirche St. Anna (Damenstiftsstr.)

*1440 baut Albrecht III. für den Indersdorfer Klosterhof eine
kleine Kirche zu Ehren der hl. Anna. Indersdorf stößt diesen Be-*

*sitz 1675 an die Salesianerinnen ab. 1733 Grundsteinlegung der
Klosterkirche, die, wahrscheinl. von J. B. Gunetsrhainer ausgeführt, 1735 vollendet ist. 1784 gehen Kirche und Kloster an den
St.-Anna-Orden (adeliges Damenstift) über (bis 1802). Das Kriegs-
jahr 1944 ließ die Umfassungsmauern übrig. Die Wiederherstellung rekonstruierte (mit Verzicht auf Farbe in den Grau in Grau
gehaltenen Fresken) glücklich den urspr. Ausstattung.*

Ohne sonderliche Originalität, in deutlicher Anlehnung an
die Dreifaltigkeitskirche Viscardis entstanden, darf die
Kirche doch einen der ersten Plätze unter den Münchner
Barockkirchen beanspruchen. Das räumliche Schema eines
leicht gestreckten griech. Kreuzes ist einfach, bringt aber in
der breiten Spannung der Bogenstellungen ein eigenes,
typisch bayerisches Raumgefühl zum Ausdruck (und erfreute sich einer hervorragenden Dekoration durch die beiden Asam). – Das **Klostergebäude**, westl. an die in die Straßenflucht einbezogene Fassade anschließend, 1784/85 von
Stadtmaurermeister Matth. Widmann errichtet, ist ein langgestreckter 3geschossiger Trakt; wenig aufwendig, einfach
und nobel.

Kath. Kirche St. Johann Nepomuk, »Asamkirche« (Sendlinger Str.)

*In mehr als einer Hinsicht einzig, schon als private Stiftung eines
Künstlers, Egid Quirin Asams, dem der Bruder, Cosmas Damian,
mithelfend zur Seite stand. 1729–31 erwirbt Egid 3 Häuser an der
Sendlinger Straße, 1733 ein viertes, das er zu seinem Wohnhaus
bestimmt. 2 der Häuser geben den Bauplatz für die Kirche ab,
das dritte, rechts der Kirche, wird Priesterhaus. 1733 legt der
Kurprinz den Grundstein, 1734 Weihe. Doch ist die Kirche erst im
Rohbau vollendet; die Fassade entsteht 1746, und die Ausstattung
findet sich nur langsam zusammen und ist beim Tode des Stifters
noch nicht abgeschlossen. – Änderungen schon im 18. Jh. (unterer
Choraltar), die empfindlichsten in den 20er Jahren des 19. Jh.:
Zusetzung des großen Chorfensters über der Galerie, das dem vor
ihm knienden hl. Johann Nepomuk (damals ebenfalls beseitigt)
als Lichtfolie diente. Der 2. Weltkrieg hinterließ größeren Schaden
nur an der Chorwand. Das Deckenfresko war schon vorher Ruine.*

Eigentum und persönlichste Leistung der Brüder Asam, insbesondere Egids, dem Idee, Entwurf und auch größtenteils
die Ausstattung (Stuck) gehört. Das wesentlich Barocke
spricht offen und stark; Wucht verbindet sich aber doch mit
einer so schmiegsamen Durchmodellierung und einer schon
so weitgehenden Lockerung der Grenzsetzungen, daß die

Tatsache der Gleichzeitigkeit mit Werken gelösten Rokokos das zunächst Befremdliche verliert. Auch dieses Asamsche Kunstwerk ist ein Letztes, ein Nonplusultra eines Spätstils, das nur mit Abwehr und Abkehr (Klassizismus) beantwortet werden konnte. – Vom A u ß e n b a u liegt nur die in die Straßenwand einbezogene Fassade frei, die, leicht gewölbt und von je einem Pilaster gerahmt, ohne alle Querteilung, steil (wie das Innere) wirkt. Basis ist ein Felsensockel. Das stark betonte Portal legt sich als Säulenportikus der Fassade vor und greift mit der seinen Giebel bekrönenden Statue des Titelheiligen noch in die Fläche des großen Fensters ein. Über dem Fenster die Symbole der 3 geistlichen Tugenden. Plastische, kräftig profilierte Gesimse. Bemerkenswert der reiche Dekor der Kapitelle mit den Stuckreliefs des Papstes und des Kaisers. Und beachtlich auch die gute alte Türe mit 4 Reliefdarstellungen aus der Legende des Titelheiligen in den Feldern der beiden Flügel. – I n n e r e s. Die Maße sind: 28,2 m Länge zu 8,8 m Breite. Das Schiff wirkt, bei sehr schmalem Grundriß, hoch. Der umlaufende Balkon erzeugt im Erdgeschoß ein Gefühl der Beengung, zu dem auch die schwache Lichtzuführung beiträgt. Über diesem gruftartigen Erdgeschoß weitet sich dann um so befreiender das helle Obergeschoß. Ist die Begrenzung des Raumes einfach rechteckig, so führt innerhalb des Rechtecks doch die Kurve das Wort. Der Eindruck wellender Raumbegrenzung geht von dem leicht anschwellenden Galeriegeländer, dem das 2. Geschoß beschließenden an- und abschwellenden Gesims, vor allem aber von der in der Mitte zurückbuchtenden Hohlkehlenrampe über dem Gesims aus, Leitprofilen, die dem Rechteck nachträglich ein elastisches, gegen die Mitte zu anschwellendes Oval eingestalten. Diese Hohlkehle erfüllt noch eine andere wichtige Funktion: Abschirmung des Fußes des Gewölbespiegels, dem dadurch etwas unwirklich Schwebendes mitgeteilt wird. Dem Längsoval des Schiffes legen sich westlich und östlich Chor und Vorhalle als Querovale an. Die durch ein reiches schmiedeeisernes Gitter abgetrennte Vorhalle, und ebenso die sie überbrückende Orgelempore, sind Raumgebilde für sich. 4 Hermenpilaster gliedern die Wandung der Vorhalle, eine Flachtonne überwölbt sie; seitlich, eingebaut, je ein Beichtstuhl, darüber in Nischen die mächtigen Stuckfiguren des hl. Petrus und des hl. Hieronymus. 2 weitere Beichtstühle, mit den Figurengruppen der

»mors peccatorum pessima« (des sterbenden Sünders) und der Himmelfahrt des Gerechten, in den benachbarten Eckrundungen des Langhauses. – Sehr eigenartig und aufschlußreich sind die *Lichtverhältnisse*. Eine direkte Lichtquelle nimmt der Eintretende (heute) kaum wahr. Der Lichteinfall ist, merklich besonders im stärker erhellten Chor, einseitig, eine Einseitigkeit, die zu blitzenden Reflexen, zu wirkungsvollen Helldunkelkontrasten führt, wenn auch diese Kontraste zur Zeit, als sich der Chor in der Mitte noch in großer Fensterfläche auftat, weniger scharf in Erscheinung traten.

Ausstattung. Farbiger, auf ein dunkles Rot gestimmter Stuckmarmor überkleidet die Wände. Der Zweigeschossigkeit des Aufrisses entspricht die Situation der Choraltäre, deren oberer der *Hochaltar* ist; 4 prächtige gewundene Säulen schließen ihn ein. Über den Gebälkstücken der Baldachin, auf dem der stärkste Nachdruck liegt; 4 Cherubim bilden ihn mit ihren nach der Mitte geschlagenen Flügeln, in der Mitte die Taube und, eigentliches Blickziel, der Gnadenstuhl, Gottvater mit dem Gekreuzigten, den er gleichsam in den Raum hinabläßt *(Tafel S. 544)*. Am linken der beiden dem Hochaltar zugeordneten Seitenaltäre eine Maria von der Hand Egid Asams. – Ein jüngeres Werk, von der Hand Ign. Günthers, ist das Epitaph des Barons Joh. Nep. Jos. Zech (1758) in der Vorhalle, mit der Darstellung des Todes, dem ein weinender Putto den Lebensfaden überantwortet.

Mit der Kirche verbunden ist das **Wohnhaus Egid Qu. Asams,** ein spätgot. Bau mit aufgeblendeter Barockfassade. Ihre locker komponierte Stuckdekoration versucht die Effekte süddeutscher Fassadenmalerei ins Relief zu übertragen. Die Thematik verbindet Themen der christlichen Vorstellungswelt mit antiker Mythologie. – Auf der anderen Seite der Kirchenfront das ehem. **Priesterhaus**, im 19. Jh. verändert.

Pfarrkirche St. Ludwig (Ludwigstr.)

1828 betont König Ludwig die Notwendigkeit einer Pfarrkirche für das im Entstehen begriffene neue Viertel. Am 25. 8. 1829, seinem Geburtstag, wird der erste Stein gelegt. Planung und Ausführung hat Friedr. Gärtner, der sich hier erstmals vor Klenze schiebt. 1835–40 entstehen die Fresken. 1844 Weihe.

St. Ludwig, die fünfte Pfarrkirche Münchens, ein nur an der 2-Turm-Fassade mit Kalksteinen verblendeter Ziegelbau, ist eine 3schiffige Basilika mit östl. Querschiff und flach geschlossenem Chor in oberitalienisch-roman. Formen. Die Fassade ist durch die seitlich angeordneten Türme breit entwickelt, der Eindruck der Breite noch verstärkt durch die anschließenden Arkadengalerien und die durch sie einbezogenen Wohngebäude (Pfarrhaus links, Wohnhaus Gärtners rechts). – Wertvollster Inhalt der für das Gesamtbild der Ludwigstraße als vertikale Aufreckung wichtigen Kirche sind die *Fresken* des Peter Cornelius. Eigenhändig nur das Jüngste Gericht an der O-Wand des Chores, riesigen Formats (18,3 : 11,3 m), eine der wenigen großen und verehrungswürdigen Leistungen der religiösen Monumentalmalerei des 19. Jh.

Benediktinerabteikirche St. Bonifaz (Karlstr.). Urspr. (1819) von Ludwig I. als Gegenstück der Glyptothek geplant. 1835–47 entstand sie dann an der Karlstraße. Baumeister: Gg. Fr. Ziebland. Der unverputzte Ziegelbau ist eine 5schiffige »Basilika« (zum Namen schlechthin geworden) nach dem Vorbild der frühchristlichen Basiliken Roms und Ravennas. – Der Krieg hat St. Bonifaz, die Grabkirche König Ludwigs I., zur Ruine gemacht; der südl. Abschnitt ist inzwischen wiederhergestellt; der nördl. Teil wurde 1969–71 als Pfarrzentrum völlig neu gestaltet.

Markuskirche, ev. Stadtpfarrkirche (Gabelsberger Str.). 1873–77 nach Entwurf von R. W. Gottgetreu. Neugot. Ziegelbau mit Sandsteingliederungen. Nach schweren Kriegsbeschädigungen durch M. Ungelehrt unter Abschwächung der got. Stilformen wiederhergestellt; der umgestaltete Turm als wirkungsvolles Blickziel dem neuen Straßenzug des Oskar-v.-Miller-Rings zugeordnet.

Kath. Stadtpfarrkirche St. Anna (St.-Anna-Platz). Gegenüber der Franziskanerkirche St. Anna. Werk Gabriel v. Seidls, 1887–92. Erstes Aufgreifen roman. Formen in der Münchner Kirchenarchitektur des späten Historismus. Sehr bewegte Gruppierung der Bauteile sorgt für eine doch wieder sehr zeiteigentümliche »malerische« Haltung.

Kath. Stadtpfarrkirche St. Benno (Ferd.-Miller-Platz). 1883 schenkt Ferd. v. Miller den Bauplatz, in Einlösung eines Gelübdes für die glückliche Aufstellung der Bavaria. Die Kirche, eine doppeltürmige Basilika in neuroman. Stilformen, entsteht 1888–95. Ihr Architekt ist L. Romeis.

Kath. Stadtpfarrkirche St. Paul (St.-Pauls-Platz). Am Rande der Theresienwiese, deren offene Fläche ihrer Fernwirkung zustatten kommt. 1892–1906 von G. Hauberisser aufgeführt, in enger Anlehnung an die Stilformen deutscher, insbesondere mittelrheinischer Spätgotik.

Kapuziner- und Stadtpfarrkirche St. Anton (Kapuzinerstr.). Niederlassung der Kapuziner in München 1600. Errichtung einer Kirche 1601–03 auf dem heutigen Lenbachplatz. 1893 Baubeginn der bestehenden Klosterkirche westl. der älteren Wallfahrtskapelle zur Schmerzhaften Muttergottes. Turmloser Basilikabau in neuroman. Stilformen, der Architekten Dietrich und Voigt. – Die Gnadenkapelle eine 1705 errichtete, 1846 erweiterte Rotunde.

Lukaskirche, ev. Stadtpfarrkirche. Ziegelbau in spätroman.-frühgot. Stilformen. Zentrale Anlage, 1893–97 von Alb. Schmidt geschaffen. Städtebaulicher Akzent der Isarstrecke zwischen Ludwigs- und Prinzregentenbrücke.

Kath. Stadtpfarrkirche St. Maximilian (Auenstr.). Neuroman. Basilika des Architekten H. v. Schmidt, 1895–1901. Der hohe, doppeltürmige Bau beherrscht die Isarlandschaft oberhalb des Deutschen Museums.

Matthäuskirche, ev. Stadtpfarrkirche (Sendlinger-Tor-Platz). Die ältere Matthäuskirche am Karlsplatz, 1827–33 von J. R. Pertsch errichtet, wurde 1938 abgebrochen. Ihre Nachfolgerin ist die von G. Gsaenger aufgeführte, 1955 vollendete Matthäuskirche. Sie festigt den bisher kaum gestalteten Platz vor dem Sendlinger Tor, ihr frei stehender Turm tritt als Blickziel in die zuführenden Straßenzüge. Der Umriß des Schiffes ist ganz Kurve.

Kath. Klosterkirche Herz Jesu (Buttermelcherstr.). Die kleine, aber sehr eigenartige Kirche der Niederbronner Schwestern wurde 1955 aufgeführt; Architekt Freiherr Alexander von Branca. Stahlbetonskelettbau, bei wenig Fläche verhältnismäßig steil proportioniert, ganz auf die Wirkung des technischen Materials gestellt.

Profane Bauten

Alter Hof (Burgstr.)

Nach 1253 verlegt Herzog Ludwig seine Residenz nach München. Ob sich der Herzog den Burgsitz am NO-Rand der (inneren, älteren) Stadt, die seit etwa 1385 unterschiedlich zur »Neuveste« (s. Residenz) so gen. »Alte Veste« neu schuf oder eine schon bestehende Burg bezog, entzieht sich der Kenntnis. Umbau unter Kaiser Ludwig d. Bayern, der auch, um 1319, die Lorenzkapelle an der N-Seite des Gevierts errichtete, die 1815 dem Neubau des Rentamts Platz machen mußte. Weitere Veränderungen im 15. und, bes., im 19. und 20. Jh.

Der Alte Hof, eine 4-Flügel-Anlage, hat nur wenige originale Züge seines mittelalterl. Gesichts bewahrt. Einigermaßen erhalten nur der südwestl. Teil mit dem (1966 wieder erhöhten) Torturm des 13. Jh. und dem reizvollen Erkertürmchen (Holz) des späten 15. Jh. Indessen ist doch der Charakter eines starken, wehrhaften Stadtschlosses geblieben.

Vor dem (neuen) Eingang im N: Reiterfigur Kaiser Ludwigs d. Bayern von H. Wimmer, 1967. Im Durchgang, an der Wand, Kopie des Stifterreliefs aus der ehemals hier stehenden Lorenzkapelle (Original im Bayer. Nat.-Museum).

Residenz

Durch Wachstum der jungen Stadt verliert der bald nach Mitte des 13. Jh. entstandene nachmalige »Alte Hof« seine Randlage; diese wiederzugewinnen, rücken die Herzöge in den 80er Jahren des 14. Jh. mit einer »neuen Veste« an die N-Grenze des erweiterten Stadtumfangs vor. An sie beginnt sich seit Mitte des 16. Jh. in allmählichem, südl. und westl. ausgreifendem Wachstum die Residenz anzulegen. – Die Neuveste stand an der NO-Ecke des

Areals. Wilhelm IV. suchte sie durch Teilerneuerungen umzugestalten, ohne doch das mittelalterl. Gesamtbild ändern zu können. Auch das, was Albrecht V. noch innerhalb des Berings der Neuveste hinzufügte, machte aus der Burg noch keine Residenz. Aber der gleiche Herzog ist es dann, der mit der Anlage des Antiquariums den Mauerring der Neuveste sprengt, indem er das südl. benachbarte Gelände zu annektieren beginnt. Die »neue Behausung«, die Albrecht Ende der 60er Jahre für »Bibliotec vnnd antiquitatibus« erbaut, ist schon, ganz abgesehen von der eigentümlich eingedeutschten Renaissance ihres Baukörpers, durch ihre Zweckbestimmung von hoher Bedeutung: eine Glyptothek des 16. Jh. Die Planidee steuerte der Mantuaner Jacopo Strada bei, der ausführende Hofbaumeister, Wilhelm Egkl, verdeutschte sie. 1586–1600 von Friedr. Sustris überarbeitet, verlor der mächtige Saalraum durch Tieferlegung der Bodenfläche das schlechthin Gewölbeartige, das ihn kurz das »Gewölbe« nennen ließ. – Mit dem Antiquarium bahnte sich die Anlage des Hofes an, der sich, später »Brunnenhof« genannt, gegen die Neuveste hin angliederte. 1580 bis 1581 entsteht der sog. Witwenbau, ein 2geschossiger Flügel an der Schwabinger Gasse, an die sich die Residenz heranzuschieben beginnt. Schwabinger Gasse (jetzt Residenzstr.) und das von ihr senkrecht nach O abzweigende Jägergäßl (jetzt »Kapellenhof«) bestimmen von nun ab die Richtungsachsen. Die Bibliothek verläßt 1581 das Obergeschoß des Antiquariums, um dem Herzog, der die Neuveste verläßt, Raum zu geben. Südöstl. legt sich der »Schwarze Saal« vor, in einem stumpfen Winkel gegen NO, der die Eckschrägen des Brunnenhofs bestimmt. Diese Herzogswohnung ist nur als Interim gedacht, da schon 1581 westl. des Antiquariums der »Neue Gartenbau« unter Leitung des Maler-Architekten Sustris ins Werk gesetzt wird: 4 zweigeschossige Flügel um einen längsrechteckigen Hof (»Grottenhof«). In die offene Arkadenhalle des O-Flügels greift das Antiquarium mit seiner W-Ecke ein.

Die Residenz entwickelt sich weiter in Richtung auf die Schwabinger Gasse. Die neue »Kapellenhof«-Achse erweist sich für die weitere Folge entscheidend, als Orientierungsachse der Maximilianischen Residenz. Herzog, seit 1623 Kurfürst, Maximilian I. darf als der Bauherr der Residenz angesprochen werden, er erst bringt die Teile in eine große übergreifende Ordnung. Sein Baumeister, der ausführende (sicher nicht der planende), ist der Gmunder Hans Reifenstuel, dem 1608 der Kistler-Baumeister Heinr. Schön folgt. Maximilian läßt die eben erst ausgeführten Gebäude an der Schwabinger Gasse wieder einlegen, um sie durch neue zu ersetzen. Anschließend erneuert er auch die schon von Wilhelm errichtete Kapelle (Weihe 1603). Gleichzeitig entsteht der gegenüberliegende, den Kapellenhof nördl. begrenzende »Hofdamenstock«. Im Obergeschoß des W-Traktes des Grottenhofs kommt die »Reiche Kapelle« hinzu, Behältnis der Reliquienschätze (Weihe 1607). Der Brunnenhof, benannt nach dem seine Mitte besetzenden großen

*Brunnen, schließt sich. – War das Bauen Maximilians bis hierher
nur Stückwerk, Ergänzung, Umgestaltung, so setzt mit dem
2. Jahrzehnt des 17. Jh. die Periode einer großzügigen Neupla-
nung ein. Eine mächtig in Erscheinung tretende Residenz ist das
Ziel. Daß der Bauherr an der Planung geistig Teil hatte, ist mehr
als wahrscheinlich; einen letztlich entscheidenden Kopf zu ermit-
teln, ist bisher nicht geglückt. Zur Diskussion stehen die Namen
Heinr. Schön, Hans Krumper, Peter Candid. Die Ausgangsbasis
des neuen, einen Gevierthof umstellenden Schlosses ist der »Hofdamenstock« (N-Seite des Kapellenhofes). Im Geviert des »Kaiser-
hofs« erhebt sich nun zunächst der O-Trakt, dann der westliche,
der sich den hier schon vorhandenen älteren Bauten gegen die
Schwabinger Gasse als schmaler Galeriebau vorlegt, zuletzt der
nördliche, mit der 1616 vollendeten »Kaisertreppe«. Die Gliederung der langgestreckten Mauerstirnen blieb der in München hoch-
entwickelten Fassadenmalerei überlassen. Schauseite ist der der
Schwabinger Gasse (Residenzstr.) zugekehrte W-Trakt; hier die
beiden in Rotmarmor ausgeführten Portale und, in der Mitte zwischen ihnen, die Nische mit der »Patrona Boiariae«. Gleichzeitig
entstehen die Verbindungsgänge zur Neuveste, »Charlottengang«
südlich, »Großer Hirschgang« nördlich; sie umgeben einen zweiten
großen Hof, den Küchen- oder Apothekenhof. Die Räume der
neuen Trakte (»Steinzimmer«, »Trier-Zimmer«) fluchten in der
Enfilade. – Um 1618 ist die Maximilianische Residenz vollendet;
der Umfang des Gesamtschlosses hat seine bis ins 19. Jh. geltende
Grenze erreicht. – Die Umbauten unter Ferdinand Maria und Max
Emanuel dürfen übergangen werden. Unter Kurfürst Carl Albrecht
wird der Grottenhof umgestaltet (Fassaden der Längswände). Im
S-Trakt werden »Grüne Galerie«, »Ahnengalerie« und »Reiche
Zimmer« eingerichtet, reichste und feinste Raumgestaltungen des
Rokoko (Cuvilliés). – In die Zeit des Kurfürsten Max III. Joseph
fällt der Residenzbrand von 1750, der insbesondere die Neuveste,
das, was sich von ihr noch erhalten hatte, in Asche legte. Der Ver-
lust des großen Saales der Neuveste, der im 18. Jh. die Funktionen
eines Theatersaals übernommen hatte, führte in nächster Folge zur
Errichtung eines eigenen Theaterhauses, des »Residenztheaters«, im
SO des Komplexes, 1751–53, nach Plänen Cuvilliés'.
Die Periode absolutistisch-fürstlichen Bauens ist nun vorbei. Der
Kurpfälzer Carl Theodor läßt die ihm als Erbe zugefallene Residenz wie sie ist. Aktiver betätigt sich Max IV. Joseph auf Kosten
des älteren Bestandes (Kaisersaal). Aufs aktivste betätigt sich aber
wieder König Ludwig I. (1825–48). Dieser leidenschaftliche, aber
von ganz anderen Zielen als seine Vorvorderen beherrschte Bauherr greift aufs stärkste in die Erscheinung des Residenzganzen
ein; das Außenbild ist auf 3 Seiten, nördl., östl., südl., seine Leistung. Die 3. Seite war eben erst durch den Abbruch von Kirche
und Kloster der Franziskaner frei geworden, die Hofgartenseite
und die gegen den Marstall konnten in ihren Stückelungen, wenn*

schon als malerisch, doch nicht als monumental angesprochen wer-
den. Zur Durchführung seiner Vorhaben opferte der König man-
ches Bestehende (u. a. die Überreste der Neuveste). Baumeister
ist Klenze. Kaum zur Krone gelangt, beauftragt ihn Ludwig mit
der Errichtung des »Königsbaus«, südlich, an dem seit Abbruch
der Klöster der Franziskaner und Ridler-Nonnen ausgesparten
Max-Josephs-Platz. Florentiner Palazzi (Pitti, Ruccelai) sind die
Vorbilder; 1826 beg., steht der (die Mächtigkeit seiner Vorbilder
nicht erreichende) Palast 1835 fertig. Im O entsteht zunächst die
Allerheiligenkirche, 1826–37. Im N wächst seit 1837 der »Festsaal-
bau« auf, der dann auch mit einem Flügel auf die O-Seite über-
greift und hier den Anschluß an die Allerheiligenkirche gewinnt;
italienische Hochrenaissance ist vorbildlich. 1842 ist dieser Teil
vollendet.
Die Heimsuchungen d. J. 1944/45 zerschlugen große Teile der
Residenz. Der bewegliche Inhalt dieses ehemals fast unvergleichli-
chen Museums historischer Raumfolgen (vom frühen 17. bis ins
späte 19. Jh.) blieb aber weitgehend erhalten. Der Wiederaufbau
des Museums ist zu etwa 2 Dritteln beendet.

Seit 1974 sind, im Rahmen des Residenzmuseums, zugänglich: die Schatzkammer, das Antiquarium, die Ahnengalerie, die Porzellankammern, die Hofkapelle, die Reiche
Kapelle, die Reliquienkammer, das Paramentenmuseum,
die Silberkammer, Stein- und Trierzimmer, Päpstliche Zimmer, Reiche Zimmer und Grüne Galerie, Kurfürstenzimmer,
Ostasiengalerie, Charlottenzimmer und Nibelungensäle. –
Die geretteten Holzteile des Residenztheaters sind jetzt im
Apothekenstock eingebaut; die Gesamtwirkung des alten
Zuschauerraums konnte zurückgewonnen werden. Der
1952/53 neugestaltete Thronsaal Ludwigs I. ist jetzt Kon-
zerthalle (»Neuer Herkulessaal«). Der alte Saal dieses Na-
mens, am Kapellenhof, ist wiederhergestellt.
Registrieren wir den erhaltenen Baubestand: Die **W-Front**,
an der Residenzstraße, steht, geflickt und restaur., wieder
aufrecht. Hier die beiden großen Marmorportale; ihre
Bronzeplastik, Allegorien der Kardinaltugenden, sind
Werke Hans Krumpers; die Wappenhalter-Löwen vor den
Portalen (entstanden für das geplante Grabmal Herzog
Wilhelms V. in St. Michael) Werke Hub. Gerharts. Die
mächtige Bronzestatue in der Wandnische, die »Patrona
Boiariae« von 1616, wurde von H. Krumper modelliert
und von B. Wenglein gegossen. Die neue Fassadenmalerei
folgt altem Vorbild. – Die S-Seite, der **Königsbau** Klenzes,
hat, im Außenbau, die Katastrophe überstanden. Im Innern

haben sich die Nibelungensäle mit den Nibelungenfresken
Schnorr v. Carolsfelds (1831–67) erhalten. – Die N-Seite,
der **Festsaalbau** Klenzes, eine Palastarchitektur in der Art
Palladios, hat sich, wenigstens außenbaulich, behauptet.
Seine lange Front überdeckt, westl., Teile der Anlage des
frühen 17. Jh. mit der großartigen *Kaisertreppe* von 1616,
die sich in Wiederherstellung befindet. – Die O-Seite,
Marstallstraße, ist heute ein uneinheitliches Gefüge ver-
schiedener Bauteile. Mitte war die schwer angeschlagene
Allerheiligen-Hofkirche, eine vom König so gewollte »by-
zantinische« Raumschöpfung Klenzes (1826–37). Im NO:
Kronprinz-Rupprecht-Brunnen von Bleeker, 1961.
Der innere Bereich der Residenz umschließt 8 Höfe. –
Kapellenhof. Hier, rechts, die **Hofkapelle**, die wiederhergestellt werden konnte. 1601 errichtet, 1630 in Chor und
Schiff erweitert. Die Stuckausstattung des in der Tonne gedeckten Raumes dürfte auf Krumper zurückgehen. **Brunnenhof** (frühes 17. Jh.); ein Rechteck mit abgeschrägten
Ecken. Mitte ist der Wittelsbacher Brunnen; im Gipfel die Bron-
zestatue Ottos von Wittelsbach; das übrige Figurenvolk vom
ehem. Brunnen am Rindermarkt, Leistungen von H. Gerhart.
In der Mitte der O-Seite die Tore zum (Alten) **Residenztheater**. Der Zugang quert ein neues Hofoktogon. Das
köstliche Logenhaus Fr. Cuvilliés' d. Ä. (1751–55) nun im
Apothekenstock Klenzes; eine der gereiftesten, schlechthin
vollendeten Raumschöpfungen des Rokoko. Die reiche
Schnitzerei gehört Adam Pichler, Joachim Dietrich und
Joh. B. Straub. Das figürliche Bildprogramm bietet ein
»Ballett« der 4 Jahreszeiten in den Logenstützen des
1. Ranges und darüber, im 2., die Allegorien von Tag und
Nacht, Elemente, Erdteile und irdische Reichtümer (Köpfe
über den Logen und zugehörige Brüstungsreliefs mit Emblemen). Auch das **Antiquarium**, an der O-Seite des Hofes,
konnte wiederhergestellt werden. 1569–71 für die Antiken-
Sammlungen Albrechts V. geschaffen, wurde es 1586–1600
von Fr. Sustris durch Tieferlegung des Bodens, Einsetzen
einer Musikempore, Kaminverschalungen und Ausmalung
(von P. Candid) zum Festsaal umgeschaffen. Das Antiquarium, ein »Museum« des 16. Jh., ist einer der wertvollsten
Profanräume der deutschen Renaissance. Beachtlich auch
die von H. Thonauer gemalten Ansichten der bayerischen
Städte. **Grottenhof**, westl. folgend; entstanden 1581–86.

Das Untergeschoß des O-Flügels ist offene Grottenhalle.
Urspr. war der rechteckige Hof von offenen (teilweise
allerdings nur gemalten) Arkaden umstellt; sie wurden,
zum Schaden dieses (immer noch anmutigen) Renaissance-
hofes 1730/31 geschlossen. Inmitten des geviertelt aufgeteilten Gärtchens Brunnen mit Perseusgruppe, ein wohl
von Sustris entworfenes, von H. Gerhart modelliertes
Bronzebildwerk. **Königsbauhof**, südl. angrenzend. Hier,
östl., die erhaltene Fassade der Grünen Galerie Cuvilliés'.
Nördl. der Trakt der **Reichen Zimmer**. Ahnengalerie (1726
bis 1731) und Porzellankabinett (1731, Cuvilliés), kostbarste Raumdekoration des Rokoko, sind ganz, die Reichen
Zimmer im Obergeschoß (1729–34, Cuvilliés) teilweise erhalten. Im Theatinergang neben den Steinzimmern ist jetzt
das Original der den Tempietto des Hofgartens krönenden
Bronze-Bavaria Hub. Gerharts (um 1594), urspr. Bestandteil eines Brunnens des ehem. südl. Residenzgartens. – Südöstl. der Residenz, am Max-Joseph-Platz, das ehem. **Hoftheater (Nationaltheater)**. 1811 wurde es nach Plänen Karl
v. Fischers begonnen; 1823 brannte es aus, Klenze stellte es,
bis 1825, wieder her. Das Jahr des Unheils 1944 ließ nur
die Mauern übrig. Die Wiederherstellung, 1959–63, hat
Klenzes Außenbild und die reich stuckierten Foyerräume
übernommen. Das Zuschauerhaus, eine Rotunde, hält sich
im Dekor enger an die Ausstattung des ersten Fischerschen
Baues. – Zwischen Nationaltheater und Königsbau öffnet
sich der Zugang zum **Neuen Residenztheater**, das K. Hoch-
eder in die teilweise erhaltenen Umfassungsmauern des
alten Cuvilliés-Theaters einbaute (1948–51). Die ehem.
Hofreitschule, östl. der Residenz, ein früher Bau Klenzes,
1817–22, enthält heute Werkstätten der Staatstheater.
Nördl. der Residenz erstreckt sich der in ein regelmäßiges
Geviert eingeschlossene **Hofgarten** (s. S. 598).

Münze (Hofgraben). Urspr. Marstallgebäude, älteren Teils
um 1465 errichtet, 1563–67 vom Hofbaumeister Wilh. Egkl
umgebaut. Die klassizist. W-Fassade von Andr. Gärtner,
Anfang 19. Jh. Weitere Veränderungen 1858. – Marstall
war, wenigstens im Erdgeschoß, auch noch der mit Altem
Hof und Neuveste durch Gänge verbundene Bau des
16. Jh., der aber im Obergeschoß die »Kunstkammer« beherbergte. Alt nur noch der 3geschossige **Arkadenhof**

(»Turnierhof«), der unter die schönsten Höfe des 16. Jh. zu zählen ist.

Altes Rathaus (Marienplatz). 1345 bereits an dieser Stelle, am Talburgtor, bezeugt. Bald nach 1460 hat ein Neubau statt. Um 1470 baut Meister Jörg, der Meister der Frauenkirche, den großen Saal, den er mit weitgespannter Holztonne überwölbt und den Erasmus Grasser 1480 mit der berühmten Folge der Moriskentänzer (jetzt im Stadtmuseum) ausstattet. Der 1944 ausgebrannte Saal ist wiederhergestellt. Das im 19. Jh. restaurierte, im Mauerbestand erhaltene Gebäude schließt in guter Giebelfrontstellung östlich den Marienplatz ab. Der ihm südl. angelehnte, den Platz vollends schließende Torturm, das »untere« Tor der ersten Stadtbefestigung, erlag dem Luftkrieg.

Neues Rathaus (Marienplatz). Der östl. Block, ein Ziegelbau mit Hausteinverzierungen, entstand 1867–74 und 1888–93, der westliche (Muschelkalk) 1899–1908. Beider Teile Architekt ist Georg Hauberisser. Prunkende Architektur eines um die Bodenständigkeit seiner Vorbilder wenig besorgten Historismus, dem malerische Werte nicht abzusprechen sind. Besser stünde sie in Flandern als in München. Aber man hat sich an sie gewöhnt und übersieht wohl auch die Störung des Platzgefüges durch die anspruchsvolle Dimension.

Ehem. Stadtzeughaus, jetzt Münchener Stadtmuseum (Jakobsplatz). Der 4geschossige Bau, mit 2 Ecktürmchen an der Giebelseite, gehört der 2. Hälfte des 15. Jh. an, eines der wenigen profanen Baudenkmäler der Spätgotik in München. Beachtlich die große Pfeilerhalle im Erdgeschoß.

Sog. Landschaftlicher Neubau (Ständehaus), jetzt Meisterschule für Mode (Oberanger). Fr. Cuvilliés d. J. baute ihn 1774. Gliederung der als geschlossene Stirnfläche eines Blockes gegebenen Fassade durch laufende Fensterreihen, starke Betonung der horizontalen Teilungen kennzeichnen die klassizist. Wendung, die doch die barocke Schulung des Architekten – etwa in den schweren plastischen Profilen der Fensterbedachungen – nicht verleugnet.

Die Zahl älterer **Bürgerhäuser** ist stark zusammengeschmolzen. Das älteste ist das 1550 von der Stadt für ihre Stadtschreiberei erworbene Haus **Burgstr. 5**, das 1551/52 unter Leitung des Obermaurermeisters und Steinmetzen Hans Aernhofer neu gestaltet wurde. 1944 schwer beschädigt, konnte es 1961/62 sehr gut wiederhergestellt werden. 3geschossig, durch gehäufte Horizontalgesimse gegliedert, durch die Architekturmalerei Hans Mielichs (die auch teilweise zurückgewonnen werden konnte) geschmückt. Typisch die beiden Halbgiebel vor dem Dachsattel – Typika des Münchener Bürgerhauses vom 16. bis ins 18. Jh. Sie finden sich heute nur noch an wenigen Stellen (Blumenstraße, Unteranger). Über ihre Häufigkeit belehrt das Sandtnersche Stadtmodell (Bayer. Nat.-Museum; *Tafel S. 513*). Typisch waren auch die Hoflauben (Arkaden vor 2 oder mehr Geschossen), wie die hier noch zu nennenden rücklings des Burgstraßenhauses. Ein spätgot. Beispiel **Residenzstr. 13**.

Palais Porcia (Kard.-v.-Faulhaber-Str. 10)

Urspr. Fugger, dann (1710) Törring-Seefeld, in den 30er Jahren der Fürstin Porcia. Errichtet 1693 durch E. Zuccalli. Umgestaltung durch Cuvilliés in den 30er Jahren des 18. Jh. beschränkte sich auf die Stuckdekorationen der Fenster. 1944 bis auf die allein erhaltene Fassade zerstört.

Das Palais steht am Anfang der Münchener Adelspaläste, für die es in den Grundzügen seiner Fassadengliederung vorbildlich blieb; so konnte es Cuvilliés mit etwas zusätzlicher Dekoration dem Geschmack einer jüngeren Generation anpassen.

Palais Preysing (Residenzstr.). 1723 wurde es begonnen, 1728 bezogen. Baumeister des Grafen Joh. Nepomuk v. Preysing-Hohenaschau war Jos. Effner. 1944 ging es großenteils zugrunde, nur Teile der O-Fassade standen allein aufrecht. (Wiederherstellung 1958–60.) – Wesentlich für den Eindruck die Stuckierung, die bislang der Innendekoration vorbehaltene Motive auf die Fassade überträgt, leicht und zart, ein Umspielen der architektonischen Profile.

Palais Preysing (Prannerstr.). Der Baumeister dieses zweiten den Namen der Preysing tragenden Palais, das um 1740 gebaut wurde, ist nicht ermittelt. Die 3geschossige, in die Straßenzeile eingeschlossene Fassade gliedert sich in 9 Achsen, deren 3 mittlere als Risalit, mit abschließendem Dreiecksgiebel, vorgezogen sind. Ein Portikus mit Balkon betont den Eingang.

Erzbischöfl. Palais (Kard.-v.-Faulhaber-Str. 7). Ehemals Holnstein, dann Königsfeld. Cuvilliés errichtete es, 1733 bis 1737. Reifster unter den Münchner Palaisbauten des Cuvilliés. Der seit Effner übliche Fassadenaufriß: 3 Geschosse, 9 Fensterachsen, flacher giebelbeschlossener Mittelrisalit. Die beiden oberen Geschosse durch Pilaster straff zusammengefaßt und durchgegliedert. Stuckdekoration in den Formen des frühen Rokoko.

Palais Törring (jetzt Hauptpost, Dienerstr.). Das Palais des Grafen Ignaz Felix v. Törring-Jettenbach, das 1747 begonnen wurde, ging 1944 bis auf wenige Mauerüberstände, die der Neubau der Hauptpost in sich aufnahm, zugrunde. Nur die 1835 durch Klenze der N-Front vorgelegte Loggia – Nachbildung der florentinischen Loggia degli Innocenti – steht noch. Mit Nationaltheater rechts und Königsbau der Residenz gegenüber umschließt sie als romantische Architekturkulisse den Max-Joseph-Platz.

Prinz-Karl-Palais (Königinstr. 1). Das 1803–11 nach den Plänen Karl v. Fischers erbaute (1937/38 westl. erweiterte), zugleich vornehme und intime Palais ordnete sich als Blickpunkt dem Englischen Garten zu. 1890 wurde es Basis der letzten Monumentalstraße Münchens, der Prinzregentenstraße. Die Aufführung des »Hauses der Deutschen Kunst« sperrte es, wenn auch nicht gänzlich, so doch empfindlich genug von

der Teilhabe an der Parklandschaft des Englischen Gartens ab. Einige
gute klassizist. Räume im Obergeschoß.

Glyptothek (Königsplatz). Erste Münchner Architekturschöpfung des Kronprinzen Ludwig, 1816 beg., von Klenze
gebaut, ein beispielhaftes Werk des Klassizismus, römischer
Antike näher als griechischer. 4 Flügel umfassen einen
Binnenhof, ein Säulenportikus mit Giebelplastik betont die

München, Glyptothek

dem Königsplatz zugekehrte Eingangsseite, Nischen mit
Statuen schmücken die Wandungen. – Eines der ältesten
europäischen Museen, sollte das der antiken »Glyptik«
(Bildhauerkunst) geweihte Tempel-Gebäude zugleich ein
beziehungsvoller Rahmen für Festlichkeiten sein. So waren
auch die Fresken des Peter Cornelius in den »Festsälen«
des urspr. als Front gedachten O-Flügels wesentliche Mit-
spieler in diesem nur als reine (wissenschaftliche)
Schausammlung gemeinten Museum. Der Krieg, der das
Gebäude schwer verwundete, hat auch diese einst sehr berühmten Fresken zerstört.

Alte Pinakothek (Barerstr.). Der kurfürstliche Gemäldebesitz entwickelte sich um die Wende des 18. Jh. und in den
folgenden Jahrzehnten durch die Zuwanderung der pfälzischen Galerien, Zweibrücken, Mannheim, Düsseldorf, und
durch die glücklichen Erwerbungen König Ludwigs I. zu
einer der reichsten Sammlungen der Welt, die zur Schau-
stellung in einem eigenen Hause drängte. So entstand dank
Ludwig I. in den Jahren 1825–36 an einem der neuen nördl.
Straßenzüge die Pinakothek, einer der frühen Museums-
bauten des Jahrhunderts der Museen und schon durch diese
Anfangsstellung von hoher Bedeutung. Aber auch der Bau
selbst ist eine Leistung, eine der gelungensten Klenzes. Ita-

lienische Hochrenaissance stand Pate. Der trotz starker Längenerstreckung vorzüglich komponierte und proportionierte Baukörper inmitten einer isolierenden Umfassung von Grünanlagen darf, auch in Ansehung seiner Zweckbestimmung, als eine der besten »historischen« Architekturen des 19. Jh. bezeichnet werden. Der 2. Weltkrieg schädigte ihn schwer. Der erneuerte Bau ist, wie es die urspr. Absicht wollte, von der südl. Langseite her zugänglich. Die den großen Oberlichtsälen südl. anliegende, ehemals klassizistisch dekorierte Wandelhalle ist jetzt Bestandteil des von H. Döllgast gestalteten, 2läufigen Treppenhauses.

Neue Pinakothek (Galerie der Gemälde des 19. Jh.), nördl. benachbart, ebenfalls Gründung des Königs, 1846–53 von A. Voit errichtet; sie ging 1944 völlig zugrunde.

Ruhmeshalle und Bavaria (Theresienhöhe). Die bayerische Walhalla, wie die deutsche (bei Regensburg) Werk Klenzes, entstand als eine der letzten Unternehmungen Ludwigs I. 1843–53. Die dorische Säulenhalle beherbergt 80 Marmorbüsten. Vor ihr das Riesenmonument der Bavaria, nach dem Modell Schwanthalers 1844–50 von Ferd. Miller gegossen. Der Bronzekoloß (Scheitelhöhe 15,77 m, ganze Höhe mit Sockel 30 m) ist eine eminente gußtechnische Leistung, zudem aus dem Bilde Münchens kaum mehr wegzudenken.

Bayer. Nationalmuseum (Prinzregentenstr. 3). Die Gründung König Maximilians II. (1855) bezog 1858 ihr eigenes Haus an der Maximilianstraße (jetzt Völkerkundemuseum). Der wachsende Umfang der Sammlungen (Kunst- und Kulturgeschichte Bayerns) veranlaßte den Neubau an der Prinzregentenstraße, der 1894–99 von Gabr. Seidl errichtet wurde. Ein weitläufiges Konglomerat von Bauteilen, die die Abfolge der historischen Stile exemplifizieren, ordnet sich dem die Fassade überhöhenden Turm zu, entzieht sich aber in seiner Gesamtheit dem zusammenfassenden Blick. Ein wesentliches Zubehör dieser lockeren, von begrünten Höfen durchsetzten Anlage war das der Frontseite vorgelegte vertiefte Parterre, das der neuen Platzgestaltung der Ära Hitlers zum Opfer fiel. Zugleich mußte auch der östlich des Parterres 1907 als Stiftung von Staat und Stadt aufgestellte Hubertusbrunnen Adolf v. Hildebrands seinen Standort räumen. Er fand neuerdings Aufstellung am

O-Ende des Nymphenburger Kanals. Nur das *Reiterdenk-mal des Prinzregenten Luitpold*, ebenfalls Hildebrands, be-hauptete seinen Platz.

Justizpalast (Lenbachplatz). Einer der typischen »Paläste« des 19. Jh., zeitlich einer der letzten, dem Rang nach einer der besten. 1897 von Friedr. Thiersch in den Formen italienischer Spätrenaissance errichtet. Mächtiger, einen mittleren Lichthof, den die 4seitige (Eisen-Glas-)Kuppel überbaut, umschließender Hausteinblock von 4 Geschossen. Gliede-rung in starkem, barock wirkendem Relief. Stirn des freistehenden Gebäudes ist die dem Lenbachplatz zugekehrte O-Seite, die mit ihrem konvexen Mittelrisalit die kräftigste Plastik entwickelt.

Deutsches Museum. Gründung Oskar v. Millers 1903. Grundsteinlegung 1906, die Bauzeit erstreckt sich über Jahrzehnte. 1944/45 schwer beschä-digt, inzwischen wiederhergestellt. Auf der »Museumsinsel«, inmitten der Isar zwischen Ludwigs- und Corneliusbrücke an bedeutsamem Platz: Hier traf die Salzstraße auf die Zollbrücke Heinrichs d. Löwen (1158). Entwürfe von Gabriel und Emanuel Seidl (1906), Oswald Bieber (1914), German Bestelmeyer (1928–30), Karl Bäßler (1936/37, 1946). Die Ge-samtanlage von 460 m Länge und 100 m Breite besteht aus 3 großen Gebäudekomplexen, die einen geräumigen Innenhof umschließen: Samm-lungsbau mit 64 m hohem Turm, Bibliotheksbau und Saalbau. Nach der verwirklichten Idee seines Schöpfers ein »lebendiges Museum«, einzig in seiner Art. An ausgedehnten Beständen läßt sich die Entwicklungs-geschichte aller Gebiete der Technik und Naturwissenschaften verfolgen.

Haus der Kunst. Als »Haus der deutschen Kunst« 1933–37 nach den Entwürfen von P. L. Troost aufgeführt. Steinbau (Donaukalkstein) in den klassizist. Formen der nationalsozialistischen Ära. Ein »Haus der Architektur« auf der Gegenseite kam nicht zur Ausführung.

Städtische Galerie (Luisenstr.). Kernbau ist das Haus Lenbachs, eine Villa suburbana nach florentinischen Mustern, 1887 von Gabriel Seidl gebaut. Seit 1924 im Besitz der Stadt, die den beiden, den anmutigen Ziergarten einschließenden Flügeln (im südlichen das Atelier Lenbachs) einen dritten, nördl., durch H. Grässel, 1927/29, hinzufügen ließ.

Stuckvilla (Äußere Prinzregententstr.). 1897/98 nach dem Entwurf des Künstlers, Franz v. Stuck, aufgeführt, Palais eines »Malerfürsten« in neuklassizist. Formen. Werk Stucks, im Entwurf, auch die Bronze-Amazone im Vorgarten. Seit 1968 beherbergt die Villa ein Stuck-museum.

Straßen und Plätze

Marienplatz

Unzweideutig, neben dem vermutl. älteren Rindermarkt, erstmals (als »forum«) 1240 bezeugt. Bemerkenswert die Verfügung Ludwigs d. Bayern, 1315, die Platzfläche von allen Bebauungen freizuhalten: »daz der margt dest lust-samer und dest schöner und dest gemachsamer sey herrn, burgaern, gesten und allen laeuten, di darauf zu schaffen haben.« Hauptmarkt der Stadt (Kornmarkt, Schrannenplatz) bis ins 19. Jh., das die urspr. schlichten, durch Lauben aufgelockerten Platzwandungen durch Neubauten (Neues Rathaus, s. S. 588) weitgehend umgestaltete. Die Kriegszerstörungen, 1944/45, betrafen insbesondere die südl. Platzzeile, die sich inzwischen wieder geschlossen hat. Schmerzlichster Verlust: der des östl. schließenden Tores (des »unteren« der ältesten Stadt), das aus Verkehrsgründen nicht wieder errichtet wurde. Dank der schönen Grundrißverhältnisse, des Alten Rathauses an der O-Seite, der Blickbeziehung zu den benachbarten Kirchen, Hl. Geist, St. Peter, Frauenkirche, und der prächtigen Mariensäule darf die Herzkammer Münchens immer noch zu den städtebaulichen Kostbarkeiten gerechnet werden. – **Mariensäule.** Absicht des Kurfürsten, Maximilians I., der Patrona Bavariae zu schuldiger Danksagung und zu ewigem Gedächtnis der erhaltenen Hauptstädte München und Landshut eine Säule zu errichten, schon 1630. Doch Ausführung erst 1638; Einsegnung am 8. November, Jahrestag der Schlacht am Weißen Berg. Monolithsäule aus Tegernseer Marmor (Höhe 11,6 m). Auf dem abschließenden korinthischen Kapitell die Patrona, Bronzebildwerk Hub. Gerharts, urspr. (1618 bis 1638) in der Frauenkirche aufgestellt. Die 4 »Heldenputti« des Sockels, sinnbildlich Pest, Krieg, Hunger und Ketzerei bekämpfend, sind Gußwerke des Münchener Glockengießers Bernh. Ernst. Der Name des ins Barock vorgreifenden Modelleurs steht aus.

Brienner Straße

Die erste einheitliche Straßenplanung nach der Auflassung der Befestigungen in der hier zuwachsenden »Max-Vorstadt«. Begonnen unter König Max I. Joseph, 1808, durch den Hofbaumeister Karl v. Fischer, gehört ihr größerer Teil Ludwig I. und seinem Architekten Leo v. Klenze. Doch ist ein städtebaulich so wertvoller Beitrag wie das den Straßenzug unterbrechende Rondell des allseits Radien aussendenden Karolinenplatzes noch ganz Eigentum des früh vollendeten Fischer, an den die Bebauung (nach vielen Verlusten schon im 19. Jh.) nur mehr an ganz wenigen Stellen erinnert.

Ausgehend vom Odeonsplatz, tangiert die Straße zunächst den Wittelsbacher Platz mit dem (1944 zerst., jetzt völlig erneuerten) **Arco-Palais** Klenzes (1820) an der W-Seite und dem *Reiterdenkmal des Kurfürsten Maximilian I.* (von Klenze und Thorwaldsen, 1830–39) in der Mitte. Die

folgende Strecke bis zur Einmündung der Türkenstraße
bietet an der N-Seite noch eine rühmenswert geschlossene
Front klassizist. Baublöcke, endend mit dem feinen **Almei-
da-Palais** J. B. Métiviers (um 1820). Das hier ehemals folgende **Wittelsbacher Palais** Gärtners (1843–48), ein Einbruch romantischer Neugotik, erlag dem 2. Weltkrieg. Im
weiteren, durch lockere Bebauung gekennzeichneten Verlauf erreicht die Straße den Kreis des begrünten K a r o -
l i n e n p l a t z e s mit dem seine Mitte besetzenden *Obelisken* (Erinnerungsmal für die 1812 in Rußland gebliebenen Bayern; Klenze, 1833). Die folgende Strecke, bis zum
Königsplatz, hat ihre alte Bebauung 1944/45 restlos eingebüßt. Gegen W weitet sich nun der urspr. begrünte (erst im
»Dritten Reich« geplattete) K ö n i g s p l a t z , der in
sonderheit monumentale Beitrag Ludwigs I. Schon 1816
hatte er hier, noch Kronprinz, die **Glyptothek** (§. S. 590)
aufführen lassen. Erst 1838–48 kam als Gegenüber das
Ausstellungsgebäude Zieblands hinzu, das seit 1967 die
Staatl. Antikensammlung enthält – Tempel gegen Tempel –, und erst 1846–60 brachten die den athenischen nachgebildeten »**Propyläen**« Klenzes, westl., den Abschluß. Die
beabsichtigte Schließung des Forums gegen O, durch niedere
Gebäuderiegel, blieb unausgeführt. Hitler ließ hier 1933
bis 1935 die beiden Kolosse der NSDAP aufführen. Der
Krieg hat sie verschont, während er die Bauten des Königs
hart heimsuchte. Die Endstrecke der Straße, zum Stigl-
mairplatz, konnte nicht mehr in guter Zeit gestaltet werden. – Trotz aller Zerstörungen: Der großartige Zug der
Straße zwischen Odeons- und Königsplatz ist geblieben.

L u d w i g s t r a ß e

*Eigenste Leistung Ludwigs I., der sie als Kronprinz (1816) be-
ginnt und als Exkönig (1850) beendet. Schon in der ersten südl.
Hälfte seine Wünsche nachdrücklich genug in die baumeisterliche
Planung (Klenzes) einstellend, greift er in der nördlichen in einer
die endliche Erscheinung bestimmenden Weise in die Absichten des
Baumeisters (nun Gärtners) ein: Die Mächtigkeit der Blockbil-
dungen, die Schmucklosigkeit der Mauerstirnen, die nüchterne
Großformigkeit der nördl. Straßenhälfte sind Durchsetzungen seines Willens. Die Idee dieser Monumentalstraße ist sein unbestreit-
bares Eigentum.*

Nicht, wie es den Anschein hat, aus einheitlicher Planung
erwachsen, sondern abschnittsweise. 1816 liegen die Pläne

Klenzes vor, 1817 Einebnung der Wälle vor dem Schwabinger Tor und Beginn des Hausbaues am südl. Ansatz der Straße, an der sich zunächst, nach dem Vorgang des Herzogs von Leuchtenberg (1817 **Leuchtenbergpalais**, 1944 ruiniert, 1961 abgetragen, 1965 wiederaufgebaut), vermögliche Private ansiedeln. 1824 steht die W-Seite bis zur Von-der-Tann-Straße. Die O-Seite, 1818 in Angriff genommen, ist im Bau. 1825 entsteht nördl. des **Hofgartentors** (1816) das sog. **Bazargebäude** (Baumeister Himbsel). 1826 bis 1827 findet das gegenüberliegende Leuchtenbergpalais die spiegelbildliche Entsprechung im **Odeon**. – 1827 genehmigt der König die Pläne für die Verlängerung des Straßenzuges bis zur Schellingstraße. Noch im gleichen Jahre Befehl zur 3. Verlängerung bis zur Adalbertstraße. – Mit dem **Kriegsministerium** (heute Hauptstaatsarchiv), 1828, endet der Anteil Klenzes; der weitere Verlauf der Straße gehört Fr. Gärtner. Der »Stil« wechselt, die nördl. Ludwigstraße hat ein anderes Gesicht, schon in der Farbe, da jetzt der unverputzte (übrigens meisterlich beherrschte) Rohziegelbau vernehmlich mitspricht. Wichtig aber auch dies: Das Ausscheiden des privaten Bauunternehmers, der den S-Teil der Straße großenteils auf sich genommen hatte; ihn ersetzen jetzt öffentliche Anstalten, die wesentlich größere Areale beanspruchen und der vom König gerügten Kleinteiligkeit Massen entgegenstellen können. Gärtner setzt mit dem Projekt der **Staatsbibliothek** ein, das allerdings erst 1832–43 ausgeführt wird. Vorher schon, 1829, Beginn der **Ludwigskirche** (s. S. 580). Es folgen die ehem. Blindenanstalt, 1834, **Universität** und Georgianum, 1835, das ehem. Max-Joseph-Stift, 1838, Damenstift und Salinenverwaltung, 1840. Der geplante Rundplatz am N-Ende der Straße verwandelt sich in ein Rechteck. Die Straße bedurfte nur noch monumentaler Markierung ihrer Pole an den beiden Foren im S und N: durch die **Feldherrnhalle**, als groß geöffneter Blickfänger für den von N Herankommenden (1840–44, nach dem Vorbild der Florentiner Loggia dei Lanzi), und das **Siegestor** (1843–52, nach dem Vorbild des Konstantinsbogens in Rom) als »point de vue« gegen N. – Eingriffe im Jahrzehnt Hitlers haben den Organismus der Straße an einigen Stellen gestört, der Krieg hat ihren Baukörper teilweise schwer verwundet. Aber die mächtige Gesamtheit »Ludwigstraße« ist uns geblieben. – Im geraden

Zuge verläuft die breit bemessene Straße zwischen Feldherrnhalle und Siegestor, vor beiden Monumenten zu
Plätzen erweitert. Anlehnung an die Formen italienischer
Paläste der Renaissance charakterisiert den südl. Abschnitt,
an Formen italienischer Romanik den nördlichen. Diese
Stilanlehnungen wollen indes bei der freien Verwendung
der historischen Formen nicht viel besagen. Die Ludwigstraße ist doch eine ganz ursprüngliche Schöpfung ihrer
Zeit: romantisch-klassizist., wenn sie mit einer Stilbezeich-
nung getroffen werden soll. – Das *Denkmal* ihres königl.
Schöpfers an der westl. Erweiterung des Odeonsplatzes entstand 1862 als Werk Max Widenmanns.

Maximilianstraße

Max-Joseph-Platz mit Isar verbindend, dritte der Münchner Monumentalstraßen des 19. Jh., genannt nach ihrem
Begründer, König Maximilian II., der sich das Ziel gesetzt
hatte, einen »die Kultur der Gegenwart repräsentierenden
Stil« ins Leben zu rufen. Der verantwortliche Kopf ist
Fr. Bürklein (1813–72), der durch seinen Bahnhofbau (Vorgänger des bestehenden Hauptbahnhofs) die Aufmerksamkeit auf sich gelenkt hatte. Die urspr. Absicht sah fortlaufende Arkaden vor, wie sie am N-Flügel des 1857/58 errichteten **Münztraktes** (westl. Anfang der Straße) vor
Augen stehen. Als erster exemplarischer Block wurde der
zwischen Herrn- und Kanalstraße in Angriff genommen
(1853). 1859 war der Straßenzug vollendet. Nicht von
Bürklein nur das **Museum für Völkerkunde** (1858–65,
E. Riedel) und das **Hotel Vier Jahreszeiten** (R. W. Gottgetreu). Das den Zug der Straße jenseits des Isar auffan-
gende **Maximilianeum** wurde zunächst einem Wettbewerb
anheimgestellt, aus dem der Berliner Oberbaurat Stier als
Sieger hervorging, aber dann, 1854, auf Grund Semperscher
Vorschläge ausgeführt. In der O-Hälfte ihres Verlaufs erweitert sich die Straße zu einem baumbestandenen Forum,
ausgezeichnet durch Monumentalbauten öffentlichen Charakters – **Regierung** von Oberbayern und **Museum für
Völkerkunde** – und *4 Bronzestandbilder* (Deroy, Schelling,
Rumford, Fraunhofer, 1856–68). Das den Durchblick unterbrechende *»Max-Monument«* (König Max. II.), von Zum-
busch, ist Zutat d. J. 1875. – Der zum Vortrag gebrachte
neue »Stil« lehnt sich, bis auf das Renaissance-Formen fol-

gende Maximilianeum, an englische Neugotik an. Durch
die Uniformität der Gliederungsmotive wie durch die Einheitlichkeit der Blöcke hat sich die Straße etwas Großes
und Nobles sichern können. Der von Zeitgenossen (wie
J. Burckhardt) geäußerten abschätzigen Kritik wird man
nicht beipflichten. Es werden sich im 19. Jh. nur sehr wenige Straßengestaltungen vergleichbaren Wertes namhaft
machen lassen. Die Stilmaskierung (dezent, verglichen mit
Exempeln der Gründerjahre) will uns heute neben dem
doch stark durchschlagenden Zeiteigentümlichen belanglos
erscheinen. Romantische Architektur sicherlich, mit Sym-
ptomen der Auflösung, die sich aber doch noch mit einem
letzten ihr gegebenen Vermögen dem Einbruch des Freien,
Offenen gegenüber in eigener Ordnung behauptet. Daß
man sich 1968/69 an dieser Straße im Namen des Molochs Verkehr vergreifen konnte, ist unverständlich. Hier das **Schau-
spielhaus** von Max Littmann und Richard Riemerschmid,
1900/01: ein beispielhaftes Raumbild des Jugendstils.

Prinzregentenstraße. Die letzte der großen Straßen des
19. Jh., beg. 1890. (Der Plan König Ludwigs II., die Hofgartenstraße
bis zur Isar durchstoßen zu lassen, kam nicht zur Ausführung.) Alleen
begleiten die Achse bis zum Blickpunkt am anderen Isarufer, zum
Monument des *Friedensengels* (vollendet 1899). Kurz zuvor eine platz-
artige Erweiterung, ehem. mit gärtnerischen Anlagen, vor dem Bayer.
Nationalmuseum (1894–99, s. S. 591). An der Stelle des »Hauses der
Kunst« (s. S. 592) trat früher der Englische Garten an die Straße heran.

Max-Joseph-Platz. Durch den Abbruch des Franziskanerklosters (1803) bot sich die Möglichkeit zur Anlage
eines Platzes, an den zunächst das **Nationaltheater** (1811)
herangestellt wurde. Doch erst die Bauten Ludwigs I., der
Königsbau der Residenz auf der N-Seite und die **Loggia**
auf der S-Seite, schlossen die Platzfläche. Nur an der W-
Seite blieb die alte bürgerliche Bebauung erhalten. In die
Mitte des Platzes trat 1832 das *Denkmal* des ersten
Bayernkönigs *Max I. Joseph*, die Bronzestatue des sitzenden Monarchen nach einem Modell Christian Rauchs. Der
Platz ist eine geschlossene Anlage des Klassizismus.

Lenbachplatz. Typische Anlage des späten 19. Jh. Ein durch
mehrere gruppierte Baukomplexe gestaffelter Platz mit wechselnden
Blickpunkten. O-Seite 1944 z. T. zerstört, darunter das »Künstlerhaus«
Gabriel Seidls (1896–1900), 1944 ausgebrannt, jetzt wiederhergestellt.
Zum Alten Botanischen Garten hin offen, hat der Platz seinen schönen
Abschluß nach N zum Maximiliansplatz im *Wittelsbacher Brunnen*, der
wohl bedeutendsten Schöpfung Ad. v. Hildebrands (1895). Inmitten des

breitgelagerten Brunnenbeckens 2 wasserspendende Schalen, seitlich Statuen, die Segen und Verderben des Wassers versinnbildlichen. – An der
SO-Seite des Platzes stand ehemals die **Maxburg**. Zuerst »Wilhelmini-
sche Veste« genannt, nach dem Bauherrn, Herzog Wilhelm V., der sie
in den 90er Jahren des 16. Jh. durch H. Schön errichten läßt; in der
2. Hälfte des 17. Jh. Residenz des Herzogs Maximilian Philipp, jüngeren Sohnes des Kurfürsten Max. I., seither »Maxburg«. Das weitläufige
Gebäude wurde 1944 großenteils zerstört und in der Folge abgetragen.
Nur der Turm wurde beibehalten. Er steht nun, in einem eigentümlichen Kontrast, vor der Front eines Neubaus modernster Art (Justiz-
gebäude von Th. Pabst und Sep Ruf).

M a x i m i l i a n s p l a t z. Angelegt 1801. Heutige Bebauung letztes
Viertel des 19. Jh., z. T. 20. Jh. Zwischen Lenbachplatz und Brienner
Straße gelegene, dem mittelalterl. Mauerring folgende Grünanlage mit
den Denkmälern Liebigs und Pettenkofers und dem Wittelsbacher
Brunnen, der sein Gesicht zum Lenbachplatz wendet. Das Schwer-
gewicht liegt in der begrünten Mitte.

Gartenanlagen

Hofgarten. Urheber der Gartenanlage nördl. der Residenz
ist Herzog Maximilian I., 1613–17, der auch schon das Areal
auf der W- und N-Seite in **Arkadengänge** einschloß und
den feinen, wahrscheinl. nach Heinr. Schön, 1615 errichtete
Brunnenpavillon in die das Achsensystem der Wege richtende Mitte setzte. Die Bronze-Bavaria auf der Kuppel der
kleinen, in 8 Arkaden geöffneten Renaissance-Rotunde,
urspr. für den Brunnen eines (von Herzog Wilhelm V. angelegten) Gartens südl. der Residenz bestimmt, ist eine vorzügliche Arbeit H. Gerharts (das Original von 1594 jetzt
im Innern der Residenz; die Putten des Sockels sind Kopien
nach verlorenen Originalen H. Krumpers). Der N-Flügel
der Arkaden wurde 1779 unter Kurfürst Karl Theodor,
zur Aufnahme der Gemäldegalerie, um ein Obergeschoß
erhöht, der W-Flügel 1822 von Klenze, der schon vorher,
1816, das römisch schwere **Hofgartentor** eingefügt hatte,
erneuert und 1830–34 von K. Rottmann mit der Folge der
klassischen Landschaften ausgestattet, die sich, abgenommen, im Residenzmuseum erhalten haben. Die nach Entwürfen von P. Cornelius ausgeführten bayer. Historien in dem
Arkadenabschnitt beiderseits des Tores wurden 1945 teilweise, die nach Entwürfen von P. Hess 1834–40 gemalten
Deckenmalereien (W- und N-Flügel; Darstellungen aus
dem griech. Freiheitskampf) völlig zerstört. Einige der
Historien konnten wiederhergestellt werden. Die anmutige
Bronze-Nymphe vor den W-Arkaden, in der langen Mittel-

achse des Gartens, entstand, nach dem Modell L. Schwanthalers, 1826. – Der tiefer liegende kleinere O-Teil des Gartens, ehemals durch Weiher und Weiherhaus geschlossen, wurde 1802/03 mit der Hofgartenkaserne (seit 1814 des Grenadier-Garde-, des späteren Infanterie-Leibregiments) besetzt, an deren Stelle dann, 1900–05, das von L. Mellinger errichtete **Bayer. Armeemuseum** trat, von dem nur noch der zentrale Kuppelbau aufrecht steht. Die künftige Schließung des Hofgartens an dieser Seite – das (vielbescholtene) Armeemuseum ist seit 1945 Ruine – ist noch ungeklärt. – Der Bronze-Reiter, Herzog Otto I. von Wittelsbach, Werk F. v. Millers, auf der Terrasse des Museums, wurde 1911 aufgestellt. Das in der zugehörigen Anlage 1924–26 nach den Plänen der Architekten Th. Wechs und E. Finsterwalder und des Bildhauers K. Knappe errichtete *Denkmal für die Gefallenen des 1. Weltkriegs*, ein von einem Monolithblock gedeckter Gruftraum mit dem Toten Soldaten B. Bleekers, ist eine der besten Anlagen dieser Art. – Die Neugestaltung des Hofgartens nach dem Kriege suchte den Charakter des Renaissancegartens (der sich in den Grundzügen beharrlich behauptet hatte) wiederherzustellen. Sie sparte ein baumfreies inneres Parterre aus, legte 4 Schalenbrunnen in die Eckpunkte der Diagonalwege und setzte dieses mittlere Geviert in den Rahmen mehrzeiliger Lindenreihen.

Englischer Garten. 1789 nach Plänen des »Menschenfreundes« Thompson-Rumford unter beratender Mitwirkung Fr. L. v. Sckells angelegt und 1795 als »Theodors Park« der Öffentlichkeit übergeben. 1804 ff. von Sckell weiter ausgestaltet. Unter den deutschen Landschaftsgärten, neben dem Schwetzinger, der älteste und ausgedehnteste. Auf einer Fläche von 75 Morgen, 5 km lang und etwa 2 km breit, grenzt der nordöstl. der Stadt ansetzende Park, urspr. ein natürlicher Auenwald, nördl. an die **Hirschau**, die, ihm schon 1799 zugeschlagen, auf der Höhe des »**Aumeisters**« (Forsthaus und Gastwirtschaft, 1810/11) noch vor wenigen Jahren in den Wildwuchs der freien Auenwaldung überging. Im großen lassen sich 3, durch Baumgürtel getrennte Teile unterscheiden: die Wiese zwischen Prinz-Karl-Palais und Monopteros, der Kleinhesseloher See, die Hirschau. 2 Wasseradern, Schwabinger Bach und

Eisbach, fügen der weiträumigen Landschaft das so wesentliche Motiv des (scheinbar) natürlichen Bachlaufes ein; Glanzpunkt der 1812 von Sckell angelegte »Wasserfall« am »Brunnenhaus« (Fr. Gärtners, 1814/15, jetzt abgetragen). Wie der Schwetzinger Park, verzichtet auch dieser Englische Garten nicht auf die Mitwirkung kleiner Stimmungsarchitekturen. Bezeichnend der 1789/90, nach Entwurf J. Freys, errichtete (im Krieg zerstörte, jetzt erneuerte) **Chinesische Turm** mit dem benachbarten, gleichzeitig von J. B. Lechner erbauten **Chinesischen Wirtshaus**. Am Fahrweg nördl. der Pagode der nach Angaben Rumfords 1791 von Lechner als Offizierskasino aufgeführte **»Rumfordsaal«**, ein nobel einfacher, rechteckiger Pavillon mit Säulenportikus. Ein Apollo-Monopteros, ein »got. Tempel«, ein Geßner-Denkmal gingen frühzeitig wieder ab. Doch besitzt der Park noch mehrere reizvoll situierte Denkmäler: das 1795/96 von Franz Schwanthaler gearbeitete *Rumforddenkmal* (am Fahrweg nächst der Lerchenfeldstraße); das Denkmal für den Intendanten der kgl. Gärten, den »sinnigen Meister schöner Gartenkunst«, Friedr. Ludw. v. Sckell, auf einer in den von ihm geschaffenen **Kleinhesseloher See** (1802–14) eingreifenden Landzunge, eine hohe Säule auf bankumgebenem Sockel, Errichtung des Königs Max I. 1824; der *Monopteros*, am NO-Rande der großen Wiese, auf künstlichem Hügel, errichtet durch Ludwig I. als Denkmal für Kurfürst Carl Theodor, 1833, nach Entwurf Klenzes, ein offener, von ionischen Säulen getragener Rundbau mit Denkstein in der Mitte; das Denkmal für den Oberst Frhr. v. Werneck (1799–1804 Direktor des Gartens) über dem NO-Ufer des Kleinhesseloher Sees, ebenfalls Errichtung Ludwigs I., 1838, nach Klenzes Entwurf; die steinerne Ruhebank, wieder Klenzes, nächst dem Chinesischen Wirtshaus.

Alter Botanischer Garten (Lenbachplatz). Die 1813 geschaffene Anlage L. v. Sckells wurde in der Folge mehrfach verändert, einschneidend durch den 1854 aufgeführten (1931 durch Brand zerst.) »Glaspalast«. Gegen den Lenbachplatz steht das 1812 von E. J. d'Herigoyen gebaute Tor, rühmliches Werk eines noch frühen, proportionssicheren Klassizismus.

Südlicher Friedhof. Ältester der neuen, nach Auflassung der Kirchenfriedhöfe (1783) geschaffenen Friedhöfe außerhalb der Mauern. 1818 erhält das Gelände, das an seinem N-Ende die ältere Stephanskirche einschließt, die eigentümliche sarkophagartige Grundrißgestalt, gleichzeitig entstehen die nach Plänen Vorherrs in Ziegelbau ausgeführten Arkaden und das Leichenhaus. 1830 Erweiterung, eine zweite beträchtlichere 1844. Die Arkaden dieses neuen Teiles nach Entwurf Gärtners. – Der Friedhof ist die Ruhestätte vieler Berühmter und Namhafter wie Fraunhofer, Gabelsberger, Görres, Gärtner, Klenze, Schwind, Spitzweg.

Stadtteile und eingemeindete Vororte:

Au

Dichtere Besiedlung des Au-Geländes rechts der Isar erst nach Festigung des Flußlaufes um 1400. Seit 1818 Stadt, 1854 eingemeindet. Die sog. Herbergen (nun meist zerst.) bezeugen, daß hier kleines Volk saß, Rottleute und Sämer. Doch förderte der Mühlbach mit zahlreichen Mühlen gewerbliche, später auch industrielle Tätigkeit. – Die älteste, 1466 errichtete Auer Kirche Hl. Kreuz verfiel 1817 dem Abbruch. Die zweite, zu Ehren des hl. Bartholomäus, entstand 1623 und wurde 1627 den Paulanern übergeben. Sie verschwand 1902. An die Stelle einer 1639 geweihten, 1840 abgebrochenen Mariahilfkapelle trat die bestehende.

Pfarrkirche Mariahilf (Mariahilfplatz), 1831–39 errichtet. Baumeister ist Jos. Dan. Ohlmüller, der sich, vom König zum Wettbewerb aufgefordert, gegen Pertsch, Klenze und Gärtner durchsetzte. Der unverputzte Ziegelbau ist eine neugot. 3schiffige Halle mit aus der W-Seite entwickeltem, in durchbrochener Helmpyramide gipfelndem Turm, der das Wahrzeichen dieser Stadtlandschaft (der Au) ist. Geschichtlich bedeutsam als einer der ersten Bezeugungen der Romantik in der kirchlichen Architektur, zugleich eine der besten und eine der sehr wenigen erwärmenden Lösungen der Neugotik. – Schwere Kriegsschäden nötigten zu weitgehender Erneuerung des Inneren.

Berg am Laim

Ehem. Hofkirche, jetzt Pfarrkirche St. Michael

Die Hofmark, auf der östl. der Isar von Harlaching bis Ismaning streichenden Lehmschwelle, gelangt 1678 an Albert Sigismund, Bischof von Freising, von ihm 1685 an Erzbischof Kurfürst Heinrich von Köln, 1688 an Joseph Clemens, Bischof von Freising und Regensburg, später Erzbischof Kurfürst von Köln (Bruder des Kurfürsten Max Emanuel), der 1692 im N-Flügel seines Lustschlosses Josephsburg eine Michaelskapelle errichtet und 1693 eine Michaelsbruderschaft stiftet. Sein Erbe ist Clemens August, ebenfalls Erzbischof Kurfürst von Köln (Sohn Max Emanuels), der 1737–52 die große Hofkirche aufführen läßt, dazu, als Anbau, 1750, ein Franziskanerkloster (das König Ludwig I. 1840 an die Barmh. Schwestern überweist). – Die Kirche, urspr. Bruderschafts- und Ritterordenskirche, ist seit 1906 Stadtpfarrkirche. – 1735 liefert Joh. Mich. Fischer Entwurf und Kostenvoranschlag. Doch verdrängt ihn 1737 der Hofmaurerpolier Phil. Jak. Köglsperger, der in den Entwurf eine Zweiturmfassade einschiebt, 1738 zu bauen

beginnt, aber schon 1739 wieder Fischer Platz machen muß. Fischer
muß sich mit der begonnenen Fassade abfinden. Cuvilliés, mit der
Oberaufsicht betraut, heißt die Fischerschen Risse gut, beanstandet
nur die Fassade als nicht zierlich genug; weitere Anteilnahme ist
nicht erweislich und auch nicht wahrscheinlich. Herbst 1742 ist der
Bau unter Dach, 1751 wird er geweiht. Die Ausstattung liegt in
den Händen J. B. Zimmermanns (Stuck und Fresken; Vertrag
1743) und J. B. Straubs (Altäre, Vertrag 1743; weitere 2 Altäre
1758/59). Sie ist 1762 vollendet.

Die heute noch ihre, jetzt vorstädtische, Umgebung als ein
auch in der Bedachung mächtiger Block überragende Kirche
steht abseits, ohne Anschluß an eine sie suchende Straßenachse (beabsichtigt, nie ausgeführt). Die doppeltürmige Fassade, der einzige auf Gesehenwerden berechnete Bauteil,
wendet sich, eine Rasenfläche vor sich, ins Leere. Trotz
Fassade, die eine der wenigen anspruchsvollen im barocken
Bayern ist: der Nachdruck ruht auf dem Inneren, das, mit
der höchst hervorragenden Ausstattung an Stuck, Fresko
und Altären eine der vollendetsten Raumleistungen des reifen 18. Jh. ist. – Ä u ß e r e s. Die 2geschossige Fassade ist
leicht vorgewölbt, jedes Geschoß von Säulenpaaren flankiert, jedes in rundbogiger Flachnische eingetieft; in der
unteren das Portal, in der oberen die Statue des hl. Michael
(1911). Die Türme 3geschossig, mit pilasterbesetzten Eckstreben, geschweiftem Gesims über dem Uhrgeschoß und
Kuppeltürmchen darüber. Das Äußere sonst schlicht, ohne
Ehrgeiz. Die die Fassade symmetrisch rahmenden Wohnbauten (der Barmh. Schwestern), anstelle der Pavillons der
Josephsburg, 19. und 20. Jh.
I n n e r e s. Der Grundriß reiht in der Länge 4 Raumeinheiten aneinander: die annähernd ovale Vorhalle, das große,
durch Abschrägungen zum Achteck differenzierte Quadrat
des Laienraumes, das dessen Umriß verjüngt wiederholende
Presbyterium und den wieder annähernd ovalen Altarraum.
In der Vertikalen ist diese Abfolge, den zu- und abnehmen-
den Raumgrößen entsprechend, durch an- und absteigende
Höhen akzentuiert. Trotz der Raummächtigkeit der, in der
Querachse durch Arme erweiterten, Rotunde setzt sich die
Längenachse als Führungslinie durch. Die Verjüngung der
Kompartimente übertreibt die Perspektive und mit ihr die
tatsächlichen Größenverhältnisse: Der aus der Stufenfolge
der Teilräume resultierende Gesamtraum erscheint größer
als er, objektiv, ist. Eine an- und abschwellende, im At-

mungsrhythmus sich dehnende und wieder einziehende Bewegung vereinigt die Teilräume zur organischen Ganzheit *eines* Raumkörpers. Raumrichtung und Raumruhe gleichen sich harmonisch aus. Die Teile gehen gleitend, in gemuldeten Wandsegmenten, ineinander über. Der Aufriß des Wandkörpers, den der starke, über den Ecken in scharfen Stößen vorgreifende Architrav hälftet, ist durch das plastische Relief der die Ecken betonenden und zugleich rundenden Säulen modelliert. Die breitflächigen, breit Licht einlassenden Fenster greifen mit tiefen Stichkappen in die Wölbschalen ein, räumliche Differenzierungen der an sich schon in ihren Kuppeln und Tonnen reich bewegten Decke. – Unabzüglicher Bestand der Wandgliederung sind die Altäre: der die Längsachse beschließende, die Mulde des umfangenden Raumovals fast ganz füllende, durch Säulenpaare gefestigte Hochaltar, die weniger aufwendigen, aber immer noch großen Seitenaltäre in den Armen des Laienraums, durch dessen Breitachse sie bestimmt sind, die 4 kleineren, von leichten spielenden Rahmenformen eingeschlossenen Retabeln an den Schrägen dieses (Haupt-)Raums, in Richtung seiner Diagonalen. – Die farbige Haltung des Innern: Säulen marmoriert, rötlich-violett; die Marmorierung von Pilastern und Architrav zartgrün, die Gewölbekappen Ocker mit Flechtband und Rosetten.

Die *Decke*, eine Folge in Holz konstruierter Flachkuppeln, von J. B. Zimmermann (1743) bemalt. Die Themen sind: 1. über der Orgelempore: psallierender David; 2. im Kreise der Hauptkuppel: »Apparitio I S. Michaelis«; 2 zeitlich getrennte Szenen der Michaelslegende vom Monte Gargano, das Wunder des auf den Schützen zurückkehrenden Pfeils und (links) Prozession des Bischofs und der Einwohner der Stadt Siponto; reizvoll insbesondere diese, mit dem unter dem Sonnenschirm stolzierenden Grandseigneur; 3. in der ebenfalls kreisförmig begrenzten, doch durch das Eingreifen der Fensterstichkappen bewegt konturierten Kuppel des 3. Raumes: »Apparitio II S. Michaelis«, Michael als Helfer der Siponter im Kampf mit den Neapolitanern; auf der Stuckkartusche am Fußpunkt: »Aedificatio anno MDCC XLIIII« (Jahr der Benediktion); 4. in der Kuppelschale des Chores: das Bekenntnis des Erzengels zu seiner Gargano-Grotte (»Ich selbst hab diss Orth geweyhet.«). Auch die Stukkaturen von Zimmermann; sie umspielen die Gewölbeschalen, Kartuschen bildend, locker über die Gewölbekappen ausgeteilt, leicht und elegant; zu Groß-Figürlichem verdichtet in den Gestalten der 4 Kirchenväter in den Nischen der Hängezwickel des 3. Raumes.

Nun die *Altäre*, insgesamt 7, alle von Straub: 1. Hochaltar: Mächtiger Aufbau mit leicht vorgezogenen Säulenpaaren, 1767 aufgestellt; das Altarblatt, 1694, von Andreas Wolff, 1745 in die Kirche überführt und von F. I. Oefele vergrößert (unterer Teil), Triumph des hl. Michael über die gefallenen Engel; an den Flanken die Holzfiguren der Erzengel Raphael und Gabriel; auf den Säulenstühlen 2 der entzückendsten Putten; im Aufsatz Gottvater vor großer Strahlenglorie; als Exponenten an N- und S-Wand die Figuren Christi und Mariae (1786). 2. nördl. Seitenaltar: In der Querachse des Hauptraums, wie sein Gegenüber (3) durch architektonischen Aufbau von den nur leicht und locker gerahmten Altären in den Diagonalachsen (4–7) unterschieden, 1758/59; Altarblatt von Zimmermann, der hl. Franz vor der Muttergottes; seitlich die Figuren der Apostel Jakobus Minor und Thomas, auf dem Gebälk die hll. Antonius und Bonaventura; auf der Mensa Reliquienschrein des hl. Clemens (1743 hier aufgestellt) und hl. Antonius (1772). 3. südl. Seitenaltar: Gleichzeitig; Altarblatt von J. G. Winter, die Hl. Familie (1746/47); seitl. die Apostel Philippus und Bartholomäus, auf dem Gebälk die hll. Johannes v. Kreuz und Johannes Capistranus; auf der Mensa Reliquienschrein des hl. Benedikt (1743). 4. nordöstl. Seitenaltar: 1743/44; die Rahmung dieses und der folgenden Altäre beschränkt sich auf Draperien, Wolken, Putten und eine zerflatternde Gloriole im Scheitel; das Gemälde, Immaculata, von Zimmermann, seitl. die Apostel Petrus und Andreas. 5. südöstl. Seitenaltar: Gemälde, der hl. Johannes Nepomuk vor König Wenzel, von Zimmermann; seitlich die Apostel Johannes und Jakobus Maior. 6. nordwestl. Seitenaltar: Gemälde, der hl. Norbert, von Jos. Ign. Schilling (1745); seitl. die Apostel Matthäus und Simon; auf der Mensa, im Tabernakel des späten 17. Jh., Schutzengel von Fz. Ableithner. 7. südwestl. Seitenaltar: Gemälde, der hl. Franz v. Paula, von Winter (1744); seitlich die Apostel Judas Thaddäus und Matthias; auf der Mensa Schrein (Anf. 18. Jh.) mit Statuette des hl. Michael als Kalkstein vom Gargano, 1699 gestiftet, angebl. Werk eines Einsiedlers. – Von den Altären zur Kanzel, Arbeit des Kistlers B. Hässer, 1745; am Corpus 2 Putten; dominierend die Gruppe des Schalldeckels, der hl. Michael mit dem Bilde der Dreifaltigkeit auf weiß-blau gewecker Fahne. – Streifen wir zurückgehend noch die 1747 gefertigte Orgel und führen wir zuletzt noch die beiden guten Holzfiguren in den Nischen der Vorhalle an, Rochus und Sebastian (erst 1881 hierher geschenkt), vermutl. Arbeiten Andreas Faistenbergers.

In der Nähe, nördl.: **Baumkirchen** mit der **Kirche St. Stephan**, einer

spätgot. Wandpfeileranlage um 1510, die im 18. Jh. barockisiert wurde.
Altäre 1713.

Blutenburg

Blutenburg, ehem. herzogl. Jagdschloß

*Der Name »Pluedenburg« = Blütenburg ist seit 1432 bezeugt.
Umbau eines älteren, grabenumwehrten Sitzes 1438 durch Herzog
Albrecht III. Ausbau durch Herzog Sigismund, der sich hier mit
Vorliebe aufhält, von dessen Baufreude auch noch die benachbarten Kirchen von Pipping und Untermenzing zeugen. Im 15. bis
ins 17. Jh. Bestandteil der herzogl. Hofmark Menzing. 1667 von
Kurfürsten an Frhrn. v. Berchem veräußert, der (1681) das baufällige Schloß wiederherstellt und Wall und Graben in Gartenanlagen verwandelt. Seit 1848 kgl., dann staatl. Besitz, heute
kath. Krankenschwestern überlassen. Kapelle restaur. 1971/72.*

Vom alten Wehrgürtel stehen noch 4 achteckige Türme, die
die reizvolle Ansicht der S-Seite bestimmen, Teile der
Mauer und der 3geschossige Torturm. Das Ganze, mit der
an der N-Flanke stehenden kleinen Kirche, Typus eines
spätmittelalterl. Herrenhofs, der dank seiner fürstlichen
Bewohner das Übliche an Aufwand und Schmuck allerdings
überschreitet. Das Kostbarste ist die **Schloßkapelle St. Sigismund.** Herzog Sigismund erbaute sie 1488; von späteren
Veränderungen wurde sie kaum betroffen. Das Ä u ß e r e
ist durch flache Streben gegliedert; über ihnen gemalter
Maßwerk- und Wappenfries. An der Hofseite, südlich, das
Portal, durch Mauerverstärkung hervorgehoben, die Spitzbogenpforte in einer in der Mitte überhöhten Rechteckblende. Am unteren Teil der S-Wand eine Folge figürlicher
Wandmalereien. Sie sind, und das gilt auch für die Poly-
chromie der Architektur, längst nicht mehr original, vermitteln aber doch, in Zeichnung und annähernd wohl auch
in der Farbe, einen Eindruck von der urspr. Erscheinung.
Auf dem W-First des Langhauses der zierliche, 1761 errichtete Dachreiter. – I n n e r e s. Das 1schiffige Langhaus hat
3 Joche, ebenso viele der Chor. In beiden Räumen Netzgewölbe auf Kragsteinen.

Berühmt die einheitliche A u s s t a t t u n g aus der Zeit des Her-
zogs Sigismund, eine der besterhaltenen des späten Mittelalters.
Der *Hochaltar* ist ein Flügelaltar, die Seitenaltäre sind Bildaltäre.
Hochgipfelndes ästiges Sprengwerk über Kielbogenrahmen ist allen
Altären gemeinsam. Sie verbinden sich zu einer symmetrischen
Dreiheit, die sich blickfangend dem Eintretenden entgegenwendet.
Die Mitteltafel des Hochaltars zeigt den Gnadenstuhl, die Flügel

innen die Taufe Christi und Krönung Mariae, außen die hll. Sigismund und Bartholomäus mit dem Stifter, Herzog Sigismund; die
Predella bringt die Brustbilder der Evangelisten; auf der Rückseite das Schweißtuch der Veronika; im Gespreng, plastisch, Christus zwischen Maria und Johannes, auf dem Kielbogen Adam und
Eva. Die Tafel des südl. Seitenaltars zeigt die (1491 dat.) Verkündigung, die Predella die Hl. Sippe; im Gespreng, plastisch,
Maria mit Laute spielenden Engeln. Die Tafel des nördl. Seitenaltars zeigt Christus als König, die Predella die Brustbilder der
14 Nothelfer; im Gespreng die Halbfigur Christi. Als Meister der
Gemälde darf der Münchner Jan Pollak angesprochen werden. –
An den Wänden von Chor und Langhaus stehen, auf Konsolen,
die berühmten *Blutenburger Apostel*, ein von Christus und
Maria (als Gruppe der »Begegnung«) angeführter Zyklus, Holzbildwerke hohen künstlerischen Ranges, von einem namenlosen
Münchner Meister. – An der N-Wand des Chores Sakramentshäuschen auf gewundener Tragsäule mit hohem Fialenbaldachin,
der eine Marienstatuette (Holz) einschließt. – Ein weiterer wertvoller Besitz dieser kleinen reichen Kirche sind die 32 *Glasscheiben*
von 1497, beginnend mit dem Einzug Christi in Jerusalem im
nordöstl. Fenster.

Bogenhausen

Alte Pfarrkirche St. Georg. Ihrer ganzen Haltung nach eine Dorfkirche,
doch, dank der Hofmarksherren (Törring), von erlesener Ausstattung.
Ob der 1766–68 mit Verwendung älterer Teile (Chor, Turm) aufgeführte Bau J. M. Fischer gehört, erscheint fraglich. Der Wert des einfachen, mit Fresken des Ph. Helterhof geschmückten Raumes liegt in
der Ausstattung, im Hochaltar J. B. Straubs (1770), in den Seitenaltären, deren südlicher, mit der Glorie des hl. Korbinian, jedenfalls
von Ign. Günther ist, in der Kanzel (1773/74), einem feinen, schon
klassizist. berührten Spätwerk des gleichen Günther.

Kath. Stadtpfarrkirche St. Gabriel (Äußere Prinzregentenstr.). 1925/26
von Ed. Herbert und O. O. Kurz errichtet, in immer noch enger Anlehnung an vorbildliche (ravennatische) Stilarchitektur, wenigstens im
Innern, das Äußere sehr viel freier, eine schon durchaus moderne Leistung.

Stadtpfarrkirche Hl. Blut, 1934 errichtet, nach Kriegszerstörung wiederhergestellt 1950. Architekt H. Döllgast.

Prinzregententheater. Die Idee Ludwigs II. eines Wagner-Festspiel-
hauses (Modell von G. Semper, 1868) fand keine Verwirklichung. Die
Initiative des Hoftheater-Intendanten E. v. Possart führte 1899 dann
doch zum Bau eines Festspielhauses, das 1900/01 von M. Littmann aufgeführt wurde. Theaterbaugedanken Richard Wagners steuerten die
räumliche Planung: amphitheatralisches Zuschauerhaus, versenktes Or-
chester. Der Stil des dem Prinzregentenplatz anliegenden Gebäudes ist
ein letzter, schon im Rückzug vor der heraufkommenden Moderne be-
griffener Klassizismus.

Östl. Bogenhausen, im Stadtteil **Steinhausen** (**Münchner Parkstadt**), entstand 1957 die kath. Kuratie, 1960 Pfarrei St. **Johann Capistran**, deren von Sep Ruf entworfene Kirche 1957 begonnen und 1960 geweiht wurde: ein 2schaliger Ziegelrundbau mit von »Hängesäulen« begleitetem offenem Umgang. Seitlich, frei stehend, die in mehrere Kammern aufgeteilte Glockenmauer. Capistran-Stein von Henselmann. – Die **ev. Nazareth-Kirche**, ein Zentralbau mit auffallendem, frei stehendem Glockenstuhl, entstand 1962 nach den Plänen der Architekten H. v. Werz und J. Chr. Ottow.

Weitere neue Stadtteile entstanden nördlich, so der **Arabellapark**, eine in sich geschlossene City mit Wohnungen, Büros, Schulen, Konzertsaal, Kirchen, Hotels, Sport- und Grünanlagen. Dominante ist das breite, scheibenförmige **Arabellahaus**, 18geschossig, mit Gitterbauelementen. Sein Inneres ist eine Stadt für sich. Architekt: Toby Schmidbauer. Vollendungsdatum: 1969.

Englschalking

Die **Kirche St. Nikolaus** ist als Zeugnis später roman. Baukunst zu notieren. Zwar ländlich bescheiden, doch originell wegen des seltenen dachreiterartigen O-Turmes mit Pyramidendach. Im wesentlichen 13. Jh., später mehrfach verändert.

Fasangarten

Die zu Anfang dieses Jahrhunderts entstandene, neuerdings stark gewachsene Vorortsiedlung erhielt 1958/59 ihre von Friedr. Haindl geplante **kath. Pfarrkirche St. Bernhard**. Ein »Zelt«, Fünfeck, in Beton und Glas; im Innern zentrale Beziehung auf den Altar. Kirche, Pfarrhof, Gemeindesaal und Campanile in guter Gruppierung.

Forstenried

Pfarr- und Wallfahrtskirche Hl. Kreuz. Ein Bau des 15. Jh. wurde 1672 umgestaltet. Wirkungsvolle Baugruppe: Staffelung von Chor zu Schiff zu Turm, steilwüchsige Dächer. 1626 erhöht, 1749 behaubter Turm. Das Außenbild noch durchaus mittelalterlich. Das Innere durch die Stichkappentonne und die die Gewölbeflächen überfangenden Stukkaturen im Sinne des barocken 17. Jh. abgewandelt. Auf dem Hochaltar der angebl. 1229 von Andechs hierher gebrachte roman. Holzkruzifixus, das Gnadenbild der Kirche und ihr wertvollster kunstgeschichtlicher Besitz, Werk wahrscheinl. des frühen 13. Jh.; eines der ältesten Beispiele des mit 3 (nicht 4) Nägeln Gekreuzigten. Beachtlich auch die freigelegte urspr. Fassung.

Fürstenried

Ehem. kurfürstliches Jagdschloß am Rande des Forstenrieder Parkes. Die Baujahre sind 1715–17, der Bauherr ist Kurfürst Max Emanuel, der Baumeister Jos. Effner. Einfache, bei bescheideneren Verhältnissen an Nymphenburg erinnernde Gebäudegruppe in axialer Ausrichtung auf die Frauentürme als »point de vue«. Die Achse war in ihrem Ausgang vom Schloß durch einen Kanal und eine (teilweise erhaltene) 4zeilige Lindenallee gestaltet. Blockhaft geschlossener erhöhter Mittelbau, durch Galerien mit Seitenpavillons verbunden.

Südwestlich die seit 1955 geschaffenen Trabantenstädte nach Prinzipien der Punkt- und Scheibenbauweise. In der westl. Trabantenstadt: **Pfarr-**

kirche St. Matthias (Appenzeller Straße 2), ein Rundbau, 1964/65 unter der Leitung A. v. Brancas errichtet. – In der östlichen: **Pfarrkirche St. Karl Borromäus**, von H. Groethuysen, 1964-66.

Nördl., an Fürstenried angrenzend: **Waldfriedhof**, eine Anlage von H. Grässel 1905-07 unter Einbeziehung des vorhandenen Waldbestands; später mehrfach erweitert.

Kriegergedenkhalle am Waldfriedhof (Eingang Tischlerstraße). In die Mitte einer Kriegsgräberstätte gestellt, ragt der 1960 von Helmut Schöner aufgeführte Bau, ein turmartig aufgesteiltes Dreieck, als eine technisch wie ästhetisch ausgezeichnete Leistung hervor. Die Wände sind Betonguß. In das Dunkel des völlig leeren Raumes dringt das farbige Licht der Prismenflächen.

Gern

Kath. Pfarrkirche St. Laurentius. Wenig auffallender, niedrig gehaltener, doch sehr origineller Ziegelbau. 1955 von E. Steffann und S. Oestreicher errichtet.

Giesing

Durch frühbajuwarische Reihengräber als uralte Siedlung ausgewiesen. Eingemeindet seit 1854.

Kath. Stadtpfarrkirche Hl. Kreuz. Die alte Giesinger Kirche (Pfarrkirche seit 1828) stand auf der steilen Böschung des östl. Isar-Ufers etwa 20 m südöstl. der neuen. Sie wurde 1888 abgebrochen. Die neue wurde 1866-68 errichtet, 1886 vollendet. Sie ist ein Ziegelbau mit Sandsteingliederungen, 3schiffige Halle mit Querschiff und westl. Turm, der zu den Akzenten im Fernbild der Stadtlandschaft München gehört. Der Baumeister, K. v. Dollmann, erfreute sich der bes. Gunst Ludwigs II.

Kath. Stadtpfarrkirche Maria Königin des Friedens. Ein Saalraum mit Pfeilerwänden von Robert Vorhoelzer 1936/37, nach Kriegszerstörung (1944) wiederhergestellt. Chorfresko und Kreuzweg von Albert Burkart, Portalrelief von Karl Knappe.

1955 wurde am SO-Rand von Giesing die **kath. Pfarrkirche zu den Hl. Engeln** aufgeführt; Architekt Hansjak. Lill. Frei stehender Glockenturm. Ein Tonnenkreuz in Stahlkonstruktion deckt den Raum, dessen Chorwand in einem Riesenfenster (mit Glasmalereien von A. Burkart) aufbricht.

Pfarrkirche St. Helena (Fromundstr. 2), ein Bau auf kreuzförmigem Grundriß, von Hansjakob Lill 1964, mit Glasfenstern von Ferd. Gehr.

Haidhausen

Rechts der Isar zwischen Giesing und Bogenhausen. Wie fast alle Siedlungen rund um das alte München früh (808) bezeugt. 1854 eingemeindet.

Alte kath. Pfarrkirche St. Johannes Bapt. Der Turm reicht wohl noch ins 13. Jh. zurück. Das Langhaus entstand neu 1650.

Neue Stadtpfarrkirche St. Johannes. Der 1852-75 von Matth. Berger

Nürnberg. St. Lorenz, Blick gegen den Chor

Osterhofen-Altenmarkt. Klosterkirche, Langhaus und Chor

aufgeführte neugot. Ziegelbau ist durch einen hohen Spitzturm an der W-Seite und 2 Chortürme ausgezeichnet.

Kath. Stadtpfarrkirche St. Wolfgang (Balanstr. 22). Eine in der Gründung mittelalterl. Wolfgangskapelle wurde 1877 abgetragen. An ihre Stelle trat die 1915 von H. Schurr begonnene, 1920 geweihte Pfarrkirche. Nach Kriegszerstörung entstand ein Neubau von Mich. Steinbrecher. Der Turm des Vorgängerbaus wurde beibehalten.

Harlaching

Wallfahrtskirche St. Anna

Eine Kirche in »Hadelaichen« erscheint schon in der 2. Hälfte des 12. Jh. Fraglich das Alter der Wallfahrt zur hl. Anna. Der jeweils von Mitte September bis Mitte Oktober begangene »Frauendreißiger« ist erstmals 1707 nachzuweisen, aber sicher älter.

Die bestehende Kirche wurde durch Umbau 1751–61 einer spätgotischen abgewonnen. Kleiner, aber, bes. im Turm, stabil wirkender verputzter Ziegelbau. Das quadratische Schiff östl. abgeschrägt; der eingezogene Chor im Erdgeschoß des Turmes. Eine Stichkappentonne deckt das Schiff, eine Flachkuppel den Chor. Die Ausstattung ist von hohem Rang. Die Deckengemälde, mit Darstellungen aus der Legende Joachims und Annas, sind von der Hand J. B. Zimmermanns (1755), der wohl auch die feinen Stukkaturen gab. Der von Säulenpaaren begrenzte, von einem reichen Auszug überhöhte Choraltar umschließt als Mitte das spätgot. Schnitzbild der »Selbdritt« (um 1510); über den seitlichen Durchgängen die hll. Joachim und Joseph. Die vor die Schrägen des Schiffes gestellten Seitenaltäre (des gleichen noch nicht identifizierten Meisters) sind Rahmenarchitekturen, die sich in flachen Nischen öffnen; die Gemälde, die in sie eingespannt werden konnten, noch im Besitz der Pfarrei (Giesing). In die Nischen sind kleinere Gemälde gesetzt (Anna und Maria, Joachim und Maria), deren Rahmen schönste, reifste Werke des Münchner Rokoko sind. Der des Seitenaltars rechts (1744/45) ist wahrscheinlich eine Stiftung Kaiser Karls VII.; die den Rahmen haltenden Löwen, mit Kurhut und Kaiserkrone, die Wappenkartusche, der darüber aufsteigende Adler, die Kaiserkrone als Gipfel legen die Annahme nahe. Der Rahmen des Altars links (1759–61) ist ohne heraldische Hinweise; Rahmenhalter sind hier 2 Lämmer. – Ein ausgezeichnetes Werk des gegenständlich gewordenen Ornaments, der Rocaille, ist die Kanzel (1768), mit der in elastischer Kurve emporschwingenden Treppe, der das Dorsale gleichsinnig antwortet.

Der auf dem nördl. benachbarten Hügel stehende, von König Ludwig I. 1865 errichtete *Denkstein* erinnert an einen (legendären) Aufenthalt Claude Lorrains.

Hasenbergl

Der alte Flurname bezeichnet ein seit 1960 neu entwickeltes Siedlungsgebiet nördl. der Stadt. Hier eingeplant entstanden 2 Pfarrkirchen. Die katholische, **St. Nikolaus**, von Hansjakob Lill, 1960–63: Zentralbau auf tetrakonchalem Grundriß. Mitte ist die Altarzone. Auffallend der spitze, abgerückte Turmkegel. – Gegenstück ist die lutherische **Evangeliumskirche**.

Johanneskirchen

Die kleine kath. **Kirche St. Johannes Bapt.**, inmitten eines ummauerten Kirchhofes, ist ein Bau des 13. Jh., der 1688 sein Stuckgewand erhielt. Der Hochaltar trägt gutes Schnitzwerk, das dem Ignaz Günther nahesteht. Kreuzigungsgruppe um 1520, Maria im Rosenkranz 17. Jh.

Laim

Urkundlich erstmals um Mitte des 11. Jh. bezeugt. Seit 1900 eingemeindet.

Kath. Stadtpfarrkirche St. Ulrich. Neubau 1912–16 von Fr. Frhr. v. Schmidt, mit Beibehaltung der alten, spätgot., im 18. und 19. Jh. erweiterten Ulrichskirche.

Eine der modernen Kirchen Münchens ist die **kath. Pfarrkirche zu den 12 Aposteln,** 1956 von Sep Ruf errichtet. – 1956 entstand auch die **ev. Paul-Gerhardt-Kirche**; Architekt Joh. Ludwig. – Notiert sei ferner die **kath. Pfarrkirche St. Willibald** (Agnes-Bernauer-Str. 181) von Hansjakob Lill, 1958, auf kreuzförmigem Grundriß mit hohen, von Albert Burkart verglasten Wandabschnitten.

Milbertshofen

Urspr. Besitz des Klosters Schäftlarn. Im 17. Jh. kurfürstlich. Seit 1913 eingemeindet.

Alte kath. Pfarrkirche St. Georg. Errichtet um 1510, mit Beibehaltung des älteren Turmes. Bauherr ist der Abt von Schäftlarn. 1944 größtenteils zerstört; Turm und Chor blieben, wurden restauriert und mit einer kleinen Vorhalle versehen. Das Beste der Ausstattung blieb erhalten. Der 1510 dat. Flügelaltar mit dem hl. Georg im Schrein und den gemalten Darstellungen der Georgslegende auf den Flügeln ist eine der anziehendsten Leistungen der Münchener Spätgotik. Bemerkenswert der Grabstein des Andre Keferloher von 1500, mit ungewöhnlicher Reliefdarstellung: der Großbauer vierspännig pflügend.

Neue kath. Pfarrkirche. 1910/11 in neubarocken Formen von O. O. Kurz gebaut. Man vergleiche die völlig andersgearteten jüngeren Münchener Bauten desselben Architekten, St. Gabriel (Bogenhausen) und St. Sebastian (Schwabing).

Moosach

Die **Pfarrkirche St. Martin** ist ein roman. Bau des 13. Jh. mit got. Chorwölbung und in der 2. Hälfte des 18. Jh. stuckiert. – Schnelles Wachstum der Stadtrandsiedlung führte nach Mitte des 20. Jh. zum Bau neuer Kirchen, so (ev.) **Hl. Geist,** 1958 von v. Petz, mit 2 nebeneinandergesetzten steilen Turmspitzen, und (kath.) **St. Mauritius,** 1967, von Groethuysen zusammen mit den Architekten Schreiber und Sachsse, wirksam als Baugruppe, der die Gestalt des Kubus zugrunde liegt.

Neuhausen

Urkundlich 1164, die »Neuhauser Straße« in München erstmals 1293. Die Legende berichtet von einem Einsiedler, dem sel. Winthir, der im frühen Mittelalter hier gewirkt haben soll.

Alte kath. Pfarrkirche Mariae Himmelfahrt (Winthirstraße). 1867 Neubau mit Beibehaltung von Chor und Turm der mittelalterl. spätgot. Kirche (St. Nikolaus). Jetzt statt des Turmes ein neuer Dachreiter. Auch der W-Abschluß neu. Stimmungsvoller Friedhof mit Grabstätten von Stiglmayr, v. Miller, Peter Dörfler.

Die neue **Herz-Jesu-Kirche** (Lachnerstraße) wurde 1952 unter Verwendung eines Obersalzberger Kinogebäudes von F. Haindl gestaltet. Die 4 ausgezeichneten alt gefaßten Holzreliefs mit Darstellungen aus dem Marienleben (in der Kapelle links des Eingangs) stammen vom Thalkirchener Hochaltar Mich. (?) Erharts, 1482. Im Seitenschiff rechts ein Passionstriptychon K. Caspars (1917, Leihgabe). – Die neubarocke **Karmelitenklosterkirche St. Theresia** (Don-Pedro-Straße) entstand 1922–24; Architekt F. X. Boemmel.

Nymphenburg

Schloß der bayerischen Kurfürsten und Könige

1663 schenkt Kurfürst Ferd. Maria seiner eben von einem Erbprinzen (Max Emanuel) entbundenen Gemahlin Henriette Adelaide die Schwaige Kemnathen bei München. 1664 beginnt Agostino Barelli im Auftrag der Kurfürstin den Bau eines Sommerschlosses, das 1674 Enrico Zuccalli fortführt und 1675 beendet. Einfacher, nur durch Masse wirkender Würfelblock, und das auch heute noch, trotz Überprägung des Fassadenbildes durch Effner. 1671 auch schon Anlage des Parkes rückseits des Schlosses, etwa in der Ausdehnung des späteren Parterre. 1702 beschäftigt sich die Bauleidenschaft Max Emanuels der »Nymphenburg«: Auftrag an G. A. Viscardi, eine Erweiterung des Schlosses durchzuführen, unter Beibehaltung des alten (wie in Versailles, um dieses bannende Vorbild zu nennen, dem Nymphenburg in der Stellung des alten Schlosses genau in der Mitte der Neuanlage wie in deren Staffelung nahekommt). Viscardi fügt beiderseits je 2 annähernd quadratische 3geschossige Pavillons an, deren innere er nur leicht über die Linie des alten Schlosses vorgreifen läßt und durch 2geschossige, in Arkaden geöffnete (1795 verbreiterte) Riegelbauten mit dem Hauptblock verbindet, während er die äußeren um die volle Seitenlänge über die inneren vorstaffelt. Gleichzeitig Neugestaltung des Parkes, mit bedeutender Erweiterung des Areals durch den Le-Nôtre-Schüler Carbonet, in Anlehnung an die seit 1671 gegebene, seit 1701 mit dem (der Würm abgezweigten) Kanal belegte, auf das Dorf Pipping als Point de vue zielende Zentralachse.

Das französ. Exil des Kurfürsten, ab 1705, bringt die Bautätigkeit zum Stocken. Erst 1714/15 läuft sie wieder an. Kopf ist jetzt der französisch geschulte Jos. Effner, der die beiden äußeren Pavillons 1715/16 beendet und 2 weitere, nun längsrechteckige Flügelbauten anschließt; ihre Funktion ist die Verklammerung der 1716 in Angriff genommenen (1747 beendeten) Geviertblöcke, die, weit vorgeschoben, den Ehrenhof flankieren. Auch die Klammern zur älteren Viscardi-Baugruppe wachsen nur langsam aus dem Boden: 1723 der nördliche der beiden Verbindungsflügel, 1739 der nördliche der beiden Wassergänge (2geschossige, den Kanal überquerende Galerien), in den 40er Jahren der südl. Verbindungsflügel und der entsprechende Wassergang. Im Zuge dieser die Anlage auf ihre endliche Länge von 685 m bringenden Erweiterung erfolgt die Überarbeitung des Barelli-Blockes durch Effner, bald nach 1715. Gleichzeitig erneute Umgestaltung des Parks durch Effner und den 1715 aus Paris mitgebrachten »fontainier« Dom. Girard, in Bindung an die einmal gegebene axiale Ordnung. Nebenher entstehen innerhalb des Parkes an 2 korrespondierenden Punkten der Querachse, die nähere Parkumgebung jeweils als Kraftfeld an sich ziehend: die Pagodenburg 1716–19 und die Badenburg 1718–21, beide von Effner, der auch die Magdalenenklause, am nordöstl. Parkrand, 1725–28 aufführt.

Der Name des Kurfürsten Carl Albrecht (1726–45, seit 1740 Kaiser Karl VII.) bezeichnet die dritte Phase in der Geschichte des Schlosses. Entscheidend die 1728 beg. Anlage des großen Rondells auf der Stadtseite: eines gegen das Schloß geöffneten großen Halbkreises mit der östl. Frontlinie der beiden Geviere als Basis, umstellt von 10 Wohnpavillons, deren Abstände durch flache Riegelbauten geschlossen sind, offen nur am Scheitel. Hier tritt der (von uns jetzt gegen sein Gefälle verfolgte) Kanal ein, der die Begleitung der beiden, 1730 geschaffenen Auffahrtsalleen verläßt und sich innerhalb des Rondells zum großen Bassin weitet, um dieses dann vor dem Ehrenhof in 2 Armen nördlich und südlich zu verlassen und unter den Wassergängen hindurch den Park zu gewinnen. Die Absicht des Kurfürsten, aus dem Rondell heraus eine »Carlstadt« zu entwickeln, gedieh nicht über die die Auffahrtsalleen säumenden Häuschen (für hofbedienstete Handwerker) hinaus. Die beiden ersten Pavillons nördl. und südl. des Schlosses stehen 1729; der zweite nördliche macht 1758 den Beschluß (1761 der Porzellanmanufaktur eingeräumt, die er heute noch beherbergt). – Carl Albrecht fügte auch den »Burgen« im Park die letzte und kostbarste, die Amalienburg, Werk des älteren Cuvilliés, 1734–39 hinzu. – Sein Nachfolger, Max. III. Joseph (1745–77), steuert Wesentliches nicht mehr bei. Sein Anteil beschränkt sich auf die Fertigstellung des bereits Begonnenen wie des Rondells, auf Raumgestaltungen wie die des Großen Saales im Hauptblock (1756/57) oder des Hubertussaales im S-Flügel des nördl. Gevierts, auf die Vermehrung der Göttergesellschaft im Parterre.

Unter Karl Theodor (1777–99) öffnet sich der Park dem Publi-

*kum. Unter Max IV. Joseph macht er seine letzte Wandlung, vom
französischen zum englischen Stil, durch, unter dem großen Meister
der neuen »natürlichen« Gartenkunst, Fr. Ludw. v. Sckell (1804
bis 1823). Der englische Stil erobert die seitlichen Teile nördl. und
südl. der durch den Kanal gezogenen Hauptachse, nicht aber die
breite, lange, durch die Kaskade Effners begrenzte Bahn dieser
Achse selbst, die ihre architektonische Bindung behauptet.*

Ä u ß e r e s. *Der Mittelbau:* Die urspr. 5geschossige Gliederung ist in den 3 Achsen seitlich der Mitte erhalten, ebenso
an den Flanken. Das Erdgeschoß, mit der Freitreppe, ist
lediglich Sockel. Die folgenden 4 Geschosse nehmen von
einem zum anderen an Höhe ab. Für die 7 mittleren Fenster
setzte Effner nur drei. Die beiden unteren Geschosse durch
Pilaster zusammenfassend, gab er den rundbogigen Eingängen des 2. Geschosses und den über ihnen folgenden Fenstern
des 3. überlegene Höhen und Breiten. Die Heraushebung der
Mitte vollendete ein Flachgiebel, der 1826 beseitigt wurde.
Der an wirkungsvoller Stelle zum Einsatz gebrachte Stuck
ist Antcil Ch. Dubuts. Die gartenseitige Fassade ist mit geringen Abweichungen gleich gestaltet. – *Die seitlich folgenden Schloßteile,* die Verbindungsgalerien, die 1., 2. und
3. Pavillons, die Wassergänge und die Geviertblöcke sind
ohne jeden Ehrgeiz im Einzelnen, schlichte Hausblöcke, ganz
ihrer Funktion für das Ganze hingegeben; nur im 1. Obergeschoß der beiden 1. Pavillons geschweifte Fenster und
Okuli, motiviert nördl. durch die Schloßkapelle, südl. durch
die Symmetrie. Etwas reicher die Gliederung der Geviertblöcke, deren langgestreckte Flanken zu einer Akzentuie-
rung durch Risalite auffordern mußten. Der den einzelnen
Bauteilen eignende schwache Individualitätscharakter kennzeichnet auch die 10 Pavillons auf der Kurve des Rondells,
deren 8 mit Risaliten ausgestattet sind. Bei aller Schlichtheit
der Aufmachung oder gerade deshalb, bei einem Stich ins
(doch liebenswürdig) Rustikale: anmutig und nobel.
I n n e r e s. Der große *Saal,* der durch 3 Geschosse reicht,
ist von 2 Seiten her belichtet; die Arkaden der eingebauten
Tribüne sind in weiten Bogen geöffnet und also keine Sper-
ren. Die durch diese Kulisse geschaffene transparente Raumschicht des Hintergrundes ist es, die den in der Anlage auf
Effner zurückgehenden, von Cuvilliés umgestalteten Saal
zu seinem reichen räumlichen Leben verhilft. Die Dekoration, 1756/57 nach den Direktiven Cuvilliés' von den beiden

Zimmermann, Joh. Baptist und Franz, geschaffen, in der Nahsicht etwas derb, als Ganzes aber doch eine glänzende Leistung des voll entwickelten Rokoko. Auch die Fresken von J. B. Zimmermann. Am Gewölbespiegel die Verherrlichung der Flora, ganz aus dem Geist des umschließenden Stuckornaments geboren, eine Begegnung des Gegenständlichen mit dem Ornamentalen, wie sie enger nicht gedacht werden kann. Fassung der Architekturteile: Weiß-Gold, der Wandpfeiler Lichtgrün. Der durch die Arkaden ausgeschiedene, in Gartensaal und Tribüne geteilte rückwärtige Raumabschnitt ist nur weiß gehalten; an der Decke des Gartensaals die Geschichte der Aurora. – *Nördl. Vorzimmer*. Ausstattung, 1717, Régence, eines der schönsten Beispiele Effnerscher Dekorationskunst; nur die Decke Rückstand der ersten Ausstattung. Die Wandvertäfelung von A. Pichler. Die in das System der Wände einbezogenen Porträts Max Emanuels und seiner Gattin Therese Kunigunde von Vivien und F. J. Winter. – *Nördl. Galerie*. Wie das Vorzimmer um 1717 ausgestattet. Die Vertäfelung von Pichler. In den Wandfeldern Veduten bayerischer Schlösser von F. J. Beich, 1722/23. Anschließend *Gobelinzimmer* mit Brüsseler Wirkteppichen um 1720, *ehem. Schlafzimmer* mit der kleinen Schönheitsgalerie Max Emanuels von P. Gobert (beide Räume mit Deckenbildern von 1675) und das *Drechselkabinett*, das feines Stuckwerk von Fz. X. Feichtmayr d. J. trägt, 1763 bis 1764. – *Südl. Vorzimmer*. Wie im nördl. auch hier ältere Decke (mit Gemälden von A. Triva, um 1673). Die Vertäfelung kam erst 1763–67 hinzu. Die Porträts Kaiser Karls VII. und seiner Gemahlin Anna Maria Amalia, von G. Desmarées, sind feste Bestandteile der Wanddekoration. – *Südl. Galerie*. Ähnlich der nördlichen, doch einfacher, um 1760. In den Wandfeldern Schlösserveduten von N. Stuber, Beich, J. Stephan. – *2. südl. Vorzimmer*. Auch hier wieder ältere Decke. – Wir betreten noch das westl. anschließende *Schlafzimmer*, mit Decke der 70er Jahre des 17. Jh., und das feine *Chinesische Kabinett*, mit Deckenstuck von F. X. Feichtmayr, gemalten Chinoiserien von Hörmannstorffer und ostasiatischen Lackmalereien des 17. Jh., und notieren, aus dem südl. an die Galerie stoßenden *Speisezimmer*, die Schönheitsgalerie König Ludwigs I. von J. C. Stieler, um 1830–50 (die eigentlich der Residenz München zugehört). Dann wenden wir uns der 2 Geschosse des 1. nördl. Pavillons einnehmenden *Schloß*-

kapelle zu. Von Viscardi aufgeführt, von Effner (1714/15) vollendet: ein Rechteck mit Tonnendecke, von einem seitenschiffartigen Gang begleitet. Stukkaturen und Fresken der Decke 1759, der Altar Anfang des 18. Jh., nur Wappen und Tabernakel später, nach Mitte des Jahrhunderts.

Park. Westl. vom Schloß setzt sich die Kanalachse fort. Ihr Zielpunkt ist (heute unsichtbar) der Kirchturm von Pipping (s. S. 619). Ihren Eintritt in das Parkgelände bezeichnet die große *Kaskade* Jos. Effners. Erkennbar sind 2 weitere, strahlenförmig hereinführende Diagonalachsen, die sich trotz Anglisierung der umrahmenden Parkteile erhalten haben. Die Mauerumfriedung ist an diesen Einschnitten unsichtbar gemacht, »versenkt«. Als wichtiger Überrest der französ. Achsenanlage des frühen 18. Jh., Carbonets und Girards, ist das sog. »*Parterre*« unmittelbar vor dem Schloß erhalten. Hier versammelt sich der Olymp in schönen Steinskulpturen namhafter Künstler wie Straub, Ign. Günther, R. A. Boos, Auliczek u. a. – Die Umgestaltung Sckells seit 1804 löste das strenge Liniengefüge französ. Charakters in unregelmäßige Parklandschaften auf mit Seen und malerischen Baumgruppen. Unangetastet blieben die Lustschlößchen des 18. Jh. und das künstliche Dorf. Das frühe 19. Jh. fügte weitere Zierbauten hinzu: den Panbrunnen von P. S. Lamine 1815 und einen Monopteros am Badenburgsee 1845.

Die **Treibhäuser,** nördl. vom großen Parkparterre, sind gute Leistungen des Klassizismus. 1807 entstand das erste, 1816 und 1820 folgten 2 weitere, alle nach Plänen Sckells, der auch die gärtnerische Gestaltung des sie umgebenden Terrains besorgte. Dem mittleren Treibhaus gegenüber: eine figürliche Steingruppe des Paris-Urteils von L. Ohnmacht, 1804–07.

Die Burgen im Park

Pagodenburg. In der Parkhälfte nördl. des Kanals, Werk Effners 1716–19, angebl. nach einer Idee des Kurfürsten. Kleiner, 2geschossiger Zentralbau, Achteck mit an 4 Seiten vorgelegten Rechtecken. Im Achteck das »Salettl«. Die Wandverkleidung mit Delfter Kacheln bestimmt die farbige Erscheinung. An der Decke ornamentale Malereien von J. A. Gumpp. Die Kabinette in den Rechtecken ähnlich, doch nur das den Treppenaufgang umschließende westliche und das östliche mit Delfter Kacheln geschmückt. Das Achteck des Obergeschosses ist in 2 Sechseckkabinette

aufgeteilt; im Stiegenkabinett eine aus Delfter Kacheln zu-
sammengesetzte Landschaft; im Chinesischen Salon Wandvertäfelung mit Chinoiserien und bemalte chinesische Pa-
piertapeten. Im anschließenden Chinesischen Kabinett rote
Vertäfelung; die weiß gefelderte des Ruhezimmers von
A. Pichler.

Badenburg. Werk Effners 1718–21. Der ovale, durch beide
Geschosse reichende Hauptsaal liegt einem 3teiligen Querrechteck vor. Die Fassade des Saalrisalits ist durchaus Spiegel des hinter ihr liegenden Saalraums. Vor dem Hauptportal Freitreppe. Die gegen das »Löwental« gewendete
Rückseite bringt die Dreiteiligkeit des Innern zum Ausdruck. Die Seitenteile sind leicht vorgezogen, die zurück-
tretende Mitte ist durch Freitreppe mit Steinlöwen an den
Flanken betont. Das kupfergedeckte Dach ist dem Grundriß entsprechend gegliedert. – I n n e r e s. Der Saal mit
Stukkaturen Dubuts ausgestattet. Das Deckenfresko, der
Morgen, ist von Amigoni (nach Kriegsschaden erneuert). In
den rückseitigen Eckausrundungen Muschelbecken, Marmor, mit Putten, Blei, vergoldet, von W. de Groff. Das
südlich folgende Vorzimmer ist mit einer einfach gefelderten
weißen Vertäfelung ausgestattet. Das westlich anschließende
Bad ist ein Unikum, ohne Vorbild im Schloßbau der Zeit.
Das Bassin nimmt einen Teil des Kellergeschosses ein; der
darüber befindliche, mit Umgangsgalerie ausgestattete Raum
liegt im Erdgeschoß. Das Bassin über der Wasserlinie ge-
kachelt, die Wände in Stuccolustro. Die Stukkaturen der
Hohlkehle von J. B. Zimmermann, die übrigen von Dubut,
die Deckengemälde von N. Bertin. – Das nördl. dem Vorzimmer folgende Schlafzimmer mit Vertäfelung von Pichler, Stuck von Zimmermann und chinesischen Papiertape-
ten. – Das folgende Kabinett ist hellblau getäfelt. Der
Stuck der Hohlkehle, Silber auf Blau, gehört Zimmermann.

Die **Magdalenenklause** (NO), 1725–28 von Jos. Effner errichtet, sollte dem gealterten Kurfürsten Max Emanuel als
romantische Bußstätte dienen. Man schuf dazu eine künstliche Ruine und setzte in diese, neben schlichten Wohnräumen, eine Grottenkapelle.

Amalienburg. Letzte, 1734–39 errichtete der 4 »Burgen«
des Schloßparks, vom Bauherrn, Kurfürst Carl Albrecht, der

Gattin, Maria Amalia, zugedacht. Der Architekt, Fr. Cuvilliés, dürfte auch die Ausstattung entworfen haben, die von den berufensten Künstlern ausgeführt wurde: J. B. Zimmermann (die Stukkaturen), Joachim Dietrich (die »Schneidearbeiten« der Boiserien, in Eiche und Linde), Pasqualin Moretti (die dekorativen Blaumalereien), G. Desmarées und P. Horemans (die in die Boiserien eingelassenen Ölgemälde). – Das für die Fasanenjagd bestimmte, im ovalen, von schmiedeeiserner Gitterbrüstung umschlossenen Hochstand über der Mitte auch augenfällig auf diesen Zweck hinweisende »Lustgebäu« ist französisch inspiriert und hat doch nicht seinesgleichen im franzöz. Schloßbau der Zeit (Vergleichbares nur in den zu Papier gebrachten Ideen, Blondels etwa). Überschreitet der 1geschossige, östlich in der Mitte konvex vorspringende, westlich konkav eingezogene, in einem zarten Relief gegliederte, in betonter Noblesse zurückhaltende Bau auch nicht das im franzöz. Geschmack Zulässige, so ist diese Grenze in der über alles reichen Ausstattung, die eine der nur in Superlativen zu rühmenden, schlechthin vollendeten Leistungen des höfischen Rokoko ist, doch weit überschritten. – Die Disposition der Räume ist diese: In der Mitte, die ganze Tiefe des Gebäudes besetzend, die Rotunde des Spiegelsaals *(Tafel S. 545)*, dem sich seitlich je 2 Räume, ein größerer und ein kleinerer, anlegen: südlich das Schlafzimmer und das Blaue Kabinett, nördlich das Jagd- und das Fasanenzimmer. An diese Enfilade schließen sich gegen W (Rückseite) nördlich die Küche und südlich die Hundekammer und die (keineswegs zu verschweigende) Retirade an. – Die (1956–58 im Sinne der originalen Zustände und geführt durch ihre Relikte restaurierte) farbige Fassung der Räume wechselt zwischen einem zarten Blau und einem zarten Gelb; die Ornamente, stuckiert (Decke) oder geschnitzt (Boiserien), sind silbern. Blau der große Rundsaal und die beiden kleineren äußeren Räume, Blaues Kabinett und Fasanenzimmer, gelb die beiden größeren, Schlaf- und Jagdzimmer. Auf der farbigen Folie liegen die geschnitzten und stuckierten Silberornamente, die man beide, die in Holz wie die in Stuck, unvergleichlich nennen darf. Die mittlere Rotunde umstellt von 12 hohen, in Rundbögen schließenden Spiegelflächen, die noch einmal dafür sorgen, dem Raum alles Harte, Feste, allzu Greifliche zu nehmen, umspielt vom reichsten Geranke einer alles erfassenden, alles in sich einbeziehenden ornamen-

talen Phantasie, die auch noch in die (als Himmel gedachte)
Wölbmulde der Decke eingreift. – Wir beachten im einzelnen: Die Porträts des Kurfürstenpaars von G. Desmarées
im Schlafzimmer; die Gemälde Horemans', höfische Gesell-
schafts- und Jagdszenen im Jagdzimmer; die holländischen
Fliesen in der hochoriginellen Küche, blau, streifenweise vio-
lett, doch auch farbig, in den reizvollen großen Blumen-
stücken über der Herdnische; die Blaumalereien »indiani-
scher Manier« Morettis in der mit Gewehrschränken und
Hundeställen darunter ausgestatteten Hundekammer; die
Blumenstilleben Fr. Hamiltons in der Retirade. – Die heute
»englische« Umgebung des Schlößchens denke man sich in
eine durch Achsen architektonisch geordnete französische
um: Das Schlößchen auf 8eckigem Platz inmitten eines Bos-
ketts; die vom Risalit der Fassade ausgehende, von Spring-
brunnenreihen begleitete Achse trifft östlich auf ein Wasserspiel.

Nördl. des Schlosses an der Maria-Ward-Straße steht seit 1964 die
Kirche zur Hl. Dreifaltigkeit der Englischen Fräulein, errichtet nach
den Plänen Jos. Widemanns, inmitten einer Gruppe von Klosterbaulichkeiten, durch das außen kupfergedeckte, innen holzverschalte Zeltdach
ausgezeichnet, das die ins Rechteck eingestellte Rotunde überhöht. –
Die Englischen Fräulein (der Mädchenerziehung dienender Orden der
Engländerin Maria Ward), seit 1627 in München, siedelten 1835, nach
Verlust ihres von Barelli gebauten, 1944 ruinierten, jetzt verschwundenen Hauses an der Weinstraße, 1803, in den N-Flügel des Nymphenburger Schlosses über, aus dem sie das NS-Regime vertrieb.

Oberföhring

*Am östl. Hochufer der Isar. Urkundl. schon 750 bezeugt. Die be-
rühmte, 1158 von Heinrich d. Löwen zerstörte Brücke ist etwas
unterhalb, bei St. Emmeram, zu suchen. Sie hatte wahrscheinl. eine
röm. Vorgängerin. Sicher ist jedenfalls, daß hier eine Augsburg
und Salzburg verbindende Römerstraße auf die Isar stieß. 903
kommt der Königshof Föhring an Freising.*

Kath. Pfarrkirche St. Laurentius. Neubau der uralten, schon um die
Mitte des 8. Jh. aufscheinenden Kirche 1680; der Münchener Baumeister
Wolfgang Zwerger errichtete sie. Ansehnlich, geräumig, eine der besten
Dorfkirchen des Münchener Umlandes. Die Stukkaturen bestimmen den
Eindruck des hellen freien Raumes. Die Altäre entsprechen der Statt-
lichkeit des Raumes; Hochaltar um 1680, Seitenaltäre Mitte 18. Jh.

Obermenzing

*Urkundl. erstmals um 750. Inhaber der Hofmark sind bis ins
17. Jh. die bayerischen Herzöge.*

Die alte **Kirche St. Georg** wurde vor Mitte des 15. Jh. gebaut und 1610 erweitert. Die neue **kath. Pfarrkirche**, 1923/24 von G. Buchner errichtet, vorzüglich in die Landschaft gestellt, in freier Anlehnung an die örtliche (dörfliche) Kirchbauweise.

Oberwiesenfeld, Olympiazentrum

Das ehem. Exerzierfeld im N war in den ersten Jahrzehnten des 20. Jh. Versuchsfeld für Fliegerei und trug bis 1967 einen Flughafen. Nach dem 2. Weltkrieg erwuchs hier ein Schuttberg aus den Trümmern der schwer zerstörten Stadt. Bis 1967 entstand der 280 m hohe **Fernsehturm**, Betonguß, mit drehbarem Gaststättengeschoß. Zugleich wurde ein überdachtes **Kunsteis-Stadion** erstellt. Zu den Olympischen Spielen 1972 folgten weitere Anlagen, Sportarenen, und das **Olympische Dorf** im NO. Zugleich gärtnerische Ausgestaltung des gesamten ehem. Oberwiesenfeldes (Skulpturen u. a. von Rud. Belling).

Pasing

Die 763 erstmals erwähnte, 1938 eingemeindete Siedlung besitzt Reste eines **Burgstalls**, den ein Wassergraben umzieht (im Klostergarten der Englischen Fräulein). Nicht weit davon die dörfliche **Alte Pfarrkirche St. Maria**, ein got., mehrmals veränderter Baukörper mit flach gedecktem Schiff und netzgewölbtem Chor. – Die Zeit um 1900 brachte neue große Kirchen im romantischen Eklektizismus, z. B. die **Marienkirche** von H. Schurr, 1905–09. Jüngster Sakralbau ist die 1962 errichtete **Pfarrkirche St. Hildegard**, eine Zentralanlage mit hölzernem, gefaltetem Zeltdach, von S. Oestreicher 1962. Glasfenster von G. Meistermann.

Perlach

Das ebenfalls schon im späten 8. Jh. aufscheinende, 1930 eingemeindete Dorf besitzt mit seiner **Pfarrkirche St. Michael** einen wohlgegliederten Bau von 1728–32. Baumeister sind Joh. Mayr und Mich. Proebstl. Außen: toskanische Pilaster mit Bogenblenden und überkuppelter W-Turm; dieser 1788 vollendet. Das Innere zeigt sich als 1schiffige Wandpfeileranlage von stattlicher Dimension. 4 Joche führen von der doppelten W-Empore bis zum eingezogenen Chor. Die Deckengemälde stammen von Ant. Zächenberger (Chor, 1729) und Nik. Gottfr. Stuber (Schiff, 1730). Schäden des 2. Weltkriegs sind behoben.

Pipping

Pfarrkirche St. Wolfgang. Nahe Blutenburg und mit dessen Kirche zusammen zu nennen, da dem gleichen Bauherrn, Herzog Sigismund, zu danken, der ein rundes Jahrzehnt früher, 1478–80, aufführen ließ. Innen und außen vorzüglich erhalten, ist sie aufs schönste geeignet, den anschaulichen Begriff einer spätgot. Dorfkirche zu vermitteln, Dorfkirche bei aller Protektion durch den Fürsten, ohne die sie freilich nicht so inhaltsreich ausgefallen wäre. Ganz einheitlich, aus einem Guß, nur der Turm, nach Blitzschaden 1794 verändert und im 19. Jh. mit dem Spitzhelm abgeschlossen. Das Langhaus trägt eine Balkendecke; der etwas eingezogene Chor schließt in 5 Seiten des Achtecks und ist mit einem Netzrippengewölbe gedeckt. Der Außenbau einfach, glatte Wände, 2 Portale. Am Chor, wie in Blutenburg, ein gemalter Maßwerkfries, gemalte Rahmen um die Fenster. – I n n e r e s. Der Chor wirkt reich durch die Farbigkeit der Gliederungen und die Wände und Chorbogen bedeckenden Malereien (die des Chorbogens 1479 dat.). Die Altäre, die alle aus der Erbauungszeit stammen, wohl nicht erster Güte, aber vortreffliche handwerkliche Arbeiten, wie sie sich für eine Dorfkirche schicken. Im Schrein des Hochaltars St. Wolfgang mit 2 Begleitern, die Buch und Stab tragen, auf den Flügeln, gemalt, die Wolfgangs-Legende. Im Schrein des südl. Seitenaltars Christus zwischen Antonius Eremita und Laurentius, auf den Flügeln die Martyrien der hll. Laurentius und Sebastian. Im Schrein des nördl. Seitenaltars Muttergottes zwischen Leonhard und Wolfgang, auf den Flügeln Leonhard als Befreier der Gefangenen und die Marter des hl. Sigismund. Die auch spätgot. Kanzel ist aus Stein, auf der Brüstung, gemalt, die Evangelisten; der Schalldeckel ist, ein Unikum, perspektivisch auf die Mauer gemalt. Mit einem Hinweis auf die Einzelscheiben in den Chorfenstern, deren eine 1478, deren zwei 1479 datiert sind, sei dieser Umblick in der kleinen, reichen Kirche beschlossen.

Ramersdorf

Stadtpfarr- und Wallfahrtskirche Mariae Himmelfahrt

Schon im 14. Jh. bedeutende Marienwallfahrt, eine der ältesten Altbayerns. Neubau der seit dem 11. Jh. bezeugten Kirche in der 1. Hälfte des 15. Jh. Um diese Zeit dürfte die bestehende entstanden sein. 1675 wird das Innere erneuert, wahrscheinl. durch den Münchner Baumeister Wolfg. Zwerger: Auskleidung des spätgot. Baukörpers mit Stuck, ohne tiefere Eingriffe in das bauliche Gefüge. 1792 erhält der Turm seine Kuppel.

Das Ä u ß e r e ist durch 3stufige Streben gegliedert. Eine Kehle, über gemaltem Friesband, leitet zum Dach über. Die Fenster (seit 1695) rundbogig. Eingänge südwestl. und nordwestl., mit Vorhallen, die sich in breiten Spitzbögen öffnen. Am Chorschluß eine jetzt leere Ölbergkapelle mit spätgot. Wandmalereien. Der westl. stehende Turm glatt und steil, über aufkurvendem Gesims mit der fülligen und doch straffen Kuppel bekrönt. – Gute, reich wirkende frühbarocke A u s s t a t t u n g. So beweist, wie schmiegsam sich der Barock bis ins späte 17. Jh. zur Gotik verhalten konnte. Die Dekoration von 1675 hat die Eigenart des Raumes nicht verdeckt. Die Ramersdorfer Kirche steht als spätes Glied in der Reihe der barock umgewandelten spätgot. Räume, die im frühen 17. Jh. beginnt und durch den Großen Krieg noch nicht abgebrochen wird. Die Altäre sind schwere prunkende Architekturen mit berankten Säulen. Am Hochaltar das Gnadenbild, thronende Muttergottes, um 1480. Aus dem Bestand der spätgot. Ausstattung auch der 1483 gestiftete Flügelaltar (N-Wand des Schiffes), mit dem Hochrelief der Kreuzigung im Schrein, ein feines Werk des Erasmus Grasser. Hingewiesen sei auch auf das große Tafelbild der Schutzmantelmaria von 1503 (S-Wand) und auf die beiden großen Votivtafeln von 1635 und 1742 (Chor).

An der S-Seite der Friedhofmauer, die die Kirche aufs schönste einhegt, eine **Kapelle** des 17. Jh., mit einem Kreuzträger-Christus des späten 15. Jh. – In guter Wirkung im Zusammenspiel der Baugruppe das an sich ganz einfache, im Kern spätgot. **Mesnerhaus** an der W-Seite des Friedhofes, dessen Erdgeschoß Tordurchgang ist.

Schwabing

Erstmals 782 beurkundet. Schon 1724 zur Stadt gezogen, 1890 eingemeindet. Die Kirche des erstmals 1386 bezeugten Spitals St. Nikolaus (am Nikolaiplatz) wurde 1908 abgetragen.

Kath. Pfarrkirche St. Silvester. Der bestehende Bau aus der Zeit um 1500, doch 1654–60 erneuert. 1925/26 wurde auf der N-Seite ein mit der alten Kirche verbundener Neubau aufgeführt. Architekt H. Buchert.

Kath. Pfarrkirche St. Ursula. Der 1894–97 von A. Thiersch in den Formen lombardischer Frührenaissance errichtete Ziegelbau ist ein geräumige Basilika mit Vierungskuppel und Campanile.

Kath. Pfarrkirche St. Joseph. Erb. 1898–1902; Architekt H. Schurr. Der neubarocke, durch einen frei stehenden Turm betonte Bau 1944 schwer beschädigt. Wiederhergestellt.

Kath. Pfarrkirche St. Sebastian. Am Rande des (1911 geschaffenen) Luitpoldparks. Klinkerbau von guter Gruppenwirkung, 1928/29 von O. O. Kurz errichtet.

Ev. Erlöserkirche (Bandstr.) von Theodor Fischer 1899–1901. Historisierende Elemente bestimmen den Außenbau. Das Innere ist ein flach gedeckter Saal mit Emporen.

Ev. Kreuzkirche (Hiltenspergerstr.). Ein Predigtsaal auf polygonalem Grundriß und mit abgerücktem hohem Glockenturm. Architekt ist Th. Steinhauser, 1968.

Schloß Suresnes (am Rande des Englischen Gartens, Werneckstr.), errichtet 1723, wahrscheinl. von Joh. Bapt. Gunetsrhainer für den kurfürstlichen Hofkammerrat v. Wilhelm. Später, bes. im Innern, mehrmals verändert (heute Altersheim). Beispiel für die ehemals sehr zahlreichen Landsitze vornehmer Münchner im Umkreis der Stadt.

Sendling

Über dem westl. Hochufer des Isarlaufs in altbesiedelter Kulturlandschaft. Urkundl. erstmals 760. Das in der Frühgeschichte Münchens eine namhafte Rolle spielende Geschlecht der Sendlinger begegnet erstmals 1154. – Sendling ist heute das stärkst industrialisierte Viertel Münchens. Am S-Rande die in den letzten Jahren entstandene Siemens-Siedlung.

Die **alte Pfarrkirche** wurde 1711/12 von W. Zwerger gebaut. An der nördl. Außenwand das einmal sehr berühmte Fresko der Sendlinger Mordweihnacht von W. Lindenschmitt, 1830.

Die neue **Pfarrkirche St. Margaret** wurde 1901–13 von M. Dosch in neubarocken Formen aufgeführt.

Thalkirchen

Pfarr- und Wallfahrtskirche Mariae Himmelfahrt. Der bestehende Bau der sehr alten (Sendlinger) Pfarrkirche entstand wahrscheinl. im letzten Jahrzehnt des 14. Jh. 1696 wurde er erneuert, 1906, durch G. Seidl,

westl. erweitert. – Der mittelalterl. Baukörper ist im Äußeren wenig
verändert, nur die Fenster, die Volutenaufsätze der Chorstreben und
die Gliederungsformen des hohen, schlanken, mit origineller Kuppelhaube gedeckten Turmes sprechen barock. Auch das I n n e r e hat
seine alte Struktur bewahrt. Der barocke Dekorateur hat sich den
spätgot. Bestand in glücklicher Weise nutzbar gemacht. Die Wölbung
des quadratischen Langhauses ruhte urspr. wahrscheinl. auf einer Mittelstütze. – Einheitliche Stuckausstattung des späten 17. Jh. Ein großes
Fresko, Mariae Himmelfahrt, füllt das Kreisrund der Kuppel des
Schiffes (2. Hälfte 18. Jh.). Die Altäre, aus der Spätzeit des 17. Jh.,
wurden 1772 überarbeitet. Der Hochaltar ist eine gute, reiche Anlage
mit 4 gewundenen Säulen; die offene Rückseite rechnet mit der Licht-
bahn des gelb verglasten Ovalfensters der Chorwand, die das Gnadenbild trifft, auf hohem Podest thronende Muttergottes, ein vorzügliches
Holzbildwerk von 1482, das, mit den Figuren über den seitlichen Durchgängen, St. Ulrich und St. Korbinian, dem Ulmer Meister Mich. Erhart
zugeschrieben werden darf. Zwischen den Säulen 2 ausgezeichnete Büsten, Joachim und Anna, wahrscheinl. von Ignaz Günther, 1772. Die
einfachen Seitenaltäre sind mit Gemälden des Münchner Akademie-
professors J. Hauber, 1789, ausgestattet.

Asam-Schlößl (Villa Maria Einsiedel). Ehem. Landsitz des Malers Cosmas Damian Asam, 1730, ein nobles Villengebäude mit (wiederherge-
stellter) Fassadenmalerei.

Untermenzing

Kath. Kirche St. Martin. Erb. 1499, wohl gutenteils mit Mitteln des
benachbarten Blutenburger Schloßherrn, Herzog Sigismund. Baumeister
Ulrich Randeck. Gut erhaltene, ganz einheitliche spätgot. Anlage. Auch
die Steinmetzarbeit von nicht gewöhnlicher Güte. Der Turm, an der
Chor-S-Flanke, älter, spätromanisch, etwa Mitte des 13. Jh., einer der
massiven Turmklötze des Münchener Umlandes.

Umkreis

Aus dem näheren Umkreis der Stadt seien noch einige Kunstdenkmäler
kurz notiert.

Im O: Die **Kirche** von SALMDORF mit einem überlebensgroßen, hochbedeutenden Vesperbild um 1340. – Die roman. **Kirche** von KEFER-
LOH, Mitte 13. Jh., mit interessanter Apsis. – Südöstlich MÖSCHEN-
FELD als St.-Ottilien-Wallfahrt mit einheitlich ausgestattetem **Kirchenbau** von 1640; Tafelbilder in der Emporenbrüstung Ende 15. Jh.

Im S: SIEGERTSBRUNN mit der **Wallfahrtskirche St. Leonhard**, deren
älterer Bau 1785 umgestaltet wurde, wobei Chr. Winck 1793 das Langhaus mit Freskomalerei ausstattete. Die **Pfarrkirche St. Peter** ist Ende
17. Jh. – AYING mit einer **Pfarrkirche** von 1655, die einen noch spätgot. Turmchor besitzt. – TAUFKIRCHEN, das einen Turmchor aus
dem 13. Jh. vorweist; an der Außenwand ein gutes Bildnisepitaph für
den Ritter Hilprant Tauffkircher († 1381). – KREUZPULLACH (südl.
Deisenhofen) mit dem barocken **Hl.-Kreuz-Kirchlein** von 1710, vorzüglich ausstuckiert, von feiner, einheitlicher Wirkung; hier auch einige
gute Bildwerke der Spätgotik. – GRÜNWALD (s. S. 355). – PULLACH,
am linken Hochufer der Isar, dessen **Kirche** zahlreiche gute Skulpturen
und Malereien der Spätgotik bewahrt; benachbart **Schloß Schwaneck**,
der romantische Landsitz des Bildhauers Ludwig Schwanthaler, 1842.

Im W: **AUBING** mit spätgot. **Landkirche** von 1440, die einen reich gegliederten Turm des ausgehenden 13. Jh. weiterverwendet.

Im N: **SCHLEISSHEIM** (s. S. 858). – Nordöstlich **ISMANING**, am rechten Isar-Ufer, das noch eine **Schloßanlage** für den Freisinger Fürstbischof aus dem 18. Jh. mit Park und Gartenpavillon besitzt; durchgreifend umgestaltet für den neuen Besitzer Eugen Beauharnais nach 1816 (bis 1845), wahrscheinl. unter Leitung von J. B. Métivier und Leo v. Klenze. Einige vorzüglich ausgestattete Räume dieser Zeit blieben erhalten. (Heute Gemeindeamt.)

MÜNCHSTEINACH (Mfr. – D 3)

Ehem. Benediktinerkloster St. Nikolaus

Der Ort (Steinach) erscheint erstmals 912, damals von König Konrad an Bischof Dracholf von Freising (zugleich Abt von Münsterschwarzach) geschenkt. Um oder bald nach 1102 verstiftet ein Albert von Steinach seinen Besitz an die Benediktiner. Vögte sind im 12./13. Jh. die Staufer, dann, seit 1265, die Burggrafen von Nürnberg. 1525 brennen und plündern die Bauern. Wenig später (um 1528) erliegt das Kloster der Reformation und zugleich der Säkularisation durch den Markgrafen.

Die bestehende Kirche dürfte großenteils im frühen 13. Jh., um 1220–30, entstanden sein. Nicht urspr. sind die 3 oberen Geschosse des Turmes, deren 3. und 4. wahrscheinl. 1526–28 erneuert wurden, deren letztes 1733 hinzukam; nicht urspr. ist auch die W-Wand, bei deren Aufführung (im 16. Jh.?) wohl auch die westl. Arkade des Mittelschiffs geschlossen wurde, und die Tonne über dem Chorquadrat (18. Jh.). Die im übrigen, wenigstens im steinernen Bestand, leidlich erhaltene, lange durch eine Zwischenwand halbierte Kirche, die eben jetzt (1969) gründlich restauriert wird, ist eine 3schiffige, 7 Pfeilerarkaden reihende, flach gedeckte Basilika mit östl. Querschiff, Chorquadrum mit leicht eingezogener Apsis, einem südlichen, aus gewölbtem Joch und Apsidiole bestehenden Nebenchor (Sakristei) und einem, dem Joche des Nebenchors aufgesetzten Turm. Der entsprechende, ebenfalls einen Turm tragende nördl. Nebenchor ging, wahrscheinl. 1525, ab. Das Quadrum des Chores urspr. mit einem Kreuzrippengewölbe gedeckt. Die Apsiden des Chores und des Nebenchors (diese nur außen) polygon gebrochen. In der Vierung und im Nebenchor vortreffliche Kapitellplastik.

Auch der Umstand der Kirche hat noch, teilweise wenigstens, gutes Gesicht. Der von N Zukommende passiert ein erstes und ein zweites Durchgangstor und hat gegen W Blick auf das steil aufgereckte Schlößchen des letzten Abtes Christoph v. Hirschaid. Alte, roman.-got. Mauer dürfte noch in dem südl. an das Querschiff stoßenden Bautrakt stecken, in dem der O-Flügel des urspr. Klostergevierts zu erkennen ist.

MÜNNERSTADT (Ufr. – D 2)

770 tritt »Munrihestat« in die schriftliche Überlieferung ein. Der Grundherr, der Graf von Henneberg, dürfte die Siedlung (wohl Königsgut) im 13. Jh. zur Stadt gemacht haben, wenn sie auch erst 1335 mit dem Stadtrecht begnadet wird. Die Befestigung reicht jedenfalls ins mittlere 13. Jh. zurück. Seit 1354 teilen sich die Henneberger mit den Würzburger Bischöfen in die Stadtherrschaft. 1434 drängt der Henneberger den Bischof wieder ab, der sich erst 1585 endgültig festsetzen kann.

Die wohlerhaltene Mauer umschließt ein im O zugespitztes Oval, dessen östl. Abschnitt nur locker bebaut ist. Die halbierende Hauptstraße erweitert sich zu einem keilförmigen Marktplatz, in dessen Mitte das Rathaus steht. Die älteste Siedlung nahm von der schon 812 erwähnten Burg ihren Ausgang, die östlich lag und auf die noch die Burggasse hindeutet. Dem im Grundriß noch gut ablesbaren Rund der (längst abgegangenen) Burg lehnte sich als wohl älteste Platzbildung der Hafenmarkt an. Gegen die unregelmäßige Bebauung der östl. Stadthälfte hebt sich die regelmäßige der westlichen (einschl. der Hauptstraße) ab, die einem Gründungsakt des 13. Jh. zuzuschreiben ist. – Die **Tore** stehen noch zu viert (das nördliche zugemauert). Für das Stadtbild wesentliche Bauten sind das spätgot. **Rathaus**, die **Deutschordenskomturei** (17. Jh.), der **Bildhauser Hof**, ein Fachwerkbau des mittleren 17. Jh., das **Schulhaus** (Areal der Burg), 1699.

Kath. Stadtpfarrkirche

In den 40er Jahren des 13. Jh. übereignet Graf Poppo von Henneberg die Pfarre dem Deutschorden, der auch gleich einen Neubau in Angriff nimmt, denn der W-Turm, spätromanisch-frühgotisch, deutet in diese Zeit. Erhalten hat sich von diesem Bau, neben dem Turm, nur die W-Wand. 1428 entsteht die Sunterkapelle (an der S-Seite), und etwa gleichzeitig müssen nach Ausweis der Stilmerkmale der Chor und die ihn flankierenden Türme in Bau genommen worden sein (vollendet 1446). 1503 wird das südl. Seitenschiff erneuert. Stärker greift der tätigste aller Würzburger Bischöfe, Julius, ein. 1609 hebt ein Umbau an, der das spätroman. Mittelschiff ersetzt und auch das nördl. Seitenschiff neu aufführt. Eine Restaurierung 1818–20 und Purifizierungen 1831 und 1851 haben

*dem Juliusbau eine unerfreuliche Kahlheit mitgeteilt, die indessen
die jüngste, 1954 abgeschlossene Restaurierung in den Grenzen des
Möglichen korrigierte.*

Angesichts des Wandaufrisses des Schiffes – Rundbogenarkaden auf Rundpfeilern, ungegliederte Wandflächen, hoch
sitzende und verhältnismäßig kleine Fenster – läßt sich vermuten, daß der Baumeister des frühen 17. Jh. den Wandaufriß des roman. Schiffes in seinen allgemeinen Zügen wie-
derholte. Über die Beschaffenheit der älteren Kirche, einer
3schiffigen flach gedeckten Basilika, gibt der W-Turm noch
einigen Aufschluß, dessen Geschoßtrennungen durch Rundbogenfriese markiert sind (der Rundbogenfries des älteren
Schiffes wurde übrigens 1609–12 am neuen wieder verwendet: auch ein Beweis für die historisierende Haltung, die
sich am Aufriß des Schiffes ablesen läßt). Daß der Bauherr,
der Deutsche Orden, die Bauzier nicht hintanstellte, möchte
das gute W-Portal erweisen, dessen breiter, tief geleibter
Rundbogen sich in eine mit steilem Rippenkreuzgewölbe
gedeckte Vorhalle öffnet, die durch das innere, zweimal
gestufte Spitzbogentor in die Kirche einläßt. Von den beiden
spätgot. O-Türmen gewann nur der südliche Höhe, der
nördliche blieb Torso.

Die Ausstattung wurde 1851 »gereinigt«. Schon vorher,
1831, war der spätgot. *Hochaltar*, Frühwerk Riemenschneiders von
1492, abgetragen worden; doch wurden einige Figuren des Ge-
sprengs, der Gnadenstuhl, die hll. Kilian und Elisabeth und die
beiden Johannes, in den neugot. Hochaltar übernommen, der zudem noch mit Spolien, wie der nürnbergischen (angebl. aus Heilsbronn stammenden) Tafel des Marientodes, um 1420, und dem
ebenfalls nürnbergischen Holzrelief der Kreuzigung ausgestattet
wurde. Dieser Altar wurde 1953 abgetragen und durch eine einfache Mensa ersetzt. Die genannten Kunstwerke der Spätgotik
jetzt an verschiedenen Stellen der Kirche. Von den 4 Flügelreliefs
(Legende der hl. Magdalena) befinden sich noch 2 in der Kirche,
die auch noch die Tafeln mit der Kilianslegende, die 1503 Veit
Stoß malte, besitzt. Neben diesen Überbleibseln verfügt die Kirche
in den Scheiben der 7 hohen *Chorfenster* über einen wahren Schatz
altdeutscher Glasmalerei; die Themen sind, von N nach S: 1. die
Apostel, 2. Pfingstwunder, 3. Legende der hl. Elisabeth, 4. und
5. Legende der hl. Magdalena, 6. der hl. Katharina, 7. Passion
Christi. Die Scheiben sind nicht von einer Hand und auch nicht
gleichzeitig (1420–50; restaur. 1898–1900). Hinweis auf die Tonfiguren Christus und die 6 Apostel im Chor, 1410–20, auf die
Holzfiguren Anna Selbdritt (um 1500) und Pietà (2. Hälfte

16. Jh.), auf die Reihe z. T. sehr guter Grabsteine und auf den Messingkronleuchter mit dem Bronze-Sebastian von rd. 1500 schließe diesen Überblick auf die besten Besitze der Kirche ab.

Augustinerkirche. Die Kirche des 1279 gegr. Klosters entsteht neu, geplant und ausgeführt von Joh. Mich. Schmidt aus Königshofen, 1752. Ein Rechteck mit flachen Kreuzarmen, außen nüchtern, nur durch Lisenen gegliedert, erfreut der Raum durch seine reiche, ganz einheitliche Ausstattung. Die reizvollen Rocaille-Stukkaturen schufen die »Gipser« Leonard und Michael Ebner, das Fresken malte der Lauinger Meister Joh. Anwander (1754), der auch das Blatt des Hochaltars malte. Die ausgezeichnete Plastik des Hochaltars und der Kanzel gab der Bildhauer J. J. Kessler von Königshofen. – Im SW-Flügel des Klosters der 1692/93 von Thomas Zeni stuckierte Saal der Aula.

MÜNSTER (ehem. Pfaffmünster) b. Straubing (Ndb. – F 6)

Ehem. Stiftskirche St. Tiburtius

Die Klostergründung wird auf Herzog Tassilo von Bayern zurückgeführt (2. Hälfte des 8. Jh.). 1157 verlegte Herzog Heinrich Jasomirgott die Insassen des Klosters Metten, Augustinerchorherren, hierher, die einen Neubau der Kirche schufen und bis zu ihrem Umzug nach Straubing (1581) das Kloster bewirtschafteten. Sie hinterließen ihre Gebäude der Pfarrei.

Die Bauformen der Kirche deuten auf Entstehung im späten 13. Jh. 1738 erfolgte die Einweihung des Chorjochs und eine oberflächliche Barockisierung. Sie verkleidet lediglich die Erscheinung des roman. Baues durch Vermauerungen im Vierungsquadrat, durch schlichte Profilbänder und Tünche; die enge Beziehung zu Straubing (St. Peter) bleibt spürbar. Allerdings weicht die Tatsache nur eines W-Turmes und das Fehlen von Nebenapsiden vom Straubinger Schema ab. Die barocken Deckenfresken berichten aus dem Leben des hl. Tiburtius, vermutl. von J. A. Schöpf, 1738. Damals wurde auch die Altarausstattung geschaffen.

Die benachbarte **Martinskirche**, etwa gleichzeitig mit der Stiftskirche entstanden, war urspr. wohl als Pfarrkirche in Gebrauch. Das Innere ist durch Zutaten des 18. Jh. belebt.

MÜNSTERSCHWARZACH (Ufr. – D 3)

Karl d. Gr. (wahrscheinl.) stiftet ein Benediktinerinnenkloster St. Felicitas, das 877 an Würzburg kommt und nun in ein Männerkloster umgewandelt wird. 1727–43 führt B. Neumann die große neue Kirche auf, eines seiner mächtigsten Werke: kreuzförmig, mit hoher Kuppel über der Vierung und 2-Turm-Fassade. Beste Mei-

ster der Zeit besorgen die Ausstattung: J. E. Holzer (Decken-gemälde), J. G. Üblherr (Stuck). – 1803 verliert das Kloster seine Existenz, 1821–27 werden Kirche und, meistenteils auch, Kloster niedergerissen. 1913 lassen sich die Benediktiner wieder in Münster-schwarzach nieder. 1935 kann die neue große Kirche begonnen werden, 1938 wird sie geweiht.

Man hat das von A. Boßlet gebaute **Münster** ein fränkisches Speyer ge-nannt. Das Wort trifft die Quelle der Inspiration, die roman. Dome am Rhein. Die Aneignung und Nutzbarmachung des Vorbilds läßt sich aber in keiner Weise mit der (nachahmenden) des Historismus vergleichen. Denn dieser Münsterbau ist im besten Sinne modern.

MURNAU (Obb. – C 8)

Urspr. Besitz des um 750 gegr. Staffelseeklosters. Kaiser Ludwig freit 1322 die Siedlung zum Markt, erwirbt sie 1332 vom Augs-burger Bischof und schenkt sie wenig später an sein Ettaler Klo-ster. Zahlreiche Brände haben den alten Siedlungscharakter ver-wischt (zuletzt 1851). Das dennoch gute einheitliche Bild verdankt man den Bemühungen des Architekten Emanuel Seidl, der den Wiederaufbau in geordnete Bahnen lenkte.

Pfarrkirche St. Nikolaus

Sie erscheint 1134 als Tochterkirche der uralten, ehemals (bis ins 10. Jh.) klösterlichen, ja bischöflichen, Staffelseekirche auf der Insel Wörth. Der bestehende Bau wird 1717–27 aufgeführt, der Turm folgt 1730–32. Die Weihe findet 1734 statt. 1750 wird, nach einem Wetterschaden, der Turmabschluß erneuert. – Der monu-mentale, reich ausgestattete Bau darf zu den entwicklungsgeschicht-lich bedeutendsten Raumlösungen des sich seiner Reife nähernden bayerischen Barock gestellt werden. Er steht am Anfang der Be-mühungen um eine organische Vereinigung von Rund- und Lang-raum, die er selbst noch nicht findet, deren Findung (vorzüglich durch J. M. Fischer, der lange für den Planurheber gehalten wurde) er vorbereitet. Der Name des planenden Meisters ist mit den Bauakten verloren. Viell. darf an Enrico Zuccalli gedacht werden, der 1710–21 die Umgestaltung der Ettaler Klosterkirche leitete. Auch Joh. Mayr, bei dem J. M. Fischer als Polier arbeitete, ist in Erwägung zu ziehen.

Das **Äußere** erhält seine Gliederung durch getönte Putz-flächen. Hoher Giebel. O-Turm mit reizvoller Bekrönung von 1750. In seinem unteren Teil eine Nische, deren Inhalt heute in der südl. Chorkapelle steht: Holzfigur Christi an der Geißelsäule, ein Frühwerk Fz. Xav. Schmädls 1734. Zeigt das Äußere rechteckigen Grundriß, so verwandelt sich das **Innere** nach kurzem Vorhallenbau in ein weites oder

jedenfalls weit wirkendes kreisrund überkuppeltes Oktogon,
das sich an den Diagonalseiten zu dreieckigen Raumgebilden
öffnet, welche den Grundriß zum Quadrat bzw. Rechteck
ergänzen. Im O folgt die kleeblattförmige Choranlage. So
ergibt sich eine Komposition aus 2 Zentralräumen. Die Gewölbefresken wurden erst Ende des 19. Jh. geschaffen. Der
Hochaltar von 1730 wurde 1771 aus Kloster Ettal übertragen und von Barth. Zwinck mit verändernden Zutaten versehen. Prächtige Figuren der hll. Benno und Ulrich um 1725
bis 1730, dem Egid Verhelst zugeschrieben. Altarblatt 1771
von Joh. Bader: St. Nikolaus und Szenen aus seiner Legende.
Vorzügliche Nebenaltäre. In der nordöstl. Diagonalkapelle
Altar von 1734, ausgestaltet 1751 von Fz. Xav. Schmädl
(mit guter Anna-Selbdritt-Gruppe). Ihm entsprechend der
Altar in der südöstl. Diagonalkapelle, doch spätes 18. Jh.,
durch Rokokozutaten erweitert. Kanzel um 1750–60 mit
Evangelistensymbolen und Reliefs. Auf dem Schalldeckel
der Satansbezwinger St. Michael. Die Schnitzereien an Oratorien und Beichtstühlen sind Werk des Einheimischen
Barthol. Zwinck.

Mariahilfkirche, 1628 gestiftet. Neubau 1734 geweiht. Wiederhergestellt
1774. Im 19. Jh. verändert.

Die Umgebung Murnaus besitzt eine Anzahl reizvoller Dorfkirchen;
hervorzuheben: **St. Leonhard in FROSCHHAUSEN** (vorherrschend spätes Rokoko um 1770) und **St. Michael in SEEHAUSEN** (1774–76 erbaut
von L. Matth. Gießl).

NABBURG (Opf. – F 5)

*Auf steil abfallender Höhenzunge über dem Naab-Tal erstreckt sich
die Stadt vom N nach S ansteigend um 2 parallele Straßenzüge.
Ein Halsgraben trennt den Stadtbereich vom übrigen Höhenzug.
Mauern und Türme taten ein übriges, den Ort zu befestigen. Die
natürliche Sicherheit des Platzes unterstützt die Vermutung, daß
sich bereits im 10. Jh. hier Befestigungen befunden haben. – Erst
1926 wird Nabburg Stadt. Seine Geschichte ist bewegt. 1420 hau-
sten die Hussiten mit Feuer und Schwert, und im 30jährigen Kriege
zogen dreimal feindliche Besatzungen ein.*

Pfarrkirche St. Johann Baptist

Die gut proportionierte 3schiffige Basilika ist in der
1. Hälfte des 14. Jh. entstanden. Von einigen Reparaturen
und Veränderungen des 15. und 16. Jh. abgesehen, hat ihr

Bild seine Einheitlichkeit bewahrt (restaur. 1965). Die Gliederung zeichnet sich in der Dächergruppe ab: Das Dachpolygon des O-Chores wird vom hohen Giebel des Hochschiffs überragt. Ihn durchkreuzt das ebenso hochgiebelige Querschiff. Dann erst folgen die niedrigen Pultdächer der Seitenschiffe, bis nach 3 Jochen der Turm und sein nur zum Teil ausgeführter nördl. Gefährte sie auffängt und das Hochschiff sich zum W-Chor bricht. Die bei spätgot. Kirchen ungewohnte Doppelchörigkeit mag entweder im Rücksicht auf alte Fundamente beruhen oder im Vorbild von Regensburgs älteren 2-Chor-Anlagen (Obermünster, St. Emmeram) begründet sein. Der Außenbau wird zudem durch Strebepfeiler, Treppentürmchen, Ornamentbänder und nicht zuletzt durch reiche Maßwerkfiguren (z. B. im südl. Giebelfeld und in den Fenstern) ausgezeichnet. Das Grablegungsrelief an der S-Wand verrät auch noch im verwitterten Zustand die reiche, flüssige Formensprache des Weichen Stils (um 1400). Etwa gleichzeitig das Ölbergrelief in der nördl. Eingangshalle und der vollplastische Schmerzensmann außen an der N-Wand. Das alte Hauptportal an der S-Seite wurde durch die Sebastianskapelle teilweise verbaut. Seine Gewände haben den urspr. Figurenschmuck eingebüßt. Die jetzt dort stehenden Figuren stammen aus anderem Zusammenhang. Auch das Tympanon fehlt. Erhalten blieben 2 wertvolle Zwickelreliefs: Geburt Christi und Darstellung im Tempel (um 1350). Das I n n e r e (restaur. 1962) ist weit und hell, eine kreuzförmige Basilika mit 2 Chören. Reich profilierte Stützen tragen die Arkaden zum niedrigen Seitenschiff. Schlanke Dienste an der stark überhöhten Mittelschiffswand entsenden die Kreuzrippen der Gewölbe. Einzelheiten verweisen auf die Regensburger Bauhütte. Der W-Chor wurde im 15. Jh. durch eine tiefe Empore seines Charakters als Altarraum entkleidet. Aus der alten E i n - r i c h t u n g blieb nur wenig. Das Kanzelcorpus stammt von 1526. Im nördl. Seitenschiff steht eine gute spätgot. Schnitzfigur der Muttergottes. 3 Glasgemälde des späteren 14. Jh., Medaillons, in den Fenstern des nördl. Seitenschiffes: Kreuztragung, Christus erscheint Maria Magdalena und Christi Himmelfahrt.

Friedhofkapelle St. Georg. Unter Verwendung eines roman. Turmes wurde im 18. Jh. der einfache Rechteckraum geschaffen. Altareinrichtung Mitte des 18. Jh. Kanzel 1605.

Ehem. Spitalkirche St. Maria (profaniert). Der Bau geht auf eine Anlage des späten 14. Jh. zurück; Langhaus im 18. Jh. barockisiert.

Das **Rathaus** entstand um die Mitte des 16. Jh., ein schlichtes, doch malerisches Gebäude mit laubenartigen Öffnungen im Obergeschoß des Treppenhauses. Türmchen und Zinnen sind Zutat des 19. Jh.

Ehem. »Schloß« (im N der Stadt, Landratsamt), Ende 16. Jh., im 18. Jh. verändert.

Eine Anzahl älterer **Wohnhäuser** mit hohen Giebeln gibt dem Städtchen sein Gepräge. Eigenartig das Rückspringen einer Ecke unter dem hohen Dach. – Die **Stadtbefestigung** verläuft in Form eines langgestreckten Trapezes. Mauern und Zwinger sind zu großen Teilen abgetragen. Die Anlage entstand nach 1420 und wurde im 16. Jh. verstärkt und ergänzt. Von den Wehrtürmen blieben der **Dechanthofturm** im SO und der **Pulverturm** im N erhalten, außerdem: das **Obertor** im NW, ein got. Torturm mit Zutaten von 1565, und das **Mähntor**, das die Jahrzahl 1532 trägt.

Vorstadt Venedig, links der Naab

Ehem. Kirche St. Nikolaus (profaniert)

Eine ältere Kirche, viell. des 11. Jh., konnte neuerdings in Fundamentteilen nachgewiesen werden. Der Torso des bestehenden Gebäudes dürfte ins mittlere 12. Jh. zurückgehen.

1792 stand der massive Quaderbau noch im ganzen aufrecht: eine 3schiffige Halle mit Kreuzgratgewölben auf schlanken (etwa 5 m hohen) Säulen bzw. (östl.) Pfeilern, halbrunder Apsis, in 3 Arkaden geöffneter, oben geschlossener Empore und 2 Türmen über den O-Jochen. Die Profanierung setzte den als eine der frühen, roman. Hallen hochbedeutenden Bau Türme und Apsis, Stützen und Gewölbe.
Erhalten blieb nur das Rechteck des Schiffes mit den die Joche markierenden flachen Wandvorlagen und der Empore, die noch die urspr. Kreuzgratgewölbe und Arkadensäulen besitzt. Enge Zusammenhänge mit Regensburg sind deutlich: für die Hallenform mit der Johanniterkirche St. Leonhard, für die Form der W-Empore mit der Klosterkirche Prüll. Die halbkreisförmige (doch außen eckige) Apsis wurde im Zuge der Restaurierungsmaßnahmen von 1964–67 auf altem Fundament wiederhergestellt. – Seit 1910 Staatsbesitz, sieht jetzt dieses heimgesuchte Baudenkmal der Wiederherstellung entgegen.

NASSANGER (Ofr. – E 2/3)

Ehem. Gutshof des Klosters Langheim. Der Urheber des sehr eigenartigen, schloßartig wirkenden Gebäudes ist J. L. Dientzenhofer. Die (allerdings späte) Angabe, der Abt, Gallus Knauer, habe den Plan in Rom beschafft, kann zu Recht bestehen, wenn auch nur hinsichtlich des Grundrisses. Der 1692/93 aufgeführte, urspr. von einem Wassergraben umfaßte 3geschossige massive Steinbau umschließt als Ring einen ovalen Innenhof.

NASSENFELS (Mfr. – D 5)

*Eine in die Friedhofmauer versetzte Inschrift nennt den Namen
der bedeutenden röm. Zivilniederlassung, die hier einmal, viell. in
der Nachfolge eines frühen Grenzkastells, Bestand hatte: Vicus
Scuttariensium. Der Furor der Alemannen räumte sie, 233, ab.*

Schloß

*1245 ist die Burg bischöfl. eichstättisch. Die Baugeschichte setzt im
späten 13. Jh. ein; der Bergfried steht am Anfang. Der Zwinger
und die 3 Türme entstehen im späten 14. Jh. Das Kasten- und Ge-
richtshaus wird 1699 vollendet. Das 19. Jh. fügt der Burg Schaden
zu; im großen und ganzen steht sie aber doch noch gut da, eine
der sprechendsten Verkörperungen mittelalterl. Wehrhaftigkeit.*

Ebene Lage: eine Wasserburg. Der Grundriß ist regelmäßig;
die Mauer, großenteils noch erhalten, in Kalksteinquadern
aufgeführt, schließt ein Rechteck ein. Der der Ringmauer
folgende spätgot. Zwinger erhielt sich an der O-Seite. Im
Innern des Gevierts ragt, dem nördl. Tor benachbart, der
sehr hohe Bergfried auf, die 3 kleineren, doch immer noch
respektablen Türme stehen als Mauertürme über der nördl.
und westl. Ringmauer. Das Kastenhaus, am SO-Eck, ein
Giebelbau, darf dem Eichstätter Hofbaumeister Jak. Engel
zugeschrieben werden.

NEMMERSDORF (Ofr. – F 3)

*Die sich, erstmals 1143, nach Nemmersdorf nennenden Edelfreien
sind wahrscheinl. Walpoten von Zwernitz. Mit dem Großteil des
Walpotenbesitzes geht auch Nemmersdorf, wohl noch im 12. Jh.,
an Andechs-Meranien über. 1341 fällt es an die Burggrafen. Die
erstmals 1342 genannte Burg, auf dem Hügel östl. der Kirche, lebt
in einem schlichten Schloßbau fort.*

Die **ev. Pfarrkirche**, in beherrschender Hochlage über dem Ort, ist
durch die Sonderlichkeit ausgezeichnet, daß einem Turm im W ein
Turm (urspr. Chorturm) im O entspricht. Dieser im 14. Jh. (ohne den
Spitzhelm, den ihm erst das 19. zubrachte), der westliche im späten
15. oder frühen 16. Jh. errichtet. Das von den beiden mittelalterl.
Türmen eingeschlossene barocke Langhaus entstand, nach den Entwürfen
des Kulmbacher Meisters Joh. Gg. Hoffmann, 1753/54: ein vortrefflicher massiver Quaderbau, mit je einem, durch Freitreppe, Säulen und
Giebelschwünge betonten Portal in der mittleren Achse, in hohen rundbogigen Fenstern geöffnet, durch Pilaster einfach, aber gut gegliedert. – Die Stukkaturen der Flachdecke von R. Albini, die Gemälde
von F. M. Herold. Der Kanzelaltar vielleicht vom Bayreuther Joh. Gabriel Räntz.

NEUBEUERN am Inn (Obb. – D 8)

Der Name kündet von einer Neugründung gegenüber Altenbeuern (nordöstlich, 798 »ad Burones«, 1319 »ze Altenpäwren«). Neubeuern entwickelt sich zunächst als Burgflecken, der, dank der einträglichen Flößerei, der älteren Siedlung den Rang abläuft, 1335 Marktrechte erlangt und sich bald darauf mit einem Bering umgibt (erneuert im 16. Jh.).

Vom **Bering** ließ der Österr. Erbfolgekrieg 1743 die SW-Ecke mit dem Rondellbau übrig und die beiden, später veränderten Tore des inneren Marktplatzes. Diesen schließt gegen S die **Pfarr- und Wallfahrtskirche Mariae Empfängnis**, ein z. T. spätgot. Baukörper, den der Umbau von Jörg Zwerger, 1672, wesentlich veränderte. Weitere Umgestaltungen fanden 1722, 1775 (Stuck) und 1873 statt; letzte Restaurierung 1923 (Deckenbilder). Der Hochaltar, 1776, von Jos. Götsch, enthält das Gnadenbild, eine Muttergottes um 1460–70. Kanzel 1723. – **Die Bürgerhäuser**, die in offener Bauweise den Marktplatz umstehen, erfreuen mit Fassadenmalerei. Hervorzuheben das ehem. Gerichtsschreiberhaus (Nr. 14) um 1600 und im späten 18. Jh. verändert, Gasthaus Haschlalm (hinter der Kirche, Nr. 17) 16. u. 17. Jh., Pfarrhaus (ehem. Bürgerhaus, Nr. 25) 18. Jh. mit Votivbild. Nach Bränden 1883 und 1893 wurden zahlreiche Häuser (bes. die Mitte der östl. Reihe) nach Plänen von Gabriel v. Seidl in »Heimatbauweise« wiederhergestellt.

Das **Schloß** geht auf eine Burgengründung des 12. Jh. zurück. Wechselnde Eigentümer: v. Frontenhausen, 1226–1388 Hochstift Regensburg, 1403–1642 v. Thurn, 1668–1853 v. Preysing, zuletzt v. Wendelstadt, heute Landerziehungsheim. Aus ältestem Bestand sind der blockige Bergfried, Außenmauern der Kapelle und Reste des Berings geblieben. Das meiste Bestehende gehört dem 16. und 18. Jh. an. W-Flügel 1904 von G. v. Seidl. Die **Schloßkapelle St. Augustin** erhielt 1751 nach Plänen der Brüder Gunetsrhainer ihre heutige Gestalt. Feine Stuckierung, Hochaltar (Entwurf Joh. B. Zimmermann 1746) und Seitenaltäre (Jos. Götsch um 1765) verleihen dem vornehmen Raum Kostbarkeit.

Das benachbarte **ALTENBEUERN** besitzt eine stattliche **Kirche** (St. Rupert) der Spätgotik 1494. Die 1650 eingezogenen Gewölbe wurden 1889 neugot. verändert. Hochaltar 1681 mit Schnitzfiguren aus dem got. Vorgänger (Dreifaltigkeit als 3 Personen, die hll. Rupert und Wolfgang) um 1500. 3 Holz-Epitaphien um 1590–1600.

NEUBURG a. d. Donau (B. Schw. – D 6)

Die Wurzel ist römisch. Der Rechtsnachfolger des röm. Fiskus, der bayerische Herzog, setzt seinen Hof an den Fuß des an die Donau vorgreifenden Jurarückens. Die stärkere Siedlung, die neue Burg, »Niwenburg« (8. Jh.), erwuchs aber auf dem Berg; die dem Herzogshof zuwachsende Talsiedlung (Untere Stadt) hielt sich bis ins 19. Jh. in den Grenzen einer bescheidenen Vorstadt. – Neuburg, zunächst herzoglich, dann, seit 788, königlich, befindet sich seit Ende des 12. Jh. in der Hand der Marschälle von Kalendin und

Rechberg, die es 1247 an die wittelsbachischen Herzöge von Bayern verlieren. Verleihung von Stadtfreiheiten vermutl. wenig später. 1392–1447 gehört die Stadt der Ingolstädter Seitenlinie des Herzogshauses (dient ihr zeitweise auch als Residenz), dann der Landshuter. Für die Erben des letzten Landshuter Herzogs, Georgs d. Reichen, die kurpfälzischen Prinzen Ottheinrich und Philipp, wird 1505 aus Teilen des Landshuter Ländererbes die sog. Junge Pfalz geschaffen, die bis 1799 Bestand hat und deren Residenz, bis 1685, Neuburg ist. In dieser ihrer Hoch-Zeit gewinnt die Stadt die monumentale Gestalt. Der die Reihe der Pfalz-Neuburger eröffnende Pfalzgraf Ottheinrich, der in den 20er Jahren des 16. Jh. zu bauen beginnt, ist der Begründer der schönen, wohlerhaltenen Stadtgestalt. Rühmte sich dieser typische Renaissancefürst der Einführung der Reformation (1543) als seines besten Verdienstes, so blieb der Tat des bis in seine späten Jahre so weltlich werkfreudigen Fürsten die Dauer versagt; unter seinem 3. Nachfolger, Wolfgang Wilhelm (1614 ff.), kehrte Pfalz-Neuburg zum alten Glauben zurück.

Die Stadt

Ihr **Mauergürtel** geht in der Grundlegung in die 1. Hälfte des 14. Jh. zurück. Die älteste Pfarrkirche, St. Peter, und der älteste feste Sitz der Herrschaft, die Münz, liegen zunächst noch außerhalb der Mauer, sie werden erst 1392 in den Ring einbezogen. Herzog Ludwig d. Gebartete, allenthalben in seinen Landen auf Stärkung der Stadtwehren bedacht, baut auch die Neuburger aus. Der spätmittelalterl. Ring öffnet sich in **2 Toren**, dem Oberen, das in der Umgestaltung des 16. Jh. (1541), wenigstens im äußeren, von Rundtürmen flankierten, von einem Ziergiebel überhöhten Torbau noch vor Augen steht, und dem Unteren, gegen die Donau. Im frühen 17. Jh. treten östlich und südlich Wallfortifikationen bastionären Systems (nach Plänen E. Holls) hinzu. Die spätmittelalterl. Mauern lassen sich noch allseitig verfolgen; die Wälle wurden Ende des 18. Jh. aufgelassen.

Die städtebaulichen Werte Neuburgs liegen in der Oberstadt. Das die O-Seite des Bergrückens besetzende, in seinen mächtigen Blöcken die Stromniederung beherrschende Schloß ist das ausrichtende Schwergewicht des Stadtkörpers, dessen Hauptachse, die vom Oberen Tor ausgehende Amalienstraße, es in geradem Verlaufe anzielt. Das Geviert des Karlsplatzes, das sie in ihrem unteren Zuge tangiert, gedieh zu dieser Platzfreiheit erst durch den Abbruch des älteren Rathauses und einiger Häuser im 17. Jh. Die Hofkirche, die kurz vor der Einmündung der Rückgratachse in den Schloßplatz an sie herantritt, ist das zweite, starke, bestimmende Gewicht. Kreuzen sich im Straßenbild bayerische und schwäbische Züge, so entspricht das der Randlage der Stadt, die aber noch eindeutig (Zeuge ist die Mundart) innerhalb der bayerischen Stammesgrenze liegt.

Das urspr. (seit 1499) auf dem Karlsplatz stehende **Rathaus** wurde, nun in die östl. Platzwand verlegt, nach Plänen von J. Heinz und A. Pasqualini, von G. Vältin 1613–19 aufgeführt, 1640–42 von J. Serro erneuert und 1948/49 (nach Brand) im Innern gründlich restauriert: ein breiter Rechteckblock mit hoher doppelläufiger Freitreppe und abschließendem Giebel.

Die den Eindruck der A m a l i e n s t r a ß e bestimmenden **Häuser**
stehen noch in geschlossenen, kaum gestörten Reihen; meist 17. und
18. Jh. Wir heben hervor: **A 15** (am Schloßpl.), 1612 von G. Vältin gebaut; **A 19**, in der Anlage 1517, im 2. Jahrzehnt des 18. Jh., wohl vom
Eichstätter Gabrieli, erneuert, jetzt Herberge des 1833 gegr. **Heimat-
museums**; stattlicher 3geschossiger Block, mit älterem 8eckigem und jüngerem rechteckigem Erker (übereinander) und 3mal gestuftem Giebel; **A 13**,
ehem. Palais Thurn und Taxis, mit guter stuckierter Rokoko-Fassade.

Schloß

*Die sog. Münz am W-Ende der Oberstadt, deren Turm ins 13.,
deren Hauptgebäude ins frühe 16. Jh. zurückgeht, war das erste
uns bekannte feste Haus in Neuburg, eine Gründung vermutl. der
Marschälle von Kalden. Der Ingolstädter Herzog Ludwig schob
dann seinen Schloßsitz an den O-Rand des Stadtbergs, über den
östl. Stadtgraben, vor. Greifbare Spuren hat dieses Schloß (des
frühen 15. Jh.) nur in den nördl. Kellerräumen des O-Flügels
hinterlassen. Pfalzgraf Ottheinrich, der 1527 zunächst einen »runden Bau« (wahrscheinl. Kern des SO-Turmes) aufführen läßt, entschließt sich wenig später, 1530, zu einem völligen Neubau. Baumeister ist Hans Knotz (1528–37 in Ottheinrichs Diensten), doch
werden mehrmals auswärtige Meister, an der Spitze der Nürnberger Paul Beheim, zu Rate gezogen. In rund 8 Jahren entstehen
die den Hof umgebenden Flügel: 1530 ff. der stadtseitige westliche,
1533/34 der südliche, 1534–38 der nördliche, dieser über dem
»Nadelöhr«, einem Torgang der Stadtwehr. Die Erhaltung der
älteren Gebäude an der O-Seite lag kaum in der Planung. Doch
entsteht der diese Seite schließende Flügel erst 1665–68 unter
Pfalzgraf Philipp Wilhelm. – Unter diesem, der 1685 in das kur-
pfälzische Erbe eintritt, hört Neuburg auf, Residenz seiner Fürsten
zu sein. Das »Herzogtum« existiert zwar noch bis ins frühe 19. Jh.
(seine »Landschaft« wird erst 1808 aufgehoben), aber politische
und kulturelle Potenz ist es nicht mehr. Der Referent der Schloß-
baugeschichte kann nur mehr Eingriffe, nicht mehr Förderungen
registrieren. 1824 wird das, mit seinem Renaissancegiebel die
Stadtseite ehemals so schön beherrschende, Obergeschoß des W-
Flügels abgetragen und durch die nicht zu lobende, platt abschließende Aufstockung ersetzt. An den überwölbten Riesensaal, der
das ganze Geschoß besetzte, erinnert nur mehr ein Marmorportal,
in dessen Muschelaufsatz sich wahrscheinl. der jetzt im Neuburger
Museum befindliche Porträtkopf Ottheinrichs befand. – 1828 zieht
die Militärverwaltung ein und adaptiert, nicht gerade schonend,
die besten Räume für die Kasernierung eines Regiments. Heute
besetzt u. a. das staatl. Archiv die Mehrzahl der Räume.*

Der Grundriß des in der Länge von N nach S gerichteten
Gevierts ist unregelmäßig, ältere Gegebenheiten verhinder-
ten die Symmetrie. Der S-Flügel weicht leicht, der N-Flügel
stark vom rechten Winkel ab. Die hohen 4geschossigen

Blöcke sind einfach gehalten, Wandmalerei dürfte die plastische Gliederung ersetzt haben. Akzent des der Hauptstraße der Oberstadt zugekehrten W-Flügels ist der flache 2geschossige Altanenvorbau, in dem sich das Tor öffnet. Der in den Hof einlassende, tonnengewölbte Torgang ist durch eine Stuckkassettendecke, mit dem Porträt des Bauherrn in der Mitte, Imperatoren- und Kriegerköpfen, symbolischen Tierfiguren, ausgezeichnet: reife Renaissance, nächst verwandt den Stuckdekorationen der Landshuter Stadtresidenz, von der wohl auch die 1538 bezeugten »welschen Maurer« kamen. Das schöne Bronzegitter mit Faun und Nymphe und den Initialen OHS (Ottheinrich Susanna) im Bogen des Tores darf dem in Neuburg tätigen Nürnberger Gießer Sebald Hirder gegeben werden. Von ihm auch das Bronzerelief über dem Zugang zur Kapelle. – Der Hof, in den wir eintreten, ist auf 3 Seiten von 2geschossigen Laubengängen umringt. Ihre Erdgeschosse stammen aus den 30er Jahren des 16. Jh. (die Obergeschosse aus dem 17.); sie sind, nach den Freisinger Lauben (der bischöfl. Residenz, 1519) älteste ihrer Art; deutsche und welsche Stilformen kreuzen sich liebenswürdig bizarr: beständiger Wechsel in Höhe und Breite, in Stützenform und Bogenführung. Im Treppenturm des W-Flügels Reste von Fresken (Tobiaslegende), wahrscheinl. vom jüngeren Jörg Breu (1545). Jetzt in größeren Flächen freigelegte Grisaillebemalungen (aus den 60er oder 70er Jahren des 16. Jh., Szenen aus dem Alten Testament, dazwischen farbiger Dekor) beweisen den einmal wesentlichen Anteil der zweidimensionalen Schmückung. – Der N-Flügel stellt, zu freundlicher Belebung des Architekturbildes, 2 begiebelte Zwerchhäuser gegen den Hof, 3 weitere schmücken die Außenseite. Die hohen Giebel wenden sich nach W und O, Blickpunkte der Berg- und Talseite. – Vom S-Flügel sei nur gesagt, daß er sein Obergeschoß erst im 17. Jh. erhielt. – Der den Hof östl. schließende, von Jeremias Doktor gebaute Philipp-Wilhelm-Flügel zeigt nur glatte, lediglich von den Fensterreihen gegliederte Wand. Seine durch die wuchtigen Rundtürme an den Flanken verstärkte Masse bestimmt vorherrschend das Bild des Schlosses gegen die Stromniederung.

Der Bericht über die Räume kann sich kurz fassen, sie haben im Lauf der Jahrhunderte (insbes. im letzten) viel erleiden müssen. Im W-Flügel rechts vom Toreingang liegt die große

2schiffige Pfeilerhalle der *ehem. Rüstkammer*; ihr einmal
reicher Besitz an Waffen, bes. Harnischen, wurde 1800 zerstreut. Links des Torgangs die im Grundriß ein Trapez beschreibende, durch 2 Geschosse reichende S c h l o ß k a -
p e l l e (um 1540). Sie wirkt bei ihrer Höhe eng, schachtartig. Die durch Pfosten unterteilten Maßwerkfenster haben
die Gotik noch nicht abgestreift. Allseits umlaufende, auf
Konsolen, nur westl. auf Pfeilern ruhende Empore, mit
stuckierter Brüstung, nur durch den Bogen des schmalen
rechteckigen Chores unterbrochen. Eine Stichkappentonne
schließt den Raum, der ein später Nachfolger der Doppelkapellen mittelalterl. Burgen ist. Von hoher geschichtlicher
Bedeutung die 1543 vom Salzburger Hans Bocksberger d. Ä.
geleistete (1936–51 freigelegte) Freskenbemalung der Wände
(über den Emporen) und der Decke, die erstmals ein »pro-
testantisches« Bildprogramm vorträgt. Das Hauptbild, im
großen Mittelfeld der Decke, die Himmelfahrt Christi, dem
sich an den Schmalseiten die (2!) Sakramente, Taufe und
Abendmahl, in 4 Medaillons zuordnen, ist der Schlüssel der
i. ü. fast ausschließlich dem Alten Testament entnommenen
Themen, die unter dem zentralen Beziehungspunkt der
(allein gerecht machenden) Gnade die Sünden der Menschheit, die Strafen des zürnenden und rächenden Gottes, das
Abendmahl (in seinen Prototypen) zum Inhalt haben. Erdacht wahrscheinl. vom luth. Kirchenmann Andreas Osian-
der, der dem (1542) reformierenden Fürsten zur Seite stand.
Der Stil des Malers deutet auf italienische Quellen (Giulio
Romano). Die steinerne Kreuzigungsgruppe im Chor, erst
neuerdings hier, am alten Platze, wieder aufgestellt, ist ein
Werk des Eichstätters Martin Hering, 1542. – Der südl. anliegende, von der Empore aus zugängliche Saal war einer
der prächtigsten des Ottheinrichschlosses; 3 seiner Portale
befinden sich seit 1926 in Berchtesgaden (Schloß). Die folgenden Räume waren die Wohnräume Ottheinrichs. Nur der
große Vorraum hat wenig gelitten: Marmorboden, Marmorportale (eines 1538 dat.), reiche, mit figürlichem Schnitzwerk
ausgestattete Kassettendecke. – Wir erwähnen noch den
Rittersaal im 1. Obergeschoß des N-Flügels, dessen wuchtige
Holzkassettendecke auf 2 stämmigen Steinpfeilern ruht (der
eine in Rauten facettiert), dessen erhaltenes, um 1560 von
Hans Bihel geschaffenes Wandgetäfer nun an diesen seinen
rechten Ort zurückgekehrt ist, und erwähnen schließlich noch

die 1667 ins Erdgeschoß des O-Flügels eingebaute (1747 erneuerte) Grotte.

Ehem. Hofkirche St. Maria

Der Neubau erfolgte an alter benediktinischer Klosterstätte. Unter Ottheinrich war der Protestantismus in die pfälzischen Lande eingezogen. So entstand der Kirchenbau seit 1607 als protestantischer. Die Pläne gaben die Hofbaumeister Sigm. Doctor und der kaiserliche Hofmaler in Prag, Jos. Heinz. Die Ausführung hatte Gilg Vältin aus Graubünden. Joh. Alberthal ist für den Turmbau verantwortlich, als Stukkateure werden Michele, Pietro und Antonio Castelli genannt (1616–20). Es bestand die Absicht, dem gegenreformatorischen Jesuitenzentrum St. Michael in München einen »Trutz-Michael« entgegenzusetzen. Dem großartigen Münchener Bauwerk sollte eine ebenso monumentale Anlage antworten. Noch stand der Bau nicht vollendet, als mit Wolfgang Wilhelm ein kath. Fürst die Regierung antrat, 1614. Da hat St. Michael zu trutzen aufgehört und ist jesuitisch worden.

Ä u ß e r e s. Eine mächtige 1-Turm-Fassade beschattet den Schloßplatz. Klar gezeichnete Pilastergliederung zerlegt sie in 3 Achsen und bereitet den Turmunterbau. Über auskragendem Gebälk hebt sich pilasterbesetzt mit abgeschrägten Ecken das Glockengeschoß, um in 8mal gefalteter Kuppel zu enden. Diese stattliche Frontseite ist ein erster Schritt auf dem Wege zum deutschen Barock, feinsinnig aufgebaut, kraftvoll empfunden: eine hochbedeutsame Leistung (1624 bis 1627 von Joh. Alberthal unter Mithilfe von Matth. Kager). Die im W angestimmte Pilastergliederung umzieht Langhaus und Chor. Das I n n e r e folgt, im Gegensatz zur Wandpfeileranlage der Münchner Michaelskirche und in (bezeugter) Anlehnung an die Pfarrkirche in Lauingen, dem Freipfeilersystem: einer spätgot. Raumgliederung, die nun im Renaissancegewand erscheint. 5 Joche leiten zum Chor. Das letzte wurde nach 1614 als Mönchschor der Jesuiten vermauert. Die beiden Seitenschiffe sind um weniges niedriger als das mittlere, so daß der Hallenraum eine leichte Stufung erfährt. In die Seitenschiffjoche sind Emporen gespannt. Ihr horizontaler Verlauf bringt das got. Aufstreben zur Ruhe. Von schönster Wirkung ist die Stukkatur (1616–20), die in sorgfältiger, doch dichter Verteilung den Gurten und Kreuzgraten der Wölbungen folgt. Verschieden geformte Kassetten dienen als Rahmung für Reliefbildwerke (biblische Figuren, Allegorien, Szenen, meist vor landschaftlichem Hintergrund) oder enthalten Ranken und Rosetten. Die Emporenbrüstung

ist nicht gekennzeichnet, sondern hinter Kartuschen und
Zwickelfiguren verborgen. Als jünger erweist sich die ausschwingende Orgelempore. Ihr Stuckwerk deutet in die Zeit
um 1700. Noch später folgte die Stuckierung der Mönchs-
chorwände. Ihre Bandwerkzier ist um 1725 entstanden. Das
Chorrund verschwindet hinter dem mächtigen Hochaltar.
Ihn und die 2 großen Seitenaltäre im O schuf Jos. Ant. Breitenauer 1752–54. Die Gemälde stammen von Dom. Zanetti
aus Bologna. (Die Gemälde der älteren Altarausstattung des
P. P. Rubens von 1617–20 wurden 1703 entfernt, heute in
der Alten Pinakothek, München.) Kanzel 1756. Beiderseits
des Hochaltars: die Grabmäler von Pfalzgraf Wolfgang Wilhelm und seiner Gemahlin († 1653 bzw. 1628). Wahrscheinl.
von Ph. Dürr, klassizist. Denkstein für den Dichter Jakob
Balde († 1668).

Pfarrkirche St. Peter. Neubau von Joh. Serro 1641–47. Chorneubau und
Höherführung des Langhauses 1671. Turm 1655/56. Die emporenbesetzte Freipfeileranlage steht unter dem Eindruck der Hofkirche. Zurückhaltende Stuckzier des späteren 17. Jh. Der Hochaltar ist eine stattliche Leistung um 1750 mit Figurenschmuck und Gemälde (Kreuzigung
Petri).

Die Studienkirche St. Ursula (ehem. Ursulinenklosterkirche) ist eine
Wandpfeileranlage des Vorarlbergers Valerian Brenner 1700/01. N. Perti
leistete die vorzügliche Stuckdekoration. Altarausstattung und Kanzel
gehören der Zeit um 1720–30. – Das 1813 aufgelöste Ursulinenkloster
war berühmt als Stätte feinster Nadelarbeit. Zahlreiche Meßornate und
Antependien (mit sog. Nadelmalerei) dieser Produktion befinden sich
heute in der ehem. Hofkirche St. Maria.

Spitalkirche. Saalbau von 1723–26 mit trefflicher Altarausstattung von
1750–60. Turm vor 1656 von Joh. Serro.

Ehem. St.-Martins-Kirche, jetzt Provinzialbibliothek. Die Kirche ist
erstmals 1318 bezeugt. 1644 geht sie an die Bruderschaft der Schmerzhaften Muttergottes über, die sie dann, 1731, durch ihr Oratorium ersetzt. Die vornehme Außengliederung durch Pilaster, vorgesetzte Säulen und geschwungene Giebel verrät die Hand eines bedeutenden Architekten. Der Innenraum trägt fein empfundene Stuckzier des frühen
Rokoko. 1804 wurden die vorzüglichen, um 1730 geschnitzten Bücher-
regale der Bibliothek aus Kloster Kaisheim hierher versetzt.

NEUBURG am Inn (Ndb. – G 7)

*In Urkunden taucht 1005 ein Gaugraf Tiemo auf, dessen Sohn sich
»von Neuburg« nennt. Um diese Zeit wurde die Neuburg gegründet. Die nächste Grafengeneration nennt sich »von Neuburg und
Vornbach«. 1158 kam der Besitz an die Grafen von Andechs. Aus
dieser Zeit hat sich nichts erhalten. Den nächsten Burgherren, den*

Wittelsbachern, wurde der Besitz durch die Habsburger bestritten, bis 1310 die Burg in Flammen aufging. Dieser Zeitpunkt ist für die vorhandene Anlage Terminus post quem. Neuburg fiel an Österreich. 1463 kam es durch Kauf an die Freiherren v. Rohrbach, 1528 an die Grafen v. Salm, 1654 an die v. Sinzendorf, 1698 an den schottischen Grafen Hamilton, 1719 an die Grafen v. Lamberg, 1730 an das Hochstift Passau. Im 19. Jh. erlitt es als Objekt privater Unternehmer arge Schäden. Seit 1908 Erholungsheim, jetzt Hotel.

Auf waldiger Anhöhe ragt die starke **Burg** über dem Inn, südl. den Uferbergen vorgelagert und durch eine breite Schlucht von ihnen getrennt. Von N führt der Zugang in die Vorburg, die von turmbewehrten Mauern umzogen ist. Ihre urspr. Höhe wurde später vermindert, der Wehrgang abgetragen. Nur der nordöstl. Wehrturm hat seine Form bewahrt. Westl. vom Torturm lehnen sich Wirtschaftsgebäude an den Mauerring, errichtet 1599, erhöht 1738. Hinter einem weiteren Graben erhebt sich die Hauptburg, durch eine ehemals hohe Zwingermauer gegen W gesichert. Sie gruppiert sich annähernd oval um den inneren Hof. Der Torbau entstand lt. Inschrift 1484. Sein abgerundeter O-Teil trägt noch den hölzernen Wehrgang. Westl. reckt sich der massige Bergfried. Er ist älter als der Torbau und diente zuvor selbst als solcher. Während die ehemals an der W-Seite des Hofes gelegenen Wohnbauten verschwunden sind, haben sich die der O-Seite gut erhalten, 2geschossig, die Kapelle in sich einschließend. Nördlich hat ein kreuzgewölbter Saal mit toskanischer Mittelsäule sein Renaissance-Gepräge bewahrt, darüber ein kleinerer Raum mit Sterngewölbe. Ein barockes Portal, nach 1730 entstanden, mit den Nischenfiguren der hll. Georg und Ludwig, führt ins Innere der **Kapelle**. Ihr 1schiffiger Raum weist ins frühe 14. Jh. Laubwerkkonsolen und stark profilierte Rippen haben Verwandte im Passauer Domkreuzgang. Der Altar, ein Werk von 1686, wurde aus der Ursula-Kirche von Vilshofen hierher übertragen. In der nördlichen Chorwand eine Reliquiennische von 1654. – Der Trakt südl. der Kapelle hat zwar seine Laubengänge eingebüßt, doch bewahrt sein Erdgeschoß schöne Renaissanceräume der Zeit um 1531. Der sog. »Weiße Saal«, ehemals mit weißem Marmor ausgekleidet, trägt ein Netzrippengewölbe (in der urspr. Form ergänzt). Ihm folgt das »Rotmarmorsteinerne Zimmer«. Sein Gewölbe trägt reich ornamentierte Terrakottarippen und Akanthusbemalung von 1705. Die Wandverkleidung wurde im alten Schema rekonstruiert unter Verwendung originaler Rahmenteile. Das anschließende »Grüne Salettl« hat seine Wölbungsrippen im 18. Jh. verloren. Die gemalte Dekoration wurde, wie im vorhergehenden Raum, um 1705/06 geschaffen, später erneuert. Ein Brand hat 1810 die als besonders prächtig geschilderten Obergeschoßräume ruiniert. Auch der 1581 unter den Grafen v. Salm errichtete S-Flügel wurde stark beschädigt und später abgetragen. – Die Grafen v. Sinzendorf und Hamilton umgaben die Burg im 17. und frühen 18. Jh. mit ausgedehnten Lustgärten. Mit Pavillons, Teichen, Wasserkünsten rahmten sie das Leben der höfischen Gesellschaft. Geblieben ist der Blumengarten nördl. der Vorburg mit einer Grottenarchitektur von 1681. Von einem ehem. Kreuzweg zeugt die 1675 errichtete Kolossalfigur eines Schmerzensmannes nördl. vor der Burg.

NEUDROSSENFELD (Ofr. – E 3)

Ev. Pfarrkirche. Sie ist eine der besten und kennzeichnendsten des Bayreuther Landes, errichtet vom Kulmbacher Maurermeister Joh. Georg Hoffmann. – Die östl. des Marktes stehende Kirche ist ein geschlossener rechteckiger Quaderkörper, mit einem im Obergeschoß 8eckigen Turm an der O-Seite. – Der einheitliche, Schiff und Chor verbindende Saalraum ist vorzüglich ausgestattet. Emporen auf 4 Seiten, einfach an der Chorwand, doppelt an den 3 anderen Wänden; westlich Herrschaftslogen. Die feinen Stukkaturen der Decke gab Pedrozzi (1759), die Gemälde W. E. Wunder (1756). Der aus einem spätgot. Flügelaltar wahrscheinl. von J. G. Brenk umgeschaffene Kanzelaltar von etwa 1680 ist in der Verbindung so heterogener Teile ein (doch wohlgelungenes) Kuriosum. Die 1519 dat. Flügelgemälde wahrscheinl. Werke des Hans von Kulmbach.

Pfarrhaus. Ansehnlicher 2geschossiger Quaderbau von 1764/65, vermutl. Gontardscher Planung.

Schloß. In beherrschender Lage über dem Maintal. Im Kern 16. Jh.; die Seitenflügel, die Reichsgraf Phil. v. Ellrodt 1763 hinzufügen läßt, wohl nach Entwürfen Gontards. 3 Flügel zu je 2 Geschossen umschließen einen Hof. Der (im Kern ältere) westl. Mitteltrakt verputzt (Bruchstein), die Seitenflügel Quaderbauten mit Mansardendächern. Der zum

Ottobeuren. Klosterkirche

Passau. Chor des Domes
Residenzplatz mit Neuer Residenz (links)

Main abwärts gestufte Terrassengarten, als solcher ein Unikum jetzt und hier, wohl auch von Gontard erdacht.

NEUMARKT (Opf. – E 5)

1149 kommt Neumarkt an die Staufen, als Erbe der Staufen 1269 an die Wittelsbacher. Der Hausvertrag von Pavia 1329 weist es der pfälzischen Linie zu. 1410–1499 ist es Residenz einer pfälzischen Seitenlinie (Neumarkt-Mosbach). 1513–1544 residiert hier Pfalzgraf Friedrich als kurpfälzischer Statthalter. Das Schloß ist der Beitrag dieses baufreudigen Fürsten zur monumentalen Stadtgeschichte. 1628 fällt Neumarkt mit der Oberpfalz an die bayerische Stammlinie zurück. – Der in Bayern häufige Straßenmarkt bestimmt das regelmäßige Stadtgefüge. Inmitten des Marktplatzes steht das Rathaus, neben ihm, zur Seite gerückt, die Pfarrkirche. Die Stadtmauer ist bis auf geringe Reste verschwunden. Der 2. Weltkrieg schädigte die Stadt schwer.

Pfarrkirche St. Johann Baptist

Der Chor trägt eine Bauinschrift von 1404. Die Bauarbeiten im Langhaus haben vermutl. schon im späten 13. Jh. begonnen, 1442 wird noch gearbeitet. 1556 ist von einer Turmerhöhung die Rede, womit nur das gipfelnde Oktogon gemeint sein kann. Zerstörungen wurden inzwischen behoben.

3 reich gegliederte Portale führen in die 3schiffige Halle, die Chor und Langhaus ineinander überführt. Nur architektonische Detailformen unterscheiden die beiden Raumteile nach ihrer Bedeutung. Reichgebildete Wanddienste mit figürlichem Skulpturenschmuck begleiten die Chorjoche. Im Langhaus sitzen die Gewölberippen auf Wandkonsolen, wenn sie nicht, wie an sämtlichen Pfeilern, aus der Wand herauswachsen. Rundstützen zwischen dem 3. und 4. Joch tragen einen bestimmten Rhythmus in den Raum, der, über je 2 Achteck-Stützenpaare schreitend, von den halbrunden Wandvorlagen der Turmvorhalle aufgefangen wird. Unebenheiten des Terrains führen zu Verschiebungen im Grundriß. – Aus der vorgot. Zeit blieb der Taufstein erhalten, ein flach ornamentiertes Becken, um 1200. Aufgedeckt wurden spätgot. Wandmalereien.

Hofkirche Mariae Himmelfahrt. Als Pfalzgraf Johann 1410

seinen Sitz in Neumarkt nahm, wurde neben dem Schloß eine Hofkapelle errichtet. Aus dieser Anlage verblieben Chor und W-Teile mit dem 1535 ausgebauten Turm. Der N-Turm wurde als Stumpf belassen. Das Langhaus erfuhr

1701/02 seine Umgestaltung nach Plänen des Eichstätters Jak. Engel in der Art einer flachgedeckten Basilika mit sehr niedrigen gewölbten Seitenschiffen. Im südl. Seitenschiff steht die Rotmarmor-Tumba des Pfalzgrafen Otto II. (Mosbacher Linie, † 1499). Die Deckplatte zeigt den Verstorbenen, geharnischt und mit pfalz-bayerischem Banner, auf einem Löwen stehend. In den Seitenwänden der Tumba tragen Engelsfiguren die Wappen des pfalzgräfl. Stammbaumes. Die Tumba ist eine vorzügliche Arbeit der späten Gotik. Erwähnt sei auch das gemalte Epitaph für Jac. de Febuer († 1649). Als Triptychon aufgebaut, vereinigt es 3 gute Gemälde: Gnadenstuhl zwischen Maria und Elisabeth.

Friedhofkirche St. Jobst. Neubau von 1654 in schlichten Formen. Altarausstattung um 1760.

St.-Anna-Kirche, im N außerhalb der Stadt. Der Neubau von 1708 wurde 1746 erweitert, der Chor 1748 erneuert. Die Stuckausstattung verwendet ältere Motive, wie Laub- und Bandwerk, Gitter, Lambrequins, die für die Jahrhundertmitte altertümlich anmuten. Deckengemälde von Joh. Andres. Altarausstattung von 1750–60.

Wallfahrtskirche Maria-Hilf auf dem Kalvarienberg. Einfacher Bau von 1718. Die üppigen Laub- und Bandwerkstukkaturen fertigte Joh. Bajerna. 4 Tafelgemälde mit Szenen aus dem Marienleben, dat. 1478 und wohl fränkischer Abkunft, kamen im 19. Jh. hierher. – Unterhalb der Wallfahrtskirche steht die **Hl.-Grab-Kapelle,** eine der zahlreichen »Nachbildungen« des Hl. Grabes; erbaut 1684.

Ehem. Schloß (Landratsamt, Amtsgericht). Die alte Residenz von Johann »d. Neumarkter«, 1410 errichtet, wurde 1520 ein Raub der Flammen. Pfalzgraf Friedrich läßt bis 1539 ein neues Schloß erbauen. Als Schöpfer des Gebäudes gilt Erh. Reich aus Eichstätt. Das 19. Jh. hat wesentliche Teile der Anlage vernichtet. Es verblieben der NO- und SO-Flügel, 3geschossige, hochgiebelige Bauten. Dem Hauptflügel ist ein Treppenturm vorgesetzt mit prunkvollem, von 2 Löwen flankiertem Portal. Die Innenräume dienten vermutl. der pfalzgräflichen Wohnung. Erhalten sind 2 vornehme Kaminaufbauten. Der südöstl. Seitenflügel trägt über seinem Eingang einen vorzüglichen Wappenstein, der Loy Hering zugeschrieben wird. Vom benachbarten **Kastengebäude** stehen noch die Umfassungsmauern.

Rathaus. Der rechteckige Bau mit seinem hohen Zinnengiebel entstammt dem 15. Jh. Er enthält Repräsentationsräume, deren Ausgestaltung z. T. dem 16. Jh. angehört. Im 2. Weltkrieg weitgehend zerstört. Wiederaufbau 1956/57. – Von der **Stadtbefestigung** blieben einige Mauertürme und das Untertor, wohl 14. Jh., später mehrmals verändert.

NEUMARKT - ST. VEIT a. d. Rott (Obb. – E 7)

Gründung Herzog Heinrichs XIII. von Bayern-Landshut 1269 an der Stelle des älteren Wolfsberg (»Wolfgangesberg« 935). – Ortsanlage im Regelmaß des 13. Jh., beherrscht vom gestreckten Marktplatz, der beiderseits durch Torbauten abgeriegelt ist.

Pfarrkirche St. Johannes Bapt. aus der 2. Hälfte des 15. Jh., 5jochig, mit eingezogenem Chor und W-Turm. In die erneuerte Altarausstattung sind zahlreiche spätgot. Arbeiten eingesetzt. Gutes Holzrelief der Kreuzabnahme, 1525, innen, über dem S-Portal. An der N-Wand des Triumphbogens: Tonrelief der Beweinung Christi 1507.

Ehem. Benediktinerklosterkirche St. Veit. Der 1121 zu Elsenbach gegr. Konvent siedelte 50 Jahre später in die Nähe von Wolfsberg (später Neumarkt) über. Unter Verwendung älterer roman. Teile erwuchs im mittleren 15. Jh. der große, unregelmäßige Baukörper. Dem nördl. Seitenschiff entspricht im S eine fensterlose Kapellenreihe. Das Mittelschiff erhielt nach Brand, 1708, durch den Freisinger Hofbaumeister Dom. Gläsl eine barocke Stichkappentonne. Die Wölbformen der Nebenräume deuten ins 15. Jh. – Hochaltar 1783 mit Gemälde von Joh. Nep. della Croce. Einzelne spätgot. Holzfiguren (hll. Florian, Wolfgang, Sigmund usw.). – Im Untergeschoß des W-Turms: netzgewölbte Taufkapelle. Turmhaube nach Entwurf von Joh. Mich. Fischer 1765.

Die **Klostergebäude** (nur in einigen Teilen, Keller, Kreuzgang, spätgotisch) entstanden 1688 (der von Chr. Zuccalli errichtete Konventsflügel) und 1708–14; zuletzt, 1715/16, die Leiden-Christi-Kapelle und die des Friedhofs.

Die **Wohnhäuser** folgen dem Inn-Salzach-Typus. – Aus der **Befestigung** verblieben das **Untertor** 1541, mit stattlichem Giebel, und das barock veränderte **Obertor**.

Nördl.: **ELSENBACH**, dessen **Kirche** einen schönen, für die Landschaft typischen Backsteinbau darstellt, mit eingezogenen Strebepfeilern und reicher Rippenwölbung. Reste von Wandmalereien Anfang 16. Jh.

NEUNBURG vorm Wald (Opf. – F 5)

Ausgangspunkt ist eine Burgniederlassung auf granitener Bergzunge, die auf Ruprecht III. von der Pfalz (deutscher König 1400, † 1410) und Pfalzgraf Johann d. Neuenburger zurückgeht. An sie legte sich, in Dreiecksform auseinanderstrebend, eine Siedlung, die sich seit 1323 mit Befestigungen umgab, von denen das Untere Tor und der »Schiltenhelm« oder Bleihofturm erhalten sind.

Von der **Burg** stehen noch der Dürnitztrakt aus dem 15. und, im rechten Winkel anstoßend, das Neue Schloß aus dem 16. Jh. An der W-Ecke ragt der spätgot. Wartturm. Schlicht, unter hohen Dachungen, eignet diesen Bauten noch etwas von ihrem Trutzcharakter.

Die **Pfarrkirche St. Georg** ist Nachfolgerin der alten Burgkapelle: Chorbau 1433–43, ein 3schiffig-basilikales Langhaus von 1478–82, Mittelschiffgewölbe 1632. Die alte Ausstattung wurde im 19. Jh. entfernt. Es blieben einige gute Schnitzwerke, so ein großer spätgot. Kruzifixus nürnbergischen Charakters, so die (allerdings erst 1904 hereingetragene) roman. Schnitzfigur der Muttergottes (Anfang 13. Jh.). Das Grabmal des Neuenburger Pfalzgrafen Johann († 1443) wird durch eine schmucklose Marmorplatte im Chorboden angezeigt. – **Hl.-Geist-Spitalkirche** um 1400. – Die **St.-Jakobs-Kirche** in der Vorstadt Aigen ist älteste Pfarrkirche: ein kleiner roman. Bau um 1100 mit stämmigem Chorturm. – In einzelnen **Wohnhäusern**, aber auch im **Rathaus**, stecken noch spätgot. Teile.

Verweisen wir schließlich auch auf die nahe, westl., gelegene **Wallfahrtskirche** von **KATZDORF**, einen interessanten Zentralbau um 1725, mit Bandwerkstuck und spätgot. Gnadenbild (Vespergruppe) vom Ende des 15. Jh.

NEUNHOF (Mfr) → Nürnberg (D 4)

NEUNKIRCHEN am Brand (Ofr. – E 4)

Erstmals 1028 hervortretend, ist Neunkirchen 1348 als Markt bezeugt; es versucht auch, im 15. Jh. Stadt zu werden, was ihm aber nicht, oder doch nur vorübergehend, gelingt.

Das **Ortsbild** ist noch gut fränkisch; der **Mauerring** steht in langen Strecken, es stehen auch noch 3 **Tore**: das Erlanger (1479), das Erleinhofer (mit Wappenrelief 1502), das Forchheimer (mit Wappen 1503 und 1582); das vierte, Gräfenberger, fehlt seit 1945.

Kath. Pfarrkirche St. Michael (ehem. Stiftskirche)

Eine ausgedehnte, dem Bamberger Domkapitel zuständige Pfarrei veranlaßt 1313/14 die Errichtung eines Chorherrenstifts. Urheber ist der Domkanoniker Leupold v. Hirschberg. Das gut fundierte Stift hält sich bis in die Reformationszeit am Leben. 1553 zieht es der Bamberger Bischof ein, 1661 wendet er den Besitz an sein Bamberger Priesterseminar. Die Baulichkeiten des Klosters gehen in der Folge bis auf den Kapitelsaal an der SO-Seite der Kirche ab. – Die ehem. Stiftskirche ist ein vorwiegend got., um die Mitte des 13. Jh. begonnener, im späten 15. Jh. beendeter Bau. Aus dem 13. Jh. kommen die 4 quadratischen Würfelgeschosse des westl. stehenden Turmes mit ihren noch roman., durch Lisenen und Rundbogenfriese besorgten Gliederungen. Das, nach Ausweis der

S-Mauer, ebenfalls im 13. Jh. begründete Langhaus wurde gegen
1400 um einige Meter erhöht und wohl wenig später, jedenfalls
noch in der 1. Hälfte des 15. Jh., um das nördl. Seitenschiff ergänzt; gleichzeitig Einbau der W-Empore. Der Chor und die ihm
anliegende Marienkapelle sind spätestens am Beginn dieser entscheidenden Bauzeit (um 1400) anzusetzen. Der Turm wurde um
1400 um ein 5., 1577/78 um ein 6. Geschoß aufgestockt. Sein Helm
datiert 1809.

Ä u ß e r e s. Der stattliche, durch eine Bodenschwelle gehobene Quaderbau gipfelt in dem der Stirnseite vorgestellten starken und hohen Turm, der in seinen roman.-frühgot.
Geschossen, v. a. in den schönen Fenstergruppen, an die O-
Türme des Bamberger Domes denken läßt; Beziehungen
anzunehmen liegt bei dem engen Verhältnis des Stiftes zu
Bamberg nahe genug. Die beiden die Würfelgeschosse krönenden Oktogongeschosse, die ein Treppentürmchen begleitet, sind ungleichen Alters; das untere gehört noch in die
mit 1400 anzusetzende Hauptbauzeit der Kirche, das obere
und das Treppentürmchen dazu wurden in den 60er Jahren
des 16. Jh. hinzugefügt. Der Chor steht, von SO gesehen, in
guter Stufengruppe mit dem südl. anschließenden, ebenfalls
steil bedachten Kapitelsaalbau zusammen, dessen Chörchen
auch noch einmal das Motiv des Polygonschlusses anklingen
läßt. An der N-Seite des Chores reizvolle, in Kielbogen-
arkaden geöffnete Ölbergkapelle von 1492. In der N-Wand
des Seitenschiffs breite, 4teilige Spitzbogenfenster. – I n n e -
r e s. Der Raum des flach gedeckten Hauptschiffs wurde
durch die 1690 vorgenommene Erhöhung der damals auch
neu befensterten Wände um seine urspr. Wirkung gebracht.
Arkaden auf Achtkantpfeilern trennen und verbinden die
Schiffe, deren jüngeres seitliches mit Kreuzrippengewölben
gedeckt ist. Kreuzrippengewölbe unterfangen auch die westl.
Empore. Schwere rechteckige Rippen der Frühgotik im Erdgeschoß des Turmes, das zugleich Vorhalle ist. Der Chor,
2 Joche tief, über Kreuzrippen gewölbt, schließt in 5 Seiten
des Achtecks. Die südl. anliegende, durch 2 Spitzbogenarkaden verbundene kleine *Marienkapelle* ebenfalls 2jochig und
ebenso gewölbt und auch, im leicht eingezogenen Chörchen,
5seitig schließend; die westl. Öffnung, ins Seitenschiff, datiert 1709.

Reiche, hochwertige A u s s t a t t u n g. Im Seitenschiff noch
Wand- und Deckenmalereien aus dem frühen 15. Jh.; im Langhaus, an der S-Wand, ein großer hl. Christoph, Anfang 16. Jh.

Beachtliche Steinbildwerke: die Figuren einer Anbetungsgruppe, Maria und die Könige, nürnbergische Arbeiten, die, nach dem Wappen, Hirschberg, spätestens in die 20er Jahre des 14. Jh. zu setzen sind; der Mohrenkönig, am Emporenpfeiler, noch unter urspr. Baldachin. An der Wand des Seitenschiffs eine gute Verkündigungsgruppe, die die Wappen an der Konsole des Engels (Schütz v. Hackenbach, Haller; sie begegnen auch an den Schlußsteinen des Seitenschiffs) ins frühe 15. Jh. datieren lassen. – Altäre und Kanzel sind gute Leistungen Bamberger Meister aus der 1. Hälfte des 18. Jh. Die ausgezeichnete Holzfigur des hl. Michael, frühes 16. Jh., vermutl. Arbeit eines Bamberger Schnitzers, jetzt an der W-Empore aufgestellt, dürfte dem spätgot. Hochaltar zugehört haben. – Aus der Reihe der Grabsteine und Epitaphien müssen genannt werden: der des Stifters L. v. Hirschberg († 1328), der des Wolfram v. Egloffstein († 1459), der eines Ritters des Schwanenordens (Ende 15. Jh.) und das feine kleine Epitaph, mit Schutzmantelmuttergottes, eines Gozmann von der Bueg (1536), das eine Arbeit Loy Herings ist.

Neben der ins späte 14. Jh. zu datierenden *Sakristei* an der S-Seite besteht noch vom sonst gänzlich abgegangenen Kloster der gleichzeitig anzusetzende **Kapitelsaalbau**; das Untergeschoß zählt 4 Gewölbejoche mit 2 seitlichen Annexen und Polygonchören im O; das Obergeschoß entsprechend, doch durch Wandeinbau entstellt. – Die kleine (profanierte) **Katharinenkapelle** nordöstl. der Pfarrkirche besteht schon 1313 und wird 1427 neu errichtet.

Die außerhalb des Marktes liegende **Hl.-Grab-Kapelle** ist ein Quaderbau der Jahre 1625/26, des Graubündners (Bambergers) Giov. Bonalino; 1958 durch Brand beschädigt; jetzt, mit gänzlich erneuerter W-Wand, wiederhergestellt.

NEUÖTTING (Obb. – E 8)

Die 3seitig schroff abfallende, natürlich so gut geschützte Terrasse über dem linken Inn-Ufer dürfte weit früher, als das die erste Nennung wahrhaben will, besiedelt worden sein. 1231 ist das neue Ötting Markt, wohl nicht lange zuvor vom Herzog dazu erhoben. Genau 100 Jahre später berechtet es Kaiser Ludwig zur Stadt. Der Stromverkehr, sonderlich der Salzstapel (seit 1340), lassen ein wohlhäbiges leistungsfähiges Bürgertum entstehen, das sich bezeugt in dem schönen, so typisch ostbayerischen Straßenmarkt und vor allem in der großen

Stadtpfarrkirche St. Nikolaus.

Sie ist ein bestes, beispielhaftes Werk der altbayerischen Ziegelgotik. Lt. Inschrift (nördl. Chorpforte) wurde sie mit Chor und Turm 1410 begonnen. Meister Hans von Burghausen (»Stethaimer«) plante und begann sie und vollendete, 1429, auch Chor und Turm. Dann tritt eine längere Unterbrechung ein. Das Langhaus

*wird, nach der oben berufenen Inschrift, erst 1484 begonnen oder,
wie wir deuten, fortgeführt, denn in den Grundlegungen dürfte
es doch schon existiert haben (wie wir auch wissen, daß 2 Kapellen
der N-Seite als private Stiftungen 1443 aufgeführt wurden). Sehr
spät, erst 1623, schließen sich die Gewölbe des Langhauses. Der
Münchner Veit Schmidt erstellt sie. Eine wie üblich stilreinigende
Wiederherstellung hatte 1878–96 statt. Die Rippen der Langhausgewölbe gehen auf sie zurück. Nur die Wölbungen des Chores und
die der Seitenkapellen sind alt, dieses übrigens auffällig durch das
Gußsteinmaterial der Kragsteine.*

Die Nikolauskirche ist kein reiner Hallenbau; der Chor setzt
sich, wie in Landshut, St. Martin, 1schiffig ab. Die 6 Joche
zählende, von niedrigen Kapellen begleitete 3schiffige Halle
des Langhauses überrascht den Besucher durch die steile Aufreckung, die Höhe herrscht absolut. Sehr schlank steigen die
im Grundriß rautenförmigen, zerstrählten, an den Fronten
mit linienhaften Runddiensten belegten Pfeiler auf, um sich,
ohne Zäsur, in den Spitzbögen der Arkaden zu beschließen. –
Bemerken wir noch, daß der vom Viereck zum Achteck wechselnde spitzbehelmte Turm, an der N-Seite des Chores, die
stattliche Höhe von 78 m gewinnt, daß der Bau allseitig von
Streben umstellt ist, die sich, am Langhaus, erst über den
Kapellen aus der Masse lösen, und daß die Ziegelmauer
durch den Wechsel dunkler Binder und heller Läufer belebt
ist. – Die Ausstattung, in der Hauptsache, bis auf das Orgelgehäuse von 1643, neugotisch, beherbergt in den Altären
noch eine Reihe spätgot. Holzfiguren. Erwähnenswert das
Epitaph des Leonhard Bogner (1595).

Spitalkirche. Ausgangsbau ist eine Kapelle von 1423, an die um 1500
die Kirche gesetzt wurde. Die ältere Kapelle ist als Seitenkapelle erhalten. Das Rippengewölbe der Kirche kam erst 1591 herein. Der Rokoko-
Altar stammt aus der Landshuter Dominikanerkirche, darin eine Marientafel um 1500. Glasmalereien um 1515.

Kirche St. Anna, ehem. Siechenhauskapelle, geweiht 1511. Der Hochaltar enthält ein treffliches Schnitzwerk der Hl. Sippe um 1515, wohl
vom Meister der Altöttinger Türen. Schöne Glasgemälde aus der Erbauungszeit.

Die **Wohnbauten** entsprechen dem Charakter der Inn-Salzach-Städte.
Aus dem **Stadtbering** blieben 2 Tore, das Landshuter und das Burghauser, beide wohl aus dem 15. Jh.

Nordwestl. **WINHÖRING** mit der spätgot., 3schiffigen Hallenkirche
St. Peter und Paul, um 1450, und noblem Barock-**Schloß** (Törring-Jettenbach), 1721–30.

NEUSCHWANSTEIN (B. Schw. – B 8)

*Herrenchiemsee und Neuschwanstein sind die Eingebungen eines
Jahres, 1867. König Ludwig II. hatte eben Versailles und die
Wartburg besucht und wollte nun beides, sein Versailles und seine
Wartburg. Eine der Schwangauer Ruinen, das ehem. Vorder-
schwangau, östlich der von seinem Vater Max II. ausgebauten
(Hohenschwangau), in wild-schöner Gebirgslage über der Pöllat-
Schlucht, bot sich als die ideale Voraussetzung für die Traum-Burg
an und wurde nicht (erste Absicht) »restauriert«, sondern abgetragen. Neu-Hohenschwangau (der König kannte den Namen Neuschwanstein noch nicht, er kam erst 1890 auf) konnte sich, unbeengt
durch örtlich historische Voraussetzungen, völlig aus eigener Wurzel entwickeln. 1868 begann das Bauen; Ed. Riedel war der
Baumeister, der die Ideen des Königs und seines Interpreten, des
Theatermalers Christ. Jank, in eine mögliche Wirklichkeit über-
setzte. Beim Tode des Königs, 1886, war die Burg, in der sich der
vorletzte Akt des Königsdramas abspielte, noch nicht fertig, Bergfried und Kapelle fehlten, sie kamen auch nicht mehr hinzu, nur
die den Hof südl. abschließende Kemenate gelangte noch zur Ausführung.*

Der gewählte historische Stil ist der Wartburg-Stil, der
romanische; ihm folgt auch, nicht mit letzter Konsequenz
allerdings, die von Julius Hofmann, 1880 ff., erdachte
Raumgestaltung des zu steilen Höhen aufgereckten Palas,
deren Glanzstücke die beiden großen Säle sind, der Sänger-
saal und der Thronsaal. Der erste stand von Anfang an in
der Mitte des Planes – mehr als die Burg selbst –, der zweite
trat erst später in die Planung ein. Ist jener der Illusionsraum einer gedachten (idealen) historischen Wirklichkeit, so
dieser der der heiligen Krone eines als überzeitlich, ewig ge-
glaubten Königtums. Wie alles Bauen Ludwigs II. ist Neuschwanstein eine Flucht aus der schlechten Nähe in eine
schöne Ferne, der Versuch, eine Welt zu versinnlichen, in die
nur die Ahnung, die Sehnsucht, der Traum noch eindringen
kann.

NEUSTADT a. d. Aisch (Mfr. – D 3)

*Ursprungszelle ist das 889 erstmals genannte Riedfeld am linken
Ufer des Flusses, ein fränkischer Königshof, der 741 an Würzburg
kam. 1274 als Markt bezeugt, Lehensbesitz der Nürnberger Burggrafen, die 1458 bei der Kirche (urspr. Pfarrkirche St. Martin)
ein kleines Franziskanerkloster begründen. Die Stadt auf der
anderen Aisch-Seite entsteht in den 70er oder 80er Jahren. Die*

markgräfliche Erbteilung von 1437 bringt sie an das Fürstentum ober Gebirgs (Kulmbach-Bayreuth), bei dem sie, Sitz eines Vicedoms, vorübergehend auch Residenz, bis ans Ende der fränkischen Markgrafschaften bleibt. Im 15. Jh. wächst sie stark (etwa um das Dreifache). 1553, 1632, 1634 erleidet sie Kriegsverwüstungen.

Die spätmittelalterl. **Stadtwehr** hat sich in einigen Teilen südlich (am Mauerweg), nördlich und nordwestlich erhalten, auch eine Anzahl von Mauertürmen steht noch. Von den **4 Toren** blieb nur das östliche, **Nürnberger:** Torturm und Torhaus mit vorliegender halbrunder Bastion. – Das die N-Ecke der Stadtwehr besetzende, ehemals von Wassergräben umgürtete, vor 1450 gebaute **markgräfliche Schloß** hat einige ältere Teile in seinen heutigen Bestand (Städt. Krankenhaus) hinübergerettet; das ehemals südl. angrenzende jüngere Schloß (1575 ff.) ging 1906 durch Brand zugrunde.

Ev. Stadtpfarrkirche, ehem. St. Lorenz. Um 1400 mit den Pfarrrechten der Riedfelder Martinskirche ausgestattet, wohl wenig später neu aufgeführt. 3schiffige Basilika, doch hallenartig infolge der hoch geöffneten Arkaden, deren Spitzbögen starken Rundpfeilern entwachsen. Die Schiffe flach gedeckt, der von Streben umstellte, 3seitig gebrochene Chor gewölbt. Der 6geschossige Turm, mit Kuppelhaube und Laterne, flankiert die Fassade. Bester Besitz: die spätgot. Holzreliefs des (im Schrein neuen) Flügelaltars, mit figurenreicher Kreuzigung in der Mitte.

Nordwestl. der Kirche der sog. **Kärnter** (Karner), vormals Michaelskapelle, ein um 1400 entstandener 2geschossiger Bau mit Durchgang im Erdgeschoß.

Friedhofkirche. Eine Seitenkapelle der 1525 zerstörten Franziskanerkirche, St. Wolfgang, wird 1725 Chor der bestehenden kleinen Kirche, die 1945 schwer beschädigt, dann aber wiederhergestellt wurde.

Das **Rathaus**, in der O-Zeile des geräumigen, rechteckig begrenzten Marktes, wurde 1714 nach dem Plan des J. G. Kannhäuser von Frauenaurach errichtet. 1947 durch Brand ruiniert; der Neubau 1948–54 hielt sich im großen und ganzen an den 3geschossigen Block des Vorgängers. – Der »Gabelmann« des 1679 gesetzten **Marktbrunnens** wurde letztmals 1925 erneuert.

NEUSTADT a. d. Donau (Ndb. – E 6)

Einen älteren Markt (im nicht mehr bestehenden Seligenstadt) an die Donau verlegend, gründet Herzog Ludwig d. Strenge um 1250 die »neue Stadt« an der Straße Regensburg – Ingolstadt, die er 1273 mit »Freiheiten« ausstattet. Die Mauer, anscheinend erst durch Ludwig d. Bayern in die Wege geleitet, ist 1363 bezeugt. Zerstörungen und Schädigungen 1317, 1445, 1945.

Die völlig regelmäßige Viereckanlage des späten 13. Jh. ist Musterbeispiel der planmäßig errichteten got. Gründungsstadt. Ein langgestreckter Platz, an ihm Pfarrkirche und Rathaus, bildet das Herzstück des Gevierts, senkrecht durchquert von einem breiten Straßenzug.

Die **Pfarrkirche St. Laurentius** ist eine 3schiffige Halle des späten

15. Jh. mit quadratischem, über die schräg schließenden Seitenschiffe hinausgeschobenem Chor. 1945 zerstört, 1948 unter Verwendung des alten Mauerwerks wiedererrichtet. Turmbekrönung 18. Jh.

Die **St.-Anna-Kapelle** liegt dem Rathaus gegen O vor, ein schlichter Bau von 1715 mit Akanthusstukkatur.

Außerhalb der Stadt wurde 1412 die **Friedhofskapelle St. Nikolaus** errichtet. Sie bewahrt eine überlebensgroße Stuckfigur des St. Johann Nepomuk, geschaffen um 1720–25 von Egid Qu. Asam.

Rathaus. Gegenüber dem Chor der Pfarrkirche reckt sich die stattliche, hochgiebelige Fassade des ausgehenden 15. Jh. Der Ratssaal enthält eine prächtige spätgot. Balkendecke. – Angebaut die St.-Anna-Kapelle (s. d.).

Wohnhäuser. Einige hohe Giebel fallen auf: der spätgot. des Gasthofs zur Post und 2 bewegte Zinnengiebel des fortgeschrittenen 16. Jh. (Nr. 132/133). – Die **Stadtbefestigung** wurde im 14. Jh. angelegt. Einige Teile haben sich als Ruine erhalten. Ihr Verlauf, annähernd quadratisch die Stadt einschließend, ist erkennbar.

In der Nähe: **Wallfahrtskirche MAUERN** mit Turm des 12. Jh., Langhaus des 17. Jh. und Stuckgewand von 1727. Das Gnadenbild ist eine Vespergruppe des 15. Jh.

NEUSTADT am Kulm (Opf. – F 4)

Das Land weithin sichtbar überragend, reckt der Basaltkegel des Rauhen Kulm sein Haupt. Schwache Mauerspuren auf seinem Gipfel deuten auf Reste einer Burg. Die Landgrafen von Leuchtenberg besaßen ehemals den Rauhen Kulm als Reichslehen. 1281 geht der Besitz an den Burggrafen von Nürnberg über. Auch der benachbarte Kleine oder Schlechte Kulm wird mit seiner Festung burggräflich. 1370 erlaubt Kaiser Karl IV. dem Burggrafen die Anlage einer Stadt zwischen den beiden Erhebungen, gen. Neustadt. Der Burggraf verpfändet im frühen 15. Jh. Stadt und Burgen an die Brüder Forster. 1554, im Krieg gegen Markgraf Albrecht von Brandenburg, werden beide Festungen von den Nürnbergischen belagert und eingenommen. »Diese 2 Schlösser sind, nachdem sie geplündert, den 15. Febr. ausgebrennet und das Neustädtlein um 200 fl. gebrandschatzet worden. Das Gemäuer des Schlosses rauhen Culm hat man hernach umschrauben lassen.«

Die **Stadt** besteht aus 2 weit voneinander getrennten Häuserzeilen, in deren Mitte das **Rathaus** (1611, zerst. 1944) lag. Vom ehem. Mauergürtel sind einige Reste und das spätgot. **Untere Tor** erhalten. Südl., vom Straßenzug der Oberen Stadt abgerückt, liegt die

Ehem. Karmelitenklosterkirche (heute ev. Pfarrkirche)

1413 wird von der Stiftung des Klosters berichtet. 1527 weicht es der Reformation. Ein Brandschaden verursacht 1531 ausgedehnte Reparaturen. Neue Brandschatzung legt 1633 den Klosterbau in Asche. Zu Beginn des 18. Jh. findet die gründliche Restaurierung

der Kirche statt unter Hinzuziehung von Bayreuther Kunsthand-werkern, an deren Spitze vermutl. der Stukkateur Domenico Quadro stand.

Chor, Sakristeien und Turmunterbauten stammen noch vom Gründungsbau von 1413/14. Die Langhausmauern tragen Zeichen späteren Entstehens. Das frühe 18. Jh. zog neue Gewölbe ein und versah sie mit breiten, kräftigen Stukkaturen, vorherrschend Akanthuslaub, Fruchtgehänge und Kartuschenwerk. Die Deckengemälde wurden erst 1786 geschaffen. Über dem Chorbogen das markgräfliche bayreuthische Wappen. Altar und Kanzel sind um 1720 entstanden. Von den Epitaphien sei jenes hervorgehoben, das Pfarrer Adam Rösler 1683 seinen verstorbenen Kindern setzen ließ. In flachem Relief ruht hier ein Kind im Todesschlaf; ein leises, jenseitiges Lächeln verklärt seine Züge.

NEUSTADT am Main (Ufr. – C 2)

Ehem. Benediktinerabtei

Auf dem heute durch die Michaelskapelle besetzten Hügel südl. des Klosters wird ein frühkaroling. Kastell vermutet. Unweit dieser (in Spuren noch kenntlichen) Wallbefestigung errichtete Bischof Megingoz von Würzburg um 785 ein Benediktinerkloster, dessen angebl. 793 geweihte Kirche in der Peter-Pauls-Kapelle (nördl. der Klosterkirche) gefunden werden darf, die um die Mitte des 19. Jh. bis auf die Vierung abgebaut wurde. Der in den Fundamentmauern jetzt teilweise (soweit nicht überbaut) freigelegte Grundriß dieser kleinen 3schiffigen Anlage (die im 12. Jh., wie die inneren Bögen der Vierungsarkaden beweisen, überholt wurde) folgt dem griechischen Kreuz; an die ausgeschiedene quadratische Vierung legte sich ein Chorquadrat mit eingezogener Apsis an; über der Vierung stand ein Turm. Trifft die Datierung zu, dann ist Neustadt eines der frühesten Beispiele karoling. Kreuzkirchen.

Die **Klosterkirche** kann, nach Ausweis der Stilmerkmale, nur im frühen 12. Jh. entstanden sein. Sächsischer Einfluß (Stützenwechsel) kreuzt sich mit schwäbischem (O-Türme, ehemals westl. Paradies). Nur der in Bruchstein aufgeführte N-Turm ist, bis Gesimshöhe, älter, wohl 11. Jh. – 1625 ff. erneuert Bischof Julius Kirche und Kloster, gründlich den Chor; Kirche und Türme wachsen um rund 9 Fuß höher. Der Restaurator des 19. Jh. (Hübsch, Karlsruhe) nimmt dann wieder weg, was Julius hinzugetan. Erfolg seiner Bemühungen: Neubau der Hochwände des Mittelschiffs, Erhöhung der Umfassungsmauern, Abtragung des Julius-Chores, Aufbau einer neuen Apsis und der Obergeschosse der Türme. – Die Kirche ist eine 3schiffige Basilika mit Querhaus und 2 Türmen an den Flanken des Chorhauses. Alle Decken sind flach, doch trug die Vierung ein (vom Restaurator entferntes) Kreuzgratgewölbe. 8 Rundbogenarkaden begrenzen das Mittelschiff. Säule folgt auf Pfeiler, ein von Pfeiler zu Pfeiler geschlagener Blendbogen faßt je 2 Arkaden, die mit ihren inneren Bogenläufen dem Würfelkapitell einer Säule anfallen, zusammen.

Die Ausstattung wurde bei der letzten Restaurierung 1968 bis 1969 dem Stilempfinden der Zeit angeglichen. Wahrscheinl. von Chorschranken stammen die jetzt im nördl. Seitenschiff eingemauerten Steinreliefs des reitenden hl. Martin und des Bettlers, wohl 11. Jh., und des thronenden hl. Martin, Mitte 12. Jh. Die Reliefs der thronenden Muttergottes, Karls d. Gr. und des stehenden hl. Martin sind pseudoromanisch, nach den trachtlichen Indizien frühes 15. Jh. Im N-Flügel des Querschiffs das ausgezeichnete Doppelgrabmal eines Voit v. Rieneck und seiner Gattin (1379, 1381).

Die auf der südwestlich benachbarten Anhöhe inmitten des Friedhofs liegende **Michaelskapelle** war zu Klosterzeiten Pfarrkirche. Viell. ist diese, von frühgeschichtl. Befestigungen eingekreiste Höhe das karoling. »Rorinlacha«; hier wäre dann auch der erste Mönchsniederlassung zu suchen. Die bestehende Kirche geht, bis auf den im Kern wohl noch roman. Turm, ins frühe 18. Jh. zurück.

Bad NEUSTADT a. d. Saale (Ufr. – D 2)

Seit 1000 würzburgisch. Im 11. Jh. noch nach dem, schon 878 bezeugten, Obersalz genannt, verlautet erst um 1230 von der, jedenfalls um diese Zeit angelegten, Neustadt. Sie ist Sitz eines würzburgischen Amtes, einer Kellerei, einer Zent. Die Straße von Franken nach Thüringen und die von Bamberg nach Fulda, die sich hier kreuzen, sind ihre Lebensadern. Sie ist stark genug, sich 1400 am Kampfe der fränkischen Städte um die Reichsfreiheit zu beteiligen. – Im 13. Jh. entsteht ihr Mauergürtel, Ende des 16. Jh. wird er überholt.

Der **Bering** hat sich großenteils erhalten. Das Flüßchen, die Brend, dient fast allseits (nur nicht westl., hier mehrere runde Wehrtürme) als Graben. Von den 4 Toren steht noch das 1580 aufgeführte **Hohntor**.

Kath. Pfarrkirche

Nach dem Abbruch der alten Kirche (1783) ging man 1794 an den Bau der neuen, nach den Plänen des Würzburger Hofkammerrats A. Geigel. 1801 wird der Dachstuhl gesetzt. Die Gestaltung des

Innenbaus übernimmt der Hofarchitekt Andr. Gärtner, der sich nicht eben genau an die Idee des (inzwischen verstorbenen) Geigel bindet. Vollendet wird das langwierige Unternehmen 1836.

Die Kirche ist reiner Klassizismus. Der Grundriß umfährt ein langes Rechteck, in das östl. der Turm eingreift. 2 Reihen starkstämmiger korinthischer Säulen scheiden die 3 Schiffe. Der (nicht abgesetzte) quadratische Chor ist durch 8 im Kreis gestellte Säulen zentralisiert. Das Mittelschiff ist überhöht und mit einem gerahmten Spiegelgewölbe gedeckt, die Decken der Seitenschiffe sind kassettiert. Der Außenbau ist kühl, Lisenen gliedern, die Fenster sind rechteckig. Der Klassizismus des Innern dürfte durch Gärtner eine letzte Steigerung erfahren haben. Bezeichnend der Anspruch der Säulen – die körperlichen Elemente schieben die räumlichen zurück. Bezeichnend auch das harte, steigerungslose Nebeneinander der Raumteile, Schiff und Chor.

Ehem. Karmelitenkirche. 1352 lassen sich die beschuhten Karmeliten in Neustadt nieder und bauen auch gleich ihr »arm Gotteshäuslein«, das, bei allen späteren Umbauten, die Sachlichkeit seines Ursprungs bewahrt: ein flach gedecktes Rechteck mit nördl. anliegendem rippenkreuzgewölbtem Seitenschiff. Der Turm kam 1611 hinzu, und erst die Ausstattung des 17. und 18. Jh. trug Reichtum in die betonte Armut: die gute warme Kassettendecke um 1680, der aufwendige Hochaltar von etwa 1700, die Seitenaltäre 1732, die hoch zu rühmende Kanzel von 1748–50, reinstes Rokoko, die Orgel (mit noch altem Werk) von 1732. – Die 1693–1703 errichteten **Klostergebäude** dienen heute als Amtsgericht.

In geringer Entfernung östlich, am Fuße der Salzburg, liegt **Bad Neuhaus,** das 1934 nach Neustadt (seitdem Bad Neustadt) eingemeindet wurde. Im 15. Jh. baut hier Simon v. Thüngen ein »neues Haus«. 1767 errichtet Enrico Todosci das 3flügelige **Schloß,** das heute Kur- und Schloßhotel ist. In mehreren Räumen noch vorzügliche Stukkaturen. Auch die 1773–76 eingerichtete Schloßkapelle erfreut durch ihre Rokoko-Ausstattung. – Neuhaus ist seit 1853 Heilbad. Seine 4 Quellen wurden 1954 neu gefaßt.

NEUSTADT a. d. Waldnaab (Opf. – F 4)

Die wechselvolle Geschichte dieser kleinen weiland fürstlichen Residenzstadt sei in Kürze berichtet. Zunächst Besitz der Ortenburg, dann der Truhendingen, gelangt die neben der älteren Dorfsiedlung (Altenstadt) spätestens 1232 gegr. Stadt 1261 an Oberbayern, 1287 an Niederbayern, 1329 an Kurpfalz, das sie (als Teil der Herrschaft Störnstein) 1353/54 mit vielen seiner nordoberpfälzischen Besitzungen an Karl IV. verkauft. Der Kaiser verleibt sie »auf ewige Zeiten« der Krone Böhmen ein. Kurpfalz gewinnt wohl das meiste zurück, aber nun als böhmisches Lehen. 1563 ver-

pfändet Kaiser Ferdinand I. die Herrschaft an Ladislaus von Lobkowitz. 1575 wird sie Erblehen der Lobkowitz, 1641 zur gefürsteten Reichsgrafschaft erhoben. 1689 ff. führen die Fürsten Lobkowitz ihr Residenzschloß auf. 1808 tritt Bayern an ihre Stelle. – Die Stadt, auf einem schmalen Hügelrücken zwischen Waldnaab und der ihr hier zufallenden Floss, umfaßte zunächst nur den vom oberen und unteren Tor beschlossenen Markt, mit dem Schloß oben und der, etwas zurückstehenden, Pfarrkirche unten. Erst 1358, unter Karl IV., konnte sie sich um die die Achse des Marktes abwärts fortsetzende, selbst marktartig geräumige Freyung erweitern.

Die beiden **Schloßbauten**, besonders das die ansteigende Raumbahn quer abriegelnde Neue Schloß, beschließen das östl. Ende des Marktes. Das **Alte Schloß** (heute Besitz der Gemeinde) ist ein wenig aufwendiger Bau des frühen 17. Jh., doch mit reizvoller Arkadenfreitreppe ausgestattet. Das **Neue Schloß** wurde 1689 vom Architekten der Lobkowitz, Ant. della Porta, begonnen, 1702 von Ant. Ritz weitergeführt, und 1720 beendet. Die dem Markt zugekehrte W-Seite des 3geschossigen Gebäudes (heute Landratsamt) ist durch das plastische Relief ihrer Gliederungen ausgezeichnet: Rustikapilaster im Erdgeschoß, durchgehende toskanische oben, Blendarkaturen zwischen den Pilastern, Balustradensockel unter den Fenstern.

Kath. Pfarrkirche St. Georg. Der lt. Inschrift 1607 gebaute Turm wurde 1794 erhöht. Weihe der wohl bald nach Mitte des 17. Jh. beg. Kirche 1689. Gute Stukkaturen des frühen Rokoko an den Decken. Ein vortreffliches Stück Steinplastik ist der Grabstein des 6jährigen Albr. Ludw. Gottfr. v. Matzdorf (1646): der kleine Junker gestiefelt und gespornt.

Diesseits der Waldnaab, doch außerhalb der Stadt, liegt die **Wallfahrtskirche St. Felix**, Stiftung der Fürsten v. Lobkowitz, erbaut 1735, erweitert oder viell. völlig neu errichtet 1763–65. Die Anlage verbindet ein quadratisches Laienhaus mit abgeschrägten Ecken und einen kleeblattförmigen Chor zu einem originellen Raumbild, das seiner Bedeutung als Wallfahrerheiligtum gerecht wird. Die Deckenbemalung reiht eine Vielzahl von Szenen aus dem Leben des hl. Felix aneinander. Anmutige Altäre aus der Zeit um 1765.

In der Nähe: **ALTENSTADT** mit gut erhaltenem Kirchenbau aus dem 14. Jh.

NEU-ULM (B. Schw. – B 6)

Bayern, das 1810 das Territorium der Reichsstadt Ulm am rechten Donau-Ufer gewinnt, gründet ein Neu-Ulm. Seit 1841 ist das alte, nun württembergische Ulm Reichsbundesveste, das neue, bayerische ihr Brückenkopf. Die junge Siedlung wächst rasch. 1869 ist sie Stadt.

Die 1844–57 errichtete **Festung** ist nur in einigen Teilen erhalten, die aber als Überstände später Festungsarchitektur beachtlich sind. Es existieren noch: 2 Festungsfronten, Reste der inneren Umwallung, das

Memminger und das Augsburger Tor im (1906 der Siedlung erschlosse-
nen) Festungsgürtel und 3 Vorwerke.

Stadtpfarrkirche St. Johann Bapt. Eine 1857–60 errichtete neuroman.
Anlage wurde 1922–27 durch Dominikus Böhm völlig umgebaut. Anregungen aus der roman. und got. Baukunst sind hier einem völlig neuartigen und souveränen Formempfinden unterworfen. Wirkungsvoll
die dreimal genischte Fassade und die auf gezacktem Grundriß errichteten Seitenschiffwände. Das Mauergefüge ergibt sich aus Backsteinlagen
im Wechsel mit Quaderwerk und Beton.

Für die **ev. Stadtpfarrkirche**, eine neugot. Schöpfung von Georg v.
Stengel 1863–67, ist eine durchgreifende Umgestaltung vorgesehen.

NIEDERALTAICH (Ndb. – F 7)

Benediktinerklosterkirche St. Mauritius

*741 ist das Gründungsdatum dieses ältesten der bayerischen Bene-
diktinerklöster. Der Agilolfingerherzog Odilo II. schuf das Kloster
im Interesse der Kultivierung seines Landes und besetzte es mit
Mönchen aus der Reichenau. Im 10. Jh. folgten ihnen Kanoniker.
Doch bald galt wieder die Benediktinerregel. 997 lenkte Abt Godehard das Kloster, eine Persönlichkeit von hoher geschichtlicher Bedeutung. Er starb 1038 als Bischof von Hildesheim. Zahlreiche
Brände setzten der Abtei heim, deren heutige Kirche nur bis ins
14. Jh. zurückdeutet. 1803–1918 blieb das Kloster aufgelöst, das
sich seitdem wieder in Händen der Benediktiner befindet.*

1306 wurde die Klosterkirche im Hallenschema neu errichtet.
Von dieser Zeit zeugen die Umfassungsmauern des Langhauses, mit einem Tympanon über zugesetztem Portal an
der N-Wand, an die sich ehemals der Kreuzgang angelehnt
hat. 1505 bewirkte der Einsturz des W-Turmes den Neubau
des bestehenden Turmpaares. Doch nur der S-Turm wurde
vollendet. Ein verheerender Brand legte das ganze Gebäude
1671 bis auf die Umfassungsmauern in Asche. 1698 stellte
Ant. Carlone aus Mailand den Turm wieder her. Erst das
18. Jh. brachte die Neuerrichtung des Langhauses. 1718
wurde Jakob Pawagner aus Passau damit betraut. Unter
Benützung des alten Mauerwerks wie der Pfeilerreste schuf
dieser bis 1722 den bestehenden Innenraum. Der Chorbau
wurde isoliert durchgeführt, abgetrennt vom Langhaus durch
eine Interimsmauer. Hier unterliefen dem Architekten folgenschwere Fehler. Das von Joh. Mich. Fischer gegebene
Gutachten drängte auf Abbruch des Begonnenen. Pawagner
wurde entlassen, und Fischer übernahm den Chorbau, den er
1724–26 durchführte. Nun blieb nur noch der Ausbau des

N-Turmes, der 1730–35 in Angleichung an den älteren südlichen zustande kam. Blitzschlag zerstörte 1813 die Turmhauben, die durch Zeltdächer ersetzt wurden.

Im Innenraum ist die Barockisierung mustergültig gelungen. Nichts erinnert an die got. Halle. 9 Arkadenjoche leiten als triumphale Straße zum Hochaltar. Hoch hinaufgerückt sind die leicht geschwungenen Emporenbrüstungen in den 6 westl. Jochen, während die 3 östl. tiefer sitzen über geduckten Scheidbögen und so das durch 3 Stufen erhöhte Presbyterium kennzeichnen, das überdies ein Spiegelgewölbe zwischen verstärkten Pfeilerpaaren zusammenfaßt. Quertonnen wölben sich über den Jochen des Laienhauses, durch Gurte voneinander geschieden. Die Seitenschiffe tragen eine Folge ovaler Flachkuppeln. Jedes der 6 westl. Ovale öffnet sich in der Mitte zum Emporengang. – Die Stuckierung wurde von den Oberitalienern J. Bapt. und Seb. d'Aglio durchgeführt unter Mithilfe Fz. Ign. Holzingers aus Schörfling. Felderteilung, in den Gurten Büsten- und Puttenreliefs, Kartuschenwerk wie Akanthusranken verraten durch ihr stärkeres Volumen die Hände der Italiener. Der Deutsche überspinnt dagegen seine schmalen Flächen mit zartem Band- und Rankenwerk. Den ausgedehnten Freskenzyklus schuf Andr. Haindl aus Wels 1719–32, strenge, doch bewegte Kompositionen von goldgelber Tonigkeit. Eine Apotheose des hl. Mauritius schmückt die Wölbung des Presbyteriums. 6 Bilder im Langhaus schildern Szenen aus dem Werden des Klosters. Besonders reizvoll ist das Zusammenklingen der Seitenschiff-Fresken: belichtete Emporenkuppeln mit allegorischen Darstellungen, umrahmt vom dunkleren Kuppelring der unteren Zone mit gemalten Putten. Der Hochaltar wurde bereits 1703, für das damals provisorisch gedeckte Schiff, angefertigt von J. A. Schöpf aus Straubing. Er steht zwischen Chor und Langhaus mit dem Blatt der Mauritiusmarter von Fz. J. Geiger aus Landshut, 1675, und dem Auszugsbild des Engelssturzes von Joh. Casp. Sing aus München. Flankenfiguren: St. Godehard und Thiemo. Aus den zahlreichen Seitenaltären ist der des Sebastian (im W des südl. Seitenschiffs) zu nennen; seine ausgezeichneten Schnitzfiguren, St. Rochus und Sta. Rosalia, gab Jos. Matth. Götz, Passau. Kanzel des späten 17. Jh., Beicht- und Betstühle, Orgel, Gitter und Weihwasserbecken, alle aus dem 1. Viertel des

18. Jh., vervollständigen die schöne, barocke Gesamtheit dieses mächtigen Kirchenraumes.

Der isolierte, 1724–26 von Joh. Mich. Fischer erbaute Chorschluß umfängt in seinem Untergeschoß die *Sakristei*, einen halbkreisförmigen Raum mit 3fach geteiltem Flachgewölbe. Fz. Ign. Holzingers zarte Stukkatur umrahmt 3 Fresken des Andr. Haindl, die den Gedanken des Opfers umschreiben: Melchisedek (Mitte), Noah und Isaak. Das vorzügliche Schrankwerk, 1727 vollendet, enthält hervorragende Stücke alten Kunsthandwerks, wie den sog. Godehardsstab mit elfenbeinerner Krümme des 13. Jh. Von harmonischer Weite ist der *Regularchor* darüber, halbrund dem Chorschluß folgend. Seine Fresken verherrlichen die Trinität, St. Joh. Baptist und St. Joseph, an den Wänden Benedikt und Scholastika. Holzingers Art spricht aus der Stuckinkrustation.

Die ehemals ausgedehnten **Klosterbauten** fielen der Säkularisation zum Opfer bis auf den Abteiflügel im N und den Konventflügel im O der Kirche. Dieser hat eine mit Türmchen flankierte Vorhalle aus dem frühen 17. Jh. bewahrt. Westl. der Kirche liegt das ehem. Klostergerichtsgebäude, ein guter, kleiner Wohnbau des späteren 18. Jh. – Seit 1953 wurden die Klosterbauten großzügig neu errichtet.

NIEDERASCHAU (Obb.) → Aschau (D 8)

NIEDERSCHÖNENFELD (B. Schw. – C 5)

Ehem. Zisterzienserinnen-Klosterkirche

Die Gründung von 1241 zeitigte im gleichen Jh. den spätroman. Kernbau, der nach Zerstörungen durch die Schweden 1658–62 ausgedehnte Wiederherstellungen erfuhr. Das System der 3schiffigen Pfeilerbasilika wurde übernommen, desgleichen der 3seitige O-Abschluß und der 2 Joche übergreifende Nonnenchor im W. Bemerkenswert ist die Zweigeschossigkeit der Seitenschiffe, deren Obergeschoß einen Laufgang ausscheidet, der sich in jedem Joch oratoriengleich gegen das Hochschiff öffnet. Die Barockisierung – als eine der seltenen Leistungen kurz nach dem 30jährigen Krieg beachtlich – hat Konst. Bader durchgeführt (vgl. Maria Birnbaum). Er begnügte sich damit, die spätroman. (bzw. frühgot.) Formen der Kernanlage mit Pilastergliederung und Deckenstuck zu verkleiden. – Altarausstattung und Kanzel um 1670 treten in ihrer dunklen Tönung in wirkungsvollen

Gegensatz zur Helle der Raumdekoration. 2 kleinere Nebenaltäre 1710.

Die **Klosterbauten**, schlicht, stammen von 1660–70 (jetzt Gefängnis). Im Innern: 3schiffige Kapelle von Konst. Bader in Verbindung mit einer nachgebildeten Hl. Stiege. Schöne, zart getönte Stukkaturen. Altäre aus der Mitte des 18. Jh.

NIEDERVIEHBACH a. d. Isar (Ndb. – E 7)

Nachgewiesen ist ein Römerkastell (auf dem sich heute das Kloster erhebt). 916 genannt als Zentrum des »Viehpach-Gaues«, 1281 Hofmark der Grafen v. Leonberg.

Ehem. Augustinerinnen-Klosterkirche St. Maria

Graf Berengar v. Leonberg ist Stifter, 1296. Hauptbauzeit ist aber die 1. Hälfte des 14. Jh. 1355 wird eine erste, 1388 eine andere Weihe gemeldet. Durchgreifende Restaurierung um 1670–90. Die Klosterbauten wurden 1731–33 von Joh. Mich. Fischer völlig neu errichtet.

Ein kleiner, dem S-Hang des Isar-Tals vorgeschobener Hügel trägt Kirche und Kloster. Die Kirche, langgestreckt, ist Werk des frühen 14. Jh., läßt aber aus dieser Zeit nur wenig erspüren. Die Umgestaltungen des 17./18. Jh. haben das Langhaus hell gemacht, doch auch ernüchtert. Die W-Teile sind als Nonnenkirche vom Langhaus abgetrennt. Nur die Empore öffnet sich als Nonnenchor gegen das Langhaus. Darunter, in der Schwesternkirche, Täfelung von Gg. Lechser aus Burghausen, 1585. Der Chor hat das Bild des 14. Jh. bewahrt, Gewölbe mit einfachen Konsolrippen. – Die Altarausstattung ist, bis auf den frühbarocken nördl. Seitenaltar (1. Hälfte 17. Jh.), Rokoko von 1755. Altarbilder in den Seitenaltären frühes 17. Jh. Im Hochaltar gute steinerne Muttergottes um 1400. An der nördl. Chorwand bedeutender Kruzifixus des späten 13. Jh. in den Formen nachklingender hochroman. Klassik. Die Epitaphien gehören fast alle dem 17. Jh., auch die stattliche barocke Stiftertumba in der Langhausmitte, 1678.

Die **Klosteranlage** ist durch Neubauten weitgehend entstellt. Mittelalterlich ist nur noch das Pfarrhaus im NO, verbunden mit dem Oratorium der Kirche durch einen barocken Trakt. Im N-Teil des Pfarrhauses die St.-Anna-Kapelle, schlicht, mit barockem Gewölbe. – Das Hauptgebäude, in auszeichnender Lage über dem Isartal 1731–33 von J. M. Fischer in München, ist eine 3-Flügel-Anlage mit Mittel- und Eckpavillons. Im Innern einige Stukkaturen der Zeit.

NÖRDLINGEN (B. Schw. – C 5)

Auf dem Platze einer Römersiedlung im Ries (die alte römische Provinzbezeichnung »Raetia«) entsteht spätestens im 6. Jh. eine alemannische Niederlassung, die, königl. Hofgut, 898, gelegentlich ihrer Verstiftung an den Bischof von Regensburg, in die Geschichte eintritt. 1215 gewinnt sie Kaiser Friedrich II. dem geist-

lichen Grundherrn ab. Damit beginnt der Aufstieg der so günstig im Schnitt der das Ries kreuzenden Straßen liegenden Siedlung zur Freien Reichsstadt. Privilegien Ludwigs d. Bayern und Karls IV. festigen die reichsstädtische Verfassung, die sich im frühen 15. Jh. vollendet. – Der schöne, klare, in ein Eirund eingeschlossene Grundriß des gut erhaltenen Stadtkörpers läßt die verschiedenen Wachstumskreise aufs deutlichste ablesen. Der Kern rundet sich um den Hafenmarkt; Vordere Gerbergasse, Bauhofgasse, Schrannenplatz, Schrannengasse, Markt und Innere Baldingergasse umgrenzen ihn. Innerhalb dieses Kernbereichs lag die alte (nicht mehr bestehende) Pfarrkirche, eine Tochter der außerhalb auf dem Totenberg liegenden Emmeramskirche. Ein Stadtbrand, 1238, konnte die Fortentwicklung des nun schon kraftvollen, durch einen blühenden Markt ausgezeichneten Stadtwesens nicht aufhalten. Eben jetzt entsteht die Erweiterung westsüdwestlich, die sich 1243 ummauert. Gerber-, Bauhofgasse, Schrannenplatz, Drehers-, Neubau- und Herrengasse bezeichnen den erweiterten Bering. 1327 schließt sich die Mauer auch um die Vorstädte. Damit hat Nördlingen seine endgültige Ausdehnung erreicht. – Das 19. Jh. störte wohl da und dort an dem alten Baubestand. Auch der 2. Weltkrieg verursachte Schäden. Aber das Stadtbild ist doch ein vorzüglich erhaltenes, eines der eindrucksvollsten, die uns aus dem Mittelalter überkommen sind. (Tafel S. 576.)

Ev. Pfarrkirche St. Georg

Sie ist eine der großartigsten und auch größten Hallenkirchen der deutschen Spätgotik (Länge 93,3 m). Der im Jahre des Baubeginns, 1427, genannte Hans Kirchenmeister, wahrscheinl. mit dem Ulmer Meister Hans Kun identisch, dürfte der Planer gewesen sein. Er scheint auch noch später (1440 in Nördlingen bezeugt) beirätig mitgewirkt zu haben. Werkmeister ist aber schon 1429 Konrad Heinzelmann (später bei St. Lorenz in Nürnberg), dem 1440 Nik. Eseler d. Ä. (vorher in Schwäbisch Hall) folgt. Er vollendet angebl. 1451 den Chor, genauer gesagt, wohl nur dessen Umfassung; die Pfeiler werden erst 1492 hochgeführt. Der nächste, 1462 antretende Werkmeister ist der Regensburger Hans Zenkel. Ihm folgt 1466 der Würzburger Wilhelm Kreglinger. 1472 tritt der Ulmer Moritz Ensinger als Gutachter in Turm- und Wölbungsfragen auf. Der Nachfolger Kreglingers ist, 1481, Heinrich Kugler, Echser genannt, und dessen Nachfolger, letzter in der Reihe, der Burghausener Stephan Weyrer d. Ä., vor seiner Berufung Polier des Augsburger Meisters Burkhard Engelberg, 1495. Er besorgt, beraten von Meister Burkhard, die Einwölbung, errichtet die W-Empore (1507/08) und die Zieglersche Kapelle am nördl. Seitenschiff (1511–19). Damit ist der mächtige Bau vollendet, bis auf die Bekrönung des (in der 2. Hälfte des 15. Jh., bis 1490, errichteten) Turmes, die der jüngere Steph. Weyrer und der Stadtbaumeister Klaus Höflich 1538/39 aufsetzen. Die Reformation veranlaßt die

Beseitigung zahlreicher Altäre. Weitere Verluste entstehen durch
die Restaurierungen des 19. Jh. 1945 (Karfreitag) durchschlug eine
Bombe das westl. Gewölbejoch, zerbrach die Empore und beschä-
digte den W-Bau. Die Schäden konnten wieder behoben werden.

Der schwere, massige, aus dem vulkanischen Traß nahe ge-
legener Brüche aufgeführte Bau ist wenig geschmückt; nur
die Streben und die hohen Fenster gliedern; reicherer Aufwand an Zier nur an den 6 Portalen. Westlich legt sich der
große, 89 m hohe Turm vor, der »Daniel«, wie ihn seit
alters das Volk nennt, das ragende Blickziel der Riesland-
schaft. 4 mauerschwere Rechteckgeschosse mit in Fialen endigenden Eckstreben tragen 2 Achteckgeschosse und die ebenfalls 8eckige Türmerstube, der die 1573 erneuerte flache
Kuppelhaube aufsitzt. – Durch die westl. Turmfront führt
das 1454 angelegte (1552 horizontal unterteilte), von einem
Kielbogen überhöhte Haupttor ins I n n e r e. Nach dunkler quadratischer Vorhalle empfängt der Blick des unter der
2 Joche übergreifenden Empore Stehenden das lange Ab-
fluchten der Pfeiler und Gewölbe in die Tiefe, bis er auf das
riesige, durch Gestäb und Maßwerk vergitterte Fenster in
der O-Wand des *Chores* auftrifft. In 6 quadratischen Jochen
erreicht das Schiff den Chor, in 6 rechteckigen der Chor seinen Schluß. Starke, doch dank ihrer Höhe schlank wirkende
Rundpfeiler, mit Dienstvorlagen im Langhaus, tragen die
Wölbung der 3schiffigen Halle. Die Seitenschiffe begleiten,
in verringerter Breite, auch den Chor, ohne ihn zu umfassen,
da das Mittelschiff bis zur O-Wand durchstößt; östl. schließen sie in Schrägwandungen ab. Das Lineament der Netzrippen ist von verhältnismäßig einfacher, strenger Zeichnung. Nicht anders das der Maßwerke der hohen Fenster,
die aber doch, im Langhaus, die Fischblase in sich einlassen.
Westl. quert die Orgelempore mit ihrer durchbrochen gearbeiteten Maßwerkbalustrade die 3 Schiffe. An das nördl.
Seitenschiff legen sich, zwischen je 2 Streben, die um 1450
gestiftete *Lauingerkapelle* und die 1511 begonnene *Zieglersche*. – Die Nördlinger Georgskirche ist nicht so völlig
geglückt wie die gleichzeitig mit ihr heranwachsende und
von einem ihrer Baumeister, Eseler, entscheidend geformte
Dinkelsbühler. Man sollte ihr aber nicht nachrechnen, was
ihr abgeht. Sie ist auf eine nüchterne Weise großartig, und
in ihrer stadt- und landbeherrschenden Auftürmung sucht
sie ihresgleichen.

Ausstattung. 5 Holzbildwerke der 1460er Jahre behaupteten ihre angestammten Plätze im Schrein (im Kern noch der alte) des 1683 barock gewandelten Hochaltars: der Gekreuzigte zwischen Maria und Johannes in der Mitte, die hll. Magdalena und Georg seitlich. Neueste Untersuchungen legen die Autorschaft des 1463 am Oberrhein (Straßburg) tätigen Niclas Gerhaert von Leyen nahe. Sie gehören zu den hervorragendsten Bildhauerleistungen des 15. Jh. Die beiden Engel sind wenig später und urspr. wohl nicht zugehörig. Hinter barocker Altarverkleidung haben sich Malereien Fr. Herlins gefunden. Die von Herlin gemalten Flügel suche man im Nördlinger Museum auf; auch sie hohe Leistungen altdeutscher Kunst. – Chorgestühl Ende 15., Anfang 16. Jh. – An der Chor-N-Wand: Sakramentshaus in Sandstein, errichtet 1511–25 vom Stephan Weyrer d. Ä. Als Bildhauer ist Ulrich Creycz genannt. Der in Sandstein ausgeführte, turmartige Aufbau ist späteste Gotik. Die Trägersäule mit den 4 Prophetenfiguren wird von 2 weiteren Stützen entlastet. Darüber eine bewegte Baldachinarchitektur, aus der hohe Fialen bis ins Gewölbe hinaufschießen. Über musizierenden Engeln Apostel und Heilige, schließlich der Salvator mundi und die beiden Johannes und auf dem Gipfel der Drachentöter St. Georg. Genial erdacht, bleibt die Ausführung hinter der Idee zurück. Am besten: die Propheten und die musizierenden Engel. – Ausgezeichnete Kanzel von 1499. Ihr Meister ist ein Augsburger. In vorzüglichen Reliefs die 4 Evangelisten vor ihren Schreibpulten. Dazwischen als Vollfiguren: Magdalena, Dolorosa, Schmerzensmann, Johannes Ev. und St. Georg. Der Schalldeckel von Mich. Ehinger 1681. – Taufstein 1492. – Eine prächtige Orgel von 1610, ehem. über der Sakristeitür, wurde 1974 Opfer eines Brandes. – Die W-Empore mit dem 1507 gefertigten Kreuztragungsrelief von Paul Ypser wurde 1945 schwer beschädigt, doch inzwischen wiederhergestellt. – Aus den zahlreichen Grabdenkmälern sei das des Albert von Braunschweig (1546) von Hans Fuchs hervorgehoben. – In der Sakristei: Tafelbild der Beweinung Christi von Hans Schäufelin 1521 im Dürerschen Kolorit, ehemals Teil eines Altars. (Weitere Teile im Städt. Museum.) Gemaltes Grabdenkmal der Familie Lauinger mit derb-realistischer Kreuztragung um 1440.

Ehem. Karmelitenklosterkirche St. Salvator

1401 läßt sich der Karmeliterorden in der Nähe einer älteren Wallfahrtskirche nieder, die bald darauf einem kirchlichen Neubau weicht, der 1442 geweiht wird. Die Reformation löste den Konvent auf und verschleuderte die alte Einrichtung. 1829 wurde der urspr. 1schiffige Bau in 3 Schiffe geteilt. Die Arkaden sind Resultate dieses Eingriffs. Gegenwärtig (1969) in Restaurierung.

Im Außenbau ist das W-Portal von Interesse. In seiner Leibung sitzen Prophetenfigürchen, und das Bogenfeld trägt

eine (verstümmelte) Weltgerichtsdarstellung, um 1420 entstanden, unter Einfluß der Parler-Kunst in Schwäb. Gmünd
(S-Portal). – Der Hochaltar, ein gutes Werk von 1497,
wurde 1827 aus Fürth hierher übertragen. Gesprenge erneuert. Die plastischen Teile werden dem Bamberger Hans
Nußbaum zugeschrieben. Im Schrein: St. Michael zwischen
Johannes d. T. und St. Stephan. In den Flügeln das Kaiserpaar Heinrich und Kunigunde (durch erneuerte Attribute
umgedeutet auf St. Knut und Barbara). Im Sprengwerk
Anna Selbdritt, Kreuzigung und Assistenzfiguren, Rochus
und Sebastian, Sixtus und Otto von Bamberg. Die gemalten
Flügel nürnbergisch. – Wandfresken 2. Hälfte 15. Jh. –
Tafelbild um 1470 mit Darstellung des Hostienwunders. –
Im Langhaus einige Figuren aus dem ehem. Hochaltar von
1518, wahrscheinl. von P. Strauß. Kanzelreliefs um 1490.

Vom **Klosterbau** ist ein Teil des Kreuzgangs erhalten. Sein Gewölbe
trägt das Datum 1474.

Spital zum Hl. Geist. Eine Gründung des frühen 13. Jh.,
entwickelt sich das Spital dank reicher Bestiftung zu einer
der bedeutendsten Anlagen seiner Art. Der ausgedehnte
Komplex, urspr. außerhalb der (2.) Ringmauer, wird durch
die Baldingergasse gehälftet. – Die **Kirche**, wohl bald nach
Stiftung errichtet, wurde 1848 weitgehend erneuert. 1939
aufgedeckte Wandmalereien aus der 2. Hälfte des 14. Jh.
sind, bei mäßig guter Erhaltung, doch bemerkenswert als
die Erstlinge der altdeutschen Malerei in Nördlingen, die
vom 14. bis ins 16. Jh. bedeutende Leistungen hervorbrachte. Der 1578 von H. Wehinger gemalte 3teilige Altar
sei als Vertreter einer typisch prot. Altargestaltung angemerkt. – Das Gruppengefüge der **Spitalbaulichkeiten** ist
von hohem malerischem Reiz. Den (erst 1848 durch Abbruch geschaffenen) Spitalhof umschließen ein 3geschossiger
Bau von 1518 und ein ebensolcher von 1564, den ein 2ge-
schossiger Flügel mit der Kirche verbindet; ein gebrochener Eck-Erker schmückt seine zur Straße gekehrte Giebelfront. Errichtet wurde er von Casp. Wallberger. Nordöstlich folgt der Bauhof mit dem großen Baustadel in der
Mitte (1503). Nördl. der Kirche das Findelhaus (18. Jh.).
Westlich, jenseits der Baldingergasse, um einen Hof gruppierte Ökonomie des Spitals, mit der langgestreckten, unten
gemauerten, oben gefachten Spitalmühle (15. und 16. Jh.).

Als moderne Kirche, weiß verputzter Ziegelbau mit (unsichtbaren) Stahlbetonstützen, runder Turm am runden Chor, entstand 1960–62 die kath. **Pfarrkirche St. Josef** Hansjakob Lills.

Rathaus. Der Bau des 14. Jh. erhielt 1499/1500 sein 3. Geschoß, den südl. Erker und eine neue räumliche Gliederung. 1509 trat an die O-Seite der »Schatzturm«, der 1563 erhöht wurde. 1618 setzte Wolfg. Wallberger an diese O-Seite die köstliche, gedeckte Freitreppe, deren Schmuckwerk noch viel Gotisches in sich trägt. Die Restaurierung im 19. Jh. gereichte dem Gebäude nicht zum Vorteil. – Im Innern einige Räume des frühen 16. Jh. Die »Stube des Schwäbischen Bundes« bewahrt ein großes Wandgemälde von Hans Schäufelin, 1515: Belagerung von Bethulia mit der Enthauptung des Holofernes.

Klösterle. Ehemals Sitz des Franziskanerordens und seit der Reformation Kornspeicher. Die großen, herben Formen des hochgiebeligen Gebäudes verraten schon seine urspr. Verwendung als Bettelordenskirche; um 1420. Im 16. Jh. völlig für den profanen Zweck umgestaltet und 1586 von Wolfg. Wallberger mit schönem Portal versehen.

Hallhaus. Der »neue Bau« wird 1541–43 als Lagerstadel für Wein, Salz, Korn aufgeführt. Die beiden Stephan Weyrer beginnen ihn, die Fuggerschen Baumeister Chirion Knoll und Ulr. Beck leisten entscheidende Zusteuer. Ein 3geschossiger Block mit Treppengiebeln und hohem Satteldach, ausgezeichnet durch 4 gebrochene Eck-Erker.

Tanzhaus am Markt, gegenüber dem Rathaus. Der Zimmerer Hans Tübinger und der Kirchenmeister Nik. Eseler d. Ä. bauten es 1442–44. Änderungen 1829/30. Ein Rechteck von 3 Geschossen, setzt es südl. einen Giebel auf. An der langen Marktfront steht in der Mitte die von St. Weyrer d. Ä. 1513 gemeißelte Kaiser-Statue »Maximilianus D. g. Romanorum Imperator Semper Augustus«. Eine Ladenreihe besetzt das Erdgeschoß vorderen Teils. Hinter ihr eine große, durch 6 Rundpfeiler 2schiffig geteilte Halle; die schweren Deckenunterzüge beherrschen den (durch Einbauten leider gestörten) schönen Raum.

Alte Schranne. Schlichter Bau mit hohem Staffelgiebel, 1602.

(Das **Kürschnerhaus,** einst ein hochbedeutsames frühes Beispiel schwäbisch-deutschen Fachwerks, 1425–27 errichtet, ist 1955 einem Brand zum Opfer gefallen.)

Wohnbauten (Rübenmarkt 6, Nonnengasse 5, Kämpelgasse 1). Die meisten Häuser wenden ihre Giebelstirnen der Straße zu. Bewegte, malerische Gruppenstellungen kennzeichnen das Gassenbild. Behäbig, behaglich, unter der Last reizvoll verwinkelter Dächer, breitet sich die alte schwäbische Reichsstadt, allmählich zu ihrer Gestalt herangewachsen und doch aufs schönste geordnet, um ihren »Daniel« aus.

Stadtbefestigung. Nördlingen ist durch einen ungewöhnlich gut erhaltenen Mauergürtel ausgezeichnet. Seine Grundlegung darf in die 20er Jahre des 14. Jh. gesetzt werden. Aber gebaut, gebessert, erneuert, ergänzt wurde an ihm bis ins 17. Jh. Der einfache, mit Türmen besetzte Mauerring des Mittelalters wurde im 16. Jh. bastionär verstärkt. Als Festungsbaumeister betätigte sich vor allem Wolfgang Wallberger. Mauern und Wehrgänge des 14. Jh. haben sich fast vollständig erhalten, großenteils auch die Wehrtürme und Bastionen der folgenden Jahrhunderte. – Die **Tore**: das Berger Tor, südwestl. an der Straße nach Ulm, 1436 errichtet; das Vortor baut 1574 Casp. Wallberger; Torturm und Vortor, wuchtige Viereckklötze, erhalten. Das Baldinger Tor, nordwestl., an der Straße nach Wallerstein, 1430; teilweise erneuert 1705; ehemals dem Berger ähnlich, in neuester Zeit verdorben. Das Löpsinger Tor, nordöstl. an der Straße nach Öttingen, 1592 von Wolfg. Wallberger neu aufgeführt, unten quadratisch, oben rund, nächst verwandt dem älteren Deininger. Dieses östl. an der Straße nach Wemding, 1517 von Steph. Weyrer d. Ä. errichtet, 1634 beschädigt und in der Folge wieder instand gesetzt; Vorwerk abgebrochen. Das Reimlinger Tor, südöstl. an der Straße nach Harburg, das älteste Nördlingens, im quadratischen Unterbau wahrscheinl. ins späte 14. Jh. zurückreichend; Vorwerk Ende 16. Jh.; die oberen Geschosse des Torturms entstehen 1603; verwandt Berger und Baldinger Tor.

NÜRNBERG (Mfr. – D 4)

Die erste Nennung, 1050, dürfte nicht viel später liegen als die Begründung des nach dem die flache waldreiche Pegnitz-Landschaft überragenden Felskopfe genannten Platzes, veranlaßt durch die Bestrebungen Kaiser Heinrichs III., zwischen den Territorien der Bischöfe von Eichstätt und Bamberg ein unmittelbares Kronland zu schaffen. Die Anlage eines Königshofes links der Pegnitz (bei St. Jakob) wird Hand in Hand mit der Befestigung des Berges rechts des Flusses gegangen sein. Burg und Hof legten sich Siedlungen an, deren eine sich zur Sebalder, die andere zur Lorenzer Stadt entwickelte. Die Trennung der beiden Siedlungen sprach sich bis ins hohe Mittelalter noch ersichtlich aus, die versumpfte Uferbreite der Pegnitz zwang Abstand zu halten, den erst die

Ansetzung der Juden im Umfang des (durch die Zerstörung des Ghettos 1348 gewonnenen) Marktes ausglich.

Die junge, um 1040 gepflanzte Stadt entwickelte sich rasch. Im Schnittpunkt wichtigster, S und N, W und O verbindender Fernstraßen kann sie die Dürftigkeit ihres Sandbodens durch die Vorteile der geographischen Mittellage ausgleichen. Die Quellen ihres Wohlstandes können nur Handel und Gewerbe sein, und wenn sie groß, reich, mächtig wird, dann dank einer wagenden Kaufmannschaft und eines in hohem Maße erfinderischen Handwerks, das vor allem die Metallverarbeitung, in den verschiedensten Zweigen, an sich zieht. In den 70er Jahren des 11. Jh. beginnt ein bei der Peterskirche begrabener Gottesmann namens Sebald Wunder zu wirken. Nürnberg hat nun seinen eigentümlichen Heiligen, der bald den Petertitel der von der Pfarre Poppenreuth abhängigen, noch kleinen, erst im 13. Jh. groß heranwachsenden Kirche verdrängt. Wie sich St. Sebald erst aus dem Pfarrverband eines benachbarten Dorfes lösen muß, so die wohl gleichzeitig, d. h. auch noch im 11. Jh. entstandene 2. Kirche, St. Lorenz, aus dem von Fürth, das nicht zuletzt die Kosten des Aufstiegs Nürnbergs zu tragen hatte. – Die geographische Mittellage hat ihre politischen Konsequenzen. Nürnberg ist der entscheidende Platz in den Endkämpfen Kaiser Heinrichs IV. und im Widerstreit von Welf und Waibling (1105; 1127, 1130). In der schwäbisch-fränkisch-böhmischen Territorialpolitik der Staufer nimmt es eine Schlüsselstellung ein, wie es dann noch einmal, in den territorialpolitischen Plänen Karls IV., in die Mitte rückt. – Der »Freiheitsbrief« Kaiser Friedrichs II., 1219, der wohl nicht so weit trug als man wahrhaben wollte, stattete doch jedenfalls die Kaufmannsgilde mit bedeutenden Rechten und Vorrechten aus. Der Übergang aus der Königsherrschaft in die Unmittelbarkeit des Reiches vollzieht sich schrittweise im Laufe des 13. Jh., dank Königsschwäche und Interregnum. Der Versuch des Herzogs von Bayern, die Stadt als staufisches Erbe an sich zu ziehen, mißlingt. Schwerer gestaltet sich der Kampf mit den Zollernschen Burggrafen, der ein endloser ist (da ihn erst der Übergang der Stadt an Bayern, 1806, beendet). Der etwa 1235 einsetzende Prozeß der Reichsstadtwerdung, den auch die Burggrafen nicht aufhalten können, ist um 1350 abgeschlossen. 1385 gelangt noch das Reichsschultheißenamt an die Stadt, und 1427 stoßen die Burggrafen (jetzt Markgrafen) ihre jetzt wertlos gewordene Burg (Burggrafenburg) an die Stadt ab. Die gefährlichen Angriffe des Markgrafen Albrecht Achilles werden abgeschlagen. Die Stadt ist auf der Höhe ihrer Macht, zugleich auch ihrer kulturellen Kraft, die in einem Dürer gipfelt. Der Bayerische Erbfolgekrieg ermöglicht 1505 die Schaffung eines reichsstädtischen Territoriums, unerläßlich für die wirtschaftliche Sicherung der stets durch markgräfliche Blockaden bedrohten Stadt. – 1271 beruft König Rudolf von Habsburg seinen ersten Reichstag nach Nürnberg, und die eben hier erlassene Goldene Bulle Kaiser Karls IV.,

1356, bestimmt Nürnberg als die Stadt des ersten Reichstages des jeweiligen Königs. 1427–1792 verwahrt Nürnberg Heiltum und Kleinodien des Hl. Röm. Reiches. – Das Stadtregiment liegt in der Hand der Geschlechter, eines starken Patriziats. Der Handwerkeraufstand 1348 bleibt folgenlos. Der Rat duldet keine Zünfte, die »geschworenen« Handwerke unterstehen seiner Kontrolle. Der Übergang zur Reformation, 1525, vollzieht sich, vom Rat gesteuert, ohne Aufregung. Es gibt keine Bilderstürme. – Aber die Höhe der Lebenskraft ist überschritten. 1542 und 1543 sieht Nürnberg die letzten Reichstage in seinen Mauern. 10 Jahre später hat es eine schwerste Bewährungsprobe im »Markgrafenkrieg« zu bestehen; es besteht sie eben noch. Im 30jährigen Krieg steht Nürnberg noch einmal im Brennpunkt des Geschehens (1632). 1648 tagt in seinem Rathaus der Friedens-Exekutions-Kongreß. Künftig führt es das träge Leben der überalterten Reichsstädte, bis es die Eingliederung in den Staat Bayern 1806 zu einem neuen, tätigen Dasein erweckt.

Die Stadt

Die Sebalder, nördliche Stadt nimmt, von der Burg her zu Tal gehend, großenteils Hanglage ein, die südliche, um St. Lorenz, breitet sich im Flachen aus. Beide werden noch im 14. Jh. als »oppidum« und »civitas«, Burg- und Bürgerstadt, unterschieden. Der Grundriß der Lorenzer Stadt läßt ersichtlich Planung erkennen. Ein Oval ist die Umfassung (vor dem westl. Pol lag der in die erste Ummauerung noch nicht einbezogene Königshof), ein System von Parallelgassen mit kurzen Querverbindungen charakterisiert die Gliederung. In dieses, im Sinne des Wortes, orientierte Gefüge legt nur die breite Königstraße (die südlich bis zur Maut dem inneren Stadtkern zugehört) eine transversale Richtungsachse, die ihre Erklärung in der Festhaltung eines alten, von S herkommenden, auf die Pegnitz zuhaltenden Verkehrsweges finden dürfte; an ihr entstand die Pfarrkirche St. Lorenz, auf deren Stirn sich die Mittelachse (Karolinenstr.) des Ovalgrundrisses ausrichtet. Gemessen an dieser Planordnung erscheint das Gassennetz der Sebalder Stadt regellos. Der Siedlungsursprung ist am S-Hang des Burgfelsens, die Kristallisationszelle bei der Peterskapelle (später St. Sebald) auf der trockenen Fußschwelle des Burgbergs über der sumpfigen Pegnitz-Niederung zu suchen. Die Ausrichtung auf eine offene Platzmitte, den Markt, erfolgt erst im Spätmittelalter, nach Austreibung der auf dem ungünstigsten Boden angesiedelten Judenschaft. Die frühmittelalterl. Stadt liegt zwischen Markt und Burg, ihre tragende Straßenachse verläuft, in der Richtung des Flusses, von O nach W.

Von einer ältesten **Befestigung**, die wohl nur die Sebalder Seite, die Burgstadt, betraf, lassen sich keine Spuren mehr feststellen. Sie reichte westlich über den Weinmarkt bis zur Irrerstraße. Deutlich zeichnet sich erst der zweite Gürtel (des mittleren 12. Jh.) ab, der westlich schon die endgültige Grenze anlief, östlich bis zum (späteren) Laufer Schlagturm vorstieß und südlich den (späteren) Markt querte; der Fluß wurde noch gemieden. Der gleichzeitig angelegte Gürtel der Lorenzer Stadt umgriff östl. die Kirche, wendete westl. am Weißen Turm und verlief südl. auf der Höhe des Kornmarkts; an den Fluß trat auch er noch nicht heran. Der Zusammenschluß beider Stadthälften erfolgte erst nach 1320. Brückenbollwerke überquerten jetzt, östl. bei der Insel Schütt, westl. beim Henkersteg, den Fluß. Dieser zweite, im Fortgang des Jahrhunderts erneuerte und verstärkte Gürtel, dessen noch ragende Zeugen Weißer und Laufer Schlagturm sind, hinderte die immer noch junge Stadt nicht am Wachsen, vor allem südlich und östlich weitete sich der besiedelte Raum, und so wurde 1377 der dritte, letzte, mächtigste Wehrgürtel in Angriff genommen und bis zur Mitte des 15. Jh. ins Werk gesetzt. Diese spätgot. Mauer, die das 19. Jh. (mit einigen Verlusten) und auch noch die schlimmsten aller Nürnberger Jahre, 1944/45, großenteils, zu Zweidritteln etwa (von den 88 Türmen gingen 31 zugrunde), überdauert hat, baut sich, 1 m breit, 7–8 m hoch, hinter einem tiefen (zu endlicher Breite aber erst im 16. und 17. Jh. gebrachten) Trockengraben auf, ein etwa 15 m breiter Zwinger verstärkt sie, an die 120 Türme sicherten sie in Pfeilschußabständen. Sie wurde nie erstürmt, und wenn sie auch im 16. Jh. im nun modernen bastionären System ergänzt wurde (1556/64; die beiden Bastionen nördl. des Spittlertors schon 1527), so war es doch im wesentlichen immer noch sie, die den im 15. Jh. ausgereiften Stadtkörper bis zum Ausgang der Reichsstadt umfriedete. Die bastionären Zusätze des 16. Jh. legten sich in besonderer Stärke dem Rücken der Burg an. Das 16. Jh. fügte aber auch die Monumente der Stadtbefestigung hinzu, die an den 4 Drehpunkten des Stadtumfanges aufgestellten »dikken Türme«, deren wuchtige Rundkörper (erdacht von Paul Beheim, gebaut von Georg Unger) für das äußere

Stadtbild so entscheidend sind: Laufer Torturm (1556 vollendet), Spittler Torturm (1557), Frauentor (1558) und Neues Tor (1559); nicht allerdings völlige Neubauten, sondern Ummantelungen der älteren spätgot. Viereckstürme; nur der Tiergärtnertorturm, der mit Laufer Schlagturm und Weißem Turm zur Befestigung des 13. Jh. gehört, blieb bei seiner alten Gestalt. 1563/64 kommt noch, im Anschluß an die Burgfortifikationen, die große Bastion am Neutor (nordwestl.) hinzu. Die noch spätere vor dem Wörther Tor, 1613, verfiel 1869 dem Abbruch.

Das **innere Stadtbild** hat der Krieg zerstört. Wer es gekannt hat, wird mit Klage seiner gedenken. Von den Räumen der Plätze, Straßen, Gassen kann nur erinnernd gesprochen werden, die etlichen verschonten Parzellen mögen die Erinnerung stützen. Das Bürgerhaus trieb wenig Aufwand, es sei denn, daß es sich mit einem der für Nürnberg so typischen »Chörlein« schmückte, die, spätgot. Herkommens, meist in späten (und meist hölzernen) Vertretern des 17. und 18. Jh. vor Augen waren (und zu einem kleinen Teile auch noch sind). Das Haus, häufig massiv, gequadert, verspannte sich mit glatter Wandung in die Zeile. 3- oder 4geschossig fügte es sich zu relativ regelmäßigen, geschlossenen Fronten zusammen, zu freierer Bewegung des Umrisses erst in der durch Ladeerker belebten Dachregion gelockert. Ein persönliches Heraustreten aus der Gemeinschaft gestattete nur die Ecklage, und Eckhäuser gehörten (und gehören in einigen Fällen noch) auch zu den »prominentesten« der Stadt. Wir nennen das aus dem höheren engeren Teil der Burgstraße in den tieferen breiteren vorgreifende **Fembohaus** (s. d., S. 690), das (zerst.) **Toplerhaus** (1590–97), das sich, als Kopfbau zwischen 2 dem Oberen Paniersplatz zustrebenden Gassen, schmalhüftig steilwüchsig, zum reichgegliederten Giebel aufreckte. Es geschah nur ausnahmsweise, und auch erst spät, daß sich eines der in der Zeile stehenden Häuser »brüstete«, wie das **Pellersche** (s. S. 691) auf der Höhe des Egidienplatzes, das den zu ihm ansteigenden Platz prächtig beherrschte. Wirkte die Erscheinung der Stadt weniger »altfränkisch« als etwa Rothenburg, so mag der Grund dafür in einer strengeren, schon früh auf Ordnung bedachten Baupolizei zu finden sein. Doch war das Stadtbild überall da ein »malerisches«, d. h. durch Gruppierungen, Verschränkungen, Überschneidungen belebtes, wo die örtliche Situation keine Ordnung forderte oder zuließ, wie an den Ufern der Pegnitz und an den Hängen des Burgfelsens. Auch Fachwerk, im Spätmittelalter sicher noch vorherrschend, hatte sich in einigen Inseln behauptet. Ein Fachwerkbau ist auch das geweihteste aller Nürnberger Häuser, das **Dürerhaus** am Tiergärtnertor (s. d., S. 691). – Das Stadtbild hat sich im 17. und 18. Jh. nicht mehr verändert, keine Reichsstadt war noch des Wachsens fähig nach dem Großen Krieg, und was dann die barocken Jahrhunderte noch zubrachten (Egidien-, Elisabethkirche), störte mehr,

Nürnberg, Toplerhaus

als daß es steigerte. Bis 1944 war Nürnberg, obwohl moderne Großstadt, eine der besterhaltenen Städte deutscher Vergangenheit, und wenn wir sagen: die großartigste von allen, so machen wir uns keiner Übertreibung schuldig.

Burg

Gründung Kaiser Konrads II. oder Heinrichs III. im 2. Viertel des 11. Jh. auf einem nur gegen O »schwachen« Sandsteinfelsen, dessen Schroffen südl. noch freiliegen. Von der ersten Anlage hat sich nur der Fünfeckturm, »Altnürnberg«, erhalten. König Konrad III. scheint es gewesen zu sein, der die »Kaiserburg« bis an den westl. Steilabfall vorschob und die ältere östl. Burg den »castellani«, »Burggrafen«, überließ. Die ältesten Teile, Heidenturm, Margarethenkapelle, O-Wand des Palas, sind aber schon spättaufisch, Zeit Heinrichs VI. – Seit 1313 steht die Burg bei Königsvakanz in der Hut der Stadt; Ludwig d. Bayer bestimmt, daß Burg und Stadt ein Ding sei. Die nicht mehr aussetzenden Reibungen der Stadt mit dem Burggrafen veranlassen diesen (seit 1415 Markgraf von Brandenburg) zur Entäußerung der »Burggrafenburg« (1427); erst jetzt sind Burg und Stadt wirklich ein Ding. Die kurz vorher, 1420, anläßlich einer Fehde des Markgrafen mit Pfalz-Bayern,

*verbrannte Burggrafenburg, im östl. Sektor des Burgbereichs, wird
von der Stadt nicht wiedererrichtet. – Der letzte Kaiser, der bei
seinen Nürnberger Aufenthalten die Burg bewohnte, war Friedrich III. Auf sein Geheiß erfolgten die letzten baulichen Eingriffe
in den ererbten Bestand. Palas und Kemenate (der Kaiserburg)
wurden 1440–42 umgebaut; die 2geschossige Unterteilung des großen Palas-Saales geht in diese Spätphase der mittelalterl. Burg-
baugeschichte zurück. Eine westl. Verlängerung des Palas-Flügels,
1487, schloß diese auf zeitentsprechende Wohnlichkeit der staufischen Burg zielenden Maßnahmen ab. Wenig später, 1494/95,
stellte die Stadt noch ans O-Ende die sog. Kaiserstallung. – Das
16. Jh. sieht die Burg unter dem Blickpunkt der modernen Fortifikation; es entstehen die großen Bastionen zwischen Tiergärtnertor und Fünfeckturm, 1538/45; es erhält der Sinwellturm seinen
ihm so wohl anstehenden Kopf, 1561; es wird der in der Anlage
wahrscheinl. ins 12. Jh. zurückgehende Tiefe Brunnen in ein neues
Steinhaus eingeborgen, 1563. Der Sektor der Wohnbauten ergänzt
sich nur noch um einen 2. W-Anbau des Palas-Flügels, 1559/60,
und den guten Fachwerkbau der sog. Sekretariatswohnung, 1564,
am N-Rand des äußeren Burghofes. – Damit schließt die alte Geschichte der Burg. Die neue und neueste hat von Restaurierungen
und Zerstörungen zu berichten, Restaurierungen 1835 und 1934
bis 1935 (die zweite gegen die erste gerichtet), Zerstörungen 1944
bis 1945; der Luftkrieg brachte schwersten Schaden: Palas und
Kemenate ausgebrannt, Walpurgis-Kapelle, Luginsland, Kaiserstallung großenteils zerstört, alle anderen Gebäude mehr oder
weniger stark beschädigt. Der rasch in Angriff genommene Wiederaufbau läßt die Spuren des Unheils kaum mehr erkennen, es
sei denn in der Tatsache des bruchfrischen Steins.*

Die Erscheinung der bestehenden Gebäude geht vorwiegend ins 15. Jh. zurück. Die starke bastionäre Befestigung,
die 1538–45 nördlich und nordwestlich vorgelegt wurde,
vollendete die bauliche Gestalt der Burg. – Aus der Stadt,
von S heraufsteigend, betritt man sie durch das Himmels-
tor. Der zwischen Hasenburg und Himmelsstallung links
und Felsböschung rechts weiterführende Weg stößt auf die
Kaiserburg, die mit Heidenturm und Margarethenkapelle
an ihn herantritt. Beide spätstaufisch, in vorzüglichen glatten
Quaderverbänden von einer Regensburger Hütte ausgeführt. Die **Kapelle** nach der Art der Hofkapellen doppelgeschossig, beide Geschosse, 9jochige, mit Kreuzgratgewölben gedeckte Hallen, durch eine mittlere quadratische Öffnung verbunden. Die Chöre sind in den in der Achse
abweichenden, in der Grundlage wohl älteren **Heidenturm**
verlegt, der seinen Namen den (nicht sicher deutbaren, ver-

witterten) roman. Steinfiguren an der O-Wand verdanken
dürfte. Schwere, gedrungene Verhältnisse in der Unterkapelle, einer Pfeilerhalle *(Tafel S. 577)*, leichte schlanke in
der von anderer Hütte und wohl auch etwas später ausgeführten oberen, einer Säulenhalle (Kaiserkapelle); die
vom Palas (Ritter- und Kaisersaal) her zugängliche doppelgeschossige W-Empore diente dem königlichen Burgherrn,
dessen Kapelle die obere war. Die Kapitellplastik, in der
Unterkapelle sehr nah der der Regensburger Schottenkirche, ist beste der Zeit. – An Turm und Kapelle vorbei

Nürnberg, Burg

erreicht man das Burgtor und den inneren **Burghof**, den im
S und W Palas und Kemenate begrenzen, beide im wesentlichen spätmittelalterlich, beide durch breite Mauerstirnen das
Gesicht der Burg bestimmend, beide durch den 2. Weltkrieg
betroffen und ihres Inhalts beraubt, 1947–50 großenteils erneuert. – Die östl. Erstreckung der Kaiserburg bezieht noch,
als geräumige Vorburg, eine Reihe locker ausgeteilter kleiner
Baulichkeiten (Kastellans-, Sekretariatswohnung, Finanz-
stadel, Tiefer Brunnen) in sich ein und grenzt sich gegen die
nachbarliche Burggrafenburg durch eine Mauer, den »heim-
lichen Wächtersgang« zwischen Hasenburg und Sinwellturm, ab. Hier an der Grenze ragt der den gedehnten Baukörper steil übergipfelnde, nach seiner Rundheit so genannte **»Sinwellturm«**, der, bis auf seinen um die Mitte
des 16. Jh. aufgesetzten Kopf, zum ältesten (spätstaufi-
schen) Bestand gehört. An ihm vorbei betritt man, mit der
sich jetzt öffnenden Freiung, die **Burggrafenburg**, ehemals,
bis zum Brand von 1420, eine gedrängte Häufung von
Baulichkeiten, nun aber wenig mehr enthaltend. **Walpurgis-
Kapelle**; diese erstmals 1267/68 bezeugt, bis ins späte

15. Jh. nach dem hl. Ottmar genannt, 1420 ruiniert, in der
Folge wiederaufgebaut, wieder ruiniert 1945, neuerdings
mit Verwendung der erhaltenen Teile (romanische im
Chorturm) rekonstruiert. Die burggräfliche Burg schließt
auch auf der nordöstl. vorstoßenden Schroffe den **Fünfeckturm** (»Altnürnberg«) ein, den ältesten der Burg. Die 2,5 m
starke Mauer (mit das 5. Eck ergebender Verstärkung
nördl.) ist zweischichtig: Hausteinschalen mit Füllung. Das
geziegelte Obergeschoß ist spätgotisch, die Streichwehr am
Fuße datiert 1535/36. In geringer Entfernung von ihm
stand (ein Bombenvolltreffer nahm ihn weg) und steht
nun, neu aufgebaut, wieder der »**Luginsland**«, 1377 von den
Nürnbergern in der ausdrücklichen Absicht gebaut, dem Burggrafen in die Burg zu sehen, 1945 bis auf einen Strunk zerstört, 1954 wiederaufgebaut und mit einem (vorher nicht gegebenen) Fachwerkkopf ausgestattet. Der Raum zwischen
den beiden Türmen wurde 1494/95 (Bauinschrift über dem
A. Krafftschen Wappenrelief) durch den unter dem Namen
Kaiserstallung bekannten Getreidespeicher ausgefüllt, der
– Werk des Stadtbaumeisters Hans Beheim – mit seinem
typisch nürnbergischen schweren und steilen Satteldach die
O-Hälfte der Burg so wuchtig beherrscht wie der Palas die
westliche. Das 1945 großenteils zerstörte Gebäude (erhalten nur die N-Seite und ein Teil der südlichen) wurde 1950
bis 1952 mit einigen, durch die Zwecke der Jugendherberge
bedingten Änderungen wiederaufgeführt. – Bei geringerer
Abschüssigkeit des Bergsockels steht die stadtabgewandte
N-Seite der Burg an Eindrücklichkeit des Umrisses hinter
der stadtzugewandten S-Seite zurück. Hier trotzen aber,
ausgleichend, die mächtigen, 1538–45 nach den Vorschlägen
des aus den Niederlanden kommenden Italieners Antonio
Fazuni von Paul Beheim und Simon Rößner aufgeführten
Fortifikationen mit ihren Bastionen in prächtiger Buckel-
quaderung, die höchst eindrucksvolle, schlechthin monumentale Zeugnisse früher »moderner« Festungsbaukunst
sind.

St. Sebald, ev. Stadtpfarrkirche

*Auf der südl. Terrasse des Burgbergs steht im 11. und 12. Jh. eine
Peterskapelle, mit der sich der Ende des 11. Jh. aufblühende Kult
eines Pilgerheiligen, Sebald, verbindet. Der große, der Bedeutung
der Stadt entsprechende Neubau des 13. Jh. schließt St. Peter zwar
noch in sein Patrozinium ein (W-Chor), stellt aber St. Sebald*

Passau. Neue Residenz, Treppenhaus

Pommersfelden. Schloß, Treppenhaus

(O-Chor) an die Spitze. St. Peter-Sebald untersteht pfarrlich bis
ins 13. Jh. dem nördl. benachbarten Poppenreuth, erscheint aber
schon 1255 als Pfarrkirche. Sein Titelherr, Sebald, wird erst spät,
1425, kanonisiert. – In den 30er Jahren des 13. Jh., kaum später,
Baubeginn. 1256 wird ein Stephansaltar (wahrscheinl. im südl.
Querschiff) geweiht. Die O-Teile (Chor und Querschiff) sind wohl
um diese Zeit fertig. In etwa 2 Jahrzehnten entstehen dann Langhaus, W-Chor und W-Türme. – Der Quaderbau, dessen Form sich
eng an die Zisterziensergotik der Klosterkirche Ebrach und des
Bamberger Domes anlehnen, ist eine Pfeilerbasilika mit östl. Querschiff und 2 Chören über Krypten (folgt also einem um Mitte des
13. Jh. »überholten« Grundriß). – Die Seitenschiffe wurden in den
1. Jahrzehnten des 14. Jh. bis an die Stirnlinie der Querhausflügel
hinausgeschoben; für die in die Front der Türme versetzten 2 älteren Portale entstanden 3 neue, das dritte (Brautpforte) am N-Arm
des Querschiffs. – Auf der Höhe ihrer Macht ging der Reichsstadt
1361 an den Austausch des O-Chores durch den mächtigen Hallenchor, der das Querschiff einbezog und sich nun in dessen Breite
bis zum Vieleckschluß ausdehnte: der neue, 1379 geweihte Chor
umgriff die Hälfte des Gesamtbaus. Um 12 m das Schiff überragend, bestimmte er auch das Außenbild. An die Burgstraße vor-
tretend, trat er in das Blickfeld des Marktes ein. – Spätere Zeiten
brachten nicht mehr viel hinzu, nur daß die beiden W-Türme 1481
bis 1490 durch den Nördlinger Steinmetzen Heinrich Kugler auf
ihre endliche Höhe gebracht wurden. – Eine schwere barocke Ausstattung des 17. Jh. (1667) verschwand bis auf weniges wieder im
19. Jh., gegen dessen Ende (1888 ff.) eine Instandsetzung statt-
hatte. Der 2. Weltkrieg traf insbesondere den O-Chor, dessen Gewölbe völlig zerstört wurden, wie großenteils auch die des W-
Chores und des nördl. Seitenschiffs. Der Wiederaufbau der zerstörten Teile wurde schon 1945 in Angriff genommen und ist jetzt
abgeschlossen.
                                    •

I n n e r e s. Entscheidend die Entgegensetzung zweier Bauzeiten: des frühgot. 13. Jh. in der W-, des spätgot. 14. Jh.
in der O-Hälfte. W-Chor und Hochschiff wuchten noch
mauerschwer, das Gliedergerüst der gebündelten Dienste
und der ihnen auffußenden Gurte und Rippen der Kreuzgewölbe ist von starker Plastik, der Abschritt der 5, wenn
auch schmalrechteckigen, Joche ist doch kein rascher; mit
dem Zug in die Tiefe konkurriert der in die Höhe (Breite :
Höhe = 1 : 3). Die aus je 4 Öffnungen gebildeten Triforien
betonen eher, hinweisend, die Mauerschwere, als daß sie sie
erleichtern. Der Aufwand an plastischen Gliedern charakterisiert auch den W-Chor (Löffelholz-Kapelle), dessen Vorjoch noch den dunkel über dem Triumphbogen ins Schiff

sich öffnenden »Engelschor« trägt. Die Chorkrypta ist 1-
schiffig, mit Kreuzrippengewölben gedeckt. Aus der durch
das Andringen körperlicher Massen eng wirkenden Raum-
schlucht des Schiffes schreitet man hinaus in die helle Raumbreite des Hallenchores, dessen etwa quadratische, gegen O
an Tiefe ab-, an Breite zunehmende Kreuzjoche sehr schlanken, mit Runddiensten bestandenen Achtkantpfeilern entwachsen. Sein Mittelschiff schließt in 3 Seiten des Achtecks,
der Umgang in 7 des Sechzehnecks, womit er sich runder
Umreißung nähert. – Der das Innere bestimmende Gegensatz
der älteren und der jüngeren Raumhälfte kennzeichnet auch
das Ä u ß e r e, wennschon geringeren Grades, da die reif
got. Umfassungsmauern der Seitenschiffe die ältere, herbere
Struktur des Langhauses überblenden. So tritt die geschlossene Wandfläche der noch von roman. Motiven durchsetzten
Zisterziensergotik verhältnismäßig rein nur an der westl.
Turmfront in Erscheinung, wenn auch die spätere (der Frühzeit des 14. Jh. angehörende) Befensterung schon etwas lok-
kert. Am *Hallenchor* folgen die durch die gestaffelten Streben getrennten, sehr hohen Fenster, vom Sockelgesims bis
zur Traufe die Wand aufbrechend, dicht aufeinander, und
wenn trotz aller Aufbrechung der Eindruck einer (im Ganzen) prallen Körperlichkeit entsteht, so liegt diese doch in
der Haft der starken senkrechten Bewegungsbahnen. Das
geplante Statuenwerk kam nur teilweise zur Ausführung,
aber das Zierwerk breitet einen Prunkmantel aus. Als Abschluß denke man sich einen Kranz von Wimpergen und
Fialen und eine Maßwerkbrüstung (erhalten an der W-
Wand des Chores) hinzu. – Der planende Meister war viell.
ein Parler. Unmittelbare Vorstufe ist jedenfalls der Chor
der Hl.-Kreuz-Kirche in Schw. Gmünd: enge Beziehungen bestehen auch zur Esslinger Frauenkirche. – Die *Portale.* S-
und N-Portal entstanden im Zuge der Erweiterung der
Seitenschiffe Anfang 14. Jh. Das Jüngste Gericht des südlichen deutet ikonographisch auf das Bamberger Fürstentor
zurück, die beiden Statuen an den Flanken, Katharina und
Petrus, jetzt ins Innere und ins Germ. Museum geborgen,
sind vorzügliche Werke des letzten frühgot. Stils (um 1310).
Im 2streifigen Bogenfeld des etwa gleichzeitigen, auch gleicher Stilquelle (Mainz) verhafteten N-Portals Tod, Begräbnis und Krönung Mariae. Das nur wenig spätere Brautportal
nordöstlich birgt im Gewände die Statuen der Klugen und

Nürnberg, Ev. Stadtpfarrkirche St. Sebald

Törichten Jungfrauen. Das erst um Mitte des 14. Jh. entstandene Dreikönigsportal am S-Schiff ist mit den Statuen der Muttergottes und der anbetenden Könige ausgestattet. Die Stilwurzel ist schwäbisch (Gmünd, Rottweil). Im südwestl. Turmportal ein Tympanonrelief mit der Kreuzlegende der hl. Helena (1945 beschädigt), das, wenn nicht von Adam Krafft, diesem doch nahesteht. – Einzelne Steinbildwerke. Die kunstgeschichtlich wertvollsten jetzt im German. Nat.-Museum: der Rietersche Schmerzensmann von 1437 und der Schlüsselfeldersche Christophorus von 1442. Das Steinrelief an der S-Seite des O-Chores, Epitaph des Arztes Hermann Schedel († 1485), trägt das Zeichen eines unbekannten Bildhauers, der unter die besten (vor Stoß) zu rechnen ist. Am

Chorpolygon, nördl. der Mitte, zwischen 2 Streben eingefügt, das Erstlingswerk des Adam Krafft, das 1492 datierte
Schreyersche Epitaph mit Darstellungen aus der Passion, die
an Gemälde niederländischer Prägung erinnern und von
denen man auch weiß, daß sie ein älteres Gemälde an dieser
Stelle ersetzen. Die beiden vordergründigen Jünger rechts
(Mittelfeld) tragen vermutl. die Züge der Stifter Landauer
und Schreyer.

I n n e n a u s s t a t t u n g. St. Sebald beherbergt eine Fülle einzelner Kunstwerke, nur die Spitzen können genannt werden. Die
Apostel an den Pfeilern, ausgezeichnete Werke des mittleren
14. Jh.; sie stehen noch im engen Architekturverband. Das Sakra-
mentshaus im O-Chor, aus den 70er oder 80er Jahren des 14. Jh.
Das Bronzetaufbecken von etwa 1430 im südl. Seitenschiff. Aus
der Spätzeit des 15. Jh. die 1499 datierte, mit dem Meisterzeichen
signierte 3teilige Volckamersche Passion, im Chorumgang, von
Veit Stoß. Aus der Frühzeit des 16. Jh. (angebl. 1506) die
Kreuztragung des Adam Krafft, am 2. Pfeiler der S-Seite des
Mittelschiffs. Am 1. N-Pfeiler des O-Chores die hervorragende
Muttergottes in der Strahlenglorie, ein Holzbildwerk späten
Weichen Stils von 1430–40, noch im alten Gehäuse. Von 1499
die Stoßsche Holzfigurengruppe Christi und seiner Mutter Maria,
Volckamersche Stiftung wie die eben erwähnte gleichzeitige
Dreitafel der Passion, über der sie aufgestellt ist. Werke des
V. Stoß auch der mächtige Andreas, Tuchersche Stiftung von 1506,
und die Kreuzigungsgruppe auf dem Hauptaltar; der Kruzifixus,
eine Stiftung von 1520, urspr. in der Frauenkirche; Maria und
Johannes sind um ein rundes Jahrzehnt älter. – Berühmtestes
Kunstwerk des reichen Sebalder Inventars: das *Sebaldusgrab* im
O-Chor (neuerdings vom urspr. Standort, im 2. Chorjoch ins 3. zurückgeschoben); Bronzeguß des Rotschmieds Peter Vischer d. Ä.,
der, schon 1488 mit der Aufgabe betraut, erst 1508 (Inschrift:
»ein Anfang durch mich Peter Vischer 1508«) an sie herantreten
konnte, um sie bis 1519, unter dem weitgehenden Beistand seiner Söhne Peter und Hermann, zu lösen. Mitte ist der mit Silber-
blech beschlagene, 1397 geschaffene Reliquienschrein. Der Sockel,
der ihn emporhebt, trägt 4 Reliefdarstellungen der Sebaldus-
Legende und, in den Nischen der Schmalseiten, die Statuetten des
Heiligen (mit den Porträtzügen Seb. Schreyers) und des Meisters.
In 8 schlanken, schnittig profilierten Pfeilern steigt das Gehäuse
auf. Vor jedem Pfeiler ein (an den Ecken 2) Apostel. Auf den
Fialenaufsätzen, kleiner, die Propheten. Über den Pfeilern schließt
sich die Wölbung; 3 gestufte, vielteilig gegliederte Kuppelpyrami-
den überragen sie. Die auffälligste Abweichung vom (erhaltenen)
Entwurf von 1488 ist die Verminderung der Höhe im Baldachin.
Diese zeitgemäße Modifikation geht sicher auf die (mit italie-

nischen Eindrücken befrachteten) Söhne zurück, deren Anteile jedenfalls bedeutend sind. Neben den modernen Renaissance-Zierformen wird man ihnen das reizvolle mythologische und allegorische Figurenwerk der überquellend reichen Standplatte zuweisen müssen, dazu die Reliefs des Sockels und auch die schönen, einprägsamen Statuetten St. Sebalds und Peter Vischers d. Vaters. Für den Vater bleibt die, bei allen Abänderungen, doch entscheidende erste Konzeption; ob ihm oder einem anderen der Söhne, auch die dort enge Anlehnung an got. (deutsche und italienische) Plastik des späten 14. und frühen 15. Jh. auffälligen Apostel gehören, die – nicht so kräftig, derb, frisch wie die kleineren, stämmig standhaften Propheten über ihnen – mit »still und edel« oder »ideal« zu bezeichnen sind, steht in Frage. Bei aller Verhaftung noch im Deutsch-Gotischen ist das Sebaldusgrab ein beispielhaftes Werk der Renaissance, das das Juvat-vivere-Hochgefühl der ersten Jahrzehnte des neuen (16.) Jh. so unmittelbar und beglückend erkosten läßt wie wenig neben ihm. – Aus dem Besitz der Kirche an Gemälden sei genannt das von Hans von Kulmbach, nach Entwurf Dürers, gemalte Tuchersche Epitaph von 1513 (Chorumgang). Hochbedeutend die Glasgemälde des O-Chores, wie die des Bamberger Fensters von 1501 (links der Chormitte), des Maximiliansfensters von 1514, des Markgrafenfensters von 1514, diese sämtlich Werke des älteren Veit Hirschvogel nach Malerentwürfen (Dürer wohl an erster Stelle).

Der nördl. benachbarte **Sebalder Pfarrhof** (Albr.-Dürer-Pl.), ein um einen Innenhof gestelltes unregelmäßiges Geviert, wurde im Hauptbau nach einem Brand, 1386, neu aufgeführt. Sein berühmtes Chörlein, das älteste und reichste Nürnbergs, an der gegen St. Sebald gerichteten Ecke, wurde 1898 durch eine Nachbildung ersetzt (das Original im German. Nat.-Museum). Die vom 2. Weltkrieg geschlagenen Wunden konnten inzwischen wieder geheilt werden, doch fehlen jetzt die vormals auch südl. und westl. angebrachten Chörlein.

St. Lorenz, ev. Stadtpfarrkirche

Am O-Rande der vom Königshof bei St. Jakob ausgehenden Siedlung besteht im frühen 13. Jh. eine Lorenzkapelle und neben ihr eine des Hl. Grabes. An diese erinnerwa heißt die in der Spätzeit des 13. Jh. aufwachsende, das Areal beider Kapellen in sich einschließende Großkirche noch 1327 »St. Laurentius zu dem Hl. Grab«. Die Baugeschichte dieser bis ins späte 13. oder frühe 14. Jh. der Pfarrei Fürth unterstellten Kirche ist dürftig überliefert. Älteste, noch im 13. Jh. errichtete Teile sind die Untergeschosse der Türme und das 1. Langhausjoch. Die anschließenden Joche entstehen in der Frühzeit des 14. Jh., um dessen Mitte (um oder nach 1353), nach Ausweis der Wappen Kaiser Karls IV. und seiner Gemahlin Anna v. Schweidnitz, die von den Türmen eingeschlossene reiche Fassade hinzukommt. Die letzten beiden Langhausjoche, stilistisch jünger, können erst gegen Ende des 14. Jh. entstanden

*sein. Größtenteils dem 14. gehört auch der Ausbau der Türme an,
deren nördlicher rascher aufstieg als der südliche, der erst in der
Frühzeit des 15. seinen Abschluß fand. Zu Beginn des 15. Jh.
(1403 ff.) rücken die Mauern der Seitenschiffe bis an die Stirnen
der Streben vor, gleichzeitig enstehen die Portalvorhallen und,
über den Portalen, die beiden Emporen im S-Schiff und die im
N-Schiff. Aber der Raumgewinn ist bei weitem noch nicht ausreichend, und so entschließt man sich zum Abbruch des Chores, um
ihn durch einen größeren zu ersetzen. Dieser, der 1439 begonnen,
1472 geweiht und 1477 vollendet wird, besetzt die volle Breite des
Langhauses und bleibt auch hinter dessen Länge nicht viel zurück.
Die Planung muß dem Rothenburger Konrad Heinzelmann zugesprochen werden, wenn auch der Regensburger Dombaumeister
Konrad Roritzer, Werkmeister seit 1456, den aufgehenden Bau
geprägt hat. Er modifizierte die sich eng an den Chor der Gmünder Kreuzkirche anschließende Planung Heinzelmanns im Interesse
einer freien Weiträumigkeit durch Verringerung der Jochzahl des
Mittelschiffes von 4 auf 3 und durch Ausscheidung der beengenden
Kapellen an den Seitenschiffen (nicht am Umgang, die Heinzelmann bereits aufgeführt hatte). Die örtliche Bauleitung lag 1458
bis 1462 in den Händen Hans Paurs von Ochsenfurt, eines Vetters
des der Vertretung bedürftigen Regensburger Dombaumeisters,
1462–66 des Matthias Roritzer, Sohnes des Konrad, dann, 1466
bis 1477, des Nürnbergers Jak. Grimm, der wohl nicht mehr
K. Roritzer unterstand. Auf diesen sind, in der Anlage, die beiden
Anbauten nördlich und südlich zurückzuführen, die Vorhalle der
Brautpforte einschließlich der ihr aufgestockten Volckamerschen
Empore und die (1463 vollendete) doppelgeschossige Sakristei.
Grimm darf die außerordentliche Leistung der Wölbung zuerkannt
werden. Das entzückende Chörlein über der inneren Sakristei-
pforte wurde erst 1517–19, vermutl. durch Hans Beheim, hinzugefügt.– Über die Restaurierungen, deren sich die Kirche im 19.
und 20. Jh. zu beklagen oder zu erfreuen hatte, sei hinweggegan-
gen. Der 2. Weltkrieg schädigte St. Lorenz schwer (1943–45). Der
Wiederaufbau begann noch 1945, 1952 hatte die Weihe statt. Die
großenteils zerbrochenen Gewölbe (des Chorumgangs und dreier
Langhausjoche) haben sich wieder geschlossen, und man darf sich
wieder vom Raumwunder dieses Chores gefangennehmen lassen.*

Der **Außenbau** wiederholt den Umriß des in seinen
älteren wie jüngeren Teilen stets um 2 oder 3 Menschenalter voranschreitenden St. Sebald: Turmpaar im W, langgestrecktes Schiff, stark überragender, von mächtigem Walm
bedachter Chor. Ein wesentlicher Unterschied der jüngeren
der beiden Hauptkirchen ist die Fassade; St. Sebald hat
statt ihrer einen zweiten Chor. Die Lorenzer ist eine der
reichsten deutschen Fassaden, ihr Reichtum äußert sich um

so wirksamer, als er sich von der kahlen Rahmung der in rechteckigen oder quadratischen Geschossen aufsteigenden Türme absetzt. Daß die Anregung von den oberrheinischen Münstern (Straßburg) ausging, liegt auf der Hand. Groß, ja riesig, öffnet sich das Tor, Statuen (die Originale z. T. im Germ. Museum) und Statuetten schmiegen sich in die Kehlen der Gewände und Bogenläufe, ein Pfosten, besetzt mit einer Muttergottes, teilt den Eingang, mit erzählenden Reliefs dicht gefüllte Spitzbögen begiebeln die beiden Pforten, darüber, mit Kreuzigung und Gericht, das große Bogenfeld. Über der die Portalzone abschließenden Balustrade kreist das von einem Quadrat umschriebene Radfenster, und über dieser (1950 gänzlich, und nicht zum ersten Male, erneuerten) »Rose« steht der, nach dem Exempel der Frauenkirche, in mehreren Rängen übereinander in Fensternischen aufgebrochene, in einem Scheitertürmchen gipfelnde Giebel. Der Blick auf die Flanken der Kirche trifft auf die breit durchfensterten, bis auf die Portale schlicht gehaltenen Seitenschiffe, auf die Abfolge der Strebebögen darüber und die mauerflächige Hochwand des Mittelschiffs, um dann den an Massenwucht überlegenen Chor zu ergreifen, der, 2geschossig gegliedert, mit dem im Untergeschoß eingezogenen, im Obergeschoß freistehenden Streben, zwar nicht ungeschmückt ist, aber teilhat an der Nürnberger eigentümlichen Trockenheit – seine Kraft liegt im Raum. – Das I n n e r e ist, wie bei St. Sebald, durch den Gegensatz des basilikalen, eng schluchtenden Langhauses und des jüngeren, breit gelagerten Hallenchors gekennzeichnet. An die trotz Empore voll ins Schiff geöffnete Vorhalle schließen die 8 schmalen Arkadenjoche, getrennt durch Dienstvorlagen, die strähnig linear die sonst gliederungslose Wandfläche zerteilen, in der oben, in die Schildbögen der Kreuzrippengewölbe eingepaßt, die Fenster sitzen. Dieses Langhaus öffnet sich in der Breite seiner Schiffe in den Chor, der zwar auch 3schiffig ist, aber nicht mehr 3räumig wie das Langhaus, sondern einräumig; die die gleich hohen Schiffe trennenden Pfeiler werden nicht mehr als Trennung empfunden; sie stehen im umflutenden Raum, der seine feste körperliche Grenze erst in der Umfassungsmauer findet. Wesentliche Unterscheidung gegen den älteren Chor von St. Sebald ist die durch die umlaufende Galerie unterstrichene Zweigeschossigkeit der im Schluß siebenfach gebrochenen Umfassung, die gegen die Höhe zwar

nicht gleichgewichtig, denn die führende Blicklinie ist immer
noch die Vertikale, aber doch starkgewichtig die Breite setzt
(Tafel S. 608). Alles ist hier kompakter, schwerer, zugleich
aber auch schärfer in der Konturierung: der »eckige Stil« des
späten 15. Jh. hat das Wort, das Lineament der Rippennetze
ist wie das Faltengeflecht des Bildschnitzers, des Veit Stoß
etwa, dessen Spätwerk, der *Englische Gruß,* die Verkündigung des Engels an Maria (mit ihren 7 Freuden in den Reliefmedaillons des Kranzes), so unvergleichlich in der Raumweite dieses Chores schwebt. Mit ihm, der, Stiftung des
Anton Tucher, 1517–19 gearbeitet wurde, in dem der betagte
Meister mit immer noch spätgot. Stilmitteln eine dem reifen
Dürer nahekommende Monumentalität gewann, haben wir
uns der A u s s t a t t u n g zugewendet, die, vielfältig reich,
nicht geringen Teils allerdings erst im 19. Jh. aus anderen
Nürnberger Kirchen hierher geborgen wurde. Ursprüng-
licher, mit der Architektur des Chores aufs engste verbun-
dener Besitz ist das hochberühmte *Sakramentshaus* des Adam
Krafft von 1493–96, Stiftung des Hans Imhoff, eines jener
Wunderwerke spätgot. Steinmetzkunst, die den Stein bis ins
Letzte entschwert. Ein älteres, noch frühgot. Bildwerk ist die
Muttergottes an einem der N-Pfeiler des Schiffes, die sich
mit den späteren, durch den »Parler-Stil« geprägten Drei
Königen von rd. 1360 zur Anbetungsgruppe verbindet. Etwas jünger, Ende des 14. Jh., sind die an den letzten Pfeilern
des Mittelschiffs und im Chor aufgestellten Statuen Christi
und der Apostel, schon Weichen Stils, aber leidenschaftlich
erregt bis in die Faltengebärde. Der *hl. Paulus* trat später
hinzu, 1513, Stiftung des Propstes Anton Kreß (sein Bronze-
Epitaph von Peter Vischer d. J. am gleichen Chorpfeiler)
und Werk des Veit Stoß (doch wohl nicht des neuerdings in
Vorschlag gebrachten Veit Wirsberger). Von Stoß auch der
großartige Holzkruzifixus von rd. 1500 auf dem Hauptaltar, der sich bis 1824 in St. Sebald befand. Nennen wir
noch den Deokarus-Altar von 1437 (Chor-N-Seite), den auf
verschiedene Plätze zerteilten Imhoffschen Altar von 1418
bis 1421, eines der bedeutendsten Frühwerke der Nürnberger Tafelmalerei, das Ehenheim-Epitaph, um 1438, Werk
des Meisters des Tucherschen Altars der Frauenkirche, vorzügliches Beispiel für den realistischen Stil der Jahrhundertmitte, und weisen wir noch auf die, Bestes altdeutscher Glasmalerei enthaltenden, *Chorfenster* hin: das Rieterische von

1479 (Chorumgang N), das Hallersche von 1480, das Knorr-
sche von 1476, das Kaiserfenster von 1477 (Chormitte),
Stiftung Kaiser Friedrichs III. und seiner Gemahlin Eleo-
nore, das Konhofersche von 1477, das Volckamersche von
rd. 1480, dieses Werk des Straßburger Meisters Peter von
Andlau. Es ist eine der Auszeichnungen dieses reichen Chores, daß er seine alte farbige Verglasung noch besitzt. Erwähnen wir noch in dieser Aufzählung, die, weniger abkürzend, ein Katalog sein würde: den Bronzeleuchter von
1489 im Mittelschiff, angebl. Tuchersche Stiftung und Meisterstück des älteren Peter Vischer, und die große Reihe von
Totenschilden der führenden Geschlechter aus dem 15. bis
ins 17. Jh.

Frauenkirche, kath. Stadtpfarrkirche

*Sie steht zwischen den beiden Märkten, dem kleineren Obstmarkt
im O und dem großen Hauptmarkt im W, und sie entstand auch
mit diesen, nach der Niederlegung des Ghettos, die Kaiser Karl IV.
1349 der Stadt bewilligt hatte, doch mit der Auflage, »daz man
aus der iudenschul soll machen eine kirchen in sant Marien ere
vnser frawen«. Dieser wahrscheinl. im Frühjahr 1350 vom Rat
begonnene, 1355 im Chor geweihte, spätestens 1358 (Weihe zweier
Altäre) vollendete »Mariensaal«, seit 1350 auch Hofkapelle, war
also eine auf Kosten der Juden getätigte Stiftung des Kaisers, der
sie auch einem Prager Chorherrenstift (Augustiner) unterstellte.
»Saal« drückt die hierzulande ganz neue Raumgestalt der Halle
aus, die ihre süddeutsche Wurzel in Schw. Gmünd hatte. Die Beziehung Karls IV. zur Gmünder Parler-Hütte (1353 Berufung
Peter Parlers nach Prag) macht auch die Beziehung Nürnberg-
Gmünd wahrscheinlich genug. – Die folgenden Jahrhunderte haben
am Baukörper, bis auf die Erneuerung des Giebels über dem
Michaels-Chörlein durch Adam Krafft, 1506–08, nichts wesentliches geändert. Die Reformation schonte die Inhalte; um so scho-
nungsloser vergriff sich die Säkularisation, sie räumte sie nahezu
gänzlich aus (1812). Die 1816 der jetzt rasch wachsenden kath. Gemeinde zugeeignete Kirche (Pfarrkirche) mußte sich ihre Ausstattung erst wieder beschaffen; es ist spät erworbener Besitz, was sie
jetzt an Kostbarkeiten birgt. – Über die mehreren Restaurationen
(die vorletzte, von Essenwein, 1879–81) zu sprechen, erübrigt sich.
Die Heimsuchungen des Jahres 1945 ließen nur 4 Mauern zurück.
Daß es innerhalb weniger Jahre gelang, aus den Trümmern ein
gutes Ganzes zurückzugewinnen, verdient hohe Anerkennung. 1950
konnte das neu eingewölbte Langhaus, 1953 die fast ganz wiederhergestellte Kirche geweiht werden.*

Der gedrungene Quaderkörper erschließt sich in der mit

dem reichsten Aufwand geschmückten Fassade gegen die
große Rechteckfläche des Hauptmarktes, der ihn, bis zu
seiner Zertrümmerung, so selbstverständlich richtig einhegte.
Vor die Mitte setzt sich das Prunkstück des 2geschossigen
Vorbaus, bestehend aus der breitrechteckigen Vorhalle und
dem 3seitig gebrochenen *Michaels-Chörlein*, dessen Filigran-
giebel, das Werk Ad. Kraffts, das weitberühmte »Männlein-
laufen« (Lauf der 7 Kurfürsten um den Kaiser), Werk des
Jörg Heuß (Uhr) und des ält. Seb. Lindenast (Figuren, meist
erneuert), 1506–09, einschließt: Übertragung des Wappen-
frieses unten, an der Balustrade, in das sinnfällige Szenarium der dem Kaiser huldigenden 7 Kurfürsten. – Der zwischen 2 Treppentürme gesetzte Portalbau mit seinem breit-
gespannten, in sich wieder unterteilten Spitzbogentor an der
Front ist Zeuge einer überschwenglichen Schmuckfreude, die
auch noch die Vorhalle bis zu den Rippen hinauf erfüllt.
Wie stets war die Menge des vom Steinmetzen Geleisteten
der Güte im Einzelnen abträglich; die Nürnberger Bildhauer
haben Besseres geschaffen, ein so reiches Schmuckstück aber
nicht noch einmal. Das Programm der Statuen und Reliefs,
das die thronende Muttergottes des Hauptportals als Schlüs-
selfigur umkreist, durch willkürliche Umstellungen, Ergänzungen und Erneuerungen des Restaurators (Essenwein) ver-
unklärt. Der Giebel bleibt in seinen 5fach übereinander-
gereihten, urspr. auch mit Statuen besetzten Nischen an
Aufwand nicht zurück, und der seiner Achse vorgelegte, den
First übersteigende 8eckige, feingegliederte Erkerturm vollendet aufs glücklichste dieses prächtige Gebilde got. Steinmetzkunst. – Die ungewöhnlich reiche Schmückung dieser Fassade
hatte ihren besonderen Anlaß: die Weisung der Heiltümer
und Kleinodien des Hl. Röm. Reiches, deren von Karl IV.
bestimmter (auch schon 1361 als solcher bezeugter) Ort die
Plattform der Vorhalle, der Umgang des Chörleins, war.
Das I n n e r e. An die 3schiffige quadratische Halle schließt
ein eingezogener, 2 Joche tiefer, in 5 Seiten des Achtecks
brechender (1945 fast ganz zerstörter, nun fast ganz erneuerter) Chor. 4 stämmige Rundpfeiler nehmen über ihren,
ehedem von Engelschören umkränzten Kapitellen das Kreuzrippengewölbe auf. Die 9 (3 × 3) Joche des Schiffes, anscheinend flächengleich, sind es doch nicht ganz. Reine
Quadrate sind nur die in den Ecken und das in der Mitte,
das zudem, gleichsam sammelnde Vierung, an Größe über-

wiegt. Breit, untersetzt, schwer, so wird man diesen Raum, eine der frühesten süddeutschen Hallen, einer ersten, bürgerlich bestimmten Spätgotik schwäbischer Wurzel charakterisieren dürfen.

A u s s t a t t u n g. Alter eigener Besitz sind die um 1360 geschaffenen Steinstatuen im Chor, unter denen (wieder ein Hinweis auf den Stifter-Kaiser) der hl. Wenzel steht. Alter Eigenbesitz ist natürlich auch die Bauplastik, die aber, meist der Gewölberegion zugehörig, bis auf Fragmente zerstört wurde. Viell. wird sich auch ein Teil der die Fenster besetzenden Bildscheiben als altes Eigentum ansprechen lassen (einige aus dem mittleren 14. Jh., die meisten aus der Dürer-Zeit). Vom letzten, um 1525 aufgeführten Hochaltar (Welser-Altar, 1815 abgetragen) stammen die Verkündigungsgruppe und die Muttergottes, die aber älter ist, in den Renaissance-Altar des Hans Peißer aufgenommenes Werk der 40er Jahre des 15. Jh. Viell. standen auch die 17 Leuchterengel von rd. 1500 (5 weitere sind neu) schon urspr. im Chor. Aber die Hauptwerke der Ausstattung stammen aus anderen, aufgelassenen und zerstörten Nürnberger Kirchen. So die beiden *Epitaphien des Ad. Krafft*: An der N-Wand des Schiffes das Pergenstorffersche von 1498 (aus der Augustinerkirche), mit der *Schutzmantelmaria*, und das des Hans Rebeck von rd. 1500 (aus der Dominikanerkirche), mit der *Marienkrönung*, Hauptwerke des Meisters und eines hand- und standfesten Nürnberger Wirklichkeitssinnes. Im nördl. Seitenschiff (O-Wand) der großartige *Tuchersche Altar* (1615 auf Tuchersche Kosten restaur., damals in der Katharinen-, später in der Augustinerkirche); die breite Mitteltafel bringt nebeneinander Kreuzigung, Verkündigung, Auferstehung, die Flügel je 2 Paare von Heiligen, Augustin und Monika, Paulus und Antonius, die Eremiten. Der »Meister des Tucheraltars«, tätig um oder kurz vor Mitte des 15. Jh., muß niederländische Kunst an der Quelle erfahren haben; aber der genius loci »Nürnberg« hat diesen Maler, einen Zeitgenossen des Konrad Witz, doch unverkennbar geprägt, wie er später Dürer prägte, dessen stärkster Vorgänger er ist.

St. Egidien

Die erste Egidienkirche ist staufische Gründung des 12. Jh. König Konrad III. gibt sie in die Sorge der aus Regensburg berufenen Schottenmönche, die einen Konvent begründen und von der zu einem Wirtschaftshof (der Burg) gehörigen Königskirche Besitz ergreifen. – Die roman. Kirche, eine 3schiffige kreuzförmige Pfeilerbasilika mit östl. Querschiff und westl. 2-Turm-Fassade wurde nach einem Brande (1696) durch den, im got. Nürnberg etwas befremdlichen, barocken Neubau der beiden Trost, Johann und Joh. Gottlieb, 1711–18, mit Einbeziehung älterer Bauteile, v. a. des (schon 1429–33 erneuerten) Chores, ersetzt.

Der Raum, ein zum Oval abgerundetes Längsrechteck, brannte 1945 gänzlich aus. Doch blieb der steinerne Raummantel mit der streng, doch wuchtig gegliederten doppeltürmigen Fassade. Das Innere (ohne Chor) wurde inzwischen wiederhergestellt. – An den S-Arm des Querschiffs legen sich hintereinander 3 Kapellen an, die 1945 »angeschlagen« wurden (am schwersten die erste, die sich nur in den Umfassungsmauern erhielt); ihre Wiederherstellung ist abgeschlossen. Durch die im Kern roman. **Wolfgangskapelle** (mit der bedeutenden Grablegungsgruppe von 1446) führt der Weg in die **Euchariuskapelle** die wahrscheinl. die erste Kirche der Schottenmönche von rd. 1140 ist, wenigstens in der Umfassung des kleinen, 10,60 × 7,20 m messenden 2schiffigen Rechteckraumes; denn die beiden Säulen, mit hohen Sockeln, sich verjüngenden Schäften, Palmettenkapitellen und profilierten Kämpfern, die ihn in 2 Schiffe teilen und die Decke, 2 × 3 Kreuzgewölbe mit rechteckigen Gurten und starken Wulstrippen, stützen, kamen später hinzu. Lassen sich die Säulen und die (1945 teilweise zerstörten) Wölbungen des N-Schiffes, die rundbogig sind, um 1220 ansetzen, so wird man die spitzbogigen des S-Schiffes doch wohl mit einer Erneuerung von 1424 in Verbindung bringen müssen. Die als letzte folgende **Tetzelkapelle** entstand 1345 anstatt des damals abgebrochenen Chores der Euchariuskapelle. In ihr das Landauersche Epitaph, die Krönung Mariae, Meister Adam Kraffts von 1503.

Am Egidienplatz (10), südl. an die Kirchenfassade anschließend, das mit 3 Flügeln einen Hof umfassende **ehem. Melanchthongymnasium** (jetzt Realgymnasium), das 1697–99 auf dem Areal des Schottenklosters von Joh. Trost gebaut wurde. Das vor dem Gymnasium stehende **Denkmal Melanchthons** (der das 1571 nach Altdorf verlegte Gymnasium Aegidianum 1526 eingerichtet hatte) ist ein Werk J. D. Burgschmiets von 1826.

Ev. Pfarrkirche St. Jakob. Kirche des hier im 11. Jh. stehenden Königshofes, der 1209 als Schenkung Kaiser Ottos IV. an die Deutschherren übergeht. Der Chor reicht in die 1. Hälfte des 14., das Langhaus wahrscheinl. ins frühe 15. Jh., die beiden westl. Joche der (urspr. 1schiffigen) Kirche reichen in späte 15. oder frühe 16. Jh. zurück. An die Stelle der 1632 eingezogenen Flachdecke trat 1825 eine neugot. Wölbung. Die Bombenorkane des Jahres 1945 ließen nur die Umfassungsmauern zurück. Chor und Turm konnten inzwischen wiederhergestellt werden. – Der 3jochige, polygon geschlossene Chor deutet in seiner Länge auf den urspr. Eigner der Kirche, den Deutschorden, zurück. – Der 1824 unter Heideloff stark restaur. Hochaltar von etwa 1370, mit einem Schmerzensmann von etwa 1420 in der Mitte, trägt auf den Flü-

geln kunstgeschichtlich bedeutende Malereien, Frühzeugnisse der sich
bald so kraftvoll entwickelnden Nürnberger Tafelmalerei. Die 3 sitzenden Ton-Apostel auf der Mensa des Hochaltars (seit 1825 in St. Jakob)
gehören zu den 6 des German. Nat.-Museums, berühmte Repräsentan-
ten des Weichen Stils um 1420. – Bemerkenswert die lange Reihe der
Totenschilde und die der Aufschwörschilde der Ordensritter, 16. und
17. Jh. – Viele Gegenstände der reichen Ausstattung befinden sich als
Leihgaben z. Z. noch an anderen Standorten. Wertvoller Besitz an gemalten Scheiben des 15.–17. Jh.

Elisabethkirche. Im frühen 13. Jh. faßt der Deutsche Orden in Nürnberg Fuß, schon um 1220 steht ein Hospital der hl. Elisabeth innerhalb
des zweiten Mauerrings, vor dem Weißen Turm. Unbetroffen durch die
Reformation, eine kath. Enklave, entschließt sich das Nürnberger Or-
denshaus doch erst in später Stunde zur großen barocken Architektur. Die Pläne des jüngeren Neumann, der 1784 den Bau beginnt
(und 1785 stirbt), kamen nicht oder nur in Fundamentteilen zur
Ausführung; für sie traten die des P. A. Verschaffelt ein, der auch die
Bauleitung übernahm. Auch sie mußten sich zwar durch den 1789 den
Bau übernehmenden Münsterer Baudirektor W. F. Lipper Änderungen
gefallen lassen, setzten sich aber doch in Grundzügen durch. – Der
pompöse, innen erst 1902/03 ausgebaute Kuppeltempel ist eine Rotunde
mit Rechteckannexen und Säulen-Giebel-Fassade (an der Ludwigsstraße).
– 1942–45 hart betroffen, 1947–50 wiederhergestellt, der Kuppelbau erneuert. Er steht um so fremder im Stadtgefüge, als er die alte Jakobskirche zum Gegenüber und einen der alten Tortürme, den Weißen, zum
nahen Nachbarn hat.

St. Klara (Königsstr.). In den 20er oder 30er Jahren des 13. Jh. lassen
sich Reuerinnen vor dem inneren Frauentor nieder. 1241 sind sie bezeugt, 1246 entsteht ihre Kirche, seit 1279 sind sie Klarissen. Der Bau
ihrer Kirche beginnt um 1270, der Chor wird 1274 zu Ehren der hl.
Joh. Bapt., die vollendete Kirche 1339 zu Ehren der hl. Klara geweiht.
1428–34 werden die Mauern des Schiffes erhöht. – Nach 1806 profaniert,
seit 1854 wieder dem (kath.) Kult überlassen. Der 2. Weltkrieg ließ eine
ausgebrannte Ruine zurück. Sie wurde 1948–51 wiederausgebaut. – Die
nicht große Kirche gehört zu den der Erscheinung nach ältesten Kirchen
der Stadt. Die Formen des mit Kreuzrippengewölben gedeckten Chores
sind frühgotisch, nächst verwandt denen von St. Sebald. Das Schiff,
mit erneuerter Holztonne, ist franziskanisch schlicht. Die gewölbte
Sakristei an der N-Seite des Chores entstand 1434, die Kapelle an der
N-Seite des Schiffes (mit neuer Holztonne) 1428.

St. Martha. An der Königsstraße, doch durch die voranstehende Häuserzeile nahezu verdeckt; frei nur gegen den Baumeisterhof nördlich. Stiftung des Konrad Waldstromer 1363, wurde die einem Pilgerhospiz dienende Kirche – 3schiffig mit gewölbtem Polygonchor – in den 60er und
70er Jahren (Weihe angebl. 1385) aufgeführt. 1526 von der Stadt übernommen und profaniert, diente sie Theaterzwecken (1578–1620 den
Singschulen der Meistersinger). Seit 1808 ist sie ev. ref. Pfarrkirche.
Die Holztonne ist Zutat d. J. 1729. Der Ausstattungsbesitz beschränkt
sich auf die allerdings kostbaren gemalten Glasscheiben, vorwiegend
des späten 14. Jh.

Hl.-Geist-Spital. Das von Konrad Groß gestiftete, 1332–39 erbaute,
1506–11 von Hans Beheim d. Ä. erweiterte, an und noch über der Pegnitz liegende Spital mit seiner (als Verwahrungsort der Reichsklein-

odien 1424–1796 berühmten) Kirche fiel 1945 großenteils den Bomben
zum Opfer. Nur ein Teil der Umfassungsmauern der Kirche überstand.
Der 1950–53 durchgeführte Wiederaufbau ließ die sog. Sutte, die Krankenstube über der Pegnitz, so wie sie war, wenigstens im Äußeren
zurückgewinnen. Im weitgehend zerstörten Hof konnten die erhaltenen
Beheimschen Arkaden von ihren Entstellungen befreit werden. An der
N-Wand des Hofes jetzt die Kreuzigungsgruppe Adam Kraffts von
1506, ehem. bei St. Johannis (im 17. Jh. überholt und ergänzt). In der
angrenzenden Halle die früher in der Hl-Geist-Kirche aufgestellten
Hochgräber des Stifters Konrad Groß (1356) und des Herdegen Valzner
(1423); beide tischförmig, mit den liegenden Figuren der Toten auf
dem Grunde des Tisches, dessen Platte von »Pleurants« oder (Valzner)
8eckigen Stützen getragen wird; die Deckplatte des ersten ist erneuert.

Allerheiligenkapelle des vor 1515 von Matth. Landauer gestifteten
Zwölfbruderhauses (jetzt Realgymnasium; Innerer Lauferpl. 11). Die
1506/07 von Hans Beheim d. Ä. gebaute Kapelle – 3schiffige Halle mit
einem durch hängende Rippen ausgezeichneten Gewölbe – ging 1945
fast ganz zugrunde. 1956/57 wiederhergestellt.

Johanniskirche und Johannisfriedhof

Urspr. stand hier, westl. vor der Stadt, 1234 bezeugt, ein Siechen-
kobel. »Meister und Brüder von St. Johannis« bauen wahrscheinl.
um die Mitte des 13. Jh. eine Kapelle, mit der ein Friedhof ver-
bunden ist. Gegen Ende des Jahrhunderts wird die Kapelle neu auf-
geführt, 1377 »weihet man Sant Johans Chor«, 1395 kann die ganze
Kirche (und mit ihr der Friedhof) geweiht werden. Der aus einem
5seitig geschlossenen gewölbten Chor und einem flach gedeckten
Schiff bestehende Bau hat später (bis auf die 1945 erneuerte W-
Wand) keine wesentlichen Veränderungen erfahren. Dürer hat ihn,
1494, gezeichnet.

Die Ausstattung ist immer noch reich; wir führen an: den
Choraltar, der 1511/12 als Holzschuhersche Stiftung entstand, mit
Schnitzfiguren (Muttergottes und die beiden Johannes) im Schrein
und Gemälden Wolf Trauts auf den Flügeln; den um 1510 von
Paul Imhoff gestifteten (1648 veränderten) Seitenaltar nördlich,
auch mit Trautschen Malereien auf den Flügeln; den Passionsaltar
an der S-Wand, ein dem Meister des Tucheraltars (der Frauenkirche) zugeschriebenes Triptychon von rd. 1440, mit Kalvarienberg als Mitte; viele Grabsteine, Epitaphien und Totenschilde, die
wir, wie auch die gemalten Scheiben der Fenster, auch nicht in
Auswahl bringen können. – Die zweite kleinere *Kapelle*, die *Holz-*
schuhersche, die eine 1395 gen. Stephanskapelle zur Vorgängerin
hatte, ist die Stiftung des Heinrich Marschalk zu Rauheneck, gedacht als Heiliggrabkapelle, deshalb auch als reine Rotunde, mit
östl. anliegendem Halbrundchor, entworfen, 1513, wahrscheinl.
vom Stadtwerkmeister Hans Beheim beg. und 1515, jetzt mit Zu-
tun der Imhoff, vollendet. Seit 1523 ist sie Begräbniskapelle der
Holzschuher. Chor und Hauptraum tragen Netzgewölbe, die des
Hauptraums sind mit ihren sich im frei herabhängenden Schluß-

stein treffenden Rippen hohe Leistungen spätgot. Steinmetzenkunst. Die Fenster sind korbbogig oder rundbogig. Der Choraltar,
mit der Auferstehung Christi in der Mitte, 1508, steht Veit Stoß
nahe. Das große Sandsteinrelief in der Rundbogennische der S-
Wand, die Grablegung Christi, ist das 1507/08 geschaffene Werk
Meister Adam Kraffts, der auch die von dem schon oben gen.
Heinrich Marschalk gestifteten 7 *Kreuzwegstationen,* mit dem
Kalvarienberg am Ende des vom Tiergärtnertor (Pilatushaus) ausgehenden Weges, arbeitete; die Originale der ehemals auf Pfeiler
gestellten Hochreliefs (an den Standorten durch Kopien, 1889 ff.,
ersetzt) heute im German. Nat.-Museum, die des (nur in der Kreuzigung erhaltenen) Kalvarienbergs im Hof des Hl.-Geist-Spitals.

Zur Geschichte des **Friedhofs,** der wohl der ehrwürdigste, älteste und
besterhaltene Deutschlands ist, folgende Daten: Das 1508 vom Rat
ausgesprochene Verbot der Begräbnisse bei den Pfarrkirchen führt zur
Belegung der bereits bestehenden kleineren Friedhöfe (Pestfriedhöfe)
vor der Stadt, bei St. Johannis für die Sebalder Seite, bei St. Rochus
für die Lorenzer. Bei St. Johannis wird der (1395 geweihte) Friedhof
erweitert. Weitere Vergrößerungen 1562, 1592, 1604, 1677, die letzte
1896. Der 2. Weltkrieg hat, bes. im nördl. (jüngsten) Teil, Zerstörungen gebracht, doch minder schwere als bei St. Rochus. – Der Friedhof
war bis ins frühe 19. Jh. fast nur mit liegenden, flachen Steinen besetzt,
und die meist wuchtigen, seit dem 17. Jh. aufgewölbten und mit
Bronze-Epitaphien (teilweise hohen Ranges) ausgestatteten Blöcke bestimmen auch heute noch das Bild dieser ausgedehnten Totenherberge.
Das berühmteste Grab ist das Albrecht Dürers (das Grab der Familie
Frey, der Frau Agnes angehörte; Nr. 649).

In der (modernen) **Friedenskirche,** der Pfarrkirche des Sprengels St. Johannis, befindet sich seit 1952 der Hochaltar der zerst. Hl.-Kreuz-Kirche
(Ruine Johannisstr. 22), der sog. Peringsdörfer Altar, dessen Flügelgemälde 1486–88 datierbare Werke Mich. Wohlgemuts sind.

Rochuskapelle und Rochusfriedhof. Die Vorstadt Gostenhof, vor dem
Spittlertor, ist seit 1453 nürnbergisch. Der **Friedhof** der Lorenzer
Pfarrgemeinde, entsteht wie der von St. Johannis infolge des 1517/18
vom Rat erlassenen Verbots der Begräbnisse in der Innenstadt. Erweiterungen der Gründungsanlage (bei der Kapelle) 1599 und 1693. Im
2. Weltkrieg hart heimgesucht, doch immer noch reich an alten Grabsteinen (für die das bei St. Johannis Gesagte gilt). – **Die Friedhofkapelle St. Rochus** ist eine Stiftung Konrad Imhoffs, 1520/21; Hans
Beheim d. Ä. verdingt, aber wahrscheinl. von Paul Beheim ausgeführt.
1945 großenteils (westl.) zerst., aber jetzt wiederaufgebaut. An ein
3jochiges Langhaus mit Netzgewölben schließt ein polygoner Chor mit
Sterngewölbe. Späteste Spätgotik: noch gelten die alten Überlieferun-
gen, aber dieser Bau ist doch schon ein Grenzfall. Schmuck ist keine
Sorge mehr. So sind auch die durch Mittelpfosten geteilten, rundbogigen oder nur leicht geknickten Fenster ohne Maßwerk. – Der
Hochaltar, Imhoffsche Stiftung, 1521, enthält im Schrein die Schnitzfiguren der hll. Rochus, Sebastian und Martin, auf den Flügeln Gemälde von Wolf Traut. Imhoffsche Stiftungen auch die Seitenaltäre; der
südliche 1522, im Bau (schon ganz Renaissance) vom Kistler Thomas
Hebendanz, im Geschnitzten wahrscheinl. von Seb. Loscher (der das
Ganze visiert haben dürfte), im Gemalten von Hans Burgkmair d. Ä. –

also augsburgischer »Import«; der nördliche, mit der hl. Katharina als Hauptbild, erst 1622. – Schließlich noch ein Hinweis auf die zahlreichen Epitaphien und Grabsteine der Imhoff und die Hirschvogelschen Scheiben (1520) in den Fenstern.

Karitative Anstalten im Umkreis der Stadt, die noch genannt werden müssen, samt und sonders Gründungen des Spätmittelalters, sind: die **Siechenkobel St. Peter** (Kapellenstr.), **St. Jobst** (Sulzbacher Str.), **St. Leonhard** (St.-Leonhard-Str.) und das **Pestspital** (Großwendstr.).

Unter den modernen Kirchen die 1955 nach den Plänen der Nürnberger Architekten Winfried und Peter Leonhardt errichtete **kath. Pfarrkirche Allerheiligen** an der Graudenzer Straße: Rechteck mit geschlossener, abgesehen von den Eingängen nur in einer Rose geöffneter Stirn und frei stehendem Glockenturm; der Raumkubus durch horizontale Freskenbahnen, von H. Uhl, an den Längswänden ausgezeichnet. – Die 1956/57, nach Entwurf von Werner Lutz, für die 1945 zerst. ältere Kirche erbaute **Christuskirche** an der Landgrabenstraße (Steinbühl): Stahlbeton, die Seitenwände in Fensterzellen aufgegliedert; 2 hohe, vom Boden bis zur Decke durchstoßende Fenster, mit Gemälden Georg Meistermanns, im Anschluß an die Altarwand, in deren Fläche das Bildwerk (Messing) des segnenden Christus (vom Schweizer Burch-Corrodi) gesetzt ist. Der neugot. Ziegelturm der älteren Kirche ragt seitlich, isoliert, auf, ein Memento pacis. In den Jahren 1958–60 kamen hinzu die **ev. Pfarrkirche St. Matthäus** (von Wilh. Schlegtendal) an der Rollnerstraße – sie steht mit ihrem hohen Turm im Blick der Flughafenstraße – und die **kath. Pfarrkirche St. Franziskus** (von Rob. Gruber) an der Pachelbelstraße. In Nürnberg-Langwasser entstand die **Dreifaltigkeitspfarrkirche** von A. v. Branca.

Rathaus. Zwar nahe dem Markt, aber nicht am Markt, fand das Rathaus, nach wechselnden Standorten im 14. Jh., hier am Anstieg der Burgstraße seinen Platz. Ältester Teil ist der 1332–40 errichtete Saalbau, den ein geziegelter Staffelgiebel schmückte. Der nächstälteste Teil ist der nördl. Anbau (N- und O-Flügel, der sog. Ratsstubenbau am kleinen Rathaushof) des Hans Beheim, 1514/15, in dem letzte Spätgotik erfindungsreich ausblüht. Kurz vor dem 30jährigen Krieg, schon in den Abendstunden reichsstädtischen Glanzes, entstand 1616–22 der Monumentalbau des jüngeren Jakob Wolf, der sich über seine altfränkische Umgebung hinaushob, ein prätentiöser Fremdkörper, großartig allerdings und einer der ersten in der Berührung mit dem Geiste der Romania gezeugten wirklichen »Paläste«. Aber in Rom könnte er nun doch nicht stehen: die der langen schweren Gesimshorizontale aufgesetzten 3 Zwerchhäuser opponieren im Namen der gewohnten Steilwüchsigkeit gegen eine doch noch schwer erträgliche Abdrehung der Bewegungsbahnen in die Breite. 3 von Säulen flankierte, von Giebeln bekrönte Portale legen sich der langen geschlossenen Fläche des Erdgeschosses vor. Der Bronzeadler über dem mittleren und die (steinernen) Allegorien der Gerechtigkeit und Weisheit auf den Giebelschrägen gehören Wenzel Jamnitzer (1616/17), die beiden Stadtwappen und die Allegorien der 4 Weltreiche (Ninus, Cyrus, Alexander, Cäsar) Leonh. Kern (1618/19, die Originale im German. Nat.-Museum). – 1945 schlimm zerstört. Der Saalbau brannte (bis auf das Kellergeschoß) aus; das gleiche Unheil betraf den Beheim-Bau. Vom Wolfschen W-Flügel erhielten sich nur Teile der Umfassungsmauern (außer Keller und Erdgeschoß). Dieser steht nun wieder (1960 vollendet), wenn auch um 2 nördl. Achsen verkürzt, in der alten Gestalt vor Augen. Die bewegliche Ausstattung blieb großenteils erhalten.

Maut. Das Kornhaus (seit 1572 Zollamt, »Maut«) bei St. Lorenz entsteht in den Jahren 1489–1502; der Stadtbaumeister Hans Beheim führt es auf. Mit mächtigen Abmessungen (20 × 80 m) verbindet der für das Gefüge der Lorenzer Stadt so wesentliche Bau die einfache Wucht des Steinkörpers, dem ein nicht minder wuchtiger, nur in den Gauben (in 6 Reihen übereinander) gelockerter Dachsattel auflastet. Eine, bei der Länge des Gebäudes, erwünschte Gegenrichtung setzen die hohen Ladeerker an S- und N-Seite, die urspr. (bis 1945) zudem noch Fachwerk ins Steinerne einkreuzten. Die übrigens auch nicht gequaderten, sondern geziegelten Steilgiebel sind von Blenden übernetzt: einziger Schmuck, wenn man vom Spitzbogentor an der O-Seite mit seinem Wappenrelief (von Ad. Krafft) absieht. – Der 2. Weltkrieg hat die Maut zu 90% zerstört. Es blieben übrig: Teile der Umfassungsmauern, Fragmente des O-Giebels, das Portal, die westl. Kellergewölbe. 1951–53 erlebte die Maut ihre Wiederauferstehung, und jeder Freund Nürnbergs wird sie rühmen. Einige Änderungen erwiesen sich als unvermeidlich.

Nassauer Haus. Gegenüber der Fassade von St. Lorenz, monumentaler Eckpfeiler der auf sie hinführenden Hauptverkehrsader der Lorenzer Stadt. Ein Turmhaus, viell. urspr. Sitz der Reichsbutigler, sicher nie der nur benachbart behausten Grafen v. Nassau. 1945 in den oberen Teilen schwer beschädigt, jetzt wieder geheilt. – Die beiden mauerschweren Untergeschosse reichen noch ins 13. Jh. zurück.

Die beiden Obergeschosse mit dem Chörlein und dem abschließenden Zinnengeschoß mit den vier 8seitigen Ecktürmchen wurden 1422 ff. und 1431/32 aufgesetzt. – Ein »festes Haus« augenscheinlich; im reizvollen Kontrast zur schweren, trotzigen Mauerstirn das feine Chörlein, das hier sicher als Kapellenerker aufzufassen ist, und die krönende Zinnenwehr, die nur noch Schmuck sein will.

Weinstadel. 1446–48 von der Stadt als Sondersiechenhaus errichtet, im 17. Jh. »zweckentfremdet« (Einlagerungen für den benachbarten Weinmarkt). Der große 3geschossige Bau – 2 Fachwerkgeschosse über massivem Erdgeschoß – gehört jetzt, in seinem 1945 schwer gefährdeten Bestande gesichert, dem Studentenwerk. Eine der berühmten malerischen Baugruppen der Altstadt: Weinstadel, Wasserturm (13. Jh.), Brückenbogen.

Unschlitthaus. Massives Sandsteingebäude, gegenüber dem Weinstadel am S-Ufer der Pegnitz, 1490/91 von der Stadt als Kornhaus durch Hans Beheim errichtet; die im jetzigen Namen liegende Bestimmung (Unschlitt = Kerzentalg) erst seit rd. 1560. N-Flügel 1945 zerstört.

Herrenschießhaus am Sand (jetzt Schule). Das 1582/83 vom Stadtbaumeister Hans Dietmair aufgeführte Quadergebäude, 1957 wiederhergestellt, setzt auf ein wandgeschlossenes, rustiziertes, nur durch ein mittleres Portal belebtes Sockelgeschoß 2 Geschosse mit eng gereihten Rundbogenfenstern und schließt in einem steilen, mittlich durch ein Zwerchhäuschen mit Spitzhelm geschmückten Satteldach.

Das **Baumeisterhaus** auf der Peunt (Bauhof 9) wird 1615 als Amtshaus der Stadt vom jüngeren Jak. Wolf errichtet, ein 3geschossiger rustizierter Quaderbau mit exzentrisch situiertem Portal und begiebeltem Zwerchhaus vor der Mitte des hohen Satteldachs.

Zeughaus (Pfannschmiedsgasse). Der 1588 von H. Dietmair aufgeführte, 1945 ausgebrannte, 1954/55 restaurierte 2geschossige Quaderbau ist durch den von 2 starken Halbrundtürmen flankierten Portalbau an der S-Seite ausgezeichnet.

Fembohaus, Burgstraße 15. In beherrschender Lage, mit breiter hoher Giebelstirn dem Anstieg der sich an seiner Flanke verengenden Burgstraße zugewendet. In den 90er Jahren des 16. Jh. bis 1598 errichtet, im 18. Jh. Haus des wohlbekannten Homannschen Kartenverlags, »Fembohaus« erst seit 1804. Von der Stadt erworben, 1928, und jetzt, in glücklichster Verwendung, Unterkunft des **Altstadt-Museums.** – Über 4 kompakten Geschossen ein prächtiger Stufengiebel mit einer Fortuna (in Kupfer getrieben) auf der Spitze. Das Rundbogentor seitlich gerückt, nicht in der Mitte, über ihm das steinerne Chörlein. Vorzügliche z. T. alt ausgestattete Räume; im 1. Stock gute Stuckausstattungen des Donato Polli, 1734/35; im 2. Stock der Vorsaal mit der schönen starkplastischen Stuckdecke des C. Brentano, 1674, und der getäfelte Familiensaal von rd. 1600. – Im Hinterhaus jetzt die geborgene Ausstattung des (zerst.) Hirschvogelsaales; Werk Peter Flötners von 1534, Hauptwerk einer klassisch inspirierten deutschen Renaissance.

Dürerhaus. Das um die Mitte des 15. Jh. gebaute Eckhaus vor dem Tiergärtnertor gelangte 1509 durch Kauf in den Besitz des Meisters. 1945 schwer beschädigt, jetzt wiederhergestellt. – Bedeutend nicht nur als die Wohnstätte des großen Dürer, sondern auch als typisches Fachwerkhaus der Nürnberger Spätgotik.

Haus zum geharnischten Mann (Pilatushaus, Obere Schmiedgasse 64/66). Etwas jüngerer Zeitgenosse des Dürerhauses (das schräg gegenüber steht), 1489 errichtet, Besitz des berühmten Plattners Hans Grünwald und seiner nicht minder berühmten Erben Wilhelm von Worms und Valentin Siebenbürger. Über dem massiven Erdgeschoß 3 Fachwerkgeschosse und Fachwerkgiebel mit Firsterkertürmchen. Das Standbild des geharnischten Ritters St. Georg an der Ecke ist neu, hatte aber einen wahrscheinl. von Hans Grünwald geschaffenen Vorläufer.

Pellerhaus. Bauherr war der Kaufmann Martin Peller, der 1581 aus Radolfzell zugewandert war. Das große, herausfordernd prächtige Vorderhaus mit der breiten und hohen Giebelfassade entstand nach dem Entwurf des Ratsbaumeisters Jak. Wolf d. Ä. 1602–05, der aus einem Hintergebäude und 2 seitlichen Flügeln bestehende Hof 1605–07. Dieses aufwendigste Nürnberger Bürgerhaus, 1929 von der Stadt erworben, seit 1934 Herberge des **Stadtarchivs**, ging 1945 bis auf wenige Teile zugrunde. Erhalten ist die 3schiffige Erdgeschoßhalle, die in den modernen Neubau der Stadtbibliothek und des Stadtarchivs einbezogen werden konnte. Und erhalten blieb der Treppenturm mit der Schnecke im NW-Eck, und es steht auch noch das Erdgeschoß der Hofumfassungen (die Arkaden fast ganz); das ist im Verhältnis zur einmal so glänzenden Gesamtheit Pellerhaus nicht viel, aber doch noch genug, um eine Vorstellung dieses Hauptwerks letzter deutscher Renaissance zu vermitteln. – Im Hof hat jetzt die *Brunnenfigur des bogenschießenden Apoll* (bis zum Krieg im Rathaus) Aufstellung gefunden. Dieses 1532 dat. Bronzewerk, vollendete Leistung einer klassisch-italienisch orientierten deutschen Renaissance, gehört im Entwurf Peter Flötner, in der Ausführung dem Rotschmied Pankraz Labenwolf.

Tuchersches Gartenhaus. Der Bauherr war Lorenz Tucher, der Planer wahrscheinl. Peter Flötner, die Bauzeit 1533–44. Das Jahr 1945 ließ nur übrig: den unteren Teil der westl. Hofseite, die Straßenseite (mit Erker, 1533), Teile der Erdgeschoßgewölbe.

Schöner Brunnen. Seine Position an der NW-Ecke des Marktes ist die glücklichste; in Blicklinien verbindet er sich mit der Chorarchitektur von St. Sebald und der Fassadenarchitektur der Frauenkirche, an die ihn auch die Reichssymbolik seines Bildprogrammes anschließt. – In den Jahren 1385–96, am Ende der für Nürnberg so ergiebigen Aera Karls IV., von einem Meister Prager Schulung, einem »Heinrich Beheim parlir« (viell. einem Parler), errichtet, bewahrt er, immer wieder erneuert (zuletzt 1897–1902 gänzlich), keinen originalen Stein. Aber er bewahrt doch, im Ganzen wie im Einzelnen, die urspr. Form. Aus 8seitigem Becken wächst in Stufen der 8seitige Turm der beschließenden Kreuzblume zu, mit einer Vielzahl von Statuen bestellt: unten die 7 Kurfürsten und die 9 jüdischen, heidnischen und christlichen Helden, oben Moses und die 7 Propheten, auf dem Beckenrand die Kirchenväter und die Evangelisten. Die wenigen Originale, Fragmente, im Germ. Nat.-Museum und im Berliner Deutschen Museum; hervorragende Leistungen des Parler-Stils. Meisterliches Schmiedewerk ist das einschließende Gitter, Arbeit des P. Kuhn 1587 (bis auf die 1902 hinzugefügte Bekrönung). – Daß einmal, 1752, die Absicht bestand, den schon vom Meistersinger Rosenplüt (1447) als eines der Kleinodien der Stadt gerühmten, früh schon »der schöne« genannten Brunnen zu beseitigen, sei berichtet. Damals wollte der Rat den 1652 bis 1660 von Georg Schweigger geschaffenen, ungenutzt im Bauhof lagernden Neptunbrunnen in die Mitte des Marktes stellen; es unterblieb, glücklicherweise. Aber zu bedauern ist, daß das barocke Bronzewerk 1797 an den Zaren Paul I. veräußert wurde. Eine im 19. Jh. auf der S-Seite des Marktes errichtete Kopie des (im Park von Peterhof bei Leningrad aufgestellten und dort auch erhaltenen) Originals wurde vor dem 2. Weltkrieg wieder entfernt.

Tugendbrunnen. Nächst St. Lorenz, in städtebaulich wirkungsvollster Aufstellung am Schnitt mehrerer Straßen. Werk des Rotgießers Benedikt Wurzelbauer, 1585 beg., 1589 vollendet. Die steinerne Brunnenschale wurde im 19. Jh. durch eine neue ersetzt. Der Bronzeaufbau steigt in 3 Geschossen, deren 2 obere die den Namen gebenden Tugenden besetzen: Liebe, Großmut, Tapferkeit, Glaube, Geduld, Hoffnung und, krönend, Gerechtigkeit.

Gänsemännchen-Brunnen. Früher auf dem Obstmarkt, im Rücken der Frauenkirche, jetzt im Rücken des Rathauses, an der Rathausgasse. Die Figur auf der Brunnensäule, der kleine stämmige Bauer mit den unter die Arme geklemmten Gänsen, wird dem Rotgießer Pankraz Labenwolf zugeschrieben. Aus der volkstümlichen, humoristischen Ader der Nürnberger Kunst erwachsen; nicht denkbar ohne den Vorgang Adam Kraffts und wohl auch Dürer verpflichtet, der das Motiv des Gänsemännchens schon ein halbes Jahrhundert früher, um 1500, in Brunnenentwürfen angeschlagen hatte.

Germanisches Nationalmuseum

Grundstock ist die Sammlung des Gründers, des Freiherrn Hans von Aufseß, dem eine umfassende wissenschaftliche Anstalt für die gesamtdeutsche Altertumskunde vorschwebte. Das Gründungsjahr ist 1852. Im Anschluß an das 1857 erworbene Kartäuserkloster entwickelte sich der umfangreiche Komplex, dessen Baugestaltung der zweite Direktor, Essenwein, selbst Architekt, bestimmte.

Die im Kern der Anlage stehende **Kirche** des 1380 von Marquard Mendel gestifteten Kartäuserklosters wurde 1380–82 aufgeführt; etwas jünger, 1. Hälfte 15. Jh., sind die (stark erneuerten) Kreuzgänge. 1872–75 konnten Teile des ehem. Augustinerklosters in den Erweiterungsbau (südlich) einbezogen werden. – Der nördl. Trakt am Kornmarkt entstand 1916–26 (Architekt G. Bestelmeyer), eine östl. Erweiterung 1934, ein kompromißloser moderner Bau (»Theodor-Heuss-Bau«), von Sep Ruf, 1957/58. Erweiterungsbauten nach W und S folgten und sind z. T. noch im Werden. – Das vom 2. Weltkrieg schwer betroffene Gebäudekonglomerat konnte inzwischen zu beträchtlichen Teilen wiederhergestellt werden. Die großen und reichen **Sammlungen** haben nur geringe Schmälerung erfahren.

Kraftshof

Die Burg zu »Krafteshove« zeigt sich erstmals 1277. Damals gelangt sie als burggräfliches Lehen an zwei Holzschuher. 1290 erwirbt Friedrich Kress einen Burgstall (»Kressenstein«), und Kressisch ist nun Kraftshof durch die Jahrhunderte. Das (1712 erneuerte) Herrenhaus westl. des Ortes, nahe dem alten Kressenstein, erlag 1943 den Bomben des Luftkrieges. (Seit 1930 nach Nürnberg eingemeindet.)

Die **ev. Kirche**, ehemals St. Georg, und, wie St. Sebald, Filiale von Poppenreuth, wurde, vom gen. Friedrich Kress, 1305–15 errichtet; 1438–40 westlich erweitert. Seit 1524 ist sie lutherisch. 1943 ging sie, mit dem Großteil ihres reichen Inventars, zugrunde, konnte aber, dank der Spende eines amerikanischen Kress, wieder aufgeführt werden. 2 Altäre des späten 15. Jh., Leonhards- und Marienaltar, sind, neben einem

Bronzeleuchter des 16. Jh., die Ausstattungsrelikte der alten Kirche. Aber die schönste Auszeichnung der kleinen Chorturm-Kirche war, und ist auch noch, der befestigte **Friedhof**, der, gelegentlich einer Erweiterung, 1505–10, mit dieser starken Wehr umschlossen wurde. Sie umfängt mit ihren hohen massiven Mauern ein Fünfeck, dessen Ecken ebenso viele spitzbehelmte Rundtürme besetzen.

Die **Herrensitze** in den Nürnberger Vororten und in der weiteren Bannmeile der Stadt sind etwas eigen Nürnbergisches. In der Wurzel meist spätmittelalterlich (die Wurzel liegt wohl in den Weiherhäuschen, bekannt als Requisiten Wohlgemutscher und Dürerscher Bildhintergründe), verjüngen sich die meisten nach dem Verwüstungsjahr 1552 (Markgrafenkrieg), halten aber an den Grundgegebenheiten, den steilen turmartigen Proportionen fest. Einer der ältesten ist der in **Neunhof** (also außerhalb, aber dicht an der Stadtgrenze), 1482 gebaut, pittoresk altfränkisch (wie denn auch anzunehmen ist, daß dergleichen optische Wirkungen der auch schon im 16. Jh., als »Lusthäuslein« bezeichneten »festen Häuser« gesucht wurden). Der **Linksche** (Ziegenstr. 5) entstand 1512, der in **Gleishammer** (Gleishammerstr. 2–6) 1569, der in **Lichtenhof** (Wörthstr. 76) 1577 (um hier nur einige unter den zahlreichen herauszuheben, die eine eigene kleine Rundreise wohl verlohnen).

NUSSDORF am Inn (Obb. – D 8)

Die schon 788 namentlich auftretende Siedlung besitzt 2 gute Kirchen, die **Pfarrkirche St. Veit** (15. Jh., im späten 17. umgestaltet und 1754 mit neuen Altären beschenkt) und die **Kirche St. Leonhard** (ebenfalls spätgotisch, 1444, mit Ausstattung des 18. Jh.). – Bes. reizvoll: die Einsiedelei **KIRCHWALD** am N-Hang des Heubergs. Gründung eines Rompilgers, 1644, und 1719–22 mit einer neuen **Kirche (Mariae Heimsuchung)** bedacht. Baumeister ist Wolfg. Dientzenhofer aus Aibling. Neue Altareinrichtung 1756. Zahlreiche Votivgaben künden von der beliebten ländlichen Wallfahrt. – Das Klausnerhaus, teilweise Holzblockbau, entstand 1716.

Links des Inn, oberhalb Brannenburg, die kleine **Wallfahrt Schwarzlack** mit freundlicher **Kapelle** von Ph. Millauer 1750/51 und H. Thaller 1764 bis 1767. – Innaufwärts: die **Magdalenenklause** am Biber 1625–29 und, zur Gde. Fischbach gehörend, die Kirche **PETERSBERG** auf dem kleinen **Madron** (s. d.).

OBERALTAICH (Ndb. – F 6)

Ehem. Benediktinerklosterkirche St. Peter und Paul

Um 1100 stiftete der Regensburger Domvogt Graf Friedrich v. Bogen das Kloster. 1622 begann man die alte Kirche durch einen Neubau zu ersetzen, der 1630 vollendet wurde. Zur Säkularfeier von 1731 ging man an die Erneuerung der Dekoration. 1803 wurde das Kloster aufgelöst, die Kirche der Pfarrei übergeben.

Schon das Ä u ß e r e verrät in seinem Wechsel von geraden und konvexen Mauerpartien Eigenwilligkeit. Abt Vitus Höser (1614–34) rühmt sich selbst als Urheber der Pläne. Anstelle der W-Fassade rundet sich ein apsidiales Gebilde zwischen den Türmen, die Taufkapelle. Das westl. vorgelagerte Baptisterium erscheint hier im barocken Gewande dem Kirchenbau einverleibt. Einst hatte auch die Mitte der S-Wand eine Apsis. Baufälligkeit bewirkte nach 1803 ihren Abbruch. Es verblieb die O-Apsis (Sakristei) und eine dritte an der N-Wand, an welche sich die kreuzförmige Seelenkapelle anschließt. Dünngliedrige Ädikulen umrahmen die Fenster. Zwei, an der W-Apsis, enthalten spätgot. Nischenfiguren, andere gliedern, ohne Inhalt, das Untergeschoß der Türme. Eine reichgeformte Eingangswand im N lädt zum Eintreten in die Vorhalle, einen kreuzgewölbten Raum voll merkwürdiger Stukkaturen: 4 Vögel unter Lambrequinmotiven, 2 Adler, 1 Storch und 1 Reiher. Kleinere Vögel sitzen auf den Baldachinen, deren Gipfel flammende Schalen zieren. Fruchtbüschel heften sich an die Schnittpunkte der Grate. Unter den wenigen erhaltenen Stukkaturen aus der Zeit um 1630 nehmen diese einen besonderen Platz ein. – Wir betreten den 3schiffigen *Hallenraum*. 5 Joche, getragen von schlanken Pfeilern, lassen spätgot. Formen nachklingen, gedämpft durch die Horizontalbewegung der Emporen. Der Aufbau gemahnt in manchem an die Hofkirche zu Neuburg a. d. Donau. Im NO führt die »hangende Stiege« zu den Emporen, einst berühmt wegen ihrer technischen Bravour. Urspr. zeigten die Fenster einfache Rundbogenformen. 1726 erhielten sie den geschwungenen Umriß.

Die Brüstung der Orgelempore trägt klassizist. Schnitzerei des späten 18. Jh. Auf Stukkaturen verzichtete die Ausgestaltung von 1727–31 völlig. Die Malerei übernimmt ihre Rolle und überzieht die Schmuckflächen mit Bandwerk, Kartuschen, Netzmotiven, um in den starkfarbigen Deckenbildern von Jos. Ant. März zu gipfeln. Ihr kompliziertes theologisches Programm entwarf Abt Domin. Perger. Von der legendären Gründung des Klosters durch Herzog Odilo und St. Pirmin (731) berichtet das östl. Langhausfresko, erweitert durch eine Allegorie auf das Meßopfer. Im mittleren Gemälde wird das Weltapostolat des Benediktinerordens umschrieben durch einen gewaltigen Apparat symbolischer Figuren. Das westliche erzählt von der wirklichen (sog. »zweiten«) Gründung durch Graf Friedrich v. Bogen. In den Emporenwölbungen wird das kirchliche, insbesondere benediktinische Wirken für das ewige, in den Seitenschiffen für das irdische Heil der Menschheit dargetan. Dieses ausgedehnte Programm kann als Musterbeispiel für das allegorische Denken der Barockzeit gelten. Wenn auch die Kompositionen nicht zu den besten ihrer Zeit zählen, so ist ihre dekorative Wirkung von hohem Reiz, angepaßt an den 100 Jahre älteren Kirchenraum. Der mächtige Hochaltar mit den Figuren Benedikts und Augustins wurde 1693 aufgestellt. Sein Altarblatt, Petri Kreuzigung, ist versenkbar vor einer Bühne mit der um 1730 geschnitzten Gruppe der Schlüsselübergabe. Das reiche, bewegte Rokoko-Tabernakel, 1758/59, gilt als Werk Matth. Obermayers aus Straubing, verwandt dem der dortigen Karmelitenkirche, das Jos. Matth. Götz entworfen hat. Ein reich mit vergoldeter und versilberter Bronze beschlagenes Antependium bekleidet die Mensa. Von den 8 Nebenaltären des Mittelschiffs mit ihren schönen, 1731 geschaffenen Antependien tragen die beiden östl. Gemälde von Cosmas D. Asam: Aufnahme des sel. Albertus in das Kloster, Kaiser Heinrich und Kunigunde mit Bischof Otto von Bamberg. In der Albertus-Kirche (N-Apsis) steht der Josephsaltar, eine frühe Rokoko-Schöpfung um 1730 mit Hinzufügungen von etwa 1760. Vor ihm wurde 1727 die Albertus-Tumba errichtet, über der 1395 gemeißelten Relieffigur des Seligen. Altar der Seelenkapelle 1713. Von besonderer Pracht ist der Benediktusaltar im O des südl. Seitenschiffs, um 1760, mit züngelndem Rocailledekor, wohl dem Kreis des Matth. Obermayer zugehörig. Das Gemälde, Tod des hl. Benedikt, ist von dem Münchener Hofmaler Christ. Winck, 1796. Der Marienaltar an der S-Wand von 1758/59 mit einem Antependium von 1731 bewahrt eine Kopie des Innsbrucker Mariahilfbildes. Im W-Joch des südl. Seitenschiffs steht die Tumba der Stifter. Ihre Rotmarmorplatte mit den Figuren des Grafen Friedrich v. Bogen und seines Onkels Aswin, 1418 ausgeführt, ist eine Leistung guten Ranges. Die Tumbenwände kamen 1782 hinzu. In der benachbarten W-Wand Epitaph des Abtes Vitus Höser, 1634, vermutl. von dem Straubinger Thom. Leutner. An der W-Wand der beiden Seitenschiffe St. Rochus und St. Sebastian, Schnitzfiguren, wohl von Jos. Matth. Götz. Kanzel 1693 mit Schalldeckel um 1730. Die Muttergottes am 2. nördl. Pfeiler stammt wohl vom ehem. spätgot. Hochaltar (um 1490).

Im NO der Kirche die **Klostergebäude.** Sie wurden im 19. Jh. anderen Zwecken zugeführt und im Innern meist rigoros umgestaltet. Der W-Flügel des N-Hofes enthält Teile des 1543 errichteten Gästestocks. Zwischen diesem und der Seelenkapelle wurde 1659 ein neuer Gästetrakt gesetzt, dessen Obergeschoß einen schönen Flurgang bewahrt mit Stukkaturen aus der Entstehungszeit. Der langgestreckte O-Flügel des Klosters, dessen N-Teil ehemals die Abtei beherbergt hat, umfängt noch eine Reihe glänzend stuckierter Räume; so einen gewölbten Gang im Obergeschoß mit vorzüglich geformten, überschäumenden Rocaillesternen und reizenden figürlichen Einfällen als Türbekrönung. Ähnlichen, noch größeren Reichtum hat Matth. Obermayer über den Plafond des Pavillonzimmers gebreitet. Festsaal mit Stuckdekorationen um 1710.

OBERAMMERGAU (Obb. – C 8)

Römische Funde (am Warbichl) deuten auf eine Siedlung, die sich viell. mit der überlieferten Straßenstation »ad coveliacas« deckt. Ende des 8. Jh. zieht sich der Welfe Ethiko in die Waldwildnis der »Ambrigow« zurück. Lage an einer zwar nicht bedeutenden, aber ertragreichen Nebenstraße (Oberau – Schongau) begünstigt die Siedlung. Sie ist Rottstation und wird 1332 von Ludwig dem Bayern mit dem Stapelmonopol ausgezeichnet. Im Pestjahr 1633 geloben die Oberammergauer die Passionsspiele, die sich bis heute erhalten haben. Das in der Zeit der Aufklärung ausgesprochene Spielverbot blieb auf dem Papier. – Der zweite Ruhm Oberammergaus, die Leistung seiner Herrgottschnitzer, kann bis ins 16. Jh. zurückverfolgt werden. Wahrscheinl. wurde die Schnitzerei vom Kloster Rottenbuch hierher verpflanzt. Ihre Blüte fällt aber erst ins frühe 19. Jh.

Kath. Pfarrkirche

1167 gelangt die Kirche als Schenkung Welfs VI. an das Stift Kempten. 1295 geht sie an das Kloster Rottenbuch über, das seither die Pfarrer stellt. – Der got. Vorläuferbau der bestehenden Kirche stand weiter nördl. im Friedhof. 1736–42 entsteht die jetzige Kirche. 1749 wird sie geweiht, doch zieht sich die Ausstattung noch hin, der Hochaltar ist erst 1762 vollendet. Baumeister: Josef Schmuzer aus Wessobrunn, der hier sein reifstes Werk schafft.

Zentralisierende Raumform, bestehend aus Vorjoch mit doppelter Empore, quadratischem Laienhaus, das durch querschiffartige Nischen erweitert ist, und kleinerem Chorquadrat. Abgerundete Ecken verschleifen die Übergänge. Der zurückhaltende Stuckdekor spielt mit Bandwerk, schmalen Rocailleformen und Blattranken (entstanden unter Mitwirkung von Fz. Xav., dem Sohn Jos. Schmuzers). Prächtige Fresken des Augsburgers Matth. Günther (1741 und 1761). Im W: Petrus als Statthalter Christi; im Laienhaus: Martyrium und Glorie des Petrus und Paulus, in den Zwickeln die Kirchenväter, im Chor: Maria als Rosenkranzkönigin, in den Zwickeln die 4 Evangelisten. Von Matth. Günther stammt auch das Hochaltarblatt. Den Altar selbst, eine bewegte, formenschöne Komposition des späten Rokoko, schuf Fz. Xav. Schmädl aus Weilheim. Von demselben Meister auch die Nebenaltäre mit ihrer reichen Figurenwelt. Im südl. Altar: Gemälde von J. J. Zeiller 1756 (St. Antonius). Kanzel 1756 von Paul Zwinck aus Uffing.

Wohnhäuser. Eine Auszeichnung Oberammergaus sind die bemalten Hausfronten, die z. T. noch ins 18. Jh. zurückreichen. Einige (wie das

Geroldhaus, 1778, das **Pilatushaus**, 1784) sind Werke des »Lüftlmalers« Franz Zwinck, der einer der beliebtesten, geschicktesten, einfallsreichsten der Hausmaler war.

Bad OBERDORF (B. Schw. – A 8)

Kirche 1935–38, von Thomas Wechs. Hier hat der berühmte Hindelanger Altar des Jörg Lederer seine Aufstellung gefunden, eines der bedeutendsten Werke Allgäuer Schnitzkunst, dat. 1519. Der Schrein zeichnet in seinem oberen Geschoß die kurvenden Linien letzter Spätgotik. Die meisterhaft aufgebaute Gruppe der Marienkrönung vermittelt schon das körperhafte Lebensgefühl der beginnenden Renaissance. Vortreffliche Detailbehandlung, strömende Gewandfalten und schwäbische Ausdruckslyrik verbinden sich zu einem Kunstwerk hohen Ranges. Die urspr. Farbigkeit wurde 1936 freigelegt. Auf der Rückseite gemaltes Weltgericht. – In einer Seitenkapelle Marientafel des älteren Holbein, 1493. – Zahlreiche weitere Stücke spätgot. Kunst, darunter ein Palmesel um 1470 (Nachfolge Hans Multschers).

Kriegergedächtniskapelle bei HINDELANG, in malerischer Hanglage, 1920, von Th. Wechs. Fresken und Fenster von Karl Knappe.

Die **kath. Kirche** im nahen **LIEBENSTEIN**, 15. Jh., erhielt 1666–71 ihre 3 Konchen und 1753–55 Rokoko-Stuck und Ausmalung. Hochaltar um 1670, Seitenaltäre 1713/14. Gute Schnitzfiguren der Zeit um 1500.

OBERELCHINGEN (B. Schw. – B 5)

Ehem. Benediktinerklosterkirche St. Maria

Als Weihedatum nennt die Überlieferung 1128. Gründer sind angebl. Markgraf Konrad von Meißen und seine Gemahlin Lucia oder Luitgard. Wahrscheinl. handelt es sich aber um einen Grafen Albert (von Alechingen) und dessen Gemahlin Bertha. Schon 18 Jahre später brennen Kloster und Kirche nieder. Graf Albert v. Ravenstein stiftet die Mittel zum Neubau. Es entsteht eine 3schiffige Pfeilerbasilika mit Querschiff und Vierungsturm. Nach Veränderungen im 15. und Verwüstungen um die Mitte des 16. und 17. Jh. erfolgt 1666 durchgreifende Wiederherstellung und Einwölbung. Um die Mitte des 18. Jh. Ausgestaltung in Stuck und Malerei. Auch die 2 kleinen Apsiden im 5. Joch der Seitenschiffe entstehen damals. 1773 verursacht ein Blitzschlag schweren Schaden. Man konsultiert Jos. Dossenberger, den Schüler Dominikus Zimmermanns. Er drängt zur zeitgemäßen Umgestaltung. Das Querschiff wich nun einem oval gerundeten Raumgelenk, und der Chor schmolz zur Einschiffigkeit zusammen. 10 Jahre später schritt man zur Neugestaltung des Langhauses. Für diese wurde der Maler Januarius Zick gewonnen, der im Gegensatz zu Dossenbergers Spätrokoko einem frühen Klassizismus huldigt. 1802 hob die Säkularisation den Konvent auf. 1805 tobte die »Schlacht von Elchingen«, aus der Marschall Ney als Sieger hervorging. Napo-

leon erhob seinen Feldherrn zum »Herzog von Elchingen«. Er nannte übrigens den feierlich-stillen Kirchenraum »Le salon du bon Dieu«.

Das Ä u ß e r e der Kirche, weithin sichtbar, im O von einem kleinen Dachreiter bekrönt, ist fast schmucklos. Die spärlich gegliederte Fassade liegt hinter dichten Baumkronen. I n n e r e s. Das Langhaus, eine 3schiffige Basilika zu 8 Jochen, hält sich an die Fundamente der alten roman. Anlage. Der anschließende Mönchschor mit seinen ausschwingenden Flankenwänden und dem quadratischen Altarraum, Dossenbergers Umbau, ist eine Schöpfung des späten Rokoko. Auch die Dekoration ist mit Rocailleformen untermischt. Auf dem Gebälk der Pilaster sitzen die 4 Kirchenväter (Stuck) im Gestus des Predigens. Große Fenstergruppen mit kurvendem Umriß erinnern an Dossenbergers Lehrmeister, Dom. Zimmermann. Strenger zeichnet sie das Langhaus nach. Klassizist. Ornamente, Mäanderfriese und Kassetten deuten auf das Ende des Barock. Zeigen die Pilasterkapitelle in den Chorteilen noch heitere, aus der Rocaille entwickelte Formen, so nicht mehr im Langhaus. Zwiespältig ist die Orgelempore: ihre Schwingung ist Rokoko, ihre Dekoration Klassizismus. Auch die Gewölbe sind strenger dekoriert, knapper. Eine Folge flacher Kuppeln bedeckt das Schiff. Sie tragen *Malereien* hohen künstlerischen Ranges. »Januarius Zick conf. inv. et pinx. 1782.« Zick steht an der Wende zwischen alter und neuer Form. Er türmt illusionistische Architekturen (Darstellung im Tempel, Mitteloval), setzt aber den Fußpunkt nur an eine Seite des Rahmens. Damit richtet er sich nach dem neuen Bildgesetz (des Raphael Mengs), das die Orthogonale fordert. Unter der Empore erzählt sein Fresko die Gründungslegende. Dann hebt gegen Osten der große Zyklus des Marienlebens an: Heimsuchung, Darstellung im Tempel, Verkündigung, Mariae Himmelfahrt und, über dem Hochaltar, Mariae Geburt. Das nördl. Seitenschiff verbindet 3 Szenen der Passionsgeschichte mit der Kaselverleihung an die 7 Brüder von Florenz. Das südliche verherrlicht den Ordensgründer St. Benedikt. Das Blau und Goldgelb in den Fresken vereinigt sich mit dem Weiß und Gold des Stuckornamentes zum kühlen, feierlichen Akkord.

Auch die A u s s t a t t u n g ist auf diesen Farbklang abgestimmt; so der stattliche Hochaltar mit einem weiteren Meisterwerk Zicks, dem Altarblatt der Immaculata. In den Seitenfiguren der Nebenpatrone St. Peter und Paul und der Ordensstifter Benedikt und Scholastica regt sich noch barockes Pathos. Den ovalen Mönchschor füllt ein vornehmes Gestühl, in das die Chororgel einbezogen ist. Ein reiches geschmiedetes Gitter, nach Zicks Entwurf, schloß gegen das Laienhaus ab (heute nur noch gegen die Seitenschiffe). Hier der Kreuzaltar. Das nördl. Seitenschiff endet im Gnadenaltar mit einer Dolorosa-Figur. Sein Gegenstück im S ist der Benediktusaltar. Auch die Kanzel hat ihr Gegenstück, das Taufbecken, und darüber, als plastische Gruppe, Christi Taufe im Jordan. Die figürlichen Teile dieser Einrichtung stammen (bis auf wenige Ausnahmen) von dem Dillinger Bildhauer Joh. Mich. Fischer. – Aus den Grabdenkmälern werden 2 dem Loy Hering zugeschrieben (Langhaus-S-Wand), eines 1531, das andere 1519, doch mit veränderter Inschrift (1638). – Die Sakristei trägt späten Rokoko-Schmuck. Ihr Plafond-Gemälde von Jos. Wannenmacher verherrlicht das hl. Meßopfer.

Von den **Klosterbauten** ist wenig geblieben. Das schmucke Torgebäude des mittleren 18. Jh. enthielt ehemals eine Kapelle. Das 18. Jh. errichtete auch die Mehrzahl der Häuschen, die der steilen Klosterstraße über die Anhöhe hinauf folgen.

OBERGERMARINGEN b. Kaufbeuren (B. Schw. – B 7)

Die **Wallfahrtskirche St. Wendelin** ist ein stattlicher Bau, der dem Joh. Schmuzer zugeschrieben wird. Entstanden 1696/97, um 2 Türme, Chorerhöhung und W-Empore bereichert 1726/27. Stuck, Ausmalung und Altareinrichtung gehören dem 1. Viertel des 18. Jh.; der große, einheitliche Zug des Raumbildes ist rühmenswert.

Benachbart, nördl.: **UNTERGERMARINGEN** mit der **ehem. Pfarrkirche auf dem Georgenberg**, einem roman. Bau des 12./13. Jh., der im 15. Jh. seinen stämmigen Turm erhielt und gegen Ende des 17. Jh. barockisiert wurde.

OBERMEDLINGEN (B. Schw. – B 5)

Ehem. Dominikanerklosterkirche

An die Stelle eines 1260 gestifteten und 1549 aufgelösten Nonnenklosters trat 1651–1802 eine neue dominikanische Gründung. Ihr wurde 1719 die bestehende Kirche errichtet. Die Baumeister kommen aus Vorarlberg: Jak. Albrecht und Valerian Brenner.

Es entstand ein stattlicher Saalbau mit schön gebildeter Fassade (vollendet 1723) und eingezogenem Chor. Kräftige Pilastergliederung zerlegt die Wände in einzelne Felder, deren mittlere beiderseits der Aufstellung von Nebenaltären dienen. Das Langhausgewölbe wurde, nach Einsturz 1861, erneuert und 1897 (nicht zu seinem Vorteil) bemalt. Das Fresko der Chorwölbung aber stammt von Konrad Huber, 1784. Bes. zu rühmen ist die Einrichtung (der mächtige Hochaltar, Nebenaltäre, Kanzel, Gestühl): reiche Einlegearbeiten aus kostbaren, zuweilen auch gefärbten, Hölzern und Metallteilen. Dazu tritt zurückhaltendes und vergoldetes Relief. Farbig gefaßt sind die Puttenfiguren in den Bekrönungen. Eine Anzahl von Gemälden (in den Nebenaltären und an den Wänden) schuf Joh. Anwander in den Jahren 1759, 1766 und 1768.

OBERNBURG (Ufr. – B 2)

Die Stadt, gegenüber der Einmündung der Elsawa in den Main, erwuchs über einem Kohortenkastell (des 2. Jh.) im Zuge des obergermanischen Limes. Das genaue Rechteck ihrer Umfassung wird sich auf den Castra-Grundriß zurückführen lassen. 1183 taucht erstmals das Dorf des Namens auf, 1317 belehnt es König Ludwig mit dem Stadtrecht. Stadtherr ist der Mainzer Erzbischof. Der spätgot. Mauergürtel wurde größtenteils im 19. Jh. niedergelegt, doch stehen noch mehrere gute Türme (Runder Turm, Almosenturm).

Die **kath. Pfarrkirche St. Peter und Paul** ist ein Bau des frühen 18. Jh., nur der Turm älter (1581) und das Querschiff jünger (1890). – Die **Kapelle St. Anna** (ehem. Notburga) ist Stiftung des 13. Jh. Der Chor 1559 dat. – Das Baujahr der **Wendelinkapelle** ist 1615. – Der jüngste Kirchenbau ist die 1959 nach Plänen von W. Schuler, Obernburg, geschaffene **ev. Friedenskirche.**

OBERNDORF b. Donauwörth (B. Schw. – C 5)

Die Pfarre ging im 12. Jh. von den Schiringern an das Augsburger Ulrichskloster. Der Ort kam 1533 durch Kauf an die Fugger.

Pfarrkirche St. Nikolaus. Chor und Turmunterbau schuf das späte 16. Jh. 1772–74 wurde daran ein neues Langhaus gesetzt und 1781 geweiht. Das Raumbild wird von der beschwingten Stuckdekoration des Spätrokoko bestimmt. Die Fresken (im Chor: Blutsbruderschaft und Meßsakrament, im Langhaus: Verherrlichung des hl. Nikolaus) schuf Jos. Leitkrath. Von Interesse ist der südl. Seitenaltar mit einem Reliefzyklus der Heilsgeschichte, spätes 16. Jh. Gute Kanzel 1776.

Wallfahrtskirche Herrgottsruh. Der schöne kleine Zentralbau ist ein Werk des J. Bened. Ettl aus Eichstätt, 1718. An den Ovalraum der Mitte schließen sich gegen N Chorjoch und Apsis, gegen S eine entsprechende Vorhalle. Die Stuckierung huldigt dem beginnenden Régence. Das Bandwerk ist noch stark mit Akanthus durchsetzt (Camone und Sondermayr aus Ellingen). Deckenbilder der Passion von J. B. Kuen aus Weißenhorn. Hochaltar gegen 1720. Die Seitenaltäre, treffliche, figurenreiche Kompositionen um 1730–40, werden dem einheimischen Joh. Gg. Bschorer zugeschrieben.

Schloß. Ehem. Landsitz der Fugger. An Stelle eines zerst. Wasserschlosses von 1535 wurde dessen Wirtschaftsgebäude von 1540 zum Schloß ausgestaltet.

Stattlicher **Pfarrhof** von 1772.

OBERNZELL a. d. Donau (Ndb. – G 7)

An der uralten Donau-Straße, da, wo sich vor den Anhöhen des Bayerischen Waldes unterhalb Passau das Tal weitet, ist schon frühe Besiedlung zu vermuten. Mönche, wahrscheinl. aus Vornbach, gründen eine Zelle, um welche die Siedlung wächst, die 1220 Besitz der Passauer Fürstbischöfe wird. Förderlich ist die Ausbeutung der nahen Graphitlager. Erstes, allerdings umstrittenes, Marktprivileg 1263; gesicherte folgen seit 1359.

Die **Ortsanlage** gruppiert sich als Straßensiedlung um den ansehnlichen Straßenmarkt, dessen Achse auf das Wasserschloß der Passauer Bischöfe zielt. Etwa in der Mitte des Marktplatzes zweigt eine Gasse ab zur zurückgesetzten Marktkirche.

Die **Marktkirche Mariae Himmelfahrt** ist ein stattlicher Barockbau, beg. 1739, der zwar schon 2türmig geplant war, doch seinen 2. Turm (den nördlichen) erst 1896 erhielt. Konstruktionsfehler erforderten schon im 18. Jh. Änderungen in den Gewölben und Verstärkungen der Pfeiler. Der Raum ist über zentralem, kreuzförmigem Grundriß entwickelt. Die Querarme bilden flach gerundete und genischte Apsiden. Gute Wohlräumigkeit begründet sich auf einer Triangulatur, die über der größten Breite des Schiffes (Querarme) das gleichseitige Dreieck bis zum Gewölbeansatz reichen läßt. Auch entspricht die gesamte Raumhöhe dem höchsten Breitenmaß der Anlage. Nur die W-Empore trägt noch Stuck aus der Erbauungszeit. Der übrige Dekor wurde 1889/90 angebracht. Schöne Altarausstattung des 18. Jh.: Der Hochaltar, 1744, besitzt ein Gemälde des Wieners Paul Troger, *Mariae Himmelfahrt*. Kanzel 1746.

Pfarrkirche St. Margaretha, 2. Hälfte 15. Jh., 1699 barockisiert.

Das **Schloß**, von (heute trockenem) Wassergraben umzogen, ist Gründung des Passauer Bischofs Georg v. Hohenlohe († 1423), wurde aber erst von seinem Nachfolger, Leonhard v. Laiming (1423–51) zur Bewohnbarkeit ausgestaltet. Die Teile der Gründungsanlage stecken im nördl. Abschnitt des Baukörpers. Der südl. Teil und mit ihm die Vereinheitlichung des Gebäudes wird 1581 ins Werk gesetzt für die von Bischof Urban v. Trenbach gewünschte »arx semirata«. Spätere Zweckentfremdungen haben dem Gebäude zugesetzt. Was im Innern blieb, sind einige stattliche Balkendecken und der sog. Rittersaal mit einem Wappenfries der Päpste von Petrus bis zu Clemens VIII. Aldobrandini. – Die im 19. Jh. verschleppten Ausstattungsteile kehren nun, soweit möglich, zurück; das gesamte Schloß wird restaur. und zugänglich gemacht; im N-Flügel Heimatmuseum.

Aus dem alten **Bering** stehen noch 2 Türme.

OBERSCHÖNENFELD (B. Schw. – C 6)

Zisterzienserinnen-Klosterkirche Mariae Himmelfahrt

Die Klostergründung von 1248 zeitigte eine Reihe mittelalterl. Bauten, die alle dem barocken Baueifer der Äbtissin Hildegard

Meixner weichen mußten. Für den Neubau wurde Fz. Beer gewonnen, der 1721–23 das rhythmisch gegliederte Raumbild schuf.

Der Bau Beers besteht aus 3 quadratischen Haupträumen mit Flachkuppeln, die durch querrechteckige Zwischenräume miteinander verbunden sind. Eingezogene Wandpfeiler bestimmen das System und scheiden Quertonnen tragende Seitenkapellen aus. Diese dreifache Akzentsetzung ergibt sich aus der Aufgabe einer Nonnenklosterkirche mit Nonnenchor im W, Laienhaus in der Mitte und Altarraum im O. An vorarlbergische Gepflogenheit erinnern die etwas tiefer ausladenden Seitenarme des Laienraumes wie die entscheidende Rolle der Wandpfeiler überhaupt.

Die zurückhaltende Stuckdekoration der Erbauungszeit erfuhr 1768/69 Bereicherung durch Rokokomotive. Aus diesen Jahren stammen auch die vorzüglichen Gewölbefresken: Marienszenen in den Hauptfeldern, Legende des Ordensvaters Bernhard in den kleineren Rahmungen. Der Tiroler Jos. Magges, der im Chor mit der Ausführung begann, konnte das Gemälde über dem Laienhaus (Anbetung der Hirten) noch zu Ende führen. Sein Schüler J. A. Huber hat die gesamte Ausführung (westl. Raumteile) vollendet, zuweilen klassizist. vom Rokoko seines Lehrers abweichend. – Altarausstattung um 1765–70 mit Gemälden von Jos. Hartmann, J. A. Huber und Jos. Christ. – Im Nonnenchor: Grabchristus aus dem 14. Jh.

Die **Klosterbauten** von Franz Beer, beg. 1718, sind von ländlicher Einfachheit.

OBERSCHWAPPACH (Ufr. – D 2)

Schloß. Errichtet zwischen 1714 und 1741 als Amtshof und Sommersitz der hier schon im 14. Jh. begüterten Ebracher Äbte (deren letzter, Eugen Montag, 1811 hier starb). Als Baumeister wird Joh. Dientzenhofer vermutet. Vor der durch 3 Risalite gegliederten Front eine 3fache Terrasse. Von den rückwärtigen Flügeln, die einen südl. offenen Hof einschließen sollten, kam nur einer zur Ausführung. In den Räumen vortreffliche Stuckausstattungen. – Die etwa gleichzeitig gebaute **kath. Kirche** birgt ein gutes Barockinventar.

OBERSTDORF (B. Schw. – A 8)

Das Bild der alten Ortschaft, für die im 10. Jh. eine Pfarrkirche bestätigt ist, ging bei verheerendem Brand 1865 zugrunde.

Den Brand überlebte, neben der erneuerten **Pfarrkirche**, die im 15. Jh. errichtete (später veränderte und heute zur Kriegergedächtnisstätte gestaltete) **Seelenkapelle** mit Außenbemalung des 16. Jh. Ferner stehen noch einige alte **Bauernhäuser** aus dem 17. und 18. Jh.

Südlich, an der Straße nach Birgsau: **Appachkapelle**, geweiht 1493, ein got. Sechseck, mit freigelegter Wandmalerei aus der 2. Hälfte des 16. Jh. (Szenen aus Heilsgeschichte und Marienleben). Salvatorfigur um 1600; Figuren in den Nischen um 1480. – Die **Lorettokapelle** daneben, 1657/58, ebenfalls auf 6eckigem Grundriß, erhielt 1741 guten Rocaillestuck und den vorzüglichen Altar mit Figuren von dem Füssener Bildhauer Anton Sturm. Gnadenbild ist eine Terrakotta-Figur des 16. Jh. Die Apostelfiguren an den Wänden sind um 1670, die beiden Reliefs seitlich des Chorbogens um 1720–30 anzusetzen. Mit der Lorettokapelle verbunden ist die **Josephskapelle**, 1671–85, die u. a. einen Palmesel von Fz. X. Schmädl, 1729, aufbewahrt.

Westlich, in großer Berglandschaft: **ROHRMOOS** mit einer **Holzkapelle** gegen 1568. So das Datum des Flügelaltars, dessen Gemälde sich Holzschnitte Dürers zum Vorbild nehmen. Die übrige Ausmalung, z. T. nach Stichvorlagen des Maarten van Heemskerk, entstand 1587.

OBERSTREU (Ufr. – D 1)

Kath. Pfarrkirche. Nicht die vielfach erneuerte Kirche, sondern ihre Befestigung, der **»Kirchgaden«**, läßt Oberstreu nennen. Noch vor wenigen Jahrzehnten schloß der Gaden auf 3 Seiten, jetzt nur noch auf der O-Seite. An die im 13. Jh. errichtete Bruchsteinmauer legen sich innen die unten massiven, oben gefachten Gaden (des 15.–17. Jh.) an, eine zweite freistehende Gadenreihe ist östl. zwischen Chor und äußerem Gaden eingeschaltet. – Nahe verwandte Kirchenburg: Ruine Mauerschedel bei Filke.

OBERTHERES (Ufr. – D 2)

Ehem. Benediktinerkloster

Burgsitz der sog. älteren Babenberger, deren letzter, Adalbert, hier 906 enthauptet wird. 1010 kommt »Tareisa« (älteren Namens »Sintherishusun«) als Schenkung Heinrichs II. an Bamberg, dessen 2. Bischof, Suidger, zwischen 1041 und 1046 das Benediktinerkloster zu Ehren der hll. Stephan und Veit gründet (das er 1047 als Papst Clemens II. bestätigt). Das Kloster, nicht groß, aber keineswegs unbedeutend, besteht bis zur Säkularisation, 1802. Der erste private Eigentümer trägt die Kirche ab, das Kloster wird »Schloß«.

Die Klosterkirche ging in ihrem letzten, von Jos. Greising besorgten Bau auf die Jahre 1715–29 zurück. Sie hatte, und folgte darin wohl einem roman. Vorgänger, 1 W- und 2 O-Türme. – Die einen Hof umfassenden **3 Klostertrakte**, südl. der ehem. Kirche, sicher ebenfalls von Greising errichtet, entstanden im 20er und 30er Jahren, bis 1743. Die ansehnlichen 3geschossigen Flügel, deren südlicher Fassade ist, sind durch Pavillons und Risalite gegliedert; Mansarden

Regensburg. Kloster St. Emmeram, Kreuzgang

Regensburg. St. Jakob, Nordportal (Ausschnitt)

markieren noch einmal die Gliederung. Das Portal, an der
W-Seite, durch eine kleine Freitreppe gehoben.

Die **Wirtschaftsgebäude** nördl. der ehem. Klosterkirche. Ein 2geschossi-
ger Torbau läßt von N her ein. Die sog. **Alte Abtei**, nordwestlich, ist
ein Bau des späten 17. Jh.

OBERWITTELSBACH (Obb.) → **Aichach** (C 6)

OBING (Obb. – E 8) → **Rabenden**

OCHSENFURT (Ufr. – C 3)

*Das 725 von der hl. Thekla, einer der Jüngerinnen des hl. Boni-
fatius, gegr. Benediktinerinnenkloster stand wahrscheinl. im rechts-
mainischen Kleinochsenfurt. Die linksmainische Furtsiedlung entwickelt sich seit dem frühen 12. Jh. zu einem der Hauptplätze des
Würzburger Hochstifts im Main-Tal aufwärts der Bischofsstadt.
– Der noch guteteils erhaltene Mauergürtel – Ringmauer, Zwinger, Graben – der seit 1295 dem Würzburger Domkapitel zuständigen, annähernd viereckig umrissenen, von einer am Rathaus
sich gabelnden O-W-Achse geteilten Main-Stadt wird im 14. Jh.
aufgeführt worden sein. Doch ging ihm (Beweis der ältere Pulverturm) ein früherer, wohl des 13. Jh., voraus.*

Von den 4 **Toren** stehen noch 3; das Obere, das Klingen- und das
Untere Tor. Der obere Torturm, wuchtig, hoch, gut die gut bestandene
Gasse schließend, sei hervorgehoben.

Kath. Pfarrkirche

*Ihr ältester Teil ist der von einem 1288 geweihten frühgot. Bau
übriggebliebene Turm, in dem auch noch eine Glocke von 1296
hängt (nur das 6. Geschoß in der Julius-Zeit aufgestockt). Chor
und Langhaus sind in der 2. Hälfte des 14. Jh. zu setzen, die
Seitenkapellen ins späte 15. Jh. 1736 entsteht die Johann-Nepo-
muk-Kapelle an der SO-Ecke. Die Folgen einer purifizierenden
Wiederherstellung 1892 konnten 1938–54 nach Möglichkeit behoben
werden.*

Die 3schiffige Halle ist eine Staffelhalle (überhöhtes Mittelschiff) mit einschiffigem Chor. Die Scheidbogen der Schiffe
ruhen auf starken Achteckpfeilern. Rippenkreuzgewölbe
decken die 7 Joche. Im westl. Joch eine unterwölbte, über
Wendeltreppen zugängliche Empore. Hohe Maßwerkfenster erhellen den Chor. Schönes, meist aus Rosetten gebildetes Maßwerk auch in den Fenstern des Langhauses.

Der *Hochaltar* ist ein ausgezeichnetes Werk des Windsheimer Bildhauers Georg Brenck von 1612; durch die neugot. Ausstattung verdrängt, wurde er 1953 wiederaufgerichtet. Hoher, der Steilung des Chores angemessener, 3teiliger Aufbau, mit Kreuzigung in der Mittelnische, Andreasmarter darüber und Marienkrönung zuhöchst. Das feine, aufsprießende Sakramentshaus wurde 1498 geweiht. Das 8seitige Bronzetaufbecken dürfte 1514/15 entstanden sein, ein gutes Werk eines Nürnberger Rotschmieds, wahrscheinl. eines der jüngeren Vischer. Spätgot. Chorgestühl. Statuengruppe der Anbetung der Könige, Anfang 11. Jh. Vorzüglich die *Holzfigur des hl. Nikolaus* von Riemenschneider.

Bei der Pfarrkirche, im Bereich des alten Friedhofs, steht die **Michaelskapelle,** 1440 beg. und gegen Ende des Jahrhunderts vollendet. Sie ist wie so viele Friedhofkapellen 2geschossig, zählt 4 Joche und schließt in 3 Seiten des Achtecks; ein Netzrippengewölbe deckt das Obergeschoß, westlich eine unterwölbte Empore, durch ein angebautes Treppentürmchen zugänglich. Das ziervolle Portal zum Obergeschoß (über Freitreppe), dessen äußerer Kielbogen vor einer Maßwerkfläche liegt, schließt ein Tympanon mit der Darstellung des Jüngsten Gerichts (um 1450) ein. Am neugot. Altar Steinfigur der Muttergottes um 1450, und 2 gute Holzfiguren, Sebastian und Michael, um 1480.

Spitalkirche (jetzt Herz Jesu). Sie wird um 1500 erbaut, der Chor aber erst 1616 gewölbt, gleichzeitig der Turm errichtet. Das Portal auf der Seite ist Überstand eines älteren Baues, um 1430; das Tympanon vergegenwärtigt die Liebeswerke der hl. Elisabeth. – An die Kirche angelehnt das 1604 errichtete **Spitalgebäude.** Anmutige Fachwerklaube im Hof.

Wolfgangskapelle. 1463 beg. Der Turm erhält 1738 seine Kuppel. Der Chor hat ein Netzgewölbe, die Flachdecke des Langhauses ist barock. Beachtlich die steinerne, 1551 dat. Kanzel Peter Dells. – Dank des alljährlichen Pfingstumrittes (solange es noch Pferde gibt) kommt der Kapelle auch volkskundliche Bedeutung zu.

Das **Rathaus,** breit gegen den Markt gestellt, 2 der dem Markt von O her zustrebenden Gassen an seinen Schmalseiten vorbeilassend, ist eines der rühmlichsten spätgotischen Frankens. Der Hauptbau, westlich, entstand um die Wende zum 16. Jh. Der O-Flügel kam 1514/15 hinzu. Der große platzbeherrschende W-Bau 3geschossig. Fachwerk ist das leicht vorgekragte 3. Geschoß, dessen Mitte das 8eckige spitzbehelmte Uhrtürmchen (mit Spielwerk von 1560) seinen Fuß anlegt. Nicht der letzte Reiz liegt bei der Freitreppe mit ihren Maßwerkbalustraden. An der SW-Ecke eine gute steinerne Muttergottes von 1498.

Das sog. **alte Rathaus**, nördl. der Pfarrkirche, gehört der 2. Hälfte des 15. Jh. an, ein 3geschossiger Block mit turmartigem jüngerem Anbau an der NW-Ecke. Am 2. Geschoß, vorgekragt, der Pranger.

Main-Brücke. 1397 ist die erstmals 1254 erwähnte Brücke noch aus Holz, erst 1512 entsteht eine steinerne. Erneuerungen des 17. und 18. Jh. bestimmen die heutige Erscheinung. Der 1945 gesprengte Mittelbogen wurde wieder ersetzt.

OETTINGEN (B. Schw. – C 5)

Sicher sehr alt ist die kleine Stadt am N-Rande des Ries-Beckens. Aber unzweifelhaft bezeugt ist sie erst im 11. Jh. Sitz der Ries-Grafen, die sich seit dem 12. Jh. nach Oettingen nennen, bleibt sie ihren, im 18. Jh. gefürsteten Grafen bis zur Mediatisierung (1802) verbunden. Der Charakter einer kleinen Residenz ist ihr noch deutlich aufgeprägt.

Rückgratachse des **Stadt**körpers ist die von S nach N laufende Schloßstraße, noch mit den alten Toren (Königs- und Schloßtor) oben und unten. Mitte ist das Langrechteck des Marktes, der sich, als Platzerweiterung, der Achse anlegt. Hier, am südl. Ende, das prächtige breit behagliche Fachwerk-Rathaus. Nördlich trifft die Achse auf das Areal des Schlosses. Außerhalb der (im 18. und 19. Jh. bis auf Reste abgetragenen) Mauern 3 Vorstädte, die obere südlich, die untere nördlich, die mittlere östlich. Trotz der Grenznähe zu Franken ist die Prägung eindeutig schwäbisch, genauer Ries-schwäbisch; der Einfluß der Bauweise Nördlingens ist spürbar.

St. Jakob (prot. Pfarrkirche). Ein weiter, gewölbter Saalraum mit eingezogenem Chor erhält durch Emporeneinbauten seinen Sinn als prot. Predigtkirche. Fundamente und Chor wurden schon 1312–26 aufgeführt (damals ist St. Jakob noch Tochterkirche der Pfarrei Ehingen). 1461 tritt der Unterbau des Turmes hinzu, der das Maß für die seitliche Erweiterung, 1494, gegen N angibt. 1565 bekommt der Turm sein Obergeschoß. Treffliche Stukkaturen beleben die Flachtonne des Saales und das got. Chorgewölbe. Matth. Schmuzer ist ihr Meister 1680/81. Sein italienisch orientierter Geschmack erweist sich in den füllligen Blüten- und Fruchtgehängen. In das Rahmenwerk sind Bilder eingesetzt: im Chor die Personen der Trinität inmitten der 12 Apostel, im Schiff Szenen aus der Heilsgeschichte. Die

Kreuzigungsgruppe des Hochaltars, von etwa 1500, gemahnt an die kräftige und erregte Art Hans Seyffers.
Prachtstücke sind auch die Kanzel von 1677 und der Taufstein von 1689. Dieser wird von der Figur Adams getragen
und trägt die vollplastische Gruppe der Taufe Christi.

St. Sebastian (kath. Pfarrkirche). Ein Hl.-Blut-Wunder ist 1467 der Anlaß zur Kirchenstiftung. Bald erwächst eine Wallfahrt, die mehrmals
ab- und aufblüht. Vom alten Bau stehen noch Chor und Turm (vollendet 1471). Das Schiff ist Neubau von 1847.

Gruftkapelle. Als Kirche des Deutschordenshauses gegen Ende des
13. Jh. erbaut, 1798 um das Langhaus verkürzt, klassizist. modernisiert
und als fürstliche Gruftkapelle eingerichtet. Die Kapelle besteht also
nur noch aus dem, neuerdings von den Entstellungen des späten 18. Jh.
befreiten, in der Prägung frühgot. Chor, der flach schließt und mit
Kreuzrippengewölben gedeckt ist. Der nördl. flankierende Turm dürfte
mit noch spätroman. Turm-Untergeschoß, wenn nicht gleichzeitig, dann
wenig früher entstanden sein.

Das **Alte Schloß**, ehem. auf dem Platz südl. der kath. Kirche, wurde
1851/52 abgebrochen. Nahebei stand die barocke Anlage des 1242 gestifteten **Deutschordenshauses**, das ebenso wie die **Spitalkirche** von 1720
im 2. Weltkrieg zerstört und später abgetragen worden ist.

Das **Neue Schloß** ist eine ausgedehnte Anlage des 17. und
18. Jh. Sein Hauptbau steht gegen W. Er wurde 1679 von
dem Kasseler Architekten Gg. Weiß begonnen und enthält
vorzügliche Stukkaturen von 1680–90. Unter den ausführenden Meistern ragt Matth. Schmuzer aus Wessobrunn
hervor. Seine Kunst erweist der prächtige Festsaal mit überquellenden pflanzlichen Ornamenten. Etwas rückständig
liegt dieser Repräsentationsraum noch im 2. Obergeschoß.
In die Zeit um 1710–20 weisen die Stukkaturen im sog.
Weißen Zimmer und im Goldenen Saal, dem fürstlichen
Theatersaal. Eine Anzahl guter Gemälde, meist mythologischen Inhalts, ist noch herauszuheben. – Fremdenbau,
Wirtschafts- und Nebengebäude umziehen den Schloßhof
im O, der erst im 18. und 19. Jh. zu seinem heutigen Umfang gedieh. In seiner Mitte erhebt sich der mit plastischen
Wolken und Puttenfigürchen besetzte Obelisk des *Marien-
brunnens*, die Figur der Gottesmutter auf der Weltkugel
tragend; ein gutes Werk von etwa 1720, das Joh. Gg. Bschorer aus Oberndorf zugeschrieben wurde. – Gegen W öffnet
sich der **Hofgarten**. Er wurde im 19. Jh. englisch ausgestaltet. Der voraufgehenden Epoche des französ. Parkstils gehört das Orangeriegebäude des Gabriel Gabrieli von 1726.
Eine Herkulesfigur des Alten Schlosses wurde später hier

aufgestellt (frühes 17. Jh.), sie lehnt sich an den Augsburger Herkulesbrunnen an. Die Gnomenfiguren des frühen 18. Jh. waren urspr. für den Schloßpark in Hochaltingen bestimmt.

Das **Rathaus** ist der schon erwähnte Fachwerkbau von 1431.

Die **Lateinschule**, neben der prot. Pfarrkirche, ist ein schmaler Giebelbau in guten Formen von 1724.

Wohnbauten. Neben den hochgiebeligen Fachwerkhäusern des 15. bis 17. Jh. erklingt die Weise des Barock (17. und 18. Jh.), zwar einfach, bürgerlich, doch reizvoll. – **Stadtbering.** Schon 1118 ist von Befestigungen die Rede. Deutlicher wird allerdings erst 1294 von einer Stadtmauer gesprochen. Was sich an Mauerwerk erhielt, deutet auf leichte Wehranlagen hin, die im Ernstfall nur geringen Schutz bieten konnten. Von den 3 erhaltenen Toren, dem Schloßtor im N, dem Mittleren Tor im W und dem Königstor im S, hat nur dieses seine Formensprache behalten: aus einem älteren blockigen Unterbau wächst ein kuppelbekröntes Oktogon, wohl des 16. Jh.

OFFENSTETTEN (Ndb. – E 6)

Das im 11. Jh. auftretende Geschlecht der Herren von Offenstetten erlosch im 15. Jh. Die Ortschaft wird Eigentum der von Schmiechen, dann der Preysing, Lerchenfeld, Rohrbach, Fienau. Eine Fienau gibt, durch Heirat, den Besitz an den Bayer. Staatskanzler Alois v. Kreitmayr weiter.

Das **Schloß**, eine regelmäßige 4flügelige Anlage mit markanten Ecktürmen, geht wahrscheinl. auf eine Wasserburg des 16. Jh. zurück. Wiederaufbau nach Verwüstung im 30jährigen Krieg und eine gründliche Neugestaltung unter Kreitmayr (nach 1750) bestimmen sein heutiges Erscheinungsbild.

Die **Pfarrkirche St. Vitus** ist ein Bau von 1721 unter Einbeziehung eines mittelalterl. Turmes. Bedeutende Meister schufen 1757, dank der Beziehung des Kanzlers Kreitmayr zum Münchener Hof, die Ausstattung: den Stuck Joh. Bapt. Zimmermann und Chr. Greinwald, die Freskomalerei Zimmermanns Schüler Martin Heigl (im Chor Glorie, im Langhaus Martyrium des hl. Vitus). Der Hochaltar, mit Gemälde von Joh. Gebhard aus Prüfening, ist älter, 1722. Gleicher Zeit gehören die Seitenaltäre, doch mit jüngeren Altarblättern (eines bez. Oefele 1786). Der Münchener Hofbildhauer Roman Anton Boos schuf die schönen Denkmäler neben den Seitenaltären für Kanzler Alois Kreitmayr († 1790) und seine Gemahlin († 1794).

ORNBAU (Mfr. – C 4)

»Arnbaur« ist 1229 Markt, Oettingensches Lehen der Eichstätter Bischöfe, die es 1310 einziehen und ein Amt einrichten. Trotz schon 1317 gewährten Befestigungsrechts scheint der Mauergürtel erst 1464 (Jahr erneuter Gewährung) aufgeführt worden zu sein.

Der **Mauergürtel** steht noch in ansehnlichen Teilen aufrecht, von den Toren noch das Untere, von den Türmen der Weiße, von den Basteien noch vier. Die Mauerzüge östlich, westlich und nördlich noch großenteils von Wall und Graben begleitet.

Kath. Stadtpfarrkirche St. Jakob. Ältester Teil der frühestens in der 2. Hälfte des 11. Jh. bezeugten Kirche ist der im Kern spätroman., 1538–45 aufgestockte Turm. Der Chor trifft ins späte 14. Jh. Das ebenfalls spätgot., im späten 17. Jh. umgestaltete Langhaus mußte dem 1967/68 errichteten Neubau des Ingolstädter Architekten Elfinger Platz machen. In diesen Zeltbetonbau, dessen westl. Abschluß die O-Mauer des roman. Turmes ist, wurde östl. der got. Chor als reine Memorie des Mittelalters einbezogen. Das spätgot. Sakramentshaus fand seitlich des nun westl. vor der Turmwand postierten Hochaltars Aufstellung. Die Einordnung des Alten ins Neue erfreut durch originelle Lösung; die Zuordnung des Betonkörpers zur altfränkischen Stadt ist hart.

Friedhofkirche St. Jobst. Erstmals 1410 genannt, doch wohl schon in der 2. Hälfte des 14. Jh. gebaut. 1690 wurde das Langhaus vom Obermässinger Maurermeister J. B. Camesino erhöht, 1732 die Flachdecke erneuert und mit Stuck von Fr. Xaver Horneis und Fresken von J. M. Herzog, 1737 von J. Murmann ausgestattet. – Die Kirche steht extra muros an der Straße nach Triesdorf. Der mit Rippengewölbe gedeckte Chor schließt 5seitig; das Schiff ist ein rechteckiger Saalraum. Die Altäre entstammen dem späten 17. Jh. – Im anliegenden **Friedhof** das in die Mitte gesetzte Grabmal des Marschalls Gg. Fr. de Bièvre (1790), eine gestufte Pyramide mit reliefgeschmückter Säule.

Unter den Häusern, die die Gassenzeilen in guter alter Ordnung begrenzen, sei das **Kastenamt** (jetzt Volksschule) hervorgehoben, ein stattliches, 2geschossiges, durch Mittelrisalit gegliedertes Gebäude, 1764 nach Entwurf des Eichstätter Hofbaumeisters M. Pedetti aufgeführt. – Und insbesondere hervorgehoben sei schließlich die vermutl. im frühen 18. Jh. gebaute, auf Bögen die Stadt südl. begrenzende Altmühl überquerende **Steinbrücke** vor dem Unteren Tor, mit dem sie sich zu liebenswürdig altfränkischer Vedute verbindet. Das ihr zugesellte Standbild des böhmischen Brückenheiligen ist 1736 datiert.

ORTENBURG (Ndb. – F 7)

Die Grafen des erstmals im 11. Jh. bezeugten Namens entstammen vermutl. dem rheinischen Geschlecht der Spanheim. Eine Linie des Hauses besitzt 1090–1170 die Markgrafschaft Istrien und 1122 bis 1276 das Herzogtum Kärnten. Am Anfang der bayerischen Linie steht Graf Rapoto I. Der Sohn, Rapoto II., empfängt 1208 die bayerische Pfalzgrafenwürde. Doch stirbt dieser Zweig schon 1248 aus, zum Gewinn der wittelsbachischen Herzöge, die nun große Teile des Ortenburger Besitzes an sich bringen. Indessen kann der Stammsitz von einer jüngeren Linie behauptet werden und sich zur, rechtsförmlich allerdings erst 1521 geschaffenen, Reichsherrschaft entwickeln. Als Reichsfürst kann der Ortenburger Graf 1563 die Reformation einführen, und diese prot. Enklave kann sich auch dauernd erhalten. Erst 1805 gelingt es dem baye-

rischen Kurfürsten, Ortenburg durch Tausch zu erwerben. Doch ist das Schloß seit 1827 wieder im Besitz der Grafen Ortenburg.

Die **Pfarrkirche** ist noch heute protestantisch. Ein Bau des 14. Jh., 1518 renoviert, enthält sie vorzügliche Grabmonumente der Ortenburger aus dem 16.–18. Jh. Bedeutsam die Tumba des Grafen Joachim, die dieser 1576/77 durch den Regensburger Bildhauer Petzlinger fertigen ließ. Vom gleichen Meister das Grabmonument des Grafen Anton (errichtet 1574/75). Deutsche Renaissance hat diese beiden Denkmäler geprägt. Niederländisches spricht aus dem ersten, das an die Tumba des Grafen Ladislaus von Haag (München, Bayer. Nat.-Museum) erinnert.

Kath. Pfarrkirche Mariae Himmelfahrt, 1892.

Schloß.
Auf einer Hügelzunge über dem Wolfach-Tal dehnt sich der umfangreiche Komplex auf mittelalterl. Fundamenten. Die Gebäude stammen vorherrschend aus dem mittleren 16. Jh. Trotz bäuerlicher Schwere ist die Gesinnung der Renaissancefürsten zu spüren. Ein doppelter Arkadengang begrenzt die nördl. Stirnseite des Binnenhofs. Reste alter Bemalung lassen ein ehem. reicheres Erscheinungsbild vermuten. Die unregelmäßige Disposition der Innenräume geht zu Lasten der einbezogenen mittelalterl. Bauteile. Von den erhaltenen Kassettendecken der Zeit um 1600 sei die der Schloßkapelle (eines ehem. Festsaales) gerühmt, eine Intarsia-Arbeit von seltenem Reichtum. Rollwerk beherrscht das Ornament. Aus Rosetten- und Kreuzungsfeldern hängen stalaktitenartig fein gedrechselte Knäufe. Im ovalen Mittelfeld prunkt das Ortenburg-Wappen. Der große Rittersaal, mit Resten gleichzeitiger Wandmalerei (Götter des Olymp) besitzt eine schlichtere, doch ebenfalls sehr kostbare Holzdecke. Das späte 18. Jh. hat einige Malereien hinterlassen, nicht zu vergessen die guten, frühklassizist. Öfen.

Westl. außerhalb liegt die alte Begräbnisstätte **STEINKIRCHEN.** Die spätgot. (seit 1573 ev.) **Kirche** erhielt 1478 ihre Weihe. Aus dieser Zeit stammen die interessanten Wandmalereien, einige dat. 1482 und 1484. Zahlreiche Grabdenkmäler aus dem 15.–18. Jh.

OSTERHOFEN-ALTENMARKT (Ndb. – F 7)

Unbewiesene Klosterüberlieferung führt die Gründung auf den Agilolfingerherzog Odilo und seine Gemahlin Hiltrudis in den Jahren 737–739 zurück. Sicher ist nur der Charakter des Platzes als herzogliche, später königliche Pfalz, als solche 833 und 836 bezeugt, und sicher die Gründung eines Chorherrenstifts durch den Bayernherzog Heinrich und seine Gemahlin Luitgard im 1. oder

2. Jahrzehnt des 11. Jh. Das Stift kommt um 1138 durch Bischof Otto von Bamberg an die Prämonstratenser, die es bis zu der vom Papst verfügten Auflösung 1783 besitzen. Das nun von der Kurfürstenwitwe Anna Sophia eingerichtete Damenstift hat bis 1833 Bestand. Seit 1858 gehört das Kloster den Engl. Fräulein.

Ehem. Prämonstratenser-Klosterkirche St. Margaretha

Die Baufälligkeit der mittelalterl. Anlage führte nach langen Verhandlungen 1727 zur völligen Neuerrichtung. Baumeister ist Joh. Mich. Fischer. Vollendung des Rohbaus 1728. Die Innenausstattung besorgen die Brüder Asam aus München: Cosmas Damian als Maler, Egid Quirin als Bildhauer und Stukkateur. Die Dekoration wird 1731 zu Ende geführt. Aufstellung der Altäre in den folgenden Jahren bis zur Weihe 1740. Die farbige Fassung der Seitenaltäre erfolgt erst 1879–83. Letzte Restaurierung 1966/67.

Der bescheidene A u ß e n b a u birgt eine 1schiffige Raumanlage mit je 3 seitlichen Ovalkapellen; darüber konvex in das Schiff schwingende Emporenanlagen. 3jochiger Chor mit polygonalem Schluß. – I n n e r e s *(Tafel S. 609).* Gerundete Ecken, kurvende Emporenbalustraden, konkav gekehlte Langhauspilaster und deren aufgeregt profiliertes Gebälk verleihen dem Raum ein reiches Bewegungsmoment. Der unruhigen Langhausarchitektur antwortet eine strengere Chorgliederung. Ungewöhnlicher Aufwand an Stuckdekoration ist über den Baukörper des Architekten Fischer ausgeschüttet: Ranken- und Bandwerk, Kartuschen, Voluten, Rahmungen mit Brokatmuster. Dazu treten reichste Kapitellformen, Vasen auf gekurvtem Gebälk über Pilastern, deren Schäfte sich in Rahmenfelder auflösen und Reliefmedaillons von Heiligen aussondern. Das riesige *Gewölbefresko* schildert unter illusionistischen Raumerweiterungen Szenen aus dem Leben des Prämonstratenserheiligen Norbert. Aus der Anzahl kleinerer Gewölbemalereien (Leben Christi) sei das Selbstporträt Cosmas Asams unter dem Turm genannt: der demütige Zöllner im Tempel des Herrn. Die A l t a r a u s s t a t t u n g des Egid Quirin Asam gehört zu den prächtigsten und originellsten Schöpfungen des bayerischen Barock. Der *Hochaltar* verwertet Anregungen von Berninis Tabernakel in St. Peter zu Rom. 4 gedrehte Säulen tragen einen Baldachin, der sich in die Symbole der 4 Evangelisten verwandelt. In ihrer Mitte erscheint das Gotteslamm vor goldgelber Rücklichtglorie. An den Flanken drängen sich allegorische Gruppen: Glaube und Hoffnung – theatralisch

auf das göttliche Liebessymbol im Tabernakel bezogen.
Schildert das Altarblatt des Cosmas Asam (dat. 1732) die
Entrückung der Kirchenpatronin Margaretha, so berichten
die Reliefs der hohen Sockel aus ihrem Leben. Hinter dem
funkelnden Laubengebilde des Hochaltars sitzen in Fenster-
logen, naturalistisch im Zeitkostüm, die Figuren der Her-
zogspaare: Odilo und Hiltrudis, Heinrich IV. und Luitgard.
Überaus prächtiges Chorgestühl mit Stuckreliefs von Prämonstratenserheiligen. Seitlich des Chores Nebenaltäre mit
figürlicher Szene unter Kronenbaldachin: im N reicht die
thronende Muttergottes den hll. Dominikus und Katharina
von Siena Rosenkränze, im S versammelt sich die Hl. Sippe
um Mutter Anna. Einfache Nebenaltäre schmücken die Kapellen im O und W. Aus beiden Mittelkapellen spricht wieder die Originalität Egid Asams. Im N kniet vor dem Licht
des Fensters St. Norbert im Anblick der schwebenden Monstranz, im S ist es St. Johann Nepomuk, der aus den Händen Mariae den Siegeslorbeer des Märtyrers erhält. Die
Flankenfiguren, hl. Patrone, sind in Nischen der Schmalseite
gesetzt und der Altar mit seinen gedrehten Säulen und Bekrönungen um die Kapellenwand herumgeführt, den Gläubigen vor der Wachsimitation verehrungswürdiger Leiber
umschließend. Von hier führt der künstlerische Weg zum
Theatrum sacrum der Johannes-Nepomuk-Kirche in München.

OSTHEIM v. d. Rhön (Ufr. – D 1)

*Die Geschichte der kleinen Stadt am Nordrande Bayerns, dem sie
erst seit 1945 zugehört, spiegelt das deutsche und, insonderheit,
fränkische Schicksal der territorialen Zersplitterung. Fränkische
Königsherrschaft am Anfang, seit 804 Verschenkung des Königsgutes an das Kloster Fulda, dem es das im 11. Jh. stark werdende
Geschlecht der Grabfeldgaugrafen, Henneberg, abnimmt. Die Grafen besitzen die um eine kleine Wegstunde nördl. benachbarte
Lichtenburg, die sich zur Mitte einer (Ostheim einschließenden)
Herrschaft entwickelt. Aber ein Henneberg, Otto II. von Bodenlauben, veräußert die Herrschaft um 1230 an das Hochstift Würzburg, das zwar einen Teil an Fulda abgeben muß, doch Ostheim
und schließlich auch noch den fuldischen Teil (1423) hinzugewinnt,
so daß also nun die ganze Herrschaft (das Amt) Lichtenberg in
seiner Hand ist. Die allerdings auch wieder, 1433, an Henneberg-
Römhild veräußert werden muß. Nach dem Ausgang der Henneberg, 1555, fällt Ostheim an Sachsen. – Die landesfürstliche Ge-*

*walt, ob nun Würzburgs, Hennebergs, Sachsens, befand sich im
stetigen Kampfe mit dem aus ihren Burgleuten erwachsenen Adel,
der sich nahezu das ganze Ostheim als Lehen oder Eigen zu sichern
weiß, sich zu einer Ganerbenschaft zusammenschließt und in die
Reichsritterschaft (Kanton Rhön-Werra) eintritt.*

Noch im 17. Jh. werden in Ostheim 7 **Edelsitze** gezählt. Der besterhaltene ist der **Hansteinsche** (im Kern spätmittelalterlich, in der Erscheinung spätes 16. Jh.).

Das großartigste Altertum Ostheims, das vom Coburger
Herzog 1586 zum Markt erhoben wird und wenig später
als Stadt erscheint, die **Kirchenburg**, eine der größten und
stärksten, die noch existieren, hat mit diesen Herren (an die
noch die prätentiösen Grabsteine in der Pfarrkirche erinnern), nichts zu tun. Sie ließen sich auch von der Für-
sorgepflicht befreien, die also ausschließlich den »armen
Leuten«, den Bürgern und Bauern, zufiel. Als Zuflucht der
Bürger und Bauern müssen wir folglich auch die wahrscheinl. in der 1. Hälfte des 15. Jh. begründete (oder erneuerte) Kirchenburg ansprechen. Der quadratische Friedhof ist von einer doppelten, einen Zwinger einschließenden
Ringmauer umgeben. Der innere ist durch 4 Ecktürme,
2 viereckige westlich, 2 runde östlich, verstärkt. Nahe der
SO-Ecke das von der Kirchnerbehausung überhöhte rundbogige Tor. Entlang der inneren Mauer noch viele, teilweise von Häuslein überdeckte Keller, die den Notvorrat
aufzunehmen hatten. – Die **Pfarrkirche** inmitten des bewehrten Quadrats hatte einen 1410 aufgeführten Vorgänger, von dem noch Teile im Unterbau des östl. stehenden
Chorturmes stecken mögen. Die Obergeschosse dieses nur
wenig das Dach überwachsenden Turmes wurden erst 1579
bis 1580, das Langhaus wurde 1616–19 errichtet: eine mit
guten Portalen der Spätrenaissance ausgestattete 3schiffige
Halle, mit hohen rundbogigen Säulenarkaden und Holztonne, mit Malereien von Nik. Storant, 1619, bei Restaurierung 1958–61 freigelegt. Die Steinkanzel, mit Treppen-
geländer in Maßwerk, und der Taufstein stammen aus der Erbauungszeit. Die 1656 in einen Barockaltar eingeschlossenen
Holzreliefs, mit Darstellungen aus dem Leben Jesu, sind
wohl die Relikte eines spätgot. Hochaltars. Die schon erwähnten Bildgrabsteine, vorwiegend der Herren von Stein
(zu Altenstein), sind rühmenswerte Steinmetzenarbeiten,
meist der 2. Hälfte des 16. Jh., einige mit dem Monogramm

I H eines Meininger Meisters bezeichnet; wir nennen hier nur den des Christoph v. Stein (1576).

Auch die **Stadtmauer** steht noch großenteils aufrecht, ohne die Tore. Das **Rathaus** kam durch Umbau eines »alten Hauses« 1587 zustande: massives Erdgeschoß, Aufstockung in Fachwerk. – Trotz seiner langen Zugehörigkeit zu Sachsen-Thüringen: Ostheim ist typisch fränkisch, man darf sagen: beispielhaft fränkisch.

OTTOBEUREN (B. Schw. – B 7)

Benediktinerklosterkirche zur Hl. Dreifaltigkeit

Auf sanfter Bodenwelle im Günz-Tal dehnt sich der riesige Komplex, wohl die prächtigste Klosteranlage Oberdeutschlands. Als Gründungsjahr ist 764 überliefert. Das gräfliche Paar Silach und Erminswit sowie deren Sohn Toto werden als Stifter genannt. Karl d. Gr. schenkt dem Kloster ausgedehnten Landbesitz. Dem ersten Abt Toto folgen erlauchte Persönlichkeiten, darunter St. Ulrich, der spätere Bischof von Augsburg. 1086–1126 entsteht ein Neubau von Kirche und Kloster unter dem Vorzeichen der hirsauischen Reformbewegung. Eine Feuersbrunst 1153 setzt neuen Anfang. Der nächste, 1204 geweihte Bau geht 1217 in Flammen auf. Sogleich wird über seinen Resten der letzte roman. Baukörper errichtet. Gleichzeitig blühen im Kloster Künste und Wissenschaften. Unbeschadet von Reformation und Bauernkrieg erwachsen 1550 und 1564 neue Kirchen- und Klosterbauten. Mit Abt Rupert II. Neß von Wangen (1710–40) erhält der Konvent seinen großen Bauherrn. 1711 befiehlt er den Beginn der neuen Klosteranlage. Ihrem Viereck soll gegen N ein neuer Kirchenbau vorangestellt werden. Diese Disposition geht auf Pater Christoph Vogt zurück, der bei den Konventbauten eine wichtige Rolle spielt. Seit 1730 etwa werden bei Abt Rupert die verschiedensten Grundrißpläne eingereicht, Dokumente, die zur Kenntnis barocker Kirchenbaukunst von unschätzbarem Wert sind. Von den entwerfenden Meistern seien genannt: Andrea Maini (1731), Dominikus Zimmermann (1732) und Simpert Kramer (1736). Nach des letzteren Plänen beginnt 1737 der Kirchenbau. Ungunst der Zeitverhältnisse hemmt ein zügiges Fortschreiten der Arbeit. Der Nachfolger des Abtes Rupert, Anselm Erb, veranlaßt eine Revision der Kramerschen Leistungen durch Joseph Effner aus München. Sein Grundrißplan entsteht 1744. Vier Jahre später nimmt Joh. Mich. Fischer den Kirchenbau in die Hand. Kein anderer als er war dem Riesenprojekt gewachsen. Er übernimmt wesentliche Teile der Kramerschen Anlage (Abmessungen, Querschiff, Fassadenfundament) und errichtet darauf eine der großartigsten Raumfolgen des Barock. 1756 schließt sich der Rohbau, 1760 erhalten die Türme ihre Bekrönungen, und 1766 findet im Rahmen der (um 2 Jahre hinaus-

geschobenen) Jahrtausendfeier die Weihe statt. – Die Säkularisation bedeutet nur eine Pause im klösterlichen Leben, das heute noch blüht.

Äußeres *(Tafel S. 640).* Dem nördl. Querflügel des Klostergevierts vorgeschoben, thront das majestätische Münster über den Häusern der Ortschaft, malerisch umzogen von den waldigen Hängen des Günz-Tales. Im Außenbau zeichnet sich das Schiff klar ab, begleitet von niedrigen Nebenräumen und durchkreuzt von halbrund geschlossenen Querarmen, die am Kreuzungspunkt eine überhöhte Vierung ausscheiden. Die hervortretenden Querschiff-Rundungen sind von schlichten Pilastern gegliedert. Ureigene Formenwelt Joh. M. Fischers kennzeichnet die großartige 2-Turm-Fassade. In ihr gipfelt die Entwicklungsreihe Diessen – Fürstenzell – Zwiefalten. Sie wölbt sich gleich den Querarmen dem Betrachter entgegen, zusammengefaßt von mächtigen Säulen, ausklingend im hohen, geschwungenen Giebel. Seine Nische umschließt die Figur des Ordensgründers Benedikt. Seitlich von ihm Stifterfiguren und über dem Mittelfenster St. Michael, der Bewahrer vor den Mächten der Finsternis. Die Skulpturen schuf Jos. Christian. Der Hochdrang der Fassade wird von den Flankentürmen übertroffen (82 m). Die sich in der Höhenfolge duckende Geschoßgliederung und ihr Ausklang in spannungsgeladenen Hauben zeugt von maßvoll gebändigter Bewegungskraft. – Inneres. Ein Schritt durchs Portal, und es weitet sich eine großzügig erdachte Raumfolge, deren Harmonie aus feinem Abwägen der Verhältniswerte erwachsen ist. Freilich mußte Fischer auf die Fundamente seines Vorgängers Kramer Rücksicht nehmen. Doch behielt er in der Aufrißgestaltung wie in der wertenden Raumausdeutung freie Hand. Ausgehend von der festgelegten Vierung, auf deren anfangs geplanten Kuppeltambour er verzichtete, verfolgt er seine Lieblingsidee in der zentralen Raumgruppierung. Den gerundeten Querarmen entsprechen im Schiff die flach und oval überkuppelten Rechteckräume von Laienhaus und Mönchschor. An das Schiff lehnen sich Seitenkapellen, gegen den Mönchschor öffnen sich je 2 ähnliche Arkaden, die jedoch hinter Chorgestühl und -orgel kaum zur Auswirkung kommen. Die Längsachse erhält sinngemäß Richtung und Nachdruck durch ihr gerundetes Vorjoch mit der Orgelempore und den flachen Chorabschluß mit seinem beherrschenden Hochaltar. Der Wechsel von Pilastern und Säulen hebt oder mindert die Bedeutung der einzelnen Räume, die das gleichförmig hart geschnittene Gebälkband zusammenhält. Die in Fischers Spätwerk angestrebte Klarheit des Aufbaus durchläutert die enormen Ausmaße des Raumgefüges.

Auch der locker verteilte *Rocaillestuck* ordnet sich der Raumidee unter, ohne Einbuße an flammender Lebenskraft. Joh. Mich. (II) Feichtmayr ist sein Meister. Das Ornament erscheint – abgesehen von den phantasiereichen Kapitellen – der Wandfläche wie angeheftet, nicht aus ihr gewachsen. Damit betritt Feichtmayr die neue Epoche des dekorativen Denkens um 1760. Sein Werk sind auch die *plastischen Gruppen* über den Gebälkwinkeln, Allegorien und, in der Vierung, Kirchenväter. Dem rötlichen Ton der Säulen und Pilaster antwortet die strahlende Farbigkeit der *Gewölbefresken* von Joh. Jak. Zeiller. Vorbereitend beginnt das himmlische Blühen unter der Musikempore und in den Seitenkapellen mit Szenen aus Heilsgeschichte und Legende. Im Gewölbe des Vorjochs ereignen sich vor dem Hintergrund des barocken Kirchenporträts Gründung und Jahrtausendfeier unter dem Segen des auf Wolken herabschwebenden Ordensvaters Benedikt. Das Laienhaus wird überzogen von der vielfigurigen, doch straffen Komposition einer Verherrlichung des Benediktinerordens mit seinen Lehrern und Heiligen. Ihr folgt in der Vierungskuppel als räumlicher Mittelpunkt die Ausgießung des Hl. Geistes. In konzentrischen Kreisen führt die Bildwelt aus dem äußeren, irdischen Ring zur Erscheinung der Taube im jenseitigen Zenit. Über den Querarmen Ruhm des Erlösungsglaubens durch Martyrium (links) und durch die Fürbitte Mariens (rechts). Der Chor führt in apokalyptische Weiten: St. Michaels Kampf gegen den Unglauben und, im Altarjoch, die Verehrung des Lammes durch die 24 Ältesten.

Von höchstem künstlerischem Rang ist die A l t a r e i n r i c h t u n g. Ihr Künstler ist Jos. Christian, der mit Joh. Mich. Feichtmayr zusammen bereits in Zwiefalten unter Joh. M. Fischers Oberleitung gearbeitet hat. Der *Hochaltar* umschließt Zeillers Dreifaltigkeitsbild. Seine breit angelegte Baldachinform ist stärkster Raumakzent und Blickfang. Prächtig bewegte Figuren der hll. Petrus und Paulus, Ulrich und Konrad von Konstanz huldigen an den Altarflanken dem Wunder der Trinität. Den Mönchschor schmückt ein Chorgestühl von seltenem Reichtum und höchster künstlerischer Ausdruckskraft. Seine Rückwand mit Reliefs aus Bibel und Benediktus-Legende leitet über einzigartige Trägerfiguren zu den Prospekten der Chororgel über dem fein geschnitzten Emporengeländer. Unter der Vierung hat ein kleiner, spätroman. Kruzifixus auf seinem Kreuzaltar Aufstellung gefunden. Nebenaltäre an den Vierungspfeilern, ebenfalls von Christian, gelten den himmlischen Heerführern Michael und Raphael, den hll. Joseph und Johannes Bapt., den 4 Schutzpatronen der Kirche. In den

Querschiffaltären (links St. Alexander, rechts Bruderschaftsaltar
mit Zeillers Altarblatt, Schlacht von Lepanto) klingt wiederum die
zentrale Bedeutung des Raumgefüges auf. Eine hohe Zahl kleinerer Altäre, alle von Christian oder seiner Werkstatt, unterstützen
die große künstlerische Einheit, die gegen das Laienhaus durch
Kanzel und Taufgruppe ergänzt wird. Nur der Ausbau der Musikempore blieb unvollendet.

Mit dem Münster von Ottobeuren hat die Barockkunst
Bayerns und Schwabens ihren Höhepunkt erreicht. Kraftvolle Weite, gemessene Würde und feiner Spannungsreichtum
durchatmen diese gewaltige Raumschöpfung.

Klostergebäude

Bauherr ist Abt Rupert II. Grundsteinlegung 1711. Aus einer
Reihe von Plänen wurde der des Paters Chr. Vogt ausgewählt,
der zunächst inmitten des Gevierts 4 Binnenhöfe vorsah, deren 2
während der Ausführung zu einem größeren verschmolzen wurden.
1717 taucht Simpert Kramer als Baumeister auf, und 1728 ist von
Mitarbeit des Joh. Jak. Herkomer wie des Andrea Maini die
Rede. 1715 stand der Konventflügel im O. Ihm folgten im gleichen
Jahr N-, S- und Mitteltrakt (Abtei). 1719–25 wurde der Komplex
mit dem W-Flügel vollendet. Unter den Ausstattungskünstlern
ragen die Namen Joh. Bapt. Zimmermann, Chr. Zöpf, K. Rad-
miller und Joh. Mich. Feichtmayr hervor.

Der A u ß e n b a u ist rhythmisiert durch vorgeschobene
Eckpavillons und hervorgehobene Mittelachsen. In seiner
Gesamtheit bleibt er schlicht. Das I n n e r e hat seinen ganzen urspr. Reichtum bewahrt. Schön stuckierte Kreuzgangs-
fluchten umziehen die Höfe. Hier lieferte der Stukkateur
Joh. Bapt. Zimmermann 1714 sein Jugendwerk. – Im O-
Flügel der von stämmigen Säulen getragene *Kapitelsaal.*
Prächtig stuckierte und ausgemalte Säle und Treppenhäuser
stellen prunkvolle Verbindung her zu den großen Repräsentationsräumen: dem mächtigen *Kaisersaal* mit den vergoldeten Schnitzfiguren Habsburger Kaiser von dem Füssener Anton Sturm,
zum prunkvollen *Bibliothekssaal* mit seiner Empore auf
44 Stuckmarmorsäulen oder zum *Theatersaal*, der zwar weniger Kunstwerk ist, doch als erhaltenes klösterliches Unikum von der Weite benediktinischer Wirksamkeit Zeugnis
ablegt. Namhafte Dekorationskünstler, Maler und Kunst-
handwerker haben sich hier zu einer Höchstleistung zusam-
mengefunden, die, aus der Großzügigkeit barocken Denkens
geboren, bis heute in fast unverändertem Glanz erhalten
blieb.

Im **Museum** gute Stücke einheimischer Schnitzkunst der späten Gotik.

Südlich, bei **MARKT RETTENBACH**, liegt die kleine **Wallfahrtskirche Maria Schnee**, gegr. 1654, neugebaut 1706–10: eine Chor-Rotunde mit vorgesetztem Langhaus, freie Variante zu Klosterlechfeld. Die Stukkatur ist Frühwerk des Joh. Bapt. Zimmermann; die Deckenbilder kamen erst 1736 hinzu. Altäre 1718.

PAPPENHEIM (Mfr. – D 5)

Burg

Seit 1111 begegnen die Burgherren, seit 1123 Marschälle von Pappenheim, und ihre Burg ist auch schon bald nach Beginn des 13. Jh. bezeugt, deren ältester Teil, der Bergfried, ins 12. Jh. zurückgeht. Die Vorburg ist in die Mitte des 14. zu setzen; die beiden Häuser der Vorburg kommen aus dem 15. Die beiden Rundtürme an der N-Seite brachte das späte 16. Jh. hinzu. Im 30jährigen Krieg zerstört, verfällt die Burg im 18. Jh., im 19. wird sie Ruine.

Sie liegt auf einem nordöstlich in das hier eine Schlinge bildende Altmühl-Tal vorstoßenden Felsrücken, die Hauptburg auf dessen Spitze, zurück die durch Gräben abgesetzte Vorburg. Der quadratische Quaderstrunk des roman. Bergfrieds ist der sichtbare Überstand der Hauptburg. Die erhaltenen Mauerteile des Palas an der S-Seite weisen ins 13. Jh. Die die Hauptburg umfassende Zwingeranlage dürfte im 15. Jh. entstanden sein; im 16. wurde sie verstärkt.

Unterhalb der Burg entwickelte sich die **Siedlung**. Der Fluß bot ihr auf 3 Seiten Schutz, den Rücken deckte die Burg, mit der sie sich durch Mauern verband. Ein großer Teil der Stadtbefestigung hat sich erhalten, und es steht auch noch das Obere Tor (14. Jh.). Das Gesicht der auf 2 Achsen, Judengasse und Herrengasse, ausgerichteten, jedenfalls planmäßig von den Marschällen geschaffenen Stadt war bis ins 17. Jh. durch Fachwerk charakterisiert. Die Dachneigung hielt sich an den stumpfen Winkel des Altmühlhauses. Erst im 18. Jh. gewann das Walmdach die Vorhand.

Pfarrkirche war urspr. die **Galluskirche**, deren Titel auf das im 9. Jh. hier begüterte Kloster St. Gallen zurückdeutet. Der hochaltertümliche Bau dürfte auch, im Kern, ins 9. Jh. zurückreichen, erfuhr aber im 11. oder 12. Jh. (Erhöhung der Schiffe, Errichtung des Turmes), im 13. Jh. (die breiten Spitzbogenarkaden) und im 15. Jh. (Chor, Turmerhöhung) Umgestaltungen. Die Pfarrechte gerieten, nach Einführung der Reformation, Mitte des 16. Jh., an die spätgot. (1476 vollendete) Marienkapelle, die jetzige **ev. Pfarrkirche**. – Die gegen Ende des 15. Jh. gebaute Kirche des 1372 gegründeten, um 1550 säkularisierten **Augustinerklosters** ist seit 1700 die Gruftkirche der Grafen von Pappenheim.

Altes Schloß. Bis ins 19. Jh. residierten hier die Grafen Pappenheim. An der platzartig breiten Herrengasse liegend, fügt es 2 dreigeschossige Trakte ungleicher Höhe und auch ungleichen Alters zusammen. Der S-Teil mag, im Mauerbestand, noch in die Frühzeit des 16. Jh. zurückreichen, der stattlichere N-Teil mit den rahmenden polygonen Ecktürmen entstand 1608.

Neues Schloß. An der N-Seite des Marktes, stadtbürgerlicher Nachbarschaft gegenüber. Nach den Plänen L. v. Klenzes 1819/20 errichtet. Die Fassade läßt einen Pavillon vortreten, der sich in 3 hohen Rundbogentoren öffnet und mit einem flachen Dreieckgiebel schließt. 2 kurze Flügel greifen rückseitlich gegen den Park aus. Im Innern noch einige gute klassizist. Räume.

PARING b. Rottenburg (Ndb. – E 6)

Ehem. Klosterkirche St. Michael

Schon im 8. und 9. Jh. bestand hier ein Kloster, Vorgänger der Gründung von 1141. Augustinerchorherren hatten sich niedergelassen und bereits 1139 mit dem Bau ihrer Kirche begonnen. 1143 wurde sie geweiht: ein Bau, der 4 Türme besessen haben soll, eine 3schiffige Pfeilerbasilika, wie Untersuchungen des bestehenden Mauerwerks ergeben. Langhausmauern, Vorhalle und ein Turm sind überkommen. Das frühe 16. Jh. brachte einen neuen Chorbau. Dann, um 1556, ging das Kloster ein. Sein Besitz kam an das bayerische Herzogshaus, welches ihn 1598 dem Benediktinerkloster Andechs übergab. Als dessen Propstei wurde die Kirche 1764–69 barockisiert. 40 Jahre später verfiel das Kloster der Säkularisation. Die Klosterbauten kamen zum Abbruch, die Kirche wurde von der Pfarrei übernommen.

Das Ä u ß e r e der Kirche – malerisch das Ortsbild überragend – wirkt durch die Wucht des roman. Mauerwerks (1139–43). Ein gedrungener Turm erhebt sich nördl. der niedrigen Vorhalle. Seine Schallöffnungen sind barock verändert, wie auch die Fenster des Langhauses. In dessen S-Wand sitzt das ehem. W-Portal. Sein Bogenfeld zeigt in knapper Formensprache die Schlüsselübergabe Christi an Petrus. Flechtwerk überzieht Teile des gestuften Gewändes, vor dem urspr. wohl die beiden Löwen des Landshuter Stadtmuseums kauerten. Die Stilformen deuten auf Mitte des 13. Jh. Der Chor ist spätgot. Barocke Anbauten flankieren ihn an den O-Teilen des Langschiffs. Das I n n e r e überrascht durch sein heiteres Barockgewand. Pilaster tragen die Stichkappenwölbung des Laienhauses. Ihm folgt das flach überkuppelte Presbyterium mit dem eingezogenen Chor. Vorzüglich ist die Stuckdekoration, züngelnde Ro-

cailleformen. Geringer sind die Fresken, darstellend die
9 Engelschöre und den Kampf St. Michaels gegen das höl-
lische Chaos (bez. I. F. 1765). Die Altarausstattung entspricht dem Rokoko des Raumdekors. Der rechte Seitenaltar birgt eine Muttergottesfigur aus dem späten 14. Jh.
Südl. am Presbyterium, gegenüber der Sakristei, die ebenfalls vorzüglich dekorierte Sebastianskapelle, ein Bau des
18. Jh., mit feinem Altärchen.

PARSBERG (Opf. – E 5)

*Ausgangspunkt und Schicksalsträgerin ist die Burg, unter deren
Obhut die Siedlung wächst. Eine Brandkatastrophe, 1841, hat das
alte Ortsbild verzehrt. Erhebung zur Stadt 1952.*

Schloß. Die Parsberger Herren sind angebl. schon 933 nachweisbar, ohne
daß sich daraus Schlüsse auf die Gründung der Burg ziehen ließen.
1205 war diese jedenfalls da. Einige Reste auf dem Gipfel der Anhöhe
künden von ihr. Um die Mitte des 15. Jh. begann der Neubau, den
das Hauptgebäude mit seinen 2 Ecktürmchen in der 1. Hälfte des
16. Jh. beendete. Südlich davon entstand um 1600 das »Untere Schloß«.
Der Zerstörung im 30jährigen Krieg folgten Wiederherstellungen. 1730
erlosch das Geschlecht der Parsberger. Schloß und Siedlung kamen an
die Bischöfe von Würzburg und Bamberg und später, 1792, an die
Wittelsbacher.

Pfarrkirche St. Andreas. Die Gründung von 1444 erhielt 1459 den ihr
angemessenen Kirchenbau: 1schiffig und mit 2 Seitenkapellen. 1736
bis 1738 trat ein neuer Turm hinzu. Der Umbau von 1920–27 schuf ein
völlig neues Raumbild und übernahm aus altem Inventar nur den
schmuckreichen Taufstein um 1500 und die rotmarmorne Stiftergrab-
platte für Hans von Parsberg, 1469.

PASSAU (Ndb. – G 7)

*Zwei schiffbare Ströme, der eine westl., der andere südl. Herkom-
mens, Donau und Inn, vereinigen sich zu breiter östl. zielender
Wasserstraße. Eine schmale, vom Fels des Urgesteins aufgesockelte
Landzunge trennt die beiden, am »Ort« zusammenkommenden
Flüsse, und diese natürlich bewehrte Halbinsel bedurfte nicht mehr
viel künstlichen Zutuns. Am »Ort« fällt noch ein dritter, kleinerer
Fluß zu, die aus dem nördl. Hinterlande, dem »Wald« herab-
kommende Ilz. Um 450 v. Chr. etwa versichern sich die keltischen
Bojer der Naturfestung im Keil zwischen den Flüssen, und jetzt
heftet sich der erste bekannte Name an die Halbinsel, »Bojodurum«. Die »Bojerburg« wird 15 v. Chr. von den Römern über-
mächtigt, die ihr Kastell am andern, rechten Inn-Ufer anlegen, das
den Namen der Keltenburg übernimmt. Da der Inn 2 Provinzen,*

*Noricum und Raetien, scheidet, liegt nun Alt-Bojodurum auf der
raetischen, Neu-Bojodurum auf der norischen Seite. In der Not-
zeit des 3. Jh. treten die Römer auf die schützende Halbinsel
zurück, die jetzt, nach der hier stationierten 9. Batavischen Ko-
horte, neuen Namen empfängt, »Castra Batava«, kürzer »Batavis«, das, in germanischer Sprache, zu Bazzava, endlich zu Passau
wird. Bojodurum drüben veröedete indessen nicht. »Bojtro«, das
schon um 450 ein Kirchlein hat, dem der hl. Severin eine Zelle
hinzufügte, entwickelte sich im frühen Mittelalter zur Innstadt
Passaus. In der 2. Hälfte des 5. Jh. von den Nordvölkern (Alemannen, Thüringern) bedroht und überrannt, fällt Bojodurum-
Batavis im frühen 6. Jh. den landnehmenden Bajuwaren anheim.
Wahrscheinl. sitzen schon in dieser Frühzeit Bischöfe in Passau,
sicher schon einige Zeit vor der Errichtung des kanonischen Bistums durch Bonifatius, 739. Einer der hervorragendsten Bischöfe,
der auch durch seinen Anteil an der Überlieferung des Nibelun-
genliedes bekannte Pilgrim (970–991), glaubte Passau als den
Rechtsnachfolger des römischen Bistums Lauriacum-Lorch ausgeben
zu dürfen; das Ziel, der erzbischöfliche Vorrang Passaus im Osten,
wurde trotz heißen Streitens nicht erreicht. Doch gewinnt der
Bischof wenig später, mit den Regalien Markt, Münze, Zoll, die
volle Stadtherrschaft (999), die ein sehr kräftiges und selbstwilli-
ges Bürgertum trotz allen Anlaufens nie abschütteln sollte. Die
beiden Vesten, Oberhaus (seit 1219) und Niederhaus (seit 1. Hälfte
des 14. Jh.), sind bischöfliche Trutzburgen, mehr gegen den inneren
Feind als den äußeren gewendet. Eine Beeinträchtigung der Stadtherrschaft durch Exemption des alten, im 8. Jh. begründeten
Frauenklosters Niedernburg durch König Heinrich II., 1010, hatte
anderthalb Jahrhunderte Bestand. Die Grenze zwischen dem
Stadtgebiet des Bischofs, dem höheren Teil der Halbinsel und dem
der Äbtissin lebt noch namentlich in der Marktgasse (verderbt aus
March = Grenzgasse) fort.*

Die Stadt

Im 12. Jh. wächst dem durch Niedernburg und Dom bezeichneten Stadtkern eine westl. Vorstadt zu, der 1204 mit
diesem Namen bezeugte »Neumarkt«, der sich 1209 in
Mauern einschließt. Weitere Ausbreitung westlich riegelte
das um 1070 entstandene Kloster St. Nikola ab, das, über
die Vogtei, an die Herzöge von Bayern fällt. St. Nikola
war für Passau schon »Ausland«. Die Stadt hatte infolgedessen Entfaltungsmöglichkeiten nur jenseits der sie eng
umfassenden Flüsse. Die Innstadt ist wohl schon im 11. Jh.
eine nennenswerte Vorstadt, erscheint sie auch noch 1289
als das »dorf enthalben der (1143 errichteten) Innbruck«.
Eine Mauer – sie steht noch gutenteils, vor allem südlich,

aufrecht – schließt seit 1410 die unter eigenes Gericht gestellte Vorstadt ein. Eine zweite Vorstadt entwickelt sich,
dank des hier auftreffenden böhmischen Wegs, des »Goldenen Steigs«, an der Ilz, die Ilzstadt. Auch sie untersteht
eigenem Gericht und ummauert sich um 1418. Weniger
bedeutend ist die vorstädtische Siedlung am linken Donau-
Ufer, die der 1278 erbauten Donau-Brücke zuwächst
(»Anger«). – Das Kerngebiet der Altstadt, durch 2 Tore,
Innbrucktor (13. Jh.) und Paulstor, zugänglich, ordnet sich
einer herrschenden Straßenachse zu, die als Steinweg am
Paulstor beginnt, als Große Messer- und Schustergasse fort-
läuft und vor Niedernburg endet. Sie hälftet das älteste
Stadtgebiet, das sich nur zu 2 größeren Plätzen öffnet, dem
von Dom und Domherrenhöfen umstellten, abgerückt stillen (1150 geschaffenen) **Domplatz** westl. des Domes und
dem von Dom (Chor), Residenz und Bürgerhäusern begrenzten **Residenzplatz** nordöstlich. – Der hohe städtebauliche Rang Passaus gründet in der glücklichen Ausnützung
einer glücklichen landschaftlichen Situation: die natürliche
Aufsockelung der Halbinsel hebt den an sich schon mächtigen Langkörper des Domes groß empor, die einklammern-
den Flüsse zwingen die Siedlung zu dichter, geballter
Form, die Böschungen der Talränder fassen auch die Vorstädte knapp zusammen, ihre, mit Oberhaus nördlich,
Mariahilf südlich, bekrönten Höhen führen um die Talstadt
im Kraftfeld der 3 Flüsse den schließenden Ring.

Die innere Stadt

Dom St. Stephan

*Schon in der Vita des hl. Severin (Anfang 6. Jh.) erscheint eine
Taufkirche, die einen Bischofssitz andeutet. Spätestens um die
Mitte des 8. Jh. steht eine Bischofskirche, des Titels St. Stephan.
Überführung eines Heiligenleibes, St. Valentins, den die Vita
Severins als Bischof von Raetien (Mitte 5. Jh.) erwähnt, aus dem
südtirolischen Mais durch Herzog Tassilo, um 770, stattet Dom
und Bistum mit einem Sonderpatron aus, dem sich, spätestens im
10. Jh., ein zweiter, St. Maximilian, zugesellt. – Die Dome des
frühen und hohen Mittelalters haben keine Spuren hinterlassen.
Der Bau des Spätmittelalters, 1407–1530, blieb in den O-Teilen,
Chor und Querschiff, außen wenig, innen stark (barock) verändert,
erhalten. Späte und späteste Gotik im O, Hochbarock italienischen
Herkommens im W bestimmen die Erscheinung des mächtigen Gebäudes, dessen Länge (101 m) durch die Aufreckungen der beiden*

Fronttürme und, bes., der Vierungskuppel bezwungen wird. – Der grundlegende Meister der O-Teile ist der vermutl. deutschböhmische Hans Krumenauer, einer der Besten aus der Parler-Nachfolge, doch von selbständiger, eigenwilliger Art. 1439 löst ihn Ulr. Seidenschwanz ab, dem 1466 Jörg Windisch und andere, sonst kaum bekannte Werkmeister folgen, bis der Landshuter Hans Glapsberger im 2. und 3. Jahrzehnt des 16. Jh. das Werk vollendet. Die Wölbungen schlossen sich allerdings erst nach der Mitte des 16. Jh. – Das ältere, dem 14. und 15. Jh. entstammende Langhaus fiel 1662 einem Großfeuer zum Opfer. Der Wiederaufbau der Ruine wurde dem Prager Italiener Carlo Lurago anvertraut, der 1668 mit der Arbeit beginnt. Nur die nördl. Langhausmauer wurde in Höhe des ehemals angelehnten Domstift-Kreuzgangs beibehalten. 1677 war der Rohbau so weit gediehen, daß man mit Korrekturen und Neuwölbungen in den erhaltenen, spätgot. O-Teilen anfangen konnte. Ein Jahr später endete die barocke Bautätigkeit mit Schaffung einer neuen Gruft. Das Feld behaupten 1678–86 die Dekorationskünstler Giov. Batt. Carlone und Paolo d'Aglio, denen der Zusammenschluß des Raumbildes zur einheitlichen Barockanlage gelang. Gleichzeitig erfolgte die Ausmalung. Im 18. Jh. wurde die Haube des Vierungsturmes erneuert. Sie allein übergipfelte den riesigen Baukörper, ehe man 1896 das westl. Turmpaar um 8eckige Glockengeschosse salzburgischer Prägung bereicherte. Seitdem beherrschen die 3 Türme das Stadtbild.

Ä u ß e r e s. Der höchste Punkt des inselartigen Geländes verhilft dem gewaltigen Bau zu starker Wirkung. In ihm vollendet sich das Gefüge der Bischofstadt. Den von W hinzutretenden Betrachter berührt der feierlich-wuchtige Ernst einer breiten, 2türmigen Barockfassade. Knappe Umrißlinien, straffe Pilastergliederung und schwere schattende Fensterbekrönungen verweisen auf oberitalienische Vorbilder. Das Untergeschoß des S-Turmes öffnet sein Tor gegen ein schmales Gäßchen (Zengergasse), das, die S-Wand der Kirche entlangstrebend, in den Residenzplatz mündet. Von hier bietet sich der spätgot. *Chorbau* dem Auge, ein Gebilde von packender Großartigkeit (Tafel S. 641). Filigranhaft von Stabwerk übersponnen der Kranz der Strebepfeiler wie die Zwickelfelder zwischen dem barocken Dachgesims und den flammenhaft schwingenden Fenstergiebeln. Die Fensteröffnungen selbst wurden 1677 unterteilt. Barocke Zutat ist auch das Wappen des Bischofs Sebastian von Pötting, barock sind die Ladeneinbauten zwischen den Strebepfeilern. Darüber, an der südlichsten Schrägwand, die spätgot. Bauinschrift. Auch die *Querhauswände* sind von reichem Maßwerkschmuck überspielt. Die Gliederung des Chores wird hier fortgesetzt, nur breiter und mit geringen Änderungen im Schmuckdetail. Eine bes. feine Erfindung spätgot. Formdenkens ist das sog. *Stephanstürmchen* am O-Ende des nördl. Querarms: ein zierliches Achteck mit zartem Maßwerkdekor und durchbrochener Kuppel aus Steinrippen, bekrönt von der Figur des hl. Patrons. Die reiche Gruppe spätgot. Bauglieder erfährt ihre Krönung in der steilen *Vierungskuppel*, deren Verstrebungen im Barock neue Zierden erhalten haben, geschlossen durch eine Helmglocke des 18. Jh. Die Idee der Vierungskuppel ist in der Spätgotik ohne Beispiel; der roman. Vorgängerbau mag sie eingegeben haben.

Das I n n e r e erscheint als mächtige barocke Basilika. 6 durch breite Gurtbänder getrennte, flach überkuppelte Joche werden von kräftigem Gebälk zusammengebunden. Dieselbe Ordnung, bei einfacheren Stützgliedern, kehrt im 1schiffigen Chor wieder, jenseits der von der steilen Kuppel überhöhten Vierung. Tonnengewölbe, durch Stichkappen gelockert, schließen Querarme und Chor, schmale Quertonnen die Seitenkapellen. Von der spätgot. Struktur ist nichts mehr zu spüren. Der ganze riesige Raum verrät eine nach Oberitalien deutende Formgesinnung, als deren deutscher Prototyp die Theatinerkirche in München gelten mag.

Das italienische Gepräge wird wirksam unterstützt von der meisterlichen *Stuckinkrustation* des Giov. Batt. Carlone und seines Mitarbeiters d'Aglio. Überquellende, krautige Fülle begleitet die Strukturteile, verdichtend und lösend, je nach ihrer Bedeutung. An bes. wichtigen Punkten des architektonischen Kräftespiels erscheinen figürliche Bildungen: Putti mit Texttafeln und allegorische Figuren begleiten die Arkadenbogen. Atlanten zu Häupten der Viertelsäulen tragen das Konsolgesims, über dem, zu seiten der Gewölbegurte, Propheten erscheinen. Ein theologisches Programm spannt das Netz innerer Zusammenhänge von Text zu Text, von Allegorie zu Prophetengestalt. Die Figuren sind hervorragende Leistungen in pathetischer Formen- und Gebärdensprache. Typisch für G. B. Carlone: die breitflächig bewegte Schichtung der Gewandstoffe, verbunden mit weichem Fließen der Oberflächenerscheinung. Es ist die Art oberitalienischer Bernini-Epigonen. Meisterlich erfunden ist die Reihe der Atlanten im Chorgewölbe, die aus dem flachgebogenen Rahmenspiegel zur Stichkappentonne überleiten und dergestalt die Tonnenwölbung ergänzen: Überaus kraftvolle Gestalten an den Punkten architektonischer Hochspannung. Besonders kostbaren Figurenschmuck trägt das Bischofsoratorium an der Chor-S-Wand. – Die *Gewölbefresken* schuf Carpoforo Tencalla aus Mailand 1679–84. Im W-Joch des Hochschiffs beginnt der Zyklus mit Christi Tempelreinigung. In der nächsten Flachkuppel vollzieht sich die Erneuerung des alttestamentlichen Opfers durch die Zeichen christlicher Eucharistie. Es folgt eine Engelsglorie in den Wolken, deren Mitte durch die Öffnung für szenische Darstellungen von Himmelfahrt und Pfingstfest bezeichnet ist. Die beiden östl. Joche sind dem Triumphzug der kath. Kirche gewidmet. Es folgt die Kuppel mit Gottvater inmitten der Evangelisten, das Querschiff mit Marienkrönung und Verherrlichung der hll. Valentin und Maximilian und endlich das Chorgewölbe mit dem Martyrium des Patrons, der Steinigung St. Stephans. Die Medaillons der Zwickelfelder zeigen Kirchenväter, Sibyllen und Engel. Trotz lebendiger Komposition und gewaltigem figürlichem Aufwand geht der Maler nicht über die Forderungen der Dekorationskunst hinaus. Sein Illusionismus ist zurückhaltend, so daß der Charakter der abschließenden Wölbungen gewahrt bleibt. Einem anderen Meister wurde 1688 die Ausmalung der Seitenschiffe übertragen: Carlo Ant. Bussy (Bossi), ebenfalls Mailänder. Die Themen beziehen sich zumeist auf Heilige der benachbarten Altäre und auf religiöse Symbole. Unter der Orgelempore: Engelskonzert mit der orgelspielenden hl. Cäcilie. Nicht nur der geringere Umfang der Rahmenfelder führt zur Verminderung des figürlichen Apparates. Diese jüngere Malergeneration drängt zu stärkerer Tiefenillusion und schreckt vor gewagten Verkürzungen nicht zurück. Der _Hochaltar_, eine den mächtigen Raumabmessungen angepaßte Freigruppe, das Martyrium St. Stephans von Jos. Henselmann, kam erst 1953 zur Aufstellung. Die Nebenaltäre wurden sämtlich von Carlone zwischen 1685 und 1693 angefertigt, Retabelaufbauten in Stuckmarmor von würdevoller Erscheinung und hohem Formenadel. Die Antependien tragen kostbare Scagliola-Dekoration. Im Querschiff stehen der Marien- und Valentinsaltar einander gegenüber, beide bes. stattlich, mit trefflichen Figuren und Gemälden. Die gegen W folgenden Seitenaltäre, den hll. Johannes und Paulus geweiht, tragen hervorragend schöne Altarbilder von Joh. Mich. Rottmayr, 1693: Enthauptung des Täufers und Bekehrung Pauli. Im westl. folgenden Joch: Katharinenaltar mit vorzüglicher Darstellung der Heiligen vor dem Thron der Muttergottes und Martinsaltar mit Gemälden von J. C. Resler. Folgend der Dreikönigsaltar mit Anbetungsbild von J. C. Sing 1697 und der Christigeburtsaltar mit Anbetung der Hirten von Andr. Wolff 1698. Schließlich Agnes- und Sebastiansaltar mit 2 weiteren Meisterwerken Rottmayrs: Martyrium der hl. Agnes und Rettung des hl. Sebastian durch Irene. Auch die Auszugsbilder (St. Dorothea bzw. Rochus) sind Arbeiten des berühmten oberösterreichischen Meisters. Den Altaraufbauten wurden die Umrahmungen der inneren Seitenportale angeglichen, 1692, von Andrea Solari aus Como. Die Kanzel gehört zu den Großtaten deutscher Plastik: Arbeit des Wiener Hoftischlers J. G.

Series, 1722 ff., doch kaum auch im Bildhauerischen, das, mit fraglichem Recht allerdings, G. R. Donner zugeschrieben wurde. Als vollendete Charakterstudien von Grübler bis zum Erkennenden umgeben die 4 Evangelisten das Kanzelcorpus. 2 Genien mit den Emblemen der Marter und der Erlösung flankieren die Rückwand mit dem Reliefbild des Zwölfjährigen im Tempel. Auf dem Schalldeckel triumphiert Ecclesia inmitten ihrer Symbole. Zugunsten des Figürlichen treten Aufbau und Ornament zurück. – Prospekt der Hauptorgel 1731. Diese selbst übergroß und neu (1924–28). – Sakristei mit kostbar geschnitztem Schrankwerk um 1680.

Domkreuzgang. Schon der roman. Kreuzgang des 739 bezeugten Domklosters nahm diesen Platz auf der durch die Beschaffenheit des Geländes angetragenen N-Seite des Domes ein. Er wurde im frühen 14. Jh. durch einen gotischen ersetzt, dieser, 1812, abgebrochen. Nur wenige Reste (Wandvorlagen) und das reizvolle Portal von etwa 1430, das sich zum Steinweg öffnet, blieben. – Die im Kreuzgang befindlichen Grabsteine nehmen erst seit 1961/62 diese Plätze ein; bis 1960 befanden sie sich in der Herrenkapelle.

Ortenburgkapelle. Schon im 13. Jh. haben die Ortenburger Grafen ihre Grablege in der Sixtuskapelle am Domkreuzgang, die sie seit 1453, unter Einbeziehung der dem N-Arm des Querschiffs anliegenden »Librey«, erweitern und erneuern. Die in das mit 3 Kreuzgewölben gedeckte Rechteck einspringenden Streben des Domes sondern 2 Nischen aus, deren 2geschossige Teilung der Rückstand eines zwischen die Streben eingefügten älteren Laufganges ist. Auch die Schlußsteine sind älter, 14. Jh. Eine Restaurierung, 1860 ff., hat das Bild der Kapelle getrübt. – Hier das Grabmal des (1360 gest.) Grafen Heinrich von Ortenburg, eine Tumba mit der Bildnisfigur auf der Deckplatte, ein vorzügliches Werk späten Weichen Stils (um 1430). Aus der langen Reihe von Grabsteinen, die 1961/62 aus der Herrenkapelle (der die meisten altersher zugehörten) hierher gebracht wurden, seien herausgehoben: das Doppelgrabmal, urspr. Deckplatte einer Tumba, des Gottfried Graf von Kirchberg (1316) und des Eberhard Graf von Wartstein-Berg (ebenfalls 1316) und der dem Jörg Gartner zugeschriebene Grabstein des Tristan Fröschl zu Marzoll (1508) mit dem in herausfordernder Haltung dargestellten vollgerüsteten Ritter in ganzer Figur.

Herrenkapelle

Sie schließt nördlich an. St. Andreas betitelt, entstand sie als Domherrensepultur, wahrscheinl. einen älteren Vorgänger ersetzend, in der Frühzeit des 14. Jh. In der Frühzeit des 15. Jh. kam als Stiftung des Dompropstes Otto von Layming der Chor (Erasmuskapelle) hinzu. Nach 1662 barockisiert, wurde die Kapelle 1841, nicht eben zu ihrem Besten, regotisiert; 1960/61 restauriert.

Sie ist eine 3schiffige Halle zu 9 Jochen mit kleiner rechteckiger Chorkapelle. Das Schiff ist mit Kreuz-, der jüngere Chor mit Netzgewölben gedeckt. 8kantige Pfeiler lassen über kräftig reliefierten Blattkränzen die schmalen schnittigen Rippen der steil gebusten Wölbungen ausstrahlen. – Über dem W-Portal Steinrelief um 1300: St. Stephan und

St. Valentin neben einem Bischof. Ölbergrelief um 1440. Die Kapelle war bis 1960 reich an Grabdenkmälern, die ohne guten Grund und nicht gerade schonungsvoll (zahlreiche Brüche) in Ortenburgkapelle und Kreuzgang übertragen wurden. Unter den wenigen, noch in der Herrenkapelle befindlichen: die hervorragenden Grabmäler des P. v. Polheim (1440), schräg liegende Marmorplatte mit Bildnisrelief, und das des Weihbischofs Albert Schönhofer (1493), die, wenn nicht vom Meister von Kefermarkt, diesem doch nahesteht.

Gegenüber am ehem. W-Trakt des Kreuzgangs liegt die **Trenbachkapelle**, ein hoher Rechteckraum, vollendet 1572. An seiner S-Wand: Altar aus rotem Marmor und gelbgrauem Kalkstein, 3teilige Barockanlage des frühen 17. Jh. mit Reliefs aus dem Alten und Neuen Testament. Hochgrab des Stifters, um 1570–80. Der neugot. Hochaltar enthält eine große Zahl guter, spätgot. Schnitzwerke. – Anstoßend gegen N: **Lambergkapelle** von 1710. – An die ehem. Flucht des nördl. Kreuzgangflügels legt sich der sog. **Kapitelsaal** (ehem. Magazinraum, Cellarium), eine roman. Halle um 1100.

Kloster Niedernburg mit Kirche Hl. Kreuz

Angeblich haben die agilolfingischen Herzöge des 8. Jh. den Frauenkonvent gegründet, der, 976 bischöflich, sich dank Kaiser Heinrich II. 1010 zur Reichsabtei erheben konnte (die allerdings nur bis 1161 Bestand hatte). 2 Kirchen gehörten dem ausgedehnten Gebäudekomplex an, von denen eine erhalten blieb und auch noch Reste des 11. Jh. bewahrt. In Niedernburg waltete Königin Gisela, Schwester Kaiser Heinrichs II. und Gemahlin des Ungarnkönigs Stephan d. Hl., als Äbtissin. – Die Stadtbrände des 17. Jh. haben dem Kloster hart zugesetzt. Der heutige Bestand gehört im wesentlichen der Barockzeit an. 1807 verfiel das Kloster der Säkularisation. Seit 1836 ist es Besitz der Englischen Fräulein.
Zur Baugeschichte der Kirche seien folgende Daten vermerkt: Hauptbauzeit um 1010. Im 13. und 14. Jh. ist von Instandsetzungen die Rede. Um 1350 trat an die Stelle der südl. Nebenapsis die Parz-Kapelle. 1410 trennte man die 2 W-Joche des N-Seitenschiffs als Erasmuskapelle ab. Die roman. Hauptapsis wurde 1467 durch einen spätgot. Chorbau ersetzt. Der südl. Querhausarm erfuhr 1573 eine Teilung in 2 Geschosse. Die Zweigeschossigkeit wurde aus Klausurgründen über Hauptchor und N-Querschiff ausgedehnt. Die Stadtbrände von 1662 und 1680 führten zur durchgreifenden Wiederherstellung (1687 beendet). Umgestaltungen des 18. Jh. fielen der Restaurierung von 1860–65 zum Opfer, die man »dem

*romanischen Stil gemäß« glaubte durchführen zu können. Das Er-
gebnis war Verstümmelung. Letzte Restaurierung 1964.*

Ä u ß e r e s. Das Turmpaar, neuromanisch erhöht, ist nüchtern. Eine enge Gasse zielt auf das Hauptportal. Die Betrachtung des I n n e r n setzt das Wissen um die zugrunde
liegende roman. Erscheinung voraus: eine flachgedeckte,
kreuzförmige Basilika mit quadratischem Chor. Fast unverändert ist die W-Vorhalle überkommen, welche die alte
Nonnenempore trägt. Gratige Kreuzwölbung auf derben
Eckpfeilern, Schildbogen und gekoppelte Rundbogenblenden, alle von kraftvoller, doch primitiver Form, deuten auf
die 1. Hälfte des 11. Jh. Gegen O folgt ein 7jochiges Langhaus, dessen Wölbungen und Pilaster der Barockzeit angehören. Der Beginn des nördl. Seitenschiffs ist die spätgot.
Erasmuskapelle. Die Vierung, ebenfalls barock gewölbt, öffnet sich beiderseits in die Querschiffarme, die 1573 ihre
Emporeneinbauten erhielten. Im N die *Kreuzkapelle*, im S
die *Parz-Kapelle* mit Chörlein um 1530. Den Langchor begleitet beiderseits die roman. Mauer. Sein Schluß, 3 Seiten
eines Achtecks, wie die Wölbung (welche ihr Rippenwerk
eingebüßt hat) entstammen der Spätgotik. Seine Unterteilung in 2 Geschosse geschah frühestens 1573.

Aus den Resten des älteren Bestandes ist ein lebensgroßer Kruzifixus von 1508 zu nennen, ein ausdrucksstarkes Werk altbayerischer Prägung, sowie die Steinfigur einer gekrönten Äbtissin, die
ein Kirchenmodell vorweist. Sie wird als St. Gisela verehrt, ist
jedoch zweifellos eine hl. Hedwig, gute Arbeit um 1420. In der
Parz-Kapelle haben die Denkmäler der berühmten Äbtissinnen
Gisela († um 1060) und Heilika († 1020) ihre Aufstellung gefunden, Kenotaphien des frühen 15. Jh. Das allseits geöffnete Unterteil der etwas hervortretenden Giselatumba bietet Einblick auf die
ältere Grabplatte mit dem flachen Relief eines Vortragekreuzes
und zweier heraldischer Adler. Grabungen haben gezeigt, daß sich
unter dem Hochgrab eine gemauerte Höhlung aus der Bestattungs-
zeit befindet, die Gebeine der königlichen Äbtissin umschließend.
Aus den übrigen zahlreichen Grabsteinen der Parz-Kapelle verdient
die Rotmarmorplatte mit dem Wappen des Bürgermeisters Endl
rühmende Erwähnung, 1516, ein Werk des Passauers Jörg Gartner.

Von der zweiten Klosterkirche, **St. Marien**, ostwärts Hl.
Kreuz, sind nur einige Reste überkommen: eine Vorhalle
zwischen den Stümpfen des Turmpaares mit spätroman.
Fresken und 2 Joche des südl. Seitenschiffs. Das Gewände-
portal, um 1200, trägt Kerbschnittornamentik oberitalieni-

scher Prägung. Eine Inschrift deutet auf Kaiser Friedrich II.,
der Passau 1217 besucht hat. Auch die 2 erhaltenen Pfeiler
des Seitenschiffs tragen Schmuckwerk. – Gegen W ist dem
roman. Portal eine spätgot. Halle vorgesetzt. Sie gehört
architektonisch zum sog. »Langhaus«, einer ehem. Verbindung zwischen den beiden Kirchen aus dem späten 15. Jh.

Die **Klostergebäude**, um das Kreuzgangsgeviert südl. der Hl. Kreuzkirche gruppiert, gehören fast durchweg der Barockzeit an, nach 1680.
Nur vom Kreuzgang des 14. Jh. sind 3 alte Gewölbejoche erhalten.

Spitalkirche St. Johannes. Den Stilformen nach 2. Hälfte des 14. Jh., im
späten 15. erweitert. Restaur. im 19. Jh. 2schiffige, kreuzgewölbte Halle
mit gegen N ausspringender Kapelle. Über der Türe zum Spitalhof (N)
Reliefdarstellungen des Erbärmde-Christus zwischen Maria und Johannes, um 1420. – Spitalgebäude nach Brand 1554 erneuert.

Spitalkirche Hl. Geist. Die Gründung aus der Mitte des 14. Jh. erfuhr
1442 einige Erweiterungen. Brandschäden wurden in der Folgezeit ausgebessert. Eine »stilgemäße« Restaurierung der Kirche, 1865, besorgte
die Entfernung aller barocken Zutaten. – Die Erweiterung einer ehem.
1schiffigen Kapelle aus dem 13. Jh. führte 1442 zu dem originellen Bild
der Zweischiffigkeit; zugleich Einschaltung eines mittleren Chörleins.
Auf den älteren Bestand deutet die einfache Kreuzrippenwölbung des
südl. Schiffes. Jünger, aus der Mitte des 15. Jh., sind die Netzrippengewölbe in N-Schiff und Chor. Fenstermaßwerk und die meisten plastischen Einzelformen im 19. Jh. erneuert. Chorbogenkruzifix um 1450.
Am östl. Langhauspfeiler kleines Marmorrelief der Kreuztragung um
1420. Glasgemälde von 1513.

Ehem. Jesuitenkirche St. Michael (Schustergasse)

*Nicht weit vom Kloster Niedernburg wurde 1612 der Neubau
von Kirche und Kollegium der Jesuiten begonnen. Beide gingen
1662 in Flammen auf. Die Neuerrichtung der Kirche war 1677 abgeschlossen. Stilkritische Erwägungen deuten auf den in Passau
ansässigen Antonio Carlone.*

Äußeres. Vom Ufer der Innstadt aus umfängt das Auge
das imponierende Bild einer 2türmigen Kirchenanlage vor
dem gegen O anschließenden, kastellartigen Kollegsgebäude.
Die Kirchenfront hat sich Ideen des italienischen Palazzo zu
eigen gemacht; ihnen folgt die profan wirkende Gliederung
der 3 Untergeschosse. Auch in der Giebelzone herrscht die
horizontale Geschoßteilung vor. Der Eindruck ist der einer
ruhevollen Würde. Um die Wirkung des Domes nicht zu beeinträchtigen, hat der Fürstbischof auf weitgehende Ein-
schränkungen gedrungen. Daher auch die unscheinbaren
Turmbedachungen. Der I n n e n r a u m folgt dem schlichten Schema einer Wandpfeileranlage mit Emporen und flach
geschlossenem Chor, überwölbt von glatten Stichkappenton-

nen – ein Schema, dessen Einfachheit an die Ordensbauten der Karmeliter erinnert. Um so kraftvoller treten die Stukkaturen (1675–77) hervor, feinsinnig verteilt auf Gewölbegurte, Fensterrahmung und Seitenkapellen (mit Emporenbrüstung). Neben schwellenden Blüten- und Fruchtgirlanden herrscht (wie im Dom) das Figürliche vor. Über den Bogenscheiteln der Seitenkapellen rollen sich Kartuschen auf mit gemalten Stifterwappen. Sie sind umgeben von den Sitzfiguren der Evangelisten, der Kirchenväter und von Engeln. An der Orgelempore St. Peter und Paul. Einzelbildungen verweisen in den Carlone-Kreis.

Ernst und feierlich setzt sich die A l t a r a u s s t a t t u n g in dunkleren Farbtönen gegen die helle Farbigkeit des umgebenden Raumes. Freiere Bewegung in den Gebälken des Hochaltars erweisen diesen als spätere Zutat. Er wurde 1712 aufgemauert. Sein Gemälde mit dem Engelssturz trägt die Signatur »C. J. Carlone P. 1714«. Die 6 Seitenaltäre entstammen der Erbauungszeit, 1678. Die prachtvolle Kanzel ist – wie der Hochaltar – ein Werk des frühen 18. Jh., um 1715–20. Ebenso der Orgelprospekt. – Ein kleiner Anbau gegen S in der Flucht der W-Fassade enthält die *Xaveriuskapelle* mit Bandwerkstuck und Altareinrichtung um 1730. – Die *Sakristei*, südl. vom Chor, trägt kräftige Stukkaturen des Carlone-Kreises und bewahrt reich geschnitztes Schrankwerk derselben Zeit (um 1680).

Das ehem. Kollegium ostwärts der Kirche gruppiert 3 Gebäudetrakte um einen ausgedehnten Hof (heute phil.-theol. Hochschule, Gymnasium und Hochschulbibliothek). Die 4. Seite, gegen N gewendet, nimmt ein jüngeres Gebäude ein. Wesentliche Teile der Bausubstanz gehören dem frühen 17. Jh. an. Nach dem Brand von 1662 wurden die Stirnmauern vor dem Dachansatz ergänzt. Ein Turm im NO diente als Observatorium. Aus den Innenräumen sei der um 1740–50 stuckierte *Bibliotheksaal* sowie ein Zimmer im Erdgeschoß des S-Flügels mit reicher italienischer Stuckdekoration um 1670 hervorgehoben. – Marienfigur am Lyzeumsgebäude, vermutl. ein Werk von Matth. Götz, um 1715–20.

Pfarrkirche St. Paul

Im NW der Altstadt stand bereits im 11. Jh. die Pfarrkirche Passaus unter dem Titel des hl. Paulus. Nach zweimaliger Vernichtung durch Brand, 1512 und 1662, war völliger Neubau geboten. Der Meister kommt aus den Kreisen der Lurago und Carlone. Vollendung 1678.

Äußeres. Zwischen Nikola-Vorstadt und Altstadt erstreckt sich das Neumarktviertel unterhalb der sog. Römerwehr. Von hier leitet eine Freitreppe zur Kirche hinauf, deren N-Seite an den *Paulusbogen*, das N-Tor zur Altstadt, stößt. Blockhaft hebt sich der schlicht gegliederte, 1türmige Bau (Turmhelm 20. Jh.) aus dem umgebenden Gewinkel. Auch das I n n e r e ist von einfachem Aufbau: Wandpfeiler mit Emporen, kurzer eingezogener Chor, Kappengewölbe schließen die Längsräume, Quertonnen die Seitenkapellen. Stukkatur 20. Jh. – Mächtiger Hochaltar um 1700 mit Gemälde der Enthauptung Pauli von Fz. Tamm. Seitenaltäre und Kanzel 1678–89.

Waisenhauskapelle am Inn-Kai. Das Waisenhaus wurde 1749 gestiftet. Weihe der Kapelle 1763. Die erhaltenen Pläne sind von Joh. Mich. Schneitmann. Ohne die Frontlinien des kleinen 4-Flügel-Baues zu unterbrechen, ist dem Kapelleneingang eine kleine Fassade vorgesetzt: gut stuckierte Umrahmungen, gefüllt mit Freskomalerei. Das Innere ist ein intimer Kuppelraum mit halbrunder Apsis. Dichtes Stuckornament überrieselt Kuppel- und Wölbflächen, Fenster und Türbekrönungen. Die Motivwahl schöpft aus dem Muschelwerk- und Rankenbildungen des hohen Rokoko. Enge Stilverwandtschaft zu Dommelstadl (1750), Meister angebl. Loraghi. Altar und Stuhlwerk aus der Erbauungszeit.

Bauten der Bischöfe und Domherren

Ehem. Alte Bischofsresidenz

Der schmale Raum zwischen der Dom-S-Wand und dem Geländeabfall zum Inn-Ufer führte zur langgestreckten, unregelmäßigen Anlage einzelner Baukörper. 1188 ist erstmals vom »palatium pataviense« die Rede. Dieser Kernbau ist etwa dem Domquerschiff gegenüber zu suchen. Die im 14., 15. und 16. Jh. gewachsenen Trakte haben durch Wiederaufbau und Instandsetzung nach den Stadtbränden des 17. Jh. ihr urspr. Gesicht eingebüßt. Das heutige Erscheinungsbild entstand unter den Bischöfen Wenzel v. Thun, Seb. v. Pötting und Joh. Phil. v. Lamberg gegen Ende des 17. Jh.

Beim Eintritt in die Zengergasse (durch den S-Turm des Domes) erhebt sich rechter Hand zunächst der sog. **Zengerhof** (benannt nach dem ehem. Besitzer, einem Domherrn), eine kleine Binnenhofanlage in schlichten Formen. Über dem Portal die Wappen von Hochstift und Fürstbischof Erzherzog Leopold (1598–1626), über dem Fenster des 1. Obergeschosses das aufgemalte Wappen des Wiederherstellers nach 1680, Sebastian v. Pötting. Im Innern schöne Stuckarbeiten des Carlone-Kreises (um 1680–90) und aus dem frühen 18. Jh. Es folgen die barockisierte N-Wand der

ehem. Hofkapelle und die **Kerntrakte** der Residenz, welche
einen 2. Binnenhof umschließen. Dieser erhält seine originelle Bereicherung durch einen über 3 Geschosse hochgeführten Bogen, aus dem Teile des spätgot. Kapellenchors
hervortreten. Die S-Trakte senken sich bis über den Ufer-
abfall hinunter und erheben das Residenzmassiv für die
Sicht von der Inn-Seite zu kraftvoller städtebaulicher Erscheinung. Das Hauptportal in der Zengergasse, eine prächtige Säulenanlage, trägt in der Giebelnische die Büste des
Wiederherstellers Wenzel von Thun und das Datum 1670.
Ein zweites, prächtigeres Tor führt in die (später durch Ge-
schoßeinbauten zerst.) **Kapelle**. Wenn auch die Kernanlage
des Wohnbaus mit roman. Resten aufwartet (roman. Tor
im Erdgeschoßgang), auch das Treppenhaus des 16. Jh. im
wesentlichen erhalten blieb und die hervortretenden Chorwände auf eine spätgot. Kapelle deuten, so ist doch das
Wesen der Gesamtanlage ein barockes. Das Innere wurde
im 18. Jh. mit vortrefflichen Stukkaturen versehen und
enthält neben kostbaren Einrichtungsstücken eine Serie
bedeutender Wandteppiche. Gegen O folgt der Alten Residenz ein **Saalbau**, der Spätgotik entstammt, doch im
späten 17. Jh. umgebaut. Innendekoration überwiegend
frühes 18. Jh. Südl. dieses Baukörpers verbindet ein Ga-
lerieflügel mit der Neuen Residenz.

Neue bischöfl. Residenz

Gegen O öffnet sich die Zengergasse in den R e s i d e n z -
p l a t z, dessen W-Seite durch den hochragenden, spätgot.
Domchor, dessen S-Seite durch die repräsentative Front der
neuen Residenz beherrscht wird *(Tafel S. 641)*.

*Kardinal v. Lamberg hat den Bau begonnen, vor 1712. Sein Nach-
folger Raimund v. Rabatta förderte die Arbeit. Die Vollendung
erfolgte 1730. Die Namen der Baumeister sind nicht überliefert.
Vermutungen kreisen um den »Hofbaumeister« Dom. d'Angeli
und den Wiener Theateringenieur Ant. Beduzzi. Kardinal Leopold
v. Firmian veranlaßte 1765–71 weitgehende Verschönerungen
(Portale, Dachbalustrade usw.). Sein Baumeister war Melchior
Hefele aus Wien.*

Das Gleichmaß der großen Pilasterfolge wird durch 2 vorkragende Balkone über den Hauptportalen belebt (bez.
1770 und 71). Die Dachbalustrade antwortet an diesen Stellen mit Giebelaufsätzen. Vorherrschend bleibt die Horizontale des Kranzgesimses. Sie und andere Motive bedingen eine

vornehm-kühle Gesamthaltung des Äußeren. Reliefs in den Balustradengiebeln symbolisieren »das gute Regiment«. Das I n n e r e´ enthält bedeutende Raumfolgen. Ein repräsentatives *Stiegenhaus* eröffnet sie, ansteigend um einen viereckigen Kern. Phantasievolle Stuckgebilde klammern sich an die Gewölbe, sprühend in der Formgesinnung des hohen Rokoko. Ihr Meister ist Joh. B. Modler, Kößlarn. Ein Riesenfresko (J. G. Unruh, um 1768) reißt die Decke auf und gewährt Einblick in die Fernen des Olymp. Laternentragende Puttenfigürchen von Bergler begleiten die oberen Treppenläufe *(Tafel S. 672).* Ein Klingen und Jubilieren ist in diesem Raumgebilde. – Die Repräsentationsräume liegen, einer konservativen Auffassung gemäß, im 2. Obergeschoß. Auch in ihnen herrscht das Rokoko, doch in zarteren, weniger hervortretenden Formen. Die Raumflucht gipfelt im »Salon«, dem Eckzimmer mit fein geschnitzten Vertäfelungen. Im Deckenstuck kommt Landschaftliches zur Anschauung. Putten symbolisieren die Erdteile. Prächtiger Kachelofen, Lüster, Tapisserie, Gemälde und Mobiliar – ein vorbildliches Ensemble des reifen Rokoko.

Ehem. **Sala terrena** od. »Neugebäude« am Domplatz (Postamt). Errichtet unter Joh. Phil. v. Lamberg am W-Ende der Alten Residenz bzw. des Zengerhofs, hart vor dem S-Turm des Domes. Frühes 18. Jh. Die Fassade steht unter Einfluß des Wiener Barock (vgl. Palais Daun-Kinsky).

Um den Domplatz gruppiert sich eine Reihe ehem. **Domherrenhöfe**. Im S: **Dompropstei**, ein Binnenhofkomplex, im wesentlichen von 1544 und 1632. Die merkwürdige Fensterverteilung an der N-Front erklärt sich aus verschiedenen Bauzeiten und Einschaltung der Barbarakapelle (mit Rokoko-Ausstattung von 1767). Zimmer mit schön bemalten Tapeten und stattlichem, frühklassizist. Ofen. – An weiteren Domherrenbauten seien genannt: **Domdechantei** mit Stuck um 1680; **ehem. Kapitelhof** (Dompl. 3), vollendet 1725; **Hof Starzhausen** nach 1662, verändert im späten 18. Jh.; an der W-Seite des Domplatzes der **Lamberghof** (auch Starhemberghof) mit hervorragend schöner Fassade von 1724, Ausläufer wienerischer Tradition (vgl. Pal. Bathyány-Schönborn).

Amtsgericht, ehemals Domherrenhof v. Herberstein, Mitte 16. Jh., umgebaut nach 1662. Schöner Laubenhof. Stuckdecken des späten 17. Jh. Reizvoll ausgemalter Gartensaal um 1720–30. – **Ehem. Klerikalseminar** (Michaeligasse, beim Jesuitenkolleg) 1694. – **Seminar St. Maximilian** im NO des Domkreuzgangs, Mitte 18. Jh. Saal mit Rokokostuck um 1770.

Redoutenhaus an der S-Seite der Residenz, am Inn-Ufer. Errichtet unter Jos. Graf v. Auersperg durch Gg. Hagenauer um 1780. Vornehme klassizist. Fassade in flachem Relief. Im Obergeschoß ein großer, später leider veränderter Redoutensaal. Daneben das

Stadttheater, das ehem. fürstbischöfliche Hoftheater, die fein gestimmte Schöpfung von Gg. Hagenauer, 1783. Ein 2rangiges Logenhaus, mit Fürstenloge, ist in die rechteckige Umfassung des ehem. Ballsaales eingesetzt. Bei aller Kargheit der spätestbarocken (»Louis Seize«) Gliederung gewinnt das Zuschauerhaus laubenartigen Charakter, den die Bemalung der Brüstungen (von Fz. Petzka) unterstützt. Wiederhergestellt 1961.

Bürgerliche Bauten

Rathaus. An den Kernbau von 1393 legten sich in der Folgezeit bis ins 19. Jh. zahlreiche Erweiterungen, die zum vorhandenen, überaus vielteiligen Komplex führten. Turm 1888–93. – Der spätgot. Kerntrakt blickt zum Donau-Ufer und öffnet sich in einem breiten, plastisch gezierten Spitzbogenportal. Darüber Stadtwappen. Der Ratssaal in seinem Obergeschoß wurde nach 1662 durch Carlo Lurago und Giov. B. Carlone umgebaut. Seine heutige barocke Erscheinung – 2 Schiffe mit 3 flach überkoppelten Jochen – wirkt pompös. Ausmalung 1885–90 von Ferd. Wagner. – Zum Stiegenhaus von 1446 führt ein jüngeres Portal aus der Schrottgasse im W. Das Hochrelief mit Wappen und Wappenhalterin ist Werk eines bedeutenden, Nic. Gerhaert nahestehenden Meisters der 80er Jahre des 15. Jh. – Reizvolle Binnenhöfe mit Laubengängen, 16. und 17. Jh. Rolandsbrunnen 1555.

Bürgerhäuser. Aus dem Mittelalter ist infolge der Stadtbrände des 17. Jh. wenig verblieben. Einige charakteristisch tiefe Flur-Räume finden sich noch in den Häusern Höllgasse 12 und Ledergasse 22 (14. Jh.). Laubenhof der Renaissance am Steinweg Nr. 4. – Die Barockbauten, die das Stadtbild bestimmen, orientierten sich nach genauen Bauvorschriften, die der Brandgefahr begegnen sollten. So kam es zu den horizontalen Dachmaskierungen der Grabendächer »nach der Salzburger oder Lünzerischen Formb«.

Im frühen 18. Jh. begann man die zuvor beinahe glatten Frontmauern mit Stuckdekor zu schmücken. Schöne Beispiele finden sich am Residenzplatz und am Rindermarkt.

Stadtbefestigung. Die Landzunge inmitten zweier Flußtäler bot ausreichend Schutz. Nur die offene W-Seite bedurfte einer starken Vermauerung. Reste dieser »Römerwehr« sind erhalten. Sie erweisen, daß diese Mauer tatsächlich römischen Ursprungs ist und bis ins hohe Mittelalter hinein verstärkt und ergänzt wurde. Weiter westl. schützte ehemals eine Mauerzeile gegen das bayerische Territorium von St. Nikola. Sie wurde im frühen 19. Jh. niedergelegt. Die Flußränder waren durch je einen Wehrturm gesichert. Der **Scheiblingsturm** an der Inn-Seite steht noch, ein Rundturm mit Kegeldach, erneuert 1481. Eine Bastion von 1531 umschirmt die Altstadtspitze (gen. »Ort«) unterhalb des Klosters Niedernburg. — Die Stadttore sind als langgestreckte Durchfahrten ausgestaltet; so das frühgot. **Innbrucktor**, das später von der Alten Residenz überbaut wurde, so der **Paulusbogen** im N der Stadt.

Die St.-Nikola-Vorstadt (im W der Landzunge)

Ehem. Augustiner-Chorherren-Stiftskirche St. Nikola

Gründer ist der Passauer Bischof Altmann, um 1070. Schon bald kam in der Auseinandersetzung Altmanns mit König Heinrich IV. das junge Kloster zu Schaden. Später verlor es Bischof Mangold vollends an die bayerischen Herzöge. Aus der Anlage des 11. Jh. ist die Krypta verblieben. Die Kirche kam beim Erdbeben von 1348 zum Einsturz. Im gleichen Jahrhundert geschah der Neubau auf altem Grundriß, der um 1410–20 durch den bestehenden Turm bereichert wurde. Das Barockzeitalter führte eine durchgreifende Umgestaltung herauf, um 1716. Joh. Mich. Prunner aus Linz schuf die Pläne, Jakob Pawagner leitete die Ausführung. Die gleichzeitige, kunstreiche Einrichtung wurde 1804 nach Vilshofen verkauft. 1815 wegen Baufälligkeit Abbruch des spätgot., reich durchbrochenen Turmhelms. – Die Kirche, seit 1803 profaniert, wurde 1959 restauriert und wieder der kath. Gemeinde übergeben.

Das Ä u ß e r e liegt nur gegen S und O frei: ein hochgiebeliger Chor, Querschiff und breites Langhaus. Schlichte spätgot. Gliederung durch Blendbogen, mit barocken Eingriffen. Die alte Fassadenwand ist hinter dem pilasterbesetzten Vorbau des frühen 18. Jh. verborgen. Nur der mit steinernem Maßwerk gezierte Turm (um 1420, Bekrönung 1960 wiederhergestellt) ragt mit anderthalb Geschossen aus dem barocken Dach. – Der I n n e n r a u m, eine 3schiffige Halle mit Seitenkapellen, emporenbesetztem Querhaus und flach geschlossenem Chor, ist seiner alten Einrichtung entblößt. Erhalten blieben die Stuckinkrustation, Ranken- und Bandelwerk um 1720, und die Ausmalung von W. A. Heindl aus Wels: Im Chor Anbetung der 24 Ältesten, in der Vierungs-

Regensburg-Prüfening. Klosterkirche
Ecclesia im Gewölbe des Hochchores

Rimpar. Schloß

kuppel Mariae Himmelfahrt unter einer prächtigen Scheinarchitektur von hoher illusionistischer Überredungskraft.
Die Kassetten der Scheinkuppel tragen Bilder aus dem
Marienleben. Im Querhaus: die Klosterstifter (N), die
Patrone der Musik (S). Langhaus: Szenen aus dem Leben des
hl. Nikolaus. In den Seitenschiffen einzelne Heilige und
heilsgeschichtliche Symbole. – Die *Krypta* unter dem erhöhten Boden von Vierung und Chor ist ein rechteckiger Raum,
den eine Mittelstütze in 4 gratige Wölbabschnitte teilt. Das
Säulenkapitell hat gedrückte Würfelform mit Blattschmuck,
die Basis trägt Eckknollen. Im Ganzen wohl 11. Jh.

Klostergebäude 17. und 18. Jh., vermutl. von Ant. Carlone. Im 19. Jh.
profaniert. Im ehem. Refektorium (N-Flügel, jetzt Kapelle) Stukkaturen, um 1735, von F. I. Holzinger.

Pfarrkirche St. Petrus (im S an der Straße nach München), auf para-
bolischem Grundriß, mit Lichtturm für das Sakramentshaus und Beichtkapelle neben dem Eingang. 1962, von Hansjakob Lill.

Die Innstadt (jenseits des Inn)

Kirche St. Severin

*Der Ort, an dem St. Severin um 460 eine Betzelle errichtete, war
schon früh durch ein Gotteshaus ausgezeichnet. Doch reicht die
heutige »Severinszelle« schwerlich in die Gründungszeit zurück.
Das Langhaus ist karolingisch, etwa 9. Jh. Erste urkundliche Nennung erst 1143. Um 1476 entstand ein neuer Chorbau. Restauriert
wurde 1854–61. Heute Friedhofskirche.*

Das Ä u ß e r e zeigt ein breites 1schiffiges Langhaus mit
eingezogenem (spätgot.) Chor. Im südl. Winkel zwischen
beiden Bauteilen erhebt sich bis zum Dachansatz ein quadratischer Turm, im NW lehnt sich die Severinszelle an. Das
I n n e r e, flachgedeckt, öffnet sich im weiten Triumphbogen gegen O zum rippengewölbten Chor. Fensterformen
im Langhaus 19. Jh. Die *Severinskapelle* ist durch eine (nicht
urspr.) Öffnung unter der W-Empore betretbar. Der schmale,
durch Arkaden geöffnete Raum geht viell. in der Anlage,
doch sicher nicht im Mauerbestand, ins 9. Jh. zurück. – Ehem.
im neugot. Hochaltar bedeutende Schnitzfigur der Muttergottes um 1450 (jetzt in St. Gertraud). Chorbogenkreuz 2. Hälfte
15. Jh. Außen Grabsteine J. Gartners, 1515, 1519.

Wallfahrts- und Klosterkirche Mariahilf

*Die Errichtung im Jahre 1624 diente der Aufstellung einer Kopie
des von Luc. Cranach gefertigten Innsbrucker Marienbildes. Weihe*

738 Passau: Innstadt, Ilzstadt

1627. *Der Stadtbrand von 1662 machte eine Erneuerung der
Dächer erforderlich. Restauriert 1846. Kirche des anliegenden
Kapuzinerklosters.*

Ä u ß e r e s. Vom Schullerberg (später »Mariahilfberg«) oberhalb der
Innstadt grüßt das freundliche Turmpaar mit seinen merkwürdigen Bekrönungen (1662): je eine Kuppel mit breitem, von Voluten gestütztem
Laternenviereck und gipfelnder Zwiebelhaube. – Schlicht wie der Außenbau ist das I n n e r e : ein kleiner, langgestreckter Raum mit halbrunder Apsis und 2 Seitenkapellen. Der baldachinartige Hochaltar entstand 1729 (Seitenaltäre 1774). Der künstlerisch wenig bedeutende Bau
ist eine vielbesuchte Gnadenstätte (s. die zahlreichen Votivgaben). –
Gegen O schließt die *Sakristei* an, deren Obergeschoß die ehemals reiche
Schatzkammer enthielt. Bering, Schlößchen, Kapuzinerhospiz 1628 und
1630. Im SO ein schöner Achteck-Pavillon von 1638: der St.-Anna-
Brunnen. Ein gedeckter Gang mit vielen Stufen führt gegen N hinunter
zur Stadt (Wallfahrtsstiege).

Pfarrkirche St. Gertraud, ehem. Spitalkirche. 1662 und abermals 1809
durch Brand zerstört. Das Vorhandene ist ein bescheidener Bau des
Klassizismus, 1815/16, von Christian Jorhan d. J., der eine vorzügliche
Muttergottesfigur aus der Severinskirche, um 1450, beherbergt.

Aus der Innstadt-**Befestigung** ist vom W her eine stattliche, turm-
besetzte Mauerstrecke erhalten. Severinstor 1412. Verblieben ist nur die
Barbakane. Der Torturm verfiel 1820 dem Abbruch.

Die Ilzstadt

Pfarrkirche St. Bartholomäus. An den kräftigen roman. Turmbau wurde
in spätgot. Zeit ein ehemals flachgedecktes, weiträumiges Langhaus gefügt, das in den eingezogenen, gewölbten Chor mündet. Die schlichte
Anlage folgt dem Typus niederbayerischer Landkirchen des mittleren
15. Jh. Die Stichkappentonne über dem Langhaus ist barock. Ein Ölgemälde von 1870 schildert die Gründungsgeschichte von St. Salvator.

Salvatorkirche (diesseits der Ilz)

*Am rechten Ufer der Ilz, unweit der Festung Niederhaus, gegen-
über der Ilzstadt, stand ehemals die Synagoge. Ein angebl.
Hostienfrevel, 1476, führte 3 Jahre später zur Errichtung der
Sühnekirche St. Salvator. 1570 wurde der Bau gewölbt. 1490
trat ein Kollegiatstift dazu, das nach der Säkularisation verschwand. Gegen 1860 restaur., heute Konzertsaal.*

Die Enge des Bauplatzes führte zu merkwürdigen Verhältnissen: ein Untergeschoß hat die Unebenheiten des Geländes
auszugleichen, geweiht 1483 als »Krypta zum Hl. Kreuz«.
Darüber sitzt der Chor eines breiten Langhauses, dessen
Zugang über eine schmale Seitentreppe erreicht wird. Zwischen die eingezogenen Streben sind Kapellen gesetzt. Darüber umkreist ein Emporengang den Raum (Brüstungen
erneuert). Das W-Joch wird von einer tiefen Empore ausgefüllt. Überaus reiche Rippenfigurationen. Besonders auffal-

lend ist das verschlungene, kurvende Rippennetz der beiden
oberen Kapellen an der S-Wand. Profile und Formen verweisen nach Böhmen (Kuttenberg oder Wladislawsaal des
Prager Hradschin) – viell. ein Fingerzeig für die Herkunft
des unbekannten Baumeisters. Die Emporenanlage hat zu
mancherlei Vergleichen geführt, so mit der Amberger Pfarrkirche und zeitgenössischen sächsischen Bauten.

Burgen und Schlösser

Feste Oberhaus

*1219 hieß Fürstbischof Ulrich II. die Feste St. Georgsburg erbauen,
auf steiler Bergnase zwischen Donau und Ilz, Zwingburg gegen
die unruhige Bürgerschaft. 1298, 1367 und 1482 zerschellte die
bürgerliche Angriffslust an ihren Mauern. Im 15. und 16. Jh.
wurde die Burganlage durchgreifend um- und ausgestaltet. Im
späten 17. Jh. traten ausgedehnte Verteidigungswerke nach Erfahrungen der neueren Kriegsbaukunst hinzu.*

Ein breiter Halsgraben scheidet die mittelalterl. Burg vom
nordwestl. Bergmassiv. Dort liegen **Vorwerke** und Bastionen aus dem 17. Jh. Das **Tor** zum Burghof krönt ein wuchtiger Turm des 14. Jh. Später wurde ein Vortor angefügt
und dessen Dachgeschoß dann wieder barock verändert.
Das Wappen des Hochstifts ist hier mit dem des Bischofs
Leonhard von Layming verbunden. Die Einfahrt mündet
in den **äußeren Hof**, umstanden von Stall- und Wirtschaftsbauten um 1570. Im SO öffnet sich das Tor zum
inneren Hof. Hier erhob sich bis zum 16. Jh. der Bergfried.
An der O-Spitze des Innenhofs ragt der **Fürstenbau** (Palas).
Sein Äußeres ist barockisiert. Treppenhaus im S-Flügel
1555. Die Innenräume tragen Renaissance-Charakter des
mittleren 16. Jh. Mauersubstanz älter, spätgotisch. Der im
S anschließende **Dürnitz-Trakt** (sog. »Böhmerland«) umfängt einen flachgedeckten Saal der Spätgotik. Darunter
großer Vorratskeller. Ein kurzer, anstoßender Flügel
schließt sich gegen W an. Ihm folgt ein Verbindungsgang
auf Pfeilernischen, der in den um 1500 erstellten Schach-
nerschen **Saalbau** führt. Die N-Seite des Hofes begrenzt das
sog. **Tollhaus** (so bezeichnet im 18. Jh.). In der Mitte des
Hofes, angelehnt an den Dürnitz-Trakt, öffnet sich die
1schiffige **St.-Georgs-Kapelle** mit vorgesetztem, barock
überdachtem Turm von 1507. Die Raumform mit ihren
hochgespannten Kreuzrippengewölben verweist ins 14. Jh.

Einrichtung barock. Der innere Burgbereich wird vom festen Zwinger umgürtet. Außerhalb, gegen W, dehnen sich die jüngeren Verteidigungswerke. In ihrer Mitte der **Observatoriumsturm,** Ende 17. Jh. – Das Oberhaus-Museum beherbergt eine beachtliche Gemäldegalerie und umfangreiche heimatkundliche Sammlungen.

Feste Niederhaus an der Uferspitze zwischen Donau und Ilz. Der finstere Baukörper ist vermutl. um die Mitte des 14. Jh. entstanden. Nach einer Teilzerstörung durch Pulverexplosion 1435 wurde er unverzüglich wieder aufgerichtet. Das steile Wohngebäude umschließt einen engen Binnenhof. Der gegen die Landspitze vorgeschobene Turm wurde 1809 niedriger gemacht.

Ehem. fürstbischöfl. Schlößchen Eggendobl am linken Donau-Ufer, etwas oberhalb Passau. Die vorhandene Baugruppe ist im 15. und 16. Jh. erwachsen und wurde im 18. durchgreifend verändert.

Ehem. fürstbischöfl. Sommerschloß Hacklberg. Am linken Donau-Ufer (nicht weit von Eggendobl), nordwestl. Passau, errichtete Bischof Wolfgang von Salm um 1550 seinen Sommersitz, umgeben von ausgedehnten Parkanlagen italienischen Geschmacks. Der bestehende Bau geht auf die Zeit um 1690–1700 zurück. Von Bedeutung ist der Rondellsaal im S der Anlage. Üppige Stuckdekoration des Carlone-Kreises mit Wappen und Namenszug des Erbauers Joh. Phil. v. Lamberg, Muschelnischen mit Figuren der Jahreszeiten und Elemente und der gemalte Götterhimmel inmitten der ebenfalls gemalten Weltteile ergeben ein gutes Gesamtbild höfischer Repräsentation. – Aus den gleichzeitig erneuerten Gartenanlagen ist nur eine Grottenrückwand erhalten. Ummauerung und klassizist. Pavillon aus dem späten 18. Jh.

Ehem. fürstbischöfl. Sommerschloß Freudenhain

Kardinal Jos. Fz. Graf v. Auersperg ließ sich 1785 auf den waldigen Anhöhen westl. von Oberhaus einen Sommersitz (urspr. »Freundenhain«) errichten; er zählt zu den anmutigsten Erfindungen des frühen Klassizismus. Baumeister war Gg. Hagenauer.

Ein fein und zurückhaltend gegliederter Hauptbau erhebt sein Mansarddach über den querrechteckigen Ehrenhof, den 1geschossige, beiderseits pavillonartig erhöhte Wirtschaftsbauten umstehen. In seiner Mitte schwingt die Kurve der Auffahrtstraße, die über eine ansteigende Rampe durch den balkontragenden Portikus führt, um sich gleicherweise zur gegenüberliegenden Kurve zu senken. Die Breite des Portikus entspricht dem Mittelrisalit, den ein wappengeschmückter Giebel krönt. – Das Innere ist durch vornehme Stuckarbeiten ausgezeichnet. – Nordwestl. dehnt sich ein Landschafts-**Park** englischen Stils, ehemals durchsetzt von kleinen Partien in der Art französ. Gartenparterres. Aus den zahlreichen Gartenbauten blieb das »holländische Dorf« erhalten, auch »Plantage« genannt, mit 7 halbkreisförmig angeordneten kleinen Häusern, sowie der »Chinesische Teepavillon« (jetzt Parkwächterhaus).

Sturmberg-Kapelle über dem Hochufer der Donau. Schöne kleine Anlage mit freundlicher Stuckdekoration um 1730–40 und guter gleichzeitiger Einrichtung.

PEITING (Obb.) → Schongau (C 7)

PERSCHEN (Opf. – F 5)

Pfarrkirche St. Peter und Paul

Ehemals war diese sehr alte Kirche, eine der ältesten oberpfälzischen, die Pfarrkirche des benachbarten, erstmals 929 bezeugten Nabburg und des nahe liegenden Pfreimd. 1122 stellen wir sie urkundlich fest. 1160 dem Regensburger Domkapitel inkorporiert, verliert sie im frühen 15. Jh. ihre Pfarrrechte an Nabburg. – 1752 und 1753 mußte sie, erheblich baufällig, restauriert werden; das flachgedeckte Langhaus wurde gewölbt. – In eindrucksvoller Gruppe steht die doppeltürmige Basilika mit der ihr seitl. gestellten Rundkapelle des Karners über dem Hochufer der Naab. Besitz des Regensburger Domkapitels, verdankt sie diesem Herrn ihre das übliche Maß überschreitende monumentale Gestalt. Zweifellos waren es auch Regensburger Kräfte, die Bau und Ausstattung besorgten.

Ein Rechteck mit 2 Türmen an den Flanken des rechteckig schließenden Chores. So das A u ß e n , das nur in dem die beiden Türme verbindenden Riegel (statt des urspr. Giebels) und in den Fensterformen spätere Eingriffe verrät. I n n e n . Eine querschifflose, urspr. flachgedeckte Pfeilerbasilika, die in 6 Jochen abschreitet. Über den (später abgemauerten) östl. Jochen der Seitenschiffe stehen die Türme. Die Arkaden des im Grundgefüge noch ganz roman. Baues sind schon got. gebrochen. Chorgewölbe und Sakristei sind spätgotisch (um 1410). Das sind auch die erhaltenen *Wandmalereien*: in den Kappen des Chorgewölbes Evangelistensymbole, in der Leibung des Triumphbogens die Klugen und die Törichten Jungfrauen und der (hier schweinsköpfig dargestellte) »Verführer«. Reste von Malerei auch im Untergeschoß des S-Turmes. Pilaster der Hochschiffwände und Gewölbe sind

barock. Auch die Fresken datieren gleich (1753). Ein Taufstein des späten 13. Jh., noch ganz romanisch, ist ältester
Rückstand des Mittelalters.

Friedhofkapelle. Älter als der Kirchenbau ist die 2geschos-
sige Rundkapelle mit ihrer halbrunden Apsis, ein Beispiel
für die in Bayern und Österreich verbreiteten »Karner«. Das
Untergeschoß diente als Beinhaus, das Obergeschoß war dem
hl. Michael geweiht. Die Entstehung ist gegen Ausgang des
12. Jh. anzusetzen. Von hoher Bedeutung ist die *Bemalung*
des Innern, die der Erbauungszeit angehört und in der
Regensburger Buchmalerei der Mitte des 12. Jh. ihre Par-
allelen findet. In der Kuppelmitte trägt ein Medaillon das
Brustbild Mariens. Zwischen diesem und der Apsis thront
Christus in der Mandorla. In 2 Ringen gemalter Arkaturen
reihen sich Brustbilder von Engeln und Heiligen. Das Programm deutet auf Weltgericht und Fürbitte, der Totenkapelle entsprechend. Alter und Restaurierungen haben der
Malerei nur wenig anhaben können.

PETERSBERG b. Eisenhofen (Obb. – D 6/7)

Ehem. Benediktinerklosterkirche

*Auf einem Burgberg der Scheyern-Wittelsbach lassen sich 1104 die
zuerst in Bayrischzell, dann in Fischbachau angesiedelten Benediktiner nieder, doch auch hier nur vorübergehend, denn 1119 ziehen
sie nach Scheyern weiter, um da endlich zur Ruhe zu kommen.
Der seither verwaiste Petersberg erhält 1952 neue Bedeutung durch
die Errichtung einer religiösen Bildungsstätte für das Landvolk.
Restauriert 1968–70.*

Die im 1. Jahrzehnt des 12. Jh. aufgeführte kleine Basilika
darf in ihrer Echtheit, in ihrer massiven Stämmigkeit bewundert werden. Ohne Querschiff, beschließt sie die 3 Schiffe
mit 3 Apsiden. Das Glockentürmchen über der S-Apsis
brachte erst das 18. Jh. hinzu, das auch die Flachdecke im
Innern tiefer legte. Bemerkenswert der Rundpfeiler, der die
Reihe der sonst viereckigen Arkadenpfeiler unterbricht. Die
roman. Wandmalereien des Chores wurden 1907 freigelegt
und 1952 restauriert: Majestasbild zwischen den Apostelfiguren, darunter die Evangelistensymbole. Im Mittelstrei-
fen die Martyrien der hll. Petrus und Paulus. Unten thronende Muttergottes mit Engeln. Die südl. Apsis zeigt St. Be-

nedikt, den Sturz der Götzen und den Tod des Heiligen;
die nördl. Apsis St. Martin, Beschenkung des Bettlers und
Berufung zum Bischof. – Die geschnitzte Marienfigur an der
S-Wand ist viell. ein Werk des »Meisters von Blaubeuren«,
frühes 16. Jh.

PETERSBERG-MADRON, Gde. Fischbach am Inn
(Obb. – D 8)

Ehem. Propstei-, dann Wallfahrtskirche St. Peter

*Die Existenz des nie zur Abtei aufgestiegenen Klosters auf der
Berghöhe des Kleinen Madron, eines Vorberges des Riesenkopfes,
an der Alpenpforte des Inn-Tales, vor dem 12. Jh. ist unsicher.
Die »cella sancti Petri in monte Maderano«, so in erster urkund-
licher Nennung 1163, ist allem Anschein nach eine Stiftung des
hierzulande, an Mangfall und Inn herrschenden Grafen Siboto I.
von Neuburg-Falkenstein, um 1130 oder wenig später. Deren
Kirche wird 1139 vom Freisinger Bischof, Otto I., geweiht. Graf
Siboto II. übereignet sie 1163 dem Bistum. 1296 verwüstet und in
der Folge verlassen, lebt das Klösterl als eine Titularpropstei
(deren Propst, meist ein Freisinger Prälat, nicht präsent ist) durch
die Zeiten fort, wozu ihm eine dank Reliquienbesitzes schon im
Spätmittelalter aufkommende Wallfahrt hilft. Bäuerlicher Zugriff
entzieht es 1807 der Vernichtung. 1828 wird eine Expositur errichtet.*

Die kleine, im Lichten 17,8 m lange, in ihren Mauern roman., aber
kaum früher als ins frühe 13. Jh. zu setzende Peterskirche ist ein nahezu schmuckloses Gebäude, dessen Steinkörper (behauene Kalksteine,
Bruchstein im Turm an der N-Seite und in der Kapelle an der S-Seite)
unter Putz liegt. Nur das westl. Portal bietet etwas auf: zweimal gestuft, mit einem Halbsäulenpaar vor der inneren Stufe, mit Widder-
und Bärenkopf vor der äußeren und einem ornamentierten Kämpfer als
Beschluß des Gewändes und Basis der Rundbögen. Von gleicher unge-
füger Steinmetzenhand das Petrus-Relief in der Stirnwand darüber.
Das I n n e r e beherrscht durch die gute braune Holzdecke des
Schiffes, die 1609/10 von einem Münchner Kistler, Balth. Dräxl, eingebaut wurde. Auch die Achteckkuppel, mit Laterne, die den Chor
überwölbt, ist Zuschuß des 17. Jh. (1630/31 viell. von Hans Krumper so
angegeben, der, wie man weiß, an den Renovationen dieser Jahre mit-
wirkte). Der frühbarocke Hochaltar wurde 1676 errichtet; der in der
Mitte thronende spätestgot. Titelheilige muß damals einige moderni-
sierende Eingriffe erlitten haben. Die Seitenaltäre datieren 1680; die
Kanzel ist älter, 1625. Unter den Einzelbildwerken ist der frühgot.
Kruzifixus (um 1300), dem 2 spätgot. Engelchen zugeordnet sind, herauszuheben. – Die südl. anliegende, in Chor und Langhaus geöffnete
Sebastianskapelle, im Kern spätmittelalterlich, dürfte im frühen 17. Jh.
überholt worden sein, die Holzdecke trifft in die gleichen Jahre wie
die des Schiffes. Ihr Altar ist in die 70er Jahre zu setzen. – Der Kunst-
wert der Madron-Kirche greift wohl nicht hoch, aber Romanisches ist
immer kostbar, und der Stimmungswert ist außerordentlich.

Die am Fuße des Madron liegende **Burgruine Falkenstein** weist auf die im 12. und noch im frühen 13. Jh. mächtigen, 1247 vom Herzog entmächtigten Grafen dieses Namens zurück, doch nur mittelbar, da die Grafen eine höherliegende (erstmals um 1120 genannte, 1296 zerstörte) Burg behausten. Die Ruine ist in ihren ältesten Teilen – Bergfried, Ringmauer – der Überstand der um 1300 erbauten herzoglichen Burg, das Trümmerwerk der etwas tieferliegenden Vorburg ist 15. und 16. Jh. Letzte Besitzer der 1501 vom Herzog verkauften Burg (und Herrschaft) waren, seit 1768, die Grafen von Preysing, die nach 2 Bränden – 1784, 1789 – die Burg verfallen ließen.

PFAFFENHOFEN a. d. Ilm (Obb. – D 6)

Bei den seit dem 8. Jh. nachweisbaren »Pfaffenhöfen« des Klosters Ilmmünster gründete Herzog Ludwig d. Kelheimer gegen 1200, eine kleine Strecke ilmaufwärts, Markt und Pfleggericht. Die Erhebung zur Stadt durch Ludwig d. Bayern 1318. Nach dem Brandunheil von 1388 umringt sich die Siedlung mit Mauern, Türmen und Toren und erhält 1410 erstmals die Bestätigung seiner Stadtrechte.

Die Straßenmarkt-**Anlage** entspricht wesentlich den Eigenschaften altbayerischer Marktorte. Schöne Giebelhäuser geben den Straßen Charakter.

Pfarrkirche St. Johann Bapt. 3schiffige Basilika der Zeit um 1400, gewölbt 1671/72 und dekoriert von Matth. Schmuzer aus Wessobrunn (nach W verlängert 1913/14). Die merkwürdigen Turmobergeschosse sind Leistungen spätester Gotik, dat. 1531 (Obergeschoß 1768 erneuert). Der 1672 von Joh. Bader errichtete Hochaltar wurde im 19. Jh. verändert (Altarblatt 1857, 1958 dem alten Auszugsbild angeglichen). Kanzel und Seitenaltäre gegen 1680; auf dem ersten links ein Gemälde von Andreas Wolff, Abendmahl. Apostelfiguren an den Hochschiffwänden um 1680–90. Im Chor, zu seiten des Hochaltars, rechts Epitaph A. Sperber um 1530 mit Vesperbildrelief und Heiligen, links Epitaph Murhamer 1585 mit Reliefs der Auferstehung Christi und des Weltgerichts. Am 2. N-Pfeiler 3 Terrakottareliefs mit Passionsszenen, 14. Jh., am 3. S-Pfeiler gutes Erbärmdebild um 1410. Zahlreiche Grabdenkmäler des 16.–18. Jh. – In der Sakristei silberne Büstenreliquiare, St. Joachim und Anna, 1730 von Jos. Grossauer, München.

Spitalkirche 1717–19 mit schlichter Barockausstattung dieser Zeit. Hochaltarblatt von Joh. Casp. Sing, 1720. – Daneben, im ehem. Bürgerspital, **Heimatmuseum.** – Die **Friedhofskirche St. Andreas** ist ein 1schiffiger, flach gedeckter Bau der Spätgotik, innen mehrmals verändert (W-Empore und Chorwölbung 17., Stuck im Langhaus 18. Jh.).

Von der 1389 begonnenen und 1437 erweiterten **Stadtbefestigung** sind Reste erhalten, darunter der östl. Torturm.

PFAFFENHOFEN (Opf.) → Kastl (E 5)

PFAFFMÜNSTER (Ndb.) → Münster b. Straubing (F 6)

PFARRKIRCHEN (Ndb. – F 7)

Die erste Nennung fällt ins späte 9. Jh. Mit den Kraiburg-Orten-
burgschen Gütern kommt die Siedlung an der Rott 1259 an den
Herzog von Niederbayern. 1317 ist sie Markt (Stadt erst 1863).

Die ein verzogenes Rechteck, fast Quadrat, umschreibende, allseitig
erhaltene **Mauer** wird erst im 16. Jh. aufgeführt (1558 vollendet), dürfte
aber mittelalterl. Voraussetzungen haben. Die 3 Tortürme fielen im
19. Jh., doch stehen noch 2 Wehrtürme. – **Stadtanlage.** Beherrschende
Achse ist die talparallele breite Hauptstraße, die aber jenseits des
Marktplatzes, zu dem sie sich erweitert, keine gerade Fortsetzung findet; die Lindnerstraße knickt nördlich ab, um in einem Bogen das
(ehem.) östl. Tor zu erreichen. Diese Wegführung geht jedenfalls auf
die Zeit vor der Marktwerdung zurück. Die Kernsiedlung lag rund um
die Kirche, im nordwestl. Quartier des Gevierts.

Stadtpfarrkirche St. Simon und Judas Thaddäus. Ein roman. Bau bildet die Grundlage der um 1500 entstandenen
heutigen Kirche. Von den ehem. 2 W-Türmen brannte der
südliche 1648 aus und wurde abgetragen. Der erhaltene
mächtige Turm, beherrschender Akzent im Stadtbild, erhielt 1663 seine neue Haube. Das Innere ist das einer 3schif-
figen Basilika. Enger Zusammenhang mit der Pfarrkirche
von Eggenfelden ist offensichtlich. Einrichtung neugotisch.
Im Hochaltar ein alter Kruzifixus der Zeit gegen 1500.

Hinter dem Chor der Pfarrkirche liegt die kleine **Friedhof- oder**
Erasmuskapelle, ein spätgot. Zentralbau des 15. Jh. Das Oktogon vereint nach Art der in SO-Deutschland verbreiteten Karner Gruftkapelle
und Oberkirche. Diese litt unter verschiedenen späteren Umbauten.

Allerseelenkapelle, mittleres 18. Jh., auf vierpaßförmigem Grundriß.

Das **Alte Rathaus** wirkt durch Stukkaturen von 1787 und
seinen 8eckigen Kuppelturm nachdrücklich im Gefüge des
Marktplatzes. Das Innere birgt Räume aus der Zeit um
1500: eine netzgewölbte Halle im Untergeschoß, ehemals
für die Stadtwaage bestimmt, und den Gerichtssaal im
Obergeschoß mit kassettierter Balkendecke, der heute das
Städt. Museum beherbergt.

Die **Wohnbauten** zeigen Inntaler Charakter: horizontal abschließende
Fassaden vor Grabendächern, zuweilen auch stumpfe Giebelfronten. Von
feinem baukünstlerischem Empfinden ist die Staffelung der Häuser im
SO des Marktplatzes. Ähnliches wiederholt sich in der Lindner- und
Plinganser Straße. 2 Häuser des 16./17. Jh. sind wegen ihrer reizvollen
Laubengänge der Hofseite hervorzuheben: die Gasthäuser **»Münchener**
Hof« und **»Zum Plinganser«,** das ehem. Wohnhaus des bayerischen
Volkshelden. Der **Pfarrhof** mit seinem Pavillontrakt bietet ein gutes
Beispiel für die Bauweise des Barock, 1714–16. Typika landschaftlicher

Eigenart sind die Häuserreihen der Pfleggasse und Simbacher Straße mit ihren stumpfen, weit vorgeschobenen Giebeldächern.

Pferdedenkmal auf dem Stadtplatz, anspielend auf die Rottaler Pferdezucht, ein Werk des aus Pfarrkirchen stammenden Bildhauers Hans Wimmer, München, 1966.

Wallfahrtskirche auf dem Gartlberg

Ein an einen Baum geheftetes kleines (gemaltes) Vesperbild erweckt 1659 eine Wallfahrt. Der Weihetitel der 1662–69 von Christoph Zuccalli errichteten, 1688 geweihten Wallfahrtskirche ist allerdings die Auferstehung Christi, doch lag die Anziehungskraft bei dem 1687 auf dem Hochaltar ausgestellten Gnadenbild der Schmerzhaften Muttergottes. 1724 kam ein Franziskanerhospiz (heute Landratsamt) hinzu.

Die Kirche liegt auf nördl. Anhöhe, mit den beiden, von Rundkuppeln bekrönten Fronttürmen der Stadt und ihrem Talraum zugewendet. Der Grundriß ist sehr einfach: ein langgestrecktes Rechteck mit eingezogenem, auch wieder einfach rechteckigem Chor. Doch quellend der Reichtum der von G. B. Carlone, dem Meister des Passauer Domes, und seinem Schwager P. d'Aglio gegebenen Stukkaturen an der Stichkappentonne des Chores: schwere Fruchtgirlanden, Rankenwerk, Laubgewinde. Die in kleinen Feldern eingestreuten Deckengemälde von Carl Adam symbolisieren die 8 Bitten des Vaterunsers. Leichter im Relief, lockerer, sind die erst 1713 vom Augsburger E. Bernh. Bendel ausgeführten Stukkaturen des Langhauses. Die Themen der von J. K. Vogel, Braunau, und J. Kendlpacher, München, ausgeführten Fresken sind der Heilsgeschichte des Neuen Bundes (nur die Erschaffung der Eva bezieht den Alten ein) von der Verkündigung bis zum Gericht entnommen. Der sehr stattliche Carlonesche Hochaltar entstand 1687; das Altarblatt schuf Fz. Ign. Bendl. Kanzel 1692.

PFÖRRING (Obb.) → Ingolstadt (D 6)

PFREIMD (Opf. – F 5)

Um die Wende des 12. zum 13. Jh. im Besitz gleichnamiger Herren, dann der Grafen von Rotteneck, weiter der Herzoge von Niederbayern, schließlich, seit 1322, der Landgrafen von Leuchtenberg, die 1332–1646 hier residieren. Wohl um 1332 errichten sie ihr Schloß, das (1583 weitgehend erneuert) nicht mehr besteht. Auf seinem Areal jetzt das Rathaus.

Pfarrkirche Mariae Himmelfahrt

Auf dem Baugrund der ehem., schon für das 11. Jh. bestätigten Filialkirche von Perschen erwuchs 1681–88 der bestehende Neubau, eine emporenbesetzte Wandpfeilerkirche. Baumeister und Stukkateur ist Joh. Schmuzer, hervorgegangen aus der berühmten Schule von Wessobrunn.

Die Stuckdekoration, im Stile der Zeit weiß gehalten, bringt Rahmenbildungen, Rosetten, Akanthusranken und Fruchtgirlanden. Zuweilen tauchen geflügelte Engelsköpfe auf. Die kleinen Deckengemälde bilden nur einen unwesentlichen Teil der Raumdekoration. Auch die Altareinrichtung geht wohl auf Entwürfe Joh. Schmuzers zurück. Bedeutungsvoll der Hochaltaraufbau, eine tiefenräumliche Komposition auf 4 gedrehten Säulen, die auf Berninis Peterstabernakel in Rom zurückweist. Neuartig ist die Vereinigung von Baldachin (»Traghimmel«) und Rahmung des Altarblattes (Mariae Himmelfahrt). Diese Erfindung greift voraus, sie deutet auf die etwa 50 Jahre späteren Altarwerke Egid Qu. Asams. Auch Seitenaltäre und Kanzel gehören der Zeit um 1680 an. Ihre Detailformen deuten auf Kenntnis der Theatinerkirche zu München, dem für das barocke Bayern richtungweisenden Werk italienischer Künstler. Nur die Orgel wurde später errichtet, 1730. – Aus dem älteren Bestand kommen 2 spätgot. Arbeiten: die Muttergottes in der 1. nördl. und die Anna-Selbdritt-Gruppe in der 1. südl. Kapelle. Von den beiden Rotmarmor-Epitaphien zu seiten des Hochaltars ist das für den Landgrafen Leupold von Leuchtenberg († 1463) hervorzuheben. Die Porträtfigur des Verstorbenen im Plattenharnisch ist ein Meisterwerk spätgot. Bildhauerei.

PFRONTEN (B. Schw. – B 8)

Die 13 kleinen Ortschaften dieses Namens am Alpenrand (»ad frontes Alpium Juliarum«) sind seit 1290 Besitz des Augsburger Hochstifts, dessen Pfleger auf der hohen Burg Falkenstein saßen.

Die **Pfarrkirche St. Nikolaus** in Pfronten-Berg ist Neubau von 1687 bis 1696, zu dem man von Joh. Jak. Herkomer in Füssen Rat einholte: ein großer, 1schiffiger Bau mit sehr hohem Turm (dieser von Fz. Kleinhans) auf älteren Untergeschossen, der 1749 vollendet wurde. Das Innere überrascht mit der Ausgestaltung von 1779/80. Anlaß war die schadhafte Stuckdecke von 1687, die Ersatz verlangte. Nicht nur diese wurde erneuert, auch die Wandgliederung mit rein dekorativ empfundenen Pilasterstellungen. Die Freskomalerei schuf Jos. Ant. Keller 1780: Abendmahl (im Chor), Glorie des hl. Nikolaus (im Langhaus),

beide unter kühnen Kuppelillusionen, und König David (über der
Musikempore). Zwischen Spätbarock und Klassizismus stehen auch die
Altäre. Nur die Kanzel ist älter, 1705.

Burgruine Falkenstein, seit 1047 Burg der Augsburger Bischöfe, die seit
1323 jedoch das Hohe Schloß in Füssen vorziehen. 1434 als Raubnest
niedergebrannt. Dem folgt ein Wiederaufbau für die Augsburger Pfleger,
die aber 1582 ins Tal übersiedeln. 1646 vor dem drohenden Anmarsch
der Schweden zerstört. Blitzschlag ließ 1898 nur Mauerteile des Palas
übrig. Eine prunkvolle Neubauplanung von Max Schultze im Auftrag
König Ludwigs II. von Bayern kam nicht über das Modell hinaus.

PIELENHOFEN b. Regensburg (Opf. – E 5)

Ehem. Zisterzienserinnen-Klosterkirche U. L. Frau

*1240 übergab Bischof Siegfried von Regensburg die Kirche zu Pie-
lenhofen den Zisterzienserinnen. Unter Hilfeleistung der Edlen
von Hohenfels und Ehrenfels entwickelte sich das Kloster bis zu
seiner Auflösung 1559. Die Gebäude wurden 1655 zur Errichtung
eines Superiorats vom Reichsstift Kaisheim erworben. Seit 1702
betrieb man von dort aus den Kirchenbau. Von dort kam auch der
Baumeister, der Vorarlberger Franz Beer. Zuvor schon hatte man
die Neuerrichtung der Klostertrakte ins Werk gesetzt. 3 Jahre nach
der Säkularisation von 1803 ließen sich Karmeliterinnen nieder,
1838 Salesianerinnen. Die Kirche wurde der Pfarrei übergeben.*

Das Ä u ß e r e verrät einfachen, längsrechteckigen Grundriß, aus dem ein flach geschlossener Chor und 2 Querschiff-
fronten heraustreten. Die 3 Seiten tragen dreieckige Giebel.
Hohe Rundbogenfenster öffnen die Wände, auch die der
3achsigen W-Fassade mit dem hohen Giebel. Sie trägt das
Weihedatum 1719. Beiderseits flankieren sie 3geschossige
Türme mit hohen, laternengezierten Doppelkuppeln. Das
I n n e r e kann als Halle mit 1schiffigem Chor gelten, die
in ihrer Mitte vom Querschiff durchkreuzt ist. Ihre Seitenschiffe tragen Emporen. Schlichte, knappe Form ohne jede
Rundung kennzeichnet den Geist der Zisterzienserinnen, die
sich offenbar durch das mittelalterl. Vorbild Kaisheim be-
einflussen lassen. Das nicht völlige Abtrennen der Hallen-
stützen von der Wand kennzeichnet den Vorarlberger Architekten. Die reiche, doch zarte Stuckinkrustation spielt mit
den Themen der Zeit um 1720: Bandwerk, dünnes Laubwerk, Gitter und Lambrequins auf matt getöntem Unter-
grund. Die 3 Flachkuppeln bemalte Karl Stauder, 1720:
(v. O.) himmlisches Gloria, Ausgießung des Hl. Geistes und
Christi Auferstehung. Die gleichzeitigen schönen Altäre, das

treffliche Chorgestühl und der gute Orgelprospekt steigern den Eindruck des einheitlichen Raumes. (Nur der Hochaltar besitzt ein nazarenisches Blatt aus dem 19. Jh.)

Die **Klosterbauten** wurden 1702 errichtet; das Refektorium (S-Flügel) enthält gute Stukkaturen.

PILGRAMSREUTH (Ofr. – F 3)

Die kleine **Pfarrkirche** ist ein wenig aufwendiger spätgot. Bau; der Chor entstand 1415, das Schiff 1474; seine Wölbung wurde 1507 geschlossen.

Was dieser bescheidenen Landkirche Rang verleiht, ist ihre barocke, 1692 mit dem Pfarrstuhl begonnene, 1721 mit dem Taufstein beendete Ausstattung. Kanzel und Altar sind bedeutende Werke des Bayreuther Bildhauers Elias Räntz, typisch barocke und doch unverwechselbar eigenartige Werke einer zutiefst deutschen Bildschnitzkunst. Die 1694 in Auftrag gegebene *Kanzel* ruht auf einem Moses als der Symbolgestalt des Alten Bundes; die durch ziervolle Pilaster gefelderten Flächen des 8eckigen Corpus und der in geradem Lauf ansteigenden Treppe sind mit den Trägern des Neuen Bundes, Christus und den Zwölfen, besetzt; es folgen im kronenartigen Baldachin des Deckels die Evangelisten und, als Gipfel, die Figur eines Engels mit offenen Schwingen. Bei aller Fülle der dekorativen Bestandteile hält sich die Kanzel doch an das seit der Renaissance des 16. Jh. herkömmliche Schema. Das kann auch vom 1706–10 aufgeführten *Hochaltar* gesagt werden, dessen Bindungen an italienisch-barocke Voraussetzungen auf der Hand liegen, der aber auch lotrecht in beharrlichen altdeutschen Traditionen wurzelt. Das ist das Überraschende: wie sich Altes und Neues, Deutsches und Italienisches zu einer Einheit verbinden, die im Letzten doch wieder deutsch ist. Sieht man sich nach Verwandtem um, so wird man es am ehesten in den Jahrzehnten um die Wende des 16. Jh., etwa in den Überlinger Altären des Jörg Zürn oder den Augsburger des Joh. Degler, antreffen. Der Altar wächst in der Mitte des 3seitigen Chorschlusses bis zur Wölbung, steil und schmal. 4 Drehsäulen rahmen die Mitte, die sich zu einer perspektivischen Bühne eintieft; auf der Bühne das Abendmahl Christi. Großfigurige Assistenten sind die beiden Apostelfürsten zwischen den Säulen. Im Sprenggiebel über der Mitte das markgräfliche Wappen. Dann ein hoher, in sich wieder mehrteiliger Aufsatz mit der Kreuzigung und der Auferstehung übereinander, endend in einer den Auferstehenden einhegenden Strahlenglorie. Dieser Aufsatz, zu dessen quirlend überquellender Fülle noch mehrere diensttuende Engel beitragen, kann nur mit den Gesprengen spätgot. Altäre verglichen werden. Das Deutsch-Gotische (des Gebüts) überwältigte das Italienisch-Barocke (der

Lehre). Bemerkenswert auch die kräftige (in ihrer Ursprünglichkeit erhaltene) Fassung, die der Bayreuther Heinr. Schärtel 1711
besorgte: die Figuren versilbert und vergoldet, bis auf die Inkar-
nate der nackten Teile, die ornamentalen Zierate vergoldet, die
Säulen marmoriert, die Gebälke und Gesimse »auf Schildkrot«
gefaßt, die Hintergründe der szenischen Darstellungen, Abendmahl und Kreuzigung, realistisch bemalt. Auch diese starke sinn-
liche Farbigkeit ist noch altes Erbe. – Der Taufstein, der zuletzt,
1719–21, hinzukam, aus der Hand des Hofer Bildhauers und
»Staffieres« Christian Kahleis, ein kugeliges, mit Reliefs (Leben
Christi) beschriebenes Steingebilde, kann sich nicht mit den Schöpfungen des Räntz messen, sei aber auch nicht in seiner Bedeutung
für den Chorraum unterschätzt.

PILSTING (Ndb. – F 7)

*Ende 9. Jh. »Pilstingou«, Dekanat des Bistums Regensburg, später
Hofmark. 1380 erscheint es als Markt und kommt bald darauf an
Niederbayern. – Zahlreiche Brände, der heftigste 1789, haben das
Ortsbild verändert. Es blieb der schöne Marktplatz mit Bauten des
18. Jh., denen auch das Rathaus zuzurechnen ist.*

Die **Pfarrkirche Mariae Himmelfahrt**, 2. Hälfte 15. Jh. und vollendet
1491, ist eine spätgot. Pseudohalle von stattlichen Maßen und mit
schönen Rippengewölben, die Barockisierung (1754) und Purifizierung
(1878) im wesentlichen überdauert haben. Aus dem roman. Vorgängerbau wurde das W-Portal übernommen, eine Gewändeanlage, die in der
Kämpferzone plastisches Weinlaub und Akanthus vorweist. Auch der
Taufstein gehört noch ins 13. Jh. Die Altäre sind neugotisch (1878).

PLANKSTETTEN (Opf. – D 5)

Benediktinerklosterkirche Mariae Himmelfahrt

*Das Kloster liegt im Sulz-Tal zwischen Berching und Beilngries un-
terhalb eines waldigen Berghanges. Einer der Grafen von Grög-
ling und Dollnstein, die sich später von Hirschberg nannten, hat es
1129 gestiftet. Vermutl. kamen die ersten Mönche aus Kastl, also
Benediktiner der Cluniazensischen Reform. 1138 war der Kirchenbau vollendet. Gegen Ende des 15. Jh. Restaurierungsarbeiten.
Verwüstungen des 30jährigen Krieges führten zu ausgedehnten
Umgestaltungen und Neubauten, bes. der Klostergebäude, zwischen 1696 und 1727. 1806–1903 stand das Kloster leer, bis es die
Benediktiner wieder übernehmen konnten.*

2 mächtige W-Türme überragen das Kloster. Sie entstammen dem 12. Jh.; der N-Turm wurde aber erst später, im
frühen 18. Jh., zu Ende geführt. Gleichzeitig wurden die
beiden glockenförmigen Hauben aufgesetzt. Die Türme be-

grenzen eine Vorhalle von merkwürdiger Form. Stufen führen in sie hinunter. Seitlich öffnen sich die Turmkapellen. Gegen W folgt ein zweiter Vorhallenraum, den ein Kreuzgewölbe mit wulstigen Rippen bedeckt. Breite Gurte scheiden 2 rechteckige Abseiten aus. Über Herkunft und Bedeutung der komplizierten Vorhallenanlage gehen die Ansichten auseinander. Sicher ist, daß eine enge Verbindung zum Mutterkloster Kastl besteht. Wir stehen vor dem Kirchenportal. Säulen mit Würfelkapitellen vor den Gewändestufen tragen Kämpferprofile und Bogenwülste. Man vermutet ein älteres Portal, das bereits im 12. Jh. Änderung und Erweiterung erfuhr. Zur älteren Anlage soll das Relief-Fragment am südl. Pfeiler gehören, Blattranken, Weinlaub und ein bärtiges Mischwesen, dessen Deutung ausstieht (vermutl. ein Dämon apotropäischer Bedeutung). Wieder führen Stufen hinab ins Kirchenschiff: 9 Joche einer schlichten, flachgedeckten Pfeilerbasilika des 13. Jh., die auf den polygonalen, spätgot. Chor von 1493–95 zuschreiten.

Mit stuckierten Laub- und Bandwerkranken, untermischt von Gittermotiven, hat man 1728 die hohen, breiten Wandflächen zurückhaltend überzogen. 2 Oratorien schmücken die südl. Hochschiffwand mit den gemalten Benediktinerheiligen und Päpsten. An der Flachdecke reihen sich weitere Fresken: Kreuzfindung, Glorie St. Benedikts, Mariae Himmelfahrt, Johannes auf Patmos und Engelskonzert. Mich. Zink ist ihr Meister. Der Hochaltar, ein schlankes, fast zierliches Gebilde, stammt ebenfalls aus der Neuausstattung des 18. Jh. Die Kanzel ist älter. 1651 kam sie als Schenkung aus der Abtei Lambach. – Ein Schatz der Rokokokunst (um 1760) ist die *Hl.-Kreuz-Kapelle.* Die stuckmarmorne Wandverkleidung schiebt sich als bewegtes Gehäuse zusammen über einer stuckierten Vespergruppe unter dem Kreuz, flankiert von Heiligenfiguren. Das phantasievolle Rocaillewerk wie die Formensprache des Figürlichen verrät die Hand des Eichstätter Hofstukkateurs Joh. Jak. Berg.

Reste des **Kreuzgangs** (spätes 15. Jh.) haben sich, südl. der Kirche, erhalten: Sterngewölbe der Spätgotik mit skulptierten Konsolen und Schlußsteinen. Eine 3teilige Arkadengruppe des 12. Jh. wurde an der O-Wand des an die Kirche stoßenden Joches aufgedeckt.

PLATTLING (Ndb. – F 6/7)

In »Pledelingen« rastete Kriemhild auf ihrer Fahrt zum Hunnen-
hofe, weiß das Nibelungenlied. 868 ist die Siedlung beurkundet.
1379 wird sie durch Machtspruch des Herzogs vom gefährdeten
rechten Isar-Ufer auf das andere verlegt und im bekannten Regel-
maß (Kelheim, Neustadt a. D., Deggendorf usw.) um einen lang-
gestreckten Marktplatz ausgebaut. 1888 erhielt sie Stadtrecht.

Ehem. Pfarrkirche St. Jakob, einst Mittelpunkt der alten
Siedlung, nun außerhalb der Stadt auf dem rechten Isar-
Ufer. Der alten Pfeilerbasilika des 13. Jh. wurde ein spätgot. Chor angefügt. Barockisierungen des 18. Jh. wurden
1855–57 beseitigt. In den Verhältnissen des Langhauses
zeigt sich die Verbindung zu St. Peter in Straubing bzw.
Münster. Auf dieses verweist auch der in die Mitte gesetzte
W-Turm. 1952 wurden Wandmalereien des 15. und 16. Jh.
freigelegt. Auf dem Hochaltar geschnitzter Flügelschrein,
eine tirolische Arbeit um 1500. Chorbogen-Kruzifixus um
1300. Sakramentshaus 1515. Gute Glasgemälde des 14. Jh.

Stadtkirche St. Maria Magdalena. Die weite Entfernung zur Pfarrkirche
veranlaßte 1760 den Bau der 1schiffigen (1930 erweiterten) Anlage, deren
Turm das 19. Jh. erneuerte.

Die **Wohnhäuser** haben im 19. Jh. fast alle ihr Gesicht verändert.
Lediglich der Gasthof zur Alten Post hat mit der originellen Schwingung seines Giebels barocke Form bewahrt.

PLESS (B. Schw. – B 6) → Buxheim

POLLING b. Weilheim (Obb. – C 8)

Ehem. Augustiner-Chorherren-Stiftskirche

Der Legende nach eine Klostergründung des Agilolfingerherzogs
Tassilo III. an der Stelle, da ihm eine gejagte Hirschkuh ein ver-
grabenes Holzkreuz wies. 1010 wird das Kloster, nach Verwüstung
durch die Ungarn, von Kaiser Heinrich II. neu gegründet, nun als
Chorherrenstift. Die Bauten des 12. und 13. Jh. brennen 1414 nie-
der. Wiederherstellung seit 1416 an anderer Stelle, jenseits des
Tiefenbachs. Weihe 1420. Der Turmbau unter Leitung Hans
Krumpers aus Weilheim 1603 bleibt unvollendet. 1621–26 Erwei-
terung des Chores und Neugestaltung der alten Teile im Zeit-
geschmack, wohl nach Entwürfen H. Krumpers. Ausführung durch
Gg. Schmuzer. W-Vorhalle 1733. Das weitere 18. Jh. sorgt für
reiche künstlerische Ausgestaltung, v. a. der Klostergebäude, von

der nur wenig über die Säkularisation von 1803 herübergerettet wurde. Heute Pfarrkirche.

Der wuchtige Turm Krumpers trägt in seinen 3 Geschossen Blendrahmengliederung. Die 8eckige Bekrönung kam erst 1822 hinzu. Eine Folge korbbogiger Nischen, in denen die für 1620–30 charakteristischen Fenster sitzen, belebt die S-Wand über den Pultdächern. Vor der schlichten W-Front die triumphbogenartige Eingangshalle von 1733. Das I n n e r e ist eine 3schiffige got. Halle auf Achteckpfeilern (1414–20), deren Seitenschiffe um ein Geringes niedriger sind. Daran schließt im O ein tiefer Chorbau (1621) mit querhausartiger Erweiterung, die im Raumbild kaum zur Auswirkung kommt; sie enthält unter Emporen im N die Sakristei, im S die Achberg- oder Reliquienkapelle. Die Breite des Laienhauses gewinnt durch Kapellenbauten des 17. Jh. Von hohem Reiz ist die Stuckinkrustation der Krumperzeit: Blüten und Perlstäbe begleiten die Gewölbegrate und biegen gegen den Scheitel zu in gekurvte Rahmenformen um; dazwischen Laubwerk, Engelsköpfe, Rosetten usw. Bes. reich die Kapitelle und Kämpfer im Wechsel von Engelsköpfen und Akanthus. Die zarte Tönung der Dekoration verleiht dem weiten Raum heitere Helligkeit. Polling ist eine der ersten glücklichen Neugestaltungen mittelalterl. Kirchenräume. Die späteren Stuckinkrustationen der Seitenkapellen (1761–65 von Greinwald) ordnen sich aufs schönste ein.

Auch die A u s s t a t t u n g ist hervorragend. Hochaltar von Barth. Steinle aus Weilheim, 1623, eine mächtige, 2geschossige Anlage, deren Obergeschoß zum Vorweisen der Reliquien bestimmt war. Es enthält in seiner Mitte das sagenhafte *»Tassilo-Kreuz«*, dessen mit bemalter Pferdehaut bespannte Vorderseite das in Wasserfarben gemalte Bild des Gekreuzigten trägt (um 1230). Seitenfiguren St. Ulrich und Augustin, 1626 von Steinle, Bekrönung von Joh. Degler aus Weilheim, 1629. Kleinere Zutaten wie der geschnitzte Vorhang, Putti, Kartuschen und Rocaillen von 1763. Aus dieser Zeit auch das prächtige *Tabernakel* mit den Figuren des Kaiserpaares Heinrich und Kunigunde, den Allegorien von Glaube, Hoffnung, Liebe, und Reliefs (Mannalese, Abendmahl und Emmaus) von Joh. Bapt. Straub. An den Chorseitenwänden zwei Kenotaphien von Tassilo Zöpf, 1765, mit Holzreliefs von Fz. Xav. Schmädl: Klostergründung durch Kaiser Heinrich II. und Übernahme der Schutzvogtei durch Herzog Heinrich den Löwen. Am Triumphbogen stattliche Kanzel von 1705. Gegenüber die *thronende Muttergottes* von 1526, ein großartiges Schnitzwerk

Hans Leinbergers in Landshut, Teil des alten Hochaltars. Fräuliche Anmut verbindet sich mit dem Pathos erregtester Formen. Spätgotik und Renaissance treffen gleichsam in einem Zusammenprall aufeinander. Das Spiel der Putti in den Rockfalten der hohen Frau ist sichtlichster Beitrag der neuen erdenfrohen Zeit. Marienaltar und Augustinaltar 1625, gefaßt 1762 und etwas verändert. Bekrönung 1763 von Joh. Bapt. Straub. Gemälde Mariae Verkündigung von Gg. Desmarées, Seitenfiguren von Schmädl. Die Altäre der Seitenkapellen 1762–64 tragen Gemälde von B. A. Albrecht, Fz. I. Oefele, Fz. Mart. Kuen, Joh. Gg. Winter und Joh. Bader mit Themen aus der Passion. Gleichzeitige schmiedeeiserne Gitter unter der W-Empore. Orgelprospekt 1768. – Hinter der südl. Chorwand liegt die *Achberg- oder Reliquienkapelle* mit vortrefflicher Stuckdekoration von Tassilo Zöpf und Gemälden von Joh. Bader, 1761–66. Muttergottes um 1500.

Klostergebäude. 17./18. Jh. Zum größeren Teil zerstört. Prächtiger Bibliotheksaal 1775–78 von Matth. Bader, dekoriert von Joh. Bader und Tassilo Zöpf. Ehem. Laienrefektorium mit Fresko von Matth. Günther 1767: »Parnaß«.

Hl.-Kreuz-Kapelle im Friedhof. Überkuppelte Zentralanlage 1631. Ausstattung um 1770.

POMMERSFELDEN (Ofr. – D 3)

Schloß Weißenstein *(Tafel S. 673)*

Die Herrschaft der Truchsesse von Pommersfelden gelangt 1710 an den Bischof von Bamberg und Erzbischof von Mainz, Lothar Franz v. Schönborn, der nun gleich die alte Wasserburg mitten im Dorf nach Plänen Joh. Dientzenhofers zum Schlosse umgestalten will, sich aber dann zu einem völligen Neubau südöstl. des Dorfes entschließt. 1711 begonnen, wächst der Bau rasch auf, zu rasch, als daß die vom Neffen des Kurfürsten, Friedrich Carl in Wien, veranlaßten Vorschläge Joh. Luk. v. Hildebrandts noch entscheidenden Einfluß gewinnen können. So ist der 1716 vollendete Bau, wenn auch nicht in allem, so doch im Großen das Werk des grundlegenden Meisters Dientzenhofer. In den Fensterrahmungen des Mittelpavillons der Hofseite scheinen sich allerdings Wiener, in der vergleichsweise kühlen, an Französisches erinnernden Behandlung der Gartenseite Mainzer Einflüsse anzudeuten.

Äußeres. Der Hauptbau, das Corps de logis, liegt in der Flankierung zweier auf der Gartenseite gering, auf der Hofseite weit ausgreifender Flügel. In das Hufeisen des Ehrenhofes stößt ungewöhnlich tief, bis zur Hälfte der Flügel, der Mittelpavillon des Corps de logis vor, der auch auf der Gartenseite vorgreift, hier über die Linie der Flügelrisalite hinaus. Anlaß zur Tiefe des Pavillons gab das Treppenhaus.

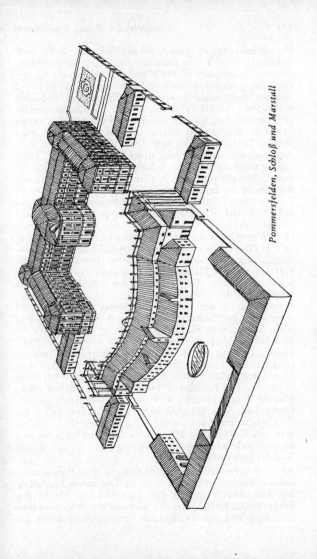

Pommersfelden, Schloß und Marstall

Die Gliederung ist groß, monumental: das Erdgeschoß
sockelhaft, rustiziert, in einfachen Rundtoren aufgebrochen.
2 schwere Vorlagen seitl. der Mittelachse nehmen die die beiden Obergeschosse zusammenschließenden Säulenpaare, 2
weniger breite außen die rahmenden Pilaster auf; über dem
verkröpften Gebälk ruht, von Pilaster zu Pilaster geschlagen, der mit dem Wappen besetzte dreieckige Giebel, dessen
Spitze die Statue eines Merkur bekrönt; 4 weitere Statuen
auf den Giebelschenkeln, über denen dann das Mansardendach aufwächst. Die Rücklagen des Corps de logis sind weniger aufwendig: rustiziertes Sockelgeschoß, taktierende Pilaster, ebenfalls rustiziert, in reicheren Rahmenprofilen nur
die Fenster des ersten Obergeschosses. Gleich disponiert die
Flächen der Flügel, deren Erdgeschoß sich hofseits in
Arkadenreihen öffnet, bis auf die um je ein Geschoß ver-
mehrten Eckpavillons. Wird man am Mittelbau fremde
(v. a. Wiener) Anregungen in Anschlag bringen müssen, hier,
an den Flügeln, ist die Bamberger Dientzenhofer-Note eindeutig. Die Gartenseite des Mittelbaus verzichtet auf die
kraftvoll schwere Plastik der Säulenpaare; nur Pilaster treten vor die Fläche, die 3 mittleren der 5 Achsen sind leicht
vorgezogen; das Obergeschoß ist, unterschiedlich, oval befenstert, der in der Basis engere, steiler wirkende Giebel
trägt auf seiner Spitze die Statue eines Atlas. Der Aufriß
wirkt steiler, auch flächiger; es fehlt die Ballung um die
Mittelachse; Mainzer Anregungen sind zu vermuten. Alle
Fronten sind aus dem landesüblichen gelbbraunen Sandstein
errichtet. Das Dach ist in allen Teilen Mansarde. – Dem
Ehrenhof gegenüber schwingt die konkave Kurve des Marstalls, den der Kurfürst 1714–17 nach den Plänen seines
Mainzer Baudirektors M. v. Welsch von Dientzenhofer ausführen ließ. Sehr glücklich schließt das niedrig gehaltene,
flach gegliederte, nur in der vorgewölbten Mitte stärker
plastische Gebäude die offene Seite des Ehrenhofes ab, eine
monumentale Schranke, die nachgiebig und fest zugleich den
Stoß des Schlosses beantwortet.

Als einer der ersten großen Schloßbauten steht Pommersfelden am Beginn des deutschen 18. Jh. Der hohen Bedeutung
des Außenbaus entspricht der I n n e n b a u. Da ist das
Treppenhaus, Erstling der den nächsten Zweck so weit hinter sich zurücklassenden deutschen Treppenhäuser des 18. Jh.

und von keinem der künftigen übertroffen. Die Stiege sei von seiner »Invention« und sein Meisterstück, behauptete der Schloßherr. Die Gestaltung gehört allerdings dem Wiener Joh. Lukas von Hildebrandt (die Ausführung Dientzenhofer). In 2 Läufen steigt die Treppe an, und über 2 Umkehrpodesten gewinnt sie, frei in den hohen Raum gestellt, das 1. Obergeschoß. Offene Galerien umfahren die beiden Obergeschosse, die des ersten stützt mit ihren kannelierten Säulen das waagrechte Gebälk, das die mit Hermenpilastern besetzten Pfeiler der Rundbogenöffnungen der Galerie des zweiten trägt. Ein Muldengewölbe schließt den Raum, der sich im großen *Deckengemälde* dann doch wieder zu öffnen scheint. Dessen Autor ist der Schweizer Joh. Rud. Byß; Thema: die 4 Erdteile. Die Stukkaturen gab der hervorragende Daniel Schenk (1716/17). Unten legt sich, in der Tiefenachse, die *Sala terrena* vor, ein Ovalraum, dessen Stichkappengewölbe auf 16 Pfeilern ruht; beachtlich die Wölbung in der 1. und 5. Achse: Gurtbogenpaare, die sich berühren, auf übereck gestellten Pilastern (wie in Banz); die Dekoration will die Vorstellung Grotte erwecken: »grottesk« nimmt der Gartensaal des Barock schon die Fühlung mit dem Draußen, der Gartennatur auf. Über ihm liegt der *Marmorsaal*, durch ein ovales, in der Kuppel durchbrochenes Vestibül mit der Galerie, da wo sie die Treppe empfängt, verbunden. Der zum Garten hin befensterte große Rechtecksaal bezieht seine starke plastische Wirkung aus den den Wänden vorgelegten hochgestühlten Säulenpaaren aus rotem Stuckmarmor und der von Schenk stuckierten, von J. F. Rottmayr (1717) freskierten Decke. Das Thema der Malereien, vorzüglichster der Epoche, glossiert ein älteres Inventar (1752) mit: »die Weisheit und das gute Gewissen triumphiert über das Laster.« Eine Reihe von Schönborn-Porträts an den Wänden. Die 1713–15 ausgestattete *Große Galerie* war urspr. dicht mit Gemälden besetzt, Stolz des Schloßherrn. Angrenzend das kleine *Blumenzimmer* mit einer feinen Stuckdecke Schenks, der auch die nördl. angrenzenden Wohnräume des Kurfürsten ausstattete. Erlesen kostbar das *Spiegelkabinett* im nordöstl. Eckrisalit (1713–18). Die die Spiegel rahmenden Vertäfelungen und der prächtige eingelegte Boden sind Werk des Kunstschreiners Ferd. Plitzner, der auch das Kabinett entworfen haben dürfte. Der Stuck der Decke stammt wieder von Schenk, der auch die meisten anderen (hier nicht einzeln anzuführenden) Räume stukkierte, auch die 1718 geweihte Kapelle.

Marstall

1714 fertigte Welsch die Pläne für diesen, vom Bauherrn als ein »extra ornament« gedachten Rahmenbau des Schloßvorplatzes. Um ein Geschoß vermindert kam er 1716 ff. zur Ausführung; 1718 steht der Rohbau.

Äußerlich mehr einer Orangerie als einer Stallung gleichend, buchtet das niedrig gehaltene, durch eine horizontale Attika beschlossene Gebäude in flacher Bogenlinie zurück, um in einem mittleren Pavillon wieder vorzuschwellen. Rustizierte Pilaster, die sich rundbogig verbinden, gliedern die Wandungen. Der von einem Glockenträger überhöhte Mittelpavillon ist durch gepaarte Säulen ausgezeichnet. – Der ovale Saal ist durch die auf den Zweck des Gebäudes unterhaltsam bezugnehmenden Fresken G. F. Marchinis bestimmt. Die illusionistische Wirkung dieser (figürlichenteils wohl von J. R. Byß bestrittenen) Malereien ist fast bedrängend, der Raum öffnet sich ins Imaginäre, das Deckenbild (Perseus-Andromeda) hebt gleichsam die Decke ab, deren gemalte Gliederungen (wie die der Wandungen unten) eine starke plastische Architektur vortäuschen.

Park. 1715 nach Plänen von Welsch angelegt und noch 1729 (Tod des Kurfürsten) unvollendet, dann von Friedrich Carl v. Schönborn weiter ausgestaltet und vergrößert, wird er 1786 ff. zum Naturpark englischen Stils umgeschaffen.

POTTENSTEIN (Ofr. – E 3)

Die auf steilem, fast ganz frei stehendem Dolomitfels thronende Burg ist Gründung des kärntnerischen Pfalzgrafen Botho (eines Erben des Schweinfurter Grafenhauses) und in die 2. Hälfte des 11. Jh. zu setzen. Spätestens unter Bischof Otto I. kommt sie an Bamberg. 1227 oder 1228 Refugium der hl. Elisabeth, Nichte des Bamberger Bischofs Ekbert, ist sie durch diesen Namen geweiht. In Teilen, Hauptgebäude und Grundbau des Bergfrieds, mag sie noch ins 12. oder 13. Jh. zurückgehen. Das sog. Zeughaus kam 1580/81 hinzu. Nach 1803 verödet, 1871 schon dicht vor dem Abbruch, verjüngt sie sich in privatem Besitz (seit 1878) zur Freude des Juratales der Püttlach zu ihren Füßen.
Die Stadt (als solche im 3. Jahrzehnt des 14. Jh. bezeugt) hat ihre Mauern und Tore verloren. 1736 von einem Großfeuer heimge-

sucht, im Wiederaufbau von dem Bamberger J. M. Küchel »nach der Schnur« ausgerichtet, wirkt die Hauptstraße in der Aufreihung der vielen schmalen Giebelfronten doch noch reinblütig altfränkisch.

Die **kath. Pfarrkirche St. Bartholomäus** ist ein Bau des 13./14. Jh. Pfeiler und Wölbung kamen im späten 15. Jh. hinzu. Das Obergeschoß des an der Chorflanke stehenden Turmes ist barock (die Helmkuppel 1798). Ein Rechteck, durch 2 Achtkantpfeiler 2schiffig gegliedert. An der Wölbung leichte Stuckdekoration, Rocaille um 1750–60. Am breit ausladenden Hochaltar die ausgezeichneten Figuren der hll. Joseph, Heinrich, Kunigunde und Nikolaus, Arbeiten des Bambergers Frz. Ant. Schlott.

Das **Elisabethspital**, wahrscheinl. hochmittelalterl. Stiftung, wurde 1750 nach einem Riß Küchels neu errichtet. – Die westl. benachbarte **Spital- und Friedhofkirche St. Kunigund**, 1409 belegt, entstand neu 1775–76. Anmutiges Rokoko der Choraltar mit den Figuren der hl. Elisabeth und des hl. Michael. Spital und Spitalkirche sind wesentliche Komponenten im Umriß der eng zusammengedrängten kleinen Stadt.

PÖTTMES (Obb. – CD 6)

Erste Nennung 885, »Petinmoos«; urspr. Besitz der Grafen von Lechsgmünd, die 1200 an die v. Gumppenberg verkauften. Marktrecht 1334.

Die Ortschaft gliedert sich in 2 Teile. Im ehemals ummauerten S-Teil das **Schloß**, 1704, nach Brand erneuert und in der Folge mehrfach verändert. Schloßkapelle mit Stuck von 1710. Vor dem Schloß die **Johanneskirche** mit gutem Epitaph für Heinrich II. v. Gumppenberg († 1349). – Im N-Teil des Ortes, dem sog. Äußeren Markt, die **Pfarrkirche St. Peter und Paul**, eine 3schiffige Basilika mit sehr hohem Mittelschiff, 1478, und ansehnlichen Grabdenkmälern (restaur. 1960).

PRICHSENSTADT (Ufr. – D 3)

1366 gelangt »Brixendorf«, Besitz der Fuchs v. Dornheim, an Kaiser Karl IV., der es 1367 zur Stadt erhebt. Seit 1403 gehört es den Nürnberger Burggrafen, 1792 kommt es an Preußen, 1806 an Bayern.

Die sehr kleine **Stadt**, an der Straße Schweinfurt – Iphofen, ist eine fränkische Zwergstadt, wie sie im Buche steht. Ihre Mauern entstanden im 15. und 16. Jh. Sie umschließen ein Rechteck, dem, westlich, eine Vorstadt anliegt. Von den **Toren** stehen das hohe innere und das reizvoll malerische, von Rundtürmen flankierte äußere (der Vorstadt). – Viele gute alte **Häuser** schmücken das rühmenswert altfränkische Stadtgesicht. Erwähnt sei neben dem **Rathaus**, einem 3geschossigen (im Erdgeschoß massiven) Fachwerkbau des späten 16. Jh., der in heutiger Gestalt 1592 erbaute, ehemals mit kaiserlichem Asylrecht ausgestattete **»Freihof«**: massives Erdgeschoß mit rustiziertem Doppelportal, Fachwerkobergeschoß, mit Treppengiebeln über den Schmalseiten.

Die **prot. Pfarrkirche**, größtenteils in der 2. Hälfte des 16. Jh. errichtet, ist ohne viel Anspruch. Der aus der Achse gedrehte Turm, der noch ins 14. Jh. zurückgeht, steht im Zuge der Stadtmauer; er fand erst 1725 den Anschluß an die damals westl. verlängerte Kirche. An der S-Wand ein bemerkenswerter Ölberg des späten 17. Jh.

Der **Friedhof**, westl. der Stadt, 1542 begründet, 1588 erweitert (lt. Inschrift des Portals), beachtlich als Typus eines alten prot. Gottesackers, besitzt ein Rarissimum: die frei stehende Predigtkanzel, einen in Sandstein aufgeführten Pavillon von 1605, dem sich eine, wohl gleichzeitig gebaute, Arkadenhalle (Holz) zuordnet.

PRIEN am Chiemsee (Obb. – E 8)

Die Siedlung am namengebenden Bach ist wahrscheinl. Gründung der Grafen von Neuburg-Falkenstein, des späten 12. Jh. Handwerker-, nicht Bauernsiedlung, Vorort des westl. Chiemgaues, der es doch nicht zur Marktgerechtigkeit bringt.

Pfarrkirche Mariae Himmelfahrt

Die (1421 Herrenchiemsee inkorporierte) Pfarre war ungewöhnlich groß: 12 Filialen. Das erklärt auch den ungewöhnlich stattlichen Kirchenbau, der 1735–38, unter Einbeziehung der got. Umfassungsmauern, aufgeführt wurde. Sein Autor ist der wenig bekannte Joh. Steinpeisz, Stiftsmaurermeister von Attel.

Ein großer, heller, durch Wandpfeiler gegliederter, von flacher Tonne überwölbter Saalraum, dem sich der eingezogene, von den beiden Sakristeien flankierte, im Kreissegment schließende Chor anlegt.

Von hohem künstlerischem Wert die Raum - Ausstattung in Stuck und Fresko, besorgt von Joh. Bapt. Zimmermann und einigen Helfern. Das große, die ganze Langhausdecke einnehmende, sich in einen Illusionshimmel öffnende *Fresko* (1738) verherrlicht die Schlacht von Lepanto; in der mächtigen Torarchitektur des Vordergrundes kniet der Papst, Pius V. Das Chorfresko glorifiziert die Dreifaltigkeit, und die kleinen seitlichen Felder verweisen auf die Patrone der damaligen 6 Filialkirchen. Einheitliche Altarausstattung: Verhältnismäßig strenge Marmoraltäre der Salzburger Steinmetzen G. Doppler (1738–40); die Seitenaltäre schräg vor die gemuldeten Ecken des Schiffes gesetzt. Das Figürliche von P. Mödlhammer aus Neumarkt b. Salzburg (1742), nur die Stuckengel auf dem Gebälk des Hochaltars von Zimmermann, dem auch die Stuckbaldachine über den Seitenaltären (1739) gehören. Vom ihm auch die Kanzel, in Stuckmarmor. Daß das schöne schmiedeeiserne Gitter der Kanzelstiege von einem Einheimischen, dem Schmied Georg Winkler, geschaffen wurde, sei nicht zu klein angemerkt. Aus den Grabdenkmälern des 16.–19. Jh. sind das des Wolf Hofer um 1530, das der Sophia Schurf von 1661 (im Chor) und die der Brüder Carl III. und Ferdinand v. Schurff um 1680 (unter der W-Empore) hervorzuheben.

Südöstl. die **Allerseelenkapelle**, die sich mit der Pfarrkirche zu reicher, von dem S-Teil der teilw. alten (barocken) Friedhofmauer umhegter Gruppe zusammenschließt. Um 1500 als Stiftung der Allerseelenbruderschaft errichtet, 1723 ins Barocke gewandelt. – Ein dritter Teilhaber der schönen Gruppe ist der südl. liegende, 1634/35 gebaute **Pfarrhof**, ein robuster Würfel unter Walmdach, so einfach wie stattlich.

Im näheren Umkreis von Prien finden wir die hochbedeutende Kirche von **URSCHALLING** (s. d.); ferner die spätgot. **Wallfahrtskirche St. Salvator**, geweiht 1472, mit Vorhalle von 1639, barockisiert 1765, und mit schönem Altar von 1655–57, der eine spätgot. Schnitzgruppe des frühen 16. Jh. und Figuren des Weilheimers David Degler, 1655 bis 1656, birgt. – **GREIMHARTING** hat eine spätgot. **Kirche, St. Petrus und Leonhard**, aus dem 15./16. Jh., deren Chor Wandmalereien der Zeit um 1450 zeigt. Im (neuen) Altarschrein: eine gute Inntaler Schnitzarbeit um 1520; die Flügel enthalten Reliefs aus dem Marienleben, allgäuisch um 1500; Pietà um 1520.

PRÜFENING (Opf.) → **Regensburg** (E 5/6)

PRÜLL (Opf.) → **Regensburg** (E 5/6)

PRUNN (Opf. – E 5)

Auf steil getürmtem Kalkfelsen ragt seit dem 11. Jh. über der Altmühl die **Burg** der Herren von Prunn. Nach mehrmaligem Besitzerwechsel kommt sie an die Wittelsbacher, die sie als Lehen sogleich wieder abgeben. 1672 im Besitz der Jesuiten, später der Johanniter, ist sie seit 1803 Staatseigentum und heute Museum. – Erhaltungszustand und malerische Lage machen die Burg zum sehenswerten Kunstdenkmal. Der nördl. roman. Bergfried sendet gegen S einen schmalen Wohntrakt aus, der noch großenteils romanisch ist (12./13. Jh.). Daran und darauf sitzen Ergänzungen und Ausbauten des 15.–17. Jh. Die **Schloßkapelle** trägt Stukkaturen der Zeit um 1700.

An den Hängen des Altmühltales abwärts Prunn liegen mehrere **altsteinzeitliche Wohnhöhlen**, rechts die Kastlhäng- und die Klausenhöhle gegenüber Neuessing, links, über dem Weiler Oberau, das Große und das Kleine Schulerloch, berühmte Fundorte ältester menschlicher Kulturzeugnisse.

PULLACH → **München** (Obb. – D 7)

RABENDEN (Obb. – E 8)

Kirche St. Jakob. Der anmutige, einheitlich spätgotische, in Schiff und Chor mit Netzgewölben gedeckte Tuffsteinbau der Kirche wurde 1458 geweiht. Sein Ruhm ist seine Ausstattung.

Der um 1510 entstandene *Hochaltar* ist einer der besten Flügelaltäre des bayerischen Oberlandes, eine Stiftung des Baumburger
Propstes Georg Dietrichinger. Im Schrein der hl. Jakobus, begleitet
von den Aposteln Simon und Thaddäus, im Gespreng Kreuzigungsgruppe. Der Meister wurde noch nicht ermittelt. Die Flügelgemälde weisen in den Salzburger Kunstkreis: Verkündigung und
Marientod, Christi Geburt und Anbetung der Könige (innen), die
Kirchenväter (außen), Sebastian und Georg, Florian und Jakobus
(Standflügel), Schmerzensmann und Schmerzensmutter (Predella),
Weltgericht und Vera Ikon (Rückseite). – Der etwa gleichzeitige
nördl. Altar enthält die Figur des hl. Jägers Eustachius, die Gemälde zeigen die 14 Nothelfer und einzelne Apostel. Der südl.
Altar ist Zutat des 19. Jh. (1855), doch birgt er eine gute Muttergottes. – An der N-Wand ein Vesperbild, an der S-Wand ein
hl. Jakobus. – Alle diese Bildwerke, wie der Hochaltar, vom »Meister von Rabenden«, der zu den bedeutenden Schnitzern der letzten Spätgotik zu rechnen ist. Seine Kunst setzt Leinberger voraus;
seine eigenwillig persönliche Handschrift ist derb, etwas zähflüs-
sig, rustikal. Ein Baier durch und durch, ein starkes, zu Ausbrüchen
geneigtes Temperament. Er saß wohl in einer der benachbarten
ostbayerischen Städte, wahrscheinl. in Rosenheim.

Auch die got., 3schiffige **Pfarrkirche** des unweit gelegenen **OBING** besitzt 3 Figuren des »Meisters von Rabenden« um 1520: Muttergottes und
die hll. Lorenz und Jakob, alle im Schrein des neugot. Hochaltars. Ferner sind gute spätgot. Altarflügel anzumerken (an der Chorwand und
im 2. Langhausjoch). Die Kirche selbst wurde 1492 geweiht und im
19. Jh. um 2 Joche gegen W erweitert.

RABENECK (Ofr. – E 3)

*Wie Rabenstein wahrscheinl. eine Gründung der Schlüsselberg,
deren längst abgegangene namengebende Burg wenig talauf, kurz
vor Waischenfeld, lag. 1348 fällt Rabeneck an Bamberg, ist dann
in der Hand der Rabenstein, der Stiebar, kehrt 1620 zu Bamberg,
1715 zu den Rabenstein zurück und kommt nach deren Ausgang,
1742, an die Grafen Schönborn.*

Auf einem hohen Fels über der Wiesent, die die im 18. Jh. in ihre letzte
Gestalt gebrachte **Rabenecker Mühle** treibt, steht Rabeneck. Die (spätmittelalterl.) **Hauptburg** besteht aus dem quadratischen Torturm und
dem 3geschossigen Wohnbau; ein Graben trennt sie von der östl. liegenden Vorburg. Nordöstl. der Hauptburg, etwas tiefer, steht die
Burgkapelle des hl. Bartholomäus, die, im frühen 15. Jh. errichtet,
innen in den 30er Jahren des 18. Jh. erneuert wurde. Der Altar ist
1717, die Kanzel 1734 datiert. Am nordwestl. Rand der Burgfläche
steht das 4geschossige, wohl im späten 16. Jh. gebaute sog. Schütthaus.

RABENSTEIN (Ofr. – E 3)

Die jedenfalls im 12. Jh. begründete Burg ist zunächst in der Hand der Schlüsselberg. Im 14. Jh. ist sie burggräflich, 1558 bis 1742 im Besitz der Rabenstein. Seit 1744 gehört sie den Grafen Schönborn.

Standort ist ein ins Ailsbachtal vorstoßender Felssporn. Das im Kern ins späte 15. Jh. zurückgehende Hauptgebäude liegt im W-Teil des Burgfelsens, ein 3geschossiger Bauklotz, dessen nördl. Giebelseite von Rundtürmen (des späten 16. Jh.) flankiert ist. Das 1570 dat. Allianzwappen über dem 1495 dat. Portal ist das der Rabenstein und Kerppen. Ein Halsgraben, mit neuer Brücke, trennt die Hauptburg von der Vorburg, die im 19. Jh. in eine Parkanlage umgewandelt wurde.

In geringer Entfernung nördlich steht auf dem Platze der im späten 13. Jh. abgegangenen Burg Ahorn die **Klausstein-Kapelle**. In den Mauern ihres Schiffes stecken noch roman. Teile; der Chor ist spätgotisch. Die reizvolle Ausstattung kam in der 1. Hälfte des 18. Jh. zustande. Die Stukkaturen lassen sich 1738/39 datieren; 1739 bemalte auch der Bayreuther Friedr. Herold die Emporen. Nach einem Riß Herolds wurde, doch schon 1723, vom Auerbacher Bildhauer Joh. Mich. Doser der Kanzelaltar gearbeitet, eine schöne 4säulige Anlage mit sich frei entwickelndem Aufsatz. Die Orgel, viell. aus der Bayreuther Räntz-Werkstatt, ist 1723 datiert. Das Holzbild eines sitzenden hl. Nikolaus geht noch ins letzte Spätmittelalter zurück.

RAIN am Lech (B. Schw. – C 5/6)

Die Gründung Herzog Ottos II. um 1250 war äußerstes Bollwerk des altbayerischen Herzogtums gegen Schwaben. Seit der bayerischen Teilung 1392 gehörte sie den Ingolstädter Herzögen, von denen sich Stephan d. Kneißl und Ludwig d. Gebartete (14./15. Jh.) bes. um die Befestigungswerke kümmerten. Diese sind, bis auf geringe Reste (Schwabtor im W) abgegangen. – Rain hatte im 14. und 15. Jh. seine große Zeit. Unter den 12 Zünften nahmen die Tuchmacher, Färber und Bierbrauer bedeutende Stellung ein. Schmerzliche Berühmtheit erlangte die 1632 vor den Mauern ausgefochtene Schlacht des schwedischen Königs Gustav Adolf gegen die Kaiserlichen, deren General Tilly hier seine tödliche Verwundung empfing.

Die **Stadtpfarrkirche St. Johann**, eine 3schiffige Staffelkirche (Basilika ohne Lichtgaden im Hochschiff), stammt, bis auf den roman. Turmunterbau, aus dem Ende des 14. Jh. Vollendet wurde sie erst um die Mitte des 15. Jh., der Turm noch später, 1538–58. Beschädigungen im 17. und 18. Jh. brachten ausgedehnte Reparaturen. Die erhaltenen Wandmalereien gehören großenteils der Zeit um 1470, die über dem S-Portal (Christophorus und Kümmernis, um 1520–30) ausgenommen. Altarausstattung neugotisch, 19. Jh. – **Allerseelenkapelle**, ehem. Karner neben der Pfarrkirche, 1471, heute Heimatmuseum. – **Spitalkirche Hl. Geist** 1718, doch 1850 unschön restauriert. Über dem Portal einer der Gedenksteine (s. Wasserburg, Ingolstadt, Lauingen, Friedberg) Herzog Ludwigs d. Gebarteten, 1417, erinnernd an die dem Herzog zu dankende Neubefestigung der Stadt.

Das **Schloß**, eine z. T. mittelalterl. 3-Flügel-Anlage, wurde zu oft umgestaltet, so daß es von seiner alten Bedeutung als herzoglicher Pflegsitz nichts mehr mitteilt.

Das freundliche Bild des Marktplatzes wird vom zierlichen, 1759–62 errichteten **Rathaus** bestimmt. Davor das *Tilly-Denkmal*, 1914. – Schöne **Häuser** mit Staffelgiebeln (Haus Nr. 79, um 1600) und geschwungenen Giebelumrissen (Nr. 200, Apotheke, 17. Jh.) beleben das Stadtgefüge.

RAITENHASLACH (Obb. – E 8)

Ehem. Zisterzienserklosterkirche

1146 erwuchs auf dem Boden eines älteren, eingegangenen Chorherrenstifts das junge, kräftige Zisterzienserkloster. Es war 3 Jahre zuvor durch den Grafen Wolfger von Tegernwang zu Schützing (Alz) gegründet worden. Salem hatte die Mönche geschickt. Gegen Ende des 12. Jh. erstand ein langgestreckter Münsterbau, der 1275 umfangreicher Instandsetzung bedurfte. Abt Candidus Wenzel veranlaßte 1694 zur 6. Säkularfeier seines Ordens den Umbau der Klosterkirche innerhalb ihrer roman. Umfassungsmauern. Damit begann die Barockisierung, die, 1737–43 Stuck und Malerei bringend, in der Fassade Fz. Alois Mayrs 1751/52 ihre Vollendung fand. 1803 verfiel das Kloster der Säkularisation.

Ä u ß e r e s. Mit langgezogenem Dach hebt sich die Kirche aus dem Uferdickicht der Salzach, im O überragt von einem Turm, dessen Erscheinung ins 17. Jh. deutet. Das Mauerwerk der Langhauswände und der Apsis zeigt roman. Gefüge, in das später hohe Fenster eingebrochen wurden. Den vom W herkommenden Besucher begrüßt die mächtige Fassade. Sie ist das jüngste Bauglied, geschaffen 1751/52, von altertümlicher Formenschwere. Der vortretende Mittelrisalit mit großer Figurennische klingt in der Zwiebelhaube des Turmes aus. Die Flankentürme stammen von 1698. – **I n n e r e s.** Jubelnde Farbigkeit und prunkende Ausstattung überraschen den Eintretenden und lassen ihn vergessen, daß er sich inmitten roman. Mauern befindet. Sie wurden im späten 17. Jh. erhöht, als es galt, die alte, 3schiffige Basilika in eine Wandpfeilerkirche umzuwandeln. Eine eingezogene Wand trennt den roman. Chor vom Langhaus. Er wurde in 2 Geschosse geteilt: unten Sakristei, oben Mönchschor. Das Schiff erfuhr durch das neue Orgeljoch eine Erweiterung gegen W.

Die gleichmäßige Jochabfolge erhielt 1737–43 durch die glanzvolle *Dekoration* Richtung und Sinn. Den Stuck lieferte Martin Zick aus Kempten (viell. unter Mitwirkung von Joh. Bapt. Zimmermann): ein zurückhaltendes Gespinst aus Ranken- und Rocaillewerk, das erst im Altarraum durch Dichte und Vergoldung zu prunken beginnt. Beherrschend bleibt die *Freskomalerei.* Hier war einer der großen Barockkünstler am Werk: Johannes Zick aus Ottobeuren. Die Anordnung seiner Gewölbebilder faßt die 3 Joche der Raummitte zusammen. Damit erhält die Pfeilerstraße ihr Zentrum, einen Platz, der zum Verweilen auffordert. Die Darstellungsfolge aber schlägt, der Raumstraße folgend, den Weg von W nach O ein. Nach dem Engelskonzert im Orgeljoch beginnt es mit der Jugend des Zisterzienservaters Bernhard von Clairvaux (Symbol des treuen Hündleins, Vision der Christgeburt, Warnung vor falscher Ehe und Bekämpfung der Sinnenlust). Im großen Mittelfresko türmen sich pomphafte Architekturen um den Lebensgang des Heiligen, beginnend mit seiner Einkleidung in das Ordensgewand. Dem folgt sein Wirken als Prediger, als Politiker und als Wundertäter (darunter die mystische Stärkung durch Milch marianischer Gnade und Blut des christlichen Vergebungsopfers, Symbole der barocken Ausdruckskunst). Im O-Joch empfängt St. Bernhard die Huldigung der Gläubigen. Dann öffnet sich der (stuckierte) blaue Brokatvorhang zum Hochaltar. Auch dieser trägt ein Gemälde von Joh. Zick: Mariae Himmelfahrt. Eine zweite Stuckdraperie antwortet dem Chorbogenvorhang. Sie hängt neben den Säulenaufbauten herab, hinter den Figuren der hll. Georg, Benedikt, Bernhard und Pankratius. Die kulissenartige Anordnung der Seitenaltäre leistet einen wichtigen Beitrag zur Entfaltung des Raumbilds. Das östl. wie das westl. Paar dieser Nebenaltäre umfängt Altarblätter von dem bedeutendsten Barockmaler Oberösterreichs, Joh. Mich. Rottmayr (1696/97). – Kanzel 1740. Orgelprospekt 1697, erweitert um 1740. – Die W-Vorhalle birgt als volkstümlichstes Werk der Klosterkirche ein *»Hl. Grab«,* errichtet im 18. Jh. Es zeigt Christi Sieg über Tod und Teufel, 2 derb-drastische Figuren, die sich hier vor dem Allerheiligsten krümmen. In der Karwoche wurde dieses auf einer Platte zur Schau gestellt, die u. a. das Bildnis des Kaisers Tiberius trägt, unter dessen Regierung Jesus den Tod fand. – Außer den Grabdenkmälern für zahlreiche Äbte sind zu vermerken: die des Ingolstädter Herzogs Ludwig im Bart, 1477, und der Herzogin Hedwig (Jadwiga von Polen), Gemahlin des letzten Landshuter Herzogs.

Die **ehem. Klosterbauten** deuten auch heute noch in ihrem verminderten Bestand auf eine umfangreiche Anlage aus dem 17. und 18. Jh. Ihr Äußeres ist einfach. Im Innern findet sich ein stattlicher Festsaal von 1764, ausgestaltet von F. A. Mayr. Speisesaal mit Freskomalerei von Heigl, der auch die 1762 geweihte Abteikapelle ausmalte.

RANDERSACKER (Ufr. – C 3)

Ehemals Besitz des Würzburger Domkapitels, dessen großer Amtshof (Herrenstr. 25; frühes 17. Jh.) noch aufrecht steht. Die **Pfarrkirche**, inmitten alter, freilich nur noch teilw. erhaltener Friedhofbefestigung (Anfang 17. Jh.), ist im Kern spätroman. Besterhaltener Teil des Kernbaus ist der gequaderte Turm, dessen 4 ungleich hohe Geschosse durch Lisenen, Rundbogen und Rundbogenfriese gegliedert sind. Die Ausstattung ist barock. Beachtlich 2 Grabsteine des frühen 15. Jh. – Das weinberühmte **Dorf** erfreut durch seinen wohlerhaltenen altfränkischen Habitus. Viele gute Häuser des 16.–18. Jh. Der Gartenpavillon bei der »Krone« war Besitz B. Neumanns und wurde jedenfalls auch von ihm gebaut.

REGEN (Ndb. – G 6)

Die im 11. und 12. Jh. durch Benediktiner aus Rinchnach gegründete Siedlung kommt 1270, als Markt, an Bayern-Wittelsbach. Schwer von Bränden heimgesucht (1633, 1641, 1648), richtet sich das Ortswesen immer wieder auf. Stadt seit 1932. – Mitte ist ein breiter, viereckiger Marktplatz ländlichen Charakters.

Die **Pfarrkirche St. Michael** beherrscht malerisch das Ortsbild. Ihr schlanker N-Turm rührt aus dem Anfang des 13. Jh. Neben ihn trat, wahrscheinl. 1473, ein got. Chor und bald auch das Langhaus, das den mächtigen W-Turm, einen Wehrturm des 14. Jh., in die Anlage einbezog. Um 1500 gesellte sich dem Langhaus, nördlich, die Frauenkapelle bei. Nach dem Brandunglück von 1648 folgte durchgreifende Wiederherstellung, 1655–57. Erweiterungen, 1697, betrafen v. a. die Frauenkapelle. 1861 bekam die Kirche eine neuroman. Ausstattung, in der sich eine gute Muttergottesfigur des späten 14. Jh. erhalten hat. Auch der Chorbogen-Kruzifixus ist alt, um 1500.

Johannes-Kirche 1473, barockisiert 1709. – **Hl.-Geist-Kirche** 1421–25, im 18. Jh. wesentlich verändert.

Südl., über dem jenseitigen Ufer des Regen-Flusses: die **Burgruine Weißenstein** auf dem quarzhaltigen Felskamm des »Pfahles«. Gründer sind wahrscheinl. die Grafen von Bogen, deren Besitz 1242 an die Herzöge von Bayern kam. Seit dem Österr. Erbfolgekrieg, 1742, Ruine. Der Turm (mit neuer Zinnenkrone) gehört zu großen Teilen in den Anfang des 13. Jh. (schöne Hausteintechnik); der erhaltene Mauerzug, Bruchstein, dürfte jünger sein. Im O, unter mehrmals erneuerter Dachung, der alte Kornkasten.

REGENSBURG (Opf. – E 5/6)

Die Stadt im früh, schon in der Steinzeit, besiedelten Donauaugau, in günstigster Verkehrslage an N-Knie der Donau, die mit ihren Nebenflüssen Regen und Naab fast allseitig breite Aus- und Zugänge öffnet, wird von wenigen deutschen Städten an Alter erreicht, von kaum einer übertroffen. Der erste Name, der an dem Platze haftet und in roman. Zunge noch heute gilt, ist Radasbona (frz. Ratisbonne). Die viell. nach einem Wort für Flußlände so genannte, wohl ins 5. Jh. v. Chr. zurückreichende Keltensiedlung lag westl. der ältesten Altstadt, in der Gegend des Weißgerbergrabens. Die Römer, die sich anscheinend erst in der flavischen Kaiserzeit, etwa um das Jahr 80, des strategisch so wichtigen Strompunktes versichern, errichten ihre erste Befestigung, ein Kohortenkastell, oberhalb der keltischen Flußsiedlung auf der Höhe von Kumpfmühl. Erst der Markomannenkrieg veranlaßte die Verlegung an den Strom, die Aufführung des Legionslagers Castra Regina, etwas unterhalb des keltischen Radasbona, dem Zufluß des den feindlichen Osten aufschließenden Regen gegenüber, der dem Lager den unterscheidenden Namen gab. Das Gründungsjahr ist 179, der gründende Kaiser Marc Aurel, die Legion die III. Italica. Die Festung ist Sitz der rätischen Militärverwaltung. – Ihr Geviert läßt sich noch gut aus den Überschichtungen des Mittelalters herauslösen. Die (wie üblich) gerundete S-Ecke liegt noch mit starkem Quaderwerk am Georgenplatz frei; die donauparallele N-Mauer ist durch die Gassen Unter den Schwibbögen und Am Goliath gekennzeichnet, und hier steht auch dieses gewaltige, urspr. von 2 Rundtürmen flankierte Donautor, die (1887 freigelegte) »Porta Praetoria«. Obere und Untere Bachgasse folgen dem westl. Mauerzug, der St.-Peters-Weg folgt dem südlichen. Der östliche läßt sich von der erhaltenen N-Ecke aus leicht rekonstruieren; Ausgrabungen bestätigten (in der Maximilianstraße) die SO-Ecke. Die Zeit dieser schweren Mauern ist aber nicht die Marc Aurels, sondern die Diokletians oder Konstantins, die Zeit um 300, die ja allenthalben im wachsenden Druck der Grenze die Kastelle zu Bollwerken ausbaute. Ein Jahrhundert später garnisonieren nur noch Teile der Legion in der Lagerfestung in die sich die Bewohner des westl. anschließenden Vicus, der offenen Zivilstadt, zurückgezogen haben.

Im Zeitalter Konstantins wird sich bereits eine starke christliche Gemeinde voraussetzen lassen. Außerhalb der Mauer, westlich auf dem Platze St. Emmerams, dürfte früh eine Friedhofkirche entstanden sein. Innerhalb der Mauern, auf dem Platz des Domes, ist eine frühe Bischofkirche zu vermuten. Die Germanenstürme des 5. Jh. verheeren die röm. Stadt. Gegen Anfang des 6. Jh. rükken, von Osten her, die Bajuwaren ein. »Regensburg« ist nun Sitz ihrer Herzöge, der Agilolfinger; das einstige Praetorium, in der O-Hälfte des Lagers (Kornmarkt, Alte Kapelle), wandelt sich in die herzogliche Pfalz. Um die Mitte des 7. Jh. erscheint ein fränkischer Wanderbischof, Emmeram. Er fällt einem Racheakt zum Opfer. Über dem Grab des hl. Blutzeugen erwächst die große, wirkungsreiche Abtei St. Emmeram. 738 entsteht, durch Bonifatius, das kanonische Bistum, das, nach allen Umständen zur Metropole der bayerischen Kirchenprovinz berufen, diesen Rang dann doch dem Salzburger überlassen muß. 788 erliegt der letzte Agilolfinger der Gewalt Karls d. Gr. Regensburg ist nun von 788 bis 911

*in der Hand der Karolinger, seit Ludwig d. Deutschen bevorzugte
Residenz. Nach dem Ausgang der Karolinger erstarkt wieder eine
herzogliche Gewalt. Unter dem tatkräftigen Luitpoldinger Arnulf
wächst die Stadt, um 920, im nördl. Ausgriff bis an das Donau-
Ufer, westlich erreicht sie, das urspr. außerhalb liegende Emmeramskloster einbeziehend, die Linie Ägidienplatz – Beraiterweg –
Jakobs- und Arnulfplatz – Weißgerbergraben. – Das Herzogtum
der Luitpoldinger erliegt der Reichspolitik Kaiser Ottos I., der es
an sein eigenes Haus bringt. Der letzte Bayernherzog sächsischen
Geschlechts wird 1002 deutscher König: Heinrich II. d. Hl. In der
Folge gehorcht Regensburg 3 Herren: dem König, dem Herzog,
dem Bischof. Die eigenartigen, unklaren Rechtsverhältnisse erleichtern der durch ihren bedeutenden Fernhandel frühblühenden Stadt,
die ein Autor des 11. Jh. die größte unter den deutschen Städten
nennt, die Lösung von Bischof und Herzog. Um die Mitte des
13. Jh. gewinnt sie die Reichsfreiheit. Aber innerhalb der Reichsstadt behaupten sich, bis ans Ende des Hl. Röm. Reiches, die 4 älteren Reichsstandschaften: der Bischof, das Benediktinerkloster
St. Emmeram und die Frauenstifte Nieder- und Obermünster.
Gegen 1300 erweitert sich die Stadt stromauf- und abwärts, gegen
W (Westenvorstadt) und O (Ostenvorstadt). Im frühen 15. Jh.
wird der Bering auch nach S vorgeschoben. Die Ausdehnung nach
N wird durch die Donau gehemmt. Seit 1135 zwar verband schon
die steinerne Brücke mit dem N-Ufer. Dort war eine kleinere Ansiedlung erwachsen, die »Stadt am Hof«. Doch ihre Entwicklung
verlief (sie war und blieb herzoglich) unabhängig von der Mutter-
stadt, deren Ausdehnungsmöglichkeit sie beschnitt.
Im 14. Jh. beginnt Regensburgs Niedergang. Streitigkeiten zwischen Bürgerschaft und Bischof, die Verlagerung der großen Han-
delsstraßen, innere Unruhen, die territoriale Einkreisung durch die
Wittelsbachischen Herzöge und Wirtschaftskrisen lassen die reichsstädtische Blüte welken. 1486 ist die Bürgerschaft am Ende ihrer
Kraft und übergibt sich dem Herzog. Indessen ist der schwache
Kaiser, Friedrich III., doch stark genug, ihn, 1492, zum Abzug zu
zwingen. Die Stadt bleibt frei. Die innere Ruhe stellt sich allerdings nicht so rasch wieder her. 1514 legt, mit anderen Rebellen
(gegen den Kaiser), der Dombaumeister Wolfg. Roritzer das
Haupt auf den Block. 1519 werden die Juden vertrieben, ihr Viertel wird verwüstet. Über den Trümmern entsteht die Gnadenkirche
zur Schönen Maria. Noch vor ihrer Vollendung, 1542, wird sie
Pfarrkirche der lutherisch gewordenen Stadt. In dieser spannungs-
reichen Atmosphäre erblüht die große (und doch so intime) Kunst
Albrecht Altdorfers.
Der 30jährige Krieg veranlaßt den Bau starker Fortifikationen.
Trotz drangvoller Belagerungen bleibt Regensburg, dank Nähe
zur Kaiserstadt, die bevorzugte Stadt der Reichstage. Seit 1663
tagt in ihr der »immerwährende Reichstag«, ein Parlament der
Reichsstände. Ein Prinzipalkommissar vertritt den Kaiser. 1748*

Rohr. Klosterkirche, Apostel
aus der Gruppe der Himmelfahrt Mariae am Hochaltar

Rott am Inn. Ehem. Klosterkirche, Inneres gegen Osten

geht diese Funktion an die gefürsteten Reichspostmeister Thurn
und Taxis über. Der Reichsdeputationshauptschluß liquidiert die
Freie Reichsstadt. Es folgt 1803–10 das Intermezzo eines Fürstentums Regensburg unter Dalberg. Dann öffnen sich die Tore dem
bayerischen Löwen. 1860 fallen die alten Mauern. Die Gräben
wandeln sich in Grünanlagen. Die moderne Stadt, nun auch Uni-
versitätsstadt, sehr betriebsam, wächst weit über die Grenzen der
Altstadt hinaus, die sich im großen und ganzen wohl erhält und
immer noch wohl erhalten ist, eine der ehrwürdigsten Altstädte
Deutschlands.

Dom St. Peter

778 ist erstmals von einer Peterskirche die Rede. Grabungen im
O der heutigen Anlage haben Reste einer roman. Basilika des
11. Jh. aufgedeckt. Von ihren 2 W-Türmen steht noch einer, der
»Eselsturm«. – Der Beginn des got. Kathedralbaus darf um 1250
angenommen werden. Zunächst entsteht die eigenwillige Festlegung der Chorpartie. Schon ragen die Wände der S-Apsis. Auch
der nördl. Nebenchor beginnt sich zu erheben. Nur der Hochchor
steht noch aus, gehemmt durch die alte Basilika, deren man sich
des Gebrauchs wegen noch nicht entledigen kann. Da bricht 1273
ein Brand aus, der Teile des alten Domes vernichtet. Der Platz
für die Hauptapsis ist frei. Aus dieser Zeit kennen wir namentlich
den Meister Ludwig. Er wurde als Schöpfer des gesamten Bau-
projektes angesehen; die Chorpartie war aber damals schon festgelegt. Er kommt nur für eine Planänderung in Betracht, die allerdings für die weitere Bautätigkeit verbindlich blieb. Bischof Leo
d. Thundorfer kehrt 1275 vom Lyoner Konzil zurück. Er sah die
Kirchen von Troyes, Dijon, Straßburg. Westliche Anregungen fließen nun in das Bauprojekt ein. Langsam schreitet die Ausführung
gegen W vor. 1325 rückt man über das 2. Langhausjoch hinaus.
Um 1340–50 werden die Fundamente zum S-Turm gelegt. Heinrich
d. Zehenter leitet jetzt die Bauhütte. Ein halbes Jahrhundert später
beginnt der N-Turm aufzustreben. Das Hauptgewicht der Arbeit
verlagert sich zur W-Fassade. 1395 erscheint als »Tummeister«
Liebhart der Mynnär. Ihm folgt 1411 Wenzla, erster aus der Sippe
der Roritzer, deren letzter, Wolfgang, 1514 endete. Die Roritzer
haben Wesentliches zum Erscheinungsbild des Domes beigetragen.
Die aus Amberg übersiedelnden Heydenreich führen das Werk
weiter. Doch nicht mehr lange. 1525 kommen die Bauarbeiten zum
Stillstand. Die Türme erhalten provisorische Bedachung. Erst 1618
schließen sich die Wölbungen der 3 westl. Joche. – 1697 entsteht,
der got. Absicht gemäß, ein Vierungsturm, doch in barocken Formen. Das 19. Jh. beseitigt ihn. 1834 wird unter der Leitung
Fr. v. Gärtners die große »Stilreinigung« ins Werk gesetzt. Dann
errichtet Fr. J. Denzinger, 1859–69, die Turmabschlüsse nach Freiburger Vorbild. Querhausgiebel und Dachreiter folgen 1870/71.
Der an der W-Fassade und an den Turmhelmen des 19. Jh. ver-

*baute Grünsandstein, wenig stabil, nötigte zu häufigen Auswechse-
lungen; seit 1890 löst ein Gerüst das andere ab. 1915 mußten die
Krabben der Turmhelme abgenommen werden. Neuerdings sucht
man die kranken Teile durch einen Auftrag von Dolomitsplit mit
Zementbeimischung zu sichern, ein Verfahren, das 1956/57 auch
die Krabben der Turmhelme zurückerstatten ließ.*

Ä u ß e r e s. Das weithin sichtbare Fernbild zeichnet eine
3schiffige Basilika mit Querschiff, 3teilig gestaffelter Chorpartie und 2 W-Türmen. Näher hinzutretend, bemerken wir
eine treppendurchsetzte Steinterrasse als Unterbau. – Die
Einzelbetrachtung beginne, dem Bauvorgang entsprechend,
im O. Ausgangspunkt sei der »Domgarten«. Hier erhob sich
ehemals die *roman. Basilika.* Ihr nördl. Seitenschiff entsprach
etwa dem heutigen Domkapitelhaus. Verfolgen wir dessen
Längsachse gegen W, so trifft unser Blick den alten, zugehörigen N-Turm, den »Eselsturm«. Willkommener Aufgang
zu den Baugerüsten, provisorischer Glockenträger, erhielt er
sich weiter neben dem mächtigen Dom der Gotik. Beherrschend erhebt sich das *Chorvieleck*, aufwachsend auf massivem Sockelgeschoß. In der Fensterregion sammelt sich alles
Struktive zu kräftigem Strebewerk. Zwischen den fialen-
bekrönten Pfeilern breite Fenstergruppen, 3mal gestuft und
in Wimpergen gipfelnd, die die Dachbalustrade überschneiden. Filigranhaftes Maßwerk, Wasserspeier, Krabbenbesatz
schmücken mit Kostbarkeit. Beiderseits angelehnte Sakristei-
bauten verstecken zum großen Teil die Abschlüsse der
Nebenapsiden. Die in der 2. Hälfte des 13. Jh. ungewohnte
Staffelung der O-Chöre (unter Verzicht auf den gebräuchlichen Umgang) hat die Forschung beschäftigt. Wollte man
auf die damals im Bau befindlichen burgundischen Vorbilder
St. Bénigne in Dijon oder St. Urbain in Troyes deuten, so
wäre wohl die bischöfliche Reise von 1274/75 vorauszusetzen. Die um 1250–60 datierbaren Einzelformen des südl.
Nebenchors dürften aber früheren Baubeginn und also Unabhängigkeit von den burgundischen Bauten erweisen. Sicher
ist die franzöe. Beeinflussung des Aufrisses, die jedenfalls
nach dem Brand von 1273 anzusetzen ist. Sie bleibt für das
gesamte Bauwerk bestimmend. So folgen die *Seitenfluchten*
der Domanlage der im Chor angestimmten Gliederung: auch
sie überaus reich gebildet, verziert mit Galerien, Fialen,
Wasserspeiern usw. Darunter, an den Langhauspfeilern, ein
symbolischer Reliefzyklus von feinem Stimmungsgehalt um

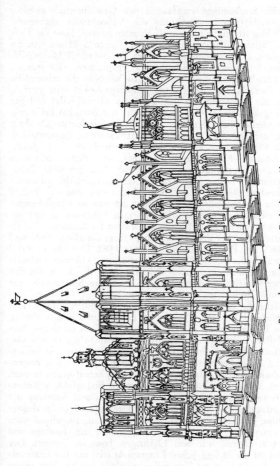

Regensburg, Dom am Ende des 18. Jh.

1350. Strebebögen empfangen den Gewölbeschub aus der
Hochschiffwand, um ihn in die Außenpfeiler abzuleiten.
Mächtig treten die Querschiff-Fronten hervor, ohne die Tiefe
der Seitenschiffe zu durchbrechen. Gegen S öffnet sich ein
breites, maßwerkgeziertes Fenster. An die nördl. Querschiff-
stirn lehnt sich der schmucklose frühroman. »Eselsturm«.
4 Langhausjoche reihen sich gegen W. Nun die triumphale
W-Fassade. Das umgebende Häusergewinkel tritt zurück,
um der Domfront das Wort zu lassen. Strebepfeiler zerlegen
die gewaltige Stirn in 3, der Breite der Basilikaschiffe entsprechende Teile. Kräftige Simsgalerien binden die Dreiheit,
aus der die zwei 105 m hohen Flankentürme emporsteigen.
Bis 1859 endeten sie mit dem 3. Geschoß. Die hoch durchfensterten Achteckkörper darüber, mit ihren steinernen
Maßwerkpyramiden, sind neugotisch. Nur genaueste Beob-
achtung ist imstande, die mittelalterl. Bauperioden zu unterscheiden. Die Roritzer-Sippe, welche den Bau der beiden
alten Obergeschosse besorgte, hat sich nur im schmückenden
Beiwerk zu zeitgenössischen Formen bekannt: in den geschwungenen Fensterbekrönungen oder im 8eckigen »Eichel-
türmchen« über dem Mittelteil. Es trägt die Daten 1486 und
1487, das Fenstergeschoß darunter 1482. Das Hauptportal
erhält seine eigene Note durch die um 1410 von Liebhart
dem Mynnär entworfene Baldachinvorhalle. Sie wölbt sich
über dreieckigem Grundriß; ihre vordere Spitze ruht auf
einem Freipfeiler. Ergebnis einer späteren Planung, verwächst sie doch mit der Portalwand zu völliger Einheit. Das
figürliche Programm umkreist den Apostelfürsten Petrus,
die Nebenpatrone und das Marienleben: am mittleren Torpfeiler St. Petrus als Hauptpatron (um 1410), in den Ge-
wändekehlen die hll. Laurentius und Stephanus und beiderseits 2 Apostel. Weitere Apostel am Freipfeiler. Die Bogenleibungen des Baldachins sind mit Prophetenfiguren besetzt.
Das Marienthema hebt an im großen Bogenfeld. 3 Relief-
streifen erzählen von Tod, Himmelfahrt und Krönung der
Gottesmutter. Die rahmenden Bogenläufe fügen in dichter
Folge die Szenen der Vorgeschichte hinzu, ausgehend vom
Stammbaum Jesse und den Begebnissen um Joachim und
Anna, endend mit dem 12jährigen Jesus im Tempel. Der
Meister dieses figürlichen Programms tritt mit der kraftvol-
len Petrusfigur des Torpfeilers greifbar hervor. Von seiner
Hand sind die Skulpturen der Nebenpatrone und des

Marienlebens, Weicher Stil, unter Einfluß der Parler-Bau-
hütte in Prag, um 1410–20. Die Apostel des Baldachins erscheinen etwas jünger, um 1430. Älter, weil aus anderem
Zusammenhang kommend, sind die Propheten in den An-
schlußwinkeln des Baldachins, um 1370–80. Ebenso die
Figuren unter den Spitzbogenblenden der Flankenwände:
Apostel und Magdalena, um 1370, Verkündigung Mariae,
um 1320. In lockerer Form breitet sich die plastische Bild-
folge bis zu den Turmabschnitten. Die Strebepfeiler tragen
königliche Reiterfiguren, Sinnbilder der 4 Weltreiche (im S
um 1350, im N um 1400). Das südl. Nebenportal zeigt im
Bogenfeld eine originelle Komposition der Befreiung Petri
(um 1350), das nördliche antwortet mit dem Gesetzesemp-
fang des Moses (um 1410). Das Bildprogramm erklimmt
auch die oberen Geschosse, die Figuren der Kreuzigung vor
der mittleren, 1482 dat. Fenstergruppe führen das Marienthema weiter. Masken und Chimärenfriese (am S-Turm um
1350–60) vervollständigen neben einer hohen Zahl weiterer
figürlicher Stücke diese nach außen gerichtete Bildwelt. (Verschiedene Arbeiten wurden inzwischen durch Kopien ersetzt.
Die Originale stehen im Dominnern oder im Museum.)
Betreten wir nun den I n n e n r a u m. Die Eingangs- und
Turmhalle ist kaum von der Jochabfolge des Langhauses abgesetzt. Zahlreiche Runddienste umbündeln die Arkadenpfeiler, Träger der profilierten Spitzbogen und der Rippen
und Gurte der Gewölbe. Körperhafte Pfeilergebilde treten
an die Stelle der flachen Raumgrenze; zwischen ihnen hat
die Wand aufgehört »Wand« zu sein. Sie ist Fenster geworden, durchgittert von reichen Maßwerkfiguren, die untere
Zone ausgenommen. Hier erstreckt sich die Triforiengalerie:
eine zierliche Bogenreihe zwischen Fenster- und Arkaden-
region. Ein Laufgang, getragen von einer Spitzbogenfolge
auf Konsolen, begleitet den Sockel zu Füßen der Seitenschiff-
fenster. Entstehungszeit des Langhauses: 1. Hälfte 14. Jh.
Die Einwölbung der 3 W-Joche von 1618 hielt sich treu an
das Vorbild. Bündelpfeiler tragen die Vierung. Sie sollte
ehemals in eine Kuppel hinaufreichen (Gewölbe 1834). Der
südl. Querarm erhält sein Licht durch ein sehr großes, reich
gebildetes Maßwerkfenster, das über die Triforienzone her-
abreicht. Im Untergeschoß ist hier die Wandfläche durchgeführt, gequert von der das Portal aufsteigend und wieder
fallend überbrückenden Seitenschiff-Galerie. Die N-Wand

des Querschiffes kann sich wegen des »Eselsturmes« nicht im
gleichen Maße entfalten. Infolge der eigenartigen Chorbil-
dung ergeben sich an den Langchorwänden Unausgeglichen-
heiten. Doch konsequent geht die Fensterregion darüber hinweg, um im Chorvieleck (mit durchfenstertem Triforium)
das Gesamtbild zu beschließen. Stilistische Besonderheiten
erweisen die um 1250 anzusetzende Entstehungszeit des
südl. Nebenchors. Auch die unteren Teile des nördlichen lassen noch Frühgotisches, wenn nicht Romanisches aufklingen.
Die oberen Teile sind jünger. Erst im Hochchor setzt sich die
Hochgotik durch. Die Ausführung der beiden Sakristei-
Anbauten an den Chorflanken folgt den anstoßenden
Nebenchören. Im 3geschossigen südl. Anbau ältere Formen
(um 1250), im 2geschossigen nördlichen jüngere hochgot. Bildungen (nach 1273). Wenden wir uns gegen W, so zeigt die
dortige Abschlußwand des Hochschiffs eine interessante Em-
porenbildung, eingeschlossen von 2 als Erker durchgeführten
Treppenspindeln (Brüstung und Erkerkronen 19. Jh.). In
den Ecken der Portalabschrägung 2 kleine Höhlungen mit
groteskem Figurenschmuck des späten 14. Jh. (Idee der
Dämonenabwehr), genannt »Der Teufel und seine Groß-
mutter«. Im W des nördl. Seitenschiffs: 2 Bogenfeldreliefs
um 1420, Brustbild Gottvaters und Opfer des Kain und
Abel. – Die hohe Wirkung des Raumganzen beruht auch
in den harmonischen Verhältniswerten des Aufbaus. Der
Querschnitt ist vom gleichseitigen Dreieck umrissen; die Ar-
kadenhöhe erreicht die genaue Hälfte der Hochschiffwand;
Tiefe und Breite der einzelnen Joche verhalten sich wie 2 : 3;
die Höhe des Mittelschiffs ist aus dessen $2^1/_2$facher Breite
gewonnen (in Straßburg aus der doppelten, in Köln aus der
$3^1/_2$fachen). Wesentlich ist der Anteil des alten farbigen
Lichtes, das die Raumgrenzen verschleiert. Denn viele originale *Glasgemälde* füllen noch die Maßwerkfenster. Die
Oberfenster des Hochchors sind um 1360–70 entstanden.
Ihre Themen treffen den Kirchenpatron St. Petrus, das Leben Christi und zahlreiche andere Heilige. In den Triforien-
fenstern (um 1350): Einzelfiguren von Heiligen; in den
Unterfenstern: Marienleben, Apostelgeschichte und Heiligenlegenden (um 1325, mit Ergänzung des 15. Jh.). Das
mächtige Querhausfenster im S, um 1350–60, zeigt Heilige
unter Arkaden. Seine Triforienöffnungen sind mit Szenen
aus der Heilsgeschichte verglast (um 1270). Die Fenster der

Nebenschiffe folgen der Bauentwicklung von rd. 1350 bis etwa 1470–80. An die Stelle verlorengegangener Fensterverglasungen traten seit 1828 Neuschöpfungen, die sich deutlich genug gegen die mittelalterl. Leistungen abheben.

Ausstattung. Der Hochaltar ist eine frühklassizist. Arbeit in vergoldetem Kupfer und Silber, vollendet 1785. Antependium 1731. – Im nördl. Winkel des Hochchors: Sakramentshaus, um 1493 von Wolfg. Roritzer, ein schlankes Turmgebilde mit hoch aufschießendem Sprengwerk. – Die Nebenaltäre, 5 Baldachinanlagen aus Stein, sind schon als Seltenheiten kostbar. Im südl. Nebenchor der reiche Aufbau des Christi-Geburts-Altars (um 1450 bis 1460). Ihm antwortet im nördlichen der annähernd gleichzeitige Dreikönigsaltar mit Reliefschmuck an der inneren Rückwand: Mariae Verkündigung und Ursula-Marter. 2 der 3 Altäre in den Seitenschiffen sind rund 100 Jahre älter: der Verkündigungsaltar im südlichen und der Rupertus-Altar im W des nördl. Seitenschiffs mit den Figuren des hl. Kaiserpaars Heinrich und Kunigunde (dem Verkündigungsaltar sehr ähnlich). Der Albertus-(früher Abendmahls-)Altar östlich davon ist um 1460 entstanden. – Der Ziehbrunnen im S-Schiff trägt das Datum 1500, die Kanzel 1482. – Die zahlreichen im Raum verteilten *Steinbildwerke* gehören zum Besten deutscher Plastik der frühen und späten Gotik. Außerordentlich die beiden Statuen der westl. Vierungspfeiler *Maria* und *Verkündigungsengel*. Sie stehen einander gegenüber; die frohe Botschaft schwingt von Pfeiler zu Pfeiler. Der Erzengel ist die Verkörperung der Frohbotschaft selbst, Maria antwortet mit dem Gestus der Hingabe. Die Meisterschaft der Meißelführung und die kostbare alte Farbgebung erheben diese Figuren (zu denen sich eine dritte, St. Petrus, im Städt. Museum gesellt) zu den Großtaten plastischer Erfindung. Der Meister – es ist der des Erminold-Grabes in Prüfening – schöpfte aus den Quellen oberrheinischer Plastik. Entstehungszeit um 1280. – An den östl. Vierungspfeilern: St. Petrus mit der Tiara, um 1340, eine meisterliche Arbeit der Dombauhütte, St. Paulus, um 1350. Westl., auf der Querhausseite: die Apostel Jakobus und Bartholomäus, um 1360, alle in ursprünglicher Farbigkeit. – Im Hauptchor zwischen den W-Jochen: der Auferstandene vor Magdalena, um 1470–80. Im S-Chor: Muttergottes um 1370 (an der Stirnwand); Muttergottes um 1490 (am Fensterpfeiler); St. Wenzeslaus um 1590 (NW-Ecke). Im N-Chor: Fürstlicher Heiliger, sog. »Meister Ludwig«, um 1320–30 (S-Wand); Prophet um 1350 (N-Wand). Im S-Querhaus: Hl. Katharina, um 1350 (Portalpfosten). Im N-Querhaus: Marienfigur um 1370 (über dem Altar); St. Christophorus um 1380 (neben dem Ausgang), ein Abkömmling böhmischer Parlerkunst von Rang. – Im Langhaus, frei stehend: St. Petrus um 1430 (Kopf ergänzt), wahrscheinl. vom Meister des W-Portal-Petrus, ein schönes Beispiel für die Endphase des Weichen Stils. An der W-Wand des Mittelschiffs: 2 Reiterfiguren, die hll. Martin und Georg, um 1330, unter oberrheinischem Einfluß. Die Martinsgruppe zeugt von ungleich höherer plastischer Begabung. Schöne Konsolen. – Die nördl. Turmhalle bewahrt eine Reihe von Skulpturen, die zum großen Teil aus anderem Zusammenhang stammen und ehemals am Außenbau des Domes ihren Platz hatten. Darunter eine Heimsuchungsgruppe um 1340, ein innig empfundenes Werk der »mystischen« Zeit; ein hl. König aus einer Anbetungsgruppe, um 1390, dem Parlerschen Stil eng verwandt; Torsen von Maria und Johannes unter dem Kreuz, um 1330; Vesperbild um 1510–20. – Aus der reichen Zahl der *Grabdenkmäler* seien hervorgehoben: das des Bischofs Heinrich von Absberg, 1492 (im nördl. Nebenchor), wahrscheinl. von dem Straubinger Bildhauer Erhart, und das Bronze-Epitaph der Margareta Tucher, 1521 (N-Chor) mit dem Relief Christus und das kananäische Weib, aus der Peter-Vischer-Werkstatt, Nürnberg. – Inmitten des Langhauses erhebt sich das Denkmal des Kardinals Herzog Philipp Wilhelm: Auf marmorner Tumba kniet die bronzene Figur des Verstorbenen vor dem hohen Kruzifix. Errichtet 1606–11 auf Geheiß Herzog Maximilians I. Die Zuschreibung schwankt zwischen Hs. Krumper und H. Reichle. – Reichhaltiger Domschatz mit bedeutenden Werken aus dem hohen Mittelalter.

Den Dom umgibt eine Zahl interessanter kirchlicher Bauwerke, ein Aggregat, das man als »Domstadt« bezeichnen kann. Im NO dehnt sich der **Kreuzgang**, ehemals angrenzend an das nördl. Seitenschiff der roman. Dombasilika. (Betretbar durch das Kapitelhaus.) Seine Anlage umschreibt ein unregelmäßiges Rechteck, das ein breiter Mittelgang in 2 Binnenhofgruppen zerlegt. Ältester Teil ist wahrscheinl. die O-Hälfte. Die Erweiterung nach W fand noch in roman. Zeit statt, etwa 2. Hälfte des 11. Jh. Um 1150 wurde der Mittelgang, der den roman. Dom mit der Stephanskirche verband, verbreitert und als Mortuarium ausgestaltet. Die Einwölbung der urspr. flach gedeckten Kreuzgangsarme geschah 1410–30 (3 Joche im östl. S-Flügel um 1470). Zuletzt, um 1520, unter dem Dombaumeister Erhard Heydenreich, hat man größere Fenster eingebrochen. Von besonderem Reiz sind die Fensterleibungen im Mittelgang, besetzt mit Wulsten und Säulchen in renaissancehafter Formensprache und mit je 2 Apostelfigürchen. Auch die Fenstergewände im übrigen Kreuzgang tragen pilasterartige Rahmenbildungen. – Der S-Flügel, dessen Außenwand die nördliche des roman. Domes ist, enthält im Kellergeschoß einen Nebenraum mit roman. Schmuckgliedern. – Die hohe

Zahl von *Grabdenkmälern* vermittelt das Entwicklungsbild
der Regensburger Reliefplastik vom 14. bis 18. Jh. Zu würdigen sind die Wappenreliefs Haitfochus (1310, N-Flügel,
Fensterseite), Notangst (1426, N-Flügel, N-Wand) und
Preysing (1497, Pilaster des Mittelgangs, O-Reihe); von
den Bildnissteinen: Ulrich von Aw (1326, N-Flügel, Fensterseite; vom Meister des Verkündigungsaltars im Dom),
Wolfg. Ebner (um 1410, N-Wand; vom Meister des Straubinger Kastenmayer-Epitaphs), unbekannter Kanoniker
(um 1490, daneben, von einem jüngeren Straubinger Meister), Seb. Klueckhammer (vor 1546, am Ende derselben
Reihe) und Aug. Hoyler (1685, 5. Epitaph derselben Wand).
Reste spätgot. Wandgemälde. – An den breiten Mittelgang
grenzt gegen O die **Allerheiligenkapelle**. Bischof Hart-
wich II. (1155–64) hat sie sich als Begräbnisstätte errichten
lassen. Von strenger Erscheinung ist ihr A u ß e n b a u :
entwickelt aus einem Würfelkörper, der an 3 Seiten halbrunde Apsiden entsendet und in 8eckiger Kuppel gipfelt.
Lisenen und Bogenfriese beleben und gliedern das sorgsam
geschichtete Quaderwerk. Man vermutet das Mitwirken
lombardischer Werkleute, da enge stilistische Verwandtschaft zu den Bauten des Gebietes um Como vorliegt. Die
klassisch zu nennende Harmonie kehrt im I n n e n r a u m
wieder. Hier überrascht die Vollständigkeit der roman.
Ausmalung (um 1150–60, 1897 restaur. und ergänzt). Das
Thema umkreist die Epistel des Allerheiligenfestes (Apoka-
lypse VII). Mittelpunkt ist das Brustbild Christi im Kuppelscheitel, umgeben von 8 Engeln. Zweiter Akzent ist der
Engel über der aufgehenden Sonne im Halbrund des O-
Chores. Dazwischen breitet sich eine reiche Symbolwelt
über alle Raumteile. Die Farbigkeit ist auf Rot, Blau, Gelb
und Weiß abgestimmt. Knappe lineare Umgrenzung. Der
ebenfalls um 1150–60 entstandene Altartisch wiederholt
oberitalienische Formen. In Deutschland hat er nur eine
Parallele, im Dom zu Braunschweig. – Das angrenzende
Mortuarium, Mittelgang der Kreuzhofanlage, zielt gegen
N auf ein roman. Säulenportal. Es führt in die **Kirche
St. Stephan** (auch »Alter Dom« genannt). Über die Entstehungszeit des seltenen Raumgebildes gehen die Ansichten auseinander. Wahrscheinlich 11. Jh. Die Instandsetzung
des 19. Jh. hat nicht viel Gutes hinterlassen (neue Gewölbe,
vergrößerte Fenster, falsche Ausmalung). Es handelt sich

um einen Rechteckraum, dessen starke Wände von halbrunden Nischen gehöhlt werden. Im W teilt ihn eine Empore in 2 Geschosse. Der Altartisch, ein mächtiger Kalksteinblock, ist im unteren Teil durchfenstert. Dieses Unikum wird dem 10. Jh. zugeschrieben. – Den Kreuzgangsbereich gegen S verlassend, durchquert der Besucher nochmals das **Kapitelhaus**. Es lehnt sich an die ehem. N-Wand des roman. Domes: ein 2geschossiger Trakt aus der Frühzeit des 16. Jh. Im W-Abschnitt des Untergeschosses eine langgestreckte, spätgot. gewölbte Halle. Sie birgt zahlreiche Grabdenkmäler, die z. T. aus dem Dom stammen. Gegen O folgt die Rastkapelle mit steinerner Anna-Selbdritt-Gruppe (um 1330) und etwa gleichzeitigem Vesperbild. Am O-Ende des Traktes: **Friedhofkapelle St. Michael** mit engmaschigem Netzgewölbe von 1502. Im Obergeschoß, zu dem aus der W-Halle eine Treppe hinaufführt, reihen sich einzelne, im 16. und 17. Jh. ausgestaltete Räume bis zum Kapitelsaal mit barocken Deckengemälden von 1699 und klassizist. Wandfresken um 1780. – Der Verbindungsgang zur Domsakristei im W der Raumflucht trägt zierliche Gewölbe um 1506. – Dem Kapitelhaus vorgelagert, grünt als »**Domgarten**« der ehem. Domfriedhof. Hier Lichtsäule, 1341, und Ölberggruppe, spätes 15. Jh.

Gegen S begrenzt ihn die **St.-Ulrichs-Kirche**, ehemals Dompfarrkirche. Die älteste urkundl. Nachricht stammt von 1263. Der stilistische Befund deutet auf eine Bauzeit um 1230–50. Das Barockzeitalter hat Ovalfenster eingebrochen und eine neue Vorhalle geschaffen. Diese und der alte S-Turm verfielen 1859 dem Abbruch. 1903 Erneuerung der Decke. – Das Ä u ß e r e verwächst mit dem ostwärts wuchtenden »Römerturm« zu wirkungsvoller Baugruppe. Ein Strebesystem strafft den Körper. Das S-Portal zeigt im Bogenfeld eine Halbfigur Christi, von Engeln getragen. Die W-Fassade hat mit dem Verlust von Turm (geplant waren 2) und Vorhalle ihr urspr. Gesicht eingebüßt. In der Mitte des Obergeschosses rundet sich ein maßwerkgeziertes Rosenfenster, nach dem berühmten Vorbild der Kathedrale von Laon. Das breitbogige Hauptportal ist von schlanken Säulen mit kräftig gebildeten Kelchkapitellen gerahmt. Bogenfeldrelief neu. – Das I n n e r e zeigt eine merkwürdige Mischung von Basilikal- und Zentralideen. Ein saalartig breiter, flach gedeckter Mittelraum wird von 2geschossigen Seitenschiffen umzogen. Das mittlere Joch im O hat man später (viell. 1688) ausgebrochen zugunsten des hohen, schmalen Altarraums. Die unteren Seitenräume wurden zugesetzt. Im W tieft sich die 3schiffige Emporenanlage durch 2 Joche. Alle den Mittelsaal umgebenden Raumgeschosse sind gewölbt. Auch für den Saal waren Wölbungen vorgesehen. Ihre Ausführung unterblieb. Das ornamentale Detail an Kapitellen, Konsolen, Schlußsteinen und Basen ist eng verwandt mit den Dekorationsformen im N- und W-Flügel des St.-Emmeram-Kreuzgangs. Im Architektonischen sind Einflüsse aus Nordfrankreich unverkennbar. Die merkwürdige Art der Raumgliederung hat ihre Vorläufer in den Doppelkapellen roman. Burganlagen (Nürnberg z. B., auch Gotthardskapelle am Dom zu Mainz). Veranlaßt hat sie das eng umgrenzte Baugelände, das der wachsenden Gemeinde hinreichend Platz bieten sollte. – Wandmalereien von 1571.

Nördl. der Dom-W-Fassade liegt die **Stiftskirche St. Johann.** Ihr ging eine Taufkirche voraus, erstmals genannt im 11. Jh. Seit 1127 war ihr ein Chorherrenstift beigegeben. Der Domneubau forderte 1380 den Abbruch. Aus dieser Zeit stammt die erste Anlage am heutigen Platz. Was von ihr in die 1766 durchgeführte Neugestaltung einbezogen wurde, stehe dahin. Dach und Decke hat man nach Brand 1887 erneuert, auch große Teile der Einrichtung und den Außenbau. Got. Turm. – Im I n n e r n 2 spätgot. Tafelbilder, um 1490, ein Altarkreuz des 14. und ein roman. Leuchter des 13. Jh. – Das Gemälde der Muttergottes ist eine nach 1518 gemalte Kopie Albr. Altdorfers nach dem Gnadenbild der »Schönen Maria« (s. Neupfarrkirche S. 793), das wohl seinerseits auf die sog. Lukasmaria (des frühen 13. Jh.) der Alten Kapelle zurückgeht.

Ehem. Benediktinerklosterkirche St. Emmeram

St. Emmeram ist eines der frühesten Klöster Bayerns, bis in den Ausgang seiner rund 1100jährigen Geschichte eine der wirkungsreichsten geistlichen Kulturstätten. Bis ins späte 10. Jh. besetzen seine Äbte im regelmäßigen Wechsel mit den Kanonikern des Domstifts den Bischofsstuhl; erst Bischof Wolfgang trennt Dom und Kloster (973). Im 13. Jh. gewinnt es die Reichsstandschaft, die es bis zuletzt (1803) behauptet. – Die Klosterkirche spiegelt in ihrem monumentalen Bestande die Abfolge der erlebten Zeiten. Früh- und hochroman. Teile stehen neben frühgotischen, diese wieder neben barocken, diese halten allerdings, wenn auch nicht das Außenbild, doch das Innenbild beherrschen.
Geschichte: Im 7. Jh., angebl. 652, wird der westfränkische Wanderbischof Emmeram, nach 3jährigem Wirken in Regensburg, bei

*Kleinhelfendorf (Obb.) getötet, im nahen Aschheim begraben,
doch wenig später nach Regensburg gebracht und in einer Georgskirche südwestl. der Römermauer beigesetzt. In dieser Georgskirche wird, wohl zu Recht, eine spätröm. Friedhofkirche vermutet. Die zeitliche Stellung der neuerdings im nördl. Seitenschiff
der Klosterkirche freigelegten Pfeilerfragmente (ohne Mörtelver-
band) ist noch ungeklärt; röm. Provenienz erscheint möglich,
doch spricht die Wahrscheinlichkeit für karoling. Entstehung. Die
erste Nennung der wahrscheinl. im frühen 8. Jh. begründeten
Klosterkirche, um 730, übermittelt den doppelten Weihetitel:
St. Georg und St. Emmeram. Um 740 läßt der Abtbischof Gau-
bald die Gebeine Emmerams aus dem Grabe (im südl. Seitenschiff)
erheben und in der von ihm erbauten (erhaltenen) Ringkrypta
unter dem O-Chor beisetzen. Ob damals auch an der Kirche gebaut wurde, ist fraglich. Wir wissen nur, daß der Abtbischof
Sindpert 783 Kloster und Kirche erneuerte. Teile des Sindpert-
Baues stecken noch in den Umfassungsmauern. — Das Kloster erfreute sich, 100 Jahre später, der bes. Förderung durch Kaiser
Arnulf, der es mit dem Ornat seiner Pfalzkapelle beschenkte (erhalten: Codex aureus und Arnulf-Ziborium, jetzt in der Bayer.
Staatsbibliothek, München, bzw. in der Schatzkammer der Münchner Residenz) und sich in nächster Nähe eine neue Pfalz errichtete.
Eine Vermutung geht dahin, daß sich diese Arnulf-Pfalz (meist
bei St. Egidien gesucht) auf dem Platze des nördl. Vorhofs der
Klosterkirche befand, der sich eben dadurch erklären würde. — Um
920 wird das Kloster in die von Herzog Arnulf erweiterte Stadtmauer einbezogen. Wachsende Bedeutung unter dem von Bischof
Wolfgang aus Trier, St. Maximin, berufenen Abt Ramwold, dem
Mittler der von Görze (Lothr.) ausgehenden benediktinischen Reform. Ramwold schuf die nach ihm benannte Krypta östl. der
alten Ringkrypta (980), in der er auch 1001 beigesetzt wurde. —
1052 werden die Gebeine des eben jetzt kanonisierten Bischofs
Wolfgang (in dem Bayern einen seiner volkstümlichsten Heiligen
gewinnt) von Papst Leo IX. geweihte W-Krypta übertragen. Papst Leo bestätigt auch die Echtheit des kurz vorher aufgefundenen Leibes des hl. Dionysius Areopagita, die sich allerdings
nicht gegen die älteren Ansprüche des Pariser Dionysius-Klosters
durchsetzt. Um diese Zeit entstehen die, als frühe Urkunden der
Steinplastik, so hochbedeutenden Reliefs über dem N-Portal, dem
damals noch eine bis zum äußeren (frühgot.) Tor reichende Halle
(der Arnulf-Pfalz?) vorlag.
Ein schwerer Brand 1166 bringt die Mauern der Sindpert-Basilika
zum Einsturz. Nun Erneuerung der Hochschiffwände, der Wölbungen der Seitenschiffe und der nördl. Vorhalle. — Ins 13. Jh. fallen:
Teile des Kreuzgangs und die (jetzt nur noch 3 Joche tiefe) Vorhalle. Im 15. Jh. entsteht die Klosterpfarrkirche St. Rupert, an der
N-Seite der Klosterkirche, im 16. der frei stehende Glockenturm.
— 1642 brennen die Dächer ab; Gewinn dieses Unfalls ist die*

Kassettendecke des westl. Querschiffs. 1731–33 erfolgt, nach den Plänen des Linzer Baumeisters Joh. Mich. Prunner, die zeitgemäße, barocke, Modernisierung der Räume; die reiche Ausstattung liegt in den Händen der beiden Asam. Eine der letzten Baumaßnahmen des Reichsklosters ist die Aufsetzung der Turmhaube, 1777. Die Säkularisation, 1803, setzt den Schlußstrich. Die Klosterkirche besteht als Pfarrkirche fort; die Klostergebäude kommen 1812 an die Fürsten von Thurn und Taxis, die seither hier residieren.

Der weithin sichtbare, alleinstehende *Glockenturm* ist eine den roman. Vorgänger ersetzende Schöpfung des Münchner Steinmetzen Matth. Pech von 1575–79 (restaur. 1966–68). Sein wuchtiges Viereck mit paarweise gekoppelten Schallöffnungen trägt dem roman. Genius loci Rechnung. Die rahmende Rustikaquaderung folgt dem Renaissance-Geschmack. Auf den Konsolen der Obergeschosse haben sich Teile des Figurenschmucks erhalten, darunter die Statuen des hl. Kaiserpaares Heinrich und Kunigunde. Dachbalustraden, 4giebeliges Uhrengeschoß und Kuppellaterne sind von 1777.

Nach N (zum St.-Emmerams-Platz) öffnet sich der Zugang in den heiligen Bezirk. Ein im 19. Jh. errichtetes Pfarrhaus verstellt die Sicht. An seinem Platz erhob sich bis 1890 die doppelgeschossige roman. Friedhofskapelle St. Michael. Rechterhand folgt eine Schaufront: das *Portal zur Vorhalle*. Diese 2geschossige Torwand ist ein feines Beispiel früher deutscher Gotik um 1250. Eine zarte Spitzbogengalerie im oberen Geschoß. Das Untergeschoß ist durch 2 Tore gegliedert. Wir betreten durch die Toröffnungen den Rest einer groß geplanten, 2schiffigen *Vorhalle*. Erhalten sind: die westl. Rückwand mit einer Reihe von Bogenblenden und 2 Joche über den Eingängen zur Abteikirche. Gegen O lehnt sich die spätgot. Rupertus-Kirche an. Die ausgedehnte Vorhallenanlage ist nach dem Brand von 1166 entstanden. Die Kapitellformen unter schwerer Kämpferplatte erweisen Verbindung mit der Schottenkirche St. Jakob. Zahlreiche Bildwerke besetzen die Wandflächen, u. a. ein steinerner Christophorus um 1320–30 neben einem Ölbergrelief um 1430 (beide am Beginn der O-Wand). Von den Epitaphien interessiert das des bayerischen Historikers und Humanisten Aventinus (W-Wand), der 1534 hier beigesetzt wurde. Das doppelte Nischenportal im S stammt aus der Bauzeit des W-Chores, 11. Jh. Am Mittelpfeiler ein steinernes Bildwerk des thronenden Christus. Zu seinen Füßen das Medaillonbild des

Stifters, Abt Reginward. Das bedeutet Entstehung um 1050.
Der göttlichen Majestät sind an den Seitenpfeilern die Kirchenpatrone Emmeram und Dionysius beigeordnet. Diese
3 Reliefgestalten sind älteste deutsche Großplastik.
I n n e r e s. Von den beiden Zugängen führt der linke in
das Langhaus der Abteikirche. Wir wählen den rechten und
betreten das *W-Querschiff mit dem Dionysius-Chor*. Abt
Reginward ist Bauherr. Weihe 1052. Da ist der weite Raumkubus des Querschiffs, das um ein weniges über die karoling.
Langhauswände vorspringt; da öffnet sich gegen W das eingezogene Chorrechteck hinter weitgespanntem Triumphbogen. Es liegt auf hohem, ins Querhaus vorspringendem
Unterbau, der die Wolfgangskrypta einschließt. W-Fenster
barock. Bemalte Felderdecke 1642. Reste roman. *Wandmale-*
reien berichten im Chor aus dem Leben Petri und des Dionysius Areopagita. Am besten erhalten ist die Ausmalung der
Triumphbogenleibung: im Scheitel Bundeslade, seitlich
Brustbilder von Heiligen und Engel. Der Kreuzaltar ist ein
Werk aus der Mitte des 17. Jh. Nebenaltäre 1665 und 1710.
Aus den Grabdenkmälern ragt der pompöse Barockaufbau
für Alex. Ferd. v. Thurn und Taxis hervor, entworfen von
Simon Sorg 1774. – Treppen führen beiderseits hinunter in
die *Wolfgangskrypta*, einen fast quadratischen Raum, 5schif-
fig, 5jochig, getragen von schlanken, teils runden, teils 8kan-
tigen Säulen. Die gratigen Wölbfelder decken ein breiteres
Mittelschiff, beiderseits je 2 schmälere Seitenschiffe und
gegen O einen Querarm, hinter dem sich die Seitenschiffe
fortsetzen. Die umschließenden Wände der 3 W-Joche sind
halbrund genischt. Schlicht ist das Schmuckwerk: Würfelkapitelle, von denen 3 in ihren Schildblenden knappes Ornament tragen. Auf ihnen ruhen die schweren Deckplatten und
hohen Kämpfersteine. Ostwärts in der Mitte: der Hauptaltar (1613) vor 3 übereinandergesetzten Grabkammern. Die
beiden unteren gehören der Erbauungszeit um 1050 an, die
dritte wurde gegen 1211 geschaffen und trägt die Mensa des
darüberliegenden Kreuzaltars im Dionysius-Chor. Die Mittelnische der W-Wand umrundet einen steinernen Bischofs-
oder Abtstuhl (gen. »Heinrichsstuhl«) aus dem 11./12. Jh.
Gegen N stößt ein kapellenartiger Raum mit viereckiger
Mittelstütze an die Kryptenhalle. In seiner O-Nische: Steinsarg des hl. Dionysius. Darüber liegt die *Magdalenenkapelle*,
ein 7fach genischtes Raumquadrat mit schlanken, vor die

Wände gerückten Säulchen. Diese beiden Raumquadrate stellen den Unterbau eines Turmes dar, der nur als Stumpf (mit Ergänzungen des 19. Jh.) überkommen ist. Aus dem W-Querschiff leiten 5 Tore in das *Langhaus*. Hinter barokkem Überschwang verbirgt sich die Kernstruktur der karoling. Basilika. Sie hatte bereits 1166 eine durchgreifende Umgestaltung erfahren. 1642 verzehrte das Feuer ihre kostbare roman. Holzdecke und große Teile der alten Einrichtung. Neu (1731–33) sind also Gewölbe, Wanddekoration und Altarausstattung. 1731 wurde auch die Hauptapsis durch eine Quermauer abgetrennt. Karoling. Kernmauern stecken insbesondere im O-Abschnitt und in den äußeren Umfassungswänden. Die Hochschiffwand mit ihren Pfeilerarkaden gehört der 2. Hälfte des 12. Jh. an. Abt Anselmus Godin hatte 1731 zur Barockisierung die Brüder Asam aus München berufen. Egid Quirin gilt als Meister des Entwurfs und Schöpfer der plastischen Teile. Cosmas Damian unterstützte ihn als Maler. Durch Tieferziehen der Deckenregion und Aufblenden einer Pilasterordnung wurde räumliche Zusammenfassung erstrebt. An der Hochschiffswand erscheinen die Figuren von Heiligen und Seligen des Benediktinerkonvents im Wechsel mit gemalten Szenen aus dem Wirken St. Emmerams. Phantastische Vasenbildungen krönen das Gebälk. Stuckranken und -bänder füllen die Fensterkappen. Die Gewölbe öffnen sich in 2 großen Farbkompositionen: Exemtion des Klosters durch Papst Leo IX. und Christenmarter (Langhaus), Glorie St. Benedikts (Chor). Der Hochaltar umschließt ein Gemälde von Joach. Sandrart, Tod des hl. Emmeram, 1666. Sein rahmender Aufbau wurde von Egid Qu. Asam verändert und mit Stuckfiguren geschmückt (St. Peter und Paul, Himmelskönigin). Nebenaltäre, Kanzel, Orgelprospekt, Eisengitter usw. kamen in den 1730er Jahren hinzu (nicht von Asam).

Der hohe Rang des Klosters hat auch in der *Grabmalplastik* Ausdruck gefunden. Im südl. Nebenchor, über der ersten Grabstätte des Titelheiligen Emmeram, hat man diesem um 1350 ein Denkmal errichtet: 4 Säulen tragen eine marmorne Deckplatte, unter welcher die Gestalt des Heiligen ruht. Die Figur ist von scharfer, kantiger Formgebung. Ihr Schöpfer scheint die Skulpturen der Straßburger Katharinenkapelle gekannt zu haben. Im südl. Seitenschiff wurde um die gleiche Zeit durch einen anderen Meister dem hl. Wolfgang ein Grabdenkmal gesetzt. – Das Hochgrab für den sel. Tuto ähnelt einem steinernen Tisch. Es wurde nach 1166 aus-

geführt (1733 verkürzt). – Im N-Schiff das berühmteste der Grabdenkmäler, das der *Königin Hemma* († 876, Gemahlin Ludwigs
d. Deutschen), um 1280. Aus dieser schönen, stillen Gestalt leuchtet noch der Adel staufischer Kunst. Die gleichzeitigen Tumben für
Kaiser Arnulf († 899) und Ludwig d. Kind († 911) wurden 1642
vernichtet. – Das Hochgrab Herzog Arnulfs von Bayern († 937)
ist 100 Jahre älter und gleicht in seiner Tischform dem Tuto-
Grabmal. Die Deckplatte trägt reicheres Schmuckwerk (Stützen
erneuert). – Heinrich d. Zänker († 995) gilt ein anderes Grabdenkmal, geschaffen um 1330. Die jugendliche Gestalt des Herzogs ist von stiller Verhaltenheit. – Weicher Stil ist das Grabbild
des Grafen Warmund von Wasserburg († 1010), um 1400 (Unterbau 17. Jh.). – *Hochgrab der sel. Aurelia.* Die Legende berichtet
von ihr, sie sei vom Hof ihres Vaters, des Grafen Hugo von Paris,
geflohen, um einer Heirat zu entgehen. Als fromme Klausnerin
sei sie zu St. Emmeram 1027 entschlafen. Das Grabmal schuf um
1330 der Meister der Herzog-Heinrich-Tumba. Die Gestalt des
schlafenden Mädchens ist höfisch zart. Auf melodisch absinkenden
Gewandfalten ruhen die beiden Hände, schlank und edel. Eine
Weinranke begleitet seitlich das Gebild. – Die anstoßende Wand
trägt ein vorzügliches Relief des Marientodes, um 1420–30, vom
Meister des Domportals. Von derselben Hand ein ähnlich gerahmtes Ölbergrelief von 1429. Beide Werke als Epitaphien verwendet.
– Auf die hohe Zahl weiterer Grabdenkmäler aus dem 14. bis
18. Jh. kann nur hingedeutet werden.

Die *Hauptapsis* ist als »Winterchor« vom Langhaus getrennt
und in 2 Geschosse unterteilt. Ihre Fundamente gehören dem
karoling. Bau an. Aus dieser Zeit, um 740, stammt auch die
Emmeramskrypta, ein gewölbter Gang, der dem Außenrund
der Apsis folgt. Eine Öffnung gestattet Einblick in die Grab-
kammer des Heiligen, über der sich einst der Hauptaltar erhob.
Gegen O führt ein Gang in die *Ramwoldkrypta,* benannt
nach dem Bauherrn Abt Ramwold, entstanden 977–980.
Die 3schiffige, kleine Halle (Unterbau einer urspr. wohl 2-
geschossigen Anlage) wurde 1773–75 weitgehend umgeformt.
Nur das Gefüge der genischten Umfassungswände blieb das
ursprüngliche. In der südl. Nische: Sarkophag des sel. Ramwold († 1001). Der Raum wurde 1960–62 von Entstellungen
befreit und restauriert.

An das N-Schiff der ehem. Abteikirche lehnt sich deren alte
Pfarrkirche St. Rupert, erstmals genannt im 12., erneuert
im 15. Jh., barockisiert um 1750, unter Mitwirkung des
Freskomalers Otto Gebhard von Prüfening. Sakramentstürmchen um 1450. Hochaltar 1690, Nebenaltäre frühes

18. Jh.; schöne Halbfigur der Muttergottes, Sandstein, um 1330. – Neben dem nördl. Seitenchor der Basilika: Sakristei von 1615. Sie birgt hochbedeutende Schätze an mittelalterl. Altargerät.

Klosterbauten (seit 1812 Residenz der Fürsten v. Thurn und Taxis). An die S-Wand der Emmeramskirche lehnt sich das weite Geviert des K r e u z g a n g s. Nach dem Brand von 1166, Ende des 12. Jh., hub das Bauen an in den 3 östl. Jochen des N-Flügels. Die Arbeiten wurden um 1220–40 in westl. Richtung fortgesetzt. Hier klingt erstmals frühe Gotik auf. Säulenbündel mit Knospenkapitellen, wulstige Rippenbänder, schließlich die »normannisch« gezackten Bogenleibungen des Kirchenportals erheben diese Raumpartie zum Reichsten der frühen Gotik in Regensburg *(Tafel S. 704).* Wahrscheinl. kamen die Werkleute aus Nordfrankreich. Eine 5teilige Fenstergruppe auf Säulenpaaren mit Radfenster darüber betont den Mittelabschnitt des Ganges. Vermutl. war dieser besonderen mönchischen Versammlungen vorbehalten. Die 3 N-Joche des W-Flügels sind gleichzeitig. Um 1260–70 erst wird die Arbeit weitergeführt. Die dekorativen Einzelformen zeigen ein Nachlassen der schöpferischen Kraft. Der S-Flügel wird erst im 14. Jh. vollendet. Der O-Flügel wurde im 18. Jh. beseitigt. – Das Mauerwerk des A l t e n K o n v e n t b a u s ist noch im Kern romanisch. Der O-Flügel wurde 1731–33 neu erstellt. Alles übrige verändert. Ehem. Refektorium 1689; südl. davon roman. Küche (Ende 12.) und Kellerei (Anf. 13. Jh.). Im 1737 von Joh. Mich. Prunner geschaffenen, 1812 klassizistisch übermalten B i b l i o t h e k s s a a l wurden neuerdings Fresken C. D. Asams freigelegt, Darstellungen des hl. Benedikt, König Salomos und, wahrscheinl., Christi, in den 3 den Raum deckenden Kuppeln. Gegen O schließt der N e u e K o n v e n t b a u an, beg. 1666. Die gesamte Anlage wurde 1889 durchgreifend umgestaltet und erweitert. Im Schloßhof Arnulfsbrunnen 1578. Im angrenzenden Schloßpark befand sich eine klassizist. Kostbarkeit: die **Villa Theresienruhe** von 1807; sie ging 1945 zugrunde. – Im W **Marstall** der Thurn und Taxis von Joh. Bapt. Métivier 1828.

Stiftskirche U. L. Frau zur Alten Kapelle (Alter Kornmarkt)

Schon 967 als »Alte Kapelle« bezeichnet. Die Regensburger Tradition nennt sie den »anvanck aller Gotzhäuser in Bayrn«. Sicher ist sie die Pfalzkapelle der agilolfingischen Herzoge. Kaiser Heinrich II. veranlaßte 1002–04 die Wiederherstellung der verfallenen Kirche. Das 12. Jh. brachte umfangreiche Reparaturen. 1441–65 wurde ein neuer, tiefer Hochchor angeschlossen. Nebenkapellen traten hinzu. 1747–65 zog das Rokoko in die ehrwürdigen Mauern ein. – Das angegliederte Kanonikatsstift – seit karoling. Zeit nachweisbar – hat die Säkularisation überdauert.

Das Ä u ß e r e zeigt, bei spätbarocken Fensteröffnungen, noch die alte Struktur einer 3schiffigen Basilika mit Querschiff und abgerücktem W-Turm. Deutlich hebt sich der 1441 bis 1445 geschaffene Chor ab. Interessant das Vorhandensein eines östl. Querhauses, das den alten Regensburger Baugewohnheiten widerspricht. Seine Anlage geht zweifellos auf karoling. Planung zurück. Ehemals scheint auch ein Westwerk bestanden zu haben. Es wurde wohl bei den Wiederherstellungsarbeiten im späten 12. Jh. abgestoßen. An karoling. Elementen aus der Mitte des 9. Jh. sind verblieben: der Grundriß, die W-Wand und der gequaderte Turmunterbau. Die beiden roman. Portale liegen hinter barocken Vorbauten. Den Zugang im N ziert eine Sandsteinverkleidung von 1752. Beiderseits roman. Portallöwen wohl des 12. Jh. In den Seitenfeldern der Torwand 2 Steinfiguren der Zeit um 1200, ein ikonographisches Unikum, darstellend wahrscheinl. Taufe oder Beichte eines Agilolfingers. – Vom S her eintretend durchquert der Besucher die 1481 gewölbte *Gnadenkapelle* (darüber Kapitelstube) mit Stuck von 1693. Auf dem Altar, zwischen den Figuren des hl. Kaiserpaares Heinrich und Kunigunde und in Rokokorahmen, das Gnadenbild, eine stark übergangene italien. Schöpfung des 13. Jh. nach byzantinischem Vorbild. Über dem roman. Kirchenportal Gemälde von Hs. Mielich: Christus im Grab, 1544. – Das I n n e r e prunkt im Reichtum spätbarocker Zierfreude. Aus der 3schiffigen Querschiff-Basilika des frühen Mittelalters und dem spätgot. Chor ist eine berückende Einheit geworden. Flackernde Rocaillen, durchsetzt mit pflanzlichem und figürlichem Schmuckwerk, umspielen Gliederung und Gemälde. Zarte Farbstimmungen neben blendendem Weiß und glitzernder Goldfassung. Meister des Stuckgewands ist Ant. Landes aus Wessobrunn. Besonderen Reichtum hat er über die Chorteile ausgegossen. Prächtig die beiden Doppeloratorien (1761/62), bekrönt von den porzellanfarbenen Allegorien der Erdteile; im Hauptgesims die

3 Tugenden Glaube, Hoffnung, Liebe und die Sinngestalt der Kirche. Vasen charakterisieren die 4 Elemente. Die Fresken schufen Chr. Th. Scheffler (in Langhaus und Querschiff) und Gottfr. Bernh. Götz (Chor). Sie behandeln u. a. Themen aus der legendären Geschichte des Heiligtums und aus dem Wirken des hl. Kaiserpaares Heinrich und Kunigunde; im Chor die Verehrung der Hl. Dreifaltigkeit. – Der mächtige Aufbau des Hochaltars wurde, nach Entwürfen von G. B. Götz, 1762–72 ausgeführt. Das Figürliche (Muttergottes, Heinrich und Kunigunde) schuf Simon Sorg. Die zahlreichen Nebenaltäre entstammen der Zeit zwischen 1730 und 1780. Desgleichen das Chorgestühl. Orgelprospekt klassizistisch, 1791. – Die 2 *Kapellen* am N-Schiff wurden 1944 zerstört und später durch einfache Neubauten ersetzt. – Die spätgot. *Sakristei*, eingewölbt um 1600, bewahrt in gutem Rokoko-Schrankwerk kostbare Goldschmiedegeräte und Meßgewänder des 18. Jh. Darüber Kapitelsaal. – Im »Winterchor« hinter dem Hochaltar: Muttergottesfigürchen des späten 13. Jh. – Kreuzgang 1624 verändert. An seinen O-Flügel stößt die (später verkürzte) Zantkapelle von 1299. – Im S 6eckige Friedhofkapelle, um 1477.

Obermünster (unweit St. Emmeram). Die Entstehung im 8. Jh. ist vermutl. auf das Betreiben des Emmeramsklosters zurückzuführen. Seit 1002 Reichsstift (bis 1803). 1010 wurde der Neubau des Frauenstiftes geweiht, eine 3schiffige Pfeilerbasilika mit W-Querhaus und Nonnenchor. Ein Brandunheil verursachte 1020 deren Wiederherstellung. 1704 wurde der alte O-Chor zum Orgelchor verwandelt und der Raum mit Stukkatur, Malerei und neuer Ausstattung versehen. Die gesamte Anlage fiel bis auf den isoliert stehenden Turm des 12. Jh. dem 2. Weltkrieg zum Opfer.

Niedermünster (östl. vom Dom)

Der Boden hat Reste röm. Bebauung aus der Mitte des 4. Jh. freigegeben. Die 2. Hälfte des 7. Jh. setzte darauf eine kleine Saalkirche (22 : 9 m) mit rechteckigem Chor, die die Grablege des Wanderbischofs Erhard aus Aquitanien und seines irischen Freundes, des Erzbischofs Albert, aufnahm. Spätestens Mitte des 9. Jh. ließ sich hier ein adeliges Damenstift nieder, beurkundet 889/891, für das ein neuer, zweiter Kirchenbau (ähnlich, doch größer, 33 : 10 m) entstand. Dieser Zeit gehört auch die östl. gelegene Erhardikrypta (Erhardigasse). Der dritte Bau, gefördert von dem bayerischen Herzog Heinrich I., Bruder Ottos d. Gr., bringt um die Mitte des 10. Jh. eine Basilikanlage (wieder etwas größer, 45 : 18,5 m), die der herzogliche Bauherr und seine Gemahlin Judith zum Bestattungsort wählen. 1006 wird hier auch Gisela von Burgund, die Gemahlin Herzog Heinrichs d. Zänkers, bei-

*gesetzt. Der Sohn, der als Heinrich II. Kaiserwürde erringt, gibt
dem Stift das Recht der Reichsunmittelbarkeit, 1002. Fünfzig
Jahre später werden die Gebeine des kanonisierten Erhard feierlich erhoben. Dann, 1152, legt ein Brand die Kirche in Asche. Der
Neubau bedient sich in einzelnen Teilen älterer Reste. Ausbau der
Vorhalle und Einwölbung erfolgen erst im 17. Jh., Stuckdekoration um 1730.*

Das Ä u ß e r e zeigt in herben Formen den 3schiffig-basili-
kalen Aufbau, querschifflos, mit westl. Turmpaar und ba-
rocker Vorhalle, über der eine 1730 ausgezierte Kapelle sitzt.
Fensteröffnungen im 17. Jh. vergrößert. Das S-Portal erinnert an normannische Bildungen (vgl. Schottenkirche). Das
Hauptportal in der Vorhalle weist auf älteren lombardischen
Einfluß, der im roman. Kirchenbau Bayerns eine bedeutende
Rolle spielt. Das I n n e r e ist von ruhiger Klarheit. Die
Arkadenpfeiler tragen barocke Ummantelung. Barocke
Wölbformen mindern die urspr. Höhenwirkung des ehemals
flachgedeckten Raumes. Zwischenwände trennen die rechteckigen Nebenchöre vom Hauptchor. Im östl. Joch sind sie
roman. Herkunft und von gekoppelten Rundbogenöffnungen durchbrochen. Man glaubt im ausgeschiedenen östl.
Chorhaus hirsauische Baugepflogenheiten zu erspüren. Der
schlichte Anlagetypus hält sich im wesentlichen an das lange
geübte bayerische Kirchenbauschema der Romanik, das um
1150 als rückständig bezeichnet werden muß.

Im Hauptchor Reste alter Wandmalerei aus der 2. Hälfte des
12. Jh. Fresken im nördl. Nebenchor um 1510–20. Die barocke
Stuckierung um 1730 ist kaum spürbar. – Hochaltar 1763. Seitenaltäre um 1650. – Die Grabstätte des hl. Erhard (im nördl. Seitenschiff) wurde um 1330 mit einem 3teiligen steinernen Baldachinaufbau ausgezeichnet. Die Altartische darunter gewähren durch
spitzbogige Arkadenöffnungen Einblick auf die Figuren der hll.
Erhard (Mitte) und Albert (O-Teil), gute Schöpfungen vom Meister der Wolfgangstumba in St. Emmeram, um 1350. Die dritte
Figur ist späte Zutat. – Bronzenes Taufbecken um 1300. – Ein
bedeutendes Werk süddeutscher Bronzeplastik um 1625 ist der ehem.
Kreuzaltar, heute an der Chor-N-Wand: Magdalena am Kreuzes-
stamm, vermutl. von Gg. Petel in Augsburg. – An Einzelfiguren
verdienen Hervorhebung: die »Schwarze Muttergottes«, ein streng
geformtes, noch roman. Holzbildwerk aus dem frühen 13. Jh.; eine
steinerne Muttergottesfigur des späteren 14. Jh.; eine feierliche
Kreuzigungsgruppe in der südl. Turmhalle, Holz, um 1320, und ein
spätgot. Relief des Marientodes. – Bedeutender Kirchenschatz.

Die barocken **Stiftsbauten** (jetzt bischöfl. Ordinariat) nördl. der Kirche
enthalten einen Rest des roman. Kreuzgangs. Östl. der Kirche: St.-Er-

hards-Kapelle, eine hochaltertümlich wirkende kleine kryptenartige Halle, doch wohl erst des frühen 11. Jh.

Ehem. Johanniterkirche St. Leonhard (Leonhardsplatz). Der kleine, gewölbte Hallenbau auf Rundstützen, mit eingezogenem Chor und abgerücktem Glockenturm ist um die Mitte des 12. Jh. entstanden (Fenster barock, W-Fassade 1885). Das Hallensystem gehört in die Nachfolge der Langhausanlage von Prüll. Die um 1880–90 aufgedeckten Wandmalereien wurden durch unsachgemäße Restaurierung entstellt. Von Interesse ist der rechte Seitenaltar, eine spätgot. Schreinanlage mit guten Schnitzwerken, 1505.

Schottenkirche St. Jakob (Jakobstr., im W der Stadt)

Seit frühmittelalterl. Zeit pilgerten irische Wanderprediger durch den Kontinent. Im 11. Jh. gelangte der Ire Mecherdach nach Regensburg. Bald folgten ihm einige seiner Landsleute nach. 1075 ist von einem Kloster der Schotten die Rede. 1120 wird die erste St.-Jakobs-Kirche geweiht. Um 1150–1200 folgt der bestehende Neubau. Um 1278 verschont ein Brand nur die Mauern. Im frühen 16. Jh. wird das Kloster durch schottische Benediktiner neu besetzt. Erst 1862 erfolgte die Lösung aus dem Verband schottischer Klöster. – Bis auf einige Eingriffe durch das 19. Jh., die bes. der Beseitigung barocker Zutaten galten, ist das roman. Baugefüge in schöner Vollständigkeit überkommen.

Das Ä u ß e r e zeigt einen Aufbau, der mit dem östl. Turmpaar und W-Querhaus den Regensburger Baugewohnheiten entspricht. Klar kommt das Gefüge der 3schiffigen Basilika zum Ausdruck. Den Hauptchor umzieht eine Blendarkatur mit wechselndem Kapitellschmuck. Bogenfriese folgen der Hochschiffwand, um im W-Bau zwischen gliedernden Lisenen wiederzukehren. Das Mauerwerk ist aus sorgfältig behauenen Quadern geschichtet. Nur Türme und Nebenapsiden bedienen sich einer derberen und kleinteiligeren Bruchsteinfügung: es sind die Teile, die aus dem ersten, 1120 geweihten Kirchenbau beibehalten blieben. Der übrige Bau erwuchs in der 2. Jahrhunderthälfte. Hochbedeutendes Denkmal roman. Plastik in Bayern ist das *N-Portal (Tafel S. 705)*. Die 3teilige Gliederung der Portalwand erinnert an Westfranzösisches (Poitiers), die Art der plastischen Einzelteile an Lombardisches. Am Sinngehalt des bildnerischen Programms wurde viel herumgerätselt. Was die Zeit sofort verstehen konnte, entzieht sich unserer Kenntnis. Wir sehen als Mittelpunkt Christus zwischen den hll. Jakobus und Johannes im Bogenfeld. Wir gewahren ihn ein zweites Mal inmitten der Apostel im Bildfries über den Bogenläufen. Fabelwesen werden als Dämonen (Menschenpaare und Sirenen als Symbole sinnlicher Lust etc.) gedeutet, welche die Kirche abwehrt und besiegt. Eine andere Erklärung lautet: Gericht über das germanische Heidentum. Die z. T. kerbschnittartig ausgeführten Ornamentbänder, überaus vielgestaltig, lassen wiederum Lombardisches aufklingen. Der I n n e n r a u m , Säulenbasilika mit Parallelapsiden, entwickelt eine beachtliche Höhe (ähnlich Prüfening). Doch fluchtet der Raum auch stark in die Tiefe. Die Chorjoche werden durch Vierkant-Stützen gekennzeichnet. Neu, unter Verwendung ursprünglicher, aus dem Kreuzgang stammender Säulchen sind die Chorschranken. Die Langhaussäulen tragen vorzüglichen Kapitellschmuck. Figürliche Bildungen wechseln mit pflanzlichen. Die Flachdecke im Hochschiff wurde 1647 erneuert. Auch die Seitenschiffwölbungen gehören dem 17. Jh. an. Eine Empore unterteilt das W-Querhaus. Sie trägt die Merkmale der Zeit gegen 1200. – Altareinrichtung 19. Jh., Chorstühle um 1690. – Die Kreuzigungsgruppe im Triumphbogen scheint urspr. am Chorbeginn über dem Kreuzaltar gestanden zu haben. Schnitzarbeit um 1180. Der Gekreuzigte ist noch »rex triumphans« (erst die Gotik kennt den Gemarterten). Ähnlich der etwa gleichzeitige Kruzifixus im S-Schiff. – Das erste Pfeilerpaar des Chores trägt 2 Steinfiguren um 1370: Maria und Jakobus. Im N-Schiff: steinerner Christophorus um 1390.

Klosterbauten. Der gegen S anliegende Kreuzgang ist bis auf das O-Joch an der Kirchenwand barockisiert. Zackende Bogenläufe überfangen die roman. Kirchenpforte und verraten den (in St. Emmeram wiederkehrenden) normannischen Einfluß. Das Portal zum Refektorium im S-Flügel mit 3 Gewändestufen und Bogenwulsten kann um 1210 entstanden sein. Die Brunnenkapelle des frühen 13. Jh. ist barock gewölbt.

Ehem. Dominikanerkirche St. Blasius (Beraiterweg)

1230 erhielten die Dominikaner ihren Baugrund. Im nächsten Jahrzehnt wird von reger Bautätigkeit gesprochen. Sie kam erst gegen Ende des Jahrhunderts zum Abschluß. Man vermutet Beteiligung des Albertus Magnus, dessen Anwesenheit für 1236–40 bezeugt ist. Der Baubestand erfuhr nur geringfügige Veränderungen. Einige barocke Zutaten wurden (mit Ausnahme der Orgelempore von 1727) im 19. Jh. beseitigt. 1886 wurde restauriert. 1967 begann ein noch (z. Z. (1969) noch) im Gange befindliche Restaurierung, die sich das Ziel setzte, die »historisch fundierte Raumfarbigkeit« zurückzugewinnen.

Die Kirche ist eine der mächtigsten und kennzeichnendsten des Ordens in Deutschland. Der strenge, karge Bau tritt in wirksamen Gegensatz zum Dom. Gegen die mönchische Ein-

Regensburg, Ehem. Dominikanerkirche, Mittelschiff

fachheit des Volksprediger- und Bettelordens steht der nach
außen gewendete Reichtum einer Kathedralkirche, Sinnbild
der Ewigen Gottesstadt. Beschränkung auf die wichtigsten
Gliederungsmittel und sparsame Verwendung dekorativer
Einzelformen geben dieser Predigerkirche die einfache, große
Erscheinung. So weist's das Ä u ß e r e im Ebenmaß des
steilen, schmal verstrebten Chores oder in der klaren Fügung
einer 3teiligen W-Front mit mächtigem Maßwerkfenster und
einfach, doch nicht schmucklos gerahmtem Doppelportal

(Nische barock, Figur des hl. Dominikus um 1420–30). Auch das Erscheinungsbild des I n n e r n ist, bei betonter Schlichtheit, harmonisch. Das 3schiffige Langhaus ruht auf Achteckpfeilern, aus denen sich Rundvorlagen zum Arkadenbogen oder zum Wölbsystem entwickeln. Als schlanke Dienste überspannen sie die Hochschiffwand, Verkörperung architektonischer Linienströme. Schmäler sind die Chorjoche, ohne Arkaden. Die Dienste streben aus hornartig gekrümmten Konsolen empor. Dann schließt, eckig, die Chordreiheit. Schlanke, steile Fenster schlitzen die Wände des Hauptschlusses (in 5 Seiten des Achtecks). Wohl gedeiht, wie in Bettelordenskirchen überhaupt, die Wandauflösung nicht über ein gesetztes Maß hinaus. Aber der Höhendrang ist mächtig. Das schmückende Beiwerk beschränkt sich auf wenige Dienstfiguren und -kapitele (N-Chor). – Reste von Wandmalerei aus dem 14. und 15. Jh. Hochaltar 19. Jh. Nebenaltäre z. T. barock. Chorgestühl spätes 15. Jh. Am nördl. Chorpfeiler Schutzmantelmaria, Ende 15. Jh. Aus den *Grabdenkmälern* ragt das für L. Lamprechtshauser hervor (N-Schiff): eine thronende Muttergottes unter reichem Baldachin, Salzburger Arbeit gegen 1500. Am 2. N-Pfeiler von O die ritterliche Relieffigur des Jörg Schenk von Neideck († 1504), sign. von dem Passauer Bildhauer Jörg Gartner.

Klosterbauten. Der Kreuzgang, aus der Erbauungszeit der Kirche, trägt Wölbungen des frühen 15. Jh. Neben der Sakristei im NW Albertuskapelle, der ehem. Hörsaal des großen Scholastikers. Darin spätgot. Sitzbänke und Kathedra, um 1450–60.

Ehem. Minoritenkirche (jetzt Städt. Museum)

Neben den Dominikanern wirkte als anderer Bettelorden seit 1221 jener der Franziskaner, auch Barfüßer- oder Minoritenorden geheißen. Er errichtete seine Kirche um 1250–70 und setzte daran im frühen 14. Jh. einen langgestreckten neuen Chor. Im Kloster lebte und starb (1272) einer der größten deutschen Prediger, der Bruder Berthold.

Die große, flachgedeckte Basilika wirkt mit ihren starken Säulen und glatten Hochschiffwänden altertümlicher als die der Dominikaner. Es ist, als wolle die herbe Wucht ihrer Mauern das Ideal mönchischer Armut zur Anschauung bringen. Um so lichter öffnet sich der gewölbte Chor, das Werk der wändeaufreißenden Gotik, um 1330. Ehemals trennte ein Lettner ihn vom Langhaus. 1724 wurde der mittlere Teil desselben abgebrochen. Es verblieben die Seitenteile, äußerlich schlicht, im Innern durch spätgot. Rippensterne gewölbt. – Im Chor Kreuzigungsgruppe aus St. Emmeram, 1513.

Klosterbauten. 2 Flügel des Großen und einer des Kleinen Kreuzgangs sind überkommen, 14. und 15. Jh. Sie, wie Sakristei und Refektorium, dienen heute dem Städt. Museum als Schauräume.

Ehem. Deutschordenskirche St. Ägidien (oder St. Gilgen, westl. von St. Emmeram). Das Langhaus ist ein kleiner got. Hallenbau, dessen Mittelschiff in die Zeit um 1250–60 verweist. Seitenschiffe und W-Joch hat das 14. Jh. hinzugefügt. Der Chor stammt von 1396. Um dieselbe Zeit mag auch die zierliche W-Empore entstanden sein. Im frühen 15. Jh. erhielten die Seitenschiffe ihre Wölbung. – Gegen S und W schließen sich die ehem. Komtureibauten an, Ende 17. und frühes 18. Jh.

St. Peter und Paul. Kleiner, frühgot. Bau aus der Mitte des 13. Jh. mit geringfügigen Änderungen durch das 16. und 17. Jh. Ehemals Pfarrkirche von Niedermünster. Profaniert.

Kirche St. Oswald (Weißgerbergraben, Donau-Ufer). Der Bau wurde im frühen 14. Jh. für den Karmeliterorden errichtet, der 1367 nach Straubing übersiedelt. Nur Chor und Umfassungsmauern haben einiges von dem Charakter ihrer Bauzeit bewahrt. Heute ein emporenbesetzter Saalraum, den Erfordernissen einer seit 1553 dort wirkenden prot. Pfarrei angepaßt. Schöne ornamentale Arbeiten in Stuck und Schnitzerei, 1708, von Wessobrunner Künstlern. – An der S-Seite des Langhauses spätroman. Hausturm um 1220–30.

St. Kassian, Pfarrkirche zum Stift der Alten Kapelle (Kassiansplatz). Unter Verwendung karoling. Bestandteile erhielt die Kirche 1477 ihre endgültige Struktur: eine 3schiffige Anlage ohne Belichtung des Hochschiffs mit 3 vieleckigen Chören. Entscheidend für das Raumbild wurde die glänzende Barock - A u s s t a t t u n g von 1749–60 durch die an der Alten Kapelle beschäftigten Künstler: den Stukkateur Anton Landes und den Freskomaler Gottfr. Bernh. Götz. Der im 19. Jh. demolierte Hochaltar konnte nach vorhandenem Modell und unter Benützung originaler Teile neu errichtet werden. Im südl. Seitenaltar steht die *Schnitzfigur der »Schönen Maria«,* eine bedeutende Leistung des Landshuters Hans Leinberger, um 1520. – Der nördl. Seitenaltar, ein Schreinaufbau von 1498 und ehemals Mittelpunkt des Hauptchores, ist eine einheimische Arbeit von Rang. Im Schrein thront die Figur des hl. Kassian, ein vorzügliches Schnitzwerk der späten Gotik.

Neupfarrkirche (Neupfarrplatz, südwestl. vom Dom) *Am Platz der abgebrochenen Synagoge sollte sich die Wallfahrtskirche »Zur schönen Maria« erheben. Ein zeitgenössisches Mo-*

dell und Ostendorfers Holzschnitt vermitteln von dem geplanten Kirchenbau eine Anschauung. Hans Hueber von Augsburg ist Baumeister. 1519 wurde der Grundstein gelegt. Während der Bauarbeiten entschloß man sich zu weitgehender Vereinfachung unter Verzicht auf die als W-Teil vorgesehene Rotunde. Das noch unvollendete Gebäude kam 1542 an die Protestanten, die dem Marienkult an dieser Stelle ein Ende bereiteten. 1560 konnten die Türme fertiggestellt werden. 1586 erfolgte die Einwölbung. Erhöhung des N-Turmes 1595. Das Innere erfuhr 1796 eine durchgreifende Instandsetzung. 1860 wurden die Türme einander gleichgemacht und der W-Chor angefügt.

Äußeres. Gleich dem Dom erwächst der Kirchenbau über einem Terrassensockel. Der verstrebte O-Chor folgt spätgot. Aufbauprinzipien. Neben das Langhaus treten niedrige, seitenschiffartige Kapellen, die vom Turmpaar beiderseits aufgefangen werden. Gegen W wendet sich ein Chorvieleck des 19. Jh. – Das 1schiffige Innere vermengt renaissancehaftes Raumempfinden mit Elementen aus der nachlebenden Gotik. Die Wölbrippen nehmen ihren Ausgang von antikisierenden Kapitellen. Auch die Fenster sind zwiespältig: rundbogig, mit »reduziertem« Maßwerk. Das Ausgeführte bleibt an Bedeutung weit hinter der originalen Idee des (im Städt. Museum verwahrten) Modells zurück. – Schlichte Einrichtung, zum großen Teil aus dem 17. Jh. Das Altarblatt ist Leistung des Rubens-Schülers Joh. Wiwernitz.

Ev. Bruderhauskapelle mit Altarerker, 1622.

Dreieinigkeitskirche (Scherer- bzw. Gesandtenstraße)

Die Anlage entstand als zweite prot. Pfarrkirche 1627–33. Der Baumeister kam von Nürnberg, Johann Carl.

Es wurde die Form eines tonnenüberwölbten Saalraums gewählt, mit eingezogenem, flach geschlossenem Chor und östl. Turmpaar. Die Formensprache birgt viel nachlebende Gotik, was besonders in der Gewölbestruktur zum Ausdruck kommt: ein Zwischending zwischen Rippensternen und Kassettengliederung. Die im prot. Kirchenbau beliebten hölzernen Emporen verleihen dem Raumbild Behaglichkeit.

Die Einrichtung gehört vorherrschend der Mitte des 17. Jh. Altar 1637 nach Entwurf des Regensburgers Gg. Jak. Wolf mit bekrönendem Engel von Leonh. Kern; Altarblatt, Abendmahlsdarstellung, wohl von einem Augsburger Meister dieser Zeit; Predellentafel, Taufe Christi, von P. J. Schwenter. Kanzel 1656, Gestühl aus der Erbauungszeit, Orgelprospekt 1758. – Bedeutender Schatz an barocken Abendmahlsgefäßen.

Der enge, umgebende **Kirchhof** zeigt eine Reihe stattlicher Barock-Epitaphien des späten 17. und des 18. Jh., meist von evangelischen Abgeordneten des »Immerwährenden Reichstags« und adeligen Emigranten.

Klosterkirche St. Klara (Ostengasse), ehem. Kapuzinerkirche, seit dem 19. Jh. im Besitz der Klarissen, die 1809 bei der Beschießung der Stadt durch die Franzosen ihr Kloster verloren hatten. Schlichte Raumanlage im Typus der Kapuzinerkirchen im 17. Jh.; verlängert 1700 (Chor) und 1889 (Eingangsjoche). Der prächtige Altar im Frauenchor, von Joh. B. Dirr, 1753, stammt aus der Alten Kapelle. – Ein interessantes Denkmal barocker Frömmigkeit ist die **Eremitage** im Klostergarten von 1712: eine Grottenarchitektur mit illusionistischer Einstreuung bekleideter Holzfiguren.

Karmelitenkirche (Alter Kornmarkt) 1641–60, Fassade 1673, Turm 1681. Eine prächtige, doch ernst gegliederte Giebelfront röm. Charakters erhebt sich in der O-Flucht des Alten Kornmarktes (Nischenfiguren der hll. Joseph, Therese und Johannes vom Kreuz 17. Jh., Freifiguren der hll. Heinrich und Kunigunde sowie Vasenschmuck Mitte 18. Jh.). Der 1schiffige Raum mit Querhaus und Seitenkapelle entspricht den Bauvorschriften des Ordens. Wuchtige Pilastergliederung bindet die Raumgrenzen zusammen. – Der stattliche Hochaltar von 1690 wurde 1837 aus dem Dom überführt, desgleichen die etwa 50 Jahre älteren Nebenaltäre (wohl Salzburger Arbeiten).

Bischof-Wittmann-Stiftung mit Kapelle um 1730. Die vorzügliche Ausstattung in Stuck und Malerei gehört dem späten Rokoko um 1750 an.

Dominikanerinnenkirche Hl. Kreuz (Nonnenpl., im W der Stadt). Das Kloster entwickelte sich bereits im 13. Jh. Die Kirche geht teilweise auf got. Zeit zurück, was aber das Barockgewand von 1751–56 kaum mehr erkennen läßt. Der Innenraum, 1schiffig, mit gerundeten Ecken und eingezogenem Chor, wirkt durch die feine Dekoration und Ausstattung. Als Architekt des Umbaus wird Leonh. Matth. Gießl vermutet. Stukkateur ist J. Bapt. Modler, Freskomaler O. Gebhard (Kreuzesglorie und Quis-ut-Deus). Der reiche Hochaltar von Simon Sorg umfängt einen Kruzifixus der Mitte des 13. Jh. Darunter interessante Tabernakel-Architektur. Von S. Sorg stammt auch die kostbare Kanzel. – In den südl. anstoßenden **Klosterbauten** mengt sich Spätgotisches mit Barockem. Der Kreuzgang trägt barocke Wölbungen. Seine got. Maßwerkfenster enthalten Reste guter Glasgemälde. In der **Kilianskapelle** Wandgemälde um 1350. Der Rest einer Bogenfeldskulptur um 1280 und Assistenzfiguren einer Kreuzigungsgruppe um 1300 stammen aus älterem Kirchenbestand (alles im Kloster, Klausur).

Die kirchliche Baukunst des 20. Jh. brachte in den Jahren 1920–40 an bedeutsamen Beispielen die **Piuskirche** des Brüderkonvents von Boßlet, **St. Anton** von Karl Schmidt und **St. Wolfgang** von Dominikus Böhm. Diese Kirche, 1938–40 im Stadtteil Kumpfmühl, auf der Höhe des Talrandes errichtet, zählt zu den beachtlichsten Leistungen ihres Architekten. Der durch den Wechsel von Kalkstein- und Ziegelschichten farbig belebte Bau reckt sich steil auf; ein Dachreiter überwächst die Kreuzung; ein klein gehaltener Glockenturm verbindet sich mit den niedrigen Seitenschiffen; große Rosen durchbrechen die sonst geschlossenen Wände. Das Hochgrab des hl. Wolfgang ist Nachbildung des in St. Emmeram stehenden Originals (um 1330).

Seit 1950 tritt der Architekt Hans Beckers hervor mit den Kirchen
St. Thaddäus am Stadtrand, **Hohes Kreuz** und mit der **Pfarrkirche von
Regensburg-Ost.** Die ev. Kirche **St. Matthäus** ist ein Werk von Adolf
Abel, 1954.

Profanbauten

*Bis zur Erlangung der Reichsfreiheit der Stadt sind Herzogs- und
Bischofshof die politischen Mittelpunkte. Die Reichsstadt verkörpert sich in ihrem Rathaus.*

Der **Herzogshof** (östl. vom Dom) war in karoling. und
ottonischer Zeit zugleich Königspfalz. Er liegt auf dem
Platz, den zuvor die Pfalz der Agilolfinger eingenommen
hatte. Seine Mauer stammt zu großen Teilen aus dem 12.
und 13. Jh. Das erweist der nach S gerückte Turmvorbau
wie der stattliche Saal im Innern mit seinen gekoppelten
Fenstergruppen auf gekantetem Marmorsäulchen (um 1200).
Die große bemalte Holzdecke ist gotisch. Seit 1600 erfuhr
das Gebäude Umgestaltungen, die sein roman. Erscheinungsbild verschleiern. 1909 erneuert, Freilegung der roman. Fensterarkaden 1940 beendet. – Ein Schwibbogen verbindet über die Straße hinweg mit dem **Heidenturm.** Der
in großen, starken Granitquadern aufgeführte Unterbau
wurde als römisch, karolingisch, staufisch angesprochen. Viell.
trifft frühstaufisch, 2. Hälfte des 12. Jh., zu. Die über dem
Buckelquadergeschoß sitzende glattquadrige Mauer (ebenfalls Granit) des 2. Geschosses deutet (Steinmetzzeichen) ins
13. Jh. Die in Bruchstein aufgeführten 3 Hochgeschosse sind
wohl spätestens ins 14. Jh. zu setzen. Dieser wuchtige Viereckturm, den ein Schwibbogen mit dem Herzogshof verbindet, stand auf der Grenze des Pfalzbezirks zur bischöflichen
Stadt.

Jenseits des Domes erstreckt sich der **Bischofshof** (heute Hotel). Seine
nördl., spätgot. Umfassungsmauer schließt die röm. Porta Praetoria
ein. Der W-Flügel öffnet sich in einem Portal des 13. Jh., sonst herrscht,
wie im S-Trakt, die Renaissance (1560–90) vor. (O-Flügel nach Brand
1887 erneuert.)

Rathaus

Als **Altes Rathaus** gilt der westl. Teil, der, aus der Neuen
Waaggasse rückspringend, die Stirnwand zum Rathausplatz
wendet. Sein südl. Mauerverband enthält Teile einer vorausgehenden Kapelle des 11. Jh. Im ganzen entstand dieser
Trakt um die Mitte des 14. Jh. Sein Ä u ß e r e s ist durch
hohe Treppengiebel ausgezeichnet. Zwischen 4teilig gekop-

pelten Fenstergruppen im 1. Obergeschoß der Hauptfront
tritt der fialengeschmückte Ratserker hervor. Das Untergeschoß enthält Läden und Lagerräume. Ehemals trug die
Fassade Freskomalereien von Melchior Bocksberger, 1573.
An der NO-Ecke schiebt sich ein Treppengebäude vor mit
reichgeziertem Portal aus dem frühen 15. Jh. Über den beiden Stadtwappen erscheinen Kriegsknechte, drohend mit
einem Streithammer bzw. zum Steinwurf ausholend. Hier
eintretend, gelangen wir durch würdevolle Vorhallen zum
Reichssaal im Obergeschoß, einem breiten Raumgebilde mit
kräftiger Balkendecke von 1408. Die Ausmalung geschah im
16. Jh. Reste der alten Ausstattung berichten vom »Immerwährenden Reichstag«, der hier von 1663–1806 seine Sit-
zungen abhielt. Der kaiserliche Thronbaldachin wurde im
späten 16. Jh. gefertigt. Die Fahnen sind Stiftung des prot.
Heerführers im 30jährigen Krieg, Herzog Bernhard von
Weimar. Im NO-Eck führt eine Treppe zum *»Fürstenkolle-*
gium«, einem 1652 eingerichteten Raum. Über einen Altan
können die *Fürstenzimmer* erreicht werden, eines mit Kassettendecke von 1652, das andere mit reichgestalteter Säule
um 1630. Diese Räume liegen im westl. Erweiterungstrakt
des späteren 16. Jh. Im 2. Obergeschoß: *»Reichsstädtisches*
Kollegium«, ausgestaltet 1563. – Gegen O schiebt sich als
älteres erhaltenes Bauglied der *Ratsturm* aus der Mitte des
13. Jh. Er umfängt im 1. Obergeschoß das *Kurfürstliche*
Nebenzimmer mit reichen Vertäfelungen von 1551. An dieses
stößt das *»Kurfürstliche Kollegium«*. Von hier verläuft gegen N ein längerer Trakt, der 1563 aus einem »öden Stadel«
gewonnen wurde und das Archiv beherbergt.

Gegen O folgt das **Neue Rathaus**, eine 4-Flügel-Anlage von
1661 mit Portalschmuck von 1723 und Hofarkaden. Brunnen 1662. Die Innenräume haben zum großen Teil ihre
Holzdecken aus der Erbauungszeit bewahrt. – Die berühmten Bildteppiche werden im Städt. Museum gezeigt. – In
einem Raum des Ratskellers jetzt die Abformungen der im
Original (bis auf einige Relikte im Museum) verlorenen
»Dollinger-Plastik«, monumentale Stuckfiguren des späten
13. Jh., Zweikampf des Regensburger Bürgers Dollinger mit
dem Hunnen Krako, hl. Oswald, König Heinrich I., ehem.
im großen Saal des abgebrochenen Dollinger-Hauses am
Haidplatz.

Herrentrinkstube oder **Neue Waag** (westl. vom Rathaus, Haidplatz). Die Kernmauern des Turmes gehören dem 13. Jh. an. 1572 erhielt der S-Flügel eine gewölbte Halle. Bald darauf geschah die Errichtung des stilvollen Arkadenhofs inmitten der 4-Flügel-Anlage. Im Untergeschoß des Turmes Hauskapelle St. Christoph. In den Obergeschossen klassizist. Emporenanlage, ehemals für die Stadtbibliothek. Das Gebäude war 1541 Ort des Religionsgespräches zwischen Melanchthon und Eck.

Kreisregierung (bei St. Emmeram). Umgestaltung eines älteren Gebäudes durch Joh. Sorg 1792, mit schön stuckierter O-Fassade. Im Innern ein nobler, klassizist. Festsaal.

Sog. Residenz am Domplatz, ehem. Dompropstei. Umbau eines älteren Anwesens durch Joh. Sorg 1800 in klassizist. Formensprache, die ihre Herkunft aus dem höfischen Spätbarock nicht verleugnet.

Stadttheater. 1804 von E. J. d'Herigoyen, nach Brand 1849 von der urspr. Form abweichend wiederhergestellt.

Palais des französischen Gesandten (sog. Präsidentenpalais, Bismarckplatz); ein besonders gelungener Monumentalbau des Klassizismus, von d'Herigoyen 1805.

Finanzkammer (N-Flucht des Emmeramsplatzes). Von d'Herigoyen, später verändert.

Wohnbauten

Keine andere Stadt Deutschlands hat in ihren Straßenzügen so sehr den Charakter des hohen Mittelalters bewahren können wie diese. Die Blüte im 13. und 14. Jh. hat sich bes. auf den Hausbau ausgewirkt. Der nachfolgende Niedergang ließ es nur selten zu einschneidenden Umgestaltungen kommen. Erst die Zeit des Barock und Klassizismus hat mit einzelnen Veränderungen und Neubauten in den vorherrschend spätroman. und frühgot. Bestand eingegriffen. Zunächst waren es die bischöflichen und fürstlichen Absteigequartiere, die das Gesicht der häufig zu Kirchenversammlungen und Reichstagen erwählten Stadt zeichneten. Da gab es u. a. den Bamberger, Passauer und Salzburger Hof – heute nur noch dem Namen nach oder aus Fragmenten im Städt. Museum bekannt. Die Höfe fremder Staaten und Städte reihten sich in der nach ihnen benannten »Gesandtenstraße«. Seit Mitte des 13. Jh. erwachsen als Zeichen reichsstädtischer Macht zahlreiche Patrizierhäuser. Räumliche Enge erforderte beträchtliche Höhenentwicklung. Dem burgähnlichen Bautypus gibt zumeist ein massiger Turm

das Gepräge. Auch die Hauskapelle durfte nicht fehlen.
Für Schmuckwerk findet sich wenig Platz. Es sammelt sich
um die Fensteröffnungen; seltener um Portale. Wo Erker
auftreten, sind sie flach und rechteckig, meist von Konsolen
getragen. Einige Beispiele:
a) Aus dem 13. Jh. stammen: **Kanonikatshof** der Alten Kapelle am Kornmarkt (Kapellengasse 2) mit roman. Fenstergruppen im schmalen W-Flügel, um 1230. Etwas jünger
sind der Turm des **Hauses Wiedemann** (Brückengasse 4) und
die besonders schöne 3teilige Fenstergruppe des sog. »**Bär
an der Ketten**« (Ostengasse 16). Beklagenswert ist der entstellende Umbau des **Dollingerhauses** (am Rathausplatz 5),
das ehemals einen prächtigen, 2schiffigen Saal enthielt mit
hochbedeutsamen Stuckreliefs von einem frühgot. Meister.
Reste im Museum, Abgüsse im Bayer. Nat.-Museum, München. Eine Rekonstruktion des alten Dollingersaales wurde
auch im Verband des »Ratskellers« eingerichtet. **Baumburgerhaus** (Watmarkt 4) mit dem »Hochapfelturm«. Die frühgot. Fensterformen weisen in die Zeit um 1250. **Haymo-
oder Wallerhaus** mit dem »Goldenen Turm« (Wahlenstr. 16).
4-Flügel-Anlage mit späteren Veränderungen. Kapelle im
Erdgeschoß profaniert. Mitte 13. Jh. **Zanthaus** (Gesandtenstr. 3), zusammengewachsen aus ehemals 2 Anwsen. Daher
auch Reste zweier Türme. 2schiffige Halle mit starken Wölbrippen. Spätes 13. Jh. – Das **Gravenreuterhaus** (Hinter der
Grieb 8) ist eine 4-Flügel-Anlage, deren Hauptteile in der
2. Hälfte des Jahrhunderts entstanden. An der Hofseite treten 2 massige Türme in Erscheinung. Im Erdgeschoß: ehem.
Dorotheenkapelle. Die interessante Häusergruppe »Hinter
der Grieb« (= Grube) setzt sich fort bis zum **Haus der Löbl**
mit einem weiteren mächtigen Turm, dessen Untergeschoß
die Kapelle St. Simon und Juda umschließt (Ende des
13. Jh.). **Kastenmayerhaus** (im Block zwischen Wahlenstraße
und Unterer Bachgasse) mit sog. Haymannsturm. Besser
erhalten ist das Haus zur **Goldenen Krone** (Keplerstr. 1)
mit schön gewölbter Tordurchfahrt. Nicht weit davon
ist das Gasthaus zum **Blauen Hecht** (Keplerstr. 7) mit
zinnenbesetztem Turm und gewölbtem Untergeschoß. Das
Goliathhaus (zwischen Watmarkt und Goliathgasse) leitet
den Namen von seiner Fassadenbemalung her; eine 4-Flügel-Anlage mit gedrungenem Turm, dessen Zinnenkranz

erhalten ist. Gasthof **Goldenes Kreuz** (Haidplatz 7) mit
7stöckigem Turm. Hier fand die Begegnung Kaiser Karls V.
mit Barbara Blomberg, der Mutter des Juan d'Austria,
statt.

b) Aus dem 14. Jh.: **Haus an der Heuport** (Domplatz 17).
4flügelige Binnenhofanlage um 1330–50 mit gegen den Hof
zu offenem Treppenhaus. An dessen NO-Ecke 2 Konsolfiguren: Törichte Jungfrau und Versucher. Der Festsaal im
N wurde in der 2. Hälfte des Jahrhunderts hinzugefügt.
Aus der gleichen Zeit stammen u. a. das **Steyrerhaus** (Untere Bachgasse 5), die **Alte Münze** (Glockengasse 16) und das
Haus zum Pelikan (Keplerstr. 11).

c) Die Spätgotik ist nur schwach vertreten, etwa im **Deg-
gingerhaus** (Wahlenstr. 17) und einigen anderen Bauten,
darunter das 1961 als Museum eingerichtete »Kepler-Ge-
dächtnishaus«, Keplerstr. 5 (in dem der große Astronom
1630 wohnte und starb), eine urspr. mit Keplerstr. 3 verbundene Geschlechterburg; die heutige Erscheinung geht
auf einen Umbau d. J. 1540 zurück. Zahlreiche **mittelalterl.
Hauskapellen** (im frühen 17. Jh. waren es 60!) sind profaniert oder nur in Fragmenten überkommen. Zu den bereits
erwähnten sei die **St.-Georgs-Kapelle am Wiedfang** genannt, mit ehem. 3schiffigem Untergeschoß aus dem späten
12. Jh., die **ehem. Galluskapelle** aus dem 13. Jh. im sog.
Einsfelder Hof (Schwarze Bärengasse) mit roman. Ge-
wändeportal, die **Thomaskapelle am Römling**, spätes 13. Jh.
(1646 in 2 Geschosse unterteilt), die **Dorotheenkapelle am
Frauenbergl** aus dem frühen 14. Jh. und die **ehem. Salvator-
kapelle im Weißen Hahn**, 1476.

d) Die Renaissancezeit begnügt sich mit einzelnen Umgestaltungen, die insbesondere die Anlage von Laubenhöfen
betreffen. So im **Lerchenfelderhof** (Untere Bachgasse 12 bis
14) 1551 oder im etwa gleichzeitigen **Thon-Dittmer-Haus**
(mit Fassade von 1809, Haidplatz).

e) Ähnliches gilt vom 17. Jh., aus dem nur die Hauskapelle
eines ehem. Domherrenhofes (Domplatz 4) genannt sei: die
Maria-Läng-Kapelle von 1678 über damals aufgefundenen
röm. Resten, vermeintlichen »Katakomben«. Der Barock
ist, abgesehen von einigen Innenraumgestaltungen, vertreten: im Haus (jetzt) einer Bankgesellschaft, um 1733 (**Neupfarrplatz 14**), einer tiefen Binnenhofanlage hinter würde-

Schäftlarn. Klosterkirche, Blick in den Chor

Schleißheim. Neues Schloß, Treppenhaus

voll-knapper Fassadenzier. Außerhalb des Altstadtbereichs ist der Umbau des Neuenhausener Wasserschlosses zum barocken »Pürkelgut«, 1728, von Interesse.

f) Unter den klassizist. Bauten der Zeit um 1800 findet sich manches Bedeutende: Die **Villa Lauser** am Oberen Wörth (Lieblstr. 2) ist ein Werk von Joh. Sorg 1795 im freundlich-noblen Landhauscharakter. An Innenräumen sind ein elegantes Stiegenhaus und der kostbare Festsaal zu nennen mit Malereien von 1810–20. – Das sog. **Württembergische Palais** (am Prebrunner Tor) geht auf Pläne von E. J. d'Herigoyen zurück, 1804. Eine Schöpfung von großer Einfachheit, doch feingestimmt. Fassadenrelief in antikisierender Haltung vermutl. von C. Itelsberger. Gute Fassadenzier haben **Ostengasse 13** (1789), **Jakobsplatz 5** (1792) und das (unter »d« gen.) Thon-Dittmer-Haus.

Die **Brunnen** gehören fast durchweg dem 17. Jh. an. Sie sind weniger von künstlerischer als von städtebaulicher Bedeutung. Die stattlichste Anlage ziert den Haidplatz: *Justitiabrunnen* 1656, von Leop. Hilmer.

Aus dem Bestand an **Denkmälern** ist die *Predigtsäule* am ehem. Peterstor (Grünanlagen südl. der Stadt) von Interesse. Der etwa 8 m hohe Säulenschaft trägt Darstellungen von Auferstehung und Gericht und gipfelt in einer Kreuzigungsgruppe (Kopie). Die erste Anlage entstand im frühen 14. Jh., großenteils erneuert um 1420–30. – *Wegsäule beim Jakobstor* 1459, rest. im 19. Jh. – *Keplerdenkmal* (Bahnhofanlagen) von d'Herigoyen 1808 in Form eines Rundtempels. Büste von Fr. Döll aus Gotha, Sockelrelief von Joh. H. Dannecker aus Stuttgart. – Von d'Herigoyen stammen auch die Denkmäler für *Anselm v. Thurn und Taxis* 1806 (Alleeanlagen) und für den Reichstagsgesandten *Hch. Karl v. Gleichen* 1807 (beim Emmeramstor). – Zahlreiche barocke Grabdenkmäler auf den **Friedhöfen St. Peter** und **St. Lazarus**.

Der Verlauf des alten **Stadtberings** wurde in der Einleitung gekennzeichnet. Von den spärlichen Resten ist das **Ostentor** zu nennen, eine kraftvolle Anlage der Zeit um 1300 mit viereckigem Mittelturm und achteckigen Flankentürmchen. Die seitlichen Pfeiler enthielten das Geläufe eines Fallgatters. Gußerker im 2. Obergeschoß. – Die Reste von Jakobs- und Prebrunnertor sind unbedeutend. In der Nähe von St. Ägidien ragt ein Wehrturm des 14. Jh.

Von Interesse ist das **Brückentor** im Norden, 14. Jh., im 17. und 18. Jh. ausgebessert. Die große Königsstatue in der Mitte stellt den hl. Oswald dar: eine schöne Arbeit des späten 13. Jh. (Kopie, Original im Museum). Die übrigen Figuren gehören der Zeit um 1200 an. Die **Brücke** selbst zählt zu den größten technischen Leistungen des Mittelalters. Baubeginn 1135. Im organischen Ansteigen und Absinken über einer Folge gestraffter Bögen ist die Funktion

einer Brücke in schönster Weise verkörpert. (Im 2. Weltkrieg schwer beschädigt. Ausgebessert.)

Kartaus-Prüll (im SW, außerhalb der Altstadt)

*Das 997 gegr. Benediktinerkloster ging im 15. Jh. ein. Die Ge-
bäude wurden 1484 von den Kartäuser-Mönchen übernommen.
Für den Kirchenbau bietet das Weihedatum 1110 einen Anhalts-
punkt, der jedoch nicht zugleich Vollendung bedeutet. Diese mag
um die Jahrhundertmitte stattgefunden haben. 1498–1513 kam der
spätgot. Chorbau hinzu. Dem folgten der Kreuzgang und die nach
Kartäuserart daran angeschlossenen Eremitenzellen. Stuckdekoration der Kirche um 1605. Nach Beschädigungen im 30jährigen
Krieg Reparaturen und Erweiterungen im Zeichen des Barock
(seit 1663). Einige Jahrzehnte nach der Säkularisation wurde eine
Heil- und Pflegeanstalt eingerichtet.*

Der A u ß e n b a u ist nicht imstande, über die Anlageform
der Kirche Genaueres auszusagen. Eindrucksvoll ist die W-
Fassade: 2 hohe, schlanke Türme, aus quadratischem Unterbau ins Achteck wechselnd, rahmen eine breitbogig geöffnete
Vorhalle. Die Herkunft dieser Anlage deutet merkwürdigerweise nach dem deutschen Norden (Niedersachsen, Ganders-
heim etwa). Abzuziehen vom urspr. Erscheinungsbild sind
die verputzten Obergeschosse des frühen 17. und die Spitzhelme des 19. Jh. Das I n n e r e ist eine 3schiffige roman.
Halle, die gegen O in einen spätgot. Chor mündet, ein früher, und wohl aus heimischen Voraussetzungen abzuleiten-
der Vertreter dieser Raumform (vgl. Regensburg/St. Leonhard, Nabburg/St. Nikolaus, Augsburg/St. Peter, Bergen),
bedeutend auch durch die einheitliche Wölbung der querrechteckigen Joche, eine der ersten Großwölbungen in Süddeutschland. Der spätgot. Chor folgt einem gebräuchlichen
Schema seiner Zeit. Durch die um 1605 erfolgte Stuckdekoration kommt ein renaissancehaftes Element zum Klingen,
das in der Dreieinigkeitskirche seine Parallele findet. Im
Netzrippendekor lebt die Gotik nach, wenn auch im einzelnen (Rundfelder, Eierstäbe, Engelsköpfchen) ein zeitgemäßer
Formenschatz zur Anwendung gelangt. – Im südl. Schildbogen der W-Empore ein hervorragendes roman. Wandgemälde: Mariae Verkündigung und das Symbol des Lebens-
brunnens. Links unten die Figur des Stifters. Um 1200. –
Der *Hochaltar* ist dem zu Prüfening eng verwandt. Als
Werk deutscher Spätrenaissance nimmt er eine Vermittler-
stellung zwischen spätgot. Schreinaufbau und barockem

Prunkretabel ein (um 1605, wiederhergestellt um 1640). Aus gleicher Zeit das Chorgestühl. Darüber ein Zyklus von Öl-gemälden um 1650.

Die **Klosterbauten** (16. Jh.) folgen den Grundsätzen des Kartäuser-ordens: 7 Eremitenhäuschen, die sich an den Kreuzgang lehnen. Durch Einbauten verändert. Die SW-Trakte mit Räumen der klösterlichen Gemeinschaft, 1612, haben nur ihr äußeres Erscheinungsbild bewahrt. Desgleichen die Pfarrkirche St. Vitus im N.

Prüfening, Benediktinerklosterkirche St. Georg (im W, außerhalb der Altstadt)

Das Kloster, wenige Kilometer westl. von Regensburg, zählt zu den bedeutendsten Leistungen benediktinischer Kunstpflege. Sein Gründer ist Bischof Otto I. von Bamberg (1109). Als erster Abt wirkte dort Erminold von Hirsau, ein Vertreter der cluniazensi-schen Klosterreform. Unter ihm konnte 1119 die Weihe der Kirche stattfinden, um die sich ein Komplex von Klosterbauten, Neben-kirchen und Kapellen entwickelte. Nachfolger Erminolds war Abt Erbo I. (1121–62). Seine Regierung brachte Prüfening zu höchster Blüte; Wolfger schrieb sein prächtiges Glossarium Salomonis, Boto schuf seine scholastischen Commentarien. Zugleich erhielt die Kirche ihr z. T. erhaltenes Festgewand. Erst das 17. Jh. brachte Veränderungen im Baugefüge. Nachdem 1608 die Klosterbauten instandgesetzt und der (verschwundene) Kreuzgang gewölbt wor-den waren, erhielten auch das bisher flachgedeckte Lang- und Querhaus ihre Gewölbe. Die mittlere Apsis mußte einem tieferen, polygonalen Chorschluß weichen. Um 1660–70 erfolgte die Ab-trennung des südl. Querschiffarms und seine Umgestaltung zu Sakristei (unten) und Mönchschor (oben). Daran schlossen sich Neubauten von einzelnen Klostertrakten. 1718 beseitigte man die Paradies-Vorhalle vor dem W-Portal und setzte an ihre Stelle die bestehende Fassade, hinter deren Obergeschossen sich Gastzimmer des Klosters verbergen. 1803 verfiel es der Säkularisation. Die Kirche wurde Pfarrkirche, die Gebäude kamen an den Fürsten von Thurn und Taxis. Seit 1953 wieder Benediktinerkloster.

Hinter schattendem Baumbestand ruht der schlicht gehaltene Kirchenbau. Sein Ä u ß e r e s hat bis auf die vorgeblendete barocke Fassade von 1718 im wesentlichen das Bild des frü-hen 12. Jh. bewahrt: eine 3schiffige Basilika mit östl. Quer-haus und 3 Chorapsiden, deren mittlere jünger (frühes 17. Jh.) ist. Die beiden Seitenschiffe tragen über ihren Chor-jochen einfache, quadratische Turmbauten. Querschiff und O-Türme sind in Bayern ungewöhnlich. Der enge Zusam-menhang mit dem Hirsauer Mutterkloster bietet die Erklä-rung. Ehemals hatten auch die Querschiffarme östl. Apsiden. Sie sind bei den Umbauten des 17. Jh. verschwunden. An die

Stelle der 7 kleinen, roman. Fenster im Langhaus traten im
17. Jh. runde Oculi. Auch die Fensterfolge der Seitenschiffe
wurde damals verändert. Nur karges Schmuckwerk belebt
das Äußere: Deutsches Band unter dem Dachanschnitt (N),
Blendbogenfries und gedoppelte Schallarkaden an den Türmen. Gegen N hebt sich der quadratische Anbau der *Michaelskapelle* hervor, der im 15. Jh. ausgeführt wurde. Im W
hat sich ein altes Portal erhalten mit dreimal gestufter Leibung.
Durch dieses Portal betreten wir das I n n e r e der Pfeilerbasilika. Hohe, steile Raumverhältnisse. Barocke Kappengewölbe überspannen Langhaus und Querschiff an Stelle der
roman. Flachdecke. Ihre Bemalung wie die der Seitenschiffe
stammt von Joh. Gebhard um 1710 (Märtyrerszenen, St.
Helena und Maria). – Von höchstem Interesse sind die O-
Teile nach dem Querschiff, dessen S-Arm durch die barocken
Einbauten von Mönchschor und Sakristei um seine urspr.
räumliche Wirkung gebracht wurde. Das Chorjoch hat seine
roman. Einwölbung in Haupt- und Seitenteilen bewahrt.
Diese sind mit ihm durch je eine schlanke Arkade und ein
gedoppeltes Fenster mit Mittelsäule verbunden.

Das großartigste sind nun die (1897 aufgedeckten) *Wandmalereien*,
die zwischen 1130 und 1160 enstanden sind *(Tafel S. 736)*. Noch
bevor die großzügige Ausmalung der gesamten Wandflächen begann, wurden an einzelnen Stellen Inschriften angebracht, die
über Titel und Weihe des nächstgelegenen Altars Auskunft geben.
Sie liegen z. T. unter der wenige Jahrzehnte später angebrachten
Malschicht, können also nur zwischen 1119 und 1125 entstanden
sein. Die besterhaltene Weihinschrift findet sich an der N-Wand
des Querschiffs (durch den barocken Altar teilweise verdeckt). –
Als zentrale Sonne gleichsam erscheint im Gewölbe des Hochchors
eine thronende, gekrönte weibliche Figur mit Kreuzfahne und
Erdscheibe in Händen: Ecclesia, in der Umschrift »virgo perennis«
(ewige Jungfrau) genannt und damit als Maria charakterisiert. In
den Gewölbezwickeln die Symbole der Evangelisten, Mensch,
Löwe, Stier und Adler. Die Seitenwände sind jeweils in 4 Streifen
von Darstellungen zerlegt, in denen sich die Figuren von Propheten und Märtyrern reihen. Im oberen Streifen der N-Wand sind
deren 3 (von 5) namentlich gekennzeichnet (Zacharias, Daniel,
Ezechiel). Überdies erläutert das Spruchband *»Te prophetarum
laudabilis numerus«* (die Dich lobpreisende Zahl der Propheten).
Prächtig gesäumte Mäntel und Untergewänder verleihen den heiligen Männern königliche Würde. Ihnen entspricht an der S-Wand
die Gruppe der Märtyrer – teils in weltlicher, teils in geistlicher

Gewandung –, gekennzeichnet durch die Siegespalme und durch den Text *»Te martirum candidatus laudat exercitus«* (Dich lobpreist das tugendreine Heer der Märtyrer). Im darunterliegenden Streifen folgen beiderseits geistliche und weltliche Personen, an der S-Wand wieder mit Märtyrerpalmen; im nächsten Streifen darunter 4 hl. Mönche im N und 4 hl. Anachoreten im S. In der unteren Zone schließlich findet sich je eine Figur im Gestus der Anbetung, beide ohne Nimbus. Die Figur der N-Wand trägt kaiserlichen Ornat: Kaiser Heinrich V.; die der S-Wand Hirtenstab und Mitra: Otto I. von Bamberg. Es kann hier keine Porträtähnlichkeit erwartet werden; dem Künstler lag an der äußeren Charakterisierung der Vertreter der weltlichen und geistlichen Macht, die hier als Förderer der Stiftung oder als Stifter selbst auftreten. Das Programm des Chores ist das Tedeum der Allerheiligenlitanei. Doch hat mit dem Verschwinden der Apsis der geschilderte Figurenkreis sein Zentrum verloren. Dort, in der Apsiswölbung, ist die Majestät Christi zu denken, thronend über den Aposteln. – Auch die beiden Nebenchöre tragen Wandgemälde. Der nördliche, dem Täufer Johannes geweiht, trägt das bis zur Unkenntlichkeit entstellte Bild seiner Enthauptung (?), darüber vermutl. Grablegung (Sarg) und Verklärung: seine Seele wird gen Himmel getragen zu Christus inmitten seiner Engel (Archivolte), dem im Gewölbe das Symbol des Gotteslammes im Mauerbering des Himmlischen Jerusalem folgt. Die Farbreste an den Seitenwänden sind zu fragmentarisch, um eine Deutung zu gestatten. Vermutl. handelt es sich um Szenen aus dem Leben des Täufers (Predigt am Jordan und vor Herodes?). Die Verehrung des hl. Benedikt formte das Programm des südl. Nebenchors (oben). In der Apsis deuten Reste auf eine Darstellung von Benedikts Verklärung: seine Seele wird auf strahlender Bahn gen Himmel erhoben. Darüber, in der Archivolte, erscheint Christus im Segensgestus zwischen Engeln, während sich in der Kuppel die 12 Apostel zur Verehrung des göttlichen Lammes im Mauerring der himmlischen Stadt versammelt haben. Im Schildbogen der N-Wand eine Szene aus dem Leben Benedikts: ein Mönch naht dem Heiligen, um ihm Gift zu reichen. – Bruchstücke der Malereien lassen an den Querschiffwänden Gruppen stehender Heiliger vermuten. Die 4 Innenseiten der Vierungspfeiler haben Malereien bewahrt, deren Inhalt in 2 Fällen zu rekonstruieren ist. So am nordöstl. Pfeiler: unter turmbesetzter Bogenarchitektur, über deren mittlerer Rundung ein weiblicher Kopf (Ecclesia?) erscheint, verleiht der thronende Petrus einem geistlichen und einem weltlichen Fürsten das Schwert der herrscherlichen Gewalt. Gemeint sind König und Bischof, die Verleihung der geistlichen und weltlichen Macht durch das Papsttum. Als papstfreundliche Darstellung aus der Zeit des Investiturstreites ist dieses Bild von hohem dokumentarischem Wert. Man glaubt in den beiden seitlichen Figuren Kaiser Konstantin und Papst Silvester, die Urbilder christlichabendländischen Herrschertums, zu erkennen. Unter ähnlicher Architektur erscheinen am südöstl. Pfeiler 3 hll. Männer, am nordwestlichen 3 hll. Frauen (?) unter dem Brustbild Christi. Nur das Gemälde am südöstl. Vierungspfeiler läßt wieder eine einleuchtende Deutung zu: Mariae Verkündigung. – Es ist im Rahmen dieser Darstellung nicht möglich, auf die Vielfalt der Ornamente einzugehen, die die Architektur schmücken und gliedern. Entwicklungsgeschichtlich führt von Prüfening der Weg über Perschen (2. Hälfte 12. Jh.) nach Walderbach (Ende 12. Jh.). Eine Reihe von illuminierten Handschriften unterstützt die zeitliche Festlegung der Malereien auf die Mitte des 12. Jh. Als Malgrund wurde Kalktünche verwendet, welche die Konturen der Grundzeichnung festhielt. Die *nach* Trocknen des Malgrundes aufgetragenen Farben waren in höherem Maße der Zerstörung ausgesetzt (und wurden in den meisten Fällen ergänzt). – Der Hochaltar ist eine hervorragende Schöpfung von 1610, der Seitenaltar im N-Querschiff von 1710, der im Mönchschor um 1750. – Ruhm gebührt dem *Hochgrab* des ersten Prüfeninger *Abtes Erminold*. 1283 ließ der Regensburger Bischof für die Gebeine des Seligen die Grabplatte anfertigen, die vor dem Vierungsbogen ihre Aufstellung fand. Majestätische Starre prägt das lockenumkränzte Haupt; feierliche Gewandmassen umhüllen die Gestalt. Der »Erminold-Meister« ist einer der großen und ganz eigenartigen Bildhauer der deutschen Frühgotik. – Zu erwähnen bleibt endlich die Tafel einer Weihinschrift am südwestl. Vierungspfeiler: *»Anno domini 1119, 4. idus mai, consecratum est hoc monasterium . . .«*, dieses Kloster, das unter den Stätten der Kunst einen hohen Rang behauptet.

Von den **Klosterbauten** hat die Säkularisation (1803) vieles beseitigt. Erhalten blieb das Gebäudeviereck um den Kreuzgarten, errichtet im 17. Jh. mit einigen Stuckzieraten des frühen 18. in seinem Innern. Reste der Bauplastik vom roman. Kreuzgang (etwa Mitte 12. Jh.) bewahrt das Regensburger Museum. Erhalten blieben aus dem 12. Jh. südwestl. der Kirche ein **Brunnenhäuschen** und die profanierte **St.-Andreas-Kirche**, eine urspr. flachgedeckte 1schiffige Anlage mit O-Turm.

Stadtamhof

Schon 981, als »Scirestat«, bezeugt, durch den Strom getrenntes »suburbium« Regensburgs mit einem (im Namen fortlebenden) Hof des Königs, 1135 durch die steinerne Brücke mit der Stadt verbunden, seit 1196 in der Hand der wittelsbachischen Herzöge, die mit diesem Besitz ante portas die Reichsstadt peinlich behindern. Schon zu Zeiten Ludwigs d. Bayern mit Mauern bewehrt, rückt die wohl längst stadtgleiche Siedlung doch erst 1493 zu vollen Stadtrechten auf. Seit 1925 ist sie ein Stadtteil Regensburgs.

Kern ist die Schierstadt des frühen Mittelalters um und nächst dem Spital; er setzt sich gegen das sonst regelmäßige, wohl im 13. Jh. begründete Rechteck der Stadtumfassung unregelmäßig ab, dessen beherrschende, von N nach S gerichtete Achse, der Markt, auf die Donau-

Brücke trifft. Preiswürdige Perspektive: durch diese typisch altbayerisch breite, trotz Brand 1809 noch gutbewandete Marktstraße über die Brücke und den Brückenturm hinweg auf die ragende Masse des Doms.

Ehem. Augustiner-Chorherren-Stiftskirche St. Magnus (St. Mang). An der Stelle einer 1634 verwüsteten mittelalterl. Kirche erbaute man seit 1697 die erhaltene Anlage, 1schiffig mit eingezogenem Chor. Guter Rocaillestuck der Zeit um 1740–50 belebt das einfache Raumbild. Die Ausmalung besorgte Matth. Schiffer: im Chor die Berufung Petri und Matthäi, im Langhaus Andreas und Magnus vor Maria und der Trinität. Wandgemälde im Chor berichten aus dem Leben des hl. Magnus und von der Klosterstiftung. Der schöne Hochaltar ist um 1720 entstanden.

Spitalkirche St. Katharina (ehem. St. Michael). Die 6eckige Zentralanlage der Zeit um 1230 diente bis zur Zerstörung der alten Spitalkirche als Friedhofskapelle. 1287 wurde das 2jochige Langhaus hinzugefügt. Der Chor fand 1489 seine Erneuerung. 1623 fügte man nördl. vom Langhaus eine Zentralkapelle an. Bei der Stilreinigung von 1858 wurde der spätgot. Chor abgebrochen und völlig neu aufgeführt. Aus dieser Zeit stammt die gesamte Einrichtung. – Berühmt ist das ehemals dort verwahrte Tafelbild Albrecht Altdorfers von 1510: die beiden Johannes (heute im Museum). – **Spitalbauten** nach Brand 1809 wiederhergestellt.

REGNITZLOSAU (Ofr. – F 3)

Ev. Pfarrkirche

Die Kirche ist ein in der Grundlage spätgotischer, 1668/69 und noch einmal 1701–05 weitgehend erneuerter Steinbau ohne Aufwand, von einfacher Beschaffenheit in Grund- und Aufriß: Rechteck, das auch den, nur nördl. etwas breiter ausladenden Chor einschließt, starker quadratischer 5geschossiger Turm im O.

Der Bau bedeutet nicht viel, aber viel bedeutet die ganz aus dem Holz gewonnene A u s s t a t t u n g , die, stilgeschichtlich barock, eine ureigentümlich deutsche ist. Holz, der eingeborene Bildstoff, entband auch stets, bis in diese Spätzeit hinein, die bodenständigen Bildnerkräfte am reinsten. – Eine 2geschossige Empore auf N-, W- und S-Seite; die obere überbrückt auch noch die Chorseite. Balustersäulen nehmen die Stichbögen der Öffnungen auf, Drehsäulchen trennen die Felder der Brüstung. Kräftige farbige Fassung: die Grundfarbe Weiß, die Farbe der Säulen und der Deckbretter der Brüstung Rot. Rot ist auch die Grundfarbe des Kirchengestühls, klingt in den Bildern, heraldischen und biblischen, der Brüstungen an und klingt nach in den biblischen der Kassettendecke, die insbesondere diesen in sich so schlichten Raum mit dem Anschein einer warmen Fülle ausstattet. Der westl. Teil der Decke, über dem Gemeindehaus, der durch 2 Unterzüge in 3 Felder geteilt ist, dürfte gelegentlich des Umbaus 1668/69 entstanden sein. Der östliche (ohne Unterzüge, die hier durch die Kassetten ver-

deckt sind) wurde 1744–47 von einem Hofer, Joh. Nik. Walther,
bemalt. Zu dieser bunten Ausstattung kommt nun ein Kanzelaltar,
der 1743 von einem anderen Hofer, Wolfg. Adam Knoll, aufgerichtet wurde. 4 Säulen, 2 mit glatten, 2 mit gewundenen Schäften,
tragen ein starkes Gebälk; aus dessen offener Mitte wölbt sich die
Kanzel; zwischen die Säulen treten die Evangelisten Matthäus und
Markus; Johannes und Lukas gesellen sich auf dem Gebälk hinzu,
die Auferstehung Christi besetzt den Auszug, den die Dreifaltigkeit beschließt. – Nicht in den Einzelheiten, die stets nur bescheiden mittelmäßig sind, liegt der Wert dieser Ausstattung, sondern
in der liebenswürdigen Gesamtheit, die man eher der Volkskunst
als der »hohen« zuteilen wird. – Die beiden Bildgrabsteine an der
O-Wand halten das Gedächtnis zweier Gutsherren von Regnitz-
losau-Hohenberg, der Patronatsherren der Pfarrkirche, fest; der
des Christoph v. Reitzenstein ist eine verhältnismäßig gute Bild-
hauer-Leistung in einem sonst nur karg mit dergleichen aufwarten-
den Lande und in einer alles andere als kunstgünstigen Zeit.

Das auf der Höhe nordöstl. benachbarte **Schloß Hohenberg**, verwahrlost
und jetzt leerstehend, ist Gemeindebesitz.

REICHENBACH am Regen (Opf. – F 5)

Ehem. Benediktinerklosterkirche St. Mariae Himmelfahrt

*Auf eine Bergzunge oberhalb des Regen-Tales stellte der Nordgau-
graf Diepold II., der 15 Jahre später auch das Kloster Waldsassen
gründete, 1118 das Kloster. Benediktiner aus dem cluniazensischen
Reformkloster Kastl wurden angesiedelt. An ihrer Spitze stand
Abt Witigo. Doch erst seinem Nachfolger und Bruder blieb der
Kirchenbau vorbehalten. Die Weihe geschah 1135. Der Bau zog
sich bis gegen 1200 hin. Das späte 13. Jh. setzte vor die roman.
Pfeilerbasilika ein »Paradies«, eine Vorhalle. Um 1400 sorgte Abt
Joh. Strolenfelser für die Einwölbung der Seitenschiffe. Ein neuer
Kreuzgang entstand, eine Marienkapelle; neue Klostergebäude
traten an die Stelle der alten. 1546 wurde auf Geheiß des Pfalzgrafen Ottheinrich die Reformation eingeführt. Es folgte ein
Bildersturm, der die prächtige Ausstattung vernichtete. Im 17. Jh.
zogen die Jesuiten in Reichenbach ein, die das Kloster 1669 den
Benediktinern zurückgaben. St. Emmeram zu Regensburg schickte
sie. Abt Bonaventura Oberhuber führte den Neubau der verfallenen Klostergebäude zu Ende. Die Barockisierung der Kirche
dauerte bis 1741. 1803 kam die Säkularisation. Seit 1891 Heil-
und Pflegeanstalt der Barmherzigen Brüder. Schäden durch Brandlegung 1959 wurden behoben.*

Wuchtiges Quaderwerk hat im Ä u ß e r e n die Formen der
querschifflosen roman. Basilika bewahrt. Ihre O-Türme tragen got. Bekrönungen des frühen 15. Jh., blieben aber sonst

unberührt. Zwischen ihnen, anstelle der roman. halbrunden Apsis, ein got. Chor. Ihm hat man auch die beiden Seitenapsiden geopfert. Wie die Fensterformen des Langhauses verraten, hat die Barockisierung einiges verändert. An der W-Front faßt eine 2geschossige Paradiesvorhalle die 3 Basilikalschiffe wuchtig zusammen. Das 18. Jh. hat sie mit Pilasterordnungen und Säulenportal verkleidet. Das Querrechteck der Vorhalle überzieht farbig getönter Stuck in Bandwerk, Netzfiguren und pflanzlichen Motiven (1730 bis 1740). 2 Altäre an den Schmalseiten wurden 1733 aufgestellt. Ein weiteres Portal führt in das I n n e r e der Pfeilerbasilika. Unter dem Barockgewand hat sie ihre roman. Struktur bewahrt. 5 (ehemals 6) rundbogige Arkaden säumen die Straße zum Hochaltar. Hinter oratorienbesetztem Vorjoch führen 4 Stufen in den spätgot. Chor: 2 Joche tief, von 3 Seiten eines Sechsecks beschlossen. Mittelalterliche Formenkraft klingt noch verhalten aus den farbigen, stuckberieselten Wänden. Eine barocke Pilasterordnung folgt den Arkadenpfeilern. Auf ihren Gebälkteilen ruhen die Stichkappen des Gewölbes, welche die geschwungenen, balustradengeschmückten Fenster des Lichtgadens umrunden.

Phantasievolle Vasengebilde erheben sich über der Attika. Eine Vorhangdraperie rafft sich im Triumphbogen. Die Flächenstukkatur vermengt Laub- und Bandwerk mit frühen Rocailleformen und Netzmotiven. Farbige Fassung der Ornamentmotive führt über blasse Tönungen zu kräftigen Brokatnetzen in den Kartuschenfeldern. Stärkstes farbiges Leben entwickeln die *Fresken* des Regensburgers Andr. Gebhard. Das Chorgewölbe hat Mariae Reinigung und Christi Darstellung im Tempel zum Thema. Im Langhaus schildert der Maler Christi Geburt, Anbetung der Hirten und Epiphanie. Wandgemälde reihen Szenen aus der Klostergeschichte, die durch ihren Begleittext erläutert werden. Um 1745 bis 1750 wurde der Hochaltar errichtet, in dem Ideen des Osterhofener Altars Egid Qu. Asams anklingen. Das Gemälde, Mariae Himmelfahrt, schuf A. Gebhard. Die Chorwände sind, unten, von einer im 18. Jh. gemalten Leinwandtapete überspannt. Unter den Nebenaltären fallen 2 durch ihre strenge frühklassizist. Form auf. Die W-Empore trägt spätgot. Chorstühle aus dem frühen 15. Jh. Ehemals im Presbyterium vor dem Hochaltar aufgestellt, wanderten sie um 1700 in den neu ausgestalteten Mönchschor auf der Empore, wo sie auch ihre barocken Bekrönungen erhielten. Am nordwestl. Arkadenpfeiler ist ein Meisterwerk des Weichen Stils, um 1420, aufgestellt, eine *Sandsteinfigur der Muttergottes.* Die tönerne Marienfigur im nördl. Seitenaltar (als Gnadenbild ver-

ehrt) gehört einer späteren Stilstufe an, um 1460. Die nordöstl.
Seitenkapelle bewahrt die Grablege der Stifterfamilie, Markgraf
Diepolds II. 4 liegende Löwen tragen den Wappenstein. Das Monument wurde bei Übertragung der Gebeine aus dem Kapitelsaal
in die Kirche, 1304, angefertigt. Darüber, in die N-Wand eingelassen, das Rotmarmor-Epitaph des Wittelsbachers Johann von
Mosbach, † 1486. Das im 15. Jh. nicht seltene Memento-mori-Bild
eines verwesenden Leichnams ist von wappenhaltenden Löwen
umgeben, die ehemals die Platte auf ihren Häuptern trugen. In
der W-Wand der Kapelle die um 20–25 Jahre ältere Rotmarmorplatte seines Vaters, des Herzogs Otto I. von Mosbach. Das Relief
schildert den Verstorbenen als kraftvolle Herrschergestalt, unter
dem Prunkmantel geharnischt, in gepanzerter Faust das Rauten-
banner führend.

Klostergebäude. Starke Befestigungsanlagen, turmbewehrte Mauern umziehen, heute noch kenntlich, die Klosteranlage. Sie haben viel von
ihrer alten Wehrhaftigkeit eingebüßt. Nordöstl. der Kirche erhebt sich
der viereckige »mathematische Turm«; ehemals von doppelter Höhe,
diente er wohl astronomischen Beobachtungen. S- und O-Flügel der
Klosterbauten wurden 1897 vom Brande heimgesucht, so daß sich nur
wenig von den urspr. Innenräumen erhalten hat. Das Refektorium im
O-Flügel trägt noch feine Stukkaturen von 1744.

Bad REICHENHALL (Obb. – E 9)

*Die Salzlager (das »reiche Salz«) lassen schon in vorröm. Zeit eine
Siedlung entstehen, die das (illyrische) Salzwort im Namen führt.
Nach Ausweis der Reihengräber von den landnehmenden Baiern
früh besetzt, seit dem frühen 11. Jh. Mittelpunkt einer Grafschaft,
deren Inhaber, die Hallgrafen (Grafen von Wasserburg) sind; sie
fällt 1169 an den bayerischen Herzog, der sich allerdings nur
mühsam, endgültig erst im 16. Jh. (1587), der Ansprüche des Salzburger Erzstifts erwehrt. 1355–1504 gehört Reichenhall zu Niederbayern. – Ein Markt ist früh, wohl schon im 11. Jh., vorauszusetzen. Stadtrechte dürften im 13. Jh. zugewachsen sein, nicht erst
1311 (Bezeugung des Stadtgerichts). – Der Körper der ins hoch-
gebirgige Saalach-Tal gebetteten, mehrmals durch schwere Brände,
zuletzt 1836, heimgesuchten, durch das Aufblühen des Bades im
19. Jh. ausgeweiteten Stadt entbehrt der Alterspatina.*

Münsterkirche St. Zeno, ehem. Augustinerchorherrenstift

*St. Zeno ist Schutzherr vor den Gefahren des Wassers, vor Über-
flutungen. Die unberechenbare Gewalt der Alpenflüsse hatte zu
2 berühmten Zeno-Heiligtümern geführt am S-Rand wie am N-
Rand der Alpen: in Verona wie in Reichenhall. Hier handelt es
sich um eine Gründung des Erzbischofs Konrad I. von Salzburg,
1136. Die Bautätigkeit erstreckte sich über die 2. Hälfte des 12. Jh.
Vollendet 1208, geweiht 1228. Ein Brandunglück führte 1512 zu*

ausgedehnten Instandsetzungen wie zur spätgot. Einwölbung. Neu-
weihe 1520. Barockisierungen des 17. und 18. Jh. hat das 19. Jh.
rücksichtslos beseitigt. Die Restaurierungen 1936 und 1967 ver-
suchten dem Raumbild des 13. und 16. Jh. gerecht zu werden.

Das Ä u ß e r e wirkt trotz aller Verunstaltung herb und
wuchtig. Der kraftvolle NW-Turm trägt Schmuckwerk des
19. Jh. Ein breites Dach faßt die 3 Schiffe der ehemals
roman. Basilika zusammen. Von der urspr. Außendekoration
blieb nur weniges am Chorbau erhalten. Eine got. Vorhalle
schützt das prächtige W-Portal aus rötlichem und grauem
Adneter Marmor. Das reichgestufte, mit dünnen Säulen besetzte Gewände, Knospenkapitelle und Türsturz mit kurvendem Rankengeschlinge weisen in die Zeit nach 1200 und
gemahnen an Oberitalienisches (Trient, Verona). Das Figürliche ist ausdrucksstark und streng. Im Bogenfeld eine thronende Muttergottes zwischen den hll. Patronen Zeno und
Rupert. Treffliche Gebilde sind die beiden urtümlichen Löwen, die das äußere Säulenpaar tragen. Seitlich in der Mauer
die Reliefs: Adam und Eva, Furcht und Erlösung der Seele
aus dem Höllenrachen, 2 etwas derbe Arbeiten. I n n e r e s.
Das Schiff hat durch den spätgot. Ausbau viel von seiner
roman. Ausdruckskraft eingebüßt. Besonders schmerzlich ist
der Verlust des Fenstergadens im Hochschiff. Die basilikal
gestimmten Verhältnisse trifft dadurch ein Mißton, spürbar
in der ungelösten Belichtungsfrage wie im Schwanken zwischen Basilikal- und Hallenform. Der roman. Stützenwechsel wurde in eine Pfeilerreihe mit Dienstvorlagen umge-
ändert, die Arkadenbögen zugespitzt. An die Stelle der
ehem. Flachdecke sind Kappengewölbe getreten. Über den
Seitenschiffen sitzen Reste von Emporen. Schon für den
Bau des 13. Jh. sind solche nachgewiesen. Die roman. Krypta
wurde zugeschüttet. – Trotz allem ist in der langgestreckten,
mächtigen Raumanlage noch etwas von der ernsten Großartigkeit mönchischer Würde im hohen Mittelalter zu spüren.

Apsismalerei 1926, restaur. 1967. – Der Hochaltar, 20. Jh., ent-
hält eine kostbare *Schnitzgruppe der Marienkrönung* um 1520
(Inntal-Schule) und als Flügel 2 Hans Ostendorfer zugeschriebene
Tafelgemälde von 1516, Stiftung Herzog Wilhelms IV. von Bayern;
Tod und Krönung Mariae. Das *Chorgestühl* ist eine bedeutende An-
lage von 1520 mit vorzüglichen figürlichen und ornamentalen
Schnitzereien. An den Chorbogenpfeilern 2 weibliche Heiligenfi-
guren aus der urspr. Altareinrichtung, um 1515. Kanzel 1516.
Im NW: Taufstein mit fein geschnitztem Deckel 1522 (bez. JH).

Das Figürliche ist aus dem »spätgot. Barock« der Leinberger-Zeit heraus empfunden.

Die **Klosterbauten** waren mannigfachen Änderungen unterworfen. Erhalten blieb der roman. Kreuzgang. Seine Flachdecke wurde im 14. Jh. durch Rippengewölbe ersetzt. Die 2teiligen Öffnungen gegen den Kreuzhof zeigen sich als Bauglieder des 12. Jh.: kleine Säulen mit schlicht geformten Kapitellwürfeln und Bandornamente künden vom künstlerischen Denken der Erbauungszeit. Das grob ausgeführte Relief einer fürstlichen Figur mit der Inschrift »Fridericus imp.« meint wohl den Guttäter des Stiftes, Kaiser Friedrich Barbarossa. Ein anderes Relief meldet die Fabel von Fuchs, Wolf und Kranich, vermutl. als Sinnbild der Undankbarkeit.

Pfarrkirche St. Nikolaus, 1181, urspr. Filiale von St. Zeno. Im 19. Jh. nach W erweitert. Vom alten Außenbau blieb die Apsidengruppe im O mit der plastisch verzierten S-Apsis. Das 1968 von späteren Zutaten befreite roman. Raumbild zeigt in seiner Basilikaform mit Stützwechsel enge Abhängigkeit vom roman. Urbau der St.-Zeno-Kirche. Auffallend die Emporen im O-Joch (die übrigen Zutat des 19. Jh.). Apsisgemälde und Kreuzwegstationen auf den Emporen 1861–63 von Moritz von Schwind.

Klosterkirche St. Ägid. Schlichter spätgot. Bau mit neugot. Einrichtung. – **Spitalkirche St. Johannes.** Anfang 13. Jh., mit Gewölbe nach 1481 und Stuckdekor des mittleren 18. Jh.

Saline. 1836–51 auf Geheiß Königs Ludwigs I. von Fr. Gärtner neu errichtet in der historisierenden Art seines romantischen Zeitgeistes. Hier die reich gestaltete und ausgemalte **Brunnhaus-Kapelle**, vollendet 1849. – Vom **Stadtbering** sind einzelne wehrgangbesetzte Mauern überkommen. Sie vereinigten sich ehem. mit den Befestigungsanlagen des **Schlosses Gruttenstein**, eines mehrfach veränderten Binnenhofkomplexes, erwachsen auf Mauerwerk aus dem 13. Jh., in der Folgezeit bis ins 17. Jh. häufig umgestaltet. – Der städt. **Bauhof**, urspr. Getreidekasten, Baujahr 1539, beherbergt seit 1967 das **Heimatmuseum**.

REIFENBERG (Ofr.) → **Wiesenthau** (E 3)

REISACH am Inn (Obb. – D 8)

Karmelitenklosterkirche St. Theresa

Die Niederlassung Münchner Karmeliten ist private Stiftung des kurfürstl. bayer. Hofkammerrats Joh. Gg. Messerer, 1731. Ign. Ant. Gunetsrhainer lieferte die Entwürfe für Konventsgebäude und Gotteshaus. Unter der Bauleitung von Vater und Sohn Millauer entstand 1732–38 das Kloster und 1737/38 die Kirche. Weihe 1747. Der Österreichische Erbfolgekrieg verzögerte deren Ausstattung bis in die 1770er Jahre.

Ä u ß e r e s. Landschaftlicher Rahmen ist das obere Inn-Tal mit seiner großartigen Alpenszenerie. Hier lagert das Kloster, eine wenig gegliederte, aber gut hervortretende Baumasse. **I n n e r e s.** Die asketische Haltung des Karmelitenordens, selbst im schmuckfreudigen 18. Jh., hat in der straffen Gliederung des Raumes bei weitgehendem Verzicht auf Stukkatur und Freskomalerei ihren Niederschlag gefunden. Stützenpaare scheiden 2 Langhausräume gegeneinander. Gerundete und genischte Ecken verschleifen architektonische Härten. Der durchlaufende Gebälkstreifen teilt sich an den Seitenwänden zu halbkreisförmigen Fenstern. Ziel des 2-jochigen Laienraumes ist die hufeisenförmige Apsis, hinter der, für sich abgeschlossen, der Mönchschor folgt. Harmonische Verhältnisse und Zurückhaltung aller Dekoration verleihen dem Raum stille Würde.

Auch die Altäre bleiben in Aufbau und Schmuck der Schlichtheit des Raumes angemessen. Hochaltargemälde von B. A. Albrecht: Der Gekreuzigte neigt sich zu den Karmelitenheiligen Theresa und Johannes vom Kreuz. Tabernakel 1776. Die 4 Nebenaltäre an den Langhausseiten tragen vorzügliche Holzreliefs von Joh. Bapt. Straub: Auffahrt des Elias vom Berge Karmel, Skapulierverleihung an den hl. Simon Stock, Tod des hl. Albert und St. Anna, um 1755. Kanzel 1747. Gegenüber Kruzifixus von Straub.

Dem Kloster benachbart: **Schloß Urfarn**, das Schloß des Kloster-Stifters Hofkammerrat Joh. Gg. Messerer. Das kurfürstl. Hofbauamt (Jos. Effner oder J. B. Gunetsrhainer) lieferte die Pläne, Abraham Millauer führte sie 1723–27 aus: eine Triclinienanlage ähnlich Fürstenried bei München, hufeisenförmig umstellt von niedrigen Wirtschaftsbauten. Im Corps de logis schönes Treppenhaus, im S-Flügel die fein disponierte Kapelle (Pfeiler auf ovalem Grundriß, eingesetzt in rechteckige Umfassung). Régence-Stukkatur von Joh. Bapt. Zimmermann, Altar von Joach. Dietrich, Altarblatt von Balth. Augustin Albrecht 1727.

REISBACH (Ndb. – F 7)

Pfalzort der Agilolfinger, auf die jedenfalls die um 760 bezeugte Wessobrunner Begüterung zurückging. Provinzialsynoden sind für die Jahre 799 und 900 belegt. Aus dem Besitz der schon im 11. Jh. genannten Herren von Warth geht Reisbach, der Markt mit Zugehörungen, 1438 an Niederbayern über. – Die bis auf heute dauernde Erscheinung des Ortes wurde nach dem letzten Großfeuer 1835 geprägt.

Die **Pfarrkirche St. Michael** erwuchs um 1400 über den Resten eines roman. Baus des frühen 12. Jh., dessen Turm erhalten. Zwischen den neugot. Ausstattungsstücken finden sich noch gute alte Leistungen, wie die Figuren des Hochaltars um 1520, die dem Stephan Rottaler zugeschrieben werden, und 16 got. Tafelgemälde der Regensburger Schule um 1520.

Bes. reizvoll ist die **ehem. Wallfahrtskirche St. Salvator**, 15. Jh., mit feinem Rokoko-Stuck und ebensolcher Ausstattung von 1739.

Die **Wolfindis-Kapelle** an der Straße nach Niederreisbach entstand 1816.

Südwestl., auf dem Hochufer der Vils gelegen, die **Burg Warth**, deren mittelalterl. Teile in Neubauten untergegangen sind.

RETTENBACH b. Plattling (Ndb. – F 6)

Die **Kirche Mariae Heimsuchung** gehört zu den glücklichsten Erfindungen des Rokoko in dieser Gegend: ein Neubau des Landshuters Felix Hirschstötter 1758, 1schiffig, mit querovalem Chor. Christian Winck schuf die Freskoausmalung (Mariae Verkündigung und Himmelfahrt). Christian Jorhan d. Ä. lieferte 1760 den Hochaltar, Joseph Deutschmann die Seitenaltäre.

REUTBERG (Obb. – D 8)

Franziskanerinnen-Klosterkirche. Am Anfang steht eine Loretto-Kapelle von 1606, Stiftung des Hofmarksherrn Graf J. J. Papafaba. 1618 kam ein Klösterlein hinzu, das schnell aufwuchs und 1651 den Franziskanerinnen unterstellt wurde. Aufblühende Wallfahrt erforderte Neubauten und Erweiterung der **Kirche** (diese 1733–35). Hochaltar im wesentlichen 1901, darüber Gnadenbild der Muttergottes um 1600. Seitenaltäre um 1730–40. In den **Klostergebäuden** schöne alte Einrichtungen, darunter eine Apotheke von 1688. – Reutberg gehört nicht zu den großen Baudenkmälern, doch bezwingt seine Lage, aufgesockelt über einem See am Alpenrand, und seine volkstümliche Wirkung als ländliches Kloster und bäuerliche Wallfahrt.

REUTTI b. Neu-Ulm (B. Schw. – B 6)

Die **ev. Kirche**, ein Bau des 14. Jh. (Turmunterbau), erweitert um 1470 (Chor) und 1500 (Langhaus, mit Decke und Empore von 1604) besitzt einen kostbaren Schnitzaltar mit den Daten 1498 und 1519. Die Zuschreibung schwankt zwischen Jörg Syrlin d. J. und Daniel Mauch. Der Schrein birgt ein kraftvolles Relief des Marientodes. – Wandmalereien im Chor 15. Jh., Sakramentshaus um 1470, Kanzel 1680, Emporenbemalung 1604, doch 1778 ausgebessert.

Schloß. Anstelle einer mittelalterl. Anlage entstand es 1550 für den Ulmer Patrizier Konrad Roth. 1552 zerstört und gleich darauf wiedererrichtet. Mansarddach 18. Jh. Wir nennen es als das aufwendigste unter allen ulmischen Landschlössern. (Heute ev. Heimschule.)

RIEDENBURG (Opf. – E 5)

Im Tal der Altmühl, zu Füßen des von **Burgen** (Rabenstein, Rosenburg, Dachenstein) bekrönten felsigen Hochufers, lagern die Häuser Riedenburgs um das Achsenkreuz der Uferstraße (Augasse-Mühlgasse) und der Brücke (Bruckgasse). An seinem Schnittpunkt weitet sich ein Marktplatz mit dem isoliert stehenden **Rathaus** (1731 erneuert). Vom ehem. Befestigungsgürtel blieb nichts. Das malerische, behagliche **Ortsbild** wird vom Typ der flachen Front des Altmühlhauses wie von den Stufengiebeln oberpfälzisch-bayerischer Eigenart bestimmt.

Pfarrkirche St. Johann Bapt. An den mittelalterl. Turm lehnt sich ein 1schiffiger Neubau von 1739. Bandwerkstuck aus der Erbauungszeit.

Burgruine Rabenstein (westl. Riedenburg, unterhalb der Rosenburg). Die älteste der 3 Burgen wurde vermutl. im 12. Jh. von den Regensburger Burggrafen begründet. Das vorhandene Mauerwerk – annähernd rechteckiger Bering und Reste eines Wohn- und Wehrturms – gibt über Art und Zeit seiner Entwicklung nur ungenügende Auskunft.

Burgruine Dachenstein (nordwestl. Riedenburg). Das Mauerwerk entstammt dem frühen 13. Jh., wurde jedoch durch Restaurierung im 19. Jh. verdorben. Erhalten haben sich Teile der Umfassungsmauern und der Bergfried.

Die **Rosenburg** (westl. Riedenburg). Die ausgedehnte, guterhaltene Anlage bewahrt Teile des 13. Jh.: die Grundlagen der neuen Umfassungsmauer und Reste des Bergfrieds. Ein neues Befestigungssystem wurde um 1510–20 gegen W vorgelagert, während 1556–58 die Wohngebäude völlig neu errichtet wurden. Ein interessanter Erker durchschneidet die N-Ecke des Obergeschosses.

RIENECK (Ufr. – C 2)

Um 1160 baut Ludwig von Rieneck auf ehemals mainzischem Boden die Burg. 1559 kommt sie an das Erzstift Mainz, das sie 1673 an die Grafen Nostiz-Rieneck ausgibt, die sie aber nicht bewohnen. Sie verfällt. Neugot. Wiederherstellung im 19. Jh. – Seit 1952 beherbergt die von der Christlichen Pfadfinderschaft übernommene Burg Kindererholungsheim, Jugendführerschule und Fremdenheim.

Die **Burg** liegt auf einem Höhenrücken über der Sinn. Ein Vorhof, am Bergfuß, mit den Wirtschaftsgebäuden, leitet ein. Im N des Berings ein Halsgraben. Wiederhergestellte, in der Anlage wahrscheinlich spätgot. Gebäude schließen die Hauptburg gegen die Vorburg, in die eine Bastion eingreift, ab. Die Ringmauer ist nur noch in Teilen erhalten. Die Strecke nördl. der Kapelle, bis zum Bergfried,

ist noch romanisch, wohl auch die Strecke westlich. Die
Kapelle: eine gewölbte Halbrundapsis legt sich an ein rechteckiges Schiff. Dieses einfach, nur die W-Seite aufwendiger: Pfeiler rahmen die (später übergiebelte) Stirnfläche,
2 innere Pfeiler das Rundbogentor; über dem Tor, in die
Mauer eingesetzt, 2 Hochreliefs mit deutungsbedürftigen
Figuren. Von hohem Interesse der an der N-Spitze der
Hauptburg liegende **Bergfried**, dessen Grundriß ein (unregelmäßiges) Siebeneck beschreibt; mächtige Buckelquadern. Die Mauerstärke beträgt unten 4 m und wächst noch
im 2. Obergeschoß, begründet durch die hier aus der
Mauermasse ausgesparte Kapelle, deren Grundriß ein Quadrat mit an 3 Seiten anliegenden Apsidiolen bildet; Quadrat und Apsidiolen überwölbt, das Quadrat mit Rippen.
Ein 2., stark erneuerter Turm steht an der S-Seite, 8eckigen
Umrisses. – Die Burg ist in der Anlage und in den erhaltenen alten Teilen romanisch und darf wohl mit rd. 1170
angesetzt werden.

RIMPAR (Ufr. – C 2)

*Mit der seit 1209 Stift Haugschen Vogtei gelangt Rimpar 1347 an
Hans v. Grumbach, bei dessen Geschlecht es bis 1593 bleibt. In
diesem Jahre kauft Bischof Julius Echter Schloß und Dorf.*

Schloß *(Tafel S. 737).* Nur wenig erhöht liegend, wirkt dieses
Burg-Schloß durch die Wucht seiner in Rundtürmen aus-
buchtenden Mauermasse. An den spätgot. S-Flügel legt sich
der östl. Julius-Bau, mit seinen 3 Rundtürmen, deren 2 das
Tor einschließen. – Ein Prunkstück der Julius-Renaissance
ist das Portal der Hofseite, Rustika, über dem Gebälk große
Inschriftkartusche mit dem fürstbischöfl. Wappen. Im älteren S-Flügel 2 auf Bischof Julius zurückgehende Säle mit
reicher Stuckausstattung.

Die **Pfarrkirche** ist, bis auf den Turm, neu (1849/50). Aber
sie beherbergt einige hervorragende Grumbachsche Grabdenkmäler aus der 1849 abgetragenen spätgot. »Ritterkapelle«, der Grumbachschen Grablege (aus der wahrscheinl. auch
die Maidbronner Beweinung Riemenschneiders stammt): das
des Eberhard (1487), das früheste bekannte Werk Riemenschneiders, des Konrad (1526), das nicht weniger gut ist, des
Valentin (1520).

RINCHNACH (Ndb. – G 6)

Benediktinerpropsteikirche

*Die Einsiedelei eines Altaicher Mönches Gunther, der in Altaich
nicht die Ruhe finden konnte, steht am Anfang. Kaiser Heinrich II.
beschenkt die Zelle an der Rinchnach mit dem Forst ringsum, Konrad II. fügt weitere Landschenkungen hinzu, Heinrich III. gliedert
die nun schon zum Kloster entwickelte Zelle dem Mutterkloster,
Niederaltaich, an (1040). Die Gründung des Mönches erwies sich
segensreich, ein großer Teil des bis ins 11. Jh. unbesiedelten »Nord-
waldes«, des Bayerischen Waldes, wurde von Rinchnach aus er-
schlossen. Das Andenken Gunthers währt bis zum heutigen Tag.*

Eine erste Kirche wurde 1019 geweiht, eine zweite oder
dritte 1255. Im 3. und 4. Jahrzehnt des 15. Jh. entstand der
Bau, der in den Umfassungswänden noch aufrecht steht.
Aber die Umgestaltung, die ihm, 1727, der Altaicher Abt
Joscio durch den Münchner Stadtmaurermeister Joh. Michael
Fischer (den er kurz zuvor zum Bau seiner Altaicher Klosterkirche berufen hatte) angedeihen ließ, kam in der Wirkung
einem Neubau gleich. Fischer schob in das Rechteck der alten
Langhausmauern einen Raum eigenster Prägung hinein. Daß
das Äußere kaum Aufschluß über das Innere gibt, kann
folglich nicht überraschen. Eine breite, von geschwungenem
Giebel bekrönte Fassade, der 2 kleine schlichte Kapellen anliegen, schließt westlich; ein verhältnismäßig langer, stark
eingezogener Chor (am Schluß noch die alten Streben) stößt
östlich vor; an seiner N-Seite wuchtet der im Kern auch alte,
lediglich barock redigierte Turm, dessen massige Figur sich
in der verschnörkelten Laterne des Kuppelhelms heiter beendet. – Im Langhaus trug nun der große Baumeister Fischer
einen Raumgedanken vor, den er im Laufe seines Lebens
immer wieder und mit wachsender Reife (von St. Anna in
München bis zu den Klosterkirchen in Rott und Altomünster) bearbeiten sollte. Durch ein System von Nischen lockert
er die Raumgrenze auf, durch Schrägstellung der Ecknischen
schmeidigt er sie zum flüssigen Oval. Eine Flachtonne mit
überhöhender Rundkuppel in der Mitte übergreift das ein-
geborgene Oval. Die großen Nischen – je eine in der Mitte
der Langseiten, je eine in den Ecken der Schmalseiten –
schneiden Stichkappen in sie ein. Je 2 kleinere Nischen nehmen die großen der Langseiten zwischen sich. Und so entsteht ein bewegtes, »zweischaliges« Wandrelief. Pilaster und
umlaufendes hohes Gebälk gliedern die innere Wandschale.

Auf dem Gebälk fußen die Halbrundbogen der Nischen und die im W und O, 8 gleiche Bogen, deren östlicher in den tiefen, an der Breite des Langhauses gemessen schmal wirkenden Chor einläßt.

Einheitliche A u s s t a t t u n g vollendet das vom Baumeister Geschaffene. Die zarte Stukkatur, in der das für die 20er Jahre typische Bandelwerk vorherrscht, darf dem Niederaltaicher Fz. Ign. Holzinger zuerkannt werden. Die Fresken gab der Welser Andr. Haindl: in der Rundkuppel des Langhauses die Verherrlichung des Kreuzes, in den übrigen Wölbflächen Themen aus dem Marienleben (Chor) und dem der Kirchenpatrone, des Täufers Johannes und des sel. Gunther. Kanzel und Altäre passen sich aufs beste ein. Benedikt und Scholastika, Augustinus und Erasmus stehen vor den Säulen des den Chorschluß breit füllenden Hochaltars. Daß ein schmiedeeisernes Gitter den Chor sperrt, sei erwähnt. Die Gitterabschirmungen der barocken Kirchen sind wesentliche Bestandteile des Raumbildes.

Die **Klostergebäude** gruppieren sich um den südl. an die Kirche anstoßenden, im wesentlichen spätgot. Kreuzgang und senden gegen O den von 2 Türmchen flankierten Propsteitrakt vor.

ROGGENBURG (B. Schw. – B 6)

Ehem. Prämonstratenserstiftskirche Mariae Himmelfahrt

Gründung 1126 oder 1130. Zum Reichsstift erhoben 1544. Neubau und Zerstörung wechselten besonders im 15.–17. Jh. Der Baueifer des Barock-Abtes Kaspar Geißler führte trotz drückender Schuldenlast zum letzten bestehenden Neubau von 1752–58. Er gewann den alten Simpert Kramer zum Baumeister, der jedoch ein Jahr nach Baubeginn starb. Sein Sohn Martin übernahm die weitere Ausführung, viell. unterstützt von Jos. Dossenberger, dem Schüler des Dom. Zimmermann. 1802 wurde das Kloster aufgelöst und die Kirche dem Gemeindegebrauch übergeben.

Ä u ß e r e s. Aus dichten Waldungen eines Höhenstreifens zwischen den beiden Armen des Biber-Flüßchens hebt sich das schmucke Turmpaar. Die Kirche – eingefügt in die nach S ausgreifenden Klostertrakte – ist durch vorgeschobene Querfronten zur Kreuzform ausgebildet. Hinter den hohen Giebeln dieser vorspringenden Seitenteile wachsen die Türme hervor. Etwas niedriger als das Schiff ist der Chorbau, dessen Bedeutung die schöne Dreiergruppe seiner Fenster betont. Flache Pilaster gliedern die Wandflächen. – Der I n n e n r a u m ist von denkbar einfacher Form. Das 1schiffige Langhaus sendet beiderseits querschiffartige Kapellen aus.

Gegen O öffnet sich inmitten gerundeter Ecken der Triumphbogen zu Chorquadrat und Apsis. Ihm gegenüber wächst aus der W-Wand der Orgelprospekt über hufeisenförmig geführter Musikempore.

Fein verteilte Rocaillestukkaturen verleihen dem hell durchlichteten Raumbild heiteren, schwebenden Charakter, wenn auch die Ruhe der architektonischen Formen dem kommenden Klassizismus schon erahnen läßt. Die Deckengemälde von F. Mart. Kuen aus Weißenhorn, ehemals harmonisches Ausklingen aller räumlichen und ornamentalen Spannungen, wurden 1845 zerstört und nur ungenügend ersetzt durch Neuschöpfungen von 1901. So tut das Auge gut daran, nicht dem schwebenden Licht nach oben zu folgen, sondern in der Tiefe zu verweilen. Da sind die vorzüglichen Altäre aus der Erbauungszeit mit Gemälden von F. Mart. Kuen. Nur die beiden kleinen Altäre an den Chorseiten tragen ältere Gemälde, von J. G. Schall 1726. Das Figürliche im Hochaltar schuf der Füssener Ant. Sturm. Von bes. prächtiger Wirkung ist der ganz in wogende Rocaillen aufgelöste Orgelprospekt. Über dem (neuen) Kreuzaltar ein großer Kruzifixus, ulmisch um 1500, viell. von Daniel Mauch. Die Assistenzfiguren zu seiten des Tabernakels stammen von Chr. Rodt 1628. Von Rodt ist auch das Chorgestühl, das aus dem Vorgängerbau übernommen und um 1735 durch einen Rokoko-Aufsatz erweitert wurde. In der »Freitagskapelle« schönes Vesperbild von Leithner aus Dietenheim, 1758. – Unter der Orgelempore die Grabplatte für Abt Georg III. Mahler († 1505), eine vortreffliche Arbeit von dem Augsburger Bildhauer Hans Beierlein.

Die **Klosterbauten** legen sich im Viereck an die S-Seite der Kirche. Ihre Errichtung begann um 1730. Die Bau- und Ausstattungsarbeiten zogen sich bis 1770 hin. Schöne Rocaillestukkaturen in zahlreichen Räumen und Gängen, eine vorzüglich ausgestattete Bibliothek mit Fresko von K. Huber und ein von F. M. Kuen ausgemaltes Refektorium haben sich im Innern erhalten.

Südöstl.: **INGSTETTEN** mit der **Filialkirche St. Agatha** von 1790/91, einem fein gestalteten, dekorierten und eingerichteten, kurz: beispielhaften, Bauwerk des frühen Klassizismus. Konrad Huber leistete den Freskenschmuck. Altäre und Kanzel 1793.

Südl.: **MESSHOFEN**. Die **Filialkirche St. Cosmas und Damian** ist Umbau einer spätgot. Vorgängerin, 1748, mit Fresken von Joh. Jak. Kuen. Hochaltar 1751–53, Kanzel 1791.

ROHR b. Rottenburg (Ndb. – E 6)

Ehem. Augustinerchorherrenstift

Bestätigt 1133 als Gründung des Grafen Adalbert von Rohr aus dem Hause der von Abensberg. 1803 aufgelöst. Heute, dank Über-

siedlung des 1945 vertriebenen Konvents von Braunau (Prag),
Benediktinerabtei.

Klosterkirche Mariae Himmelfahrt

Vom mittelalterl. Bau stammen die unteren Teile des massigen
Turmes. Alles übrige wurde 1717 abgetragen für den von Propst
Patrizius Haydon betriebenen Neubau. Dieser wächst, wahrscheinl.
nach dem Plane von Egid Quirin Asam, rasch empor; 1719 ist er
unter Dach. Weihe aller Altäre 1722.

Das Äußere ist überaus schlicht. Die Fassade mit breitem
Fenster und Pilastergliederung wird zur Hälfte vom mächtigen Turm verdeckt. Seine schwere, glockenförmige Haube
gab ihm 1696 Jos. Bader aus Wessobrunn, der auch später
zuweilen die Bauausführung zu überwachen hatte. Das
I n n e r e gliedert sich im geläufigen Schema italienisch-
bayerischer Tradition (Rom, S. Andrea della Valle; München, Theatinerkirche): tonnengewölbte Halle mit Querschiff und Seitenkapellen, Fehlen der Vierungskuppel, Zusammenfassung der Gewölbe, geringe Kapellentiefe betonen
die Richtung, den Längszug zum *Hochaltar.* Dieser, eine
Schaubühne von größten Ausmaßen, ist Ziel der Raumanlage, die sich somit in »Bühne« und »Zuschauerraum«
teilt; das Presbyterium mit seinen Chorstühlen läßt sich mit
dem Orchesterraum vergleichen. Verdeckte seitliche Lichtquellen illuminieren den dramatischen Vorgang der Szene,
das Spiel überlebensgroßer, vollplastischer Stuckfiguren. Ort
der Handlung ist der geöffnete Marmorsarkophag Mariens.
Das Grab ist leer! Die Apostel eilen hinzu *(Tafel S. 768).*
Gläubiges Staunen, Anbetung, Verzückung – eine Skala
dramatischer Ausdrucksstufen malt sich in ihren Gesten. Von
Engeln getragen schwebt die Hl. Jungfrau ins golden schimmernde Licht wolkiger Höhen (rückseitiges Rundfenster!).
Dort erwarten sie im Chor jubilierender Engel und Putten
die Figuren der Trinität. Egid Qu. Asam hat hier das, was
zuvor nur als fastenzeitliche Dekoration oder als Weihnachtskrippe bekannt war, ins Bleibende und Monumentale
übersetzt. Mit diesem Werk beginnt er seinen künstlerischen
Weg, der in Vereinigung von Altar und Kirchenraum, von
Bühne und Zuschauerraum im grandiosen *Theatrum sacrum*
der Münchener Joh.-Nepomuk-Kirche seinen Gipfel erreicht. Bemerkenswert ist die Häufung dekorativer Details:
reiche Kompositkapitelle, stark bewegte Gebälkprofile, ornamentierte Gurte, während die Gewölbe nur ornamentale

Bandwerk- und Rankenfüllung erhalten, um die Wirkung des beherrschenden Hochaltars nicht etwa durch ein Gemälde zu beeinträchtigen. Die Querschiffaltäre wiederholen den Bühnengedanken in gedrängterer, flacherer Form. Je 2 Figuren (im N die hll. Florian und Martin, im S Ambrosius und Monica) leiten in die »Szene«, hier Altarblätter mit der Glorifikation St. Josephs von Joh. Pletzger (N) und dem Martyrium Petri und Pauli von Cosmas Damian Asam (S). Kapellenaltäre von geringerer Bedeutung. Kanzel um 1730 bis 1740 (nicht von Asam).

Eine von Rohr inspirierte Altaranlage zeigt sich in der nordöstl. von Rohr gelegenen **ehem. Wallfahrtskirche St. Ottilia** in HELLRING, 1733–35.

ROHRMOOS (B. Schw.) → **Oberstdorf** (A 8)

ROSENAU (Ofr.) → **Coburg** (E 2)

ROSENHEIM (Obb. – D 8)

Wenige Kilometer flußabwärts bei Langenpfunzen (das das lateinische Brückenwort im Namen trägt) lag der röm. Inn-Übergang Pons Aeni für die Straße Augsburg – Salzburg, die sich hier mit der Straße Wilten – (Brenner –) Regensburg kreuzte. Die verkehrsgünstige Lage ließ im Mittelalter auf der östl. Steilböschung des Inn-Tales die 1234 gräflich Wasserburgische und seit 1247 herzoglich bayerische Burg Rosenheim entstehen. Die Bezeichnung »Paß ins Tyrol« charakterisiert ihre besondere Aufgabe. Pfleger sind jahrhundertelang die Grafen Preysing. 1745, nach dem Friedensschluß von Füssen, verfiel die Burg restlos dem Abbruch. – Die Siedlung auf dem gegenüberliegenden westl. Ufer, zunächst wohl von Schiffern behaust, gelangt 1328 zu Marktrechten. Nutzbringende Privilegien, bes. das im 16. Jh. auf Kosten Wasserburgs verliehene den Füssen, fördern den Wohlstand, der bis ins 17. Jh. beträchtlich ist. Die Katastrophenjahre des Großen Krieges brechen ihn. Erst die Zuführung der Soleleitung von Traunstein her, 1809/10, bringt neues Wachstum; der Markt rückt 1856 zur Stadt auf. Die Industrie zieht ein und schlägt einen neuen Siedlungsring, der nur vor der nassen Grenze, dem Inn, anhält. – Der Siedlungskern ist bei der Pfarrkirche zu suchen. Im frühen 14. Jh. entsteht der Innere Markt (Max-Joseph-Platz), dessen östl. Tor, das Mittertor, noch den gut erhaltenen Platzraum schließt. Vor diesem Tor wächst im 15. Jh. der Äußere Markt hinzu.

Rosenheim ist, in seinem Herzstück, dem M a x - J o s e p h - P l a t z , die typische Inn-Stadt: die waagrecht abschließenden, das versenkte

Dach (Grabendach) eingrenzenden Vorschußmauern bestimmen das, im
Erdgeschoß in Lauben geöffnete, Bürgerhaus. Im einzelnen anzumerken:
das **Ellmaierhaus** mit der »Himmelsleiter«, einer einläufigen Treppe
durch alle Stockwerke, und mit 1568 datiertem Marmorportal.

Pfarrkirche St. Nikolaus. Aus der 3schiffigen Hallenkirche von 1488
verblieben die 6 westl. Joche und der Turm. Letzterer erhielt 1655/56
seine charaktervolle Zwiebelbekrönung. Die O-Teile entstammen der
Neugotik von 1881–83.

Hl. Geistkirche, bürgerliche Stiftung von 1449, barockisiert 1641. – Daneben **Haus Stumbeck,** Mitte 15. Jh.

Spitalkirche St. Joseph und St. Wolfgang, zunächst Privatkapelle, ge-
stiftet 1619, erneuert und erweitert 1641, mit 2geschossiger Apsis. –
Roßackerkapelle, 1737, mit Bandwerkstukkatur und Fresko von Joh.
Zick.

In der Nähe, südl.: **Pfarr- und ehem. Wallfahrtskirche Heilig Blut am
Wasen.** Die seit 1507 bezeugte Wallfahrt erhält 1508–10 eine kleine
Kirche, die 1610/11 durch ein Langhaus erweitert wird und 1686/87 den
schmuckreichen barocken Chorausbau erhält. Giulio Christofori schuf
das krautige Stuckgewand, Joh. Vicelli fügte die Gemälde hinzu. Der,
wohl von Vicelli entworfene Hochaltar bewahrt den kostbarsten Besitz dieser Kirche: die Schnitzgruppe der hl. Dreifaltigkeit, ein wich-
tiges Werk des »Meisters von Rabenden« um 1510–15, von derb rusti-
kalem, kraftvollem Charakter.

ROSSRIETH (Ufr. – D 1)

Schloß. 1589 wird Roßrieth Besitz der Herren von Bibra, die wahrscheinl. bald das Schloß in die heutige, sehr reizvolle, malerische Erscheinung bringen. Ein Wassergraben schließt den 2-Flügel-Bau ein.
Auf gemauerten Erdgeschossen Fachwerkobergeschosse. An O- und W-
Eck Türme, deren Obergeschosse ebenfalls gefacht sind. Das Fachwerk
reich figuriert und von thüringischer (nicht fränkischer) Art. Ein Treppenturm (mit Spindel) und ein Torturm vervollständigen das anmutig
verwinkelte Ensemble.

ROSSTAL (Mfr. – D 4)

*Die sehr alte Siedlung, 954 als »urbs Horadel«, »Rosadal castel-
lum« bezeugt, die im frühen 11. Jh., jedenfalls als Schenkung
Heinrichs II., an das Bistum Bamberg gelangt, ist im 13. Jh. in
der Hand der Nürnberger Burggrafen, die dank königlicher Bewilligung 1328 befugt sind, Roßtal in eine befestigte Stadt zu
verwandeln.*

Die roman. Kirche, auf die die Krypta unter dem O-Teil des Langhauses der bestehenden **ev. Pfarrkirche** zurückführt, dürfte im Umfang
des Castellum noch vor Mitte des 11. Jh. erbaut worden sein, gestiftet
wahrscheinl. von der Gräfin Irmingard v. Hammerstein, einer Schwä-
gerin der Kaiserin Kunigunde. Ihr Grab ist noch im 16. Jh. bezeugt. –
Das Langhaus scheint im frühen 13. Jh. erneuert worden zu sein,

der Turm im späten 14., der Chor um oder nach Mitte des 15. Jh. Ein durch Blitzschaden veranlaßter Brand (1627) führt zum Einbau der Holztonne und der Emporen. – Von hoher kunstgeschichtlicher Bedeutung die H a l l e n k r y p t a : 5 Joche tief, 4 Joche breit, mit Stichkappentonne auf quadratischen Pfeilern, urspr. viell. unter einem Querschiff situiert, das dem bestehenden langgestreckten, westl. an den Turm anlaufenden 1schiffigen Bau abgeht. – Ein weiteres sehr beachtliches Baudenkmal ist das südwestl. benachbarte **(erste) Pfarrhaus**, das, wahrscheinl. um die Mitte des 15. Jh. errichtet, zu den ältesten erhaltenen Vertretern des Fachwerkbaus gehört: 2geschossig, im Erdgeschoß massiv, mit steilem, giebelseitig geschopftem Walmdach. In der Anlage geht auch das **(zweite) Pfarrhaus** südöstl. der Kirche in verhältnismäßig frühe Zeit, 16. Jh., zurück, wenn ihm auch die heutige Prägung erst 1689 gegeben wurde.

ROTH b. Nürnberg (Mfr. – D 4)

Urspr. Abenberger, dann Heidecker Besitz, kommt Roth 1292 an die Nürnberger Burggrafen. Seit 1361 ist es Stadt.

Eine N-S-Straße (Nürnberg – Augsburg) ist die organisierende Achse des einem Rednitz-Knie anliegenden **Stadt**körpers, an die die Kirche herantritt und die sich etwa in der Mitte zum Hauptplatz erweitert.

In der SW-Ecke liegt das markgräfl. **Schloß Ratibor**, das Georg d. Fromme 1535–37, wahrscheinl. durch den Ansbacher Baumeister Sixt Kornburger, aufführen ließ und mit dem schlesischen Namen benannte. Die davon unterrichtende Bronzetafel über dem Tor lieferte der Ansbacher Leonh. Kestl, 1538. Die für den Eindruck des Schlosses wesentlichen Türme kamen erst 1585 hinzu, sie baute der Ulmer Gideon Bacher. – Das urspr. von einem Graben eingehegte Schloß umgreift einen Rechteckhof. Der 3geschossige Hauptbau steht westlich. Hohe Zwerchgiebel charakterisieren den wuchtigen Quaderblock, der, Renaissance, doch aus recht nordischer Wurzel wuchs.

Ev. Pfarrkirche. Der spätgot., 1510 begonnene, von Meister Endres (Emhart, d. J.) geleitete Bau verwandelte sich 1732–38 unter den Händen des Ansbacher Baumeisters J. D. Steingruber in eine Saalkirche. Ein Brand, 1878, zwang zur Abtragung des Turmes, der durch einen neuen ersetzt wurde. Spätgotik läßt sich nur noch am Außenbau ablesen.

ROTHENBERG (Mfr. – E 4)

Urspr. burggräflich, dann, 1360, böhmisch, seit 1410 kurpfälzisch, seit 1478 Besitz einer Ganerbenschaft des fränkischen Adels (mit 44 Teilhabern) unter kurpfälzischer Oberhoheit, schließlich, seit 1601, bayerisch. Im Spanischen Erbfolgekrieg vom Feind genom-

men und geschleift (1703), 1715–43 als starke, doch in ihrer Höhen-
lage wenig zeitgemäße Festung vom Oberst de Coquille wieder-
aufgebaut.

Die massiven Kurtinen und Bastionen wohlerhalten, ohne sonderliche
architektonische Auszeichnung, es sei denn das Portal an der N-Seite,
doch großartig in der kahlen Wucht der Mauermassen, die im Blick der
unten vorbeiziehenden Autobahn Nürnberg – Bayreuth wie die Schroffen einer Felskrone wirken. – Die zugehörige kleine Stadt, eine Pflanzung der böhmischen Zeit, mit einer Pfarrkirche St. Wenzel, wurde
1449 von den Nürnbergern zerstört. Dann überwuchs sie der Wald.

ROTHENBURG o. d. Tauber (Mfr. – C 4)

Die Anfänge der Rothenburg verlieren sich in sagenhafter Frühe.
Im 10. und 11. Jh. besitzt sie ein auf der Comburg über Schwäb.
Hall waltendes Grafengeschlecht, das im frühen 12. Jh. zu Ende
geht. Kaiser Heinrich V. zieht die Rothenburg ein, um seinen
Schwestersohn, Herzog Konrad von Schwaben, den späteren König
Konrad III., mit ihr zu belehnen (1116). Staufisch bleibt Rothen-
burg bis zum Ausgang der Staufer. König Konrad muß 1142 die
vordere Burg, die Reichsfeste, erbaut, die hintere, alte Grafen-
burg aber den Burgvögten überlassen haben. Bei dieser staufischen
Burg erwuchs der Burgflecken (1103 schon »oppidum«, Burgstadt),
der dann die Burg aufzehren sollte. Angebl. 1172 legt ein kaiser-
liches Privileg den Grundstein zur Reichsfreiheit der nun schon
zur Stadt erblühten Siedlung. Ein Erdbeben, 1356, löscht das Mal-
zeichen der königlichen Stadtherrschaft, die Reichsburg, aus. Um
die Wende zum 15. Jh. erklimmt die Stadt unter ihrem starken
und kühnen Bürgermeister Heinrich Toppler die Höhe ihrer
Macht. Ein beträchtliches, von einer »Landhege« gesichertes Terri-
torium umgibt sie. 1524 bekennt sie sich zur Reformation, und so
steht sie auch im 30jährigen Krieg auf der Seite der Union. An
die Eroberung der Stadt durch Tilly knüpft sich die Sage vom
rettenden »Meistertrunk« des Altbürgermeisters Nusch. Aber der
Krieg bricht die noch im 16. Jh. so sinnfällig lebendige Kraft der
Reichsstadt. 1802 verdrängt der bayerische Rautenschild den Kö-
nigsadler. Abseitslage vom modernen Verkehr hindert die Stadt,
eine moderne zu werden. Sie fristet sich ohne Ehrgeiz. Dann wird
sie romantisch entdeckt. Nun erfaßt sie der wachsende Strom der
Reisenden, sie wird Wallfahrtsziel für alle Bildungsbeflissenen,
und heute muß sie jeder gesehen haben. Denn keine zweite deutsche
alte, alt gebliebene Stadt ist so berühmt wie diese, und ist's auch
mit Fug und Recht.

Die **Stadt** mag um die Mitte des 12. Jh., angelehnt an die
der Burg vorliegende Burgmannensiedlung, die »Herrengasse«, als planmäßige, auf den rechteckigen Markt ausgerichtete Gründung des staufischen Stadtherrn entstanden

Rothenburg, Grafenburg (Rekonstruktion)

sein. Der östl. Verlauf der ersten Stadtbefestigung läßt sich
in den Punkten: **Johannestor** (das nicht mehr besteht),
Inneres Rödertor, Weißer Torturm, Blauer Torturm (der
nicht mehr besteht) festlegen. Der westl. Verlauf dürfte
knapp hinter St. Jakob anzunehmen sein. Im 13. Jh. ist die
besiedelte Fläche bereits gut um das Doppelte über den
staufischen Kern hinaus vorgedrungen. Die neue Mauer-
umfassung verläuft nun über die Punkte: **Kobolzeller Tor**
(S), Inneres Spitaltor, Äußeres Rödertor, Würzburger Tor

(O), **Klingentor** (N), **Burgtor** (W) und wieder Kobolzeller
Tor. Diesen Ring übergriff im frühen 15. Jh. nur noch südlich der »Kappenzipfel«, die Spitalvorstadt bis zum **Äußeren Spitaltor**. Das 16. und frühe 17. Jh. bringen bastionäre
Verstärkungen hinzu am Äußeren Spitaltor 1547, am
Klingentor 1586, am Äußeren Rödertor 1615. Aber diese
Vorwerke änderten das mittelalterl. Bild der Stadtbefestigung nicht mehr ab. Die Prägung dieses Stadtkörpers ist
außen wie innen mittelalterlich, und ist's ja fast unvergleichlich. Daß die Lage über der tief eingefurchten gewundenen Tauber dem sich hier hoch und offen darbietenden
Antlitz der Stadt zu schönster Wirkung verhilft, braucht
nicht erst gesagt zu werden. Durchstreift man die Gassen
von meist gerader Führung (schon im ältesten Teil), so
wird man viel mehr als das einzelne (meist schlichte) Bürgerhaus bewundern die Art seines Zusammenstehens mit
den andern oder auch die Art seines Sich-Lösens von den
andern. Denn trotz aller Ordnung, aller Gleichwüchsigkeit
der fast stets giebelseitig zur Straße stehenden, meist
schmalhüftigen Bürgerhäuser ist doch die individuelle Be-
sonderung groß, bei im Grunde gleichem Habitus gleicht
doch keines dem andern, und die Geradläufigkeit des Gas-
sengangs hemmt doch die Wandung der Zeile nicht an freierer, zuweilen wohl auch eigensinniger Bewegung, zumal da,
wo das natürliche Gefälle des Baugrundes Zuschuß leistet,
wie etwa an der abwärts geneigten Schmiedgasse und sonderlich an ihrem Ende, am **Plönlein**, am **Siebersturm**, oder
im steilen Abwärts zum Kobolzeller Tor. Das »monumentale« Rothenburg präsentiert sich selbstverständlich da, wo
die Herzkammer des Stadtwesens ist, am **Markt** und der
ihm zugehenden, ihm räumlich auch schon zugeordneten breiten **Herrnstraße** (Herrnmarkt). Der die Obere
Schmiedgasse Heraufkommende ergreift die große vielteilige schmuckreiche Masse des Rathauses, stößt aber zugleich
auch schon, an den beiden Giebelstirnen vorbei, in die
Herrnstraße vor, die ihrem Namen fast Haus für Haus
– stattliche, selbstbewußte Häuser, und doch kaum je mehr
bietend als das vom Zweck Geforderte – Ehre macht.

Ehem. Burg. Sie erlag 1356 einem Erdbeben. Kaiser Karl
IV. überließ sie, auf Wiederaufbau verzichtend, der Stadt.
Übriggeblieben ist die **Kapelle** (St. Blasius), urspr. wohl

Rothenburg, Plönlein

eine Doppelkapelle wie die Nürnberger Burgkapelle. Die
prächtige Quadermauerung (Buckelquadern) ist ins späte
12. oder frühe 13. Jh. zu datieren.

Prot. Stadtpfarrkirche St. Jakob

*Eine ältere Kirche (St. Kilian?), abhängig von der Pfarrkirche in
Dettwang, muß in der 2. Hälfte des 12. Jh. entstanden sein. Sie
kam 1258 (mit Dettwang) an den Deutschen Orden, der die noch
im 13. Jh. mit dem Pfarrecht begabte bis zur Reformation inne-*

hatte. – Der große Neubau nahm, lt. Inschrift neben der Ehetür, 1373 seinen Anfang. Der Chor muß allerdings, nach Aussage der Stilformen, schon im frühen 14. Jh. entstanden sein. 1388 bischöfliche Genehmigung zum Niederlegen des Langhauses (der älteren Kirche). In den 20er Jahren des 15. Jh. schließen sich die 4 O-Joche des Langhauses, in den 30er Jahren dürften die westl. Teile fertig geworden sein. Nur die Hl. Blutkapelle, die, wie ein Gegenchor, die W-Seite beschließt, kam 1453–71 hinzu; auch die Türme, deren nördlicher die Fundamente des roman. Vorgängers nützen konnte, erreichten erst nach der Mitte des Jahrhunderts ihre Endhöhe. Eine Weihe fand 1464 statt. Die am Bau beteiligten Meister kennen wir nicht vom ersten an; Konrad Heinzelmann, der 1438/39 hervortritt, war wohl schon der dritte. Dieser bedeutende Meister übernahm dann die Bauführung von St. Lorenz in Nürnberg, in Rothenburg ersetzte ihn ein nicht minder guter, der ältere Nikolaus Eseler, der sich schon an den großen Stadtkirchen von Nördlingen und Dinkelsbühl erprobt hatte. Seit 1471 leitet den schon weitgehend vollendeten Bau der Nürnberger Hans Müllner. – Das im Laufe der Zeiten hinzugekommene Inventar räumte der Restaurator des 19. Jh., Heideloff, großenteils wieder hinaus.

Ä u ß e r e s. St. Jakob ist eine 3schiffige Basilika mit 1schiffigem, 4 Joche tiefem, 5seitig geschlossenem Chor, an dessen Flanken die beiden Türme stehen, die, stattlich schon durch ihre Zweiheit, doch dem sehr langen, durch *eine* Firstlinie bestimmten Zug von Hochschiff und Chor nicht als überlegene Steilbildungen entgegentreten. In schweren, geschlossenen Würfelgeschossen aufsteigend, öffnen sie sich erst in den beiden Obergeschossen, deren südliche durch die gereihten Blenden schön geschmückt sind, um dann in die Steinpyramiden der ungleich hohen Helme einzustrahlen. Nur Streben und (am Langhaus) Strebebogen gliedern, im übrigen wirkt der mächtige Bau durch seine Fügungen, die an die karge Schlichtheit der großen Bettelordenskirchen erinnern. Auch die Pforten prunken nicht, reicher ist nur die (südöstl.) *Ehetür*, der ein kielbogig geschlossenes Vorzeichen Rang verleiht. Der Baustein ist Sandstein, Kalk brachte erst der Restaurator hinzu. – I n n e r e s. Hohe Arkaden, deren Spitzbogen absatzlos den Pfeilern entwachsen, die wieder absatzlos die Gurte des Kreuzgewölbes aufnehmenden Runddienste getrennt, aneinander, die leicht zurückgesetzte Wand des Hochgadens ist kahl, nur in kleinen, in die Dachräume der Seitenschiffe führende Rechteckluken aufgebrochen. Westlich eine von 2 Bogen unterfangene Empore, über die hinweg der Blick in die durch eine Durchfahrt gehobene *Hl.-Blut-Kapelle* vordringt; diese 5seitig schließend wie der Chor und mit einem reichen Netzgewölbe gedeckt. Der Eindruck des großartigen, schlicht monumentalen Raumes wird durch die steilen Verhältnisse bestimmt, die Senkrechte herrscht, keine Waagrechte konkurriert.

Ausstattung. Einige Werke hohen Ranges entschädigen für die vom Restaurator hinterlassene Leere. Die ausgezeichnete *Steinmuttergottes* in der sog. Häuptleinkapelle (einer der dem Langhaus anliegenden 4 Seitenkapellen) dürfte, um 1360 zu datieren, aus dem Vorgängerbau herübergekommen sein. Das *Sakramentshaus* (Nische) an der N-Wand des Chores mit reicher Rahmenarchitektur gehört der Zeit um 1400 an, die großen Statuen seitlich des Gnadenstuhls über der Nische tragen Nürnberger Stilprägung. Hervorragende Leistungen des mittleren und späten 15. Jh. sind die *Glasscheiben* der 3 Chorfenster; die des mittleren dürften, trotz älterer Stilistik, doch erst in die 80er Jahre des 14. Jh. gehören. Der *Hochaltar* steht unter den berühmten der deutschen Spätgotik. 1466 geschaffen, ist er einer der frühen großen Schrein-Flügelaltäre. Die Schreinplastik (der Schrein ist das Werk des Nördlinger Schreiners Hans Waidenlich), der Gekreuzigte zwischen Maria und Johannes in der überhöhten Mitte, Jakobus und Elisabeth (links), Leonhard und Antonius Eremita (rechts), weist in den Kreis des Ulmer Meisters Hans Multscher; die gemalten Tafeln der beiden beweglichen Flügel sind (inschriftlich beglaubigte) Werke des Nördlinger Stadtmalers Friedr. Herlin, rühmliche Leistungen der im Banne der großen Niederländer stehenden altdeutschen Tafelmalerei der 2. Hälfte des 15. Jh.; die Ansicht des Rothenburger Marktes auf einer der Jakobuslegenden ist eine der ältesten städtebaulichen Bildurkunden, die wir besitzen. Berühmter noch als dieser Flügelaltar ist der 1965 an seinen urspr. Standort, die Hl.-Blut-Kapelle (W-Empore), zurückversetzte *Hl. Blutaltar* Riemenschneiders. 1499 nahm der Rothenburger Schreiner Erhardt das Gehäus in Angriff, doch ist anzunehmen, daß Riemenschneider, der 1501 für das Schnitzwerk beigezogen wurde, die eigentümliche Kapellenarchitektur der Schreinrückwand vorzeichnete. 1505 ist Riemenschneider fertig. Thema des Flügelaltars ist die Passion, das Abendmahl in der Mitte.

Ehem. Franziskanerkirche

1285 wurde sie begonnen, 1309 der Chor geweiht. In der nächsten Folge, jedenfalls in der 1. Hälfte des 14. Jh., entstand das Langhaus. Die Kirche ist also ein einheitlich frühgot. Bau.

Der lange, doch auch sehr hohe Chor zählt 6 Schmaljoche und schließt 3seitig. Das 3schiffige Langhaus ist flach gedeckt, breite und hohe Arkaden, deren Bogen ohne Trennung den Rundpfeilern entwachsen, verbinden die Schiffe.

Ein spätgot. Lettner stellt sich zwischen Langhaus und Chor.
Daß keines der franziskanischen Kirchenspezifika fehle, entwächst der N-Mauer des Langhauses an der Grenze zum
Chor ein 8eckiger Dachreiter, dessen Steinkörper nun allerdings des ihm zuteil gewordenen Schmuckes, der Blenden,
Wimperge, Friese, Krabben, froh ist, auch ein spätgot. Nach-
zügler. – Aus einem einst sehr reichen Bestand an Grabsteinen sind einige gute übriggeblieben, wie der des Hans und
der Margarethe von Beulendorf (1496, 1504) oder der des
Dietrich von Berlichingen (1484). Beachtliche Steinbildwerke
sind die Muttergottes an der N-Seite (um 1400) und der
hl. Liborius am Lettner (1492). Der gute Franziskusaltar,
vor dem Lettner, ist um 1490 anzusetzen.

Johanneskirche. Die 1393–1403 errichtete Kirche des Johanniterhofes
(der, bis auf das roman. Portal, 1718 in die heutige Erscheinung gebracht wurde) wird im Innern 1604 ff. umgestaltet. Nur das Äußere
zeigt noch den alten got. Körper, dem der südl. vorliegende barocke
Fischbrunnen zu anmutiger Zier gereicht.

Wolfgangs- oder Schäferkapelle. Sie steht an der Stadtmauer beim Klingentor, selbst ein Teil der Stadtmauer. Ein Netzgewölbe deckt den
1schiffigen Raum, breit gespannte Maßwerkfenster öffnen die S-Seite.
Lt. Inschrift neben der Tür wurde sie 1475 begonnen.

Kobolzeller Kirche. Im Tal unter der Stadt, ein Wallfahrtskirchlein,
1472–79 gebaut, im 16. Jh. profaniert und 1853 von Heideloff restauriert. Der doppelte Wendelstein im Treppenturm ist eine originelle
Probe spätgot. Steinmetzenkönnens.

Spital

*1281 wurde es außerhalb der Mauern errichtet. Von der mittel-
alterl. Anlage hat sich, außer der Kirche, wenig erhalten; auch die
Kirche, deren runder, oben 8eckiger Turm (an der N-Seite des
Chores) zu rühmen ist, steht, 1591 erneuert, nicht mehr in der
Ursprünglichkeit der Gründung.*

Der große 3geschossige Spitalbau ist Werk des Stadtbaumeisters Leonh. Weidmann, 1574–78. Der einfache, sparsam
behandelte Block entschließt sich nur im Portal zur Archi-
tekturgebärde. Im Innern ist eine bemerkenswerte Wendeltreppe und sind, im Obergeschoß, 2 vorzügliche steinerne Renaissance-Portale. Auch der große getäferte Saal
sei beachtet. – Im Hof (die vielteilige Anlage ist noch rings
ummauert) steht eine der baulichen Kostbarkeiten Rothenburgs, das auch hinlänglich berühmte **Hegereiterhaus** (Haus
des Spitalbereiters), das, 1591 begonnen, auch ein Werk des
Stadtbaumeisters ist. Ohne viel Aufwand, wirkt es doch

stark durch die Zusammenstellung der Teile: des Hauses, das ein 2geschossiger Würfel ist, des hohen Zeltdaches, das dem Würfel aufgesetzt ist, des runden Treppenturmes mit der bekrönenden offenen Laterne, der ihm vorgelegt ist.

Rathaus

Nur wenige unter den deutschen Rathäusern können sich mit ihm vergleichen. Daß der Doppelbau 2 verschiedenen Zeiten angehört, liegt vor Augen, und doch verbinden sich beide zwanglos zu einer Gruppe. Der vordergründige Renaissance-Bau, der die Aufmerksamkeit kraft stärkerer Dimension, mehr noch kraft seiner reichen Gliederungen zunächst auf sich lenkt, zeigt sich in seiner Giebelfront doch noch erstaunlich gleichartig der des angrenzenden älteren (ins 13. Jh. zurückreichenden), got. Baues: man streife ihm das Dekorum ab, und man wird eines ganz gleich geformten Hausgesichtes gewahr werden.

Ein Brand des vorderen Saalbaues legte, 1501, den Platz für den Neubau frei, der aber erst 1572 in Angriff genommen wurde. Die Visierung, die 1568 Leonh. Weidmann, der spätere Stadtbaumeister, vorlegte und die 1570 der eben am Schweinfurter Rathaus bauende Nikolaus Hofmann begutachtete, dürfte dem Bau zugrunde gelegt worden sein, den bis 1573 der Nürnberger Wolf Löscher, dann der Steinmetz Hans von Annaberg leitete (denn Weidmann wurde erst 1575 Meister; er arbeitete als Steinmetz mit, ein bedeutender Teil der Bauplastik ist auch von seiner Hand).

Starke Horizontalen gliedern den Block, die gereihten, meist zu Paaren gruppierten Fenster mit ihren gleichläufigen Gesimsverdachungen verstärken das »Liegen« der Geschosse, dann aber sorgen der »stehende« Körper des Treppenturms (der nicht in die genaue Mitte gestellt ist) und der 3geschossige Erkerturm doch wieder für die alte Steilung, die ihre ganze Befriedigung in dem der Giebelfront des älteren got. Anliegers schlank entwachsenden, oben ins Achteck übergehenden Turm erfährt. Bringt der ältere Bau die im jüngeren enthaltenen Hochstrebungen zum Abschluß, so kommt auch seiner harten, kargen Mauerstirn ein steigernder Wert zu; denn sie erst läßt den Reichtum des jüngeren Hauses so reich erscheinen. Die 1681 vorgelegte Rustika-Altane hat wohl den »altdeutschen« Charakter dieses Meisterwerkes deutscher Renaissance (durch ihr anderes, nun strenges Verhältnis zur Symmetrie) etwas abgeschwächt. Lassen wir sie aber gelten; den Umriß der

Gruppe hat sie noch einmal bereichert. – Im I n n e r n sei
auf den reizvollen Wendelstein (des Treppenturms) und auf
den Großen Saal (im got. Bau) mit der feinen Gerichts-
schranke von der Hand Weidmanns hingewiesen.

Fleisch- oder Tanzhaus. Die Erdgeschoßhalle mit ihren auf stämmigen
Säulen ruhenden Kreuzgewölben darf in die 1. Hälfte des 13. Jh. gesetzt
werden. Neuerdings wurde das schöne frühe Fachwerk der Obergeschosse, das in die 1. Hälfte des 15. Jh. gehört, freigelegt.

Sog. Baumeisterhaus (Ob. Schmiedgasse). 1596 baut es, für
den Ratsherrn Michael Wirsching, der Stadtbaumeister
Leonh. Weidmann. Eines der wenigen Häuser, die mit höherem Anspruch, mit Architektur-Ehrgeiz auftreten, hält
es sich doch an die hergebrachte Ordnung der Straßenzeile.
Verbindet es sich, als hoher Giebelbau, im Wuchs mit seinen
Nachbarn, so entfaltet es nun seinen Reichtum neumodisch-
antikischer Art, seine Renaissance, in der Gliederung der
massiven Sandsteinfassade, die durch die starken horizontalen Gesimse, die enge Reihung der Fenster und durch die
die Fenster rahmenden, die Gesimse stützenden Karyatiden
(die 7 Tugenden und die 7 Laster) charakterisiert ist. Die
sonst enge Symmetrie lockernd, tritt das Portal aus der zu
erwartenden Mitte auf die linke Seite.

Gymnasium. Werk des Stadtbaumeisters Leonh. Weidmann, entsteht es
1589–91. Horizontale Gesimsbänder trennen die 3 Geschosse, deren unteres sich in 2 feinen Portalen öffnet. Die Fenster sind paarig geordnet,
das hohe Satteldach ist mit vielen Gauben besetzt. Daß die Senkrechte
nicht fehle, tritt ein 8eckiger, schräg befensterter, mit welscher Haube
bedeckter Treppenturm vor die Front.

Georgs-Brunnen. 1608 errichtet, ein wesentlicher Faktor im Platzgefüge
des Marktes: über 12seitigem Becken steigt die Säule auf, die der Dra-
chenkämpfer beschließt.

Topplerschlößchen. 1388 baute es im Tauber-Grunde der Bürgermeister
Heinrich Toppler. Der Rat begründete den Bau mit der besseren Überwachung der Tauber-Mühlen; er verfügte genau: Toppler solle »einen
steinernen Sitz zwei Gaden hoch und ein Haus darauf bauen«. Diesen
Angaben entspricht die Erscheinung des »Schlößchens«: auf 2geschossi-
gem massivem Unterbau ein Oberbau in Fachwerk.

Die in die Talansicht der Stadt so wirkungsvoll einbezogene **Tauber-
Brücke,** 1945 gesprengt, wurde inzwischen, mit verkleidetem Betonkern
und Verbreiterung der Fahrbahn um etwa 1 m (jetzt teilweise 6,40 m),
wiederaufgebaut. Sie gehörte schon als Doppelbrücke zu den bedeuten-
sten Monumenten mittelalterl. Brückenbaukunst. Die untere Bogenreihe datierte um 1330, die obere um 1400. Die Wiederherstellung
konnte den urspr. Aspekt wenigstens auf der der Stadt zugekehrten
Seite bewahren.

Schwabach. Marktplatz mit Schönem Brunnen,
Rathaus und Pfarrkirche

Schloß Seehof

Wenig unterhalb an der Tauber liegt **Dettwang**, dessen Kirche die Mutterkirche Rothenburgs ist. Das Dorf war Reichslehen der Herren von Nortenberg, die es 1383 an die Stadt Rothenburg überlassen müssen. Die im Mauerkern noch roman. **Kirche** öffnet ihren vom Turm überbauten Chor in 3 got. Arkaden ins flachgedeckte Langhaus. Die mittlere Chorarkade gibt den Blick auf den *Riemenschneiderschen Kreuzaltar* frei, der bis 1563 in einer Rothenburger Kirche stand, wahrscheinl. in der (im 19. Jh. abgetragenen) Michaelskapelle bei St. Jakob. Teile gingen bei der Übertragung verloren. Statt der entstellenden Braunbeizung denke man sich das natürliche helle Lindenholz (wie in Creglingen). Zeitlich ist dieses Werk des großen Meisters nach den Altären in Rothenburg und Creglingen, also etwa um 1515, anzusetzen.

ROTHENFELS b. Neustadt am Main (Ufr. – C 2)

Ein Grumbach baut 1148 auf dem Grund des flußab benachbarten Klosters Neustadt die Burg, die er und seine Erben dann als (nicht mit Freude gewährtes) Klosterlehen besitzen. Nach dem Erlöschen der Grumbach 1243 folgen die Rieneck nach. Da sich diese seit 1315 vom Hochstift Würzburg belehnen lassen, kann sich dieses nach dem Abgang der Rieneck-Rothenfels, zunächst allerdings nur teilweise, 1387 aber ganz, in Besitz setzen. Seit 1474 ist Rothenfels Sitz eines hochstiftischen Amtmanns. Stadtrechte dürfte es im frühen 15. Jh. erworben haben. 1803 kommt es an die Wertheim-Löwenstein-Rosenberg, nach deren Mediatisierung 1806 an das Fürstentum Aschaffenburg, endlich, 1814, an Bayern. Die Burg ist seit 1919 Besitz des Bundes Quickborn, seit 1939 der »Vereinigung der Freunde der Burg Rothenfels«, die sie als Jugendherberge und Tagungsort aufs beste nützt.

Burg. Die auf keilförmig zugeschnittenem Höhenzug über dem Main-Tal liegende, südl. und östl. durch natürliche Steilhänge geschützte, ausgedehnte Wehranlage besteht aus vorgreifender Haupt- und zurückliegender Vorburg. Ringmauer und Bergfried, romanisch, können auf die Grumbachsche Gründung des 12. Jh. zurückgehen. Roman. Mauern stecken auch noch im Palas. Die den Hof umstellenden, unterschiedlich zu den Buckelquadermauern des Hochmittelalters in Bruchstein aufgeführten Wohngebäude entstammen dem frühen 16. Jh. Das reizvolle, aber allzu leichte Haupttor ist ein Supplement des späten 16. Jh. (auch die seitlich an-

grenzenden Gebäude). Die Vorburg ist durch einen nur kleinenteils erhaltenen, 1934 großenteils zugeschütteten Halsgraben gegen den Bergrücken gesichert. Auch sie lag im Schutz
einer wohl erst im 16. Jh. errichteten Ringmauer, die sich im
NO und SO durch etwas ältere Wehren mit der Stadt unten
verband. – Im Einschluß der Vorburg, mit westl. Zugang
(Torhaus), eine Reihe von **Wirtschaftsgebäuden**, die im
Kern, nicht mehr in der Haut, ins 16. und 17. Jh. zurückgehen. Nur das weiland fürstbischöfl. Amtshaus an der O-
Seite, behäbig stabiler 2geschossiger, mit Mansarde behaubter Bau der Seinsheim-Zeit (1755/79), hat noch unverfälsch-
tes Zeitgesicht.

Die kleine Stadt in der Enge zwischen Berg und Strom, die kleinste
Bayerns, erfreut durch gute Gassenblicke. Das **Rathaus** vergleicht sich
mit dem von Lohr und wurde auch, 1598/99, nach dem Riß des gleichen
Meisters, Michel Imkeller, gebaut: 3geschossiger, geschweift gegebelter
Block, verputzt, mit Buntsandsteingliederungen, das Erdgeschoß mit
aller Lust der (doch ganz altfränkischen) Renaissance geschmückt. – Die
kath. Pfarrkirche wird 1610/11 unter Bischof Julius von Grund auf
erneuert. Der Steinmetz Peter Meurer baut sie. Turm 1750. Die Ausstattung hat Proben bester »nachgot.« Steinmetzenkunst vorzuweisen: das
Sakramentshaus von 1613, die Kanzel von 1616 und den Taufstein von
1613, alle von gleicher Würzburger Hand.

ROTT am Inn (Obb. – D 8)

Ehem. Benediktinerklosterkirche St. Marinus und Anianus

*1081 oder wenig später stiftet Pfalzgraf Kuno von Rott das Klo-
ster im Gedenken an seinen Sohn, der bei Höchstädt a. d. Donau
für Kaiser Heinrich IV. gefallen war. Eine erste, vermutl. noch
sehr kleine Kirche wurde in der 2. Hälfte des 12. Jh. durch einen
Neubau ersetzt, der sich als eine 3schiffige Basilika ohne Querschiff, mit östl., an den Enden der Seitenschiffe stehenden Türmen
rekonstruieren läßt. Von diesem durch die Hirsauer »Gewohnheiten« bestimmten Quaderbau, der in Länge und Breite wenig
hinter dem barocken Nachfolger zurückblieb, stehen noch die
Untergeschosse der beiden Türme. Im nördlichen blieb das roman.
Apsisbild einer Muttergottes erhalten. Um die Mitte des 18. Jh.
entschließt sich der von den beiden Augsburger (Wessobrunner)
Stukkatoren Fz. X. Feichtmayr und J. Rauch beratene Rotter Abt
Benedikt Lutz, die alte Kirche zu erneuern, doch mit Beibehaltung
ihres Mauerbestandes; er läßt sich aber dann für einen gänzlichen
Neubau, als die bei wenig höheren Kosten vorzuziehende Lösung,
gewinnen und legt ihn in die Hände Joh. Mich. Fischers. Daß er
auch die besten Künstler für die Ausstattung beruft, neben den
schon genannten Stukkatoren den Augsburger Maler Matth. Gün-*

ther und den Münchner Bildhauer Ignaz Günther, zeugt für den hohen Grad seiner Urteilsfähigkeit. – Mit dem Klosterbau war schon früher, 1718, nördl. der Kirche begonnen worden. Im Jahre der Grundsteinlegung der Kirche, 1759, wuchs auch der Flügel an der S-Seite auf. Der Neubau der Kirche schreitet ungewöhnlich rasch voran, 1760 ist er schon gewölbt (Holzwölbungen), 1763 wird er geweiht, die Vollendung der Ausstattung zieht sich allerdings bis 1767 hin. – Nicht viel mehr als ein Menschenalter später verfällt Rott der Säkularisation (1803). Die Klostergebäude gehen bis auf die westlichen, die in der Front der Kirche fluchten, ab. Die Kirche fristet sich als Pfarrkirche. 1961–63 wurde sie glücklich restauriert.

Ä u ß e r e s. Standort, mit weiten Horizonten, ist das Hochufer des Inn. Die Türme (deren nördlicher 1802 bis auf das Erdgeschoß abgetragen wurde) sind geringen Gewichts. In altbayerischen Kirchen ist meist wenig an das Äußere gewendet. Rott ist typisch. Auch die zu einigem Aufwand verpflichtete Fassade gibt nicht an: eine 3teilige Hochfront, eingepaßt in die anschließenden Klostertrakte, die Mitte von Pilasterpaaren gerahmt, das ganze von kurvig geführtem Giebel, mit Benediktus-Nische, beschlossen. – I n n e r e s. Das Bauareal, ein langes Rechteck, war durch die Klostertrakte und die beiden Türme im O vorgezeichnet. Und wieder einmal, wie so oft, erwies Fischer seine Meisterschaft in der Beschränkung. Das einfache, nur an den Mitten der Langseiten in Vorstößen erweiterte Rechteck schließt einen an Differenzierungen reichen Raumorganismus ein. – Die Folge der an der W-O-Achse aufgereihten Räume ist diese: 1. eine Vorhalle, verhältnismäßig tief, von Abseiten begleitet, doch keine Höhe gewinnend, da sie sich mit der Orgelempore, über ihr, in die Höhe teilen muß; 2. ein rund überkuppeltes Quadrat (Laienhaus), mit Abseiten, die Emporen tragen; 3. ein großes zentrales Achteck mit flachen rechteckigen Ausweitungen an den Breitseiten nördlich und südlich; 4. ein weiteres, dem ersten entsprechendes Quadrat (Presbyterium); 5. ein doppelgeschossiger Raum (Mönchschor), der aber, durch eine Wand abgeriegelt, ohne Teilhabe am Gesamtraum ist. – Der Blick von W her stößt, der Längsachse folgend, zunächst zum groß die Chorwand besetzenden Hochaltar vor, kehrt aber dann, nach diesem Vorgriff, in den sammelnden Raum der großen, schon durch das farbige Rund der Kuppelfläche stark anziehenden *Rotunde* zurück. Dieser in der Querachse über die Umfassung des Rechtecks hinausgreifende Raum der Mitte, dem sich die beiden kleineren Quadrate, Laienhaus und Presbyterium, zuordnen, ist an den in der Breite zurückstehenden Diagonalseiten von je 2 polygonen Kleinräumen – Kapelle unten, Empore oben – begleitet, die eine äußere, mit Licht gefüllte Raumschicht um die innere legen. Diese äußere Raumschicht setzt sich in den benachbarten Quadraten, Laienhaus und Presbyterium, in den Emporen der Abseiten fort; Laufgänge, die (nicht sichtbar) in der Mauer liegen, verbinden die einzelnen Hüllräume. Nur in den Breitseiten der Rotunde, nördlich und südlich, steht eine einschichtige, das Licht durch ein hohes Fenster einlassende Wand. Nehmen wir den Standort in der Rotunde und wenden wir uns gegen den Eingang zurück, dann liegt, beschattet, das Laienhaus vor uns, das sich in die durchhellte Orgelempore über der Vorhalle öffnet; denn hier strömt wieder, vom hohen Fenster der W-Wand durch die freie Mitte des Orgelprospekts, das Licht des Tages zu.

Rott ist ein Spätwerk des großen Baumeisters und zugleich ein Spätwerk des nun schon vom aufkommenden Klassizismus bedrohten Barock, vergleichbar der letzten Kirche Balth. Neumanns, Neresheim. Wir finden noch keine der üblichen Vokabeln des Klassizismus, wir spüren nur aus bestimmten Formveränderungen heraus seine Nähe. Es läßt sich, gegenüber früheren Raumschöpfungen Fischers, wie Aufhausen oder Berg am Laim (die zu den genetischen Voraussetzungen der Rotter gehören), eine gewisse Beruhigung der von den Architekturgliedern bewirkten Raumbewegung feststellen. Es fehlt die Säule, es herrscht wohl noch die Kurve, aber sie bevorzugt das reine Rund des Kreises oder Halbkreises; und sieht man auf die Profile des Gebälks über den Pfeilern (die nie übereck stehen), so wird man eine aufkeimende Lust an der Geraden, der reinen Geraden, wahrnehmen. Der keineswegs einfache, vielmehr hochdifferenzierte Raumorganismus und die reiche Ausstattung lassen aber diese Simplifizierungen doch kaum schon wirksam werden. Rott ist trotz der späten Zeitlage eine der reifsten Raumgestaltungen des um die Synthese von Lang- und Rundräumen bemühten Spätbarock. *(Tafel S. 769.)*

A u s s t a t t u n g. Das Werk der Stukkatoren tritt nicht auffällig hervor, was sicher mit den auf Klärung der Flächengrenzen gerichteten Tendenzen des Baumeisters zusammenhängt. Die Stukkaturen sitzen aber doch an den funktionell wichtigen Stellen des

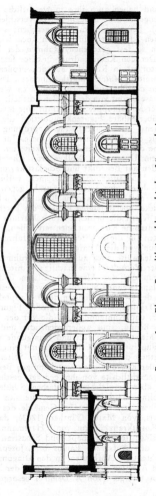

Rott am Inn, Ehem. Benediktinerklosterkirche, Längsschnitt

Raummantels und haben auch ihre so wesentliche barocke Aufgabe, die Flächengrenzen zu überspielen, zu verschleifen (und also zu verunklären), keineswegs schon aufgegeben; siehe etwa die großen, in kühnen Schwüngen hingesetzten Rocaillekartuschen, die den (doch schon so fest gezogenen) Rahmen der Zentralkuppel übergreifen. – Der den Raumeindruck insbesondere bestimmende Ausstattungsfaktor ist in Rott die auf den großen Flächen der Kuppeln ausgebreitete *Malerei* Matth. Günthers. Die Deckenfresken, diese Zonen der überwirklichen, visionären Welt, sind durch die Rahmengesimse betont von den weißen lichthellen Wandflächen abgesetzt. An der Mittelkuppel verherrlicht eine mächtige, im einzelnen fast unübersehbare Figurenkomposition die Heiligen des Benediktinerordens. Die konzentrische Anordnung der Figurenränge wiederholt das Rund der Kuppelschale. Im Himmelskreis der Scheitelfläche die Glorie der Dreifaltigkeit; um sie ein Kranz von Engelschören. Unter dem Wolkenthron schwebt Maria; sie wirft Lichtstrahlen auf Benedikt und Scholastika, die sich mit ihr zu kompositionell herausgehobener Dreiheit verbinden; in der Mitte, zwischen ihnen, der einen Blitzstrahl gegen den Drachen schleudernde Erzengel. Die das reine Rund in Ausbuchtungen in die Gewölbezwickel übertretenden Fresken des Presbyteriums und des Laienhauses feiern die beiden Patrone Marinus und Anianus. Auch hier konzentrische Kompositionen mit hellen, gleichsam offenen Scheitelmitten für die in ihrer Glorie auffahrenden Heiligen. – Treten wir nun vor die Altäre; sie sind, von Ignaz Günther entworfen und teilweise auch ausgeführt, berühmteste des deutschen Barock. Der *Hochaltar*: eine mächtige Architektur, tektonisch straff im Aufbau der das Altarblatt (Marin und Anian, von J. Hartmann) flankierenden Säulen, doch von freiester Entfaltung im Aufsatz mit der (wie alle Figuren der 3 Hauptaltäre marmorweiß gefaßten) Trinität. Die überlebensgroßen Figuren seitlich des Sockels, Heinrich und Kunigunde, und die vor den Säulenpaaren, Korbinian und Benno, sind außerordentliche und beispielhafte Leistungen des Meisters; Heinrich und Kunigunde unvergleichbar in der Verbindung fürstlicher Erhabenheit mit einer fast tänzerischen Beschwingtheit der Gebärde. Die beiden Seitenaltäre an den Fensterwänden der Rotunde ohne eigenhändigen Beitrag des Meisters, doch aufs ersichtlichste von ihm geprägt, geschaffen von seinem begabten, aber vergleichsweise derben Schüler-Helfer Jos. Götsch aus Aibling; Säulenarchitekturen, die sich oben, in den Volutenbaldachinen, frei öffnen. Das Gemälde des einen (links), Kreuzigung Petri, von Matth. Günther (1763), das des andern (rechts), Maria-Rosenkranzkönigin, von J. Hartmann. Die vortrefflichen Figuren sind: Johannes Bapt. und Sebastian bzw. Florian und Georg, in den Aufsätzen Paulus bzw. Joseph. – Kleinere Altäre, ohne prätentiöse Aufbauten, in den Diagonalkapellen der Rotunde, in den Abseiten des Laienhauses und der Vorhalle. Ihre Figurenpaare, in farbiger (von A. Demmel besorgter, 1867 korrumpierter) Fassung, sind liebenswürdigste, das Heiter-Profane, bis zum Modischen, ins Heilige einkreuzende Bildschöpfungen des Rokoko. Die an den beiden Altären in den Abseiten des Laienhauses sind eigenhändige Werke Günthers: Gregor d. Gr. und Petrus Damianus (links), Isidor und Notburga (rechts). Der hl. Kardinal Petrus Damianus: ein feiner kühler Prälat, hochmütig, herablassend, weltkundig, skeptisch, »aufgeklärt«, tolerant; die tirolische Bauernheilige Notburga: ganz ländliche Unschuld, naiv, entzückend naiv, und so nicht ganz frei von Verdacht, das alles mehr zu scheinen als zu sein. Die Figurenpaare der anderen Seitenaltäre alle von Götsch; wir führen an: die am Altar der nordwestl. Diagonalkapelle, zu Seiten des von Matth. Günther gemalten Altarblatts (Joh. Nep.), Augustinus und Ambrosius; die am Altar der nordöstl. Kapelle, Elisabeth und Katharina – die Büste des hl. Anian auf der Mensa ein feines Werk Ign. Günthers –, und die am Altar der südöstl. Kapelle, Helena und Dismas (der gute Schächer). Die geistige Vaterschaft Günthers ist ihnen allen deutlich aufgeprägt. Wo diese fehlte, wie offenbar bei den Altären der Vorhalle, kam nur Handwerkliches zustande. – Betrachten wir am Ende noch das einzige Stück Mittelalter, das sich, neben den Turmstümpfen, in den Neubau des 18. Jh. hinüberretten konnte, das rotmarmorne Stifterehrengrab in der Vorhalle, eine Tumba, mit den beiden Pfalzgrafen, Vater und Sohn, im Hochrelief auf der Deckplatte, kein hervorragendes, aber ein ansehnliches, in seiner Gesamtheit doch schönes Werk, das, 1485, vermutl. von Wolfgang Leb, Wasserburg, geschaffen, in der alten Kirche an sichtbarster Stelle, vor dem Chor, gestanden haben dürfte.

ROTTACH-EGERN (Obb. – D 8)

Pfarrkirche St. Laurentius. Der ansehnliche, mit dem spitzbehelmten Turm das südl. Seeufer akzentuierende Bau der bis 1803 dem Tegernseer Kloster zugehörigen Pfarrkirche entsteht in der 2. Hälfte des 15. Jh. Die etwas derbe, aber reizvolle Stuckausstattung eines Miesbacher Meisters (Mart. Fischer) kommt 1671/72 hinzu. Die in Halbsäulen verwandelten Wanddienste sind von Ranken umsponnen, mit prunkenden Kapitellen ausgestattet. Alle Wölbungen reich ornamentiert. Die Mirakel eines Gnadenbildes, einer spätgot. Muttergottes (Marienaltar), veranlassen westl. Erweiterung, 1711. Die von heimischen Meistern ausgeführten Altäre (1685/86 die seitlichen, 1694–97 der Hochaltar) vollenden das gute, warme, in den got. Mauern barock abgestimmte Raumbild. Das Hochaltarblatt ist Werk des Asam-Vaters Hans Georg (1690); die Drehsäulen und der Gottvater im Auszug erst 1796. Die Kanzel 1751. – Wir schließen mit einem Blick auf die 4 Votivtafeln an der N-Wand, erinnernd an die Sendlinger Mordweihnacht (1705) und an die Kriege von 1812 (Rußland, Polozk), 1866 und 1870/71. – Am N-Eingang des **Friedhofs** (mit den Gräbern Ganghofers, Ludw. Thomas und Leo Slezaks) die **Totenkapelle** von 1508.

Auferstehungskirche (in Rottach), 1955, von O. A. Gulbransson.

ROTTENBUCH (Obb. – C 8)

Ehem. Augustiner-Chorherrenstiftskirche Mariae Geburt

Herzog Welf I. ist der Stifter, 1073; Bischof Altmann von Passau, der Förderer der eben damals aufkommenden Regel der Augustinerchorherren, war sein Helfer. Als gregorianisches Reformkloster entfaltete das junge Stift über der Furche des Ammer-Tals eine weithin wirkende kirchenpolitische Tätigkeit. Seit dem 12. Jh. ist es Sitz des Freisinger Archidiakonats Rottenbuch. – Die wahrscheinl. nach 1085 begonnene, im 2. oder 3. Jahrzehnt des 12. Jh. vollendete roman. Kirche, eine 3schiffige Kreuzbasilika mit freistehendem Turm vor der NW-Ecke, hat sich, bis auf den nicht mehr sicher rekonstruierbaren, aber jedenfalls 3schiffigen Chor, in den Absteckungen des ersten, 1345 geweihten got. Nachfolgebaus erhalten. Ihre Mauern (Tuff, alte Spätere Ziegel) stecken noch in den Umfassungen der Querhausarme und der Seitenschiffe (bis auf das westl. Drittel), auch im Untergeschoß des 1417 eingestürzten, 1439 wiederaufgeführten Turmes. Chor und Querhaus verjüngten sich 1466 (Datum des Querhausgewölbes) bis 1468 (Weihe). Auch das Langhaus wurde wenig später erneuert; 1477 ist es vollendet. Die letzte Umgestaltung fällt in die Jahre 1737–46. Die Verwandler ins Barocke, die beiden Schmuzer, ließen den alten Bau ungekränkt, nur die Wölbung des Langhauses entstand neu. Der sämtliche Flächen verhängende Mantel der Stukkaturen und Fresken leistet, reich und prächtig, alles. 1777 kam noch die Vorhalle hinzu; 1780/81 erhielt der Turm seine Helmkuppel. – Die 1750–70 aufgeführten Stiftsgebäude verfielen nach der Säkularisation 1803 dem Abbruch. Nur Torbau und Bräuhausflügel blieben, zum Vorteil der dank dieser Relikte immer noch klösterlich wirkenden Anlage. – Letzte Restaurierung der Kirche 1962/63.

Der Außenbau ist durch den basilikalen Querschnitt gekennzeichnet. Ungewöhnlich die Isolierung des Turmes, mit Merkmalen eines Wehrturmes; er barg einmal die Schatzkammer des Klosters. Ungewöhnlich, hierzulande jedenfalls, auch das Querschiff. – Die spät hinzugefügte Vorhalle, mit einem Ölberg von etwa 1600, läßt in die 3schiffige, durch den roman. Grundriß geprägte Kreuzbasilika ein. Niedrige Mauern trennen die Kreuzarme von der erhöhten Vierung. Noch etwas höher liegt der Chor.

Aber diese Kirche lebt weniger von dem, was ihr die Baumeister des Mittelalters gegeben, als von dem, was ihr die großen Dekorateure des 18. Jh. zugebracht haben, die beiden Wessobrunner Josef (Vater) und Franz Xaver Schmuzer und der vom nahen Peißenberg stammende Augsburger Maler Matthäus Günther. Sie zauberten ohne alles zusätzliche Gerüst architektonischer Gliederungen in die alte roman.-got. Kirche eine junge barocke, beladen mit aller Lust des Stiles und des Landes am Überschwang, hinein. Züngelnde Rocailleformen klammern sich an die noch kenntlich spitzbogigen Arkadenleibungen, wachsen aus den Kapitellen oder vereinigen sich zu Kartuschen und bewegten (z. T. aufgemalten) Rahmen für die zahlreichen *Fresken* des Matth. Günther. In hellfarbigen Kompositionen schildern sie das Leben Augustins und die Taten seines Ordens an Hochschiffwänden und -gewölben, in Querhaus und Presbyterium. Die Kartuschen zeigen Allegorien auf die Tugenden der Ordensbrüder. Im Chorgewölbe Huldigung der 4 Erdteile vor Maria. Unter der W-Empore Christi Tempelreinigung. In den Seitenschiffen St. Benno und Helena (N), Papst Clemens und Korbinian (S). – Mächtiger Hochaltar 1740–47 von Fz. Xaver Schmädl mit einer seltenen plastischen Darstellung der Mariengeburt. Die Ungeborene wird von Gottvater in die Welt gesandt. Seitlich die großartigen Figuren der Eltern Joachim und Anna. Über den Durchgängen St. Peter und Paul. Ebenfalls von Schmädl sind die beiden Stifterfiguren, Welf I. und seine zweite Gemahlin Judith, die Chorgestühlaufbauten mit den Figuren Davids und Aarons, die Kanzel mit ihren kraftvollen Evangelistengestalten, die 4 Seitenaltäre. Im 2. Altar der S-Seite Figuren von Barth. Steinle, 1610, überarbeitet 1740–42. Im letzten Altar der N-Seite Muttergottes von 1483, ein Werk, wahrscheinl. des Meisters von Blutenburg.

Ostwärts: die **Wallfahrt Frauenbrünnerl**, ein kleiner Achteckbau von 1688, geweiht 1708, mit guter geschnitzter Marienfigur des späten 14. Jh.

ROTTHALMÜNSTER (Ndb. – F 8)

Pfarrkirche Mariae Himmelfahrt

Gegen Ende des 8. Jh. wird eine klösterliche Niederlassung beurkundet, deren Geschicke sich wieder im Dunkel verlieren. Das der Siedlung Namen gebende Kloster bestand jedenfalls nicht mehr, als man 1452 den Bau einer neuen Kirche ins Werk setzte, in den man die unteren Teile eines älteren Turmes einbezog. 1733 gab J. Gg. Hirschstötter aus Landshut dem Turm seine barocke Form.

Der Innenraum ist der einer spätgot. Basilika, doch ohne Fenstergaden, da man nach Art der Hallen das Dach über alle 3 Schiffe hinwegführte. Komplizierte Netzfigurationen überspannen die Gewölbe. Von 1700 stammt der stattliche *Hochaltar* mit seinem vorzüglichen Altargemälde Mariae Himmelfahrt von Joh. Casp. Sing. – Reste einer Friedhofsbefestigung hat das sog. Portalstöckl bewahrt, mit überdeckter Freitreppe, die zum Wehrgang führte.

Wieskapelle, eigentlich Wallfahrtskirche Mater Dolorosa oder zum seligen End. Der einfache kleine Bau von 1737–40 enthält einen schönen, gleichzeitigen Altar, dessen feinsinnige, nervös bewegte Schnitzfiguren (Joachim und Anna) Wenzeslaus Jorhan zugeschrieben werden. Vesperbild um 1420–30.

Etwa 20 km nordöstl., bei Ruhstorf, steht auf der Böschung des unteren Rottals die kleine, 1506 geweihte »**Siebenschläferkirche**« von ROTT-HOF mit dem aus römischen Spolien kompilierten Weihwasserbecken und den in Vorzeichen und S-Mauer versetzten römischen Grabsteinen, deren 2 mit ihren 7 Köpfen offenbar auf die Siebenschläfer gedeutet wurden, eine Deutung, die dann, 1757, zum Siebenschläfer-Altar J. B. Modlers führte, einer ebenso originellen wie reizvollen Schöpfung des niederbayerischen Rokoko.

RÖTTINGEN (Ufr. – C 3)

Schon im späten 13. Jh. als Stadt bezeichnet. Nach 1336 dürfte die gut erhaltene Ummauerung entstanden sein. Doch wurde die Stadt 1438, westl. zur Burg hin und sie umfassend, erweitert. Von den 3 Toren hat nur das Neutor der Stadterweiterung das 19. Jh. überlebt.

Die ehem. hohenlohesche **Burg** geht, mit der Stadt, 1345 an Würzburg über. Älteste Teile 13. Jh. Im übrigen ein Konglomerat verschiedener Bauzeiten. – Das **Rathaus** ersetzte 1750 einen älteren Vorgänger. Der etwas trockene 3geschossige Bau belebt sich in der Mansarde und dem der aufgegiebelten Mitte entwachsenden Dachreiter. – Die **kath. Pfarrkirche** wurde, überwiegenden Teils, in der 2. Hälfte des 13. Jh. errichtet. In die Vokabeln der frühen Gotik sind noch romanische eingekreuzt.

RUHPOLDING (Obb. – E 9)

Das »Rapoltigin« des 12. Jh., ein Dorf langsamen Wachstums, wird im 16. Jh. Jagdsitz der bayerischen Herzöge. Hoch aufgesockelt auf steilem Hügel, der einen stimmungsvollen Friedhof trägt, liegt die

Pfarrkirche St. Georg. Unter Mitwirkung des kurbayerischen Hofbaumeisters Joh. Bapt. Gunetsrhainer entstand sie 1738–57 als eine der besten Dorfkirchen des Alpengebiets. Die Beschränkung auf ein 1schiffiges Langhaus führte zu geistvoller Rhythmisierung durch pfeilerartige Wandeinsprünge. Beiderseits eine große Nische: im N für die Kanzel, im S für einen Nebenaltar. Abgeschrägte Chorbogenwände stellen die Verbindung zum eingezogenen, quadratischen Altarraum her. Dieser ist durch kurze, emporenbesetzte Seitenarme erweitert. Als Gegenstück zum Chor schwingt sich im W eine doppelte Musikempore über 3 Bogenspannungen. – Ausmalung erst 1821. Schöne Einrichtung an Altären, Kanzel und Gestühl aus der Erbauungszeit. – Die »Ruhpoldinger Madonna« (im Seitenaltar rechts) ist ein kostbares roman. Holzbildwerk der Zeit um 1230.

Gruftkapelle (urspr. Seelenkapelle) im Friedhof 1758.

Ehem. Jagdschloß (Forstamt). Schlichter Baublock der Renaissance von 1587. Errichtet für Herzog Wilhelm V. von Bayern, Kapelle 1656.

Die **Filialkirche St. Valentin** im Ortsteil **Zell** ist ein kleines roman. Bauwerk, das um die Mitte des 15. Jh. den rippengewölbten got. Chor erhielt. Seine alte Ausmalung kam 1955 zutage: Majestas-Bild, Evangelistensymbole, Kirchenväter, musizierende Engel. An der S-Wand ein großes Christophorus-Bild aus der Frühzeit des 17. Jh. Geschnitztes Vesperbild um 1760/70.

SACHRANG (Obb. – D 8/9)

Die **Pfarrkirche St. Michael**, erstmals 1400 beurkundet, erhält 1687–89 den bestehenden Neubau. Erste Pläne lieferte ein Aschauer Maurermeister. Sie gewinnen jedoch erst unter Hinzuziehung namhafter Architekten – es sind wahrscheinl. Gasparo Zuccalli und Lor. Sciasca – ihre endgültige Form. Ein Saalbau entsteht, an den der eingezogene Chor anschließt. Dieser trägt vorzüglichen, reichen Stuckdekor von Giulio und Pietro Zuccalli. Im Triumphbogen, gipfelnd, das Wappen des Bauherrn, des Fürstbischofs Joh. Franz Graf Preysing-Hohenaschau. Deckengemälde 1768. Die Altarausstattung aus der Erbauungszeit (nur die Kanzel ist etwas jünger, 1711) vervollständigt das schöne, einheitliche Raumbild dieser kleinen, doch noblen, Dorfkirche inmitten der großen Berglandschaft.

Südl., einsam gelegen, das **Ölbergkirchlein**, ein volkstümliches Heiligtum, dessen ältester Teil (mit Ölberggrotte) 1674 errichtet wurde. Die anderen Teile, Kapellenräume, kamen 1734 und 1762 hinzu.

SALLACH b. Geiselhöring (Ndb.) → Geiselhöring (F 6)

SALMDORF (Obb.) → München (D 7)

SALZBURG über Neustadt a. d. S. (Ufr. – D 2)

Die Burg darf nicht mit der im 8. und 9. Jh. genannten karoling. Pfalz Salz gleichgesetzt werden; die lag unten, beim Dorfe Salz.

Die Höhenburg ist mittelalterlich, wenn der ungewöhnlich weite Bering auch auf eine frühe Verschanzung zurückgehen könnte. Der Würzburger Bischof, der im Jahre 1000 in den Besitz des Königsgutes Salz einrückt, wird frühestens im 11. Jh. den Berg befestigt haben. Ende des 12. Jh. läßt sich die Burg erstmals nachweisen. Sie ist Ganerbenburg (von mehreren Dienstmannen behaust), wenn auch die sich nach ihr nennenden Voite von Salzburg den ersten Platz behaupten. Denkwürdige kriegsgeschichtliche Daten verknüpfen sich nicht mit ihr. Im 16. Jh. verliert sie ihre Bedeutung und wird langsam Ruine.

Eine der größten Burganlagen – auf einem Vorgriff der die Saale säumenden Höhen –, ist die Salzburg zudem durch einen ins 12. und 13. Jh. zurückreichenden wohlerhaltenen Bestand an Mauern und Baulichkeiten ausgezeichnet. Ein Trockengraben umschließt das mit der Spitze südwestl. liegende Dreieck, dessen nordöstl. Basis die schwache Seite ist. Die umfassende 2schalige Füllmauer mit Zinnenkrone (12. Jh.) ist hier mit 4 quadratischen Türmen bewehrt, deren zweiter der Torturm ist: ein in schönen Buckelquadern aufgeführtes starkes Geviert, der Torbogen von einem (»normannischen«) Zackenstab umfaßt. 6 Ansitze, der Ganerben, lassen sich noch in der umringten Burgfläche aufzeigen. Der größte (der Voite von Salzburg) in der Spitze des Dreiecks schließt den großen, gequaderten Bergfried und den ihm benachbarten (75 m tiefen) Brunnenschacht ein. Der zweite, südöstlich folgende enthält, neben einem Wohnturm, den **Palas**, dessen von einem Staffelgiebel überhöhte Front durch ein Doppelfenster, mit 3 + 3 Spitzbogenarkaden in rechteckiger, plastisch profilierter Rahmung, ausgezeichnet ist; diese aus der Mitte des 13. Jh. kommende sog. **Münze** ist als eines der reizvollsten profanen Bauwerke der Frühgotik zu schätzen. Wenig entfernt, nordöstlich, ragt der zweite Bergfried, gequadert wie der erste, doch eher früher als später entstanden. Der dritte Ansitz, östlich des vorigen, verfügt über den stärksten und wohl auch den ältesten der Burgtürme, der eine wohlerhaltene roman. Kaminanlage enthält. Der nächste, südöstlich, hat nur noch wenig aufrechtes Mauerwerk. Zu ihm gehört der erste der in die Ringmauer eingestellten Türme. Der fünfte, in der O-Ecke, ist fast gänzlich vergangen. Zu ihm gehörte der zweite der Ringmauertürme, wie zum letzten der Ansitze, in der N-Ecke, der dem Torturm folgende sog. Schäferturm. – Einiges wurde im 16. Jh. hinzugebaut (»Jägerhaus«), das romantische 19. brachte (1841 bis 1848) die Kapelle. Aber diese Zugaben wollen nichts besagen. Die Salzburg ist durch das 12. und 13. Jh. charakterisiert, ihr Gesicht ist romanisch.

SAMMEREI (Ndb. – F 7)

Wallfahrtskirche Mariae Himmelfahrt

Zu Beginn steht eine Holzkapelle des 15. Jh., die eine eng benachbarte Feuersbrunst, 1619, unversehrt überdauert. Diesem Mirakel folgt die Wallfahrt. Ihr gilt der 10 Jahre später von Isaak Bader erstellte Neubau.

Der einfache Raum umschließt, unter dem Chor, die alte Wunderkapelle, die zum Teil eines ebenso prächtigen wie komplizierten Altaraufbaus (1647) geworden ist. In 3teiliger Anlage sitzen Tiefenräume übereinander, deren einheitlich gefaßte Wirkung die 100 Jahre jüngeren Altarkonzeptionen der Brüder Asam vorwegnimmt. Nur die Detailbehandlung von Jak. Bendel, bleibt hinter dem hohen Niveau des Gesamtentwurfs zurück. Figuren der Kirchenväter flankieren das Gemälde Mariae Himmelfahrt. Im Auszug, vollplastisch, Jesus im Tempel zwischen Heimsuchung und Darstellung im Tempel. Über den Durchgängen der Flankenteile die beiden Reiterheiligen Georg und Martin. Das neue Tabernakel ist beidseitig offen und gibt Durchblick in die Gnadenkapelle. Dort der Gnadenaltar von 1672. Vergessen wir nicht die hohe Zahl der Votivtafeln, deren älteste aus dem 17. Jh. stammen.

SANDIZELL (Obb. – D 6)

Von einer hier gelegenen Cella ist z. Z. Herzog Arnulfs (907–937) die Rede. Die seit Ende des 11. Jh. auftretenden Herren von Sandizell sind seit 1640 Reichsfreiherren, seit 1790 Reichsgrafen.

Pfarrkirche St. Peter

Der Neubau, von Max Emanuel v. Sandizell ex voto gestiftet, wurde 1735/36 nach Plänen Joh. Bapt. Gunetsrhainers von Mich. Pröpstl aufgeführt. 1756–59 folgte der von L. M. Gießl errichtete Turm. Mart. Hörmannstorffer stuckierte. Ausstattung nach 1745.

Schlichtes Äußeres, von originellem Turmhelm überragt. Zentralbau: Um den quadratischen Raum mit abgeschrägten, genischten Ecken gruppieren sich in der Längsachse der Chor mit gerundetem Schluß und die Vorhalle mit Orgelempore, in der Querachse flache Altarräume.

Zurückhaltender Stuckdekor, Gewölbefresken zum größeren Teil neu. Der *Hochaltar* von 1747 ist ein Alterswerk Egid Quirin Asams, Petrus *»sedens in Cathedra Sapientissimus Princeps«*, ein

Motiv, das auf Lorenzo Berninis Papstdarstellungen zurückgreift.
Hier thront, von der Gegenlichtglorie umstrahlt, der Apostelfürst
unter reich geschmücktem Baldachinaufbau zwischen 2 Engeln. Konsolen der gedrehten Säulen zeigen auf Reliefkartuschen Szenen aus
dem Martyrium Petri. Vor den Chorfenstern die Namenspatrone
des gräflichen Stifterpaares St. Maximilian und St. Katharina. Die
theatralische Gestik der Figuren, die sich unmittelbar zum Betrachter und von diesem zum Allerheiligsten wendet, vermittelt ein letz-
tesmal die plastische Formwillen des Meisters. Die Nebenaltäre
der Querachse entstanden erst nach seinem Tode. Der Schreiner
Ant. Wiest von Schrobenhausen besorgte den Bau, der Bildhauer
Ant. Diezmayr die Plastik: Mariae Verkündigung und Taufe
Christi in vollplastischen Figuren vor der Lichtfolie großer Fenster.
Ihre flache Rocaillerahmung hat mit Asams Formensprache wenig
gemeinsam. Die kleineren Seitenaltäre lieferte der Inchenhofener
Schreiner Friedr. Schwertfiehrer, 1751–57, die Gemälde Ign. Bald-
auf. Kanzel 1759. Pietà frühes 16. Jh.

Schloß der Grafen von Sandizell. Ehemals Wasserburg, 1749–55 durch
Neubau ersetzt nach Plänen von Joh. Puechtler aus Neuburg, ausgeführt durch den Ingolstädter Stadtmaurermeister Veit Haltmayr.
3flügelige Anlage. Im Innern Malereien von I. Baldauf und W. F. L.
Pricz. 2geschossige Schloßkapelle 1756/57 mit Altar von F. Schwertfiehrer und I. Baldauf. Reiterfigur St. Georg, Mitte 18. Jh.

ST. BARTHOLOMÄ am Königssee (Obb. – E 9)

Kirche, auf einer Landzunge am S-Rand des Königssees, in großer
Landschaft. Schon 1134 bezeugt. Neubau 1697. Winzige Anlage in Anlehnung an das riesige Vorbild des Salzburger Domes: Langhaus mit
3 Apsiden. Stuck 1709 vom Salzburger Hofstukkateur Jos. Schmidt. Anstelle einer Fassade tritt vor das Langhaus das **Jagdschloß** von 1708/09
in schlichten, bäuerlichen Formen.

ST. KORONA (Ndb. – G 7)

Wallfahrtskirche St. Korona. Der merkwürdige Zentralbau wurde 1640
bis 1641 von unbekanntem Meister auf einem Grundriß errichtet, der
Oktogon und griechisches Kreuz verschmilzt. Ein 8eckiges Kuppel-
gewölbe überspannt das Oktogon, während die kurzen, rechteckigen
Anräume der griechischen Kreuzfigur schlichte, gratige Kreuzgewölbe
tragen. Spitzbogige Fensteröffnungen lassen Gotik nachleben. Verkröpfte Lisenen unterfangen die Gewölbegrate. Im W sitzt eine schmale,
gewinkelte Empore mit Rahmenstukkatur. Die 3 Altäre sind gute Arbeiten der Erbauungszeit. Das Hochaltarblatt, eine ikonographische
Seltenheit, schildert das Martyrium der hl. Korona: sie wurde nach der
Legende von 2 auseinanderschnellenden Palmwipfeln zerrissen. Im Hintergrund das Martyrium des hl. Viktor. Die Seitenaltäre gelten der
Muttergottes (links) und St. Sebastian (rechts).

ST. KUNIGUND b. Burgerroth (Ufr. – C 3)

Die über dem Gollach-Tal liegende ummauerte **Kunigundenkapelle** ist vermutl. eine Hohenlohesche Stiftung des frühen 13. Jh. An ein rechteckiges Schiff legt sich ein quadratischer, urspr. untergrufteter Chorturm mit Erkerapside. Bei aller Schlichtheit verleugnet der kleine, doch in gutem Quaderwerk aufgeführte Bau nicht die Zeit, die staufische.

ST. LEONHARD im Forst (Obb. – C 7)

Die helle freundliche **Wallfahrtskirche** liegt versteckt auf dem nördl. Ausläufer des Peißenberges. Beste Meister aus Wessobrunn haben die Anlage geschaffen und verschönt. Unbekannt ist der Architekt, der die geschickte Belichtung durch den 2schaligen, mit dem (in Wallfahrtskirchen häufigen) Emporengang besetzten, Chor erfand. Auch der Stuck, bestes Rokoko in zarter (restaur.) Farbigkeit, ist von der Hand eines bedeutenden, namentlich nicht überlieferten Meisters aus dem nahen Wessobrunn. Tassilo Zöpf schuf die feinen, doch kräftig wirkenden Altäre. Im Hochaltar kleine Leonhards-Figur um 1500. Die Deckenfresken zeigen, im Langhaus, Szenen aus der Leonhards-Legende, den Hl. als Schützer und Helfer (in Randkompositionen, in die die Gründung der Wallfahrt und deren Abhängigkeit von Wessobrunn eingearbeitet sind) und im Scheitel Glaube, Hoffnung und Liebe vor der Himmelskönigin, signiert von Matth. Günther 1761. Im Chor St. Leonhard als Fürbitter, von Martin Heigl. Günthers Farbigkeit erscheint diesem gegenüber zurückhaltend. Zierliche Rokokokanzel. Im linken Seitenaltar Kruzifix des 17. Jh. Geschnitzter Taufsteindeckel mit Taufe Christi. Schöne Votivtafeln (eine in schwungvoller Rocaillerahmung).

ST. QUIRIN (Opf. – F 4)

Wallfahrtskirche St. Quirin

Eine gute Wegstunde nördl. Neustadt a. d. Waldnaab ließ sie Fürst Ferd. v. Lobkowitz erbauen. 1680 ist sie vollendet.

In knappen Formen ist das Schema einer emporenbesetzten Wandpfeileranlage mit eingezogenem Chor vorgetragen. Bis auf profilierte Gebälkstreifen bleibt der Raum schmucklos; so können die Altäre um so eindringlicher ihre Stimme erheben. Der *Hochaltar* ist ein prächtiges Beispiel der architekturlosen Formgebung, wie sie in der Oberpfalz um 1700 beliebt war: ein Kranz aus Akanthuslaub umgibt das Altarblatt (Pfingstwunder). Vor ihm schweben seitlich 2 anbetende Engel. Über dem Bild das Allianzwappen Lobkowitz-Baden, darüber eine Uhr und der ovale, mit Palmettenlaub gerahmte Auszug. In der 1. Kapelle der S-Wand steht der Wallfahrtsaltar des späten 18. Jh. mit einem (überarbeiteten) Quirinus-Relief des 15. Jh.

ST. SALVATOR (Ndb. – F 7)

Ehem. Prämonstratenser-Klosterkirche St. Salvator

*Aus der Einsiedelei des 13. Jh. ist das kleine Kloster hervorge-
gangen, das sich 1309 der Prämonstratenserregel zuwandte und bis
1803 in Blüte stand. Nach vernichtendem Brand 1633 Neubau der
Gesamtanlage. Als Baumeister wird Bartolomeo Viscardi genannt.*

Eine für die Zeit seltene Wandpfeileranlage von 4 Jochen
mit eingezogenem Chor. (Vgl. Dillingen!) Doch mangelt ihr
das dem Zeitgeschmack eigene Profil. Der Grund ist in der
Ausmalung von 1751 zu suchen, als vermutl. die gliedernden
Gurte und viell. auch die Stukkatur beseitigt wurden.

Die *Gemälde* stammen von F. A. Rauscher aus Aicha, meisterliche
Kompositionen des späten Barock. Im Chor: Christus wird das
Kreuz gebracht; im Langhaus: Menschheitsschuld (Vertreibung aus
dem Paradies) und Sieg über die Hölle (St. Michael), Hinweise auf
die Erlösungssymbole wie Hl. Schrift, Leidenswerkzeuge, christliche Herrscher, Gebet u. a. – alles komponiert um die Figuren der
Trinität. Der ornamentale Schmuck ist ebenfalls gemalt. – Der
große *Hochaltar*, um 1640 aufgestellt, erfuhr 1782 starke Veränderungen; Jos. Deutschmann, Passau, stattete ihn aus. Von der
alten Anlage stammt die große Muttergottes des Auszugs, die von
Katharina und Barbara begleitet ist. Von Deutschmann hinzugefügt wurden die unteren Figuren St. Norbert und Augustin wie
der bekrönende hl. Michael und einige Putten. Der kleine Kalk-
steinaltar an der Chor-N-Wand mit seinem lebensvollen Se-
bastians-Relief wurde um 1660–80 gefertigt. Die Seitenaltäre des
östl. Kapellenpaares schmückte um 1770–80 Deutschmann; die beiden mittleren tragen das Datum 1690, die beiden westlichen sind
typische Aufbauten von 1644 (1724–26 übergangen). – Auf der im
18. Jh. erweiterten Orgelempore ein schöner Orgelprospekt (1735)
mit Figuren, wohl von Wenzel Jorhan.

Die **Klosterbauten**, aus der Mitte des 17. Jh., umfangen einen rechteckigen Binnenhof. Der O-Flügel wurde im 19. Jh. z. T. niedergelegt. Von
freundlicher Wirkung ist die türmchenflankierte S-Front. Im Innern
einige Stukkaturen, die der 2. Hälfte des 17. Jh. und vermutl. dem
Carlone-Trupp angehören.

ST. WILLIBALD (Obb.) → Fürstenfeldbruck (C 7)

St. WOLFGANG b. Trostberg (Obb. – E 8)

Die **Kirche** (ehemals Filiale des Klosters Baumburg) ist eine der nicht
vielen oberbayerischen Landkirchen des 14. Jh. Das Äußere erscheint
in ländlich-altertümlicher Derbheit. Die W-Teile mit dem Turm sind
romanisch. Um 1720 machte die einfache Rippenwölbung einer zurück-

haltenden Stuckdekoration Platz. Hochaltar und Kanzel 17., übrige
Ausstattung mittleres 18. Jh. Volkskundlich beachtlich der Wolfgangs-
stein (Rotmarmor mit der Trittspur des Heiligen) im Schiff.

ST. WOLFGANG b. Velburg (Opf. – E 5)

Ehem. Wallfahrtskirche. Die alte Inschrift an der W-Seite nennt den
Baumeister: Peter Maurer von Weiden, 1467. Veränderungen im späten
17. und im 18. Jh. betrafen Turmhaube und Ausgestaltung des Langhauses. Dieses erhielt 1757 durch J. G. Haemerl die in Fresko gemalten
Szenen aus der Wolfgangs-Vita und der Geschichte der Wallfahrt. Der
Chor hat auch innen sein spätgot. Bild bewahrt. – Gute spätgot. Altarausstattung gibt der Kirche Bedeutung. Im Hochaltarschrein St. Wolfgang zwischen Sebastian und Willibald, als Flügelbilder die Evangelisten, an der Predella Christus und Apostel, rückseits Maria und
Schmerzensmann (in Graumalerei), alles gute Arbeiten heimischer Meister. Von derselben Hand sind wohl auch die Seitenaltäre (Muttergottes
zwischen den Flügelreliefs der beiden Johannes und hl. Katharina zwischen Christophorus und Georg).

ST. WOLFGANG b. Haag (Obb. – E 7)

Pfarrkirche (ehem. Kollegiats-Stiftskirche)

*Die Legende von einem durch den hl. Bischof Wolfgang bewirkten
Quellwunder zeitigte im frühen 15. Jh. die Errichtung einer kleinen Brunnenkapelle. Wenig später entstand neben ihr (seit 1430)
die große Kirche, Stiftung der Joh. Gg. und Sigm. Fraunberger zu
Haag. Um Mitte des 15. Jh. ist sie vollendet. Ein nördl. Neben-
schiff stellt die Verbindung zur Brunnenkapelle her. Dieser Bestand
hat sich in der Folgezeit kaum verändert, ein vortreffliches Beispiel bayerischer Backsteingotik.*

Der Innenraum trägt feinmaschige Netzwölbung. Der
mächtige *Hochaltar* von 1679 umfängt 3 gute Schnitzfiguren
der Spätgotik, um 1485: die hll. Georg, Wolfgang und Sigmund. Sie stammen, wie die Reliefs der Wolfgangs-Vita und
die Gemälde des Marienlebens von einem älteren Vorgänger. Ein weiterer Bestandteil dieses spätgot. Altars kann der
Baldachin über dem außergewöhnlich guten Kalvarienberg-
relief (um 1480–90) am Kreuzaltar des Seitenschiffs gewesen
sein. Davor eine »Schmerzhafte Maria« nach dem Vorbild
der Münchener Herzogspital-Maria, 1777, signiert von Joh.
Bapt. Straub. Kruzifix um 1520–30. Aus dem spätgot. Inventar seien noch die schöne Figur der hl. Anna im Kindbett
(also eine Mariengeburt, am nördl. Seitenaltar) und eine
Anna Selbdritt (am südlichen) notiert; ferner die Reliefs an
der N-Wand: Verkündigung Mariae und Anbetung der Kö-

nige sowie 2 weibliche Heilige (Katharina und Dorothea).
Rechts neben dem Hochaltar finden sich einige gute Arbeiten
aus der Mitte des 18. Jh.: Muttergottes und zwei Heilige.
Die übrige Ausstattung, Nebenaltäre, Kanzel, Emporenbrüstung, um 1680. Die *Brunnenkapelle* erhielt im 18. Jh.
ihre barocke Ausgestaltung. Im Altar: Wolfgangs-Figur, um
1470.

SANSPAREIL (Ofr. – E 3)

Unter der (erstmals 1163) bezeugten Burg Zwernitz, Stammsitz des
edelfreien Geschlechts der Walboten von Zwernitz, seit 1290 burggräflich, läßt Markgraf Friedrich, angeregt durch seine Gemahlin, Markgräfin Wilhelmine, 1744–46 unter Nutzung der natürlichen Gegebenheiten eines mit Felstrümmern bestreuten Buchenwaldes einen **Naturpark** anlegen, der, als ein sehr frühes Beispiel romantisch-sentimentaler
Parkgestaltung, ja wirklich fast »ohne Gleichen« ist. Von den literarisch
beziehungsvollen (durch den »Télémaque« des Fénelon inspirierten)
Grotten, Denkmälern etc. hat sich freilich nicht viel mehr erhalten als
ein aus Felshöhle und künstlicher Ruine komponiertes **Naturtheater**. Von
den Baulichkeiten, die, 1746, für den Aufenthalt des Hofes der eben
erst nach Bayreuth berufene St. Pierre schuf, steht noch der **Speisesaal**,
ein Achteck mit anliegenden Zimmern, umgeben von einem Hof, den
Kunst-Ruinen beschließen.

SCHÄFTLARN (Obb. – CD 7)

Ehem. Prämonstratenserkloster *(Tafel S. 800)*

*Im Isar-Tal, unterhalb der vorgeschichtlichen »Birg«, gründet 760
ein Walterich, geistlichen Standes und edelster Abkunft, ein Benediktinerkloster St. Dionys (Kirchweihe 762), das im 10. Jh. abgeht,
aber 1140, durch Bischof Otto von Freising, wiederhergestellt
wird, jetzt als Kloster nach der Regel der Prämonstratenser. Dieses Kloster, bis 1598 Propstei, dann erst Abtei, 1803 säkularisiert,
wird 1865 von Ludwig I. für den Benediktinerorden zurückerworben. Das ehem. Priorat von St. Bonifaz in München ist seit 1910
wieder Abtei. – Baugeschichte: 1702 beginnt nach Plänen des
Münchner Hofbaumeisters G. A. Viscardi der Neubau des Klosters, der 1707 fertig ist. 1710 stürzt der Kirchturm ein, 1712 wird
sein Nachfolger gedeckt. 1733 beginnt der Neubau der Kirche.
Architekt ist der Münchner Hofbaumeister F. Cuvilliés d. Ä. Doch
tritt nach Aufführung der Chormauern eine längere, durch den
Österreichischen Erbfolgekrieg verursachte Unterbrechung ein. Erst
1751 kann weitergebaut werden. Architekt ist jetzt J. B. Gunetsrhainer, dem wohl J. M. Fischer zur Seite steht. Der Plan Cuvilliés' wird als zu »weitschichtig« abgesetzt. Das von ihm bereits
begonnene Querschiff entfällt. 1757 steht die Kirche im Rohbau.
1760 wird sie geweiht. (Letzte Restaurierung 1954–59.)*

Standort ist das hier, kurz vor der Verengung zum Cañon, noch geräumige Isar-Tal. Auf leichtem Anstieg über der stets hochwassergefährdeten Niederung eine übersichtlich klare, durch symmetrische Ordnung der Teile bestimmte Bauanlage: die **Kirche** besetzt die zentrale Achse (und betont sie durch den Turm), sie ist die Halbierende der ein Rechteck (76 : 87 m) formierenden Klostertrakte. – Ihr Körper, durch den beiderseitigen Annex des Klosters eingeschlossen, tritt nur mit der westl. Front in den Blick. Diese ihre (in Weiß und Grün gefaßte) Schauseite, mit leicht vortretendem Risalit zwischen Pilasterpaaren und abschließendem Dreiecksgiebel, ist vom älteren Turm überragt, den ein aus Kehle, Kuppel und Obelisk bestehender Kupferhelm bekrönt. Nächst ihm hebt das hohe Walmdach die Kirche über das Dächerniveau des Klosters. – I n n e r e s. Die Turmvorhalle ist von Anräumen, Kapellen, mit Zugängen ins Langhaus, begleitet. Da sie über die Turmhalle vorgreifen, resultiert ein Muldenschluß der W-Seite, aus dem wieder in elastisch gespannter Gegenbewegung die auf schlanken Säulen ruhende konvexe Orgelempore vorstößt. Das Langhaus, durch Wandpfeiler in 3 Abschnitte gegliedert, ordnet einem Hauptraum, mit flachen Armen in der Querachse, je einen Schmalraum zu. Das Kreisrund einer Hängezwickelkuppel deckt den Hauptraum, Halbtonnen decken die Schmalräume. Das Presbyterium kombiniert einen, den Hauptraum des Langhauses verjüngt wiederholenden, Chorraum mit einer querelliptischen Apside. Die seitlichen Arme des Chorraums sind unteren Teils durch Mauern geschlossen, oberen und höheren Teils in Emporen, mit reizvollen Rocailleaufsätzen über den Brüstungen, geöffnet. Charakteristisch die großen Radfenster über den Emporen, die sich in den Armen des Hauptraums (kleiner in der Apside) wiederholen: die formale Konsequenz der schönen Halbrundtonnen über ihnen, deren Zirkelpunkt auch der ihrige ist. Trotz der im Grundriß enthaltenen Merkmale einer zentralisierenden Raumfügung setzt sich die Stufung in die Tiefe durch.

Die Dekoration, vorzüglich erhalten, Werk der Besten, ist es dann letztlich, die die Kirche zu erstem Rang erhebt. Der 74jährige Joh. Bapt. Zimmermann schuf Stuck und Fresko (1754–56), Joh. B. Straub Altäre und Kanzel. – Die Stukkaturen sind mit leichter, doch unfehlbar sicherer Hand in die offengelassenen Weiß-Flächen der Decke in lockerer Austeilung eingestreut, Ornamente der Rocaille mit einem Hang zur Symmetrie, und wenn diesem Kirchenraum etwas von höfischer Noblesse eigen ist, dann liegt das an diesem zurückhaltenden, »diskreten« Dekor. – Die *Fresken* sind wundervoll hell, heiter, voll Licht und Luft, Himmel und Landschaft, die Farben so frisch wie zart, duftig, mit dem Schimmer von Opal und Perlmutt. Das die ganze Kuppelschale bedeckende Fresko des Hauptjochs erzählt die Wiedererrichtung des Klosters durch Bischof Otto und Herzog Leopold von Babenberg unter der Glorie des Apokalyptischen Lammes. Im östl. Schmaljoch folgt Christi Himmelfahrt mit dem (abnehmbaren) Bilde des Auffahrenden. Im wieder die ganze Kuppelschale einnehmenden Fresko des Chorjochs die Einkleidung des Ordensgründers St. Norbert durch Maria. In den Gewölbezwickeln, hier wie im Langhaus, Prämonstratenserheilige. Über der Orgelempore ein Engelskonzert mit dem psalmodierenden David. – Die *Altäre* Straubs (1755–64) sind außerordentliche, wesentliche Komponenten des Raumbilds. Der Hochaltar die Konche der Apside gänzlich füllend, großer Auffänger der ihn treffenden Raumbewegung; an den Flanken die (in der Fassung gestörten) Statuen der Patrone St. Dionys und St. Juliana; das Gemälde, Himmelfahrt Mariae, vortreffliches Werk des Münchner Meisters Andreas Wolff; über den durch die rahmenden Säulenpaare architektonisch gefestigten Aufbau ein bewegter, »offener« Auszug mit der diagonal komponierten Gruppe der Dreifaltigkeit vor der Strahlenglorie, der sich das entzückende Spiel der Stuckrocaillen der Wölbschale zuordnet. Ganz ornamental auch das die Mitte des Sockels akzentuierende Tabernakel mit dem Emmaus-Relief auf der Türe und den Figuren der Spes und Fides an den seitlichen Voluten. – Die beiden Altäre in den Armen des Hauptraums, auf die Querachse bezogen (der zentralisierenden Tendenz des Joches entsprechend), umschließen Gemälde des Münchners Balth. A. Albrecht (nördlich: Don Juan d'Austria vor Papst Pius V.) und Matth. Günther (zugeschr., südlich: die Kreuzigung); die flankierenden Statuen: Longinus und Dismas, der gute Schächer, und Dominikus und Theresa; die Schreine auf den Mensen bergen Reliquien des hl. Vincentius und des hl. Adrianus. – Rühmenswert die 4 kleineren Altäre in den beiden Schmaljochen westl. und östl. des Hauptjochs, die sich, einzeln asymmetrisch komponiert, erst in der Paarordnung symmetrisch schließen: gebärdenstarke Figuren, elfenbeinweiß gefaßt, vor leicht zurückgenischten marmorierten Aufbauten: St. Joseph und St. Joh. Nepomuk, St. Norbert und St. Augustinus. – Hervorragend auch die Kanzel; auf dem Schalldach die Gruppe der Ecclesia und des von ihrem Bannstrahl niedergeworfenen Ketzers Tanchelin.

Die Schäftlarner Klosterkirche tritt aus der Reihe, sie ist anders als die anderen, minder volksverbunden, minder »warm«, ein hoher, zu letzter Vollendung erzogener Geschmack war hier am Werk. Es besteht kein Anlaß, Cuvilliés (der nicht mehr als die Umfassung des Chores aufgeführt hat) zu nennen. Die eigentümlich höfische Note geht sicher J. B. Gunetsrhainer, dem Schüler und auch (1744) Nachfolger Effners im Hofbaumeisteramt, zu Dank. Der Anteil Fischers kann nicht weit gegangen sein.

Kloster. 1702–07 errichtet es Viscardi. Der behauptete Anteil des Hofmalers Wolff ist ungeklärt. – Ohne allen Aufwand im einzelnen imponiert die Anlage durch ihre klare, auf die Kirche ausgerichtete Symmetrie, durch die ebenso klare und symmetriegebundene Fügung der Trakte. Das Geviert ist eckbetont durch Risalite, auch die Mitten der Trakte sind durch Risalite mit Giebelkrönungen herausgehoben. Der 3geschossige Aufriß, sonst nur durch Lisenen unterteilt, ist durch flache einfache Fensterrahmungen belebt. Eigentliche Schauseite ist die S-Seite, hier über der Freitreppe das Portal mit dem Wappen im gesprengten Giebel. Die W-Seite, in der die Kirchenfassade eingreift, ist verhältnismäßig schwach ausgebildet: 2geschossige Verbindungsflügel verklammern die Kirchenfassade mit den Eckrisaliten.

Westl., oberhalb des Klosters auf beherrschender Anhöhe, liegt **HOHENSCHÄFTLARN,** mit der **Pfarrkirche St. Georg.** 1729–34 von Joh. Gg. Ettenhofer. Schlicht dekorierter Saal mit eingezogenem Chor von schönen Proportionen. Stuckrahmenwerk. Einheitliche Ausstattung aus der Erbauungszeit.

SCHEINFELD (Mfr. – D 3)

Ende des 8. Jh. zeigt sich die »villa Skeginfeldon« in fuldischer Überlieferung. Im 12. Jh. nennen sich Edelfreie nach ihr, die wohl auch auf einer der nördl. ansteigenden Randhöhen des Steigerwaldes die »Swarcenburc« (so erstmals 1150) gründen. Über die Castell und Hohenlohe gelangt die Herrschaft 1385 an die Herren v. Vestenberg. Schon 1405 setzt sich Erkinger v. Seinsheim fest, der den Großteil der von ihm, 1429, in die Lehenschaft des Kaisers gestellten Herrschaft erwirbt; was noch fehlt, erwerben Söhne und Enkel. – Scheinfeld, 1415 mit Markt- und Stadtrecht ausgestattet, ist bis zur Mediatisierung 1803 Verwaltungsmittelpunkt der seit 1670 »gefürsteten Grafschaft« Schwarzenberg.

Die Mauerwehr der Stadt hat sich nur in Resten erhalten, doch steht noch der stabile Torturm am O-Ende der Marktstraße.

Die kath. Pfarrkirche Mariae Himmelfahrt wurde 1766–71 nach den Plänen des Würzburger Hofbaudirektors J. Ph. Geigel gänzlich erneuert, in spürbarer Hinneigung zum Klassizismus. Doch steht die ausgezeichnete Altarausstattung, vom Bamberger Martin Mutschele (1778 vollendet), noch voll in der Tradition des Spätbarock.

Schloß Schwarzenberg. Die Geschichte des den Horizont der Landschaft krönenden Schlosses deckt sich in den Grundzügen mit der oben berichteten: Namengebender

Stammsitz der von Erkinger v. Seinsheim ausgehenden
Freiherren (seit 1429), Grafen (seit 1566, im noch blühenden rheinischen Zweige seit 1599), Fürsten (seit 1670) von
Schwarzenberg. – Die Burg brannte 1607 ab und wandelte
sich jetzt in das noch vor Augen stehende, schon durch
seine Höhenlage ausgezeichnete Schloß. Wieweit die von
Elias Holl gelieferten Visierungen die Ausführung bestimmten, ist fraglich. Wahrscheinl. ist der Anteil der beiden Nürnberger Meister Jak. Wolf, Vater und Sohn, höher
zu veranschlagen. Der Bau wurde 1616 zu Ende gebracht.
Doch folgte der N-Flügel noch in den 50er Jahren. Der
hoch überragende »Schwarze Turm« wurde, zur Erinnerung an die Verleihung des Reichsfürstenstandes, 1672–74
nach Plänen des Ansbachers Melch. Beck und des Würzburgers Wilh. Schneider vom Graubündner Paul Platz neu errichtet. – Das Schloß ist eine vielfältige, 3 Höfe (Schloß-,
Wirtschafts-, Beamtenhof) umgebende Baugruppe. Die einheitlich durchgestaltete S-Seite, ein Langblock mit 4 Giebelaufsätzen in der Rahmung zweier polygonaler Erker,
beherrscht den Talblick. Mehrere Türme, neben dem schönen, rustizierten, mit viereckiger Kuppelhaube gedeckten
Hauptturm, dem »Schwarzen«, sorgen für lebendigen Umriß, auch die Giebelfront der 1615/16 aufgeführten Schloßkirche bereichert das bei aller Renaissance noch gut altdeutsche Konglomerat.

SCHEPPACH (B. Schw. – B 6)

*Im 12. Jh. tauchen die Herren v. Scheppach auf, die im 13. abwan-
dern. Seitdem ist die Ortschaft mit den Schicksalen der Markgrafschaft Burgau verbunden.*

Pfarrkirche St. Felix (Simplizius, Faustus und Beatrix). Von einer spätgot. Anlage übernahm der spätbarocke Baumeister Jos. Dossenberger Chor und Turm. Der Chor bildete ehemals das Langhaus. Das jüngere Langhaus, von 1768, ist eine Erweiterung nach W. Leichtes Ausschwingen der Seitenwände und die gelockerte Pfeilerdekoration des Innern lassen Erinnerungen an Dossenbergers Lehrer Dom. Zimmermann aufklingen. Die Ausmalung besorgte Fz. Martin Kuen aus Weißenhorn 1769 und 1770, einer der fähigsten Freskomaler Oberschwabens. Das Mittelbild zeigt die Huldigung des kaiserlichen Hauses Habsburg vor dem eucharistischen Heiland. Zugunsten der Weiträumigkeit sind die Altaraufbauten durch Malerei ersetzt. – Vgl. die nahen, überaus reizvollen, kleinen Kirchen von **HAMMERSTETTEN** und **ETTENBEUREN**.

Wallfahrtskirche Allerheiligen, von Simpert Kramer 1730–32. Der Chorbau wurde gegen 1770 hinzugefügt, wahrscheinl. durch Jos. Dossenberger. Um dieselbe Zeit erhielt der anmutige kleine Bau seine treffliche Ausstattung. Die Deckengemälde schuf Joh. Bapt. Enderle.

SCHESSLITZ (Ofr. – E 3)

Die Siedlung ist alt, vorkarolingisch. Karl d. Gr. läßt hier eine der 14 Wendenmissionskirchen errichten. Im 12./13. Jh. andechsmeranischer, seit 1248 truhendingischer Besitz, kommt Scheßlitz (mit Giech) erst gegen Ende des 14. Jh. an das schon seit dem 12. Jh. um diesen Jurabesitz bemühte Hochstift Bamberg. Um diese Zeit bewehrt sich die kleine Stadt mit Mauern und Türmen. Davon blieb nichts übrig.

Aber das **Ortsbild** hat noch guten Schnitt, es steht noch schönes Fachwerk, z. B. **Haus Nr. 17**, ehemals Zunfthaus der Bräuer und Büttner, 1662, das durch seinen bekuppelten Erker und viel Schnitzerei ausgezeichnet ist, Arbeit des Zeiler Zimmermeisters J. Hoffmann.

Kath. Pfarrkirche

Der Chor entstand im frühen 15. Jh. 1449 ist das Langhaus fertig, wird aber erst im frühen 17. Jh. gewölbt. Turm 1571.

Das 3schiffige, in der Mitte überhöhte, im Mittelschiff fensterlose Langhaus bestimmt den äußeren Umriß durch das mächtige Satteldach. Der schwerfällige Raum öffnet sich in den lichten Chor, der nach 2 Jochen 5seitig bricht und mit Rippengewölben gedeckt ist. Die nachgot. Wölbung des Langhauses führte der Bamberger Bonalino, 1623/24, aus. Die A u s s t a t t u n g ist einheitlich barock, 2. Hälfte 18. Jh., meist von guten Bamberger Meistern geschaffen. Beachtlich die Bildgrabplatte des Friedrich v. Truhendingen und seiner Tochter (?), etwa 1350.

Die 1766/67 vom Bamberger J. M. Küchel gebaute **Spitalkirche** erfreut durch die vortreffliche Spätrokoko-Ausstattung, die insbesondere dem Bamberger Bildhauer Martin Mutschele verdankt wird.

Südl. der kleinen Stadt, über dem Steilabfall der Fränkischen Alb, die Burgruine Giech und die Gügel-Kapelle, bereichernde Blickpunkte der Landschaft: Die **Burg Giech** ist im 12. Jh. Besitz der Grafen v. Andechs, im 13. der Truhendinger, bis Bamberg, ein lange angestrebtes Ziel endlich erreichend, 1390 an deren Stelle tritt. 1599–1609 erneuert und stattlich ausgebaut, verkommt die Burg erst im 19. Jh. zur Ruine. Der gequaderte Bergfried noch aus dem 13. Jh. Die Ringmauer samt Rundtürmen und Bastionen und die den Hof umgebenden Wohnbauten entstanden um die Wende des 16. Jh. – Ausblick zur **Gügel-Kapelle**. Ins 14. und 15. Jh. zurückreichend, verdankt sie ihr heutiges Erscheinungsbild einem Umbau von etwa 1620 durch den hier »nachgotisch« bauenden Italiener Giov. Bonalino.

SCHEYERN (Obb. – D 6)

Benediktinerkloster

Gegr. von dem gräflichen Paar Otto II. und Haziga v. Scheyern zunächst in Bayrischzell, um 1080. Bereits 1087 nach Fischbachau verlegt. 1104 siedeln die Mönche auf den Petersberg (Kr. Dachau) über. Dann, 1113, wird ihnen die alte Stammburg der Grafen von Scheyern überlassen, in der sie 1119 zur Ruhe kommen. Bald entwickelt sich Scheyern zu einem Zentrum klösterlichen Lebens. 1803 bis 1837 war es aufgelöst; seit 1843 wieder Abtei.

Klosterkirche. 1215 geweiht. Der ehemals freistehende Turm brannte im 17. Jh. aus. Sein Abschluß wurde 1876 erneuert. 3schiffige Basilika mit 1schiffigem Chor und Apsis. Veränderungen des 16. und 18. Jh. betrafen die Verkürzung der Seitenschiffe und deren Erweiterung nach N. Die einzelnen Achsen sind durch Pilaster betont, eine 2. Pilasterreihe erhebt sich bis zum Ansatz der barocken Stichkappentonne. Stuck 1769 von dem Wessobrunner Ign. Finsterwalder. Fresken 1923. – Hochaltar 1771 mit Gemälde von Chr. Winck. Seitenfiguren von Ign. Günther um 1760. Im Tabernakel das »Scheyerner Kreuz«, ein Kreuzpartikel, umschlossen von kostbarer Monstranz des Goldschmieds Joh. Gg. Herkomer, Augsburg 1738. Seitenaltäre Spätrokoko. An der W-Wand bemerkenswertes Sandsteinrelief der Kreuzigung von Meister Hans von Pfeffenhausen (bez.), 1514.

Kreuzgang aus dem frühen 13. Jh., in den folgenden Jahrhunderten mehrfach verändert, Stuck 18. Jh. Anschließend die *Schmerzhafte Kapelle.* 12. Jh., Mitte des 16. Jh. verändert, 1623 erweitert. Rahmenstuck. Historienbilder an den Wänden 1625. Grabkapelle der Grafen v. Scheyern-Wittelsbach, 13. Jh. Hier ist auch die Grablege der ersten bayerischen Herzöge dieses Geschlechtes: Otto I. (1180–83) und Ludwig d. Kelheimer (1183–1231). **Klosterbauten** 1574–1634. Darin spätestgot. Prälaturkapelle 1565. Die **Klosterbibliothek** besitzt einen voller Bravour geschnitzten Treppenaufgang zur Galerie, hohes Rokoko, wohl um 1760.

SCHIESSEN (B. Schw. – B 6)

Wallfahrtskirche St. Leonhard und Walburga, ehemals vom Kloster Roggenburg abhängig. Der prächtige Saalbau entstand 1681, wahrscheinl. nach Plänen von Valerian Brenner. Die urspr. reiche Stuckausstattung, von einem Meister des Carlone-Kreises, 1720/21, ist nur teilweise erhalten. Die Deckengemälde Konr. Hubers, der schon einer klassizist. Kompositionsweise zustrebt, verdrängten sie, 1779–81. Auch die 1778 und 1791 aufgestellten 4 Seitenaltäre, vortreffliche Arbeiten des jüngeren Christian Eitele aus Weißenhorn, dem auch die Kanzel gehört, tragen

Gemälde des im gleichen Weißenhorn beheimateten Huber. Der 1791 geschaffene Hochaltar des Joh. Kempf aus Grafertshofen steht am Ende der schon fast bestimmend vom Frühklassizismus beherrschten Ausstattung.

SCHILDTHURN (Ndb.) → Taubenbach (F 8)

SCHILLINGSFÜRST (Mfr. – C 4)

Der Name tritt erstmals in einer Urkunde Kaiser Ottos III. für Würzburg i. J. 1000 als Grenzort eines Wildbannes hervor. 1156 bis 1262 begegnen adelige Träger des Namens. Spätestens 1313, aber wahrscheinl. schon eine geraume Zeit vorher, ist Schillingsfürst hohenlohisch. Gelegentlich verpfändet (1338 an Nassau, 1398 an Rothenburg), bleibt es seit 1424 ununterbrochen Besitz der Hohenlohe.

Die **Burg**, auf einem Sporn der Frankenhöhe, wurde 1316 von König Ludwig d. Bayern zerstört, ein anderes Mal 1525, von den Bauern, und ein drittes Mal 1632, von den Kaiserlichen. Sie bleibt nun lange als Ruine liegen. Erst Graf Philipp Ernst beginnt 1723 das Schloß wiederaufzurichten; um 1750 kann es bezogen werden. Die Pläne gab der Darmstädter Hofarchitekt Louis Remy de la Fosse. Der Hauptbau besetzt die westl. Spitze der tragenden Berghöhe, ein starker 3geschossiger Block, mit Flügeln nördlich und südlich.

Die **Siedlung** unter der Burg, wohl älter als diese, hieß urspr. Frankenheim. Im 18. Jh. wurde sie durch Fremde, meist wohl fahrende Leute, aufgefrischt; deren eigenes, »jenisches« Sprechen wurde noch vor wenigen Jahrzehnten gehört. – 1673 berufen die (kurz zuvor zur alten Kirche heimgekehrten) Hohenlohe die Franziskaner, deren halbwegs zwischen Schloß und Markt aufgeführte **Kirche** (heute Pfarrkirche) 1683 geweiht und 1726 erweitert wird. Sie ist die Gruftkirche der Grafen, seit 1744 Fürsten, Hohenlohe. Die neugot. *Gruftkapelle* oben, rückseits des Schlosses, wurde erst 1892 durch Fürst Chlodwig, den Reichskanzler (auf dessen Spuren man in den Räumen des Schlosses geht), errichtet.

SCHLEHDORF (Obb. – C 8)

Ehem. Augustiner-Chorherren-Stiftskirche St. Tertulin

Gegr. um 740 durch Landfried, den zweiten Abt von Benediktbeuern, und seine gräflichen Brüder, geweiht 742 durch Bonifatius. Urspr. benediktinisch, doch nach Verwüstung durch die Ungarn, 907, und Wiederherstellung, 1140, mit Augustiner-Chorherren besetzt. Neubau beg. 1727 von Joh. Mayr, unter Mitwirkung von Joh. Mich. Fischer, doch erst nach langer Baupause 1773–80 errichtet von Balth. Trischberger oder Matth. Krinner. Seit 1892 Eigentum der Dominikanerinnen von Augsburg und seit 1904 Missionskloster.

Charakteristischer Bau des ausgehenden 18. Jh. Wandpfeiler kennzeichnen die Joche, deren viertes sich etwas erweitert. Charakteristisch für die Spätzeit des 18. Jh. ist die Verfestigung der Wandstruktur und die Nüchternheit des Dekors. Die Fresken behandeln Bekehrung und Martyrium des hl. Tertulin. Ihre Meister sind Jos. Zitter und Joh. Gg. Winter (Presbyterium), Jos. M. Bader (Schiff) und Ign. Baldauf (W-Joch). Hochaltar 2. Hälfte 18. Jh. mit älterem Gemälde von Joh. Zick, 1735. Seitenaltäre im Presbyterium von Tassilo Zöpf aus Wessobrunn, auf dem nördlichen Muttergottes von Tobias Bader. Seitenaltäre im N des Schiffes mit Gemälden von Chr. Winck 1731 (hl. Augustin) und F. Kirzinger (Joh. Nepomuk vor König Wenzel) 1794. Prunkmonstranz 1724.

Klosterbau seit 1718, dem Joh. Mayr zugeschrieben bei Mitwirkung von Joh. Mich. Fischer. Später verändert. – **Friedhofskapelle** 1693, verändert 1784. Interessanter Zentralbau auf quadratischem Grundriß mit 3 Apsiden. Kruzifix aus dem späten 12. oder frühen 13. Jh.

SCHLEISSHEIM (Obb. – D 7)

1597 errichtet Herzog Wilhelm V. eine Musterschwaige und ein Herrenhaus. Die Anlage der beiden, dem »Alten Schloß« westl. vorliegenden Wirtschaftshöfe, die, wenn auch selbst als reine Zweckanlage ohne Anspruch, doch ihrerseits zu dem vom Schloß ausgehenden Eindruck der Weiträumigkeit beitragen, geht auf diese Gründung zurück, an die sonst greifbare Spuren nicht mehr erinnern. 1626 wandelt Kurfürst Maximilian I. das Herrenhaus in das (später so gen.) Alte Schloß um. 1683 spätestens plant der Enkel, Kurfürst Max Emanuel, ein neues Schloß. Das zunächst errichtete »Lustheim«, ein Parkkasino, am O-Ende des heutigen Parkes 1684–87 von E. Zuccalli errichtet, deutet, zusammen mit dem 1683 auf einer Fläche von 163 Tagwerk begonnenen Park, die bestehende Absicht an, wenn sie dem Anschein nach auch erst 1692/93 in Plänen Zuccallis ideelle und seit 1701 reale Gestalt gewinnt. Grundsteinlegung 14. April 1701. Ähnlich wie schon in Nymphenburg wird das Alte Schloß geschont und zum Ausgang der Planung gemacht. Bei völlig durchgeführten Absichten hätte es, durch Flügeltrakte mit dem Hauptbau des Neuen Schlosses verbunden, die westl. Abschlußwand eines großen Binnenhofes gebildet. 1702 stürzt das Vestibül ein. Die vom Kurfürsten berufene Sachverständigenkommission beanstandet die allzu seichte Fundamentierung, der nun durch Erdaufschüttung abgeholfen werden muß. Folge dieser Maßnahme: eine merkliche Proportionsstörung; der Fuß des Schlosses steckt im Boden. Wohl wenig später eine Planänderung: statt der von Zuccalli vorgesehenen beiden Treppenläufe seitl. des Vestibüls jetzt nur eine Treppe, die dann auch später, von Effner, mit einigen Änderungen gebaut wird. Baubeginn der neuen Treppe 1704. Im gleichen Jahre schon Aufsetzen des Dachstuhls. Die südl. Galerie wächst aus dem Boden, der abschließende Pavillon ist nahezu vollendet. Der Spanische Erbfolgekrieg und das darauf folgende Exil des Kurfürsten (seit 1704) schließt die erste Bauperiode ab. Der O-Flügel (das heutige Neue Schloß) steht im Rohbau, doch ohne Oberstock und nördl. Pavillon. Die Absicht Zuccallis, den langen Gebäuderiegel in einem Mittelturm gipfeln zu lassen, wird später nicht wieder aufgenommen. Erst 1719 Wiederaufnahme der Bauarbeiten, nun unter Leitung des in Paris geschulten Joseph Effner, in französischer, nicht mehr italienischer Ausrichtung. Das alte Projekt in seiner riesigen Grenzsetzung lebt nicht wieder auf, im wesentlichen handelt es sich um die Vollendung des Begonnenen, des O-Flügels, dem Effner den Oberstock aufsetzt und der sich in seiner schwachen, gegen die Länge nicht aufkommenden Vertikalachse deutlich genug als Torso zu erkennen gibt, wenn auch die Veränderung der Dachgestalt im 19. Jh. den Anschein einer endlosen Front noch weiter unterstrichen hat. Verbindung des neuen O-Flügels mit dem alten W-Flügel durch Galerien steht noch in Erwägung, wird aber dann fallengelassen. Der Verbindungsgang zum südl. Pavillon ist 1723 eingewölbt. Der Ausbau des nördl. erfolgt erst unter Ludwig I. Die Innenausstattung fällt überwiegend in die Jahre 1722–26. Ab 1727 ruht der Bau. Die Absicht des Kurfürsten Max III. Josef, die Treppe zu vollenden, bleibt Absicht. Erst König Ludwig I. vollendet sie, 1847/48, nach alten Plänen und auch mit den alten Werkstücken. Im frühen 19. Jh. überarbeitet Klenze die Fassade, er entfernt den Giebel von 1721 und den des Mittelportals von 1729. – Im 2. Weltkrieg erlitt der S-Flügel (Kapelle) empfindliche Schäden; sie sind inzwischen, großenteils, behoben.

Altes Schloß. Von Herzog Wilhelm V. als ländlicher Ruhesitz 1597 begründet. Langgestreckte Folge bescheidener Ökonomiegebäude, die in einen kleinen Binnenhof führt, an dessen O-Seite Maximilian I. durch Heinr. Schön 1616 seinen herrschaftlichen Schloßbau errichten läßt, ein 1geschossiges Gebäude in maßvoller Rustikaquaderung mit übergiebeltem Festsaal in der Mittelachse. Die Zugänge beiderseits durch Treppe und Portikus hervorgehoben. 1944 weitgehend zerstört.

Neues Schloß

Das Schloß ist ein Torso, infolgedessen in sich unausgeglichen, doch mächtig noch in dem, was es ist. Auch so noch eine der raumaufwendigsten Schloß- und Parkanlagen euro-

päischen Barocks, schlechthin monumentale Architektur,
Rahmen einer Hofhaltung, die (nach dem Urteil Montes-
quieus) zu seiner Erfüllung nicht ausreichte. Die Bauleidenschaft des Kurfürsten kannte keine Nützlichkeitserwägun-
gen. Die großen Repräsentationsräume, die man als »reine«
Architektur bezeichnen kann – Treppenhaus, großer Saal,
Viktoriensaal, Galerie –, sind die eindrücklichsten Zeugen
dieses Bauens um des Bauens willen. Das Treppenhaus und
der große Festsaal stehen in der ersten Wertreihe des deutschen Barock. – Die *Fassade* allein des *Mittelbaus*, ohne
Galerien und Pavillons, ist von außerordentlicher Länge
(169 m) bei verhältnismäßig geringer Höhe und auch geringer Tiefe. Die nur leicht vorgezogene Mitte hat $3^1/2$, die Flügel haben $2^1/2$ Geschosse. Die größere Höhe der Mitte ist
durch die stark betonte Waagrechte der abschließenden
Attika in ihrer Wirkung beeinträchtigt. Der geplante Turm
Zuccallis ist als Forderung gegenwärtig. Die Risalit-Ent-
wicklung ist an den Enden gering. Der Mittelrisalit ist durch
mächtige Pilaster gegliedert, die die Geschosse zusammen-
greifen. Die Fenster der Flügel fluchten gleichmäßig ab;
Einschaltung eines unterbrechenden Intervalls jeweils nach
der 6. Achse (von den äußeren Ecken her gerechnet); diese
Intervalle sind als Abzweigungsstellen der geplanten Galerien zu erklären. Wohltuend die Dachgestaltung der *Flügel*
in ihrer gegenüber der Flachwinkligkeit der Bedachung des
Mittelbaues entschiedener sprechenden Winkelung, der auch
die Reihe der Kamine zu Hilfe kommt; die Dachgestaltung
des Mittelbaues geht allerdings zu Lasten des 19. Jh. – Die
an sich schon bedeutende Längserstreckung des Hauptbaues
erhält in den weit hinausgerückten *Pavillons* eine Fortführung, die durch die an den Frontseiten völlig kahlen, sozusagen nur mit dem Rücken gezeigten (nach dem Garten gewendeten) Verbindungsgalerien noch augenfälliger wird.
Trotz allem, der Eindruck ist mächtig, die Dimension (Gesamtlänge 330 m) wirkt. – Die Gliederung der *Gartenseite*
ist im großen und ganzen die gleiche. Die Mitte ist hier um
eine Fensterachse vorgezogen, doch ohne den in der Flucht
der Flügel bleibenden Oberstock. Die Verbindungsgalerien
zu den Seitenpavillons sind in Arkaden geöffnet. – I n n e -
r e s. Prächtig geschnitzte Portale (das östliche von Ign.
Günther 1763) führen in das *Vestibül*, eine Halle italienischen Charakters. Säulenreihen tragen 12 kleine, bemalte

Flachkuppeln. Im N folgt der *Speisesaal* aus der Zeit des späten Rokoko mit einem Fresko Christ. Wincks. Gegen den Park hin leitet das Vestibül in 3 Säle mit besonders reizvoller Stuckinkrustation. Diese wurde für das ganze Schloß im wesentlichen von Charles Dubut, Joh. Bapt. Zimmermann und J. Gg. Bader besorgt. Die Appartements des Kurprinzen und der Kurprinzessin schließen sich im S wie im N an. Südl. vom Vestibül führt die schöne *Treppenanlage (Tafel S. 801)* zum großen Festsaal. Von schmaler Basis aufschießende Kompositpilaster rahmen die Portale unter emblembeladenem Sturz. Das Gewölbefresko C. D. Asams zeigt Venus bei Vulkan. Der *Festsaal* mit hoher, durch 2 Geschosse reichender Pilastergliederung paraphrasiert im stukkierten Trophäenschmuck Zimmermanns, den Schlachtenbildern F. J. Beichs und dem Deckenfresko Amigonis (Kampf des Aeneas) das Thema des kurfürstlichen Türkenbezwingers. Seine triumphale Heimkehr feiert der *Viktoriensaal* mit dem Fresko desselben Künstlers (Dido begrüßt Aeneas) auf der von Dubuts Atlanten getragenen Decke. Französischer wirkt die große *Galerie* an der Gartenseite in ihrer ornamentalen Lockerung. Nach S folgt das Appartement des Kurfürsten mit prunkvollem *Paradeschlafzimmer*, nach N das der Kurfürstin mit der scagliolageschmückten *Kammerkapelle* von 1752. Kostbare Tapisserien, Paneelschmuck, Gobelins und nicht zuletzt der Schatz ausgestellter Gemälde vermitteln die Atmosphäre des ausgereiften Barock.

Lustheim

Das Schlößchen steht am Ausgang der Schloßplanung Max Emanuels, dessen spätere Absicht, die seitl. Pavillons durch verbindende Galerien an das Neue Schloß anzuschließen, bei der Entfernung beider Plätze begreiflicherweise keine Verwirklichung fand.

2geschossiger Bau in den plastischen Gliederungsformen italienischen Barocks, wie ihn Zuccalli handhabte. Die Fassade, eingebettet zwischen 2 Risalite, durch das kräftige Konsolgesims herausgehoben, durch korinthische Pilaster dreigeteilt. Im Mittelabschnitt das von Säulen gerahmte, von einem Sprenggiebel bekrönte Marmorportal. Im Obergeschoß der Schmalseiten offene Loggien. Auf dem Mittelbau ein geschlossenes, mit Kupferplatten verkleidetes Belvedere. – I n n e r e s. In der Mitte der durch beide Geschosse reichende Saal. Gemalte Atlanten tragen das Spie-

gelgewölbe, das in seiner gemalten perspektivischen Kuppelarchitektur ein mythologisches Thema, Jupiter beschenkt
Diana mit Pfeil und Bogen, einschließt. Stukkaturen von
F. R. Marazzi 1719, Fresken von Trubilli und anderen. Am
oberen Teil der Seitenwände 2 große Ölgemälde, Szenen aus
dem Jägerleben des Kurfürsten und seiner Gattin, v. Trubilli, 1688. Seitl. des Mittelsaales je 4 an einen Korridor
gereihte Räume, alle in einheitlicher Weise ausgestattet. Die
Malerei von N. Stuber. (Das Schloß wird derzeit als Heim-
stätte einer bedeutenden Porzellansammlung eingerichtet.) –
Die distanzierten seitlichen Pavillons mit offenen Arkaden
an der Front waren als die Eckrisalite einer das Schloß im
Halbkreis umfangenden Galerie und zugleich der erwähnten
langen Verbindungsgalerie zum Neuen Schloß gedacht. Die
Halbkreisgalerie gedieh bis zur Hälfte und wurde später
wieder abgetragen. Im südl. Pavillon die *Renatuskapelle*,
ein die beiden Geschosse einnehmender Ovalraum, den eine
Kuppel mit Stuckkassettierung deckt.

Park. Die Anlage geht in die 80er Jahre des 17. Jh. zurück.
Die Kanäle entstehen bis 1696. Der östl. Teil mit seinen von
Lustheim ausstrahlenden Radialachsen ist ein Rückstand
dieser ersten Anlage. Neugestaltung und Erweiterung seit
1715 durch Effner und D. Girard. Auch diese zweite Anlage
hat sich in der urspr. Achsenziehung erhalten. Rückgrat ist
der große, Neues Schloß und Lustheim verbindende *Kanal*
mit der ihn westl. abschließenden *Marmorkaskade* Effners.

SCHLIERSEE (Obb. – D 8)

Ehem. Chorherrenstifts-, jetzt Pfarrkirche

5 Brüder hochadeligen Geschlechts erbauen um 770 Zelle und
Oratorium, das Bischof Arbeo 779 weiht. Diese benediktinische
Zelle St. Martin stand auf dem Kirchbichl in Westenhofen. Am
Seeufer entstand dann die Laienkirche St. Sixtus. Im 11. Jh. wan-
delt sich das Benediktinerkloster in ein Chorherrenstift um, das die
Martinskirche mit der Sixtuskirche vertauscht. 1141 errichtet
Bischof Otto von Freising ein mit 10 Präbenden ausgestattetes Kol-
legiatstift. – Über die roman. Kirche geht ein Bericht ab. Nach
Bränden 1346 und 1349 Wiederaufbau. Im 15. Jh. jähes Ende des
Stiftes: 1494 löst es, veranlaßt durch den Herzog, der Papst auf,
sein Besitz fällt an das neugegründete Chorherrenstift bei der
Münchner Frauenkirche. 1495 siedeln die Schlierseer Stiftsherren

nach München über. – Die baufällige got. Kirche wird durch das Münchner Stiftskapitel 1712–14 erneuert. Baumeister war der aus Reichersdorf stammende Kaspar Gläsl, Vater des Freisinger Dommaurermeisters Dominik. Der Turm wurde 1873 erneuert.

Wandpfeilerkirche mit je 4 Kapellen zwischen den stark vortretenden Pfeilern, die mit Pilastern besetzt sind. Der eingezogene, halbrund schließende Chor fügt noch 2 Joche hinzu. Eine Stichkappentonne mit Gurtbogen deckt den Raum. An der N-Seite des Chores steht die Katharinenkapelle, an der S-Seite die doppelgeschossige Sakristei.

A u s s t a t t u n g. Stukkaturen und Fresken steigern die Wirkung des hellen, breit proportionierten Raumes. Die *Fresken*, die sich noch auf verhältnismäßig kleine Flächen der Gewölbejoche beschränken, sind Frühwerke J. B. Zimmermanns (1714), der, wie kaum ein anderer, die leichte heitere Prägung der Kirchenräume des bayerischen Barock (Schäftlarn, Andechs, Dietramszell) bestimmt hat. Die Chormalereien sind dem Hausherrn, St. Sixtus, gewidmet, die des Langhauses bringen ein Schutzmantelbild und die Monogramme Mariae und Jesu. Die Stukkaturen, ebenfalls Zimmermanns, spielen keine Rolle im Ensemble der eingesetzten Schmuckmittel, sind aber fein und zart und übrigens auch sehr fortschrittlich für ihre Zeit. Der Hochaltar von 1717 ist Werk des Miesbachers Blasius Zwinck, das Gemälde schuf Paul Vogel, die Figuren gab der Tölzer Franz Fröhlich. Von den 6 Seitenaltären darf der vorderste links Dominikus Zimmermann, dem Bruder des Johann Baptist, gegeben werden. Am NO-Eingang der Kirche: Schnitzfigur des hl. Sixtus von Erasmus Grasser aus München um 1490. Von Grasser stammt auch die Gnadenstuhlgruppe rechts vom Hochaltar. Über der Sakristeitür: Gemälde der Schutzmantelmaria 1494, eine Zuschreibung an Jan Pollack, München.

Nikolaus-Kapelle auf dem Friedhof. Spätgot. Anlage, um 1635, mit Rahmenstuck der Miesbach-Schlierseer Schule (Zwerger). Flügelaltar 1514, mehrfach restauriert, mit Schnitzfigur des hl. Nikolaus und gemalten Szenen aus dessen Legende. An den Außenseiten Passionsbilder. Die stehenden Flügel tragen Darstellungen der hll. Stephan und Laurentius, rückseits Maria und Johannes d. T., dem Jan Pollack zugeschrieben.

Weinbergkapelle St. Georg. 1368–87 unter Verwendung roman. Bauteile. Chor um 1470. Interessanter Hochaltar 1624; Schnitzfigur des Reiterheiligen Georg unter reizvollem Bogenaufbau. Predellabild der Kreuztragung 1570. Nebenaltar der N-Wand 1628 mit der Figur St. Leonhards zwischen Johannes d. T. und Katharina. Gegenüber Altar von 1708. Holzfiguren der hll. Sixtus und Barbara um 1470.

Die auf 6eckigem Grundriß errichtete **ev. Christuskirche** ist eine Schöpfung von O. A. Gulbransson, 1953/54.

Am S-Ende des Schliersees **Wallfahrtskirche St. Leonhard** in **FISCH-**

HAUSEN. Zentralbau Jörg Zwergers 1670 mit reicher Felderdekoration, ein Hauptwerk der Miesbach-Schlierseer Stukkatorenschule. Altäre 1671. Figur des Auferstandenen 1425. – Daneben **Propsthaus** 17. Jh., mit guter Einrichtung.

SCHLÜSSELAU (Ofr. – D 3)

Ehem. Zisterzienserinnenkloster

Stifter sind die beiden Edelherren Eberhard und Konrad v. Schlüsselberg aus (insbesondere in der fränkischen Alb) reich begütertem edelfreiem Geschlecht. Bauherr der anscheinend nicht gleich nach der Stiftung, 1260, beg. Kirche ist ein jüngerer Schlüsselberg, Gottfried. Das stets von adeligen Äbtissinnen regierte Kloster übersteht noch die Verwüstungen durch die Bauern, 1525, nicht mehr die durch die Markgräflichen, 1553. Im nächsten Jahre hebt es der Bamberger Bischof auf. Erst 1949 wird es, mit dem jetzt hier einziehenden Karmelitinnen, seiner geistlichen Bestimmung zurückgegeben.

Die Ende des 13. Jh. beg. und in der 1. Hälfte des 14. Jh. vollendete **Kirche** (seit 1603 Pfarrkirche) ist die typische der Zisterzienserinnen; die urspr. den W-Teil des Schiffes besetzende Nonnenempore (über »Sepultur«) hat sich allerdings nicht erhalten. Nächst verwandt: Mariaburghausen (das Mutterkloster Schlüsselaus). Das Langhaus, 1603 gewölbt, wurde 1895 (Jahr einer etwas scharfen Restaurierung) flach gedeckt. Gleichzeitig entstand die Fassade, der ein barockes Portal zustatten kommt.

Im Chor ruht der »fundator ecclesiae« Gottfried v. Schlüsselberg (1308) unter einer ehemals von 4 Säulen getragenen Steinplatte, die nur mit flachem Relief und nur heraldisch beschrieben ist, eine der ersten frühen Wappendarstellungen in Stein. Bedeutend auch der Holzkruzifixus an der S-Wand des Schiffes, um 1300 (die Evangelistensymbole 16. Jh.). Auf dem nördl. Seitenaltar (des frühen 18. Jh.) ein gutes Vesperbild, Ton, um 1420. Auch die gemalte Tafel mit der Hl. Sippe, ein Werk aus dem Kreise Dürers, um 1510, sei beachtet. Der Hochaltar ist, in den Figuren (Kirchenväter), Werk Fz. Schlotts, 1729 (das Tabernakel jünger, 1761). Gleichzeitig entstanden Seitenaltäre und Kanzel.

Die **Klostergebäude** gingen im 16. Jh. ab. Der stattliche, 13 Achsen lange, schmalseitig mit Staffelgiebeln besetzte, auch mit einem guten Portal geschmückte Spätrenaissancebau nordwestl. der Kirche entstand unter Fürstbischof Joh. Phil. v. Gebsattel, im frühen 17. Jh. – Bei allen Verlusten bietet das in eine anmutige Tallandschaft eingebettete Schlüsselau immer noch das Bild einer kleinen, in sich geschlossenen Klostersiedlung.

Speinshart. Klosterkirche, Langhaus und Chor

Straubing. St. Jakob, Inneres gegen Osten

SCHMERLENBACH (Ufr. – B 2)

Ehem. Benediktinerinnenkloster

»*St. Maria im Hagen*« (*urspr. Name*) *ist eine Stiftung des Würzburger Domherrn Gottfried v. Kugelnberg, 1218. Zunächst zisterziensischer, aber dann (schon gegen Ende des 13. Jh.) benediktinischer Observanz, und das bis zur Auflösung des, stets von adeligen Äbtissinnen geleiteten, Konvents 1803.*

Die 1758 abgetragene, 1759 neuerrichtete Klosterkirche, seit 1812 kath. **Pfarrkirche St. Agatha**, ist ein Bau des späten Rokoko, 1960 vorzüglich restauriert und zur Geltung gebracht. Äußerlich, bis auf die durch Pilaster gegliederte S-Seite, anspruchslos. Auch der 1schiffige Raum, mit leicht eingezogenem Chor, sparsam geschmückt. An der flachen Wölbung Fresken und zarte Rocaille-Stukkaturen (eines schwäbischen Meisters). Hochaltar und Kanzel älter, 17. Jh. und 2. Hälfte 18. Jh. Die wertvollsten Besitze der Kirche sind: die tönerne Muttergottes Weichen Stils, um 1400, dem Kreise der »Schönen Madonnen« zugehörig, reizvolles Werk typisch mittelrheinischer Prägung; die kleine (nur 30 cm hohe), irreführend 1518 datierte Holz-*Pietà*, jetzt von entstellender Fassung freigelegt, eine rühmliche Schöpfung des späten 14. Jh.; diese »Muttergottes von Schmerlenbach« war Ziel einer blühenden Wallfahrt.

Der **Klosterbering** schließt südlich den großen, von Zweckbauten umstellten Wirtschaftshof ein. Nördlich der in die Mitte gerückten Kirche lagen die nach der Säkularisation abgetragenen Konventbauten. Im Pfarrhof hat sich die »**Abtei**« erhalten, im Kern 17., in der Erscheinung 18. Jh. Das westl. einlassende **Klostertor**, auch des 18. Jh., birgt in der Nische über dem Rundtor die Sandsteinfiguren der Muttergottes und der Ordensheiligen Benedikt und Scholastika. – Im **Friedhof** südl. der Kirche, am Tor zwischen den beiden Eingängen, ein *Bildstock*: auf frühgot. Säule Muttergottesrelief des frühen 16. Jh.

SCHÖNACH (Opf. – F 6)

Schloß. Nach dem Aussterben der Schönacher und häufigem Besitzerwechsel setzte Graf Joh. Gg. v. Königsfeld 1703 den Schloßneubau ins Werk, den 1726 die Grafen Arco und 1764 die v. Seinsheim übernahmen. – Der schlichte, 3geschossige Bau bewahrt eine Reihe schön stukkierter und ausgemalter Gemächer der Erbauungszeit. Von bes. Würde ist der Festsaal mit seiner vorzüglichen Stuckdecke, einer Komposition aus dünnem Akanthus, Girlanden, Rahmen- und Kartuschenformen. Dem Stil der Zeit gemäß verteilt sich die Bemalung auf mehrere abgegrenzte Felder. In den beiden größeren Phaëtons Aufstieg und Sturz, in den kleineren Götter des Olymp.

SCHÖNAU (Ufr. – C 2)

Minoritenkloster. 1189 wird in Schönau ein Zisterzienserinnenkloster durch Philipp v. Thüngen gestiftet. Im 16. Jh. hart mitgenommen, wird es 1553 liquidiert. Ende des 17. Jh. kommt die Klosterkirche an die Würzburger Franziskaner, die 1699 ff. Kirche und Kloster neu gestal-

ten. – Die **Kirche**, im großen und ganzen frühgotisch, ist 1schiffig, ihr
Chor schließt flach und hat urspr. Wölbung nur im O-Joch. Ehemals
stand frei im Schiff, die Grenze zwischen Laien- und Nonnenkirche
markierend, der Turm. Die Nonnenkirche war 2geschossig (unten Sepultur, oben Porkirche). Das Langhaus und die beiden westl. Chorjoche
waren flach gedeckt.

SCHÖNBRUNN b. Dachau (Obb. – D 7)

Kirche der ehem. Unertlschen Hofmark. Erbaut 1723/24. Schlichter,
rechteckiger Außenbau, aus dem nur Apsis und Turm herausragen. Dieser mit fast würfelförmiger welscher Haube. Als Baumeister wird Joh.
Bapt. Gunetsrhainer mit Beteiligung Jos. Effners vermutet. Das Innere
überrascht durch Verschmelzung von Zentral- und Langbaugedanken im
Sinne des wenig später auftretenden Joh. Mich. Fischer. Ovaler Kernraum mit Querschiffandeutung, rechteckigem Vorchor und halbrunder
Apsis. Eine korinthische Pilasterform gliedert die Raumschale mit Ausnahme der Querschiffwände. Figurennischen und Oratorien an den
Ovalseiten. Die reiche Stuckdekoration, höfisch elegant, bevorzugt das
den 20er Jahren gemäße Bandelwerk neben anderen Themen wie Akanthusranken, Voluten, Frucht- und Blattgehängen, Kartuschenwerk.

SCHONGAU (Obb. – C 7)

*Vom heutigen Altenstadt aus wird im 13. Jh. der Berg am Lech
besiedelt: Neu-Schongau, vor 1253 bereits Stadt, im 14. Jh. mit
Privilegien ausgestattet, wächst am regen Handelsbetrieb der großen N-S-Straße (der alten Via Claudia Augusta) als Stapel- und
Umschlagplatz. Wirtschaftlicher Rückgang erst seit dem 18. Jh.*

Die **Stadtanlage** ist durch das ovale Bergplateau bestimmt. In dieser
Form verläuft die Stadtmauer, während eine breite Marktstraße mit
Rathaus und Pfarrkirche den Ort von N nach S durchschneidet.

Pfarrkirche Mariae Himmelfahrt. Ein Turmeinsturz 1667
hat den Neubau von Turm und Chor zur Folge, doch finden ältere Mauerteile Verwendung. Neubaupläne für das
Langhaus 1738 (Kostenvoranschläge Jos. Schmuzers). 1748
stuckiert Dominikus Zimmermann den Chor. 1750–53
kann dann, nach den Angaben Zimmermanns, das spätgot.
3schiffige Langhaus in den bestehenden Saalraum umgewandelt werden. Die Stukkaturen des Langhauses gibt der
Wessobrunner Jak. Stiller, die Fresken, auch die des Chores, Matth. Günther. Dargestellt ist, im Chor: die Hl. Dreifaltigkeit empfängt die Himmelskönigin (1748); im Langhaus: Glorie der Jungfrau und Erwählung Esthers durch
Ahasver (1761). Die 3 Freskomalereien der nördl. Chorwand vom Schongauer Fz. Ant. Wassermann (1757). Der

Hochaltar (für den Ignaz Günther Entwürfe vorgelegt hatte, die aber, als zu kostspielig, nicht angenommen werden konnten) ist ein schönes reiches Werk des Weilheimer Meisters Fz. Xaver Schmädl, 1758–60; Mitte ist die ältere (mit »um 1620« doch wohl dem Weilheimer Joh. Degler zu gebende) Himmelfahrt Mariae, seitlich die hll. Mauritius und Martin.

Hl. Kreuzkapelle, 1689–93 vom Wessobrunner Johann Schmuzer gebaut, verändert 1725. – **Spitalkirche Hl. Geist**, 1720–25 wahrscheinl. von Joseph Schmuzer errichtet, im Komplex des Karmeliterklosters. Wandpfeileranlage. – **Friedhofskapelle St. Sebastian** Ende 17. Jh.

Ehem. Schloß, vorübergehender Sitz Herzog Christophs und Albrechts IV. von Bayern. Fundamente viell. noch 14. Jh. Später verändert.

Ehem. Rathaus. Neubau 1515 vollendet. Im 19. Jh. verändert. Durch seine Lage inmitten der Hauptstraße hervorgehoben; schlicht, mit steilen Treppengiebeln. Seine alte Bezeichnung »Ballenhaus« verweist auf die ehem. Bedeutung Schongaus als Umlade- und Stapelplatz. Ratssaal mit geschnitzter Balkendecke. – **Ehem. Steingadener Richterhaus** (gegenüber der Spitalkirche) mit Balkendecke von 1493. – Die **Befestigung** mit Wehrgang ist weitgehend erhalten (15.–17. Jh.). Tore und Türme sind wegen der Berglage verhältnismäßig niedrig.

Unweit Schongau auf der östl. Lech-Seite liegt das eng mit den Welfen verknüpfte **PEITING**. Die schon 1101 bezeugte Burg der Welfen, ein Hauptsitz des urspr. insbesondere hier, rittlings der Baiern-Schwaben-Grenze, in Ammer- und Augstgau begüterten Geschlechts, ging mit letzten Teilen im 30jährigen Kriege ab. Nur einige Wälle und Gräben deuten noch den Burgplatz an. – Die Pfarrkirche **St. Michael** weist noch einen, ins 11., spätestens 12. Jh. gehörenden, massiven Turm und eine kleine, sehr einfache, folglich auch schwer datierbare Krypta, doch wohl des 12. Jh., vor.

SCHROBENHAUSEN (Obb. – D 6)

Seit dem 8. Jh. nachgewiesen, zunächst Besitz des Bistums Freising, 955 durch die Ungarn ausgelöscht, um 1005 Schenkung Kaiser Heinrichs II. an das Kloster in Neuburg und an St. Ulrich in Augsburg, seit 1120 beim Territorium der Wittelsbach. Marktrechte 1329, Stadtrechte 1447. Heimatort des Porträtmalers Franz Lenbach (1836–1904).

Stadtpfarrkirche St. Jakob. Helle, wohlräumige Basilika um 1425–80 in der für Bayerns Spätgotik verbindlichen Art, viell. abhängig von der Landshuter Spitalkirche. (Restaur. 1955–57.) Wandmalereien im Chor Mitte 15. Jh. (1461), an den Stützen 16. Jh. – Gedenktafel des Herzogs Ludwig im Bart von Bayern-Ingolstadt (in der Vorhalle), ähnlich denen in Wasserburg, Friedberg und Aichach, dat. 1419. – Kreuzigungsgruppe und Ölberg um 1500. – Turm 2. Hälfte 15. Jh., 1617–24 aufgehöht.

Frauenkirche 1409–16, seit dem 18. Jh. mehrmals verändert. – **St. Salva-**

tor, gegen 1437, Umbau Mitte 18. Jh. mit Fresken von Ign. Baldauf, 1760.

Das **Rathaus** ist in der Substanz spätgotisch, wurde aber Ende des 19. Jh. durch Gabriel Seidl umgestaltet. Innen: »Lenbach-Saal« mit Gemälden des berühmten Sohnes dieser Stadt.

Der **Bering** aus der Frühzeit des 15. Jh., unter Herzog Ludwig im Bart angelegt, ist zu großen Teilen erhalten.

SCHWABACH (Mfr. – D 4)

1117 bezeugt, kommt »Suabach« nach Mitte des 12. Jh. durch staufische Schenkung an das Kloster Ebrach, das aber 1281 einen Teil an den Kaiser verkauft; der kaiserliche Teil wird 1364 burggräflich. Aus ihm entwickelt sich die Stadt. Aber auch im anderen Teil hat Ebrach schließlich nur noch kirchliche Rechte. Stadt im 14. Jh., geht Schwabach im 17. Jh. nieder, erholt sich aber dank Emigrantenzuzug, bes. (1685 ff.) franzöz. Hugenotten. Im 19. Jh. zieht die Industrie ein, die aber den alten Stadtkern ausspart.

Der **Stadtkörper** liegt in annähernd runder Umfassung, von deren Toren, Türmen und Mauern nur wenige Reste geblieben sind. Die Schwabach hälftet das Stadtgebiet. Der Fluß ließ an seinen Ufern schon im Mittelalter ein reges Gewerbe (u. a. Goldschläger) erblühen. Beide Hälften sind durch W-O-Achsen beherrscht, die der S-Hälfte, ein breiter Straßenzug (Königstraße), dehnt sich an der Kirche zum Platz (**Königsplatz**), der dank seiner guten alten Bebauung zu den besten des Landes gestellt werden darf (*Tafel S. 832*). Giebelfront und Fachwerk charakterisieren. Fachwerk, nur das Erdgeschoß ist massiv, bestimmt auch das zwischen Kirche und Platz liegende **Rathaus**, das, 1509 errichtet, später wiederholt verändert wurde; so kam das Obergeschoß erst 1799 hinzu (das Obergeschoß des N-Flügels erst 1902). Unter den den Platz umstellenden »altdeutschen« Bürgerhäusern tritt mit höherem Anspruch hervor die ehem. **Fürstenherberge** (einst Gasthaus zur Goldenen Gans), die 1726–28 einen älteren Bau ersetzte: hoch aufragend, 4geschossig, von Mansarde gedeckt, ist sie durch flach gegiebelten Risalit und Portikus ausgezeichnet. Ein Denkmal des markgräflichen Regiments ist der den Platz schmückende *Schöne Brunnen*, der 1716/17 gesetzt wurde. Der Entwurf gehört dem markgräflichen Baudirektor Joh. Wilh. v. Zocha; die Bildhauerarbeit (nicht mehr original) schuf der Hofbildhauer Joh. Jos. Fischer. Über bewegt umrissenem Brunnenbecken steigt, reichem Sockel entwachsend, ein den brandenburgischen Adler tragender Obelisk. Neben dieser prächtigen barocken Brunnenschöpfung behauptet sich doch noch der in der NW-Ecke des Platzes postierte kleine klassizist. *Pferdebrunnen,* der 1823, nach Entwürfen Heideloffs, aufgerichtet wurde.

Ev. Pfarrkirche

Der Neubau der (schon im 11. Jh. bezeugten, dem Täufer geweihten) Pfarrkirche beginnt 1469, der betraute Meister ist wahrscheinl. Heinr. Kugler (auch Echser genannt) von Nördlingen, den wir später in Nürnberg, Ansbach, Nördlingen treffen. 1480 stehen die Pfeiler in halber Höhe, 1488 bis zum Gewölbefuß. 1471 entsteht der Turm. 1495 wird geweiht. 1503 kommt die Sakristei am O-Ende des nördl. Seitenschiffs, um 1509 die vom Münzmeister Hans Rosenberger gestiftete Annakapelle am O-Ende des nördl. Seitenschiffs hinzu. Die folgenden Zeiten rührten wenig an Bau und Ausstattung.

Der Querschnitt der 3 Schiffe ist basilikal, doch sind die Hochwände des Schiffes blind befenstert; das große Dach reicht von der Langhaus-Firsthöhe bis zur Seitenschiff-Trauflinie herab und bestimmt wesentlich den Eindruck des A u ß e n b a u s , der nur im Turm an der NW-Ecke des Langhauses und im Chor Steilbahnen durchsetzt. Der in 5 Seiten des Achtecks gebrochene Chor ist in hohen 3teiligen Fenstern geöffnet und von Streben umstellt. Der Turm geht in 4 Rechteckgeschossen auf, setzt auf das vierte noch ein verjüngtes Kurzgeschoß und endet dann im polygonen kupferbeschlagenen Helm, der sich unter der Spitze (nach Nürnberger Muster) in einer Durchbrechung öffnet. Schmuck ist an den Sandsteinquadern wenig aufgeboten, kaum viel mehr als die Trennungsfriese der Turmgeschosse. 5 Spitzbogenpforten lassen ein. – I n n e r e s . Die Scheitel der Kreuzrippengewölbe liegen im Chor, der bis zum Polygonschluß 2 Joche tief ist, und im Mittelschiff, das 6 querrechteckige Joche zählt, gleich hoch. Sehr stämmige Rundpfeiler nehmen die Scheidbogen auf, freien Einblick in die Seitenschiffe gestattend, deren ebenfalls kreuzgewölbte Joche gleichzählig, doch quadratisch, deren Fenster meist 5teilig sind. Gegen Dunkel und Schwere des Mittelschiffs steht hell der hoch befensterte Chor. Der kaum mehr merkliche Knick seiner flach gesprengten Wölbungen dämpft allerdings auch hier den Aufstieg der Senkrechten. Der Spitzbogen hat

eine Neigung rund zu werden, wie sich die Fenster der
Rosenbergkapelle (1504–09), die aus 1 Joch mit $^5/8$-Schluß
besteht, dann auch zum Rundbogen bekennen.

Die Ausstattung ist sehr reich. Der *Hochaltar* ist einer der
namhaftesten Schreinaltäre der letzten Spätgotik. 1507/08 stellte
ihn M. Wohlgemut her oder ließ ihn herstellen, denn nur das Gemalte, nicht das Geschnitzte kann für ihn in Anspruch genommen
werden. Stilistisch lassen sich für ihn zudem nur die Flügel des
Sarges sichern. Alle anderen (gemalten) Tafeln müssen einer jüngeren Kraft (Seb. Dayg?) zugeschrieben werden. Der Schnitzer der
Schreinplastik (Krönung Mariae zwischen Joh. Bapt. und Martin)
und der Flügelreliefs muß aus der Lehre des Veit Stoß gekommen
sein, mehr läßt sich von ihm, der ein bedeutender Könner war,
nicht sagen. – Veitsaltar (um 1450), Katharinenaltar (um 1465),
Altar der schönen Maria (Figur um 1475, Flügelgemälde 1520, von
Hans von Kulmbach), Schusteraltar (1510), Sebastiansaltar (um
1490), Sippenaltar (um 1510), Kreuzaltar (um 1500), Speisealtar
(1534 errichtet, doch ist der hervorragende Kruzifixus älter, um
1520) – die rasche Aufzählung soll nur hindeuten auf einen reichen
Besitz. Das *Sakramentshäuschen* von 1505 ist nicht von Adam
Krafft, behauptet sich aber in Ehren. Die seitlich in die Wand des
Chores eingelassene, 1907 gesetzte Gedenkplatte mit dem Relief-
porträt Adam Kraffts erinnert an seinen Tod an einem der ersten
Tage des Jahres 1509 im Spital zu Schwabach, wohin ihn Hans Rosenberger in Sachen seiner (noch vor der Wölbung stehenden) Kapelle berufen hatte. Daß die Kirche sehr viele »Altdeutsche«, einzelne Gemäldetafeln des späten Mittelalters, besitzt, sei noch angemerkt. Unter den Grabsteinen sei der sehr gute des hochverdienten
Hans Rosenberger (1510) hervorgehoben. Beachtlich auch der des
Hans v. Wallenrod und seiner Frau, an der Wand des südl. Seitenschiffs, das um 1459 (Todesjahr der Frau) oder wenig später entstanden sein dürfte. Und außen sei der Ölberg von 1484 nicht vergessen.

Die **Spitalkirche** (St. Anton und St. Elisabeth) wurde 1404 geweiht; das
Langhaus 1755/56, der Dachreiter über dem Chor 1885 durch einen Turm
ersetzt. – Die **»Franzosenkirche«** wurde für die von Ansbach nach Schwabach transferierte Gemeinde der ref. Réfugiés 1686/87 errichtet (der
Turm 1724/25). – Die **Friedhofkirche** entstand 1607–09. – Die **kath. Pfarrkirche St. Sebald** wurde 1848–50 gebaut, 1925/26 erweitert.

SCHWARZENBERG (Mfr.) → **Scheinfeld** (D 3)

SCHWARZLACK (Obb.) → **Nußdorf am Inn** (D 8)

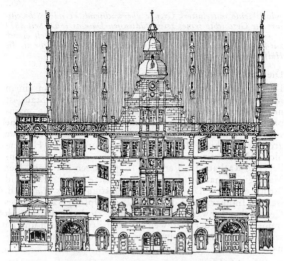

Schweinfurt, Rathaus (zum Text S. 873)

SCHWEINFURT (Ufr. – D 2)

In geringer Entfernung südöstl. der Stadt lag der Stammsitz des im 10. Jh. blühenden, 1057 erloschenen Geschlechts der Grafen (Markgrafen) von Schweinfurt, verbunden mit einem Kloster. Diese »Altstadt« kam 1112 an das Hochstift Eichstätt, dem sie durch die Lehensträger (Henneberg und Reich) wieder entglitt. Ein täglicher Markt besteht schon im 13. Jh., wahrscheinl. auch schon da, wo 1258 die neue Stadt angelegt wird. Die Burgsiedlung dürfte im 16. Jh. abgegangen sein. Grundherren der Stadt waren Henneberg und Würzburg. Doch konnte auch der König grundherrliche Ansprüche stellen, die junge Stadt konnte, über den Grafen und den Bischof hinweg, zur Reichsstadt aufsteigen. Schon für Rudolf von Habsburg ist sie 1282 »vnser vnd des richs Statt«, und so figuriert auch schon im ältesten bekannten Stadtwappen (1309) der Königsadler. Die Verleihung des Blutbanns, 1443, schließt die rechtliche Entwicklung ab. Das Schweinfurter Stadtrecht wird für einen Kranz benachbarter fränkischer Städte Mutterrecht. – Im 16. Jh. Bollwerk des Protestantismus, 1554 im Markgrafenkrieg zerstört, im 17. Jh. im Verfolg der Pläne Gustav

Adolfs seine mittelalterl. Grenze überwachsend, beendet Schwein-
furt die Geschichte seines reichsstädtischen Daseins 1802. Seit 1814
ist es bayerisch. Im 19. Jh. (Anfänge schon 1780) entwickelt es sich
zur Industriestadt. – Schwerste Heimsuchung 1943–45, mehr als die
Hälfte des Gebauten geht zugrunde.

Die Stadt

Der Grundriß der durch günstige Verkehrslage an einem
Main-Bogen an einer Main-Furt ausgezeichneten Stadt ist
nicht überall, aber doch vielfach regelmäßig. Eine mainparallele Transversale durchschneidet den Stadtkörper, eine
schwächere kreuzt. Am Schnitt liegt der leicht ansteigende
große rechteckige **Markt**, über dem, durch einen Häuser-
block abgeriegelt, die Pfarrkirche steht. Das ihm südl. anliegende **Rathaus** fand erst im 16. Jh. diesen Standort. Der
Mauergürtel hat sich in wenigen Teilstrecken westlich und
östlich erhalten. Die bastionäre Befestigung des 16./17. Jh.
ist dem Industriegeist des 19. Jh. zum Opfer gefallen. Altes
Gesicht hat Schweinfurt nicht mehr. Doch wird man sich
immer noch an der Platzweite des Marktes erfreuen und an
seinem Rathaus, das eines der erstzunennenden der Renaissance ist.

Ev. Pfarrkirche

Die älteste Pfarrkirche, St. Kilian, lag nordöstl. der Stadt auf dem
Kiliansberg (in der »alten Stadt«). Ihre Rechte gingen 1387 auf
die Johanneskirche über, die spätestens im 12. Jh. entstanden war.
– Im frühen 13. Jh. beginnt die gegenwärtige Kirche vom Chor
her aufzuwachsen. In den 30er Jahren ist das Querschiff in Bau,
das Langhaus nimmt die 2. Hälfte des Jahrhunderts in Anspruch.
Um 1400 wird der spätroman. Chor durch einen gotischen ersetzt
(Weihe 1411). Mitte des 15. Jh. wird das südl. Seitenschiff erneuert.
Seit 1542 protestantisch, büßt die Kirche im Markgrafenkrieg ihren
Turm ein, der 1560 ff. durch einen Neubau ersetzt wird.

Die Kirche ist eine 3schiffige Kreuzbasilika. Der 1schiffige
spätgot. Chor wird nördl. von einem Turm flankiert (dessen südl. Bruder steckenblieb). Das ihm vorliegende Querschiff ist der älteste und zugleich bedeutendste Bauteil: spätromanisch-frühgotisch. Es ist (seltener Fall) 2schiffig. Die
6 Joche sind querrechteckig, mit gebusten Kreuzrippengewölben gedeckt; die Gurte und Rippen sind rechteckig
profiliert; die Konsolen zeichnen sich durch beste Steinmetzenarbeit (Laubwerk und Figürliches) aus. Außen ist die
dem Markt zugekehrte S-Seite des Querschiffs die bevor-

zugte; die 2geschossige, von einem Giebel beschlossene Wand
folgt in den betont horizontalen Gliederungen einem noch
ganz roman. Flächengefühl, der Rundbogenfries begleitet die
Horizontalen; das Portal ist ein rundbogiges Stufenportal
mit reichem, in der Haltung auch noch typisch spätromani-
schem, von Tieren durchwachsenem Blattwerkornament in
Kämpfer und Archivolten; die auf den rahmenden Wandpfeilern stehenden Statuen der beiden Johannes frühes 14.
und (Joh. Ev.) 19. Jh. – Das 3schiffige, flachgedeckte Langhaus ist, bei sehr hohen Seitenschiffen (deren südliches übrigens doppelte Breite hat), im Mittelschiff ohne eigenes Licht.
Nur die beiden westl. Arkaden sind noch mittelalterlich, die
beiden östlich folgenden wurden 1739 in eine verwandelt.
Die W-Empore, die die 3 Schiffe überbrückt, entstammt der
Spätzeit des 15. Jh. Im N-Querschiff steinerne Muttergottes,
um 1300. – Beachtlich das feine Portal an der S-Seite mit
dem maßwerkgefüllten Wimperg und den von Tieren be-
krochenen Bogenkehlen, um 1300 anzusetzen (wie auch das
einfacher gehaltene W-Portal). – Die beiden Treppentürme
an der W-Front datieren 1620. – Der Hochaltar ist frühklassizistisch (urspr. in Kloster Heidenfeld). Die reiche Kanzel entstand 1694. Bemerkenswert der 1367 dat. Taufstein
mit urspr. Bemalung. Bedeutende Grabmäler: das (leider
stark zerstörte) des Konrad von Seinsheim (1369), im Innern, und das des B. Rucker (1377).

Die beiden modernen Pfarrkirchen der Stadt, **St. Anton** und **St. Kilian**,
errichtete 1949 und 1951 Hans Schädel. Die erste ein Zentralbau (Beton). Die zweite läßt das Langhaus zum Altar hin konvergieren. Stahlbetonstützen entlasten die Ziegelwände. Ein Riesenfenster (von G.
Meistermann) öffnet die Altarwand.

Rathaus. Beg. 1570, vollendet 1572. Sein Baumeister ist
Nikolaus Hofmann von Halle. Aus 2 sich rechtwinklig
treffenden Flügeln bestehend, wendet es die nördlichen,
seine repräsentative Schauseite, dem Markt zu. Hier legt
sich einem mittleren Vorbau ein Altan vor, dem ein mit
der Kuppel den Giebel übersteigender 5seitiger Turmerker
aufsitzt. Renaissance im symmetrischen Aufriß, auch in der
Gestaltung des Portals, nachlebende Spätgotik in den steilen Verhältnissen, in den Giebeln, in den Fensterumrahmungen: eine der glücklichsten Verbindungen »altdeutschen« Erbguts mit den Reichnissen des Südens. (Nach
Brandschaden, 1959, wiederhergestellt. – *Abb. S. 871.*)

SCHWINDEGG (Obb. – E 7)

Das **Schloß** gehört zu den guten Leistungen der höfischen Renaissance-Baukunst in Bayern. Die Herren v. Haunsberg haben es seit 1594 zu errichten begonnen. Bald darauf kam es in den Besitz Herzog Albrechts, eines Bruders von Kurfürst Maximilian I. Ihm folgten später die Hörwarth v. Hohenburg, dann die Fugger. Trotz des häufigen Besitzerwechsels und trotz der Beschädigung im 30jährigen Krieg (1648) blieb der Bestand im wesentlichen unverändert. – Aus mittelalterl. Vorstellungen kommt der Charakter einer Wasserburg. 4 Ecktürme und ein Torturm verstärken das wehrhafte Bild. Der Zeit um 1600 entspricht die regelmäßige, fast quadratische Anlage, die einen Innenhof umschließt, der an 2 Seiten mit 2geschossigen Säulenarkaden besetzt ist. Seine nächsten Verwandten finden sich in München (Münzhof) und Landshut (Trausnitz). Die Schloßkapelle erhielt um 1720–25 ihre Stuckdekoration.

SCHWINDKIRCHEN (Obb. – E 7)

Pfarrkirche Mariae Himmelfahrt. Unter Beibehaltung des got. Turmes schuf Leonh. Matth. Gießl aus München 1782–85 das helle, freundliche Raumbild. Die knappe Gliederung des Wandaufrisses setzt sich im halbrund geschlossenen Chor fort. Fz. Xav. Feichtmayrs Stukkaturen sind »Zopf«, d. h. früher Klassizismus. Chr. Wincks farbenfrohe Malweise aber ist noch unverkennbares, gutes Rokoko. – Der stattliche Hochaltar, 1784, erhielt 1790 Schnitzfiguren von Chr. Jorhan. Von Jorhan stammen auch die Seitenaltäre (1792), Kanzel (1794), Beichtstühle (1795) und die Spalierwände im Chor (1796).

SEEG (B. Schw. – B 8)

Pfarrkirche St. Ulrich

Die seit dem 13. Jh. bekannte Pfarrei verlor beim Dorfbrand 1635 ihre got. Kirche. 1658 wird bereits wieder von einer großen und schönen Kirche berichtet. Die W-Empore trägt eine für diese Zeit charakteristische Rahmenstukkatur. 1710 ist der Füssener Baumeister Herkomer mit Erweiterungsarbeiten beschäftigt, die das Langhaus und die Chorteile betreffen. So kommt es zu dem bestehenden, flach gewölbten Saalraum, an den sich der eingezogene Chor schließt.

Bestimmend für das festliche Raumbild ist die Rocaillestukkatur von 1760–70, deren Rahmenfelder Joh. Bapt. Enderle (im Langhaus) mit farbenfroher *Freskomalerei* füllte: im Hauptfeld Maria als Fürbitterin und Papst Pius V., wie er als Vision den Sieg von Lepanto erlebt. Die anderen zeigen alttestamentliche Vorgängerinnen Marias: Judith bzw. Abigail. Das Chorfresko ist älter (von Balth. Riepp 1743) und schildert den Sieg über die Ungarn auf dem Lechfeld. Hinzu tritt eine vorzügliche Altarausstattung (1770 bis 1781) mit Gemälden von Riepp und Enderle und gutem

Figurenschmuck. – Seeg zeigt das Bild einer vorbildlichen barocken
Dorfkirche von typisch allgäuischer Prägung.

SEEHOF b. Bamberg (Ofr. – E 3)

Schloß *(Tafel S. 833)*

*Ein bischöfliches »Seehaus« bei Memmelsdorf begegnet schon im
frühen 15. Jh. Im Laufe des 16. und 17. Jh. entwickelt es sich zu
einem repräsentativen Herrensitz. Fürstbischof Marquard Sebastian v. Stauffenberg läßt dann 1687–95 das Schloß, die »Mar-
quardsburg«, entstehen, dessen planender Meister im ausführenden Antonio Petrini gesucht werden muß. Die Orangerie, entworfen von B. Neumann, ausgeführt von J. H. Dientzenhofer, kam
1733–37 hinzu, das (westl.) Haupttor, entworfen von J. M.
Küchel, ausgeführt von Dientzenhofer, 1737/38, die Schweizerei,
entworfen von Lorenz Fink, 1782. – Unter Fürstbischof Ludwig
Franz v. Erthal, dem edlen Menschenfreund der Aufklärung (der
ein Krankenhaus, aber kein Schloß baut), beginnt der Verfall See-
hofs, insonderheit des vom Vorgänger Adam Friedr. v. Seinsheim
so verschwenderisch ausgestalteten Parks, den das 19. Jh. nach
Kräften fördert. Der östl. Teil des Orangerieflügels einschließlich
des köstlichen sog. Frankensteinschlößchens verschwindet. Die unter großem Aufwand, insbesondere unter Adam Friedrich geschaffenen Wasserwerke werden zerstört. Heben wir aber die Verluste nicht so stark heraus: denn immer noch ist Seehof eine der
eindrucksvollsten Schloßgestaltungen des Barock.*

Ä u ß e r e s. Ein in 4 Flügeln einen Binnenhof umfassendes
Quadrat mit starken Ecktürmen, die aber erst in den Oktogonen und den prallen Kuppeldachhauben freiwerden, folgt
das Schloß noch dem von Ridinger in Aschaffenburg festgelegten Schema, das wieder seine Voraussetzungen in spätgot. Wasserburgen hat. Barocke Wucht im Ganzen wie in
den Gliederungen charakterisiert die breitgelagerte Baumasse. Die Flügel nur 2geschossig, doch durch die Reihe der
Dachgauben den 3geschossigen Eckbauten angeglichen. Die
Hoffronten durchgehend 2geschossig, unten in Arkaden geöffnet, an N- und S-Seite durch 3geschossige Turmvorbau-
ten betont.

Die A u s s t a t t u n g der Repräsentationsräume des Obergeschosses erfolgte vornehmlich in den 30er Jahren des 18. Jh.;
Neumann und Küchel sind an ihr beteiligt. Das Fresko des großen
Saales malte 1752 Jos. Ign. Appiani. Die Kapelle im Erdgeschoß,
die ein 8teiliger Gewölbestern deckt, besitzt einen entzückenden
Altar des frühen Rokoko, nach Küchels Entwurf von Ant. Bossi
(1738), mit einem älteren Altarblatt des H. Rottenhammer.

Der das Schloß allseitig als ein von N nach S gestelltes großes Rechteck einschließende **Park** – das Schloß zentral im
Schnitt der Achsen – wurde von Fürstbischof Lothar Franz
v. Schönborn 1698 ff. angelegt. Fürstbischof Friedrich Karl
v. Schönborn fügte 1733 ff. an der N-Seite die **Orangerie**
hinzu, deren beide Häuser das jedenfalls gleichzeitig aufgeführte (Memmelsdorfer) Tor verbindet. Unter ihm entstand auch das Haupttor an der Bamberger Straße: durch
6 Pfeiler geteilte Einfahrt zwischen flankierenden Wacht-
häusern; ausgezeichnetes Werk Küchels, der sich hier allerdings aufs engste an ein Hildebrandtsches Vorbild (Göllers-
dorf bei Wien) anschloß. Küchel ergänzte auch die beiden
Pommeranzenhäuser (der Orangerie Neumanns) durch die
beiden Feigenhäuser, die Gärtnerwohnung und das Fran-
kensteinschlößchen (1752/53); der westl. Flügel wurde nach
Mitte des 19. Jh. um Feigenhaus und Frankensteinschlöß-
chen verkürzt. Als letztes Bauwerk kam die östl. des Gartens situierte, der westl. situierten (auch abgegangenen) Fa-
sanerie entsprechende **Schweizerei** hinzu, die der letzte
fürstbischöfliche Baumeister, Lorenz Fink, entwarf, 1782:
2geschossig in der Mitte, 1geschossig in den Flügeln, die
aber durch die hohen Satteldächer fast die Waage halten. –
Der Park selbst erfuhr weitere Ausgestaltung durch Friedrich Karl v. Schönborn, der die Querachse in die Dominanz
erhob und die S-Front des Schlosses durch einen Aushieb
des Hauptsmorwaldes in den Blickpunkt des (10 km entfernten) Domberges stellte. Zu seiner fast beispiellosen,
nur mit dem wenig jüngeren (vom gleichen Bauherrn geschaffenen) Veitshöchheim vergleichbaren Fülle gedieh der
Park in den 60er Jahren dieses Jahrhunderts unter Fürstbischof Adam Friedr. v. Seinsheim; Ferd. Dietz, der schon
1748–53, unter Frankenstein, 105 Figuren für Seehof gemeißelt hatte, schuf nun unter Seinsheim, 1760–73, gegen
300 weitere. Von dieser Götterwelt (programmatisch eng
mit der Veitshöchheimer verwandt) ist an Ort und Stelle
nur noch sehr wenig erhalten. Die große, von 2 Treppen
umgriffene, von einem Herkules gekrönte Kaskade im südl.
Abschnitt vor dem Schloß wird (zwar auch nur fragmentarisch erhalten) doch immer noch anschaulichen Begriff
von dieser versunkenen, künstlerisch-künstlichen Parknatur vermitteln.

SEEON (Obb. – E 8)

Ehem. Benediktinerklosterkirche St. Lambert

*Mitte des 10. Jh. errichtet das Geschlecht der Aribonen seinem
Schutzpatron St. Lambert eine Zelle. 994 wird sie zum Kloster erhoben und von Benediktinern aus St. Emmeram in Regensburg besetzt. Unter Einbeziehung von Türmen und Fundamentteilen aus
dem 11. Jh. erwächst im späten 12. Jh. eine roman. Säulenbasilika,
die um 1200 ihre Weihe erhält. 1428–33 zieht die späte Gotik ein
mit Wölbung und neuem Chor. In der Folgezeit sinkt das klösterliche Leben. Um 1570 ist der Tiefpunkt überschritten. Die Aus-
malungen des späten 16. Jh. künden von neuem Aufschwung. 1657
bis 1670 erstehen neue Klosterbauten. Das 18. Jh. fügt gute Ausstattungsstücke hinzu, die bei der Restaurierung von 1853 wieder
verschwinden. Der hohe Kunstsinn der Barockäbte des 18. Jh. wird
durch 2 Namen aus dem Reiche der Musik gerühmt, Joseph Haydn
und Wolfg. A. Mozart, die sich hier als Gäste aufhalten. 1803
Säkularisation. Spital- und Bibliotheksbau werden abgebrochen,
die Insel durch einen Steg mit dem Seeufer verbunden.*

Ä u ß e r e s. Behaglich drängen sich Kirche und Klosterbauten auf der kleinen Insel des Klostersees aneinander,
schlicht, ohne Aufwand. Die Formen einer Basilika werden
nicht verhehlt. Gegen O winkelt sich das Chorvieleck, das
von der angrenzenden Laimingerkapelle wiederholt wird.
Die W-Teile überragt das 8eckige Turmpaar aus dem 11. Jh.
Seine Wucht mildern die freundlichen Zwiebelhauben von
1561. Durch ein unscheinbares Portal von 1721 betreten wir
das I n n e r e. Eine auf 2 roman. Säulen ruhende Vorhalle,
deren Obergeschoß die 3schiffige ehem. Michaelskapelle
birgt, führt zum einfachen roman. Portal (um 1180). Links
die 1646 veränderte Barbarakapelle. Der Kirchenraum ist
der einer Pfeilerbasilika. Urspr. eine roman. Säulenbasilika
(des 11. Jh.), flachgedeckt, mit Detailformen, die Einflüsse
der Reichenau vermuten lassen (freigelegtes Kapitell am
1. nördl. Pfeiler). 1428–33 werden die Schiffe erhöht und
mit Rippenwölbungen versehen, der Chor völlig erneuert
und die Säulen zu Achteckpfeilern ummantelt. Der Meister
ist Konr. Pürkhel von Burghausen. Auch die ausgeschiedene
Vierung gehört dieser Zeit. Zur heutigen Form, mit Pila-
stervorlagen, gelangen die Arkadenpfeiler im 17. Jh. Zu
diesem Ineinander von Romanik, Gotik und Barock kommt
nun noch die reiche *Ausmalung* der Wände und Wölbfelder
nach 1579 (freigelegt 1911).

Das Programm umfaßt in den Chorteilen: Marienkrönung, Erzengel, Propheten, Evangelisten und Kirchenväter; im Langhaus:
Christi Himmelfahrt, Apostel und Nothelfer; an den Hochschiffwänden: Szenen aus dem Leben Christi, Stifterfiguren, St. Lam-
bert, Benedikt u. a. Die vielfältigen Füllornamente deuten auf die
Zeit gegen 1600. Reste spätgot. Wandmalerei (hl. Bischof, hl. Christophorus) um 1420. – Im neuen Hochaltar eine freie Nachschöp-
fung der berühmten Seeoner Muttergottes (Original um 1430 im
Bayer. Nat.-Museum, München). An den Seitenaltären einzelne
Teile aus dem 18. Jh. – In der Barbarakapelle: Stiftertumba mit
Reliefdarstellung des Pfalzgrafen Aribo, um 1395–1400 von Hans
Heider, dem auch 2 andere Grabdenkmäler der Kirche zugeschrie-
ben werden.

Der **Kreuzgang**, gegen S der Kirche vorgelegt (Eingang aus der Vorhalle), entstammt der Zeit des spätgot. Umbaus. An den O-Flügel
grenzt die **Laimingerkapelle**, Grablege des gleichnamigen Geschlechts,
errichtet 1392–1400. Sie wurde um 1617 in 2 Geschosse zerlegt, deren
unteres Sakristei, deren oberes Mönchschor wurde. In der Sakristei
got. Muttergottes um 1430. Anstoßend gegen S: spätgot. **Kapitelsaal**.
Hier bedeutende Muttergottesskulptur um 1530. – **Refektorium** mit
Stuck des späten 17. Jh. – **Speisesaal** in der Prälatur 1755–58. –
Nikolauskapelle, geweiht 1757, mit Stuckarbeiten von Joh. Mich. (II)
Feichtmayr und guter Rokoko-Ausstattung.

SELIGENPORTEN (Opf. – D 4)

Zisterzienserinnen-Klosterkirche Mariae Heimsuchung

*1249 bestätigte Bischof Heinrich von Eichstätt das Kloster »Porta
felix«. Gegen Ende des 13. Jh. wurde der Kirchenbau errichtet,
der Chor erst im folgenden Jahrhundert. 1556 Auflösung des
Nonnenkonvents. Die Gegenreformation übergab die Klostergebäude 1667 den Amberger Salesianerinnen. 1803 Säkularisation
und bald darauf Abbruch der Klostergebäude. 1930 wieder zisterziensisch, doch 1967 wieder verkauft.*

Die langgestreckte 1schiffige Anlage mit leicht eingezogenem Chor wirkt durch großzügige Einfachheit. Das nur
durch kleine Fenster belichtete, vom offenen Dachstuhl bedeckte Langhaus kontrastiert zum hellen Chor mit seiner
got. Kreuzrippenwölbung und den durch hohe Maßwerkfenster aufgelösten Wänden. Vom W greift die Nonnenempore tief in das Langhaus ein. Unter ihr die sog. Gruft,
die durch eine Scheidemauer vom Schiff getrennt ist. Sie ist
mit flacher Balkendecke versehen, die von 4 Eichenholz-
stützen getragen wird. Eine Holztreppe führt von hier auf
die Empore. Seligenporten ist eine typische Zisterzienserin-

nenkirche: Strenge, einfache Formen in Grundriß und Aufbau und doch nicht ohne Großartigkeit. Aus mittelalterl. Zeit blieb das Chorgestühl auf der Nonnenempore erhalten. Es gehört zu den ältesten Beispielen seiner Gattung (Mitte 14. Jh.).

Von den ehem. **Klosterbauten** steht nur noch der O-Flügel (16. Jh.). Er bewahrt 3 Joche des Kreuzgangs aus dem 16. Jh. (profaniert). Von der Befestigung blieben Teile der Ringmauer und der Torturm.

SESSLACH (Ofr. – E 2)

»Sezelacha« tritt im 9. Jh. hervor. 1335 wird es Stadt. Die spätmittelalterl. **Befestigung**, mit 3 Tortürmen, steht noch rings. Auch das Ortsbild ist noch gut. Es gibt schöne Fachwerkhäuser, und es gibt auch einige prätentiöse Bauten wie die ehem. **fürstbischöfl. Salzfaktorei** von 1714. – Die spätmittelalterl. **kath. Pfarrkirche** wurde um Mitte des 18. Jh. in einer den heutigen Eindruck des Innern bestimmenden Weise umgestaltet. – Die **Kreuzkapelle** auf dem Friedhof wurde 1705–13 errichtet.

SIEGERTSBRUNN (Obb.) → München (D 7)

SIGMERTSHAUSEN (Obb. – D 7)

Kirche St. Vitalis. 1755. Dorfkirchenbau des großen Joh. Mich. Fischer. Schlichter Außenbau mit dachreiterartigem Zwiebelturm. Charakteristisch ist der quadratische Grundriß mit gerundeten Ecken und eingezogenem Chorquadrat. Zurückhaltende Dekoration. An die Stelle des Pilasterkapitells tritt eine Rocaille. Die Gliederung bricht vor den Seitenwänden ab und unterscheidet die Bedeutungsgrade der Raumschale. Flachkuppel über Stichkappen mit Fresko von Degle 1755. Ausstattung aus der Erbauungszeit.

SOLNHOFEN (Mfr. – D 5)

Ehem. Benediktinerkloster

An der Zelle des hl. Sola, der 794 hier stirbt und seine Habe Fulda vermacht, entwickelt sich eine fuldische Propstei. Die sicher schon im frühen 9. Jh. aufgeführte Kirche macht um die Mitte des 11. Jh. einer neuen, spätestens 1071 geweihten Platz. 1535 beschließt die Propstei ihre Existenz. Die Kirche erhält sich noch fort bis ins 18. Jh. 1782 trägt man sie bis auf einen Teil ab. Neueste Grabungen konnten die Fundamente der abgetragenen Teile freilegen.

Diese Reste stehen uns noch als ehrwürdige Hinterlassenschaft vor Augen: die 4 westl. Rundbogenarkaden mit einem

Streifen der ihnen aufsitzenden Hochwand des Mittelschiffs,
das nördl. Seitenschiff, in das sich die Arkaden öffnen, ein
Fragment der W-Wand des Mittelschiffs und der in die neue
(im 18. Jh. errichtete) Pfarrkirche einbezogene Turm. Von
den 3 Säulen der Arkaden stecken 3 in späten Ziegelmän-
teln; ihre Kapitelle variieren das korinthische, die Kämpfer,
reich profiliert, verbreitern sich zum Bogenfuß. Der Turm
ist in 4 Geschossen alt; sein unregelmäßiges, kleinteiliges
Quaderwerk liegt unter einer dicken Putzschicht, in die
Quaderumrisse eingeritzt sind. – Im erhaltenen Seitenschiff
steht die Tumba des hl. Sola, die viell. die bei der Erhebung
des Heiligen 836 gesetzte ist. – Eine Spolie der Solabasilika
ist das bis vor kurzem in die Wand des Pfarrhofs eingelassene, z. Z. als Leihgabe im Bayer. Nat.-Museum befindliche
Rundrelief des hl. Sola, das sicher aus der frühen Bauzeit
stammt, ein bedeutendes Zeugnis der frühroman. Steinplastik.

SOMMERHAUSEN (Ufr. – C 3)

*Winter- und Sommerhausen, links und rechts des Mains einander
gegenüber, gehören urspr. zusammen und heißen Ahausen. Reichs-
gut, gelangen sie gegen Ende des 13. Jh. und im frühen 14. Jh.
pfandweise an die Hohenlohe, später, in der 1. Hälfte des 15. Jh.,
an die Reichsschenken von Limpurg, die bis 1705 (Endjahr des
Geschlechtes) im Besitze bleiben.*

Der mit allen altfränkischen Reizen ausgestattete ackerbürgerliche
Markt ummauert sich im 15. und 16. Jh. und steht noch heute im Ring
seiner Mauern, der sich in den 3 Toren öffnet. Die **ev. Pfarrkirche**, im
Langhaus ein Bau des 18. Jh. (1740), wird von einem mittelalterlichen
ins hohe 13. Jh. zurückreichenden Turm überragt. Ihr bester Ausstattungsbesitz ist die Kanzel des frühen 17. Jh. – Das ansehnliche **Rathaus**
mit seinem Treppengiebel entstand 1558. – Das **Schloß**, ältestenteils aus
dem 15. Jh., steht mit seinem nach Mitte des 16. Jh. aufgeführten hohen
Giebelbau beherrschend über seinem bürgerlichen Umwesen.

SONNEFELD (Ofr. – E 2)

Ehem. Zisterzienserinnenkloster und Kirche

*Das von Heinrich v. Sonneberg 1260 nächst Ebersdorf gegründete,
von Maidbronn aus besiedelte Frauenkloster wird nach einem
Brand 1287 in das klostereigene Dorf Hofstädten (jetzt Sonne-
feld) verlegt. Wohlfundiert, besteht es bis zur Reformation, 1525.*

Die **Kirche** entstand in der 1. Hälfte des 14. Jh.; ein (1349
bezeugter) Heinricus lapicida war Baumeister. Sie folgt

dem Schema der Frauenkirchen des Zisterzienserordens:
1schiffig, langgestreckt, mit tiefem, Laienraum und Altarhaus einbegreifendem Chor. Das, wie üblich, von Gruft und Nonnenempore besetzte, gegen den Laienraum durch eine Quermauer abgeriegelte Schiff wurde um 1380 durch einen Brand geschädigt und damals erneuert. Die unglücklichen Baumaßnahmen von 1856 beseitigten Gruft und Nonnenempore, verkürzten das Langhaus um 7 m, schufen die neue W-Fassade und setzten den Dachreiter auf. – Der im ganzen wohlerhaltene *Chor* überragt das Schiff bedeutend; von Streben umstellt, in steilen Fenstern geöffnet, die 3 Joche 5seitig schließend; die Kreuzrippen der Wölbungen auf Diensten, die in Höhe der Fensterbänke durch Konsolen abgefangen sind.

Die A u s s t a t t u n g , der wahrscheinl. einmal auch das über Scheuerfeld in die Sammlungen der Veste Coburg gelangte große Vesperbild des frühen 14. Jh. angehörte, hat nicht mehr viel Gutes, doch ein Bestes vorzuweisen: den um 1363 anzusetzenden *Bildgrabstein der Gräfin Anna v. Henneberg*, ein Werk, verwandt den berühmten des (Würzburger) Wolfskeelmeisters, doch kaum von dessen Hand, wahrscheinl. vom Bildhauer des Bambergers Friedrich v. Truhendingen (Dom). Nicht gleichen Ranges, aber beachtlich auch die Bildgrabsteine eines Herrn v. Schaumberg und einer Edelfrau, vermutl. der Gattin, aus den 70er oder 80er Jahren des 14. Jh.

Vom ehemals nördl. anliegenden **Kloster** steht noch das an den Chor grenzende, wohl gleichzeitige Dormitorium, die mit 2 tief herabreichenden Kreuzgewölben gedeckte Sakristei und der wahrscheinl. um die Mitte des 15. Jh. errichtete Kapitelsaal, dessen ebenfalls tief fußende Rippenkreuzgewölbe einer mittleren Rundstütze anfallen.

SONTHOFEN (B. Schw. – A 8)

Eine erste Besiedlung ist für das 7. Jh. anzunehmen als Grundbesitz von St. Gallen. Das ältere Ortswesen »Nordhovun in pago Albegauge« geht später im jüngeren Sont(d. h. Süd-)hofen auf. Grundeigentümer waren im 13. Jh. die Herren v. Rettenberg, dann die v. Heimenhofen, die die Burg Fluhenstein errichten. Seit 1466 beim Hochstift Augsburg. 1804 bayerisches Landgericht, das aber 1824 nach Immenstadt abwandert. Den Kriegszerstörungen von 1945 fiel u. a. auch das 1727 erbaute Schloß zum Opfer.

Die 1738–41 durchgreifend erneuerte und erweiterte **Pfarrkirche St. Michael** besitzt vorzügliche Schnitzwerke von Anton Sturm, 1748/49: die 4 Kirchenväter. Kanzel 1765 mit Figuren wohl von Joh. Rich. Eberhard, der auch die weiblichen Heiligenstatuen am nördl. Seiten-

altar geschaffen hat. Ferner zu nennen: Muttergottes aus dem Umkreis des Jörg Lederer, um 1515, und ein Relief der hl. Familie um
1520, das ohne Zweifel dem Daniel Mauch zugehört (vgl. Bieselbach). –
In der **Friedhofskapelle** von 1824: gemalte Altarflügel aus der Zeit um
1520–30 von typisch allgäuischer Prägung.

Von der **Burg Fluhenstein**, die Oswald v. Heimenhofen nach 1362 errichtet hat, die im frühen 16. Jh. Zubauten erhielt und erst nach 1806
dem Verfall preisgegeben wurde, stehen ansehnliche Reste.

In der Nähe: **BERGHOFEN** mit dem kleinen, hoch gelegenen **Leon-
hardi-Kirchlein**, das in seinem got. Chor einen vorzüglichen Schreinaltar von 1438 besitzt, zu dem Joh. Strigel d. Ä. aus Memmingen die
Gemälde geschaffen hat (vgl. Zell b. Oberstaufen). Die Schnitzfiguren
stammen aus dem Umkreis des Ulmers Hans Multscher.

Südwärts: **ALTSTÄDTEN** mit einer wohlgestalteten **Pfarrkirche** von
1733 (unter Einbeziehung spätgot. Teile), Freskomalerei von Joh. Balth.
Riepp 1734, Altarfiguren von Anton Sturm 1741–42.

SOSSAU (Ndb. – F 6)

Wallfahrtskirche Mariae Himmelfahrt. Das Kloster Windberg, Eigentümer der Wallfahrt, betrieb die Erweiterung der schlichten, dem
12. Jh. gehörenden Kirche. Ein got. Chor wurde angefügt und ihm
zuliebe das Langhaus erhöht (Mitte 14. Jh.). So blieb der Bau: Ein
1schiffiges, flach gedecktes Langhaus mit W-Turm und ein hoher rippengewölbter Chor. Südlich wurde 1677 eine 14-Nothelfer-Kapelle angelehnt. Die Deckenfresken stammen von 1777: zwischen Brokatorna-
menten je eine Szene der Norbertus-Legende und der Geschichte des
Gnadenbildes, einer gemeißelten Muttergottes aus dem Straubinger
Bereich des frühen 14. Jh., die heute die Mitte des prächtigen barocken
Hochaltars besetzt. Dieser, vermutl. von M. Obermayer, kam 1777 zur
Aufstellung. Seitenaltäre und die beiden Kanzeln standen bereits 1718.
Orgelprospekt 1715.

SPALT (Mfr. – D 4)

Eine der gut erhaltenen fränkischen, legt sich die **Stadt** um
die sie in wirkungsvoller Gruppe überragenden beiden
Stiftskirchen. Die wohl im 14. Jh. geschaffene Befestigung
steht freilich nur mehr in Teilen und von den beiden Toren
nur das südliche. Größere Mauerstrecken auf W- und S-
Seite, hier auch noch der Zug des alten Stadtgrabens, häufig
verbaut, wahrhaft pittoreske Veduten bietend. Die breite
M a r k t s t r a ß e führt zur Rezat abwärts, schlicht gute
Bebauung bestellt die Zeilen. Prächtiges Fachwerk in der
sog. **Hopfensignierhalle** des späten 15. Jh.: über massivem
Erdgeschoß 2 Fachwerkgeschosse, deren oberes vorkragt,
steiles, mit Gauben in 3 Reihen besetztes Satteldach. Rüh-

menswerte Fachwerkbauten (Giebelfachwerk über massiven Geschossen) in der Vorstadt jenseits der Rezat. Die vom Hopfenbau geforderten Trockenböden veranlaßten steile Dachbildung. Der etwa 2 km westl., seitlich der Windsbacher Straße einzeln liegende **Hof Mühlreisig** mit seinem 5fach gestaffelten Dach ist bestes Beispiel.

Kath. Pfarrkirche, ehem. Stiftskirche

Spalt ist schon im 8. Jh. Besitz von St. Emmeram in Regensburg, das 810 ein Salvatorkloster gründet. Dieses wird im 9. oder 10. Jh. Kanonikerstift, dem 1292 durch den Burggrafen Konrad ein zweites hinzutritt. Beide Stifte teilen sich zunächst in die Kirche, bis sich das jüngere einer eigenen erfreuen darf. 1619 verschmelzen die beiden Stifte – Emmeramsstift und Nikolausstift – zu einem.

Die Anlage der Emmeramskirche trifft ins 12. Jh. Von der kreuzförmigen Basilika ist freilich nicht viel geblieben, am vernehmlichsten spricht noch die Halbrundapsis die Sprache des 12. Jh., auch der Strunk des (1795 abgebauten) S-Turms spricht sie. Der korrespondierende N-Turm ist offenbar um eine Reihe von Jahrzehnten später, etwa in den 20er Jahren des 13. Jh. entstanden. Starke Bauschäden, Einstürze, nötigten Mitte des 17. Jh. zu Reparaturen, die bes. die Apsis und den O-Giebel des Schiffes betrafen. Wahrscheinl. wurde damals auch das Querschiff beseitigt und wohl auch die Krypta (von der sich nur wenige Teile, des 12. Jh., erhalten haben). Entscheidend für die Erscheinung der Kirche wurde dann der vermutl. vom Eichstätter Hofbaumeister Jak. Engel geleitete Umbau 1698/99. Die Seitenschiffe wurden erneuert, ihre Umfassungen vorgeschoben, die Kirche wurde in allen Teilen gewölbt. Wohl 1791 erhält der N-Turm Obergeschoß und Haube, 1795 wird der S-Turm abgetragen. – So bietet sich heute die Stiftskirche als eine wesentlich barocke Kirche an, wenn auch die Abfolge der rundbogigen Arkaden noch an die Frühgestalt erinnert. Die Ausstattung gehört überwiegend der Zeit um 1700 an.

Ehem. Stiftskirche St. Nikolaus

Im frühen 14. Jh. erhält das 1294 gegr. Stift seine eigene Kirche. Sie wurde im 18. Jh. nahezu von Grund auf neu gebaut, vom Ellinger Deutschordensbaumeister Matthias Binder, 1767 ff.

Neben der Emmeramskirche wirkt nun diese dank der resoluten Erneuerung ganz einheitlich. Sie ist 1schiffig, der Chor, leicht eingezogen, schließt 3seitig. Wandpfeiler mit

Pilastern gliedern. Eine Stichkappentonne deckt das Langhaus, eine Kuppel mit hoher Laterne das Chorquadrat, eine Halbkuppel den Chorschluß. Westl. stehen 2 (im Kern ältere) Türme, zwischen denen sich eine durch Portal, Nische mit dem hl. Nikolaus, Fenster und dekorative Fensterbekrönungen (im »Ellinger Stil«) geschmückte Fassade ausspannt. Stukkaturen und Fresken tragen die Ausstattung; die Fresken vom Münchener Fr. Kürzinger (1770).

SPEINSHART (Opf. – F 4)

Prämonstratenser-Klosterkirche Unbefl. Empfängnis

Aus der frühen Geschichte des Klosters wissen wir nicht viel mehr, als daß es auf die 1145 erfolgte Gründung eines fränkischen Edlen Adelvolk v. Reifenberg zurückgeht. Die Reformation hat 1556 das klösterliche Leben ausgelöscht, doch nur für 100 Jahre. 1661 wird Speinshart von Steingaden aus wieder mit Prämonstratensern besiedelt, 1691 zur Abtei erhoben. Sofort setzt eine rege Bautätigkeit ein. Es wird »die alte Closter-Kirchen eingeleget« und völlig neu errichtet. Baumeister ist Wolfgang Dientzenhofer aus Amberg. Der Rohbau steht 1696 so weit, daß die Dekorateure mit der Arbeit beginnen können, die Brüder Luchese aus Melide im Tessin, Wanderkünstler, wie sie damals in Süddeutschland eine große Rolle spielten. Carlo Domenico Luchese ist Stukkateur, sein Bruder Bartolomeo Maler. Der Vertragsabschluß sieht 1700 als Vollendungsjahr vor. 1706 findet die Weihe statt. 1803 säkularisiert, wurde das Kloster 1921 dem Prämonstratenserorden zurückgegeben, der es heute noch besitzt. Seit 1923 wieder Abtei. (Durchgreifende Restaurierung aller Teile 1959.)

Ä u ß e r e s. Der Kirchenbau bildet den N-Trakt der viereckigen Klosteranlage. Seine Fassade trägt merkwürdig profanen Charakter. Nur ein prunkendes Portal und das zurückgesetzte Turmpaar verraten etwas von der Würde des Gotteshauses. Durch eine Vorhalle, flankiert von 2 rechteckigen Kapellen, treten wir ein. – I n n e r e s. Ein Fortissimo quellender Stuckformen ist der erste Eindruck *(Tafel S. 864).* Bald klärt sich die Raumform: Emporenbesetzte Wandpfeileranlage zu 3 Jochen mit eingezogenem, durch doppelt emporenbesetzte Abseiten erweitertem Presbyterium und querrechteckigem Chor. Wolfg. Dientzenhofer schuf hier Besseres als im nahegelegenen Michelfeld. Die Wandgliederung ist präziser, vornehmer. Die Emporenregion ist über das Gebälk hinaufgerückt, die Seitenkapellen sind höher, die Stichkappen tiefer. Die Triangulatur ist die Grundlage einer feinsinnigen Proportion.

Ausstattung. Außerordentliches hat der Stukkateur C. D. Luchese geschaffen. Ein starkplastisches Geschlinge von Kartuschenformen, Muscheln, Blütenkränzen und Gehängen, belebt mit Puttenfiguren, legte er über die Gewölbe zwischen den rippenartig durchgeführten Stichkappengraten, die auf volutengezierter Zwikelzone aufsitzen. Im Chorgewölbe verzichtete er auf die architektonische Linie und durchwirkte die Gruppe umkränzter Rahmengebilde mit Blattzweigen und Palmwedeln, zwischen denen sich Putten tummeln. Vollplastische Figuren regen sich auf dem Gebälk des Langhauses, Allegorien der christlichen Tugenden. Vor dem Chorbogen auf hohem Gesims Mariae Verkündigung. Tiefer, vor den Pilasterpaaren, erscheinen Heilige und Selige des Prämonstratenserordens in pathetischer Geste. Unerschöpfliche Phantasie ist aufgeboten. Kräftige Formen in Langhaus und Kapellen, zartere, leichtere Motive schmücken Emporen und Chorgewölbe. Die Farbigkeit entspricht der Stilstufe um 1700, weiß auf zartrosa getöntem Grund. Auch ist die Vielzahl von Bildrahmen Kennzeichen des ausgehenden 17. Jh.: Im Gewölbescheitel des Langhauses größere Ovale, um die sich kleinere gruppieren, im Chor kleinere. Bartolomeo Luchese bemalte sie mit *Fresken*. Im Sanctissimum tragen sie Szenen aus dem Marienleben, umgeben von Propheten, Kardinaltugenden und Illustrationen zur Lauretanischen Litanei in den Abseiten; im Langhaus Themen aus der Geschichte des Prämonstratenserheiligen Norbert, umgeben von Papstbildnissen. Die Deckengemälde beziehen sich auf die Heiligen der Altäre. Das Gewölbe der Vorhalle schildert die Klostergründung durch Adelvolk von Speinshart-Reifenberg. Die Altäre sind um 1717 entstanden. Im Hochaltarblatt Maria Immaculata. Bes. reich sind die Wangen der Kirchenstühle gebildet (Anfang 18. Jh.): Akanthuslaub umschlingt Symbole der christlichen Tradition.

Klostergebäude. 1674 wurde mit dem Neubau der regelmäßigen Viereckanlage um den Kreuzgang begonnen. Zunächst entstand der S-Trakt, ihm folgte der östliche und der nördliche (dieser 1803 abgebrochen) und endlich, 1713, der westliche. Der in farbig getönten Feldern gegliederte Putz gibt dem Äußeren einen lichten, fröhlichen Klang. Über der Kirchenvorhalle 3 Gastzimmer mit Rokoko-Stuck des 18. Jh. Auch einzelne andere Räume tragen Barockdekorationen, so der ehem. Bibliothekssaal. – Von N führt ein 2türmiges Klostertor von 1746 in den von Wirtschaftsgebäuden umstandenen Vorhof des Klosters.

Nordwestl. vom Kloster liegt der ehem. **Klosterkeller.** Der Felsenkeller wurde 1712 angelegt, das schöne Kellerhaus 1736/37; ein seltenes Beispiel derartiger Bauten im 18. Jh.

SPIELBERG (Mfr. – C 5)

Schloß. Die Spielberger sind truhendingensche Ministerialen, um 1300
treten sie ab, 1340 fällt die Burg durch Kauf an die Grafen Oettingen,
die im 17. Jh. eine eigene Linie Oettingen-Spielberg abzweigen, in deren
Besitz sich die Burg noch befindet. Zur Zeit (1969) in Restaurierung. –
Die Burganlage mag dem 14. oder 15. Jh. angehören. In gutem natürli-
chem Schutz krönt das Schloß eine Kuppe nördl. des Hahnenkamms;
nur südlich muß ein Graben aushelfen. Der Bering zeichnet annähernd
ein Oval. Ein Barocktor läßt (südl.) in den Hof ein. Gleich daneben das
Wohngebäude und an dessen S-Seite die Schloßkapelle mit guten Stukkaturen der 30er Jahre des 18. Jh. Der Glockenturm, mit Kuppelhelm,
steht abgerückt, an der O-Seite des Berings.

STADTPROZELTEN (Ufr. – B 2)

*Im 12. Jh. erwächst auf der rechtsseitigen Höhe des Main-Tals die
Burg, unter ihr am Main-Ufer die sich gegen Ende des 13. Jh. zur
Stadt entwickelnde Siedlung, die 1355 förmlich mit dem Stadtrecht (von Gelnhausen) begabt wird. Aus dem Besitz der Deutschherren kommen Burg und Stadt 1484 tauschweise an Mainz.*

Burg

*Die ältesten Teile der Burg, der nördl. der beiden Bergfriede und
der östl. Palas lassen sich ins 12. und 13. Jh. zurückführen. Die
Ringmauer, der Torbau, der südl. Bergfried, der westl. Wohnbau
traten im 15. Jh., jedenfalls vor 1484, in der Zeit des Deutsch-
ordens, hinzu. Die kurmainzische Burg wurde wahrscheinlich gegen
Ende des 17. Jh. durch franzôs. Truppen zerstört.*

Die »Henneburg«, nicht groß, aber stark, ist auf 3 Seiten
durch die Steilhänge des Bergrückens natürlich geschützt;
die W-Seite durch einen Ringgraben verstärkt, die offene
N-Seite durch einen Halsgraben gesichert. Der an der SO-
Flanke entlangführende Burgweg trifft an der SW-Ecke auf
den Torbau. Einem etwas älteren inneren Tor liegt ein äußeres vor; dieses ist durch einen Rundturm bewehrt. Nach dem
Durchschreiten eines Zwingers wird ein kleiner Torhof erreicht. Ein Torgang im westl. angrenzenden Palas läßt in
den schmalen Innenhof zwischen dem Palas östlich und
einem langgestreckten Wohngebäude westlich ein. Das westl.
Wohngebäude liegt zwischen den beiden Bergfrieden, dem
jüngeren, in Bruchstein gemauerten, südlichen, und dem
älteren, in Buckelquadern aufgeführten, sehr wuchtigen
(roman.) nördlichen. Die umfassende Ringmauer ist durch
Rundtürme verstärkt; ihrer westl. Teilstrecke liegt, innen,
ein unterirdischer Wehrgang vor. – Die ehemals Burg und

Stadt verbindenden Mauern haben sich nur in wenigen Resten erhalten. – Die Henneburg ist eine der wirkungsvollsten, im Kern ältesten Höhenburgen Frankens. Beherrschend die beiden, den Umriß charakterisierenden Bergfriede. Die kleinere Burg des hohen Mittelalters, deren Zeuge der mächtige nördl. Bergfried ist, wurde erst durch den Deutschorden auf die in den Ruinen gegebene Ausdehnung gebracht.

Kath. Stadtpfarrkirche. Die urspr. Pfarrkirche wurde 1809 abgebrochen; die Pfarrechte gingen auf die Kirche des 1319 von Neubrunn hierher verlegten Spitals über. Chor und Turm (unteren Teils; oberen 1628) entstammen der 2. Hälfte des 14. Jh., im Kern wohl auch das im 17. Jh. erhöhte und westl. verlängerte Schiff, das 1936 noch einmal verlängert und neu gewölbt wurde. Die Ausstattung ist, vorwiegend, modern. Beachtlich die Sandsteinfigur einer Heiligen, das »Burgfräulein von Henneberg«, aus der Spätzeit des 13. Jh.

STAFFELSTEIN (Ofr. – E 3)

Im 9./10. Jh. gehört Staffelstein, in dem aber schon eine der von Karl d. Gr. veranlaßten Wendenkirchen zu suchen ist, dem Kloster Fulda. 1130 gewährt Kaiser Lothar dem jetzt dem Bamberger Domkapitel zuständigen Ort das Marktrecht. 1418 ist er Stadt.

Die 1422 beg. Stadtbefestigung hat nur noch einen **Torturm** vorzuweisen. – Die Zier des auf der Fußschwelle des Staffelbergs liegenden Städtchens ist das nach 1684 gebaute **Rathaus**. Auf dem von einem spätgot. (1473 errichteten) Vorgänger übernommenen massiven Erdgeschoß sitzen 2 Fachwerkgeschosse und ein steiles, an der Marktseite von einem Zwerchhaus durchkreuztes Satteldach; reiches Fachwerk auch an den beiden Giebeln. – Das ansehnliche **Amtshaus** datiert 1724.

Kath. Pfarrkirche. Der Patron St. Kilian weist auf vorbambergische Gründung. Der bestehende spätgot. Bau wurde in der 2. Hälfte des 15. Jh. errichtet, 1727–31 barock umgestaltet und 1871 »gereinigt«. Das 3schiffige gewölbte Langhaus ist in der Mitte überhöht. Die Emporen über den Seitenschiffen sind Einschübe d. J. 1724. Der Chor schließt polygon. Der nördl. stehende Turm setzt einen hohen Spitzhelm auf, den 4 Ecktürmchen an der Basis umstellen: beliebtes Turmmotiv im Bamberger Umland.

Der die Maintallandschaft beherrschende **Staffelberg** darf viell. mit der von Ptolemäus aufgeführten Burgsiedlung »Menosgada« gleichgesetzt werden. Die starken Wälle einer Abschnittsbefestigung lassen jedenfalls auf ein ausgedehntes spätkeltisches »oppidum« schließen. – Die 1525 bezeugte, damals zerstörte **Adelgundis-Kapelle** auf dem Sattel des Berges führt ins Mittelalter zurück; das heutige Kirchlein entstand 1653.

Der an der Talflanke westl. benachbarte **Veitsberg** (alt Ansberg) trägt schon 1421 eine Wallfahrtskapelle, die sich 1718/19 in die barocke Joh. Dientzenhofers verwandelt.

STARNBERG (Obb. – C 7)

*1244 zeigt sich erstmals die Burg: Besitz der Grafen von Andechs,
geht sie an den Herzog von Bayern über. Die Siedlung am See –
alter Name Aham – wird im frühen 13. Jh. sichtbar. Eine zweite
Siedlung, Niederstarnberg, entsteht im Schutze der Burg. – Im
19. Jh. entwickelt sich das Fischerdorf zur Sommerfrische, der
»Würmsee« wird zum »Starnberger See«. 1912 wird Starnberg
Stadt.*

Schloß. Die in 4 Flügeln einen Hof umfassende Anlage entstand im
16. und 17. Jh. Das starke verschlossene Mauergeviert beherrscht dank
Wucht und freier emporgehobener Lage den nördl. Teil der Seeland-
schaft.

Alte Pfarrkirche St. Joseph. Sie entsteht 1764–66. Der
Münchner Baumeister L. Matth. Gießl baut sie. Mit eigenartiger, eleganter Kuppel stellt sich der Turm über die
Landschaft des Seebeckens. Das Äußere bietet nichts auf,
auch das Innere ist schlicht, aber eine vorzügliche A u s -
s t a t t u n g verleiht ihm Reiz. Die Stukkatur rivalisiert
nicht mit den meisterlichen Deckenfresken Christ. Wincks:
im Chor empfiehlt Maria Stifter und Bedürftige dem
Schutz der Dreifaltigkeit, im Langhaus folgt das Leben der
Hl. Familie und die Vision Josephs (Marienglorie). Der
ausgezeichnete *Hochaltar* ist ein Werk Ignaz Günthers
(1766–69): im Zentrum die Hl. Familie, zu ihren Seiten die
hll. Nepomuk und Franz Xaver. Auch die schöne, eigenartige Kanzel (angebl. erst später aus der Münchner Elisabethkirche zugebracht) kann nur Günther gegeben werden.
Kruzifixus und Mater Dolorosa sind schlichtere, aber immer noch gute Arbeiten aus gleicher Zeit.

Die neue **Pfarrkirche St. Maria** (Hilfe der Christen) schuf Mich. Kurz
1932/33. Blockhafte, 3schiffige Anlage, in der die Horizontale herrscht.

Am O-Ufer des Starnberger Sees, unweit der Stadt: **KEMPFENHAU-
SEN** mit der kleinen **St.-Anna-Kirche**, die feinste Gewölbemalereien
von Chr. Winck, 1774, vorweist: Taufe Christi und Glorie um Gottvater; der Hochaltar, 1777, ist ein bes. reizvolles Gebilde des späten
Münchner Rokoko. – Gegen S, dem Ufer folgend, begegnet, weitum
sichtbar, die **Marienwallfahrt AUFKIRCHEN**, ein spätgot. Bau (geweiht 1500) mit guter Innendekoration von 1626 und spätbarockem
Turm (1795). – Eine kleine Strecke weiter südlich, bei **ALLMANNS-
HAUSEN**: *Bismarck-Säule* von Theodor Fischer, 1898, beispielgebend
für eine neue, vom Historismus unabhängige künstlerische Form.

Schloß STAUFENECK (Obb.) → **Anger** (E 9)

STEIN a. d. Traun (Obb.) → **Baumburg** (E 8)

STEINBACH b. Memmingen (B. Schw. – B 7)

Pfarr- und Wallfahrtskirche St. Maria

1181 Filiale des Klosters Rot an der Rot. Im 16. Jh. entstand eine vergrößerte Pfarrkirche unter dem Patrozinium St. Ulrichs. 1723 fand ein Kruzifix in der Kirche Aufstellung mit den Assistenzfiguren Maria und Johannes. Eine Wundererscheinung am Marienbild machte aus der Kreuzverehrung eine Marienwallfahrt. Das führte auch zur Verschiebung des Kirchentitels von St. Ulrich auf St. Maria. Ihr zu Ehren schritt 1746–53 das Prämonstratenserstift Rot zum bestehenden Neubau. Der stilistische Befund deutet auf hervorragende Meister des schwäbisch-bayerischen Rokoko, die auch für Kloster Rot tätig waren. Die Dekoration in Stuck und Malerei trat 1762–64 hinzu.

Ä u ß e r e s. Im sanft hügeligen Alpenvorland überschaut ein schlanker Turm mit Zwiebelhaube die umgebenden Hänge. Pilasterstellungen beleben die Wände des Kirchenschiffs unter breiter Mansarde. Kleine Ziergiebel verleihen den vortretenden Achsengliedern Gewicht, während sich unter dem W-Turm eine stark bewegte Fassade nach vorn drängt in Schwingungen, die ein wogender Giebel über kurvenreichem Gesims unterstützt. Man glaubt in dieser Fassade Dom. Zimmermann zu spüren. – Das I n n e r e weitet sich im Sinn des hergebrachten, emporenbesetzten Wandpfeilerschemas. Die Gewölberegion aber deutet dieses zum Oval um, aus dem der eingezogene Triumphbogen in die Chorteile führt. Also eine Verschleifung von zweierlei Raumideen, ein Ineinander von Pfeilerstraße und kreisender, in sich ruhender Mitte. Dieses feine Raumgebilde, strahlend durchlichtet und farbig gelockert, ist beste oberschwäbische Baukunst. Die Schöpfer können nur im Umkreis Joh. Gg. Fischers oder Dom. Zimmermanns gesucht werden.

Das Stuckgewand ist reifes Rokoko. Der tüchtige Meister Joh. Gg. Üblherr ist 1763 aus dieser seiner letzten Arbeit hinweggestorben. Fz. X. Feichtmayr führte sie zu Ende. Schöpfer der *Fresken* ist Fz. Gg. Hermann aus Kempten, um 1752. Im Laienraum gebietet die Erscheinung Mariens den göttlichen Strafgerichten Einhalt. Mit dem Wundertäter Christus beginnt das neue Leben. In den umgebenden Seitenräumen erzählen kleingerahmte Gewölbebilder von Gnadenerweisen und Wundern der Steinbacher Maria. Die Chorfresken nehmen Bezug auf die Veranlasser der Wallfahrt: Kreuz und Gnadenmutter. – Die *Altarausstattung* ent-

stammt der Erbauungszeit. Im oberen Hochaltar wie in den Seitenaltären Gemälde von Fz. Gg. Hermann. Die beiden Kanzeln – ein
origineller Einfall! – treten aus den Emporen des mittleren Wand-
pfeilerjochs hervor.

STEINBACH b. Lohr (Ufr. – C 2)

Kath. Pfarrkirche. Sie wird 1724/25, wohl nach Plänen Balth. Neumanns
(ältere Meinung) oder J. Greisings (letzte Meinung) aufgeführt. Bauherr
ist der Würzburger Fürstbischof Christoph Franz v. Hutten. Bezeichnend der in die Fassade eingestellte Turm mit den abgekanteten Ecken,
die einfache aber straffe Gliederung, der gute Fenstersitz. Über dem
Portal Joh.-Nep.-Nische und große Ahnenprobe, Wappen des Stifters
und seiner 16 Ahnen. – Die Ausstattung bestimmt durch den originellen
Hochaltar, Baldachinaufbau mit der hl. Familie, Gottvater in der Him-
melsglorie darüber. An der N-Wand des Chores Epitaph des Franz
Ludwig v. Hutten, 1728.

Schloß. 1725–28 entsteht es, Besitz der Freiherrn von Hutten, nach
Plänen Georg Bayers, wohl mit Beirat Neumanns. Der 3geschossige Bau
schiebt 2 starke Risalite vor, deren innere Wände gerundet an die Fassade schließen. Das 3. Geschoß ist Halbgeschoß, das Dach Mansarde. Die
Wände sind hell verputzt, die Gliederungen Sandstein. 1945 stark beschädigt, jetzt wiederhergestellt.

STEINGADEN (Obb. – B 8)

Ehem. Prämonstratenser-Klosterkirche St. Johann Bapt.

Gründung von Herzog Welf VI. 1147 vor seinem Aufbruch zum
2. Kreuzzug. Weihe der Klosterkirche 1176. Einwölbung der Sei-
tenschiffe und Bau der Vorhalle 2. Hälfte 15. Jh. Völlige Ein-
wölbung und Stuckdekoration um 1660–70. Eine letzte maßgeb-
liche Veränderung bringt die Neueinwölbung des Mittelschiffs und
dessen Dekoration um 1740–50. (Restaur. 1958.)

Das Ä u ß e r e hat im wesentlichen das Bild des 12. Jh.
bewahrt (Apsiden der Seitenschiffe wohl im 17. Jh. beseitigt). An der O-Wand des nördl. Seitenschiffs Reliefstein
mit Kopfdarstellung. 2-Turm-Fassade im W. Die Satteldächer der Türme 1525. 3teilige Vorhalle aus dem 15. Jh.;
darin Fresken von 1580, Szenen aus der Geschichte der
Welfen; roman. W-Portal. – Das I n n e r e vermittelt
trotz Barockgewand den Charakter der altbayerischen Pfeilerbasilika, 3schiffig, querschifflos und ohne Krypta.

Die Stukkatur des Chores hebt sich in ihrer kühlen geometrischen
Art scharf ab gegen das gelockerte Sprießen im Hochschiff. Sie
entstammt (wie das Gewölbe) der Zeit um 1660–70 und vereinigt
Rahmenwerk, Voluten, Muscheln, Engelsfiguren u. a. zu strenger

Komposition. Die Monogramme in ihrer Mitte nennen Jesus, Maria, Joseph und Norbert. Eine große Muschelform schließt die Chorwölbung ab. Im Hochschiff das reiche Stuckwerk des Wessobrunners Fz. Xaver Schmuzer, um 1740 (restaur. 1958). Auf jeweils 2 Joche übergreifenden Hängekuppeln gipfelt die Dekoration in den *Fresken* Joh. Gg. Bergmüllers aus Augsburg (1741 bis 1751). Sie berichten vom Stifter der Prämonstratenserregel Norbert (von O): 1. Der Heilige nächtigt in Steingaden und erlebt dort die Vision der zukünftigen Klostergründung. 2. St. Norberts Verdienste um die Verteidigung der Eucharistie, der Immaculata-Lehre und des Päpstlichen Stuhles. 3. Der Bau von Herzog Welfs Klosterstiftung (mit kühner Untersichtdarstellung). Unter der kurvenden Orgelempore Enthauptung Johannis d. T., 1751. Wandbilder erzählen von Wundertaten und -erscheinungen hl. und sel. Prämonstratenser. Hochaltar 1663 mit Gemälde von Joh. Chr. Storer aus Konstanz: Ordenskleid- und Regelverleihung an St. Norbert. Chorgestühl, bez. HS 1534. Seitenaltäre 17. Jh. Josephsaltar (im N) und Kanzel um 1670–70. Ihr gegenüber Kruzifix, von Gottvater ummantelt, wohl von Ant. Sturm aus Füssen. An den Pfeilern Stifterfiguren, Welf VI. und Welf VII., von Joh. Bapt. Straub, München; vergoldeter Bleiguß, 1749.

Kreuzgang (nur W-Teil erhalten) 1. Hälfte 13. Jh., gewölbt im 15. Jh. mit abwechslungsreich gestalteten, roman. Säulen. Brunnenkapelle im 15. Jh. verändert. Reste spätgot. Bemalungen.

Johanneskapelle. Roman. Zentralbau aus 4 Apsiden. Einwölbung 1511. Portal mit roman. Bogenfeldrelief: Halbfiguren von Christus zwischen Maria und Johannes.

STERNBERG (Ufr. – D 2)

Schloß. Im 16. und 17. Jh. im Besitz der Truchsesse v. Wetzhausen, geht Sternberg 1695 an das Hochstift Würzburg über. Das neue Schloß entstand in den 60er Jahren des 17. Jh. Ein Quadrat, mit ausspringenden quadratischen Ecktürmen, deren Zwiebelhauben den Umriß des einfach geschichteten Blockes erwärmen und beleben, folgt das Schloß dem in Aschaffenburg vorgebildeten, erst um die Wende des 17. Jh. außer Kurs gesetzten Schloßbauschema der späten Renaissance.

STÖTTWANG b. Kaufbeuren (B. Schw. – B 7)

Die **Pfarrkirche St. Gordian und Epimachus** ist als besonders schöner Neubau der Rokokozeit, 1744–46, anzumerken. Das feine Stuckgewand schuf Fz. Xav. Feichtmayr 1745, die Malereien sind Leistung von Fz. Gg. Hermann 1749/50. Im Hochaltar des Placidus Verhelst, 1761/62, ein Kruzifixus von Egid Verhelst.

STRAUBING (Ndb. – F 6)

*Die Straubinger Donau-Niederung ist uraltersher besiedelt. Eine
hier auf den Strom zielende Senke des »Waldes« (er blaut am
nördl. Horizont) dürfte die Platzwahl des röm. Militärlagers
»Sorviodurum« bestimmt haben. Das lag im Bereich der Altstadt
bei St. Peter. Augenfällig eindrucksvolle Hinterlassenschaft der
Römerzeit ist der 1950 südwestl. der Neustadt unweit einer »villa«
gehobene Schatz (Heimatmuseum). Im Bereich der röm. Siedlung
entstand im 6. Jh. die bajuwarische, die urkundlich 898 (als
Königsgut) sichtbar wird. »Strupinga« kommt vor oder nach 995
an den Bischof von Augsburg, 1029 an das Kapitel, dem bis zur
Ablösung seiner Rechte durch Bayern, 1535, Straubing, das alte
wie das neue, mit schwindendem Einfluß freilich, unterstellt bleibt.
1218 hatte Herzog Ludwig d. Kelheimer donauaufwärts die neue
Stadt errichtet, die sich schon durch ihren Plan, den die eine Marktstraße regelt, als Gründungsstadt des 13. Jh. erweist. Seit 1255
Anteil der niederbayerischen Linie des Herzogshauses, 1353–1425
Besitz und Sitz der Zweiglinie Straubing-Holland, fällt die Stadt
1429 an Bayern-München, das sie nach der Wiedervereinigung Ober-
und Niederbayerns, 1505, mit einem der 4 Rentämter begabt.*

Straubing ist eine wohlerhaltene **Stadt**, beispielhaft altbayerisch. Der breite, durch den Stadtturm zweigeteilte
Straßenmarkt (heute Ludwigs- und Theresienplatz) ist
charakteristisch. Mangelte nicht die (1474 verdoppelte)
Ringmauer – der »Stadtgraben« läßt sie abschreiten –, das
Erscheinungsbild Straubings deckte sich noch guten Teils
mit dem Modell des Straubinger Drechslers Jakob Sandtner
von 1568 (München, Bayer. Nat.-Museum). Der Umriß des
Stadtkörpers, gesehen von einer der Randhöhen des Bayerischen Waldes, ist mittelalterlich, und die got. Prägung
bestimmt auch noch, trotz aller Angleichungen der Bebauung an die späteren Stile, das Innengesicht der Stadt. Die
steilhohen Staffelgiebel, in die sich mehrere der Bürgerhäuser am Ludwigs- und Theresienplatz (dem Stadtplatz eben)
aufrecken, sind stärker als die barocken oder klassizist. Fassaden, die die Fronten verblenden. Und die beiden großen
Kirchen, St. Jakob und die der Karmeliten, sind reinen
Wuchses spätgotisch. Diese wuchtigen Ziegelbauten und
dazu der hohe, schlanke Stadtturm sind die Prominenten
des Stadtkörpers. Das herzogliche Schloß, abgerückt an der
NO-Ecke, stellt seine Mauermasse gegen die Donau, es ist
keine Dominante der nur wenige Jahrzehnte von ihren
Fürsten bewohnten, von Grund auf bürgerlichen Stadt.

Pfarrkirche St. Peter (am Ostrand der Stadt)

Die Altstadt hat schon früh, sicher schon 1029, ihre eigene Kirche, die wahrscheinlich bald nach 1200 von Grund auf erneuert wird. 1492 mußte die Altstädter Kirche ihre Pfarrechte an die Neustädter, St. Jakob, abgeben, doch kamen ihr, 1581, wieder Pfarrechte zu. Im 17. und 18. Jh. zeitgemäß ausgestattet, büßt sie diese offenbar wertvolle Ausstattung im 19. Jh. (1866/67) wieder ein, gleichzeitig werden die Türme, deren nördlicher bei 3 Geschossen steckengeblieben war, deren südlicher ein barockes Schlußgeschoß erhalten hatte, neuromanisch ausgebaut.

Ä u ß e r e s. St. Peter ist ein Paradigma bayerischer Romanik: 3schiffige Basilika ohne Querschiff, mit 3 parallel gestellten östl. Apsiden und einem Turmpaar im Westen. Man vergleiche Altenstadt-Schongau, das nur in der (schwäbischen) Stellung der Türme abweicht, das auch – der Vermittler war Bischof oder Kapitel von Augsburg – von der gleichen Bauhütte aufgeführt wurde. Der Quaderbau (Kalkstein) begnügt sich lakonisch mit der Wirkung seiner sauber gefügten Mauern. Um so reicher sprechen die beiden *Portale* westlich und südlich an. Das aufwendigere westliche ist doppelt gestuft, die Stufen sind mit Säulen ausgesetzt, Pfeiler und Säulen vollenden sich in den Bogenläufen des krönenden Halbrundes. Ein zarter, flacher, an Kerbschnitt erinnernder Dekor überzieht, fast möchte man sagen überspinnt Kapitell und Kämpfer, Türsturz und Archivolten und dringt auch in das Feld des *Tympanons* vor, hier Folie einer ebenfalls zart flachen Reliefgruppe: ein beschildeter Ritter reckt das Schwert gegen einen Drachen, der einen Menschen – nur der Kopf ist noch sichtbar – verschlingt. Eine Wiederholung der Darstellung findet sich am W-Portal der Michaelskirche von Altenstadt-Schongau. Das S-Portal, das die Leibung auf eine Stufe reduziert, bringt im Tympanon 2 sich bekämpfende Monstren von Löwen- oder Drachenart, die den Widerstreit des Guten und des Bösen versinnbildlichen. – Das I n n e r e ist einfach. 6 Arkadenjoche, quadratisches Chorjoch, begleitet von den beiden Jochen der Nebenchöre. Die westl. (spitzbogige) Arkade des Schiffes bleibt unter der Höhe der folgenden zurück. Die Wölbungen der 3 Schiffe sind barock. Romanisch ist nur die der Vorhalle zwischen den Türmen und die des Chorjochs.

Die A u s s t a t t u n g , im 19. Jh. »gereinigt«, hat doch noch so Hervorragendes anzubieten wie den spätroman. Kruzifixus (Hochaltar) und das großartige, in die 30er oder 40er Jahre des 14. Jh. zu setzende Vesperbild (nördl. Seitenschiff).

Friedhof. Starke, aufgeböschte Mauern umschließen den durch Aufschüttungen gewonnenen Hügel, dessen Mitte die Peterskirche besetzt. Unter den alten Friedhöfen einer der stimmungsvollsten. Südl. der Kirche 3 Kapellen. Die **Liebfrauenkapelle** (östlich), 2geschossig, 1545 als »Alter Karner« bezeichnet, ist spätgotisch, ein roman. Karner wird ihr vorausgegangen sein. Die 2. Kapelle ist die **»Bernauerkapelle«**, Sühnestiftung Herzog Ernsts von Bayern für die auf sein Geheiß, 1435, in der Donau ertränkte unebenbürtige Gattin seines Sohnes, Agnes Bernauer. Der bauliche Bestand: 2 Joche, $^5/_8$-Schluß, Netzrippengewölbe. Ein vorzüglicher Epitaphaltar, Werk später Renaissance um 1618, schmückt den Raum. Der Rotmarmor-Grabstein der Bernauerin, bis 1785 in Bodenlage, ist die feine zarte Arbeit eines Straubinger Meisters der 30er bis 40er Jahre des 15. Jh. Beachte man auch, neben dieser Hauptsache, den Votivstein von 1458 (N-Seite). Das hervorragendste der innen und außen angebrachten *Epitaphien* ist aber das urspr. außen befindliche eines Kanonikers mit der Vision des Ezechiel, das in den 20er Jahren des 16. Jh. entstanden sein muß, ein Werk Hans Leinbergers; Renaissance in der Rahmung, Barockes vorwegnehmend in der starken Ausdrucksgebärde. – Die 3. Kapelle ist die **Totentanz-** oder **Seelenkapelle**, die 1486 als neuer Karner entsteht. Sie ist 2schiffig, das südl. Schiff birgt die Gruft (Karner). 3 Rundpfeiler trennen die Schiffe und stützen die Stichkappentonne, eine 3seitig geschlossene Chorapside legt sich dem S-Schiff an. Die barocke Ausstattung von 1763 brachte der Kapelle ihren populären *Totentanz*, den Felix Hölzl an die Wände des Langhauses malte. Der gute spätgot. Kruzifixus von rd. 1480 werde über diesem Totentanz nicht vergessen, auch nicht der schöne Bildnis-Grabstein der Anna Ulein († 1363).

Pfarrkirche St. Jakob *(Tafel S. 865)*
Ein wohl bald nach Gründung der Neustadt aufgeführter, vermutl. noch roman. Kirchenbau macht gegen 1415 dem großen Hallenbau Platz, der langsam, ein volles Jahrhundert hindurch, von O her seinem westl. Abschluß entgegenwuchs. Der Turm kam erst, begonnen in den 20er, vollendet in den 80er Jahren, im 16. Jh. hinzu. Der planende Baumeister, der jedenfalls den Bau leitete und zum wenigsten den Chor aufführen konnte, war Hans

von Burghausen in Landshut. Die Landshuter Inschrift nennt die Jakobskirche nicht ausdrücklich, aber die »Straubinger Kirche«, die sie unter den Werken des großen, 1432 gestorbenen Kirchenbaumeisters aufführt, kann nur die Hauptkirche Straubings sein. Und St. Jakob trägt auch alle Merkmale seiner Raumkunst. – 1418 dürfte der Chor nahezu fertig gewesen sein. Beim Tode des Meisters, 1432, steht das Langhaus erst im Beginn. 1512 wird am W-Joch des Langhauses gebaut. Dann findet man – bemerkenswert, denn die Zeit war nun baumüde – doch noch die Kraft, den wie in Landshut für die W-Stirn geplanten Turm hochzuführen. – Eben um die Zeit, als sich dieser für das Stadtbild so wesentliche Turm vollendet, durfte sich die Pfarrkirche mit einem Chorherrenstift, dem hierher verlegten von Pfaffmünster (1581), verbinden. – Berichten wir noch, daß sich im beginnenden 18. Jh. viele der Kapellen ins Barocke wandeln mußten und Teilzerstörung der Wölbungen 1780 (Stadtbrand) zu gänzlicher Neuwölbung führte. Restaurierungen hatten 1892 und 1966 statt.

St. Jakob ist eine der großen bayerischen Hallenkirchen, einer der reinsten Vertreter der seit Mitte des 14. Jh. bevorzugten Raumform der Halle. St. Martin in Landshut, um einen anderen Großbau des Meisters zu nennen, ist gewaltiger, aber St. Jakob hat die einheitliche Ganzheit voraus: Langhaus und Chor sind *eine* 3schiffige Halle. Das Ä u ß e r e des Ziegelbaus (nur die Gliederungen des Langhauses und des Turmuntergeschosses bevorzugen den Kalkstein) ist durch die allen großen Hallenkirchen eigentümliche Wucht des unter *einem* Dachstuhl liegenden Baukörpers bestimmt. Der umlaufende Kranz der Kapellen setzt eine horizontale Sockelzone ab. Erst über dieser glatten, nur durch die breiten Fenster gegliederten Umfassung steigen die Vertikalen der gestuften, die 4teiligen Fenster des Hochgadens zwischen sich nehmenden Streben auf. 3 Portale (2 südlich, 1 nördlich) unterbrechen die Kapellenreihen, deren Tiefe sie zu Vorhallen nützen. Ihr bildnerischer Schmuck (Terrakotta) ist, der Wortkargheit des Ganzen entsprechend, wenig aufwendig. Auch der Turm hält in seinen Rechteckgeschossen zurück, erst das Oktogon lockert die Mauerflächen durch Blenden. Der spätbarocke Helm (1780) schließt ihn in anmutig elastischer Kurvenführung ab. – I n n e r e s. Der Blick durchmißt die ganze Erstreckung des Raumes von W nach O. Die sehr schlanken, doch keineswegs entkörperlichten Rundpfeiler der 9 Joche hemmen aber auch nicht das Ausweichen in die Querachse, die auf die durch die Kapellen (zwischen den

Streben) 2geteilte Wand trifft. Die urspr. Wölbung stelle
man sich in ähnlicher Bogenführung mit den spätgot. Rippen
vor. Sie lag aber, und das ist wichtig für die Abschätzung der
»wahren« Raumverhältnisse, 3 m höher (im Dach noch die
Überstände der Pfeiler). Unter den Kirchen des Landshuter
Meisters sind die Landshuter Spitalkirche und die Salzburger Franziskanerkirche die vergleichlichsten. Anders ist hier
in Straubing die Lösung des $^7/_{12}$-Chorschlusses: dort tritt
ein Pfeiler in die Mitte, hier treten lediglich die beiden O-
Pfeiler etwas näher zusammen.

Die Ausstattung ist immer noch reich und vielfältig. Auch
Teile der urspr. *Farbverglasung* haben sich erhalten: das hervorragende Fenster der Maria-Hilf-Kapelle (südl. der Chormitte), ca.
1420, und die 4 um ein gutes Halbjahrhundert jüngeren des Hochschiffs. Das *Sakramentshaus* im Chorumgang, schön in seiner Auf-
sprießung, sei trotz seiner durch Erneuerungen beeinträchtigten
Originalität nicht übergangen. Auch der neugot. *Hochaltar* darf
die Aufmerksamkeit fesseln. Die Figuren des Schreines, wie die
gemalten Flügel, sind der übernommene Bestand eines 1590 aus
der Nürnberger Augustinerkirche erworbenen Flügelaltars, der
dem Nürnberger Meister Michael Wohlgemut zuerkannt werden
darf. Die Flügelgemälde, Anbetung der Könige, Darbringung im
Tempel, Auferstehung Christi, Himmelfahrt Mariae, sind zweifellos Arbeiten des Meisters, von dessen handwerklich gediegener
Kunst sie guten Begriff geben können. Die 5 Schreinfiguren, deren
3 in Straubing zwecks Umbenennung überarbeitet wurden – am
weitesten St. Tiburtius, der eine hl. Katharina war –, sind schätzbare Werke eines unbekannten Nürnberger Schnitzers, den man
nach den nicht überarbeiteten Figuren, Maria in der Mitte und
Maria Magdalena links außen, beurteilen möge. Ein hervorragender Beitrag des späten Barock zur Ausstattung ist die sehr prächtige *Kanzel* des Münchner Hoftischlers und Bildhauers Wenzel
Miroffsky, 1753 geliefert, 1766/67 gefaßt. Unübertrefflicher Reichtum des Dekors: Rocaille, Relief, Figur, verbinden sich zu einer
im einzelnen kaum mehr überschbaren Ganzheit; der im Kirchenpatron St. Jakob gipfelnde Deckel ist wie ein Aufrauschen über
dem nun fest und gedrungen erscheinenden Corpus. Marmorgelb,
Gold, Elfenbeinweiß sind die entscheidenden Farben. Die nicht
minder reiche Treppe ist die Arbeit Straubinger Meister, des
Schreiners Joh. Klembt und des Bildhauers Matth. Obermayer. –
Manches Vorzügliche bergen die durch feine schmiedeeiserne Gitter (des frühen 17., des frühen 18. Jh.) geschlossenen Kapellen,
deren glücklicherweise nur einige purifiziert wurden. Nennen wir
insbesondere die *Maria-Hilf-Kapelle* (rechts der mittleren im
Chor), deren im frühen 18. Jh. dem alten Netzrippengewölbe aufgetragene Stuckdecke ein ebenso eigenartiges wie reizvolles Stück

Veitshöchheim. Schloßpark, »Der Parnaß«

Wallfahrtskirche Vierzehnheiligen. Gnadenaltar

der Angleichung ist. Diese Kapelle bewahrt auch eine frühe Probe der Wandmalerei (die hll. Jungfrauen Margareta, Barbara, Katharina, Dorothea, darüber die Kreuzigung). Das Datum 1418 dürfte das Vollendungsjahr des Chores anzeigen. Die südl. benachbarte *Maria-Tod-Kapelle* enthält einen ausgezeichneten Stuckmarmoraltar, der sicher Egid Quirin Asam gegeben werden darf, wie das Gemälde, Tod Mariae, seinem Bruder Cosmas Damian; doch die Figuren Margareta und Katharina (diese sign. und 1763 dat.) von M. Obermayer. In der *Bartholomäus-Kapelle* (nördl. der Chormitte) das Grabmal des Ratsherrn Ulrich Kastenmayer, das, etwa 1430 ausgeführt, eine der hervorragendsten Bildhauerleistungen der Zeit ist. Eine harte Realistik kennzeichnet das Gesicht – Totengesicht – des in der zeitlichen Gewandung dargestellten Ratsherrn, der diesen Rotmarmorstein noch selbst (das Sterbejahr 1431 ist nachgetragen) in Auftrag gegeben haben muß. Niederländisch-burgundische Anregungen sind deutlich. Ein anderer vorzüglicher Grabstein steht in der *Herz-Maria-Kapelle* (Seitenreihe des Langhauses), der auch rotmarmorne der Gatten Wolf Preu und Barbara Zeller, der, wahrscheinl. Werk des Straubinger Bildhauers Erhart, um 1460–70 entstanden sein dürfte. Stärker als das plastische Volumen spricht hier das Lineament der Zeichnung, eine Flächigkeit des Eindrucks, den die rahmende Kielbogenarkade noch verstärkt.

Die der Langhaus-N-Seite anliegende, teilweise spätgot. *Sakristei* verwahrt beste Werke kirchlicher Goldschmiedekunst.

Karmelitenkirche

1367 waren die Karmeliten von Regensburg nach Straubing übergesiedelt. 1371 wurde mit dem Bau von Kloster und Kirche begonnen. Die Leitung hatte offenbar ein Straubinger, Meister Konrad. Hans von Burghausen (»Stethaimer«) kann wohl nicht als der planende und beginnende Meister angesprochen werden. Doch ist es wahrscheinlich, daß der Bau, etwa in den 90er Jahren, von ihm fortgeführt wurde. Die Abänderung des zunächst geplanten basilikalen Querschnitts in den der Halle dürfte dann jedenfalls ihm zu Danke gehen. 1397 steht der 1396 begonnene Chor in den Umfassungsmauern (Begräbnis Herzog Albrechts), die Wölbung schließt sich allerdings erst 1466. Das Langhaus blieb anscheinend ungewölbt. 1700–10 geschah unter Leitung Wolfg. Dientzenhofers aus Amberg eine durchgreifende Barockisierung, die das Langhaus neu einwölbte und den W-Turm hinzufügte. Dieser mußte 1860–70 seine Barockhaube mit der bestehenden Spitze vertauschen. – 1803 säkularisiert, kommt das Kloster dank König Ludwig I. 1842 in den Besitz des Ordens zurück.

Monumentalität des A u ß e n b a u s wie die hochstrebende Kühnheit des Hallenraums lassen an Hans von Burghausen denken. Ja, wir dürfen vermuten, daß er mit dieser Back-

steinkirche in Straubing Fuß faßte. I n n e r e s. Es tut der
Raumwirkung keinen Abbruch, wenn Dientzenhofers Umgestaltung die schlanken got. Pfeiler mit Halbsäulen und
Pilastern verkleidet, die ihrerseits Kämpfer tragen, aus
denen die barocke Stichkappenwölbung aufsteigt. Nach Vorhalle und 6 Jochen verengt sich die Anlage zum 1schiffigen
langgestreckten Chor, dessen O-Teile, vom Laienhaus abgetrennt, den Mönchschor enthalten. Auch die Fensteröffnungen wurden nach 1700 erweitert und rundbogig geschlossen.

Die zurückhaltende Stuckinkrustation (W-Empore, Seitenkapellen)
lieferte die oberitalienische Wandertruppe des Giov. Batt. Carlone
und Paolo d'Aglio, die Wandfresken, von denen sich einige unter
der Orgelempore erhalten haben, Melch. Steidl (1701/02). Ein
architektonisches Meisterwerk ist der *Hochaltar* des Passauers Jos.
Matth. Götz von 1741/42 mit den Prophetenfiguren Elias und
Elisa und den Papstfiguren Telesphorus und Dionysius. Das Gemälde, von Mich. Unterberger, zeigt die Ausgießung des Hl. Geistes. Im Halbrund umfängt der Altar sein kostbares Zentrum, das
goldfunkelnde Tabernakel. Auch die beiden Seitenaltäre erwuchsen aus Plänen des Jos. Matth. Götz (1740). Die Kanzel wurde
1756/57 von Ant. Keller gefertigt. Das Gnadenbild Maria von
den Nesseln kam 1661 aus Heilbronn. – Im *Mönchschor* hinter dem
Hochaltar steht die Rotmarmortumba Herzog Albrechts II.
(† 1397), ein Hauptwerk des Weichen Stils im Donau-Raum. Der
Tote, in der üblichen Art des Liegens und Stehens zugleich, hält
vor fließender Draperie Banner und Rautenschild, sein Kopf ruht
auf schwellendem Polster. Zu seinen Füßen kauert ein Löwe. In
die S-Wand des Mönchschors ist eine Grabplatte des Meisters Erhart (?) eingelassen, die des ritterlichen Ehepaares Nothafft, um
1470. Deutlicher spürbar ist aber die hier anzunehmende Hand
Meister Erharts in der Rotmarmorplatte des Ratsherrn Kaspar
Zeller, 1464, unter der W-Empore. In seiner Nähe auch die des
Wilhelm Zeller und seiner Frau, wohl gleichfalls von Erhart, 1478.
An jüngeren Grabdenkmälern sind das des Haug Zeller († 1515)
und seiner Frau und das des Grafen Heinrich Nothaft von Wern-
berg († 1665, linke Chorwand) anzumerken.

Das **Klostergebäude** nordwärts der Kirche ist ein Bau des Gasparo
Zuccalli, 1684.

Ehem. Jesuitenkirche

Als 1631 der Jesuitenorden nach einem dauerhaften Quartier
suchte, wurde ihm »die capellen unser lieben frauen bei dem
oberen thor« übergeben. Diese, eine 2schiffige Anlage des 14. Jh.,
erfuhr um 1680 durchgreifende Veränderungen, so daß sie sich
heute bis auf wenige Teile des Äußeren als Bau des späten 17. Jh.
präsentiert.

Eine 1schiffige Halle auf eingezogenen Wandpfeilern, zwischen denen sich in 2 Langhausjochen Emporen spannen, während das dritte Joch sich in 2 überkuppelte Abseiten unter die zwiebelbekrönten Aussprünge des Außenbaus erweitert. Die Stuckinkrustation beschränkt sich auf Nachzeichnung des architektonischen Liniengefüges. Für die Altarausstattung sind Entwürfe des Fraters Hörmann erhalten, nach denen der Hochaltar 1683 in vereinfachter Ausführung zustande kam. Die übrigen Altäre gehören der 1. Hälfte des 18. Jh. an, die Kanzel mit reichem Akanthusschmuck fertigte 1689 der Laienbruder Christ. Huber.

St. Veit. Der Stadtbrand von 1393 führte zum Bau einer Votivkirche; Chorweihe 1404. Innerhalb der alten Umfassungsmauern, die um 2 Joche nach W erweitert und neu gewölbt wurden, fand 1702/03 eine Barockisierung statt. Die Maler Wolfg. Leutner und Val. Reischl, der Stukkateur Jos. Vasallo sorgten für Farbe und Bewegung im neuen Raumbild, das zu seinen Seitenaltären 1731 den Hochaltar erhielt. Felix Hölzl bereicherte die Kirche 1762 durch Gewölbefresken. Altarblätter lieferten Caspar Sing (links am Chorbogen) und Cosmas D. Asam (für die beiden vorderen Seitenaltäre). Abschlußgitter 1736.

Schutzengelkirche (ehem. Franziskanerkirche). 1706 wurde von den Franziskanern eine schlichte Wandpfeilerkirche errichtet, deren knappe Formen durch die Ordensregeln diktiert sind. Die Altäre tragen Gemälde von Casp. Sing (Hochaltar), Cosmas D. Asam, Melch. Steidl und Joh. Ev. Holzer.

Ursulinenkirche

Das 1691 gegr. Kloster der Ursulinen sah sich 1736 bewogen, seine bisherige Kapelle durch »ein anstendtiger Wohnung und kürchl« zu ersetzen. Man hatte auch sogleich die geeigneten Künstler bei der Hand: Egid Quirin und Cosmas Damian Asam in München. Egid lieferte den Bauriß 1736. Ein Jahr darauf war die Kirche unter Dach, so daß er an die Aufrichtung der Altäre gehen konnte, während Cosmas die Ausmalung besorgte, die nach seinem Tod 1739 der Bruder zu Ende führte.

Die durch sehr große Fenster aufgerissene Fassade sendet ihren Lichteinstrom zum *Hochaltar*, um den sich in der fließenden Form des Vierpasses der Grundriß formt (W-Fenster heute durch Orgelbauten z. T. unrichtig verstellt). Im Sinne Asamscher Kunst bestimmt hier die programmatische Einheit das Raumgefüge.

Die Immaculata des Altarblatts wurde leider durch ein nazarenisches Gemälde ersetzt. Im Auszugsblatt weist Gottvater den Satan von sich, der ihn vom Thron zu zerren sucht. Ihm gegenüber reckt die Figur des Erzengels Michael das Flammenschwert, Raphael erhebt die Siegespalme, während der Verkündigungsengel Gabriel auf die sündelose Jungfrau zuschwebt. Vor dieser haben sich in den Flanken des Altars Karl Borromäus und Ignatius anbetend auf die Knie geworfen. Das Ergebnis des göttlichen Ratschlusses, die Menschwerdung Christi, symbolisiert das Tabernakel zwischen 2 Engeln. Das Übereinander von Tabernakel, Immaculata und Gottvater, der irdischen, zwischenweltlich-vermittelnden und himmlischen Region, erweitert sich im *Gewölbefresko* zur durchbrochenen Kuppel, umgeben von Wolken und Evangelistensymbolen, gipfelnd in den Allegorien von Glaube, Hoffnung und Liebe und endlich im himmlischen Gloria St. Ursulas, der Ordensheiligen. Der Hochaltar produziert eine den Kirchenraum umspannende Wandgliederung, welche die ähnlich aufgebauten Seitenaltäre in sich schließt und sich um den Gläubigen rundet. In diesem Vorgang spiegeln sich ähnliche Elemente, wie sie Egid Asam in seiner um weniges früheren Münchener Hauskapelle St. Johann Nepomuk anwendet.

Elisabethinerinnenkloster Azlburg. Nahe St. Peter errichteten die Elisabethinerinnen auf ihrem Schloßgrundstück 1787 Krankenhaus und Kirche. Im S-Trakt des 4flügeligen Neubaus richteten sie diese ein, schlicht in der saalartigen Form mit eingezogenem Chor, klar in der Begrenzung. Aus dem Stuck Matth. Obermayers klingt das späte Rokoko-Ornament, während sich allenthalben schon die Wendung zum Klassizismus anbahnt. Klar und einfach sind die Altäre, der Schwung rocailleartiger Motive läßt merklich nach. Die Kanzel ist schon durch die knappe Form des Klassizismus geprägt.

Die Kalvarienbergkapelle ist ein gutes Beispiel für den späten Klassizismus, 1832: eine Exedra in antikischer Form mit Umgang, die eine spätgot. Kreuzigungsgruppe umgibt.

Schloß

Der älteste Herzogssitz von 1255 lag vermutl. im NW der Stadt. Von ihm blieb nichts als der Straßenname »In der Bürg«. 1356 wurde unter Herzog Albrecht I. der bestehende Bau an der NO-Ecke Straubings in Angriff genommen.

Ein Torturm führt in den Hof der umfangreichen Anlage. Ihm gegenüber winkelt sich der Fürstenbau mit seinen beiden Türmen. Sein N-Flügel enthielt ehemals einen großen, mit Spitztonne gewölbten Festsaal, den die Verwendung als Kaserne verunstaltete. Im O-Trakt liegt, eingebettet zwischen jüngeren Bauten, die *Schloßkapelle* (geweiht 1373, Langhaus 15. Jh.), deren Chörlein als Erker die Rückfront des Gebäudes ziert. Zum Torturm verbindet ein 3geschossiger Trakt mit gewölbtem Saal in seinem Innern. Nach W schließen sich weitere Gebäude an: Bezirksamt und Rentamt, dieses mit barocker Fassade von 1739.

Das **Rathaus** nahm ehemals, mit dem Stadtturm vereinigt, die Mitte des Stadtplatzes ein. Raummangel drängte gegen Ende des 14. Jh. zum

Neubau nördl., dem Stadtturm gegenüber, in der Häuserflucht. Das Äußere ist im wesentlichen Werk des 19. Jh. Dahinter verbirgt sich ein freundlicher Laubenhof des frühen 16. Jh. Der Saal ist spätgotisch.

Inmitten des Stadtplatzes ragt das Wahrzeichen Straubings, der **Stadtturm**, ein Bau des 14. Jh. (beg. 1316). 4 bekrönende Erker dienten als Auslug der Wache. Im O lehnt sich an ihn die **Trinkstube**, ein mehrfach veränderter Bau des 15. Jh., dessen Fundamente viell. Reste des alten Rathauses sind. Ein geschmücktes Portal der Spätgotik führt in das Innere.

Bürgerspital. Gestiftet im 13. Jh., hat es mehrfach seine Erscheinung geändert. Aus der Gründungszeit eine (durch Einbauten etwas gestörte) 3schiffige Halle und die Reste eines Kirchenportals (neben dem heutigen barocken). Die **Kirche**, im wesentlichen nach 1780, zeigt Formen des frühen Klassizismus.

Wohnbauten. Nur wenige mittelalterl. Bauten haben ihr altes Gesicht bewahrt, wie das **Gasthaus »Zum Geiß«** am Theresienplatz. Hohe, abgetreppte Giebel sind ihre Kennzeichen und wenige, kleine Fensteröffnungen. Daß in zahlreichen Häusern der mittelalterl. Kern neu ummantelt wurde, zeigt ein Schrägblick auf die Häuserfronten des L u d w i g s - p l a t z e s : Abgetreppte, oft zinnenbesetzte hohe Giebel trennen die behäbigen Anwesen voneinander, deren umgestaltete Längsfront zur Straße blickt. Einzelne Arkadenhöfe haben das 16. und 17. Jh. beigesteuert, wie im **Haus Ecke Ludwigsplatz / Fraunhofer Straße** (ehem. Besitz der Patrizierfamilie Zeller). Auffallend ist die große Zahl besonders ausgedehnter Wohnhausanlagen, die den Wohlstand ihrer Besitzer verraten. **Haus 13** am **Ludwigsplatz** mit Laubengängen des 17. Jh. und reichen Zieraten des 18. ist ein solches. Nicht selten haben sich in derartigen Anwesen reichdekorierte Hauskapellen erhalten, so im **Höllerhaus**, Ludwigsplatz 30, überkuppelt und mit wertvollen Stukkaturen des 17. Jh. Typische Barockfassaden des frühen 18. Jh. tragen die Häuser **Nr. 9** der **Fraunhofer Straße** (jetzt Stadt- und Gäubodenmuseum) und **12** am **Ludwigsplatz**. Das Rokoko spendete fröhliche Ornamente den Häuserfronten **Ludwigsplatz 10** oder **23, 5** und **8** in der **Fraunhofer Straße**. **Zollergasse 3** und **Fraunhofer Straße 11** geben einen Begriff von Klassizismus, dem auch der schöne Saal des **Gasthauses »Zur Goldnen Krone«** entstammt (Ludwigsplatz 24).

Dreifaltigkeitssäule. Ein Gelübde der Bürgerschaft während der Belagerung Straubings 1704 führte 1709 zur Errichtung des 15 m hohen Monuments. Votivsäulen dieser Art hatten sich seit Entstehen der Münchner Mariensäule 1631 bes. im österreichischen Raum ausgebreitet. (Vgl. Grabensäule in Wien 1687.) Die Form des Unterbaus ist die originelle Besonderheit dieser Straubinger Säule.

2 Brunnen zieren den Stadtplatz. Der *Jakobsbrunnen* am Ludwigsplatz entstand 1644, sein Pendant, der *Tiburtiusbrunnen* am Theresienplatz, 1685 (Brunnenfiguren erneuert).

Einiges hat sich aus dem mittelalterl. **Befestigungsgürtel** erhalten: Reste der Ringmauer des nördl. Verlaufs der Mauer, einige Türme und das **Spitaltor** mit Verkleidung von 1628. An die Stelle des »Unteren Tores« im O der Achse des Stadtplatzes trat 1810 das sog. **Ludwigstor:** 2 flankierende Obelisken neben niedrigen, portikusgeschmückten Wachgebäuden.

Westwärts (im Stadtpark) liegt die **Wallfahrtskirche Frauenbründl,** ein kleiner Neubau von 1705 über der seit alters verehrten Heilquelle. Die 3-Konchen-Anlage Dientzenhoferscher Prägung mit doppelter Kuppel und reichgestaltetem Altar wirkt durch ihre Originalität. Aus den Kuppelfresken erklingen Themen der Lauretanischen Litanei: (oben) Regina angelorum und (unten) Regina sanctorum omnium. Ihr Künstler ist vermutl. Hans Gg. Asam, der Vater des Künstlerbrüderpaares.

Nahe gelegen: SOSSAU (s. d.). Der Fußweg dorthin führt über die »Bschlacht«, die Donau an der Stadt heranleitet: ein interessantes Werk des Straubinger Zimmerers Heinrich, 1477–80, der u. a. den Dachstuhl der Münchener Frauenkirche errichtet hat.

STREICHEN b. Schleching (Obb. – E 9)

Servatius-Kapelle

Die Lage ist hochgebirgisch. Ein früher Saumweg (auf den der Name zurückdeutet) trat hier über einen Vorberg der »Rauhen Nadel« hinweg ins Tirolische. Ein Burgstall wenig oberhalb der Kapelle (»Schloßberg«) weist auf eine im 12. Jh. hier stehende, doch früh, wahrscheinl. schon im 13. Jh. abgegangene Burg zurück. Die Kapelle mit dem ungewöhnlichen Patrozinium des fränkischen Heiligen (Bischofs von Lüttich) wird nicht vor 1440 sichtbar. Aber der erhaltene Bau ist im Schiff ein rundes Anderthalbjahrhundert älter; nur der Chor dürfte in die Zeit der ersten Nennung fallen.

Die Streichenkapelle ist sicher schon im Spätmittelalter Wallfahrtsziel der Nachbarschaften diesseits und jenseits der Klobensteiner Paßhöhe. Ihre Entlegenheit sicherte sie vor den Einbrüchen wechselnder Moden – nicht so absolut allerdings, denn der 1943/44 ans Werk gehende Restaurator fand doch einiges zu tun. Er nahm die im späten 17. Jh. eingezogene Wölbung heraus und ersetzte sie durch eine flache Holzbalkendecke; er legte die, auch im 17. Jh., zugetünchten Wandmalereien frei und gab damit der Kapelle ihren schönsten Besitz zurück.

Die Malereien, die fast alle Wände in geschlossener Folge bedecken, lassen sich im Schiff mit rd. 1440, im Chor mit frühestens 1508, spätestens 1513 ansetzen. Hohen Ranges v. a. die des Schiffes, die zu den besten Zeugnissen Salzburger Malerei der Mitte des 15. Jh. gehören. Zu diesem wandgebundenen, aus Christus- und Heiligenleben schöpfenden Bilderkreis gesellen sich 3 spätgot. Altäre: der Hauptaltar, 1524 dat., birgt im Schrein den Titelheiligen Servatius zwischen Dionysius und Wolfgang, die Flügelinnenseiten sind mit Reliefszenen des Jesus-Lebens, die Außenseiten mit Gemälden der Passion besetzt. – Der 2. Altar steht an der S-Wand des Schiffes. Er ist 1523 datiert und enthält im Schrein die hl. Maria Magdalena zwischen Wolfgang und Leonhard, auf den Flügeln Gemälde, einzelne Heilige darstellend (nicht eben große Kunst, aber ausgezeichnet durch frisches, älplerisches Temperament). – Der 3. Altar steht links vom Chorbogen, ein altertümlicher Kastenaltar der 20er oder 30er Jahre des 15. Jh. Etwa 2 Jahrzehnte älter die Figur des hl. Servatius im Kastenschrein. Die Flügelgemälde, einzelne Heilige, neben der Muttergottes Ursula, Sebastian, Laurentius, Agnes, Erasmus, Elisabeth, Nikolaus, sind vorzügliche Werke des Weichen Stils, sicher Salzburger Abkunft.

STREITBERG (Ofr. – E 3)

Unterhalb Muggendorf nächst der Wöhrmühle wendet sich das noch enge Wiesent-Tal im scharfen Knick westlich. Der Angelpunkt der Drehung ist die **Neideck**. Schräg gegenüber schiebt sich der starke, fast 3seitig freie Dolomitklotz der **Streitburg** vor. Zwischen den beiden Burgen weitet sich das Tal zu einem westl. offenen Kessel, der als eine der schönsten, Gewachsenes und Gebautes glücklich verbindenden Landschaften der Fränkischen Schweiz (die im 19. Jh. gewählte und nun fest gewordene Bezeichnung) zu rühmen ist. Burg des Streites, Eck des Neides, deutet Scheffel die beiden Burgen am Ausgang der Talenge. Indessen ist in Streit ein Rodungswort, in Neid ein Lagewort zu vermuten. Von Streit und Neid weiß nun allerdings die Geschichte der beiden Horste häufig zu berichten.

Streitberg, 1124 erstmals bezeugt, ist bis 1347 Besitz der schon fast fürstengleichen Edelherren von Schlüsselberg (sie nennen sich nach einer Burg bei Waischenfeld). Die »von Streitberg« sind Schlüsselbergsche Ministerialen. Besitz, ja doch wohl Gründung der Schlüsselberg ist auch die erst spät, 1303, bezeugte Neideck. Auf ihr sucht sich der letzte Schlüsselberg, Konrad, 1347 gegen die ihn befehdenden Fürsten, die Bischöfe von Bamberg und Würzburg und den Nürnberger Burggrafen, zu halten. Er fällt, und seine Besitzungen kommen an die Sieger. Die Neideck kommt an Bamberg und bleibt bambergischer Amtssitz bis zur Zerstörung im Markgrafenkrieg 1553. Die Streitberger Burg kommt nach 1347 ebenfalls an Bamberg, dem sie aber im frühen 16. Jh. (1507, 1538) an die Markgrafen entgleitet. 1553 hart heimgesucht, wird sie 1563–65 von Caspar Vischer, dem Baumeister der Plassenburg, wieder aufgeführt.

Als bester Zeuge der starken, auch durch Gräben und Basteien geschützten **Streitburg** (seit 1811 Ruine) steht noch das äußere Tor mit dem markgräflichen Wappen über dem rundbogigen Einlaß. – Die größere **Neideck**, deren Hauptburg auf dem ins Tal vorgreifenden Riff (»Eck«) rückwärts 2 Vorburgen anliegen, hat noch den unmittelbar dem Riff entwachsenden Bergfried vorzuweisen, der die Blickachse der ihn umkreisenden Tallandschaft ist.

Die Streitberger **Pfarrkirche**, »Markgrafenkirche« einfachster Art, gut an den Hang gelehnt, wurde 1752–57 errichtet. – Ihre Vorgängerin, St. Laurentius, stand im schräg gegenüberliegenden NIEDERFELLEN-DORF, unterhalb des Friedhofs, in dem nach wie vor die Gemeinde ihre Toten begräbt.

SULZBACH-ROSENBERG (Opf. – E 4)

Die Grafschaft, Teil der von Kaiser Heinrich II. zertrümmerten größeren Grafschaft auf dem Nordgau, kommt nach dem Ausgang der Sulzbacher 1188 an die verwandten Grafen von Hirschberg, 1305 an den Herzog. 1329 fällt sie der pfälzischen Linie des Herzogshauses zu, die sie unter Kaiser Karl IV. verliert. Nun Kerngebiet von »Neuböhmen«, kehrt sie doch bald, noch zu Lebzeiten Karls, zu Bayern zurück. 1505 fällt Sulzbach an Pfalz-Neuburg, von dessen Stamm sich im frühen 17. Jh. eine eigene Linie Sulzbach abspaltet. Der letzte dieser Linie, Karl Theodor, erbt 1742 alle pfälzischen Länder, womit dann auch das kleine Sulzbach aufhört, fürstliche Residenz zu sein. – Die der Burg zugewachsene Siedlung bringt es schon im 13. Jh. zu Marktrechten. Karl IV. stattet 1354 die gleichzeitig in ihren Privilegien bestätigte Stadt mit dem Recht des Bergbaus im Sulzbacher Gebiet aus. Das Eisen war, und ist auch noch, ihr bester Ernährer. Seit 1934 ist Sulzbach mit dem benachbarten Rosenberg vereinigt.

Stadt. Ein schmaler, von O nach W verlaufender Jurarücken trägt auf dem ansteigenden W-Teil das aus der Stammburg der Grafen (Gründung des mittleren 11. Jh.) erwachsene Schloß. Die Siedlung liegt östlich. Anfänglich nur den oberen (östl.) Teil, das Marktviertel bis zur Hafnergasse (älter »Hafnergraben«) umfassend, erweitert sie sich wahrscheinlich. in den böhmischen Jahren um Rosenbergerstraße, Neumarkt und Bühlviertel, Pfarrgasse (nördlich) und Bacherviertel (am Fuße des S-Hanges). Die Tore, ehemals 4, fehlen. Die aus Bruchsteinen aufgeführte spätmittelalterl. Mauer hat sich noch allseitig erhalten. – Die von O hereinkommende Rosenbergerstraße erweitert sich zum Marktplatz und hält vor dem Schloßberg an. Hier die

Pfarrkirche Mariae Himmelfahrt

Über einem älteren Bau ließ Kaiser Karl IV. um die Mitte des 14. Jh. den langgestreckten hohen Chor errichten. Der Neubau des Langhauses begann 1412 und wurde 1431 geweiht. 1488 Kapellenanbauten am Langhaus. Die W-Empore wurde erst 1526 eingezogen. 1691 verursachte der Einsturz des Turmes ausgedehnte Reparaturen in der Gewölbezone. Der Turm wurde wiederhergestellt, seine Haube 1800 erneuert.

Das Ä u ß e r e zeigt schlichte, sachliche Formen. Von fester Geschlossenheit ist der von Strebepfeilern gestützte Chor (nach 1355). Die Porträtfigur des kaiserlichen Stifters, Karls IV., steht auf got. Blattwerkkonsole am südöstl. Chorpfeiler, den Figuren des Schönen Brunnens in Nürnberg eng verwandt. Durch das S-Portal betreten wir den I n n e n - r a u m. Die dunkle Hochschiffwand zwischen den niedrigen Seitenschiffen deutet auf das in der Oberpfalz beliebte ungleiche Hallenschema: die 3 Schiffe werden von *einem* hohen Dach zusammengefaßt, sind aber nicht höhengleich, wie es die reine Halle will. Schlanke Achteckpfeiler tragen die Scheidbogen der 3 Langhausjoche. Die Kappengewölbe des Hochschiffs und des Chores wurden 1691 geformt. Nur 2 Seitenschiffjoche im S haben ihre alten Rippengewölbe bewahrt. Die 1488 hinzugefügten Seitenkapellen sind 2geschossig und z. T. mit kräftigen Rippengewölben versehen. Die 1526 eingezogene Fürstenempore durchquert alle 3 Schiffe im westl. Vorjoch. Ihre Unterwölbung wurde um 1690–1700 im mittleren Sektor erneuert, in den Seitenteilen belassen. Fast alle Fenster tragen Maßwerkfiguren des 14. und 15. Jh. – Der stattliche *Hochaltar* des frühen 18. Jh. trägt ein Altarblatt (Mariae Himmelfahrt) von dem 1711 in Sulzbach begrabenen Hans Georg Asam, dem Vater der berühmten Künstlerbrüder. Das 15. Jh. hinterließ einen reichdekorierten Taufstein mit Laubwerkband über zierlichem Spitzbogenfries.

Schloß

Es geht auf einen angeblichen Gründungsbau Graf Gebhards I. aus der Mitte des 11. Jh. zurück. Aus dieser Zeit hat sich nichts erhalten. Erst Herzog Ottheinrich II. von Pfalz-Sulzbach betrieb den umfangreichen Neubau seit 1589. Seine Nachfolger setzten ihn fort. Neue Veränderungen brachte die Zeit zwischen 1768 und

1794, als die Pfalzgräfin Franziska Dorothea von Zweibrücken-Birkenfeld hier ihren Witwensitz aufschlug. Im 19. Jh. wurde das Schloß den verschiedenartigsten Verwendungszwecken zugeführt.

Von O aus der Stadt führt die Auffahrt durch einen Querbau mit got. Tor zwischen langgestreckten Wirtschaftsbauten vorbei, durch ein weiteres Tor der Bauzeit 1618–20. Gegen N umbiegend betreten wir den **Schloßhof.** Rechts steht ein Bau des 15. Jh., der die Schloßkapelle enthielt, später aber profaniert und verbaut wurde. Im SO folgt das **Saalgebäude** von 1582 mit polygonalem Treppenturm und schönem Portal. Der **Fürsten- und Gästetrakt** von 1618 legt sich gegen N an (im 19. Jh. stark verändert). Gegen NW schließt das **ehem. Kanzleigebäude** an, wohl von 1582, wieder mit einem Treppentürmchen. Der *Schloßbrunnen* mit dem pfälzischen Löwen wurde auf Geheiß des Herzogs Christian August 1701 geschaffen.

Rathaus. Ende des 14. Jh. wurde der bedeutende Bau begonnen. Seine prächtige Giebelfront beherrscht von O her den Marktplatz. Ein »Chörlein« betont die Mittelachse über dem Portal. Darüber erhebt sich auf zierlichem Gesims der hohe Giebel, dessen Staffelung durchbrochen und mit kleinen Fialen bekrönt ist. Ein reichprofiliertes Rundfenster und das pfalz-bayerische Wappen darüber führen die Mittelachse über die Dreiecksfläche weiter. Hinter dieser reizvollen Front liegt der *Saalbau.* In rechtem Winkel zu ihm stößt ostwärts der weit schlichtere *Rathausstubenbau,* der an seiner O-Front einen Erker trägt. Der große *Festsaal* hat neuzeitliche Ausgestaltungen erfahren. Lediglich der Erker hat auch innen sein urspr. Bild im wesentlichen bewahrt. Einige got. Balkendecken haben sich im Rathausstubenbau erhalten.

Brunnen auf dem Luitpoldplatz. Der steinerne Löwe auf einem Postament, das Fratzen der 4 Temperamente trägt, aus dem frühen 18. Jh.

Wallfahrtskirche St. Anna auf dem Annaberg. Für eine ältere Rundkapelle entstand 1676 der 1schiffige Bau mit halbrundem Chor. Der Turm kam erst 1827 hinzu. 1904 wurde die Kirche nach W verlängert. – Die Altäre hat das ausgehende 18. Jh. geschaffen. Der Hochaltar trägt das Wallfahrtsbild, eine Anna-Selbdritt-Gruppe des frühen 16. Jh.

SULZFELD (Ufr. – C 3)

Eine der bezeichnend fränkischen Dorf-Städte (ohne Stadtrechte), besitzt Sulzfeld alle Reize einer bewahrten, in den Grundzügen mittelalterl. Vergangenheit. Die mit vielen, rechteckigen und runden Türmen bewehrte **Ringmauer**, fast ganz erhalten, dürfte im 14. oder frühen 15. Jh. entstanden sein. Nördlich und westlich ist auch noch streckenweise der Graben da. 3 Tore lassen ein.

Inmitten der schlichten Ackerbürgerhäuser steht sehr mächtig das Bischof Julius zu dankende, 1609 vollendete **Rathaus**: hoher, nur durch die Fenster gegliederter 3geschossiger Block, geschmückt nur in den Portalen und im gestaffelten Giebel. Die im Kern spätgot. **kath. Pfarrkirche** wurde unter Bischof Julius »mehrerteils von Neuem gebaut«.

SULZHEIM (Ufr. – D 2)

Schloß

Sulzheim ist alter Besitz des Klosters Ebrach, das hier in den ersten Jahrzehnten des 18. Jh. (bis 1728) seinen Amtshof errichtet. Seit 1818 gehört das »Schloß« den Fürsten Thurn und Taxis. Gebaut hat es vermutl. Balthasar Neumann.

2 kurze Flügel flankieren den in der Mitte um ein Geschoß erhöhten Hauptbau, der auf beiden Seiten durch kräftige Rustikapilaster betont ist. Im Mittelbau die in 2 Läufen aufsteigende Treppe, deren Haus vortreffliche Stukkaturen und ein 1716 dat. Fresko besitzt. Im O-Flügel die auch gut stuckierte Kapelle.

SÜNCHING (Opf. – F 6)

Schloß

Der alte Herrensitz ist schon im 8. Jh. bezeugt. Nach Erlöschen der Sünchinger ging der Besitz an andere Geschlechter und schließlich, 1573, an die Freiherrn und späteren Grafen von Seinsheim über. Die merkwürdige Anlage der Wasserburg, ein Achteck mit Binnenhof, ist vermutl. gegen Ende des 17. Jh. entstanden. 1758–60 wurde der östl. Teil des Schlosses einschließlich der Kapelle, unter Leitung Joh. Leonh. Gießls, durch einen Neubau ersetzt. Die Direktion der Innenausstattung (1760–62) hatte Fr. Cuvilliés, an dessen Entwürfe sich die ausführenden Künstler zu halten hatten.

Von hoher künstlerischer Bedeutung ist der 2geschossige, von Fr. Cuvilliés d. Ä. entworfene, Festsaal. Reizvolle Rocaillestukkaturen überspielen locker seine Wandflächen mit dünnem, blütenumwundenem Rahmenwerk, in dessen Mitte sich Putti tummeln, mit fensterbekrönenden Kartuschen und Emblemen. Ihr Meister ist Fz. Xav. Feichtmayr, den sein

Schwiegersohn Jakob Rauch unterstützte. Beide kommen aus
Augsburg, wie der Freskomaler Matth. Günther. Er fügte
dem Gemälde das Datum bei, das für die ganze Raumausstattung verbindlich sein wird, 1761. In duftigen Farben
schildert er die Götterwelt des Olymp, umgeben von den
4 Jahreszeiten. Aus der dichteren Rahmenzone entwickelt
sich seine Komposition in die himmlischen Fernen der Mitte.
Die beiden Fama-Figuren über den Spiegeln sind Arbeiten
Ignaz Günthers (für die François Cuvilliés Modelle geliefert
hatte). Das Treppenhaus-Fresko gab Joh. Schöpf (1760). An
den Seitenwänden Paneels mit musizierenden Putten von
Ign. Günther. Feingeschnitzte Konsoltische, 2 Ahnenporträts
über den Rotmarmorkaminen (Adam Friedr. v. Seinsheim,
Fürstbischof von Würzburg, und sein Bruder Graf Jos. Fz.
Maria), schimmernde Kristall-Lüster. – Die Nebenräume
überführen in einfacher Form die festlich-repräsentative
Haltung in privatere Bezirke. Ein paar Kachelöfen aus der
Zeit um 1670 sind hier überkommen, während das fortge-
schrittene 18. Jh. mit Wandmalereien in die Fêtes galantes
à la Watteau einstimmt oder mit Chinoiserie-Tapeten aufwartet. – Der einfach gegliederte, 2geschossige **Kapellenraum** birgt wieder ein Kleinod der Rokoko-Dekoration (um
1761). Seine teilvergoldeten Stukkaturen verraten ebenfalls
die Hand Feichtmayrs, das *Deckenfresko* die des Matthäus
Günther. Der Maler schildert die Trinität. Zu dieser auf-
blickend, breitet im Altarrelief die entschwebende Maria ihre
Arme über die leeren Tumba aus, um die sich die Apostel
scharen. Dieses Meisterwerk der Schnitzkunst stammt vom
Münchener Ignaz Günther. Von ihm auch die feine (von
Cuvilliés entworfene) Balustrade.

TAUBENBACH (Ndb. – F 8)

Die **Pfarrkirche St. Alban** gehört dem letzten Drittel des 15. Jh. Gleich
dem nahen Schildthurn zeigt ein stämmiger, aufwendig gegliederter
und hoher Turm die Lage des Gotteshauses an. Er wurde im frühen
16. Jh. zu Ende gebracht. Unverkennbare Leistungen der Braunauer
Bauhütte. Der steile Spitzhelm aber wurde 1667 erneuert. Schiff und
der leicht eingezogene Chor sind von feinmaschigem Rippennetz überfangen. Spätgot. Malereien (gegen 1500) schmücken Wände und Wölbfelder. – Zu rühmen ist der Hochaltar von 1642–43, dessen Figuren als
Werke der Brüder Martin und Michael Zürn bestätigt sind: St. Alban
zwischen den hll. Wolfgang und Leonhard im Mittelschrein, seitlich
die hll. Stephan und Laurentius. Die Seitenaltäre, 1641, stammen von

anderen, nicht so bedeutenden Künstlern, ebenso die Kanzel. Vergessen wir nicht auf die reich mit Eisenwerk beschlagenen Türen hinzuweisen; reichste: die Sakristeitür. – Nördlich an die Kirche angeschlossen: die spätgot. **Albanikapelle**, Ende 15. Jh., ebenfalls mit schönem, einheitlichem Raumbild. Altar 1626.

Nordwestl.: **SCHILDTHURN**. Ein mächtiger, reich gegliederter Turm, ähnlich dem zu Taubenbach, doch noch höher, zeigt weithin die **Kirche St. Ägidius** an. Der Kirchenbau ist in die Zeit um 1470–80 zu setzen, die Vollendung des Turmes aber erst um 1530. An der Urheberschaft der in Braunau tätigen Bauhütte besteht kein Zweifel. Der Innenraum erhielt um 1730–40 sein barockes Stuckgewand und Deckengemälde. Doch ist die Chor-O-Wand noch mit got. Malerei gefüllt (um 1500). – Von bester Wirkung aber bleibt das Außenbild, das durch die Beiordnung der spätgot., doch im 17. Jh. veränderten **Leonhardikapelle** malerische Bereicherung erfährt.

TAUFKIRCHEN (Obb.) → **München** (D 7)

TEGERNSEE (Obb. – D 8)

Ehem. Benediktinerkloster-, jetzt Pfarrkirche St. Quirin

Zwei Brüder der hochadeligen Huosi, Adalbert und Oatker, gründen das Kloster 747 oder wenig später. 804 erhält das Kloster sein Heiltum, den Körper des hl. Quirinus, der bald zum Titelherrn einer größeren, zunächst dem Apostelfürsten geweihten Abteikirche aufrückt. Anfang des 10. Jh. brandschatzen die Ungarn. Schlimmer die Säkularisationen Herzog Arnulfs. Das beraubte Kloster ist kaum mehr lebensfähig. 975 kommt ein Brand über die Kirche. Kaiser Otto II. und sein Vetter, Herzog Otto von Schwaben, richten das Kloster wieder auf, 978. Benediktiner aus St. Maximin in Trier besiedeln es. Kloster und Kirche entstehen neu. Nun hohe kulturelle Blüte. Ein Neubau der Kirche ist für 1036 bis 1041, eine durch Einsturz veranlaßte Wiederherstellung für 1087 überliefert. 1214 wieder eine Brandkatastrophe, der in den 20er Jahren Instandsetzung und Wiederaufbau folgen. 1424 stürzt der vordere, östl. Chor ein. 1429 wird der erneuerte geweiht. Die Einführung der Melker Reform (1426) hebt das Kloster innen und außen, es tritt in seine 2. Blütezeit. 1455 errichtet es seinen Stiftern das teilweise erhaltene Hochgrab. Etwa gleichzeitig entsteht die dem Chor anliegende Sakristei. Die Erneuerung der Klosterkirche findet durch Abt Konrad Ayrnschmalz, der 1471–78 nicht weniger als 24 Altäre errichten läßt, ihren Abschluß. – Ihre letzte Gestalt erhalten Kloster und Kirche durch Abt Bernhard Wenzl (1673–1700). Der beauftragte Baumeister, Antonio Riva, führt zunächst den Abteihof westl. der Kirche auf und gestaltet 1684–89 auch die Kirche um. Die Streben werden nach innen gezogen, Chor und Schiff gewölbt, der Hochaltar wird westlich vorgerückt (hinter ihm nun Sakristei und Psallierchor). Stukkaturen

*und Fresken besorgt 1689–94 Hans Georg Asam. 1746 noch Neu-
bau der beiden Seitenkapellen des hl. Benediktus. 1803 wird auch
dieses sehr alte, doch keineswegs altersschwache Seekloster von der
»Welt« annektiert. Der größere Teil der Klostergebäude (zwischen
Kirche und See) verfällt der Zerstörung. Den immer noch ansehnlichen Rest, die Trakte seitl. der Kirche, erwirbt 1817 König
Max I. Josef, der sich hier einen Landsitz einrichtet und eine
weitgehende Umgestaltung durch Klenze vornehmen läßt. An die
Klosterzeit erinnert lediglich der von J. B. Zimmermann stuckierte
Rekreationssaal. Auch die Fassade der Kirche erhält nun das klas-
sizist. Stigma. Die Türme müssen sich im Interesse des »Schlosses«
eine Erniedrigung gefallen lassen.*

Eines der reichst dotierten Klöster Südbayerns, entfaltet
Tegernsee im 11. und 15. und noch einmal im 17. und 18. Jh.
eine kulturelle Wirksamkeit, deren Ausmaß von keiner anderen der großen bayerischen Abteien ganz erreicht wird.
Das, was von ihm übrigblieb, die infolge der Turmverstüm-
melung wie hingeduckte Klosterkirche, entspricht der tatsächlichen Bedeutung des Klosters nicht. Tegernsee hat den
Anschluß an die große barocke Bauwelle des 17. und 18. Jh.
verpaßt. Der Umbau der alten spätgot. Kirche, die zudem
in der Umfassung erhalten blieb, durch einen mittelmäßigen
Meister wie Riva war eine halbe Sache und stand nun einem
dem Machtbesitz des Klosters entsprechenden Neubau hemm-
mend im Wege. Doch ist die entwicklungsgeschichtliche Bedeutung des Umbaus, die Ausstattung in Stuck und Fresko,
neben Benediktbeuren die erste des neuen barocken Stiles
italienischer Prägung, hoch einzuschätzen. Wenn Tegernsee
keines der großen kirchlichen Monumente des barocken Altbayern ist, so hat es doch Voraussetzungen dafür geschaffen.

Ä u ß e r e s . Die klassizist. Fassade darf nicht das tatsäch-
liche, ins 11. Jh. zurückgreifende Alter der doppeltürmigen
Fassade, der ältesten Bayerns, vergessen lassen. Die in ihren
Tuffsteinmauern 2 m starken Türme entstanden wahrscheinl.
im 1. Jahrzehnt des 11. Jh. Die gequaderte Klenze-Fassade
besitzt ein älteres barockes Tor (1691). Zu weiterer Schmük-
kung wurde die Rotmarmorplatte mit den Relieffiguren der
beiden Stifter in sie eingelassen. Sie deckte ehemals die 1455
vom Münchner Steinmetzen Hans Halder gearbeitete Tumba
des Stiftergrabes; Teile der Wandungen wurden im 17. Jh.
an die Mensa des Hochaltars versetzt (eine der Platten jetzt
an der Wand des N-Seitenschiffs). – I n n e r e s . Die Kirche

ist eine 3schiffige Basilika mit einem östl. Querschiff, das innerhalb der Umfassung bleibt. Von den roman. Bauten des 11. Jh. sind die unteren Teile der Türme und Reste der 1895 wieder aufgedeckten (1041 geweihten, im 15. und 17. Jh. entstellten) Krypta erhalten. Die spätgot. Mauern des Langhauses liegen in ihrer urspr. Erscheinung nur noch im Dachraum über der Wölbung frei. Der Chor ist außen noch von den alten Streben umstellt. – Das Langhaus zählt 4 Joche. Kannelierte Pilaster, die ein kräftiges durchlaufendes Gesims aufnehmen, gliedern. Das Schiff setzt sich östl. des Querhauses in 3 weiteren Jochen fort, deren 2 östliche durch eine Mauer abgeriegelt sind. Diese Abriegelung trennt Sakristei und Psallierchor ab. Das Schiff ist mit Stichkappentonne, die Seitenschiffe sind mit Kreuzgewölben, die Vierung ist mit einer Flachkuppel gedeckt.

A u s s t a t t u n g. Die Stukkaturen, wohl von Italienern ausgeführt, sind schwer und strotzend. Im Hauptschiff herrschen Früchtefestons, Akanthuskartuschen, Palmzweige vor. In den Hängezwickeln der Vierungskuppel lebensgroße Engel. In den Nischen der Vierungspfeiler, überlebensgroß, die 4 Kirchenväter. Die *Fresken*, in ihren Flächen noch beschränkt, in kleinen Feldern aus dem Stuckdekor ausgespart, sind Frühwerke des Hans Georg Asam, zugleich Frühwerke des barocken Deckenfreskos in Süddeutschland. In der Vorhalle 5 Quirinus-Legenden, an der Brüstung der Orgelempore musizierende Engel. Im Schiff Leben, Leiden und Glorie Christi. An den Wänden der Querschiffarme zwischen den Fenstern Maria und die 14 Nothelfer, Maria und die Hl. Sippe. In der Kuppel Trinität und Alle Heiligen. An der W-Wand des Schiffes Gründung und Wiedergründung des Klosters. – *Altäre*. Statt der 24 der spätgotischen, 14 der barocken Kirche heute nur 3. Der Hochaltar entstand im Marmorunterbau um 1690. Der obere Aufbau wurde 1820 abgebrochen und durch das große, nun klassizist. gerahmte Kreuzigungsgemälde, Kopie des im späten 18. Jh. nach Christkindl (Stadt Steyr, Oberösterreich), gelangten Originals des Karl Loth, ersetzt. Die beiden Seitenfiguren Petrus und Paulus sind älter, 1644. An der Mensa Teile der Stiftertumba. – Die Nebenaltäre wurden 1820 großenteils abgebrochen und durch 2 klassizist. Holzarchitekturen mit Gemälden von Jos. Hauber ersetzt. Die Kanzel ist barock, um 1690. – *Nebenräume.* Quirinus- und Benediktus-Kapelle; beide 1746, zur Feier des Millenniums, errichtet, beide durch vorzügliche Rokoko-Stukkaturen geschmückt und mit Stuckmarmoraltären ausgestattet. An den Wänden der insbesondere reichen Quirinus-Kapelle Stuckreliefs, die Enthauptung des Heiligen und die Übertragung seiner Gebeine. Auf der Mensa des Benediktus-Altars eine

vorzügliche Silberbüste des Heiligen. Die Altarfiguren der hll.
Petrus, Agatha, Sebastian, Florian sind, wenigstens in den ersten
beiden, Werke J. B. Straubs. – An der S-Wand des Chores die
spätgot. doppelgeschossige Sakristei. Im Erdgeschoß 8kantiger
Mittelpfeiler und 4 sternförmige Netzgewölbe, im Obergeschoß
eine runde Mittelstütze und Kreuzrippengewölbe. Die Sakristei
birgt Reste eines ehemals reichen, aber schon vor 1800 stark angegriffenen Klosterschatzes. Ihr schönster Besitz ist die 1444
datierbare Silbermonstranz des Landsberger Goldschmieds Hans
Kistler.

THAINING (Obb. – C 7)

Kath. Kirche St. Wolfgang

Die um 1430 als bäuerliche Stiftung errichtete Kirche fügt einen eingezogenen, gewölbten Polygonchor an ein flach gedecktes, westl. 3seitig
schließendes Schiff und läßt sich, an der N-Seite des Chores, von einem
Turm überragen.

In diesen einfachen Raum hinein wurde 1664 ff. eine überraschend
reiche Ausstattung geschaffen, die, Werk des Landsberger
Meisters Lorenz Luidl, in ihrer kräftigen und bunten Fülle von
bäuerlicher Prägung ist. Die gefelderte Holzdecke, die Holzempore
(jetzt farblos, doch farbig zu denken) geben dem Raum, ohne
Höhe, eine behagliche Wärme. Altäre, 4 an der Zahl, Kanzel,
Chorgestühl, statten ihn in einer fast verwirrenden Häufung aus.
Im Chorbogen der Kreuzaltar, mit der Dreifigurengruppe Mater
dolorosa, Johannes und Magdalena um den älteren, noch spätgot. Kruzifixus, den ein Kranz von Engelchen umflattert. Am
Chorbogen, wie ein Baldachin, eine von 2 Engeln gehaltene Inschriftkartusche. Bezeichnend für die naive Freude am möglichst
Vielen: auch der Altartisch öffnet sich, um ein kleines Passions-
theater mit der Grablegung Christi in sich aufzunehmen. Dann die
Dreiergruppe der Altäre, von gleicher, nur den Hochaltar mit
einem Mehr auszeichnender Bauart: von Dreipässen geschlossene
Nischen, von je 3 Heiligen besetzt, von gewundenen und berankten
Säulen gerahmt, von je 2 weiteren Heiligen auf den seitlichen Konsolen flankiert, von bewegten Aufsätzen bekrönt. Am Hochaltar
schwingen über den Flankenfiguren (Petrus und Paulus) noch 2 Bo-
genstücke heraus, um 2 hll. Jungfrauen emporzuheben, und ein
hoher, von Säulchen gerahmter Ädikula-Aufsatz mit der Halbfigur
Gottvaters schließt die bewegte Architektur ab; bewegt insonderheit deshalb, weil auch noch 5 flügelschlagende Engel und Engelchen, die die Umrisse, wörtlich, zerflattern lassen, die Ädikula
umfangen. Je 3 Engel besetzen auch die Giebelaufsätze der Seitenaltäre und nicht weniger als 22 die des Chorgestühls; hier sind's
Engelkinder mit den Waffen Christi, denen es nicht gelingt zu
trauern, und so spielen sie, ausgelassen, mit den Werkzeugen des
Leidens. Das bunte Gestühl, mit Balustergeländer und mit Dreh-

säulen am gefelderten Rücken, umschließt ringsum den Chorraum, dessen Fülle noch einmal mit Fülle rahmend. Die etwas später, 1681, dat., weniger bewegte (auch ungefaßte) Kanzel stattet, im Einklang mit der westl. Empore, das Schiff, den Zuschauerraum dieses heiligen Theaters, aus. – Die flackernde Gebärde der barocken Altäre gründet im immer noch fortwirkenden Erbgut der letzten Gotik, und so fügen sich auch die wiederverwendeten spätgot. Figuren, der Kruzifixus auf dem Kreuzaltar, die hll. Wolfgang und Johannes Bapt. in der Nische des Hochaltars, ohne alle Fremdheit in den Zirkel der barocken Formgebärde ein. – Die Bildinhalte der Wolfgangskirche kreisen nicht um den hl. Wolfgang (besetzt er auch die Mitte des Hochaltars), sondern um den Kreuzestod Christi. Man muß wissen, daß sich die Bauern in der Pestzeit des 17. Jh. mit Passionsspielen verlobten (die dann auch lange aufgeführt wurden), um ihre 1664 so ganz auf die Passion bezogene kleinere Kirche (Nebenkirche der Pfarrkirche) als Passionskirche zu begreifen.

THIERHAUPTEN (B. Schw. – C 6)

Ehem. Benediktinerklosterkirche St. Peter und Paul

Die Überlieferung meldet, Herzog Tassilo III. habe das Kloster 772 oder 775 gestiftet. Nach Zerstörung durch die Ungarn entstand um 1170 der roman. Neubau, der im wesentlichen erhalten blieb. Das 18. Jh. fügte Stuck, Malerei und Altareinrichtung hinzu. 1803 wurde das Kloster aufgelöst.

Das **Äußere** zeigt die Formen einer in Backstein errichteten querschifflosen Basilika, verziert mit Rundbogenfriesen und Deutschem Band. Von den 2 W-Türmen hat nur der nördliche seine urspr. Höhe bewahrt. Die Vorhalle – sie trägt den barocken Mönchschor – ist Zutat des 18. Jh. Rechts vom Eingang die sandsteinerne Grabplatte des Abtes Joh. Rumpfhardt († 1548), eine treffliche Arbeit deutscher Renaissance. – Das **Innere** läßt deutlich sein roman. Gefüge erkennen: eine 3schiffige Pfeilerbasilika, querschifflos, ehemals durch 3 Apsiden abgeschlossen, von denen nur der mittlere erhalten ist. An die Stelle der einst flachen Decke traten 1762–65 Gewölbe. Die Seitenschiffe hatten schon im 16. Jh. Verkürzungen erfahren. Auch die Krypta wurde – so scheint es – damals zugeschüttet. Der gerundete Mönchschor im W, 1710, wird Joh. Jak. Herkomer zugeschrieben. – Fz. Xav. Feichtmayr aus Augsburg hat 1765 die Stukkaturen angebracht, spärlich verteilte Rocailleformen. Damals hat man auch die Ansatzplatten der Arkadenbögen verändert.

Die abgefasten Pfeilerecken wurden vom roman. Bestand übernommen. Die *Ausmalung* des Hochschiffs 1762–65, von Fz. Jos. Maucher, verherrlicht die Apostelfürsten, die Missionstätigkeit der Benediktiner und berichtet vom jagdfreudigen, frommen Herzog Tassilo (Bilder über den Arkaden neu). – Stattlicher Hochaltar um 1700 mit Gemälde von Knappich, Augsburg. Übrige Ausstattung 1762–65.

THULBA (Ufr. – C 2)

Kath. Pfarrkirche St. Lambertus (ehem. Benediktinerinnenkloster). Das Gründungsjahr ist 1127. Kirche und Kloster entstanden in unmittelbarer Folge. Bauern- und Schwedenkrieg ruinierten das Kloster, nur die Kirche blieb. Sie ist eine kleine 3schiffige kreuzförmige Basilika mit apsidial schließendem Chorarm und Apsiden an den O-Wänden des Querschiffs. Der Aufriß des Mittel- und Querschiffs ist nicht mehr der ursprüngliche. Der untersetzte Turm steht über der quadratischen Vierung. – Das sehr stattliche **Propsteigebäude** entstand 1702.

THURN (Ofr. – D 3)

Der Name setzt einen Turm, wohl eine der sog. Turmhügelburgen des frühen Mittelalters, voraus; er verdrängte den im 14. Jh. bezeugten, »castrum Herbolzbach«. Vielfacher Besitzerwechsel bis zum Erwerb durch den Domherrn Ph. Wilh. v. Horneck 1747, bei dessen Familie Thurn bis in die jüngste Zeit blieb. Auf diesen Bamberger Prälaten geht der Ausbau der grabenumwehrten Wasserburg zu einem im Sinne seines Jahrhunderts modernen **Schloß** zurück, besorgt 1754–56 von dem Bamberger J. M. Küchel. Er fügte dem (älteren) Torbau die beiden Flügel hinzu und egalisierte den (älteren) östl. Flügel, errichtete 1758 die Gärtnerwohnung (südl. des äußeren Schloßhofs) und 1766 den Gartenpavillon (östlich), der bes. anmutig ist (nächst verwandt dem des Bamberger Residenzgärtleins). In den Räumen des S- und O-Flügels noch einige gute Raumausstattungen. Im S-Flügel die Schloßkapelle St. Sebastian.

THURNAU (Ofr. – E 3)

Der Name ist urkundl. 1137 belegt. Das vermutl. die Burg im 12. Jh. begründende Geschlecht der Förtsche (v. Thurnau) gehört zur andechs-meranischen, nach 1248 zur burggräflichen (markgräflichen) Ministerialität. 1564 erlischt es. Erben sind die Giech, Künsberg und Fuchs v. Rügheim. Die Fuchs scheiden durch Abfindung aus. 1589–1731 ist Thurnau geteilter Besitz der Giech und Künsberg, seit 1731 ausschließlicher der (im gleichen Jahre zu Reichsgrafen erhöhten) Giech. Seit Erlöschen des Geschlechts 1939 ist Thurnau Besitz der schlesischen Freiherren v. Gaertringen auf Reppersdorf.

Die Burg, die sich im 16. und 18. Jh. zum **Schloß** entwickelte, ist eine weitläufige und vielfältige Anlage, ein Konglomerat verschieden alter Bauteile, doch charakterisiert durch die »altdeutschen« des 16. Jh. – Die Sockel des im Äußeren noch burglich-trotzig ansprechenden, doch durch die geschweiften Dachformen freundlich aufgelockerten Schlosses ist gewachsener Fels. 2 Höfe unterteilen den Komplex in Unteres und Oberes Schloß. – Das **Untere Schloß** umfaßt mit 3 Flügeln das schmale Viereck des Hofes. Der O-Flügel, die sog. Kemenate, ist im Kern noch mittelalterlich (das alte, schon im 13. Jh. bezeugte »Haus auf dem Stein«), wurde aber gegen Ende des 16. Jh. gründlich erneuert; ein turmartig hochgereckter Bau, dessen schönste Zier der mit dem Monogramm des Hans Schlachter bezeichnete Erker (1581) ist; zwei 8eckige Treppentürme, mit »Schnecken«, bereichern den Umriß (1583, 1591). Älter auch der in Archivbau und Wohntrakt geteilte N-Flügel und die beiden (doch 1675 teilweise erneuerten) sog. Künsbergflügel der W-Seite. Der zwischen diesen Trakten und der Kemenate liegende, im Kern ebenfalls noch spätmittelalterl. »Storchenbau« enthält die Tordurchfahrt (Ende des 16. Jh.). Nördl. des Hofgeviertes die hohe, von einem Wehrgang abgeschlossene, von 3 Türmen bestandene Zwingermauer. – **Oberes Schloß.** 3geschossiges, von Giebeln erhöhtes Torhaus (16. und 17. Jh.; 1833 teilweise erneuert), durch eine Mauer mit dem östl. Eckturm des Zwingers verbunden. Der im Kern spätmittelalterl. (doch 1600 und 1710 erneuerte) »Hans-Georgen-Bau« schließt neben dem Tor die östl., der »Kutschenbau« (1714, 1781) die südl., der (1729–31 errichtete) »Karl-Maximilians-Bau« die westl. Seite. Ein 8eckiger Treppenturm, mit Spindel, und 2 Viereckürme – Weißer Turm und Zehntturm – kräftigen die im übrigen durch das 18. Jh. bestimmte Ansicht des Hofes. Ein Rokokobrunnen (1750, viell. vom Bayreuther J. G. Räntz) schmückt die Hoffläche.

Die **ev. Pfarrkirche** ordnet sich durch einen die Straße überquerenden Brückengang, der einen der Zwingertürme mit der Empore verbindet, dem Schloß zu. Der den Chor einschließende Turm ist noch spätgotisch. Das Langhaus entstand neu 1700–06. Der annähernd quadratische Baukörper (Sandstein) durch Pilaster gegliedert, in 3 Portalen geöffnet. Der mit einem Muldengewölbe gedeckte Raum ist durch die Doppelempore bestimmt, die ihn auf 3 Seiten (N, W, S) umzieht und auch noch auf die Chorbogenwand (SO) übergreift. Stukkaturen von B. Quadro, die Deckenbilder von G. Schreyer. Vorzüglich der in die W-Empore eingefügte Herrenstand des Elias Räntz, der, entsprechend der bis ins 18. Jh. doppelten Herrschaft (Giech-Künsberg), doppelgeschossig ist, mit reichem, schwerem Schnitzwerk (Akanthus, Engelsköpfe etc.) in Schwarz-Gold-Fassung. Ein Schmuckstück für sich ist der Baldachinstuhl des Obergeschosses, 1612 geschaffenes Werk des Bayreuther Schreiners Endres Erhart (?). Der gute, von 6 Säulen bestandene Altar darf Elias Räntz zugeschrieben werden. Die Stuckkanzel gehört dem schon genannten B. Quadro. Der jüngere, in die Mitte des Jahrhunderts zu setzende Orgelprospekt vermutl. vom Sohne des Elias Räntz, Joh. Gabriel.

Thurnau bietet noch eine beträchtliche Anzahl älterer Häuser (16. bis 18. Jh.). Am Ende der »guten alten Zeit« entstand, 1792, das Rathaus, ein vortrefflicher frühklassizist. Quaderbau, viell. vom letzten der Bayreuther Hofbaumeister, C. Chr. Riedel. – Rühmenswerte Zier des Marktplatzes der *Neptunbrunnen*: ovales Becken mit wasserspeienden Delphinen, auf dem Pfosten darüber die Wassergott; die Stilmerkmale deuten in die Nähe des Elias Räntz.

TIRSCHENREUTH (Opf. – F 4)

Alter Waldsassener Stiftsbesitz. Eine erste Beurkundung datiert 1134, die Erhebung zum Markt 1306, die zur Stadt 1364. – Eine Feuersbrunst hat 1814 weite Teile der Stadt verwüstet. Heute ist Tirschenreuth von betriebsamem industriellem Leben erfüllt.

Das regelmäßig gewachsene Ortsbild, ein rechtwinklig gespanntes Straßennetz um den länglichen Marktplatz, hatte niemals eine vollständige Ummauerung und lag daher – abgesehen von einigen Wassergräben – fast völlig offen.

Pfarrkirche Mariae Himmelfahrt. Die 3schiffige, gewölbte Pseudobasilika (ohne Lichtgaden) ist – wohl auf älteren Fundamenten – um die Mitte des 17. Jh. entstanden. Der mit einem Rippennetz gezierte Chor wurde 1475 errichtet. 1487 nach Brand wiederhergestellt und vom Neubau des 17. Jh. übernommen. Der Turm, ebenfalls von 1487, erhielt im 17. Jh. seine mächtige Barockhaube. Im Chor: Heimsuchungsrelief um 1500. – Aus dem südl. Seitenschiff betreten wir die 1722/23 errichtete **Wallfahrtskapelle zur Schmerzhaften Muttergottes**, einen kleinen, flach überkuppelten Bau mit feinem Stuckwerk und reich funkelndem Altar. Die Kapelle besitzt auch einen spätgot. Flügelaltar mit der vom geistlichen Schauspiel beeinflußten Darstellung des Kalvarienbergs. Als eines der seltenen Zeugnisse spätgot. Schnitzkunst in der nördl. Oberpfalz ist der Altar von Interesse. – Vor der Kirche, im S, dem schön gestalteten Äußeren der Kapelle benachbart: *Dreifaltigkeitssäule* (Pestsäule), 18. Jh.

Das **Rathaus** hat seine Fassade von 1582/83 bewahrt.

Ostwärts, außerhalb der Stadt, liegt der **Fischhof**, ein ehem. Ökonomiegebäude des Klosters Waldsassen, erbaut um 1680, mit einer Zugangsbrücke von 1748–50.

Die Waldnaab abwärts: **Burg Falkenberg**. Ein steiler Felskegel hebt sie über die kleine Ortschaft hervor. Einzelne Mauerteile (Granit in Mörtelbettung) deuten ins 11./12. Jh., in die Zeit des gleichnamigen Edelgeschlechts. Nach seinem Erlöschen kam die Burg an das Kloster Waldsassen, das um 1400 den Neubau betrieb und erweiterte. 1648 Ruine. 1934 Wiederaufbau zu Wohnzwecken für den neuen Eigentümer (Graf v. d. Schulenburg).

TITTMONING (Obb. – E 8)

Der schon im 8. Jh. genannte Ort am Ufer der Salzach entwickelte sich als Handelsniederlassung unter salzburgischer Oberhoheit. 1234 befestigte Erzbischof Eberhard II. den Schloßberg, der seit dem 17. Jh. seine Bedeutung als salzburgischer Jagdsitz erhält. Seit 1816 bayerisch.

Das ausgezeichnete **Stadtbild** folgt den terrassenförmig gestuften Uferhöhen und gruppiert sich um die breite, beherrschende Marktstraße. – Rathaus. Kubischer Gebäudeblock mit kleinen Türmchen, im 17. und 18. Jh. verändert. – Die **Wohnbauten** entsprechen dem Inn-Salzach-Typus mit Grabendach und gerade abschließenden Frontmauern. – *Floriansbrunnen* um 1660 und 1706, *Nepomuksäule* 1717, *Mariensäule* 1758. – Der **Stadtbering** ist streckenweise erhalten, zurückgreifend auf die Mitte des 13. Jh., verstärkt im fortschreitenden 15. Jh. Die Tore im 19. Jh. verändert.

Pfarrkirche St. Laurentius (Kollegiatstiftskirche). Chorbau 1410. Das Langhaus, eine spätgot. Halle, wurde 1514 vollendet. Ein verheerender Brand hat es 1815 bis auf die Umfassungswände vernichtet. Der Wiederaufbau schuf einen barocken und kühler Gesamterscheinung. Altarausstattung frühes 19. Jh. In der Kreuzkapelle (N-Seite) Altaraufbau 1699 mit Figuren von Meinrad Guggenbichler.

Allerheiligenkirche (ehem. Augustiner-Eremiten). 1schiffiger tonnengewölbter Raum, errichtet 1681–83. Kontrastierend vor den hell gehaltenen Wänden dunkle Altaraufbauten des späten 17. Jh. Kanzel 1756. – **Friedhofskapelle** mit Altar von 1634.

Kapelle Maria Ponlach. Quadratischer Zentralbau mit 3 halbrunden Apsiden und Doppelempore im W nach Entwürfen des Salzburger Baubüros unter Seb. Stumpfenegger. Ausführung und Stuck 1716.

Schloß

Erwachsen aus der 1234 geschaffenen Befestigungsanlage des Erzbischofs Eberhard II. von Salzburg. Ein durchgreifender Umbau erfolgte im 15. Jh. unter Mitwirkung des Baumeisters Mart. Pes-

nitzer. 1611 wird bei einer Belagerung durch die Bayern der Bau-
körper so schwer beschädigt, daß Erzbischof Marcus Sitticus einen
fast völligen Neubau erstellen muß. Dieser trägt den Charakter
eines Jagdschlosses. Ein Brand bei der französ. Besetzung von 1805
vernichtete den Bergfried und beschädigte den Fürsten- und Prä-
latenstock im N.

Kraftvoll geduckt ruht die Schloßanlage auf dem Uferberg.
In den äußeren Umfassungsmauern ist noch einiges aus dem
13. Jh. zu spüren. An der Innenseite des Torhauses Wappen
des Erzbischofs Marcus Sitticus 1614. Rechts der Prälatenstock von Santino Solari aus Salzburg 1617 (Heimatmuseum). Im Kavalierstock (um 1620 verändert) sind 2 Gewölbe aus dem 13. Jh. erhalten. An der SW-Ecke der
Küchenstock des frühen 17. Jh. Ihm gegenüber in der SO-
Ecke ragt der imposante Getreidekasten aus dem 16. Jh.,
dessen Dach sich wirkungsvoll über alle anderen Gebäude
hinaushebt. Über der Schloßkapelle beginnt ein langgestreckter Wehrgang mit Schlüsselscharten und Sehschlitzen,
15. und 16. Jh. – *Schloßkapelle St. Michael* 1693. Marmor-
altar mit Gemälde des Satanbezwingers Michael von J. M.
Rottmayr (1697).

TOLBATH (Obb.) → **Ingolstadt** (D 6)

Bad TÖLZ (Obb. – C 8)

Der Schnitt einer alten Salzstraße mit der Isar veranlaßt und för-
dert die Siedlung, die 1180, als Sitz eines ansehnlichen Edel-
geschlechts, sichtbar wird. Nachfolger der Herren von »Tollenz«
sind die bayerischen Herzöge (1265), die hier ein Kastenamt ein-
richten. Am Fluß, auf dem Gries, entwickelt sich der Markt, der
schon 1281 bezeugt ist. Eine zweite Siedlung legt sich im O der
bergan steigenden Marktstraße an, das Mühlfeld. Das entscheidende
Jahrhundert ist das 14. Im 15. ist der bleibende Umfang erreicht.
Nach einem schweren Brand, 1453, verjüngt sich der Markt, nun
im Steinbau. – Ein sonderlicher Ruhm der Tölzer war ihre Kunst-
tischlerei, die sich bis ins 15. Jh. zurückverfolgen läßt. Tölzer
Kästen (Schränke) gingen bis ins 19. Jh. zu Markte. – Der mo-
derne Aufschwung begann 1846 mit der Entdeckung der Jodquelle
auf dem Sauerberg. Tölz wurde Kurort; der Kurort, 1906, Stadt.

Stadtpfarrkirche Mariae Himmelfahrt

Der urspr. Pfarrsitz des »Isarwinkels« ist Königsdorf; er wird
erst 1550 nach Tölz verlegt. Ein Brand veranlaßt Neubau der

schon 1262 bezeugten Kirche, 1453–66, geleitet wahrscheinl. vom Tölzer Maurermeister Mich. Gugler. Umgestaltung 1612. Wenig glückliche Purifizierung in den Jahren 1854–61, der 1875–77 der Neubau des Turmes folgt.

Die Pfarrkirche ist eine ansehnliche 3schiffige Halle mit überhöhtem Mittelschiff. Die (1490 dat.) Netzgewölbe des 3seitig schließenden Chores ruhen auf figürlichen Kragsteinen. Die neugot. Altarausstattung ist Beitrag der Purifizierung. Die schöne Glorienmaria, freischwebend im Chorbogen, urspr. im Hochaltar, ist Werk des Weilheimers Barth. Steinle (1611). In den Seitenschiffen mehrere gemalte Scheiben des 16. Jh. – Ansehnlicher Bestand an Epitaphien; wir nennen die des Hans Jörg (1571) und des Ludwig (1586) Thor von Eurasburg. – Ein Annex des Chores (NO-Seite) ist die *Winzererkapelle*, Stiftung des Jahres 1513. In ihr das Epitaph des Tölzer Pflegers und berühmten Kriegsmannes Kaspar Winzerer (1542), dem 1887 ein Denkmal auf der Marktstraße errichtet wurde.

Franziskanerkirche. Neben einer 1618 auf dem neuen Friedhof links der Isar aufgeführten Dreifaltigkeitskapelle begründen 1624 die Franziskaner ihr Kloster. 1733–35 bauen sie ihre noch stehende Kirche, eine geräumige, einfach gehaltene Wandpfeilerkirche mit eingezogenem Chor und Tonnendecke. Der schreinernde Ordensbruder Simon Stadler erstellt die Altäre, der Tölzer Ant. Fröhlich führt die Bildhauerarbeiten aus, der Münchner Fz. Jos. Winter malt die beiden Blätter des Hochaltars. – Das Kloster, 1802 säkularisiert, wurde 1829 vom Orden zurückgewonnen.

Wallfahrtskirche Maria Hilf auf dem Mühlfeld. Eine Kapelle gleichen Titels besteht schon im 16. Jh. 1735–37 entsteht, wohl nach Plänen des Jos. Schmuzer (Wessobrunn), der stattliche Neubau. Der durch Blitz beschädigte Turm wird 1755 vom Münchner Lorenz Sappel wiederaufgeführt. 1759 werden die Steingewölbe des Langhauses durch Holzgewölbe ersetzt. 1851 erleidet die Kirche eine Purifizierung. Stukkaturen und Fresken des Langhauses kommen 1910–20 hinzu. Doch alt und gut das auch von vorzüglichen Stukkaturen umgebene Chorfresko, Gebet der Pestkranken zu Maria, 1737 dat. Arbeit des Augsburgers Matth. Günther. Grabdenkmäler der Tölzer Patrizierfamilie Winzerer.

Kalvarienberg

Auf der ins Isar-Tal vorgreifenden Höhe nördl. der Stadt bauen die Tölzer Zimmerleute, in Einlösung eines bei Sendling (1705) gemachten Gelöbnisses, eine Kapelle zu Ehren der Schmerzhaften Muttergottes, der hll. Joseph und Johannes Bapt. und des hl. Leonhard, der dann an die Spitze des Patroziniums tritt. Um die gleiche Zeit beginnt der Tölzer Friedr. Nockher, kurfürstlicher Zoll- und Salzbeamter, einen Kreuzweg anzulegen (die 7 Fälle Christi in 7 Kapellen), er fügt eine Hl. Stiege und die 3 Golgatha-

*kreuze hinzu. Schließlich errichtet er über der Hl. Stiege eine
Kirche und wenig später, 1722–26, dann auch die zum Hl. Kreuz,
mit der die Stiegenkapelle, doch ohne räumliche Verschmelzung,
verwächst. Die beiden Fronttürme kommen 1732, die Helme 1757
hinzu.*

Ein **Kapellenweg** geleitet empor. An seinem Anfang ein
Ölberghügel; der kolossale Christus vom Münchner J. O.
Entres, 1836, der Engel (Metall) vom Tölzer Ant. Fröhlich,
Sproß einer alten Tölzer Schnitzerfamilie; die schlafenden
Jünger von einem älteren Fröhlich (des 18. Jh.). Die nun
beginnenden 15 Stationskapellen traten 1874 an die Stelle
der Nockherschen. Am Ende des Kapellenweges der Kal-
varienhügel; der in Kupfer getriebene Kruzifixus der Kreuzigungsgruppe vom Tölzer Meister Mart. Hammerl, 1722,
alle übrigen Figuren 19. Jh. Am Fuße des Hügels Gruft-
und (über ihr) Annagelungskapelle. – Nun die **Kreuzkirche.** Der Raum ist etwa quadratisch, durch Bogenstellungen gegliedert, deren mittlere der N-Seite sich für den
Hochaltar öffnet; das Deckengemälde 1785 vom Münchner
J. M. Ott, sein Thema: Erlösung durch das Kreuz, die 7 Bitten des Vaterunser. Unter dem Altar die Hl.-Grab-Kapelle.
– Schmale Seitengänge führen in die Kapelle der **Hl. Stiege,**
einer Nachbildung der lateranischen in Rom, auf der, nach
der Legende, Christus dem Volke gezeigt wurde. Das
Deckengemälde, mit der Auferstehung Christi, 1813, von
A. Fröhlich und M. Schmaunz. Das feine geschnitzte, auch
in der Fassung wohlerhaltene Vesperbild wohl auch von
einem Fröhlich, um 1770. In der Kapelle unter der Stiege
ruht der Stifter, der 1754 abgeschiedene Friedr. Nockher. –
Nun noch die kleine schlichte **Leonhardskapelle,** die 1722
geweiht wurde. Ihr auffälligster Besitz ist die schwere
Eisenkette, die (1743) um sie gelegt wurde. Ziel der berühmten, erstmals 1862 in Prozessionsweise abgehaltenen
Leonhardifahrt am 6. November. – Der Tölzer Kalvarienberg kann keinen hohen kunstgeschichtlichen Rang in Anspruch nehmen, aber einen hohen volkskundlichen, und
seine Teilhabe an der Landschaft ist die glücklichste.

Das **Ortsbild** – bes. die Marktstraße – vermittelt trotz vielfacher Veränderungen noch heute den Eindruck der Bau- und Dekorationsweise
des oberen Isar-Tales. Unter den beamteten Fronten noch einzelne aus
dem 18. Jh. – Die Erhaltung und Ergänzung des schönen, fast unge-
störten, Ortsbildes ist dem Münchener Architekten Gabriel Seidl (um
1900) zu danken.

TRAUNSTEIN (Obb. – E 8)

*Der Übergang der Römerstraße Salzburg – Augsburg über die Traun
veranlaßt frühe Ansiedlung. 1254 ist »Traun« salzburgische Pflege,
kommt aber, mit dem Traungau, 1275 an Bayern. Die »goldene
Salzstraße« Kaiser Ludwigs d. Bayern (1346) verbreitert die wirtschaftliche Basis. Traunstein lebt vom Salz. – Das Stadtbild wurde
durch einen vernichtenden Brand 1851 um seine Patina gebracht.
Der Marktplatz trägt wenigstens in seiner geräumigen Anlage
noch das Stigma der Vergangenheit. Die ehemals an seinem O-Ende
liegende Burg der im 12. Jh. bezeugten Herren v. Traun erlag
einem früheren Stadtbrand, 1704.*

Pfarrkirche St. Oswald. Die mittelalterl. Kirche (eine 1501 geweihte
3schiffige Halle) weicht 1675 einem von Gasparo Zuccalli entworfenen
Neubau, der sich, trotz der Brandkatastrophe von 1851, im Mauerbestand erhalten hat. Die Ausstattung ist modern. Der Hochaltar enthält einige ältere Teile (1731–34, vom Münchner Hofbildhauer W. Miroffsky). – Hinter der Kirche: *Lindlbrunnen* 16. Jh., mit Ritterfigur
1526.

Salinenkapelle St. Rupert in der Au (Nähe des ehem. Sud-
werks, zu dem 1614 eine Soleleitung aus Reichenhall her-
übergeführt wurde). Die Kapelle entstand 1630 als Werk
des Einheimischen Wolfg. König: ein frühbarocker Zentralbau von bedeutendem entwicklungsgeschichtlichem Wert.
Das turmartige Gebilde drängt sich um ein mittleres Quadrat, das gegen W und O chorartig geknickte Raumgebilde
aussendet, denen sich in der Querachse des Außenbaus (aber
nicht im Innern) rechteckige Nebenräume beigesellen. Die
Gewölbe tragen schmale, aufgesetzte Rippen. – Dieser Bau
vereint Gotik und Renaissance auf merkwürdige Weise.
Das Gotische herrscht über jüngeres Formengut und bezeugt die letzten Nachwirkungen heimischer, gewachsener
Bauweise. – Innen freigelegte Bemalungsreste des 17. Jh.

Benachbart: die **ehem. Behausungen der Salinenarbeiter** aus der 1. Hälfte
des 17. Jh. nach Entwurf des kurfürstlichen Hofbaumeisters Reiffen-
stuel (heute: Schaumburg-, Schützen- und Schreiberstr., in der Wies'n,
der Au und am Carl-Theodor-Platz), eine frühe Sozialsiedlung in Art
der Augsburger Fuggerei.

Hl.-Geist-Kirche, 1952, von Ter Herst.

Rathaus, Umbau 1947–48.

Brothausturm (neben dem Heimatmuseum) am ehem. Zieglerwirtshaus,
14. Jh.

Einige Kilometer südwärts, nahe Siegsdorf (SW), am Anstieg des Hoch-
fellns, liegt die Wallfahrt **MARIAECK**, eine Kapelle von 1626, die 1635

gegen O durch 3 Konchen erweitert wurde. Architekt ist der Traun-
steiner Wolfg. König. Hochaltar 1691, Seitenaltäre um 1760, auf dem
linken eine byzantinische Ikone, Schenkung der Fürsten Radziwill 1631.
Ausmalung 1929–32 erneuert. Zahlreiche Votivtafeln.

TRAUSNITZ im Tal (Opf. – F 5)

Die blockhafte **Burg**, auf steilem Hang über dem Tal der Pfreimd, ging
aus dem Besitz der Waldthurner (Ministerialen der Grafen v. Ortenburg) 1271 in die Hände der Wittelsbacher. Der Bau, trutzig und abweisend wie er dasteht, gehört im wesentlichen dem 13. Jh.: 3 nach
außen karg durchfensterte Wohntrakte und ein viereckiger Bergfried
ordnen sich um einen schmalen schluchtartigen Hof. Die mächtige
Mauerfügung gab Sicherheit, auf einen Bering wurde verzichtet. Nur
ein Halsgraben trennt von den (jüngeren) Wirtschaftsbauten. 1322–24
saß hier in ritterlicher Haft Herzog Friedrich d. Schöne von Österreich,
der Gegenkönig Ludwigs d. Bayern.

TRAUTMANNSHOFEN (Opf. – E 4)

Pfarr- und Wallfahrtskirche Mariae Namen

*Erste Kunde von einem Marienheiligtum dat. 1382. Die Wallfahrt,
hervorgerufen durch ein Bildmirakel in der Hussitenzeit, 1432,
ist seit dem späteren 15. Jh. nachweisbar. Bundunglücke (1504
und 1561) und Reformation (1544) taten der Wallfahrt Abbruch.
1626 kehrte der alte Glaube wieder, 1655 begann die Instandsetzung der Kirche. Etwa 10 Jahre später entschloß man sich zu
völligem Neubau. Baumeister ist Joh. Leonh. Dientzenhofer (namentlich seit 1686), der aus älterem Bestand den Turmklotz übernahm und sein Untergeschoß zum Chor ausgestaltete. Der Bruder,
Georg Dientzenhofer, hatte zunächst (als »Maurermeister«) die
örtliche Bauleitung und wurde nach seinem Tod durch Wolfgang
Dientzenhofer aus Amberg ersetzt. Weihe 1691. Die Neudekoration des Raumes, Rokoko, geschah um 1760. (Restaur. 1958.)*

Das helle, freundliche Raumbild folgt dem System einer 2jochigen,
emporenbesetzten Wandpfeileranlage mit eingezogenem, schmalem (in
den mittelalterl. Turm eingeborgenem) Chor. Auch die strenge Pilastergliederung gehört zum Werk der Dientzenhofer. Der übrige Raum-
dekor kam um 1760 herein: locker verteilter Rocaillestuck mit Ast-
und Blütenwerk, die von Joh. Mich. Wild geschaffene Freskomalerei
(im Chor Esther vor Ahasver, im Langhaus Verehrung Mariae durch die
Erdteile und Geschichte der Wallfahrt). Die Altäre werden dem Jesui-
tenfrater Jos. Hörmann zugeschrieben (Hochaltarbild 1874, Kopie nach
Murillo). Rechts der Gnadenaltar mit dem verehrten Muttergottesbild
um 1400. Vermerken wir schließlich auch die Vielzahl alter Votivbilder (älteste 17. Jh.) und das im Pfarrhof aufbewahrte, 1750 beg.
Mirakelbuch.

TREBGAST (Ofr. – F 3)

Ev. Pfarrkirche

Eine Wehrkirche des hohen Mittelalters steht am Anfang; sie wird 1492–1522 erneuert. Der spätgot. Bau wich dem erhaltenen der Jahre 1742–44, den die Kulmbacher Joh. Georg Hoffmann und Joh. Matth. Gräf aufführten.

Der schon durch seine Hochlage herausgehobene Quaderbau umschließt eine sehr gute »markgräfliche« A u s s t a t t u n g . Die Stukkaturen gab der hochbegabte F. H. Andrioli; leichtes heiteres Rokoko. Die Empore wurde vom Hofer H. S. Lohe bemalt. Der Kanzelaltar, 1748 geschaffenes Werk des Joh. Fr. Fischer, darf zu den besten des Bayreuther Landes gestellt werden. 2 Säulen rahmen, halbrund schwingt die Kanzel vor, auf der Mensa, neben dem älteren Abendmahlsgemälde (um 1700), die großen Schnitzfiguren der beiden Apostelfürsten, auf dem Schalldeckel das markgräfliche Wappen. Der Kanzelaltar vertrug sich mit der (z. Z. entfernten) spätgot. Steinkanzel, am Chorbogen links, die belassen wurde. Vor den 5 Wandungen des Kanzelkörpers stehen auf Wappenkonsolen die kleinen Figuren der hll. Sebastian, Leonhard, Wolfgang, Georg und Lorenz. Fraglich, wie die Initialen AW aufzulösen sind und ob dieser Steinmetz AW in der über die Brüstung der Treppe gebeugten Figur gesucht werden darf. Das Orgelgehäuse arbeitete J. G. Räntz.

Von der spätmittelalterl. **Wehrmauer** der Kirche haben sich Teile erhalten. An den Torbau (mit der Jahreszahl 1604) lehnt sich östl. die **Rochuskapelle** an, die als Totenkapelle im frühen 16. Jh. entstanden sein dürfte. – Das stattliche **Pfarrhaus**, ein 2geschossiger Quaderbau, trägt die Jahreszahl 1730 und das Wappen des Markgrafen Georg Friedrich.

TRIEFENSTEIN (Ufr. – C 2)

Ehem. Augustinerchorherrenstift

Die 2türmige, dicht an die Steilböschung des Main-Tals herangestellte **Klosterkirche** ist der Blickpunkt der schönen Stromlandschaft zwischen Lengfurt, gegenüber, und Homburg, wenig talabwärts, in die sich nun auch die Industrie, mit dem Zementwerk Wetterau, eingeschoben hat. – Die Gründung des Klosters, 1102, geschah durch einen Würzburger Stiftskanoniker. Der bestehende, von Val. Pezzani und Jos. Greising 1687–1715 aufgeführte Bau, ein Saal mit polygon geschlossenem Chor, den die beiden, unterteils noch roman. Türme flankieren, wurde noch kurz vor Torschluß (Säkularisation 1803) mit einer ausgezeichneten frühklassizist. Ausstattung beschenkt, besorgt von so namhaften Meistern wie Materno Bossi (Stuck), Januarius Zick (Fresken) und Peter Wagner (Hochaltar, Chorgestühl, Kanzel). Bossi legte den Wänden starke Halbsäulen vor und diesen hohe Gebälke auf und spannte von Gebälk zu Gebälk die die Joche scheidenden korbbogigen Gurte. Die farbige Wirkung des Raumes steht auf Weiß – das die Führung hat –, Grün und Ocker. Die der Geschichte des Titelheiligen, St. Peter, gewidmeten Fresken Zicks haben sich noch nicht von den Illusionsabsichten des hohen 18. Jh. gelöst, liegen aber schon im Beschluß isolierender Rahmen. Die Seitenfiguren des von Säulenpaaren begrenzten, stilistisch zwiespältigen Hochaltars, der ein älteres Gemälde von Oswald Onghers (1694) umschließt, die hll. Kilian und Augustin, Aquilinus und Valentinus, sind Peter Wagner zuzuschreiben. Wagner ist sicher auch der Urheber des Chorgestühls, das eng mit dem der Ebracher Klosterkirche verwandt ist.

Die **Klostergebäude** westl. der Kirche, 3geschossige Trakte, die einen auf der S-Seite offenen Hof umschließen, wurden 1696 ff. von V. Pezzani errichtet. Ohne Anspruch im Einzelnen, treten ihre talseitigen Trakte mit der Kirche zu wirkungsvoller Baugruppe zusammen.

Das gegenüber liegende, einen uralten Flußübergang im Namen tragende **LENGFURT** kam aus Wertheimschem Besitz 1612 an das Hochstift Würzburg. – Die **Pfarrkirche** geht im Langhaus in die Juliuszeit (1613 ff.), im Chor und Turm in die Jahre 1700–02 zurück. Ihr Bestes ist der Hochaltar, der, 1779 von Peter Wagner für die Würzburger Juliusspitalkirche geschaffen, erst 1807 hierher kam. Die Säulenstellungen folgen dem Rund der Chorapsis, 4 Bögen schwingen zu einer Baldachinkrone auf; in der Mitte durch den Tabernakel erhöht, die Gruppe der Taufe Christi, auf die sich eine Gottvater-Glorie herabsenkt; seitlich die hll. Nikolaus und Elisabeth. Ein vorzügliches Elfenbeinschnitzwerk ist das Altarkreuz von etwa 1720, wahrscheinl. Arbeit eines Wiener Künstlers, das, zunächst im Besitz des kaiserlichen Rates Joh. Jos. v. Neuff, 1747 in die Kirche gelangte: der Gekreuzigte in äußerster Verzerrung des Antlitzes und der Glieder. – Eine Stiftung des Ritters v. Neuff ist die *Dreifaltigkeitssäule* auf dem Marktplatz, Werk des Jakob van der Auvera, 1728; auf dem von einer Balustrade umgebenen Sockel mit den Statuen der hll. Joseph, Johannes Bapt., Sebastian und Rochus erhebt sich die in Wolken aufgelöste, die Dreifaltigkeitsgruppe tragende Säule. Auch der benachbart aufgestellte hl. Joh. Nepomuk ist Stiftung Neuffs.

TRIESDORF (Mfr. – C/D 4)

Sommerschloß ehemals der Markgrafen von Ansbach

Das zu Teilen urspr. Heilsbronnische, zu anderen Seckendorfische Triesdorf ist seit 1600 markgräflich. 1682 beginnt mit dem Bau des Weißen Schlosses inmitten eines Tiergartens (Wildgehege) die fürstliche Sommerresidenz heranzuwachsen, ein weitläufiges Konglomerat von Baulichkeiten, die, wenn auch nicht durch hohe Architekturwerte ausgezeichnet, doch jedenfalls schätzenswerte, liebenswürdige Relikte der Markgrafenzeit sind. Heute (seit 1846) beherbergt Triesdorf eine landwirtschaftliche Schule.

Wir zählen die Bestandteile der ab ovo durch einen starken Einschuß von Ländlichkeit charakterisierten Schloßanlage auf: Das **Weiße Schloß** steht mit seinem Kernbau (1682) an der Spitze. In der 1. Hälfte des 18. Jh. wurde es ergänzt und erweitert, eine Mehrheit unregelmäßig gruppierter Teile, die der Treppenturm beherrscht. Das 1730–32 als Reiher- und Falkenhaus von K. F. v. Zocha errichtete, 1758 zu fürstlicher Wohnung adaptierte **Rote Schloß** ist ein 2geschossiger, in der Straßenfront durch einen 3seitigen Mittelrisalit gegliederter Rohziegelbau, dem rückseitig eine Hofraum umschließende 1geschossige Nebengebäude zugeordnet sind. Die 1744–46 nach Entwürfen L. Rettis gebaute **Reitschule** zeigt eine durch Lisenen gegliederte Front, die ein dem hohen Dachwalm vorgesetzter Dreiecksgiebel beschließt. Der östl. der Meierei anliegende **Marstall**, 1762–65 nach den Entwürfen J. D. Steingrubers aufgeführt, ist durch die Rundbogennischen seitl. des auch hier übergiebelten Mittelrisalits mit den Sandsteinreliefs Delphine reitender Tritonen gekennzeichnet. Die ebenfalls Steingrubersche **Hofgärtnerei** ist dem Küchengarten zugeordnet. Auch hier sorgt wieder ein Mittelrisalit, mit auf Freitreppe zugänglichem Portal, für die Gliederung des langgestreckten, seitlich in Flügeln ausgreifenden, mit dem typischen Walm gedeckten Gebäudes. Führen wir noch auf: das **Jägerhaus** (1759 bis 1764) und das Forstamt, das erste sicher, das zweite wahrscheinl. von Steingruber, die **Villa Sandrina** (Alessandrina, nach dem Markgrafen C. F. Alexander), ein »italienisch« gemeintes Kasino, 1geschossig, langgestreckt, mit einem hohen Zwerchgiebelhaus über der Mitte, das durch eine Holzsäulchenbalustrade bizarr-lustig geschmückt ist. Das Baujahr dieser (der Pflege bedürftigen) Villa, 1785, und das des **Meierstadels**, 1789, liegen schon nahe dem Ende der Markgrafenzeit; das der **Meierei**, 1795, fällt schon in die Preußenzeit (1792–1806). Erwähnen wir auch die noch der Frühzeit der vielschichtigen Anlage zugehörigen kleinen **Kavaliershäuser** an der Straßenkreuzung nächst der Meierei, ganz einfache und doch reizvolle Kreationen Gabrielis von 1695–97, und weisen wir zum Schluß noch auf die, doch nur in wenigen Resten erhaltene **Rote Mauer** von 1783 hin, die den umschließenden, von Alleen durchzogenen Tiergarten einhegte.

Im dicht benachbarten **WEIDENBACH** (westlich) ist die **ev. Pfarrkirche** (ehem. Hofkirche der Markgrafen) zu rühmen, ein 1735/36 nach den Plänen Rettis errichteter Quaderbau mit straffer 2geschossiger Gliederung und 3geschossigem Turm am Chorrund; innen östlich und westlich geschrägt, apsidial geschlossen, mit Spiegelgewölbe gedeckt; seitlich doppelte Emporen, westl. Fürstenlogen. Der Kanzelaltar ist mit der Orgel kombiniert. Überraschend in dieser kühl klassizist., prot.

Umgebung das Altargemälde, die *Anbetung der Hll. 3 Könige*, ein gutes Stück venezianischer Malerei des frühen 18. Jh., das eine markgräfliche Laune hierher gebracht haben wird. – Vortrefflich auch das nördl. benachbarte, ersichtlich vom gleichen Baumeister geschaffene **Pfarrhaus**, für dessen Bindung an die Kirche auch die gemeinsame straßenseitig abgrenzende Brüstungsmauer sorgt.

TRIMBERG (Ufr. – D 2)

Burgruine

Seit dem 11. Jh. kennt man die Herren v. Trimberg. Seit 1292 herrscht hier Würzburg. Im Bauernkrieg schwer heimgesucht, wird die Burg unter Bischof Julius »fast neu« gebaut. Nach 1803 (Säkularisation) auf Abbruch verkauft. Seit 1833 sorgte die Kissinger Kurverwaltung für die Ruine. In Teilen neu restauriert, droht ihr jetzt erneut das Schicksal der Verödung.

Die Ruine krönt eine ins Saale-Tal frei vortretende Höhe, auf deren oberer Stufe die »alte Burg« lag. Östl. der Zugang über die den Halsgraben querende Brücke. Zu Rechten ein starker Rundturm, ein einfaches Rundbogentor läßt ein. Die Ringmauer grenzt eine keilförmige, mit der Spitze nach W liegende Fläche ab, mehrere Rundtürme überhöhen sie, ein Zwinger hinterfängt sie. Die **innere Burg** setzt sich aus 2 westl. zusammenstrebenden, einen schmalen Hof einschließenden Wohnbauten zusammen, die westl. der übereck stehende **Bergfried** trennt. Eine starke, den Bergfried rund umfassende Mauer schließt östlich ab. Sie und der Bergfried sind romanisch. Der nördl. Wohnbau entstand um 1615, der südliche teilweise um diese Zeit, anderteils 1679 ff. Die Vorschiebung des Burgrings über die Innenburg dürfte ins 14. Jh. zu setzen sein, die Mauer selbst aber erst ins frühe 17. Jh.

TROCKAU (Ofr. – E 3)

Seit 1273 begegnen die Grosse von Trockau, eines der namhaftesten, heute noch blühenden Geschlechter der fränkischen Alb. Ihre Burg ist Ende des 14. Jh. Leuchtenbergisches Lehen. 1737 gelingt es ihnen, ihre Herrschaft (Trockau, Kohlstein, Tüchersfeld) zur Reichsunmittelbarkeit erheben zu lassen. Ihr Burgschloß auf einer westl. ins romantisch-pittoreske Püttlach-Tal vorgreifenden Bergnase erfährt 1769 ff. den entscheidenden Umbau, den die beiden Waischenfelder Maurermeister Wenzel und Joh. Gg. Schwessinger (Vater und Sohn) ausführen.

Der Hof des **Schlosses** liegt mit 3 Seiten im Einschluß sandsteinerner Futtermauern; südl. 2 mit welschen Hauben gedeckte Rundtürme. In der Mitte das 3geschossige Schloßgebäude, das nur auf der O-Seite anspruchsvoll ist; hier betont ein Risalit mit Giebel die durch Lisenen 3teilig gegliederte Fläche. Im Innern einige höchst originell ausgestattete Räume. Wir nennen die im 1. Obergeschoß, bes. das nordöstl. Eckzimmer (um 1770–80), und das Schlafzimmer mit auf Leinwand gemalten phantastischen Prospekten (an der W-Wand die Darstellung eines Gewächshauses), die als Phänomene des spätesten Rokoko, seines sich ins Realistische verlierenden Illusionismus, hoch zu bewerten sind; der Stuck wird Rud. Albini zugeschrieben; der der anschließenden Räume trifft auf 2 einheimische Gipser, Jak. und Joh. Gerstendörfer. – Der **Viehhausbau**, südl. am Vorhof, wurde 1793 vom jüngeren der beiden Schwessinger gebaut. – Die **Kapelle**, nördl. des Schlosses, besteht schon vor 1316; ihr Patron ist der Ritterheilige Oswald. 1603 umgebaut, wird sie 1777 neu ausgestattet. Südl. und westl. Emporen; ein Teil der W-Empore ist Herrschaftsloge. Der Altar zeigt den hl. Karl Borromäus als Helfer der Pestkranken. Bemerkenswert ein spätgot. hl. Jakob (um 1510). Auch ein Wendelin des Ebermannstädters Friedr. Theiler (spätes 18. Jh.) sei angemerkt.

1949/50 wurde östl. des Marktes eine **Kuratiekirche** gebaut; ihr Architekt ist G. G. Dittrich, Nürnberg.

TROSTBERG (Obb. – E 8)

Auf Baumburger Klostergrund setzt der Herzog (er ist Klostervogt) im 13. Jh. seine Burg, deren Feind der auf der anderen Seite der Alz gebietende Salzburger Erzbischof ist. Der Name, Trostberg, ist ein typischer, frei gewählter Burgenname. – Auf Kosten des Baumburger Klosters, seines Marktes, der als »Altenmarkt« zurückbleibt, entsteht auch die herzogliche Marktsiedlung zwischen Alz und Burgberg, die 1475 mit einigen Stadtrechten ausgestattet, doch erst 1913 Stadt wurde, wozu ihr nun vorzüglich das 1908 errichtete Kalkstickstoffwerk half.

Pfarrkirche St. Andreas. Chor und nördl. Seitenkapelle gegen 1420. Das Langhaus entstand 1498–1504, eine 3schiffige Halle auf schlanken Rund- und (im O) Achteckpfeilern, mit Netzrippenwölbungen; 1869 um ein Joch gegen W erweitert. Altarausstattung neu. Buntglasfenster Ende 15. Jh. Grabdenkmäler 15. und 16. Jh.

Neue kath. Pfarrkirche, 1953, von Jos. Wiedemann.

Die **Wohnbauten** tragen häufig Grabendächer und kleine Erker. An den Rückseiten kragt das Dach meist beträchtlich vor. Die Wand darunter öffnet sich in hölzernen Lauben.

Südl. Altenmarkt mit **Kloster BAUMBURG** (s. d.) und der **Burg Stein** a. d. Traun.

TÜCKELHAUSEN (Ufr. – C 3)

Ehem. Kartäuserkloster

*Um 1138 gründet Bischof Otto I. von Bamberg das Kloster. Die
Prämonstratenserpropstei wird 1350 aufgelöst, das Kloster 1351
den Kartäusern eingeräumt. Ein eingreifender Umbau der mittelalterl. Kirche hat 1613 statt. 1803 endet die klösterliche Existenz.*

Die im Kern roman., im 14. Jh. und noch einmal im 17. umgebaute **Kirche** ist 1schiffig, der Chor schließt flach. Die
Wölbung (Netzrippengewölbe) ist nachgotisch. Das Querschiff, im 14. Jh. vom Langhaus durch Mauern abgeriegelt,
tritt nur außen in Erscheinung. Der Außenbau trägt die Signatur des 17. Jh., der Juliuszeit. Die W-Fassade schmucklos, kahl, um so wirkungsvoller das reiche Renaissanceportal
(1615) und der abschließende 2stufige Giebel. Giebel, 3stu-
fige, besetzen auch die Fronten des Querschiffes. – Kirche
und Kloster schließen sich zu schöner, durch die Hügellage
gehobener, vielteiliger Baugruppe zusammen. Das **Kloster**
zeigt den den Kartäusern eigentümlichen Grundriß, der nicht
oft so beispielhaft zu belegen ist. Das innere, eigentliche
Kloster liegt östl., das äußere (Wirtschaft) westl. der Kirche.
Das innere liegt dem rechteckigen *Kreuzgang* an, in dessen
Hof der Chor der Kirche eingreift. 3 Seiten des (großenteils
verbauten) Kreuzgangs legen sich die 14 *Kartausen* an, 1ge-
schossige Zellen, deren jeder ein Gärtchen beigegeben ist. Der
Kreuzhof war Friedhof. Das äußere Kloster umschließt mit
3 Flügeln einen großen Hof, in den das Langhaus der Kirche
eingreift. Kirche und Klostertrakte fügen sich aufs beste zusammen. Der südl. begrenzende *Gastbau* (1718) öffnet sich
östl. Teils in einer Reihe von Rundbogenarkaden. Nördl. ein
Torbau. Der bekuppelte Erker über der Einfahrt zur Klausur (südl. der Kirche) und die beiden *Brunnen* (1715) bereichern noch die Vielfältigkeit dieses Hofes.

TUNTENHAUSEN (Obb. – D 8)

Pfarr- und Wallfahrtskirche Mariae Himmelfahrt

*»Toutinhusa« erscheint Ende des 10. Jh. und gehört seit 1154 dem
Benediktinerkloster von Rott am Inn. 1221 kommt die Kirche an
das nahe Kloster Beyharting, dem sie, inkorporiert, bis zur Säkularisation verbleibt. Die Wallfahrt, eine der berühmtesten und
ältesten Altbayerns, hebt 1441 an. 1527 zählt sie über 100 Pfarr-*

Walderbach. Ehem. Klosterkirche, Mittelschiff gegen Osten

Wasserburg am Inn. Nagelschmiedgasse

bittgänge. Ende des 15. Jh. entsteht eine große Kirche. 1513–33
wachsen die Türme auf, die im 17. Jh. mit Kuppeln, im 19. (1890)
mit Spitzhelmen gedeckt werden. 1621 wird die spätgot. Kirche,
bis auf Türme und Chor, abgebrochen und ein Neubau begonnen,
den der vom Kurfürsten bestellte Münchner Veit Schmidt leitet.
1630 wird er geweiht. 1946 zur »Basilika« erhoben.

Tuntenhausen ist einer der großen beispielhaften Bauten des
frühen 17. Jh. in Bayern, nachgeborene Gotik in Renaissance-
Gewandung. Das ä u ß e r e Erscheinungsbild der durch
eine Geländeschwelle aufgesockelten Kirche ist durch den
eigentümlichen Turm bestimmt. Breit aufsteigend, teilt er
sich erst in den Helmen zum Doppelturm. Das seltene Motiv
kam vom Münchener St. Peter. – Das I n n e r e ist eine
3schiffige Halle mit Chorumgang. Der Chor selbst, dessen
Gewölbescheitel etwas tiefer liegt, ist der alte spätgotische.
Sehr schlanke, in breiten Abständen aufgestellte Achteckpfeiler tragen die Stichkappentonne. Als breit- und weiträumig mag das nur 3 Joche zählende Langhaus charakterisiert werden. Ein Abschnitt für sich ist die spätgot. reizvolle
Turmvorhalle, deren Joche ein geschraubt kannelierter Bogen
scheidet. Das starke plastische Gegitter des Netzgewölbes
ruht auf Konsolen in Form menschlicher Köpfe, zahlreiche
Schlußsteine mit Halbfiguren besetzen die Rippenschnitte,
in jedem der Joche 21, im südl. Christus und die Apostel,
Adam und Eva usw., im nördl. Maria und die 14 Nothelfer.

Die vorzügliche *Stuckausstattung* (1629/30) muß Münchener Kräf-
ten zugeschrieben werden (nächst Verwandtes in der Münchener
Residenz und im Schleißheimer Alten Schloß): Quadratur mit
Blatt-, Eier-, Perlstäben, Kartuschen, Fruchtgehänge im Mittel-
schiff; in den Stichkappen oval gerahmte Engelsköpfe, auch in den
Wölbfeldern des Chorumganges. Der *Hochaltar,* mit dem Wappen
des Kurfürsten Maximilian I. und seiner Gemahlin Elisabeth von
Lothringen, ist ein großer, dem Chorschluß angepaßter 4säuliger
Renaissanceaufbau, in dessen Mitte das 1534 von dem Rosenheimer Kuenz geschnitzte bekleidete Gnadenbild der thronenden
Muttergottes (unter einem Baldachin des frühen 18. Jh.) steht. Aus
der Zeit um 1630 stammen auch die Nebenaltäre, die reiche Kanzel (1633), der Kruzifixus und die Dolorosa, die Muttergottes über
dem Triumphbogen, die meisten der Apostel an den Seitenwänden,
auch die Brüstung der W-Empore. Orgelprospekt 18. Jh. Zahlreiche Votivkerzen und Votivtafeln aus dem 16. und 17. Jh. – Im
Ossarium zeigen sich originelle Totentanz-Darstellungen aus dem
17. Jh.

TÜSSLING (Obb.) → **Burgkirchen am Wald** (E 8)

ULLSTADT (Mfr. – D 3)

Erstbezeugung im Zusammenhang mit dem (von Münsterschwarz-
ach beerbten) Kloster Megingaudshausen, 816. Die Dorfherrschaft
ist im späten 14. Jh. bei den Seckendorf, die sie 1662 an die (vor-
dem im Odenwald beheimateten) Frankenstein verkaufen. Seither
ist Ullstadt Besitz der Freiherren v. Frankenstein und so, wie es
heute dasteht, auch ganz ihre Schöpfung.

Schloß. 1718 verschwindet die Wasserburg der Seckendorf,
um einem zeitgemäßen Schloßbau Platz zu machen. Dieses
vom Bamberger Hofbaumeister Joh. Dientzenhofer geplante
und auch aufgeführte, 1725 vollendete Schloß ist ein ganz
stattlicher, doch nicht reicher Bau, Viereck mit einem Höf-
chen in der Mitte, 3geschossig, der allerdings im 19. Jh. sein
gutes Portal und auch seine (gebrochene) Dachgestalt verlor.
Erst die Initiative des Bamberger Fürstbischofs Philipp
Anton v. Frankenstein ließ das (von seiner Mutter, Franziska, errichtete) Schloß zu der schönen runden Gesamtheit
werden, die wir kennen und bewundern. Der Fürstbischof
ließ durch seinen Bamberger Baumeister, den Ingenieur-
hauptmann Joh. Jak. Mich. Küchel, 1747 die Pläne für eine
monumentale Gestaltung des Vorhofes ausarbeiten, die dann
auch seit 1750, in den nächsten 3 Jahren, ihre Ausführung
fanden. Jetzt steht der Dientzenhofersche Block in der Tiefe
eines Cour d'honneur, der in seinen 2 Flügeln bis zum Graben vorgreift. Diese, im Interesse des Hauptgebäudes niedrig
gehaltenen (2geschossigen) Flügel verleugnen die bewegliche
heitere Phantasie ihres Autors nicht, dieses hochbegabten
Dekorateurs (man denke an den Bamberger Rathausturm),
der sich hier allerdings auch des Beistandes eines der besten
Bildhauer, des Ferd. Dietz, zu erfreuen hatte. Die beiden
allegorischen Gestalten in den hohen Nischen, die die Fronten der Flügelkopfbauten wirkungsvoll gliedern, sind von
seiner Hand, und auch die Trophäen und Urnen auf den
Pfeilern des Gitters, das den Hof, vor dem Graben, schließt.
Nicht der letzte Wirkungsträger dieser liebenswürdigen Architektur ist das Dach, diese voluminösen Dachhauben mit
ihren Gauben, die sich in gewellten Giebellinien beschließen.
– Dieses kostbare Schloß verwahrt auch noch kostbare Inhalte: ein Archiv, das 92 Kaiser- und Königsurkunden (ab

1251) vorzuweisen hat, eine Bibliothek von rund 20 000 Bänden, eine Anzahl vorzüglicher Möbel des 18. Jh., eine ausgezeichnete Sammlung von (meist Frankenthaler und Höchster) Porzellanen.

Der in den 30er Jahren des 18. Jh. gestaltete **Park** läßt die urspr. Ordnung nur noch in einigen Grundlinien ahnen; er schließt ein **Salettl** ein, das, außen mit Architekturmalerei geschmückt, innen einen durch die beschwingtesten Rokoko-Stukkaturen Wessobrunner Prägung (1764) bezaubernden Raum anbietet, der (1949) glücklich restauriert wurde.

UNERING (Obb. – C 7)

Die **Pfarrkirche St. Martin** ist als Leistung des großen Architekten Joh. Mich. Fischer anzumerken, 1731, ein wohlräumiger Zentralbau auf quadratischem Grundriß mit abgeschrägten und genischten Ecken. Der Chor ist in Segmentform angesetzt. Die Wand wird für das Auge in eine tektonische und eine füllende Schicht zerlegt (Zweischaligkeit). Daher ist den Pilastern der Schrägwände eine gewichtige Rolle zugedacht. Leider wurde die Farbigkeit 1901 unvorteilhaft geändert. Die Altarausstattung der 1730er Jahre zeigt, in der Mitte, St. Martin zu Pferd, seitl. eine Anna-Selbdritt und St. Johann Nepomuk. Turm 19. Jh.

UNTERAMMERGAU (Obb. – C 8)

Pfarrkirche St. Nikolaus

1315 ist sie als Filiale von Oberammergau bezeugt, gehört also auch den Rottenbuchern und wird von diesen pastoriert. Der bestehende Bau wurde 1709/10 errichtet, der Turm 1788/89. Ein Weilheimer Maurermeister, Kasp. Feichtmayr von Bernried, führt die Kirche auf.

Ein Langhaus, das 4 Fensterachsen zählt, durch Doppelpilaster gegliedert und von einer Stichkappentonne gedeckt, daran ein eingezogener halbrund schließender Chor.

Eine feine, reiche A u s s t a t t u n g erfüllt das einfache Gehäuse. Da sind die Stukkaturen, gemacht vom Comasken Fr. Mazzari und dem Pollinger A. Pichlmayr, und die Deckengemälde, vom Oberammergauer J. Würmseer (1710), Szenen der Nikolaus-Legende. Da ist der 1757–61 errichtete Hochaltar, dessen Seitenfiguren Joachim und Anna vermutl. der Weilheimer Schmädl schnitzte. Da sind noch die beiden Seitenaltäre und die Kanzel, und da sind noch die Emporenbilder des »Lüftlmalers« Fr. Zwinck (1777). Eine Ausstattung, die an schöner Einheitlichkeit wohl ihresgleichen sucht.

UNTERAUFSESS (Ofr. – E 3)

Edelfreie des Namens treten im frühen 12. Jh. (1114) hervor. Sie erlöschen wahrscheinl. um die Wende des 12. Jh. Die seit Ende des 13. bezeugten, heute noch blühenden, Herren von Aufseß sind ministerialischen Standes.

Die wohl im frühen 12. Jh. begründete **Burg** liegt auf dem von einer Schlinge des Aufseßbaches umfaßten Sporn eines Felsrückens; ein in den Fels gehauener Graben trennt sie westl. vom Dorf. Bis in den 30jährigen Krieg bestand nördl., südl. und östl. eine ausgedehnte Vorburg (sog. Muntat). – Ältester, in der Grundlage wohl noch ins 13. Jh. zurückreichender Burgteil ist der viereckige Bergfried mit starken Quadermauern, im westl. Sektor des Burgkomplexes. An seiner N-Seite das (1359 so bezeugte) »Meingotz Steinhaus«. Die ehemals doppelte, nur im inneren Zuge wohlerhaltene Ringmauer schließt auch die jüngere Burg im SO-Eck ein; sie wurde 1525 und noch einmal 1633 verwüstet und dürfte im aufgehenden Mauerwerk großenteils erst im 17. und 18. Jh. entstanden sein. Von den beiden, im stumpfen Winkel aneinanderstoßenden, mit 3 Rundtürmen bewehrten Flügeln wurde der südliche 1677 erneuert. Über dem Eingang des Treppenturms das Allianzwappen Aufseß-Wiesenthau und die Jahreszahl 1615. Die 1840 eingerichtete Kapelle dieses Flügels birgt einen guten, um 1520 anzusetzenden Schreinaltar Nürnberger Herkunft, mit dem Schnitzwerk eines Jüngsten Gerichts und gemalten Martyrien. – An den S-Flügel schließt westl. das Haupttor an. Der O-Flügel jünger, wohl 18. Jh. – Die Kapelle im Schloßhof, jetzt **ev. Pfarrkirche**, steht auf dem Platze der alten (1309 bezeugten) Burgkapelle; sie wurde 1740–42 neu aufgeführt. Erwähnenswert das vorzügliche heraldische Epitaph des Albrecht v. Aufseß (1356).

UNTERGERMARINGEN (B. Schw.) → **Obergermaringen** (B 7)

UNTERKNÖRINGEN (B. Schw.) → **Burgau** (B 6)

UNTERLIEZHEIM (B. Schw. – C 5)

1026 ist »Liedesheim« Benediktinerabtei. Die von Pfalz-Neuburg 1540 eingeführte Reformation erledigte das Kloster, das nach 1655 als Propstei des Augsburger Ulrichsklosters wiedererstand, um 1802 endgültig der Säkularisation zu erliegen.

Pfarr- und Wallfahrtskirche St. Leonhard. Der ansehnliche Saalbau mit eingezogenem Chor und querschiffartig erweiterten Seitenkapellen entstand 1732–39. Sein Wertvollstes sind die hervorragenden F r e s k o - m a l e r e i e n des Asam-Schülers Chr. Thomas Scheffler 1733. Über dem Langhaus: Szenen aus der Gründungsgeschichte des mittelalterl. (1542 aufgehobenen) Benediktinerklosters Unterliezheim, eingefügt in illusionistische Architektur. Im Chor: Anbetung der Hirten, ein Bild zarter Innigkeit innerhalb phantastisch-theatralischen Aufbaus. Die Erscheinung Gottvaters neben dem Kreuzeszeichen, umkreist von jubeln-

den Engelschören, entschwebt ins Überirdische. Auch die Altarblätter
stammen von Schefflers Hand oder dessen Werkstatt. Im südl. Nebenaltar: Vespergruppe um 1400.

UNTERÖLKOFEN (Obb.) → Ebersberg (D 7)

URSBERG (B. Schw. – B 6)

Ehem. Prämonstratenser-Klosterkirche St. Peter und Paul

Die Überlieferung läßt diese älteste. unter den deutschen Prämon-
stratenser-Niederlassungen 1125 gegründet sein. Zahlreiche Brände
haben den Baubestand zernagt. Es blieb die Anlageform einer ro-
man. querschifflosen Pfeilerbasilika des 13. Jh. Der Wiederaufbau
von 1666–70 beseitigte alle roman. Schmuckformen. Barock ist
auch die Erhöhung der 3 Schiffe.

Ä u ß e r e s. Der Unterbau des stattlichen Turmes gehört
dem 15. Jh. an, Achteckgeschosse und Kuppel dem 17. Jh.
Eine barocke Vorhalle (deren Obergeschoß den Bibliothekssaal enthält) führt ins I n n e r e. Die Anlageform ist romanisch. Pfeilerprofile, Emporen und Fenster hat die Zeit von
1666–70 hinzugebracht. Die Ausmalung lieferte Jakob
Fröschle 1776: im Hochschiff Szenen aus der Legende des
hl. Norbert, im nördl. Seitenschiff Leben Petri, im südlichen
das des Johannes. – Der gute Hochaltar, 1736, mit einem
Gemälde Mariae Himmelfahrt von Konrad Huber 1794.
Das bedeutendste Stück auf dem Altar des nördl. Seitenschiffs: die große roman. *Kreuzigungsgruppe* aus der Mitte
des 13. Jh. Die trotz der späten Zeitlage doch noch ungebro-
chene, strenge Stilhaltung der Romanik erhebt das Bildwerk
in die Sphäre des Entrückten, Sinnbildhaften. Etwas älter ist
die ornamental gestaltete Grabplatte des Propstes Cunrad
von Lichtenau († 1240; nördl. Nebenchor). In der Vorhalle
Deckplatte einer Tumba für Hans v. Freiberg, um 1500.

Die **Klosterbauten** entstanden im 17. und 18. Jh.

URSCHALLING (Obb. – E 8)

Die kleine dem hl. Jakobus geweihte **Kirche**, auf der südl.
Moränenhöhe über dem Chiemsee, darf in mehr als einer
Hinsicht hohes Interesse beanspruchen.

Sie ist ersichtlich »uralt«, tritt aber erst spät (1519) hervor. Auch
das Dorf, in erster Nennung »Ueschalchen«, zeigt sich erst 1369.

*Ist nach allen Umständen auf eine ehem. Burgkirche zu schließen,
so kann als Begründer nur ein Graf von Neuburg-Falkenstein in
Frage kommen. Zeit spätes 12. Jh. Letzte, durch die Restaurierung 1966/67 ermöglichte Untersuchungen führten zu der Feststellung, daß das westl. Joch Ergebnis einer, doch nur wenig späteren,
Erweiterung ist.*

Grundriß: ein schmales Rechteck zu 3 Jochen mit eingezogener Halbrundapsis. Die massive Mauer, Tuff- und Feld-
stein, in Teilen (Apsis und W-Teil) mit Quadern verblendet,
liegt unter Putz. Das Schiff mit gebusten Kreuzgratgewölben gedeckt, die ein starker Gurtbogen trennt; er ruht auf
(1852 um die untere Hälfte gekürzten) Wandpfeilern. Ein
Gurtbogen auf Wandvorlagen trennt auch die mit Halbkuppel gedeckte Apsis. Der Boden des Altarraumes war
urspr. um 1,22 m über den des Schiffes erhöht, mit Brüstung
abgeschlossen und über eine Treppe in der Mitte zugänglich.
(Dieser durch die Bauuntersuchung ermittelte Zustand 1967
rekonstruiert.) Starke Wandvorlagen sondern das westl.
Joch ab, das eine Halbtonne schließt. Darüber lag urspr. ein
vermutl. profanen Zwecken dienendes Obergeschoß, die Wirkung war also turmartig. Das Türmchen über der Apsis kam
erst 1711 hinzu. – Dieser an sich schon wertvolle Bau trägt
eine durch die Freilegung von 1941/42 wiedergewonnene
A u s m a l u n g , die in ihrer Ganzheitlichkeit eine der
wertvollsten mittelalterlichen ist.

Die Malereien entstammen zwei Zeiten: die (wenigen) älteren dem
frühen 13., die jüngeren dem späten 14. Jh. Die älteren liegen nur
kleinenteils frei: an der N-Wand Adam und Eva, in der Apsis
eine Vorhangdraperie. Die jüngeren, die den Eindruck des Raumes
bestimmen, sind Stiftung des Wolfg. v. Aschau (Wappen). Breite,
durch die Schablone gemalte Rahmenstreifen gliedern und begrenzen die Flächen. Programm ist die Heilsgeschichte, ausgehend von
der Majestas Domini in der Kuppel und den Aposteln in der Rundung der Apsis und schließend mit den Szenen der Passion an
N- und S-Wand des Schiffes. Die Apsismalereien ersichtlich durch
spätroman. Vorbild (der ersten, in Resten erhaltenen Ausmalung)
bestimmt. – Der für seine Zeit etwas rückständige Maler, der sich
auch gern der bequemen Schablone bedient, war kein großer Könner. Aber die kleine Hinterlassenschaft mittelalterl. Wandmalerei
erlaubt uns nicht, kritisch zu sein. Das Außerordentliche von Urschalling ist der (selten zu gewinnende!) Eindruck einer nahezu
ganz und fast unberührt erhaltenen Wanddekoration. – Vermerken wir noch die auf dem Altartisch stehenden spätgot. Holzfiguren: Muttergottes, Katharina, Barbara, und vergessen wir auch

nicht den über Gebühr berühmten frei stehenden »Schalenstein«, der aber kaum etwas anderes als ein schlichtes roman. Leuchtergerät ist.

USTERLING (Ndb.) → **Landau** (F 7)

VEITSHÖCHHEIM (Ufr. – C 2)

Ein erster Schloßbau (Kernbau des erhaltenen) entsteht 1680 bis 1682, wahrscheinl. nach Plänen Petrinis, wird auch nur der ausführende Meister, Heinrich Zimmer, genannt. Ein »Tiergarten« kommt hinzu. Um die Mitte des 18. Jh., unter Fürstbischof Karl Philipp v. Greiffenklau, beginnt sich Veitshöchheim zu dem zu entwickeln, was es werden sollte und, bei allen Verlusten, noch ist. Nach Plänen Balth. Neumanns erweitert sich das Schlößchen um die beiden seitl. Pavillons, gleichzeitig wandelt sich, nach den Ideen des Böhmen Prokop Mayer, der Park, der schon wesentliche Linien des erhaltenen absteckt; die Gartenplastik arbeitet Joh. Wolfg. van der Auvera. Endgültige Erscheinung gewinnt die Anlage unter Fürstbischof Adam Friedrich v. Seinsheim. Die 1763 beginnende Neu- oder besser Umgestaltung liegt in der Hand des Bauamtmanns J. Ph. Geigel, das Bildhauerische leistet – glückliche Wahl! – Ferdinand Dietz; Peter Wagner löst ihn ab. Der gartenfreudige Fürstbischof Adam Friedrich (s. auch Seehof b. Bamberg) stirbt 1779. Mit ihm endet die positive Geschichte von Veitshöchheim. Die kommenden Zeiten wußten nur zu mindern. Die Statuen, urspr. durch Anstrich geschützt, verwittern, viele treten ab, der Park verwildert, wo er sich nicht, als Gemüseproduzent, nützlich macht. Doch fristet er sich dank der ihm geneigten Könige Ludwig und Max. Endlich nimmt ihn die Denkmalpflege in ihre Obhut und restauriert ihn glücklich. Das Bombengewitter verschont auch ihn nicht ganz; empfindlichster Verlust: die Kaskade.

Das **Schloß** liegt exzentrisch, an der NO-Ecke des Komplexes. 2geschossig, dank der 4 Erkerrisalite des älteren Kernbaus und der seitlichen Pavillons Neumanns von bewegtem Umriß, der um so wirksamer ist, als sich das in Schweifungen gefallende Dach an der Bewegung beteiligt. Die Wände verputzt, nur die Gliederungen zeigen den Stein. Eine *Balustrade* umgürtet das Schlößchen, die mit 20 Vasen und ebenso vielen Kindergruppen besetzt ist: leichtes anmutiges Rokoko, von Peter Wagner, 1775–77, der zuvor die Würzburger Kindergruppen (Hofgarten) geschaffen hat. (Jetzt Kopien.) – Das I n n e r e birgt im Obergeschoß – zugänglich durch das einfach-gefällige *Stiegenhaus* mit (nun schon klassizist.) Marmorstatuen Wagners – eine Reihe von

Repräsentationsräumen, meist des Rokoko (Appartement
links der Treppe), doch spricht auch noch einiges Ältere
(Barockes aus dem späten 17. Jh.) und Jüngeres, Klassizisti-
sches (rechts der Treppe) mit.

Der **Park** ist einer der wenigen »französischen«, die sich in
Grund- und Aufriß genau genug erhalten haben, um einen
anschaulichen Begriff von barocker Gartenkunst zu vermitteln. Zeitlich schon an der Grenze zum Klassizismus (d. h.
zum englischen Gartenstil), bindet er sich doch noch in der
geometrischen Ordnung seiner Quartiere wie in der stereometrischen seiner Naturelemente an das architektonische
Gartenideal Le Nôtres, das er nun allerdings, ganz im Sinne
des Rokoko, ins Leichte, Graziöse, Intime abwandelt. Bezeichnend für die Lockerung der Gebärde ist die verschwenderisch eingesetzte **Gartenplastik**, die das mythologisch-
allegorische Personal jeglichen Kothurns beraubt, um es aufs
heiterste zu vermenschlichen. – Der Park, südl. des am Rande
liegenden, von einem Parterre umgebenen Schlößchens, zerfällt der Länge nach in 4 Zonen, die durch Hauptwege geschieden sind. Von den querteilenden Wegachsen greift stärker nur die in der Mitte durch, die einerseits auf den großen
See, andererseits auf die (zerst.) **Kaskade** trifft und mittwegs
das **Rondell** (»Zirkus«) schneidet. Der See, in der ersten
westl. Zone, ein gelängter Vierpaß, ist das Herzstück der
Anlage, der *»Parnaß« (Tafel S. 896)* der befelsten Insel mit
dem aufbäumenden *Pegasus* auf der Spitze seine größte
plastische Gruppe (F. Dietz)*. Die an Breite zurückstehende
2. Zone ist ein durch Wege und Kreuzungsplätze gegliederte-
tes Boskett, mit dem Rundplatz, »Zirkus«, in der Mitte, den
8 *Statuen* (die Erdteile, ein Tänzer-, ein Schäferpaar; reizvolle Werke des F. Dietz) und 4 schon klassizist. *Vasen*
(P. Wagners) beleben. Fontänen, Pavillons, Heckenplätze
bereichern die seitlichen Abschnitte. Die 3. Zone, urspr. Irr-
garten, ist durch die erwähnte Querachse gehälftet, die auf
den Zirkus trifft (im Blick der Pegasus über dem großen See)
und gegen die Kaskade anlief. Anmutiger Besitz der Hälften sind die beiden **chinesischen Pavillons** (Dietz, 1768). Die
4. Zone, sehr schmal, ein spitzes Dreieck auf südl. Basis, ist

---

* Vgl. »Reclams Werkmonographien zur bildenden Kunst«: Dietz, Der
Figurenschmuck des Parks in Veitshöchheim. Einführung von Hans
Konrad Röthel. UB Nr. B 9028.

durch das **Grottenhaus** (1773) ausgezeichnet: doppelgeschossiges Achteck, Grotte unten, Belvedere oben; barocker Einfall, doch klassizistisch gewandet. – Nur die große Gliederung konnte angedeutet werden. Beiseite bleiben muß die Fülle: die Mannigfaltigkeit der Wege, Gänge, Plätze, Kabinette und die zahlreiche Gesellschaft der die grüne Architektur bevölkernden (ehemals marmorweißen oder farbigen und vergoldeten) **Steingestalten** der großen und kleinen Götter und Allegorien und der Kindlein, die nicht die letzten Stimmungsträger dieser selig in sich beschlossenen, in ihr Phantasiespiel verlorenen Gartenwelt sind. Mehrere Figuren wurden durch Kopien ersetzt; einige der Originale befinden sich im Mainfränkischen Museum in Würzburg.

VELBURG (Opf. – E 5)

Otto II. v. Velburg (aus österreichischem Geschlecht) errichtete ein »castrum«, dem er 1154 die Talsiedlung »Altenveldorf« beigab. Seit 1217 Besitz der bayerischen Herzöge. Unter Ludwig d. Strengen (1253–94) kam es zur Gründung des »Neuen Marktes« Neuveldorf, dem Ludwig d. Bayer 1310 Stadtrechte verlieh. 1505 zogen die Pfalz-Neuburger ein. 1507–74 saßen dort die Wispeck, denen der Besitz als Schenkung zufiel. Dann wurde die Stadt, nunmehr »Velburg«, wieder pfalz-neuburgisch. – Die ungefähr trapezförmige Anlage wird von breiter Marktstraße durchschnitten, in deren Mitte einst (anstelle der Schule) das Rathaus stand.

Die **Pfarrkirche St. Johannes Bapt.** (restaur. 1959) besitzt aus ihrer ersten Bauzeit, Mitte 13. Jh., noch den Turmunterbau. Mittelschiff und Presbyterium gehören dem späten 15., das nördl. Seitenschiff dem 16. Jh. Der wohl im 15. Jh. erhöhte Turm erhielt 1665 die Barockhaube. 1717–21 trat, im Rahmen einer durchgreifenden Barockisierung, das südl. Seitenschiff hinzu. Chor und Langhaus wurden damals (von unbekannten Meistern) mit Stukkatur überzogen, Akanthus- und Girlandenwerk, und mit Freskomalerei geziert. Auch der stattliche Hochaltar wird um diese Zeit, wenn nicht früher, entstanden sein, mit ihm die Kanzel. Der St. Joseph geweihte südl. Nebenaltar verzichtet, nach oberpfälzischer Art, auf architektonischen Aufbau, eine rein ornamentale Komposition um 1700. Marienaltar 1744. Die geschnitzte Anna-Selbdritt-Gruppe (rechts, an einem Pfeiler) ist um 1530 anzusetzen. Epitaph des Georg von Wispeck, 1518 (an der N-Wand).

Gottesackerkirche St. Anna. Der einfache Bau des frühen 17. Jh. (mit Einbeziehung got. Chormauern) trägt ein Stuckgewand der Zeit um 1720. 3 gute Altäre aus den ersten Dezennien des 16. Jh. zeichnen das Kirchlein aus.

Von der **Stadtbefestigung** sind weite Strecken erhalten. Sie stammen wohl aus dem frühen 14. Jh., ebenso das nördl. Stadttor (»Hinteres Tor«). Zu Beginn des 16. Jh. wurde es durch ein Vortor erweitert.

Burgruine. Nach Erlöschen des Geschlechts der Velburger kam die Burg 1215 an das Haus Wittelsbach. Seit dem 17. Jh. ist sie dem Verfall preisgegeben. Erhalten hat sich einiges aus dem Bering, Umfassungsmauern und ein geringer Teil des Bergfrieds; darunter einiges Mauerwerk aus dem 12. Jh.

Wallfahrtskirche Herz Jesu, westl. von Velburg auf dem Kreuzberg. Hier erbauten 2 Eremiten 1730 eine kleine Rundkapelle zum Hl. Grab. An sie legte man 1770 einen 1schiffigen Anbau, der 1791/92 durch einen Zentralbau gegen W seine Ergänzung fand.

Ostwärts Velburg: **ST. WOLFGANG** (s. d.).

VELDEN (Ndb. – E 7)

773 wird von einer Kirche berichtet, die an das Freisinger Domstift kommt. 903 ist sie regensburgisch. Auch hören wir von einem Urkloster, das in den Ungarnstürmen des 10. Jh. zugrunde geht. 1410 gewinnt die Siedlung Marktrechte, 1516 trägt sie ein Wappen.

Herz der Siedlung ist der Straßenmarkt. Seine abgewinkelte Gestalt muß als Variante dieser bekannten altbayerischen Anlageform vermerkt werden. – Die **Pfarrkirche St. Petrus und Paulus** ist eine stattliche 3schiffige Pseudohalle des Landshuter Typus aus der 2. Hälfte des 15. Jh. Schön, und gut erhalten, die reichen Rippenwölbungen. Aus der alten Ausstattung blieb nichts. Doch muß hier die neugot. Altareinrichtung von 1854–58 als vorzügliche Leistung des Münchner Professors K. Knabl gerühmt werden.

VIERZEHNHEILIGEN (Ofr. – E 3)

Ausdrückliches Begehren der 14 Nothelfer, die dem Langheimer Klosterschäfer auf einem Acker nahe dem Klosterhof Frankental wiederholt, 1445 und 1446, erscheinen, führt zur Errichtung einer Wallfahrtskapelle auf der gewiesenen Stelle, die im Bauernaufruhr, 1525, abgeht und durch einen zweiten Bau (Weihe 1543) ersetzt wird, der bis ins 18. Jh. besteht. Frequenz der Nothelferwallfahrt läßt den Langheimer Prälaten Entschluß zu einem Neubau fassen. Doch schaltet sich der Bamberger Fürstbischof, Friedrich Karl v. Schönborn, bestimmend ein. Der vom Langheimer vorgeschlagene weimar-eisenachische Landbaumeister Gottfried Heinrich Krohne, der seit 1738 den Neubau der Langheimer Klosterbaulichkeiten leitet, wird vom Fürstbischof abgelehnt. Auch der Entwurf des Bamberger Welsch-Neumann-Schülers Jakob Michael Küchel findet keine Zustimmung. Nun tritt, 1742, Balthasar Neumann als Beauftragter seines Fürsten auf; sein Entwurf findet Beifall. Doch bleibt die Ausführung des am 23. 4. 1743 grundgelegten Baues Krohne, der sich eigenmächtige Eingriffe in das Neumannsche Projekt gestattet. Die durch ihn verschuldete Verkürzung des Chores schließt die Vierung als (von Neumann beabsichtigten) Standort des Gnadenaltars aus; Standort kann jetzt nur das Langhaus sein. An dieser wohl oder übel zu bewältigenden Zwangssituation entzündet sich nun Neumann, der zuvor einen nicht eben überraschenden Basilikalbau zu Papier gebracht hatte. Der 1744 nach den neuen Plänen begonnene, jetzt von Küchel geleitete Bau bezieht seine hohen Raumwerte aus dem Spannungsverhältnis zwischen basilikalen und zentralen Richtungstendenzen. – Die Säkularisation (1803) vertat den Kirchenschatz. 1835 vernichtete ein Brand Turmhelme, Dachungen, Orgel. Erst zu Anfang dieses Jahrhunderts gewannen die Türme wieder Helme alter Form. Einige Schäden richteten (wohlmeinend natürlich) die seit 1839 die Wallfahrt betreuenden Franziskaner an, die 1848 ff. die Fresken übermalen ließen (jetzt wieder freigelegt) und die Altarblätter gegen neue austauschten.

Äußeres. Die Achse zielt genau auf das gegenüberliegende Banz, und das nicht zufällig, der Langheimer Abt wollte es so. Nicht so hochthronend wie Banz, auf halber Höhe der zu Tale gehenden Berglehne, bringt der mächtige Kirchenbau seine hohe und doch auch breite Fassade zu um so wirksamerer Geltung. Die natürliche Szenerie der hinterfangenden Bergzüge, die sich südl. zum Staffelberg aufrecken, der »stromdurchglänzten Au«, der drüben ansteigenden Randhöhen des Grabfelds mit dem durch eine Spannung verbundenen Banzer Kloster, rahmt unvergleichlich. – Die äußere Umfassung der Kirche ist die einer kreuzförmigen Basilika. Betont setzt sich das Querhaus ab, dessen Arme wie das Chorhaus 3seitig schließen. Aller Anspruch sammelt sich in der im Sinne des Wortes »ansprechenden« *Fassade*, denn ansprechen, werben, locken soll sie, will sie weit ins Tal hinaus. Der durch ein starkes Gesims in 2 Hochgeschosse unterteilten, in der Mitte zu leichtem und doch kraftvoll gespanntem Bug vorschwellenden Front entwachsen die ihr zunächst als starke Rahmenpfeiler eingebundenen Türme, die sich in den hohen Freigeschossen zu plastisch geformten Körpern entwickeln, um sich in den wie gedrechselten, in leichten schlanken Laternen ausstrahlenden Helmen zu beschließen. Rustizierte Lisenen gliedern das Untergeschoß, Pilaster, auf hohen Stühlen, das zweite, vollrunde Säulen flankieren die geschwellte Mitte und auch die Ecken der Freigeschosse der Türme. Beide Geschosse öffnen sich in doppelten Fensterreihen. Die Mitte unterbricht die untere, kleiner gehaltene Fensterreihe durch das *Portal*, sie läßt das mittlere Fenster der 3. Reihe auf dem großen Teilungsgesims fußen und setzt schließlich einen *Giebel* auf, der mit Relief gefüllt und von Statuen bestanden und begleitet ist. Statuen stehen auch in den beiden Nischen, die die 4. Fensterreihe seitl. der Mitte unterbrechen; sie waren einmal vergoldet, denn leuchtkräftig sollten sie sein, leuchtkräftiger noch als der durch einen warmen Ockerton ausgezeichnete »zart schöne Stein« (mit Neumann zu reden), der Sandstein der Landschaft.

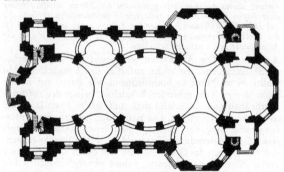

Vierzehnheiligen, Wallfahrtskirche, Grundriß

I n n e n b a u. Erwarten ließe sich ein basilikaler Raum, wenn nicht mit Seitenschiffen, dann mit Seitenkapellen. Man erinnere sich, daß Neumann durch die Eigenmächtigkeit des Bauleiters Krohne in eine Zwangslage versetzt worden war; er mußte die O-Partie, nicht so von ihm gewollt, in der Grundlegung hinnehmen. Er schuf nun nachträglich in die starre Umfassung einen der bewegtesten Räume hinein, löste ihn durch Pfeilerstellungen vom Zwang der Orthogonalen und gab ihm die Kurve, und immer wieder die Kurve als Begrenzung. Der *Gnadenaltar* (über dem Ort der Erscheinung), dieses zentrale und also auch zentral zu legende Heiligtum, konnte infolge der Chorverkürzung nicht mehr in die Vierung gesetzt werden. Neumann zieht ihn ins Schiff, kreist ihn in ein großes Oval ein und richtet die Kirche statt auf die Vierung auf dieses Oval aus. Diesem schickt er westl. ein kleines Oval voraus und läßt ihm östl. im Chorraum ein drittes folgen. Das große Oval überdrängt in die Vierung, das Choroval drängt ihm entgegen; über die Vierung kurven, »windschief«, die Gurte der Wölbflächen der Ovale. Das Raumwunder Vierzehnheiligen *(Tafel S. 897)* begibt sich in dem zentralen Oval um und über dem Gnadenaltar, das mit Säulen bestirnte Freipfeiler umstellen, zwischen die sich Emporen spannen; hier, in diesen Anräumen, wohnt das Licht, Lichträume umfassen den hl. Bezirk der Mitte, in dem dieses so ganz freie, von allen Zwängen der Tektonik befreite, nur noch als Ornament faßliche Gebilde des Gnadenaltars steht, den J. M. (II) Feichtmayr und J. G. Üblherr ausführten (1763).

Die Ausstattung bezieht zunächst einmal ihren Glanz aus den von stuckierten Muschelwerkrändern wellig umspielten *Dekkenfresken* Jos. Ign. Appianis: Nothelfer in der Hauptwölbung, Verkündigung und Geburt im Chor (das Fresko über der Orgelempore ist 19. Jh.). Zu den zarten rauchigen Farben der Fresken kommen die von Gelb zu Grün zu Grau zu Rot spielenden der Marmorierungen und das Gold, Blaßblau, Ocker der Stukkaturen, aufblühend über der Weißfolie der Wandflächen. Beschäftigt sich nun der Blick, aus den »Sphären« der Decke in die Tiefe zurückkehrend, mit den Altären, so wird er sich immer wieder an den von entzückender Balustrade umfahrenen Gnadenaltar mit den ihn umstellenden Nothelfern und dem vierfachen Christkind auf der Spitze des Baldachins verlieren. Aber die leichte, jegliche Form zum Ornament zerkräuselnde Hand des Rokoko hat auch die anderen Altäre geschaffen, auch den groß und breit, doch leicht und licht im Chor ragenden *Hochaltar*; beklagen müssen wir nur den Verlust ihrer urspr. Gemälde (Appianis). Um so vollkommener ist die *Kanzel*, eine der phantasievollsten der Zeit: Engelchen tragen schwebend den Kanzelkörper mit den von Muschelwerkzier umwucherten Reliefs der Evangelisten, der Schalldeckel ist eine Strahlenkugel. – Beschreibend stößt man auf eine Grenze, in das Wort geht die Fülle dieser Kirche nicht mehr ein.

Um ihre NO-Seite legt sich, den Brechungen des Chores folgend, das wahrscheinl. von Küchel (1745/46) entworfene **Propsteigebäude,** das vorzüglich die von ihm und der Kirche gebildete Gasse bewandet.

VILGERTSHOFEN (Obb. – C 7)

Wallfahrtskirche zur schmerzhaften Maria

Neubau dank der seit 1674 aufblühenden Wallfahrt durch Joh. Schmuzer, 1686–92. Turm 1732. Ehem. Superiorat von Kloster Wessobrunn, aufgehoben 1803.

Ä u ß e r e s. Zentralbau von eigenwilliger Form: Aus dem
Rechteck des Grundrisses wachsen nach 4 Seiten apsidiale
Teilräume, so daß sich annähernd die Form eines griechischen Kreuzes ergibt. Durch Vertiefung von Chor und Vorhalle wird überdies eine Längstendenz in den Bau hinein-
getragen. Die W-Apsis und Vorhalle ist zwischen 2 Türme

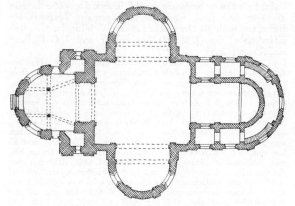

Vilgertshofen, Wallfahrtskirche, Grundriß

eingebunden, deren südlicher 1732 ausgebaut wurde. Der
nördliche ist als Stumpf bis zum Kranzgesims der pilaster-
gegliederten Außenwände kenntlich. – Das I n n e r e zeichnet sich durch helle Weiträumigkeit aus. Hochgeführte Bogen
öffnen sich nach 4 Seiten zu den Apsidialräumen: die der Querachse breiter als die tieferen der Längsachse. Geschlossene
Nebenräume schmiegen sich um den O-Chor, als Obergeschoß hinter Arkaden den Wallfahrerumgang tragend.
Ihm entspricht im W die polygonal eingesetzte Orgelempore.
Oratorienbalkone wenden sich von der N- und S-Wand
gegen den Mittelraum.

Die reichen, kräftigen Stukkaturen des Wessobrunners Joh. Schmuzer geben dem Raum sein festliches Gepräge: Akanthusranken beherrschen das Bild. Zwischen ihnen Kartuschen, Blattranken,
Fruchtgehänge, Muscheln u. a. Von Stuckdraperie gerahmte Nischen
zwischen der Pilastergliederung enthalten Stuckfiguren von Be-

nediktinerheiligen. Fresken von P. Jos. Zäch bringen Szenen aus
dem Alten und Neuen Testament, Allegorien (Glaube, Hoffnung,
Liebe in der Vorhalle; Pest, Hunger und Krieg an der W-Empo-
renbrüstung) sowie Darstellung hilfesuchender Wallfahrer (Chor-
brüstung). Das Hauptbild der Chorwölbung wurde 1734 von Joh.
Bapt. Zimmermann meisterhaft erneuert: Beweinung Christi, mit
Gottvater, der die Pfeile seines Zorns zerbricht. Oberer Choraltar
1718 mit Gemälde Mariae Himmelfahrt, bez. Edmund Egg. Der
untere von Fz. Xav. Schmuzer, dem Sohn des Baumeisters. Seine
hohen Säulen wie der reiche Auszug rahmen zugleich den Emporen-
altar. Tabernakel mit Vesperbild Ende 16. Jh. (Gnadenbild). Seitl.
Seelenaltar mit spätgot. Kruzifix und Engelsfiguren von dem
Landsberger Lorenz Luidl Anfang 18. Jh. Gegenüber Kopie nach
Luc. Cranach (Marienbild). In der N-Apsis Ulrichsaltar 1718, in
der südlichen Stephansaltar, 1751, mit Figuren der hll. Magdalena
und Afra. Gemälde von Joh. B. Bader 1770. – Anlage und Dekoration Vilgertshofens sind ein Unikum bayerischer Barockbaukunst.
Erstmals wird hier in größerem Maßstab eine Zentralanlage aus
dem griechischen Kreuz entwickelt, ausgehend von oberitalienischen
Vorbildern (Como). Doch eigen ist die Einschaltung einer Längstendenz. Steht die etwas frühere, anders gegliederte Anlage von
Maria Birnbaum höher, so erfreut hier die schöne, reiche Ranken-
dekoration, ein Meisterwerk der Wessobrunner Stukkatorenschule.

VILSBIBURG (Ndb. – E 7)

*Die Siedlung, deren Name auf eine prähistorische Wallbefestigung
deutet, erscheint frühestens Ende des 10. Jh. Im 13. Jh. herzoglich,
ist sie gegen 1300 Markt. Stadt wird sie erst 1929. – Die Landstraße Landshut – Burghausen überschreitet die Vils und dehnt sich
zum breiten, langgestreckten Markt. Der im 15./16. Jh. aufgeführte Mauerring wurde im 19. Jh abgeräumt. Auch das Untere
Tor von 1569 verfiel 1903 dem Abbruch.*

Nur das **Obere Tor** (im Kern 15., in Oktogon und Haube Mitte
16. Jh.) steht noch. Mit dem Spitalturm zur Seite schließt es schön das
östl. Ende der Marktstraße.

Pfarrkirche Mariae Himmelfahrt. 1412–27 entstand der,
1437 geweihte, erhaltene Neubau: eine ansehnliche, spätgot.
Halle. Der W-Turm (1677 erhöht und bekuppelt) erinnert
in seinem Aufbau an Landshuter Vorbilder. Auch der Innenraum erweist sich als dem Landshuter Kreis zugehörig, doch
eine gewisse Derbheit schließt die Urheberschaft etwa eines
»Stethaimer« aus. Das purifizierende 19. Jh. hat die barocke
Ausstattung vernichtet, ohne Besseres an ihre Stelle setzen
zu können.

Die **Spitalkirche zur Hl. Dreifaltigkeit** ist ein spätgot. Bau des frühen 15. Jh. Der Grundriß des 1schiffigen Langhauses erweitert sich trapezförmig, vermutl. durch den Verlauf der Stadtmauer so bestimmt. Der Wappenstein am Chor ist eine Arbeit des Steinmetzen Jörg Amberger. – Das **ehem. Hl.-Geist-Spital**, 1460, ist heute Heimatmuseum.

Die wenigen **Wohnhäuser** älterer Zeit halten sich an Landshuts Bauweise. Im Gasthaus Stammler mit barocker Giebelfassade ein reizvoller Arkadenhof des 16. und 17. Jh.

Die **Wallfahrtskirche Mariae Geburt** auf dem Mariahilfberg im S wurde 1832–36 in neuroman. Formen errichtet.

VILSECK (Opf. – E 4)

Das 905 bestätigte kaiserliche Kammergut wird 1012 durch Kaiser Heinrich II. dem Bistum Bamberg übereignet; später Lehensbesitz der Staufer, 1268 wieder bambergisch, dann oftmals verpfändet, u. a. an den Kurfürsten von der Pfalz; erst seit 1802 bei Bayern.

Das malerische **Städtchen** mit breiter Marktstraße und diese senkrecht berührender Querachse ist von Resten seines im 14. Jh. begonnenen Berings annähernd 5eckig umzogen. An seiner NO-Spitze liegt das ehem. Schloß auf den Resten der bischöflich-bambergischen Burg des 12. Jh.

Pfarrkirche St. Ägidius. Der barocke Zentralbau des Langhauses von 1751–53 legt sich an einen langgestreckten spätgot. Chor des 15. Jh. Dieser Zeit entstammt auch der Turmbau auf den roman. Fundamenten seines Vorgängers. Die Sakristei bewahrt eine Kreuzigungsgruppe in Porzellan, Nymphenburg, nach dem Modell des F. A. Bustelli, um 1760. Teile des spätgot. Hochaltars im Pfarrhof: 6 geschnitzte Reliefs aus dem Marienleben, um 1510–20, in Anlehnung an Albrecht Dürer.

Ehem. Schloß. Anstelle der bischöflich-bambergischen Gründung des 12. Jh. wurden, besonders im 15. Jh. unter den pfälzischen Fürsten, umfangreiche Neubauten errichtet, weitere 1729–32. Was sich heute um den gedrungenen Bergfried des 14. Jh. gruppiert, gehört durchweg der letzten Bauperiode des 18. Jh. an. Überaus malerische Anlage.

Vom 1330 begonnenen, gut erhaltenen **Bering** stehen noch 3 Tore; hervorzuheben: das **Obertor**.

VILSHOFEN (Ndb. – F 7)

Die erste 791 und 813 bezeugte Siedlung Vilshofen lag vermutl. am rechten Ufer der Namen gebenden, der Donau zufallenden Vils. Erst im frühen 13. Jh., angebl. 1216, entsteht als Plangründung des vom Hochstift Passau belehnten Grafen Rapato v. Ortenburg, im Winkel zwischen den beiden Flüssen Donau und Vils, die Stadt, deren ganz regelmäßiger, durch 2 Parallelstraßen gliederter Grundriß die Gründungsüberlieferung auch beglaubigt. 1250 fällt Vilshofen an Bayern, bei dem es fortan bleibt. Um 1320

wandelt sich die zunächst noch primitive Befestigung in eine stei-
nerne. 1345 bestätigt und vermehrt Kaiser Ludwig d. Bayer die
Stadtfreiheit. – Stärker als die verschiedenen glimpflich bestande-
nen Kriege setzte der Stadt ein großer Brand, 1794, zu. Der
Wiederaufbau ging unfreundlich mit den »altmodischen« Giebeln
und Erkern um, er bereinigte und glättete; vor der Pfarrkirche
mußten 7 Bürgerhäuser verschwinden. Dennoch ist Vilshofen im-
mer noch eine gute alte Stadt vom Schlage der Inn-Städte, mit
dem Charakteristikum horizontal geschlossener Fronten und der
durch sie verdeckten Grabendächer.

Die Lage am Strom, zwischen ihm und den ihn südl. begleitenden Randhöhen, deren eine das neue **Kloster Schweiklberg** besetzt, ist der schöne
natürliche Vorzug dieser Donau-Stadt. – Die Befestigung ging im
19. Jh. bis auf wenige Reste ab. Doch steht noch der die Hauptstraße
wirkungsvoll abschließende Stadttorturm, dem am O-Ende der Achse
der Pfarrkirchenturm antwortet.

Pfarrkirche St. Johannes Bapt. Die Grundlagen des Gebäudes sind im 13. und 14. Jh. zu suchen. Spätgot. Seitenkapellen traten im frühen 16. Jh. hinzu. Den Turm erhöhte
1672 »Christoph Zuggaul aus der oberen Bündt«, ein Zuccalli aus Graubünden. (Spitzhelm 1865.) 1794 verwandelte
ein Brand die Kirche zur Ruine. 9 Jahre später kam ihr Wiederaufbau zustande, der heute das Bild eines vornehmen,
spätbarocken Raumes vermittelt. Das Schiff ist bis zum eingezogenen Chor von je 3 spätgot. Kapellen begleitet. Die
gute Altareinrichtung wurde aus St. Nikola in Passau hierher übertragen, Hochaltar, 1719, von Jos. Hartmann, mit
Gemälde von Sing, die Seitenaltäre und Kanzel von Jos.
Matth. Götz etwa gleichzeitig. Am Chorbogen eine Replik
oder Kopie von Eg. Qu. Asams Joh.-Nepomuk-Figur zu
Neustadt a. d. D., 1746. Die Orgel stammt aus Aldersbach.

Wallfahrtskirche Mariahilf an der Straße nach Osterhofen.
Der überkuppelte Zentralbau in Form eines griechischen
Kreuzes wurde 1692 errichtet, nach Entwurf und unter Lei-
tung von Ant. Riva. Stukkaturen von Joh. Peter Camuzi,
Passau. Die oberitalienisch-krautige Stukkatur betont das
architektonische Liniengefüge und rahmt das Kuppelfresko
Giov. B. Carlones und Giac. Ant. Mazzas: Verherrlichung
Mariae. Der Hochaltar, eine gute Komposition von Andrea
Solari, enthält eine Kopie des Passauer Mariahilfbildes.

Friedhofskirche St. Barbara. 1schiffiger, spätgot. Gewölbebau von 1483.
Der Altar ist eine Rokokoanlage von 1750.

Der **Stadtturm** war ehemals als »oberer Torturm« ein Glied

der Stadtbefestigung. Drohender Einsturz bewirkte 1642
Abbruch und Neubau. Der massige Unterbau mit rustizierten Eckpilastern trägt über gesprengtem Giebel ein oktogonales Glockengeschoß mit Zwiebelkuppel. Die Nischenfiguren wurden 1677 ergänzt.

Zahlreiche **Wohnbauten** fielen dem Stadtbrand von 1794 zum Opfer;
die klassizist. Fassade überwiegt. Einige Laubenhöfe aus dem 16. und
17. Jh. haben sich erhalten. Der ältere Häuserbestand zeigt engen Zusammenhang mit der Passauer Bauweise; gerader Fassadenabschluß,
manchmal flache Giebel und – im Sinne des Klassizismus – betonte
Horizontalgliederung.

VIOLAU (B. Schw. – C 6)

*1281 schenkt ein Edler, Heinrich gen. Gula von Wolfsperch, den
Ort Heszilinbach an Bruder Heinrich, einen Priester des Benedik-
tinerordens. Papst Martin IV. bestätigt 1284 die Schenkung als
Benediktinerpriorat Heslibach, das sich jedoch bald wieder auflöst.
Die Güterschenkung geht dabei an das Zisterzienserinnenkloster
Oberschönenfeld über. Heszilinbach heißt später Violau – 1466
wird erstmals von dem Gnadenbild (einem Vesperbild) berichtet,
das schnell Wallfahrer an sich zieht. Ihnen gilt der kirchliche Neubau des frühen 17. Jh., der unter Opfern vor der abbruchwütigen
Säkularisation gerettet wird. Betreuer der Wallfahrt waren 1664
bis 1803 Zisterzienserpatres des Klosters Kaisheim.*

Wallfahrtskirche St. Michael. David und Georg Höbel,
zwei nahezu unbekannte Architekten, schufen 1617–20, auf
den Resten einer roman. Basilika, die bestehende Hallenanlage. Doch nur ihr Ä u ß e r e s hat das urspr. Bild bewahrt. Schiff und Herrenhaus bilden eine Einheit. Wichtig
ist die strenge, gravitätische Wandgliederung durch schmale
Pilaster und übergiebelte Fensterrahmungen (vgl. Dillingen).
Den roman. Turm besetzte Gg. Meitinger 1625 mit zeit-
gemäßem Dekor und erhöhte ihn um einen 8eckigen, 2ge-
schossigen und zwiebelbehelmten Oberteil. Das I n n e r e ,
ein 3schiffiger Hallenraum mit quadratischem Chor und
halbkreisförmiger Apsis, erlebte im 18. Jh., angebl. unter der
Leitung von Simpert Kramer, eine durchgreifende Neugestaltung. Ehemals spannten sich gegurtete Kreuzwölbun-
gen über die Schiffe. – Die Stuckdekoration von Fz. Xav.
Feichtmayr d. Ä., 1751–57, hat sie verschliffen. Deckenbilder
von Joh. Gg. Dieffenbrunner 1751. Hochaltar um 1680 bis
1705, Kanzel 1686. Die größeren Seitenaltäre errichtete 1706

Benedikt Anton Agricola. Im südl. Seitenaltar ein Gemälde
von Joh. Gg. Bergmüller, 1729. – Kleinere Altäre Mitte
18. Jh. mit Figuren von dem Dillinger Bildschnitzer Joh.
Mich. Fischer und Gemälden von Jos. Ant. Huber, 1763. –
Zahlreiche Votivtafeln.

VIRNSBERG (Mfr. – D 4)

Ehem. Deutschordensburg

*Ein sich nach Virnsberg nennendes Geschlecht gab die vom Reich
zu Lehen gehende Burg im frühen 13. Jh. an die Hohenlohe weiter, die sie 1235 und 1259 an die Nürnberger Burggrafen verkaufen. Der »Fromme« unter den Burggrafen, Konrad V., schenkt
Burg und Herrschaft 1294 an den Deutschen Orden, dessen Kom-
ture nun bis 1806 hier walten. Heute gehört die Burg dem Ev.
Verein f. Jugend- und Wohlfahrtsheime in Nürnberg.*

Wir überblicken sie von der südöstl. Höhe. Die gestufte An-
lage scheidet sich in Vor- und Hauptburg. Die beträchtlich
tiefer liegende Vorburg von langen, 2geschossigen, ein
Rechteck formierenden Trakten umfaßt. Darüber die Haupt-
burg, deren geschlossener, in stumpfem Winkel vortretender
Masse fast genau in der Mitte der hohe, mit Kuppel und
Laterne bekrönte Bergfried entwächst. – Die Burg geht mit
Teilen (Stützmauer des inneren Berings) ins 13. Jh. zurück.
Im frühen 14. Jh. dürfte das unregelmäßige Fünfeck der
Hauptburg begründet worden sein. Der Torzwinger entsteht
im späten 15. Jh. Einer wahrscheinl. gleichzeitig errichteten
2. Ringmauer (westl.) gesellt sich 1530 eine 3. (südl.) hinzu.
Eingreifende Bautätigkeit dann in der 2. Hälfte des 16. Jh.
(1559, 1588); die Hauptburg verwandelt sich in das vor
Augen stehende Schloß. Der Bergfried und die beiden Ge-
schütztürme fallen in diese Zeit. Letzte Baumaßnahmen um
die Wende des 17. zum 18. Jh.: der untere Hof (Vorburg)
gewinnt sein barockes Gesicht. Es entsteht der Treppenaufstieg zur Hauptburg. 1730 wird das urspr. spätgot. Tor
(nördl.) zugesetzt. – Die Vorburg ist südl. und östl. von
Wassergräben eingeschlossen. Sie wird über die Grabenbrücke durch das (barocke) Tor betreten. Die den Hof 3seitig
umfassenden Wirtschaftsgebäude ohne viel Anspruch. Nördl.
Begrenzung ist die hohe Stützmauer der Hauptburg, mit
der sie zur Terrassenanlage wandelnden barocken Treppe in
der Mitte. Eine Auffahrt, westlich, vermittelt, in mählichem

Anstieg, zum spätgot. Torzwinger, der sich in einen zweiten, mittleren Burghof öffnet. Hier das (zugesetzte urspr.) Haupttor zum höchstgelegenen inneren Burghof, dessen Bebauung fast ganz dem 16. Jh. angehört.

VOHBURG (Obb. – D 6)

Die Grafen von Vohburg lassen sich bis ins frühe 8. Jh. zurückführen. Das mächtige Geschlecht erlischt 1204. Erben sind die bayerischen Herzöge. – An die Burg legt sich ein Burgflecken, der 1952 zur Stadt erhoben wird.

Burg. Die Ringmauern deuten, teilweise, in das 13. Jh. (Turm aber erst 1959, ein Wasserbehälter). Spätromanisch, eben 13. Jh., ist das stämmige Burgtor mit altem bayerischen Wappenrelief. Aus altem Bestand rührt auch der sog. Hungerturm. Im ehem. Burghof steht, seit 1697, die **Pfarrkirche St. Peter,** die 1820 ihre Umgestaltung erfuhr. – Aus dem mittelalterl. Siedlungsbering sind 3 Tore geblieben, das kleine und das große **Donau-Tor** und das **Auer Tor.** – Das **Rathaus** ist ein Umbau der alten, 1270 genannten, Pfarrkirche St. Andreas, neugestaltet 1955. – **Gasthaus Post** 16. Jh.

VOHENSTRAUSS (Opf. – F 4)

Im 12. Jh. Besitz der Sulzbacher Grafen, dann, 1188, der Staufen, über deren Letzten, Konradin, Vohenstrauß 1268 an den bayerischen Herzog kommt, der zwar den Ansprüchen des Reiches nachgeben muß, indessen 1309 Vohenstrauß als Reichspfandschaft zurückgewinnt. 1329 fällt es an die Pfalz. Die wechselvolle Geschichte im Spätmittelalter sei hier übergangen. Aus dem Landshuter Erbe kommt Vohenstrauß 1505 an Pfalz-Neuburg, 1615 fällt es an Neuburg-Sulzbach, 1777 an Pfalz-Bayern.

Schloß Friedrichsburg (Landratsamt). Der stattliche Bau mit seinen 5, später 6 Rundtürmen trägt den Namen des Erbauers, Pfalzgraf Friedrich von Vohenstrauß, dem 4. Sohn des Pfalzgrafen Wolfgang von Zweibrücken-Veldenz. 1586 wurde das Schloß in Angriff genommen, unter Leitung von Leonh. Greineisen aus Burglengenfeld. Die Ausführung verdingte er einem Meister Reicholt aus Weiden. Um 1590 wird der Bau im wesentlichen vollendet gewesen sein. Das imponierende Bauwerk wirkt durch seine hohen, geschwungenen Staffelgiebel zwischen den Ecken und Seitenwände besetzenden Rundtürmen (der mittlere, der S-Wand kam 1903 hinzu). Das Innere hat durch verschiedene Umgestaltungen seinen urspr. Charakter eingebüßt. Nur einige Gewölbe im Erdgeschoß und Balkendecken im Obergeschoß blieben erhalten. Eine hohe Mauer mit gedrungenen Rundturm im SO umfängt den Schloßhof. Er öffnet sich gegen die Ortschaft als Ziel der breiten, diese durchquerenden Marktstraße.

VOLKACH (Ufr. – D 3)

Erste Nennung in einer Urkunde König Ludwigs d. Kindes 906, die sich aber auf Schenkung des Königsgutes Volkach an Fulda schon durch den Vater, Kaiser Arnulf, bezieht. 1230 ist Volkach offenbar noch nicht, 1258 ist es Stadt. Bis ins 16. Jh. teilen sich in den Besitz Castell und Würzburg, seit 1520 ist der Bischof Stadtherr. Die Lage am Scheitel einer östl. gegen den Steigerwald vorgreifenden Main-Schleife an der Kreuzung zweier Verkehrsstraßen begünstigte das Gedeihen der kleinen Stadt.

Die Marktstraße ist die herrschende Achse des annähernd rechteckig umschlossenen, vermutl. im 13. Jh. geschaffenen Stadtkörpers. Im Schnitt mit einer kreuzenden schwächeren Achse liegen Markt und Kirche. Der Mauergürtel des späten Mittelalters steht nur mehr in Teilen aufrecht, von den ehem. 4 Tortürmen stehen noch 2, der Gaibacher (1579) und der mit einem Schnörkelgiebel geschmückte Sommeracher (1597). Das Straßenbild ist gut, die Anzahl alter Bürgerhäuser (des 16.–18. Jh.) ungewöhnlich groß. Neben dem **Rathaus** (1544 ff.), einem 3geschossigen Block mit Freitreppe, Vorhalle und polygonem Erker in der Mittelachse (an der W-Seite des südl. von der Pfarrkirche überragten Markts), sei das jetzt als Heimatmuseum eingerichtete **Schelfenhaus** an der Schelfengasse angemerkt, ein ansehnlicher 2geschossiger Barockbau (1719/20), dessen Auszeichnung die beiden reichen Portale sind.

Kath. Pfarrkirche

Die Pfarrei ist seit 1158 bezeugt. Erste Seelsorgekirche des Landes um die Main-Schleife war aber offenbar die auf dem Kirchberg. Das 1158 gen. Patrozinium des hl. Georg wurde im Spätmittelalter durch das des hl. Bartholomäus verdrängt. – 1413 wird der Chor begonnen, 1442 der Hochaltar geweiht. Erst 1472 scheint das Langhaus begonnen worden zu sein. Als Meister ist Friedrich Reuss bezeugt. 1513 ff. baut der Würzburger Dommeister Hans Bock den Turm, bis auf das 1597 hinzugefügte Achteck. Im 18. Jh. (1754) wird die Kirche aus einer 3schiffigen in eine 1schiffige mit flachgewölbter Holzdecke verwandelt.

Ein breites Rechteck, Saal in der jetzigen Erscheinung, dem ein schmaler, tiefer, mit Netzrippengewölben gedeckter Chor anliegt, dem der hohe, von einem schlanken Treppentürmchen begleitete Turm zur Seite steht.

Die A u s s t a t t u n g des hellen, ganz dem Rokoko des 18. Jh. anverwandelten Raumes ist eine gute, ja reiche. Stukkaturen von

Nik. Huber, 1754, und Fresken von Joh. Mich. Wolcker, 1753, schmücken die Decke. Die 5 Altäre treten zu wirkungsvoll gestaffelter Gruppe zusammen. Der Hochaltar wurde 1727–39 vom Wiesentheider Kunstschreiner Nestfell und vom Haßfurter Bildhauer Becker errichtet, doch 1792 von Peter Wagner umgestaltet; die beiden Figuren über den Durchgängen, Bartholomäus und Kilian, sind wahrscheinl. dem Kitzinger Bildhauer Reutel, 1771, zuzuschreiben, die beiden Heiligen an den Flanken des Altars Peter Wagner; das Gemälde gehört dem Thüngersheimer Seb. Urlaub (1726/27); der Tabernakel kam erst 1823 hinzu. Die bewegten und gelösten Seitenaltäre schuf 1759 der Kitzinger Rainer Wierl. Die Kanzel gab P. Wagner (1792), das Orgelgehäuse der Sommeracher Matth. Sporer (1726), das Chorgestühl Reutel (1771).

Wallfahrtskirche auf dem Kirchberg

Sicher in frühe fränkische Zeit zurückreichend, im Frühmittelalter Pfarrkirche, im 11., spätestens 12. Jh. von Volkach abgelöst. Im 13. oder frühen 14. Jh. entsteht die Kirche einer Beguinenklause, die aber kaum länger als 100 Jahre existiert. Spätestens um die Mitte des 15. Jh. beginnt das durch das Gnadenbild einer Schmerzensmutter erweckte Wallfahrt zu blühen. – Rückstand eines frühgot. Baues ist die Sakristei an der S-Seite des Chores (urspr. wohl Erdgeschoß eines Turmes). Die heutige Kirche wird um die Mitte des 15. Jh. im Chor begonnen; Ende des Jahrhunderts ist sie wohl großenteils, völlig fertig aber erst gegen 1520. Der Dachreiter wird 1750 aufgesetzt. 1880 wird sie purifiziert, doch 1954/55 von den Spuren dieser Reinigung wieder befreit.

Ein Stationsweg (noch stehen 3 spätgot., 1521 dat. Stationen) verbindet die Stadt mit der »St. Maria im Weingarten« auf der in den nördl. Horizont tretenden Höhe. – An ein flachgedecktes Schiff stößt ein eingezogener gewölbter Chor. Beide Teile bilden eine durch verschiedene Höhen und Dachformen reizvoll differenzierte Gruppe, die auch nicht geringen Gewinn aus der landschaftlichen Situation zieht. Hoher, steiler Dachsattel über dem Schiff, höher als der Chor, dessen von den Streben gestraffter, in schlanken Fenstern aufgebrochener Steinkörper doch wieder den des Schiffes überragt. Ein rundes Treppentürmchen legt sich an die südl. vortretende Sakristei. Portale an S- und W-Seite; schmuckreich das an der S-Seite, mit Vorhalle, die eine Spitzbogentonne mit Netzrippen deckt. – Der Raum urspr. (wie die Gewölbeansätze erkennen lassen) 3schiffig geplant, doch als einfacher Rechtecksaal ausgeführt.

A u s s t a t t u n g. Der schönste Besitz der Kirche ist die Rosenkranzmuttergottes Riemenschneiders, eines seiner letzten Werke, angebl. 1521–24 geschaffen. 1954 von schlechter Neufassung befreit. 1962 gestohlen, dank privater Munifizenz zurückerworben, mußte sie neuerdings restauriert werden. Wie urspr., hängt sie nun wieder frei von der Decke. – Wir nennen noch das gute Holzbildwerk der Anna Selbdritt von etwa 1510 an der O-Wand des Schiffes, das Vesperbild Weichen Stils an der O-Wand, den Holzkruzifixus des frühen 15. Jh. an der gleichen Wand (nördl.) und den steinernen Kruzifixus an der N-Wand, der die Signatur T K (Thomas Kistner) mit dem Jahr 1555 verbindet, und verweisen abschließend auf die gemalten Glasscheiben, Stiftungen des Mich. v. Schwarzenberg, aus der Spätzeit des 15. Jh.

Die **Friedhofkapelle St. Michael**, im Kern spätgotisch, wurde nach einem Brand 1862–64 weitgehend erneuert. Das originale Portaltympanon mit dem Relief der Marienkrönung lehnt sich eng an das Tympanon gleichen Themas der Würzburger Marienkapelle an.

Im nahen Umkreis Volkachs liegen **Astheim** (s. d.), die Vogelsburg, westl. über Astheim, und die Halburg, eine halbe Gehstunde talabwärts, am linken Ufer des Mains. – Die **Vogelsburg**, im vom Main umfaßter Spornlage, gründet vorgeschichtlich. Der westl. den Rücken abschneidende Wall ist der Überstand eines keltischen Oppidum. Im 7., spätestens 8. Jh. stellen die Franken einen ihrer Königshöfe auf diese freie beherrschende Höhe. Als Schenkung Kaiser Arnulfs gelangt die Fugalespurc 879 an Fulda. 1282 gründet Graf Hermann von Castell ein Karmelitenkloster, das, nie bedeutend, 1803 säkularisiert, nur die bescheidene spätgot. **Kirche** zurückließ. – Die **Halburg** ist 1252 Castellscher Besitz, im 14. Jh. Zollnerscher, 1665–1801 der Grafen Stadion. 1806 kommt sie auf dem Kaufwege an Schönborn-Wiesentheid. Der quadratische Bergfried geht noch ins 13. Jh. zurück, die Burgkapelle ins 14. oder 15., das übrige ins 16. Jh.

VORNBACH (Ndb. – G 7)

Ehem. Benediktinerklosterkirche Mariae Himmelfahrt

Die Grafen von Vornbach stifteten im 11. Jh. das Kloster, das sich im 12. Jh. des bes. Schutzes Kaiser Lothars erfreute. Teile einer querschifflosen Basilika des 12. Jh. haben sich im Neubau von 1630–37 erhalten. 1728–33 zog das frühe Rokoko ein. Restauriert 1956–68.

2 pilasterbesetzte Türme mit Barockhelmen scheinen die schmale Fassade beiderseits so zu bedrängen, daß Gesimse in elastischen Kurven nach oben auszuweichen trachten. Sie entstand 1770. Der übrige Außenbau ist schlicht und bewahrt die Formen des 17. Jh.: hohe Rundbogenfenster über den Pultdächern einer niedrigen Kapellenregion. Dank dem breiten Lichteinstrom erstrahlt das I n n e r e in Helle. Der 1schiffige Raum wird von der W-Empore bis zum eingezogenen Chor von 4 Kapellen begleitet, deren Wechsel zwi-

schen Rund- und Rechtecknische das Bild belebt. Halbrunde
Seitenkapellen gab es bis dahin (vor 1637) nur in St. Michael
in München. Über der Kapellenzone verlaufen beiderseits
Oratoriengänge, die an ihren vergitterten Öffnungen unterhalb der Fenster kenntlich sind. Sie führen von der Sakristei
auf die untere W-Empore, den Mönchschor. Bis auf einzelne
Gebälkstreifen hat der Stukkateur von 1728–33, F. J. Holzinger, architektonische Gliederung vermieden. Filigranartig
überspinnt er Gewölbe, Nischen und Fensterleibungen mit
bewegtem Bandwerkdekor, Pflanzlichem und Brokatnetzen.

Figürliches, Engel und Putten, verstärken den fröhlichen Charakter der Ausstattung. I. A. Warathi gab die Freskoausmalung: Satans Sturz im Chor, im Langhaus Zurückweisung Annas
vom Opfer, Überbringung der ungeborenen Maria an ihre Eltern,
die Mariengeburt. Kleinere Bilder zeigen Esther vor Ahasver und
die fürbittende Maria vor Christus, bzw. Judith mit dem Haupt
des Holofernes und die Immaculata. Ein Zyklus von Wandgemälden erzählt aus dem Marienleben. Der Hochaltar ist eine Schöpfung der Zeit um 1730, viell. von Holzinger. Stuckfiguren der
hll. Benedikt und Martin flankieren das Gemälde von Mart. Altomonte, Mariae Himmelfahrt. Am kurvenden Auszug die Allegorien von Glaube, Hoffnung, Liebe. Auch die Kanzel ist wohl ein
Werk Holzingers. Die Chorbogenaltäre, etwa gleichzeitig entstanden, tragen Gemälde des späten 18. Jh. von Jos. Bergler und Figurenschmuck von Holzinger. In den Kapellen eine geschnitzte
Muttergottes um 1480 (1. nördl.), Gußsteinplastik Anna Selbdritt
um 1450 (4. nördl.), Gedenkstein für die legendäre Stifterin
Helmentrudis um 1300 (5. nördl.), ein roman. Taufstein des späten 12. Jh. (3. südl.), Muttergottes um 1320 und Grabplatte des
Wirnto, † 1127 (4. südl.), Holzrelief der Beweinung Christi um
1420 und die Grabplatten des Stifterpaares, Graf Ekbert und
Gräfin Mathilde (?), Werke des frühen 14. Jh. als Teile eines
Stifterdenkmals von 1642 (5. südl.). – Sakristei mit Stukkaturen
von Holzinger und schönem Schrankwerk.

Ehem. Klostergebäude. Die 2geschossigen Trakte südl. entstanden um
1700, die Mariensäule 1722. Von der Klosterpfarrkirche (Friedhof,
nördl.), frühes 15. Jh., steht nur noch der Chor.

WAAL (B. Schw. – BC 7)

Die langgestreckte Straßensiedlung wird 890 erstmals genannt. Sie
entwickelt sich zu Füßen einer mittelalterl. Burg, die den Herren von
Waal gehörte und 1397 durch der Augsburger zerstört wurde. Spätere
Eigentümer, die Herren von Landau, bauen das vorhandene Schloß
mit seinen 4 Ecktürmen um die Mitte des 16. Jh., das sich bei mehrmaligem Besitzerwechsel auch mehrmals verändert. – Spätgot. ist die

Pfarrkirche St. Anna, im 14. Jh. beg., gegen 1500 zur 3schiffigen Halle umgewandelt. Turm und Chor 1486, doch 1757/58, nach Turmeinsturz wiederhergestellt; 1895–98 neugotisch übergangen. In den (neugot.) Altären finden sich Schnitzfiguren der Zeit um 1520, deren einige dem »Meister der Mindelheimer Sippe« nahestehen.

Südl.: WAALHAUPTEN, dessen **Pfarrkirche** (15. Jh. erweitert 1713–22) Decken- und Wandmalerei von Matth. Günther, 1787, vorweist.

WAGING (Obb. – E 8)

Der stattliche Ort hat seinen Ursprung im 8. Jh. als Klostergut des Salzburger Nonnbergs. Die Salzstraße bringt wirtschaftlichen Aufschwung und um 1350 die Marktrechte.

Die **Pfarrkirche St. Martin**, beg. nach Brand 1611, erhält erst 1698 ihre Gewölbe und im frühen 18. Jh. die reiche wessobrunnische Stukkatur im Langhaus. Die des Querschiffs gab J. Höpp, um 1723. Der mächtige Hochaltar stammt vermutl. von Wolfgang Hagenauer, Ende des 18. Jh.

Das **Ortsbild** ist, trotz aller Zerstörungen durch Brand und Kriege im 17., 18. und frühen 19. Jh., gut, im Typus der Inn-Salzach-Städte.

WALDERBACH (Opf. – F 5)

Ehem. Zisterzienserklosterkirche St. Maria und St. Nikolaus

Anfänglich saßen hier am Ufer des Regen Augustinerchorherren. Burggraf Otto I. von Regensburg (heißt es) habe sie angesiedelt. Doch bald habe er an ihre Stelle die Zisterzienser gesetzt. 1143, kurz nach dem Tode des Stifters, geschah die Einführung der neuen Mönche. Diese seien aus Maulbronn gekommen, weiß die Klosterchronik von 1507. Jedenfalls gebührt ihnen der Ruhm, den bestehenden Kirchenbau in der 2. Hälfte des 12. Jh. errichtet zu haben. 1428 spielten ihm die Hussiten übel mit. Doch erholt sich das Kloster, da bereitet ihm ein neuer Schlag 1556 das Ende: Reformation und Bildersturm. Über 100 Jahre später, 1669, ziehen wieder die Zisterzienser ein. Diesmal kommen sie aus Aldersbach. Bald entstehen neue Klostergebäude. Auch die Kirche läßt sich Änderungen gefallen. 1748 erhält sie einen neuen Chor, Altäre und zuletzt einen eleganten Turm. 1803 wird der Konvent aufgelöst, die Kirche der Pfarrei übergeben.

Das **ä u ß e r e** Erscheinungsbild der Kirche erhielt zur Zeit des Barock seine Akzente: Über die Klostertrakte des 17. Jh. erhebt sich die Zwiebelhaube des Turmes von 1779. Auch die Formen des Chores sind barock, 1748. Breite, neuzeitliche Fenster sitzen im alten Mauerverband des Langhauses. Doch ein Schritt in die Turmvorhalle führt ins hohe Mittelalter,

12. Jh.; ein Rundbogenportal mit gestuftem Gewände öffnet das Langhaus. Je 2 Säulen tragen die gerundeten Wulste
der Archivolten. Vertikale, schräge und geschraubte Kanne-
luren schmücken sie. Das innere Säulenpaar ist durch (ergänzte) Schaftringe und Blattkapitelle bereichert. – I n n e -
r e s *(Tafel S. 928).* Wir treten in

die roman. Halle. Schmale Seitenschiffe, deren Gewölbescheitel nur
wenig unter dem des Mittelschiffs
liegt, begleiten es. 8 Joche – wenn
wir das emporenbesetzte westliche
mitzählen – ordnen sich zur Bahn
nach dem Chor, dessen Apsiden-
dreiheit dem weiträumigen Neubau
von 1748 geopfert wurde. Eine gewisse Rhythmisierung faßt 5 Joche
zusammen, indem sie durch engere
Triumphbogengebilde die beiden
ersten Joche ausscheidet wie das unmittelbar an den Chor stoßende
(barock veränderte). Das Verhalten
der Scheidbögen erweist Schwan-
kungen im Baufortgang von O nach
W. Sie spitzen sich in den 5 westl.
Jochen merklich zu. Als kräftige
Stützen ordnen sich eckige und runde
Vorlagen um die quadratischen
Pfeilerkerne. Die Rundvorlagen
sind mit attischen Basen und Eckknollen verziert. Ihre Kapitelle zeigen z. T. Würfel-, z. T. Kelchform;
andere sind plastisch ausgestaltet
mit Voluten, Blattwerk, Rankengeschlinge, Masken und Schlangen
oder Vögeln. Schwere Rippengewölbe lasten über dem Mittelschiff,

Walderbach, Ehem.
Klosterkirche, Roman.
Malerei am Gewölbe
der Westempore

gratige Kreuzgewölbe über den
Seitenschiffen. Ein interessantes far-
biges *Dekorationssystem* überzieht
Rippen und Gurte. Es wurde 1888

unter der Tünche hervorgeholt. Rötliche Farben auf dünnem, hellgrauem Grund verbinden sich zu vielfältigen Orna-

mentfiguren von feiner dekorativer Wirkung. Auch die
Unterwölbung der W-Empore (die im 18. Jh. durch einen
Balkon erweitert wurde) zeigt derartige Bemalungen, die zu
den Seltenheiten im Bestand roman. Kirchenbauten gehören.
Die Dreischiffigkeit der Empore – kein zisterziensisches
Typikon – ist in der heimischen Baukunst vorgebildet. Auch
das ungewöhnliche Hallensystem der Kirche hat heimische
Wurzeln. Vergleichsweise sei auf die Kartaus Prüll, St. Nikolaus in Venedig b. Nabburg und St. Leonhard/Regensburg
hingewiesen. Der zarte Rokokostuck im Chor ist um 1730–35
anzusetzen. – Die *Altarausstattung* ist Werk des mittleren
18. Jh., desgleichen Kanzel- und Orgelprospekt. Vergessen
wir nicht die feine Kalksteinätzung des Epitaphs Hofer zu
Lobenstein (1. Pfeiler, links vor dem Chor), 1606.

Die **ehem. Klostergebäude,** um 1669, südl. der Kirche, haben in mehreren Innenräumen (wie im gut erhaltenen ehem. Refektorium) ihre alten
Rahmenwerkstukkaturen bewahrt.

WALDSASSEN (Opf. – G 4)

Zisterzienserinnenkloster St. Johannes Ev.

*Gründung des Markgrafen Diepold III. v. Vohburg 1131, besie-
delt vom thüringischen Zisterzienserkloster Volkenrode. Rasche
Entfaltung des (mit seinem »Stiftsland«) wohldotierten, in dieser
kaum besiedelten Randzone des Nordgaus aufs tätigste kolonisie-
renden, auch die böhmische Nachbarschaft in sein Interesse ziehen-
den Klosters, das 1143 Sedletz und 1194 Ossegg besiedelt. Ein
Privileg König Konrads III. 1147 – Verleihung des Königsschut-
zes, Befreiung von fremder Gerichtsbarkeit, freie Wahl des Schirm-
vogtes – öffnet den Weg zur Reichsunmittelbarkeit, der durch
Urkunden Friedrichs I. und Heinrichs VI. entscheidend gefördert
wird. In der Bestätigungsurkunde Kaiser Sigismunds, 1439, erscheint der Abt als »Fürst«. Der Übergang der Schirmherrschaft,
zunächst bei der Krone Böhmen, an Kurpfalz im frühen 15. Jh.,
wirkt sich schädlich aus, die Reichsfreiheit geht dahin. Kurpfalz
führt, 1556, die Reformation ein, 1571 ward das Kloster aufgehoben. Der Übergang der Oberpfalz an Kurbayern ändert die
Lage: 1669 zieht der Orden, mit Fürstenfelder Mönchen, wieder
in Waldsassen ein. 1690 regiert wieder ein Abt. Erneute Blüte, der
erst die Säkularisation, 1803, ein Ende macht. 1863 kommen die
Klostergebäude, auf dem Kaufwege, an die Zisterzienserinnen von
Seligenthal; seit 1925 ist Waldsassen wieder Abtei.
Auf den kleinen Gründungsbau von 1133 folgte bald eine größere
Basilika; sie wird 1179 in Gegenwart Kaiser Friedrichs I. geweiht.
1430 und 1433 hussitische Heimsuchungen, 1504, im Landshuter*

Erbfolgekrieg, brandschatzen die Markgräflichen. Die Reforma-
tion bringt einen Bildersturm (1565). 1633 und 1648 Schwedennot.
Aber nun wendet sich's zum Besseren. Der Orden kehrt 1669 zu-
rück und geht nun daran, die baufälligen Relikte des Klosters
abzutragen. 1681 wird zur neuen Kirche der Grund gelegt, 1695
können Stukkateure und Freskomaler ihre Arbeit beginnen. 1697
wächst die 2-Turm-Fassade empor, 1704 sind Kirche und Kloster
fertig. Dem »Grundt Burger und Maurer Master der Königl.
Newen Stadt Prag« Abraham Leutner gebührt der Ruhm des ent-
werfenden Architekten. Auch hatte er bis 1690 die Bauleitung inne.
Sein Werkmeister war 1685–89 Georg Dientzenhofer, der zugleich
die nahegelegene Kappel errichtete. Sein Bruder Christoph ist als
Maurermeister tätig. 1691 übernimmt Bernh. Schießer den Bau und
führt ihn zu Ende. Sein Werk ist die Fassade. Als Stukkateur wird
der oberitalienische Wanderkünstler Giov. Batt. Carlone verpflich-
tet, als Freskomaler Jak. Steinfels aus Prag. (Restaur. 1954–57;
»Basilika«-Titel 1969.)

Kirche. Das Ä u ß e r e zeigt einen Bau von starker Längenausdehnung. Große Fenster reihen sich in gleichmäßigen Abständen. Das Langhaus ist von 2 niedrigeren Baukörpern begleitet, ein Querschiff tritt hinzu, der Stumpf eines Turmes
folgt ihm im N. Länge und gerader Abschluß gehören zu
den wenigen zisterziensischen Eigenheiten, die der barocke
Bau übernommen hat. Die 2türmige W-Fassade ist 2geschos-
sig, durch Pilasterstellungen gegliedert. Ein mächtiger Seg-
mentgiebel vereint die 3 Achsen des Untergeschosses, ein
Dreieckgiebel die des oberen. Die Türme erscheinen geduckt
im Verhältnis zur Masse der Kirche; Zwiebelkuppel und
Laterne schließen sie ab. – I n n e r e s. Ein hoher, langer
Raum (lang 82, hoch 24 bei nur 13½ m Schiffbreite) umfängt den Eintretenden. 3jochig das Langhaus, von 2geschos-
sigen Kapellen begleitet. Jedes der 3 Joche trägt eine Oval-
kuppel. In mächtiger überkuppelter Vierung durchschneidet
das Querhaus. 3 Joche des Mönchschors leiten zum rechteckigen Altarraum. Die zeitgenössische Kunst Oberitaliens
befruchtete diese Anlage. Doch nicht so eindeutig wie etwa
in Münchens Theatinerkirche (1663–75), sondern abgewandelt, z. B. in den 2geschossigen Ovalkapellen. Dieser freiere
Typus kam über Prag und erfuhr im Passauer Dom (1668
bis 1678) eine andere großartige Ausprägung.

A u s s t a t t u n g. Von starker Formkraft sind die Stukkaturen
Giov. Batt. Carlones. Bei aller Üppigkeit herrscht klarste Disposition. Quellendes Blattwerk, reichgestaltete Kartuschen, eine unübersehbare Zahl figürlicher Motive. Über der Attika der Chor-

wand tragen je 8 Engelsfiguren reichgerahmte Bildmedaillons.
Zwölf Propheten auf dem Gebälk des Hochschiffs erläutern in
Textbändern die *Fresken* der Gewölbejoche. Über den Kapellen-
bogen christliche Tugenden (in Beziehung zu den benachbarten
Altären). Ein Putto zu ihren Füßen trägt jeweils ihre Embleme.
Die persische und phrygische Sibylle haben an der westl. Emporenbrüstung ihren Platz gefunden, und die Vierung beherrschen unten
die überlebensgroßen Figuren der 4 Kirchenväter. Schwere Ge-
wandmassen verstärken das Pathos der Gestalten. Ihre Formung
hat Bernini und Michelangelo zu Ahnherren. Der Freskenzyklus
von Jak. Steinfels behandelt im Chor die Sage vom Einsiedler
Gerwich, dem Freunde Diepolds von Vohburg. Die Begegnung des
frommen Büßers mit Diepold soll das Kloster veranlaßt haben.
Die Fresken im Langhaus erzählen aus dem Leben Christi und
Mariae, das der Vierungskuppel gibt Einblick in die himmlischen
Welten: Heiligenchöre (darunter bes. Zisterzienser) im Schutze
Mariens. Die Zwickelkartuschen zeigen die 4 ersten zisterziensi-
schen Ordensheiligen: Bernhard, Stephan, Alberich und Robert.
Ein anderer Künstler hat das Gemälde an der Stirnwand des
Chores geschaffen (Waldsassens Weihe durch St. Johannes): Clau-
dius Mono. – Der *Hochaltaraufbau* aus schwarzem und rotem
Marmor ist eine Schöpfung Carlones von 1696. Die Seitenfiguren
stellen St. Benedikt und Bernhard dar, im Auszug Moses und
Johannes Bapt. Cl. Mono fertigte die Gemälde: Kreuzigung
Christi (unten) und Gottvater (oben). Das seltsame Tabernakel,
dessen Sakramentarium als Weltkugel gebildet zwischen den Figuren der Verkündigung Mariae eingebettet ist, lieferte ein einheimischer Künstler, Karl Stilp, 1690. Das Antependium, reich mit
versilbertem Rankenwerk übersponnen, entstand 1715. Die Altäre
des Querschiffs wurden 1708 aufgestellt. Andreas Wolff (Marienaltar im N) und A. Maisthuber aus München (Bernhardaltar im
S) malten die Altarblätter. Die Altäre des ersten Kapellenpaares
entstanden um 1740, die übrigen 1725–27. Von hoher ornamentaler Erfindungsgabe zeugen die rankenüberspielten Wände der
Kanzel, um 1717. Unerhörten Reichtum zeigt das *Chorgestühl*.
Es wurde 1696 aufgestellt. Martin Hirsch ist sein Meister. Cl. Mono
fügte 1701 die Gemälde hinzu (alttestamentliche Motive). Apostelfiguren erscheinen zwischen den akanthusumlaubten ovalen Rahmen. Bewegte Puttenfiguren spielen vor den Baldachinstützen,
und die Wangen des Dorsale sind aus Akanthusbüscheln geformt.
Die Stukkaturen der *ehem. Sakristei* südl. des Chores hat Carlone
1696/97 ausgeführt.

Klosterbauten. Im S der Kirche gruppieren sich 3 Flügel um
den quadratischen Kreuzhof, errichtet zugleich mit dem
Kirchenneubau 1681–1704. Der Kreuzgang wurde 1688 von
Domenico Quadro aus Bayreuth stuckiert. Zu den hervorragendsten Räumen des deutschen Barock zählt die 1724–26

ausgestattete **Bibliothek.** Peter Appiani besorgte die Stuckierung. Die figürlichen Schnitzarbeiten lieferte Karl Stilp und
die Gemälde Karl Hofreiter. Am reich geschnitzten Portal
(N-Seite, urspr. Hauptzugang, jetzt innerhalb der Klausur
und also unzugänglich) die Figuren des Glaubens (Fides) und
der Wissenschaft (Minerva), Hinweise auf die Inhalte der
Bibliothek. Um den flachgewölbten Saal läuft eine geschnitzte Galerie, nur die Fensterwand freilassend. Sie wird
von burlesken Atlanten getragen. Humorvolle Einfälle finden ihre Darstellung: wenn die Haube in Form eines Storches
ihren Träger in die Nase zwickt, wenn aus dem Rauschebart
die Mäuse hervorkommen, wenn die große Zehe aus dem
zerfetzten Schuh ragt usw. Nach heute meist zitierter, aber
ganz ungesicherter Deutung illustrieren die Trägerfiguren
die Herstellung des Buches vom Papiermacher bis zum Leser. Der Lumpensammler, der den Rohstoff für das Papier
liefert, tritt auf; ihm folgt der Getreidemeister, der für den
Kleister sorgt; dann der Papiermüller, ferner Metzger und
Schweinehirt, von denen das Leder der Einbände bezogen
wird, schließlich der Verleger, der Autor, der Buchhändler,
Rezensent und Leser. Eine jüngste Deutung sucht den Schlüssel im »Narrenschiff« Sebastian Brants, und es könnte schon
sein, daß hier Narrenweisheit der durch den Glauben geklär-
ten des großen Ordensheiligen (»Meine Weisheit ist es, Christus zu kennen«) gegenübersteht. Die grotesken Szenen im
durchbrochenen Relief der Galeriebrüstung beziehen sich auch
wirklich, neben dem »Froschmeuseler« Rollenhagens, auf das
»Narrenschiff«. Ihr Schnitzer ist übrigens nicht Stilp, sondern
der Meister des Geschränks, der Klosterschreiner Andreas
Witt. Stilp gehören aber jedenfalls noch die Karyatiden (mit
den den »wühlenden« Gelehrten persiflierenden Maulwurfs-
pfötchen) und die Büsten heidnischer Weiser im Aufsatz des
Geschränks, die zu den (gemalten) christlichen Weisen, den
Kirchenvätern an der Decke, überleiten. Fein geschnitzte Rahmungen umgeben das Schrankwerk. Appianis Stuckornamentik schwingt locker über das Gewölbe, Bandwerk mit eingestreuten Ranken und Vögeln. Die Gemälde schildern St.
Bernhard (von N), wie ihn der Gekreuzigte umarmt, wie
ihm Christus und Maria erscheinen, wie er im Reimser Konzil über Gilbert de la Porée obsiegt und wie er sich in »Jesu
dulcis memoria« versenkt.

WALLERSTEIN (B. Schw. – C 5)

Der Name des Burgfelsens ging erst im 15. Jh. auf die Ortschaft über, die »Steinheim« hieß. Hauptachse ist die breite Marktstraße, die gegen N ins Residenzviertel ihre Nebenstraßen aussendet.

Vom **Alten Schloß** auf dem Burgfelsen ist nicht mehr viel da. Um 1120 bis 1147 tritt ein Konrad von Wallerstein auf, 1188 sitzen hier die Hohenstaufen, 1261 läßt sich ein Oettingen, Graf Ludwig III., nieder. An einen alten Kernbau legen sich in der Folgezeit Nebengebäude und Befestigungen. 1648 wird die Burg von den Schweden gebrandschatzt. Von der alten Felsenburg steht nur noch der äußerste Gebäudering mit seinem Torbau von 1562.

Neues Schloß. Die 3flügelige Anlage ist aus 3 gesonderten Bauteilen zusammengewachsen. Im frühen 16. Jh. entstand das »Grüne Haus«, der O-Flügel des südl. Traktes. 1651 folgte der »Galerietrakt« gegen W und 1665 der »Welsche Bau« zwischen beiden Gebäudeteilen, doch ohne Zusammenhang. Erst im frühen 19. Jh. werden die einzelnen Bauten verbunden. Im NW wird die *Schloßkapelle St. Anna* einbezogen, sie geht auf das 15. Jh. zurück. Ihr neugot. Altargehäuse umfängt ein Holzrelief der Hl. Sippe, um 1500, dem Daniel Mauch nahestand.

Reitschule. Am südl. Ende des Hofgartens erhebt sich der stattliche Ovalbau mit rechteckigen Flügeln. Der Wiener Baumeister Paul Ulr. Trientel lieferte den Entwurf. 1741–51 erfolgte die Ausführung. Eine weiträumige Reithalle, oval, mit Emporen besetzt, ist der eindrucksvolle Mittelpunkt. An die beiden Schmalseiten lehnen sich gleichgeartete Flügelbauten (jetzt Museum für Reit- und Wagensport). Gegen N erstreckt sich der Hofgarten bis zum biedermeierlichen Gewächshaus (1835).

Witwensitz »Moritzschlößchen«. Der 1803/04 von Belli di Pino errichtete Mittelpavillon erhält 1809/10 seine Seitenflügel und den verbindenden Glasgang. So entstand eine überaus freundliche, lockere Schloßanlage nach dem Ehrenhofprinzip des 18. Jh., doch schon im Geschmack eines biedermeierlichen Parkschlößchens. Das Gartenzimmer in der südl. Ecke des Erdgeschosses überrascht durch seine illusionistische Bemalung: Über der aufgemalten Balustrade öffnet sie einen weiten landschaftlichen Horizont, der alle größeren Orte des fürstlichen Besitzes zusammenfaßt.

Pfarrkirche St. Alban. Neben den um 1530 errichteten Turm, der 1611 in seinen oberen Teilen Umgestaltungen erfährt, wird 1612/13 das interessante Schiff gesetzt, das

gegen O in 2 Apsisrundungen schließt. Dem Turm gegenüber entsteht gleichzeitig die Sakristei. 1616 findet die
Weihe des Kirchenraumes statt. Es handelt sich um den hier
seltenen Typ einer 2schiffigen Halle, mit einer Mittelachse
von 4 Rundstützen, ein Werk der posthumen Gotik, das sich
auch im Fenstermaßwerk und in den Gewölberippen ausdrückt. Das W-Joch trägt doppelte Emporen. – Vom 1797
geschaffenen Hochaltar des Ign. Ingerl sind nur noch Teile
im 1890–92 umgestalteten Aufbau enthalten.

Die **Mariahilfkapelle** zwischen dem Burgfelsen und dem Neuen Schloß
ist ein Rundbau der Zeit um 1625.

Die *Pest- oder Dreifaltigkeitssäule*, auf der durch das späte
18. Jh. geprägten Hauptstraße, wurde als vorbeugendes
Votiv errichtet: Angst vor der 1720 aus Marseille gemelde-
ten Pest ist ihre Urheberin. Im gleichen Jahr erfolgte die
Stiftung. Das Monogramm des Meisters IGB meint Joh.
Gg. Bschorer aus Oberndorf, der hier bis 1725 an der Arbeit
war. Ein Obelisk trägt auf seinem Gipfel die Personen der
Trinität, deren Anrufung die vergifteten Winde abwenden
kann. Erbarmen heischend für die Menschheit schwebt Maria
im Wolkensturm, und auf dem Sockel erscheinen die 3 hl.
Fürbitter in solchen Krankheitsnöten: Sebastian, Rochus und
Antonius von Padua. Vorbild ist die berühmte Pestsäule am
Graben zu Wien (1687). Der figürliche Schmuck Bschorers
zeugt von hoher Meisterschaft.

WASSERBURG am Inn (Obb. – E 8)

*Eine Schleife des Inn mußte zur Anlage einer »Wasserburg«, die
den schmalen Zugang in die Schleife sichern konnte, auffordern.
Aber erst 1137 verließ Hallgraf Engelbert seine »Lintpurc«, wenig
flußwärts, um sich auf der »Hohenau« – Name einer schon bestehenden Fischersiedlung – niederzulassen. Am Fuße seiner Burg
entwickelte sich nun rasch die Stadt, begünstigt durch die hier den
Strom übersetzende Salzstraße. Der Wechsel der Herrschaft 1247
– der Graf wurde durch den Herzog entmächtigt – ist ihr nicht
abträglich. 1392 fällt sie an Bayern-Ingolstadt, 1447 an Bayern-
Landshut, 1503 an Bayern-München. Die wenig später dekretierte
Verlegung des Salzzuges an die Rosenheimer Inn-Brücke trifft sie
hart, härter noch die Konkurrenz der Schienenwege. Das Jahrhundert der Industrie ließ sie abseits liegen. So blieb Wasserburg
was es war, und so ist es noch eine der besterhaltenen unter den so
eigenartigen Inn-Städten.*

Weltenburg. Klosterkirche, St. Georg vom Hochaltar

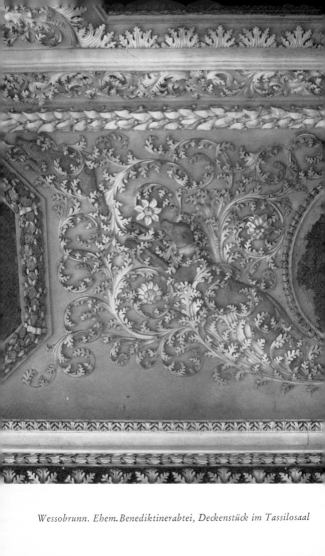

Wessobrunn. Ehem. Benediktinerabtei, Deckenstück im Tassilosaal

Stadtpfarrkirche St. Jakob

Am 4. März 1410 entschließt sich die Stadt, ihre Pfarrkirche »zu wölben und zu bauen«. Der ungenannte, aber erschließbare Baumeister ist Hans von Burghausen, »Stethaimer« (s. seine Gedächtnistafel bei St. Martin in Landshut). Er dürfte den Großteil des Langhauses (3 Joche, einschließlich Wölbung) gebaut haben, das aber so erheblich von seinen Raumbildungen abweicht, daß die Beteiligung des sog. jüngeren Hans Stethaimer (1431 als Baumeister der Pfarrkirche bezeugt) angenommen werden muß. 1445 wird der Chor, doch wohl des älteren Baues, abgebrochen und vom Salzburger Stiftsbaumeister Stefan Krumenauer neu aufgeführt. Krumenauer erstellt auch den Turm bis zu 3 Geschossen und die ihm seitl. anliegenden Kapellen (1452–54). Der Vollender des Turmes ist der Wasserburger Meister Wolfg. Wieser (1478). – Die 1635 und in den folgenden Jahren geschaffene barocke Ausstattung wurde vom Restaurator des 19. Jh. (1879/80) großenteils wieder ausgeräumt.

Äußeres. Mächtige, blockhafte Form ohne besondere Gliederung. Das Langhaus zur Gänze in unverputztem Backstein, Chor und Turm in Tuffquaderwerk. Niedere Seitenkapellen zwischen den anliegenden Strebepfeilern. Der Turm mit schlichtem Maßwerkrelief tritt nur in seinen 3 oberen Geschossen aus dem Baukörper heraus. Seine stumpfe Bedachung ist offenbar Verzicht. An der südöstl. Chorwand Gemälde des Lebensbaumes von Berth. Furtmeyer aus Regensburg 1460 (erneuert 1864, 1929, 1957). – I n n e r e s. 3jochige Halle mit niederen Seitenkapellen. Der Raum ist, für »Stethaimer«, ungewöhnlich breit proportioniert; ungewöhnlich auch der tiefe Ansatz der Wölbungen. 3teilige Turmvorhalle. Der Chor schließt nach einem Vorjoch mit 5 Seiten des Achtecks. Hohe Kapellen begleiten ihn zwischen den eingezogenen Streben. Freipfeiler in der Grundrißform eines langgestreckten Achtecks tragen in den 3 Langhausjochen Sterngewölbe, deren Rippen (Stuck) sich auf profilierten Konsolen sammeln. Die jüngeren Teile zeigen reichere Gewölbeformen: im Chor gewundene Reihungen, fischblasenartig geschwungene Rippen, im Turm komplizierte Sterne. Die Verschiedenheit der Gewölbetypen kennzeichnet 2 Entwicklungsstufen der ausklingenden Gotik: verhältnismäßig klare, ruhige Form im Langhaus; bewegte Formenhäufung auf Kosten der Straffung im Chor.

A u s s t a t t u n g. Von der barocken Einrichtung hat sich die bedeutende *Kanzel* erhalten, eine Arbeit der Brüder Martin und

Mich. Zürn von 1638/39, ungefaßt. Gedenkstein Herzog Ludwigs im Bart 1415 anläßlich des Ausbaus der Stadtbefestigung mit Darstellung des hl. Oswald. (Ähnliche Gedenksteine in Schrobenhausen, Friedberg, Aichach.) Ölbergrelief 2. Hälfte 15. Jh. – Schöne figürliche Reliefplatte für Hs. Baumgartner († 1500; Kapelle hinter dem Hochaltar), wahrscheinl. von Wolfg. Leb. Ein vortreffliches Werk der jungen Renaissance ist der heraldische Grabstein für Wolfg. und Jörg Gumpezheimer (1521) an der südl. Außenwand.

Frauenkirche (Marienplatz). 1. Hälfte 14. Jh., eingewölbt 1386. Der W-Turm stand urspr. als Stadtturm allein. Seine Bekrönung 1501/02 von Wolfg. Wieser. Basilika mit blindem Obergaden; die 3 Schiffe liegen unter einem hohen Dach zusammengefaßt. Empore mit Stuckdekor Ende 16. Jh. 1753 in (damals rückständiger) Régence-Manier barockisiert. Im Hochaltar Muttergottes aus dem frühen 15. Jh. (Gnadenbild). Auf dem nördl. Seitenaltar Figuren der hll. Blasius und Apollonia, Ende 15. Jh. Taufstein 1520.

Hl.-Geist-Spitalkirche (am Brucktor). Gegr. 1341. 1schiffiger Bau Ende 15. Jh. mit eingezogenen Strebepfeilern und Netzgewölbe. Bedeutendster Besitz des Hl.-Geist-Spitals ist ein Schnitzwerk des frühen 15. Jh.: Muttergottes im Ährenkleid als Zeichen himmlischer Frucht- und Segensfülle.

St. Achatz in der Achatzvorstadt am anderen Inn-Ufer. Ehem. Kirche des Leprosenhauses. 1403 erwähnt. Neubau 1483–85 durch Wolfg. Wieser. Bescheidener Wandpfeilerbau.

Gruft- und Michaelikirche, ehem. Friedhofskapelle. Sie lehnt sich gegenüber der Pfarrkirche an den Steilhang. Erbaut 1501–03 durch Wolfg. Wieser. 2 Kapellen als Geschosse übereinander mit eigenen Eingängen. Netzgewölbe. (Profaniert.)

Ev. Pfarrkirche, gebaut von v. Werz und Ottow, 1953/54.

Burg. An die Stelle des mittelalterl. Palas trat 1531 der schlichte Neubau Herzog Wilhelms IV. mit seinen hohen Stufengiebeln. 3 netzgewölbte Gänge liegen darin übereinander und sind durch geradeläufige Treppen (in dieser Zeit noch selten in Deutschland!) verbunden. Saal im 1. Obergeschoß mit Erker. Westl. vom Schloßbau der Getreidekasten von 1526. Beide Bauten im 19. Jh. stark verändert. – Dazwischen die

Schloßkapelle St. Aegidien, ein einfacher Bau mit spitzem Turm, wohl 1465 errichtet von Jörg Tünzel. Turm 1475. 1schiffiger got. Wandpfeilerbau, dessen Unregelmäßigkeiten durch den angrenzenden Getreidekasten bedingt sind. Akanthus-Stukkaturen um 1710.

Rathaus. Hochgiebeliger Gebäudekomplex 1457–59 von Jörg Tünzel, mehrfach umgebaut und erneuert. Die uralte Verbindung von Ratsstube, Tanzhaus, Kornschranne und Brothaus hat sich hier erhalten. Die Ratsstube im Obergeschoß besitzt noch ihre geschnitzte Balkendecke von 1564

über Wandgemälden derselben Zeit von Wolfg. Wagner: allegorische Gestalten des Rechtswesens, Salomonisches Urteil und Weltgericht. Geschnitzte Tür 1666, Uhr 1668, gußeiserner Ofen 1731. Das »Tanzhaus«, der große Saal, wurde 1902–05 völlig neugestaltet und ausgemalt. Die Kornschranne, im Erdgeschoß, wurde durch Veränderungen im 19. Jh. entstellt. Daneben das Brothaus, eine Bogenhalle mit rechteckigen Kisten zum Feilbieten der Bäckerware.

Die **Wohnbauten** sind typisch inntalisch: Flache, oft gerade abschließende Frontwände reihen sich im Straßenbild. Zuweilen ist das Erdgeschoß von Laubengängen durchzogen. Die Dächer, sog. Grabendächer, unsichtbar hinter den hochgeführten Mauern gehen letzten Endes auf (in anderen Städten nachweisliche) baupolizeiliche Vorschriften zurück, wenn sie auch eine ästhetische Bereitschaft für die flachschlüssige Blockform des Hauses voraussetzen. Italienische Anregungen sind kaum anzunehmen. Das älteste Haus ist das 1497 gebaute **Irlbeckhaus** an der Schmiedzeile (93); das **Obermeiersche** an der Herrengasse (41) ist kaum viel jünger, auch der Habitus des **Mauthauses** an der Ecke des Marktes (Marienplatzes) zur Bruckgasse, das 1531 umgebaut wurde, ist noch gotisch. Einen beispielhaften Hof des späten Mittelalters mit dreifachen Laubengängen, Spindeltreppe und Maßwerkzier besitzt das Haus der **Marienapotheke**; jünger, spätes 16. Jh., ist der Laubenhof des Anwesens Marienplatz 11. Auffallend: die meist beträchtliche Tiefenerstreckung. Die prächtigste Fassade weist das **Kernhaus** (Marienplatz 9–10) vor mit köstlicher (1968 restaur.) Stuckdekoration von Joh. Bapt. Zimmermann 1738–40. – Reizvolle, charakteristische Straßenpartien in der Schmiedzeile, der Bruckgasse, der Lederergasse, der Nagelschmiedgasse *(Tafel S. 929)*.

Brucktor. 1470 von Wolfg. Wieser, 1568 erneuert, später leicht verändert. – **Inn-Brücke** 1929 erneuert.

Vorzügliches **Heimatmuseum** (Heimathaus), Herrengasse 15 (seit 1938).

WECHTERSWINKEL (Ufr. – D 1)

Ehem. Zisterzienserinnenkloster

In der 1. Hälfte des 12. Jh. gegr., blüht das Kloster so rasch auf, daß die Zahl der Nonnen 1231 auf 100 beschränkt werden muß.

Durch die Kriege des 16. Jh. verödet es, Bischof Julius von Würz-
burg hebt es 1589 auf.

Die 1179 geweihte **Kirche**, eine 3schiffige flachgedeckte Pfeilerbasilika, erlitt im frühen 19. Jh. Änderungen: Verkürzung des Langhauses im W, des Chores im O. Das Mittelschiff hat die roman. Prägung bewahrt. Rundbogige Pfeilerarkaden, geschlossene Wandungen mit hochsitzenden Fenstern.
Das Äußere des Quaderbaus ist schlicht. Ein Rundbogenfries
umfährt die halbrunde Chorapsis (1811 aus dem alten Material wiederaufgebaut). Ein von 2 Säulen gerahmtes Rundbogentor, über dem 3 Reliefkreuze angebracht sind, schmückt
die W-Seite.

Die **Konventsgebäude**, in südl. Anlehnung an die Kirche, sind spätgotisch, doch vielfach umgestaltet.

WEIDEN (Opf. – F 4)

Die **Anlage der Altstadt** entspricht dem Typus altbayerischer Städte-
gründungen des 13. Jh.: Ein breiter Straßenmarkt, dessen Mitte, frei
stehend, das Rathaus besetzt, ist Rückgrat (vgl. etwa Straubing). Rechtwinkelig münden die Nebenstraßen, abseits steht die Pfarrkirche. Von
einer vermuteten älteren Vorläuferin der Stadt (im W) rührt die Unregelmäßigkeit im Stadtgrundriß, die es nicht zum Viereck kommen
läßt.

Ein erster Mauergürtel wird im 13. Jh. anzusetzen sein, denn 1298
ist Weiden bereits »oppidum«. Im 14. Jh. geht die Stadt als Pfand-
schaft durch die Hände verschiedener Eigentümer, darunter
Bayern, Böhmen, Sachsen, Nürnberg und Leuchtenberg. 1421 bis
1703 ist es dem Fürstentum Pfalz-Sulzbach zugehörig. Verheerende
Brände 1536 und 1540 vernichten das mittelalterl. Stadtbild. 1575
entsteht ein äußerer Mauergürtel (Rest: Flurerturm). Die Span-
nungen des Reformationszeitalters – nach Einführung der Lehre
Luthers 1542 – wirken sich im 30jährigen Krieg besonders hart
aus. Rekatholisierung 1627, Eroberung durch die Schweden 1634,
durch die Kaiserlichen 1635 und wieder durch die Schweden 1648.
Brandschatzungen und Seuchen spielen der Stadt übel mit. Sie er-
holt sich nur langsam und erreicht erst seit 1863 als Eisenbahn-
knotenpunkt und durch Ansiedlung von Industrie (Porzellan,
Glas, Textilien) ihren Wohlstand.

Ev. Pfarrkirche St. Michael

Ein roman. Bau geht voran (Reste im nördl. Turmstumpf). Nach
einem Brandunglück um 1400 beginnt der got. Neubau aufzuwach-
sen, dessen Chor 1448 und dessen Langhaus 1469 fertig stehen.
Die Inschrifttafel über dem Hauptportal saß urspr. im Chorbau,
auf den sich das Vollendungsdatum 1448 bezieht. Neues Brand-

unheil, 1536, gebietet durchgreifende Wiederherstellungen im 16. Jh. 1543 ist der Chor zu Ende gebracht, 1565 folgt das Langhaus, 1576 der Turm. Dieser stürzt 1759 ein und zerstört die Gewölbe. Neuwölbung und Turmbau, zugleich eine durchgreifende Barockisierung, sind 1761 abgeschlossen. Der Turm zeigt seitdem die schmucken Formen des Spätbarock.

Der Raum ist eine Halle auf Rundpfeilern, doch sind die Seitenschiffe wesentlich niedriger. Gewölbe und Fenster wurden fast alle barock verändert. Den eingezogenen Chor flankieren 2 Türme. Doch nur der südliche ist ausgebaut (1759 bis 1762). Der stattliche Hochaltar wurde 1791 aufgestellt. Seine Formensprache ist zwar meisterlich, doch für das späte Datum etwas rückständig. Das mag auch von der Kanzel gelten (1787). Der bedeutende Orgelprospekt von 1565 mußte einige Überarbeitungen über sich ergehen lassen.

Neben der Kirche steht noch das **Alte Schulhaus**, ein mächtiger 7geschossiger Bau von Mich. Ermweig, 1566. Unter einem gemeinsamen Dachstuhl (der als Kornspeicher diente) sind 8 selbständige Reihenhäuser zusammengefaßt, deren jedes einen eigenen Treppenaufgang besitzt. Die beiden Eckhäuser enthielten die Deutsche Schule (am Pfarrplatz) und die Lateinschule (an der Schulgasse). Dazwischen Wohnungen für Lehrer, Pfarrer und Mesner. Von den 5 Bautafeln an der der Kirche zugewendeten Seite meint die älteste den Vorgängerbau, 1529. Das mittelalterl. Lichthäuschen (links) stammt aus dem ehem. Friedhof.

Kirche St. Sebastian. Der einfache Bau, 1486 gestiftet, erfuhr im ausgehenden 17. Jh. eine Wiederherstellung. Aus St. Michael stammt das Epitaph, das Pfalzgraf Friedrich v. Vohenstrauß 1590 seinen beiden Kindern setzen ließ. Im oberen Drittel stehen die beiden kindlichen Prinzen, barfuß und doch zugleich in würdevoll-höfischer Tracht.

In der **Arkade bei der Städt. Sparkasse** 8 beachtenswerte Epitaphien aus dem ehem. Friedhof bei der Kirche zum Hl. Geist.

An Kirchenbauten des 20. Jh. seien genannt: die Stadtpfarrkirche **Herz Jesu**, 1933/34, von O. Orlando Kurz und E. Herbert, **St. Elisabeth** (mit Unterkirche), 1954, von H. Meckler, und die aus einem Industriebau gewonnene **St. Johanneskirche**, 1955, von F. Haindl.

Rathaus. 1539–48 entstand, auf Resten eines verbrannten Vorgängers, der Neubau. Sein Achteckturm beherrscht den langgestreckten Straßenmarkt. Die kreuzförmig angelegten Durchgänge im Erdgeschoß (ein Arm später abgemauert) erklären sich aus dem ehem. Verlauf des Stadtbaches in der Längsachse, dem man aus Gründen der Brandbekämpfung bes. Aufmerksamkeit schenkte. Das äußere Erscheinungsbild wurde 1915 beeinträchtigt (Giebel, Freitreppe). Über der Treppe ein Maskenstein aus dem 13. Jh.; an der N-Ecke Reste des Prangers mit Standplatte und 3 (erneuerten) Halseisen; unten am Turm die mittelalterl. Stadtmaße Schuh und Doppelelle.

Zahlreiche **Wohnhäuser** haben den Charakter des 16. und 17. Jh. bewahrt. Ihre zur Straße gewandten Giebel prunken mit gestaffelten Schmuckformen, mit kleinen Pilastern, Gesimsen und gerundeten Giebeln. Das Eckhaus Marktplatz/Thürlgasse besitzt einen schönen Erker von 1583.

Von der **Stadtbefestigung** blieb nur wenig erhalten, einzelne Fragmente wurden in Wohnbauten einbezogen (so auch 2 Batterietürme). Im SW (Judengasse–Thürlgasse) sind Teile des Wehrgangs erhalten. Außerdem an den Eingängen zur Altstadt die beiden **Tore**; in den Grundlagen wohl noch 13. Jh., doch später, bes. im 17. Jh., mehrfach verändert.

WEIDENBACH (Mfr.) → Triesdorf (C 4)

WEIHENLINDEN (Obb. – D 8)

Wallfahrts- und Klosterkirche Hl. Dreifaltigkeit

Eine offenbar sehr alte hl. Stätte, ein schon im 16. Jh. umzäuntes, eine Martersäule, 3 Grabhügel und 2 Linden umschließendes Gärtchen, veranlaßt 1643–45 den Bau einer Kapelle, in der ein altes Marienbild aufgestellt wird. Die Entdeckung einer Heilquelle kommt der schnell aufblühenden Wallfahrt zugute, die 1650 an das Kloster Weyarn gelangt. 1653 beginnt über der kleinen Kapelle, einem Achteck, eine große Kirche zu entstehen, die, angebl. nach dem Plan des Bauherrn, des Propstes Valentin, errichtet, 1657 geweiht wird. – 1803 verfiel das angeschlossene Klösterl, eine Expositur des Augustiner-Chorherrenstifts Weyarn, der Säkularisation. 1962 übernahm es der Servitenorden.

Äußeres. Hinter hohen Linden birgt sich die von 2 Türmen und 2 Treppentürmchen bestandene Fassade. Die freundlichen Zwiebelhelme der im übrigen nur durch die Paarung auffälligen Türme sind Blickziel der Mangfall-Landschaft, über deren südl. Horizont der Kopf des Wendelsteins steht. Der langgestreckte Außenbau ist anspruchslos: eine 3schiffige Basilika, über deren Seitenschiffen, wie wir, ins I n n e r e eintretend, feststellen, Emporen laufen. Im letzten Joch des flach schließenden Mittelschiffs steht die alte *Gnadenkapelle*. Pilaster gliedern die in Arkaden und Emporen geöffneten Wandflächen. Ovalfenster sind die Lichtspender der Schiffe.

Die Stukkatur, weiß auf getöntem Grund, entstand, lt. Chronogramm, 1736; Band- und Gitterwerk an den Hochwänden unter der Decke des Mittelschiffes, an Pfeilern und Pilastern. In den Feldern über den stichbogigen Arkaden Kartuschen, die allegorische *Fresken* einschließen, kleine Engel mit Blumenfestons und Flatterbändern, an den Bogenscheiteln der Emporen Putten, Wappenschilde. Die hölzernen Schrägdecken der Emporen sind kassettiert. Die Fresken sind derb (aber eine stämmige Derbheit ist das Merkmal dieser Bauernkirche), im Mittelschiff handeln sie von der Verehrung des Gnadenbildes, in den Seitenschiffen vom Marienleben. Die Stukkaturen in der überkuppelten Gnadenkapelle sind um runde 2 Jahrzehnte jünger. Der *Hochaltar*, um 1660 und zu Beginn des 18. Jh. überarbeitet, ist ein Doppelaltar, unten dem hl. Joseph, oben der Hl. Dreifaltigkeit gewidmet; sein Aufbau verblendet die 3 westl. Seiten der Gnadenkapelle, deren gleichzeitiger Altar (mit dem spätgot. Gnadenbild) 1757 seinen Baldachin hinzugewann. Gleichen Alters mit dem Hochaltar ist auch die Kanzel, deren Schnitzfiguren wahrscheinl. dem Münchener Konstantin Bader zu danken sind. Die Seitenaltäre sind jünger, Mitte 18. Jh. – Nördl. und südl. liegen den Seitenschiffen gedeckte Arkadengänge für die Wallfahrer vor, der nördliche öffnet sich in die 8eckige Brunnenkapelle. Diese Anbauten sind einfach, aber charakteristisch für die Stimmung dieser Kultstätte des bayerischen Bauernlandes.

WEILHEIM (Obb. – C 7)

Eine ältere, frühbaierische Siedlung lag um St. Pölten. Sie kam, angebl. schon durch Herzog Tassilo, an das benachbarte Kloster Polling. Nach dem Erlöschen eines sich nach Weilheim nennenden edelfreien Geschlechtes, 1234, setzt sich der Herzog fest, der nun wenig später, um 1236, neben der älteren Dorfsiedlung seine Stadt Weilheim gründet. Ihre Entwicklungsmöglichkeiten sind begrenzt. Indessen sorgen die vielen Prälaten ringsum für ein auskömmliches Bürgerdasein; und bringt das kleine Weilheim vom 15. bis ins 18. Jh. eine so erstaunliche Anzahl von Künstlern und Kunsthandwerkern hervor (oder zieht sie an), dann lagen die äußeren Voraussetzungen bei dieser Nachbarschaft. »Magnorum ingeniorum felix patria«, sagt F. S. Gailler, der Verfasser der Vindelicia Sacra. Nennen wir die besten Namen: Krumper, Reichle, Petel, Angermayer, Degler, Greimolt, Greither, Kipfinger, Steinle, Steinhardt, Dürr, Schmädl; Namen, die auf vielen Seiten dieses Führers vermerkt sind.

Der **Stadt**umriß ist nahezu quadratisch. Die Gassen verlaufen fast alle gerade, binden sich aber nicht an das den herzoglichen Planstädten sonst eigentümliche Schema eines Netzes längs- und quergerichteter Achsen. Doch liegen Platz und Kirche genau in der Mitte. Mauern und Graben des Spätmittelalters noch großenteils erhalten; die 4 Tore fielen der Fortschrittlichkeit des 19. Jh. zum Opfer.

Pfarrkirche St. Mariae Himmelfahrt. 1624–31 erbaut unter Förderung Kurfürst Maximilians I. Die Bauleitung lag vermutl. in Händen des Bildhauers Barth. Steinle. Von einem vorausgehenden Bau stammen die unteren roman. Teile des Turmes. Oktogon und Kuppel werden 1573, vom Weilheimer Hans Guggemoos, aufgesetzt. Stattlicher W-Giebel. Weiträumige Wandpfeilerkirche von 4 Jochen. Eine starke Einziehung, bedingt durch Einschneiden des Turmes, dem gegenüber die Sakristei entspricht, leitet zum überkuppelten Chor, der sich zu seitl. Kapellen mit schrägem Abschluß erweitert. Fensterformen wie Stuckinkrustation sind typisch für die Zeit um 1624–31: vorherrschend Rahmenwerk, dessen Felder mit Engelsfiguren, Vasen, Laubwerk u. a. gefüllt sind. Das runde Fresko Elias Greithers (1627/28, St. Michael) vereinigt die 2 mittleren Joche des Schiffes. Die beiden östl. Seitenkapellen erhielten um 1760 Rokoko-Stukkatur. – Hochaltar 1792 mit Gemälde von Ulrich Loth, 1641, Himmelfahrt Mariens. Tabernakel 1762–65. In der östl. Kapelle der N-Wand Seitenaltar von Fz. Xav. Schmädl, 1765, dessen Seitenfiguren St. Veit und Katharina einen Christus in der Rast des frühen 16. Jh. flankieren. Dort auch der ergreifende »Gabelkruzifixus« aus der Mitte des 14. Jh. Mittlerer Kapellenaltar der S-Seite 1790 mit Gemälde von Mart. Knoller, Beweinung Christi. Die Altarblätter der beiden westl. Kapellen von E. Greither 1630, Enthauptung Johannis d. T. und der hl. Margaretha. Den Altären gegenüber 4 Gemälde von Joh. Bader um 1770. St.-Michaels-Figur um 1765 von Fz. Xav. Schmädl. – Vergessen wir nicht die Wurzel-Jesse-Monstranz, ein hochbedeutendes Goldschmiedewerk des Einheimischen Fz. Jos. Kipfinger, 1698.

Friedhofskirche St. Salvator und Sebastian. Originell in Grund- und Aufriß, zudem gut ausgestattet. Das 1449 gestiftete Oktogon, dessen Rippengewölbe einer schlanken Mittelstütze auflasten, wurde 1480 um den östl. anliegenden Chor erweitert. 1526 gewann es die Vorhalle, 1581 den Turm hinzu. Dank der die Gewölbekappen überziehenden Fresken des Elias Greither, die 1591 dat.), doch noch heimlich gotisch sind und sich füglich mit dem got. Raume wohl vertragen, ist die Wirkung erwärmend farbig. Kommt noch der Altar hinzu, der einen Schrein des späten 16. Jh. mit gemalten Flügeln des späten 15. verbindet, neben dem auch noch das (aus Benediktbeuern zugebrachte) Altärchen von 1611 zu nennen ist, dessen Schrein Barth. Steindl, dessen Bild (Verkündigung) El. Greither gehört.

ST. PÖLTEN, Kath. Pfarrkirche St. Hippolyt. In der Gründung die wohl älteste Kirche der Siedlung Weilheim. Der bestehende Bau ist das Ergebnis einer Umgestaltung des späten 18. Jh. Die Deckenfresken schuf J. Seb. Troger 1782. – Die **Agathakapelle**, daneben, wurde 1511 aufgerichtet und 1674 umgebaut. Das ausgezeichnete Holzrelief der Beweinung am Hochaltar (z. Z. im Pfarrhof) doch wohl von Hans Leinberger.

Mariensäule 1698 von Ign. Degler (1856 restaur.). *Stadtbrunnen* 1791 (erneuert). **Altes Rathaus** 1788. – Reste der **Stadtbefestigung** aus dem 14. Jh.

WEISSENBURG
(Mfr. – D 5)

Ein Römerkastell (»Biricianis«) steht am Eingang der Geschichte Weißenburgs »am Sand«, das 867 faßbar wird. Der Aufstieg zur Reichsstadt vollzieht sich im 14. Jh. Die kaiserliche Schenkung des Reichswaldes, 1338, schafft eine gute wirtschaftliche Grundlage. Die Verleihung des Blutbanns, 1431, und das Recht, ihren Amtmann zu ernennen, freit die Stadt gänzlich. – Die Platzbezeichnung »Am Hof« dürfte auf den karoling. Königshof zurückweisen, und der Stadtplan läßt auch deutlich erkennen, daß sich um diese Keimzelle herum (im NW-Teil der Stadt) die älteste Siedlung anlegte; ihrem Bereich gehört auch noch die Andreas-

Weißenburg, Ellinger Tor

kirche zu. Diesem Kern schloß sich östl. die zur Stadt heranwachsende Bürgersiedlung an. Ihr ältester, wohl im 12. Jh. angelegter Bering blieb südlich beträchtlich hinter dem des Spätmittelalters zurück; das Spitaltor weist die alte Grenze. Die Stadterweiterung geschah mit kaiserlicher Bewilligung 1372; sie kam fast einer Verdoppelung des Stadtareals gleich und griff auch weiter aus als nötig, denn die Neustadt blieb, bis in die neueste Zeit, sehr locker bebaut. Der Anlage ihrer Befestigung folgte bald eine Erneuerung der älteren;

*sie ist zu Anfang des 15. Jh. beendet. Nur die Vorwerke der Tore
kamen noch im frühen 16. Jh. hinzu.*

Der **Mauergürtel** umzieht noch, mit vielen Türmen bewehrt, in geschlossenem Ring die Stadt, einer der besterhaltenen. Von den Toren stehen noch 2: das **Ellinger Tor** (N),
das die von Nürnberg kommende Straße einläßt, und das
Spitaltor (S), das Tor der ältesten Stadtbefestigung, das die
Augsburger Straße einließ, ehe ihm das vorgeschobene (nicht
mehr bestehende) Frauentor diese Aufgabe abnahm. Das
Spitaltor geht, unterenteils, noch ins frühe 14. Jh. zurück,
oberenteils dat. es 1729. Das Ellinger Tor läßt für den Torturm sicher auch noch das 14. Jh. in Anspruch nehmen, nur
sein Schmuck (wie es uns heute scheinen will), das Vorwerk,
entstand später, 1520. Der hohe städtebauliche Reiz dieser
Toranlage gewinnt noch durch die Nähe des Pfarrkirch-
turms, der, kommt man von außen, bereichernd ins Bild
tritt.

Ev. Pfarrkirche St. Andreas

*2 Bauzeiten haben sie geschaffen. Anfang des 14. Jh. (Weihe 1327)
entstand das Langhaus, auch der Turm am O-Ende des N-Seitenschiffs. Reichsstädtischer Ehrgeiz trieb ein Jahrhundert später zu
einem Neubau. Um 1440 wird ein neuer Chor in Angriff genommen. Seine starke südl. Abdrehung von der Achse des Schiffes
dürfte erweisen, daß ihm ein Schiff gleichen Maßes folgen sollte.
Aber schon während des Chorbaus scheint das Unternehmen fraglich geworden zu sein; denn in den westl. Jochen näherte sich die
Achse des Chores wieder der des Langhauses an; man hatte sich
offenbar entschlossen, das alte Langhaus zu belassen. Der Verzicht
schloß aber nicht den eines Turmes ein. Der an der N-Seite erschien wohl zu gering. So wurde nun, an ungewöhnlicher Stelle,
am Scheitel des neuen Chores, ein mächtigerer errichtet, 1459 beg.,
steht er 1465, bis aufs letzte Geschoß, das 1520 folgt. Restaurierungen 1836–39 und 1892/93. Die erste räumte einen Gutteil der bis
dahin noch bewahrten alten Ausstattung ab.*

Das Ä u ß e r e ist durch die schöne Gruppe des hohen, steil
bedachten Chores und des ihm vorgesetzten, in 2 rechteckigen und 3 achteckigen Geschossen aufsteigenden Turmes
charakterisiert. An Langhaus und N-Turm ist wenig Schmuck
gelegt. Auch der Chor ist noch wortkarg. Nur die ihm südl.
anhängende doppelgeschossige *Michaelskapelle* (gleichen Alters, jetzt Taufkapelle) ist, dank ihrem Vorhallenportal, reicher, ja beinahe reich. Ein Wimperg krönt den äußeren Torbogen, dicht gereihtes Gestäb umfährt den inneren, dessen

Bogenfeld ein Relief, Tod und Krönung Mariä, das älter als
die Kapelle ist (um 1430), einschließt. Das Treppentürmchen,
an der W-Seite der Kapelle, tut dann noch ein übriges, um
diese Schauseite zu bereichern. – Das I n n e r e ist durch das
Gegeneinander des älteren basilikalen Langhauses und des
jüngeren Hallenchores bestimmt. Die Schiffe sind flach gedeckt (nur die beiden östl. Joche des nördl. Seitenschiffs wurden 1448 überwölbt). Aus 8kantigen Pfeilern fahren, ohne
Absatz, die Scheidbogen heraus. Ein breit gespannter, schwach
geknickter Spitzbogen überbrückt den Einblick in den Chor,
der nun seine helle Raumweite ausbreitet. Seine Außenwand
bricht in 7 Seiten des Zwölfecks, die innere, den Umgang
abgrenzende Pfeilerreihe steckt 5 Seiten des Zehnecks ab.
Die Pfeiler sind rund, sehr schlank, die Rippen des (nicht
eben reich figurierten) Netzgewölbes schneiden sie an; es ist
nicht so, als stiegen sie von ihnen auf, sondern als griffen sie
zu ihnen herab. Aus hohen Fenstern einströmend, tastet sie
modellierend das Licht ab. Möglich, daß der (ältere) Nürnberger Sebalduschor vorbildlich war. Der Raumeindruck ist
freilich ein anderer, dieser Weißenburger Hallenraum ist
nüchterner, bürgerlicher. Einer der achtbarsten der deutschen Sondergotik ist er jedenfalls. – Die A u s s t a t t u n g
weist noch einige gute spätgot. Altarwerke auf: den Hochaltar, um 1500, mit der Schreinfigur des Titelheiligen, den
Sebaldusaltar von 1496, mit Muttergottes zwischen den hll.
Benedikt (?) und Rochus, den Marienaltar mit Strahlenkranz-
muttergottes im Kastenschrein, um 1490, beide im Chor.

Ehem. Karmelitenkirche (jetzt Kinderlehrkirche). Das Stiftungsjahr des
Klosters, 1325, mag den Beginn des Kirchenbaus anzeigen. Die kleine
bescheidene Kirche besteht aus Schiff, einem (nördl.) Seitenschiff und
Chor. Nur dieser zeigt noch innen und außen die alte got. Prägung.
Das Langhaus trägt den Stempel einer Erneuerung von 1711 und 1791.
– Ein 1914 aufgedecktes Fresko an der N-Wand des Chores, von etwa
1390, erfreut durch die Erhaltung seiner kräftigen Farben; auch sein In-
halt, die Kümmernis-Legende, fesselt.

Die **Spitalkirche**, am Spitaltor, wurde um 1450–60 gebaut. 1729 wurde
der nordwestlich stehende, von der Achse leicht abgedrehte (also ältere)
Turm erhöht. Zugleich wurde das Innere, wahrscheinl. unter Leitung
Gabrielis (der jedenfalls beteiligt war), im Sinne der Zeit erneuert. Zarter Bandelwerkstuck. Die ältere Ausstattung wurde um 1850 beseitigt.
Ein achtbares Relikt ist die Kanzel von 1675. – An den Flanken des
westlich einlassenden Kielbogentörchens 2 Steinfiguren, Muttergottes und
hl. Barbara, die, um 1450–60 entstanden, doch offensichtlich Exempeln
des »klassischen« 13. Jh. folgen.

Die neugot. **kath. Pfarrkirche St. Willibald** wurde 1869/70 errichtet.

Das **Rathaus** steht vorzüglich, an einem Angelpunkt des
alten Stadtverkehrs. Die Breitseite (S) wendet es dem Marktplatz zu, die O-Seite dem langen Holzmarkt, die W-Seite
der engen, sehr fränkischen Rosengasse, die der vom Ellinger
Tor kommende Verkehr passiert. Die Bauzeit ist 1470–76,
nur der Turm entstand später, 1567. Ein 3geschossiger Block,
mit Giebelflanken, ohne viel Zier, bis auf die Giebel, deren
östlicher mit seinen den Dachschrägen folgenden Fialen und
dem Firsttürmchen bes. reich ist.

Der **Häuserbestand** ist noch weithin gut, wenn auch nicht sehr alt,
meist 17. und 18. Jh. Aber die alte Giebelstellung behauptete sich.
Fachwerk (bis ins 18. Jh. sicher in der Vorhand) tritt stark zurück, hat
aber auch noch schätzbare Vertreter.

WEISSENDORF (Obb.) → **Ingolstadt** (D 6)

WEISSENHORN (B. Schw. – B 6)

*Die kleine Stadt im Roth-Tal geht auf einen um 1140 gegr. Burg-
sitz der Herren von Neifen (Neuffen) zurück. 1342 kam sie an
Bayern(-Landshut), 1505 an die Habsburger, die sie, mit einigen
rechtlichen Vorbehalten, an die Fugger verpfändeten. Das Habs-
burg-Fuggersche Kondominium blieb bis 1806. Seitdem gehört
Weißenhorn wieder zu Bayern.*

Das **ehem. Schloß** (Amtsgericht) besteht aus einem älteren Trakt, der
Teile aus dem 13./14. Jh. (aus der Burg der Herren von Neifen) enthält, und aus einem im rechten Winkel anstoßenden, unter Jakob
Fugger 1513/14 errichteten jüngeren. Dieser Zeit gehört auch der schöne,
in den Winkel gesetzte Treppenturm, dessen aufgipfelnde Kielbögen
mit den Fuggerschen Lilien bekrönt sind. Bemalungsreste 16. Jh. (Franziskanerinnenkloster und Schule).

Die **Stadtpfarrkirche** ist Neubau von August Voit, München, 1864–69.
Von der 1859 eingestürzten roman. Vorgängerin blieb nichts. – Spätgotisch ist die **Spitalkirche Hl. Geist** (Kriegergedächtnisstätte), um 1470,
mit Fresken aus der Erbauungszeit. – In der **Friedhofskirche St. Bartholomäus**, 1727, Altar mit dem letzten Werk von Konrad Huber, 1830:
der Auferstandene. – **Kapelle St. Leonhard** (Krankenhaus) um 1500, mit
Stuck von 1722 und Fresken des Einheimischen Joh. Jak. Kuen.

Altes Rathaus im Kern 14. Jh., 1584 durchgreifend verändert und 1777
umgebaut. – **Neues Rathaus** 1576; Jos. Dossenberger gab ihm 1761 ein
völlig neues Gesicht. – An die in Weißenhorn seßhafte Barchentweberei
erinnert das **Wollhaus**, 1534. – Mehr als alles andere bestimmen die
beiden spätgot. **Stadttore** den Eindruck der alten schwäbischen Stadt,
das obere Tor mit seinem stämmigen Hauptturm, mit Zwingermauer
und 2 Vortürmen (1486) und das untere Tor neben dem Rathaus (1470
bis 1480, erhöht 1527), ein Hauptturm mit Treppengiebeln und runde
Vortürme.

WEISSENOHE (Ofr. – E 4)

Ehem. Benediktinerkloster

Das Kloster ist eine Gründung des bayerischen Pfalzgrafen Aribo (II.), frühestens 1053, wahrscheinl. gegen Ende des Jahrhunderts; sicher belegt ist es erst im frühen 12. Jh. Die Herrschaft ist lange Zeit bei Kurpfalz, zeitweise bei Nürnberg, seit 1632 bei Kurbayern. 1556, mit der Oberpfalz reformiert, erst 1661 dem Orden zurückgegeben, seit 1695 wieder Abtei, 1802 säkularisiert.

Die **ehem. Klosterkirche**, jetzt kath. Pfarrkirche, wurde, wie sie steht, 1690 beg. und 1707 geweiht. Sie ist nicht groß, aber ansehnlich, besetzt die N-Seite des (nur in Teilen erhaltenen) Klostergevierts: ein gestrecktes Rechteck, der Chor flach geschlossen (O-Teil im vorigen Jahrhundert abgebrochen). Wandpfeiler besorgen die Gliederung, eine Stichkappentonne deckt. Die Fresken Joh. Gebhards (1726–33) nur in Teilen erhalten; die heute den Raum bestimmenden Spätlinge, 1888. Der Hochaltar ist 1721 dat., der nördl. Seitenaltar wohl annähernd gleichzeitig, der südliche jünger, nach Mitte des Jahrhunderts. Der ausgezeichnete Stuckaltar der nördl. anliegenden Kreuzkapelle erinnert an E. Qu. Asam, könnte wohl auch von ihm sein.

Das 1692 nach Plänen Wolfg. Dientzenhofers aufgeführte **Kloster** verlor um die Mitte des 19. Jh. seinen O-Flügel. Der an die durch den gequaderten Turm ausgezeichnete Kirchenfront anschließende W-Flügel (Abtei) wenig aufwendig, doch gut in seinen Gliederungen.

WEISSENREGEN (Ndb. – G 6)

Die **Wallfahrtskirche Mariae Himmelfahrt**, aufgesockelt über die umgebende Hügellandschaft, hat sich an einem im 16. Jh. hierher gelangten Marienbild entwickelt. Nach unbedeutenden Vorgängerbauten entsteht um 1750 die heutige Kirche (geweiht 1765), ein 1schiffiger Raum, dessen Ausstattung von hohem Interesse ist: der Hochaltar von 1755, der das aus dem 14. Jh. stammende (später überarbeitete) Gnadenbild enthält und, bes., die überreiche Kanzel von Joh. Paulus Hager, 1758, eine »Schiffskanzel« mit der plastischen Darstellung des Fischzuges Petri. Sie ist ohne Zweifel die reichste der in Bayern bekannten Schiffskanzeln (vgl. Irsee, Altenerding).

Nördlich jenseits des Weißen Regen, doch weiter vom Tal zurückliegend: **HAIDSTEIN** mit der kleinen **St.-Ulrichs-Kirche** (got., 1718 erweitert, 1741 neu eingerichtet), deren kostbarster Besitz, ein Holzkruzifixus aus der 2. Hälfte des 13. Jh. hier genannt werden soll (Viernägeltypus, in der eindringlich stilisierenden Art frühester Gotik).

WEISSENSTEIN, Gde. Eggenried (Ndb.) → Regen (G 6)

WELDEN b. Augsburg (B. Schw. – C 6)

Im hohen Mittelalter Burgsitz der Markgrafen von Burgau, 1156 in den Händen sich nach Welden nennender Lehensträger, die 1597

an die Fugger verkaufen. Das Dorf zu Füßen der im 17. Jh. ab-
gegangenen Burg, an deren Stelle jetzt die Thekla-Kirche steht,
gelangt 1402 zu Marktrechten.

Pfarrkirche Mariae Verkündigung. Eine roman., got. erweiterte Anlage
wurde 1731–33 durch den barocken Umbau überschichtet. Man gewann das
1schiffige Langhaus, dessen Gewölbe für das große Gemälde M. Günthers
Platz bot. Dieses ist nun nicht nur die nachweislich früheste Leistung
des überragenden Freskomalers (neben Druisheim), sondern auch das wohl
älteste Beispiel für räumliche Zusammenfassung durch ein einziges Fresko. Aus überkuppelter Säulenarchitektur schwebt Maria, von Engeln
getragen, zur Hl. Dreifaltigkeit empor. Christus läßt den göttlichen
Zornesblitz auf die sündige Welt herabzucken, die Laster zerschmet-
ternd. Zu seiten der Weltkugel erscheinen die hll. Franziskus und Dominikus. Die Darstellung greift aus der Malerei hinaus in die Körperlichkeit der Stuckplastik – eine im 18. Jh. häufig zu beobachtende
Erscheinung. Der Schlüssel zu dem umfangreichen und vielfigurigen
Darstellungsprogramm ist durch den Bildtitel gegeben: »Maria als Helferin der Christen.«

Votivkirche St. Thekla (seit 1931 mit einem Kloster der
Karmelitinnen verbunden)

Stiftung des Grafen Jos. M. Fugger v. Wellenburg 1755 anläßlich
schwerer Krankheit. Der Baumeister ist Hans Adam Dossenberger,
die Bauzeit 1756/57.

Der Außenbau der von einem westl. Firstturm überhöhten
Kirche ohne viel Aufwand, ein gestreckter, in der Umfassung
des Hauptraums leicht vortretender, durch Pilaster gegliederter Baukörper, der aber einen sehr reichen, sehr reizvollen Raum umschließt. Führt die Dekoration, so ist die
Raumfügung doch auch eine feine: das Schiff besetzt ein
Rechteck mit gerundeten Ecken, deren westliche sich in Emporen und Oratorien öffnen. Hohlkehlen leiten zur flach
gesprengten Wölbung über. Der Grundriß des Chores wiederholt, im Kleineren, den des Schiffes.

Köstliche, ganz einheitliche A u s s t a t t u n g. In Kurven umrissene Fenster, zu Gruppen vereinigt, an den Langseiten. Heller,
freudiger Freskenschmuck, dessen Thema selbstverständlich die hl.
Thekla ist; das Hauptfresko J. Enderle sign., 1759 dat. Die vor
den seitl. Fensterwänden stehenden beiden Altäre sind freie (rah-
menlose) Stuckkompositionen. Sehr originell der südliche, mit dem
von der Titelheiligen der Dreifaltigkeit präsentierten Stiftergra-
fen; der nördliche ist zugleich Epitaph, Grabobelisk des Stifters
in der Assistenz mehrerer Allegorien. Die 3 übrigen Altäre sind,
in den Rahmenformen, auf die Wand gemalt; die Altarblätter
vom Tiroler Paul Riepp, die Tabernakelengel vom Dillinger
J. M. Fischer. Die glücklich postierten Kanzeln (zwei: daß der
Symmetrie Genüge geschehe) und der Orgelprospekt der auch aufs

schönste mitwirkenden Empore entstanden 1758–63. – Die Kirche der hl. Thekla ist eine der intimsten Leistungen des bayerisch-schwäbischen Rokoko.

WELTENBURG (Ndb. – E 6)

Benediktinerkloster

Hart am Ufer des Donau-Stromes gelegen, zu Füßen des abschüssigen Frauenbergs, gegenüber einem Felsmassiv des Jura. Die grauen Wände des Donau-Durchbruchs zwischen ausgedehnten Wäldern verleihen dem Ort ein hohes Maß an Romantik, das zu Volkssagen Anlaß genug bieten konnte. Angebl. schon im frühen 7. Jh. als Missionsstation durch den Abt Eustasius von Luxeuil gegründet. Der Agilolfingerherzog Tassilo erhebt die Zelle um 760 zur Benediktinerabtei. Nach Zerstörung in den Ungarnstürmen erwacht das Kloster unter St. Wolfgang wieder zum Leben. Später bringen die Glaubenskriege 1546/47 und 1632/33 neue Verwüstungen. Dem Abt Maurus Bächl (1713–43) gebührt der Ruhm einer durchgreifenden Wiederherstellung von Kloster und Kirche. Als Baumeister gewinnt er Cosmas Damian Asam aus München. 1803 säkularisiert, 1842 als Priorat wiedererrichtet. Seit 1913 wieder Abtei.

Klosterkirche St. Georg und St. Martin

Von den Bauten des Mittelalters ist nichts überkommen. Nur Pläne und Ansichten geben einen Begriff vom dem langgestreckten, 1191 geweihten Kirchenbau, der 1716 abgebrochen wird. Der berühmte Neubau Cosmas D. Asams erhält 1718 seine Weihe und 1721 (wenn nicht erst 1729) seinen Hochaltar. Die Ausstattungsarbeiten ziehen sich bis 1751 hin. Restauriert 1874–88 und 1957 bis 1962.

Ä u ß e r e s. An die Flucht des Konventsgebäudes schließt sich die 3achsige Fassade mit großem Mittelfenster und übergreifendem Dreiecksgiebel, bekrönt von der Figur St. Benedikts, einem Werk des 19. Jh. Dahinter erhebt sich ein ovaler, durchfensterter Tambour. Weiter im O ragt der schlanke Turm aus dem dortigen Klostertrakt mit freundlicher Barockhaube. Eine niedrige ovale *Vorhalle* empfängt den Eintretenden. Ihre Ausstattung zeigt die Stilstufe um 1750/51. Stuck von Fz. Ant. Neu mit Darstellung der Bußheiligen Petrus und Magdalena über den seitlichen Beichtstühlen. In demselben Sinne spricht das Deckengemälde Franz Asams (Sohn des Cosmas Damian A.) mit seiner Weltgerichtsdarstellung. Nach wenigen Schritten öffnet sich das langgestreckte Oval des K i r c h e n r a u m e s. Märchenhaftes

Funkeln und Glitzern kommt aus der Dämmerung, die von
2 theatralischen Lichtakzenten überstrahlt wird: aus dem
Gewölbe und dem Hochaltar. Über der straffen Säulen-
Pilasterordnung beginnt sich die *Kuppel* zu wölben. Doch
auf halber Höhe setzt sie ab. Eine gemalte Phantasiearchi-
tektur führt den Gedanken der Wölbung – auf flachem
Plafond – weiter, beleuchtet aus unsichtbaren Fenstern des
Tambours. Hier hat der Maler-Architekt farbige Illusionen
in nirgends mehr erreichtem Maße ausgegossen zu einem
Gloria um die auffahrende göttliche Jungfrau im Himmels-
dom. Unmerklich wird die Illusion von der gebauten Wirklichkeit aufgefangen im ovalen Kronreif, der, von Putten
getragen, vor der Brüstung der Kuppelschale schwebt. Von
ihr lächelt das vollplastische Bildnis Cosmas Asams, des
genialen Erbauers, herab in der Zeittracht von etwa 1720.
Unweit von diesem trägt eine gemalte Engelsfigur des Fres-
kos die Züge Egid Quirin Asams, seines Bruders, von dessen
Hand der plastische Schmuck stammt. So die *Stuckreliefs* in
der Kuppelschale: Szenen aus dem Leben der hll. Benedikt
und Scholastika über vollplastischen Evangelistenfiguren; in
den Diagonalachsen 4 Erzengel: Michael, Gabriel, Raphael
und Uriel. In die gelbbraune Säulen-Pilasterordnung der
unteren Zone mündet als schmale Gasse der *Chor.* Aus strahlender Helle reitet St. Georg herein durch die Ehrenpforte
des Retabels *(Tafel S. 960).* Da scheut das Pferd. Drohend
bäumt sich der gräßliche Drache, vor dem die lybische Prinzessin flieht. Gegen ihn senkt der goldfunkelnde Ritter sein
Flammenschwert. Links wendet sich mit rhetorischer Geste
St. Martin an den Gläubigen, während sich rechts St. Maurus
(der die Züge des Bauherrn, Abt Maurus Bächl, trägt) devot
dem Reiterheiligen zuwendet. Im Auszug das Bild der
Immaculata. Unendliche Fernen dehnen sich im Fresko jenseits des Retabels mit Darstellung der Benediktiner und
Georgiritter als Verteidiger der Immaculata-Lehre. Diesseits
erzählt das Gewölbefresko der oratorienflankierten Chor-
gasse von der Klostergründung durch Herzog Tassilo. Die
Malereien der Querachse im Hauptraum zeigen die Ankunft
der Benediktiner in Amerika (S) und deren Predigttätigkeit
(N) in gedanklicher Verbindung zur prächtigen Kanzel Jakob Kürschners. Für die Diagonalkapellen schuf Egid Quirin
Asam 1735/36 die Altäre mit Bildern und Reliefs verschiedener Themen unter dem durchbrochenen Baldachin. Hinter

der W-Empore verbirgt sich der Psallierchor mit schönem
Gestühl der Zeit um 1730. Hl. Grab südl. der Vorhalle 1763.

Klostergebäude 1714–16 nach Entwurf von Fr. Phil. Blank. Im Innern
2 geschnitzte Engelsfiguren um 1740–50. – Bräuhaus, 1719, südwestl. der
Kirche und durch halbkreisförmige Brüstungsmauer mit deren Fassade
verbunden. Wirtschaftsgebäude an der Donau-Seite 1724/25 von Franz
Beer. Eine lange Mauer von 1733 läuft ostwärts bis an die Felswände
des Donau-Durchbruchs.

Durch die Böschungsmauer rechts der Kirche führt der Weg
bergan zur **Frauenbergkapelle**. Der Frauenberg wurde schon
von den Kelten durch einen dreifachen Wall fortifiziert, der
Innenwall vom hl. Wolfgang, angebl. 972, erhöht und bemauert. – Die Kapelle ruht angebl. auf den Fundamenten
eines vom hl. Rupert gegen 700 zum christlichen Heiligtum
umgestalteten Minervatempels der röm. Besatzung. Im 10.
bis 11. Jh. erneuert. Reste viell. in der heutigen Unterkirche.
Dort Malereien des 14. Jh. Gewölbt 1714. Oberkirche 1713
mit Stukkatur von 1755. Im schönen Rokoko-Altar Marienfigur von 1460–70 als Gnadenbild. Zahlreiche Votivtafeln
des 18. und 19. Jh.

WEMDING (B. Schw. – C 5)

*Ein Maierhof, 798 gen., ist Ausgangspunkt der Siedlung, die sich
in der Folgezeit ringförmig um diesen ansammelt. Neues Zentrum
wird der Marktplatz, erweiterter Schnittpunkt zweier Verkehrsadern. Ein Mauergürtel umschließt seit dem frühen 14. Jh. das
Stadtwesen, dessen Umfang und Anlage sich seitdem kaum geändert haben.*

Pfarrkirche St. Emmeram

*Ein Gelübde des Edlen Mangold I. von Wörth 1027 ist Anlaß zur
Gründung. Der älteste Bau aus der Mitte des 11. Jh. war eine
3schiffige Basilika mit Querhaus. Aus dieser Zeit stammen Lang-
und Querhausfundamente und der Unterbau des S-Turmes. Eine
Neuweihe 1308 bezeichnet die Vollendung des got. Chores. 1559
wird der S-Turm verändert. 1593/94 treten 2 Langhauskapellen
einander gegenüber. 1619 erwächst der N-Turm. Damit ist das
Wesentliche des heutigen Erscheinungsbildes erreicht.*

1schiffiger I n n e n r a u m mit Kappengewölbe, eingezogener Chor. Stuckbänder steigen aus schlichter Lisenengliederung auf und verleihen dem Raum kühle Würde. Nur
die Kapellenanbauten tragen Stuckranken aus dem frühen
18. Jh.: im Chor Ständebild vor Kreuzigungsgruppe (um

1450), in der Annakapelle die 6 Werke der Barmherzigkeit
(1510). *Hochaltar* 1630–33. In seinem Aufbau vollzieht sich
der Übergang aus der Schreintradition des Mittelalters zur
barocken Triumphbogenarchitektur. Die Seitenaltäre sind
Frühwerke des Dominikus Zimmermann 1713. Die Gemälde
schuf Matth. Zink (Auffindung des toten St. Sebastian bzw.
Ausgießung des Hl. Geistes). Kanzel 1670. Grabplatte für
Wolfgang v. Hoppingen († 1493), gute Arbeit mit Bildnisfigur des Verstorbenen im Harnisch.

Wallfahrtskirche Maria Brünnlein

*Errichtet 1748–52 für ein geschnitztes Marienbild um 1510. Nam-
hafte Künstler sind am Bau beteiligt: Franz Jos. Roth aus Ellingen
als entwerfender Architekt, Joh. Bapt. und Mich. Zimmermann aus
München als Stukkateure und Freskomaler.*

Ä u ß e r e s. Auf einer Anhöhe nordwestl. der Stadt steht
die Kirche. Die schlichte, kubische Form verrät wenig über
die Innengestaltung. Von den geplanten beiden O-Türmen
kam nur der südl. zur Ausführung. Neben ihm wölbt sich
halbkreisförmig die Apsis. Reiche Portalumrahmung und
Brunnennische mit Marienfigur. – I n n e r e s. Roth greift
sehr verspätet (um 1750!) auf das Vorarlberger Wandpfeilerschema zurück (vgl. Ellwangen/Schönenberg, Obermarchtal). Er läßt dem Orgeljoch 3 weitere, emporenbesetzte
Wandpfeilerjoche folgen, verzichtet auf das sonst übliche
Querschiff und leitet unmittelbar zum eingezogenen Chor
über.

Diese nüchterne Struktur wird Trägerin einer bezaubernden *Deko-
ration*, die Vater und Sohn Zimmermann im Sinne des gereiften
Rokoko durchführen. Beteiligt sind an der Ausführung Thomas
Finsterwalder und Thomas Zöpf. Von atmosphärischem Duft ist
das Hauptfresko: die Erdteile schöpfen aus dem marianischen
Gnadenbrunnen. Den »Gnadenquell« im Sinn der Lauretanischen
Litanei behandeln auch die kleinen Fresken. – Gnadenaltar 1888
erneuert. – *Hochaltar* 1761, bewegt, reich, prächtig, laut Signatur
eine Arbeit des Phil. Rämpl (damals noch in der Straubschen
Werkstatt in München). Ihm antworten Nebenaltäre aus den
1770er und 1780er Jahren im spätesten Rokoko.

Rathaus an der N-Ecke des Marktplatzes: ein schlichter, doch würdevoller Bau von 1550–52. – **Wohnbauten**, überwiegend 17. und 18. Jh.
Die meist volutengezierten Giebelfronten wenden sich zur Straße. Fort-
währendes Schwanken innerhalb der Fluchtlinie trägt malerische Bewegung ins Stadtbild. Auffallend ist die Zahl kunstvoller Wetterfahnen
aus dem 18. Jh.

Stadtbering. Grundlage ist der 1318 geschaffene Mauergürtel. Außer einigen Strecken der Mauer sind 3 Wehrtürme (Baronturm, Heubachturm, Folterturm) und 2 Tortürme (Amerbacher und Nördlinger Tor) erhalten.

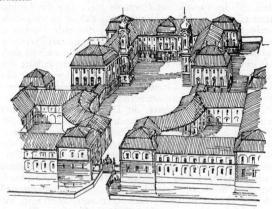

Schloß Werneck

WERNECK (Ufr. – CD 2)

Schloß

Vorläufer war ein von Bischof Julius 1600 errichtetes, das im Bauernkrieg abging. Fürstbischof Friedrich Karl v. Schönborn fand die Örtlichkeit für ein Sommerschloß geeignet. 1733 plant Neumann, 1735 baut er die Gartenseite, 1737 ist der Hauptbau nahezu fertig, das »Vorgebäu« steht 1744 noch nicht ganz. Die Vollendung der Ausstattung muß der (1746 abtretende) Bauherr seinen Nachfolgern überlassen. Die Kreisirrenanstalt, die sich 1856 im Schloß einrichtet, hat von ihr wenig übriggelassen.

Schon der Grundriß läßt einen bei aller Vielteiligkeit klaren und schönen Organismus erkennen. Die nördl. Frontflügel der beiden äußeren (Wirtschafts-)Höfe legen sich der (hierher verlegten) Wern an, sie öffnen sich in der Mitte zu einer tiefen Einfahrt in den Vorhof, der sich in leichter Verengung gegen den vom Hauptbau des Schlosses in 3 Flügeln umstellten inneren (Ehren-)Hof absetzt; 2 Türme, deren einer durch die hier anliegende Schloßkirche motiviert ist, betonen

die Absetzung. Der von der Einfahrt her der Längsachse
folgende Blick durchmißt den Vorhof, tritt durch das vorgreifende Flankenpaar der Türme in den Ehrenhof ein und
trifft auf die Fassade des Corps de logis. Der die Ansicht
dieser glücklichen Anlage bestimmende Faktor ist steigernde
Gruppierung: das der Gutswirtschaft dienende Vorgebäu,
das durch das (von J. G. Oegg prächtig begitterte) Pfeilertor
einläßt, hält sich in Abmessung wie Aufwand zurück, doch
aufs schönste fängt der Hof in seiner nördl. Ausrundung den
Gegenstoß des Schlosses auf; dieses, in der Rahmung der den
Flügeln vorgesetzten Türme, präsentiert sich reich im Mittelpavillon, der massiv sandsteinern ist und den ein geschweif-
tes Kuppeldach auszeichnet; die Dächer sind nicht zuletzt
zu rühmen, wie so oft bei Neumann. Vom Garten (S) her
bietet das Schloß einen anderen, in gelängter Front gesammelten Aspekt. Stärker tritt hier der Mittelpavillon vor die
Flucht, und an den Enden rahmen, gleich starken Vor-
sprungs, die beiden Eckpavillons. Jeder Bauteil hat eigenes
Dach: Mansarden über den seitlichen Pavillons, Kuppeldach
über dem mittleren, Satteldach über dem Hauptbau; daß
sich die Dächerlandschaft noch bereichere, überragen die
Zwiebeln der Türme am Ehrenhof die Firstlinie. Werneck
ist eine der gelungensten und auch deutschesten Schloßanlagen des reifen 18. Jh. – Das längst entzauberte Innere bewahrte die **Schloßkirche**, im N-Kopf des O-Flügels. Nach
außen spricht sie sich (wie die Würzburger Hofkirche) nicht
aus. 1744 ist sie vollendet, 1745 wird sie stuckiert. Ein Rechteck, fast ein Quadrat. Doch eingestellte Wandpfeiler schrei-
ben ein Oval ins Rechteck, die Abstände zwischen den Pfeilern sind muldige Nischen, der atmende Raum scheint sie
erzeugt zu haben. Das leichte gelöste Schmuckwerk des
Hochaltars schuf Ant. Bossi (der auch stuckierte), Seitenaltäre und Kanzel, schon klassizist. (um 1786), Materno
Bossi.

Der große, südl. anliegende **Park** wurde im 19. Jh. anglisiert. Nur das
Parterre gibt noch Hinweis auf die einstige, geometrisch gebändigte
Gartengestalt.

WERNSTEIN (Ofr. – E 3)

*1376 erstmals urkundlich bezeugt; damals schon Besitz der Herren
(Freiherren) v. Künsberg, die heute noch die Schloßherren sind.
Das Obere Schloß reicht im Kern (N- und W-Flügel) ins 14. Jh.*

zurück. *Umprägende Erneuerungen wurden im 16. Jh., 1563 ff., vorgenommen, weniger eingreifende im 18. Jh., restaurierende im 19. Jh. Das um beträchtliche Distanz östl. abgerückte Untere Schloß, das sich erstmals 1485 zeigt, wurde 1586–93 gründlich erneuert.*

Das **Obere Schloß**, im Ring eines Zwingers – mit 4 Schalentürmen an den Ecken und dem reizvollen, 2geschossigen, mit Wappenfiguren geschmückten Torbau – und einer (auf 3 Seiten erhaltenen) Außenmauer stellt 4 Flügel zu je 3 Geschossen um einen schmalen Hof. 2 Rundtürme, mit Spindeltreppen, in den Ecken. Der Bergfried, der aus dem Viereck ins Achteck wächst, lehnt sich, gutenteils eingebaut, an den großen östl. Giebel des (erst im 16. Jh. bis hierher verlängerten) N-Flügels. Im Innern eine Anzahl von Räumen mit guten, meist im 18. Jh. geschaffenen Ausstattungen. – Das **Untere Schloß** gruppiert 2 Langtrakte zu je 2 Geschossen, die sich im stumpfen Winkel, den ein Rundturm besetzt, begegnen. Die Hauptfront der im späten 16. Jh. errichteten Trakte mußte, baufällig, 1955 erneuert werden. 2 Rundtürme akzentuieren die lange Erstreckung. Ein Rundturm tritt vor die südl. Giebelfront. Der N-Flügel schließt den durch Erker und Schweifgiebel ausgezeichneten Torbau (1587 ff.) ein.

WERTACH (B. Schw. – B 7)

Die **kath. Pfarrkirche St. Ulrich** ist Neubau von 1683, unter Beibehaltung des got. Turmes. Ein Brand vernichtete 1893 die gesamte Ausstattung bis auf das vorzüglich geschnitzte Tabernakel, 1769–70, von Joh. Rich. Eberhard.

Sebastianskapelle (an der Straße nach Nesselwang). Der Neubau von 1763 wiederholt, kleiner und derber, die Chorlösung der Wieskirche bei Steingaden. Baumeister ist ein Westfale, Bernh. Metz. Unter dem Einfluß der Brüder Zimmermann scheint sich dieser in das heitere Klima des bayerisch-schwäbischen Rokoko gut eingelebt zu haben. Die duftig-lockere Ausmalung und das Altarblatt hat Fz. Ant. Weiß aus Rettenberg geschaffen.

WESSOBRUNN (Obb. – C 7)

Ehem. Benediktinerabtei

Die im 11. Jh. aufgezeichnete Klosterlegende läßt den Bayernherzog Tassilo im Rottwalde jagen, hier nächtigen und von einer Himmelsleiter und 3 Quellen an ihrem Fuße träumen, die dann sein Jäger Wezzo auffindet. Daß diese Quellen (nordöstl. der Klostermauer) die Wahl des Ortes bestimmten, darf für sicher genommen werden. Viell. ging die Gründung von Benediktbeuern aus. Aber zweifellos erfreut sich das um 753 gegr. Kloster auch der Huld des Herzogs Tassilo, in dem es künftig und bis zuletzt seinen Stifter verehrte. Es zählte jedenfalls zu den herzoglichen Eigenklöstern, wie später zu den königlichen. Erst im dunklen 10. Jh. ging es in das Recht des Augsburger Bischofs über. Die Säkularisa-

*tion Herzog Arnulfs »d. Bösen« und die Ungarnnot drohten es
auszulöschen, aber seine Lebenskraft bestand diese schwerste Probe.
Im 11. Jh. kräftigte es sich wieder, geistlich wie weltlich, um nun
die Jahrhunderte zu durchdauern, bis zur Säkularisation (1803),
die es liquidierte und seine monumentale Hinterlassenschaft, einschließlich der Klosterkirche, zur größeren Hälfte vernichtete
(1810). – Man kann nicht von Wessobrunn sprechen, ohne des
»Wessobrunner Gebetes« zu gedenken, dieses in einer der Handschriften der ehem. Klosterbibliothek aufbewahrten Urzeugnisses
unserer Sprache. Man lese diese Anrufung des Weltschöpfers auf
dem Findling unter der Dorflinde, in den sie der um die Erhaltung Wessobrunns hochverdiente Professor J. N. Sepp eingraben
ließ (1875). – Man kann auch nicht von Wessobrunn sprechen,
ohne der »Wessobrunner« zu gedenken, der von den Klosterdör-
fern Gaispoint (jetzt Wessobrunn) und Haid ausgehenden »Stukkadorer«, die von rd. 1600 bis 1800 die fruchtbarste Tätigkeit im
Lande und weit über die Grenzen des Landes hinaus entfalteten
und in einigen ihrer Sippen, wie der Schmuzer, Zimmermann,
Feichtmayr, zu hoher und höchster, auch baumeisterlicher, Künst-
lerschaft emporwuchsen.*

Der 1680 beg. Neubau des Klosters sah eine sehr weitläufige,
3 Höfe einschließende Anlage vor, die nur eine Teilverwirklichung finden konnte. Auch ein gänzlicher Neubau der
ins 13. Jh. zurückreichenden Klosterkirche unterblieb. Die
sehr wertvolle Steinplastik des (übrigens schon Mitte des
17. Jh. entfernten) spätroman. Lettners jetzt im Münchner
Bayer. Nat.-Museum. Als ein einsamer Zeuge des mittelalterl. roman. Klosters erhielt sich im N des Hofes der
schwere mauerstarke **Wehrturm** (Mitte 13. Jh.), der heute
der »Graue Herzog« heißt.

Sehr eindrucksvoll, immer noch, der erhaltene Bestand des
Klosters, das ist der 1680 von Johann Schmuzer begonnene,
in 3 Flügeln den großen Hof umfassende **Gäste- oder Fürstenbau.** Die nach innen 2-, nach außen 3geschossigen Fronten sind ganz einfach, ohne werbende Gebärde, die, wie so
häufig in Altbayern, dem Innen vorbehalten bleibt. In der
Mitte des (südl.) Haupttraktes das *Treppenhaus.* Balustraden aus Stuckmarmor begleiten die Treppenläufe, perspek-
tivische Architekturmalerei vertieft und erhöht die Decke.
Gemälde in schweren üppigen Stuckumrahmungen besetzen
die Wände: Herzog Tassilo, der Stifter, und die griech.
Weisen Anaxagoras und Protagoras. – Im Obergeschoß
überraschen die den Hofseiten folgenden *Korridore* durch
ihre langen Fluchten, die Reihung der schönen Türen, den

Glanz der Dekoration, die, hier selbstverständlich, v. a. der Stukkator leistete. Die in das starke ornamentale Relief der Gewölbestukkaturen eingepaßten (allegorischen) Fresken gab der Wessobrunner Pater Jos. Zäch. Alle Türen sind architektonisch gerahmt; die bekrönenden Sprenggiebel umschließen Gemälde, Heilige und Herrscher des Hauses Wittelsbach. Das farbige Stuccolustro-Portal am O-Ende des S-Traktes führt in den *Tassilosaal*, die »Aula Tassilonis«, jetzt Kapelle der (seit 1913 in Wessobrunn heimischen) Tutzinger Missionsschwestern. Die um 1700 aufgetragenen Stukkaturen der Decke zeigen, wie rasch sich die Entwicklung vom Schweren zum Leichten vollzog: das Gitter der fein geschnittenen Akanthusranken ist ein schwerelos freies Spiel des Ornamentes. Die farbig getönten jagenden und gejagten Tiere im Wald der Rankengeschlinge deuten auf den Jäger-Herzog der Gründungslegende. *(Tafel S. 961.)*

An der N-Seite des Hofes steht, nächst dem hier einlassenden Tor, die **Pfarrkirche St. Johannes,** die 1757–59 von Franz Xaver Schmuzer, dem Sohn des Johann, aufgeführt wurde, ein in Grund- und Aufriß anspruchsloses Kirchl – rechteckiges Schiff, eingezogener Chor –, doch erfüllt von heiter-heller Farbigkeit. Die locker ausgeteilten Muschelwerkstukkaturen von der Hand des Baumeister-Stukkators umspielen leicht die Fresken Johann Baders (des »Lechhansl«). Das große, die ganze Flachtonne einnehmende Bild des Schiffes erzählt aus dem Leben des Täufers Johannes, das kleinere der Chordecke bringt die patmische Vision des Evangelisten. Die Mittel barocker Illusionsmalerei öffnen den begrenzten Raum. Die 3 Altäre – die seitl. wahrscheinl. vom Wessobrunner Tassilo Zöpf – und die Kanzel vollenden die einheitliche Ausstattung, die im übrigen nur ein älteres Gnadenbild, die hochverehrte »Mutter der schönen Liebe« (um 1710; am linken Seitenaltar) und ein großartiges Relikt des Mittelalters einschließt, den, neuerdings in alter Fassung zurückgewonnenen, Holzkruzifixus, der wohl ehemals über dem (1253 geweihten) Kreuzaltar der Klosterkirche stand; von den nächst verwandten Steinbildwerken des Lettners unterscheidet er sich durch die stärkere, »expressive« Bewegung, die wohl die Einwirkung eines stilistisch jüngeren, schon got. Vorbildes voraussetzt.

Nordöstl., außerhalb des Hofes, befindet sich der **»Brunnen des Wezzo«.**

Er wurde 1735 von einer kleinen, in Arkaden geöffneten Halle überbaut. Der Besucher wird diesen stimmungsvollen Ort nicht übergehen –
auch nicht die auf rund 700 Jahre geschätzte Tassilolinde südöstl. des
Klosterhofes – und schließlich der auf der Höhe an der Landsberger
Straße liegenden **Kreuzbergkapelle** zustreben, die die Erinnerung an die
nach der Tradition hier 955 von den Ungarn erschlagenen Mönche festhält. Ein Findling bezeichnet die Stelle der Marter. Das kleine, 1595
errichtete, 1771/72 neugestaltete Bauwerk ist durch ein vortreffliches
Fresko des (am nahen Peißenberg geborenen) Augsburger Meisters
Matth. Günther ausgezeichnet, das die Erhebung des Hl. Kreuzes und
die Ermordung des Abtes Thiento und seiner Mönche zum Inhalte hat.
Die gewundenen und berankten Säulen des kleinen anmutigen Altars
schließen eine Kreuzigungsgruppe ein. In den originellen Stuckrahmungen seitlich des Chorbogens ein gleichzeitiger hl. Rochus und eine Maria
des frühen 16. Jh.

WESTERNDORF b. Pang (Obb. – D 8)

Das altersher nach Pang eingepfarrte Westerndorf »auf dem unteren
Wasen« zeigt sich frühestens im späten 12. Jh. Seine **Kirche St. Johannes
Bapt.** ist ein mauerstarker, im Äußeren schlichter Rundbau mit kleinem, im Untergeschoß mittelalterl. W-Turm und mächtiger Zwiebelkuppel, der in den Jahren 1668/69 vom Schlierseer Georg Zwerger aufgeführt wurde. Vollendungsjahr der Ausstattung: 1691. Das I n n e r e
überrascht durch die ungewöhnliche Raumgestaltung, den Vierpaß des
Grundrisses, die Konchen, die zentrale Kuppel. Der Planer (sicher nicht
Zwerger) ist noch zu finden. Man ist versucht an die allerdings etwas
jüngere Kappel bei Waldsassen zu denken und also im Kreise der (ja
unweit, bei Aibling, am Fuße des Wendelstein beheimateten) Dientzenhofer zu suchen. – Die reichen Stukkaturen tragen alle Merkmale der
Miesbacher. Die 3 Altäre gehen im Entwurf auf den Maler Andreas
Leisperger, im Figürlichen auf den Bildhauer Blasius Merz zurück. –
Vesperbild (über der Sakristeitür) Anfang 16. Jh.

Die dem W-Eingang gegenüberstehende **Friedhofkapelle**, zugleich Tor,
Beinhaus und Ölberg, ist gleichen Alters.

WETTENHAUSEN (B. Schw. – B 6)

Ehem. Augustinerchorherren-Stiftskirche Mariae Himmelf.

*Die Neugründung von 1130 entwickelte sich zu einem bedeutenden
Kloster, seit 1566 Reichsstift, das die bewegten Zeiten des 16. und
17. Jh. überdauert und um 1600 als kirchliches Reformzentrum
unter Propst Hieronymus eine wichtige Rolle spielt. 1802 aufgelöst, 1865 mit Dominikanerinnen besetzt. Die Kirche ist das Ergebnis verschiedener Neubauten: Chor von 1522/23, Langhaus
1670–83 von Mich. Thumb aus Vorarlberg.*

Das Ä u ß e r e bildet im Verein mit dem turmreichen Kon-
ventsbau eine freundliche Baugruppe. Das hochgiebelige,
barocke Langhaus überragt den spätgot. Chor, an den sich

der 1514–20 erbaute Turm lehnt. Seine Zwiebelbekrönung stammt von 1612. – Der I n n e n r a u m , 1schiffig und durch beiderseits ausladende Kapellen der Kreuzform angenähert, verengt sich zum niedrigeren, tiefen Chor. Nicht nur die imposanten Maßverhältnisse verleihen dem Raumbild Kraft. Schwellende Stuckornamentik ist das Mittel, die einfache architektonische Form zu steigern. Auf Doppelpilastern ruht die hohe Stichkappenwölbung, die der Wessobrunner Matth. Gigl um 1680 mit einer Vielfalt quellender Stuckformen überzog. Der Zeitgeschmack (unter Einfluß Oberitaliens) bevorzugt Lorbeerstäbe, Rosetten, Blüten- und Fruchtgehänge, deren dekoratives Leben die kleinen, um 1900 erneuerten Freskomalereien übertönt.

Die prächtige A l t a r a u s s t a t t u n g ist aus dem gleichen Stilwollen erwachsen. Altarbild der nördl. Seitenkapelle von Pusinger 1694. Gegenüber das Mittelstück des ehem. *Hochaltars* von Martin Schaffner 1524: eine geschnitzte Marienkrönung. (Die Flügel in den Bayer. Staatsgemäldesammlungen, München.) Treffliche Barockkanzel des späten 17. Jh. Aus den Grabmonumenten ragt das des Propstes Ulrich († 1532, neben dem Kreuzaltar) an künstlerischem Rang hervor. Prächtiger Orgelprospekt um 1700. Um 1680 kamen die schön geschnitzten Kirchenstühle herein, um 1750–60 die aus kurvenden Rocaillen aufgebauten Beichtstühle. – Geschnitzter Palmesel 1456, aus der Werkstatt des Hans Multscher, Ulm, zum Mitführen bei den Palmsonntags-Prozessionen.

Klosterbauten. Konventbau im O: 1607. Prälaten- und Gästebau, von M. Thumb, vollendet 1690. Schöner Akanthus-Stuck im Kaisersaal, ausgeführt von dem Günzburger Hansjörg Brix 1693–95.

WETZHAUSEN (Ufr. – D 2)

Namengebender Besitz des alten fränkischen Geschlechts der Truchseß v. Wetzhausen, seit dem frühen 14. Jh. und heute noch. – Das **Schloß** wurde im Bauernkrieg zerst., dann, sehr mächtig, wiedererrichtet. Ehemals von Wassergräben umgebener 4-Flügel-Komplex, allseits 4geschossig. Am O-Flügel 2 polygone Ecktürme und ein mittlerer 3geschossiger Erker. Reizvoller Hof, mit Treppenturm, Holzgalerie und Erker. – In der 1707/08 gebauten **ev. Pfarrkirche** 31 Truchseßepitaphien (ab 1460), darunter so gute wie die der beiden Dietze (1481, 1517) und des Erhard (1524). Bemerkenswert auch die große Anzahl der im herrschaftlichen Oratorium hängenden Totenschilde.

WEYARN (Obb. – D 8)

Ehem. Augustinerchorherren-Stiftskirche, jetzt Pfarrkirche St. Peter und Paul

1133 übergibt Graf Siboto v. Neuburg-Falkenstein seine Burg Weyarn dem Salzburger Erzbischof mit dem Beding, hier ein Chorherrenstift zu Ehren der Apostel Peter und Paul zu errichten. Die roman. Basilika erhob sich über dem in Altbayern üblichen einfachen querschifflosen Grundriß. 1627–32 entsteht ein neuer Turm, 1687–93 eine neue Kirche, diese durch den Graubündner Meister L. Sciasca. 1713 wird der Turm erhöht. Stuck und Fresken kamen durch J. B. Zimmermann 1729 dazu. Die in der 2. Hälfte des 17. Jh. errichteten Klostergebäude wurden nach 1803 (Säkularisation) bis auf den Konventstock (westlich) abgetragen.

Der ältere Turm an der S-Seite des Chores, ein Blickpunkt der Mangfall-Landschaft, setzt, tuffgequadert, 4 rechteckige Geschosse und 2 achteckige aufeinander. Die Kirche selbst ist eine stattliche und geräumige Anlage im Wandpfeilersystem mit hohen Kapellen zwischen den Pfeilern. Der eingezogene, 2 Joche tiefe Chor schließt rund, Stichkappentonnen decken ab.

Die Stukkaturen, Laub- und Bandwerk, sind einfach, aber gut. Die Gewölbefresken illustrieren das Leben des hl. Augustin und (im Chor) die Martyrien der Apostelfürsten. Der *Hochaltar* ist ein mächtiger Aufbau von 1693 mit Paaren starker Säulen. Das Gemälde gab P. Untersteiner. Die Auszeichnung der Weyarner Kirche liegt aber in dem, was der Münchner Bildhauer Ignaz Günther hinzufügte. Von ihm ist das *Tabernakel des Hochaltars* (1763). Man beachte die Asymmetrie der Gewichte: dem anbetenden Engel entspricht gegenüber eine von einem Putto geraffte Draperie. Darüber, heute, Günthers kleine, kostbare Muttergottes (aus der Sakristei). Dann die beiden für Prozessionen bestimmten Gruppen der *Verkündigung* und der *Marienklage* (Pietà), beide 1764. Seelische Gebärde (des Erschreckens, der Unterwerfung, des Schmerzes) und freies Ornament vereinigen sich zu unvergleichlicher Gesamtheit. Schließlich die Strahlenglorien der Seitenaltäre mit den reizenden Tolpatschen von Putten und der *Valeriusschrein* an der S-Seite, der auf einen älteren Entwurf Günthers (1755) zurückgeht. – Die Sakristei erfreut durch vorzügliche alte Schrankausstattung und durch ihre Stukkaturen, 1694.

Jakobskapelle. Angebl. war sie einmal die Schloßkapelle. Jedenfalls nahm sie die Gebeine der Stifter auf. Die Kapelle des 12. Jh. hat 2 Joche mit Kreuzgratgewölben und schließt in halbrunder Apsis. Ihr schöner Besitz sind die Altarfiguren Günthers, Leonhard und Sebastian, Schmerzhafte Muttergottes und Jakob.

Maria-Hilf-Kapelle. Sie wurde 1642 und noch einmal 1786 erneuert. Ein

zierlicher Zwiebeldachreiter besetzt den O-Giebel. 3 Joche, Chorschluß
im Kreissegment. Nennen wir auch die gute spätgot. Schnitzfigur der
Muttergottes im Innern.

WIES b. Steingaden (Obb. – B 8)

Wallfahrtskirche *(Tafel S. 992)*

Das Ineinandergreifen von Natur und Bauwerk, der farbenfrohe »Bayerische Himmel« des kirchlichen Innenraumes,
entsprossen aus einzigartiger künstlerischer Erfindung – alles
das hat »die Wies« zum berühmten Anziehungspunkt im
bayerischen Oberland gemacht. Der Sinn dieser Kunstschöp-
fung kann nur aus dem religiösen Empfinden des 18. Jh.
heraus begriffen werden.

*Eine Figur des Heilands an der Geißelsäule, gefertigt 1730, steht
am Anfang der Wallfahrtsgeschichte. Sie beginnt plötzlich Tränen
zu vergießen. Ihr Besitzer, der Bauer auf der Wies, erwirkt 1739
den Bau einer Feldkapelle, die das Gnadenbild aufnimmt. Mit
dem Andrang der Wallfahrer steigert sich auch die Zahl der Wun-
derheilungen. Der Kult des »Wies-Heiland« breitet sich mit Schnel-
ligkeit aus. Auch andernorts erwachsen »Wies«-Kapellen zu Ehren
des gegeißelten Heilands. Diese Entwicklung kommt der barocken
Baufreude gelegen. Das übergeordnete Kloster Steingaden nimmt
sich der Wallfahrt an. Abt Hyazinth Gaßner setzt sich mit dem
Schöpfer der berühmten Wallfahrtskirche zu Steinhausen, Dominikus Zimmermann, in Verbindung und betreibt den Bau eines
würdigen Hauses für den Wies-Heiland. Bei der Grundsteinlegung
durch den Diessener Abt Herculan Karg 1746 stehen bereits die
Chorteile. Ein Jahr zuvor hat der sterbende Abt Hyazinth den
Bau seinem Nachfolger Marian II. Mayr ans Herz gelegt. Der
bayerische Kurfürst, Max III. Joseph, verfolgt die Bauarbeiten
mit regem Interesse. Wie in Steinhausen übersteigt die Bauausführung den dafür ausgesetzten Betrag um ein Vielfaches. Abt Maria-
nus muß abdanken. Doch schreiten die Bauarbeiten fort. 1749
wird der Chor eingeweiht, 1754 die gesamte Kirche, deren Einrichtung mit dem Orgeleinbau 1757 beendet ist. Dominikus Zimmermann stiftet im gleichen Jahr ein Votivbild zur glücklichen
Vollendung seines Werkes. Später baut er sich westl. der Kirche
ein kleines Haus, in dem er sich 1766 sterben legt.*

Ä u ß e r e s. Nur dem Fußwanderer durch das Alpenvorland mit seinen vorgeschobenen Hügeln, tiefen Wäldern und
birkenbestandenen Hochmooren kann die Einheit von Landschaft und Volksglauben im bayerisch-schwäbischen Grenz-
gebiet aufgehen. Dem Wallfahrer gleich darf er die göttliche
Verheißung beim Auftauchen des schmucken Bauwerks emp-

finden, wenn es sich von der Kette der dunklen Trauchgau-
berge abhebt oder auf der waldumstandenen »Wies« lagert.
Das Ansteigen und Abfallen des Giebelumrisses läßt über
die räumliche Anordnung keinen Zweifel. Zwischen dem
Chor und dem 3flügeligen Prioratshaus ein zierlicher Turm.
Das Ornament der Fenstergruppen wird sich im Innern als
wohldurchdachte Verteilung der Lichtquellen erweisen. Eine
Baumgruppe umschattet die sich wölbende, giebelbekrönte
W-Fassade. An die Stelle der flachen Pilaster der Seiten-
mauern sind hier kräftige Säulen getreten. Sie betonen die
interessanten Ecklösungen und rahmen die Triumphpforte
zum Thronsaal des wundertätigen Heilands. – I n n e r e s.
3 Portale münden in die schlichte, niedrige Vorhalle, aus der

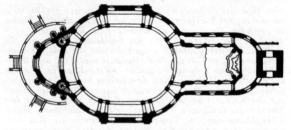

Wies, Wallfahrtskirche, Grundriß

eine einzige Pforte ins Oval des Laienraums führt. Pfeilerpaare tragen die bemalte Flachkuppel, umzogen von der
äußeren, durchfensterten Raumschale. Bewegte Bogenformen
schwingen sich aus den Gebälkköpfen, Raum und Rahmenzone zugleich scheidend und verbindend. In ähnlicher Gestalt nimmt das ältere Steinhausen diese Raumform vorweg.
Dem dortigen Gleichmaß des Stützenrings folgt hier der
Rhythmus zusammengefaßter Pfeilerpaare: Straffung und
Kräftigung des räumlichen Aufbaus. Und eine Querachse
kommt hinzu, deren Wirksamkeit sich durch die Aufstellung
von Nebenaltären steigert. Ihr gegenüber muß sich die
Längsachse zum Hochaltar behaupten. Das geschieht durch
Vertiefung des Chores. Die Vorstufe hat Dom. Zimmermann
in Günzburg geschaffen. Dort antwortet der Querachse des
Schiffes ein 2schaliger Chorraum von ähnlicher Ausdehnung.

Hier ist die Stimmung eine reichere: dort Mönchschor, hier Straße zum Thron des Gnadenbildes. Reich gezierte Emporenbrüstungen, farbige Säulen und das Wogen und Schäumen der mehrfach geöffneten Stuckzone zwischen Stütze und gemaltem Wolkenmeer machen diesen Raumteil zum Vorhof des barocken Glaubenshimmels.

Des Baumeisters Bruder, Joh. Bapt. Zimmermann, leitete die Ausstattungs-Arbeiten. Er folgt dem theologischen Denken seiner Zeit, wenn er die unteren Raumteile im Laienhaus als Zone des Irdischen nur spärlich mit Schmuck versieht, um diesen in der Gewölberegion um so kräftiger zu entfalten. Vor den mittleren Pfeilerpaaren, deren Verbindung von Säulenrundung und Pilasterfläche ein feines Schwingen in den Raum trägt, haben die Figuren der 4 Kirchenväter ihren Platz gefunden: mächtige Persönlichkeiten von starkem Pathos. Anton Sturm aus Füssen hat sie geschaffen. Vasengebilde stehen vor den Pfeilerpaaren im W, welche in halber Höhe die kurvenreiche Musikempore überschneiden. Die östl. Stützenpaare tragen Kanzel und Abtsempore. Bes. die *Kanzel* als Verkünderin des Wortes ist von reicher Vielfalt. Im Wort senkt sich die himmlische Herrlichkeit herab, im Schalldeckel das Christkind mit der Gesetzestafel unter dem Auge Gottes, Putti mit den Emblemen der Kirchenväter, Reliefs mit der Dreiheit Glaube, Hoffnung, Liebe. Darüber, in der Kapitellzone, hebt das Blühen an, aus dem sich das Symbol des Wortes herabgesenkt hat. Die Kapitelle sind gegenüber Steinhausen knapper. Die modische Rocailleform tritt stärker hervor. Im Ernst ihrer architektonischen Aufgabe verhalten sich still die Querlagen des Gebälks. Doch dann beginnt es zu jubilieren in flackerndem Rocaillewerk, zwischen das sich kurze Balustraden schieben oder Vasengebilde treten, um endlich in die duftige Farbigkeit des aufgerissenen Himmels überzuleiten. In den Zwickelkartuschen versinnbildlichen Putti die 8 Seligkeiten. Das große *Fresko* stellt dem leeren Thron des Weltenrichters die verschlossene Paradiestür gegenüber. Zwischen dem Hier und Dort wölbt sich der Regenbogen der Verheißung: Christus erscheint darauf inmitten eines verzückten himmlischen Aufgebots und verkündet dem Menschen anstelle des Gerichts die göttliche Gnade. Das Thema der Gnade als Sündenvergebung spinnt der Umgang weiter, über der Musikempore beginnend mit dem ehebrecherischen David. Ihm folgt die neutestamentliche Ehebrecherin, der Gottesleugner Petrus, die verachtete Samariterin, Maria Magdalena, der Zöllner Zebedäus, der gläubige Schächer am Kreuz und das Gleichnis des unfruchtbaren Feigenbaums. – Das Gnadenthema Christi beherrscht auch das große Chorfresko: Engel weisen dem thronenden Gottvater als Sühnezeichen die Passionswerkzeuge vor. Kleinere Szenen berichten über den seitl. Gängen von den Segensstaten Christi. Alle diese Gemälde gehören zu den vornehmsten Leistungen des kurbayeri-

schen Hofmalers und -stukkateurs Joh. Bapt. Zimmermann und
zeigen ihn in souveräner Beherrschung seiner duftigen Palette, in
der letzten Konsequenz seiner feinen, gelockerten Kompositionsweise. Farbe und Ornament fluten über die 2 Schichten der Chorwände hinunter zur glänzenden Behausung für das gnadenvolle
Heiltum. Rötliche und blaue Stuckmarmorsäulen fangen das wogende Ornament des durchbrochenen Gewölbes. Eine tiefblaue
Stuckdraperie beschirmt den 2geschossigen *Hochaltar*. Er ist mit
der Wandgliederung eins geworden. Sein Oberteil ist der Rahmen
zum Gemälde der Menschwerdung Christi von B. A. Albrecht.
Figuren der 4 Evangelisten von Eg. Verhelst umgeben es als Ver-
künder des im Auszug erscheinenden Gotteslamms. Den unteren
Altarteil füllt das tempelartige Behältnis des wundertätigen Mar-
terbildes. – Die Nebenaltäre im Laienhaus gelten der Bruderschaft
zum gegeißelten Heiland (S), mit dem Bild Petri Verleugnung
von Jos. Magges und den Heiligenfiguren Norbert und Bernhard,
und der Armeseelenbruderschaft, mit dem Magdalenenbild von
Bergmüller (N) und den Heiligenfiguren Magdalena und Margareta von Cortona. Sie ordnen sich in Ornament und Farbe der
Raumeinheit unter, deren Anlage und Dekoration das volkstümlichste Werk bayerisch-schwäbischen Barocks schlechthin geworden
ist. Die Signatur seines Schöpfers findet sich unter der Orgelempore: »Dominicus Zimmerman Bavmeister v. Landsperg.«

WIESENTHAU (Ofr. – E 3)

*Der den Namen der Wiesent tragende Ort erscheint erstmals 1062,
in einer Schenkung König Heinrichs IV. an Bamberg. Seit 1127
begegnet das Geschlecht der Herren von Wiesenthau, das bis 1814
blüht.*

Das wuchtige, im besten Quaderwerk aufgeführte **Schloß** dürfte in den
ältesten Teilen (S-Flügel) ins 14. Jh. zurückgehen. 1525 von den Bauern
verwüstet (s. die Inschrift über dem Tor des S-Flügels), entstand es in
der Folge großenteils neu. 1561–66 wird die äußere Befestigung gebaut,
wahrscheinl. auch der O-Flügel. Das Pförtnerhaus trat 1786 hinzu. –
Das Schloß ordnet 2 nördl. ausgreifende Flügel einem südl. Hauptbau
zu. Starke, die wehrhafte Erscheinung bestimmende Rundtürme flankieren den Hauptbau; ein runder Treppenturm steht an der Hofseite
des O-Flügels, dessen Ecke in einem Polygonturm ausspringt, ein Rundturm an der W-Ecke des W-Flügels. Hohe, steile Satteldächer, Kuppel-
und Spitzhelme charakterisieren den Umriß. – Die angrenzende **Pfarrkirche** ging aus der Schloßkapelle hervor. Nur noch kleinenteils (Turm,
W-Front) spätgotisch; das Langhaus ist neugotisch (1846; 1901 verlängert); der Chor wurde 1901 erneuert.

Die südöstl. des Ortes aufwachsende, so eindrucksvoll geformte (von
Dürer in der Radierung der »Großen Kanone« festgehaltene) **Ehren-
bürg** wurde schon in der Hallstattzeit fortifiziert. Die Kelten der
späten La-Tène-Zeit bauten den Berg zu einer mächtigen Wallburg aus.
Auch germanische Siedlungsspuren wurden festgestellt. Indessen zeigt

sich die sicher sehr alte (vorbambergische) **Walpurgis-Kapelle**, die dem Berg seinen volkstümlichen Namen, Walberla, zubrachte, erst 1300. Der bestehende kleine, höchst anspruchlose Bau, Ziel der berühmten Walpurgis-Wallfahrt am 1. Mai (jetzt allerdings viel mehr Volksfest als Wallfahrt), dat. frühestens ins 16. Jh.

Schräg gegenüber auf der westl. Talseite, heller Blickpunkt der Landschaft, die **Nikolaus-Kapelle** (»Vexierkapelle«) über **REIFENBERG**, auf dem Platze einer längst abgegangenen Burg urspr. der Herren von Reifenberg (deren letzte auf der Kreuzfahrt 1190 blieben), dann des Hochstifts Bamberg. Der im frühen 17. Jh. erneuerte Bau ist durch einen starken Turm und eine kräftige Helmkuppel ausgezeichnet.

WIESENTHEID (Ufr. – D 3)

Der Ort, in erster Nennung 918 »Wiesenheida«, gehört seit dem 13. Jh. den Grafen von Castell. Seit 1547 ist er Erblehensbesitz der Fuchs v. Dornheim. Durch Heirat kommt er im 17. Jh. an Graf Johann Otto v. Dernbach; unter ihm wird Wiesentheid, 1692, zu reichsständischer Grafschaft erhoben. Die Witwe Dernbachs heiratete 1701 Rudolf Franz Erwein v. Schönborn. Seither ist Wiesentheid schönbornisch.

Kath. Pfarrkirche St. Mauritius

Ein 1681–84 von Petrini errichteter Neubau wird, bis auf den Turm abgetragen, 1727–32 durch die bestehende Kirche ersetzt. Der Plan Balth. Neumanns (Würzburg, Mainfränkisches Museum), nach dem der Bau von dem Wiesentheider Werkmeister Georg Seitz ausgeführt wurde, lag im Dezember 1726 vor. Bemerkenswert, daß Neumann auch den Entwurf für eine der Glocken gab (1728), die noch erhaltene »Balthasar-Neumann-Glocke«.

Der A u ß e n b a u von schönster Geschlossenheit, in der hohen 2geschossigen, mit Säulen, Nischen, Giebeln gegliederten Fassade aufgereckt und vom Frontturm (Petrinis) bekrönt. Das I n n e r e ist ein flachgedeckter Saal mit stark eingezogenem Chor, der sich in einem Triumphbogen ins Schiff öffnet. Die Raumwirkung beruht aber nicht zuletzt auf den *Wand- und Deckenmalereien* des Giov. Fr. Marchini (1728), die eine Scheinarchitektur schwerer barocker Prägung aufbauen. Das Gemälde der flachen Spiegelwölbung gewährt die Illusion eines überkuppelten Kirchenpalastes von römischer Wucht, ein imaginärer Raum konkurriert mit dem wirklichen. Eines der nicht zahlreichen Beispiele italienischbarocker Architekturmalerei in der Art des A. Pozzo. – Der ausgezeichnete *Hochaltar*, ein 6säuliger Aufbau in Stuckmarmor, wurde vom Dettelbacher Marmelierer Joh. Christ.

Mayer geschaffen (1728/29), die Statuen schuf Jakob van der Auvera, der auch die Seitenaltäre ausstattete.

Schloß. Seit 1704 ist Wiesentheid Schönbornscher Besitz. Der Umbau des älteren Schlosses (der Fuchs von Dornheim) beginnt sogleich. Bauleiter ist der Jesuitenpater Loyson. Die Stukkateure sind meist Bamberger, die Vogel an der Spitze. – Das Schloß umstellt mit seinen Flügeln ein Viereck. Ältester Bestandteil ist der das SW-Eck bildende 3geschossige sog. Fuchsenbau von 1576 ff.; alles andere ist frühes 18. Jh. Die langgestreckte 2geschossige Front östlich mit flachem Portalrisalit in der Mitte (Segmentbogengiebel, Streifenrustika) liegt zwischen 2 Rundtürmen an den Ecken. Ihr schräg gegenüber, jenseits der Straße, liegt die Pfarrkirche. Die Innenräume mußten sich wandeln mit dem Geschmack der Zeit. Doch sind noch sehr gute Stuckausstattungen der 20er Jahre des 18. Jh. erhalten. Wir nennen die der Kapelle (bis 1766 Ballspielsaal), des Kapellenkorridors und des Spiegelzimmers.

Kreuzkapelle (Schönbornsche Gruft). Der Vorbesitzer Wiesentheids, Graf Otto v. Dernbach, errichtet sie 1687–92. Baumeister ist A. Petrini. Graf Rud. Erw. Schönborn erweitert 1712 ff. das Achteck zum Kreuz. Die Kapelle ist also ein Achteck mit 4 Kreuzarmen. Über dem Zentrum eine Kuppel, über den Armen Flachdecken. Die Gliederung, korinthische Säulen, Kranzgesims, ist in Stuck aufgetragen. Eine kassettierte Scheinkuppel ist der des Achtecks aufgemalt; der Sepulkralcharakter der Kapelle gab den Gedanken ein, sie als einstürzende darzustellen. Der Maler ist Marchini. Die Kreuzigungsgruppe des in die Mitte gesetzten Altars schuf Jakob van der Auvera.

Der 1682 zum Markt erhobene *Ort* erfreut durch eine Reihe guter barocker Häuser. Hervorzuheben: das 1741 gebaute *Rathaus*, das noch in die 1. Hälfte des 17. Jh. zurückführende »*Templerhaus*«, die um 1740 errichtete *Apotheke* und die 1729/30 aufgeführten Häuser der **Schönbornschen Domanialkanzlei**. – Rühmenswert die steinerne *Kalvarienberggruppe* zwischen Pfarrkirche und Pfarrhaus, lt. Inschrift Stiftung des einheimischen Kunstschreiners J. G. Neßtfell (des Urhebers so ziemlich aller Schreinerarbeiten in Pfarrkirche und Kreuzkapelle), Werk des Lucas van der Auvera, 1766.

WIGGENSBACH (B. Schw. – B 7) → **Kempten**

WILDENBURG b. Amorbach (Ufr. – B 2)

Burgruine

Das hier einst herrschende, seit 1171 genannte, den staufischen Kaisern eng verbundene Geschlecht der Herren v. Dürn dürfte um die Wende zum 13. Jh. die erstmals 1215 bezeugte Burg auf dem

Wies. Wallfahrtskirche, Umgang des Chores

Windberg. Klosterkirche, Westportal

Preunschener Berg begründet haben. Konrad v. Dürn, in dem das (schon 1323 erlöschende) Geschlecht seine Höhe gewinnt, nennt sich 1226 erstmals »de Wildenberc«. Ulrich von Dürn stieß Wildenburg 1271 an das Mainzer Hochstift ab, das hier im 14. Jh. einen Amtssitz einrichtet. Die Säkularisation bringt die Burg an die Fürsten Leiningen. – 2 (nach Eulbach, Hessen) verschleppte Inschriftsteine nennen als Bauherren Bvrkert und Rvprecht von Dvrn. Die ersten 3 Jahrzehnte des 13. Jh. sind als die Hauptbauzeit anzusprechen. 1525 von den Bauern eingeäschert, 1547 vom mainzischen Amtmann verlassen, beginnt die Burg zu verfallen.

2 Halsgräben, ein äußerer und ein innerer, decken die schwache nordwestl. Seite; urspr. werden sie eine Vorburg eingeschlossen haben. Der Bering steckt ein bis auf die schräge NO-Seite regelmäßiges Rechteck ab, das ein (nur noch in Resten angedeuteter) Zwinger umfährt. 2 Höfe teilen die Fläche auf. Der Torbau, der in den äußeren größeren einläßt, ist ein vorzüglich ausgeführter glatter Quaderblock mit mehrfach gestuftem Rundbogentor und kreuzgewölbter Torhalle, dessen Aufstockung die Kapelle barg, auf die noch der westl. vorgekragte halbrunde Chorerker – ein Schmuckstück spätroman. Architektur – hinweist. Der äußere Hof ist westl. durch die starke Schildmauer abgeschlossen, in die der über Eck stehende Bergfried eingreift, ein wuchtiger Buckelquaderturm. Die ehemals im W-Teil des Hofes befindlichen Wehrbauten sind bis auf wenige Reste zerstört. Eine (spätgot.) Mauer trennt die beiden Höfe. Im Inneren der Palas, ein 2geschossiges Rechteck, dessen Obergeschoß durch Fensterarkaden im Stil der späten, schon durch die Frühgotik berührten Romanik ausgezeichnet ist. In der Leibung eines südöstl. Erdgeschoßfensters die viel zitierten (in ihrer Echtheit allerdings, und mit Grund, bestrittenen) Inschriften: O WE MVTER / und / BERTOLD MVRTE MICH VLRICH HIWE MICH. Die erste bringt Worte des Parzival, die zweite macht uns, seltener Fall!, mit Maurer und Steinmetz bekannt. – Die Wildenburg ist eine der großen Burgen des 13. Jh. Zweifellos steht sie auch den Burg- und Pfalzbauten der Kaisergeschlechts sehr nahe, es darf auch die Vermutung gewagt werden, daß die in Gelnhausen tätige Bauhütte hierfür Kräfte abstellte. Man weiß, daß sie eine Rolle im Leben Wolframs von Eschenbach spielte. Er nennt die Gralsburg Munsalwasch, d. h. Wildenberg.

WILPARTING (Obb. – D 8)

Das **Anianus-Marinus-Kirchlein** auf dem Irschenberg (nahe der Autobahn) sei hier als Beispiel einer oberbayerischen Wallfahrt mittleren Ranges genannt. Es spreche für die große Zahl ähnlich gearteter Wallfahrtskirchen im Voralpenland. Die Anlage ist schlicht: Ein Saalbau (1724, auf älteren, zuletzt spätgot., Resten) mit eingezogenem Chor, besetzt mit 3 Altären von 1697 (1875 verändert) und einer Kanzel (um 1760). Die vorzüglichen Deckengemälde des Mart. Heigl, 1759, und das gute, gleichzeitige Stuckwerk bestimmen den hellen, freundlichen Charakter des Raumbildes. An die iroschottischen Missionare des 7. Jh., denen die Wallfahrt gilt, erinnert eine Tumba von 1778 aus Marmor. Die Figuren der Deckplatte sind älterem Vorbild nachgeahmt (ältere figürliche Reliefplatte, wohl um 1500, unter der W-Empore). Zyklische Darstellungen an der Empore und an den Wänden berichten aus dem Leben der hier verehrten Einsiedler (Gemälde von Joh. Blasius Vicelli), denen auch die zahlreichen Votivtafeln gelten. – An der Stelle der Marinus-Zelle steht die **St.-Veits-Kapelle**, eine Rotunde des 17. Jh. Altarfiguren aus der Frühzeit des 16. Jh.

WINDBERG (Ndb. – F 6)

Prämonstratenser-Klosterkirche St. Maria *(Tafel S. 993)*

Ein Burgsitz der Donaugau-Grafen, die sich später v. Bogen nennen, geht voran. Hier stieg gegen 1100 ein Eremit, Wilhelm, im Rufe eines Heiligen. Graf Albert I. v. Bogen stiftete über dessen Grab eine Kapelle, die 1125 ihre Weihe erhielt. Um diese sammelte sich allmählich das Kloster, dessen Gründung für 1142 gesichert ist. Schon vorher hatte man mit dem Kirchenbau begonnen, von dem 1167 bereits wesentliche Teile gestanden haben müssen, da die Weihe vollzogen werden konnte. Dann reißt die Überlieferung ab. So bleibt die Frage der Vollendung des Bauwerks unbeantwortet. Die stilkritische Festsetzung der Portalskulpturen um 1220–30 läßt eine Bauzeit von rd. 80 Jahren annehmen. Unter dem ersten Abt, Gebhard (1142–91), entstehn eine Reihe kostbarer Codices, die sich heute in der Bayer. Staatsbibliothek befinden. Aus dem 15. Jh. werden Veränderungen im got. Sinne berichtet. Um 1600 hält die Renaissance Einzug. Schäden des Glaubenskrieges erfahren 1670 ihre Heilung. Um 1720 beginnt durchgreifende Barockisierung, der vieles aus altem Bestand geopfert wird. Nach Aufhebung des Klosters, 1803, verfallen Teile der Anlage mitsamt der Blasiuskapelle dem Abbruch. Wiedereinzug der Prämonstratenser 1923.

Ä u ß e r e s. Die Kirche ist ein Bau des Hirsauer Einflußbereichs. 3schiffig-basilikal mit Querschiff, Nebenchören und den Voraussetzungen zu 4 Turmbauten im O, diesseits und jenseits der Vierung. Von ihnen wurde nur einer, der nordwestliche, erst um die Mitte des 13. Jh. ausgeführt. Sein

oktogonales Obergeschoß mit Haube kam 1750–60 hinzu.
Sauber geschichtete Granitquadern kennzeichnen die sorg-
fältige Mauertechnik des 12. Jh. Ein Blendbogenfries um-
kränzt die Hauptapsis unter dem Dachansatz. Ihr Mittelfenster wurde wohl um 1725 vermauert und durch 2 seitl.
Öffnungen ersetzt. Die südl. Nebenapsis trägt Zahnschnitt-
band (die nördliche wurde abgebrochen). Das 18. Jh. hat
auch die Fensterdisposition am Langhaus verändert. 7 Kragsteine mit Masken beleben die schlichte W-Front. 2 weitere,
reliefgeschmückte treten am seitl. Giebelansatz hinzu. Von
reicher Durchbildung ist das *Hauptportal*: 3mal gestuftes
Gewände, besetzt mit glatten und geschraubt kannelierten
Säulen (südlich neu), umrahmt die Pforte. Die Kapitellzone,
ein Gemisch aus Blattformen, Blüten, Vögeln und Drachenwesen, eckt sich über dem Gewände, begleitet von flach
geschnittenem Rankenfries. Die Archivolten, besetzt mit Ku-
geln, Köpfen und Blüten, umrunden das Tympanon, in dessen Mitte die Gottesmutter zwischen dem Tages- und Nacht-
gestirn thront, der sich von beiden Seiten die anbetenden
Figuren des Stifterpaares (?) nahen. Die stilistischen Zusammenhänge mit ähnlichen Skulpturen in Straubing (St.
Peter) oder Altenstadt deuten auf die Zeit um 1220. Einfacher ist das N-Portal mit seinem gestuften Gewände, Blättern und Ranken in der Kapitellzone, Flechtwerk im Türsturz, Knollen in den Archivolten und Löwenkampf im
Tympanon, der hier in stärkerem Relief erscheint als etwa
die Drachenkämpfe von St. Peter zu Straubing oder Altenstadt. – Das I n n e r e ist eine 8jochige Pfeilerbasilika mit
fast quadratischer Vierung, quadratischen Querschiffarmen,
querrechteckigem Vorchor und kleinen 2jochigen Nebenchören. Der urspr. flachgedeckte Raum wurde um die Mitte
des 15. Jh. eingewölbt, abgesehen von dem schon roman. gewölbten Vorchor.

A u s s t a t t u n g. 1755 wurde der Raum von Matth. Obermayer
ausstuckiert. Zurückhaltung schien der Gesamtwirkung wegen geboten. Der Freskenschmuck hält sich auf geringer künstlerischer
Höhe. Seinetwegen hat man 1755 die got. Gewölberippen beseitigt. In der Mittelachse reihen sich Szenen des Marienlebens, die
in den Querschiffarmen von der Aufbahrung und Glorie des Prämonstratenserheiligen Norbert begleitet werden. Der Hochaltar
entstand um 1735–40, ein feinsinniger Aufbau, der mit seinen
gedrehten Säulen über die ganze Apsis ausgreift. In seiner Mitte
eine schöne Muttergottesplastik aus der Zeit um 1650. Vor dem

Retabel steht frei die Mensa mit einem prächtigen Tabernakel, um 1760. Die Chorwände werden von großen, um 1725 entstandenen Kredenzaltären eingenommen. Ihnen folgt in der Vierung das gleichzeitig geschaffene, reich eingelegte Chorgestühl. An den Querschiff-Stirnwänden Altäre von 1710–20. Hervorragendste Werke der Ausstattung sind die 4 *Altäre* Obermayers am 2. und 3. Pfeilerpaar des Langhauses (von O). 2 von ihnen hat der Meister mit 1756 bezeichnet. In phantasievoll bewegten Rahmungen werden figürlich-plastische Szenen vorgeführt, die ihren Zusammenhang mit der Krippenkunst nicht verleugnen. Zur Erläuterung der dargestellten Szenen möge die Nennung der Altarpatrone genügen: im O Dorothea und Katharina, im W Ägidius und Sabinus. An Freiheit ihrer künstlerischen Anlage wie an erzählerischem Naturalismus suchen die Gebilde in der zeitgenössischen Kunst ihresgleichen. – Die schlichte Kanzel ist 1674 datiert. – Das W-Joch des nördl. Seitenschiffs bewahrt den roman. *Taufstein*, ein von 3 Löwen getragenes Kalksteingefäß, in dessen umlaufenden Arkaden die 12 Apostel Platz genommen haben. Die schöne Arbeit entstammt dem Regensburger Kunstbereich um 1230. – Schöne *Sakristei* mit Deckengemälden von Jos. Rauscher 1725 und vorzüglichem Schrankwerk von Fortunat, 1722–23.

Friedhofskapelle St. Maria. Der unscheinbare Bau wurde 1451 an Stelle eines älteren errichtet und erhielt 1725 seine Barockausstattung. Die beiden Fresken sind inhaltlich interessant: Anspielung auf Gericht und Gnade durch Marias Einwirken. Die Grabplatte der Irmgard von Allenkofen († 1289) befindet sich jetzt im Museum in Regensburg.

Die **Klostergebäude** fielen nach der Säkularisation profanen Zwecken anheim, doch vermittelt ihr Gesamtbild noch den Reiz der mittelalterl. Anlage, in der die Treppengiebel eine beherrschende Rolle spielen. Der Haupteingang im N stammt aus dem frühen 13. Jh., während die erhaltenen Reste des Berings vielfach spätere Eingriffe verraten. Ein geringer Rest des roman. Kreuzganges (N-Flügel) lehnt sich an die südl. Kirchenwand. Im W des Kreuzgartens steht das schlichte Bauwerk der ehem. *Abtei*, heute Pfarrhaus (16. Jh.). Das Innere bewahrt spätgot. Wölbungen und Balkendecken. Eine Holzstiege mit reichem Geländerschmuck deutet auf etwa 1530, späteste Gotik. Gegenüber, im S, liegt der barocke *Konventbau* des frühen 18. Jh. (seit 1923 wieder im Besitz der Prämonstratenser). Erhalten: der Kapitelsaal mit Deckenmalerei von Jos. Rauscher 1735 und 1744 sowie geschnitzte und intarsierte Türen. – *Blasiusbrunnen*, 1633, im westl. Außenhof und *Samariterbrunnen*, 1513, im östlichen.

Bad WINDSHEIM (Mfr. – C 3)

*Die »villa regia Windsheim«, deren Martinskirche 841 an Würz-
burg fällt, muß mit Kleinwindsheim identifiziert werden. Eine
nahe liegende Straßenkreuzung, verbunden mit einem Aisch-Über-
gang, läßt, vermutl. in salischer Zeit, einen königlichen Stützpunkt
entstehen, der wieder die Siedlung, Windsheim, entstehen läßt.
1190 wird eine Kirche gebaut, St. Kilian zu Ehren und dem Würzburger Bischof zu eigen. Der Würzburger gründet im frühen 13. Jh.
den Markt. Dank einer Reihe königlicher und kaiserlicher Be-
gnadungen kann die Stadt (als solche ist sie seit rd. 1280 zu bezeichnen) das Ziel »freie Reichsstadt« angehen; 1344 ist sie es,
trotz der sehr um die bemühten Markgrafen. 1525 bekennt sie sich
zur neuen Lehre. – Im 14. Jh. weitet sie sich aus, die Wallgärten
lassen den erreichten Stadtumfang ermessen. Im 16. Jh. verlieren
die hier kreuzenden Straßen an Gewicht, die Stadt stagniert. Eingeschlossen in markgräfliches Gebiet, kann sie auch keine Flügel
mehr ausbreiten. Um so erstaunlicher wirkt das quasi fürstliche
Rathaus (1717), befremdlicher Widerspruch zu dem, was man ist,
Reichsstadt freilich immerhin, woran auch der Brunnen mit der
Statue des geharnischten Kaisers, Leopolds I., erinnert. 1733 verheerender Stadtbrand. Über Preußen (1792) kommt Windsheim
1810 an Bayern.*

Ev. Pfarrkirche. Die Anordnung östl. Türme am Ende der Seitenschiffe
spricht für die Fortdauer eines roman. Grundrisses. Die spätgot.,
8 Joche zählende Hallenkirche erfuhr nach einem Brand 1730 eine
gründliche Wiederherstellung, die nicht viel alten Bestand übrigließ.
Von den beiden Türmen gewann nur der nordöstl. Höhe. Dieser einheitlich barock, 3 hohe Würfelgeschosse und ein Oktogon darüber, von
starker plastischer Gliederung. Der südliche, 8eckige, unterteils noch
spätgotisch. Der Chor, der mit seinem Schluß an den Markt herantritt,
mit schwerer barocker Dachhaube gedeckt. Das Raumbild ist durch die
doppelgeschossigen Emporen bestimmt, die zwischen die je 7 Freipfeiler
eingespannt sind. Die Ausstattung – Altar, Kanzel, Orgel, Taufstein –
dürfte um 1700 entstanden und nach 1730, in Teilen, erneuert worden
sein.

Die ehem. Klosterkirche der Augustinereremiten, Gründung des späten
13. Jh., wurde 1581 bis auf den Chor (heute **Stadtbibliothek**) abgetragen. – Die **Spitalkirche** entstand um 1300, die **Marienkapelle** »am See«
um 1400 als bürgerliche Stiftung. Der reichsstädtische **Bauhof** ist ein
beachtlicher Fachwerkbau des späten 15. Jh.

Rathaus. 1713–17 errichtet, 1733 erneuert, mehr Palast als
Rathaus, erinnert es aufs nächste an die Art des Ansbach-
Eichstätter Baudirektors Gabrieli. Tatsächlich baute es auch
einer der unter Gabrieli tätigen Paliere, der Graubündner
Joh. Rigaglia. Das rustizierte Erdgeschoß öffnet sich in Arkaden, ionische Pilaster übergreifen, in großer Ordnung, die
beiden Obergeschosse und das beschließende Halbgeschoß. In

den Rahmenaufsätzen der Fenster des 2. Obergeschosses Nischen mit Büsten. Portal, mit Balkon auf Zwillingssäulen, in der Mitte, die auch durch Uhrhaus und Dachreiter betont ist.

WINHÖRING (Obb.) → Neuötting (E 8)

WITZIGHAUSEN (B. Schw. – B 6)

Pfarr- und Wallfahrtskirche St. Marien

Lebhaft gefördert durch die Augsburger Patriziergrafen Fugger, konnte an der Stelle eines älteren Kirchleins 1735–40 der elegante Neubau aufgeführt werden. Baumeister: Chr. Widtmann. Die Altarausstattung folgte mit einiger Verzögerung 1758 und konnte wegen Erschöpfung der finanziellen Mittel erst 1781 farbig gefaßt werden. Turm im 19. Jh. unschön erneuert.

Das **Ä u ß e r e** , fassadenlos, mit schmaler Pilastergliederung, ist aus den Tälern von Iller und Roth weithin sichtbar. Eine gewisse Bescheidenheit nach außen ist für zahlreiche Gotteshäuser dieser Zeit verbindlich. **I n n e r e s.** Hell und anmutig wölbt sich ein längliches Schiff mit abgeschrägten Ecken, erfüllt vom Drang nach eigenem Mittelpunkt, wenn auch in der Längsachsis ein quadratischer Chor mit der segmentförmigen Apsis folgt.

Rocaillestuck, weiß, auf zartgetöntem Grund, umspielt die einfachen Raumwände und sammelt sich in Bildrahmungen. Stukkateur war Ign. Finsterwalder. Die *Fresken* schuf der Asam-Schüler Chr. Thom. Scheffler 1740. Die Themen lieferten das Marienleben und die Idee der Wallfahrt. Kraftvolle, heitere Farbigkeit und trefflich gelungene Tiefenillusionen bestimmen das frohe Raumbild. – Die Altäre 1757/58 von Frz. Jos. Bergmüller; das Gnadenbild des Hochaltars um 1620–30, viell. von Chr. Rodt. Rokoko-Kanzel mit Figur des Predigers Paulus, um ihn Vierergruppen von Symbolen: Attribute der Evangelisten, Kirchenväter, Allegorien der Erdteile. An der Kanzeltüre Relief des Guten Hirten, 1741. Die Seitenaltäre enthalten Gemälde von Konrad Huber, 1781.

WOLFRAMSESCHENBACH (Mfr. – D 4)

Erstmals nach Mitte des 11. Jh. bezeugt, läßt sich Eschenbach gegen Ende des 12. Jh. im Besitz der Grafen Wertheim-Rieneck feststellen. Diese verkaufen es 1316 an den Deutschen Orden, der schon im frühen 13. Jh. hier Fuß gefaßt hatte, spätestens 1304 eine Komturei einrichtete und bis zur Mitte des 14. Jh. seinen Besitz in und um Eschenbach arrondiert. Kaiser Ludwig macht Eschenbach 1332 zur Stadt, Karl IV. fügt 1347 das Befestigungsrecht hinzu. Der Mauerring umwächst die Stadt im 15. Jh. – Seit 1917 benennt sich Eschenbach zum Gedächtnis an den großen Träger seines Namens Wolframseschenbach. Daß der Ritter-Sänger in der Pfarrkirche begraben liegt, bezeugen Nachrichten des 15. und noch des 17. Jh. Ein Burgstall südöstl. der Stadt dürfte an den Sitz des Geschlechtes der Eschenbach erinnern, das, gering begütert, schon im frühen 14. Jh. erlosch.

Der **Mauerring** steht noch in seinem ganzen Umfang. Südlich und westlich begleitet ihn ein Zwinger. Auch der Graben ist noch da. Es stehen auch noch die beiden **Tore**: das nach Mitte des 13. Jh. aufgeführte obere mit einem Vorwerk von 1463, das untere, um 1400 gebaute, das auch ein Vorwerk hat. – Das 1861 von König Maximilian II. auf den Markt gesetzte Bronze-*Denkmal* des Ritter-Sängers, nun einmal, seit mehr als 100 Jahren, da, ist hinzunehmen.

Kath. Pfarrkirche

Anfang des 13. Jh. gelangt sie an den Deutschen Orden, der auch gleich zu bauen beginnt. Voraus entsteht der Turm, dann, um die Mitte des 13. Jh., der Chor, etwas später das Langhaus. Zisterziensische Anregungen (flacher Chorschluß, Halle), viell. durch Heilsbronn vermittelt, sind anzunehmen. 1719 hat eine nach Vorschlägen des Ellinger Baumeisters Franz J. Roth durchgeführte Erneuerung – Barockisierung – statt, an der dessen Bruder, der Maler Ign. Roth, entscheidend mitwirkt, und 1749 baut der Ellinger Palier Matthias Binder die Kapelle der Schmerzhaften Muttergottes an der S-Seite. Diese wenigstens verschonte die Stilreinigung von 1876, die die Kirche ihres nicht-got. Inventars beraubte.

Die in Quadern errichtete 3schiffige Halle (die früheste fränkische) hat einen flach schließenden Chor und einen westl. ins Mittelschiff hereingezogenen Turm; auf 3 roman. Geschosse setzt er 2 gotische und läuft in einen Spitzhelm aus. Der 2jochige Chor hat Kreuzrippengewölbe, die auf abgefangenen, sehr schlanken gebündelten Diensten ruhen; Kapitelle und Konsolen mit Laubwerk in zartem Relief überschrieben. Das Langhaus hat spitzbogige Arkaden auf Rundpfeilern, die nicht mehr ganz ursprünglich sind. Der Restaurator des 19. Jh. zog auch die Decke (anstelle der barocken Wölbung) ein. Die Hauptzugänge liegen in den W-Wänden der Seitenschiffe; alt (frühgotisch) ist das südliche, das nördliche ist neu. Von den beiden Sakristeien zu seiten des Chores ist die südliche, mit Tonne gedeckte, früh-, die nördliche, mit Netzrippengewölbe, spätgotisch. – Die (vom Restaurator heimgesuchte) Ausstattung beherbergt neben dem 1751 nach Entwurf eines einheimischen Schreiners geschaffenen Altar der Marienkapelle noch den kleinen Schreinaltar mit der Reliefdarstellung der Kreuzauffindung von etwa 1490 und die figurenreiche Rosenkranztafel von etwa 1510, die aber beide erst spät, aus Kottingwörth (Opf.), zugekommener Besitz sind.

Ehem. Deutschordensschloß (seit 1859 Rathaus). 1623 wurde es gebaut. Sein Habitus ist der des späten 16., frühen 17. Jh.; späte, vom »horror vacui« befreite, in Flächen und, mehr noch, in Massen denkende Renaissance gestaltete den breiten 3geschossigen gegiebelten Block mit seinen beiden Achteck-Erkern an den Kanten, der sich, steinern, noch verträglich an die schlichtere, Fachwerk bevorzugende Gesellschaft der Bürgerhäuser stellt.

Westl. angrenzend an das Schloß einer der schönsten Fachwerkbauten, die **Ordensvogtei**, die noch spätmittelalterlich ist, abgerechnet die Renaissance-Bearbeitung des Erdgeschosses (Anfang 17. Jh.). – Das an der S-Seite der Kirche liegende, beherrschend dem Markt zugekehrte alte **Rathaus** ist nicht jünger, das Tor ist 1471 datiert; einfaches konstruktives, nur durch Ständer, Streben, Schwellen sprechendes Fachwerk. Das **Pfründehaus** (»Arche Noah« im Volksmund) in der Färbergasse sei als besonders gutes Beispiel spätmittelalterl., nur aus dem Zweck entwickelten, anspruchslos-schönen Hausbaus zitiert.

WOLFRATSHAUSEN (Obb. – C 7)

Im 11. Jh., spätestens um 1100, siedeln sich die Grafen v. Diessen(-Andechs) auf dem »Schloßberg« an; ein Zweig der Diessener nennt sich künftig bis zu seinem Erlöschen, 1157, nach Wolfratshausen. Die Burg wurde im 12. und 13. Jh. mehrmals zerstört. 1248, nach dem Ausgang des Grafen v. Andechs, fällt sie an den Herzog von Bayern. – Letzte Teile gingen 1734 zugrunde. Der Burgplatz auf dem Schloßberg nördl. der Stadt ist noch kenntlich (und durch einen Denkstein kenntlich gemacht). – Die Siedlung, sicher älter als die Burg, entwickelte sich an der dem Engpaß zwischen Steilhang und Loisach folgenden Straße, eine typische Straßensiedlung. 1312 machte sie der Herzog zum Markt. Der (nicht erhaltene) Mauergürtel öffnete sich südlich und nördlich, die Straße aufnehmend und sie entlassend, in 2 Toren. Das alte Bürgerhaus, das noch in guten Reihen die Straße säumt, geht in seiner Wurzel auf das Isarwinkler Bauernhaus zurück.

Stadtpfarrkirche St. Andreas

Als Baujahr ist, durch Inschrift am Turm, 1484 überliefert. Ein Brand, 1619, führte zu einer Wiederherstellung, der 1631 eine Erneuerung – Erhöhung der Mauern und des Turmes – folgte. Verwüstung durch die Schweden machte eine weitere, letzte Wiederherstellung, 1650, nötig.

Der A u ß e n b a u , der sich mit dem Chor an den Straßenmarkt heranstellt, ist durch den steilen, schmalwüchsigen Turm bestimmt. Das I n n e r e ist eine 3schiffige Halle, 4 Joche tief, mit eingezogenem, in 5 Achteckseiten schließendem Chor; sehr schlanke, glatte, kämpferlose Achtkantpfeiler tragen die Stichkappentonne. Spitz sind noch die Schildbogen, die Fenster sind rundbogig. Der Charakter des steilgewachsenen Raumes ist der des frühen 17. Jh., der »posthumen« Gotik.

Die Stukkaturen der Mitte des 17. Jh. passen sich vorzüglich ein: geometrisch bestimmte Felderungen, »Quadraturen«, mit Engelsköpfen, Ranken und Rosetten. Die doppelte Empore zwischen den beiden westl. Pfeilern entstand 1724. Der Hochaltar, mit gewundenen laubberankten Säulen, wurde 1659–61 vom Wolfratshauser Kistler Lukas Herle, von Kasp. Niederreiter (Plastik) und Adam Griesmann (Gemälde) ausgeführt (Anbetungsengel um 1780). In der Zeit um 1670 dürfte die Kanzel entstanden sein, wohl gleichzeitig die Reihe der Apostelstatuen an den Wänden. Die Prozessionsstangen der Bruderschaften und Innungen gehören dem 17. und 18. Jh.

Die **Dreifaltigkeitskirche** auf dem Kalvarienberg über der Stadt wurde 1715 auf Kosten des kaiserlichen Posthalters Jos. Lang errichtet. – Die **Frauenkapelle** auf dem Bergl, bei dem der Stationsweg beginnt, ein Achteck, entstand in den 40er Jahren des 17. Jh. als Dankvotiv der Bürger in der Schwedennot.

Nantwein. Ein angebl. 1286 in Wolfratshausen vom herzoglichen Richter gemarterter Rompilger Conradus Nantovinus gibt der Örtlichkeit Namen und Bedeutung. Im 16. Jh. scheint der Kult des Heiligen zurückgegangen zu sein, da 1604 seine Reliquien gefunden werden müssen. Jetzt erst beginnt die Wallfahrt zu florieren. Eine Besonderheit war der Brauch, in der silbergefaßten Hirnschale des Heiligen Wein zu reichen (das Schädelreliquiar in München, Stadtmuseum). Die vom Friedhof umgebene Kirche, außerhalb von Wolfratshausen, an der Straße zur Isar-Brücke, wurde mit Verwendung älterer, spätgot. Teile, 1624 neu aufgeführt. Die Prägung ist »nachgotisch«. Der Spitzbogen herrscht. Die gute einheitliche Ausstattung stammt aus der Erbauungszeit.

WOLFSEGG (Opf. – E 5)

Von hohem malerischem Reiz, überragt der niedere, doch steile Burghügel das kleinteilige Häusergewinkel. Die **Burg** – 1358 als Eigentum des Markgrafen Ludwig von Brandenburg genannt – ist heute Privatbesitz. Von blockhafter Wucht sind die ragenden Mauern des 14. Jh. Der fast ovale Mauergürtel ist großenteils erhalten. Ein 3geschossiger Palas beherrscht die Gefüge der Anlage, trotzig, verschlossen, mit kleinen Fensteröffnungen. Eine Spindeltreppe verbindet die Geschosse, deren oberes tonnengewölbte Räume birgt.

Bad WÖRISHOFEN (B. Schw. – B 7)

Die stattliche Ortschaft im Alpenvorland ist durch Wirksamkeit des geistlichen Arztes Sebastian Kneipp († 1897) als Wasserkurstätte zu Ansehen gediehen. – Die Spuren des im 11. Jh. dort ansässigen Herrengeschlechtes von Wereshova sind verwischt. Eine spätere Besitzerin vermachte 1243 ihre Güter dem Augsburger Dominikanerinnenkloster St. Katharina. 1719 entsteht in Wörishofen ein eigenes Kloster strengster Observanz, das sich unmittelbar dem Hl. Stuhl anvertrauen durfte. Nach 40 Jahren der Säkularisation (1802–42) begann es wieder zu wirken.

Pfarrkirche St. Justina und Katharina, ehem. Kapuzinerklosterkirche. Aus der älteren Anlage von 1519/20 wurde der spätgot. Chor übernommen und um 1700 mit neuem, saalartigem Langhaus versehen. Dieses erhielt 1922/23 eine Erweiterung nach W. Die Stukkatur trägt wessobrunnischen Charakter im Zeitgeschmack von 1700–05. Deckenfresken im östl. Teil 1780.

Dominikanerinnen-Klosterkirche St. Maria. Guter Saalbau von Franz Beer, 1719–22. Ein tiefer Nonnenchor füllt die 4 östl. Joche. Die Stuckdekoration (1722) ist für Dom. Zimmermann, Freskomalerei (1723) für seinen Bruder Joh. Bapt. bestätigt. Altareinrichtung der Bauzeit.

WÖRTH a. d. Donau (Opf. – F 6)

In der 2. Hälfte des 8. Jh. besteht ein mit der Peterskirche verbundenes Benediktinerkloster, Eigenkloster der Regensburger Bischöfe, das aber schon im »dunklen« 10. Jh. strandet. Die Grundherrschaft gehört zu den ältesten Besitzen des Hochstifts Regensburg; sie kann sich dank des anhängenden großen Forstes zu unmittelbarer Reichsherrschaft (mit dem Fürstenrang für die Bischöfe) entwickeln. 1803 fällt sie an das Dalbergische Fürstentum Regensburg, 1810 an Bayern. 1812–48 ist Wörth ein Patrimonialgericht der Thurn und Taxis. Seit 1954 Stadt.

Schloß

Vom mittelalterl. Bestand ist der Bergfried überkommen. Alles andere entstammt im wesentlichen dem frühen 16. Jh., der Zeit des Administrators Pfalzgraf Johann (1507–38). Um 1570 ist man noch mit dem Ausbau der Wohntrakte beschäftigt. 1616 fügt Bischof Albert v. Törring Kapelle und N-Trakt hinzu.

Den Zugang im O vermittelt zunächst ein Torbau, der das Datum 1605 trägt. Weiter führt der Weg zum Haupttor von 1525, einem niederen Torhaus, das von 2 dicken Batterietürmen flankiert wird. Eine Wappentafel vereinigt darüber die Wappen von Hochstift Regensburg und Pfalz-Bayern (Art des Loy Hering). Weitere runde Batterietürme sichern die übrigen 3 Ecken der langgestreckten Anlage. Wir betreten das I n n e r e. Links winkelt sich die Wohnung des Torwarts, rechts längt sich das Gebäude der Gesinde-Dürnitz. Gewölbte Räume künden aus der Bauzeit des frühen 15. Jh. Haben wir den Trakt nach N umschritten, so entpuppt sich der mächtige mittelalterl. Bergfried als massiger Wohnturm, der ehemals Rüstkammer und Gefängnisse geborgen hat. Seine Bedachung erneuerte das frühe 17. Jh. Diesen Gebäuden, die der Fortifikation und dem Gesinde zu dienen hatten, gegenüber liegt der 3flügelige **Fürstenbau**, entstanden unter Pfalzgraf Johann und Albert v. Törring, im frühen 16. und im frühen 17. Jh. Die doppelgeschossige Quergalerie der Mitte entstammt dem 17. Jh. Das mittlere Portal öffnet den Zutritt zu den Wohnräumen, von denen das ehem. Schlafgemach mit seiner schönen Holzdecke (1616) hervorzuheben ist, wie das Rondellzimmer mit seiner Gewölbemalerei von 1676 (Geschichte von Prokris und Kephalos) und gleichzeitiger Stukkatur. Auch der Ofen ist ein Prunkstück dieser Zeit. Die Räume des N-Flügels sind als Dienerschaftswohnung einfach. Der S-Flügel enthält den Festsaal, einen langgestreckten Raum mit Stichkappenwölbung auf Pilastern. Er stößt an die **Schloßkapelle St. Martin**. Diese ist ein 1schiffiger Bau von 1616 mit gratigen Kreuz- und Kappengewölben auf Renaissancekonsolen. Im Scheitel des Langhausgewölbes das Wappen Albert von Törrings. – Die Mitte des Hofes ziert der Schloßbrunnen mit dem Törring-Wappen und dem Datum 1636.

Pfarrkirche St. Peter. Baunachrichten liegen so gut wie keine vor. Es handelt sich um eine 3schiffige got. Basilika, die auf Fundamente des späten 13. Jh. zurückgehen dürfte. Das nördl. Seitenschiff kann erst im 14. Jh. hinzugefügt worden sein. Der Turm an der N-Wand wurde wohl gemeinsam mit dem N-Portal 1464 errichtet. Die wechselnden Gewölbefigurationen des südl. Seitenschiffes deuten auf das Ende des 15. Jh. Der Chor wurde um 1600 durch den bestehenden Neubau ersetzt. Barockisierung und Regotisierung haben unter den Einrichtungsgegenständen der Kirche aufgeräumt. Nur über dem gedoppelten N-Portal hat sich eine steinerne Petrusfigur erhalten, Datum 1464.

In der Hauskapelle des **Krankenhauses**: got. Schnitzaltar um 1480, mit Szenen aus der Legende des hl. Martin.

Die Wülzburg

WÜLZBURG (Mfr. – D 5)

Zuvor stand hier ein Benediktinerkloster, das Karl d. Gr. gegründet haben soll. Greifbar wird es erst im 12. Jh. Die Abtei verfällt 1537 der markgräflichen Säkularisation. 1588 fängt Markgraf Georg Friedrich an, auf dem Areal des Klosters eine Festung zu errichten, nach den Plänen seines Baumeisters B. Berwart. Die Wahl des Platzes erstaunt: der Festungsbau der Zeit sucht nicht mehr Berge auf. Nach Berwart leitet den Bau der brandenburgische Baumeister Kasp. Schwab, dann Gideon Bacher (bis 1601), zuletzt der jüngere Berwart. – Bemerkenswert, daß die starke Festung 1631 kampflos an die Kaiserlichen übergeben wird. Erst 1648 kommt sie an die Markgrafen zurück, der sie 1659 instand setzen läßt. 1687 hört sie auf, Festung zu sein. – Ihr Plan war Ende des 16. Jh. der modernste; das Fünfeck galt als die ideale Festungsfigur. Das bewunderte Antwerpener Kastell hatte dem Markgrafen und seinem Baumeister das Vorbild geboten.

Daß sie noch da ist, erhebt diese Festung schon zu Rang; denn Festungen dieser Frühzeit sind selten. Umwandert man den tiefen und breiten Trockengraben, der das Fünfeck umschließt, so wird es mit wachsender Freude geschehen. Denn dieser reine Zweckbau spricht nun doch in seinen starren mächtigen Mauerfronten, in den kantigen Klötzen der Bastionen das ästhetische Gefühl an, stärker als das in der Umwallung befindliche **Schloß**, das allerdings in der 2. Hälfte des 17. Jh. seiner Zierden entkleidet und im frühen 19. Jh. durch Zusetzen seiner in 3 Geschossen gereihten Arkaden entstellt wurde. Daß auch eine Festung nicht auf jedes Dekorum verzichten wollte, erweist das repräsentative Portal an der S-Seite.

WUNSIEDEL (Ofr. – F 3)

Der erstmals 1163 genannte Ort lag im Egerland, das damals noch das ganze Fichtelgebirge in sich einschloß, 1080 als Reichslehen an die Grafen v. Vohburg gelangte, doch 1146 vom Reiche zurückgenommen wurde. Wunsiedel kommt 1285 auf dem Kaufwege an die Nürnberger Burggrafen, die um diese Zeit beginnen, ihr später so gen. Sechsämterland, auf Kosten des Egerlandes (dessen südl. Teil 1322 als Pfandschaft an Böhmen verloren geht) zu begründen. 1316 ist Wunsiedel Markt, 1326 Stadt. Im 15. Jh. ist es eine der 6 Hauptmannschaften, 1613 Vorort des Sechsämterlandes. Sein Wohlstand beruht auf der schon im Spätmittelalter betriebenen Fabrikation des verzinnten Bleches. – Schwere, vernichtende Brände, 1731 und 1834, haben das Stadtbild der älteren Züge fast ganz beraubt. Der Mauergürtel ist abgegangen.

Von den Toren steht noch das Ende des 15. Jh. gebaute, nach 1834 erneuerte **Koppentor.**

Ev. Stadtpfarrkirche. Ein spätgot. Bau steckt noch im Chor. Die nach 1731 von Johann Richter, vermutl. nach Bayreuther Plan (des J. Dav. Räntz?), großenteils neu aufgeführte Kirche wurde nach Brand 1903 wiederhergestellt. Der wie das Langhaus durch Granitquaderwerk ausgezeichnete Turm dat. in den beiden Untergeschossen 1737/38, im Obergeschoß 1770.

Spitalkirche. Gründer ist der reiche, auch in Eger tätige Kaufmann Sigm. Wann, 1449. Die von einem Hans Steinmetz gebaute Kirche ist 1464 vollendet. Ein Neubau ersetzt sie 1731–33: rechteckiger Saal mit 3seitigem Chor und westl. stehendem Turm. – Das **Spital** ist ein im

Kern spätgot., mehrmals erneuertes 3geschossiges Gebäude. Die 1693 dat. Brüderstube im SO-Eck des Erdgeschosses sei als ein guter alter Raum hervorgehoben: 4 Kreuzgratgewölbe über rundem Mittelpfeiler. Auch der Rauchfang in der Rauchkammer verdient erwähnt zu werden.

Gottesackerkirche Hl. Dreifaltigkeit. Ihr Standort ist der zu Anfang des 17. Jh. begründete Friedhof außerhalb der Stadt. 1628 beg., wahrscheinl. von Veit Lippert, wurde sie doch erst 1672 geweiht. Rechteckiges Schiff mit eingezogenem polygonem Chor, ein 8eckiger Treppenturm am SW-Eck. – Bemerkenswert die Reihe der Bildnisse der mit 1568 einsetzenden Wunsiedler Superintendenten, die im späten 17. Jh. beg. wurde. – Der **Friedhof** ist ungewöhnlich reich an älteren, mit dem späten 16. Jh. einsetzenden Grabsteinen; Material ist Kalkstein, der »Wunsiedler Marmor«. Beachtlich insbes. die Grabsteine des Mich. Meinel (1718), wahrscheinl. vom Bayreuther Meister Elias Räntz, und der des Georg Hoyer (1723), wahrscheinl. vom jüngeren Räntz, Joh. Gabriel. Unter den Gruftkapellen ragt die 1779 errichtete Schmidsche hervor. Die Haassche an der N-Mauer sei wegen des Grabsteins des Joh. Adam Haas (1719) genannt, der vermutl. auch dem Elias Räntz gegeben werden darf.

Ehem. Wallfahrtskirche St. Katharina. Auf der Anhöhe (Katharinenberg) südl. der Stadt. Sie zeigt sich erstmals 1364. Nach Zerstörung 1462 wieder aufgebaut. Nach der Reformation, die in Wunsiedel 1528/29 eingeführt wird, verfällt sie zur Ruine. Nur der (als Wehrturm brauchbare) Turm konnte sich erhalten.

Im Hause Jean-Paul-Pl. 1, das in die Jahre 1515–21 zurückreicht (1731 erneuert), befindet sich das 1908 eröffnete **Fichtelgebirgsmuseum.** Das Haus Nr. 5 ist das **Geburtshaus Jean Pauls.**

WÜRZBURG (Ufr. – C 2/3)

Der Name nennt die Burg. Die Burg zeugte die Stadt, und die Burg ist bis zum heutigen Tag der bestimmende Faktor der Stadtlandschaft geblieben. Auf dem beherrschenden Berg über der geräumigen Maintalung saßen schon Kelten. Die vorgeschichtliche, dann germanische (alemannische, thüringische) »Uburzisburg« (so beim »Geographen von Ravenna«, Ende 7. Jh.) wurde im 6. Jh. fränkisch, Sitz der von den Franken bestellten fränkisch-thüringischen Herzoge, deren letzter, Hetan II., 704 »in castro wirteburch« urkundet. Wenig früher, angebl. 689, hatte in Würzburg der irische Glaubensbote Kilian sein Martyrium erlitten. Spätestens um die Mitte des 8. Jh. erhob er sich zum großen Heiligen Würzburgs, seither durch die Jahrhunderte als der Bringer der Christgläubigkeit, der Schutzherr, der erste in der Reihe der Bischöfe verehrt. Doch kanonisches Bistum wurde Würzburg erst durch Bonifatius, 741/742, der den ersten (kanonischen) Bischof, den Angelsachsen Burkard, ordinierte. Der Sprengel des schon anfänglich, durch Herzog Karlmann, reich dotierten Bistums war ein sehr weiter, er griff den Großteil der Francia orientalis, kurz gesagt Frankens, ein, vom Spessart bis zu den Main-Quellen; erst

die Stiftung des Bamberger Bistums drängte ihn über den Steiger-
wald zurück. Der Besitz mehrerer Grafschaften ließ die Bischöfe
früh zu landesfürstlicher Gewalt aufsteigen, die sich wahrscheinl.
schon im 11. Jh. mit dem dann von Kaiser Friedrich I., 1168,
förmlich anerkannten Anspruch auf den »ducatus Franciae orien-
talis« verband. Das Symbol der (faktisch auf die Würzburger
Territorien beschränkten) Herzogsgewalt, das Schwert, das schon
in den Siegelbildern des 11. Jh. begegnet, eignet den bischöflichen
Grabsteinen seit dem frühen 14. Jh., der »dux«, »Herzog zu Fran-
ken« rückt aber doch erst im frühen 15. in die offizielle Titulatur
ein. – Die widerstreitenden Laiengewalten, wie die Grafen von
Henneberg, Castell, Wertheim, Hohenlohe, Rieneck, konnten sich
nur zu beschränkten Größen entwickeln, keine zu einer, die sich
mit der der Nürnberger Burggrafen (Markgrafen) im Bamberger
Sprengel in Parallele setzen ließe. Indessen war diese Gegenwir-
kung, vorab von seiten der bis ins 13. Jh. mit der Würzburger
Burggrafschaft belehnten Henneberg, in den Zeiten des Faustrechts
bedrohlich genug.
Seit dem 13. Jh. stehen die Bischöfe im scharfen Gegensatz zu ihrer
sich aufreckenden Stadt. Aber die Befreiungsversuche einer sich
ihres Wertes bewußten Bürgerschaft scheitern; die Schlacht bei
Bergtheim 1400 und der Ausgang des Bauernkrieges 1525 besiegeln
das Schicksal der Stadt; sie wird stets ihren Bischöfen gehorchen.
– Die schweren Erschütterungen der geistlichen Herrschaft im Jahr-
hundert der Reformation enden mit der Gegenreformation, deren
starker Anwalt Bischof Julius Echter v. Mespelbrunn (1573–1617)
ist, einer der befähigtesten und tatkräftigsten Regenten des Hoch-
stiftes. Bischof Julius begann auch das Bild der Stadt durch seine
immer großzügigen Bauten neu zu prägen. »Zahllos« die im Hoch-
stift errichteten oder erneuerten Kirchen, Rathäuser, Schlösser. –
Auf die so hohen Maßes förderliche Juliuszeit folgen die Elends-
jahre des Großen Krieges mit 5 Jahren schwedisch-sächsischer
Okkupation (1631–35). Nach Kriegsende, 1648, beginnt der erste
der 3 Würzburger Schönborn-Bischöfe, Johann Philipp (zugleich
Erzbischof von Mainz), Stadt und Burg zeitgemäß zu befestigen;
der Marienberg ist jetzt »Reichsveste«. Mit dem Trientiner Petrini
(Festungsbaumeister von Haus aus) beginnt die große Zeit des
barocken Bauens, die unter den beiden Schönborn-Bischöfen Joh.
Phil. Franz (1719–24) und Friedrich Karl (1724–46) in den 3 Jahr-
zehnten Balth. Neumanns gipfelt. – 1802 ist das Hochstift St. Kili-
ans am Ende. Bayern ergreift Besitz, muß aber seinen Löwen 1804
wieder abnehmen, da Napoleon Würzburg zum Großfürstentum
eines Habsburgers, Ferdinand von Toskana, bestimmt. Dessen Exi-
stenz währt freilich nur kurz. 1814 kehrt Bayern, jetzt für die
Dauer, zurück.
Die Anfänge der Siedlung liegen unterhalb der Burg, linksmai-
nisch, wo der erste Bischof, Burkard, ein Kloster, St. Andreas
(später St. Burkard), gründet. Spätestens im 8. Jh. wird sich aber

*auch schon rechtsmainisch um einen fränkischen Saalhof und die
ihm anliegende Grabkapelle des angeblich hier ermordeten Kilian
ein Siedlungskern als eigentliche Wachstumszelle der (erstmals
1030 als »civitas« bezeugten) Stadt herausgebildet haben. – Die
Bischöfe, zunächst auf das Gebiet des 783 errichteten Salvator-
Doms beschränkt, erobern im 10. und 11. Jh. mit der Gerichts-
hoheit die Souveränität über die zuvor königliche Stadt. – Der
Grundriß der ältesten Stadt wird südl. von der Neubaustraße,
östl. von Hofpromenade und Theaterstraße, nördl. von der Juliuspromenade, westl. vom Main begrenzt. Der bis ins 19. Jh. kaum
überschrittene Umfang der spätmittelalterl. Stadt ergab sich aus
dem Zuwachs der Vorstädte, insbesondere südlich (Sandervor-
stadt) und nördlich (Pleichach). Um diese, gern mit einer Bischofs-
mütze verglichene, etwa ein Halbrund beschreibende Fläche legte
sich im 17. Jh. (seit 1656) der bastionäre Festungsgürtel, der erst
nach 1866, bis auf die den Hofgarten östl. und südöstl. begrenzenden Teile, aufgelassen wurde; das Glacis, der die Altstadt umzir-
kelnde Anlagengürtel, erinnert an seine Existenz. Doch vermitteln
die erhalten gebliebenen, mit dem Marienberg ein Ganzes bildenden Fortifikationen des »Main-Viertels« noch eine konkrete Vorstellung der barocken Stadtbefestigung. – Das Organisationszen-
trum der Stadt ist der Dom, ihre Achse die den Dom mit der
steinernen (schon im frühen 12. Jh. errichteten) Main-Brücke verbindende Straße. Das Gewirr meist schmalläufiger und vielwen-
diger Gassen öffnet sich nur zu einem größeren, ja nun großen
Platze, dem Markt, der aber erst durch die Zerstörung des Juden-
viertels 1348 ermöglicht wurde. Auch der sehr weite Residenzplatz
im O, im Raum zwischen mittelalterl. Stadtgrenze und neuzeit-
licher Fortifikation, ohne organischen Anschluß an den Stadtkörper, ist erst ein später Gewinn (18. Jh.). – Die Signatur des Stadtbildes ist, trotz der spürbar gebliebenen mittelalterl. Grundlegung,
barock. Barocke Massen wie die Kuppeln von Stift Haug und
Neumünster, der Block des Juliusspitals, der Turm der Neubaukirche und, nicht zuletzt, der riesige Komplex der Residenz bestimmen Eindruck wie Vorstellung, auch jetzt noch, nach der Zerstörung vom 16. März 1945, die große Teile des alten Stadtkörpers
niedergelegt hat. – Die schon totgesagte Stadt hat sich in erstaunlicher Tatkraft aus den Trümmern erhoben. Das neue Würzburg
konnte sich aber doch noch so viel des Wesentlichen vom alten
einverleiben, daß ihm der geprägte persönliche Charakter geblieben ist.*

Dom

*Der 788 in Anwesenheit König Karls geweihte erste Dombau
nahm noch den Platz über der Grablege des Blutzeugen Kilian,
d. h. den Platz der Neumünsterkirche ein. Dieser Salvator-Dom
brennt 855 ab. Sein Nachfolger, nun des Titels St. Kilian, entsteht
auf dem neuen Platze südlich des alten, unter Bischof Arno 855*

*bis 892. Auch er brennt vermutl. 918 aus und wird unter Bischof
Thioto (908–931) wieder instand gesetzt: eine 3schiffige Basilika
von kürzerer O-W-Erstreckung und auch geringerer Breite als die
bestehende, mit von 2 Rundtürmen flankiertem Westwerk. Wie
weit Bischof Heinrich (996–1018) in diesen Bestand eingriff, steht
offen; sicher nur, daß er die westl. Grenze vorrückte und daß der
doppeltürmige W-Bau, mit Michaelskapelle über der Eingangshalle und Empore darüber, in der Anlage auf ihn zurückgeht, erfuhr er auch die endliche Gestalt erst in den 30er Jahren des
11. Jh., unter Bischof Bruno, einem der großen (hll.) Bischöfe
Würzburgs, dessen entscheidender, die bleibenden Merkmale fest-
legender Neubau – 1045 Weihe der Krypta – in der 2. Hälfte des
11. Jh. vollendet wurde. Die O-Teile, Chor und Querschiff, sind
wohl in diese Bauzeit zu setzen. Um 1133 dürfte Bischof Embrico
das Langhaus erneuert haben; eine (freilich nicht zweifelsfreie)
Urkunde beschenkt uns auch mit einem Baumeisternamen, Enzelin.
Auch diese Teil-Erneuerung zog sich offenbar lange hin; das
Weihejahr 1187 scheint sie noch nicht beendet zu haben: Baumaßnahmen sind noch für das letzte Jahrzehnt des 12. Jh. bezeugt. In
den 30er Jahren des 13. Jh., unter Bischof Hermann v. Lobdeburg
(1225–54), werden Chor und Apsis (neu) gewölbt, die Giebel des
Querschiffs höhergeführt und die beiden östl. Türme errichtet. –
So weit die Baugeschichte des frühen und hohen Mittelalters. 11.
und 12. Jh. haben den Dom geprägt; das 13. Jh. hat ihn bereichert.
Spätere Zeiten konnten nur versuchen, seine im Grunde unerschüt-
terlichen Gegebenheiten ihren anderen Architekturidealen gefügig
zu machen. Spätgot. Zutaten sind oder waren die Helmabschlüsse
der W-Türme (1418), die Wölbungen der Seitenschiffe (1498 ff.),
die Streben des nördlichen. Im 1. Jahrzehnt des 17. Jh. werden
Langhaus und Querschiff von Lazaro Augustino gewölbt (vollendet 1608). Das beginnende 18. Jh. beschafft die Stuckverkleidung sämtlicher Raumteile, eine Riesenleistung des Mailänders
Pietro Magno (1701–04). 1702 wird die Krypta, westl. Teils, unter
der Vierung, demoliert und zugeschüttet, 1749 der Chorboden
über dem östl. Teil um 2,80 m gesenkt. – Der schwere, strotzend
reiche Stuckmantel wandelte das Dominnere ins Barocke. Der
Außenbau wurde kaum betroffen. Die Absicht, die Fassade durch
eine zeitgemäß barocke zu ersetzen, fand keine Verwirklichung
(Entwürfe von Hildebrandt, Fischer v. Erlach, Welsch, Neumann).
Erst der Restaurator der Jahre 1879–85 griff hier ein; das ihm
allzu rauh erscheinende Gefüge der Front mußte sich eine Glät-
tung, Regularisierung der Asymmetrien gefallen lassen. – Nun der
letzte Abschnitt der Baugeschichte. Am 16. 3. 1945 brannte der
Dom aus; die Ausstattung ging großenteils, soweit nicht gesichert
oder entfernt, zugrunde. 1946 stürzte die N-Wand des Mittelschiffs ein; sie nahm auch die Wölbungen (Mittelschiff und nördl.
Seitenschiff) mit. 1956 wurde dann aus statischen Gründen die
südl. Hochwand abgetragen und neu aufgeführt. Das Mittelschiff*

*ist, so wie es heute dasteht, bis zu den Pfeilerarkaden herab, ein
Neubau. Alt sind die im Kern frühroman. Umfassungen der Seitenschiffe, alt ist auch noch die (spätgot.) Wölbung des südlichen.
Ging die Tendenz des Bauherrn und seines Architekten zunächst
dahin, den Dom auf seine roman. Grundgegebenheiten zurückzuführen, und also den in Chor und Querschiff immer noch gut
erhaltenen Stuckmantel P. Magnos einschließlich der ebenfalls von
Magno geschaffenen Querhausaltäre preiszugeben, so setzte sich
schließlich doch die Forderung, zu erhalten, was sich erhalten ließ,
durch: der Stuckdekor der östl. Raumteile blieb. Der nach den
Sicherungsarbeiten 1945–60 in den folgenden Jahren, bis 1967
(Domweihe), unter den Architekten Hans Schädel und Hans Döllgast wiederhergestellte Dom ist jetzt in 2 gegensätzliche Raum-
hälften geschieden: Gegen die barocke Schmuckfülle der O-Teile,
Chor und Querschiff, setzt sich der nackte »roman.« Raumkubus
des Mittelschiffs ab. Daß die Liturgie dieser Zeit in Altar, Ambo,
Tabernakel (in der Vierung) ihr Recht behauptete und hier der
moderne Künstler den Sukkurs leistete, wird man unter die Posi-
tiva und nicht unter die Negativa dieser Wiederbringung des
Würzburger Domes stellen müssen.*

Er steht nicht unter den berühmtesten, aber nicht nur groß,
auch großartig sind schon seine Abmessungen (lichte Länge
des Schiffes 98, Breite des Querschiffs 58 m), und der nüchterne, streng, schlicht und straff gegliederte Bau, vor allem
der O-Teile, darf hohen Rang beanspruchen. Der Grundriß
ist der einer geosteten 3schiffigen Kreuzbasilika mit 2-Turm-
Fassade, die, bis auf einige älrere und einige jüngere Teile,
in der 2. Hälfte des 11. und 1. Hälfte des 12. Jh. entstanden
ist. Ältere Teile sind die 1045 geweihte Krypta unter dem
Chorhaus, die aber westl. Teils dem nivellierenden Eingriff
des frühen, östl. Teils dem des mittleren 18. Jh. zum Opfer
fiel – die bestehende östliche geht auf Neumann, die westliche, mit Betondecke über 4 roman. Säulen, auf die Rekonstruktion der 60er Jahre unseres Jahrhunderts zurück – und
die beiden W-Türme, die in der Breite das Mittelschiff nur
wenig übergreifend, einem älteren Grundriß des W-Ab-
schlusses verpflichtet sind; früher als ins frühe 11. Jh. wird
man sie allerdings kaum setzen dürfen. In diese Zeit weisen
auch die von Geschoß zu Geschoß, bis ins achte, vermitteln-
den Treppen mit ihren steigenden Tonnendecken, die in
Würzburg selbst in den wohl nur wenig jüngeren Türmen
von St. Burkard wiederkehren. Der Stirnbau zwischen den
Türmen, erneuert, setzt Vorhalle, Michaelskapelle und »Kai-
serloge« (beide urspr. mit Tonnen gedeckt) übereinander.

Würzburg, Dom, Ostseite

Jüngere Teile sind: die beiden Obergeschosse der W-Türme, wahrscheinl. aus der 2. Hälfte des 12. Jh., die wohl ebenso zu datierende Tonnenwölbung des Chorarmes und die beiden östl. Türme, sie, wie auch die Wölbung des Chorarmes, 30er Jahre des 13. Jh. – Das Baumaterial der Wandungen ist Kalkstein, das der Gliederungen Buntsandstein. Die Wandflächen zwischen den Gliederungen sind verputzt. Die spätroman. O-Türme setzen sich durch Schichtwechsel roten und grünen Sandsteins ab.

I n n e r e s. Das (gänzlich erneuerte) flachgedeckte Mittelschiff zählt 10 rundbogige Pfeilerarkaden, denen ebenso viele Rundbogenfenster entsprechen. Das nördl. Seitenschiff trägt noch die alte spätgot., von P. Magno (der auch die alten Wappen-Schlußsteine gelten ließ) stuckierte Wölbung. An der Wand jetzt eine Anzahl Bronzegrabplatten (ehemals

auf den Grabstätten) von Bischöfen (Julius Echter, Friedrich
v. Wirsberg, Melchior Zobel) und Dignitären des Kapitels.
An einigen Pfeilern wieder freigelegte Wandbilder des späten 14. Jh. Die Wölbung des nördl. Seitenschiffs erneuert,
nur die Wappenschlußsteine alt. Auch hier, an der Wand,
Bronzegrabplatten von Bischöfen (Konr. v. Thüngen, Konr.
v. Bibra, Lorenz v. Bibra) und Domherren. An die quadratische Vierung legt sich das längsrechteckige, durch die halbrunde Apsis beschlossene Chorhaus, an die O-Wände der
Querschiffarme je eine Apsidiole. Auffällig die ungewöhnlich starke Ausladung des Querschiffs, offenbar durch die
Klosterkirche von Hersfeld eingegeben. Alle Schiffe waren,
bis ins 15. bzw. 17. Jh. flach gedeckt.

Der Raumeindruck wurde, seit dem 18. Jh., durch den schweren wohleingepaßten, den vorgegebenen Gliederungen folgenden
Stuckmantel P. Magnos bestimmt, der der O-Teile wird es noch.
Das tragende ornamentale Motiv der Stukkaturen ist der zeitgemäße Akanthus. Stark mitsprechend Figürliches in der Vierung
(hier die der Glorie in der Mitte zugeteilten Evangelisten) und
im Chor (Maria und die Apostel). – In das Werk Magnos, dem
die gestellte Aufgabe, den roman. Dom in einen barocken zu verwandeln, voll gelungen ist, treffen auch die beiden großen Altäre
an den Stirnwänden der Querschiffarme und der Rahmen des
Grabdenkmals des Domdekans G. H. v. Stadion an der S-Wand
des Querschiffs.

Der A u ß e n b a u konnte durch die Jahrhunderte seinen
roman. Charakter bewahren; er wirkt auch heute noch, oder
wieder, einheitlich. Daß die dem langen, breiten, auf die
Main-Brücke zuhaltenden Straßenzug zugekehrte schmal-
hüftige Front heute wieder in der Einhegung flankierender
Wände liegt, daß auch die vom Freilegungseifer des 19. Jh.
geforderte Lücke zum benachbarten Neumünster hin wieder
geschlossen ist, sei als Gewinn angemerkt. Großartig v. a. die
Chor-Querschiff-Gruppe: ein mächtiges Aufragen, karg,
fast kahl, aber heiter auflockernd die sehr schlanken, aus
dem Viereck ins Achteck übergehenden, breiter als die westl.
gestellten Türme in den Chor-Querschiff-Winkeln, die in
den Geschossen über der Trauflinie, das Tabernakelmotiv
der Türme von Laon vortragen. Der Blick auf die O-Gruppe
ist um so lohnender als er zugleich über die dem N-Arm des
Querschiffs anliegende Schönborn-Kapelle hinweg die vielfältige Baugruppe vom Neumünster ergreift.

Die mit dem Bau verbundene (»immobile«) A u s s t a t t u n g wurde weitgehend zerstört. Von den zahlreichen Altären stehen nur noch die beiden schon erwähnten an den Stirnwänden des Querschiffs (1704), deren nördlicher jetzt mit einem Gemälde Amigonis (Leihgabe der Bayer. Staatsgemäldesammlungen) ausgestattet ist. Die schwer beschädigte Kanzel (Sandstein und Alabaster) konnte in bewundernswerter Feinarbeit (bis auf den verbrannten Deckel) wiedergewonnen werden. Stiftung des Würzburger Rates, 1609/10, ist sie ein exemplarisches Werk letzter deutscher Renaissance (aus unverkennbar got. Wurzel), die bedeutendste Arbeit ihres Bildhauers, Mich. Kern; die Evangelisten und Kirchenväter besetzen die Voluten und Nischen des Stützpfeilers, Reliefdarstellungen der Passion die Arkadenfelder des 8seitigen Corpus. Ein prächtiges Relikt der alten Ausstattung ist das jetzt westlich des Langhaus (vordem östlich den Chor) sperrende, in den äußeren Teilen ergänzte schmiedeeiserne Gitter M. Gattingers von 1750–52.

Berühmtester Besitz des Domes war und ist glücklicherweise noch die lange, geschichtlich wie kunstgeschichtlich hochbedeutende Reihe der bischöflichen *Grabdenkmäler*, der sich nur die des Mainzer Domes vergleichen läßt. Sie umspannt runde 700 Jahre. Jetzt, nach z. T. schwierigen, aber geglückten Instandsetzungen, in ihrer zeitlichen Folge aufgestellt, ein sinnfälliger Catalogus episcoporum, zugleich exemplarische Darstellung der Stilentwicklung vom späten 12. bis ins frühe 19. Jh. Beginnend (am 2. Pfeiler des Mittelschiffs, nördlich) der noch roman., schmal-hohe Stein des Gottfried v. Spitzenberg (1190) mit in den Kastenrahmen gleichsam eingepreßter Figur. Als nächster, nach einem Vakuum von rd. 100 Jahren (das 13. Jh. war kein ergiebiges für Würzburg), der Stein des Mangold v. Neuenburg (1303, 3. Pfeiler nördlich), der erste, der das fränkische Herzogsschwert trägt, ein in seiner Blockschwere typisches Werk der Jahrhundertwende, doch im Kopf später, vermutl. im 17. Jh., überarbeitet. Es folgt der des Gottfried v. Hohenlohe (1322, 3. Pfeiler südlich), dessen archaisierende Stilgebärde den Verdacht zuläßt, er könnte erst viel später gesetzt (erneuert) worden sein. Dann der bedeutende des Wolfram v. Grumbach (1333, 4. Pfeiler nördlich), der in den Vokabeln der Faltensprache schon auf den nächsten, Otto Wolfskeel (1345, 3. Pfeiler südlich), zuführt, ein Gipfelwerk der Bildhauerkunst des 14. Jh., beispielhaft für die asketische Haltung der Hochgotik der Jahrhundertmitte wie das Denkmal des Nachfolgers, Albrecht v. Hohenlohe (1372, 5. Pfeiler nördlich), für die Stilstufe der ersten Spätgotik, die, gegensätzlich, wieder den plastisch fülligen Körper hervorkehrt. Dann das Grabdenkmal des Gerhard v. Schwarzburg (1400, am alten Standort an der NW-Ecke des Querschiffs), das schon, auch in den beschatteten Stimmung des Antlitzes, vom Weichen Stil geprägt ist, und das von ihm abhängige, weniger bedeutende des Joh. v. Egloffstein (1411, 4. Pfeiler südlich). Das des Lambert v. Brunn (1440, am gleichen Pfeiler),

spiegelt, wieder exemplarisch, die Stilstufe des mittleren 15. Jh.,
die das hart Starre an die Stelle des weich Flüssigen setzt. Folgt
das Denkmal des Gottfr. Schenk v. Limpurg (1455, 5. Pfeiler südlich), das, vermutl. Arbeit eines Bildhauers Linhart Remer, schon
auf den »eckigen Stil« der 2. Jahrhunderthälfte zuhält, bescheidene
Vorstufe des in Salzburger Rotmarmor ausgeführten Denkmals des
Rudolf v. Scherenberg (1495, 7. Pfeiler nördlich), das, Werk Riemenschneiders, eine der absoluten Höhen deutscher und darüber
europäischer Bildhauerkunst ist. Das des Lorenz v. Bibra (1519,
8. Pfeiler nördlich), Spätwerk Riemenschneiders, spiegelt die Begegnung mit der neuen »welschen Manier«, zu deren Bewältigung
der wurzelhaft spätgot. Meister vermutl. einen dieser Manier kundigen Helfer (bezeugt durch eine Zeichen-Signatur des Putten-
kranzes) beizog. Die nächst jüngeren Epitaphien der Bischöfe
Konr. v. Thüngen (1540) und Konr. v. Bibra (1544) befinden sich
an der O-Wand des Querschiffs; der erste von Loy Hering, der
das neue (Schule machende) Motiv des vor dem Kruzifixus knienden, von seinem Schwertträger begleiteten Bischofs einführt, das
zweite, ähnlich komponierte, vom älteren Peter Dell. Auch das des
Melchior Zobel v. Giebelstadt (1558, 6. Pfeiler südlich), Arbeit des
jüngeren P. Dell, folgt diesem Exempel, kehrt aber von der kleineren Breit- zu der größeren (dem Pfeiler angemessenen) Hoch-
form zurück; eine Besonderheit ist die im Relief des Hintergrunds
dargestellte Ermordung des Bischofs. Das wieder die alte konventionelle Linie haltende Grabmal des Friedr. v. Wirsberg (1573,
7. Pfeiler südlich) ist eine Arbeit des Eichstätter Bildhauers Wilh.
Sarder, das des Julius Echter (1617, 8. Pfeiler nördlich) mit der in
eine Nische gestellten sehr würdevollen Figur des tatkräftigen
Bischofs, eine des Nik. Lenkhart. Das Grabmal des Gottfr. v. Aschhausen (1622, letzter Pfeiler nördlich) ist ein achtbares Werk des
Mich. Kern. Das stark beschädigte, 1669 errichtete Denkmal des
(1631 verstorbenen) Phil. A. v. Ehrenberg (Wand des nördl. Seitenschiffs) ist eine niederländisch inspirierte Arbeit, in Marmor
und Alabaster, des Bildhauers Phil. Preiß. Nennen wir noch, ein
(abgesehen von den Denkmälern der Schönborn in ihrer Kapelle)
nur schwach besetztes Jahrhundert überspringend, das des Adam
Friedr. v. Seinsheim (1779, an der Wand des südl. Seitenschiffs),
ein barock klassizist., mit allem pompe funèbre ausgestattetes
Marmordenkmal Joh. Peter Wagners, und schließen wir mit dem
erst 1825 gesetzten Bronzedenkmal des letzten Fürstbischofs,
Georg Karl v. Fechenbach (7. Pfeiler südlich), der die Säkularisation des Hochstifts, 1802, erleben und erleiden mußte. Doch sei
hier noch das sehr anspruchsvolle Grabmonument eines Laien ange-
fügt, des Sebastian Echter, Bruder des Fürstbischofs (1575, letzter
Pfeiler südlich), Werk des in Mainz tätigen Peter Osten von
Ypern, mit der halb liegend, schlafend dargestellten Figur des
Edelmanns, den dieses Prunkmonument in Buntsandstein und
Alabaster zu quasi fürstlichem Rang erhob.

Nun noch Hinweise auf die bedeutendsten der im Dom befindlichen *Einzelkunstwerke*, deren Zahl immer noch beträchtlich ist: Das 1963 wiederaufgefundene Steinkreuz mit einem bärtigen Kopf in der Mitte, das noch frühmittelalterlich ist (W-Wand der Krypta); die 1257 gesetzte Tumba des Bischofs Bruno, die nun wieder mit der Grabplatte des 11. Jh. vereinigt ist (Krypta); die beiden spätroman. Knotensäulen, ehemals wohl Stützen der (1644 abgetragenen) Vorhalle, inschriftlich »Booz« und »Jachim« (die ehernen Tempelsäulen Salomos) bez. (W-Schluß des südl. Seitenschiffs); die Statuengruppe der Muttergottes und der Hll. 3 Könige in wiederaufgedeckter alter Fassung, noch der Frühgotik (Straßburg-Freiburger Provenienz) verhaftetes, auch durch die wiederaufgedeckte alte Fassung ausgezeichnetes Werk der Würzburger Plastik, die sich erst jetzt, um die Wende des 13. Jh., breiter zu entfalten beginnt (Mittelschiff, 3., 4., 5. Pfeiler nördlich); das Bronzetaufbecken in der (1967 so gestalteten) Taufkapelle im Erdgeschoß des südwestl. Turmes, 1279 dat. Werk eines Meisters Eckard von Worms, eine durch Strebepfeilerchen gegliederte Rundkufe mit 7 Reliefdarstellungen des Christuslebens (Verkündigung bis Himmelfahrt); die Statue einer Muttergottes von etwa 1320, ehemals am Scherenbergtor der Feste Marienberg, jetzt mit einem modernen Steinmal (nordöstl. Apsidiole des Querschiffs) verbunden; die erst in neuester Zeit erworbene, mit einem eisernen Kerzenhalter kombinierte kleine Pietà (Holz) des frühen 15. Jh. (W-Wand des nördl. Seitenschiffs); das im südl. Seitenschiff über der Kreuzgangspforte eingesetzte Tympanon mit dem Relief des Jüngsten Gerichts, das, um die Mitte des 15. Jh. entstanden, noch eine Formulierung des 14. Jh. festhält; die vielfigurige Gruppe des Marientodes (Sandstein), ein ausgezeichnetes Werk Weichen Stils von typisch mittelrheinischer Prägung (um 1430, im nördl. Zugang der Krypta); die Riemenschneiderschen Statuen Christi und der Apostel Petrus und Andreas, 1502–06, ehemals an den Streben der Marienkapelle, jetzt mit einem modernen baumartig verzweigten Steinmal (südöstl. Apsidiole des Querschiffs) verbunden; der 3. Apostel, Johannes, im nördl. Seitenschiff (4. Pfeiler); der ebenfalls Riemenschneidersche Diakon mit dem Evangelienbuch, vor der Chortreppe rechts. – Aus der Reihe der modernen Ausstattungsstücke seien hervorgehoben: Die Bronzetüren von Fritz Koenig (Hauptportal), Otto Sonnleitner (Kiliansportal, N-Seite), Hellm. Weber (Marienportal, NO-Seite), Karl Potzler (Portal des südl. Querarms), Hch. Söller (Kreuzgangpforte im südl. Querarm), die Holztüren Karl Schneiders (Sepulturpforte im gleichen Querarm); die von Alb. Schilling entworfene Ausstattung von Vierung und Chor (Altar, der den Schrein der 3 Frankenheiligen einschließt, Ambo, Tabernakelpfeiler); die schon erwähnten Steinmale in den Querschiffapsidiolen von H. Elsässer und H. Weber.

Annexe. Der dem Langhaus südl. anliegende 4flügelige **Kreuzgang**, nach Anhalt der Wappenschlußsteine in den Jahren zwischen 1423 und 1453 auf dem Platze des älteren romanischen aufgeführt. Er beherbergt noch einige hervorragende Grabdenkmäler wie das des Heinr. v. Seinsheim (1360, S-Flügel) und das aufwendige des 1621 am Weißen Berg gefallenen ligistischen Obristen Joh. Jak. Baur v. Eiseneck, eine Arbeit Mich. Kerns (O-Flügel). Die große Kreuzigungsgruppe (Sandstein) in der SW-Ecke ist ein Werk des Lucas van der Auvera, 1761–63. Die der S-Stirn des Querhauses angrenzende **Sepultur**, eine raumschöne 2schiffige Pfeilerhalle, 1458–66 errichtet, wurde 1945 schwer beschädigt und 1953–55 wiederhergestellt. Der einmal große Bestand an Grabmälern hat sich gelichtet, ist aber immer noch ansehnlich; das Obergeschoß, in seiner letzten Gestalt von Petrini, 1761–63, wurde gänzlich erneuert (jetzt Diözesanarchiv). – Das an der Stelle des alten »Bruderhofes« stehende **Burkardushaus** an der S-Seite des Kreuzgangs ist ein Neubau Hans Schädels, 1957. – Die beiden symmetrisch angeordneten **Sakristeien** in den Chor-Querschiff-Winkeln, deren südöstliche 1945 abging (jetzt wiederaufgebaut), sind Zutaten Neumanns (1749–54) und auch ganz seines Geistes; schon ihre Einpassung in die mittelalterl. Baugruppe ist bewundernswert. Sein Werk, wenn auch nicht gänzlich, so doch im Letzten und in der Ausführung, ist auch die dem N-Arm vorgesetzte **Schönbornsche Begräbniskapelle**, die Fürstbischof Johann Philipp Franz 1721 begann und im Rohbau auch (1724) vollenden konnte; die Ausstattung besorgte Fürstbischof Friedrich Karl; Weihe 1736. Der *dies ater* des Jahres 1945 streifte sie nur. Inzwischen wurde sie innen und außen restaurierend überholt. Ein überkuppelter Rundraum mit 2 seitl. angesetzten, in den Kreis einschneidenden Ovalen. Eine typische Kollektivplanung der Zeit. Die grundlegende Idee gab doch wohl der Mainzer Baudirektor Max. v. Welsch, aber auch der Wiener J. L. v. Hildebrandt war im Spiel und natürlich B. Neumann, der für die Zusammenschmelzung der verschiedenen Einfälle zu sorgen hatte. Der Außenbau, ausgezeichnet durch den schönen gelben Main-Sandstein, zu dem vorzüglich steht das Kupfergrün der Kuppel, verschweigt hinter rechteckigen Begrenzungen die Kurvaturen des Inneren. Sehnig straffe Gliederung verbindet sich mit

Querschnitt   Außenseite
Würzburg, Dom, Schönborn-Kapelle

einer insbesondere die Portalfront schmückenden Ausschüt-
tung plastischen Besatzes, der den eingebürgerten Franzosen Claude Curé zum Autor hat. Curé leistete auch die
Bildhauerarbeiten im Innern. Werk seiner Hand sind die
Seitenaltäre und die Grabdenkmäler der Schönborn-Bischöfe: Johann Philipp (1673, Bischof von Würzburg, Erzbischof von Mainz), Lothar Franz (1729, Bischof von Bamberg, Erzbischof von Mainz), Joh. Phil. Franz (1724, Bischof
von Würzburg), Friedr. Karl (1746, Bischof von Würzburg

und Bamberg). Die ausgezeichneten Stukkaturen gab Ant.
Bossi, die Fresken (Jüngstes Gericht in der Kuppel, 1735)
Rud. Byss, der auch das Altarblatt mit der Auferstehung
Christi (1734) malte. Die Gitter sind die Beisteuer des gro-
ßen Schmiedes J. G. Oegg (1734/35).

Zuletzt noch ein Blick auf den Umstand des Domes. Die
jüngste Zeit hat die klaffende Lücke geschlossen, die die
Freilegungssucht des 19. Jh. zwischen Dom und Neumünster
gerissen hatte. Der (im Kern spätgot.) »Kürschnerhof«, der
ehemals die Lücke schloß, band aber nicht nur die beiden
Kirchen zusammen, er sperrte auch die Domstraße seitlich
ab, die so, ganz ohne Wahl, die Domfassade annehmen
mußte. Was zwischen den beiden Kirchen lag, war der
»Leichhof« (jetzt Kiliansplatz). Auf ihn traf von O her die
erst im 18. Jh. durchgebrochene Hofstraße, die nun allerdings keinen Anschluß mehr an die Hauptader des Verkehrs
(zwischen Dom und Brücke) finden konnte.

Neumünster

Über dem Grabe St. Kilians und seiner Gefährten Totnan und
Kolonat erwuchs im 8. Jh. die Würzburger Bischofskirche. Sie er-
liegt 855 einem Brande und wird durch einen Neubau an südl.
benachbarter Stelle, eben da wo heute noch der Dom steht, ersetzt.
Doch wird der vom Blute der Märtyrer getränkte Boden kaum
ohne Kultstätte geblieben sein. Mit einiger Sicherheit können wir
die Geschichte des »neuen Münsters« (novi monasterii) nur bis ins
späte 10. Jh. zurückführen. Das damals aufgeführte, offenbar
noch bescheidene, wenig später von Bischof Heinrich (995–1018)
um den O-Chor erweiterte Kirchlein weicht kurz nach Mitte des
11. Jh. (um 1056) einem stattlicheren, jetzt mit einem Kollegiat-
stift verbundenen Kirchenbau in der Ehre Mariens, von dem sich
die unteren Teile der Umfassungsmauern des Langhauses und die
Wände des W-Abschnitts der Kreuzkrypta (unter der Vierung)
erhalten haben. In den 20er bis 40er Jahren des 13. Jh. (1223–47)
erhielt die Kirche ihre heutigen Abmessungen (wenigstens nahezu),
und von diesem spätroman. Umbau stehen auch noch beträchtliche
Teile aufrecht: die Umfassungsmauern des Langhauses, des Quer-
schiffs, des O-Chores, der östl. Teil der W-Krypta (ohne die mitt-
lere Säulenreihe), der Turm. Die um die Mitte des 13. Jh. voll-
endete Kirche war eine flachgedeckte Pfeilerbasilika mit 5 Arka-
den im Mittelschiff, 2 Chören, mit Krypten, und 2 Querschiffen.
Statt der geplanten (?) Türme über den O-Schlüssen der Seiten-
schiffe wurde nur einer, an anderer Stelle, an der NO-Ecke des
westl. Querschiffs, errichtet. Das Material ist Bruchkalkstein, nur
die Gliederungen roter oder grüner, der Turm roter Sandstein.

*Dieser Bau erfuhr seine das heutige Aussehen bestimmende barocke
Umgestaltung 1710 ff. Über dem westl. Querschiff entstand, unter
Einbeziehung des 1. Langhausjoches, der mächtige, im Grundriß
ein Quadrat umschreibende, innen eckgeschrägte und an den
Schrägen in Nischen (für Kapellen östlich, für die Kryptazugänge
westlich) geöffnete, doppelschalig gewölbte Kuppelbau, gegen W
die in das (1894 zerst.) Raumgehege des »Kürschnerhofes« einbezogene Fassade, die eine der schönsten Frankens ist. Die bei-
behaltenen roman. Bauteile östl. der Kuppelrotunde wurden im
Innern angeglichen, durch Gliederungen (Pilaster, Gebälk) und
Gewölbe (Stichkappentonnen) barockisiert; die westl. Krypta
(Kiliansgruft) entstand völlig neu, die östliche verlor die mittlere
Säulenreihe und wurde neu gewölbt. Der Baumeister der Kuppelrotunde ist Joseph Greising, der wichtigste der Würzburger Bau-
meister zwischen Petrini und Neumann; die Fassade wird ihm
abgesprochen, doch schwerlich zu Recht, wenn auch die vermutete
Planungsbeteiligung Joh. Dientzenhofers zutreffen kann. Das Sta-
tuenwerk der Fassade schuf Jak. van der Auvera. Die vortreffliche
Freitreppe kam 1719 hinzu. – Der 16. März 1945 verwandelte
auch Neumünster in eine Ruine. Sie wurde, in bewundernswerter
Leistung, inzwischen wiederaufgebaut. Aber der Verlust eines
Großteils der wertvollen, von besten Meistern wie den beiden
Zimmermann, Joh. Bapt. und Dominikus, und Jak. v. d. Auvera
besorgten Ausstattung konnte nicht mehr eingebracht werden.*

Mit der Neumünsterkuppel Greisings erhielt das Stadtant-
litz einen seiner stärksten barocken Akzente. Wie sie mit dem
schlanken, schmuckreichen Achteckturm (des 13. Jh.) an der
N-Seite, mit den südl. benachbarten Domtürmen (ebenfalls
des 13. Jh.) und der kleineren Kuppel der Schönborn-Kapelle
zusammensteht, erprobe man von einem Standort östl. des
Domchors. Die dreimal, einmal groß in der Mitte, zweimal
seitlich einkurvende Fassade liegt nun, nach Schließung der
1894 gerissenen Lücke zum Dom hin, wieder in der unerläß-
lichen Rahmung geschlossener Straßenwandung. Die starke
Plastik der Gliederungen verbindet sich mit dem schönen,
warmen Rot des Buntsandsteins. Die Wände von Langhaus,
Querschiff und Chor liegen, bis auf die Hausteingliederungen, unter Putz; sie zeigen noch (einige Änderungen und
Glättungen abgerechnet) die alte roman. Struktur; der Chor
schließt im apsidialen Halbrund. – Der Raum schluchtet
(von der Eingangshalle her gesehen), der Blick rastet nicht
in der Rotunde, die Reihung der rundbogigen Arkaden des
Mittelschiffs drängt ihn in die Tiefe, dem durch die Krypta
emporgehobenen, Vierung und Chor einschließenden Pres-

byterium zu; der Raum erschiene steil, zöge nicht das Gebälk eine starke, den Stoß der Tiefenachse beschleunigende Horizontale.

Von der Fresken-Ausstattung der Decken blieb (stark erneuert) das Kuppelbild der Rotunde (Verehrung der Trinität), Werk des Münchners Nik. Stuber, 1736. Die Fresken des anderen, bedeutenderen Bayern, des Wessobrunners J. B. Zimmermann, im Langhaus mußten weitgehend erneuert werden; nur da in der Gewölbeschale der Apsis erhielt sich leidlich, wie auch, glücklicherweise, die Ausstattung der Chorapsis in Stuckmarmor durch den Bruder, Dominikus (1724), eine den Hochaltar einschließende farbige Rahmenarchitektur, die in einer Strahlenglorie mit der Immaculata gipfelt. — Wir müssen nun hier nicht die sonstigen Residua der barocken Ausstattung, wohl aber die des Mittelalters aufzählen, die fast alle bedeutend sind: die ins späte 8. Jh. zurückreichenden Grabkisten des hl. Kilian und des Bischofs Megingaud († 785) in der W-Krypta, die auch noch einen frühgot., von 16 Säulchen umstellten Kastenaltar besitzt; den durch das (noch nicht gedeutete) Motiv der unter die Brust herabgenommenen Arme auffälligen Gekreuzigten (Holz) von etwa 1330 in der nordöstl. Nische der Rotunde; die 1417 dat. Anna Selbdritt (Stein) in der W-Krypta; die großartige (steinerne) Muttergottes Riemenschneiders von 1493, in der südöstl. Nische der Rotunde; das auch Riemenschneidersche Grabbild des Schottenabtes Trithemius von 1516 (ehemals in der Schottenkirche); und die Tafeln eines 1514 dat. Marienaltars in der Kapelle links der Eingangshalle, zu den wenigen Zeugnissen der Würzburger spätgot. Malerei zählend.

Im Hof nördl. der Kirche wurde 1953 die erhaltene Arkadenreihe des spätroman. **Kreuzgangs**, wohl der 20er Jahre des 13. Jh., wiederaufgestellt. Im Kreuzgang von Neumünster, der eben hier lag, dem »Lusamgärtlein«, wartet Walther von der Vogelweide seiner Urständ.

St. Burkard

Linksmainisch, unterhalb der Marienburg, gründet der erste Bischof, Burkard, ein Kloster des Titels St. Andreas, der sich, nach Überführung der Gebeine des Gründers aus Neumünster (um 984), in St. Burkard umändert. In den 30er Jahren des 11. Jh. entsteht an anderer, etwas nördlich abgerückter Stelle ein Neubau (die Weihe erfolgt 1042), der sich in Langhaus und Türmen erhalten hat. In der 1. Hälfte des 13. Jh. (bis zur Mitte) werden die beiden östl. Joche des Mittelschiffs, damals noch Chorjoche (erst im 15. Jh. dem Langhaus zugeschlagen) gewölbt, entsteht die Portalvorhalle an der N-Seite und, zuletzt wohl, das Paar der Turmoktogone. 1464 wandelt sich das Kloster in ein Ritterstift, wenig später hält man es für nötig, den O-Bau zeitgemäß und in weiteren Abmessungen zu erneuern. Chor und Querschiff stammen aus dieser Zeit; Wölbung des Chores aber erst 1663–65, des Quer-

schiffs gar erst 1894. In den 60er Jahren des 17. Jh. Beseitigung des W-Teils des Schiffes und des mit ihm verbundenen Turmes. 1857/58 wird der S-Turm im Obergeschoß abgebrochen und neu aufgeführt. Seit 1803 ist St. Burkard Pfarrkirche.

Der *roman. Teil* ist eine 3schiffige Basilika mit 6 Arkaden; die Stützen (Pfeiler, Säule) wechseln. Vom O-Chor hat sich nur der westl. Teil des Chorhauses erhalten; die Wölbungen dieser 1¹/₂ Joche, mit rechteckig zugeschnittenen Rippen, kamen im 13. Jh. hinzu. Auch das gute, reich, doch ohne Aufwand gegliederte Portal mit der breit geöffneten Vorhalle an der N-Seite kann, trotz eindeutig roman. Stilformen, nicht wohl früher als ins frühe 13. Jh. gesetzt werden. Die beiden, den Seitenschiffen östl. vorgesetzten Türme ruhen auf älteren roman. Sockelgeschossen (des 11. Jh.), deren in der Tonne überwölbte Treppen mit denen der östl. Domtürme zu vergleichen sind. – Der *spätgot. Teil*: das ungewöhnlich breite und auch stark ausladende Querschiff, dessen Arme sich in Doppelarkaden in die Vierung öffnen, und der aus einem Joch und 5seitigem Schluß bestehende Chor, dessen Bodenfläche beträchtlich über der des Querschiffs und des (noch einmal tiefer gestuften) Schiffes liegt, da er die Straße unter sich hindurchlassen muß. – St. Burkard ist kein einheitlicher Bau; roman. und got. Teile schließen sich zu wirkungsvoller, durch die stärkeren Dimensionen der jüngeren, spätgot. bestimmter Gruppe zusammen.

Die (durch die Eingriffe des 19. Jh. gestörte) A u s s t a t t u n g (neugot. Hochaltar, barocke Altäre im Querschiff) enthält noch eine Anzahl vorzüglicher Gegenstände; wir zählen die besten auf: das um die Mitte des 15. Jh. gearbeitete, gegen Ende des 18. allerdings zu Teilen erneuerte Chorgestühl; die 3 Steinbildwerke: den aus einer spätroman. Säule und einem frühgot. Kapitell, mit 4 feinen Reliefdarstellungen, kombinierten »Opferstock« von etwa 1290 (vor der Treppe zur Vierung), das den Stil des mittleren 14. Jh. paradigmatisch aufweisende Kreuzigungsrelief (nördl. Querschiff), die nicht minder charakteristische Muttergottes von etwa 1380 (südl. Seitenschiff); dann die spätgot. Holzbildwerke: die Muttergottes von rd. 1460 (nördl. Querschiff) und die andere, halbfigurige, von 1500, die Riemenschneider gegeben wird (südl. Querschiff); zuletzt den Flügelaltar von 1593 (S-Wand des Querschiffs), der das von der Spätgotik überkommene 3teilige Bauschema durch ein Rahmengefüge von Vertikalen und Horizontalen stabilisiert; in gleicher Weise »nachgotisch« sind auch die dem Marienleben gewidmeten Reliefs.

St. Stephan

*Bischof Heinrich gründet um das Jahr 1000 ein Kanonikerstift,
das Bischof Adalbero (1045–88) mit Benediktinern besetzt. Urspr.
außerhalb der Mauern, bezieht es die gegen Ende des 12. Jh.
durchgeführte Stadterweiterung in die Mauer ein. Der anfängliche
Titel St. Peter wird im 12. Jh. durch den des hl. Stephan verdrängt.*

Der im 2. Weltkrieg stark angegriffene Kirchenbau gehört, größtenteils,
dem späten 18. Jh. an. Doch haben sich die W-Teile der (doppelchörigen
und doppelquerschiffigen) frühroman. Anlage im Mauerbestand erhalten: der W-Chor mit der unter ihm liegenden 3schiffigen Hallenkrypta
und die ihn flankierenden, außen viereckigen, innen runden Ansätze der
Türme.

St. Peter. Gründung durch das Benediktinerkloster St. Stephan im späten 11. oder frühen 12. Jh. Vom roman. Bau stehen noch die beiden
W-Türme. Der Chor ist frühgotisch. Der Neubau 1717–20 lag in den
Händen Jos. Greisings. Der von ihm mit Beibehaltung des Chores und
der W-Türme errichtete 3schiffige Hallen-Emporenbau wurde im Krieg
schwer beschädigt, die sehr steile 3geschossige Fassade zur Hälfte zer-
trümmert. Sie wurde 1953/54 wiederhergestellt.

St. Jakob, »Schottenkirche«. In den 30er Jahren des 12. Jh. entsteht die
Kirche des von Bischof Embrico gestifteten Schottenklosters. Der Krieg
hat sie niedergelegt. Sie war eine 3schiffige Basilika mit (urspr. 3) östl.
Apsiden und 2 Türmen über den O-Jochen der Seitenschiffe. Ein westl.
Querhaus wurde 1699 beseitigt. Hauptchor und N-Turm frühgotisch. –
Nur die Türme und der Chorschluß haben die Katastrophe überstanden.
Auf dem Platze des Langhauses entstand 1955/56 die moderne, von Boß-
let und van Aaken errichtete Kirche des Don-Bosco-Heims der Salesianer.

Stift Haug

*Das nach einer Örtlichkeit vor den Mauern (»im Haug«) benannte
Stift ist eine um das Jahr 1000 anzusetzende Gründung des Bischofs Heinrich. Infolge nördl. Erweiterung der Stadtbefestigung
Mitte des 17. Jh. siedelte es in die Stadt über. 1670 wird der
Grundstein zur neuen Kirche gelegt, 1691 wird sie geweiht. Baumeister war Antonio Petrini, Bringer und Lehrer des italienischen
Barock in Würzburg-Franken. Das Stadtbild beginnt sich durch
ihn ins Barocke zu wandeln. Mit der Hauger Kuppel setzt er
einen der stärksten städtebaulichen Akzente. – Die schweren Schäden d. J. 1945 konnten inzwischen behoben werden.*

Wandpfeilerkirche mit Kapellen zwischen den Pfeilern,
stark ausladendem Querschiff und tiefem, 5seitig geschlossenem Chor, entfaltet am Bau seine Mächtigkeit bes. a u -
ß e n , in der 3geschossigen Fassade, die sich zwischen den
beiden Türmen ausbreitet und deren Untergeschosse dank
gleicher Nischen- und Pilastergliederung noch in sich ein-
bezieht, in den dreifach gestuften, kurzen Oktogonen auf-
ruhenden Turmhelmen und, vor allem, in der über der Vie-

rung auf hohem 8seitigem Tambour aufragenden Kuppel.
Wuchtig ist aber auch das I n n e r e. Wenig geschmückt,
doch starke gehäufte Profile, insbesondere in der Kämpferzone, kahle, nur durch die elementare Fügung der Kreuzkappen sprechende Gewölberegion.

Die A u s s t a t t u n g , der Spätzeit des 17. Jh., ging – bis auf
den hl. Lukas am südwestl. Vierungspfeiler und das Denkmal des
Stifterbischofs Heinrich (von B. Esterbauer, 1706) – zugrunde.
Über dem Hochaltar jetzt das große Kreuzigungsgemälde Tinto-
rettos, das sich, Erwerbung d. J. 1585, ehemals in der Münchner
Augustinerkirche befand.

Deutschhauskirche

Seit 1219 in Würzburg bezeugt, errichten die Deutschherren in oder
neben dem ihnen vom Bischof geschenkten Hause zunächst den
Turm mit (1226 geweihter) Kapelle im 1. Geschoß, und beginnen
einige Jahrzehnte später, um 1250 etwa, mit dem Bau der Kirche,
der 1288 bis zu der von der Stadt erzwungenen Durchfahrt und
des ihr aufgesetzten W-Joches fertig und 1296 vollendet ist. Der
in die 20er Jahre fallende, von der Achse der neuen Kirche ab-
gedrehte spätroman. Turm, an den sich die Komturei (das be-
stehende Gebäude von Petrini) anlehnt, wurde beibehalten. – Die
Kirche, im 19. Jh. profaniert (lange als Militärmagazin verwen-
det), ist seit 1922 ev. Pfarrkirche.

Der 1schiffige Bau, dessen 6 Kreuzgewölbe-Joche (schmal-
rechteckige, bis auf das größere und »verzogene« westliche)
durch den 3seitigen Chor abgeschlossen werden, der erste
got. Würzburgs, zeichnet sich durch eine schlanke und straffe
Hochwüchsigkeit aus – bestimmend die enge Reihung der
Fenster und Streben –, die zudem Gewinn aus der natürlichen Aufsockelung des Geländes zieht. Die Steinmetzarbeit
an den Konsolen und Kapitellen der Dienste und den
Schlußsteinen – Laubwerk, Masken, Figürliches, u. a. eine
Marienkrönung – darf bester frühgotisch zugerechnet werden. Das über Treppe zugängliche Portal, in der Rahmung
zweier mit Maßwerkblenden geschmückter Streben, und das
Treppentürmchen an der N-Seite sind von einer feinen, zarten Zierlichkeit.

Franziskanerkirche

1221 kommen die Franziskaner nach Würzburg. 1250 beginnen,
gegen 1280 vollenden sie ihre alle Merkmale der Ordensarchitek-
tur tragende Kirche: eine 3schiffige, nur im Chor gewölbte Basilika
mit hohen, weit geöffneten, auf Rundpfeilern ruhenden Arkaden.
Bischof Julius ließ im letzten Jahrzehnt des 17. Jh. das Langhaus

wölben; er erneuerte auch, wahrscheinl. durch Lazarus Augustin,
die der S-Seite des Chores angelehnte (erhaltene) Valentinskapelle.
1945 brach die Kirche bis auf den flachschlüssigen, mit Kreuz-
rippengewölben gedeckten Chor, die Umfassungsmauern und die
beiden östl. Pfeiler des Langhauses zusammen. Sie wurde 1959/60
ausgezeichnet wiederhergestellt.

Über dem Mittelschiff öffnet sich jetzt das Gestänge des eisernen Dachstuhls, der auf sehr schlanken Stahlrohren ruht; über
den Seitenschiffen zeigt sich das Holzwerk der Pultdächer.

Von Adel und Bürgerschaft häufig in Anspruch genommene Grablege, beherbergt die Kirche immer noch, nach vielen Verlusten,
eine lange Reihe guter, z. T. hervorragender *Bildgrabsteine.* Zeitlich voran steht der des Grafen Gottfried v. Rieneck, 1389, der
(lange verstellt) erst 1945 wieder ans Licht trat, Werk des Bildhauers, der wenig später das Schwarzburg-Grabmal des Domes
schuf. Es folgt das der Anna Zingel, 1407, einer der schönsten
Grabsteine Weichen Stils, der des Balth. v. Zindel, 1496, und der
des Weihbischofs Georg Antworter, 1499, dann der des Michael
Truchseß v. Wetzhausen, 1513, aus dem Umkreis Riemenschneiders, und der des Hans v. Grumbach-Estenfeld, 1529, von Jörg
Riemenschneider, Stiefsohn Meister Tills, schließlich (wir zählen
nur die besten auf) der des Jörg v. Fronhoffen, 1548, und seiner
Gattin Sybille, Werk des älteren Peter Dell, des Hans Zobel v.
Giebelstadt, 1581, und seiner Gattin Apollonia mit Söhnen und
Töchtern, Werk des Peter Osten, Neffen des Johann Robin von
Ypern, der das Grabmal des Heinrich v. Giebelstadt, 1589, und
seiner Gemahlin Amalie (1606) mit Söhnen und Töchtern schuf. –
Die dem Chor anliegende *Valentinskapelle* ist ein Addidament der
Jahre 1612/13. Ihre Auszeichnung ist das posthum got. Netzge-
wölbe.

Südl. an die Kirche anschließend der in 4 Flügeln einen Hof umschließende **Kreuzgang**. Der nördl. Flügel abgetragen und 1959/60 wiederaufgebaut. Der östliche mit frühgotisch, mit Gewölben der Julius-Zeit.
Die 2 anderen Flügel (der S-Flügel um 1400) heute flach gedeckt.
Die *Klosterpforte*, in der Mauer seitl. der Kirchenfront, ist im Gemeißelten (Stigmatisation des hl. Franz) eine Arbeit Mich. Kerns, 1613.

Augustinerkirche

Bis 1803 gehörte sie den Dominikanern, die sich schon 1228 in der
Stadt niederließen. 1266 legt Albertus Magnus angebl. den
Grundstein, 1270 wird geweiht, doch offenbar nur der Chor, der
Bau des Langhauses zog sich noch hin. 1813 kommt sie an die
Augustiner.

B. Neumann baute 1741 ff. die Kirche um. Er behielt die
Umfassungsmauern des Chores bei, wölbte ihn aber neu und
befensterte ihn anders. Das Langhaus erneuerte er in der
Ausdehnung des alten von Grund auf. Was zustande kam,

Würzburg. Residenz, Treppenhaus

Würzburg. Festung Marienberg
Marienkapelle, dahinter Brunnenhaus und Sonnenturm

ist eine 3schiffige gewölbte Basilika mit 1schiffigem, sehr tiefem Chor, den allerdings (bis 1945) der Hochaltar abriegelte. Das Ä u ß e r e schlicht, ohne Anspruch, die 2geschossige Fassade durch Pilaster gegliedert. Das I n n e r e in der Raumwirkung – hohe steile Rundbogenarkaden – durch den Grundriß des got. Vorgängers bestimmt. »Die Kirche, daß sie so hoch muß werden, obligiert der schöne alte, gut gewölbte Chor« (Worte Neumanns). Die reiche Ausstattung (Rokoko) verschlang der Krieg. Doch blieben die Stukkaturen Ant. Bossis im Chor; auch das Gemälde des Hochaltars, von Nik. Treu, 1771, dauerte aus.

Karmelitenkirche

1627 beziehen die Unbeschuhten Karmeliter das seit 1564 verlassene Magdalenenkloster der Reuerinnen, 1660 gehen sie an den Neubau der Kirche, die 1669 geweiht wird. Ihr Baumeister ist Petrini, der mit ihr das erste Exempel italienisch-barocken Kirchenbaus in Würzburg statuiert.

Die in die Gassenwand eingefügte 2geschossige, von einem flachen Giebel abgeschlossene Fassade will und darf, nach den Grundsätzen des Ordens, keinen Aufwand treiben. Sie wirkt durch die Gliederungen, vorzüglich durch die – Portal unten, Fenster oben zwischen sich nehmenden – Pilasterpaare, durch die Plastik der Kapitelle, des Gebälks, der Gesimse. Die Katastrophe 1945 zerstörte die Gewölbe (sie wurden rekonstruiert) und die reiche spätbarocke Ausstattung.

St. Michael. Die 1765–98 nach den Plänen J. Ph. Geigels und J. M. Fischers gebaute Jesuitenkirche, eine große Wandpfeilerkirche mit schmalen Abseiten und Emporen zwischen den Pfeilern, Querschiff (ohne Ausladung), ebenfalls mit Emporen, die auch die ersten beiden Joche des halbrund geschlossenen Chores begleiten, und durch Rundkuppel betonter Vierung, verlor 1945 ihre gesamte Innenausstattung. Nur der (1953–55 wiederausgebaute) Raummantel blieb erhalten. – Spätbarocke und frühklassizist. Gestaltungstendenzen treffen zusammen, doch sind die spätbarocken die stärkeren. Das Raumgefüge ist immer noch hochdifferenziert, die »niedere Geometrie« hat den Organismus in vielen Einzel-, aber noch nicht in den Grundformen angegriffen. Noch dominiert die (allerdings schon etwas lahme) Kurve. Der Standort an der Stilwende äußert sich auch an der Fassade, deren hoher doppelgeschossiger Aufbau, mit starken Säulenpaaren in der Mitte, in den gehäuften kleinen Fenster- und Türöffnungen eine Störung des Proportionsgefühls erkennen läßt.

Marienkapelle

Der Platz, der »Grüne Markt«, wurde durch die Austreibung der Juden 1349 gewonnen. An die Stelle der Synagoge trat ein Marien-

kirchlein, an dessen Stelle beginnt sich seit 1377 die erhaltene Marienkapelle – tatsächlich eine Kirche – als Unternehmung der Bürgerschaft zu erheben, die 1393 im Chor fertig ist. Langhaus und Turm beanspruchen noch 8 Jahrzehnte; das Schlußjahr ist 1479. Baumeister sind: Meister Weltz, angebl. 1434–41, also am Langhaus tätig, Eberh. Friedeberger von Frankfurt, seit 1441, Lienhart Strohmaier (auch als Bildhauer bekannt), seit 1454, Hans von Königshofen, seit 1470; die beiden letzten arbeiteten am Turm, den Friedeberger beg. haben dürfte. – Weitere Daten: 1711 Zerstörung des Turmhelms durch Blitzschlag, 1713 Wiederherstellung, Aufsetzung des getriebenen feuervergoldeten Marienbildes, das heute noch die Helmspitze krönt, Arbeit des Goldschmieds Mart. Nötzel. 1843–53 Restaurierung des Äußeren. 1856–58 Aufbau des Turmhelms, anstelle des barocken von 1713, nach dem Muster des der Esslinger Frauenkirche. 1864 Restaurierung des Innern, Austausch des barocken Inventars durch ein neugotisches. Die schweren Kriegswunden von 1945 sind geheilt.

Die Marienkapelle ist eine 3schiffige, 5jochige Halle mit 1schiffigem, 4jochigem Chor. Netzgewölbe im Mittelschiff, Kreuzgewölbe im 3seitig geschlossenen Chor und in den Seitenschiffen; 8kantige Pfeiler. Der nach 4 quadratischen Geschossen zum Oktogon übergehende Turm flankiert das westl. Joch des Seitenschiffs; er lag offenbar noch nicht im Plan des Langhauses und dürfte erst nach dessen Fertigstellung von den durch die Turmkolosse anderer Städte beeindruckten Bürgern beschlossen worden sein. Westlich, südlich und nördlich öffnen sich aufwendig geschmückte Portale, deren Ausstattung mit Steinplastik allerdings nicht über die Reliefs der Bogenfelder – Weltgericht im westlichen, Krönung Mariae im südlichen, Verkündigung im nördlichen – hinausgedieh. Nur am Mittelpfosten des Hauptportals (W) eine *Statue der Muttergottes*, ein ausgezeichnetes Werk Weichen Stils, mittelrheinischer Prägung, der 20er Jahre des 15. Jh. (jetzt im Innern, an der S-Wand des Langhauses). Etwas älter die Reliefs der Bogenfelder. Das der *Verkündigung* bringt ein ikonographisches Kuriosum: die sinnfällig, nämlich durch eine schlauchartige Zuleitung von Mund zu Ohr dargestellte Verbindung Gottvaters mit der Jungfrau. Das Marktportal (S) empfing 1491–93 an den es begrenzenden Streben die *Statuen des Urelternpaares* von der Hand Riemenschneiders (jetzt im Mainfränk. Museum), der auch die 14 Statuen für die Tabernakel der Strebepfeiler herstellte (jetzt im Dom und im Museum).

Das Innere birgt einige vorzügliche *Grabdenkmäler*, deren hervorragendstes, neben dem des Martin v. Seinsheim (1434), das Riemenschneidersche des *Konrad v. Schaumberg* (1499) ist. – Die Marienkapelle ist *die* spätgot. Kirche Würzburgs, Denkmal einer hochplanenden, aber schließlich vom bischöflichen Stadtherrn niedergezwungenen Bürgerschaft.

Universitätskirche

1583 beg., wird die »Neubaukirche« 1591 geweiht. Baumeister war Georg Robin aus Mainz. Schon in den 20er Jahren des 17. Jh. ist infolge Bauschäden eine Restaurierung nötig. Der Turm muß bis auf das Sockelgeschoß abgetragen und (1628 ff.) neu aufgeführt werden. Die S-Mauer wird durch 6 Pfeiler verstärkt. Der Große Krieg verzögert den Abschluß der Wiederherstellung. Das Langhaus steht lange unbedacht. Erst 1696 wird die Arbeit wieder aufgenommen. Petrini, der sie leitet, baut neu das 2. Turmgeschoß und das ihm aufsitzende Oktogon. Den 6 nun von ihm restaurierten Pfeilern an der S-Seite fügt er 3 weitere hinzu, dann wölbt er das Schiff. Die Ausstattung entsteht völlig neu. 1713 wird die vollendete Kirche geweiht. 1803 wird sie profaniert, doch 1851 ihrer Bestimmung zurückgegeben. Der 2. Weltkrieg setzt ihr hart zu; mit vielen, nur zum Teil wieder geheilten Wunden übersteht sie ihn.

Der A u ß e n b a u ist durch die im schönsten Buntsandstein aufgeführte, wirkungsvoll gegen die breite Neubaustraße gestellte Turmfassade beherrscht, Werk Petrinis in den Obergeschossen, älter nur in dem 1628 errichteten Sockelgeschoß mit dem Hauptportal, das auch noch Teile (Säulen, Figuren) seines Vorgängers, der Juliuszeit, enthält. 3 Fensterreihen gliedern N- und S-Wand, die zusätzlichen Pfeiler des frühen und des späten 17. Jh. straffen die S-Wand. Die rundbogigen, durch je 2 Pfosten geteilten Fenster bekennen sich in ihren Maßwerkfüllungen zu jener »posthumen« Gotik, die, vielen Bauten des Bischofs Julius Echter eigentümlich, eines der sichtlichsten Elemente des »Juliusstils« ist. Beispielhaft für diese, Altes und Neues, Gotik und Renaissance mischende Stilhaltung auch die *Rose* über dem W-Portal. Frei von solchen Reminiszenzen ist der I n n e n b a u. Der Querschnitt ist der einer 3schiffigen Halle mit in der Wölbung überhöhtem Mittelschiff und sehr schmalen Seitenschiffen. Die doppelgeschossigen, viel mehr schließenden als öffnenden Emporen lassen aber den Eindruck »Halle« kaum aufkommen, der bestimmende Eindruck ist der eines von 8 Kreuzgewölben überdeckten, von dreifach übereinandergestellten Arkaden begrenzten Saales. Die Elemente der Gliederung, wie die den Pfeilern vorgesetzten kannelierten Säulen mit ihren die 3 Ordnungen befolgenden Kapitellen, sind antikisch, der Raum dieses »templum academicum« leitet sich aber doch von heimisch deutschen, spätgot. Vorformen (wie etwa der Heiliggeistkirche in Heidelberg) ab. Trotz dieser Zwiespältigkeit ist die Universitätskirche doch einer der wirklich »modernen« Bauten des Zeitalters, das *Raumbild* (die Bildhaftigkeit sei betont) ist neu und nur aus einem neuen, perspektivischen Sehen abzuleiten.

Nördl. der Kirche breitet sich der Komplex der **Julius-Universität**, die Bischof Julius ins Leben rief und deren Gebäude er 1582 nach Plänen Robins begann, um sie spätestens 1592 zu vollenden; O- und S-Flügel sind 1584 fertig, 1585 wächst der N-Flügel auf. – Die weitläufige Anlage umschließt einen etwa quadratischen, südl. von der Kirche begrenzten Hof. Die erste planvoll regelmäßige Gebäudegruppe in Würzburg zehrt doch noch von älteren heimischen Traditionen; zu der Lockerung der Grundrißsymmetrie treten die exzentrisch angeordneten Portale, deren reiche Steinmetzzier gegen die Folie ungegliederter Wandflächen steht, und die mehrfach aufgestockten Giebel, die als Aufstufungen mit der horizontalen Lagerung der Trakte konkurrieren. Alle Merkmale dessen, was man unter »Juliusstil« versteht, sind vorhanden. Die farbige Erscheinung beruht auf dem Gegensatz heller Putzflächen zu den roten Hausteinrahmungen der Fenster und Tore.

Käppele

Auf dem Nikolausberg, südl. des Marienbergs und von ihm durch den Leistengrund geschieden, entsteht, veranlaßt durch ein kleines Vesperbild, 1653 eine Kapelle. Sie wird 1684 vergrößert und bleibt als Annex der neuen Kirche erhalten. Diese wird 1747–50 nach den Plänen B. Neumanns aufgeführt.

Eine zentrale Anlage mit nördl. 2-Turm-Fassade, südl. Chor und 2, wie der Chor, korbbogig geschlossenen Kapellen an den Flanken. Über der mittleren Rotunde wölbt sich eine von der Laterne überhöhte Kuppel. Die 1778 von Ickelsheimer stark veränderte alte Gnadenkapelle ist ein Rechteck mit geschrägten, innen gerundeten Ecken und korbbogigem Chor.

Die *Stukkaturen*, aus den frühen 50er Jahren des 18. Jh., sind vermutl. von einem Wessobrunner, den der Maler der *Deckenfresken*, der berühmte Augsburger Matthäus Günther (1752), mitgebracht haben dürfte. Von Günther auch das Fresko der Gnadenkapelle (1781), deren Ausstattung um oder bald nach 1778 entstand und, wie der erst 1797–99 errichtete *Hochaltar* des Neumannschen Chores, eine prätentiöse Säulen-Baldachin-Anlage, und die wohl gleichzeitige Kanzel klassizistisch ist. Altar und Kanzel fügen sich ohne allzu fühlbare Spannung in das spätbarocke Raumganze ein. Seitenaltäre 1768 vollendet. Das Orgelgehäuse auf der in der Mitte vorschwingenden Empore, um 1750, reichstes, blühendes Rokoko.

Die doppelgeschossige 2-Turm-Fassade der durch die Häufung reizvoll geschweifter Dachhauben reich belebten Baugruppe wendet sich dem stimmungsvollen **Stationsweg** zu: einer doppelläufigen Treppenanlage, die von Terrasse zu Terrasse ansteigt, deren jede mit bekuppelten Pavillon-Kapellen besetzt ist, in deren Innern sich die in den 60er Jahren des 18. Jh. gearbeiteten Stationsgruppen Peter Wagners befinden. – Mit seiner heiter blickenden Fassade voll der Stadt zugekehrt, ist das Käppele einer der schönen, wichtigen Bergakzente der Würzburger Stadtlandschaft.

Himmelspforten

Das 1231 vom Würzburger Bischof in Himmelsberg (bei Karlstadt) gegr. Kloster der Zisterzienserinnen wird 1250 in das Vorland Würzburgs verlegt. Heute umschließt es ein moderner Stadtteil. Die Klosterkirche entsteht in den 60er und 70er Jahren des 13. Jh. 1804 säkularisiert, gehört das Kloster seit 1844 den Karmeliterinnen. – Die Kirche, 1945 hart in Mitleidenschaft gezogen, wurde inzwischen wiederhergestellt.

Die 1schiffige, turmlose, betont anspruchslose **Klosterkirche** trägt das Signum des Reformordens, der sie errichtete. Langes Schiff, dessen mehr als die Hälfte die Nonnenchor besetzt, platt schließender Chor, mit Rippenkreuzgewölben, die dem Langhaus versagt blieben. An der S-Seite eine reizvoll gegliederte Spitzbogenpforte. Der von der Nonnenempore überdeckte westl. Teil des Schiffes ist die *»Sepultur«*: eine vorzügliche Raumschöpfung erster Frühgotik; die schweren rechteckig profilierten Gurte und Rippen auf 8eckigen Stützen. Eine Absonderlichkeit ist der dem mittleren O-Joch der Sepultur aufgestockte Turm der, allseitig frei, den Raum des Schiffes durchwächst, um über den First als Dachreiter zutage zu treten. Ein Steinmetzenzierstück ist das 1612 dat., Spätgotik und Renaissance kreuzende polygone

Treppentürmchen, das den Zugang zu der in Holz aufgeführten, ebenfalls nachgot. Vorempore vermittelt.

Das den Kreuzgang umfassende **Kloster** lehnt sich nördl.
der Kirche an; der erhaltene Bestand geht ins späte 16.,
frühe 17. Jh. zurück. Nur der *Kreuzgang* ist mittelalterlich,
der S-Flügel noch frühgotisch, auch in der Wölbung; die im
O-Flügel entstand später, im 14. Jh., die Wölbung der beiden anderen Flügel kam erst 1592 ff. hinzu. Dieser Kreuzgang birgt eine Anzahl von *Grabdenkmälern*, die zum
Besten got. Plastik in Würzburg-Franken gehören: Elisabeth
(1383), Katharina (1415), Ludwig (1414), alle v. Hutten,
Karl v. Grumbach (1497).

Neben der 1896/97 nach Entwürfen Fr. J. Denzingers von Schmitz erbauten neuroman. **Adalberokirche** seien noch die letzten, modernen
Kirchenbauten Würzburgs erwähnt: die **Herz-Jesu-Kirche** Mariannhill
(1927/28) und die **Kirche U. L. Frau**, im Frauenland (1936), beide von
A. Boßlet, der auch **St. Benedikt** wieder aufbaute (1948); die Pfarrkirche der Redemptoristen **St. Alfons** (Keesburgsiedlung, 1952–54), von
Hans Schädel, ein Trapez mit zum Chor ansteigendem Dach und freistehendem Glockenturm in hoher, talbeherrschender Lage (schräg gegenüber Heidingsfeld); das große Fresko schuf Georg Meistermann. Die im
letzten Jahrzehnt des 19. Jh. errichtete, bis auf einen Strunk des Turmes 1945 zerst. neugot. **ev. Johanniskirche** wurde inzwischen von Riemerschmid neu aufgeführt; der rechteckige Raum, mit eingezogenem,
sich verjüngendem Chor, durch eine Folge von Betonträgern gegliedert;
der Turmstrunk als Memento belassen, doch in den Flankenschutz
zweier hoher Spitztürme gestellt; die Turmgruppe tritt, von NO her,
überraschend in den Blick des Schloßplatzes.

Juliusspital

*Segensreiche Gründung des großen Bischofs Julius Echter und bis
heute (als Krankenhaus und seit 1785/86 auch als Pfründnerhaus)
lebendig geblieben. 1576 wurde die große Anlage am N-Rand der
Stadt begonnen, 1580 werden Kirche und Spital geweiht. Dieses
erste (vermutl. von Joh. Robin entworfene) Spital, das, wie das
bestehende, mit 4 Flügeln einen Innenhof umstellte, wird 1699
von einem Brande heimgesucht, der einen Großteil des N-Flügels
zerstört. Dieser Flügel wird, durch Petrini, bis 1714 neu aufgeführt. Der Mittelbau brennt 1745 erneut ab, erhält sich aber im
Bestand, so daß Neumann, der 1746–49 die Wiederherstellung leitet, die Fassade übernehmen konnte. Da 1789 auch der S-Flügel,
nach den Plänen J. Ph. Geigels, neu gebaut wurde, steht vom
Spitalbau des Gründers nichts mehr aufrecht. Aber auch die Gebäude des 18. Jh. wurden 1945 (19. Februar und v. a. 16. März)
durch die Brand- und Sprengbomben des Luftkrieges zu einem
großen Teile zerstört. Nur ein Zehntel etwa des großen Komplexes blieb vom Feuer verschont. Daß es gelang, die Ruine in*

wenigen Jahren wiederaufzubauen, kann nicht hoch genug gerühmt werden. Der historische Bestand wurde respektiert, soweit es die Erfordernisse der dem Leben dienenden Anstalt zuließen. Die nur teilweise zerst. Fassaden des Fürstenbautrakts konnten in ihrer Gänze zurückgewonnen werden. Nur die des Traktes an der Juliuspromenade wurden, durch Aufstockung der 2geschossigen Flügel zwischen dem Mittelbau und den Eckpavillons, wesentlich verändert.

Mit dem sehr einfachen klassizist. S-Flügel an die Juliuspromenade grenzend, beschreibt das Spital ein rechteckiges Geviert. S- und N-Flügel, durch kurze Trakte miteinander verbunden, umschließen einen Hof, den der im Mittelbau, »*Fürstenpavillon*«, die starken Akzente sammelnde N-Flügel Petrinis beherrscht. 3 Durchfahrten öffnen das Sockelgeschoß des Fürstenpavillons, breite Pilaster greifen die beiden Obergeschosse zusammen, ein Attikageschoß schließt ab: ein gedrungener, doch straff durchgeordneter, durch das Relief seiner Gliederungen reich wirkender Block. Der die Mitte einnehmende Fürstensaal wurde 1788/89, wahrscheinl. durch Geigel und Materno Bossi, in eine *Kirche* umgewandelt: ein die beiden Obergeschosse durchgreifender Saal mit umlaufender, auf Säulen ruhender Empore, mit Spiegelwölbung gedeckt; neuerdings, nach der Brandzerstörung von 1945, durch Tieferlegung der Decke, Entfernung der Empore und Versetzung des Altars an die O-Wand umgestaltet. Eine kulturgeschichtliche Kostbarkeit ist die im Erdgeschoß befindliche Apotheke mit wohlkonservierter, nach Mitte des 18. Jh. geschaffener Einrichtung.

Nördl. des N-Flügels erstreckt sich der **Garten** (Hofgarten), der sich, bis ins frühe 19. Jh., in die Landschaft öffnete. In der Mitte, im Schnitt der beiden Hauptachsen, ein *Brunnen* von der Hand Jak. v. d. Auveras (1706–08): Gruppe von 4 Flußgöttern (die Flüsse Frankens), die das Greiffenklau-Wappen überragt. Am östl. Ende der Querachse der 1705–14 gebaute, 1726 der Anatomie überlassene **Pavillon**, der wohl ganz, nicht nur im Dach (als dessen Autor er bezeugt ist), Greising gegeben werden muß: eine kleine originelle Architekturschöpfung, von plastischer Gliederung in den mehreren Vor- und Rücksprüngen des durch Pilaster gestrafften Sandsteinkörpers, charakterisiert durch die beiden seitl. der Dachschwellung aufsitzenden bekuppelten Türme (die urspr. einen dritten, mittleren zwischen sich hatten), ausgezeichnet

1032 Würzburg: Spitäler, Residenz

durch die differenzierte Gestaltung der geschieferten Dachhaut, die in ihren Reliefbändern die Gliederung des Steinkörpers reflektiert.

Bürgerspital. Stifter ist der Würzburger Johannes vom Ster, das Jahr ist 1319. Die kleine, im Krieg stark ruinierte, jetzt wiederaufgebaute Kirche wurde 1371 geweiht. Ein hervorragendes Bildhauerwerk ist das Grabmal des Ekro vom Ster (1343, S-Wand des Schiffes), das wohl eine erste (erhaltene) Arbeit des »Wolfskeelmeisters« sein könnte. Die Spitalgebäude sind nachmittelalterlich. Bemerkenswert ist der »Rote Bau«, eine 3-Flügel-Anlage von 2 Geschossen mit offenen Arkaden im Erdgeschoß, charakterisiert durch die schöne, Rot und Gelb wechselnde Sandsteinrustika, 1717/18 errichtet und Joseph Greising zuzusprechen.

Hofspital. Die 1498 geweihte Kirche (der 14 Nothelfer) wurde 1793 durch die bestehende nach den Plänen des Hofarchitekten Adam Salentin Fischer ersetzt. Der kleine, mit der klassizist. Fassade der Main-Brücke zugekehrte Bau ist durch ein frühes Aufgreifen neugot. Formen (Spitzbogenfenster) merkwürdig.

Residenz

Bis ans 18. Jh. heran residieren die Fürstbischöfe auf dem Marienberg. Joh. Philipp v. Greiffenklau läßt endlich in der Stadt, am Rennweg, im Raum zwischen alter und neuer Stadtbefestigung nach Plänen Petrinis ein Schlößchen errichten, das aber, schlecht gebaut, nicht bezogen werden kann. 1719 kommt Johann Philipp Franz v. Schönborn zur Regierung. Er entschließt sich rasch zum Bau eines großen, sehr großen Schlosses, im gleichen Raum wie das nun zum Abbruch verurteilte Petrini-Schlößchen, in gerader Ausrichtung auf die Spitze einer der östl. angrenzenden Bastionen. 1720 wird der Grundstein gelegt. Es wächst rasch der N-Flügel heran, 1723 betätigen sich bereits die Bildhauer (Claude Curé, J. van der Auvera, B. Esterbauer u. a.). Doch 1724 stirbt Schönborn. Sein nicht vom »Bauwurm« besessener Nachfolger, Hutten, läßt nur den N-Flügel wohnbar machen. 1729 tritt Friedrich Karl v. Schönborn ins Regiment, der das Unternehmen seines Bruders, für ihn wie für den Mainzer Onkel, Kurfürst Lothar Franz, ein gemeinhin Schönbornsches, bereits mit starkem Anteil begleitet hatte. Unter ihm kann das Riesenwerk baulich vollendet werden. 1730 beginnt der S-Flügel aufzusteigen. 1732 steht dessen Stadtfassade, 1737 kann der Mittelpavillon in Angriff genommen werden, 1738 steht seine Gartenfassade. 1740 ist der O-Flügel, südl. Teils, im Bau. 1742 schließt sich die Wölbung des Kaisersaals und beginnt sich die des Treppenhauses zu schließen. Mit dem Ovalvorstoß des N-Flügels ist der Bau 1744 vollendet. – Die Ausstattung der fürstlichen Wohnung im S- und der Paradezimmer im O-Flügel ging noch auf Friedrich Karl zurück, die des Treppenhauses und des Kaisersaals ließ sein Nachfolger, Karl Philipp v. Greiffenklau (1749–54), ausführen. Auch der nächste Fürstbischof, Adam Friedrich v. Seinsheim, stattet eine Reihe von Räu-

men aus. *Unter ihm erfährt der westl. voranliegende weite Platz die monumentale Gestaltung. An der N-Seite stand bereits der ältere Rosenbach-Hof (Petrinis). Er erhielt sein genau entsprechendes Gegenüber im »Gesandtenbau« (1767). Gegen W wurden (1769 bis 1771) die Kolonnaden angeschlossen und ihnen die beiden mächtigen Freisäulen vorgesetzt. – 1802 sank die Glorie des Hochstifts dahin. 1806 zieht der Großherzog Ferdinand von Toskana ein; er modelt die fürstliche Wohnung (und andere Räume) im Geschmack der Zeit (»Empire«) um. 1814 geht das Schloß an die Krone Bayern über. 1821 wird ihm eine Wunde geschlagen: Abbruch des den Ehrenhof schließenden Gitters. 1945 geht der größte Teil der reichen Ausstattung zugrunde. Doch blieb uns der Bau und in ihm das Treppenhaus, der Weiße Saal, der Kaisersaal, die Kirche. Die (frühklassizist.) Räume des N-Flügels können wiederhergestellt, die sog. Paradezimmer des S-Flügels wieder mit dem alten, großenteils geretteten Mobiliar besetzt werden.*

Die Baumeisterfrage

Die Residenz ist nicht das Werk eines einzelnen, auch waren die Bauherren bei nicht geringer Architekturerfahrung zu eigenwillig, um den planenden Meistern nicht immer wieder ins Konzept zu greifen. Der Bauleiter war Balthasar Neumann, bei Beginn des Planens noch ein Unbekannter. Indes legte doch ein von ihm, unter Mitwirkung des Bauherrn, ausgearbeitetes Konzept das Schema der einen Ehrenhof und mehrere Binnenhöfe umschließenden 3-Flügel-Anlage fest. Dieses Konzept wurde dann in Mainz, unter tätigster Anteilnahme des Kurfürsten Lothar Franz, von dessen »Baudirigierungsgöttern«, an der Spitze Max. v. Welsch, bearbeitet. Die Mainzer Bearbeitung des Neumannschen Konzepts ist der Plan, nach dem der Bau begonnen und, im Grundriß wenigstens, auch durchgeführt wurde. Früh, schon 1719, wurde auch der Wiener Joh. Luk. v. Hildebrandt, der Architekt des Reichsvizekanzlers Friedrich Karl v. Schönborn, beigezogen. Der Aufriß der Flügelfronten ist sein Eigen. 1723 hält es der Fürstbischof für gut, zwei Pariser Autoritäten, R. de Cotte und G. Boffrand, befragen zu lassen. Ihre Änderungsvorschläge hinterlassen aber nur geringe Spuren. Die Einschränkung des (doppelt so groß geplanten) Treppenhauses geht zu Lasten de Cottes. 1730, mit dem Regierungsantritt Friedrich Karls, tritt Hildebrandt in den Vordergrund. Die Aufrißgestaltung des Ehrenhofs wie die der Gartenseite können nur mit seinem Namen verbunden werden. Er entwirft auch das Ehrenhofgitter und die Altarausstattung der Hofkirche. Trägt nun der Bau in der Grundfügung der Blöcke das Signum des Mainzer Baudirektors Welsch (der auch die Ovalvorstöße an den Flanken in den Plan brachte), so in den Formen seines Mantels, weitgehend jedenfalls, den Hildebrandts. Was bleibt für Neumann? Immer noch viel. Einmal das Verdienst der grundlegenden Planidee, dann aber die fugenlose Einpassung der

*von Mainz, Wien, Paris beigesteuerten Baugedanken, endlich seine
unbestreitbar eigensten Leistungen, das Treppenhaus und die Hofkirche.*

Ä u ß e r e s. Den gegen W hin geöffneten *Ehrenhof* umla-
gern 3 Baublöcke, von denen die seitlichen je 2 Innenhöfe
umschließen. Die Fronten der Blöcke, nördlich und südlich,
sind 2geschossig, lassen aber jedem der Geschosse noch ein
Halbgeschoß folgen. Die Erdgeschosse sind rustiziert, Pilaster
teilen die wenig vorspringenden, mit Flachgiebeln besetzten
Eckrisalite in je 3 Felder auf. Portikusportale treten vor die
Mitten. Die seitl. Fronten, nördlich, südlich, ebenfalls durch
Eckrisalite eingefaßt, wölben sich mittlich zu den breit entwickelten Halbovalen vor, deren nördliches anfänglich der
Hofkirche zubestimmt war. Die dem (65 m) tiefen Ehrenhof
zugekehrten *Innenfronten der seitl. Blöcke* lassen je 2, nun
aber stärkere Risalite vortreten, die ihnen vorgesetzten Por-
tikusbalkone sind der merklichste Niederschlag der Pariser
Zusteuer. Die Gliederung nimmt jetzt auf die des zurückliegenden Mittelbaus Bezug. Hier häufen sich die Akzente,
hier blüht das sonst mit Maß ausgeteilte, vom Bildhauer geleistete Dekorum. Über dem 3achsigen Eingangsrisalit (ohne
Halbgeschosse) kurvt sich der mit dem fürstbischöflichen
Wappen, von der Hand J. W. van der Auveras, gefüllte
Giebel, Halbsäulen gliedern die seitl. Rücklagen, die Fensterumrahmungen sind reich, die Öffnungen des oberen Halb-
geschosses nicht rechteckig, sondern oval. Die *Gartenfront*
fluchtet langhin (167 m), flache Eckrisalite mit Portikus-
balkonen rahmen, der Mittelpavillon tritt kräftig vor und
sammelt die stärkeren Akzente: Balkonportikus unten,
Halbsäulen vor dem in hohen Rundbogenfenstern geöffneten Obergeschoß, Hermenpilaster vor der Attika, der ein
Kurvengiebel aufsitzt. Das Schloß umwandernd, wird man
auch, und immer wieder, die vielfältig bewegte Schiefer-
landschaft der Dächer aufnehmen, deren Aufhöhungen den
Betonungen des Baukörpers in Grund- und Aufriß entsprechen. Halte man sich endlich auch die urspr. farbige Erscheinung vor Augen: der gelbe Sandstein vertiefte seinen
Goldton noch durch einen Auftrag von Ocker, die Gliederungen setzten sich in einem hellen Grau dagegen ab, die
Skulpturen auf der Dachbalustrade standen marmorweiß
darüber. Denke man sich auch das großartige *Ehrenhofgitter*
Hildebrandts, J. W. van der Auveras und J. G. Oeggs hin-

zu, das, als notwendige Schranke, der andringenden Platzweite entgegenstand. I n n e r e s. An der 3schiffigen Einfahrtshalle liegt östl. der *Gartensaal* (Sala terrena), ein Rechteck, doch durch die Abschrägung der Ecken und den Kranz eingestellter, einen Umgang absondernder Säulen einem Oval nahe. Das Spiegelgewölbe fand sein Erfinder, Neumann, »kuriös«. Die Stukkaturen machte L. Bossi, die Fresken Johann Zick (1750). Die Einfahrtshalle öffnet sich nördl. in das große T r e p p e n h a u s *(Tafel S. 1024)*, das größte und schönste des in Treppen schwelgenden Zeitalters. Der urspr. Plan ging aber auf eine Verdoppelung: gleich großer Treppenraum auch auf der S-Seite der Einfahrtshalle; er scheiterte am Einspruch der französ. Autoritäten. Der rechteckige Raum durchgreift die ganze Höhe des Gebäudes, *ein* Spiegelgewölbe (30 : 18 m) überdeckt ihn, schon technisch eine ganz ungewöhnliche Leistung, deren sich Neumann mit Fug rühmen durfte. Zunächst in einem Laufe ansteigend, teilt sich die Treppe dann doppelläufig, um den Umgang in der Höhe des Obergeschosses zu erreichen. Es war ein Glücksfall, daß für die A u s m a l u n g der grandiosen Raumschöpfung Neumanns der genialste Freskomaler, der Venezianer Giov. B. Tiepolo, gewonnen werden konnte*. In der Mitte der Decke Apoll und die Olympischen, am Rande ringsum die Erdteile; bei Europa sieht man Neumann und die beiden Tiepolo, Vater und Sohn (Domenico, der beiständig war), und darüber, brustbildlich, den Fürstbischof Joh. Ph. v. Greiffenklau, der 1750 Tiepolo geworben hatte. Die Statuen auf der Treppenbrüstung schuf Peter Wagner (bis 1775). Die Stuckierung »à la grecque« führte, nach 1764, L. Bossi aus. Bossi und Wagner: früher Klassizismus. Zwei Jahrzehnte früher ausgestattet, würde sich dieser Raum des Rokoko-Barock glücklicher befinden. Nur der große Maler kam zur rechten Stunde. – Aus dem Treppenhaus tritt man oben in die »Salle des gardes«, dann *»Weißen Saal«*, dessen blühende Stuckierung Ant. Bossi gab (1744), um in den östl. angrenzenden, die ganze Breite des gartenseitigen Mittelpavillons einnehmenden *»Kaisersaal«* weiterzugehen. Ein in den Ecken abgeschrägtes Rechteck, in halber Höhe durch das den kannelierten Halbsäulen aufsitzende

---

* Vgl. »Reclams Werkmonographien zur bildenden Kunst«: Tiepolo, Das Fresko im Treppenhaus der Würzburger Residenz. Einführung von Gerhard Bott. UB Nr. B 9092.

Gesims geteilt, darüber ein kuppeliges Spiegelgewölbe, in
das die Ovalfenster des Mezzanins mit Stichkappen eingreifen, verbindet dieser wahrhaft »prachtvolle«, Neumann und
Hildebrandt zu dankende Saal eine strahlende Dekoration
mit den glücklichsten Raumverhältnissen. Die Stukkaturen
von Ant. Bossi (1749–51), die *Fresken* von Tiepolo (1752).
Ihre Themen sind der mittelalterl. Geschichte Würzburgs entnommen: die Brautfahrt der Beatrix von Burgund im Son-
nenwagen des Apoll, ihre Trauung mit Friedrich Barbarossa
(1156), die Bestätigung der herzoglichen Gewalt der Bischöfe
durch Barbarossa (1168). Raum, Stuck und Bild stehen im
engsten Verband. Die Fresken mit ihrer Wolken- und Architekturlandschaft weiten den Raum über seine Grenzen.

Hofkirche

*Urspr. an anderer Stelle (N-Flügel) geplant, stimmte Fürstbischof
Friedrich Karl ihrem von Neumann vorgeschlagenen Einbau in den
westl. S-Flügel zu. 1733 schließt sich die Wölbung, 1735 wird, nach
den Entwürfen A. Bossis, stuckiert, im gleichen und im nächsten
Jahre bemalt Joh. Rudolf Byß die Decke. An der reichen Ausstattung ist Hildebrandt stark beteiligt, der auch die Entwürfe des
Byß für den Hochaltar redigierte. Die Architektur gehört aber
einzig Neumann. Kriegsschäden wurden 1959 ff. behoben, die
Stukkaturen und Deckengemälde (betroffen v. a. die N-Seite)
restauriert.*

In ein die ganze Höhe des Schlosses einnehmendes Rechteck
ist mit Hilfe von Wandpfeilern eine komplizierte Raumgestalt eingefügt. 3 Ovale legen sich an- oder auch ineinander. Der Aufriß ist 2geschossig, ein kräftiges Gesims teilt
in halber Höhe, kurvig geführte Emporen, auf Säulen, treten vor Altar- und Eingangsseiten, Kuppeln überwölben die
Ovale, sphärisch gekrümmte, »verbogene« Gurte mit Stichkappen fangen sie auf. An den Langseiten je ein sich rund
vorwölbendes Oratorium. Da nur die freiliegende S-Wand
in Fenstern geöffnet werden konnte, ist der Raum nicht voll
durchlichtet; die ungewöhnliche Wucht der Einzelformen,
der Säulen insbesondere, erfährt keine Entschwerung durch
die lösende lockernde Kraft des Lichtes, das hier, in der
Einseitigkeit seines Weges, zu scharfen Hell-Dunkel-Kon-
trasten führt.

Die Ausstattung ist glänzend. Stuckmarmor bekleidet die
Wandflächen. Der farbige Eindruck ist durch Rot und Gelb, Weiß
und Gold bestimmt. In den Stukkaturen tummeln sich Putten. Die

(1945 hart angegriffenen) *Fresken* bringen die Marter des hl. Kilian und seiner Gefährten, die Marienkrönung, die Evangelisten, den Engelssturz. Der *Hochaltar* ist ein (vom Bauherrn so gewollter) Doppelaltar, von eigenartiger Komposition, elegant und reich; unten die Kreuzigung, oben die Immaculata (Stuckmarmor). Die Seitenaltäre liegen in der Rahmung schwerer, gedrehter Marmorsäulen. Ihre Gemälde Himmelfahrt Mariae und Engelssturz, sind Meisterwerke Tiepolos (1752). Die Kanzel ist klassizistisch, eine Stuckmarmorarbeit Materno Bossis.

Hofgarten

Östl. des Schlosses blieb zwar, bei der Nähe der Fortifikation, nicht mehr viel, doch immer noch genügend Raum zur Anlage des Parks, der 1732 beg., doch nur zögernd fortgeführt wurde. Erst Fürstbischof Adam Friedrich, der auch südl. noch Terrain hinzunahm, griff ihn entscheidend an; der Hofgarten ist vorzüglich sein Werk. Unter ihm bevölkerte sich der Park mit der berühmten Gesellschaft kleiner und großer *Statuen*, die alle in den 70er Jahren P. Wagner schuf. Im 19. Jh. wurde der Park stark verändert, fast alle Skulpturen wurden durch Kopien ersetzt (die Originale im Würzburger und im Bayer. Nat.-Museum München). Der große Reiz des Gartens liegt in seiner glücklichen Verbindung mit der ihn östl. abschließenden Bastion, die sich als architektonisches Element antrug und dank ihrer breiten Plattform in die gärtnerische Planung einbezogen werden konnte. Die prächtigen *Tore*, nördlich, am Rennweg, und südlich, zwischen Residenz und Gesandtenbau, sind in ihren Gittern Werke des unvergleichlichen J. G. Oegg, der auch noch das in den von Franz Ludwig von Erthal angelegten südl. Parkteil führende Tor und die Vergitterungen der Kolonnaden schuf.

Der auf dem R e s i d e n z p l a t z in der Achse des Ehrenhofs stehende *Frankoniabrunnen* wurde 1894 als Geschenk des Prinzregenten Luitpold errichtet. Am Sockel die Statuen M. Grünewalds (der in Würzburg geboren wurde), Walthers von der Vogelweide (der in Würzburg starb) und Tilman Riemenschneiders (der jung nach Würzburg kam, hier lebte und starb).

Marienberg *(Tafel S. 1025)*

Der ins Main-Tal vorspringende, 3seitig abgeböschte, nur westl. »schwache« Bergrücken schon von den Kelten befestigt. Eine germanische Volksburg wird im 6. Jh. fränkisch, im 7. und bis ins frühe 8. ist sie Sitz fränkisch-thüringischer Herzöge. Des letzten Tochter tritt sie an den ersten Würzburger Bischof, Burkard, ab,

*der sich hier einrichtet, aber bald die Talsiedlung vorzieht. Erst im
endende 12. Jh. gewinnt die Burg für die Bischöfe Bedeutung,
im 13. bezieht sie Bischof Hermann v. Lobdeburg, und nun behaust sie die Bischöfe bis ins beginnende 18. Jh. Im späten 16.,
frühen 17. wandelt sie sich zu Schloß und Festung. 1648 erhält
sie den Rang einer Reichsveste, und Festung ist sie noch in bayerischer Zeit. 1866 wird sie von den Preußen beschossen. Der 2. Weltkrieg schädigt sie durch Brände.*

Die Burg des 12. und 13. Jh. dürfte bereits das Areal der
erhaltenen Hauptburg, bis an den Halsgraben, eingenommen haben. Älteste, roman. Teile stecken noch im O-Teil
des N- und im N-Teil des O-Flügels. Der **Rundturm** im
Hof, um 1200, ist der älteste Wehrbau. Ins frühe 14. Jh.
reicht der »**Sonnenturm**« an der SO-Ecke zurück. Auch die
das Geviert umgebende, mit 11 Türmen bewehrte **Ringmauer** gehört noch diesem Jahrhundert. An Bischof Rudolf
v. Scherenberg, der in der 2. Hälfte des 15. Jh. diese noch
wohlerhaltene (nur östlich, durch den im späten 17., frühen
18. Jh. angelegten »Fürstengarten« verdrängte) Mauer erneuert und verstärkt, erinnert das nach ihm benannte, 1482
dat. westl. **Tor**. Auch das Geviert wurde von ihm gutenteils
neu gestaltet. Sein Nachfolger, Lorenz v. Bibra, legt 1511
dem O-Flügel die »**Bibratreppe**« vor, einen der reizvollen
Wendelsteine später Gotik. Entscheidend, das Erscheinungsbild der Burg endgültig bestimmend, betätigt sich Bischof
Julius Echter. Der O-Teil des S-Flügels (1578), der ganze
N-Flügel (1600), der **Marienturm** an der NO-Ecke, die
Vorburg (wahrscheinl. auf älterer Grundlage) gehören ihm.
Wandelte er die Burg zum Schloß, so wandelte sich die
doch noch keineswegs entrechtete Burg unter Fürstbischof
Johann Philipp v. Schönborn zur Festung. Das begann 1648
und währte bis tief ins 18. Jh. Es entstanden die wuchtigen
Mauerstirnen der **Bastionen**: kahler und doch großartiger
Sockel der nur wenig von den Ecktürmen überragten,
horizontal gelagerten Burgmasse. Unter den Festungsbau-
meistern sei Petrini genannt, der um 1658 aus Mainz geholt
wurde. 1709 entsteht westl. der Vorburg das **Zeughaus**,
nach den Plänen des Artilleriehauptmanns Andr. Müller,
dann, als Letztes, der dem Leistengrund so wohl anstehende
Maschikuliturm und, an der N-Seite, die **Teufelsschanze**,
beide durch B. Neumann. Seitdem verharrte die Burg
Marienberg bei dem, was sie hatte, nur daß 1865 der W-

Teil des S-Flügels durch einen Neubau ersetzt wurde. – Zählen wir die wichtigsten Teilbereiche und Teile der Burg auf. Im O die **Hauptburg**. Die Wandungen den Hof umgebenden Gebäude (bis ins 19. Jh. mit Zwerchgiebeln der Juliuszeit geschmückt) bieten nicht viel auf. Um so wirkungsvoller die Gruppe von **Bergfried, Marienkapelle** und **Brunnenhaus**. Dieses, ein Achteck, ein im 19. Jh. eingemanteltes, erst 1938 wieder freigelegtes feines Zierstück der Juliuszeit. Der 106 m tiefe Brunnenschacht ist mittelalterl. Die **Kirche**, deren Patronin Berg und Burg schon früh den Namen gab, ist »uralt«; trifft das (erst spät überlieferte) Jahr 706 zu, dann die älteste Deutschlands. Urkundl. ist die innerhalb der Burg zu Ehren der hl. Maria errichtete Basilika 822 faßbar. Der Grundriß der 1,65 m starken Umfassungsmauer beschreibt ein Rund mit 6 in der Mauerstärke liegenden Halbrundnischen. Über dem 12,55 m klafternden Rund eine Tambourkuppel, die Nischen sind mit Halbkuppeln überwölbt. Am Äußeren ein wohl spätroman. Rundbogenfries. Der rechteckige Chor (dem aber ein durch Grabungen nachgewiesener frühmittelalterlicher voranging) ist eine Zutat des Bischofs Julius. – Die äußere Ansicht der Hauptburg ist durch die **Türme** bestimmt: den got. Randersackerer oder Sonnenturm an der SO-, den Marienturm (der Juliuszeit) an der NO-, den (mittelalterl., in der Juliuszeit erneuerten) Kiliansturm an der NW-Ecke. Die zwischen die Türme eingespannten Fronten sind wortkarg. – Auch die mit 3 Flügeln einen Hof umfassende **Vorburg**, westl. der Hauptburg, ist sparsamen Aufwands; aber reich, prunkend, ist das der W-Seite (Echterbastei) vorgelegte Portal. Das nun das Mainfränkische Museum beherbergende **Zeughaus**, westl. der Vorburg, ist gute repräsentative Architektur: 2geschossig, mit Pilastergliederung im Buntsandstein, das Erdgeschoß in Einfahrtstoren geöffnet. – Die umschließende bastionäre Befestigung wurde (1648) an der O-Seite begonnen. Die des Schutzes bedürftigste W-Seite wurde in den 80er Jahren des 17. Jh. und noch im beginnenden 18. Jh. mit weiteren Werken verstärkt. Teufelsschanze nördlich und Maschikuliturm südlich beendeten die Festung, die Zweckbau ist und nicht mehr sein will (und doch »schön« ist in der elementaren Erscheinung der Mauerwuchten) und nur die Tore schmükkend auszeichnet: das **Neutor**, durch das man eintritt in den Bering, mit dem Wappen des Johann Philipp v. Schönborn, ein vorzügliches Exempel des frühen Barock der Mitte des 17. Jh., das **Schönborn-Tor**, durch das man eintritt in den inneren Bering, mit dem Wappen des gleichen Schönborn, das **innere Höchberger Tor** (nordwestl. des Zeughauses), mit dem Wappen des Fürstbischofs Joh. Gottfried v. Guttenberg (1684) und das **äußere**, mit den Initialen des Fürstbischofs Johann Phil. v. Greiffenklau. – Burg, Schloß, Festung: in dieser Dreiheit steht der Marienberg fast unvergleichlich da. Und sein herrscherliches Verhältnis zu Talstadt und Stromlandschaft ist nicht genug zu rühmen.

Rathaus

Erwachsen aus dem Hof des bischöfl. Schultheißen Billung, 1212 bereits nach dessen Sohn »Graf Eckardshof« benannt, seit 1316 im Besitz der Stadt, entwickelt sich um den alten, verschiedentlich um- und ausgebauten Hof ein Konglomerat von Baulichkeiten, das noch im 19. Jh. (1822, 1898) erweitert wird.

Der 4geschossige Graf-Eckards-Bau ragt steil auf und gewinnt noch an Steilheit durch den der SO-Ecke aufgesetzten Turm. Erd- und erstes Obergeschoß sind spätromanisch, der Turm ist, oberen Teils (vom 4. Geschoß des Hauptbaus ab) spätgotisch (1453). Die Aufstockung des 3. und 4. Geschosses des Hauptbaus geschah 1593/94. Im 1. Obergeschoß der große (nach dem Kaiserbesuch von 1397 so benannte) *Wenzelsaal*, ein 2schiffiger Raum des frühen 13. Jh. Spätromanisch-frühgotisch sind auch die an der Front der unteren Turmgeschosse erscheinenden Formen (man beachte die vortreffliche Tierplastik in den Rundbogen seitl. des Doppelfensters im 1. Geschoß und die Kopfkonsolen der Rundbogen). Im südl. anschließenden sog. *Kellerbau* (des frühen 15. Jh.) die längst profanierte *Ratskapelle*, 1399 geweiht, ein Rechteck mit 3 Rippenkreuzgewölben. Westl., nordwestl. des Graf-Eckards-Baus, steht der 1659/60 errichtete »*Rote Bau*«, ein ausgezeichnetes Werk spätester Renaissance, im schönsten Rotsandstein aufgeführt, 2geschossig, mit rustizierten Pilastern im Obergeschoß und auch im 3mal gestuften Giebel.

Rückermainhof. Der Amtshof des Stiftes St. Burkard wird 1715–23 neu gebaut, nach den Plänen des Hofzimmermanns Meister Joseph Greising. 1945 stark beschädigt, hat das sehr stattliche Gebäude inzwischen sein Gesicht zurückgewonnen. Die 3geschossige Straßenfront zählt 15 Achsen. Plastische Gliederung durch Doppelpilaster und gepaarte Rahmenfenster. Stärker akzentuiert die Mittelachse: Portal, mit Figuren besetzter Sprenggiebel, Frontongeschoß. – Der Baumeister, Greising, steht zwischen Petrini und Neumann, er verdeutlicht den italienischen Barock, freut sich an kleinteiliger Häufung, weiß aber doch eine große Baumasse vorzüglich durchzuordnen.

Haus zum Falken. Im Krieg schwer beschädigt, aber nun wiederhergestellt. – Der Kaufmann F. Th. Meissner erwirbt das ältere Haus 1735; seine Witwe gibt ihm (das sie zur Bewirtung hoher und vornehmer Gäste, als Gasthaus also, einrichtet) 1751 durch die von 3 gewellten Giebeln überhöhte Fassade die endgültige Gestalt. Die in virtuoser Stuckarbeit ausgeführte Dekoration beschränkt sich auf die Rahmungen der Fenster und die Stirnflächen der Giebel, erweckt aber, bei der engen Reihung der Fenster, den Eindruck einer reichen ausgebreiteten Fülle. Die Art dieser Flächenschmückung möchte eher auf einen bayerischen (Wessobrunner?) als fränkischen Stuckbildner schließen lassen.

Ehem. Frauenzuchthaus, neben St. Burkard, an das es südlich unmittelbar anschließt. 1809/10 von dem aus Mannheim gekommenen Peter Speeth errichtet; beachtliche, originelle Leistung des Klassizismus. Der 3 geschossige Block ist durch die schwere Bossenquaderung des Erdgeschosses, die geschlossene Mauerstirn des 1. Obergeschosses und die gereihten Rundbogenfenster des 2. charakterisiert; die Mitte durch den Halbkreis des Tores betont, dem, über dem starken Gesims, eine Attika aufsitzt; ihre 10 Säulchen sollen die 10 Gebote bedeuten: Hinweis auf die Eigenschaft des Hauses, die der Bau schon deutlich genug ausdrückt.

Main-Brücke

Sie besteht, steinern, schon im 12. Jh., Werk angebl. eines Dombaumeisters Enzelin. 1473 beginnt die uns erhaltene zu entstehen, 1488 sind die Pfeiler gesetzt. Die Wölbung wird erst 1543 fertig. Werkmeister bei Baubeginn ist Hans von Königshofen. In den 20er und 30er Jahren des 18. Jh. bevölkert sich die Brücke mit den *Sandsteinstatuen der Heiligen,* gemacht von den Brüdern Joh. Sebastian und Volkmar Becker (südl. Teils, 1725–29, und 2 der N-Reihe, St. Joseph und St. Joh. Nep.) und Claude Curé. Diese Statuen (Totnan, Kilian, Immaculata, Kolonat, Burkard, Bruno, Pippin, Friedrich, Joseph, Joh. Nep., Karl Borromäus und Karl d. Gr.) sind heute durch Kopien ersetzt. – Nur die Prager Moldau-Brücke mag sich mit der Würzburger vergleichen lassen. Auch nach den Zerstörungen des Krieges ist uns dieses Schauspiel geblieben: diese Brückenprozession vor der mittelalterl. vieltürmigen Stadt, die mit ihrer Hauptachse (Domstraße) auf sie Richtung nimmt. Der auf ihr Herankommende passiert den *Vierröhrenbrunnen,* eine mit Bildhauerarbeit reich geschmückte Pyramide, die Lucas van der Auvera entwarf und Peter Wagner 1763–66 ausführte, vor-

treffliche Besetzung des Platzes vor dem Rathaus kurz vor
dem Anstieg zur Brücke.

Würzburg-Heidingsfeld

*Die eingemeindete Stadt, eine knappe Wegstunde oberhalb am
linken Main-Ufer, hat eine lange und wechselvolle Geschichte.
Einer ältesten Siedlung um den karoling. Königshof im Umkreis der Pfarrkirche St. Lorenz wächst eine bischöfliche Siedlung
zu, beide ummauern sich, der »Zwischengemäuerbach« trennt, eine
Brücke verbindet. 1368, in seiner böhmischen Zwischenzeit, mit
dem Stadtrecht begabt, 1525 bauernverbündet und mit Verlust
seiner Freiheiten bestraft, erleidet Heidingsfeld seine schwerste
Heimsuchung 1945.*

Von der alten Stadt blieb nicht viel. Auch die **Pfarrkirche** ging bis auf
Turm und Krypta (beide romanisch) dahin. Ein Neubau Hans Schädels
(1948) steht an ihrer Stelle. – Die im neuen Viertel westlich (»an der
Lehmgrube«) ebenfalls nach Plänen Schädels errichtete **Pfarrkirche Hl.
Familie** (1954/55), Zelt über quadratischem Grundriß, steht mit Turm
und Nebengebäuden in guter Gruppe zusammen.

ZELL b. Würzburg (Ufr. – C 2)

Prämonstratenserkloster und Kirche Oberzell

*Die Gründung wurde durch einen Würzburger Besuch des Ordens-
stifters Norbert 1126 veranlaßt. Die im späten 12. Jh. errichtete
Kirche tauscht um 1600 ihren Chor gegen einen neuen aus und
erhält gleichzeitig das wohl schon im urspr. Plane vorgesehene
Doppelpaar der Türme an dessen Flanken; wenig später (nach
1614) wird die Kirche gewölbt. 1696 entsteht die W-Fassade. Die
Ausstattung, Stuck und Fresko, fällt in die Jahre zwischen 1710
und 1738. – 1803 wird auch Oberzell säkularisiert. Der Staat
veräußert es 1817 an die (sich bedeutend entwickelnde) Schnell-
pressenfabrik König & Bauer. 1838 müssen Chor und Türme verschwinden. Erwerbung durch die Kongregation der Dienerinnen
der hl. Kindheit Jesu, 1901, rettet Kirche und Kloster. König &
Bauer siedeln auf das rechte Main-Ufer über. Wenig später gewinnt die Kirche den zerstörten O-Bau, Chor und Türme, zurück.*

Das Ä u ß e r e , ins Grüne gedrückt, ist wenig auffällig, bis
auf die beiden (neuen) Türme, die sich der gleichsam fließenden Tallandschaft entgegenstellen, und die barocke Fassade,
die anspruchsvoll ist: 2geschossig, unten 3teilig, mit gliedernden Säulen, Statuennischen und krönendem Sprenggiebel.
– Die **Kirche** ist eine 3schiffige Kreuzbasilika, die ihren
roman. Kern bewahrt hat. Der Schritt der 7 Rundbogenarkaden ist noch der alte; die Säulen fußen auch noch auf

den (attischen) Basen, die Würfelkapitelle stecken unter
Stuckverkleidungen, sind aber noch kenntlich genug. Statt
der hoch liegenden Fensterreihe denke man sich eine etwas
tiefer liegende, statt der Stichkappentonne eine Flachdecke.
Die Raum - A u s s t a t t u n g des 18. Jh. vermied starke
Akzente; stärkeren Gewichts nur das den Hochgaden abgrenzende Gesims. Der Akanthus- und Bandwerkmotive
mischende Stuckdekor überspielt in leichtem Relief die
Wandflächen; die Freskenfelder (weitgehend erneuert) sprechen wenig mit. – Der gesamte, auch das Querschiff einschließende O-Bau ist letzte Zutat. Alter Bestand ist die
westl. Vorhalle; die seitl. mit Kreuzrippengewölben gedeckten Joche sind Annexe von 1622, das mittlere, mit Kreuzgratgewölbe gedeckte, noch romanisch. Diesem urspr. von
einer Kapelle überhöhten Laieneingang westlich entsprach
der Klostereingang südlich, der sich, stark restaur. allerdings,
auch erhalten hat, ein von ornamentalem Rechteckrahmen
umfahrenes, breit geschwungenes Rundbogenportal. – Hier,
südlich, legt sich also das Kloster an, dessen Bereich durch
das schöne roman. *Hoftor* mit dem großen Bogen für den
Fahr- und dem kleinen für den Fußverkehr betreten wird.
Rahmen ist eine seitl. von Lisenen, oben von einem Rundbogenfries gerahmte Rechteckfläche; von Säulchen getragen,
umkreist jeweils ein äußerer Bogen einen tiefer gestuften
inneren. Kostbares, weil sehr seltenes Relikt einer roman.
Klosteranlage.

Das **Kloster** umfaßt 2 Innenhöfe, deren nördlicher offen
blieb. 1744–53 von B. Neumann, sicher im W- und wohl
auch im S-Flügel aufgeführt, dann, bis 1760, vom Sohn,
Franz Ignaz, jedenfalls nach den Plänen des Vaters, zu
Ende gebracht. Die 3geschossigen Trakte durch Risalite gegliedert. Neben einfachen Putzfronten reichere in Haustein.
Hervorgehoben durch großzügige, plastische Gliederung der
Fassade der W-Flügel (der nicht vollendet wurde). Über
rustiziertem, sockelhaft gehaltenem Erdgeschoß »große Ordnung«: Hauptgeschoß und Mezzanin zusammengreifende
Säulen und Pilaster, reich gerahmte Fenster einschließend;
der schöne Sandstein wirkt steigernd mit. Das nicht große,
doch raumweit wirkende Treppenhaus in der Mitte, 1760
dat. (also vom jüngeren Neumann ausgeführt), geleitet auf
2 mehrfach gebrochenen, sich auf einem Podest treffenden

Läufen, unter flacher Spiegeltonne, ins Obergeschoß. Vortäuschung eines Umgangs durch Blendbalustraden, wie im nächst vergleichbaren, doch großartigeren Ebracher Treppenhaus. Die Stuckierung, Rocaille im letzten reifsten Ausblühen, vom Meister Ant. Bossi, der auch die 4 Stuckstatuen in den Ecken (Virtutes) leistete. Bossi dürfte auch die übrigen Klosterräume, soweit geschmückt, geprägt haben. In einem der beiden (nicht zugänglichen) Refektorien Gemälde von Joh. Zick (1755). In einem der Korridore (S-Flügel, Obergeschoß) schmiedeeisernes Gitter, wohl vom Hofschlosser Joh. Georg Oegg. Der Würzburger Hof hatte seine Besten ins Zeller Kloster abgeordnet. – Ein letzter Blick gelte dem durch 2 bekuppelte Eckpavillons begrenzten **Terrassengarten**, der die Talansicht des Klosters rahmend beschließt.

Ehem. Prämonstratenserinnenkloster Unterzell

In der 1. Hälfte des 13. Jh. wird der urspr. mit Oberzell verbundene Frauenkonvent der Prämonstratenser nach Unterzell verlegt. Im Bauernkrieg zerst., wird das Kloster 1562 aufgelassen, doch 1606 wiederhergestellt. 1609 wird die bestehende Kirche durch den Italiener Lazaro Augustino aufgeführt, 1611–13 auch das Kloster. Die Säkularisation profaniert Kirche und Kloster.

Die Unterzeller **Klosterkirche** ist eine typische Schöpfung des Würzburger »Juliusstils«. Sie ist 1schiffig, das Schiff zählt 6, der eingezogene, in 3 Achteckseiten schließende Chor 2 Joche. Die Wölbungen sind Stichkappentonnen mit unterlegtem Rippennetz. Der Turm ist in 4 Geschossen spätromanisch. – Das **Kloster** umzieht in 3flügeliger Anlage einen der S-Seite der Kirche angelehnten Innenhof. An der südöstl. Ecke eine noch gut erhaltene Kapelle, der ein (1720–30 stuckierter) Saal aufgestockt ist.

ZELL b. Oberstaufen (B. Schw. – A 7)

Kapelle St. Bartholomäus. Der unscheinbare Bau des 14. (Langhaus) und 15. Jh. (Chor) enthält bedeutende Wandmalereien, vermutl. aus der Erbauungszeit des Chores (um 1440): Szenen aus dem Marienleben, aus dem Sterben der Apostel, die Klugen und Törichten Jungfrauen, das Weltgericht über dem Chorbogen. Schreinaltar (Muttergottes, St. Barbara und Stephan) mit Flügelgemälden, 1442 von Joh. Strigel (aus der Memminger Künstlerfamilie). Die Seitenaltäre sind Leistungen aus der Zeit um 1500 (der nördliche wohl aus der Werkstatt des Ivo Strigel), doch durch neugot. Fassung und Zutaten entstellt. Sakramentshaus 1440.

ZIEMETSHAUSEN (B. Schw. – B 6)

Cemanneshusun, erst welfisch, dann staufisch, kommt um die Mitte des 13. Jh. an Burgau. Um 1500 mit Marktrechten begabt, erwerben es 1751 die (später gefürsteten) Grafen von Oettingen-Wallerstein durch Kauf.

Pfarrkirche St. Peter und Paul

Unter Einbeziehung roman. Bauteile errichtete Joh. Schmuzer 1686 bis 1694 den bestehenden Hallenraum. 1749–56 bemächtigte sich das Rokoko der Musikempore und des Chores. Turmerneuerung 1847.

Schmuzers Hallenschiff erhebt sich über quadratischem Grundriß. Die Pfeiler treten weit auseinander, die Halbkreistonne kann sich breit entfalten.

Vorzüglich ist die wessobrunnische Stuckdekoration, die durch Rahmenbänder und fein modelliertes Rankenwerk die räumliche Gliederung unterstützt und einen zentralen Akzent andeutet (Deckenfresken 1875). Das um 1750 hereingetragene Rokoko (W-Empore, Chor) gereicht der feinsinnigen Raumschöpfung nicht zum Vorteil. – Hochaltar von Tassilo Zöpf 1756. Die Bekrönung wurde von dem voraufgegangenen Hochaltar Ben. Vogels (1693) übernommen. Figürliche Zutaten 19. Jh. Seitenaltäre 1712–14. Kanzel 1692. Ein besonderes Prunkstück findet sich in der Kapelle nördl. vom Langhaus: der *Anna-Altar* von 1697, dessen figürlichen Schmuck der Landsberger Lorenz Luidl lieferte. Im Vorherrschen der aufgeregt knitternden Faltengebung ist Luidl, Vertreter einer volkstümlichen Kunstströmung, noch eng der spätgot. Tradition verhaftet, bei allem barocken Pathos.

Wallfahrtskirche »Auf dem Vesperbild«. Neubau von Joh. Gg. Hitzelsberger 1754: ein Saalraum mit gerundeten Ecken, quadratischem Vorchor und Apsis. Die locker verteilte Rocaillestukkatur wird Tassilo Zöpf zugeschrieben. Die Freskomalerei gab der Tiroler Balth. Riepp. – Die unpassenden neuroman. Altäre hat das 19. Jh. hereingestellt. Im Hochaltar die verehrte Vespergruppe, wohl 17. Jh. Die guten Seitenfiguren (St. Katharina und Barbara) hat Joh. Gg. Bschorer geschaffen (um 1725). Desgleichen die am Chorbogen aufgestellten Darstellungen Mariae und Josephs.

ANHANG

FACHWORT-ERLÄUTERUNGEN

Ädikula (lat. aedicula, Häuschen, Tempelchen). Rahmender Aufbau um Portale, Reliefs (bei Grabdenkmälern z. B.) und Gemälde (so im Altarauszug).

Akanthus. Der Name des gegen Ende des 5. Jh. v. Chr. von den Griechen geschaffenen Blattornaments kommt von einer mittelmeerländischen Akanthus-(Distel-)Art. Die ornamentale Prägung des ungestielten gezähnten, gezackten oder gelappten Blattes ist aber nicht von der genannten Naturform abhängig. Ausgang des seit der Antike nicht mehr verlorenen, in Renaissance und Barock wieder frisch auflebenden Motivs ist die *Palmette*.

Antependium (lat.). Das »Davorhängende«, eingeschränkt auf die Altarverkleidung. Das A. bekleidet den Altartisch meist an seiner Front, zuweilen auch an den Schmalseiten. Es tritt oft als gesticktes Tuch auf, im Mittelalter u. a. als Treibarbeit, auch gemalt und später häufig geschnitzt oder in Einlegetechnik.

antikisch. Das von Antike genommene Adjektiv drückt die Absicht einer mehr oder minder engen Nachahmung antiker Formen aus. Naivität der Nachahmung, die den eigenen Zeitstil nicht ausschließt, kennzeichnet den Begriff.

Apsis. Das griech. Wort bedeutet Bogenrundung, und der Halbkreis ist auch das Merkmal der A., die, aus dem römischen Profanbau übernommen, das Mittelschiff der Basilika an einer der Schmalseiten, meist der östlichen, als eigener Raumkörper, Halbzylinder mit Halbkuppelwölbung, beschließt. Urspr. für den Altar, den Sitz des Bischofs (Kathedra) und den der Presbyter bestimmt, verliert die A. mit der Ausdehnung der Choranlage (durch Querschiff und Chorarm) diese Bestimmung im frühen Mittelalter. Doch bleibt sie wesentlicher Bestandteil der roman. Kirchenarchitektur. Erst die Einbeziehung des Chorschlusses in den größeren Organismus der Choranlage in der Gotik verneint ihre Geltung. Sie ist nicht unbedingt an den Halbkreisgrundriß gebunden (polygonale Apsiden im 12. und 13. Jh.), bleibt ihm aber eng verhaftet. In der nachmittelalterl. Architektur ist die Anwendung des Begriffs von diesem Merkmal abhängig zu machen. – Die mittelalterl., roman. A. kann in Mehrzahl vorhanden sein: etwa jedem der Schiffe, dem Hauptschiff an beiden Enden, dem Querschiff zugeordnet.

Architrav. Das waagrechte »Gebälk« über den Säulen, Pfeilern oder Pilastern der antiken und nachmittelalterl. von der Antike abhängigen Architektur.

Archivolte. In erster Bedeutung die abgesetzte Rahmenleiste eines Rundbogens, in weiterer die Innengliederung der Bogenleibung, d. h. die den Gewändegliederungen (Pfeiler, Säulen usw.) entsprechenden plastischen Bogenläufe. Hauptbeispiele an spätroman.-frühgot. Portalen.

Arkade. Das Wurzelwort ist das lat. arcus, Bogen. Das abgeleitete *arcatura* meint die Kombination einer Stütze (Säule, Pfeiler) mit einem Bogen beliebiger Form. Die geschichtlichen Voraussetzungen liegen in der hellenistisch-römischen Antike. Die frühchristlich-roman. A. schließen in direkter Abfolge an sie an. In vielfacher Abwandlung blieb die A. dem christlichen Kultbau bis heute verbunden.

Atlant. Abgeleitet von Atlas, dem Himmelsträger der Griechen, meint A. den menschlich gebildeten, scheinbaren oder wirklichen, Träger eines lastenden Architekturteiles. Die griech.-röm. Antike gibt das Motiv an das Mittelalter weiter, das es aber verhältnismäßig selten verwendet. Häufig in Renaissance und Barock neben der nun allerdings bevorzugten Herme. Die weibliche Entsprechung ist die *Karyatide.*

Atrium, Vorhof. Das lat. Wort bezeichnet urspr. den Haupt-(Herd-)Raum, später den Eingangs-Raum des römischen Hauses mit stark erweiterter Regenöffnung *(impluvium)* des Daches. Die konkurrierende Bezeichnung *Paradies* scheint auf eine zweite, östliche Wurzel, auf den Tempelvorhof hinzuweisen. Atrien, Vorhöfe mit Säulenhallen (Portiken) auf drei Seiten und Brunnenanlage in der offenen Hofmitte gehören zum Bestand der frühchristlichen und noch der frühmittelalterl. Basilika. Ältestes nachgewiesenes deutsches Beispiel: Lorsch, 767–774. Nachblüte des A. in den Klöstern der cluniazensischen Reform.

Attika. Aufmauerung über einem Gesims; im Barock zuweilen als eigenes, doch vermindertes Geschoß durchgeführt. Hier immer über dem Kranzgesims.

Auszug, Altarauszug. Kleines Obergeschoß des Altaraufbaus. Der A. (auch Aufzug) nimmt seit der Renaissance die Stelle des got. Sprengwerks ein und umfängt als zweiter, kleinerer Schrein oder Rahmen (über den größeren) eine Figurengruppe oder ein Gemälde.

Baldachin. Ein kostbarer Seiden- oder Brokatstoff, dann, übertragen, der aus diesem Stoffe gemachte »Himmel« (Thronhimmel). Der B. ist tragbar (Prozessionshimmel) oder fest (Altar-, Statuen-B. usw.). Der Antike unbekannt, gewinnt der erst im 15. Jh. so genannte B. wachsende Bedeutung im Mittelalter. Als Statuen-B., der den Entfaltungsraum der Statue oben beschließt (wie die Konsole unten), entwickelt und vollendet er sich in spätroman. und frühgot. Zeit. Die nachmittelalterl. Stilperioden kennen ihn kaum.

Bandelwerk oder *Bandwerk* ist ein zeitlich eng begrenztes Ornament, etwa der Jahre 1715–40, das, von franzö. Künstlern, J. Berain an der Spitze, unter Verwendung älterer Ornamentformen (Arabeske, Groteske) entwickelt, sehr rasch auf Deutschland übergreift. Das Charakteristikum des B. ist ein Schlingwerk von Bändern. Die Stilstufe ist die in Frankreich »Régence« genannte, die zum Rokoko überleitet.

Baptisterium. Taufkirche. Stets einer Bischofskirche zugeordnet;

meist über zentralem Grundriß mit mittlerer Taufgrube. Aus
frühchristlicher Zeit herkommend; in Deutschland auf das Frühmittelalter eingeschränkt.

Basilika. Das Wort ist sicher griech. Herkunft, doch fraglich in
der Ableitung. Die sich seit dem frühen 2. Jh. entwickelnde
römische B., zunächst wohl eine Geld- und Bankgeschäften, später auch Gerichts- und Marktzwecken dienende Halle, ist ein
Langbau meist mit Seitenschiffen und einer apsidalen *»Tri-
buna«*. Die frühchristliche B. ist eine vorwiegend drei-, aber auch
mehrschiffige Säulenhalle mit flacher Decke. Längsrichtung und
apsidialer Schluß (meist, doch nicht notwendig, östlich), Höhen-
stufung der Schiffe (Haupt- und Nebenschiffe) sind und bleiben
die Wesensmerkmale der B., die bei allen Abwandlungen (etwa
in der Kathedrale oder in den zentralisierten Kirchen des Barock) nie als *die* Bauform des christlichen Kultbaus aufgegeben
wurde.

Bergfried. Sprachliche Ableitung wie erste Bedeutung des Wortes
(Berchfrit) unsicher. Im eingebürgerten Gebrauch bezeichnet es
den lediglich zur Verteidigung bestimmten, als letzte Zuflucht
gedachten inneren Hauptturm der mittelalterl. Burg.

Beschlägwerk. Das Wort ist eine späte kunstwissenschaftliche Prägung aus dem Ende des 19. Jh. Gemeint ist ein an Metallbe-
schläge erinnerndes Ornament, das auch Motive des »Rollwerks«
verwendet. Der Erfinder (der sich hier einmal nennen läßt) ist
der Niederländer J. Vredemann de Vries (1527–1604). Die
Blütezeit des B. ist das späte 16. und das frühe 17. Jh. Gegen
Ende dieser Zeit dringt die »Ohrmuschel« als erweiterndes Motiv in das B. ein, das sich dann im Fortgang des Jahrhunderts
mit dem »Knorpelwerk« verbindet und in dieser Verbindung
bis in die Spätzeit des Jahrhunderts vorhält.

Blende. Unter der »Blende« einer beliebigen Architekturform ist
die »blinde«, aus dem Raum in die Fläche, ins Relief über-
tragene Fassung dieser Architekturform in dekorativer Verwendung zu verstehen. So kann die Arkade zur Blendarkade, zum
Relief einer Arkade, das Fenster zum Blendfenster, zum Schein-
fenster, werden, um einige der üblichsten Blendformen zu nennen. Die zeitliche Geltungsdauer der Blendformen ist nicht zu
begrenzen, wenn ihnen auch das Mittelalter höheren Rang ein-
räumt als etwa der Barock.

Chor. Das griech. Wort bezeichnet einen Platz für Reigen und
Gesang, dann, übertragen, Reigen und Gesang selbst. Diese
Doppelbedeutung behält das Wort auch im Mittelalter und wei-
terhin. Der Chor des christlichen Kirchengebäudes ist, genau-
genommen, der für den Sänger-Chor bestimmte Raum, also
nicht, wie, ungenau, schon im 15. Jh., der Altarraum einschließlich seiner Annexe. Im üblichen Gebrauch ist jetzt der Chor der
für den Altardienst oft durch Schranken ausgeschiedene, meist,
doch nicht notwendig, östl. Raumteil des Hauptschiffs.

Ciborium. Steinerner Altarbaldachin auf Säulen. Häufig im frühmittelalterl. Italien. In Deutschland nur vereinzelt. Got. Beispiele in Regensburg (Dom), Wien (St. Stephan).

Dachreiter. Türmchen, meist für Glocke oder Uhr bestimmt, das, ohne sichtbaren Unterbau, dem Dach aufzusitzen scheint. Seit dem 11. Jh. bezeugt, häufiger werdend im 12. und, bes., im 13. Jh., dank der den großen Turm ablehnenden Reformorden der Zisterzienser, Franziskaner, Dominikaner etc. Im Spätmittelalter auch profanen Bauten, wie Schloß, Rathaus, eigentümlich.

Deutsches Band, Kachelfries. Fries aus übereck gestellten kleinen Steinen, häufig in Verbindung mit dem Rundbogenfries, dann meist über diesem, als paralleles Zierband gesetzt. Vorherrschend im 12. und frühen 13. Jh. Mit besonderer Vorliebe vom Backsteinbau aufgegriffen und von ihm auch länger, bis in die Spätgotik, bewahrt.

Diamantschnitt. Eine dem Schliff des Diamanten ähnliche Steinbearbeitung. Die roman. Baukunst kennt ihn in kleinster Form, zu Friesbändern gereiht. Renaissance und Barock wenden ihn, nun größeren Formats, auf den Quader (als Bosse, Rustika) an.

Dienst. Die Bezeichnung ist eine Einführung der Kunstwissenschaft des 19. Jh., auf allgemeine Geltung in der Bauhütte des Mittelalters kann sie sich nicht berufen. Gemeint ist eine Wandvorlage, im Stab (die bei Dürer begegnende Bezeichnung) für die Gurte und Rippen des Gewölbes. Die Unterscheidung »alter« und »junger« D. trifft die größere und geringere Durchmesserstärke. Teil des im 12. Jh. begründeten, in der Gotik entwickelten Gewölbesystems, v. a. des Kreuzrippengewölbes, ist der D. auf das hohe und späte Mittelalter eingeschränkt.

Dom. Domus ist zunächst (schon im 6./7. Jh.) das Haus der Kleriker, die Kirche, und meint auch, in zweiter Bedeutung, die Bewohner des Hauses, die Gemeinschaft der Geistlichen, das »Kapitel«. Die mhd. Form thum, thumb erhält sich bis ins 18. Jh. Die Übertragung des Wortes auf die Kirche des Kapitels vollzieht sich offenbar unter dem Anstoß des französ. »dôme« im 15. Jh. »Dom« ist stets die Bischofskirche, nie eine andere.

Dorment, Dormitorium. Gemeinsamer klösterlicher Schlafraum.

Dorsale. Die hochgeführte Rücklehne, Rückwand des Chorgestühls.

Ebenist. Kunstschreiner des 17. und 18. Jh. Die Ableitung von »Eben«holz deutet auf die damals hoch entwickelte Technik der Einlegearbeit.

Empore. Eine Galerie auf Freistützen oder Obergeschoß der Seitenschiffe, des Chorumgangs, der Vorhalle. Frühchristlicher (orientalischer) Herkunft mit Bestimmung als Frauenaufenthalt, spielt die E. im Abendland zunächst eine geringe Rolle. Erst im 12. Jh. räumt ihr die Architektur eine hohe Bedeutung ein. Die Gotik schaltet sie wieder aus. Nur da, wo sie ein Zweck fordert (in den Kirchen der Frauenklöster, »*Nonnen-E.*«), bleibt sie erhalten, doch nur als West-E., die sich kaum von der im Spätmittelalter aufkommenden *Orgel-E.* (meist auf Freistützen) unterscheidet. Die Spätgotik führte die auf Stützen ruhende umlaufende *Balkon-E.* ein. Häufige Verwendung wieder in der Renaissance, häufigere noch im Barock. Der prot. Kirchenbau bevorzugt die auf Stützen gestellte, meist in Holz errichtete *Frei-E.*

Epitaph (griech.). Gedächtnistafel mit Inschrift und bildlicher Darstellung an Wand oder Pfeiler, meist über dem Grab des Verstorbenen.

Eselsrücken. Kielbogen, eine Bogenform der späten Gotik.

Fassade. Das »Gesicht«, die Eingangs- oder Schauseite des Gebäudes, die meist den Querschnitt des Inneren spiegelt, den sie aber auch gänzlich ignorieren kann. Mehrheit von F. an einem Gebäude ist möglich (Front-, Seiten-, Rück-F.), doch wird stets eine unter mehreren den Vorrang als Haupt-F. beanspruchen.

Fassung. Die meist über Grundierung aufgetragene, mehr oder weniger deckende farbige Bemalung plastischer, vorzüglich Holz-, aber auch Steinbildwerke.

Feston. Girlande, aus Blumen, Früchten, Zweigen gebildet, Ornamentform der Renaissance und des Barock; aus der Antike übernommen. Häufig in der Stuckdekoration barocker Kirchen- und Schloßräume.

Fiale. Spitzes, türmchenartiges Zierglied der got. Baukunst, oft als Bekrönung von Strebepfeilern, aber auch von Altären.

Fischblase. Spätform des got. Maßwerks, eine, verglichen mit dem geometrischen Maßwerk der hohen Gotik, verzogene, der Blase eines Fisches ähnelnde Form, die als Leitornament der späten Gotik des 15. Jh. bezeichnet werden darf. Die französ. Bezeichnung der Letztgotik »Flamboyant« leitet sich vom Eindruck des Züngelns, den die F. erwecken kann, ab.

Fletz. Flur oder Vorraum. Gebräuchlich in der bürgerlichen und bäuerlichen Wohnbaukunst.

Fresko, von ital. *»al fresco«,* d. h. auf den frischen Verputz aufgetragenes Gemälde. Die Farben, Wasserfarben, gehen während des Trocknens eine feste Verbindung mit der Kalkschicht des Verputzes ein und sind daher von besonderer Haltbarkeit. Gegenteil: *»al secco«,* die auf die trockene Wand aufgetragene (weniger haltbare) Malerei.

Gaden. Altdeutsche Bezeichnung für ein kleines Haus, in der Architektur das Obergeschoß einer Wandgliederung; z. B. Fenster-G.

Gesprenge, Sprengwerk. Die hoch »springende« Bekrönung des got. Altarschreins. Sie besteht meist aus offenen Türmchen (Fialen) und ornamental geführtem Stabwerk. Vielfach mit Figuren besetzt.

Gewände. Die Schrägleibung des Portal- oder Fenstereinschnittes mit seinen Gliederungen. Sind die Schrägwände ungegliedert, spricht man besser von *Leibung*, die sonst bei Rechtwinkligkeit der die Maueröffnung begrenzenden Wände zutrifft. Die Vorzugszeit des G. ist das hohe und späte Mittelalter.

Gurt. Der mehr oder weniger stark markierte Bogen, der zwei Gewölbejoche voneinander trennt, rund- oder spitzbogig, allen Stilperioden eigentümlich.

Halle. Das Charakteristikum dieser im Spätmittelalter in Deutschland herrschenden Raumform ist die gleichhohe Scheitellage der zwei, drei oder (seltenen Falls) auch vier oder fünf Schiffe, die meist *ein* Dach überdeckt. Ausstoßung des Querschiffs und Angleichung der Choranlage an das Langhaus durch Umführung der Seitenschiffe um den Schluß des Mittelschiffs sind weitere, aber nicht wesentliche Charakteristika. Vorform der Hallenkirche ist die im 10. Jh. aufkommende Hallenkrypta. Der erste größere Hallenbau ist die Bartholomäuskapelle in Paderborn (1010–20). Hauptverbreitungsgebiet der spätroman.-spätgot. H. ist Westfalen. Um die Mitte des 14. Jh. setzt sich die H. als vorherrschende Raumform in Deutschland durch.

Hängezwickel. Wölbflächen, meist sphärische Dreiecke, die vom Viereck des Unterbaus zur Kuppel vermitteln.

Herme. Abgeleitet von der antiken Säule des Gottes Hermes, deren Oberteil als Statue (Kopf des Gottes) gebildet ist, deren Unterteil als Vierkant aus schmaler Basis, sich nach oben verbreiternd, aufsteigt. Hermensäulen oder Hermenpilaster sind stützende oder auch nur schmückende Architekturglieder.

Inkrustation. Die »Überkrustung« von Wandflächen mit Stuckornament; seit dem 16. Jh. gebräuchlich und in der Architektur des 17. und 18. Jh. fast unentbehrlich.

Intarsia. Einlegearbeit in Holz, Stein, Stuck (Scagliola) und anderen Werkstoffen. Verschiedenfarbige und (gegenüber dem *Mosaik*) verschieden große Partikeln werden zu Bild- oder Ornamentfeldern zusammengesetzt. Hohe Vollendung dieser Technik im 16. und 17. Jh.

Joch. Der einem Gewölbefeld entsprechende Abschnitt eines mehrere Gewölbefelder enthaltenden und sie längs oder quer reihenden kirchlichen oder profanen Raumes.

Kachelfries s. Deutsches Band.

Kämpfer. Die einen Pfeiler oder eine Säule am Übergang zum Auflager abschließende, zugleich dieses aufnehmende, einfache oder profilierte Platte. Älteste Beispiele in der Spätantike. Seither stetigen Vorkommens.

Kanon, klassischer. Die unter Berufung auf den antiken Bau-Theoretiker Vitruv (1. Jh. v. Chr.) von den Architekten der Renaissance und des Barock festgesetzte »Säulenordnung«; sie teilt die dorische oder toskanische Säule dem Untergeschoß eines Bauwerks, die ionische dem mittleren und die korinthische oder komposite dem Obergeschoß zu. In gleicher Weise unterliegen diesem »Kanon« auch die Pilaster.

Kapitell. Das Kopfglied, wörtlich »Köpfchen«, der Stütze (Säule, Pfeiler, Pilaster), gegen das Auflager (Gebälk, Bogen) absetzend und zugleich zwischen Stütze und Auflager vermittelnd. Etwa so alt wie der monumentale Steinbau, in der griech. Architektur zu den Grundformen des dorischen, ionischen und korinthischen K. entwickelt, tritt das K. auch in Deutschland mit dem ersten Steinbau, in karoling. Zeit, auf, in Anlehnung an das korinthische, um sich dann von der antiken Vorlage mehr oder weniger stark zu lösen (*Würfel-K.* der reifen Romanik) und in der Gotik eine eigene neue Form *(Blatt-K.)* zu finden. Renaissance, Barock und Klassizismus greifen auf die K.-Formen der Antike zurück.

Kapitelsaal. Versammlungsstätte der klösterlichen oder stiftsgeistlichen Gemeinschaft zu Beratungen oder zu den nicht an die Kirche gebundenen Feierlichkeiten. Der K., ein hallenartiger Raum, liegt in der Regel an der O-Seite des Kreuzgangs.

Kappe ist die durch den Schnitt der Grate ausgesonderte, durch die Grate begrenzte Teilfläche eines Gewölbes, *Stichkappe* ein in eine Tonne einschneidendes sphärisches Dreieck.

Karner. Zweigeschossige Friedhofskapelle der roman. und got. Epoche, meist rund oder vieleckig. Das Untergeschoß ist Beinhaus, das Obergeschoß, meist dem Seelenwäger St. Michael geweihte, Totenkapelle. Häufig im bayerischen und österreichischen Donaugebiet.

Kartusche. Ornamental gerahmtes Feld der Flächendekoration des 16.–18. Jh. Das Feld kann durch Inschrift oder Malerei gefüllt sein, der Nachdruck liegt auf dem Rahmengebilde (aus Rollwerk, Akanthus, Rocaillen o.ä.).

Karyatide s. Atlant.

Kathedrale. Von der Kathedra, dem Sitz des Bischofs abgeleitet und auch nur Bischofskirchen (Frankreichs, Englands) treffend.

Kenotaph. Wörtlich, aus dem Griechischen übersetzt: leeres Grab. Nicht Grabmal, sondern Grab*denk*mal, doch in Form eines Grabmals (Tumba, Sarkophag), das, meist ohne Zusammenhang mit der Grabstätte des Verstorbenen, nur an diesen erinnern will.

Klangarkade, Schallarkade. Bogenöffnung im Glockengeschoß eines Kirchturms.

Knorpelwerk. Ein in den mittleren und späteren Jahrzehnten des 17. Jh. vorherrschendes, durch knorpelartige Verknotungen gekennzeichnetes, symmetrisch komponiertes, etwa einer zentralen Maske entwachsendes vor- oder frühbarockes Ornament.

Kompositkapitell ist die aus einer Vereinigung von ionischen und korinthischen Merkmalen (Voluten und Blattwerk) gewonnene Kapitellform. Abgeleitet aus der römischen Antike. Häufig in der Barockbaukunst.

Konche. Das (griech.) Wort, Muschel bedeutend, meint zunächst die Kuppelschale der Apsis, dann, übertragen, diese selbst. Der kunstwissenschaftliche Gebrauch beschränkt sich auf die »Dreikonchenchöre«, die 3 Halbrundapsiden zu einer Dreipaßfigur zusammenstellen. Beispiel: St. Aposteln in Köln.

Krabbe. Mehr oder minder realistisch geformtes Blattornament (»Kriechblume«), das die Schrägen oder Bogenläufe got. Architekturglieder (Wimperg, Fiale, Giebel) als lockernde Begleitung besetzt. Geltungsdauer ist der gesamte Zeitraum der Gotik bis ins 16. Jh.

Kreuzgang. Das Geviert meist überwölbter Gänge, das den Stifts- und Klosterkirchen in der Regel auf der S-Seite, und einen Hof (Kreuzhof) umgebend, zugeordnet ist. Schon in karoling. Zeit bezeugt. Reichste Beispiele spätromanisch-frühgotisch: Öffnung der Hofseiten in Arkadengruppen (Berchtesgaden, Heiligenkreuz). Die nachmittelalterl. Epochen haben nicht mehr eigenen Beitrag zum K. geliefert.

Kreuzgewölbe. Das K. ist die Durchdringungsform zweier sich rechtwinkelig schneidender Tonnen, ein Vierkappengewölbe, mit mehr oder weniger (je nach Grad der Steigung, »Busung«) scharfen Kanten, Graten der Schnittlinien. Schon den Römern bekannt, setzt sich das K. im 11. Jh. als die herrschende Wölbform des Mittelalters durch. Die Verbindung mit dem Spitzbogen, der es von der Fesselung an quadratischen Grundriß befreit, steigert seine Brauchbarkeit. Erst in der Spätgotik gewinnt die Stichkappentonne die Vorhand. Sie behält sie in den folgenden Stilperioden.

Krypta. Unterkirche, aus der *Confessio* erwachsen, die ein Märtyrergrab unter dem Hochaltar mit einem Ringgang umfängt. Im 10. Jh. entwickelt sich die Hallen-K. unter dem Chor, dessen Boden durch die K. über das Niveau der Schiffe emporgehoben wird. Die Zweckbegründung dieser oft sehr geräumigen, zuweilen auch Vierung und Querschiff einbeziehenden Unterkirchen ist im Reliquienkult des frühen und hohen Mittelalters zu suchen. Die Gotik scheidet die (schon von den Reformorden des 11./12. Jh. abgesetzte) K. aus.

Kuppel. Die runde oder ovale Gewölbeschale eines runden, ovalen, quadratischen oder vieleckigen Raumkörpers, dem sie unmittelbar oder mittelbar aufsitzt. Mittelbar: das Mittel ist dann der sie emporhebende Zylinder, der Tambour (Trommel). Der Scheitel der K. ist meist von einer Rundöffnung durchbrochen, über der dann schützend ein kleiner türmchenartiger Aufbau, die Laterne, steht. In der Entstehung hellenistisch und, vor allem, römisch, geht die Kuppel, in technischen Abwandlungen, durch alle Stilperioden; im Rückgriff auf die römische Antike (Pantheon) entfaltet sie sich, im Mittelalter bes. den Vierungstürmen eigentümlich, erneut in Renaissance, Barock und Klassizismus, jetzt auch der profanen Sphäre zugeeignet.

Lambrequin, der gelappte Seitenbehang eines Baldachins. Das Motiv wird im Barock aus der Textilkunst in das geschnitzte oder stuckierte Bauornament übernommen.

Laufgang. Der durch Mauerrücksprung ermöglichte Gang, meist an der Basis der Fensterhochwand, der aber auch in die Mauer selbst eingelegt sein kann und dann die Leibung der Fenster durchbricht. Beispiele v. a. in der normannischen und rheinischen Architektur des 11.–13. Jh.

Leibung (auch *Laibung*) bezeichnet die Wandungen des Mauereinschnitts von Tür oder Fenster. Über die Unterscheidung von »Gewände« s. d.

Lettner, Lectorium. Die für die Lesung der Evangelien bestimmte Bühne, die, zwischen Schiff und Chor eingestellt, den Chor vom »Laienhaus« abtrennt, nur durch eine Pforte Einlaß gewährend. Die Plattform der Bühne, auch für Sängerchöre verwendet, ist durch Spindeltreppen zugänglich. Erstes deutsches Beispiel des meist Bischofskirchen eigentümlichen L.: Naumburg/Saale. Letzte Beispiele im frühen 16. Jh.

Lisene. Eine senkrechte, schmale, flache Mauerverstärkung, die aber weniger verstärken als gliedern will. Sie ist die einfachere Form des Pilasters (s. d.), der sich durch Basis und Kapitell von ihr unterscheidet. Die L. ist an keine bestimmte Zeit gebunden, wenn ihr auch das Mittelalter, vorzüglich das romanische, eine oft wesentliche Rolle in der Gliederung des Wandkörpers zuerkennt.

Mandorla. Mandelförmiger Glorienschein, der, im Gegensatz zum kleineren, nur das Haupt eines Heiligen umstrahlenden *Nimbus,* die ganze Figur umrahmt.

Mansarde. Dachgeschoß, das eine Knickung des Dachumrisses hervorruft, also das Dach selbst in Geschosse zerlegt; benannt nach dem Baumeister François Mansart (1598–1664), dem die Erfindung der M. zugeschrieben wird.

Maßwerk. Der Ausdruck deutet auf Messen. Zirkelkonstruktion kennzeichnet das aus Kreisen und Kreissegmenten gewonnene M., das ein rein geometrisches Ornament ist. Der Platz, an dem es sich entwickelt und der sein Vorzugsaufenthalt bleibt, ist der Fensterbogen. Anlaß zu seiner Erfindung und Entwicklung bot die Einstellung kleinerer Fensterbogen in einen übergreifenden großen, dessen Restfläche gefüllt werden sollte. Einfache, kreisförmige Vorformen im späten 12. Jh. Erst die Gotik bringt das echte M.; früheste Beispiele am Chor der Kathedrale in Reims, 1210–20. Die zunehmend reiche Aufgliederung führt zu entsprechend reicher Gestaltung der M.-Figuren, deren Variabilität eine schier unermeßliche ist. Hohe Blüte um 1300 (Köln). Die Spätgotik führt zu Wirrungen und Wucherungen, zu asymmetrischen Formen wie der im 15. Jh. beliebten Fischblase (s. d.).

Mensa. Das lat. Wort für Tisch bezeichnet in der kirchlichen Kunst die Platte des Altartisches.

Münster. Das lat. *monasterium* (Kloster) ist die sprachliche Wurzel des Wortes, dessen Begriffsgeltung keine eindeutige ist. M. meint stets eine Großkirche, ist aber nicht mit Dom (Bischofskirche) gleichzusetzen, haftet auch an großen Stadtpfarrkirchen (Ulm, Freiburg, Bern). Sein örtlicher Geltungsbereich ist auf Rhein und Rheinnähe beschränkt.

Netzgewölbe s. Sterngewölbe.

Oculus, Ochsenauge. Rundfenster in der Baukunst des 16.–19. Jh.

Palas. Wie Pfalz auf lat. *palatium* zurückgehend. Der Wohn-, besser Saalbau der (größeren) mittelalterl. Burg, meist zweigeschossig, mit dem Saal im Obergeschoß.

Paradies s. Atrium.

Parament ist das kirchliche Bekleidungsstück: die Bekleidung des amtierenden Priesters, die Bekleidung des Altars (Antependium z. B.) und der Kanzel. Die P.-Farbe ist für die verschiedenartigen kirchlichen Feierlichkeiten vorgeschrieben. In den P. gab die Textilkunst der christlichen Epochen ihr Bestes (kostbare Webarbeit, Stickerei).

Pavillon. Abgeleitet aus der französ. Bezeichnung für ein großes Rechteckzelt (papillon, Schmetterling) und auf kleine, freistehende Gartenbauten übertragen. In der barocken Schloßbaukunst werden unter P. auch die mehr als nach nur einer Seite (Risalit) hervortretenden Gebäudeteile verstanden (Mittel- und Eck-P. z. B.).

Pfalz. Das Palatium, der Palast des Königs, auf diesen oder seinen Statthalter (Herzog, Bischof) eingeengt. Nur dem frühen und hohen Mittelalter eigentümlich.

Pietà, Vesperbild. Darstellung Mariens mit dem Leichnam Christi auf dem Schoß. Bildformulierung des späten 13. Jh.

Pilaster. Ein flacher Wandpfeiler (an Außen- oder Innenwand) mit Basis und Kapitell, antiker Abkunft. Im Mittelalter hinter die Lisene zurücktretend. Von hoher Bedeutung in den Wandgliederungssystemen der Renaissance, des Barock und des Klassizismus.

Portal ist ein repräsentativer, durch Größe oder Schmuck hervorgehobener Eingang, im Deutschen am ehesten mit Tor zu übersetzen. Portale gehören zum vornehmen Bestand jeder mit Ansprüchen auftretenden Architektur. Seine glänzendste Verwirklichung fand das P. im roman. und got. Kirchenbau des Abendlandes.

Predella, auch *Sarg* oder *Staffel*, ist der Untersatz oder das Fußstück eines got. Altarschreins.

Putto, Putti, verdeutscht »welsche Kindlein« (16. Jh.). Italienischer, zuletzt antiker Herkunft, stets nackt, feist und drollig, profane Verwandlungen der Engelskinder des Spätmittelalters, Verkörperungen der glücklichsten Lebenslust.

Querhaus, Querschiff. Der das Langhaus der Kirche, Basilika oder (seltener) Halle im rechten Winkel kreuzende Querarm, der sich unmittelbar vor den Chor legt oder durch ein Chorhaus, Chorquadrat, von ihm geschieden ist. Schon in der frühchristlichen Basilika eingeführt, dient das Qu. zu wesentlicher Bereicherung von Raum und Körper des Kirchengebäudes. Die Verdoppelung der Chöre zieht häufig ein zweites Qu. nach sich. Die Bedeutung des Qu. nimmt erst im Spätmittelalter ab. Sie bleibt in den folgenden Stilperioden verhältnismäßig gering.

Radialkapelle ist die an den Radius des Chorschlusses angeschlossene, mit anderen ihresgleichen einen Kranz um den Umgang des Chorschlusses bildende Chorkapelle. Eigentümlich französisch (romanisch, gotisch), blieb die R. in Deutschland Ausnahme. Beispiele: Hildesheim, St. Godehard; Magdeburg, Dom; Lübeck, Marienkirche.

Refektorium ist der Speisesaal der Mönche, meistens der S-Seite des Kreuzgangs vorgelagert. Als Laienrefektorium wird der Speisesaal der »Brüder« (Fratres) von dem der »Väter« (Patres) unterschieden.

Retabel. Urspr. Tafel (Tabula) hinter und über dem Altartisch. Die einfache Bildtafel entwickelt sich im Spätmittelalter zum Schrein mit Flügeln, in Renaissance und Barock zu hohen, prunkvollen Architekturen. Die Bezeichnung R. trifft aber vorzüglich die frühe einfache Tafelform.

Rippe. Der in einem Bogensegment gekrümmte, gemauerte Stab, der im Querschnitt rechteckig, rund oder spitzbogig, glatt oder profiliert, den Gratlinien des Kreuzgewölbes oder der Fläche des Tonnengewölbes anliegt. Die R. kann konstruktive Bedeutung haben, das Gerüst des Kreuzgewölbes, dessen Kappen dann nur Füllungen des Gerüstes sind, ist aber meist ohne technische Funktion, lediglich dekorativ lineare Gliederung der Wölbflächen. Sie kommt im späten 12. Jh. aus Nordfrankreich (das sich ihrer seit rund 1140 zu bedienen beginnt) nach Deutschland, hält sich als das wesentliche Deckengestaltungsmittel der Gotik bis ins frühe 16. Jh. und kehrt noch einmal mit der Nachgotik (um 1600) und der Pseudogotik (um 1700) zurück.

Risalit (ital. *risalto*). Im Sinne des Wortes »vorspringender« Teil eines Gebäudes, doch nicht an beliebigen, sondern den durch die Symmetrie zugelassenen Stellen, also vorzugsweise an der Mitte und an den Ecken. Reliefbetonung des Baukörpers, ein plastisches Gliederungsmotiv der nachmittelalterl. Stile, insbes. des Barock.

Rocaille. Das franzöS. Wort für Muschel bezeichnet das Leitornament des späten Barock, der eben nach der *rocaille* Rokoko, in Frankreich *style rocaille* genannt wird. Die Geltungsdauer des Muschelornaments läßt sich etwa in die Jahre 1740–70 einklammern.

Rollwerk. Ornament des späten 16. und frühen 17. Jh., meist in enger Verbindung mit dem Beschlägwerk. Einrollungen von Bändern und ähnlichen Streifenbildungen bestimmen den Eindruck.

Rundbogenfries. Reihung von glatten oder ornamentierten kleinen Halbrundbogen. Der R. begleitet die teilenden oder abschließenden Gesimse der Wand des roman. Baukörpers, wenn er nicht selbst schon Gesims ist, häufig durch das »Deutsche Band« (Kachelfries, Reihung übereck gestellter Würfel) bereichert. Erstes Auftreten des ausschließlich roman. R. in Deutschland im 10. Jh., letztes Vorkommen im 13./14. Jh.

Rustika. Roh behauene, »bossierte«, d. h. in der Bosse belassene Quaderung, mit oder ohne Randbeschlag des Quaderbuckels. Bereits in der römischen Antike verwendet, auch gelegentlich im (karoling.) Frühmittelalter. Kennzeichnend für den Burgenbau des späten 12. und 13. Jh. Erneute Bevorzugung in Renaissance und Barock, v. a. in den Sockelgeschossen von Profanbauten.

Sarg s. Predella.

Scagliola. Farbiger, polierter Stuck, zu Bildern oder Ornamenten gefügt.

Scheidbogen ist der ein Joch des Mittelschiffs von dem ihm jeweils entsprechenden Joch des Seitenschiffs trennende Bogen. Bezeichnung, die nur auf die Architektur des Mittelalters Anwendung findet.

Schopfwalm s. Walmdach.

Sedilie. Kirchenstuhl des höheren Klerus, im Mittelalter gern in eine Nische gesetzt.

Sgraffito. Eine in der oberitalienischen Renaissance entwickelte Putztechnik. Eine dunkelfarbige Putzschicht (meist rötlich, grau oder schwarz) wird mit hellfarbener Tünche überzogen. Diese wird, noch vor ihrem Trocknen, mit geritzten Zeichnungen versehen, durch die der dunkle Grund wieder hervortritt.

Spitzbogen. Die Bogenform der Gotik, Kombination zweier sich schneidender Kreissegmente. Im Norden Frankreichs kurz vor Mitte des 12. Jh. aufkommend (St-Denis), dringt der Sp. in Deutschland bald nach 1200 ein, um sich bis ins frühe 16. Jh. zu halten und in Nach- und Pseudogotik noch einmal aufzuleben.

Sprengwerk s. Gesprenge.

Staffel s. Predella.

Stallen. Die gereihten Sitzplätze des Chorgestühls.

Statue. Die St., als freie Rundplastik, verbindet sich mit der Architektur zuerst in der Frühgotik des franzöz. Kronlandes, vornehmlich im Organismus der großen Portale, aber auch innerhalb der Strebewerke, Lettner usw. In Nordfrankreich geschulte Steinmetzen bringen sie in den 20er Jahren des 13. Jh. nach Deutschland (Magdeburg, Straßburg usw.). Solange die Gotik währt, gibt es auch statuarische Plastik im Verbande der Architektur, wenn auch in zunehmender Ermattung in der Spätphase. Die Architektur der nachmittelalterl. Epochen geht vergleichlich enge Verbindung mit der St. nicht mehr ein, sie verstattet ihr meist nur Nebenplätze, in Nischen oder auf Balustraden usw.

Sterngewölbe. Gewölbe meist quadratischen Grundrisses (Flach-

kuppel) mit sternförmiger Anordnung der Rippen. Neben dem
Netzgewölbe, das die Rippen nicht wie das St. zentralisiert,
sondern in unendlicher Verflechtung fortführt, ist das St. die in
der Spätgotik herrschende (schon im späten 13. Jh. gefundene)
Form der gliedernden Gewölbedekoration.

Stichkappe s. Kappe.

Stipes. Unterbau des Altartisches, in den Reliquien versenkt sind;
Träger der Mensa.

Strebewerk. Das im 12. und 13. Jh. an den Kathedralen Nord-
frankreichs entwickelte System der äußeren Abstützung der
Wände und Wölbungen, bedingt durch die zunehmende Höhe
der durch die Fensteraufbrechungen auch zunehmend entkörperlichten Wände. Das Str. besteht aus den senkrechten, in Stufen
aufsteigenden Strebepfeilern und den von ihnen zur Hochwand
von Schiff oder Chor geschlagenen Strebebogen, die auch gedoppelt verwendet werden. Im frühen 13. Jh. zur Reife gebracht,
setzt sich das Str. in Deutschland nur an einigen Großbauten
durch (Köln, Straßburg, Lübeck, Ulm usw.). Der Strebepfeiler
muß meist ausreichen, und kann das, da die Entkörperlichung
der Wand auch meist geringeren Grades ist.

Stuck. Eine aus Gips, Kalk, Sand, auch Strohbeimengungen, zu-
sammengesetzte, zunächst teigige knetbare Masse, die, rasch er-
härtend, rasche und sichere Bearbeitung erfordert. In der Antike
bekannt, im deutschen Kulturbereich in karoling. Zeit nachweisbar, als Material für bildliche Plastik bes. in spätroman. Zeit
eine Rolle spielend (Beispiele in Niedersachsen), tritt der St.
seit dem 16. Jh. in eine nun erst wirklich enge Verbindung zur
Architektur, deren Flächenschmuck er im Barock, bes. Spätbarock, entscheidend übernimmt. Als geglätteter polierter Farb-
stuck (*stucco lustro*; Italien ist der Anreger des nachmittelalterl.
St.) verkleidet er, Marmor ersetzend oder vortäuschend, Pfeiler,
auch ganze Wandflächen. In den 70er Jahren des 18. Jh. endet
seine große Zeit.

Stützenwechsel. Säule und Pfeiler in rhythmischem Wechsel nach
dem Schema a b a oder a b b a. Gliederungsmotiv roman. Arkaden (bes. in Niedersachsen), in enger Beziehung zum »gebundenen System«: Pfeiler auf den Quadratecken des Joches, Säule
auf den Unterteilungen der Quadratseite.

Supraporte (lat.). Das über einem Türsturz, meist in den gleichen
Breitenmaßen, angebrachte Zierstück in Stuck, Schnitzerei oder
Malerei.

Tabernakel. Aufbewahrungsort von Kelch und Hostie, des Allerheiligsten im kath. Kirchenraum. Das mittelalterl. *Sakramentshäuschen* wird in Renaissance und Barock durch das T. ersetzt,
das nun die Mitte des Hochaltars bildet.

Tambour (Trommel). Der eine Kuppel tragende, über die Dach-
zone des Gebäudes aufsteigende zylindrische, ovale oder polygonale Unterbau.

Terrakotta. Gebrannter, unglasierter Ton. Er findet in der Bauornamentik des 16. und frühen 17. Jh. anstelle des Stucks Verwendung, auch als Bildstoff für Plastik seit dem späten Mittelalter.

Tonne ist die im Halbkreis oder Kreissegment geführte, stereometrisch einem halbrunden oder (selten) einem im Scheitel gespitzten Halbzylinder entsprechende Wölbung, die schon in der römischen Antike bekannt und im beherrschten Gebrauch ist. Doch tritt die T. im frühen Mittelalter hinter das beweglichere Kreuzgewölbe zurück. Einzelne Landschaften (in Frankreich Poitou, Auvergne, in Deutschland Westfalen) bevorzugen sie allerdings lange. Sie kann durch Gurte gegliedert, durch Stichkappen aufgelockert werden. Die Stichkappen-T. spielt schon in der Spätgotik und dann bes. im Barock eine wichtige Rolle.

Travée. Die französ. Bezeichnung für Joch trifft im kunstwissenschaftlichen Gebrauch das querrechteckige Schmaljoch, das einer Arkade entspricht. Die Wirkung der, vorzüglich hochgot., Tr. ist die Beschleunigung des durch das Joch gegebenen Raumschrittes.

Triforium. Ein schmaler, wirklicher oder auch nur scheinbarer (dann Blend-)Laufgang am Fuß der Hochwand des Mittelschiffs, mit drei (Name!), doch auch mehreren schlanken Bogenstellungen in den einzelnen Abschnitten, die sich ins Mittelschiff öffnen. Wesentliches Gliederungsmotiv der got. Kathedrale, zunächst noch mit der Empore als 3. Zone eines viergliedrigen Wandaufrisses verbunden, dann die Empore verdrängend, nun Mittelglied des dreigliedrigen Systems der reifen Kathedrale. In Deutschland (Hauptbeispiele Köln, Straßburg) meist ausgelassen. In Frankreich bis in die Spätgotik an den meisten Großbauten verwendet. Ohne praktischen Zweck, nur in der Funktion einer räumlichen Auflockerung des Wandkörpers. Zuweilen in der Rückwand aufgebrochen und hier farbig verglast.

Triglyphe (griech.). Das dreimal gekerbte Zierstück eines Frieses tritt zum erstenmal in der griechischen Klassik auf, zunächst als Dekoration der Balkenköpfe im Architrav und immer im Wechsel mit *Metopen*, d. h. glatten oder mit figürlichen Reliefs gezierten Friesfeldern. In der hellenistischen und nachantiken Baukunst geht die architektonische Bedeutung verloren. Die Tr. wird reines Schmuckwerk.

Triumphbogen. Eine Bogenstellung in ganzer Höhe des Mittelschiffs der Kirche, meist, als Chorbogen, auf der Grenze zwischen Mittelschiff und Chor.

Tympanon ist die das Bogenfeld des Portals füllende Steinplatte, die häufig mit ornamentalem oder figürlichem Relief geschmückt ist. Das T., dessen Vorstufen karoling. Zeit angehören, hat die Geltungsdauer der Portale des roman. und got. Mittelalters.

Vesperbild s. Pietà.

Vierung ist der durch den Schnitt zweier Schiffe, eines Langschiffs und eines Querschiffs, ausgeschiedene Mittelraum des Raum-

kreuzes, »ausgeschieden« im strengen üblichen Sinne allerdings
nur bei gleicher Breite und Höhe der Schiffe und irgendwie,
meist durch Bogenstellungen, markierter Begrenzung. Die ausgeschiedene Vierung ist die Maßeinheit der roman. Kirche des
(eben durch das Quadrat) »gebundenen« Systems.

Walmdach. Vierseitige Dachhaube, deren Flächen (Trapeze in der
Länge, Dreiecke in der Breite) gegen die Firstlinie ansteigen. –
Schopfwalm. Die Dreieckflächen der Breitseiten sind, meist we-
nig unterhalb der Firstspitzen, gekappt, erreichen also nicht die
Basis (Trauflinie) der Langseiten. – *Zeltdach.* Alle vier Dach-
flächen sind Dreiecke, treffen sich also in gemeinsamer Spitze.
– Das *Mansardendach* ist eine durch Brechung der Dachflächen
erzielte Variante des Walm- oder des Zeltdachs.

Wandpfeilerschema. Kirchlicher Raumtypus der Renaissance und
des Barock, der zeitweise, vor allem im 17. und 18. Jh., die
älteren Raumformen, Basilika und Halle, verdrängt. Wesentlich
die starken, den Umfassungswänden vorgelegten Pfeiler (Wandpfeiler), die Nischen oder, bei entsprechender Tiefe, Kapellen
ausscheiden, die dann häufig mit Emporen besetzt sind. Frühes
und fruchtbar fortwirkendes Beispiel: St. Michael in München.
Ein Sonderschema der Wandpfeilerkirche entwickeln die vorarl-
bergischen Baumeister des späten 17. Jh. durch Kombination mit
Querschiffen und Hallenchören.

Weicher Stil. Ein Abschnitt der deutschen spätgot. Plastik und
Malerei etwa in den Grenzen der Jahre 1390 und 1430. Ein
flüssiges, nie eckiges Gleiten der stets reich gehäuften Faltenbahnen verbindet sich mit einem fraulich zarten Gefühlsaus-
druck.

Westwerk. Die Bezeichnung ist späte Einführung der Kunstwissenschaft. Frühe mittelalterl. Bezeichnung: *turris* (Turm), *castellum* (Burg). Turmartige oder turmgleiche Gestaltung eines angeschobenen Baukörpers an der W-Seite großer Kloster- und
Bischofskirchen. Über einer gewölbten Eingangshalle ein meist
groß in das anschließende Mittelschiff geöffneter, von Emporen
umgebener Hauptraum. Der Zweck ist umstritten: Heiligtum
(»Burg«) der Engel, Königsempore, Gerichtsstätte? Diese Ver-
wendungen sind bezeugt. – Verbreitungsgebiet der Kernraum
des Karolingerreiches beiderseits des Rheins. Bis ins 12./13. Jh.
in Abwandlungen (Elsaß, Westfalen) in Geltung, doch nur in
Deutschland.

Wimperg. Urspr. Windberg. Dreieckiger Giebel über Portal und
Fenster, meist mit Krabben besetzt und in Kreuzblume endi-
gend. Ein Vorzugsmotiv der Gotik und so langlebig wie sie.

Zeltdach s. Walmdach.

Zentralbau ist jedes auf eine Mitte, ein Zentrum bezogene, zentri-
petal bestimmte Gebäude, kreisförmigen, ovalen, viereckigen
(quadratischen) oder vieleckigen oder auch gleichschenkelig
kreuzförmigen Grundrisses. Byzanz und der benachbarte Vor-

dere Orient sind die Vermittler des Z.-Gedankens an das Abendland, das aber stets den »orientierten« Langbau bevorzugt.

Zwerch- oder Zwerggalerie. Ein in den Mauerkörper gelegter, in Säulenarkaden geöffneter, meist mit Tonne überwölbter horizontal (zwerch) geführter Umgang unter der Trauflinie, vornehmlich an Apsiden, doch gelegentlich auch auf die Umfassungsmauern der Schiffe übergreifend. Vorform an der westl. Chorfront des Trierer Domes (nach Mitte 11. Jh.). Reif am Speyerer Dom (um 1090), hier offenbar älter als in Oberitalien, das neben Deutschland die Z. im 12. und 13. Jh. vorzugsweise anwendet. Die Z. ist romanisch. Die Gotik kennt sie nicht.

Zwerch- oder Zwerggiebel. Das in der deutschen Renaissancebaukunst beliebte Motiv, häufig in Reihung auftretend, ist Gliederungsmittel der Dachregion. Der kleine Sondergiebel sitzt über der horizontal (zwerch) verlaufenden Trauflinie. Sein Satteldach wird von der Dachschräge, vor die er gesetzt ist, diagonal durchschnitten.

ABBILDUNGSVERZEICHNIS UND QUELLENNACHWEIS

(T = Bildtafel)

KÜNSTLERREGISTER

Meister mit Notnamen und Monogrammisten am Schluß dieses Registers

Meister mit Notnamen

Monogrammisten

ORTSREGISTER

(In Klammern: Regierungsbezirk und Planquadrat des Ortes auf den Vorsatzkarten)

INHALT

Lageplan der behandelten Orte
Südlicher Teil

Maßstab 1 : 1 900 000

0   10   20   30   40   50   60 km